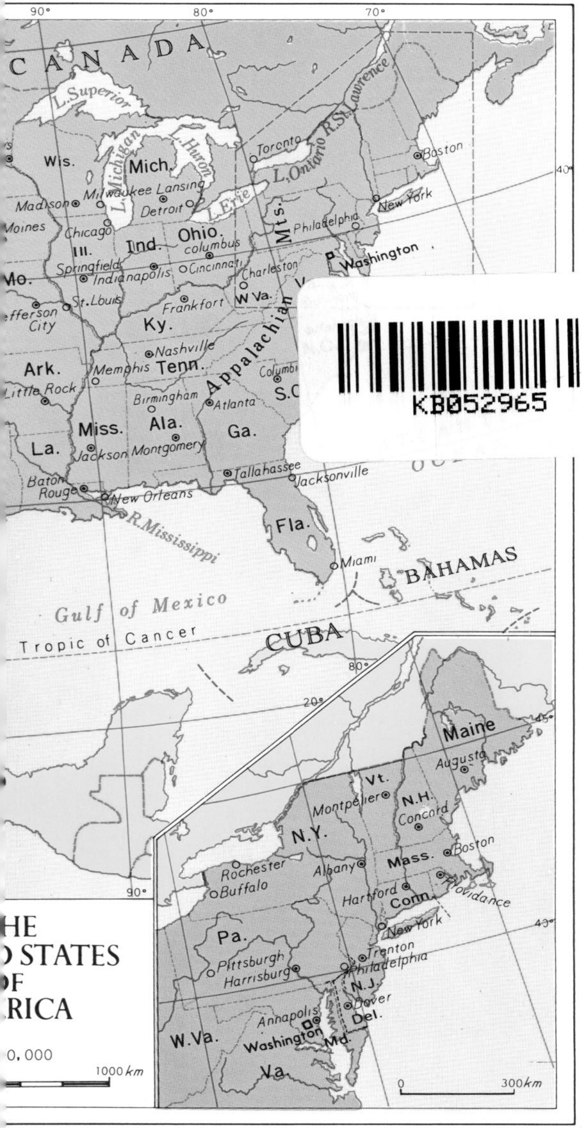
90°
80°
70°
CANADA
L.Superior
L.Michigan
L.Huron
L.Erie
L.Ontario
R.St.Lawrence
Toronto
Boston
40°
Wis.
Mich.
Madison
Milwaukee
Lansing
Detroit
Moines
Chicago
Ohio.
Ind.
Ill.
columbus
Mts.
Philadelphia
New York
Washington
Springfield
Indianapolis
Cincinnati
Charleston
Mo.
St.Louis
Frankfort
W.Va.
Jefferson City
Ky.
Appalachian
Nashville
Ark.
Memphis
Tenn.
Little Rock
Birmingham
Atlanta
S.C
Miss.
Ala.
Ga.
La.
Jackson
Montgomery
Tallahassee
Baton Rouge
New Orleans
Jacksonville
R.Mississippi
Fla.
Miami
BAHAMAS
Gulf of Mexico
Tropic of Cancer
CUBA
80°
20°
90°
HE
STATES
F
RICA
0,000
1000 km
Maine
45°
Augusta
Vt.
Montpelier
N.H.
Concord
N.Y.
Boston
Mass.
Rochester
Albany
Buffalo
Providance
Hartford
Conn.
New York
40°
Pa.
Trenton
Pittsburgh
Philadelphia
Harrisburg
N.J.
Dover
Annapolis
Del.
W.Va.
Washington
Md.
Va.
0
300 km

MINJUNG'S

POCKET

ENGLISH-KOREAN
DICTIONARY

포켓 영한사전

민중서림 편집국 편

[제 2 판]

사서 전문
민중서림

머 리 말

— 포켓판 제 2 판을 내면서 —

휴대에 간편한 신영한 소사전을 간행한지도 어언 40여 년의 세월이 흘렀다. 그 동안 독자들의 끊임없는 격려에 힘입어 꾸준히 개정을 거듭하면서 작금에 이르렀는데, 이제 또한 급변하는 오늘의 문화 전반에 걸친 발전에 발맞추기 위하여 또다시 개정의 작업을 감행하였다.

한편 독자들의 시력 문제 역시 출판사로서는 최대의 관심사이니만큼, 국민 시력 보호의 측면에 서서 소사전이지만 휴대에 지장이 없는 한도 내에서 판을 키워 〈포켓판〉이라 칭하여 따로이 간행하였던 바 독자들의 긍정적인 반응이 있었기에, 이번에도 개편한 소사전과 병행하여 〈포켓판〉 제2판을 간행하기에 이른 것이다.

어느 쪽이든 독자들이 보기에 편리하고 필요에 맞는 쪽으로 선택하여 이용해주기 바라며, 앞으로도 계속 꾸준한 애용과 편달을 빌어마지 않는다. 자그마하나마 이 사전이 독자들의 영어 생활에 일조가 되기를 바라는 마음 간절하다.

민중서림 편집국

일 러 두 기

A. 표 제 어

1. 일반 영어는 고딕체로 나타내고, 충분히 영어화되지 않은 외래어는 이탤릭 고딕체로 나타내었다.
 보기: **boy** ········· 일반 영어 ***gar·çon*** ············ 외래어
2. 표제어의 배열은 알파벳순으로 하였다.
3. 같은 철자의 표제어라도 어원이 다른 말은 따로따로 내고, 어깨 번호를 붙여 구분하였다.
 보기: **host**[1] 주인, ··· **host**[2] 많은 떼, ···
4. 표제어의 분철은 음성학적 원리에 의하여 [·]로 표시하였다.
 보기: **at·tor·ney** **in·de·pend·ent**
5. 두 단어 이상으로 된 복합어나 연어 따위의 표제어에서는 그 각각의 낱말이 표제어로 나와 있어 특별히 분철·발음을 보일 필요가 없을 경우에는 이를 생략하고, 악센트만 표시하였으며, 단독 표제어로 나와 있지 않은 단어에는 분철·발음을 표시하였다.
 보기: **háir·drèsser**
  ábsentee ínterview
  ác·ti·nide sèries[ǽktənàid-]
6. 특히 중요한 표제어에는 3단계의 표시(†, ‡, *)를 하여 학습상의 편의를 도모하였다.
 보기: **†ac·tion** (중학 정도)······························1,500어
  ‡im·pres·sive (고교 정도) ························4,500어
  ***mo·bile** (대학 교양 정도) ·······················5,600어
7. 영·미 철자가 다른 경우에는 미식을 우선하여 들었고, 다음에 《英》으로써 영식 철자를 보였으며, 필요할 때에는 영식 철자를 따로 들었다.
 보기: **†la·bor,** 《英》 **-bour**[léibər]
  ‡de·fence[diféns] *n.* 《英》 =DEFENSE.
 이에 미국·영국의 어미의 상위점을 예시하여 둔다.

《美》	...nse	*defense*	《美》 ...ter	*center*
《英》	...nce	*defence*	《英》 ...tre	*centre*
《美》	...old	*mold*	《美》 ...l...	*traveler*
《英》	...ould	*mould*	《英》 ...ll...	*traveller*
《美》	...or	*color*		
《英》	...our	*colour*		

8. 표제어 중의 ( )는 그 부분이 생략될 수 있음을 나타내는 경우와, 아래 두번째 보기에서와 같이 두 형태가 있음을 보인다.
 보기: **Géi·ger(-Mül·ler) cóunter**
  blame·less(·ly) *a.* (*ad.*) → **blame·less** *a.,* **blame·less·ly** *ad.*
9. 파생어는 가급적 본원어 표제어 항에 몰아 넣었으며, 이때 ~는 표제자어에 해당되며, 발음·음절 구분·악센트의 위치가 다른 것은 되도록 철자 전부를 보였고, 악센트 부호·발음 기호도 필요에 따라 명시하였다.
 보기: **am·big·u·ous**[æmbígjuəs] *a.* ········ **~·ly** *ad.*
  av·id[ǽvid] *a.* ········**a·vid·i·ty**[əvídəti] *n.*
10. 동일어로서 철자가 다른 것은 콤마로 구분 병기하였으며, 뒤의 낱말은 분철에 따라 하이픈으로 일부를 생략하기로 하였다. 이는 파생어에서도 적용한 것이 있다.
 보기: **Mu·zhik, -zjik.**
  au·to·bi·og·ra·phy[ɔ̀:təbaiágrəfi/-ɔ́g-] *n.* ········ **-pher** *n.*
11. 뜻이 같은 언어는 사용도가 높은 것을 보이고 나머지는 〔 〕로 표시하였다.
 보기: **fáith cùre** 〔**hèaling**〕

B. 발 음

발음에 관해서는 발음 약해(p.6) 및 발음 기호 일람표(p.7) 참조.

C. 품사 구별과 관용구 및 예문

1. 품사명은 원칙적으로 발음 기호 뒤에, 또는 — 뒤에 약호로 표시하였으며, 한 낱말이 두 가지 이상의 품사로 쓰이는 경우에는 지면 절약을 위해 병기한 것도 많다. (약어표(p.8) 참조)

보기: †**fif·teen**[fíftíːn] ***n., a.***

2. 연어 표제어는 대개 명사이므로 품사 표시를 생략하였다.

3. 관용구는 이탤릭 고딕체, 예문은 괄호 안에 이탤릭체로 나타내었다.

4. 관용구·예문 중에서는 표제어를 되풀이하는 대신에 ～ 기호를 사용하였다. 단, 되풀이되는 표제어의 첫 글자가 대문자일 경우에는 그 대문자를 쓰고 하이픈으로 이었다.

보기: **bless** 항 중 ***be ～ed*** ＝***be blessed,*** ***B- me!*** ＝***Bless me!***

D. 명사의 복수형

1. 명사의 복수꼴 변화는 다음과 같이 보였다.

보기: **goose**[guːs] *n.* (*pl.* ***geese***)

deer[diər] *n.* (*pl.* ～, ～***s***)는 복수꼴이 ***deer,*** 때로는 ***deers*** 임을 나타낸다.

2. 자음＋o로 끝나는 낱말의 복수꼴은 다음과 같이 표시했다.

보기: **piano**[1][piǽnou, pjǽn-] *n.* (*pl.* ～***s***)

mos·qui·to[məskíːtou] *n.* (*pl.* ～(***e***)***s***)는 ***mosquitoes*** 와 ***mosquitos*** 의 두 가지 꼴이 있음을 나타낸다.

3. 규칙 변화하는 낱말이라도 주의해야 할 것은 모조리 보였다.

보기: **house**[haus] *n.* (*pl.* ***houses***[háuziz])《발음상의 주의》

bus[bʌs] *n.* (*pl.* ～(***s***)***es***)는 ***busses*** 와 ***buses*** 의 두 가지 꼴이 있음을 나타낸다.

4. 복합어 중 특히 주의를 요하는 것은 다음과 같이 표시하였다.

보기: **síster-in-làw** *n.* (*pl.* ***sisters-***)

E. 불규칙동사의 과거 · 과거분사형

1. 동사의 과거·과거분사의 변화형은 다음과 같이 표시하였다.

보기: **sing** *vi., vt.* (***sang,*** 《古》《稀》 ***sung; sung***)은 과거형이 ***sang*** (단, 고어나 드물게는 ***sung***), 과거분사는 ***sung*** 임을 나타낸다.

feel *vt.* (***felt***)는 과거·과거분사가 다 같이 ***felt*** 임을 나타낸다.

kneel *vi.* (***knelt,*** ～***ed***)는 ***kneel, knelt, knelt,*** 또는 ***kneel, kneeled, kneeled*** 의 2 종류가 있음을 나타낸다.

2. 끝 자음이 겹칠 때에는 다음과 같이 표시하였다.

보기: **cut** *v.* (***-tt-***)에서 (***-tt-***)는 ***cutter, cutting.***

refer *v.* (***-rr-***)에서 (***-rr-***)는 ***referred, referring.***

mimic *v.* (***-ck-***)에서 (***-ck-***)는 ***mimicked, mimicking.***

travel *v.* (《英》 ***-ll-***)는 《美》 ***traveled, traveling,*** 《英》 ***travelled, travelling.***

F. 형용사 · 부사의 비교급 · 최상급

1. 단음절어는 -er; -est를 붙이고, 2음절 이상의 낱말에는 more; most가 붙

는 것이 원칙이나, 그렇지 않은 것 또는 철자상 주의해야 할 것 따위는 다음처럼 표시하였다.

보기: **good**[gud] *a.* (***better; best***)

lit·tle[lítl] *a.* (***less, lesser; least;*** 《口》 ***~r; ~st***)는 비교급이 ***less*** 또는 ***lesser*** 이고 최상급이 ***least*** 이나, 구어로는 비교급이 ***littler,*** 최상급이 ***littlest*** 로도 쓰임을 나타내었다.

2. 끝의 자음이 겹치는 것은 동사의 경우에 준하였다.

보기: **hot** *a.* (***-tt-***)에서 (***-tt-***)는 ***hotter; hottest*** 임을 나타낸다.

G. 셀 수 있는 명사와 셀 수 없는 명사

셀 수 있는 명사(countable), 셀 수 없는 명사(uncountable)에는 각각 [C], [U]를 붙여 구별을 분명히 해 주었다.

1. 원칙적으로 고유명사(특별한 것은 예외) 이외의 모든 명사에는 어의에 따라 [C], [U]를 보였다.

2. 어의 중에 [C]와 [U] 양쪽으로 쓰일 경우에는 그 주됨에 따라 [U,C] 또는 [C,U]로 표시하였다.

3. [C], [U] 이외에 필요한 경우에는 (a ~), (the ~), (*pl.*), (*sing.*) 따위로 그 명사가 쓰이는 형태를 명시하였다.

보기: **life**...... ① [U,C] 생명, 목숨. ② [C] 생애, 일생. ③ [U] 일생; 《집합적》 생물. ④ [C,U] 생활, 생계......

rage...... ① [U] 격노; 격렬...... ② (*sing.*) 열망, 열광. ③ (the ~) 대유행(하는 것)......

H. 주 석

1. 어의를 우리말로 옮기는 데에 있어 주어·목적어·보어 등은 생략하고, 조사와 더불어 쓰이는 경우에는 '…이', '…은', '…과' 같이 나타내었다.

2. 주요 단어에 한하여 뜻 구분을 ①, ② …로 뭉뚱그렸고, 또한 주요 어의를 고딕체로 하여 보는 데 도움이 되게 하였다.

3. 표제어가 어떤 어의에서는 그 첫 글자가 대문자에서 소문자로, 또는 소문자에서 대문자로 바뀌는 경우에는 ( ) 안에 다음과 같이 이를 명시하였다.

보기: **Ben·e·dic·i·te**[bènədísəti/-dáis-] *n.* .... (b-) 축복의 기도......

:cath·o·lic[kǽθəlik] *a.* .... — *n.* (C-) 가톨릭 교도; ......

4. 주석 속에 영자가 소형 대문자로 들어 있는 것은 그 영자가 표제어로 나와 있으며, 그 낱말과 같거나 참고하라는 뜻이며, 또 관용구 중에 소형 대문자가 들어 있는 것은 그 관용구의 주석이 소형 대문자로 표시된 항에 나옴을 보인다.

보기: **hum·ble·bee** ....=BUMBLEBEE.

have 항에서 ~ ***got*** ⇨GET.

5. 파생어에서는 어미나 품사만을 보이고 그 풀이를 생략한 경우가 흔히 있다. 이는 표제어의 풀이로 보아 능히 그 뜻을 유추할 수 있는 것으로 믿기 때문이다.

I. 괄호 용법

1. ( )의 용법

a. 주석 바로 앞에서 뜻을 구체적으로 설명할 때.

보기: **bob**[1][bɑb/-ɔ-] *n.* ① (시계·저울 따위의) 추.

b. 영어의 동의어를 보일 때.

보기: **boor**[buər] *n.* 시골뜨기(rustic).

c. 주석 바로 뒤에서 그 낱말이 함께 쓰이는 전치사나 구문을 설명할 때.

보기: **loath**[louθ] *pred. a.* 꺼려서(*to* do; *that*)

d. 참조할 낱말 및 반의어를 보일 때.

보기: **sásh wíndow** 내리닫이 창(cf. casement window)
mo·nog·a·my[...] *n.* Ⓤ 일부 일처제〔주의〕(opp. polygamy)

e. 지면 절약을 위하여.
보기: 조각 (작품) =조각, 조각 작품
눕(히)다 =눕다, 눕히다.

2. 〔 〕의 용법
앞말과 바꾸어 놓을 수 있음을 나타낸다.
보기: 웅전〔도전〕하다=웅전하다, 도전하다.

3. 《 》의 용법
a. 주석 뒤에서 그 뜻을 부연 또는 설명할 때 썼다.
보기: **Saul**[sɔːl] *n.* 〖聖〗 사울《이스라엘의 초대왕》.
b. 그 낱말의 쓰임·용법을 나타내는 데 썼다.
보기: **accommodátion tràin** 《美》 완행 열차.
ab·strac·tion ...... ④ 《婉曲》 절취 ......

4. 《 》의 용법
흔히 주석 앞에서 관련되는 문법적 형태나 문법적 설명 또는 세분된 뜻 구별 따위를 보였다.
보기: **get**[get]......; 《~+O+p.p.의 형으로》 ···시키다.
for[...] *prep.*......; 《이유·원인》 ···때문에

5. 〖 〗의 용법
학술어·전문어를 표시하는 데 썼다.
보기: 〖天〗, 〖聖〗, 〖建〗

6. ' '의 용법
주석 속에 ' '로 묶인 것은 전문어·직역어(職域語)로서는 그 역어 또는 음역어(音譯語)가 보통임을 나타낸다.
보기: ***mét·ier***[...] *n.* (F.)......, (화가의) '메티에'
ópen sésame '열려라 참깨'

J. 기 타

1. <의 용법
<는 어원을 나타낸다.

2. ⇨의 용법
⇨는 그것이 가리키는 낱말과 관련이 있음을 나타낸다.
보기: **Márk Twáin** ⇨TWAIN.
lády bèetle =⇩. 다음 항 **lády·bìrd**와 뜻이 같음을 나타낸다.

발 음 약 해

(주의를 요하는 것만 다룸)

1	**box**[bɑks/-ɔ-]	빗금의 왼쪽이 美音으로 [bɑks], 오른쪽이 英音으로 [bɔks]임을 나타낸다. 발음 표시는 최신의 각종 발음사전 및 영영사전 등을 참고하여, 국제음성기호를 사용하여 표기하였으되, 한 낱말에 너무 많은 발음 방식이 있는 것은 그 대표적인 것을 두셋 실었다.
2	**ex·pe·di·tion** [èkspədíʃən]	[èkspədíʃən]의 [è]는 제2악센트를, [í]는 제1악센트를 표시한다. 대체로 제1악센트가 있는 음절의 하나 걸러 앞 또는 뒤의 음절에는 리듬관계로 제2악센트가 올 때가 많다.
3	**du·ral·u·min** [d*j*uərǽljəmin]	=[djuərǽljəmin, durǽljəmin]. 곧 이탤릭체는 생략할 수 있음을 보인다.
4	**girl**[gə:*r*l]	[gə:*r*l]. [ə:*r*]는 美音으로, 혓바닥의 중앙을 높이 하여 [ə]발음을 하는 기분으로 낸다. 英音에는 이러한 발음이 없어 [gə:l]이라고 한다.
5	**floor·ing**[∠iŋ] **steer·age**[∠idʒ]	floor의 항에 [flɔ:*r*]로 발음 기호가 나와 있으므로 지면 절약을 위해 **flooring**의 발음을 [∠iŋ]으로 간략 표시했지만, 이 때 [flɔ́:*r*iŋ]이 아니고 [flɔ́:riŋ]이다. 마찬가지로, **steer**[stiə*r*]의 다음항 **steerage**[∠idʒ]는 [stíəridʒ]이다.
6	**phew**[ɸ:, fju:] **faugh**[pɸ:, fɔ:]	[ɸ]는 양입술을 가볍게 합치고 그 사이로 내는 무성마찰음. 우리말 「후」[ɸɯ]음에 가깝다.
7	**Bach**[bɑ:x, bɑ:k] **loch**[lɑk, lɑx/lɔk, lɔx]	[x]는 혀의 뒷면과 연구개 사이에서 이루어지는 마찰음. [bɑ:x]는 대체로 「바아하」에 가깝고, [lɔx]는 「로호」에 가깝다.
8	***hüt·te***[hýtə]	[Y]는 [u]를 발음할 때와 같이 입술을 오므리고 혀의 위치는 [i]처럼 하여 내는 모음. 인명 **Hüsch**는 「휘시」에 가깝다.
9	**Ca·mus**[kamý]	[y]는 전항 [Y]의 조음(調音)에 가까우나 혀의 위치는 [i:]처럼 하여 내는 모음.
10	**chut**[ɟ, tʃʌt] **tut**[ɟ]	[ɟ]는 [t]를 발음할 때와 같은 혀의 위치로 내는 혀차는 소리.
11	**Houyhn·hnm** [hwín'm'm'm...]	[ʔ]는 기침 소리 [ʔəhəʔəh] 등에 나타나는 목구멍소리이며, 입을 다문 채로 웃을 때 따위에도 난다.
12	***pen·si·on***[pɑ̃:ŋsiɔ̃:ŋ] **humph**[hə̃h]	[ɑ̃, ɛ̃, ə̃, ɔ̃](콧소리 모음)은 [ɑ, ɛ, ə, ɔ]를 입과 코의 양쪽으로 숨을 내쉬는 것처럼 하여 발음한 것. 프랑스 말에서 종종 볼 수 있다.
13	**a·hem**[mm̥m, m̥m] **whew**[ẙ:]	발음기호의 위 또는 아래의 [˚][˳]은 유성음의 무성화를 표시한다. [m̥]은 성대의 진동을 뺀 자음을 보인다.
14	**no** [울림어조로 빨리 말할 때 noup˚]	[p][k] 따위의 오른쪽에 있는 [˚]은 파열음의 조음 때 전반(前半)에서 중지되고, 입은 다물린 채로 파열이 안 되고 끝남을 나타낸다.

발음기호일람표

VOWELS 모음

종류	모음 기호	철자	발음
Simple Vowels 단모음	i	**hill**	hil
	iː	**seat**	siːt
	e	**net**	net
	eː	**fairy**	fé(ː)ri
	æ	**map**	mæp
	ə	**about**	əbáut
	{ ər (ɚ)	**singer**	síŋər
	əːr	**girl**	gəːrl
	ʌ	**cup**	kʌp
	ɑ	**ox**	ɑks
	ɑː	**palm**	pɑːm
	ɔ	**dog**	dɔg
	ɔː	**ball**	bɔːl
	u	**foot**	fut
	uː	**food**	fuːd
Diphthongs 이중모음	iə	**near**	niə《英》
	iər	〃	niər
	ei	**day**	dei
	ɛə	**care**	kɛə《英》
	ɛər	〃	kɛər
	ai	**high**	hai
	au	**cow**	kau
	ɔi	**toy**	tɔi
	ou	**go**	gou
	uə	**poor**	puə《英》
	uər	〃	puər

CONSONANTS 자음

종류	자음 기호	철자	발음
파열음	p	**pipe**	paip
	b	**baby**	béibi
	t	**tent**	tent
	d	**did**	did
	k	**kick**	kik
	g	**gag**	gæg
비음	m	**mum**	mʌm
	n	**noon**	nuːn
	ŋ	**sing**	siŋ
측음	l	**little**	lítl
마찰음	f	**face**	feis
	v	**valve**	vælv
	θ	**thick**	θik
	ð	**this**	ðis
	s	**six**	siks
	z	**zoo**	zuː
	ʃ	**shoe**	ʃuː
	ʒ	**measure**	méʒər
	h	**hand**	hænd
	j	**yes**	jes
	w	**wish**	wiʃ
	r	**rest**	rest
파찰음	tʃ	**choice**	tʃɔis
	dʒ	**judge**	dʒʌdʒ

약 어 표

(자명한 것은 생략함)

a.	adjective (형용사)	*pl.*	plural (복수형)
ad.	adverb (부사)	p.p.	past participle (과거분사형)
aux. v.	auxiliary verb (조동사)	*pred. a.*	predicative adjective (서술형용사)
c.	circa (대략)	*pref.*	prefix (접두사)
cf.	compare (참조하라)	*prep.*	preposition (전치사)
conj.	conjunction (접속사)	*pron.*	pronoun (대명사)
def. art.	definite article (정관사)	*rel. ad.* 〔*pron.*〕	relative adverb 〔pronoun〕 (관계부사〔대명사〕)
fem.	feminine (여성)	Sh(ak).	Shakespeare
fl.	flourished (활약한)	*sing.*	singular (단수형)
indef. art.	indefinite article (부정관사)	*suf.*	suffix (접미사)
int.	interjection (감탄사)	*v.*	verb (동사)
masc.	masculine (남성)	*vi.*	intransitive verb (자동사)
n.	noun (명사)	*vt.*	transitive verb (타동사)
p.	past (과거형)		

《Ir.》	(아일랜드)	《雅》	(아어, 문어)	《廢》	(폐어)
《Sc.》	(스코틀랜드)	《方》	(방언)	《卑》	(비어)
《濠》	(오스트레일리아)	《兒》	(소아어)	《蔑》	(경멸적)
《印英》	(인도英語)	《古》	(고어)	《反語》	(반어적)
《南아》	(南아프리카)	《口》	(구어)	《一般》	(일반적)
《諧》	(해학어)	《俗》	(속어)	《稀》	(드물게)

Am. Sp.	American Spanish	Gk.	Greek	Port.	Portuguese
Ar.	Arabic	Heb.	Hebrew	Russ.	Russian
Chin.	Chinese	Hind.	Hindustani	Skt.	Sanskrit
Du.	Dutch	Ind.	Indian	Slav.	Slavic
F.	French	Ir.	Irish	Sp.	Spanish
G.	German	It.	Italian	Sw.	Swedish
		L.	Latin	Turk.	Turkish

〖競〗	(競技)	〖生〗	(生物·生理學)	〖印〗	(印刷)
〖考〗	(考古學)	〖菌〗	(細菌學)	〖電〗	(電氣)
〖古그〗	(옛그리스)	〖修〗	(修辭學)	〖鳥〗	(鳥類)
〖古로〗	(옛로마)	〖神〗	(神學)	〖證〗	(證券)
〖그神〗	(그리스神話)	〖治〗	(治金)	〖地〗	(地理·地質學)
〖幾〗	(幾何學)	〖野〗	(野球)	〖採〗	(採鑛)
〖基〗	(基督教)	〖言〗	(言語學)	〖天〗	(天文學)
〖氣〗	(氣象)	〖染〗	(染色)	〖鐵〗	(鐵道)
〖代〗	(代數學)	〖外〗	(外科)	〖哲〗	(哲學)
〖로神〗	(로마神話)	〖窯〗	(窯業)	〖蹴〗	(蹴球)
〖文〗	(文法)	〖韻〗	(韻律學)	〖土〗	(土木)
〖病〗	(病理)	〖理〗	(物理學)	〖解〗	(解剖學)

ENGLISH-KOREAN DICTIONARY

A

A, a[1] [ei] *n.* (*pl.* ***A's, a's***[-z]) Ⓤ 〖樂〗 가음(音), 가조(調); Ⓒ 첫째(의 것); (A) 《美》 (학업 성적의) 수(秀); A 사이즈《구두나 브래지어의 크기; B 보다 작고, AA보다 큼》.

†**a**[2] [強 ei, 弱 ə] *indef. art.* 《모음의 앞에서는 an[1]》 ① 하나의. ② 어느 하나의. ③ 어떤(a certain). ④ 같은(*girls of an age* 동갑의 소녀들). ⑤ 한〔매〕 …에(*twice a week* 주 2 회). ⑥ 《고유명사에 붙여》 …와 같은 사람, …의 작품(*a Napoleon* 나폴레옹 같은 사람).

a-[1] [ə] *pref.* 《古·方·俗》 on의 변형 (*He went a-fishing.* 낚시질하러 갔다).

a-[2] *pref.* ① on, to, in의 뜻: *a*bed, *a*blaze, *a*fire, *a*shore. ② [ei, æ, ə] (Gk.) '비(非)…, 무(無)…'의 뜻: *a*moral, *a*sexual.

A ampere; angstrom (unit); argon; attack plane. **A.** Absolute; Academy; 〖映〗 (for) adults (only); America(n); April. **A., a.** acre; answer; artillery. **a.** about; adjective; alto; area; at.

AA[1] AA사이즈《구두나 브래지어의 치수; A보다 작음》; 《英》 14세 이하 관람 금지 영화의 표시《현재는 PG》.

AA[2] Afro-Asian; Asian-African; automatic approval. **A.A.** Alcoholics Anonymous; antiaircraft (artillery); Automobile Association. **A.A.A.** Amateur Athletic Association; American Automobile Association; Anti-Aircraft Artillery. **AAAA** Amateur Athletic Association of America. **A.A.A.L.** American Academy of Arts and Letters. **A.A.A.S.** American Association for the Advancement of Science. **A.A.C.** Afro-Asian Conference. **AACM** Afro-Asian Common Market. **AAF** Army Air Forces. **AAM** air-to-air missile.

aard·vark [á:rdvà:rk] *n.* Ⓒ 〖動〗 땅돼지《남아프리카산》.

Aar·on [ɛ́ərən, ǽr-] *n.* 〖聖〗 아론 《모세의 형, 유대교 최초의 제사장》.

A.A.S. *Academiae Americanae Socius* (L. =Fellow of the American Academy). **A'asia** Australasia. **A.A.U.P.** American Association of University Professors.

ab- [əb, æb] *pref.* '이탈, 분리'의 뜻: *ab*normal, *ab*use.

AB air base. **A.B.** able-bodied seaman; *Artium Baccalaureus* (L. =Bachelor of Arts). **ab.** about; 〖野〗 at bat 타수, 타석.

a·ba·ca [à:bəká:, æ̀bə-] *n.* Ⓤ 마닐라삼.

a·back [əbǽk] *ad.* 뒤로, 후방으로; 돛이 거꾸로. ***be taken ~*** 뜻밖에〔느닷없이〕 당하다; 깜짝 놀라다.

ab·a·cus** [ǽbəkəs] *n.* (*pl.* ***~es, -ci[-sài]) Ⓒ 수판; 〖建〗 (둥근 기둥의) 관판(冠板), 대접 받침.

a·baft [əbǽft, -á:-] *ad., prep.* 뒤로, 뒤에; 고물〔선미〕에(aft). 「복.

ab·a·lo·ne[æ̀bəlóuni] *n.* Ⓒ 〖貝〗 전

‡**a·ban·don** [əbǽndən] *vt.* ① 버리다, 버려두다, 단념하다. ② (내)맡기다; (집·동네를) 떠나다. ③ 〖法〗 유기하다. ***~ oneself to*** (*drinking, despair*) (술)에 젖다, (절망)에 빠지다. **—** *n.* Ⓤ 방자, 방종. ***with ~*** 거리낌없이, 마음껏. **~ed** [-d] *a.* 버림받은; 자포 자기한. **~·ment** *n.* Ⓤ 방기, 포기; 〖法〗 유기; 퇴거; 방자.

à bas [ɑ:bá:] (F.) …타도!

a·base [əbéis] *vt.* 낮추다, (지위나 품위를) 떨어뜨리다(degrade); (창피를) 주다. **~·ment** *n.* Ⓤ 저하, 좌천, 영락, 굴욕.

a·bash [əbǽʃ] *vt.* 부끄럽게 하다; 당황케 하다(embarrass). ***be ~ed*** 겨북해하다, 어쩔 줄 모르다. **~·ment** *n.*

***a·bate** [əbéit] *vt.* 감하다, 내리다, 할인하다, 덜다, 누그러뜨리다. **—** *vi.* 줄다, 약해지다, 누그러지다.

a·bate·ment[-mənt] *n.* Ⓤ 인하, 감소; Ⓒ 감세액; Ⓤ 〖法〗 배제, 중지.

ab·a·tis, -at·tis [ǽbətis, -tì:] *n.* (*pl.* ~ [-tì:z], ***-tises***[-tisiz]) Ⓒ 〖軍〗 녹채(鹿砦), 가시울타리; 철조망.

ab·at·toir[æ̀bətwá:r] *n.* (F.) Ⓒ 공설 도축장, 도살장.

abb. abbess; abbey; abbot.

Ab·ba [ǽbə] *n.* 〖聖〗 아버지《기도에서의 하느님; 마가 XIV:36》; Ⓒ (a-)

A

사부님.
ab·ba·cy [ǽbəsi] *n.* Ⓒ abbot의 직[관구, 임기].
ab·ba·tial [əbéiʃəl] *a.* 대수도원(장)의; 대수녀원(장)의.
ab·be [æbéi] *n.* (F.) Ⓒ (프랑스의) 대수도원장; 신부.
ab·bess [ǽbis] *n.* Ⓒ 여자 수녀원장(cf. abbot).
:ab·bey [ǽbi] *n.* Ⓒ 수도원.
***ab·bot** [ǽbət] *n.* Ⓒ 수도원장.
abbr. abbreviated; abbreviation.
:ab·bre·vi·ate [əbríːvièit] *vt.* 줄이다, 단축하다. **:-a·tion** [‐ˌ‐‐éiʃən] *n.* Ⓤ (말의) 생략; Ⓒ 약어, 약자.
***ABC**[1] [éibìːsìː] *n.* (*pl.* ~*'s* [-z]) =ALPHABET; (the ~('s)) 초보, 입문.
ABC[2] Aerated Bread Company('s shop); American Broadcasting Company; Argentina, Brazil and Chile. **ABCC** Atomic Bomb Casualties Commission 원폭 상해 조사 위원회.
ab·di·cate [ǽbdikèit] *vt., vi.* ① (권리 등을)포기하다. ② 양위하다, 퇴임하다. **àb·di·cá·tion** *n.* Ⓤ 포기, 기권; 양위; 퇴관.
***ab·do·men** [ǽbdəmən, æbdóu-] *n.* Ⓒ 배, 복부. **ab·dom·i·nal** [æbdɑ́mənəl/-ɔ́-] *a.*
ab·duct [æbdʌ́kt] *vt.* 유괴하다; 〖生〗 외전(外轉)시키다. **ab·dúc·tion** *n.* **ab·dúc·tor** *n.* Ⓒ 유괴자.
Abe [eib] *n.* Abraham의 통칭.
a·beam [əbíːm] *ad.* (배의 용골에) 가로로《선체와 T자를 이루어》.
a·be·ce·dar·i·an [èibi(ː)si(ː)dέəriən] *n.* Ⓒ《美》초학[심]자. — *a.* 알파벳(순)의; 초보의, 기본의; 아무것도 모르는.
a·bed [əbéd] *ad.* 《雅》 잠자리에.
A·bel [éibəl] *n.* 〖聖〗 아벨《Adam의 둘째 아들, 형 가인에게 살해됨》.
Ab·er·deen [æbərdíːn] *n.* 스코틀랜드의 북동부의 도시; Ⓒ 스코치테리어개.
ab·er·rant [æbérənt] *a.* 정도를[바른 길을] 벗어난. **-rance, -ran·cy** *n.*
ab·er·ra·tion [æbəréiʃən] *n.* Ⓤ,Ⓒ 바른 길을 벗어남; 〖醫〗 정신 이상; (렌즈의) 수차(收差).
a·bet [əbét] *vt.* (**-tt-**) (부)추기다. ***aid and*** ~ 〖法〗 교사(敎唆)하다. ~**·ment** *n.* Ⓤ 교사, 선동. ~**·ter, -tor** *n.* Ⓒ 교사자, 선동자.
a·bey·ance [əbéiəns] *n.* Ⓤ 중절, 정지.
***ab·hor** [æbhɔ́ːr] *vt.* (**-rr-**) 몹시 싫어하다, 혐오하다(detest).
ab·hor·rence [əbhɔ́ːrəns, -ɑ́-/-ɔ́-] *n.* Ⓤ 혐오; Ⓒ 아주 싫은 것. ***have an*** ~ ***of*** …을 몹시 싫어하다. **-rent** [-rənt] *a.* 싫은(*to* me); 몹시 싫은(*of* it); 서로 용납하지[맞지] 않는(*to, from*).
a·bid·ance [əbáidəns] *n.* Ⓤ ① 지속. ② 거주, 체재. ③ (…의) 준수.
:a·bide [əbáid] *vi.* (**abode, ~d**) ① 머무르다, 살다. ② 지탱[지속]하다. — *vt.* 기다리다, 대기하다; 참다, 감수하다; 맞서다, 대항하다. ~ ***by*** …을 굳게 지키다, …에 따르다. ~ ***with*** …와 동거하다. **a·bíd·ing** *a.* 영속적인.
ab·i·gail [ǽbəgèil] *n.* Ⓒ 시녀(侍女), 몸종.
:a·bil·i·ty [əbíləti] *n.* ① Ⓤ 능력, 수완(*to* do). ② (*pl.*) 재능. ***a man of*** ~ 수완가. ***to the best of one's*** ~ 힘이 닿는 한, 힘껏.
a·bi·o·chem·is·try [æbioukémistri, èibai-] *n.* Ⓤ 무기 화학.
a·bi·o·gen·e·sis [-dʒénəsis] *n.* Ⓤ〖生〗자연 발생(론).
a·bi·ot·ic [èibaiɑ́tik/-ɔ́-] *a.* 생명[생물]에 관계 없는; 비생물적인.
***ab·ject** [ǽbdʒekt, ‐ˊ] *a.* 비참한; 비열한. ~**·ly** *ad.*
ab·jec·tion [æbdʒékʃən] *n.* Ⓤ 영락(零落); 비열함.
ab·jure [æbdʒúər, əb-] *vt.* 맹세코 그만두다; (주의·의견 등을) 버리다.
ab·ju·ra·tion [ˌ‐dʒəréiʃən] *n.*
abl. ablative.
ab·la·tion [æbléiʃən] *n.* Ⓤ 제거; 〖地〗 삭마(削磨); 〖로켓〗 융제(融除)《우주선의 대기권 재돌입시 피복 물질의 녹음》.
ab·la·tive [ǽblətiv] *n., a.* (the ~) 〖라틴文〗 탈격(奪格)(의). ~ ***absolute*** 탈격 독립구.
ab·la·tor [æbléitər] *n.* Ⓒ 〖로켓〗 융제(融除) 물질.
ab·laut [ɑ́ːblaut, ǽb-] *n.* (G.) Ⓤ 〖言〗 모음 전환(gradation)《보기: s*i*ng-s*a*ng-s*u*ng》.
a·blaze [əbléiz] *ad., pred. a.* 불타올라, 격(激)하여. ***set*** ~ 불태우다.
†a·ble [éibəl] *a.* ① 재능 있는, 유능한. ② …할 수 있는. ***be*** ~ ***to*** (do) …할 수 있다.
-a·ble [əbl] *suf.* 기능을 나타내는 형용사를 만듦: admir*able*, comfort*able*.
áble-bódied *a.* 강장[강건]한, 튼튼한(*an* ~ *seaman* 적임[일등] 선원). ***the*** ~ 《집합적; 복수 취급》 강건한 사람들. 「어[는].
a·bloom [əblúːm] *ad., a.* 꽃이 피
a·blush [əblʌ́ʃ] *ad., a.* 얼굴을 붉혀[붉히는].
ab·lu·tion [əblúːʃən] *n.* Ⓤ (몸을) 깨끗이 씻음; 목욕 재계, 세정식(洗淨式); 깨끗이 씻는 물.
a·bly [éibli] *ad.* 훌륭히; 교묘히; 유능히.
ABM antiballistic missile 탄도탄 요격 미사일.
ab·ne·gate [ǽbnigèit] *vt.* (권리 등을) 버리다; 자제하다; (쾌락 등을) 끊다. **-ga·tion** [ˌ‐géiʃən] *n.*
:ab·nor·mal [æbnɔ́ːrməl] *a.* 비정상인, 이상(異常)의; 변태의; 변칙의. ~ ***psychology*** 이상 심리학. ~**·i·ty** [ˌ‐mǽləti] *n.* Ⓤ 이상; 변칙; Ⓒ

병신, 불구.

ab·nor·mi·ty [æbnɔ́:rməti] *n.* Ⓤ 이상; 변칙, 변태; Ⓒ 기형.

Ab·o, ab·o [ǽbou] *n.* 《濠口》 = ABORIGINAL.

:a·board [əbɔ́:rd] *ad., prep.* 배 안에, 차내에, …을 타고.

:a·bode [əbóud] *v.* abide의 과거(분사). — *n.* ① Ⓒ 거주; 주거. ② Ⓤ 체류. **make** [**take up**] **one's ~** 거주하다, 체재하다.

***a·bol·ish** [əbɑ́liʃ/-ɔ́-] *vt.* (관례·제도 등을) 폐지[철폐]하다; 완전히 파괴하다. **~·a·ble** *a.* **~·ment** *n.* Ⓤ 폐지, 철폐.

***ab·o·li·tion** [æ̀bəlíʃən] *n.* Ⓤ 폐지; 노예 폐지. **~·ism** [-ìzəm] *n.* Ⓤ (노예) 폐지론. **~·ist** *n.* Ⓒ (노예) 폐지론자.

ab·o·ma·sum [æ̀bəméisəm], **-sus** [-səs] *n.* Ⓒ 추위(皺胃)《반추 동물의 제4위(胃): cf. omasum》.

A-bomb [éibɑ̀m/-bɔ̀m] (< *a*tomic *bomb*) *n.* Ⓒ 원자 폭탄; 《美俗》 고속용으로 개조한 중고차(hot rod).

a·bom·i·na·ble** [əbɑ́mənəbəl/-ɔ́m-] *a.* 싫은, 지겨운; 《口》 지독한. ***the ~ snowman (히말라야의) 설인(雪人). **-bly** *ad.* 미울 정도로; 지겹게.

a·bom·i·nate [əbɑ́mənèit/-ɔ́-] *vt.* 몹시 싫어하다, 혐오하다. ***-na·tion** [-⌐-néiʃən] *n.* Ⓤ 혐오, 증오; Ⓒ 싫은 일[것].

ab·o·rig·i·nal [æ̀bərídʒənəl] *a.* 처음부터의, 원주(原住)의; 토착(민)의. — *n.* Ⓒ 원주민, 토인; 토착의 동식물. **-nes** [-nì:z] *n. pl.* 원주민, 토(착)민.

a·born·ing [əbɔ́:rniŋ] *ad.* 태어나려하고 있는; 수행되기 전에.

a·bort [əbɔ́:rt] *vi.* 유산[조산]하다; 실패하다; 발육이 안 된 채 끝나다; (로켓의) 비행이 중단되다; 〖컴〗 중단하다. — *n.* Ⓤ,Ⓒ 미사일[로켓]의 비행 중지; 〖컴〗 중단.

a·bor·ti·fa·cient [əbɔ̀:rtəféiʃənt] *a., n.* 유산을 촉진하는; Ⓤ,Ⓒ 낙태약.

a·bor·tion [əbɔ́:rʃən] *n.* Ⓤ,Ⓒ 유산; 조산; 낙태; 실패; 발육부전; Ⓒ 기형물; 불구. ***artificial ~*** 인공 유산. **~·ist** *n.* Ⓒ 낙태의(醫). **-tive** *a.* 유산의; 조산의; 실패의.

ABO sỳstem, the (혈액형의) ABO식 분류(법).

a·bou·li·a [əbú:liə] *n.* = ABULIA.

***a·bound** [əbáund] *vi.* (…이) 많다 (*Trout ~ in this lake.* = *This lake ~s with trout.* 이 호수에는 송어가 많다). **~·ing** *a.* **~·ing·ly** *ad.*

a·bout** [əbáut] *prep.* ① …에 관[대]하여. ② …쯤, 경(*~ five o'clock,* 5시경). ③ …의 가까이에; 주위에. ④ …하려고 하여(*to*); …에 종사하여(doing) (*What are you ~?* 무엇을 하고 있나). — *ad.* ① 거의, 대략(*That's ~ right.* 대강 맞는다). ② 둘레[근처]에[를](*There is nobody ~.* 근처에는 아무도 없다). ③ 활동하여, 퍼져. **~ *and* ~** 《美》 어금지금[비슷비슷]하여. ***be ~ 움직이고 있다, 활동하고 있다; 일어나 있다; 퍼지고[유행되고] 있다(*Rumors are ~ that* …이라는 풍문이다). ***go a long way ~*** 멀리 돌아가다. ***out and ~*** (병후 등에) 활동하여. ***turn and turn ~*** 차례로. — *vi.* (배의) 침로를 바꾸다. ***A- ship!*** (배를) 바람쪽으로 돌려[돌릴 준비]!

abóut-fáce *vi., n.* Ⓒ (보통 *sing.*) 뒤로 돌다[돌기]; (사상 따위) 전향(하다).

†a·bove [əbʌ́v] *ad.* ① 위에, 위로; 상급에. ② 전술에. — *pred.* ① …의 위에; …보다 높이[멀리]. ② …이상으로, …을 초월하여. **~ *all* (*things*)** 그중에서도, 특히. **~ *oneself*** 우쭐하여. — *a.* 상기(上記)의, 앞에 말한 (*the ~ facts* 전술한 사실). — *n.* Ⓤ ① (the ~) 전술(한 것). ② 위쪽; 하늘. ***from ~*** 하늘에서.

abóve·bòard *ad., pred. a.* 있는 그대로(의), 공명히[한].

abóve·grȯund *ad., pred. a.* 지상에[의]; 매장되지 않은; 생존하여.

abóve-méntioned *a.* 상술(上述)한, 앞에 말한.

ab o·vo [æb óuvou] (L. = from the egg) 처음부터.

ABP., abp. archbishop. **abr.** abridged; abridg(e)ment.

ab·ra·ca·dab·ra [æ̀brəkədǽbrə] *n.* Ⓒ 이 말을 삼각형으로 거듭 쓴 (병 예방의) 부적; 주문; 뜻 모를 말 (gibberish).

a·brade [əbréid] *vt., vi.* 닳(리)다, 문대어 벗(기)다. **a·brád·er** *n.* Ⓒ 연삭기(研削器).

A·bra·ham [éibrəhæ̀m, -həm] *n.* 남자 이름; 〖聖〗 아브라함《유대인의 조상》.

a·bran·chi·ate [eibrǽŋkiit, -èit] *n., a.* Ⓒ 아가미 없는 (동물).

a·bra·sion [əbréiʒən] *n.* Ⓤ 문질러 닦음, 벗겨짐; 마멸; Ⓒ 찰과상; Ⓒ 마멸된 곳.

ab·ra·sive [əbréisiv] *a.* 연마의; 피부를 긁히는 (듯한), 꺼칠꺼칠한; 마찰 있는《인간 관계》. — *n.* Ⓤ,Ⓒ 연마제.

ab·re·act [æ̀briǽkt] *vt.* 〖精神醫〗 (…을) 해제하다, 정화하다《억압된 감정을》.

ab·re·ac·tion [æ̀briǽkʃən] *n.* Ⓤ 〖精神分析〗 (억압 감정) 해방, 소산(消散).

a·breast** [əbrést] *ad.* 나란히, 어깨를 나란히 하여. ***keep ~ of [***with***] (***the times***) (시세)에 뒤지지 않고 따라가다.

***a·bridge** [əbrídʒ] *vt.* ① 단축하다; 적요(摘要)하다, 간추리다; 줄이다. ② (…으로부터 …을) 빼앗다(deprive) (*of*). **a·brídg(e)·ment** *n.*

a·broach [əbróutʃ] *ad., pred. a.* (통의) 마개를 따고; 퍼져서.

:a·broad [əbrɔ́:d] *ad.* ① 밖에[으

A

로]; 집 밖에; 해외에. ② (소문 등이) 퍼져서. ③ 틀려서. **be all ~** 전혀 잘못 생각하고 있다; 《口》(어찌) 할 바를 모르다. **from ~** 해외로부터. **get ~** 외출하다; 세상에 알려지다.
ab·ro·gate [ǽbrəgèit] *vi.* 취소하다(cancel), 폐지하다. **-ga·tion** [∸–géiʃən] *n.* Ⓤ 폐지.
***ab·rupt** [əbrʌ́pt] *a.* ① 느닷없는. ② 험준한. ③ 퉁명스러운. ④ (문체가) 비약적인, 급전하는. ***~·ly** *ad.*
a·brup·tion [əbrʌ́pʃən] *n.* Ⓤ (급격한) 분열, 분리.
A.B.S. American Bible Society; anti-lock brake [braking] system. **abs.** absent; absolute(ly); abstract.
Ab·sa·lom [ǽbsələm] *n.* 〖聖〗 압살롬《다윗의 세째 아들; 부왕을 배반했음》.
ab·scess [ǽbses] *n.* Ⓒ 농양(膿瘍), 종기.
ab·scis·sa [æbsísə] *n.* (*pl.* **~s, -sae**[-siː]) Ⓒ 〖數〗 가로 좌표, 횡선.
ab·scis·sion [æbsíʒən] *n.* Ⓤ 절단; 〖修〗 돈단법(頓斷法).
ab·scond [æbskάnd/-ɔ́-] *vi.* 도망하다(~ *with the money* 돈을 가지고 도망치다). **~·ence** *n.* Ⓤ 도망, 실종.
ab·seil [άːpzail] *n.* Ⓒ (등산에서 자일을 쓰는) 현수 하강. — *vi.* 현수 하강을 하다.
:ab·sence [ǽbsəns] *n.* ① Ⓤ,Ⓒ 부재(不在), 결석(*from*); 결핍, 없음(*of*). ② Ⓤ 방심. **~ of mind** 방심. **in the ~ of** …이 없기 때문에, …이 없을 경우에.
†ab·sent [ǽbsənt] *a.* ① 부재(不在)의, 결석의, 없는. ② 멍(청)한. — [æbsént] *vt.* 결석시키다. **~ oneself from** …을 비우다, …에 결석하다. **~·ly** *ad.* 멍하여, 멍하게.
ab·sen·tee [æ̀bsəntíː] *n.* Ⓒ 부재자; 부재 지주. — *a.* 《美》 부재 투표자의[를 위한]. **~·ism** *n.* Ⓤ 부재 지주 제도; 사보타주 전술.
ábsentee bállot 부재 투표 용지.
ábsentee ínterview 결근자 면접《결근 방지를 목적으로 하는》.
ábsentee lándlord 부재 지주.
ábsentee vóte 부재자 투표.
ábsent(ee) vóter 부재 투표자.
ábsentee vóting 부재자 투표.
:ábsent-mínded *a.* 방심 상태의, 멍(청)한. **~ly** *ad.*
ab·sinth(e) [ǽbsinθ] *n.* Ⓤ 압생트《독한 술》. **ab·sinth·ism** [-θìzəm] *n.* Ⓤ 압생트 중독.
ab·sit o·men [ǽbsit óumen] (L.) (제발) 이것이 흉조가 아니길! 맙소사 맙소사.
:ab·so·lute [ǽbsəlùːt] *a.* ① 절대의; 순수한. ② 무조건의; 전제의. ③ 절대 온도[고도]의. ④ 〖컴〗 기계어로 쓰인. — *n.* Ⓤ (보통 the A-) 절대적인 것[존재]; 절대자, 신; Ⓒ 절대 불변의 원리; 〖컴〗 절대. **:~·ly** *ad.* 절대로, 완전히; 《口》 아주; 《俗》 맞았어, 그래. **~·ness** *n.*
ábsolute áddress 〖컴〗 절대 번지.
ábsolute álcohol 무수(無水) 알코올.
ábsolute áltitude 〖空〗 절대 고도.
ábsolute céiling 〖空〗 절대 상승 한도《안전 비행이 가능한》.
ábsolute constrúction 〖文〗 독립 구문.
ábsolute humídity 절대 습도.
ábsolute infínitive [**párticiple**] 〖文〗 독립 부정사[분사].
ábsolute majórity 절대 다수.
ábsolute mágnitude 〖天〗 절대 등급.
ábsolute mónarchy 전제 군주 정체.
ábsolute músic 절대 음악《표제 음악에 대해서》.
ábsolute pítch 〖樂〗 절대 음고[음감].
ábsolute témperature 절대 온도.
ábsolute válue 〖數·컴〗 절대값.
ábsolute zéro 〖理〗 절대 영도 (−273°C.).
***ab·so·lu·tion** [æ̀bsəlúːʃən] *n.* Ⓤ,Ⓒ (회개한 자의) 면죄; 책임 해제.
ab·so·lut·ism [ǽbsəlùːtizəm] *n.* Ⓤ 전제주의, 독재 정치. **~·ist** *n.*
***ab·solve** [əbzάlv, -sά-/-zɔ́-] *vt.* ① 용서하다, 면제하다. ② 해제하다, 무죄를 언도하다. **~** (*a person*) **from** (*his promise; the blame*) (약속)을 해제하다; (책임)을 면하다. **~** (*a person*) **of** (*a sin*) (죄)를 용서하다.
ab·so·nant [ǽbsənənt] *a.* 조화되지 않는.
:ab·sorb [əbsɔ́ːrb, -z-] *vt.* ① 흡수하다; 병합하다; 동화하다. ② (흥미로) 이끌다. **be ~ed by** …에 흡수[병합]되다. **be ~ed in** …에 몰두[열중]하다. **~·a·ble** [-əbl] *a.* 흡수되는; 흡수되기 쉬운. **~·a·bil·i·ty** [-əbíləti] *n.* Ⓤ 흡수됨, 피(被)흡수성. **~·en·cy** [-ənsi] *n.* Ⓤ 흡수성. **~·ent** [-ənt] *a., n.* 흡수성의; Ⓤ,Ⓒ 흡수제. **~·ing** *a.* 흡수하는; 흥미 진진한.
ab·sor·be·fa·cient [æbsɔ̀ːrbəféiʃənt] *a.* 흡수성의. — *n.* Ⓤ,Ⓒ 흡수제.
absórbent cótton 탈지면.
absórbent páper 압지(押紙).
***ab·sorp·tion** [əbsɔ́ːrpʃən, -z-] *n.* Ⓤ 흡수; 몰두(*in*). **-tive** *a.*
absórption bànd 〖理〗 흡수대.
absórption spèctrum 〖理〗 흡수 스펙트럼.
***ab·stain** [æbstéin] *vi.* 끊다, 자제하다, 삼가다(*from*); 금주하다. **~·er** *n.* Ⓒ 절제가, 금주가.
ab·ste·mi·ous [æbstíːmiəs] *a.* 절제하는(*an ~ diet* 소식(少食)).
ab·sten·tion [əbsténʃən] *n.* Ⓤ 절제, 자제(*from*); Ⓤ,Ⓒ 기권.
ab·sterge [æbstə́ːrdʒ] *vt.* 씻어내

다〔없애다〕, 깨끗이 하다. **ab·stér·gent** *a.*, *n.* 세척력이 있는, 깨끗이 하는; U,C 세제.
ab·sti·nence [ǽbstənəns] *n.* U 금욕, 절제, 금주. **-nent** *a.*
:ab·stract [æbstrǽkt, ←―] *a.* ① 추상적인, 공상적인; 심원한. ② 방심한. ③ 〖美術〗 추상파의. ― [←―] *n.* ① C 대요(大要); U 추상적인 관념; C 발췌. ② C 〖美術〗 추상적인 작품. ***in the*** ~ 추상적으로, 이론상. ***make an*** ~ ***of*** (논문·책)을 요약하다. ― [―⊥] *vt.* ① 빼내다, 떼내다, 추출(抽出)하다, 발췌하다. ② (마음을) 빼앗다. **~·ed** [-id] *a.* 방심한, 멍한. **~(·ed)·ly** *ad.*
***ab·strac·tion** [æbstrǽkʃən] *n.* ① U 추상, 추출; C 추상 개념. ② C 추상파의 작품. ③ U 방심. ④ U 《婉曲》 절취. **~·ism** [-ìzəm] *n.* U 〖美術〗 추상주의.
ábstract nóun 추상 명사.
ab·struse [æbstrúːs] *a.* 난해〔심원〕한.
:ab·surd [əbsə́ːrd, -z-] *a.* 부조리한; 엉터리 없는, 우스꽝스런. *** ~·i·ty** *n.* U 부조리; C 엉터리 없는 일〔것, 이야기〕. **~·ism** *n.* U 부조리주의. **~·ly** *ad.*
ABU Asian-Pacific Broadcasters Union.
a·bu·li·a [əbjúːliə] *n.* U 〖心〗 의지 상실.
:a·bun·dance [əbʌ́ndəns] *n.* ① U 풍부, 윤택; C 다수. ② U 부유, 유복. **:-dant** *a.* 풍부한, 남아돌 정도의. **-dant·ly** *ad.*
:a·buse [əbjúːz] *vt.* ① 남용〔악용〕하다. ② 학대하다. ③ 욕하다. ― [-s] *n.* ① U,C 악용, 남용. ② U 학대. ③ U 욕(설). ④ C 악습, 폐해. **a·bus·age** [-sidʒ/-zi-] *n.* U 말의 오용. **a·bu·sive** [-siv] *a.* 입사나운.
a·but [əbʌ́t] *vi.*, *vt.* (*-tt-*) (인)접하다(*on, upon*); 기대다(*against*). **~·ment** *n.* C 인접(점); 교대(橋臺); 홍예 받침대. **~·tal** [-tl] *n.* (*pl.*) 경계; 인접. **~·ting** *a.* 인접하는.
a·but·ter [əbʌ́tər] *n.* C 〖法〗 인접지주.
a·buzz [əbʌ́z] *ad.*, *pred. a.* 와글와글, 활기 넘쳐, 활발히.
ABWR advanced boiling water reactor 개량형 비등수형(沸騰水型) 원자로.
a·bysm [əbízəm], ***a·byss** [əbís] *n.* U,C 심연(深淵), 심원; U 끝없이 깊은 지옥, 나락. **a·bys·mal** [-z-] *a.*
AC Atlantic Charter. **AC, A.C., a.c.** alternating current. **A.C.** Air Corps; Army Corps; aircraftman. **Ac** 〖化〗 actinium. **a/c** account; account current.
a·ca·cia [əkéiʃə] *n.* C 〖植〗 아카시아.
acad. academic; academy.
ac·a·deme [ǽkədìːm], **ac·a·de·mi·a** [æ̀kədíːmiə] *n.* U 《雅》 ① =ACADEMY ①. ② 학자의 세계〔생활〕. ***the grove***(***s***) ***of academe*** 대학의 숲《대학을 둘러싼 환경》.
***ac·a·dem·ic** [æ̀kədémik] *a.* ① 학문의, 대학의; academy의. ② 학구적인, 비현실적인. ③ 《美》 인문과의, 일반 교양적인. ④ 형식 존중의, 진부한. ⑤ (A-) 플라톤학파의. ― *n.* C 대학생; 학구적인 사람.
ac·a·dem·i·cal [-əl] *a.* =⇧. ― *n.* (*pl.*) 대학 예복.
académic cóstume 〔**dréss**〕 대학 예복.
académic fréedom (대학 따위에서의) 학문의 자유.
a·cad·e·mi·cian [əkæ̀dəmíʃən, æ̀kə-] *n.* C 학회〔학술원·미술원〕 회원.
académic ínterests 학교 경영 「단체.
ac·a·dem·i·cism [æ̀kədéməsìzəm], **a·cad·e·mism** [əkǽdəmìzəm] *n.* U 예술〔학술〕원풍; 형식주의.
académic yéar 학년(도).
:a·cad·e·my [əkǽdəmi] *n.* C ① 학원(學院); 학원(學園); 《美》 (사립의) 고등 학교. ② 전문 학교. ③ 학회; 학술원; 예〔미〕술원. ④ (the A-) 아카데미아《플라톤이 철학을 강의한 아테네 근교의 올리브 숲》; (A-) 플라톤 학파〔철학〕. ***military*** ~ 육군 사관 학교; 《美》 (사립의) 군대 훈련 학교. ***the Royal A-*** (***of Arts***) 《英》 왕립 미술원. 「상.
Acádemy Awárd 〖映〗 아카데미
acádemy bòard (유화의) 판지(板紙) 캔버스.
A·ca·di·a [əkéidiə] *n.* 캐나다 남동부의 지방.
a·can·thus [əkǽnθəs] *n.* (*pl.* ~***es***, ***-thi*** [-θai]) C 〖植〗 아칸서스; 〖建〗 아칸서스 잎 장식《그리스 건축의 주두(柱頭)의》.
a·ca(p)·pel·la [àːkəpélə] *ad.*, *a.* (It.) 〖樂〗 무반주로〔의〕.
ac·a·rid [ǽkərid] *n.* C 진드기.
a·car·pous [eikáːrpəs] *a.* 〖植〗 열매 맺지 않는.
a·cat·a·lep·sy [eikǽtəlèpsi] *n.* U 〖哲〗 불가지론.
acc. accept; account(ant); accusative.
ac·cede [æksíːd] *vi.* (직(職)에) 취임하다, 앉다(*to*); (요구에) 동의하다, 따르다; (조약 따위에) 참가하다.
accel. accelerando.
ac·cel·er·an·do [æksèlərǽːndou, -ǽ-] *ad.*, *a.* (It.) 〖樂〗 점점 빠르게〔빠른〕.
ac·cel·er·ant [ækséləránt] *n.* C 촉진제; 촉매(觸媒).
***ac·cel·er·ate** [æksélərèit] *vt.*, *vi.* 빨리하다, 빨라지다; 속도를 늘리다. ***-a·tion** [―⊥―éiʃən] *n.* U 가속(도). **-a·tive** [-rèitiv/-rə-] *a.* 가속의. **-a·tor** *n.* C 가속자〔물〕; (자동차의) 가속 장치; 〖化·寫〗 촉진제; 〖理〗 가속기.
ac·cel·er·om·e·ter [æksèlərám-

itər/-rɔ́m-] *n.* Ⓒ (항공기·유도탄의) 가속도계.

:**ac·cent** [ǽksent/-sənt] *n.* Ⓒ ① 악센트(부호); 강조. ② 어조, 말투. ③ (*pl.*) 《詩》 음성, 말, 시구(詩句). ***in tender ~s*** 부드러운 어조로. ── [æksént, ∠─] *vt.* (…에) 악센트를 두다; (음·색채 따위를) 강하게 하다. **ac·cen·tu·al** [-tʃuəl/-tju-] *a.*

ac·cen·tu·ate [æksέntʃuèit] *vt.* (…에) 악센트를 두다, 악센트 부호를 붙이다; 두드러지게 하다; (…을) 역설하다. **-a·tion** [─∠─éiʃən] *n.*

†**ac·cept** [æksépt] *vt.* 받(아들이)다, 떠맡다, 용인하다. **: ~·a·ble** *a.* 받을[받아들일] 수 있는; 좋은. ***~·ance** *n.* Ⓤ,Ⓒ 수령; 〖商〗 어음의 인수. **ac·cep·ta·tion** [ӕkseptéiʃən] *n.* Ⓒ (어구의) 보통의 뜻; Ⓤ 받아들임; 신앙. **ac·cép·tor** *n.* Ⓒ 어음 인수인.

:**ac·cess** [ǽkses] *n.* ① Ⓤ 접근(의 기회); 〖컴〗 접근; Ⓒ 접근하는 길. ② Ⓒ 발작. ***be easy of ~*** 접근[가까이]하기 쉽다. ***gain ~ to*** …에 접근하다, …에 접하다. ***man of easy ~*** 가까이하기 쉬운 사람. ── *vt.* (…에) 다가가다; 〖컴〗 접근하다.

áccess àrm 〖컴〗 접근막대.

***ac·ces·sa·ry** [æksésəri] *a., n.* = ACCESSORY.

áccess contròl régister 〖컴〗 접근 제어 레지스터.

ac·ces·si·ble** [æksésəbl] *a.* ① 접근[가까이]하기 쉬운. ② 얻기 쉬운. ***~ to reason 사리를 아는. **-bly** *ad.*

ac·ces·si·bil·i·ty [─∼─bíləti] *n.* Ⓤ 도달 가능성; 다가갈 수 있음; 〖地〗 접근성.

***ac·ces·sion** [ækséʃən] *n.* ① Ⓤ 접근; 도달. ② Ⓤ 즉위, 취임. ③ Ⓤ 계승; 상속. ④ Ⓤ 증가; Ⓒ 증가물; (도서관의) 수납(受納) 도서. ⑤ Ⓤ (종업원의) 신규 채용. 「납 번호.

accéssion nùmber (도서의) 수

áccess mèthod 〖컴〗 접근법.

ac·ces·so·rial [ӕksəsɔ́:riəl] *a.* 보조의; 〖法〗 종범의. **~·ly** *ad.*

ac·ces·so·rize [æksésəràiz] *vt., vi.* (부속품·악세서리를) 공급하다, 비치하다; (의복에 악세서리를) 달다.

***ac·ces·so·ry** [æksésəri] *a.* ① 부속의; 보조의. ② 종범(從犯)의. ── *n.* Ⓒ ① 부속물; (여성의) 액세서리. ② 종범자. 「로.

áccess ròad (어느 시설에의) 진입

áccess tìme 〖컴〗 접근 시간《기억 장치에 정보를 기록·해독하게 하기 위한 시간》.

ac·ci·dence [ǽksədəns] *n.* = MORPHOLOGY.

:**ac·ci·dent** [ǽksidənt] *n.* Ⓒ 우연히 일어난 일, 사고, 재난. ***by ~*** 우연히. ***chapter of ~s*** (the ~) 예상할 수 없는 일련의 일; (a ~) 계속되는 불행. ***without ~*** 무사히.

***ac·ci·den·tal** [ӕksidéntl] *a., n.* ① 우연의, 우발적인. ② Ⓒ 〖樂〗 임시 기호.

accidéntal cólo(u)rs 보색 잔상, 우생색.

accidéntal érror 우연 오차.

***ac·ci·den·tal·ly** [ӕksidéntəli] *ad.* 우연히, 뜻밖에(~-*on-purpose* 《俗》 우연을 가장하여 고의로).

áccident insùrance 상해 보험.

áccident-pròne *a.* 사고를 일으키기 쉬운.

ac·ci·die [ǽksidi] *n.* Ⓤ 게으름, 무위(無爲).

***ac·claim** [əkléim] *n., vt.* Ⓤ 갈채(를 보내다), 환호(하여 맞이하다). ── *vi.* 갈채하다.

ac·cla·ma·tion [ӕkləméiʃən] *n.* Ⓤ (보통 *pl.*) 환호, 갈채; 환호 투표.

ac·clam·a·to·ry [əklǽmətɔ̀:ri] *a.*

ac·cli·mate [əkláimit, ǽkləmèit], 《英》 **-ma·tize** [-mətàiz] *vt., vi.* 풍토에 순화시키다. **-ma·tion** [ӕkləméiʃən], **-ti·za·tion** [əklàimətizéiʃən/-tai-] *n.* Ⓤ (풍토) 순응.

ac·cliv·i·ty [əklívəti] *n.* Ⓒ 치받이 (*opp.* declivity).

ac·co·lade [ǽkəlèid, ─∼∠] *n.* Ⓒ 나이트작(爵) 수여식(cf. dub[1]); 칭찬; 명예.

:**ac·com·mo·date** [əkɑ́mədèit/-ɔ́-] *vt.* ① (…에) 적응시키다, 조절하다(adapt)(*to*). ② 화해시키다. ③ 공급[지급]하다, 빌려주다(*with*). ④ 숙박시키다, 수용하다. **-da·tor** *n.* Ⓒ 적응[조절, 융통]자(者); 조절기; 《美》 가정부.

ac·com·mo·dat·ing [əkɑ́mədèitiŋ/əkɔ́m-] *a.* 친절한; (성질이) 신선한.

:**ac·com·mo·da·tion** [əkɑ̀mədéiʃən/-ɔ̀-] *n.* ① Ⓤ 적응, 순응. ② Ⓤ,Ⓒ 화해, 조정. ③ Ⓤ 융통, 대부금. ④ Ⓤ,Ⓒ 편의. ⑤ Ⓤ (호텔·병원·선박 등의) 설비, 숙박 설비.

accommodátion bìll [**dràft, pàper**] 융통 어음.

accommodátion làdder (배·여객기의) 트랩《승강 계단》. 「로.

accommodátion ròad 특설 도

accommodátion tràin 《美》 완행 열차. 「용어》.

accommodátion ùnit 주택《관청

:**ac·com·pa·ni·ment** [əkʌ́mpənimənt] *n.* Ⓒ ① 수반하는 물건. ② 〖樂〗 반주. ***to the ~ of*** …의 반주로.

:**ac·com·pa·ny** [əkʌ́mpəni] *vt.* (…와) 동반하다, 함께 가다, 따르다 (*be accompanied by a person* [*with a thing*]); (…의) 반주를 하다. **-nist** *n.* Ⓒ 반주자.

ac·com·plice [əkɑ́mplis/-ɔ́-] *n.* Ⓒ 공범자, 동류.

:**ac·com·plish** [əkɑ́mpliʃ/-ɔ́-] *vt.* ① 완수하다, 성취하다; 달성하다. ②(학문·기예를) 가르치다.

***ac·com·plished** [əkɑ́mpliʃt/-ɔ́-] *a.* 완성한; 숙달한; 소양[재예·교양]

이 있는(*in*). ~ **fact** 기정 사실.
*__ac·com·plish·ment__ [-mənt] *n.* Ⓤ 성취, 수행; Ⓒ (종종 *pl.*) 재예(才藝), 소양, 교양.
:**ac·cord** [əkɔ́ːrd] *n., vi.* Ⓤ 일치(하다), 맞다, 조화(하다)(*with*). **be in ~ with** …와 일치하다. **of one's own ~** 자발적으로; 자연히. **with one ~** 일제히. ── *vt.* 일치시키다; 주다, 허락하다.
*__ac·cord·ance__ [əkɔ́ːrdəns] *n.* Ⓤ 일치, 조화. **in ~ with** …에 따라서, …대로. **out in ~ with** …와 부조화하여. **-ant** *a.* 일치한, 화합한(*to, with*). **-ant·ly** *ad.*
†**ac·cord·ing** [əkɔ́ːrdiŋ] *ad.* 따라서. **~ as** (…함)에 따라서. **~ to** …에 의하면, …에 따라. :**~·ly** *ad.* 그에 따라; 그러므로.
:**ac·cor·di·on** [əkɔ́ːrdiən] *n.* Ⓒ 아코디언. **~·ist** *n.* Ⓒ 아코디언 연주자.
accórdion dóor 접었다 폈다 하는 문.
accórdion pléats (스커트의) 잔 주름.
ac·cost [əkɔ́ːst, əkɑ́st] *vt.* (…에게) 말을 걸다.
ac·couche·ment [əkúːʃmɑ̃ːŋ, -mənt] *n.* (F.) Ⓤ 분만, 출산.
†**ac·count** [əkáunt] *n.* ① Ⓒ 계산(서), 셈. ② Ⓒ 설명, 변명. ③ Ⓒ 기사(記事), 이야기. ④ Ⓤ 이유, 근거. ⑤ Ⓤ 평가. ⑥ Ⓤ 가치. ⑦ Ⓤ 이익. **be much ~** 《口》 대단한 것이다. **bring** 〔**call**〕 ***a person to ~*** 설명〔해명〕을 요구하다; 책임을 묻다; 꾸짖다. **by** 〔**from**〕 **all ~s** 누구에게〔어디에서〕 들어도. **cast ~s** 계산하다. **close an ~ with** …와 거래를 끊다. **for ~ of** (*a person*) (아무의) 셈으로. **give a good ~ of** …을 좋게 말하다; (승부에서) …을 패배시키다; (사냥에서) …을 잡다. **go to one's** (**long**) **~,** or 《美》 **hand in one's ~**(**s**) 죽다. **keep ~s** 장부를 기장하다; 회계일을 보다. **make ~ of** …을 중(요)시하다. **make no ~ of** …을 경시하다. **of ~** 중대한. **of no ~** 하찮은. **on ~** 계약금으로서. **on ~ of** …때문에. **on all ~s,** or **on every ~** 모든 점에서; 꼭, 무슨 일이 있어도. **on *a person's* ~** (아무의) 비용으로; (아무를) 위해. **on no ~** 아무리 해도 …않다. **on one's own ~** 자기 이익을 위하여; 독립하여. **on that ~** 그 때문에, 그러므로. **render an ~ of** …의 결산 보고를 하다; …을 개진〔답변〕하다. **stand** (**high**) **in *a person's* ~** (아무의) 존경을 받다, 높이 평가되다. **take ~ of** …을 고려하다, …을 적어 두다. **take ... into ~** …을 고려하다. **take no ~ of** …을 무시하다. **the great ~** 최후의 심판(날). **turn to** (**good**) **~** 이용하다. ── *vt., vi.* …라고 생각하다, …로 보다, 설명하다; 계산하다, 셈하다. **~ for** …을 설명하다, …의 이유이다, (행위)에 책임을 지다. **be much** 〔**little**〕 **~ed of** 중시〔경시〕되다.
*__ac·count·a·ble__ [əkáuntəbəl] *a.* 설명할 수 있는; 책임 있는. **-a·bil·i·ty** [–ˋ–bíləti] *n.* Ⓤ 책임.
*__ac·count·ant__ [əkáuntənt] *n.* Ⓒ 회계원, 회계사, 계리사.
accóuntant géneral 회계〔경리〕과장; 경리국장〔부장〕.
accóuntant bòok 회계 장부.
accóuntant cúrrent 교호(交互) 계산.
accóuntant dày 결산일.
accóuntant exècutive (광고·서비스 회사의) 섭외 부장.
ac·count·ing [əkáuntiŋ] *n.* Ⓤ 회계(학).
accóunt páyable 지불 계정.
accóunt recéivable 수납 계정.
accóunt réndered 대차 청산서; 지급 청구서.
accóunt sàles (위탁 판매의) 매상 계산(서); 외상 판매.
ac·cou·ter, 《英》 **-tre** [əkúːtər] *vt.* 차려 입다(*with, in*); 군장시키다.
ac·cou·ter·ments, 《英》 **-tre-** [əkúːtərmənts] *n. pl.* 복장; (군복·무기 이외의) 장구(裝具).
ac·cred·it [əkrédit] *vt.* ① 믿다, 신뢰〔신임〕하다; 신임장을 주어 파견하다. ② (어떤 행위를 남에게) 돌리다, (아무의) 짓으로 돌리다(~ *him with an action* = ~ *an action to him*).
ac·crete [əkríːt] *vi., vt.* (…에) 부착하다〔시키다〕.
ac·cre·tion [əkríːʃən] *n.* ① Ⓤ (부가에 의한) 증대. ② Ⓒ 부가물. **-tive** *a.* 부착에 의한.
ac·cru·al [əkrúːəl] *n.* ① Ⓤ 발생; 수익을 얻음. ② Ⓒ 이자.
ac·crue [əkrúː] *vi.* (이자 따위가) 생기다, 발생하다.
acct. account; accountant.
ac·cul·tur·ate [əkʌ́ltʃərèit] *vt., vi.* 〖社〗 문화 이입(移入)에 의하여 변용시키다〔하다〕, 문화를 이입하다. **-a·tion** [–ˋ–éiʃən] *n.*
:**ac·cu·mu·late** [əkjúːmjəlèit] *vt., vi.* 쌓다, 모으다; 쌓이다, 모이다. **~d fund** 적립금. **-la·tive** [-lèitiv/ -lə-] *a.* :**-la·tion** [–ˋ–léiʃən] *n.* Ⓤ 집적(集積), 축적.
ac·cu·mu·la·tor [əkjúːmjəlèitər] *n.* Ⓒ ① 모으는 물건〔사람〕, 축재가. ② 《英》 축전지. ③ 〖컴〗 누산기.
:**ac·cu·ra·cy** [ǽkjərəsi] *n.* Ⓤ 정확, 정밀.
:**ac·cu·rate** [ǽkjərit] *a.* 정확〔정밀〕한. *~·ly *ad.*
*__ac·curs·ed__ [əkə́ːrsid, -st], **ac·curst** [-st] *a.* 저주받은; 지겨운, 진저리나는.
accus. accusative.
*__ac·cu·sa·tion__ [ækjuzéiʃən] *n.* Ⓤ,Ⓒ ① 비난, 힐책. ② 고소, 고발. ③ 죄, 죄명.

A

ac·cu·sa·tive [əkjú:zətiv] *n., a.* (the ~)〖文〗대격(對格)(의).
ac·cu·sa·to·ry [əkjú:zətɔ̀:ri/-təri] *a.* 비난의; 고소의.
:ac·cuse [əkjú:z] *vt.* ① 고발[고소]하다. ② 비난하다, 책하다. ~ *(a person)* **of** *(theft)* (아무를) (절도죄)로 고소하다. **the ~d** 피고. **ac·cús·er** *n.* Ⓒ 고소인, 원고.
:ac·cus·tom [əkʌ́stəm] *vt.* 익히다. **be ~ed to** …에 익숙해지다.
:ac·cus·tomed [əkʌ́stəmd] *a.* ① 예(例)의, 늘 하는 식의, 습관의. ② 익숙한, 익숙해져서. **become** [**get**] ~ **to** …에 익숙해지다.
AC/DC, ac/dc alternating current/direct current 교류·직류(의), 교직 양용(의);《俗》양성애(兩性愛)의.
***ace**[1] [eis] *n.* Ⓒ ① (카드 따위의) 1, (게임에서) 1점. ②《美俗》1달러 지폐. ③ 능수, 명인, (어느 분야의) 제1인자; 우수 선수; 하늘의 용사. **within an ~ of ...** 자칫[까딱] …할 뻔하여. ── *a.* 우수한, 명인(급)의, 일류의.
ace[2] (<*a*utomatic *c*omputing *e*ngine) *n.* Ⓒ 자동 계산기.
ACE American Council on Education.
a·ce·di·a [əsí:diə] *n.* =ACCIDIE.
áce-hígh *a.*《美》크게 인기 있는, 우수한.
A·cel·da·ma [əséldəmə, əkél-] *n.*〖聖〗(가리옷) 유다가 자살한 곳.
a·cen·tric [eiséntrik] *a.* 중심이 없는[을 벗어난].
a·ceph·a·lous [eiséfələs] *a.* 무두(無頭)의; 지도자가 없는.
a·cerb [əsə́:rb], **a·cer·bic** [-ik] *a.* ① 신, 쓴, 떫은. ② (말·태도·기질이) 엄한, 격한, 통렬한.
ac·er·bate [ǽsərbèit] *vt.* (…을) 성나게 하다, 괴롭히다.
a·cer·bi·ty [əsə́:rbəti] *n.* Ⓤ 신맛; 쓴맛; 통렬함, 신랄함.
ac·e·tal [ǽsətæ̀l] *n.* Ⓤ 아세탈《수면제》.
ac·et·al·de·hyde [æ̀sətǽldəhàid] *n.* Ⓤ〖化〗아세트알데히드.
ac·et·an·i·lid[æ̀sətǽnəlid], **-lide** [-làid] *n.* Ⓤ〖化〗아세트아닐리드《진통·해열제》.
ac·e·tate [ǽsətèit] *n.* Ⓤ〖化〗초산염.
ácetate ráyon 아세테이트《인조견사의 일종》.
a·ce·tic [əsí:tik, -sé-] *a.* 초(醋)[초산]의.
acétic ácid 초산(醋酸).
acétic anhýdride 무수(無水) 초산.
a·cet·i·fy [əsétəfài] *vt., vi.* 초과(되게) 하다, 시게 하다[되다].
ac·e·tone [ǽsətòun] *n.* Ⓤ〖化〗아세톤《휘발성·가연성의 액체; 용제·무연 화약·니스 등에 쓰임》.
ac·e·tous [ǽsətəs, əsí:-] *a.* 초의, 초 같은, (맛이) 신.
a·ce·tyl [əsí:tl, əsétl] *n.* Ⓤ〖化〗아세틸.
a·ce·tyl·cho·line [əsì:təlkóuli:n] *n.* Ⓤ〖生化〗아세틸콜린.
a·cet·y·lene [əsétəlì:n] *n.* Ⓤ〖化〗아세틸렌.
a·cè·tyl·sal·i·cyl·ic ácid [əsí:təlsæ̀ləsílik-, æ̀sə-] =ASPIRIN.
A·chae·a [əkí:ə], **A·cha·ia** [əkáiə] *n.* 아카이아《고대 그리스 남부의 땅》. **-an, -chái·an** *a., n.* Ⓒ 아카이아의 (사람), 그리스의; 그리스 사람.
A·cha·tes [əkéiti:z] *n.* Aeneas의 충실한 벗《Virgil작 *Aeneid* 중의 인물》.
:ache [eik] *vi.* ① 아프다, 쑤시다. ②《口》간망(懇望)하다. ── *n.* Ⓒ 아픔.
Ach·er·on [ǽkərɑ̀n/-rɔ̀n] *n.*〖그·로神〗아케론 강《삼도내》; Ⓤ 저승.
à che·val [ɑ̀:ʃəvɑ́:l] (F.) 걸치고; (도박에서) 양다리 걸치고.
:a·chieve [ətʃí:v] *vt.* ① 성취하다, 이루다, (목적을) 달하다. ② (명성을) 얻다.
:a·chieve·ment [ətʃí:vmənt] *n.* ① Ⓤ 성취. ② Ⓒ 업적, 위업.
achíevement àge〖心〗학업 성취 연령.
achíevement quòtient〖心〗성취[성적] 지수《생략 A.Q.》.
achíevement tèst 학력 검사.
Ach·il·le·an [æ̀kəlí:ən] *a.* Achilles 의[같은].
A·chil·les [əkíli:z] *n.*〖그神〗아킬레스《Homer작 *Iliad*에서 발빠른 용사》. **heel of ~** 유일한 약점.
Achílles(') téndon〖醫〗아킬레스건(腱).
ach·lu·o·pho·bi·a [æ̀kluəfóubiə] *n.* Ⓤ〖心〗암흑 공포증.
ach·ro·mat·ic [æ̀krəmǽtik] *a.* 색이 없는; 색을 없앤.
a·chro·ma·tize [eikróumətàiz] *vt.* (…의) 색을 없애다; (렌즈의) 색수차를 없애다.
:ac·id [ǽsid] *n., a.* Ⓤ,Ⓒ 산(酸); 신맛(이 있는), 신; 찌무룩한, 부루퉁한;《美俗》=LSD.
ácid-fàst *a.* 항산성의, 산에 퇴색하지 않는.
ácid-hèad *n.* Ⓒ《美俗》LSD 상용자(常用者).
ácid hòuse《英》애시드 하우스《신시사이저 따위의 전자 악기를 쓰며, 비트가 빠른 음악》.
a·cid·i·fy [əsídəfài] *vt., vi.* 시게 하다; 시어지다, 산(성)화하다. **a·cid·i·ty** [əsídəti] *n.* Ⓤ 산성, 신맛.
ac·i·dóph·i·lus mílk [æ̀sədɑ́fələs-/-dɔ́f-] 유산균 우유.
ac·i·do·sis [æ̀sədóusis] *n.* Ⓤ〖醫〗산성증.
ácid tést 산(酸)시험; 엄밀한 시험.
ácid tríp《美俗》LSD에 의한 환각체험.
a·cid·u·lous [əsídʒələs] *a.* ① 다소 신맛이 있는. ② 찌무룩한; 심술궂은. **~·ly** *ad.*

ack. acknowledge; acknowledg(e)ment.

ack-ack[ǽkæ̀k] *n.* Ⓒ 《俗》 고사포 「(의 포화).

ack em·ma[ǽk émə] 《英俗》 오전(에); 《英軍俗》 비행기 수리공.

ackgt. acknowledg(e)ment.

:ac·knowl·edge [əknálidʒ/-ɔ́-] *vt.* ① 인정하다, 승인하다. ② 감사하다. ③ (편지 따위의) 받았음을 알리다. **~d** [-d] *a.* 정평이 있는.

***ac·knowl·edg·ment,** 《英》 **-edge·ment**[æknálidʒmənt, ik-/-nɔ́l-] *n.* ① Ⓤ 자인(自認), 승인. ② Ⓒ (접수의) 확인. ③ Ⓤ 감사; Ⓒ 답례장.

A.C.L.S. American Council of Learned Societies.

ac·me[ǽkmi] *n.* Ⓒ (보통 the ~) 결정, 극치(climax).

ac·ne[ǽkni] *n.* Ⓤ 여드름.

a·cock[əkák/-ɔ́-] *pred. a.* (모자의) 챙을 세워서.

ac·o·lyte[ǽkəlàit] *n.* Ⓒ 〚가톨릭〛 복사(服事); 조수.

ac·o·nite[ǽkənàit] *n.* Ⓒ 〚植〛 바곳; 〚藥〛 아코나이트《그 뿌리에서 채취한 진통제》.

:a·corn[éikɔːrn] *n.* Ⓒ 도토리, 상수리. 「등.

ácorn shèll 도토리 껍질; 〚動〛 굴

ácorn tùbe 〚電〛 에이콘관(管)《도토리 모양의 작은 진공관》.

a·cous·tic[əkúːstik], **-ti·cal**[-əl] *a.* 청각(聽覺)의; 보청(補聽)의; 음향학의. **ac·ous·ti·cian**[æ̀kuːstíʃən] *n.* Ⓒ 음향학자. **a·cóus·tics** *n.* Ⓤ 음향학; 《복수 취급》 (홀 등의) 음향 효과.

acóustical clóud 〚建〛 음향 반사관《뮤직홀 따위의 음향 효과를 높이기 위한 장치》.

acóustic guitár (전기 기타가 아닌) 보통 기타.

acóustic míne 음향 기뢰《배의 엔진 따위의 소리로 폭발함》.

acóustic phonétics 음향 음성 「학.

acpt. 〚商〛 acceptance.

:ac·quaint [əkwéint] *vt.* 알리다; 숙지(熟知)시키다. ***be* 〔*get*〕 *~ed with*** …을 알고 있다〔알게 되다〕. **:~ed** [-id] *a.* 아는; 정통한.

:ac·quaint·ance [-əns] *n.* ① Ⓤ 면식(面識), 안면, 아는 사이(*I made his ~.* =*I made ~ with* 〔*of*〕 *him.* 그와 알게 되었다). ② Ⓒ 친지. ③ Ⓤ 지식, 앎. **~·ship**[-ʃìp] *n.* Ⓤ 서로 아는 사이, 친분 관계.

ac·qui·esce[æ̀kwiés] *vi.* 묵묵히 따르다, 묵인하다. **-es·cence** [-ns] *n.* **-és·cent** *a.*

:ac·quire [əkwáiər] *vt.* ① 얻다. ② 습득하다, (버릇 따위를) 붙이다. ③ 가져오다. ***~d** [-d] *a.* 취득한; 후천적으로 얻은. ***~·ment** *n.* ① Ⓤ 취득, 획득, 습득. ② Ⓒ (종종 *pl.*) 학식, 재예.

***ac·qui·si·tion** [æ̀kwəzíʃən] *n.* ① Ⓤ 취득, 획득. ② Ⓒ 취득〔획득〕물.

ac·quis·i·tive [əkwízətiv] *a.* 습득성이 있는; 얻〔갖〕고 싶어하는(*of*); 욕심 많은. **~·ly** *ad.*

ac·quit** [əkwít] *vt.* (*-tt-*) ① 석방〔방면〕하다, 면제하다. ② 다하다. ~ (*a person*) ***of (*his responsibility*) (그의 책임을) 해제하다. ***~ oneself of*** (*one's duty*) (의무를) 다하다. ***~ oneself*** (*well*) (훌륭히) 행동하다. **~·tal**[-l] *n.* Ⓤ,Ⓒ 석방; 변제(辨濟); 수행. **~·tance** *n.* Ⓤ 변제; 영수증(證).

†a·cre [éikər] *n.* ① Ⓒ 에이커《약 4046.8 m²》. ② (*pl.*) 토지, 경작지. ***God's A-*** 묘지(墓地).

a·cre·age [éikəridʒ] *n.* Ⓤ 에이커 수(數), 토지.

ac·rid [ǽkrid] *a.* 매운; 쓴; (코를) 톡 쏘는; (피부에) 스미는; 짓궂은; 신랄한. **a·crid·i·ty** [əkrídəti] *n.*

ac·ri·mo·ni·ous [æ̀krəmóuniəs] *a.* (말·태도가) 매서운, 격렬한, 신랄한(bitter). **~·ly** *ad.* **-ny** [ǽkrəmòuni] *n.*

ac·ro- [ǽkrou, -rə] '최고의, 끝의; 뾰족한'의 뜻의 결합사.

ac·ro·bat [ǽkrəbæ̀t] *n.* Ⓒ 곡예사; 편의주의자. **ac·ro·bat·ic** [æ̀krəbǽtik] *a.* **àc·ro·bát·ics** *n.* 《단수 취급》 곡예; 《복수 취급》 곡예의 연기.

ac·ro·meg·a·ly [æ̀krəmégəli] *n.* Ⓤ 〚醫〛 말단 거대(증). **-me·gal·ic** [-məgǽlik] *a.*

ac·ro·nym [ǽkrənìm] *n.* Ⓒ 두문자어(頭文字語)《머리 글자만 모아 만든말; UNESCO 따위》.

ac·ro·pho·bi·a [æ̀krəfóubiə] *n.* Ⓤ 〚心〛 고소(高所) 공포증.

a·crop·o·lis [əkrápəlis/-ɔ́-] *n.* Ⓒ (고대 그리스 도시의) 성채(城砦); (the A-) 아테네의 성채.

†a·cross [əkrɔ́ːs/-ɔ́-] *ad., prep.* ① (…을) 가로질러, (…을) 건너서, (…의) 저쪽〔건너편〕에. ② 엇갈리어, 교차되어, 지름〔직경〕으로. ***come* 〔*run*〕 ~** 뜻하지 않게 …을 만나다. ***get ~*** 건너다, 넘다; 화〔짜증〕나게 하다. ***go ~*** 엇갈리다, 거꾸로 되다. ***put ~*** 수행(遂行)하다; 잘 알도록 보이다; 《美俗》 속이다.

acròss-the-bóard *a.* 전면적인 (~ *tax reduction* 전면적 감세).

a·cros·tic [əkrɔ́ːstik, -á-/-ɔ́-] *a., n.* Ⓒ 각 줄에서 처음과 끝을 맞추면 어구(語句)가 되는 (시); 그러한 식의 글자 퀴즈.

ac·ryl [ǽkril] *n.* Ⓤ 〚化〛 아크릴.

a·cryl·ic [əkrílik] *a.* 〚化〛 아크릴의.

acrýlic ácid 아크릴산(酸).

acrýlic cólor 〔páint〕 아크릴 그림물감.

acrýlic fíber 아크릴 섬유.

acrýlic résin 아크릴 수지.

ac·ry·lo·ni·trile [æ̀krəlounáitril, -triːl, -trail] *n.* Ⓤ 〚化〛 아크릴로니트릴《합성 고무·섬유의 원료》.

†act [ækt] *n.* Ⓒ ① 행위; 행동. ② (극의) 막(幕)(cf. scene). ③ 결의

A

(서); 법령. ~ ***and deed*** 증거물. ~ ***of God*** 〖法〗 불가항력. ~ ***of grace*** 은전, 특전; (A-) 일반 사면령(令). ***in the*** (***very***) ~ (***of***) (…의) 현행중에, (…하는) 현장에서. ***the Acts*** (***of the Apostles***) 〖新約〗 사도행전. — *vt.* 행하다, 하다; (…의) 시늉을〔체를〕 하다; (역을) 맡아〔연기〕하다, (극을) 상연하다. — *vi.* ① 행동하다. ② 작용하다(*on*). ③ 연기하다(*as*). ④ 《美》 판결을 내리다(*on*). ~ ***for*** …의 대리가 되다〔대리를 보다〕. ~ ***on*** 〔***upon***〕 …에 따라 행동하다; (뇌 따위)에 작용하다, 영향을 미치다. ~ ***the part of*** …의 역(할)을 하다. ~ ***up*** 《美口》 허세〔허영〕 부리다; 건방진 태도를 취하다; (못된) 장난을 하다. ~ ***up to*** (주의·주장)을 실행하다, …을 고수하다, (약속을) 지키다. **~·a·ble**[ǽktəbl] *a.* 상연〔실행〕 가능한.

actg. acting.

ACTH [éisìːtìːéitʃ, ækθ] *n.* Ⓤ (관절염·류머티즘 등에 유효한) (뇌하수체) 호르몬의 일종(<*a*dreno*c*or-tico*t*rophic *h*ormone).

ac·tin [ǽktin] *n.* Ⓤ 〖生化〗 악틴《단백질의 일종》.

:act·ing [ǽktiŋ] *a., n.* 대리의; Ⓤ 행함, 연기. ~ ***chief*** 과장 대리. ~ ***copy*** 〖劇〗 대본. ~ ***manager*** 지배인 대리. ~ ***principal*** 교장 대리.

ac·tin·ic [æktínik] *a.* 화학선(작용)의. ~ ***rays*** 화학선.

ác·ti·nide sèries [ǽktənàid-] 〖化〗 악티니드 계열《원자 번호 89인 악티늄부터 103인 로렌슘까지의 방사성 원소의 총칭》.

ac·tin·ism [ǽktənìzəm] *n.* Ⓤ 화학선 작용.

ac·tin·i·um [æktíniəm] *n.* Ⓤ 〖化〗 악티늄《방사성 원소》.

ac·ti·nom·e·ter [æ̀ktənɑ́mitər/-ɔ́mi-] *n.* 〖化〗 광량계; 〖寫〗 노출계.

ac·ti·no·my·cete [æ̀ktənoumáisiːt] *n.* Ⓒ 〖生〗 방(사)선균.

ac·ti·no·my·cin [æ̀ktənoumáisin] *n.* Ⓤ 〖生化〗 악티노마이신《항생 물질의 하나》.

ac·ti·non [ǽktənɑ̀n] *n.* Ⓤ 〖化〗 악티논《라돈과 동위의 방사원소; 기호 An》.

ac·ti·no·ther·a·py [æ̀ktənouθérəpi] *n.* Ⓤ 방사선 치료.

†ac·tion [ǽkʃən] *n.* ① Ⓤ 활동, 작용. ② Ⓒ 행동, 행위. ③ Ⓤ 동작; 몸짓, 거동; 기능, 작용. ④ Ⓒ 소송. ⑤ Ⓒ 전투. ⑥ Ⓤ (소설 따위의) 줄거리(의 전개). ***be put out of*** ~ 전투력을 잃다; 상태가 나빠지다. ***bring*** 〔***take***〕 ***an*** ~ ***against*** …을 기소(起訴)하다. ***in*** ~ 활동〔실행〕하고; (기계 따위) 작동하고. ***man of*** ~ 활동가. ***put into*** 〔***in***〕 ~ 실시하다. ***take*** ~ 착수〔시작〕하다(*in*). **~·a·ble** *a.* 소송을 제기할 만한. **~·ist** *n.* Ⓒ (정치에서의) 직접 행동주의자.

áction committee 행동 위원회.

áction-pàcked *a.* 《口》 (영화 등이) 액션으로 꽉 찬.

áction pàinting 행동 회화《그림물감을 뿌리는 등의 전위 회화》.

áction réplay 《英》 =INSTANT REPLAY.

áction stàtion 〖軍〗 전투 배치.

ac·ti·vate [ǽktəvèit] *vt.* 활동적으로 하다; 〖美軍〗 (부대를) 전시 편성하다; 동원(動員)하다; 〖理〗 방사능을 부여하다; 〖化〗 활성화하다; (하수를) 정화하다. **-va·tion** [ˊ–véiʃən] *n.* Ⓤ 활발하게 함, 자극; 활성화; 전시 편성. **ác·ti·và·tor** *n.* Ⓒ 활발하게 만드는 사람〔것〕; 〖化〗 활성제.

áctivated slúdge 하수 정화니(淨化泥).

:ac·tive [ǽktiv] *a.* ① 활동적인, 적극적인; 힘센. ② 〖文〗 능동의. ③ 〖軍〗 현역의. ***~·ly** *ad.*

áctive cápital 활동 자본.

áctive dúty 〔**sérvice**〕 현역 근무.

áctive vóice 〖文〗 능동태.

áctive volcáno 활화산(活火山).

ac·tiv·ism [ǽktivìzəm] *n.* Ⓤ (적극적인) 행동주의. **-ist** *n.* Ⓒ 행동주의자; 행동대원; (정치〔학생〕운동 등의) 활동가.

:ac·tiv·i·ty [æktívəti] *n.* ① Ⓤ 활동, 활약. ② Ⓤ 활기, 활황(活況); 능동성. ③ Ⓒ (종종 *pl.*) 활동(범위).

:ac·tor [ǽktər] *n.* Ⓒ 배우; 행위자.

:ac·tress [ǽktris] *n.* Ⓒ 여(배)우.

:ac·tu·al [ǽktʃuəl] *a.* 현실의, 실제의; 현재의. ~ ***capacity*** 실(實)능력; 실용량. ~ ***locality*** 현지. ~ ***money*** 현금. **:~·ly**[-li] *ad.* 현실적으로, 실제로.

ac·tu·al·i·ty** [æ̀ktʃuǽləti] *n.* ① Ⓤ 현실(성). ② Ⓒ (종종 *pl.*) 현상, 실태, 진상. ***in ~ 현실로.

ac·tu·al·ize [ǽktʃuəlàiz] *vt.* 실현하다(make actual).

ac·tu·ar·y [ǽktʃuèri/-tjuəri] *n.* Ⓒ 보험 회계사; 《古》 (법정의) 서기. **-ar·i·al** [æ̀ktʃuέəriəl] *a.*

ac·tu·ate [ǽktʃuèit] *vt.* (기계를) 움직이다; (남을) 자극하여 …시키다.

a·cu·i·ty [əkjúːəti] *n.* Ⓤ 예민; 격렬; 신랄.

a·cu·men [əkjúːmən, ǽkjə-] *n.* Ⓤ 혜안(慧眼); 명민.

ac·u·pres·sure [ǽkjuprèʃər] *n.* Ⓤ 지압(요법).

ac·u·punc·ture [ǽkjupʌ̀ŋktʃər] *n.* Ⓤ 침술, 침 치료.

:a·cute [əkjúːt] *a.* ① 날카로운; 뾰족한. ② 예민한, 빈틈없는. ③ 격렬한; 급성의(opp. chronic). **~·ly** *ad.*

acúte ángle 예각.

ACV air-cushion vehicle 호버크래프트.

a·cy·clic [eisáiklik] *a.* 〖化〗 비순환식의.

ad**[1] [æd] *n.* Ⓒ 《美》 광고(advertisement). ~ ***balloon 광고 기구〔풍선〕.

ad[2] *n.* 〖테니스〗 advantage의 단축

《duce 다음의 1점》.
ad. adverb; advertisement.
:A.D.[éidíː] 서력…(< *Anno Domini*).
A/D analog-to-digital. **A.D.A.** Americans for Democratic Action; Atomic Development Authority 원자력 응용 개발 기관.
ad·age [ǽdidʒ] *n.* Ⓒ 격언, 속담.
a·da·gi·o [ədɑ́ːdʒou, -dʒiòu] *ad., a., n.* (*pl.* **~s**) (It.) 〖樂〗 느리게, 느린; Ⓒ 아다지오장(章)〔곡〕.
***Ad·am** [ǽdəm] *n.* 〖聖〗 아담.
ad·a·mant [ǽdəmənt, -mæ̀nt] *a., n.* Ⓤ 대단히 단단한 (물건); (의지가) 견고한. **-man·tine** [∸–mǽntain, -tiː(ː)n] *a.* 견고한, 단단한.
Ad·am·ite [ǽdəmàit] *n.* Ⓒ Adam의 자손, 인간; 벌거숭이; 나체주의자.
Ádam's ále [**wíne**] 《口》 물.
Ádam's àpple 결후(結喉).
:a·dapt [ədǽpt] *vt.* ① 적응〔적합〕시키다(*to*). ② 개작〔수정〕하다; 번안하다. **~·ed** [-id] *a.*
a·dapt·a·ble [ədǽptəbəl] *a.* 적응〔순응〕할 수 있는(*to*); 각색할 수 있는(*for*). **-bil·i·ty** [–∸–bíləti] *n.* Ⓤ 적응〔순응〕성; 각색의 가능성.
:ad·ap·ta·tion [æ̀dəptéiʃən] *n.* ① Ⓤ 적응. ② Ⓤ,Ⓒ 개작, 각색.
a·dapt·er, a·dap·tor [ədǽptər] *n.* Ⓒ 각색자; 번안자; 가감 장치; 〖電·機〗 어댑터, 연결관〔기〕; 〖컴〗 접속기.
a·dap·tion [ədǽpʃən] *n.* =ADAPTATION.
a·dap·tive [ədǽptiv] *a.* 적합한, 적응한; 적합할 수 있는.
ADB Asian Development Bank.
A.D.C. aid(e)-de-camp; Amateur Dramatic Club.
ad cap·tan·dum (***vul·gus***) [æd kæptǽndəm (vʌ́lgəs)] (L.) 인기를 끌기 위해.
Ád·cock antènna [ǽdkɑk-/-ɔ-] 〖電〗 애드콕 안테나《방향 탐지용 안테나》.
A/D convérter 〖컴〗 아날로그 디지털 변환기.
ad·craft [ǽdkræ̀ft/-krɑ̀ːft] *n.* 《美》《집합적》 광고 취급업자.
†add [æd] *vt., vi.* ① 더하다, 더해지다, 늘다. ② 가산하다. **~ *to*** …을 더하다, 증가하다. **~ *up*** 합계하다; 계산이 맞다. ***to ~ to*** …에 더하여. ── *n.* Ⓤ,Ⓒ 〖컴〗 더하기(addition).
add. addenda; addendum; additional; address.
ádded-válue táx =VALUE-ADDED TAX.
ad·dend [ǽdend, ədénd] *n.* Ⓒ 〖數〗 가수(加數).
ad·den·dum [ədéndəm] *n.* (*pl.* ***-da*** [-də]) Ⓒ 보유(補遺); 추가.
ad·der[1] [ǽdər] *n.* Ⓒ 〖動〗 살무사의 무리(cf. asp[1]).
ad·der[2] *n.* =ADDING MACHINE; Ⓒ 덧셈하는 사람; 〖컴〗 덧셈기, 가산기.
ad·dict [ədíkt] *vt.* 탐닉하게〔빠지게〕하다(~ *oneself to*). ***be ~ed to*** …에 빠지다. ── [ǽdikt] *n.* Ⓒ (마약 따위의) 상습자, 중독자. **ad·díc·tion** [əd-] *n.* Ⓤ,Ⓒ 탐닉, 빠짐.
ad·dic·tive [ədíktiv] *a.* (약 따위가) 습관성의, 중독되기 쉬운.
ádding machìne 가산기(加算器), 계산기.
Ád·di·son's disèase [ǽdisnz-] 애디슨병《부신(副腎) 이상에 의한》.
:ad·di·tion [ədíʃən] *n.* ① Ⓤ 부가, 증가; Ⓤ,Ⓒ 가산(加算). ② Ⓒ 부가물; 증축. ***in ~*** (***to***) (…에) 더하여, 그 위에. **: ~·al** *a.* 부가의 (*an ~al tax* 부가세). **~·al·ly** *ad.* 그 위에 (더).
ad·di·tive [ǽdətiv] *a.* 부가적인; 첨가의. ── *n.* Ⓒ 부가〔첨가〕물.
ad·dle [ǽdl] *a.* 썩은, 혼탁한. ── *vt., vi.* 썩(히)다, 혼란시키다〔하다〕.
áddle·bràined, -hèaded *a.* 투미한, 우둔한.
ádd-òn *n.* Ⓒ 추가물; (기계에 대한) 부가 장치.
ádd-on mémory 〖컴〗 덧기억 장치(裝置).
ádd operátion 〖컴〗 덧셈.
†ad·dress [ədrés] *n.* ① Ⓒ 연설; 말을 겖; 인사《공식의》; 제언; 청원. ② Ⓤ 말투, 응대(의 멋짐). ③ Ⓤ 교묘, 솜씨(좋음). ④ Ⓒ [*美+*ǽdres] 수신인 이름·주소; 〖컴〗 번지. ⑤ (*pl.*) 구혼. ⑥ Ⓒ 《美》 대통령의 교서. ***a funeral ~*** 조사. ***an ~ of thanks*** 치사. ***pay one's ~es to*** …에게 구혼하다. ***with ~*** 솜씨 좋게. ── *vt.* ① (…에게) 말을 걸다; (…을 향하여) 연설하다(~ *an audience*). ② (편지 등의) 겉봉을 쓰다; …앞으로 보내다. ③ 신청하다《구두·서면으로》. ④ (문제에) 파고 들다; 다루다. ⑤ 〖골프〗 (공을) 칠 준비 태세로 들다. ***~ oneself to*** …에 (본격적으로) 달려붙다; …에게 말을 걸다; 편지 쓰다. **~·a·ble** *a.* 〖컴〗 번지로 끄집어낼 수 있는. **~·er, -dres·sor** *n.* Ⓒ 발신인.
áddress bùs 〖컴〗 번지 버스.
ad·dress·ee [æ̀dresíː] *n.* Ⓒ (우편물·메시지의) 수신인.
addréssing machìne 주소 성명 자동 인쇄기.
addréssing mòde 〖컴〗 번지지정 「방식.
Ad·dres·so·graph [ədrésəgræ̀f, -grɑ̀ːf] *n.* 〖商標〗 =ADDRESSING MACHINE.
áddress spàce 〖컴〗 번지공간 《CPU, OS, 응용(application) 등이 접근(access)할 수 있는 기억 번지(memory address)의 범위》.
ad·duce [ədjúːs] *vt.* 인용하다, 증거로서 들다. **ad·duc·tion** [-dʌ́k-] *n.*
ad·duct [ədʌ́kt] *vt.* 〖生〗 (손·발을) 내전(內轉)시키다.
ad·e·nine [ǽdəniːn] *n.* Ⓤ 〖化〗 아데닌《췌장 등 동물 조직 중의 염기》.
ad·e·no·car·ci·no·ma [æ̀dənou-kɑ̀ːrsinóumə] *n.* (*pl.* **~s, *-mata***

[-mətə]) Ⓒ 〖醫〗 선(腺)암.
ad·e·noids [ǽdənɔ̀idz] *n.* Ⓤ 〖醫〗 아데노이즈《인두편도(咽頭扁桃)의 비대증》.
ad·e·no·ma [æ̀dənóumə] *n.* Ⓒ 〖醫〗 선종(腺腫).
a·den·o·sine [ədénəsìːn, -sin] *n.* Ⓤ 〖生化〗 아데노신《리보 핵산의 효소 분해에 의하여 얻어짐》.
adénosine di·phós·phate [-difɑ́sfeit/-fɔ́s-] 〖生化〗 아데노신 2인산(燐酸)《ATP에서 하나의 인산을 뺀 구조를 갖는 물질; 생략 ADP》.
adénosine mo·no·phós·phate [-mɑ̀nəfɑ́sfeit/-mɔ̀nəfɔ́s-] 〖生化〗 아데노신 1인산.
adénosine tri·phós·phate [-traifɑ́sfeit/-fɔ́s-] 〖生化〗 아데노신 3인산《생체 내에서 에너지의 획득·이용에 중요한 작용을 하는 물질; 생략 ATP》.
ad·e·no·vi·rus [æ̀dənouvάirəs] *n.* Ⓒ 〖醫〗 아데노바이러스.
ad·ept [ǽdept, ədépt] *n.* Ⓒ 숙련자(expert). ── [ədépt] *a.* 숙련된 (*in, at*).
ad·e·qua·cy [ǽdikwəsi] *n.* Ⓤ 적당〔충분〕함; 타당.
:ad·e·quate [-kwit] *a.* 적당〔충분〕한. ***~·ly** *ad.*
à deux [ɑːdə́ː] (F.) 둘(만)이서〔의〕.
A.D.F. automatic direction finder.
:ad·here [ædhíər] *vi.* ① 들러붙다, 접착하다(*to*). ② (신념을) 굳게 지키다, 집착하다.
***ad·her·ent** [ædhíərənt] *a.* 들러붙는, 집착하는, 붙어 떨어지지 않는. ── *n.* Ⓒ 지지자; 귀의자(歸依者); 졸개, 부하. **-ence** *n.* Ⓤ 집착, 경도(傾倒), 귀의.
ad·he·sion [ædhíːʒən] *n.* Ⓤ 점착; 집착; 유착(癒着). **-sive** [-siv] *a., n.*
ad hoc [ǽd hɑ́k/-hɔ́k] (L.) 특별「한〔히〕.
ad ho·mi·nem [ǽd hɑ́mənèm/-hɔ́-] (L.) 감정에 호소한〔하여〕; 개인적인〔으로〕.
ad·i·a·bat·ic [æ̀diəbǽtik] *a.* 〖理〗 단열(斷熱)의.
ADI acceptable daily intake (식품 첨가물의) 1일 섭취 허용량.
***a·dieu** [ədjúː/ədjúː] *int., n.* (*pl.* **~s, ~x** [-z]) (F.) Ⓒ 안녕; 이별.
ad inf. *ad infinitum.*
ad in·fi·ni·tum [æd ìnfənáitəm] (L.) 무한히, 무궁하게(forever).
ad int. *ad interim.*
ad in·te·rim [æd íntərim] (L.) 임시의, 당분간의; 그 사이에.
ad·i·os [æ̀diόus, ɑ̀ːdi-] *int., n.* (Sp.) =ADIEU.
ad·i·pose [ǽdəpòus] *n., a.* Ⓤ 지방(脂肪)(의).
ad·i·pos·i·ty [æ̀dəpɑ́səti] *n.* Ⓤ 지방 과다; 비만.
ad·it [ǽdit] *n.* Ⓒ 입구; 〖鑛〗 횡갱(橫坑).
ADIZ [éidiz] air defense identification zone 방공 식별권(圈)《여기에 소속 불명의 비행기가 들어오면 긴급 발진함》.
adj. adjacent; adjective; adjunct; adjustment.
***ad·ja·cent** [ədʒéisənt] *a.* 부근의, 인접하는(*to*). **-cen·cy** [-sənsi] *n.* Ⓤ 근접, 인접; Ⓒ 인접지〔물〕.
ad·jec·ti·val [æ̀dʒiktáivəl] *a.* 〖文〗 형용사(적)인. ── *n.* Ⓒ 형용사적 어구.
:ad·jec·tive [ǽdʒiktiv] *n.* Ⓒ 형용사. ── *a.* 형용사의〔적인〕. **~ *clause*** 〔***phrase***〕 형용사절〔구〕. **~ *infinitive*** 형용사적 부정사.
:ad·join [ədʒɔ́in] *vi., vt.* 인접하다, 서로 이웃하다. **:~·ing** *a.* 인접하는, 이웃의.
:ad·journ [ədʒə́ːrn] *vt., vi.* ① 연기하다. ② (회를) 휴지하다; 휴회하다. **~·ment** *n.*
adjt. adjutant.
ad·judge [ədʒʌ́dʒ] *vt.* 판결하다; 심판하다; 심판하여 (상을) 주다, 교부하다. **ad·judg(e)·ment** *n.*
ad·ju·di·cate [ədʒúːdikèit] *vt., vi.* 판결〔재정〕하다. **-ca·tion** [─ ─ ─ kéiʃən] *n.*
***ad·junct** [ǽdʒʌŋkt] *n.* Ⓒ 부가물; 〖文〗 부가사(詞); 〖論〗 첨성(添性). ── *a.* 부속의. **ad·junc·tive** [ədʒʌ́ŋktiv] *a.* 부수적인.
ádjunct proféssor 《美》 조교수.
ad·jure [ədʒúər] *vt.* 엄명하다; 탄원하다. **ad·ju·ra·tion** [æ̀dʒəréiʃən] *n.*
:ad·just [ədʒʌ́st] *vt.* ① 맞추다, 조정(調整)〔조절〕하다. ② 조정(調停)하다, 화해시키다. **~·a·ble** *a.* **:~·ment** *n.*
ad·just·er, -jus·tor [ədʒʌ́stər] *n.* Ⓒ ① 조정자; 조절기. ② 〖保險〗 손해 사정인.
ad·ju·tant [ǽdʒətənt] *a.* 보조의. ── *n.* Ⓒ 부관(副官), 조수; 〖鳥〗 (인도·아프리카산의) 무수리. **-tan·cy** [-tənsi] *n.* Ⓤ 부관의 직.
ádjutant géneral (*pl.* ***adjutants g-***) 고급 부관「따위》.
ad·less [ǽdlis] *a.* 광고 없는《잡지
ad-lib [ædlíb, ǽd-] *vt., vi.* (**-bb-**) 《口》 대본에 없는 대사를 말하다; 즉흥적으로 노래하다〔연주하다〕.
ad lib *ad libitum.*
àd-líb·ber 즉흥적 재즈 연주가, 애「드리버.
ad lib·i·tum [æd líbətəm] (L.) 〖樂〗 마음대로.
ADM air-launched decoy missile 공중 발사 유인 미사일. **Adm.** Admiral(ty).
ad·man [ǽdmæ̀n, -mən] *n.* Ⓒ 《美口》 광고업자〔권유원〕; 광고 문안 제작자.
ad·mass [ǽdmæ̀s] *n.* Ⓤ 《英》 매스컴에 좌우되기 쉬운 일반 대중.
ad·meas·ure [ædméʒər] *vt.* 할당하다; 달다, 재다, 계량(計量)하다. **~·ment** *n.*
***ad·min·is·ter** [ædmínəstər] *vt.* ① 관리〔처리〕하다, (법률을) 시행〔집

A

행]하다. ② (타격 따위를) 주다. ③ (치료를) 하다, 베풀다. ― *vi.* ① 관리하다. ② 돕다; 주다; (…에) 도움[소용]이 되다(*to*). ~ ***an oath to*** …에게 선서시키다.

ad·min·is·trate [ædmínəstrèit] *vt.* 《美》 관리[지배]하다(administer).

:ad·min·is·tra·tion [ædmìnəstréiʃən, əd-] *n.* ① Ⓤ 관리, 경영, 행정, 시정(施政), 통치. ② Ⓒ《집합적》 관리자측, 경영진; 《美》 정부; Ⓤ 관료[대통령]의 임기. ③ Ⓤ,Ⓒ 줌; 시행; 투약(投藥). ~ ***of justice*** 법의 집행, 처형. ***board of*** ~ 이사회. ***civil*** [***military***] ~ 민[군]정.

·ad·min·is·tra·tive [ædmínəstrèitiv] *a.* 관리[경영]상의; 행정[통치·시정]상의.

ad·min·is·tra·tor [ədmínəstrèitər] *n.* (*fem.* ***-trix*** [–∸–tréitriks]; *fem. pl.* ***-trices*** [-trisì:z]) Ⓒ 관리[관재]인; 행정관. **~·ship** [-ʃip] *n.* Ⓤ 위의 직.

·ad·mi·ra·ble [ǽdmərəbəl] *a.* 훌륭한. **-bly** *ad.* 훌륭히.

·ad·mi·ral [ǽdmərəl] *n.* Ⓒ ① 해군대장, 제독; 해군 장성《대·중·소장》; (해군의) 사령관. ② 기함(旗艦). ③ 〖蟲〗 나비의 일종. ***fleet*** ~, 《英》 ~ ***of the fleet*** 해군 원수. ***Lord High A-*** 해군 장관. ***rear*** ~ 해군 소장. ***vice*** ~ 해군 중장.

ádmiral·shìp *n.* Ⓤ 해군 대장의 직[지위].

ad·mi·ral·ty [ǽdmərəlti] *n.* Ⓤ 해군 대장의 직; Ⓒ 해사 재판소; (the A-) 《英》 해군성[본부]. ***Board of A-*** 《英》 해군 본부. ***First Lord of the A-*** 《英》 해상(海相).

ádmiralty cóurt 해사 재판소.

:ad·mi·ra·tion [æ̀dməréiʃən] *n.* ① Ⓤ 감탄, 칭찬(*for*). ② (the ~) 찬미의 대상.

:ad·mire [ædmáiər] *vt., vi.* ① 감탄[찬미]하다. ② 《口》 칭찬하다. ③ 《美》 기뻐하다, 좋아하다. **:ad·mír·er** *n.* Ⓒ 숭배자; 감탄자; 구애자, 구혼자. ***·ad·mír·ing** *a.*

ad·mis·si·ble [ədmísəbəl] *a.* (의견·기획 등이) 용인될 수 있는; (지위에) 취임할 자격 있는(*to*); 〖法〗 증거로 인용(認容)할 수 있는. **-bly** *ad.* **-bil·i·ty** [-∸–bíləti] *n.*

:ad·mis·sion [ædmíʃən] *n.* ① Ⓤ 입장[입학, 입회](허가). ② Ⓤ 입장료, 입회금. ③ Ⓒ 자인, 자백, 고백. ~ ***free*** 입장 무료. ~ ***to the bar*** 《美》 변호사 개업 허가.

Admíssion Dày 《美》 (주(州)의) 합중국 편입 기념일(⇨TERRITORY).

admíssion tìcket 입장권.

ad·mis·sive [ædmísiv] *a.* 입장[입회] 허가의; 허용[승인]의.

†ad·mit [ædmít] *vt.* (***-tt-***) ① 인정하다, 승인하다; 진실[유효]임을 인정하다; 허락하다(permit). ② 들이다, 입장을[입회를] 허용하다. ③ 수용할 수 있다. ― *vi.* 인정하다, (…의) 여지가 있다(*of*), …할 수 있다. ~ ***to the bar*** 《美》 변호사 개업을 허가하다. **~·ta·ble** [-əbəl] *a.* 들어갈 자격 있는. **~·ted·ly** [-idli] *ad.* 일반에게 인정되어; 분명히; 인정하듯이.

ad·mit·tance [-əns] *n.* Ⓤ 입장[입회](권(權)). ~ ***free*** 입장 무료. ***gain*** [***get***] ~ ***to*** …에 입장이 허락되다[입장하다]. ***No*** ~. 입장 사절.

ad·mix [ædmíks, əd-] *vt.* 혼합하다, 섞다(*with*). **~·ture** *n.* Ⓤ 혼합; Ⓒ 혼합물.

·ad·mon·ish [ədmániʃ/-ɔ́-] *vt.* ① 훈계하다, 타이르다, 깨우치다, 충고[권고]하다(*to* do; *that*). ② 알리다(*of; that*). **~·ment** *n.*

ad·mo·ni·tion [æ̀dməníʃən] *n.* Ⓤ,Ⓒ 타이름, 훈계, 충고. **ad·mon·i·to·ry** [ədmánitɔ̀:ri/-mɔ́nitəri] *a.* 훈계의.

ad·nate [ǽdneit] *a.* 〖生〗 착생한.

ad nau·se·am [æd nɔ́:ziæ̀m, -si-] (L.) 싫증 날 정도로, 구역질 날 만큼.

·a·do [ədú:] *n.* Ⓤ 법석(fuss); 소동. ***much ~ about nothing*** 공연한 소동[법석]. ***without more*** ~ 다음은 순조로이.

a·do·be [ədóubi] *n., a.* Ⓤ 《美》 햇볕에 말린 어도비 찰흙[벽돌](의), 멕시코 벽돌(로 지은).

ad·o·les·cence [æ̀dəlésəns] *n.* Ⓤ 청년기《남자는 14-25세, 여자는 12-21세》; 청춘. **-cent** *a., n.* Ⓒ 청년기의 (사람), 젊은이.

A·do·nis [ədánis, -óu-] *n.* 〖그神〗 Venus가 사랑한 소년; Ⓒ 미소년, 미남자.

·a·dopt [ədápt/-ɔ́-] *vt.* 채택[채용]하다; 양자로 삼다. **~·a·ble** *a.* **~·ed** [-id] *a.* 양자가[채용이] 된(*an ~ed child* 양자). **a·dóp·tion** *n.* Ⓤ,Ⓒ 채용; 양자 결연. **a·dóp·tive** *a.* 채용의; 양자 관계의.

a·dopt·ee [ədɑptí:/-ɔp-] *n.* Ⓒ 채용된 사람; 양자.

a·dor·a·ble [ədɔ́:rəbəl] *a.* 숭배[경모]할 만한; 《口》 귀여운.

ad·o·ra·tion [æ̀dəréiʃən] *n.* Ⓤ 숭배, 경모; 애모, 동경.

:a·dore [ədɔ́:r] *vt.* ① 숭배하다; 경모하다. ② 《口》 무척 좋아하다. **a·dór·er** *n.* **a·dór·ing**(**·ly**) *a.* (*ad.*)

:a·dorn [ədɔ́:rn] *vt.* 꾸미다; 미관을[광채를] 더하다. **~·ment** *n.* Ⓤ 장식.

a·down [ədáun] *ad.* 《詩》 =DOWN.

ADP adenosine diphosphate; automatic data processing. **ADPS** 〖컴〗 automatic data processing system. **ADR** American Depositary Receipt 미국 예탁(預託) 증권.

ad-rate [ǽdrèit] *n.* Ⓒ 광고료.

ad·re·nal [ədrí:nəl] *a., n.* 신장[콩팥]에 가까운, Ⓒ 부신(副腎)(의).

adrénal glànds 부신(副腎).

ad·ren·al·in(**e**) [ədrénəlin] *n.* Ⓤ 아드레날린《부신에서 분비되는 호

르몬》; (A-) 〖商標〗 아드레날린제《강심제·지혈제》.

ad·ré·no·cor·ti·co·tróph·ic hórmone [ədrí:noukɔ̀:rtikoutrǽfik-/-trɔ́fik-] 부신피질 자극 호르몬《생략 ACTH》. 「아드리아 해.

A·dri·át·ic Séa [èidriǽtik-], **the**

a·drift [ədríft] *ad., pred. a.* 표류하여; 떠돌아, (정처없이) 헤매어; 일정한 직업 없이; 어찌할 바를 몰라. ***go*** **~** (배가) 표류하다; 방황하다; 물건이 없어지다, 도둑맞다.

a·droit [ədrɔ́it] *a.* 교묘한. **~·ly** *ad.*

ad·sci·ti·tious [æ̀dsətíʃəs] *a.* 외부로부터의, 본래적이 아닌, 부가적인; 보유의.

ADSL asymmetrical digital-subscriber line.

ad·smith [ǽdsmìθ] *n.* Ⓒ 《美》 광고 문안 작성자. 「키다.

ad·sorb [ædsɔ́:rb] *vt.* 〖化〗 흡착시

ad·sorp·tion [ædsɔ́:rpʃən] *n.* Ⓒ 흡착(작용).

ad·u·late [ǽdʒəlèit] *vt.* 아첨하다. **-la·tion** [≻–léiʃən] *n.* **-la·to·ry** [≺–lətɔ̀:ri/-lèitəri] *a.*

:a·dult [ədʌ́lt, ǽdʌlt] *n., a.* Ⓒ 성인(의), 어른(의); 〖法〗 성년자. ***Adults Only*** 미성년자 사절《게시》. **~·hood** [-hùd] *n.*

adúlt contémporary 어덜트 컨템포러리《발라드 중심의 비교적 조용한 록음악》.

adúlt educátion 성인 교육.

a·dul·ter·ant [ədʌ́ltərənt] *n., a.* Ⓒ 혼합물(의); 섞음질에 쓰는.

a·dul·ter·ate [-rèit] *vt.* 섞음질하다, 질을 떨어뜨리다. — [-rət] *a.* 섞음질한. **-a·tion** [-≻–éiʃən] *n.* Ⓤ 섞음질; Ⓒ 조악품, 막치.

a·dul·ter·er [-rər] *n.* Ⓒ 간부(姦夫), 샛서방. 「婦).

a·dul·ter·ess [-ris] *n.* Ⓒ 간부(姦

a·dul·ter·ine [ədʌ́ltərì:n, -ràin] *a.* =ADULTERATE.

a·dul·ter·y [-ri] *n.* Ⓤ 간통, 간음. **-ter·ous** [-tərəs] *a.* 간통의; 불순한 (*adulterous wine* 섞음질한 포도주).

ad·um·brate [ædʌ́mbreìt, ǽdəm-] *vt.* 어렴풋이 보이다; 예시(豫示)하다; 그늘지게[어둡게] 하다.

a·dust [ədʌ́st] *a.* ① 바싹 마른[건조한]; 해에 그을린. ② 우울한.

adv. *ad valorem;* adverb.

ad va·lo·rem [æd vəlɔ́:rəm] (L.) 〖商〗 가격에 따라서, 종가(從價)의.

†ad·vance [ədvǽns, -ɑ́:-] *vt.* ① 나아가게 하다. ② 승진시키다. ③ (값을) 올리다. ④ (의견을) 내다. ⑤ 선불(先拂)[선대(先貸)]하다. — *vi.* ① 나아가다. ② (밤이) 으슥해지다. ③ 승진하다. ④ (값이) 오르다. ⑤ (문답·게임 등에서) 다음 차례로 진행하다(*A-!* 자, 다음!). — *n.* ① Ⓒ 전진; 진군. ② Ⓤ,Ⓒ 진보; (때의) 진행; 승진. ③ Ⓒ 선불[가불·입체]금. ④ (*pl.*) (친하려는) 접근; 신청. ***in*** **~** 사전에, 미리; 선금으로; 앞서서. ***make*** **~*s*** 입체하다; 환심 사다; 구애하다; 신청하다. — *a.* 앞의; 사전의, 미리의. **~ *base*** 전진 기지. **~ *sale*** (표의) 예매(豫賣). **~ *ticket*** 예매권. **:~d** [-t] *a.* 나아간, 진보한; 고등의; 늙은; (밤이) 깊은. **~*d country*** 선진국. **~*d credit*** 타교(他校)에서의 과목 수료로 인정된 것. **~*d standing*** 타교에서 딴 수료 과목의 승인《받아들이는 학교측의》. ***~·ment** *n.* Ⓤ 전진, 발달; 승진; 선불, 선대(先貸).

advánce ágent 《美》 (강연·흥행의) 준비원, 주선인.

advánce cópy 신간 서적의 견본《평론가 등에게 보내는》.

advánce lével 《英》 상급 학력 시험《대학 입학 자격 등에 필요함; A level》. 「파.

advánce guárd 전위(부대); 전위

advánce màn =ADVANCE AGENT; 《美》 입후보자를 위한 사전

advánce párty 선발대. ⌊공작원.

advánce shéets 견본쇄(刷)《제본하지 않은》.

:ad·van·tage [ədvǽntidʒ, -ɑ́:-] *n.* ① Ⓤ 이익, 편의, 유리. ② Ⓒ 이점, 강점; 유리한 입장. ③ 〖테니스〗 =VANTAGE. ***take*** **~** ***of*** …을 이용하다, …을 틈타다. ***take a person at*** **~** 불시에 타격을 가하다, 기습하다. ***to*** **~** 유리하게, 형편 좋게; 뛰어나게, 훌륭하게. ***turn to*** **~** 이용하다. ***with*** **~** 유리[유효]하게. ***You have the*** **~** ***of me.*** 글쎄 전 누구신지 모르겠네요《교제를 구해 오는 이에 대한 완곡한 사절》. — *vt.* 이익을 주다; 돕다.

***ad·van·ta·geous** [æ̀dvəntéidʒəs] *a.* 유리한; 형편이 좋은. **~·ly** *ad.*

Ad·vent** [ǽdvent, -vənt] *n.* ① 예수의 강림, 강림절《크리스마스 전의 약 4주간》. ② (the a-) 출현, 도래. ***the Second **~** 예수의 재림. **~·ism** [-ìzəm] *n.* Ⓤ 예수 재림론. **~·ist** *n.*

ad·ven·ti·tious [æ̀dventíʃəs] *a.* 우발[외래]의; 〖植·動〗 부정(不定)의, 우생(偶生)의. 「來)종의.

ad·ven·tive [ædvéntiv] *a.* 외래(外

:ad·ven·ture [ædvéntʃər] *n.* ① Ⓤ 모험. ② Ⓒ 흔치 않은 체험. ③ Ⓤ,Ⓒ 투기. — *vt., vi.* =VENTURE. ***-tur·er** *n.* Ⓒ 모험가, 투기가. ***-tur·ous, ~·some** [-səm] *a.* 모험적인, 모험을 즐기는.

ad·ven·tur·ism [ædvéntʃərizm] *n.* Ⓤ (정치·외교면에서의) 모험주의.

:ad·verb [ǽdvə:rb] *n.* Ⓒ 〖文〗 부사. **~ *clause* [*phrase*]** 부사절[구]. ***relative*** **~** 관계 부사. **ad·ver·bi·al** [ædvə́:rbiəl] *a.*

ad ver·bum [æd və́:rbəm] (L.) 축어적(逐語的)으로[인].

***ad·ver·sar·y** [ǽdvərsèri/-səri] *n.* Ⓒ 적; (경기 따위의) 상대(방); (the A-) 마왕(魔王).

ad·ver·sa·tive [ædvə́:rsətiv] *a.*

반대의(뜻의). ~ **conjunction** 〖文〗 반의(反意) 접속사《*but, yet* 따위》.
***ad·verse** [ædvə́ːrs, ⌐⌐] *a.* ① 역(逆)의, 거꾸로의, 반대의(*an* ~ *wind* 역풍, 맞바람). ② 적의(敵意)가 있는. ③ 불리한; 유해한. **~·ly** *ad.* 역으로; 불리하게.
***ad·ver·si·ty** [ædvə́ːrsəti, əd-] *n.* Ⓤ 역경, 불운; Ⓒ 불행한 일, 재난.
ad·vert¹ [ædvə́ːrt, əd-] *vi.* (…에) 주의를 돌리다(*to*); (…에) 언급하다(*to*). 「TISEMENT.
ad·vert² [ǽdvəːrt] *n.*《英》=ADVER-
:ad·ver·tise, -tize [ǽdvərtàiz] *vt., vi.* 광고[공고]하다. ~ **for** …을 광고 모집하다. **:~·ment** [ædvərtáizmənt, ædvə́ːrtis-, -tiz-] *n.* Ⓤ,Ⓒ 광고(*an* ~*ment column* 광고란/~*ment mail* 광고 우편). ***-tis·ing** *n.* Ⓤ 광고(업).
***ad·ver·tis·er** [-ər] *n.* Ⓒ 광고자[주]; (A-) …신문. 「(자).
ádvertising àgency 광고 대리업
ádvertising màn 광고 담당자[업자](adman).
ad·ver·to·ri·al [ædvərtɔ́ːriəl] *n.* Ⓒ 기사 형식을 취한 광고, PR 페이지.
†ad·vice [ædváis] *n.* ① Ⓤ 충고, 조언, 의견. ② Ⓒ (보통 *pl.*) 보도, 보고; 〖商〗 통지, 안내(*a letter of* ~ 통지서). ~ **note** 안내장. ~ **slip** 통지 전표.
***ad·vis·a·ble** [ædváizəbəl] *a.* 권할 만한, 적당한; 현명한, 분별 있는. **-bil·i·ty** [-⌐-bíləti] *n.* Ⓤ 권할 만함, 적당함; 득책.
:ad·vise [ædváiz] *vt.* 충고[조언]하다; 알리다(*of; that*). ― *vi.* 상담[의논]하다(*with*). **~·ment** *n.* Ⓤ 고려. **~d** [-d] *a.* 곰곰이 생각한 끝의, (안 따위) 신중히 고려된; 정보를 얻은. **ad·vís·ed·ly** [-idli] *ad.* 숙고를 거듭한 끝에; 고의로. ***ad·ví·ser, -ví·sor** *n.* Ⓒ 조언자, 상담역, 고문.
ad·vi·so·ry [ædváizəri] *a.* 충고[조언]의; 고문의. ~ **committee** 자문 위원회.
***ad·vo·cate** [ǽdvəkit, -kèit] *n.* Ⓒ 변호인; 주장자, 옹호자. ― [-kèit] *vt.* 변호[옹호]하다; 주장하다. **ad·vo·ca·cy** [-kəsi] *n.* Ⓤ,Ⓒ 변호; 주장; 지지. 「창도자.
ad·vo·ca·tor [-tər] *n.* Ⓒ 주창자,
advt. advertisement. 「작성업자.
ád-wrìter *n.* Ⓒ《美俗》광고 문안
ad·y·na·mi·a [æ̀dinéimiə] *n.* Ⓤ 〖醫〗 쇠약. 「다).
adz(e) [ædz] *n., vt.* Ⓒ 까뀌(로 깎
AEA Atomic Energy Agreement; Atomic Energy Authority. **A.E. and P.** Ambassador Extraordinary and Plenipotentiary. **AEC** Atomic Energy Commission. **A.E.F.** American Expeditionary Force(s).
Ae·gé·an Séa [i(ː)dʒíːən-], **the** 에게해(海), 다도해.
ae·ger [íːdʒər] *n.* Ⓒ 〖英大學〗 진단서.
ae·gis [íːdʒis] *n.* (the ~) 〖그神〗 Zeus의 방패; Ⓒ 보호, 옹호.
Ae·ne·as [iníːəs] *n.* 〖그神〗 Troy의 용사.
Ae·o·li·an [iːóuliən] *a.* Aeolus의; (a-) 바람에 의한.
Aeólian hárp [**lýre**] 풍명금(風鳴琴). 「신(神).
Ae·o·lus [íːələs] *n.* 〖그神〗 바람의
ae·on [íːən] *n.* Ⓒ 영겁(永劫).
ae·py·or·nis [iːpiɔ́ːrnis] *n.* Ⓒ 〖鳥〗 융조(隆鳥)《타조 비슷한 거대한 새; 지금은 멸종》.
aer·ate [éiərèit, ɛ́ə-] *vt.* 공기에 쐬다[를 넣다]; 탄산가스(따위)를 넣다. **~d bread** 무효모 빵. **~d waters** 탄산수. **aer·a·tion** [⌐éiʃən] *n.* Ⓤ 통기(通氣), 통풍; 탄산가스 넣기. **áer·a·tor** *n.* Ⓒ 통풍기; 탄산수 제조기(機).
A.E.R.E. Atomic Energy Research Establishment 원자력 연구소.
:aer·i·al [ɛ́əriəl] *a.* ① 공중의; 항공의. ② 기체의; 공기의[같은], 희박한. ③ 공상적인, 가공의. ④ 공중에 치솟은; 공중에 생기는; 공중 조작의. ― *n.* Ⓒ 안테나. **~·ist** *n.* Ⓒ (공중 그네) 곡예사; 《俗》 지붕을 타고 들어가는 강도.
áerial bòmb 투하 폭탄. 「다리.
áerial cúrrent 기류.
áerial làdder (소방용) 접(摺)사다
áerial mìne 공중 폭뢰(爆雷).
áerial plánt 기생(氣生) 식물.
áerial photógraphy 항공 사진(술).
áerial ráilroad [《英》 **ráilway**] 가공(架空) 철도, 삭도(索道).
áerial róot 〖植〗 기근(氣根).
áerial tánker 공중 급유기.
áerial torpédo 공(중 어)뢰.
áerial trámway 공중 케이블, 삭도(索道).
ae·rie, aer·y [ɛ́əri, íəri] *n.* Ⓒ (매 따위의) 보금자리; 그 어린 새끼; 높은 곳에 있는 집.
aer·i·form [ɛ́ərəfɔ̀ːrm] *a.* 공기[가스]상(狀)의, 기체의; 무형의, 실체 없는.
aer·i·fy [ɛ́ərəfài] *vt.* 공기와 혼합시키다; 공기에 쐬다; 기화하다. **-fi·ca·tion** [⌐-fikéiʃən] *n.*
aer·o- [ɛ́ərou, -rə] '공기, 공중, 항공(기)'의 뜻의 결합사.
aer·o·bal·lis·tics [ɛ̀əroubəlístiks] *n.* Ⓤ 항공 탄도학.
aer·o·bat·ics [ɛ̀ərəbǽtiks] *n.* Ⓤ 곡예비행술; 《복수 취급》 곡예 비행.
aer·obe [ɛ́əroub] *n.* Ⓒ 호기성(好氣性) 미생물. **aer·ó·bic** *a.* 호기성의.
aer·o·bics [ɛəróubiks] *n.* Ⓤ 에어로빅스《운동으로 체내의 산소 소비량을 늘리는 건강법》.
àero·biólogy *n.* Ⓤ 공중 생물학.
áero·bòat *n.* Ⓒ 수상 비행기, 비행정(艇).

A

áero·bùs *n.* Ⓒ《口》 합승 비행기, 근거리 여객기.
áero·cámera *n.* Ⓒ 비행기용〔항공〕 사진기.
aer·o·cy·cle [ɛ́ərousàikəl] *n.* Ⓒ 〖美陸軍〗 소형 헬리콥터.
aer·o·do·net·ics [ɛ̀əroudənétiks] *n.* Ⓤ (글라이더의) 활공 역학, 비행 안전 역학.
aer·o·drome [ɛ́ərədròum] *n.*《英》 =AIRDROME.
àero·dynámics *n.* Ⓤ 기체 동역학; 공기 역학.
aer·o·dyne [ɛ́ərədàin] *n.* Ⓒ 〖空〗 중(重)항공기《기구·비행선 따위에 대해서》.
àero·dynámic *a.* 공기 역학(상)의. **-dynámically** *ad.*
aer·o·em·bol·ism [ɛ̀ərouémbəlìzəm] *n.* Ⓤ 〖醫〗 항공 색전증(塞栓症).
áero·ègine *n.* Ⓒ 항공 발동기.
áero·fòil *n.*《英》 =AIRFOIL.
aer·o·gram(me) [ɛ́ərəgræ̀m] *n.* Ⓒ 항공 서한;《英》 무선 전보.
aer·o·graph [-græ̀f, -grɑ̀:f] *n.* Ⓒ 〖氣〗 (고층의 기온·기압·습도 등의) 자동 기록기.
àero·hýdroplane *n.* Ⓒ 수상 비행기.
aer·o·lite [ɛ́ərəlàit] *n.* Ⓒ 운석(隕石).
aer·ol·o·gy [ɛərɑ́lədʒi/ɛərɔ́l-] *n.* Ⓤ 고층 기상학. **-gist** *n.* Ⓒ 고층 기상학자.
àero·magnétic *a.* 〖理〗 공중자기(학)의.
àero·marı́ne *a.* 〖空〗 해양 비행의.
àero·mechánics *n.* Ⓤ 항공 역학.
àero·médicine *n.* Ⓤ 항공 의학.
aero·meter *n.* Ⓒ 기량계(氣量計), 기체계.
áero·mòtor *n.* Ⓒ 항공기용 (경)발동기.
aer·o·naut [ɛ́ərənɔ̀:t] *n.* Ⓒ 비행선〔경기구〕 조종사. **-nau·tic** [⌐—nɔ́:tik], **-ti·cal** [-əl] *a.* 비행가〔술〕의, 항공의.
àero·náutics *n.* Ⓤ 항공학〔술〕.
aer·o·neu·ro·sis [ɛ̀ərounjuəróusis] *n.* Ⓤ 〖醫〗 항공 신경증.
ae·ron·o·my [ɛərɑ́nəmi/ɛərɔ́n-] *n.* Ⓤ 초고층 대기 물리학.
áer·o·o·ti·tis média [ɛ́ərououtáitis-] 항공 중이염(中耳炎).
áero·pàuse *n.* Ⓤ 대기계면(大氣界面)《지상 약 20-23km간의 공기층》.
áero·phóbia *n.* Ⓤ 고소 공포증, 공기증(恐氣症), 혐기증(嫌氣症).
áero·phóne *n.* Ⓒ (공습에 대비한) 접근 탐지 청음기.
aer·o·phore [ɛ́əroufɔ̀:r] *n.* Ⓒ 인공 호흡기; (탄갱 등에의) 송풍기.
áero·phòto *n.* Ⓒ 항공 사진.
àero·photógraphy *n.* Ⓤ 항공 사진술.
:áero·plàne *n.*《英》 =AIRPLANE.
àero·pólitics *n.* Ⓤ 항공 정책.
áero·scòpe *n.* Ⓒ 대기검사기《대기중의 극미한 물질을 수집하는 장치》.
aer·o·sol [ɛ́ərəsɔ̀:l, -sɑ̀l/ɛ́ərəsɔ̀l] *n.* Ⓤ 〖化〗 연무질(煙霧質), 에어로솔.
áerosol bòmb 살충제 분무기.
áero·spàce *n., a.* Ⓤ 대기권과 우주(의); 항공 우주(의).
áero·sphère *n.* Ⓤ 대기권.
àero·státics *n.* Ⓤ 기체 정역학(靜力學); 기구 항공학.
àero·státion *n.* Ⓤ 경항공기 조정법.
àero·thermodynámics *n.* Ⓤ 공기 열역학.
àero·tráin *n.* Ⓒ 에어러트레인《프랑스에서 개발한 공기 분사로 부상하는 고속 열차》.
ae·ru·gi·nous [irú:dʒənəs] *a.* 녹청(綠靑)의; 청〔초〕록색의.
aer·y[1] [ɛ́əri, éiəri] *a.* =AERIAL.
aer·y[2] [ɛ́əri, íəri] *n.* =AERIE.
Aes·chy·lus [éskələs, í:skə-] *n.* (525-456 B.C.) 그리스의 비극 시인.
Aes·cu·la·pi·us [èskjəléipiəs/ì:s-] *n.* 〖로神〗 의료(醫療)의 신.
:Ae·sop [í:sɑp, -səp/-sɔp] *n.* 이솝《고대 그리스의 우화 작가·노예》(*~'s Fables* 이솝 이야기).
Ae·so·pi·an [i(:)sóupiən] *a.* 이솝 이야기 같은; 우의(寓意)적인.
aes·thete [ésθi:t/í:s-] *n.* Ⓒ 미학자, 탐미주의자; 탐미가, …통(通).
***aes·thet·ic** [esθétik/i:s-] *a.* 미(美)의, 미술(학)의; 심미적인, 미를 아는; 심미안이 있는. **~s** *n.* Ⓤ 미학(美學).
aes·thet·i·cal·ly [esθétikəli] *ad.* 미학적으로; 심미적으로.
aesthétic dístance 미적 거리(美的距離).
aet., aetat. *aetatis.*
ae·ta·tis [i:téitis] *a.* (L.=of his or her age) …세〔살〕의.
ae·ther, ae·the·real =ETHER, ETHEREAL.
ae·ti·ol·o·gy [ì:tiɑ́lədʒi/-ɔ́l-] *n.* =ETIOLOGY.
Aet·na [étnə] *n.* =ETNA.
A.F. Air Force; Allied Forces; Anglo-French. **A.F., a.f.** audio frequency.
a·far** [əfɑ́:r] *ad.*《詩》 멀리, 아득히. ***~ off 멀리 떨어져서, 원방에. ***from ~*** 멀리서, 원방에서.
AFB Air Force Base. **AFBSD** Air Force Ballistic System Division. **AFC** automatic flight control 자동 비행 제어; automatic frequency control 주파수 자동 제어. **AFDC, A.F.D.C.**《美》 Aid to Families with Dependent Children 아동 부양 세대 보조.
af·fa·bil·i·ty [æ̀fəbíləti] *n.* Ⓤ 상냥함, 붙임성있는, 사근사근함.
af·fa·ble [ǽfəbəl] *a.* 상냥한, 붙임성 있는; 부드러운. **-bly** *ad.*
†af·fair [əfɛ́ər] *n.* Ⓒ ① 일, 사건. ② (*pl.*) 사무, 일. ③ (막연히) 것, 하기(*It is an ~ of ten minutes' walk.* 걸어서 10분 정도의 거리다). ④ 관심사(*That's none of your ~.* 그건 네가 알바 아니다). ***~ of honor*** 결투(duel). ***~s of State*** 국사(國

事). ***framed*** [***getup***] ~ 짬짜미 경기《승부를 미리 결정하고 하는》. ***love*** ~ 정사, 로맨스. ***man of*** ~***s*** 사무〔실무〕가. ***state of*** ~***s*** 사태, 형세.

af·fair de coeur [əféər də kə́:r] (F.)정사(情事), 로맨스(love affair).

:**af·fect** [əfékt] *vt.* ① (…에게) 영향을 주다, (보통 나쁘게) 작용하다(act on). ② (병이) 침범하다. ③ 감동시키다. ④ 좋아하다, 즐겨 …하고 싶어하다. ⑤ (어떤 형태를) 취하기 쉽다. ⑥ (짐승이) 즐겨 (…에) 살다. ⑦ …체〔연〕하다, 짐짓 …체하다. ~**·ing** *a.* 감동시키는, 애처로운. ── [ǽfekt] *n.* Ⓤ 〖心〗 감동, 정서.

af·fec·ta·tion [æ̀fektéiʃən] *n.* Ⓤ,Ⓒ …체〔연〕함, 짐짓 꾸밈.

af·fect·ed [əféktid] *a.* ① 영향을 받은, 침범된, 걸린. ② 감동한; …한 기분으로 있는. ③ …체〔연〕하는, 짐짓 꾸민; 일부러인 것 같은, 부자연스러운. ~**·ly** *ad.* 짐짓 꾸며.

:**af·fec·tion** [əfékʃən] *n.* ① Ⓤ 애정; (종종 *pl.*) 감정. ② Ⓤ,Ⓒ 영향. ③ Ⓒ 병. ④ Ⓒ 성질, 특성.

:**af·fec·tion·ate** [əfékʃənit] *a.* ① 애정 있는〔어린〕. ② 깊이 사랑하고 있는. :~**·ly** *ad.* 애정을 다하여, 애정이 넘치게(*Yours* ~*ly*).

af·fec·tive [əféktiv] *a.* 감정의, 감정적인.

af·fen·pin·scher [ǽfənpinʃər] *n.* Ⓒ 아펜핀셔《털이 복슬복슬한 애완용 작은 개》.

af·fer·ent [ǽfərənt] *a.* 〖生〗 (기관, 혈관, 신경으로) 인도되는.

af·fi·ance [əfáiəns] *n.* Ⓤ 신뢰(*in*); 약혼. ── *vt.* (…와) 약혼시키다. ~**d** [-t] *a.* 약혼한(*to*).

af·fi·ant [əfáiənt] *n.* Ⓒ 《美》 선서 진술인. 「선서 진술서.

af·fi·da·vit [æ̀fədéivit] *n.* Ⓒ 〖法〗

af·fil·i·ate [əfílièit] *vt.* ① (…에) 가입〔관계〕시키다, 회원으로 하다; 합병하다. ② 양자로 삼다; 〖法〗 (사생아의) 아버지를 결정하다(*on*). ③ …으로 돌리다(*to, upon*). ── *vi.* ① 《美》 관계하다, 가입하다; 제휴하다. ② 친밀히 하다. ~***d company*** 방계〔계열〕 회사.

af·fil·i·á·tion òrder [əfìliéiʃən-] 〖英法〗 비(非)적출자 부양 명령.

af·fined [əfáind] *a.* 연고가 닿는, 일가의; 동맹한.

***af·fin·i·ty** [əfínəti] *n.* Ⓤ,Ⓒ ① 친척(관계). ② (타고난) 취미, 기호(*for*). ③ 유사, 친근(성). ④ 〖生〗 근연(近緣); (종종 *pl.*) 〖化〗 친화력.

:**af·firm** [əfə́:rm] *vt., vi.* (…에게) 단언하다, 확언하다; 〖法〗 확인하다. ~**·a·ble** *a.* 단언할 수 있는. ***af·fir·ma·tion** [æ̀fə:rméiʃən] *n.* Ⓤ,Ⓒ 단언; 긍정.

af·firm·ant [əfə́:rmənt] *a., n.* Ⓒ 단언하는 (사람); 확인하는 (사람).

:**af·firm·a·tive** [-ətiv] *a., n.* 확정의, 긍정의; Ⓒ 긍정문〔어〕; 찬성자(opp. negative). ***answer in the*** ~ '그렇다' 고 대답하다.

af·fix [əfíks] *vt.* (…에) 첨부하다, 붙이다(*to, on*); 도장을 누르다; (책임·비난 따위를) 씌우다. ── [ǽfiks] *n.* Ⓒ 첨부물; 〖文〗 접(두·미)사. ~**·ture** [əfíkstʃər] *n.* Ⓤ 첨부, 첨가; Ⓒ 첨부물, 첨가물. 「영감.

af·fla·tus [əfléitəs] *n.* Ⓤ (시인의)

:**af·flict** [əflíkt] *vt.* 괴롭히다(*with*). ***af·flíc·tion** *n.* Ⓤ,Ⓒ 고난, 고뇌.

af·flu·ence [ǽflu(:)əns] *n.* Ⓤ 풍부; 풍부한 공급; 부유. **-ent** *a., n.* Ⓤ 풍부〔부유〕(한); Ⓒ 지류(支流).

af·flux [ǽflʌks] *n.* Ⓤ 유입, 쇄도; 충혈.

:**af·ford** [əfɔ́:rd] *vt.* ① 《can, may에 수반되어》 …할〔…을 가질〕 여유가 있다, …할 수 있다(*I cannot* ~ (*to keep*) *a yacht.* 요트 따위를 가질 만한 여유는 없다). ② 산출하다, 나다(yield); 주다.

af·for·est [əfɔ́:rist, -á-/æfɔ́r-] *vt.* 식림(植林)하다. **-es·ta·tion** [─ˌ─éiʃən] *n.* 「방하다.

af·fran·chise [əfrǽntʃaiz] *vt.* 해

af·fray [əfréi] *n.* Ⓒ 〖法〗 싸움, 법석.

af·freight [əfréit] *vt.* (배를) 화물선으로 용선(傭船)하다. ~**·ment** *n.*

af·fri·cate [ǽfrikit] *n.* Ⓒ 〖音聲〗 파찰음(破擦音)《tʃ, dʒ, ts, dz, tr, dr》.

af·fright [əfráit] *vt., n.* 《古》 무서워하게 하다, 놀래다; Ⓤ 공포; 놀람; 을러멤, 협박.

***af·front** [əfrʌ́nt] *n., vt.* Ⓒ (공공연한) 경멸; 모욕(하다); 직면〔반항〕하다.

af·fu·sion [əfjú:ʒən] *n.* Ⓤ 〖基〗 주수(注水)《세례식의》.

Af·ghan [ǽfgæn, -gən] *n., a.* Ⓒ 아프가니스탄 사람〔족〕(의); Ⓤ 아프가니스탄어(의); (a-) Ⓒ 담요·어깨걸이의 일종.

Af·ghan·i·stan [æfgǽnəstæ̀n] *n.* 아프가니스탄《인도 서북의 공화국》.

a·fi·cio·na·do [əfìʃiəná:dou] *n.* (Sp.) Ⓒ 열애자, 팬, 애호가.

a·field [əfí:ld] *ad.* 들〔벌판〕에, 들로; 싸움터에서〔로〕; 집에서 떨어져; 헤매어; 상궤를 벗어나. 「서.

a·fire [əfáiər] *ad., pred. a.* 불타

AFKN American Forces Korea Network. 「타올라.

a·flame [əfléim] *ad., pred. a.* (불)

af·la·tox·in [æ̀flətáksin/-tɔ́k-] *n.* Ⓤ 애플러톡신《곰팡이에서 생기는 발암물질》.

AFL-CIO American Federation of Labor and Congress of Industrial Organizations 미국 노동 총연맹 산업별 회의.

a·float** [əflóut] *ad., pred. a.* ① (물위에) 떠서, 떠돌아. ② 해상에, 배위에. ③ (강이) 범람하여. ④ (소문이) 퍼져; (어음이) 유통되어. ***keep ~ 가라앉지 않고 있다; 빚을 안 지(게 하)다.

a·flut·ter [əflʌ́tər] *ad., pred. a.* 팔락〔펄럭〕이어.

à fond [ɑ fɔ̃] (F.) 철저하게.
a·foot** [əfút] *ad., pred. a.* 걸어서; 진행중에. ***set ~ (계획 등을) 세우다.
a·fore [əfɔ́:r] *ad., prep., conj.* 〖海〗 (…의) 앞에; 《古·方》 이전에.
afóre·mèntioned, afóre·sàid *a.* 전술(前述)한.
afóre·thòught *a.* 미리〔사전에〕 생각된, 고의의, 계획적인. ***malice*** ~ 살의(殺意).
afóre·tìme *ad., a.* 이전에〔의〕.
a for·ti·o·ri [éi fɔ̀:rʃiɔ́:rài] (L.) 한층 더한 이유로, 더욱.
a·foul [əfául] *ad., pred. a.* 충돌하여, 뒤엉켜. ***run*** ~ ***of*** …와 말썽〔귀찮은 일〕을 일으키다.
†**a·fraid** [əfréid] *pred. a.* 두려워하여 (*of* a thing; *to* do); 근심〔걱정〕하여(*of* do*ing*; *that, lest*). ***be*** ~ (***that***) 유감이〔미안하〕지만 …라고 생각하다. ***I am*** ~ ***not.*** 아마 …아니리라(*"Will he come?" "I'm* ~ *not."* '그 사람 올까' '아마 안 올걸').
***a·fresh** [əfréʃ] *ad.* 새로이, 다시 한번(again).
†**Af·ri·ca** [ǽfrikə] *n.* 아프리카. ***Áf·ri·can** *a., n.* Ⓒ 아프리카의 (토인); 《美》 니그로〔흑인〕의.
Af·ri·kaans [æ̀frikɑ́:ns, -z] *n.* Ⓤ 남아프리카의 공용 네덜란드 말.
Af·ri·kan·der [æ̀frikǽndər] *n.* Ⓒ 남아프리카 태생의 백인《네덜란드계》.
Af·ro [ǽfrou] *a., n.* Ⓤ (아프리카 니그로식의) 아프로형 두발(頭髮)(의).
Af·ro- [ǽfrou] '아프리카 (태생의); 아프리카 및'의 뜻의 결합사.
Áfro-Américan *n., a.* Ⓒ 아프리카계 아메리카인(의); 아메리카 흑인(의).
Áfro-Ásian *a.* 아시아 아프리카의.
Àfro-Asiátic *a., n.* Ⓤ 아시아 아프리카어족(語族)(의).
Af·ro·ism [ǽfrouìzəm] *n.* Ⓤ 아프리카 흑인(중심)주의.
AFS American Field Service 에이에프에스《고교생 교환 유학을 행하는 국제 문화 교류 재단; 본부는 미국》.
aft [æft, ɑ:ft] *ad.* 〖海·空〗 고물쪽에〔으로〕, (비행기의) 후미에〔로〕.
†**af·ter** [ǽftər, ɑ́:f-] *ad.* 뒤에(behind); 나중〔후〕에(later). — *prep.* ① …의 뒤에. ② …의 뒤를 좇아, …을 찾아; …에 관〔대〕하여; …보다 뒤에; …에 잇따라, 다음에. ③ (…한) 이상〔바〕에는. ④ …에도 불구하고(~ *all his effort* 모처럼 있는 애를 다 썼건만). ⑤ …에 따라서; …을 흉내내어(*a painting* ~ *Matisse* 마티스풍의 그림); …에 연유하여, …을 따라. — *conj.* (…한) 뒤에. — *a.* 뒤〔후〕의; 〖海〗 (배의) 뒤의. ~ ***years*** 후년. — *n.* Ⓤ,Ⓒ 《美俗》 오후.
áfter·bìrth *n.* Ⓤ 〖醫〗 후산(後産).
áfter·bòdy *n.* Ⓒ 〖海〗 고물; 〖로켓〗 (미사일의 nose cone 배후의) 동체.
áfter·bràin *n.* Ⓒ 〖醫〗 후뇌.
áfter·bùrner *n.* Ⓒ (제트엔진의) 강력 재연(再燃) 장치.
áfter·càre *n.* Ⓤ 치료 후의 몸조리; 애프터케어.
áfter·clàp *n.* Ⓤ,Ⓒ 도짐, 후탈, 뜻밖의 재발.
áfter·cròp *n.* Ⓒ 그루갈이.
áfter·dàmp *n.* Ⓤ 잔류 가스《갱내의 폭발〔화재〕 뒤에 발생하는 유독 가스》.
áfter-dàrk *a.* 해진 뒤의, 밤의. ~ ***hangout*** 밤의 환락가. ~ ***spot*** 밤의 유흥장.
áfter·dèck *n.* Ⓒ 후갑판.
áfter-dínner *a.* 식후의.
áfter·effèct *n.* Ⓒ 뒤에 남는 영향, 여파; (약의) 후작용.
áfter·glòw *n.* Ⓤ 저녁놀.
áfter·gràss *n.* Ⓤ 두번갈이(의 풀).
áfter·gròwth *n.* Ⓒ 두번째 나는 것 《곡물·목초 등》.
áfter·hèat *n.* Ⓤ 〖理〗 여열(餘熱).
áfter-hòurs *a.* 영업시간 후의, 폐점시간의《영업 등》.
áfter·ìmage *n.* Ⓒ 〖心〗 잔상(殘像).
áfter·lìfe *n.* Ⓒ 내세; Ⓤ 여생.
áfter·lìght *n.* Ⓤ 저녁놀, 때〔뒤〕 늦은 생각〔꾀〕.
áfter·màrket *n.* Ⓒ 《美》 수리용 부품 시장.
áfter·màth *n.* Ⓒ (보통 *sing.*) (농작물의) 두번째 거둠; (사건 등의) 여파.
áfter·mèntioned *a.* 뒤에 말한, 후술〔후기〕한.
áfter·mòst *a.* 최후미의.
†**af·ter·noon** [æ̀ftərnú:n, ɑ̀:f-] *n., a.* Ⓒ 오후(의). ~ ***dress*** 애프터눈 드레스. ~ ***paper*** 석간. ~ ***sleep*** 낮잠. ~ ***tea*** 오후의 차〔다과회〕. **~·er** [-ər] *n.* Ⓒ 《俗》 석간(신문).
áfter·pàins *n. pl.* 산후 진통.
áfter·pìece *n.* Ⓒ 〖劇〗 (본 연극 뒤에 하는) 익살맞은 촌극.
af·ters [ǽftərz] *n. pl.* 《英口》 디저트.
áfter-sáles sèrvice 《英》 애프터서비스.
áfter·shàve *a., n.* Ⓤ,Ⓒ 면도 후의 (로션)(~ lotion).
áfter·shòck *n.* Ⓒ 여진(餘震).
áfter·tàste *n.* Ⓒ (an ~) (특히, 불쾌한) 뒷맛, 여운.
áfter·tàx *a.* 세금 공제의, 실수령의.
áfter·thòught *n.* Ⓒ ① 되씹어 생각함; 고쳐 생각함. ② 때〔뒤〕 늦은 생각, 뒷궁리.
áfter·tìme *n.* Ⓤ 금후, 장차.
áfter·wàr *a.* 전후(戰後)의.
:**áfter·ward(s)** *ad.* 뒤에, 나중〔후〕에, 그 후.
áfter·wòrd *n.* Ⓒ 발문(跋文); 후기.
Ag 〖化〗 *argentum*(L.=silver).
Ag. agent; agreement; August.
A.G. Adjusted General; Attorney General.
†**a·gain** [əgén, əgéin] *ad.* ① (또) 다시, 또. ② (대)답하여; 응하여, 되돌려(*answer* ~ 말대꾸하다); 반향하여(*ring* ~ 메아리치다, 울려퍼지

다); 본디 상태〔있던 곳으〕로 (되돌아와)(*be home* ~). ③ …만큼 반복하여, 배(倍)의. ④ 그 위에(besides) (*A-, I* must say…). ⑤ 또 한편. **~ and ~,** or **time and ~** 여러 번, 몇번이고. **as much** 〔**many**〕 **~** (**as**) 다시 그만큼, 두 배만큼 (**all**) **over ~** 되풀이하여. **be oneself ~** 원상태로〔원래대로〕되다, 완쾌하다. **ever and ~** 때때로. **You can say that ~!** 틀림없어!, 맞았어!

†**a·gainst** [əgénst, -géin-] *prep.* ① …에 대해서, …을 향하여, …에 거슬러서. ② …와 대조하여, 또렷이(~ *the blue sky* 푸른 하늘에 또렷이). ③ …에 부딪쳐, …에 기대서(*upon*) (~ *a wall* 벽에 기대서). ④ …에 대비하여(~ *a rainy day* 유사시에 대비하여). **~ all chances** 가망이 없는. **~ one's heart** 〔**will**〕 마음에 없으면서, 마지 못해서. **~ the stream** 시세를 거슬러. **~ time** (규정된) 얼마 안 되는 짧은 시간에 (마치고자 하여); 전속력으로.

Ag·a·mem·non [æ̀gəmémnɑn, -ən] *n.* 〖그神〗 아가멤논《미케네(Mycenae)의 왕; 트로이 전쟁의 지휘관》.

ag·a·mo·gen·e·sis [æ̀gəmoudʒénəsis] *n.* Ⓤ 〖生〗 무성 생식.

ag·a·mous [ǽgəməs] *a.* 〖生〗 무성(無性)의; 무성 생식의; 〖植〗 은화(隱花)의.

a·gape[1] [əgéip, əgǽp] *ad., pred. a.* 입을 (딱) 벌리고, 아연하여.

a·ga·pe[2] [ɑːgɑ́ːpei, ǽgəpei] *n.* (*pl.* **-pae** [-pài, -pìː]) =LOVE FEAST.

a·gar [ɑ́ːgɑːr, ǽgər] *n.* Ⓤ 우뭇가사리; 한천.

ágar-ágar *n.* =☆.

ag·a·ric [ǽgərik, əgǽrik] *n.* Ⓒ 버섯.

ag·ate [ǽgit] *n.* ① Ⓤ 마노(瑪瑙). ② Ⓒ (유희용) 튀김돌. ③ Ⓒ《美》 애깃형 활자(ruby)《5.5 포인트》.

a·ga·ve [əgéiv] *n.* Ⓒ 〖植〗 용설란.

a·gaze [əgéiz] *ad., a.* 응시하여, 바라보고.

†**age** [eidʒ] *n.* ① Ⓤ 연령(*a boy* (*of*) *your* ~ 너와 같은 나이의 소년). ② Ⓤ 노년(老年). ③ Ⓒ 세대; 시대. ④ Ⓤ 성년, 정년(丁年). ⑤ Ⓒ (종종 *pl.*) 오랫동안(*It is ~s since I saw you last.* =*I haven't seen you for an* ~. 이거 꽤 오래간만이군요). **come of ~** 성년에 달하다. **for one's ~** 나이에 비해서(는). **full ~** 정년, 성년. **in all ~s** 예나 지금이나. **the golden ~** 황금 시대. **under ~** 미성년. — *vi., vt.* (**ag**(**e**)-**ing**) 나이를 먹(게 하)다, 늙(게 하)다. **∠·less** *a.* 늙지 않는.

áge bràcket 연령층.

‡**a·ged** [éidʒid] *a.* ① 나이먹은, 오래된, 낡은. ② [eidʒd] …살의.

áge-gràde *n.* =⇩.

áge-gròup *n.* Ⓒ 같은 연령층(의 사람들).

age·ism [éidʒizəm] *n.* Ⓤ (노인에 대한) 연령 차별.

áge·less *a.* 늙지 않는; 영원의. **~·ly** *ad.* **~·ness** *n.*

áge lìmit 연령 제한, 정년(停年).

áge·lòng *a.* 오랫동안의, 영속하는 (everlasting).

‡**a·gen·cy** [éidʒənsi] *n.* ① Ⓒ 대리점; Ⓤ 대리(권). ② Ⓤ 일, 작용. ③ Ⓤ 매개, 주선(*an employment* ~직업 소개소). ④ Ⓒ《美》(정부의) 기관, 청, 국.

ágency shòp 에이전시 숍《미가입자도 조합비를 무는 노동 조합 형태의 하나》.

a·gen·da [ədʒéndə] *n. pl.* 회의 사항; 의제(議題).

ag·ene [éidʒiːn] *n.* Ⓤ 〖化〗 3염화 질소《밀가루 표백에 쓰임》.

‡**a·gent** [éidʒənt] *n.* Ⓒ ① 대리인; 주선인; 행위〔동작〕자. ② 동인(動因), 작인(作因). **commission ~** 위탁 판매인, 객주. **general ~** 총대리인. **house ~** 가옥 소개업자. **literary ~**《英》 문예 주선업자《신인 작품을 출판사에 알선하는 기관》. **road ~** 노상 강도. **secret ~** 비밀 탐정, 스파이.

áge-óld *a.* 예부터의, 오랜.

AGF Asian Games Federation 아시아 경기 연맹.

ag·glom·er·ate [əglɑ́mərèit/-5-] *n., a.* Ⓤ 덩이(진), 뭉쳐진, 모인. — [-rèit] *vt., vi.* 덩어리짓다〔지다〕. **-a·tion** [–⌐–éiʃən] *n.*

ag·glu·ti·nant [əglúːtənənt] *n., a.* Ⓒ 교착제; 교착성의.

ag·glu·ti·nate [əglúːtənèit] *vt., vi.* 교착〔유착〕시키다〔하다〕. **-ti·na·tion** [–⌐–néiʃən] *n.*

ag·glu·ti·nin [əglúːtənin] *n.* Ⓤ 〖生化〗 (혈액 등의) 응집소.

ag·gran·dize [əgrǽndaiz, ǽgrəndàiz] *vt.* 증대〔확대〕하다, (힘·부(富) 따위를) 늘리다, (계급을) 올리다. **~·ment** [-dizmənt] *n.*

***ag·gra·vate** [ǽgrəvèit] *vt.* ① 악화시키다, 심하게 하다. ②《口》 괴롭히다; 노하게하다.

ag·gra·vat·ing [ǽgrəvèitiŋ] *a.* 악화시키는; 《口》 아니꼬운, 부아나는.

ag·gra·va·tion [æ̀grəvéiʃən] *n.* Ⓤ,Ⓒ 악화; 도발; 격발.

***ag·gre·gate** [ǽgrigit, -gèit] *n., a.* Ⓤ,Ⓒ 집합(의), 집성(의); 총계(의); 집합체. **in the ~** 전체로. — [-gèit] *vt., vi.* 모으다, 모이다; 결합하다; 총합계 …이 되다.

ag·gre·ga·tion [æ̀grigéiʃən] *n.* Ⓤ,Ⓒ 집합(체), 집성.

ag·gress [əgrés] *vi.* 공격으로 나오다, 싸움을 걸다.

‡**ag·gres·sion** [əgréʃən] *n.* Ⓤ,Ⓒ 침략, 침해; (부당한) 공격.

‡**ag·gres·sive** [əgrésiv] *a.* 침략적인; 공세의. **take** 〔**assume**〕 **the ~** 공세를 취하다; 도전하다. **~·ly** *ad.*

ag·gres·sor [⌐–ər] *n.* Ⓒ 침략자

aggréssor nàtion 침략국. 〔국〕.

ag·grieve [əgríːv] *vt.* 괴롭히다; 학

대하다, 압박하다(oppress). **be** 〔**feel**〕 **~d at** 〔**by**〕 …을 분개하다, …을 불쾌하게 느끼다.

a·ghast [əgǽst, -ɑ́:-] *pred. a.* 질겁하여, 두려워 떨며(*at*); 어안이 벙벙하여.

ag·ile [ǽdʒəl/ǽdʒail] *a.* 재빠른, 민활한. **a·gil·i·ty** [ədʒíləti] *n.* Ⓤ 민첩, 경쾌; 예민함, 민활함.

a·gin [əgín] *prep.* 《諧·方》 …에 대하여(against); …에 반대하여.

:ag·i·tate [ǽdʒitèit] *vt., vi.* ① 몹시 뒤흔들다, 휘젓다. ② (마음을) 들썩이다, 흥분시키다. ③ (…을) 격론하다. ④ 여론을 환기하다, 선동하다(~ *for the raise of pay* 임금 인상을 외치다).

:ag·i·ta·tion [ㅡ-téiʃən] *n.* Ⓤ,Ⓒ 동요; 흥분, 동란; 선동.

a·gi·ta·to [ædʒətɑ́:tou] *ad.* (It.) 〖樂〗 격하여, 흥분하여.

***ag·i·ta·tor** [ǽdʒətèitər] *n.* Ⓒ 선동가; 교반기(攪拌器).

ag·it·prop [ǽdʒitprɑ̀p/-ɔ̀-] *a., n.* Ⓒ (공산주의를 위한) 선동과 선전의, 아지프로의 (베테랑).

a·glow [əglóu] *ad., pred. a.* (이글이글) 타올라, 빛나서.

AGM air-to-ground missile.

ag·nail [ǽgnèil] *n.* Ⓒ (손톱의) 거스러미.

ag·nate [ǽgneit] *a., n.* Ⓒ 부친쪽의 (친족); 동족의 (사람). **ag·nat·ic** [ægnǽtik] *a.* 남계친(男系親)의. **ag·na·tion** [-néiʃən] *n.* Ⓒ 남계친.

ag·nos·tic [ægnɑ́stik/-ɔ́-] *a., n.* Ⓒ 〖神·哲〗 불가지론의; 불가지론자. **-ti·cism** [-təsìzəm] *n.* Ⓤ 불가지론.

Ag·nus De·i [ǽgnəs dì:ai, ɑ́:njus déi:] (L.=Lamb of God) Ⓒ 어린 양의 상(像)《예수의 상징》.

†a·go [əgóu] *ad.* (지금부터) …전에.

a·gog [əgɑ́g/-ɔ́-] *ad., pred. a.* (기대 따위로) 마음 부풀어, 들먹들먹하여; 법석을 떨며(*to*).

à go-go [ə góugòu] *ad.* 마음껏; 실컷.

a·go·ing [əgóuiŋ] *ad.* 움직여, 진행하여. **set ~** (…을) 움직이다〔작용하다〕; (…을) 시작〔착수〕하다.

ag·o·nis·tic [æ̀gənístik] *a.* ① 논쟁의〔을 좋아하는〕; 승벽의. ② 효과를 노린; 무리한《포즈 따위》. ③ (고대 그리스의) 경기의.

***ag·o·nize** [ǽgənàiz] *vt., vi.* 몹시 번민〔고민〕케 하다, 번민〔고민〕하다. **-niz·ing** [-iŋ] *a.* 괴롭히는, 고민하는.

:ag·o·ny [ǽgəni] *n.* ① Ⓤ 고통; 고뇌. ② Ⓒ 단말마의 괴로움; (희비의) 극치(*in an ~ of joy* 미칠 듯이 기뻐).

ágony còlumn 〖新聞〗 (찾는 사람 따위의) 사사(私事) 광고란.

ag·o·ra [ǽgərə] *n.* (*pl.* **-rae** [-rì:], **-ras**) Ⓒ 〖古그〗 공공 광장.

ag·o·ra·pho·bi·a [æ̀gərəfóubiə] *n.* Ⓤ 〖心〗 광장〔군중〕 공포증.

a·gou·ti [əgú:ti] *n.* (*pl.* **~(e)s**) Ⓒ 아구티《라틴 아메리카산 설치류》.

agr. agricultural; agriculture.

a·grar·i·an [əgrέəriən] *a.* 토지〔경지〕의; 토지에 관한; 농민을 위한(*the A- Party* 농민당); 야생의. ── *n.* Ⓒ 농지 개혁론자. **~ reform** 농지 개혁.

a·gra·vic [əgrǽvik, ei-] *a.* 무중력 상태〔지대〕의.

†a·gree [əgrí:] *vi.* ① 동의하다(*with*), 찬성하다(*to*). ② 일치하다(*with*). ③ 합의에 달하다(*upon*). **Agreed!** 좋아!(그렇게 합시다). **~ to differ** 〔**disagree**〕 견해의 차이라고 서로 시인하다. **:~·ment** *n.* ① Ⓒ 협정; 계약. ② Ⓤ 일치, 호응.

:a·gree·a·ble [əgrí:əbəl/-ríə-] *a.* ① 유쾌한, 기분 좋은; 마음에 드는. ② 쾌히 응하는(*to*). ③ 맞는, 어울리는(*to*). **~ to** (*the promise*) (약속)한 대로. **make oneself ~ to** …와 장단을 맞추다. **-bly** *ad.* 쾌히; (…을) 좇아서(*to*).

a·gré·ment [ɑ̀:greimɑ́:ŋ/əgréimɔ́:ŋ] *n.* (F.) Ⓒ 〖外交〗 아그레망(대·공사 파견에 앞서 상대국에 구하는 승인).

ag·ri·busi·ness [ǽgrəbìznis] *n.* Ⓤ 농업 관련 사업.

:ag·ri·cul·ture [ǽgrikʌ̀ltʃər] *n.* Ⓤ ① 농업, 농예. ② 농학. **:-tur·al** [ㅡ-kʌ́l-] *a.* 농업의. ***agricultural chemistry*** 농예 화학. **ag·ri·cúl·tur·ist,** 《美》 **-tur·al·ist** *n.* Ⓒ 농업 경영자, 농가; 농학자.

ag·ri·mo·ny [ǽgrəmòuni] *n.* Ⓒ 〖植〗 짚신나물.

ag·ri·mo·tor [ǽgrəmòutər] *n.* Ⓒ 농경용 트랙터.

ag·ri·ol·o·gy [æ̀griɑ́lədʒi/-ɔ́-] *n.* Ⓤ 원시 종족의 비교 연구.

ag·ro- [ǽgrou, -rə] *pref.* '토양, 농업의'의 뜻의 결합사.

àgro·biólogy *n.* Ⓤ 농업 생물학.

àgro·chémical *n.* Ⓒ 농약.

àgro·económic *a.* 농업 경제의.

a·grol·o·gy [əgrɑ́lədʒi/-ɔ́-] *n.* Ⓤ 농업〔응용〕 토양학.

ag·ro·nom·ics [æ̀grənɑ́miks/-ɔ́-] *n.* Ⓤ 농경학.

a·gron·o·my [əgrɑ́nəmi/-ɔ́-] *n.* Ⓤ 농경학〔법〕, 농업 경영.

a·ground [əgráund] *ad.* 지상(地上)에; 좌초되어. **go** 〔**run, strike**〕 **~** (배가) 좌초되다.

agt. agent.

a·gue [éigju:] *n.* Ⓤ,Ⓒ 학질, 오한(惡寒). **á·gu·ish** [-iʃ] *a.* 학질의〔에 걸린〕; (몸을) 와들와들 떠는.

:ah [ɑ:] *int.* 아아!《고통·놀라움·연민·한탄·혐오·기쁨 등을 나타냄》.

AH, a.h. ampere-hour.

***a·ha** [ɑ(:)hɑ́:] *int.* 아하!《기쁨·만족·승리 따위를 나타냄》.

ah·choo [ɑ:tʃú:] *int., n.* Ⓒ 에취《재채기 소리》.

:a·head [əhéd] *ad.* ① 앞에〔으로〕; 앞서서. ② 앞질러, 나아가, 우세하여. ③ 《美》 (게임에) 이겨, 벌어. **get ~** (***in the world***) 《美口》 성공하

다; 출세하다. ***get ~ of*** 《美》 …을 앞지르다, 능가하다. ***go ~*** 나아가다; 진보하다; (…의) 앞을 가다(*of*); (…을) 나아가게 하다(*with*). ***Go ~!*** 〖海〗 전진!; 《口》 좋아, 해라!, 계속 하시오!, 자 가라!, (재촉하여) 그래서? ***straight ~*** 곧장.
a·hem [mḿm, hm, əhém] *int.* 으흠!; 에헴!; 에에!《[m̩]은 책머리의 '발음 약해' 참조》.
a·his·tor·ic [èihistɔ́:rik, -á-/-ɔ́-] *a.* 비역사의; 역사에 무관한; 역사적이 아닌.
a·hoy [əhɔ́i] *int.* 〖海〗 어어이!《먼 배를 부를 때》.
à huis clos [ɑ: wí: klóu] *ad.* (F.= with closed doors) 비밀히, 방청 금지로.
a·hull [əhʌ́l] *ad.* 〖海〗 돛을 걷고 키 손잡이를 바람맞이 쪽으로 잡아《폭풍우에 대한 대비》.
AI artificial insemination; artificial intelligence.
ai [ai] *int.* 아아!《고통·슬픔·연민 등을 나타내는 소리》.
A.I.A. American Institute of Architects.
:**aid** [eid] *vt., vi.* 돕다, 거들다(help), 원조하다; 조성하다, 촉진하다. ***~ and*** ABET. ── *n.* Ⓤ 도움, 조력, 지지; Ⓒ 조수, 보좌역; 《美》 =AID(E)-DE-CAMP.
AID Agency for International Development (미국) 국제 개발처; artificial insemination by donor 비배우자간 인공 수정.
aide [eid] *n.* 《美》 =⇩.
aid(e)-de-camp [éiddəkǽmp, -kɑ́ŋ] *n.* (*pl.* **aid(e)s-**) (F.) Ⓒ 〖軍〗 부관.
aide-mé·moire [éidmeimwɑ́:*r*] *n.* (*pl.* **aid(e)s-** [éidz-]) Ⓒ 비망록; (외교) 각서.
aid·man [éidmæ̀n, -mən] *n.* Ⓒ (야전 부대 소속) 육군 위생병.
AIDS [eidz] (<*a*cquired *i*mmuno*d*eficiency *s*yndrome) *n.* Ⓤ 〖醫〗 후천성 면역 결핍 증후군.
Áid Socìety 《美》 여성 자선 협회.
áid stàtion 〖軍〗 전방 응급 치료소.
ÁIDS vìrus 에이즈 바이러스《HIV를 가리킴》.
ai·gret(te) [éigret, ⌐⌐] *n.* Ⓒ 해오라기; (투구의) 꼬꼬마; (부인 모자의) 장식털; 〖植〗 관모(冠毛).
ai·guille [eigwí:l, ⌐⌐] *n.* (F.= needle) Ⓒ 뾰족한 (산)봉우리《특히 알프스의》.
AIH, A.I.H. artificial insemination by husband 배우자간 인공 수정.
·**ail** [eil] *vt., vi.* 괴롭히다, 괴로워하다; 앓다. ˙**~·ment** *n.* Ⓒ 병.
AIL Alien Immigration Law.
ai·ler·on [éilərɑ̀n/-rɔ̀n] *n.* Ⓒ (비행기의) 보조익(翼).
:**aim** [eim] *vi., vt.* 겨누다, 노리다 (*at*); 목표로〔목적으로〕 하다, 뜻하다 (*at, to* do). ***~*** (*a gun*) ***at*** (총)을 …에게 돌리다. ── *n.* Ⓤ 겨눔; Ⓒ 목적, 의도. ***take ~*** 노리다, 겨누다 (*at*). ˙**∠·less(·ly)** *a.* (*ad.*)
AIM Air Interceptor Missile 공대공 요격 미사일.
aî·ne [enéi] *n.* (F.) Ⓒ 형(쪽) (*Schlegel ~* 형인 슐레겔)(opp. cadet).
·**ain't** [eint] 《口》 =am not, are not, is not; 《俗》 =has not, have not.
Ai·nu [áinu:], **Ai·no** [-nou] *n., a.* Ⓒ 아이누 사람(의); Ⓤ 아이누 말.
†**air** [εə*r*] *n.* ① Ⓤ 공기. ② (the ~) 대기, 공중; 하늘. ③ Ⓤ,Ⓒ 산들바람. ④ Ⓒ 선율, 가락, 노래. ⑤ Ⓒ 모양, 태도; (*pl.*) 짐짓 …체함; 공표 (*give ~ to one's feelings* 기분을 말하다). ***~s and graces*** 젠체함, 점잔뺌. ***beat the ~*** 허공을 치다, 헛된 짓을 하다. ***breath of ~*** 산들바람. ***by ~*** 비행기로; 무전으로. ***change of ~*** 전지(轉地). ***get ~*** 널리 퍼지다, 알려지다. ***get the ~*** 《美俗》 해고당하다; 버림받다. ***give oneself ~s*** 젠체하다; 점잔 빼다. ***give*** (*a person*) ***the ~*** 《美俗》 해고하다. ***hit the ~*** 《美俗》 방송하다. ***hot ~*** 열기; 《俗》 희떠운 소리, 호언장담. ***in the ~*** 공중에; (소문 따위가) 퍼지어; (안이) 결정되지 않고. ***off the ~*** 방송되지 않고; (컴퓨터가) 연산중이 아닌. ***on the ~*** 방송(중)에; (컴퓨터가) 연산중에. ***open ~*** 집밖, 야외. ***put on ~s*** 젠체하다, 점잔 빼다. ***take ~*** 알려지다, 퍼지다. ***take the ~*** 산책하다; 방송을 시작하다; 이륙하다. ***tread*** 〔***walk***〕 ***on*** 〔***upon***〕 ***the ~*** 몹시 기뻐하다. ***up in the ~*** (계획·의안 따위가) 결정을 못 보고; 《美口》 흥분하여, 성나서. ***with an ~*** 자신을 갖고; 거드름을 피우며. ── *vt.* 공기에 쐬다; 바람을 넣다; 건조시키다; 공표하다, 널리 퍼뜨리다(*~ a person's secret* 비밀을 누설하다); 자랑해 보이다(*~ one's jewels* 보석을 자랑해 보이다); 《美》 방송하다. ***~ oneself*** 바깥 공기를 쐬다, 산책하다.
áir alèrt 공습 경보〔경계〕.
áir attàck 공습.
áir bàg 에어백《자동차 충돌 때의 안전 장치》.
áir bàll 〔**ballòon**〕 풍선.
áir bàse 공군 기지.
àir bàth 〖機〗 공기욕《공기를 매체로 하는 가열 장치》. 「공기 베드.
áir·bèd *n.* Ⓒ 공기가 든 매트리스,
áir blàdder (물고기의) 부레.
áir blàst 공기 블라스트, 인공 분사기류. 「정.
áir·bòat *n.* Ⓒ 수상기; 초계 비행
áir·bòrne *a.* 공수(空輸)된; 바람에 의해 운반된(*~ seeds* 풍매(風媒) 종자).
áir bràke (압착) 공기 제동기.
áir-brèathe *vi.* (제트기 따위가 연

A

료 산화를 위해) 공기를 빨아들이다.
áir-brèather *n.* Ⓒ 제트기, 미사일; 육서(陸棲) 동물.
áir·brùsh *n.* Ⓒ 에어브러시《칠·사진 수정용》. — *vt.* 에어브러시로 처리하다.
「대형 여객기》.
áir·bùs *n.* Ⓒ 에어버스《중단거리용
áir càrgo 공수(空輸) 화물.
áir càrrier 항공 회사; 항공기, (화물) 수송기.
áir càstle 공중 누각; 몽상.
áir chàmber 기포; (수압 기관의) 기실(氣室).
「장.
áir chìef márshal 《英》 공군 대
áir còach (저요금의) 대중 여객기.
áir còck 공기 콕[마개].
áir commànd 〖美空軍〗 공군 사령부, 항공군 집단.
áir còmmodore 《英》 공군 준장.
áir-condìtion *vt.* (실내의) 공기를 조절하다. **~ed** *a.* 냉난방 장치를 한.
áir condìtioner 냉난방[공기 조절] 장치.
***áir condìtioning** 공기 조절《실내 온도·습도의》; 냉난방 장치.
áir contròl 제공(권); 항공 (교통) 관제.
áir contròller 항공 (교통) 관제관; 〖軍〗 항공 통제관.
「제원.
áir contròlman 〖美海軍〗 항공 관
áir-còol *vt.* 공랭(空冷)하다. **~ed** *a.* 공랭식의. **~ing** *n.* Ⓤ 공기 냉각법.
áir còrridor 항공 회랑《특히 제2차 세계 대전 후의 동베를린·서독간의》.
áir cóver =AIR UMBRELLA.
áir·cràft** *n.* (*pl.* ~) Ⓒ 항공기(*an* ~ *carrier* 항공 모함). ***by ~ 항공기로《무관사》.
áir·cràft(s)man *n.* Ⓒ《英》 항공병《1·2등병》.
áir·crèw *n.* Ⓒ 항공기 승무원.
áir cùrrent 기류.
áir cùrtain 에어커튼《공기벽으로 실내의 조절한 공기와 외기를 차단함》.
áir cùshion 공기 방석[베개]; 〖機〗 에어쿠션《압축 공기를 쓴 완충 장치》.
áir cùshion vèhicle 에어쿠션정(艇), 호버크라프트.
「공.
áir defènse [《英》 **defènce**] 방
áir divìsion 〖美空軍〗 항공 사단.
áir dòor =AIR CURTAIN.
áir·drome *n.* Ⓒ 비행장, 공항.
áir·dròp *n., vt.* Ⓒ (낙하산으로) 공중 투하(하다).
áir-dùct *n.* Ⓒ 통풍[송풍]관.
Aire·dale [ɛ́ərdèil] *n.* Ⓒ 에어데일개《테리어의 일종》.
áir edìtion 〖新聞〗 라디오판(版)《항해 중인 배 안 등에서 무전으로 뉴스를 받아 발행함》.
áir exprèss 공수 소하물; 소하물 공수; 항공 속달.
áir·fàre *n.* Ⓒ 항공 운임.
‡áir·field *n.* Ⓒ 비행장.
áir·fight *n.* Ⓒ 공중전.
áir flèet (대규모의) 항공기 편대.
áir·flòw *n.* (*sing.*) (비행기·자동차 등이 일으키는) 기류.
「날개.
áir·fòil *n.* Ⓒ 〖空〗 날개, 프로펠러
áir fòrce (육·해군의) 항공 부대; (A- F-) 공군.
áir·fràme *n.* Ⓒ (비행기·로켓의) 기체(機體).
áir·frèight *n.* Ⓤ 항공 화물. **~er** *n.* Ⓒ 화물 수송기.
áir gàuge 기압계.
áir·glòw *n.* Ⓤ 대기광《대기권 상공에서 태양 광선의 영향을 받아 원자·분자가 발광하는 현상》.
áir·gràph *n.* Ⓒ《英》 (마이크로필름에 의한) 항공 축사(縮寫) 우편.
áir gùn 공기총; =AIRBRUSH.
áir hàmmer 공기 해머.
áir·hèad *n.* Ⓒ 〖軍〗 공두보(空頭堡)《공수 부대가 확보한 적지내의 거점》; 전선 공군 기지.
「어포켓.
áir hòle 빙상(氷上)의 구멍; 〖軍〗 에
áir hòstess (여객기의) 스튜어디스.
air·ing [ɛ́əriŋ] *n.* ① Ⓤ,Ⓒ 공기에 쐼, 바람에 말림. ② Ⓒ 산책, 야외 운동; 드라이브; 공표; 방송.
áir jàcket 자켓식 구명대(救命袋).
áir làne 공로(空路).
「쁜.
áir·less *a.* 바람이 없는; 환기가 나
áir lètter 항공 우편; 항공 서한.
áir lìft 공수(空輸) (보급).
***áir·lìne** *n.* Ⓒ (정기) 항공로; 항공 회사; 《주로 美》 직행로.
áir-lìne *a.* 항공로의; 직행(로)의.
***áir·lìner** *n.* Ⓒ 정기 여객기.
áir lòck 〖土〗 기갑(氣閘); 잠함(潛函)의 기밀실.
áir lòg 〖空〗 비행 거리계; (유도탄의) 비행 거리 조정 장치.
‡áir màil 항공 우편 (제도). ***Via A-*** 항공편으로《봉함 엽서에》.
áir-màil edítion (신문의) 공수판(空輸版).
***air·man** [⌐mən] *n.* Ⓒ 비행가[사].
áir màp 항공 사진(을 사용한 지도).
áir màrshal 《英》 공군 중장.
áir mìle 공로 마일《약 1852 미터》.
áir·mìnded *a.* 항공(사업)에 관심을 가진; 비행 여행을 즐기는.
Áir Mìnistry 《英》 공군성.
áir mòtor 압착 공기 발동기.
áir·pàrk *n.* Ⓒ 작은 공항.
áir patròl 공중 정찰; 비행 정찰대.
áir pìracy 하이잭, 공적(空賊) 행위.
†air·plane [⌐plèin] *n.* Ⓒ《美》 비행기《영국에서는 보통 aeroplane》.
áirplane clòth 비행기 익포(翼布); (셔츠·파자마용) 무명.
áir plànt 공기[착생] 식물.
áir pòcket 〖空〗 에어포켓, 직강(直降) 기류.
áir pollùtion 대기 오염.
†áir·pòrt *n.* Ⓒ 공항.
áir pówer 공군(력).
áir prèssure 기압.
áir·pròof *a.* 공기를 통하지 않는, 내기성(耐氣性)의, 밀봉의.
áir pùmp 공기 펌프.
áir ràid 공습.
áir rìfle 공기총.

áir rìght 〖法〗 공중권.
áir ròute 항공로.
áir sàc (새의) 기낭(氣囊).
áir·scàpe *n.* Ⓒ 공감도(空瞰圖); 항공 사진.
áir scòut 정찰기; 비행 정찰병.
áir·scrèw *n.* Ⓒ 《英》 프로펠러.
áir-sèa *a.* 해공(협동)의.
áir sèrvice 항공 수송; 〖軍〗 항공부.
áir shàft 통풍공(孔).
:**aír·shìp** *n.* Ⓒ 비행선(dirigible) (*by* ~ 비행선으로 《무관사》).
áir·sìck *a.* 고공병〔항공병〕에 걸린, 비행기 멀미가 난. **~ness** *n.* Ⓒ 고〔항〕공병. 「공.
áir spáce (실내의) 공적(空積); 영
áir spèed 〖空〗 대기(對氣) 속도 (opp. ground speed).
áir sprìng 공기 스프링.
áir stèwardess =AIR HOSTESS.
áir stòp (항공기의) 기항지; 《英》 헬리포트.
áir·strèam *n.* Ⓒ 기류.
áir·strìp *n.* Ⓒ 임시〔가설〕 활주로.
áir tèrminal 에어 터미널《항공 승객이 출입하는 건물》.
áir·tìght *a.* 기밀(氣密)의, 공기가 통하지 않는; (방비가) 철통 같은, 물샐틈 없는.
áir-to-áir *a.* 공대공의, 기상(機上) 발사의(*an* ~ *rocket* 공대공 로켓); (비행 중인) 두 비행기 간의(~ *refueling* 연료 공중 보급).
áir-to-gróund, áir-to-súrface *a.* 공대지의(*an* ~ *missile* 공대지 미사일).
áir-to-únderwàter *a.* 공대수중(空對水中)의(*an* ~ *missile* 공대수중 미사일).
áir trànsport 공중 수송, 공수.
áir tràp 〖機〗 공기 트랩, 방취판(防臭瓣).
áir umbrèlla 항공 원호〔엄호〕대.
áir vàlve 공기판(瓣).
Áir Vice-Márshal 《英》 공군 소장.
áir wàrden 공습 경비원.
***áir·wày** *n.* Ⓒ 항공로; 통풍〔환기〕 구멍; (*pl.*) 항공 회사(airlines).
áirway béacon 항공 표지등〔등대〕.
áir wéll (빌딩의) 통풍 구멍.
áir·wìse *a.* 항공에 정통한〔환한〕.
áir·wòman *n.* Ⓒ 여자 비행사.
áir·wòrthy *a.* (항공기가) 내공성(耐空性)이 있는(cf. seaworthy). **-wòrthiness** *n.* Ⓤ 내공성.
***air·y** [ɛ́əri] *a.* ① 공기의; 공중의〔같은〕. ② 바람이 잘 통하는. ③ 경쾌한, 쾌활한; 우미(優美)한; 엷은. ④ 경솔한; 자연스럽지 못한; 젠체하는; 공허한. **áir·i·ly** *ad.*
aisle** [ail] *n.* Ⓒ (교회당의) 측랑(側廊); (좌석·객차·여객기의) 통로; 복도; (뜰·숲속의) 길. ***down the ~ 《口》 결혼식에서 제단을 항하여. **~d** [-d] *a.* 측랑이〔에〕 있는.
áisle sèat 통로쪽의 자리.
aitch [eitʃ] *n.* H〔h〕 글자; h음.
a·jar[1] [ədʒɑ́ːr] *ad.* (문이) 조금 열려.
a·jar[2] *ad.* 조화되지 않아(*with*).
A·jax [éidʒæks] *n.* 〖그神〗 트로이 전쟁의 그리스군의 용사.
AKA American-Korean Association 한미 협회. **AKF** American-Korean Foundation 한미 재단. 「허리에 대고.
a·kim·bo [əkímbou] *ad.* 두 손을
***a·kin** [əkín] *pred. a.* 혈족의(*to*); 동종의, 같은, 비슷한(*to*).
AL, A.L. American League, American Legion, Arab League.
Al 〖化〗 alumin(i)um.
al- [əl, æl] *pref.* =AD- 《l 앞에 올 때의 꼴》: *al*lude.
-al [əl] *suf.* ① 《형용사 어미》 상태·관계 따위를 나타냄: annu*al*, nation*al*, numer*al*, reg*al*. ② 《명사 어미》 deni*al*, refus*al*.
à la, a la [ɑ́: lə, -lɑː] (F.) …풍의〔으로〕.
a·la [éilə] *n.* (*pl.* ***alae*** [éiliː]) Ⓒ 〖生〗 날개; 날개처럼 생긴 부분.
ALA, A.L.A. American Library Association. **Ala.** Alabama.
***Al·a·bam·a** [æləbǽmə] *n.* 미국 남부의 주《생략 Ala.》. **-bám·an, -bam·i·an** [-bæmiən] *a., n.* Ⓒ 앨라배마주의 (사람).
***al·a·bas·ter** [ǽləbæ̀stər, -ɑ̀ː-] *n., a.* Ⓤ 설화(雪花) 석고(의, 같이 흰).
à la carte [ɑ̀ː lə kɑ́ːrt, æ̀ lə-] (F.) 정가표〔차림표〕에 따라, 일품 요리의 (opp. *table d'hôte*(정식)).
a·lack(·a·day) [əlǽk(ədèi)] *int.* 《古》 =ALAS.
a·lac·ri·tous [əlǽkritəs] *a.* 민활한, 팔팔한.
a·lac·ri·ty [əlǽkrəti] *n.* Ⓤ 활발, 민활(*with* ~ 척척).
***A·lad·din** [əlǽdən] *n.* 알라딘《마법의 램프를 발견한 '아라비안 나이트' 중의 소년》.
Aláddin's làmp (소원대로 된다는) 알라딘의 램프.
a·lae [éiliː] *n.* ala의 복수.
à la king [ɑ̀ː lə kíŋ, æ̀ lə-] (F.) 《美》 고추(pimiento) 등을 넣고 크림을 친.
al·a·mo [ǽləmòu, ɑ́ːl-] *n.* (*pl.* **~s**) Ⓒ 〖植〗 포플라, 사시나무.
al·a·mode [ǽləmòud] *n.* Ⓤ (스카프용의 윤기 있는) 얇은 비단. — *ad., a.* =⇩.
à la mode, a la mode [ɑ̀ː lə móud, æ̀ lə-] (F.) 유행의〔을 따라서〕; (디저트가) 아이스크림을 곁들인〔곁들여〕; (쇠고기의) 야채찜의.
:**a·larm** [əlɑ́ːrm] *n.* ① Ⓤ 놀람, 공포. ② Ⓒ 경보; 경보기(器), 자명종. ***give*** 〔***raise***〕 ***the*** ~ 경보를 발하다, 위급을 알리다. ***in*** ~ 놀라서. ***take*** (***the***) ~ 깜짝 놀라다. — *vt.* (…에게) 위급을 고하다, 경보를 울리다; 놀래다, 겁먹게 하다(~ *oneself* 겁먹다). ***be*** **~*ed for*** …을 근심하다.
alárm bèll 경종(警鐘).
:**alárm clòck** 자명종.

A

a·larm·ing [əlɑ́:rmiŋ] *a.* 놀랄 정도의. **~·ly** *ad.* 놀랄 만큼.
a·larm·ism [-izəm] *n.* Ⓤ (공연히) 사람을 놀램, 법석; 기우.
a·larm·ist [-ist] *n.* Ⓒ 걸핏하면 놀라는[놀래는] 사람, 법석꾼.
alárm sìgnal 비상 경보(기).
a·lar·um [əlǽrəm, -lɑ́:r-] *n.* 《古》 = ALARM ①; Ⓒ 《英》 자명종(alarm).
alárum clòck 《英》 =ALARM CLOCK. 「지고!
:a·las [əlǽs/əlɑ́:s] *int.* 아아!; 슬픈
Alas. Alaska.
A·las·ka [əlǽskə] *n.* 북아메리카 서북단의 주《주도 Juneau; 생략 Alas.》. **-kan** *a., n.* Ⓒ 알래스카의 (사람).
a·late [éileit], **a·lat·ed** [-id] *a.* 날개가 있는. 「白衣).
alb [ælb] *n.* Ⓒ 〖가톨릭〗 장백의(長
al·ba·core [ǽlbəkɔ̀:r] *n.* Ⓒ 〖魚〗 다랑어의 무리(cf. tunny).
Al·ba·ni·a [ælbéiniə, -njə] *n.* 유고슬라비아와 그리스 사이의 공화국; 《詩》 스코틀랜드(cf. Caledonia). **-ni·an** *a., n.* 알바니아(사람·말)의; Ⓒ 알바니아 사람; Ⓤ 알바니아 말.
Al·ba·ny [ɔ̀:lbəni] *n.* New York 주의 주도.
al·ba·ta [ælbéitə] *n.* Ⓤ 양은(German silver).
al·ba·tross [ǽlbətrɔ̀:s/-rɔ̀s] *n.* Ⓒ ① 〖鳥〗 신천옹. ② 〖골프〗 앨버트로스 《한 홀에서 기준 타수보다 3타 적은 스코어》.
al·be·do [ælbí:dou] *n.* Ⓤ,Ⓒ 〖理〗 알베도《원자로내의 반사체에 의해 반사되는 중성자의 비율》. 「THOUGH.
al·be·it [ɔ:lbí:it] *conj.* 《古》 =AL-
al·bi·no [ælbáinou/-bí:-] *n.* (*pl.* **~s**) Ⓒ 백피증(白皮症)의 사람; (동물의) 백변종(白變種). **-nism** [ǽlbənìzəm] *n.* Ⓤ 색소 결핍증.
Al·bi·on [ǽlbiən] *n.* 《雅》 =ENGLAND. 「(曹長石).
al·bite [ǽlbait] *n.* Ⓤ 〖鑛〗 조장석
ALBM air-launched ballistic missile.
†al·bum [ǽlbəm] *n.* Ⓒ 앨범.
al·bum·en [ælbjú:mən] *n.* Ⓤ 흰자위; 단백질(albumin); 〖植〗 배유(胚乳).
al·bu·min [ælbjú:mən] *n.* Ⓤ 알부민《단백질의 일종》. **-mi·nous** *a.*
al·bu·mi·nu·ri·a [ælbjù:mənjúəriə] *n.* Ⓤ 단백뇨(尿).
al·bur·num [ælbə́:rnəm] *n.* Ⓤ 백재(白材), 백목질(opp. duramen).
Ál·can Híghway [ǽlkæn-] Alaska Highway의 통칭.
Al·ca·traz [ǽlkətræ̀z] *n.* 미국 San Francisco 만의 작은 섬(의 형무소).
al·che·my [ǽlkəmi] *n.* Ⓤ 연금술 《중세의 화학》, 연단술. ***-mist** *n.* Ⓒ 연금술사.
:al·co·hol [ǽlkəhɔ̀:l, -hɑ̀l/-hɔ̀l] *n.* Ⓤ,Ⓒ 알코올. **~·ism** *n.* Ⓤ 알코올 중독. **~·ist** *n.* Ⓒ 알코올 중독자.
al·co·hol·ic [æ̀lkəhɔ́:lik, -hɑ́l-/-hɔ́l-] *a.* 알코올성의; 알코올(함유·중독)의. 「*n.* =KORAN.
Al·co·ran [æ̀lkouræ̃n, -rɑ́:n/-kɔ-]
al·cove [ǽlkouv] *n.* Ⓒ (큰 방 깊숙이 딸린) 골방; 구석진 칸; (정원의) 정자. 「알데히드.
al·de·hyde [ǽldəhàid] *n.* Ⓤ 〖化〗
al·der [ɔ́:ldər] *n.* Ⓒ 〖植〗 오리나무.
al·der·man [ɔ́:ldərmən] *n.* Ⓒ (영국과 아일랜드의) 시참사회원, 부시장; 《美》 시의원.
Al·der·ney [ɔ́:ldərni] *n.* 젖소의 일종《영국 ~섬의 원산》.
Ald(m). Alderman.
:ale [eil] *n.* Ⓤ,Ⓒ (쓴맛이 강한) 맥주. ***small*** ~ 약한 맥주.
a·le·a·to·ry [éiliətɔ̀:ri/-təri] *a.* 우연에 의한, 사행(射倖)적인, 도박적인.
a·lee [əlí:] *ad.* 〖海〗 바람맞이 쪽으로(opp. aweather).
ále·hòuse *n.* Ⓒ 비어 홀.
a·lem·bic [əlémbik] *n.* Ⓒ (옛날의) 증류기(器); 정련[정화]시키는 것.
:a·lert [ələ́:rt] *a., n.* Ⓒ 방심 않는, 민활한; 경계; 경계 경보(의 상태). — *vt.* 경계시키다; 경보를 발하다. ***on the*** ~ 경계하여. **~·ly** *ad.*
Al·eut [əlú:t, ǽliù:t] *n.* Ⓒ (얼류션 군도의) 에스키모 토인.
A·leu·tians [əlú:ʃənz] *n. pl.* 알래스카 남서부의 군도《미국령》.
Á lèvel 《英》 ① =ADVANCED LEVEL. ② 상급 과정 과목 중의 합격 과목(cf. S level).
ále·wìfe *n.* Ⓒ 《美》 청어의 일종.
Al·ex·án·der (the Gréat) [æ̀ligzǽndər(-), -zɑ́:n-] 마케도니아의 왕 (356-323 B.C.; 재위 336-323 B.C.).
Al·ex·an·dri·a [æ̀ligzǽndriə, -zɑ́:n-] *n.* 이집트 나일강 어귀의 항구. **-dri·an** [-n] *a.* ~의, 알렉산더 대왕의.
Al·ex·an·drine [æ̀ligzǽndri(:)n, -zɑ́:n-] *n.* Ⓒ 알렉산더 구격(句格)(의 시)《억양 6시각(詩脚)》.
a·lex·i·a [əléksiə] *n.* Ⓤ 〖醫〗 독서불능증, 실독증. 「균소(素).
a·lex·in [əléksin] *n.* Ⓤ 알렉신, 살
a·lex·i·phar·mic [əlèksəfɑ́:rmik] *a.* 해독의.
ALF 《英》 Animal Liberation Front 동물 해방 전선.
al·fal·fa [ælfǽlfə] *n.* Ⓤ 《美》 〖植〗 자주개자리(lucerne)《목초》.
Al Fa·tah [ɑ̀:l fɑ:tɑ́:] (Arab.) 알 파타《반이스라엘 아랍 특공대의 하나》.
Ál·fred (the Gréat) [ǽlfrid(-)] West Saxon의 왕(848-899; 재위 871-899). 「외의[에].
al·fres·co [ælfréskou] *a., ad.* 야
alg. algebra.
al·ga [ǽlgə] *n.* (*pl.* **-gae** [-dʒi:]) Ⓒ (보통 *pl.*) 해조(海藻). **al·gal** [-l] *a.* 해조의.
:al·ge·bra [ǽldʒəbrə] *n.* Ⓤ 대수(학). **~·ic** [æ̀ldʒəbréiik], **-i·cal** [-əl] *a.* **~·ist** [ǽldʒəbrèiist] *n.*

Al·ge·ri·a [ældʒíəriə] *n.* 아프리카 북부의 공화국(1962 독립). **-an**[-n] *a., n.* 알제리의; Ⓒ 알제리 사람(의).
Al·giers [ældʒíərz] *n.* 알제《알제리의 수도》; =ALGERIA의 구칭.
al·gín·ic ácid [ældʒínik-] 〖化〗 알긴산(酸).
ALGOL [ǽlgɑl, -gɔ:l/-gɔl] *n.* Ⓤ 〖컴〗 셈말, 알골《과학·기술 계산용 프로그램 언어》(< ***algo**rithmic* ***l**anguage*).
al·gol·o·gist [ælgɑ́lədʒist] *n.* Ⓒ 조류(藻類)학자. **-gol·o·gy** [-lədʒi] *n.* Ⓤ 조류학.
Al·gon·qui·an [ælgɑ́ŋkwiən/-ɔ́-] *n., a.* Ⓒ 알곤키족(의)《북아메리카 토인 중 가장 널리 분포된 어족》. **-quin** [-kwin] *n.* Ⓒ 알곤키족의 토인; Ⓤ 알곤키족 언어.
al·go·pho·bi·a [æ̀lgəfóubiə] *n.* Ⓤ,Ⓒ 〖醫〗 동통(疼痛) 공포증.
al·go·rism [ǽlgərìzəm] *n.* Ⓤ 아라비아 기수법(記數法)《1, 2, …, 9, 0을 쓰는》; 산수; = ⇩.
al·go·rithm [ǽlgərìðəm] *n.* Ⓤ 〖數〗 연산(演算) 방식; 〖컴〗 알고리즘. **-rith·mic**[ㅗ-ríðmik] *a.* 「경찰관.
al·gua·zil [æ̀lgwəzí(:)l] *n.* (Sp.) Ⓒ
al·gum [ǽlgəm] *n.* Ⓤ 백단향 무리.
Al·ham·bra [ælhǽmbrə] *n.* 스페인의 Granada에 있는 무어족 여러 왕의 궁전.
a·li·as[éiliəs] *n., ad.* Ⓒ 별명(으로).
al·i·bi** [ǽləbài] *n.* Ⓒ 알리바이, 현장 부재 증명; 변명. ***A- Ike[aik] 《美俗》 변명꾼. — *vi.* 《美口》 변명하다.
Al·ice [ǽlis] *n.* 여자 이름.
al·i·cy·clic [æ̀ləsáiklik, -sík-] *a.* 〖化〗 지환식(脂環式)의, 지환식 화합물의.
al·i·dade [ǽlədèid], **-dad** [-dæ̀d] *n.* Ⓒ 〖測〗 조준의(照準儀).
***al·ien** [éiljən, -liən] *a.* 외국(인)의; 다른(*from*); 반대의, 조화되지 않는(*to*). — *n.* Ⓒ 외국인. **~·a·ble** *a.* 양도할 수 있는; 멀리할 수 있는. **~·ate**[-èit] *vt.* 멀리하다, 불화하게 하다(*from*); 양도하다. **~·a·tion**[ㅗ-éiʃən] *n.* Ⓤ 격리, 이간; 양도; 증여; 정신병. **~·ee**[ㅗ-í:] *n.* Ⓒ 〖法〗 양수인(讓受人). **~·ist** *n.* Ⓒ 정신병의(醫).
:a·light[1] [əláit] *vi.* (**~ed,** 《詩》 ***alit***) ① 내리다; 하차〔하마〕하다. ② 〖空〗 착륙〔착수〕하다, (새가) 앉다(*on*). ③ (…을) 우연히 만나다(*on*).
a·light[2] *ad., pred. a.* 비치어, 빛나; 불타서.
a·lign [əláin] *vt., vi.* 일렬로 (나란히) 세우다〔서다〕, 정렬〔정돈〕시키다〔되다〕; 제휴시키다(*with*); 〖컴〗 줄맞추다. **~·ment** *n.* Ⓤ 정렬, 정돈; 〖土〗 노선 설정; 제휴; 〖컴〗 줄맞춤.
:a·like [əláik] *pred. a., ad.* (똑)같은, (똑)같이; (똑)같아; 같게. **~·ness** *n.*
al·i·ment [ǽləmənt] *n.* Ⓤ,Ⓒ 영양물; 음식(물). **-men·tal** [æ̀ləméntl] *a.* 음식물의, 영양물의.
al·i·men·ta·ry [æ̀ləméntəri] *a.* 영양의; 음식(물)의.
aliméntary canál 소화관.
al·i·men·ta·tion [æ̀ləmentéiʃən] *n.* Ⓤ 영양; 자양물; 부양.
al·i·men·to·ther·a·py[æ̀ləmén-touθérəpi] *n.* Ⓤ,Ⓒ 식이 요법.
al·i·mo·ny [ǽləmòuni/-məni] *n.* Ⓤ 〖法〗 (아내에의) 별거〔이혼〕 수당.
a·line [əláin] *vt., vi.* =ALIGN.
A-line *a.* A라인의《여성복이 A자처럼 위가 좁고 밑이 퍼진》. — *n.* Ⓒ A라인(의 의상).
al·i·phat·ic [æ̀ləfǽtik] *a.* 〖化〗 지방족(脂肪族)의, 지방질의.
al·i·quant [ǽləkwənt] *a.* 정제되지〔나누어 떨어지지〕 않는.
al·i·quot [ǽləkwət] *a.* 정제되는, 나누어 떨어지는. 「사).
a·lit [əlít] *v.* 《詩》 alight[1]의 과거(분
:a·live [əláiv] *pred. a.* 살아서; 혈기 왕성하여; 활기를 띠어(*with*); (…에) 민감하여, (…을) 감지하여(*to*); 현존의(*the greatest painter* ~ 현존 최고의 화가). ***~ and kicking*** 기운이 넘쳐. ***Heart*** 〔***Man***〕 ***~!*** 어렵쇼!, 뭐라고! ***keep*** ~ 살려 두다; (권리를) 소멸시키지 않고 두다. ***Look ~!*** =HURRY UP!
a·liz·a·rin [əlízərin] *n.* Ⓤ 알리자린《적색 물감》.
al·ka·hest [ǽlkəhèst] *n.* Ⓤ (연금술사가 구하던) 만물 융해약.
***al·ka·li** [ǽlkəlài] *n.* Ⓤ,Ⓒ 알칼리. **-line** *a.* 알칼리(성)의(~ *earth metals* 알칼리 토류(土類) 금속).
al·ka·li·fy [ǽlkələfài, ælkǽl-] *vt., vi.* 알칼리성으로 하다〔되다〕.
al·ka·lin·i·ty [æ̀lkəlínəti] *n.* Ⓤ 알칼리성(질).
al·ka·lize [ǽlkəlàiz] *vt.* 알칼리성으로 하다. 「로이드(의)
al·ka·loid [ǽlkəlɔ̀id] *n., a.* Ⓒ 알칼
al·ka·net [ǽlkənèt] *n.* Ⓒ 알카넷《anchusa bugloss 무리의 지칫과(科)의 식물》; Ⓤ (그 뿌리에서 뽑는) 붉은 물감.
al·kyd [ǽlkid] *n.* Ⓤ,Ⓒ 〖化〗 알키드 수지(~ resin).
†all [ɔ:l] *a.* 모든, 전부의; 전, 온(~ *words and no thought* 공허한 말). ***~ the go*** 〔***rage***〕 《美》 대유행하여. ***and ~ that*** 기타 여러 가지, …등(등) (and so on). ***for*** 〔***with***〕 ~ …에도 불구하고. ***on ~ fours*** 네 발로 기어; 꼭〔잘〕 맞아. — *n.* (one's ~) 전부, 전소유물. ***~ and sundry*** 각기 모두(each and all). ***~ in ~*** 전부, 모두; 무엇보다 소중한 것; 대체로. ***~ of*** 전부, 모두; 각기; 《美》 좋이(~ *of five hours* 좋이 다섯 시간). ***~ told*** 전부(해서). ***... and ~*** …도 함께, 송두리째(*head and ~* 머리째). ***at ~*** 조금도; 도대체(*Do you know it at ~?* 도대체 자넨 그것을 알고 있나); 일단 …할 바에는(*If you do it*

at ~, do it quick. 하는 바에는 빨리 해라). **be ~ one** (어떻든) 전혀 같다[매한가지다]; 아무래도 좋다(*It's ~ one to me.* 나는 그 어느 쪽이든 상관 없다). **in ~** 전부해서, 합계. **not at ~** 조금도 …않다. **That's ~.** 그것으로 전부다[끝이다]; (결국) 그게 전부야. —*ad.* 전혀; 《口》아주, 몹시; 〖競〗 쌍방 모두; 《詩》 바야흐로, 막(*~ as the sun began to rise* 막 해가 뜨려던 때). **~ along** (그동안) 죽; 내내. **~** ALONG **of.** **~ at once** 돌연. **~ but** 거의 (nearly). **~ in** 《美口》 몹시 지쳐 (cf. all-in). **~ over** 온 몸이; 《美》 도처에, 어디나; 아주 끝나; 《口》 아주(*She is her mother ~ over.* 그 어머니를 빼쏘았다). **~ right** 좋아; 무사하여(*All right!* 좋아; 《反語》 어디 두고 보자). **~ the better** 도리어 좋게[좋은]. **~ the further** 《美俗》 힘껏. **~ there** 《口》 제정신으로(*Are you ~ there?* 자네 돌지 않았는가); 《俗》 빈틈없이; 기민하여. **~ the same** 전혀 같은, 아무래도 좋은; (그래도) 역시. **~ too** 아주, 너무나. **~ up** 《口》 틀어져, 가망이 없어. **~ very fine** [**well**] 《비꼼》 무척 좋아.

Al·lah [ǽlə] *n.* 알라《이슬람교의 신》.

áll-Américan *a., n.* 전미(全美)(대표)의; 미국인으로만 된; Ⓒ 미국 제일의 (사람).

áll-aróund *a.* =ALL-ROUND.

***al·lay** [əléi] *vt.* 가라앉히다(quiet), 누그러뜨리다.

áll cléar 공습 경보 해제 신호.

áll-dáy *a.* 하루 걸리는, 종일의.

:al·lege [əlédʒ] *vt.* 단언하다; 증거 없이 주장하다. **~d** [-d] *a.* (증거 없이) 주장된; 추정[단정]된. **al·leg·ed·ly** [-idli] *ad.* 주장하는 바에 의하면. **al·le·ga·tion** [æ̀ligéiʃən] *n.* Ⓒ 확언, 주장; 진술; 변명.

Al·le·ghe·nies [æ̀ligéiniz] *n. pl.* 앨리게이니 산맥《미국 동부의 산맥》.

***al·le·giance** [əlíːdʒəns] *n.* Ⓤ,Ⓒ (군주·조국에의) 충성; 충실; 전념.

al·le·go·rize [ǽligəràiz] *vt., vi.* 우화[비유]적으로 말하다; 비유를 쓰다.

al·le·go·ry [ǽligɔ̀ːri/-gəri] *n.* Ⓤ 비유; Ⓒ 우화, 비유담. ***-gor·ic** [æ̀ligɔ́ːrik, -á-/-ɔ́-], **-gor·i·cal** [-əl] *a.* 우화의, 우화적인.

al·le·gret·to [æ̀ligrétou] *ad.* (It.) 〖樂〗 좀 빠르게《*allegro*와 *andante* 와의 중간》.

al·le·gro [əléigrou] *ad., n.* (It.) 〖樂〗 빠르게; Ⓒ 급속조(調).

al·le·lu·ia [æ̀ləlúːjə] *n., int.* = HALLELUJAH.

áll-embrácing *a.* 포괄적인.

al·ler·gen [ǽlərdʒən] *n.* Ⓤ,Ⓒ 〖醫〗 알러젠《알레르기를 일으키는 물질》.

al·ler·gen·ic [æ̀lərdʒénik] *a.* 알레르기를 일으키는.

al·ler·gic [ələ́ːrdʒik] *a.* 알레르기의; 《俗》 몹시 싫은(*to*).

al·ler·gol·o·gy [æ̀lərdʒálədʒi/-ɔ́-] *n.* Ⓤ 알레르기학.

***al·ler·gy** [ǽlərdʒi] *n.* Ⓒ 알레르기(체질); 《俗》 질색, 반감.

al·le·vi·ate [əlíːvièit] *vt.* 경감[완화]하다. **-a·tion** [—⌵—éi—] *n.* **al·lé·vi·à·tive** *a., n.* Ⓒ 완화하는 (것).

áll-expénse tòur =PACKAGE TOUR.

***al·ley** [ǽli] *n.* Ⓒ 《美》 뒷골목; 뒷길; 《英》 좁은 길; 샛길; 두렁길.

álley càt 도둑 고양이; 《美》 매춘부.

álley·wày *n.* Ⓒ 《美》 (도시의) (뒷)골목길; 좁은 통로.

áll-fired *a., ad.* 《美俗》 무서운, 무섭게; 굉장한.

Áll Fóols' Dày 만우절(April Fools' Day)(4월 1일).

All-hal·lows [ɔ̀ːlhǽlouz] *n.* = ALL SAINTS' DAY.

al·li·ance** [əláiəns] *n.* ① Ⓒ,Ⓤ 동맹, 결연; 인척 관계. ② Ⓒ,Ⓤ 협력, 협조. ③ Ⓒ 동맹자[국], 연합국. ***Holy A- 〖史〗 (1815년의) 신성 동맹. ***in ~ with*** …와 연합[동맹]하여.

:al·lied [əláid, ǽlaid] *a.* 동맹[연합]한; 연합국의; 결연한; (동·식물 등) 동류의. ***the A-*** [ǽlaid] ***Forces*** 연합군.

***Al·lies** [ǽlaiz, əláiz] *n.* (the ~) (1·2차 대전의) 연합국; NATO 가맹국.

***al·li·ga·tor** [ǽligèitər] *n.* ① Ⓒ (미국·중국산의) 악어; Ⓤ 악어 가죽. ② Ⓒ 악어 입처럼 생긴 맞물리는 각종 기계.

áll-impòrtant *a.* 극히 중요한.

áll-ín *a.* 《주로 英》 모든 것을 포함한; 《美口》 기진맥진하여, 무일푼이 되어; 〖레슬링〗 자유형의.

áll-inclùsive *a.* 모든 것을 포함한, 포괄적인.

áll-in wréstling 자유형 레슬링.

al·lit·er·a·tion [əlìtəréiʃən] *n.* Ⓤ 두운(頭韻)(법). **-ate** [əlítərèit] *vi., vt.* 두운이 맞다; 두운을 맞추다. **al·lít·er·a·tive** *a.*

áll-knówing *a.* 전지(全知)의.

áll-máins *a.* (수신기가) 어떤 전압에도 쓸 수 있는.

***áll-níght** *a.* 철야(영업)의.

áll-níghter *n.* Ⓒ 《口》 밤새껏 계속되는 것《회의·경기 따위》; 철야 영업소.

al·lo·cate [ǽləkèit] *vt.* 할당하다, 배분하다; 배치하다; 〖컴〗 배정하다. **-ca·tor** *n.* **-ca·tion** [⌵—kéiʃən] *n.* Ⓤ 배정.

al·lo·ca·tee [æ̀ləkeitíː] *n.* Ⓒ (자료 등을) 배급받는 사람, 수급자.

al·log·a·my [əlágəmi/-ɔ́-] *n.* Ⓤ 〖植〗 타가(他家) 생식, 타화 수정[수분].

al·lo·morph [ǽləmɔ̀ːrf] *n.* Ⓒ 〖言〗 이형태(異形態).

al·lop·a·thy [əlápəθi/-ɔ́-] *n.* Ⓤ 대증(對症)요법(opp. homeopathy).

A

al·lo·path [ǽləpæ̀θ], **-thist** [əlάpəθist/-ɔ́-] *n.* Ⓒ 대증 요법가.
al·lo·phone [ǽləfòun] *n.* Ⓒ 〖音聲〗 이음(異音)《예컨대 *do*의 *d*와 *dry*의 *d*는 phoneme/d/의 allophones》.
áll-or-nóne *a.* 전부냐 전무(全無)냐의(~ *law* 실무율(悉無律)).
áll-or-nóthing *a.* 《口》 절대적인, 타협의 여지가 없는, 전부가 아니면 아예 포기하는.
:al·lot [əlάt/-ɔ́-] *vt.* (*-tt-*) 분배하다; 할당하다(*to*); 충당하다(*for*). ― *vi.* 《美》 기대하다, 믿다; 생각하다, (…할) 작정이다(*upon* do*ing*). ***~·ment** *n.* Ⓤ 분배; 할당; Ⓒ 배당, 몫.
al·lo·trope [ǽlətròup] *n.* Ⓒ 〖化〗 동소체(同素體). **-trop·ic** [æ̀lətrάpik/-ɔ́-] *a.* 〖化〗 동소의; 동질이형(同質異形)의. **al·lot·ro·pism** [əlάtrəpìzəm/-lɔ́-], **al·lot·ro·py** [-trəpi] *n.* Ⓤ 〖化〗 동소(성). 「적인.
áll-óut *a.* 《美口》 전력을 다한; 전면
áll-oúter *n.* Ⓒ 《美口》 극단론자.
áll·òver *a., n.* (무늬 따위가) 전면에 걸친; Ⓤ 전면 무늬의 (천).
áll-òverish *a.* 《口》 (어쩐지) 불안한; 몸이 불편한.
†al·low [əláu] *vt.* ① 허(용)하다. ② (학비·수당을) 주다. ③ 인정하다; 참작하다. ④ 빼다(*for*), 할인하다. ⑤ 《美口》 말하다; …라고 여기다. ⑥ (재해 따위) 일어나게 내버려 두다. **~ *for*** …을 고려하다. **~ *of*** …을 허용하다, …할 수 있다. **~·a·ble** *a.* 허용[인정]할 수 있는. **~·a·bly** *ad.*
:al·low·ance [əláuəns] *n.* ① Ⓒ 수당, 지급하는 돈. ② Ⓒ 공제, 할인. ③ Ⓤ 승인, 용인. ④ Ⓤ (종종 *pl.*) 참작, 작량. ***make* ~(s)** 참작하다(*for*).
al·low·ed·ly [əláuidli] *ad.* 인정되어; 명백히.
***al·loy** [ǽlɔi, əlɔ́i] *n.* Ⓤ,Ⓒ 합금; (합금에 쓰는) 비(卑)금속; 섞음질(하는 물건); (금·은의) 품위. ― [əlɔ́i] *vt., vi.* 합금하다; 섞음질하다; 품질을 떨어뜨리다.
áll-pòints búlletin (경찰의) 전국 지명 수배《생략 APB》.
áll-possésed *a.* 《美口》 악마에 홀린 듯한, 열중해 있는.
áll-pówerful *a.* 최강의, 전능(全能)의. 「는, 만능의.
áll-púrpose *a.* 무엇에든 쓸 수 있
áll-róund *a.* 《口》 다방면에 걸친, 만능의; 융통성 있는.
áll-róunder *n.* Ⓒ 만능인 사람, 만능 선수; 《俗》 양성애자.
Áll Sáints' Dày 〖가톨릭·聖公會〗 제성첨례(諸聖瞻禮)《11월 1일》.
Áll Sóuls' Dày 〖가톨릭〗 위령의 날; 〖聖公會〗 제령일(諸靈日)《11월 2일》.
áll·spìce *n.* Ⓤ (서인도산의) 향료.
áll-stàr *a.* 《美》 인기 배우 총출연의; (팀이) 일류 선수로 짜인. ― *n.* Ⓒ 선발 팀 선수.
áll-terráin vèhicle 전지형(全地形) 만능차《생략 ATV》.
áll-tìme *a.* 전시간(근무)의(full-time); 공전의, 기록적인. ***an* ~ *high* [*low*]** 최고[최저] 기록.
***al·lude** [əlú:d] *vi.* 넌지시 비추다, …에 관해 말하다(*to*) (cf. allusion).
áll-ùp wéight (항공기의) 총중량.
***al·lure** [əlúər] *vt.* 꾀다, 낚다; 부추기다(tempt) (*to, into*); 매혹하다(charm). ― *n.* Ⓤ 매력. **~·ment** *n.* **al·lur·ing** [əlúəriŋ] *a.*
***al·lu·sion** [əlú:ʒən] *n.* Ⓤ,Ⓒ 변죽울림, 암시; 약간의 언급; 〖修〗 인유(引喩). **-sive** [-siv] *a.*
al·lu·vi·al [əlú:viəl] *a.* 충적(沖積)(기)의. **-vi·um** [-viəm] *n.* Ⓤ,Ⓒ 충적층[토].
allúvial góld 사금(砂金). 「신기.
áll-wàve recéiver 전파(全波) 수
áll-wèather *a.* 어떤 날씨에도 사용할 수 있는, 전천후의.
áll-whíte *a.* 백인만의; 백인 전용의.
:al·ly [əlái] *vt., vi.* 동맹[연합]하다; 결연하다, 맺다. ***be allied with* [*to*]** …와 동맹하고[관련이] 있다; …와 친척이다. ― [ǽlai] *n.* Ⓒ 동맹자[국]; 원조자; 동류(의 동·식물).
Al·ma Ma·ter, a- m- [ǽlmə mά:tər, -méi-] (L. =fostering mother) 모교.
***al·ma·nac** [ɔ́:lmənæ̀k, ǽl-] *n.* Ⓒ 달력, 책력; 연감.
:al·might·y [ɔ:lmáiti] *a., ad.* 전능한; 《美口》 대단한[히]. ***the A-*** 전능자, 신.
***al·mond** [ά:mənd, ǽlm-] *n.* Ⓒ,Ⓤ 편도(扁桃), 아몬드; Ⓒ 그 나무.
álmond-èyed *a.* 편도형의 눈을 가진《몽골 인종의 특징》.
al·mon·er [ǽlmənər, ά:m-] *n.* Ⓒ (왕가·수도원 등의) 구휼품(救恤品) 분배관.
al·mon·ry [ǽlmənri, ά:m-] *n.* Ⓒ 구휼품 분배소. 「의.
†al·most [ɔ́:lmoust; ˌ—́] *ad.* 거
***alms** [α:mz] *n. sing. & pl.* 보시(布施), 베풀어 주는 물건.
álms bòx 《英》 자선함.
álms·gìver *n.* Ⓒ 시주(施主), 자선가. 「자선.
álms·gìving *n.* Ⓤ (금품을) 베풂,
álms·hòuse *n.* Ⓒ 《美》 공립 구빈원; 《英》 사립 구빈[양로]원. 「호자.
alms·man [´-mən] *n.* Ⓒ 피(被)구
al·oe [ǽlou] *n.* ① Ⓒ 〖植〗 알로에, 노회(蘆薈). ② (*pl.*) 《단수 취급》 침향(沈香); 노회즙《하제》. ③ =AMERICAN ~.
***a·loft** [əlɔ́:ft/əlɔ́ft] *ad.* 높이, 위(쪽)에, 위로; 돛대 꼭대기에. ***go* ~** 천국에 가다; 죽다.
a·log·i·cal [eiládʒikəl/-ɔ́-] *a.* 비논리적인; 논리에 반하는.
a·lo·ha [əlóuə, α:lóuhα:] *n.* (Hawaiian =love) Ⓒ (송영(送迎)의) 인사; 안녕. ― *int.* 어서 오세

A

요!, 안녕! ~·oe[ɑːlòuhɑːɔ́i, -óui] *int.* 안녕!
alóha shírt 알로하 셔츠. 「이름.
Alóha Státe, the Hawaii주의 딴
†**a·lone**[əlóun] *pred. a., ad.* (실제로 또는 감정적으로) 홀로, 혼자; 단지; 다만 …뿐[만]. ***leave*** ~ 내버려 두다. ***let*** ~ …은 말할 것도 없고; =LEAVE[1] ~.
†**a·long**[əlɔ́ːŋ/əlɔ́ŋ] *prep.* …을 따라 [끼고]. ― *ad.* 앞으로, 거침없이; 함께; (동반자로) 데리고. ALL(*ad.*) ~. (***all***) ~ ***of***《美方》…의 탓으로. ~ ***with*** …와 함께[더불어]. ***be*** ~《美口》다른 사람을 뒤따라 미치다. GET ~. RIGHT (*ad.*) ~.
alóng·shóre *ad.* 해안을 따라.
*__a·long·side__[-sáid] *ad., prep.* (…의) 곁[옆]에; (…에) 옆으로 대어; (…와) 나란히(*of*).
a·loof[əlúːf] *ad.* 떨어져서. ***keep*** [***stand, hold***] ~ (…에서) 떨어져 있다, (…에) 초연해 있다(*from*). ― *pred. a.* 초연한, 무관심의. ~·**ly** *ad.* ~·**ness** *n.*
al·o·pe·ci·a[æ̀ləpíːʃiə] *n.* Ⓤ【醫】탈모증, 독두증.
:**a·loud**[əláud] *ad.* 소리를 내어; 큰 소리로;《口》똑똑히. THINK ~.
alp[ælp] *n.* Ⓒ 높은 산; (알프스 산 중턱의) 목초지. 「Party.
ALP, A.L.P. American Labor
al·pa·ca[ælpǽkə] *n.* Ⓒ【動】알파카; Ⓤ 그 털[천].
al·pen·horn[ǽlpənhɔ̀ːrn] *n.* Ⓒ (스위스 사람의) 목제 나팔.
al·pen·stock[-stɑ̀k/-ɔ̀-] *n.* Ⓒ 등산 지팡이.
al·pha[ǽlfə] *n.* Ⓤ,Ⓒ 그리스 자모의 첫째 글자《*Α, α*; 영어의 A, a에 해당》. ~ ***and omega*** 처음과 끝, 전부.
†**al·pha·bet**[ǽlfəbèt/-bit] *n.* Ⓒ 알파벳; (the ~) 초보;【컴】영문자. :~·**ic**[ˋ-bétik], -**i·cal**[-əl] *a.* ~·**ize**[-bətàiz] *vt.* 알파벳순으로 하다; 알파벳으로 표기하다.
álphabet sóup 알파벳 글자 모양의 국수가 든 수프;《美俗》(특히 관청의) 약어《FBI 따위》.
al·pha·nu·mer·ic[æ̀lfən*j*uːmérik] *a.*【컴】영숫자의, 알파벳 등의 문자와 숫자로 된, 문자·숫자 양용의.
álpha pàrticle【理】알파 입자(粒子).
álpha plùs 최고급의.
álpha ràys【理】알파선.
álpha rhỳthm【生】(뇌파의) 알파 리듬.
álpha tèst【心】알파 지능 테스트.
álpha wàve 알파파(波)《정상인의 안정한 때의 뇌파》.
*__Al·pine__[ǽlpain, -pin] *a.* 알프스의; (a-) 고산의(~ *flora* 고산 식물); 대단히 높은. **al·pin·ist**[ǽlpənist] *n.* Ⓒ 등산가.
:**Alps**[ælps] *n. pl.* 알프스 산맥.
†**al·read·y**[ɔːlrédi] *ad.* 이미, 벌써;《美俗》곧(*Let's go ~!* 어서 가자).
al·right[ɔːlráit] *ad.*《俗》=ALL right.
ALS Automatic Landing System【空】자동 착륙 장치.
Al·sace[ǽlsæs] *n.* 알사스《프랑스 북동부의 지방; 포도주 산지》.
Al·sa·tian[ælséiʃən] *a.* Alsace(사람)의. ― *n.* Ⓒ Alsace 사람; 독일종 셰퍼드.
†**al·so**[ɔ́ːlsou] *ad.* …도 또한, 역시 (too); 그 위에.
álso-ràn *n.* Ⓒ (경마의) 등외(等外)말; 낙선자; 실패자, 범재(凡才).
alt[ælt] *n.* =ALTO.
alt. alternate; altitude; alto.
Al·ta·ic[æltéiik] *n.* Ⓤ 알타이어족. ― *a.* 알타이어족의; 알타이 산맥의.
Ál·tai Móuntains[ǽltai-/ɑ́ːl-] (the ~) 알타이 산맥.
Al·tair[æltέər] *n.*【天】견우성.
:**al·tar**[ɔ́ːltər] *n.* Ⓒ 제단(祭壇). ***lead*** (*her*) ***to the*** ~ 아내로 삼다.
áltar bòy (미사의) 복사(服事).
áltar·pìece *n.* Ⓒ 제단의 뒷장식.
áltar ràil 제단 앞의 난간.
:**al·ter**[ɔ́ːltər] *vt., vi.* 바꾸다; 바뀌다;《美口》거세하다. ~·**a·ble**[-əbl] *a.* 변경할 수 있는. *~·**a·tion**[ˋ-éiʃən] *n.* Ⓒ,Ⓤ 변경. ~·**a·tive**[-èitiv, -rət-] *a.* 변화[변질]하는.
al·ter·cate[ɔ́ːltərkèit] *vi.* 언쟁[말다툼]하다(*with*). -**ca·tion**[ˋ-ˊʃən] *n.* 「타아(他我); 친구.
al·ter e·go[ɔ́ːltər íːgou, ǽl-] (L.)
al·ter·nant[ɔ́ːltərnənt, ǽl-] *n.*【言】=ALLOMORPH.
*__al·ter·nate__[ɔ́ːltərnit, ǽl-] *a.* 번갈아서의;【植】호생(互生)의. ***on ~ days*** 하루 걸러. ― *n.* Ⓒ 교체;《美》대리(위원); 교체원;【컴】교체. ― [-nèit] *vt., vi.* 번갈아 하다[되다], 교체하다(*with*);【電】교류(交流)하다. ~·**ly** *ad.*
álternate kéy【컴】교체(글)쇠, 교체 키.
álternating cúrrent【電】교류.
al·ter·na·tion[ɔ̀ːltərnéiʃən] *n.* Ⓤ,Ⓒ 교호(交互), 번갈음. ~ ***of generations***【生】세대 교번(交番).
:**al·ter·na·tive**[ɔːltə́ːrnətiv] *a.* 어느 한 쪽의, 둘(이상) 중 하나를 택해야 할; 다른, 별개의《관청 용어》. ― *n.* Ⓒ 양자 택일; 어느 한 쪽; 다른 수단, 달리 택할 길[방도]. ~·**ly** *ad.* 양자 택일로, 대신으로; 혹은, 또는.
altérnative conjúnction【文】선택 접속사.
altérnative júdgment【論】양자 택일적 판단.
altérnative médicine 대체 의학《침구술 같이 서양 의학에 들지 않는 것》. 「의문(문).
altérnative quéstion【文】선택
al·ter·na·tor[ɔ́ːltərnèitər] *n.* Ⓒ 교류 발전기. 「른.
alt·horn[ǽlthɔ̀ːrn] *n.* Ⓒ 알토 호
†**al·though,**《美》**al·tho**[ɔːlðóu]

A

conj. =THOUGH.
al·ti·graph [ǽltəgræ̀f, -grɑ̀:f] *n.* Ⓒ 자동 고도 표시기.
al·tim·e·ter [æltímitər/ǽltimi̇̀:tər] *n.* Ⓒ 고도 측량기; 〖空〗 고도계.
al·tim·e·try [æltímətri] *n.* Ⓤ 측고법(測高法).
:al·ti·tude [ǽltətjù:d] *n.* ① U,C 높이, 고도; 표고, 해발. ② Ⓒ (보통 *pl.*) 높은 곳.
áltitude flìght 고도 비행.
áltitude rècord 고도 기록.
áltitude sìckness 고공(高空)〔고산〕병. 「(alternate key).
ÁLT 〔**Ált**〕 **kèy**[ɔ́:lt-] 〖컴〗 알트 키
al·to [ǽltou] *n.* (*pl.* **~s**) (It.) 〖樂〗 Ⓤ 알토; Ⓒ 알토 가수.
álto clèf 〖樂〗 알토 음자리표《제 3 선의 '다' 음자리표》.
:al·to·geth·er [ɔ̀:ltəgéðər] *ad.* 아주, 전혀; 전부해서; 대체로. — *n.* Ⓤ 전체(적 효과). ***the*** **~** 《口》 알몸.
álto hórn =ALTHORN.
al·to-re·lie·vo [æ̀ltourilí:vou] *n.* (*pl.* **~s**) U,C 두드러진 양각(陽刻), 높은 돋을새김(high relief).
al·tru·ism [ǽltruìzəm] *n.* Ⓤ 애타〔이타〕주의. **-ist** *n.* **-is·tic** [ˌ--ístik] *n.* **-ís·ti·cal·ly** *ad.*
al·um [ǽləm] *n.* Ⓤ 명반(明礬).
a·lu·mi·na [əlú:mənə] *n.* Ⓤ 알루미나, 반토(礬土).
al·u·mi·nize [əlú:mənàiz] *vt.* (…에) 알루미늄을 입히다; (…을) 알루미늄으로 처리하다.
a·lu·mi·nous [əlú:mənəs] *a.* 명반(alum)의; 알루미나의.
:a·lu·mi·num [əlú:mənəm], 《英》 **al·u·min·i·um** [æ̀ljumíniəm] *n.* Ⓤ 알루미늄.
a·lum·nus [əlʌ́mnəs] *n.* (*pl.* **-ni** [-nai]; *fem.* **-na** [-nə], *pl.* **-nae** [-ni:]) Ⓒ 《美》 졸업생; 교우(*an alumni association* 동창회); 《口》 (운동 팀의) 구멤버; 《英》 학생; 생도.
al·ve·o·lar [ælví:ələr] *a.* 폐포(肺胞)의; 〖音聲〗 치조(齒槽)의. — *n.* Ⓒ 치경음(齒莖音)《t, d, n, l, s, z, ʃ, ʒ, r》. **-late**[-lit, -lèit] *a.* 벌집 모양의, 작은 구멍이〔기포가〕 있는.
al·ve·o·lus [ælví:ələs] *n.* (*pl.* **-li** [-lài]) Ⓒ 벌집(모양)의 작은 구멍; 치조(齒槽).
†al·ways [ɔ́:lwiz, -weiz, -wəz] *ad.* 언제나, 늘. ***not*** **~** 반드시 …한 것은 아니다.
Álz·hei·mer's disèase[ɑ́:lts-hàimərz-, ǽl-, ɔ́:l-] 알츠하이머병《노인에게 일어나는 치매; 뇌동맥 경화증·신경의 퇴화를 수반함》.
AM amplitude modulation(cf. FM). **Am** 〖化〗 americium.
†am [強 æm, 弱 əm] *v.* be의 1인칭·단수·직설법 현재.
Am. America(n). **A.M.** *Artium Magister* (L. =Master of Arts). **:A.M., a.m.** *ante meridiem* (L. =before noon). **AMA** American Medical Association.
a·mah [ɑ́:mə] *n.* Ⓒ 어멈, 유모, 아이 보는 여자, 하녀《중국·인도의》.
a·main [əméin] *ad.* 《詩》 힘껏; 전속력으로.
a·mal·gam [əmǽlgəm] *n.* ① U,C 아말감《수은과 딴 금속의 합금》. ② Ⓒ 혼합물.
a·mal·ga·mate [əmǽlgəmèit] *vt., vi.* 수은과 섞다, 아말감으로 하다; 합동〔합병〕하다. **-gam·a·tion** [ˌ-ˌ-méiʃən] *n.* U,C 아말감화(化); 〖人類〗 이인종(異人種)의 융합; 《美》 흑인과 백인의 혼혈.
a·man·u·en·sis [əmæ̀njuénsis] *n.* (*pl.* **-ses** [-si:z]) Ⓒ 필기자; 비서.
am·a·ranth [ǽmərænθ] *n.* Ⓒ (전설의) 시들지 않는다는 꽃; 〖法〗 비름속의 식물; Ⓤ 자줏빛. **-ran·thine** [ˌ-rǽnθin, -θain] *a.*
am·a·ryl·lis [æ̀mərílis] *n.* Ⓒ 〖植〗 아마릴리스.
a·mass [əmǽs] *vt.* 쌓다; 모으다; 저축하다. **~·ment** *n.* U,C 축적, 축재.
:am·a·teur [ǽmətʃùər, -tʃər, -tər, æ̀mətə́:r] *n., a.* Ⓒ 아마추어(의), 비직업적(인), 취미의. **~·ish(·ly)** [æ̀mətʃúəriʃ(li), -tjúə-, -tə́:r-] *a.* (*ad.*). **~·ism** [-ìzəm] *n.* Ⓤ 아마추어 재주, 서투름. 「의.
am·a·tive [ǽmətiv] *a.* 연애〔호색〕
am·a·to·ry [ǽmətɔ̀:ri/-təri] *a.* 연애의(~ *poems* 사랑의 노래); 호색적인(*an* ~ *look* 추파).
am·au·ro·sis [æ̀mɔ:róusis] *n.* Ⓤ 〖醫〗 흑내장, 청맹과니.
:a·maze [əméiz] *vt.* 놀래다, 깜짝 놀라게 하다; 경이감을 품게 하다. ***be*** **~*d*** 깜짝 놀라다. — *n.* 《詩》 = AMAZEMENT. **a·maz·ed·ly** [-idli] *ad.* 기급을 하여. **:~·ment** *n.* Ⓤ (깜짝) 놀람, 소스라침; 《廢》 아연함. **:a·máz·ing(·ly)** *a.* (*ad.*)
***Am·a·zon** [ǽməzən, -zɑ̀n] *n.* ① Ⓒ 〖그神〗 아마존《흑해 부근에 있던 용감한 여장부(의 하나)》; (*or* a-) 여장부. ② (the ~) 아마존 강. **-zo·ni·an** [æ̀məzóuniən] *a.*
Ámazon ánt 〖蟲〗 불개미의 일종《유럽·북아메리카산》.
Amb. ambassador.
:am·bas·sa·dor [æmbǽsədər] *n.* Ⓒ 대사; 사절. **~ *extraordinary (and plenipotentiary)*** 특명 (전권) 대사. **~ *at large*** 《美》 무임소 대사, 특사. **-do·ri·al** [æmbæ̀sədɔ́:riəl] *a.* **~·ship** [-ʃìp] *n.* Ⓒ 대사의 신분〔직, 자격〕. **-dress** [-dris] *n.* Ⓒ 여자 대사〔사절〕; 대사 부인.
am·ber [ǽmbər] *n., a.* Ⓤ 호박(琥珀); 호박색(의).
am·ber·gris [-grì(:)s] *n.* Ⓤ 용연향(龍涎香)《향유고래의 장(腸)에서 얻는 향료의 원료》.
am·bi- [ǽmbi] *pref.* '양쪽, 둘레' 따위의 뜻.
am·bi·dex·ter·i·ty [æ̀mbideks-térəti] *n.* Ⓤ 양손잡이; 비범한 손재

주; 표리 부동, 두 마음을 품음.
am·bi·dex·trous [æ̀mbidékstrəs] *a.* 양손잡이의; 교묘한; 두 마음을 품은. **~·ly** *ad.* **~·ness** *n.*
am·bi·ence, -ance [ǽmbiəns] *n.* Ⓒ 환경; (장소의) 분위기.
am·bi·ent [ǽmbiənt] *a.* 주위의[를 둘러싸는].
***am·bi·gu·i·ty** [æ̀mbigjúːəti] *n.* ① Ⓤ 애매[모호]함, 다의(多義). ② Ⓒ 애매한 말[표현].
***am·big·u·ous** [æmbígjuəs] *a.* 두 가지 뜻으로 해석할 수 있는(equivocal), 불명료한, 모호한. **~·ly** *ad.* **~·ness** *n.*
am·bi·sex·trous [æ̀mbisékstrəs] *a.* 《美》 남녀 구별이 어려운《복장》; 남녀 혼합의《모임》.
am·bit [ǽmbit] *n.* Ⓒ (흔히 *pl.*) 주위, 범위; 경계.
:am·bi·tion [æmbíʃən] *n.* Ⓤ,Ⓒ 야심, 대망; Ⓒ 야심의 대상.
:am·bi·tious [æmbíʃəs] *a.* 야심적인, 대망(大望)이 있는. **~·ly** *ad.*
am·biv·a·lence [æmbívələns] *n.* Ⓤ 〖心〗 양면 가치《동일 대상에 대한 반대 감정 병존》. **-lent** *a.*
am·bi·vert [ǽmbivə̀ːrt] *n.* Ⓒ 〖心〗 양향성(兩向性) 성격자(cf. introvert, extrovert).
am·ble [ǽmbəl] *n., vi.* (an ~) 〖馬術〗 측대(側對)걸음《같은 쪽의 양발을 한 쪽씩 동시에 들고 걷는 느린 걸음》(으로 걷다); 완보(緩步)(하다).
am·bly·o·pi·a [æ̀mblióupiə] *n.* Ⓤ 〖醫〗 약시(弱視).
am·bro·sia [æmbróuʒiə] *n.* Ⓤ 〖그·로神〗 신의 음식(cf. nectar); 대단히 맛있는[냄새 좋은] 것. **~l** *a.* 맛있는; 향기로운; 거룩한.
***am·bu·lance** [ǽmbjuləns] *n.* Ⓒ 상병자 운반차[선·기], 구급차; 야전병원.
ámbulance chàser 《美口》 사고의 피해자를 부추겨 소송을 제기하게 하여 돈벌이하는 변호사; 《一般》 악덕 변호사.
am·bu·lant [ǽmbjulənt] *a.* 걸을 수 있는.
am·bu·late [ǽmbjulèit] *vi.* 걸어다니다, 걷다; 이동하다. **-la·tion** [⌒–léiʃən] *n.* Ⓤ 보행, 이동.
am·bu·la·to·ry [ǽmbjulətɔ̀ːri/-təri] *a., n.* 보행(용)의; 이동하는; Ⓒ 유보장(遊步場); 회랑.
am·bus·cade [æ̀mbəskéid, ⌒–⌒] *n., vt., vi.* 〖軍〗 = ⇩.
am·bush** [ǽmbuʃ] *n.* ① Ⓤ 매복, 잠복. ② Ⓒ 매복 장소; 《집합적》 복병. ***fall into an ~ 복병을 만나다. ***lie* [*wait*] *in*** ~ 매복하다. — *vt., vi.* 매복하다.
a·me·ba [əmíːbə] *n.* =AMOEBA.
âme dam·née [áːm dɑːnéi] (F.) 맹종자.
a·mel·io·rate [əmíːljərèit] *vt.* 개선[개량]하다. — *vi.* 좋아[나아]지다. **-ra·ble** [-rəbəl] *a.* **-ra·tion** [–⌒–réiʃən] *n.*
a·men** [éimén, áː-] *int., n.* 아멘 (=So be it! 그러할지어다); Ⓤ 동의, 찬동(say*** ~ ***to*** …에 찬성하다).
a·me·na·ble [əmíːnəbəl, əmén-] *a.* 복종해야 할; (…을) 받아들이는, (…에) 순종하는(*to*); (법률에) 따라야 할; (법률에) 맞는. **-bly** *ad.* **-bil·i·ty** [–⌒–bíləti] *n.* Ⓤ 복종해야 함; 순종.
ámen còrner 《美》 교회의 설교단 옆 자리; 《口》 집회장.
:a·mend [əménd] *vt.* 고치다, 정정[수정·개정]하다.
a·mende ho·no·ra·ble [əmémd ɔnɔráːbl] (F.) 공식적 사죄[배상].
:a·mend·ment [-mənt] *n.* ① Ⓤ,Ⓒ 변경, 개정, 교정. ② Ⓒ 수정안; (A-) (미국 헌법의) 수정 조항.
***a·mends** [əméndz] *n. pl.* 《단·복수 취급》 배상, 벌충(*for*).
***a·men·i·ty** [əménəti, -míː-] *n.* ① Ⓤ (인품이) 호감을 줌, 온아함; (*pl.*) 예의. ② Ⓤ (환경·건물의) 아늑함, 쾌적. ③ (*pl.*) (가정의) 즐거움.
a·men·or·rhe·a [eimènəríːə, ɑː-] *n.* Ⓤ 무월경(無月經).
a·men·tia [eiménʃiə/əmén-] *n.* Ⓤ (선천성) 백치(白痴), 정신 박약.
Amer. America(n).
A·mer·a·sian [æ̀məréiʒən, -ʃən] *n.* Ⓒ 미국인과 동양인의 혼혈아[인].
a·merce [əmə́ːrs] *vt.* 벌하다.
†A·mer·i·ca [əmérikə] *n.* 미국; 북아메리카; 남아메리카.
†A·mer·i·can [-n] *a.* 미국(인)의; 아메리카(인)의. — *n.* Ⓒ 미국인; 미국 원주민; Ⓤ 미어(美語).
A·mer·i·ca·na [əmèrəkǽnə, -káː-] *n. pl.* 미국 문헌, 미국지(誌).
Américan Áirlines 아메리칸 항공《미국의 민간 항공사》.
Américan áloe 〖植〗 용설란(century plant).
Américan Bár Associátion 미국 법률가 협회.
Américan Béauty 〖植〗 붉은 장미의 일종《미국산》.
Américan Cívil Wár, the 〖美史〗 남북 전쟁(1861–65).
Américan clòth [**léather**] 《英》 광택 있는 유포(油布)《의자 커버 따위로 쓰임》.
Américan dréam 아메리카의 꿈《물질적 번영과 성공》.
Américan éagle 〖鳥〗 흰머리수리《북아메리카산》; 미국의 문장(紋章).
Américan Énglish 미국 영어, 미어(美語)(cf. British English).
Américan Fóotball 미식 축구.
Américan Fóotball Cónference 아메리칸 풋볼 콘퍼런스《NFL 산하의 미국 풋볼 리그; 생략 AFC》.
Américan Índian 아메리카 인디언(어).
A·mer·i·can·ism [əmérikənìzəm] *n.* Ⓒ 미국어(법); Ⓤ,Ⓒ 미국풍[식]; Ⓤ 미국 숭배.
A·mer·i·can·ize [əmérikənàiz]

vt., vi. 미국화(化)하다; 미국 말을 하다. **-i·za·tion** [–⌄––izéiʃən/-naiz-] *n.* Ⓤ 미국화.
Américan lánguage =AMERICAN ENGLISH.
Américan Léague, the 아메리칸 리그《미국 프로 야구 2대 리그의 하나》.
Américan Légion, the 미국 재향 군인회.
Américan plàn 《美》(호텔의) 미국식 계산《숙비·식비·봉사료를 합산》(cf. European plan).
Américan Revolútion 《美》 미국 독립 전쟁(1775-83).
Américan Stándards Association 미국 규격 협회《생략 ASA》.
Américan Stándard Vérsion, the 미국 표준역 성서《생략 ASV》.
Américan tíger =JAGUAR.
am·er·ic·i·um [æ̀məríʃiəm] *n.* Ⓤ 〖化〗 아메리슘《방사성 원소; 기호 Am》.
Am·er·ind [ǽmərind] *n.* Ⓒ 《美》 아메리카 원주민(<*Amer*ican *Ind*ian).
am·e·thyst [ǽməθist] *n.* Ⓤ,Ⓒ 자석영(紫石英), 자수정.
am·e·tro·pi·a [æ̀mətróupiə] *n.* Ⓤ 〖醫〗 비정시(視)《난시·근시·원시의 총칭》.
a·mi [æmí:] *n.* (F.) Ⓒ 남자 친구〔애인〕(cf. amie).
***a·mi·a·ble** [éimiəbəl] *a.* 귀여운; 호감을 주는; 마음씨가 상냥한; 온후한. * **-bly** *ad.* **-bil·i·ty** [⌄––bíləti] *n.*
***am·i·ca·ble** [ǽmikəbəl] *a.* 우호적인, 친화〔평화〕적인. **-bly** *ad.* **-bil·i·ty** [–⌄–bíləti] *n.*
am·ice [ǽmis] *n.* Ⓒ 〖가톨릭〗 개두포(蓋頭布).
:a·mid [əmíd] *prep.* …의 한가운데에; 한창 …하는 중에.
amíd·shìp(s) *ad.* 배의 중앙에〔을 향해〕.
:a·midst [əmídst] *prep.* =AMID.
a·mie [æmí:] *n.* (F.) Ⓒ 여자 친구〔애인〕(cf. ami).
a·mi·go [əmí:gou, ɑ:-] *n.* (*pl.* **~s**) (Sp.) Ⓒ 《美》 친구.
a·mine [əmí:n, ǽmin] *n.* Ⓤ 〖化〗 아민.
a·mi·no [əmí:nou, ǽmənòu] *a.* 〖化〗 아민의.
amíno ácid 〖化〗 아미노산.
a·mì·no·ben·zó·ic ácid [əmì-noubenzóuik-] 〖化〗 아미노 안식향산.
A·mish [ɑ́:miʃ, ǽm-] *a.* 《美》 아미시의《17세기말 J. Ammann과 함께 도미한 그리스도교도》. — *n.* (the ~) 《복수 취급》 아미시파의 사람들.
a·miss** [əmís] *ad.* 빗나가서, 어긋나서, 형편 사납게; 잘못되어; 탈이 나서. ***come ~ 달갑지 않게〔신통치 않게〕 되다. ***do*** ~ 그르치다, 죄를 범하다. ***go*** ~ (일이) 잘 안 돼 가다, 어긋나다. ***not*** ~ 나쁘지 않은, 괜찮은. ***take* (*it*)** ~ 나쁘게 해석하다; 기분을 상하다. — *a.* 빗나간, 어긋난; 틀린.
am·i·ty [ǽməti] *n.* Ⓤ,Ⓒ 친목, 친화, 친선.
AMM, A.M.M. anti-missile missile.
Am·man [ɑ́:mmɑ:n, –⌄] *n.* 암만《요르단의 수도》.
am·me·ter [ǽmmì:tər] *n.* Ⓒ 전류계.
am·mo [ǽmou] *n.* Ⓤ 《俗》 =AMMUNITION.
am·mo·nal [ǽmənæ̀l] *n.* Ⓤ 암모날《폭약의 일종》.
***am·mo·nia** [əmóunjə, -niə] *n.* Ⓤ 〖化〗 암모니아.
am·mo·ni·ac [əmóuniæ̀k] *a.* 암모니아의〔같은〕. — *n.* Ⓤ 암모니아 고무.
ammónia wàter 〔**solùtion**〕 〖化〗 암모니아수.
am·mo·nite [ǽmənàit] *n.* Ⓒ 〖古生〗 암몬조개, 국석(菊石).
am·mo·ni·um [əmóuniəm] *n.* Ⓤ 〖化〗 암모늄.
ammónium chlóride 염화암모늄.
am·mu·ni·tion** [æ̀mjuníʃən] *n., a.* Ⓤ 탄약; 군수품; 《英》 군용의. ~ ***belt 탄띠. ~ ***boots*** 군화. ~ ***bread*** 군용빵. ~ ***box*** 〔***chest***〕 탄약 상자. ~ ***industry*** 군수 산업.
am·ne·sia [æmní:ʒə] *n.* Ⓤ 〖醫〗 건망증.
am·nes·ty [ǽmnəsti] *n., vt.* Ⓤ 〖法〗 대사(大赦), 특사(하다).
Ámnesty Internátional 국제 앰네스티, 국제 사면 위원회《사상범·정치범의 석방 운동을 위한 국제 조직》.
am·ni·o·cen·te·sis [æ̀mniousentí:səs] *n.* (*pl.* ***-ses*** [-si:z]) Ⓒ 〖醫〗 양수천자(羊水穿刺)《태아의 성별을 진단함》.
a·moe·ba [əmí:bə] *n.* (*pl.* ***~s, -bae*** [-bi:]) Ⓒ 아메바. **-bic** [-bik] *a.* 아메바의〔같은〕, 아메바성의. **-boid** [-bɔid] *a.* 아메바 비슷한.
a·mok [əmʌ́k, -ɑ́-/-ɔ́-] *n.* Ⓤ (말레이 지방의) 광열병(狂熱病). — *ad.* =AMUCK.
†a·mong(st) [əmʌ́ŋ(st)] *prep.* …의 가운데〔속〕에, …의 사이에; …중에서는(cf. between). ~ ***others*** 〔***other things***〕 (그 중에서도) 특히. ~ ***the*** REST[2]. ***from*** ~ …의 중에서, …속으로부터.
a·mor·al [eimɔ́:rəl, æm-/-mɔ́r-] *a.* 초(超)도덕의, 도덕에 관계 없는 (nonmoral)(cf. immoral).
am·o·rous [ǽmərəs] *a.* 호색의; 연애의; 연애를〔사랑을〕 하고 있는; 사랑을 표시하는, 요염한. **~·ly** *ad.*
a·mor·phism [əmɔ́:rfizəm] *n.* Ⓤ 무형(無形), 무정형(無定形); 비결정(非結晶), 무조직.
a·mor·phous [əmɔ́:rfəs] *a.* 무형의; 비결정(질)의; 무조직의. ~ ***sentence*** 〖文〗 무형문(無形文).
am·or·ti·za·tion [æ̀mərtəzéiʃən]

A

n. Ⓤ 〖經〗 (감채 기금에 의한) 할부 변제(금); 〖法〗 (부동산의) 양도.
am·or·tize [ǽmərtàiz, əmɔ́ːr-] *vt.* (감채 기금으로) 상각[상환]하다; 〖古英法〗 (부동산을) 법인에게 양도하다.
A·mos [éiməs/-mɔs] *n.* 〖舊約〗 아모스《헤브라이 예언자》; 아모스서(書).
†**a·mount** [əmáunt] *vi.* 총계 …이 되다(*to*); 결국 …이 되다, (…과) 같다, 한가지다; (어느 상태에) 이르다. — *n.* (the ~) 합계, 총액(sum total); (an ~) 양(量); 결국, 원리 합계. ***in ~*** 총계; 결국, 요컨대. ***to the ~ of*** 총계 …까지 (이르는); …정도나 되는.
a·mour [əmúər] *n.* Ⓒ 연애; 정사(情事).
a·mour-pro·pre [əmùərprɔ́ːpr/ǽmuərprɔ́pr] *n.* (F.) 자존심, 자부심.
AMP adenosine monophosphate. **amp.** ampere.
am·per·age [ǽmpəridʒ] *n.* Ⓤ 〖電〗 암페어수(數).
*****am·pere** [ǽmpiər/-ˊ] *n.* Ⓒ 〖電〗 암페어.
ámpere-hóur *n.* Ⓒ 〖電〗 암페어시(時).
ámpere-tùrn *n.* Ⓒ 〖電〗 암페어 횟수.
am·per·sand [ǽmpərsæ̀nd] *n.* Ⓒ '&'(=and)(의 명칭).
am·phet·a·mine [æmfétəmìːn] *n.* Ⓤ 〖藥〗 암페타민《중추 신경을 자극하는 각성제》; Ⓒ 암페타민 알약.
am·phi- [ǽmfi, -fə] *pref.* '양(兩)…, 두 가지; 원형, 주위' 의 뜻.
Am·phib·i·a [æmfíbiə] *n. pl.* 〖動〗 양서류.
am·phib·i·an [æmfíbiən] *a., n.* Ⓒ 양서류의 (동물); 수륙 양서(兩棲)의 (식물); 수륙 양용의 (탱크·비행기). **-i·ous** *a.* 수륙 양서[양용]의; 두 가지 성질을 가진; =TRIPHIBIOUS.
am·phi·mix·is [æ̀mfəmíksis] *n.* (*pl.* ***-mixes*** [-míksiːz]) Ⓤ,Ⓒ 〖生〗 양성(兩性) 혼합; 교배(交配).
ámphi·thèater, 《英》 **-tre** *n.* Ⓒ (고대 로마의) 원형 극장, 투기장(cf. Colosseum); (근대 극장의) 계단식 관람석; 계단식 (수술 실습) 교실.
am·pho·ra [ǽmfərə] *n.* (*pl.* ***-rae*** [-rìː]) Ⓒ 그리스·로마 시대의 족자리 둘 달린 긴 항아리.
am·pho·ter·ic [æ̀mfətérik] *a.* 쌍방에 작용하는; 〖化〗 (산성과 염기성의) 양쪽 성질을 가지고 있는.
am·pi·cil·lin [æ̀mpəsílin] *n.* Ⓤ 암피실린《페니실린 비슷한 항생물질》.
:**am·ple** [ǽmpl] *a.* ① 넓은, 광대한. ② 풍부한; 충분한. **~·ness** *n.*
am·pli·fi·er [ǽmpləfàiər] *n.* Ⓒ 확대하는 물건[사람]; 확대경; 〖電·컴〗 증폭기, 앰프.
:**am·pli·fy** [ǽmpləfài] *vt., vi.* (…을) 넓게 하다, 넓어지다, 확대하다; (학설을) 부연하다. **-fi·ca·tion** [ˋ-fikéiʃən] *n.*
am·pli·tude [ǽmplitjùːd] *n.* Ⓤ 폭; 넓이; 크기; 풍부함, 충분; 〖理〗 진폭.
ámplitude modulátion 〖電子〗 진폭 변조(變調)《생략 AM》(opp. frequency modulation).
am·ply [ǽmpli] *ad.* 충분히; 널리.
am·poule [ǽmpuːl], **-pule** [-pjuːl] *n.* (F.) Ⓒ 앰플《1회분의 주사액을 넣은》.
am·pu·tate [ǽmpjutèit] *vt.* (…을) 절단하다.
am·pu·ta·tion [æ̀mpjutéiʃən] *n.* Ⓤ,Ⓒ 자름, 절단(수술). **-pu·tee** [-tíː] *n.* Ⓒ 절단 환자.
AMSA Advanced Manned Strategic Aircraft 유인(有人) 전략 항공기.
Am·ster·dam [ǽmstərdæ̀m] *n.* 네덜란드의 수도.
am·trac [ǽmtræ̀k] (< ***am***phibious ***trac***tor) *n.* Ⓒ 《軍俗》 수륙 양용차.
Am·trak [ǽmtræ̀k] *n.* 앰트랙《전미국 철도 여객 수송 공사의 애칭》.
AMU atomic mass unit 원자 질량 단위.
a·muck [əmʌ́k] *ad.* 미친 듯이 날뛰어. ***run ~*** 함부로 날뛰다[설치다].
am·u·let [ǽmjəlit] *n.* Ⓒ 부적.
:**a·muse** [əmjúːz] *vt.* 즐겁게[재미있게] 하다; 위안하다. ***~ oneself*** 즐기다, 놀다(*by, with*). ***be ~d*** (…을) 재미있어 하다, 즐기다(*at, by, with*). **~d** *a.* 즐기는, 흥겨운. :**~·ment** *n.* Ⓤ 즐거움, 위안, 오락(*~ment center* 환락가/*~ment park* 유원지/*~ment tax* 유흥세). :**a·mús·ing** *a.* 재미있는, 우스운.
AMVETS, Amvets [ǽmvèts] American Veterans 미국 재향 군인회.
am·yl [ǽmil] *n.* Ⓤ,Ⓒ 〖化〗 아밀《유기근(有機根)의 명칭》.
am·yl·ase [ǽməlèis] *n.* Ⓤ 〖生化〗 아밀라아제《전분 당화 효소》.
am·y·lose [ǽməlòus] *n.* Ⓒ 〖生化〗 아밀로오스.
†**an**[1] [強 æn, 弱 ən] *indef. art.* ⇨A[2].
an[2], **an'** [強 æn, 弱 ən] *conj.* 《方·口》 =AND; 《古》 =IF.
ANA Australian National Airways.
a·na [ɑ́ːnə, éinə] *n.* Ⓒ (어떤 사람의) 담화집, 어록(語錄); 《집합적》 일화(집).
An·a·bap·tist [æ̀nəbǽptist] *n.* Ⓒ 재침례파 (교도).
an·a·bas [ǽnəbæ̀s] *n.* Ⓒ 〖魚〗 아나바스.
a·nab·a·sis [ənǽbəsis] *n.* (*pl.* ***-ses*** [-sìːz]) Ⓤ,Ⓒ (내륙으로의) 진군; 원정; 〖醫〗 병세 악화[증진].
an·a·bat·ic [æ̀nəbǽtik] *a.* 상승(기류)의.
an·a·bi·o·sis [æ̀nəbaióusis] *n.* Ⓤ 소생(蘇生).
a·nab·o·lism [ənǽbəlìzəm] *n.* Ⓤ 〖生〗 동화 작용(opp. catabolism).

an·a·bol·ic[æ̀nəbɑ́lik/-bɔ́l-] *a.*
a·nach·ro·nism [ənǽkrənìzəm] *n.* U,C 시대착오(적인 것). **-nis·tic** [-⌒-nístik] *a.*
an·a·clas·tic [æ̀nəklǽstik] *a.* 〖光〗 굴절(성)의.
an·a·co·lu·thon [æ̀nəkəlú:θɑn/-θɔn] *n.* (*pl.* ***-tha*** [-θə]) C 〖文〗 파격 구문.
an·a·con·da[æ̀nəkɑ́ndə/-ɔ́-] *n.* C 〖動〗 (남아메리카의) 아나콘다 뱀;《一般》 큰 뱀《boa, python 따위》.
A·nac·re·on·tic [ənæ̀kriɑ́ntik/-ɔ́n-] *a.* (고대 그리스의) 아나크레온풍의.
a·nad·ro·mous [ənǽdrəməs] *a.* (고기가) 소하성(溯河性)의《연어 따위》.
a·nae·mi·a, -mic =ANEMIA, ANEMIC.
an·aer·obe [ænɛ́əroub] *n.* C 혐기성(嫌氣性) 생물《박테리아 따위》. **-o·bic**[⌒-óubik] *a.*
an·aes·the·sia, &c. =ANESTHESIA, &c.
an·a·gram [ǽnəgræ̀m] *n.* C 글자 바꿈 수수께끼《time을 바꿔 써서 'emit', 'mite' 등으로 하는 따위》; (*pl.*)《단수 취급》 글자 바꿈 수수께끼 놀이.
a·nal [éinəl] (<anus) *a.* 항문(肛門)의, 항문 부근의.
an·a·lects [ǽnəlèkts] *n. pl.* 선집(選集), 어록(語錄). ***the A- of Confucius*** 논어.
an·al·ge·si·a [æ̀nəldʒí:ziə] *n.* U 〖醫〗 무통각증. **-sic** [-zik, -dʒésik] *a., n.* 진통의; U,C 진통제.
an·a·log[ǽnəlɔ̀:g, -lɑ̀g/-lɔ̀g] *n.* 《美》 =ANALOGUE. — *a.* 상사형(相似型)의, 연속형의, 아날로그의.
ánalog compùter 〖컴〗 아날로그 컴퓨터, 연속형 전산기.
an·a·log·ic[æ̀nəlɑ́dʒik/-ɔ́-], **-i·cal** [-əl] *a.* 유사한; 유추의. **-cal·ly** *ad.*
a·nal·o·gize [ənǽlədʒàiz] *vt., vi.* ① (…을) 유추에 의해 설명하다, 유추하다. ② (…와) 유사하다(*with*).
***a·nal·o·gous** [ənǽləgəs] *a.* 유사한, 상사의. **~·ly** *ad.*
an·a·logue [ǽnəlɔ̀:g, -lɑ̀g/-lɔ̀g] *n.* C 유사물; 〖生〗 상사기관; 〖컴〗 연속형, 아날로그.
:**a·nal·o·gy** [ənǽlədʒi] *n.* C 유사; U 유추(*false* ~ 그릇된 유추/ *forced* ~ 억지로 갖다 붙임, 견강부회); 〖生〗 (기관·기능 따위의) 상사(相似). ***on the ~ of*** …로 유추하여〔미루어〕.
a·nal·y·sand [ənǽləsæ̀nd] *n.* C 정신 분석을 받는 사람.
:**an·a·lyse** [ǽnəlàiz] *v.* 《英》 =ANALYZE.
:**a·nal·y·sis** [ənǽləsis] *n.* (*pl.* ***-ses*** [-sì:z]) U,C ① 분해(opp. synthesis); 분석. ② 해석(解析)(학). ③ 〖컴·文〗 분석. ***in*** 〔***on***〕 ***the last*** 〔***final***〕 ***~,*** or ***on ~*** 요컨대, 결국.
***an·a·lyst** [ǽnəlist] *n.* C ① 분해자; 분석자, 해석학자. ② 정신 분석학자. ③ 경제〔정치〕 분석가. ④ 〖컴〗 분석가, 시스템 분석가.
***an·a·lyt·ic** [æ̀nəlítik], **-i·cal** [-əl] *a.* 분석〔분해·해석〕의; 분석〔해석〕적인.
analýtical chémistry 분석 화학.
analýtic geómetry 해석 기하학.
analýtic psychólogy 〖心〗 분석 심리학.
an·a·lyt·ics [æ̀nəlítiks] *n.* U 분석〔해석〕학; 〖文〗 분석론.
:**an·a·lyze,** 《英》 **-lyse** [ǽnəlàiz] *vt.* 분석〔분해·해석〕하다; (문장을) 분석하다. ***-lyz**〔**s**〕**·er** [-ər] *n.* C 분석하는 사람〔물건〕.
an·a·mor·pho·sis[æ̀nəmɔ́:rfəsis] *n.* C 〖光學〗 왜상(歪像); 〖植〗 기형, 변체《꽃, 잎 등》; 〖生〗 점변(漸變) 진화.
an·a·nas [ǽnənæ̀s, ənɑ́:nəs] *n.* C 《稀》〖植〗 아나나스, 파인애플.
An·a·ni·as [æ̀nənáiəs] *n.* 〖聖〗 아나니아《거짓말을 하여 벌받아 죽은 남자》.
an·a·p(**a**)**est** [ǽnəpèst] *n.* C 〖韻〗 약약강격(弱弱強格)《××⌒》. **-paes·tic, -pes-** [⌒-péstik/-pí:s-] *a.*
a·naph·o·ra [ənǽfərə] *n.* C 〖修〗 수어(首語)(구) 반복; 〖文〗 (반복을 피하기 위한 대명사·대동사 등의) 대용어.
an·a·phor·ic [æ̀nəfɔ́:rik/-fɔ́r-] *a.* 〖그正教〗 성찬식의; 〖文〗 전방조응(前方照應)의.
an·aph·ro·dis·i·ac [ænæ̀frədíziæ̀k] *a.* 성욕 억제의.
an·a·plas·ty [ǽnəplæ̀sti] *n.* U 〖外科〗 성형 수술.
an·a·rak [ǽnəræ̀k] *n.* =ANORAK.
an·arch [ǽnɑ:rk] *n.* =ANARCHIST.
an·ar·chism [ǽnərkìzəm] *n.* U 무정부주의〔상태〕, 무질서; 테러 행위. **-chist** *n.* C 무정부주의자〔당원〕.
***an·ar·chy** [ǽnərki] *n.* U 무정부(상태), (사회의) 무질서, 혼란; 무질서론. **-chic** [ænɑ́:rkik], **-chi·cal** [-əl] *a.*
a·nas·to·mose[ənǽstəmòuz] *vt., vi.* 합류시키다〔하다〕, 접합시키다〔하다〕; 〖外科〗 문합(吻合)시키다〔하다〕.
a·nath·e·ma [ənǽθəmə] *n.* U,C 파문; C 저주; 저주받은 물건〔사람〕.
:**a·nat·o·my** [ənǽtəmi] *n.* U 해부(술·학); C 분석; (동·식물의) 구조.
an·a·tom·ic[æ̀nətɑ́mik/-ɔ́-], **-i·cal**[-əl] *a.* **-mist** *n.* C 해부학자. **-mize** [-màiz] *vt.* 해부〔분석〕하다.
:**an·ces·tor** [ǽnsestər, -səs-] *n.* (*fem.* ***-tress***) C 조상. ***-tral** [ænséstrəl] *a.* 조상〔선조〕(전래)의. ***-try** [-tri] *n.* U 《집합적》 조상; 집안; 가계(lineage).
:**an·chor** [ǽŋkər] *n.* C 닻; 힘이〔의지가〕 되는 것; (릴레이의) 최종 주자(走者). ***at ~*** 정박하여. ***cast*** 〔***drop***〕 ***~*** 닻을 내리다. ***drag ~*** 표류하다.

A

weight* ~** 닻을 올리다, 출범하다. — *vt., vi.* (…에) 닻을 내리다, 정박하다. ~ ***one's hope in 〔***on***〕 …에 희망을 걸다. *~**·age**[-idʒ] *n.* Ⓤ,Ⓒ 닻을 내림; 정박(지·세).

an·cho·ress[ǽŋkəris] *n.* Ⓒ 여은자(女隱者).

an·cho·ret[ǽŋkərit, -rèt], **-rite**[-ràit] *n.* Ⓒ 은자(隱者)(hermit), 속세를 떠난 사람(recluse).

ánchor·màn *n.* Ⓒ ① 중심 인물; 최종 주자. ② (*fem.* ***-woman***) (방송의) 앵커맨.

ánchor·pèrson *n.* Ⓒ (뉴스 프로의) 종합 사회자.

an·cho·vy[ǽntʃouvi, -tʃə-] *n.* Ⓒ 〖魚〗 안초비《지중해산 멸치류》. ~ ***paste*** 안초비를 풀처럼 갠 식품.

an·cienne no·blesse[ɑ̃:sjén nɔblés] (F.) (혁명 전의) 구(舊)귀족.

an·cien ré·gime[ɑ̃:sjǽ reiʒí:m] (F.) 구제도《특히 혁명 이전 프랑스의 정치·사회 조직》.

:**an·cient**[1][éinʃənt] *a.* 고대의, 옛날의; 고래(古來)의; 늙은(very old) (*The A- Mariner* 노(老)선원《Coleridge 작의 시의 제목》); 구식의; 낡은. — *n.* Ⓒ 고전 작가; 노인. ***the ~s*** 고대인《그리스·로마 사람 등》. ***the A- of Days*** 〖聖〗 옛적부터 항상 계신 이《하느님》. ~**·ly** *ad.* 옛날에는.

an·cient[2] *n.* Ⓒ 《古》 기(旗); 기수.

áncient hístory 고대사(史); 《俗》 주지의 사실.

áncient líghts 〖法〗 채광권(採光權).

an·cil·lar·y[ǽnsəlèri/ænsíləri] *a.* 보조의.

†**and**[強 ænd, 弱 ənd, nd] *conj.* ① 그리고, 및, 또한; 그러자. ② 《명령문 뒤에서》 그러면. ***and/or*** =and *or* or (*newspapers and/or magazines* 신문 및〔또는〕 잡지). ~ ALL (*n.*). ~ ***all that,*** or ~ ***so on*** 〔***forth***〕, or ~ ***what not*** …따위, …등등. ~ ***that*** 더우기, 게다가. ~ ***yet*** 그럼에도 불구하고. ***try*** ~ 해보다(*Try ~ do it.* 해 봐라).

AND[ænd] *n.* 〖컴〗 또, 논리곱.

an·dan·te[ændǽnti] *a., ad., n.* (It.) 〖樂〗 안단테《보통 빠르기》의〔로〕; Ⓒ 안단테의 곡.

an·dan·ti·no[ændæntí:nou] *a., ad., n.* (It.) 〖樂〗 안단티노《안단테보다 좀 빠른 속도》의〔로〕; Ⓒ 그런 곡.

ÁND cìrcuit 〖컴〗 논리곱〔앤드〕회로.

An·de·an[ændí:ən, ǽndiən] *a., n.* Andes 산맥의; Ⓒ 안데스 사람.

***An·der·sen**[ǽndərsn], **Hans Christian**(1805-75) 덴마크의 동화작가.

An·des[ǽndi:z] *n. pl.* (the ~) 안데스 산맥.

an·des·ite[ǽndizàit] *n.* Ⓤ 〖地〗 안산암(安山岩).

ÁND gàte 〖컴〗 또〔앤드〕문.

and·i·ron[ǽndàiərn] *n.* Ⓒ (보통 *pl.*) (난로의) 철제 장작 받침.

An·dor·ra[ændɔ́:rə, -dɑ́rə/-dɔ́rə] *n.* 안도라《프랑스·스페인 국경에 있는 공화국, 또는 그 수도》.

ÁND operàtion 〖컴〗 또셈, 앤드셈.

an·dro·gen[ǽndrədʒən] *n.* Ⓤ 〖生化〗 안드로겐《남성 호르몬》.

an·drog·y·nous[ændrɑ́dʒənəs/-ɔ́-] *a.* 〖植〗 자웅화(雌雄花) 동체(同體)의; 남녀추니의; 양성(兩性)의.

an·droid[ǽndrɔid] *n.* Ⓒ (SF에서) 인간 모양의 로봇.

An·drom·e·da[ændrɑ́midə/-ɔ́-] *n.* 〖그神〗 바다괴물의 산 제물이 될 뻔한 것을 Perseus에게 구조된 이디오피아 공주; 〖天〗 안드로메다 자리.

Andrómeda gàlaxy 〖天〗 안드로메다 성운(星雲).

an·ec·dot·age[ǽnikdòutidʒ] *n.* Ⓤ 일화(집); 옛 이야기를 하고 싶어하는 나이《dotage에 붙혀 만든 말》.

:**an·ec·dote**[ǽnikdòut] *n.* Ⓒ 일화(逸話); 기담(奇譚). **-do·tal**[∸—dóutl, ∸—∸—] *a.* **-dot·ic**[∸—dɑ́tik/-ɔ́-], **-i·cal**[-əl] *a.*

an·e·cho·ic[ænəkóuik] *a.* 무반향의, 소리 없는.

a·ne·mi·a[əní:miə] *n.* Ⓤ 빈혈증. **-mic**[-mik] *a.*

an·e·mo-[ǽnəmou, -mə] *pref.* '바람, 흡입'이란 뜻의 결합사.

ane·mom·e·ter[ænəmɑ́mitər/-ɔ́mi-] *n.* Ⓒ 풍력계.

***a·nem·o·ne**[ənéməni] *n.* Ⓒ 〖植〗 아네모네; 〖動〗 말미잘(sea ~).

an·e·moph·i·lous[ænəmɑ́fələs/-ɔ́-] *a.* 〖植〗 풍매(風媒)의(cf. entomophilous).

a·nent[ənént] *prep.* 《古·Sc.》 …에 관하여; 《方》 …의 곁에(beside).

an·er·oid[ǽnərɔ̀id] *a.* 액체를 이용하지 않는, 무액(無液)의. — *n.* Ⓒ아네로이드〔무액〕 청우계.

an·es·the·sia[ænəsθí:ʒə, -ziə] *n.* Ⓤ 마취. ***general*** 〔***local***〕 ~ 전신〔국소〕 마취. **-thet·ic**[-θétik] *a., n.* 마취의〔를 일으키는〕; Ⓤ,Ⓒ 마취제. **-the·tist**[ənésθətist/əní:s-] *n.* Ⓒ (수술할 때의) 마취사. **-the·tize**[-tàiz] *vt.* 마취를 걸다; 마비시키다.

an·es·the·si·ol·o·gy[ænisθi:ziɑ́lədʒi/-ɔ́-] *n.* Ⓤ 마취학.

an·eu·rysm, -rism[ǽnjurìzəm] *n.* Ⓒ 〖醫〗 동맥류(瘤).

***a·new**[ənjú:] *ad.* 다시, 재차; 새로이.

A.N.G. American Newspaper Guild.

an·ga·ry[ǽŋgəri] *n.* Ⓤ 〖國際法〗 전시 수용권《교전국이 군사적 필요로 중립국의 재산을 수용할 수 있는 권리; 전후 완전 배상의 의무가 있음》.

:**an·gel**[éindʒəl] *n.* Ⓒ ① 천사(같은 사람). ② 영국의 옛금화. ③《美俗》 (배우·극장 등의) 재정적 후원자. ~ ***('s) visit*** 귀한 손님; 좀처럼 없는 일. ***evil*** 〔***fallen***〕 ~ 악마.

ángel càke 《美》 흰 카스테라의 일

종.
ángel·fìsh *n.* Ⓒ 전자리상어《angelshark라고도 함》; 에인절피시.
***an·gel·ic**[ændʒélik], **-i·cal**[-əl] *a.* 천사의[같은].
an·gel·i·ca[ændʒélikə] *n.* Ⓤ,Ⓒ 안젤리카《멧두릅속의 식물; 요리·약용》; 그 줄기의 설탕절임; (안젤리카로 맛을 낸) 일종의 리큐르술.
An·ge·lus[ǽndʒələs] *n.* 〖가톨릭〗 도고(禱告) 기도; 그 시간을 알리는 종(～ bell)《아침·정오·해질녘에 울림》.
:an·ger[ǽŋgər] *n., vt.* Ⓤ 노염, 성, 화(나게 하다). ***be ～ed by* [*at*]** …에 화내다. ***in* ～** 노하여, 성내어.
An·ge·vin[ǽndʒəvin] *a., n.* Ⓒ Anjou 지방의 (사람); Anjou 왕가의 (사람)《영국왕 Henry Ⅱ에서 Richard Ⅱ까지》.
an·gi·na[ændʒáinə] *n.* Ⓤ 〖醫〗 인후통, 앙기나.
angína péc·to·ris[-péktəris] 협심증(狹心症).
an·gi·ol·o·gy[ændʒiálədʒi] *n.* Ⓤ 〖醫〗 맥관학(脈管學).
an·gi·o·sperm [ǽndʒiəspə̀ːrm] *n.* Ⓒ 피자(被子) 식물(cf. gymnosperm).
:an·gle[1][ǽŋgl] *n.* Ⓒ ① 모(퉁이), 귀퉁이. ② 각(도). ③ 관점, 견지. **～ *of depression* [*elevation*]** 〖數〗 내려본[올려본]각. ── *vt., vi.* (각지게) 구브리다, 각을 이루다; 굽다; (보도를) 왜곡하다.
an·gle[2] *vi.* 낚시질하다; 낚다(～ *for trout*); (교묘히) 꾀어내다(～ *for an invitation to a party* 파티에 초청되도록 획책하다). ***án·gler** *n.* Ⓒ 낚시꾼; 〖魚〗 아귀.
ángle·dòzer *n.* Ⓒ 사판식(斜板式) 불도저.
ángle ìron 앵글철(鐵).
ángle pàrking (자동차의) 비스듬한 주차《주로 길가에서》.
An·gles[ǽŋglz] *n. pl.* 앵글족(族)《5세기경 영국에 이주한 튜턴 민족》(cf. Anglo-Saxon). 「렁이.
ángle·wòrm *n.* Ⓒ (낚싯밥용) 지
An·gli·an[ǽŋgliən] *a., n.* 앵글족의; Ⓒ 앵글 사람; Ⓤ 앵글어.
***An·gli·can**[ǽŋglikən] *a.* 영국 국교의, 영국 성공회의; 《美》 잉글랜드의. ── *n.* Ⓒ 영국 국교도. **～·ism**[-ìzəm] *n.* Ⓤ 영국 국교; (특히) 고교회(高敎會)(High Church)파주의.
Ánglican Chúrch, the ＝CHURCH OF ENGLAND.
***An·gli·ce,* a-**[ǽŋgləsi] *ad.* (L.) 영어로(는).
An·gli·cism[-sìzəm] *n.* Ⓤ 영국풍[식]; ＝BRITICISM.
An·gli·cist[-sist] *n.* Ⓒ 영국통, 영어 영문학자.
An·gli·cize, -cise[-sàiz] *vt., vi.* 영국[영어]화하다.
an·gling[-iŋ] *n.* Ⓤ 낚시질.
An·glis·tics[æŋglístiks] *n.* Ⓤ 영어[영문]학.
An·glo-[ǽŋglou] '영국(의), 영국 및'의 뜻의 결합사.
***Ánglo-Américan** *a., n.* 영미(英美)의; Ⓒ 영국계 미국인(의).
Ánglo-Cathólicism *n.* Ⓤ 영국 국교회 가톨릭주의.
Ánglo-Frénch *a., n.* 영불(英佛)의; ＝ANGLO-NORMAN.
An·glo·ma·ni·a [æ̀ŋgləméiniə, -njə] *n.* Ⓤ 영국 심취. **-ni·ac**[-niæ̀k] *n.* Ⓒ 영국 심취자.
Ánglo-Nórman *n., a.* Ⓒ (영국 정복(1066) 후 영국에 이주한) 노르만 사람(의); Ⓤ 앵글로노르만어(의).
An·glo·phile[ǽŋgləfàil], **-phil**[-fìl] *n.* Ⓒ 친영(親英)파 사람.
An·glo·phobe[-fòub] *n.* Ⓒ 영국을 싫어하는 사람, 반영(反英)주의자.
-pho·bi·a[ˊ-fóubiə, -bjə] *n.* Ⓤ 영국 혐오; 공영(恐英) 사상.
An·glo·phone[ǽŋgləfòun] *a., n.* Ⓒ 영어 상용의[자]《영어 외에도 공용어가 있는 나라에서》.
:Ánglo-Sáxon *n.* (the ～s) 앵글로색슨 민족; Ⓤ 앵글로색슨어. ── *a.* 앵글로색슨의.
An·go·la[æŋgóulə] *n.* 아프리카 남서부의 한 공화국.
An·go·ra[æŋgɔ́ːrə] *n.* Ⓒ 앙고라고양이[염소·토끼]; [ǽŋgourə] ＝ANKARA.
†an·gry[ǽŋgri] *a.* ① 성난, 성나 있는(*at, with*). ② 몹시 쑤시는. ③ (색깔 등이) 강렬한, 타는 듯한. ***get* ～** 성내다. **:án·gri·ly** *ad.*
Ángry Yòung Mén '성난 젊은이들'《1950년대 후반 기성 문단에 항거하여 일어선 영국의 청년 작가들》.
angst[ɑːŋkst] *n.* (G.) Ⓤ 불안, 염세.
ang·strom (únit)[ǽŋstrəm(-)] *n.* Ⓒ 〖理〗 옹스트롬《파장 단위: 1cm의 1억분의 1》.
***an·guish**[ǽŋgwiʃ] *n.* Ⓤ 격통, 고뇌. ***in* ～** 괴로워서, 괴로운 나머지. **～ed**[-t] *a.* 고뇌에 찬.
***an·gu·lar**[ǽŋgjələr] *a.* 각이 있는, 모난; (사람이) 말라빠진; (태도가) 무뚝뚝한. **～·i·ty**[ˊ--lǽrəti] *n.* Ⓤ 모남, 모짐; 무뚝뚝함.
ángular moméntum 〖理〗 각운동량.
ángular velócity 〖理〗 각속도.
an·gu·late[ǽŋgjəlit, -lèit] *a.* 모가 난. ── *vt.* [-lèit] (…에) 모를 내다. **-la·tion**[ˊ--léiʃən] *n.*
an·ile[ǽnail, éi-] *a.* 노파의[같은].
an·i·line[ǽnəlin -làin], **-lin**[-lin] *n.* Ⓤ 〖化〗 아닐린.
ániline dýe 아닐린 물감.
a·nil·i·ty[əníləti, æn-] *n.* Ⓤ 망령, 노쇠.
an·i·ma[ǽnəmə] *n.* Ⓤ,Ⓒ 영혼, 생명; 〖心〗 내적 개성; 남성의 여성적 요소.
an·i·mad·vert[æ̀nəmædvə́ːrt] *vi.*

A

비평하다; 혹평〔비난〕하다(*upon*). **-ver·sion**[-və́:rʃən, -ʒən] *n.*
†**an·i·mal**[ǽnəməl] *n.* Ⓒ 동물; 《俗》 짐승; 금수(brute). ― *a.* 동물의; 육체〔육욕〕적인. **~·ism**[-ìzəm] *n.* Ⓤ 동물적 생활; 수성(獸性), 수욕(獸欲); 인간 수성설. **~·i·ty**[æ̀nəmǽləti] *n.* Ⓤ 동물성, 수성.
ánimal cóurage 만용.
an·i·mal·cule[æ̀nəmǽlkju:l] *n.* Ⓒ 극미(極微) 동물. **-cu·lism**[-kjulìzəm] *n.* Ⓤ (병원(病原) 따위의) 극미 동물설.
ánimal húsbandry 축산(업).
ánimal kìngdom 동물계.
ánimal mágnetism 최면력; 성적 매력.
ánimal spírits 생기, 원기.
***an·i·mate**[ǽnəmèit] *vt.* 살리다, 생명을 주다; 활기〔생기〕 띠게 하다; 격려하다. ― [-mit] *a.* 산, 활기〔생기〕 있는(~ *nature* 생물계).
an·i·mat·ed[-id] *a.* 기운찬, 싱싱한; 살아 있는. 「영화.
ánimated cartóon 〔**fílm**〕 만화
an·i·ma·tion**[æ̀nəméiʃən] *n.* Ⓤ 생기, 원기, 활발; 만화 영화 제작; 〖컴〗 움직꼴, 애니메이션. ***with ~ 활발히, 힘차게.
a·ni·ma·to[à:nəmá:tou] *a., ad.* (It.) 〖樂〗 힘차게〔찬〕; 활발하게〔한〕.
an·i·ma·tor[ǽnəmèitər] *n.* Ⓒ 생기를 주는 것; 〖映〗 만화 영화 제작자.
a·ni·mé[ǽnimèi] *n.* (F.) Ⓤ 아니메《남아메리카 열대산의 수지; 니스 원료》.
an·i·mism[ǽnəmìzəm] *n.* Ⓤ 물활설(物活說)《만물에 영혼이 있다는》.
an·i·mos·i·ty[æ̀nəmásəti/-ɔ́-] *n.* Ⓤ,Ⓒ 격심한 증오〔적의〕(*against, toward*). 「의.
an·i·mus[ǽnəməs] *n.* Ⓤ 의도; 적
an·i·on[ǽnaiən] *n.* Ⓒ 음(陰)이온.
an·ise[ǽnis] *n.* Ⓒ 〖植〗 아니스《지중해 지방의 약초》; =⇩.
an·i·seed[ǽnəsì:d] *n.* Ⓤ anise의 열매《향료》. 「술.
an·i·sette[æ̀nəzét] *n.* Ⓤ 아니스
an·i·so·trop·ic[ænàisətrápik] *a.* 〖理〗 이방성(異方性)의.
An·jou[ǽndʒu:] *n.* 프랑스 서부의 옛 공령(公領)(cf. Angevin).
An·ka·ra[ǽŋkərə] *n.* 터키의 수도.
:**an·kle**[ǽŋkl] *n.* Ⓒ 발목.
ánkle·bòne *n.* Ⓒ 복사뼈.
an·klet[ǽŋklit] *n.* Ⓒ (보통 *pl.*) 발목 장식, (여자용의) 짧은 양말, 속스.
an·ky·lo·sis, an·chy-[æ̀ŋkəlóusis] *n.* Ⓤ (뼈와 뼈의) 교착; 〖醫〗 (관절의) 강직.
an·na[ǽnə] *n.* Ⓒ 아나《인도의 화폐; 1 rupee의 16분의 1》.
an·nal·ist[ǽnəlist] *n.* Ⓒ 연대기(年代記)의 편자(編者); 연보 작가.
***an·nals**[ǽnəlz] *n. pl.* 연대기; 연보; 연감; (때로 *sing.*) (학회 따위의) 기록, 역사.
An·nam[ənǽm] *n.* 안남(安南)《Viet Nam의 일부》. **An·na·mese**[æ̀nəmí:z, -s] *a., n.*
An·nap·o·lis[ənǽpəlis] *n.* 미국 Maryland 주(州)의 항시(港市)《해군 사관 학교가 있음》.
Anne[æn] *n.* 여자 이름; 영국의 여왕(1665-1714; 재위 1702-14).
an·neal[əní:l] *vt.* (유리·금속 등을) 달구어 서서히 식히다; (유리에 색을) 구워 넣다; (정신을) 단련하다.
an·ne·lid[ǽnəlid] *n., a.* Ⓒ 환충(環蟲)《지렁이·거머리 따위》(의).
***an·nex**[ənéks] *vt.* 부가〔추가〕하다(*to*); (영토 따위를) 병합하다; 착복하다(*The city ~ed those villages.* 시는 그 마을들을 병합했다). ― [ǽneks] *n.* Ⓒ 추가물, 부록; 증축(增築)(*an ~ to a hotel* 호텔의 별관). **~·a·tion**[æ̀nekséiʃən] *n.* Ⓤ 병합; Ⓒ 부가물, 병합지.
an·nexe[ǽneks] *n.* 《英》 =ANNEX.
An·nie Oak·ley[ǽni óukli] 《美俗》 무료 입장권〔승차권〕; 우대권.
***an·ni·hi·late**[ənáiəlèit] *vt.* 전멸〔근절〕시키다, 〖理〗 (입자를) 소멸시키다, (야심 따위를) 꺾다, 좌절시키다, 무시하다. ***-la·tion**[-⌒-léi-] *n.*
:**an·ni·ver·sa·ry**[æ̀nəvə́:rsəri] *n., a.* Ⓒ 기념일, 축전; 예년의; 기념일의.
an·no Dom·i·ni[ǽnou dámənài, -nì:/-dɔ́minài] (L.) 서기(in the year of our Lord)《생략 A.D. (cf. B.C)》; 《俗》 나이.
an·no·tate[ǽnətèit] *vt., vi.* 주석(註釋)하다. **-ta·tor** *n.* Ⓒ 주석자. **-ta·tion**[æ̀nətéiʃən] *n.* Ⓤ,Ⓒ 주석, 주해.
†**an·nounce**[ənáuns] *vt.* 발표하다; 고지(告知)하다; 알리다; (…이) 왔음을 알리다. **:~·ment** *n.* **:an·nóun·cer** *n.*
:**an·noy**[ənɔ́i] *vt.* 성〔짜증〕나게 하다, 속태우다; 당황케 하다; 괴롭히다; 해치다. ***get ~ed*** 귀찮다, 애먹다. ***~·ance** *n.* Ⓤ 노염, 당황, 난처; Ⓒ 곤란한 것〔사람〕. ***~·ing** *a.* 괘씸한; 성가신; 귀찮은; 지겨운. **~·ing·ly** *ad.* 성가시게.
:**an·nu·al**[ǽnjuəl] *a.* ① 1년의. ② 예년(例年)의; 매해의; 연(年) 1회의. ③ 〖植〗 1년생의. ***~ message*** 《美》 연두 교서. ***~ pension*** 연금. ***~ report*** 연보(年譜). ***~ ring*** (나무의) 나이테, 연륜. * **~·ly** *ad.* 매년. 「금 타는 사람.
an·nu·i·tant[ənjú:ətənt] *n.* Ⓒ 연
an·nu·i·ty[ənjú:əti] *n.* Ⓒ 연금.
an·nul[ənʌ́l] *vt.* (**-ll-**) 무효로 하다, 취소하다. **~·ment** *n.*
an·nu·lar[ǽnjələr] *a.* 고리(모양)의, 윤형(輪形)의. 「環蝕).
ánnular eclípse 〖天〗 금환식(金
an·nu·let[ǽnjəlit] *n.* Ⓒ 작은 고리; 〖建〗 (원주의) 고리 모양 테두리〔띠〕.
an·nu·lus[ǽnjələs] *n.* (*pl.* ***~es, -li***[-lài]) Ⓒ 〖動·植〗 환대(環帶).

an·num[ǽnəm] *n.* (L.) Ⓒ 해, 연. ***per*** ~ 한〔매〕해, 매년.
an·nun·ci·ate[ənʌ́nsièit] *vt.* 고지(告知)하다. ~**·a·tion**[–̀–éiʃən] *n.* Ⓤ,Ⓒ 통고; 포고; (A-) 성수태 고지(절)《천사 Gabriel이 예수 수태를 알린 3월 25일》. **-a·tor** *n.* Ⓒ 고지자; 《美》 (벨 번호) 표시기.
an·nus mi·ra·bi·lis[ǽnəs mərǽbəlis] (L.) 경이〔재액〕의 해.
an·ode[ǽnoud] *n.* Ⓒ 〖電〗 (전자관·전해조의) 양극; (축전지 따위의) 음극.
ánode rày 〖理〗 양극선.
an·o·dize[ǽnədàiz] *vt.* 양극(陽極) 처리하다《금속에》.
an·o·dyne[ǽnoudàin] *a., n.* 진통의; Ⓒ 진통제; 완화물; 기분〔감정〕을 누그러뜨리는(soothing).
a·noint**[ənɔ́int] *vt.* ① 기름을 바르다. ② (세례식·취임식 따위에서) 기름을 뿌리다, 기름을 뿌려 신성하게 하다. ***the (***Lord's***) ***Anointed*** 예수; 고대 유대의 왕. ~**·ment** *n.* Ⓤ,Ⓒ 도유(塗油)(식). ~**·er** *n.* Ⓒ 기름을 붓는〔바르는〕 사람.
a·nom·a·lous[ənɑ́mələs/-ɔ́-] *a.* 변칙의; 이례의, 파격의, 예외적인.
anómalous fínite 〖文〗 변칙 정(형)동사.
anómalous vérb 〖文〗 변칙 동사.
a·nom·a·ly[ənɑ́məli/-ɔ́-] *n.* Ⓤ 불규칙, 변칙(irregularity); Ⓒ 이상한 것.
a·no·mi·a[ənóumiə] *n.* Ⓤ 〖醫〗 건망성 실어증(失語症).
a·non[ənɑ́n/-ɔ́-] *ad.* 《古》 이내, (곧) 얼마 안 있어; 다시; 언젠가. ***ever and*** ~ 가끔.
anon. anonymous.
an·o·nym[ǽnənim] *n.* Ⓒ 가명; 익명.
an·o·nym·i·ty[æ̀nəníməti] *n.* Ⓤ 익명, 무명; 작자 불명.
***a·non·y·mous**[ənɑ́nəməs/-ɔ́-] *a.* 익명(匿名)의; 작자 불명의; 개성 없는; 무명의, 세상에 알려져 있지 않은. ~**·ly** *ad.* ~**·ness** *n.*
a·noph·e·les[ənɑ́fəlìːz/-ɔ́-] *n.* *sing. & pl.* 말라리아 모기.
a·no·rak[ǽnəræ̀k, ɑ́ːnərɑ̀ːk] *n.* Ⓒ 아노락《후드 달린 방한용 재킷》.
an·o·rec·tic[æ̀nəréktik], **an·o·ret·ic**[-rétik] *a.* 식욕이 없는, 식욕을 감퇴시키는.
an·o·rex·i·a[æ̀nəréksiə] *n.* Ⓤ 식욕부진.
anoréxia ner·vó·sa[-nəːrvóusə] 신경성 식욕 부진.
an·os·mi·a [ænɑ́zmiə, ænɑ́s-/ænɔ́s-] *n.* Ⓤ 〖醫〗 후각 상실.
†**an·oth·er**[ənʌ́ðər] *a.* 다른, 또〔다른〕 하나의, 별개의. — *pron.* 다른〔별개의〕 것〔사람〕, 또〔다른〕 하나의 것〔사람〕(*"You're a liar." "You're ~."* '너는 거짓말쟁이야' '너도 마찬가지야'). ~ ***thing*** 〔***question***〕 별문제. ***one after*** ~ 하나〔한 사람〕씩, 차례로, 속속. ***one*** ~ 서로(each other). ***such*** ~ 그와 같은 사람〔것〕. ***taken one with*** ~ 이것 저것 생각해 보니, 대체로 보아. ***Tell me*** ~ (***one***)! 《口》 말도 안 돼, 거짓말 마.
an·ov·u·lant [ænɑ́vjulənt/ænɔ́-] *n.* Ⓤ 〖藥〗 배란 억제제.
an·ox·i·a[ænɑ́ksiə/-ɔ́-] *n.* Ⓤ 〖醫〗 산소 결핍(증).
ANS American Nuclear Society.
ans. answer.
an·ser·ine[ǽnsəràin, -rin], **an·ser·ous**[ǽnsərəs] *a.* 거위의〔같은〕; 어리석은.
ANSI American National Standards Institute 미국립 표준국.
†**an·swer**[ǽnsər, ɑ́ːn-] *n.* Ⓒ ① (대)답; 〖컴〗 응답. ② (문제의) 해답. ③ 〖法〗 답변. ***know all the ~s*** 《口》 머리가 좋다; 만사에 정통하다. ***What's the ~?*** 어쩌면 좋으냐. — *vt.* 대답하다; 풀다; 갚다; 도움되다(~ *the purpose*). — *vi.* ① (대)답하다(*to*). ② 책임을 지다, 보증하다(*for*). ③ 일치하다, 맞다(*to*). ④ 도움〔소용〕되다; 성공하다. ~ ***back*** 《口》 말대답〔말대꾸〕하다. *~**·a·ble** *a.* 책임이 있는(*for conducts; to persons*); 어울리는, 맞는(*to*); 대답할 수 있는. ~**·er** *n.* Ⓒ 대답〔회답〕자.
ánswering machìne (부재시의) 전화 자동 응답 장치.
ánswering pénnant 〖海〗 (만국 선박 신호의) 응답기(旗).
†**ant**[ænt] *n.* Ⓒ 개미.
an't[ænt, eint, ɑːnt/ɑːnt] 《口》 = are 〔am〕 not; 《方》 = is 〔has, have〕 not.
ant. antenna; antiquary; antonym.
-ant[ənt] *suf.* ① 《형용사 어미》 '성(性)의, …을 하는' 의 뜻; malig*nant*, ramp*ant*. ② 《명사 어미》 '…하는 이〔물건〕' 의 뜻: serv*ant*, stimul*ant*.
ant·ac·id[æntǽsid] *a., n.* 산(酸)을 중화하는, 제산(制酸)성의; Ⓤ,Ⓒ 산중화제; 〖醫〗 제산제.
an·tag·o·nism**[æntǽgənìzəm] *n.* Ⓤ,Ⓒ 적대, 적개심, 적극적 반항(*against, to, between*). ***in ~ to …에 반대〔대항〕하여. ***-nist** *n.* Ⓒ 적대자, 대립자. **-nis·tic**[æntæ̀gənístik] *a.* 상반(相反)하는; 적대하는, 대립하는, 반대의.
an·tag·o·nize[æntǽgənàiz] *vt.* 적대〔대항〕하다; 적으로 돌리다; 반작용하다, (힘을) 상쇄하다; (어떤 약이 딴 약을) 중화하다.
:**ant·arc·tic**[æntɑ́ːrktik] *a., n.* (opp. arctic) 남극의; (the A-) 남극; 남빙양.
Ant·arc·ti·ca[æntɑ́ːrktikə] *n.* 남극 대륙《남극 주변의 무인 지대》.
Antárctic Círcle, the 남극권.
Antárctic Ócean, the 남빙양(南氷洋).
Antárctic Póle, the 남극.
Antárctic Tréaty, the 남극 조약《남위 60° 이남의 대륙과 공해의 비

군사화, 조사 연구의 자유를 협정》.
An·tar·es[æntέəri:z, -tέər-] *n.* 『天』 안타레스《전갈(全蠍)자리의 주성; 붉은 일등 별》.
an·te[ǽnti] *n., vi.* Ⓒ (포커의) 태우는 돈(을 미리 내다); (몫을) 내다.
an·te-[ǽnti] before의 뜻의 결합
ánt·èater *n.* Ⓒ 개미핥기. └사.
an·te·bel·lum[æ̀ntibéləm] *a.* 전전(戰前)의; 《美》 남북전쟁 전의; 아방게르의(opp. postbellum).
an·te·cede[æ̀ntəsí:d] *vt.* (…에) 선행하다.
:**an·te·ced·ent**[æ̀ntəsí:dənt] *a.* ① 앞서는, 선행의, 앞의(*to*). ② 가정의. — *n.* Ⓒ ① 선례. ② 선행자; 앞선 사건; 전항(前項). ③ 『文』 선행사. ④ (*pl.*) 경력; 조상. **-ence, -en·cy** *n.* Ⓤ 앞섬(priority); 선행; 『天』 역행.
ánte·chàmber *n.* Ⓒ (큰 방으로 통하는) 앞방, 대기실.
an·te·date[ǽntidèit] *vt.* (실제보다) 앞의 날짜를 매기다; (…보다) 앞서다; 내다보다, 예상하다. — *n.* Ⓒ 전일부(前日付).
an·te·di·lu·vi·an[æ̀ntidilú:viən/-vjən] *a., n.* Ⓒ 노아의 홍수 이전의(사람, 생물); 시대에 뒤진 (사람); 노인.
an·te·lope[ǽntəlòup] *n.* Ⓒ 영양(羚羊); 《美》=PRONGHORN.
an·te me·rid·i·em[æ̀nti mərídiəm] (L.) 오전《생략 a.m.》.
an·te·na·tal[æ̀ntinéitl] *a.* 출생 전의.
:**an·ten·na**[ænténə] *n.* Ⓒ ① (*pl.* ***-nae***[-ni:]) 『動』 더듬이, 촉각. ② (*pl.* **~s**) 안테나, 공중선.
anténna círcuit 『電』 안테나 회로.
an·te·nup·tial[æ̀ntinʌ́pʃəl] *a.* 결혼 전의.
an·te·pe·nult[æ̀ntipinʌ́lt, -pí-nəlt] *n.* Ⓒ 어미에서 세번째의 음절. — *a.* 끝에서 세번째의. **-nul·ti·mate** [-nʌ́ltəmit] *a., n.* Ⓒ 끝에서 세번째의 (음절).
***an·te·ri·or**[æntíəriər] *a.* 전의; 앞의, (…에) 앞서는, 선행하는(*to*); 전면의, 전부(前部)의(*to*)(opp. posterior).
:**an·them**[ǽnθəm] *n.* Ⓒ 찬미가, 성가; 축하의 노래. ***national*** ~ 국가.
an·ther[ǽnθər] *n.* Ⓒ 『植』 약(葯).
ánt hìll 개밋둑.
***an·thol·o·gy**[ænθάlədʒi/-ɔ́-] *n.* Ⓒ 명시선(名詩選), 명문집(集), 사화집(詞華集). **-gist** *n.* Ⓒ 그 편자.
An·tho·ny[ǽntəni, -θə-], **St.** 이집트의 은자·수도원 제도 창시자(251?-356?). ***St. ~'s fire*** 『醫』 단독(丹毒)(erysipelas).
an·thra·cite[ǽnθrəsàit] *n.* Ⓤ 무연탄.
an·thrax[ǽnθræks] *n.* Ⓤ 『醫』 비탈저(脾脫疽); 탄저열(炭疽熱); 부스럼.
an·thro·po·cen·tric [æ̀nθrəpou-séntrik] *a.* 인간 중심적인. **-trism** *n.* Ⓤ 인간 중심주의.
an·thro·pog·ra·phy[æ̀nθrəpάgrəfi/-pɔ́g-] *n.* Ⓒ 인류지(誌).
an·thro·poid[ǽnθrəpɔ̀id] *a.* 인간〔인류〕 비슷한. — *n.* Ⓒ 유인원.
***an·thro·pol·o·gy**[æ̀nθrəpάlədʒi/-ɔ́-] *n.* Ⓤ 인류학. **-po·log·i·cal** [-pəlάdʒikəl/-ɔ́-] *a.* ***-gist** *n.* Ⓒ 인류학자.
an·thro·pom·e·try [-pάmətri/-ɔ́-] *n.* Ⓤ 인체 측정(학).
an·thro·po·mor·phism [-pə-mɔ́:rfizəm] *n.* Ⓤ 신인(神人) 동형 동성설.
an·thro·poph·a·gi[-pάfədʒài/-pɔ́fəgài] *n. pl.* 식인종.
an·ti[ǽnti, -tai] *n.* Ⓒ 《口》 반대론자. — *a.* 반대의〔하는〕.
an·ti-[ǽnti] *pref.* '반대, 비(非), 역, 대(對)'의 뜻.
ànti·áir *a.* 《口》 =⇩.
ànti·áircraft *a.* 대(對)항공기의, 고사(高射)(용)의, 방공(용)의(*an ~ gun* 고사포).
ànti·allérgic *a.* 『醫』 항알레르기의.
ànti·árt *n., a.* Ⓤ 반예술(의).
ànti·ballístic míssile 탄도탄 요격 미사일.
an·ti·bi·o·sis[-baióusis] *n.* Ⓤ 항생(抗生) 작용.
an·ti·bi·ot·ic[-baiάtik/-ɔ́-] *n., a.* Ⓒ 항생물질(의). **~s** *n.* Ⓤ 항생 물질학.
an·ti·bod·y[ǽntibὰdi/-ɔ̀-] *n.* Ⓒ (혈액중의) 항체(抗體).
an·tic[ǽntik] *a.* 이상한, 야릇한, 기괴한(grotesque). — *n.* Ⓒ (종종 *pl.*) 익살맞은 짓. — *vi.* **(-ck-)** 익살떨다.
ànti·cáncer *a.* 제암(制癌)성의.
ànti·cáthode[æ̀ntikǽθoud] *n.* Ⓒ 『電』 (엑스선관의) 대음극(對陰極); (진공관의) 양극.
ánti·chrìst *n.* Ⓒ 그리스도(교)의 적〔반대자〕. **ànti·chrístian** *a., n.*
an·tic·i·pant[æntísəpənt] *a.* 예기한; 앞을 내다본; 기대한(*of*).
:**an·tic·i·pate**[æntísəpèit] *vt.* ① 예기〔예상〕하다; 기대하다; 예견하다. ② (수입을) 믿고 미리 쓰다. ③ 내다보고 근심하다. ④ 앞지르다, 선수 쓰다; 이르게 하다.
:**an·tic·i·pa·tion**[æntìsəpéiʃən] *n.* Ⓤ ① 예기, 예상. ② 미리 씀. ③ 앞지름; 예방. ***in*** 〔***by***〕 ~ 미리, 앞을 내다 보고. ***in ~ of*** …을 미리 내다 보고.
an·tic·i·pa·tive[æntísəpèitiv], **-pa·to·ry**[-pətɔ̀:ri, -tòu-] *a.* 예상의.
ànti·clérical *a.* 교권 개입에 반대하는; 반교권적인.
ànti·clímax *n.* Ⓤ 『修』 점강법(漸降法)(bathos); Ⓒ 용두사미(의 일·사건).
ànti·clóckwise *ad., a.* =COUNTERCLOCKWISE.

ànti·coágulant *a., n.* [U,C] 〖藥〗 항응혈(抗凝血)약(의).
ànti-cómmunist *a.* 반공(反共)의, 반공주의의.
ànti·cýclone *n.* [C] 〖氣〗 고기압.
ànti·depréssant *a., n.* 〖醫〗 항우울의; [U,C] 항우울제.
*__an·ti·dote__[ǽntidòut] *n.* [C] 해독제; 교정 수단(*to, against, for*). **-dot·al**[-l] *a.* 「의.
ànti-dúmping *a.* 덤핑〔투매〕 방지
ànti·estáblishment *a.* 반체제(反體制)의.
ànti·fébrile *a.* 해열의. — *n.* [C] 해열제. 「사상.
ànti·fóreignism *n.* [U] 배외(排外)
ánti·frèeze *n.* [U] 《美》 부동제(不凍劑).
ánti·gàs *a.* 독가스 방지용의.
an·ti·gen[ǽntidʒən] *n.* [C] 〖生化〗 항원(抗原)《혈액 중에 antibody의 형성을 촉진하는 물질》.
An·tig·o·ne[æntígənìː] *n.* 〖그神〗 안티고네《Oedipus와 그 어머니 Jocasta와의 사이의 딸》.
ànti·góvernment *a.* 반정부의, 반정부 세력의.
ànti-Ǵ sùit 〖空〗 내(耐)중력복(服).
ánti·hèro *n.* [C] 〖文學〗 주인공답지 않은 주인공.
ànti·hístamine *n.* [U,C] 항(抗)히스타민제《알레르기나 감기 치료용》.
ànti·hyperténsive *a.* 〖醫〗 항고혈압의, 강압성의. — *n.* [U,C] 항고혈압약, 강압약《이노제 따위》.
ànti·knóck *n.* [U] 안티녹〔폭연(爆燃) 방지)〕제.
ànti-lóck bràke 앤티록 브레이크《자동차의 급브레이크 때 바퀴의 로크를 막음》. 「數).
ánti·lógarithm *n.* [C] 〖數〗 진수(眞
an·ti·ma·cas·sar[æ̀ntiməkǽsər] *n.* [C] 의자덮개.
ánti·màtter *n.* [U] 〖理〗 반(反)물질.
ànti·mílitarìsm *n.* [U] 반군국주의.
ànti·míssile *a.* 미사일 방어용의 (*an ~ missile* 미사일 요격용 미사일).
an·ti·mo·ny[ǽntəmòuni] *n.* [U] 〖化〗 안티몬, 안티모니《기호 Sb》.
ànti-Négro *a.* 반흑인의.
ànti·néutron *n.* [C] 〖理〗 반중성자.
an·ti·no·mi·an·ism[æ̀ntinóumiənìzəm] *n.* [U] 도덕률 폐기〔신앙 지상〕론.
an·tin·o·my[æntínəmi] *n.* [U,C] 모순, 당착; 이율 배반.
ánti·nòvel *n.* [U] 반소설《비전통적인 수법의》.
ànti·núclear *a.* 핵무기 반대의, 반핵의.
ànti·núke *a.* 《口》 =ANTINUCLEAR.
ánti·pàrticle *n.* [C] 〖理〗 반입자.
an·ti·pas·to[æ̀ntipǽstou] *n.* (*pl.* *~s*) (It.) [C] 전채(前菜), 오르되브르.
an·tip·a·thy[æntípəθi] *n.* [U,C] 반감, 전저리냄; [C] 몹시 싫은 것(opp. sympathy). **an·ti·pa·thet·ic**[æ̀ntipəθétik], **-i·cal**[-əl] *a.* 왠 일인지 싫은(*to*).
ànti·pérsonnel *a.* 대인(對人) 살상용의(*~ bombs* 대인 폭탄).
an·ti·per·spi·rant[ǽntipə́ːrspərənt] *n.* [U,C] 발한 억제제.
an·ti·phon[ǽntifàn/-fɔ̀n] *n.* [C] 〖樂〗 응답송가; 〖가톨릭〗 (번갈아 부르는) 교송가(交誦歌).
an·tiph·ra·sis[æntífrəsis] *n.* (*pl.* *-ses*[-sìːz]) [U,C] 〖修〗 어의 반용(語意反用)(cf. irony).
an·ti·pode[ǽntəpòud] *n.* [C] 정반대의 것. **an·tip·o·des**[æntípədìːz] *n. pl.* (지구상의) 대척지(對蹠地)(의 사람들); 정반대의 일(*of, to*). **an·tip·o·dal**[æntípədl] *a.*
ánti·pòle *n.* [C] 반대의 극; 정반대의 것(*of, to*).
ànti·pollútion *a.* 공해 방지의.
ànti·póverty *n., a.* [U] 빈곤 퇴치(의).
ànti·próton *n.* [C] 〖理〗 반양자.
an·ti·py·ret·ic[æ̀ntipairétik] *a., n.* 해열의; [U,C] 해열제.
an·ti·py·rin(e)[-páirin, -tai-] *n.* [U] 안티피린《해열·진통제》.
an·ti·quar·i·an[-kwɛ́əriən] *a., n.* [C] 고물 연구〔수집〕(의); =⇩.
an·ti·quar·y[ǽntikwèri] *n.* [C] 고물 연구가, 고물〔골동〕 수집가.
an·ti·quate[ǽntikwèit] *vt.* 낡게〔시대에 뒤지게〕 하다. **-quat·ed**[-id] *a.* 낡은, 고풍의.
*__an·tique__[æntíːk] *a.* 고풍의, 낡은; 고대 그리스〔로마〕의; 고래로부터의. — *n.* [C] 고물, 고기(古器).
*__an·tiq·ui·ty__[æntíkwəti] *n.* ① [U] 오래됨, 낡음. ② [U] 고대. ③ [C] (보통 *pl.*) 고대의 풍습〔제도〕; (*pl.*) 고기(古器), 고물.
an·ti·ra·chit·ic[æ̀ntirəkítik] *a.* 리케차〔구루병〕 치료〔예방〕의.
ànti·rácism *n.* [U] 인종 차별 반대주의.
ànti·rácist *n.* [C] 인종 차별 반대주의자. — *a.* 인종차별반대주의(자)의.
ànti·sátellite *a.* (적의) 위성 파괴용의(*an ~ interceptor* 인공 위성 공격 미사일).
ànti·scíence *a.* 인간성을 무시한 과학에 반대하는. — *n.* [U] 반과학(주의).
an·ti·scor·bu·tic [æ̀ntiskɔːrbjúːtik] *a.* 괴혈병 치료의. — *n.* [U] 항(抗) 괴혈병제〔식품〕.
ànti-Semític *a.* 반(反)셈〔유대〕(주의)의.
ànti-Sémitìsm *n.* [U] 셈족〔유대인〕 배척(운동). **-Sémite** *n.* [C] 유대인 배척자.
an·ti·sep·tic[æ̀ntiséptik] *a., n.* 방부(防腐)의; [U,C] 방부제.
an·ti·se·rum[ǽntisìərəm] *n.* [C] 〖醫〗 항(抗)혈청.

A

ànti·slávery *n., a.* Ⓤ 노예 제도 반대(의).
ànti·smóg *a.* 스모그 방지의.
ànti·sócial *a.* 반사회적인; 사교를 싫어하는. **~ist** *n.* Ⓒ 반사회주의자; 비사교가.
an·ti·spas·mod·ic [æ̀ntispæzmɑ́dik/-mɔ́d-] *a.* 경련을 멈추는; 진경제의 「(직물 등).
ànti·státic *a.* 대전(帶電) 방지의
an·tis·tro·phe [æntístrəfi] *n.* Ⓒ 〖古그劇〗 응답 가장(歌章); 〖樂〗 대조 악절(樂節); 〖修〗 역용논법.
an·ti·sub·ma·rine [æ̀ntisʌ́bməri:n] *a.* 대(對)잠수함의.
an·ti·sub·ver·sive [-sʌbvə́:rsiv] *a.* 파괴 활동 방지의.
ànti·tánk *a.* 대(對)전차용의.
an·tith·e·sis [æntíθəsis] *n.* (*pl.* ***-ses*** [-sì:z]) Ⓤ 정반대(*of*); 대조(*of, between*); 〖修〗 대조법; Ⓒ 〖哲〗 (변증법에서 정(正)에 대하여) 반(反), 안티테제(cf. thesis, synthesis).
anti·tóxin *n.* Ⓤ,Ⓒ 항독소. **-tóxic** *a.* 항독소의.
an·ti·trades [æ̃ntitrèidz] *n. pl.* 반대 무역풍, 역항풍(逆恒風).
ànti·trúst *a.* 트러스트 반대의. **~ *law*** 독점 금지법.
an·ti·tu·mor [æ̀ntitjú:mər] *a.* 제암(制癌)성의, 항(抗)종양성의.
an·ti·vi·ral [-váiərəl, -tai-] *a.* 항바이러스의.
an·ti·viv·i·sec·tion [æ̀ntivìvəsékʃən, -tai-] *n.* Ⓤ 생체해부 반대, 동물 실험 반대. **~·ism** *n.* **~·ist** *n.*
ànti·wár *a.* 반전(反戰)의. **~ *movement*** 반전 운동. 「(反)세계.
ánti·wòrld *n.* Ⓒ (종종 *pl.*) 〖理〗 반
ant·ler [æ̃ntlər] *n.* Ⓒ (보통 *pl.*) (사슴의) 가지진 뿔.
ánt lìon 개미귀신.
An·toi·nette [æ̀ntwənét, -twɑ:-], **Marie** (1755-93) Louis XVI의 왕비, 프랑스 혁명 때 사형당함.
an·to·no·ma·sia [æ̀ntənouméiʒə/-ziə] *n.* Ⓤ,Ⓒ 〖修〗 환칭(換稱)《보기: a Daniel =a wise judge》.
:an·to·nym [æ̃ntənim] *n.* Ⓒ 반의어 (cf. synonym).
ant·sy [æ̃ntsi:] *a.* 《美俗》 초조한, 침착성이 없는.
Ant·werp [æ̃ntwə:rp] *n.* 벨기에의 주(州); 그 주의 항구 도시. 「문.
a·nus [éinəs] *n.* (L. =ring) Ⓒ 항
an·vil** [æ̃nvil] *n.* Ⓒ (대장간용의) 모루. ***on the ~ (계획 등이) 심의 [준비] 중에.
:anx·i·e·ty [æŋzáiəti] *n.* ① Ⓤ 근심, 걱정, 불안; Ⓒ 걱정거리. ② Ⓤ 열망(eager desire)(*for; to* do).
:anx·ious [æ̃ŋkʃəs] *a.* ① 걱정스러운, 불안한(*about*). ② 열망하는, 몹시 …하고 싶어하는(*for; to* do). ***~·ly*** *ad.* 걱정하여, 갈망하여.
†an·y [éni] *a., pron.* ① 《긍정》 무엇이나, 누구든, 얼마든지. ② 《의문·조건》 무엇인가, 누군가, 얼마인가. ③《부정》 아무 것도, 아무도, 조금도. — *ad.* 얼마간[좀]은, 조금은, 조금(이라)도. **~ *longer*** 이제 이 이상(은). **~ *more*** 이 이상(은), 이제(는). **~ *one*** =ANYONE. **~ *time*** 언제든지[라도]. ***if* ~** 만일 있다면; 설사 있다손치더라도. ***in* ~ *case*** 어떤 경우에든, 여하튼.
†an·y·bod·y [-bɑ̀di, -bʌ̀di/-bɔ̀di] *pron.* ① 《의문·조건》 누군가. ② 《부정》 누구도, 아무도. ③ 《긍정》 누구나. — *n.* Ⓤ 어엿한 인물(*Is he ~?*); (*pl.*) 보통 사람.
:an·y·how [-hàu] *ad.* 어떻게든(in any way whatever); 어쨌든(in any case); 적어도; 적당히, 되는 대로(carelessly). ***feel* ~** 몸이 좋지 않다.
†an·y·one [-wʌ̀n, -wən] *pron.* ① 누구(라)도. ② 《부정》 누구도. ③ 《의문·조건》 누군가. 「라도.
ány·plàce *ad.* 《美口》 어디나, 어디
†an·y·thing [-θìŋ] *pron.* ① 《긍정》 무엇이든. ② 《의문·조건》 무엇인가. ③ 《부정》 아무 것도. **~ *but*** …외에는 무엇이든; …는 커녕, 어림도 없는 (far from)(*He is ~ but a poet.* 그는 결코 시인이라고 할 수 없다). ***as…as* ~** 대단히… (*He is as proud as ~.* 아주 뽐내고 있다). ***for* ~** 결단코(*I will not do it for ~.* 그런 일은 절대로 않는다). ***if* ~** 어느 편이냐 하면, 좀. ***like* ~**《口》 아주, 몹시. ***not* ~ *like*** 전혀 … 아니다.
an·y·thing·ar·i·an [ènìθiŋgέəriən] *n.* Ⓒ 일정한 신념[신조·신앙]이 없는 사람.
:an·y·way [éniwèi] *ad.* 여하튼, 어쨌든; 어떻게 해서든.
:an·y·where [-hwὲər] *ad.* ① 《부정》 어디(에)든. ② 《의문·조건》 어디엔가. ③ 《긍정》 어디(에)나.
an·y·wise [-wàiz] *ad.* 아무리 해도; 결코.
An·zac, ANZAC [æ̃nzæk] (<*A*ustralian and *N*ew *Z*ealand *A*rmy *C*orps) *n.* Ⓒ 오스트레일리아·뉴질랜드 연합군.
ANZUS [æ̃nzəs] (<*A*ustralia, *N*ew *Z*ealand & the *U.S.*) *n.* 앤저스《미국·오스트레일리아·뉴질랜드 공동 방위 체제》.
A/O, a/o account of. **AOA** American Overseas Airlines. **AOB** 《英》 any other business (의제 이외의) 기타. **AOC** Airport Operators Committee; Association of Olympic Committees.
A-OK, A-O·kay [èioukéi] *a.* 《美口》 완전한, 더할 나위 없는. 「근.
A.O.L. absent over leave 휴가 결
Á óne 제1등급《로이드 선급(船級) 협회의 선박 등급 매김》; 《口》 일류의, 극상의. 「定) 과거.
a·o·rist [éiərist] *n.* 〖그文〗 부정(不
a·or·ta [eiɔ́:rtə] *n.* (*pl.* **~s, *-tae***

[-ti:]) Ⓒ 〖解〗 대동맥.
AOSO Advanced Orbiting Solar Observatory 고등 태양 관측 위성.
AP, A.P. Associated Press.
Ap. Apostle; April. **APA** American Press Association.
*__a·pace__[əpéis] *ad.* 빨리, 신속히.
A·pach·e[əpǽtʃi] *n.* Ⓒ 아파치《아메리카 토인의 한 종족》.
a·pache[əpɑ́:ʃ, -ǽ-] *n.* Ⓒ (파리의) 깡패, 조직 폭력배.
:**a·part**[əpɑ́:rt] *ad.* 떨어져; 별개로, 떼어서. **~ *from*** …은 별문제로 하고. ***come* ~** 흐트러지다. ***joking* ~** 농담은 집어치우고. ***take* ~** 분해하다; 비난하다.
a·part·heid [əpɑ́:rtheit, -hait/-heit, -heid] *n.* (Du.) Ⓤ 《南아》 민족 격리; 인종 차별 정책.
:**a·part·ment**[əpɑ́:rtmənt] *n.* Ⓒ 방; 아파트; (*pl.*) (공동 주택내의) 한 세대의 방.
apártment hotél 《美》 아파트식 호텔《장기 체재용의 호텔; 일반 호텔보다 싼 편임》.
apártment hòuse 《美》 아파트.
ap·a·thy[ǽpəθi] *n.* Ⓤ 무감동; 냉담, 무관심. **-thet·ic**[⌐–θétik] *a.*
ap·a·tite[ǽpətàit] *n.* Ⓤ 〖鑛〗 인회석.
APB 《美》 all-points bulletin 전국 지명 수배서.
*__ape__[eip] *n.* Ⓒ (꼬리 없는) 원숭이《침팬지·고릴라·오랑우탄·긴팔원숭이 따위》; 《一般》 원숭이. ***go* ~** 《美俗》 발광하다; 열광하다. ***play the* ~** 서툴게 흉내내다. — *vt.* 흉내내다.
APEC[éipek] Asia-Pacific Economic Cooperation 아시아 태평양 경제 협력.
ápe-màn *n.* (*pl.* ***-men***) Ⓒ 원인(猿人).
Ap·en·nines[ǽpənàinz] *n. pl.* (the ~)(이탈리아의) 아펜니노 산맥.
a·per·çu[æpərsjú:] *n.* (F.) 대요(大要)《논문 따위의》.
a·pe·ri·ent[əpíəriənt] *a., n.* Ⓤ,Ⓒ 용변을 순하게 하는 (약), 완하제.
a·pé·ri·tif[ɑ:pèritíːf] *n.* (F.) Ⓒ 식전(食前) 술《식욕 촉진을 위한》.
ap·er·ture[ǽpərtʃùər, -tʃər] *n.* Ⓒ 빠끔히 벌어진 데(opening), 구멍, 틈새(gap); 렌즈의 구경.
APEX, Apex[éipeks] advance purchase excursion 에이펙스《항공 운임의 사전 구입 할인제》.
a·pex [éipeks] *n.* (*pl.* ***~es, apices***) Ⓒ 선단(先端), 꼭대기, 정점; 절정.
a·pha·sia[əféiʒiə] *n.* Ⓤ 〖醫〗 실어증(失語症).
a·pha·si·ac[əféiziæ̀k], **a·pha·sic**[-zik] *a., n.* Ⓒ 실어증의 (환자).
a·phe·li·on[æfí:liən] *n.* (*pl.* ***-lia***[-liə]) Ⓒ 〖天〗 원일점(opp. perihelion).
a·phe·li·o·trop·ic[æfì:liətrɑ́pik/-rɔ́p-] *a.* 배광성(背光性)의.
aph·i·cide[ǽfəsàid] *n.* Ⓤ,Ⓒ 살충제《진디용》.
a·phid[éifid, ǽf-] *n.* =⇩.
a·phis[éifis, ǽf-] *n.* (*pl.* ***aphides***[-fədì:z]) Ⓒ 진디(plant louse).
aph·o·rism[ǽfərìzəm] *n.* Ⓒ 격언; 경구(警句). **-ris·tic**[æ̀fərístik], **-ti·cal**[-əl] *a.* 격언이 풍부한.
a·pho·tic[eifóutik] *a.* 빛이 없는, 무광의; (심해의) 무광층의; 빛 없이 자라는.
aph·ro·dis·i·ac[æ̀frоudíziæ̀k] *a.* 최음의. — *n.* Ⓤ,Ⓒ 최음제, 미약(媚藥).
Aph·ro·di·te[æ̀frədáiti] *n.* 〖그神〗 사랑과 미의 여신《로마 신화에서는 Venus》.
aph·tha[ǽfθə] *n.* (*pl.* ***-thae***[-θì:]) Ⓤ,Ⓒ 〖醫〗 아구창(牙口瘡).
a·pi·an[éipiən] *a.* 꿀벌의.
a·pi·ar·y[éipièri, -əri] *n.* Ⓒ 양봉장(養蜂場). **a·pi·a·rist**[éipiərist] *n.* Ⓒ 양봉가.
a·pi·cal[ǽpikəl, éi-] *a., n.* 정점〔정상〕의; Ⓒ 〖音聲〗 설단음(舌端音)(의).
ap·i·ces[ǽpəsì:z, éip-] *n.* apex의 복수.
a·pi·cul·ture[éipəkʌ̀ltʃər] *n.* Ⓤ 양봉(養蜂).
*__a·piece__[əpí:s] *ad.* 한 사람〔하나〕에 대하여, 제각기, 각각.
ap·ish[éipiʃ] *a.* 원숭이(ape) 같은; 어리석은.
Apl. April.
a·plás·tic anáemia[eiplǽstik-] 〖醫〗 재생 불량〔불능〕성 빈혈.
a·plen·ty [əplénti] *ad.* 《美口》 많이.
a·plomb[əplɑ́m/-lɔ́m] *n.* (F.) Ⓤ 수직, 평형; 태연자약, 침착, 평정.
APO Army Post Office; Asian Productivity Organization.
a·poc·a·lypse[əpɑ́kəlìps/-ɔ́-] *n.* Ⓒ ① 묵시(默示), 천계(天啓); (the A-) 〖新約〗 계시록(the Revelation). ② 대재해, 대참사. **-lyp·tic**[–⌐–líptik] *a.*
a·poc·o·pe[əpɑ́kəpi/-ɔ́-] *n.* Ⓤ 〖言〗 끝음(절) 생략《***my*** <mine; ***curio***(***sity***)》.
A·poc·ry·pha [əpɑ́krəfə/-ɔ́-] *n. pl.* 《종종 단수 취급》 (구약 성서의) 경외전(經外典); (a-) 출처가 의심스러운 문서, 위서(僞書). **-phal**[-fəl] *a.* 경외전의; (a-) 출처가 의심스러운.
a·pod·o·sis[əpɑ́dəsis/-ɔ́-] *n.* Ⓒ 〖文〗 (조건문의) 귀결절(opp. protasis).
ap·o·gee[ǽpədʒì:] *n.* Ⓒ 최고점; 정상; 〖天〗 원(遠)지점(opp. perigee).
a·po·lit·i·cal[èipəlítikəl] *a.* 정치에 무관심〔무관계〕한.
:**A·pol·lo**[əpɑ́lou/-ɔ́-] *n.* ① 〖그·로神〗 아폴로《태양·시·음악·예언·의료의 신》; 《詩》 태양. ② Ⓒ (*or* a-) 미남. ③ (미국의) 아폴로 우주선〔계획〕.
A·pol·lyon[əpɑ́ljən/-ɔ́-] *n.* 〖聖〗 악마(the Devil).
*__a·pol·o·get·ic__[əpɑ̀lədʒétik/-ɔ̀-] *a.* 사죄의, 변명의. — *n.* Ⓒ 변명;

(*pl.*) 〖神〗 변증론. **-i·cal**[-əl] *a.*
a·pol·o·gist [əpálədʒist/-ɔ́-] *n.* Ⓒ 변명〔변호〕자; (기독교의) 변증〔호교론〕자.
:a·pol·o·gize[-dʒàiz] *vi.* 사죄〔사과〕하다(*to* him *for* that); 변명〔해명〕하다.
ap·o·logue[ǽpəlɔ̀:g -làg/-lɔ̀g] *n.* Ⓒ 교훈담, 우화《보기: *Aesop's Fables*》.
:a·pol·o·gy[əpálədʒi/-ɔ́-] *n.* Ⓒ ① 사죄, 사과; 해명, 변명(defence) (*for*). ② 《俗》 명색뿐인 것(*a mere ~ for a library* 단지 이름만의 도서실). 「(遠月點).
ap·o·lune[ǽpəlù:n] *n.* Ⓒ 원월점
ap·o·phthegm[ǽpəθèm] *n.* = APOTHEGM.
ap·o·plex·y[ǽpəplèksi] *n.* Ⓤ 〖醫〗 졸중(풍). *cerebral ~* 뇌일혈. **ap·o·plec·tic**[æ̀pəpléktik] *a.* 졸중(풍)의〔에 걸리기 쉬운〕.
ap·o·si·o·pe·sis[æ̀pəsàiəpí:sis] *n.* (*pl.* ***-ses***[-si:z]) Ⓒ 〖修〗 돈절법(頓絶法), 중단법.
a·pos·ta·sy[əpástəsi/-ɔ́-] *n.* Ⓤ,Ⓒ 배교(背敎); 배신, 변절; 탈당. **-tate** [-teit, -tit] *n.* Ⓒ 배교자; 변절자; 탈당자. **-ta·tize**[-tàiz] *vt.* 신앙을 버리다; 변절하다(*from, to*).
a pos·te·ri·o·ri[éi pastì:riɔ́:rai/ -pɔstèr-] (L.) 후천적〔귀납적〕인〔으로〕(opp. *a priori*).
˙a·pos·tle[əpásl/-ɔ́-] *n.* Ⓒ ① (A-) 사도《예수의 12 제자의 한 사람》. ② (한 나라·한 지방의) 최초의 전도자. ③ (주의·정책·운동의) 주창자. **ap·os·tol·ic**[æ̀pəstálik/-ɔ́-] *a.* 사도의, 사도적인; 로마 교황의(papal).
Apóstles' Créed, the 사도 신경(信經).
a·pos·to·late [əpástəlit, -lèit/ əpɔ́s-] *n.* Ⓤ 사도직; 교황의 직.
ap·os·tol·ic[æ̀pəstálik/-tɔ́l-] *a.* ① 사도의; 사도와 동시대의. ② 사도의 신앙〔가르침〕에 관한. ③ (베드로의 계승자로서의) 교황의.
:a·pos·tro·phe[əpástrəfi/-ɔ́-] *n.* Ⓒ 아포스트로피, 생략〔소유격〕 기호《'》; Ⓤ 〖修〗 돈호(頓呼)법. **-phize** [-fàiz] *vt., vi.*
apóthecaries' wèight 약용식 중량, 약제용 형량법(衡量法).
a·poth·e·car·y[əpáθəkèri/əpɔ́θə-kə-] *n.* Ⓒ 약종상(druggist); 《古》 약제사.
ap·o·thegm[ǽpəθèm] *n.* Ⓒ 경구; 격언. **-theg·mat·ic**[æ̀pəθeg-mǽtik], **-i·cal**[-əl] *a.*
a·poth·e·o·sis[əpàθióusis/əpɔ̀θ-] *n.* (*pl.* ***-ses***[-si:z]) Ⓤ,Ⓒ 신으로 모심; 찬미, 숭배.
a·po·tro·pa·ic[æ̀pətrəpéiik] *a.* 마귀를 쫓는 (힘이 있는).
app. apparent(ly); appendix; applied; appointed; approved.
Ap·pa·la·chi·ans[æ̀pəléitʃiənz, -lǽtʃi-] *n. pl.* (the ~) 애팔래치아 산맥《북아메리카 동해안의》.
˙ap·pal(l)[əpɔ́:l] (<pale) *vt.* (***-ll-***) 섬뜩하게 하다. **˙ap·páll·ing** *a.* 섬뜩한, 무서운; 끔찍한; 《俗》 심한, 대단한.
Ap·pa·loo·sa[æ̀pəlú:sə] *n.* Ⓒ 북아메리카산의 말《흰 털에 검은 반점이 있음》.
ap·pa·nage[ǽpənidʒ] *n.* Ⓒ 왕자의 녹(祿), 왕자령(領); 속지(屬地); (사람의) 속성.
ap·pa·rat[æ̀pərǽt, à:pərá:t] *n.* (Russ.) Ⓒ,Ⓤ (옛 소련 등의) 공산당의 기관〔조직〕.
:ap·pa·rat·us [æ̀pərǽtəs, -réi-] *n.* (*pl.* ~(***es***)) Ⓤ,Ⓒ (한 벌의) 기구, 장치; 〖生〗 여러 기관(의 종합).
˙ap·par·el[əpǽrəl] *n.* Ⓤ 의복; 제복(祭服)의 장식수(繡). — *vt.* (***-ll-***) 입히다, 차리다, 꾸미다.
:ap·par·ent[əpǽrənt] *a.* ① 보이는; 명백한(*to*). ② 겉꾸밈의, 외견의, 거죽만의. **:~·ly** *ad.* 겉보기에는, 일견(하여); 명백히.
appárent tìme (해시계 등의) 태양의 위치로 측정하는 시간.
˙ap·pa·ri·tion[æ̀pəríʃən] *n.* Ⓒ 유령(ghost); 환영(幻影)(phantom); 요괴(specter); (초자연적인) 출현물; Ⓤ (별의) 출현. **~·al**[-əl] *a.* 환영 같은.
:ap·peal[əpí:l] *vi.* ① 항소〔상고〕하다(*to*). ② (무력·여론·양심에) 호소하다, 애원〔애소〕하다(*to*). ③ 감동시키다, 흥미를 끌다, 마음에 들다(*to*). — *vt.* 《美》 항소〔상고〕하다. ***~ to the country*** (의회를 해산하고) 국민의 총의를 묻다. — *n.* ① Ⓤ,Ⓒ 소원(訴願); 항소. ② Ⓤ,Ⓒ (여론에) 호소하기; 애소(哀訴). ③ Ⓤ (마음을 움직이는) 힘, 매력. ***court of ~*** 〔《美》 ***~s***〕 상고〔항소〕하다. ***make an ~ to*** …에 호소하다. **~·ing** *a.* 호소하는 듯한. **~·ing·ly** *ad.*
†ap·pear[əpíər] *vi.* ① 나타나다, 나오다, 보이다. ② 공표〔발표〕되다. ③ 출두하다. ④ …같다.
:ap·pear·ance[əpíərəns] *n.* Ⓤ,Ⓒ ① 출현(出現); 출두, 등장, 출연; 발간. ② 외관, 풍채, 겉보기; 모양. ③ (*pl.*) 상황, 형세. ***for ~'s sake*** 체면상. ***keep up*** 〔***save***〕 ***~s*** 허세 피우다, (무리하게) 체면을 유지하다. ***make*** 〔***enter, put in***〕 ***an ~*** 나타나다, 얼굴을 내밀다. ***to*** 〔***by***〕 ***all ~(s)*** 아무리〔어느 모로〕 보아도; 얼핏 보아.
˙ap·pease[əpí:z] *vt.* ① 가라앉히다, 달래다, 누그러지게 하다(quiet). ② (식욕·요구 따위를) 채우다. ③ 유화〔양보〕하다. **~·ment** *n.* **ap·péas·a·ble** *a.*
ap·pel·lant[əpélənt] *n.* Ⓒ 항소인, 상고인; 청원자. — *a.* =⇩.
ap·pel·late[əpélit] *a.* 항소〔상고〕의.
appéllate cóurt 항소〔상고〕 법원.
ap·pel·la·tion[æ̀pəléiʃən] *n.* Ⓒ

명칭; 호칭.
ap·pel·la·tive[əpélətiv] *n., a.* Ⓒ 명칭(의), 명의(의); 〖文〗 보통 명사.
ap·pel·lee[æ̀pəlíː] *n.* Ⓒ 〖法〗 피항소인.
ap·pend[əpénd] *vt.* (표찰 등을) 붙이다, 달다(attach); 부가[첨가]하다(add); 〖컴〗 추가하다. **~·age**[-idʒ] *n.* Ⓒ 부가물; 부속 기관《다리·꼬리·지느러미 따위》.
ap·pend·ant, -ent[əpéndənt] *a.* 추가의, 부가의(*to*). ── *n.* Ⓒ 부속물[인].
ap·pen·dec·to·my[æ̀pəndéktəmi] *n.* U,C 충양돌기 절제술.
ap·pen·di·ci·tis[əpèndəsáitis] *n.* Ⓤ 맹장염.
:ap·pen·dix[əpéndiks] *n.* (*pl.* **~es, -dices**[-dəsìːz]) Ⓒ ① 부속물, 부록. ② 〖解〗 충양돌기.
ap·per·cep·tion[æ̀pərsépʃən] *n.* Ⓤ 〖心〗 통각(統覺)(작용); 유화(類化).
ap·per·tain[æ̀pərtéin] *vi.* 속하다; 관계하다(*to*).
ap·pe·tence[ǽpitəns], **-cy**[-si] *n.* U,C ① 〖心〗 강렬한 욕망[욕구]. ② 경향, 성향. ③ 〖化〗 친화력. **-tent** [-tənt] *a.*
:ap·pe·tite[ǽpitàit] *n.* C,U ① 식욕. ② 욕구, 욕망; 기호(*for*). **-tiz·er**[ǽpətàizər] *n.* Ⓒ 식욕을 돋우는 음식[술].
Áp·pi·an wáy[ǽpiən-] (the ~) (로마의) 아피아 가도.
appl. applied.
:ap·plaud[əplɔ́ːd] *vt., vi.* 박수갈채하다; 찬성[칭찬]하다.
:ap·plause[əplɔ́ːz] *n.* Ⓤ 박수갈채; 찬성; 칭찬. ***general*** **~** 만장의 박수. ***win*** **~** 갈채를 받다.
†ap·ple[ǽpl] *n.* Ⓒ ① 사과《열매·나무》. ② 《口》 야구공. ③ 《美俗》 대도시; 지구. **~ *of discord*** 분쟁의 불씨《황금 사과가 트로이 전쟁의 원인이 됐다는 '그리스 전설에서》. **~ *of Sodom*** (집으면 재가 되는) 소돔의 사과; 실망거리. **~ *of the eye*** 눈동자; 귀중한 것.
ápple brándy =APPLEJACK.
ápple·càrt *n.* Ⓒ 사과 운반 수레. ***upset the*** [***a person's***] **~** 계획을 망쳐놓다.
ápple dúmpling 사과를 넣은 경단.
ápple gréen 밝은 황록색.
ápple·jàck *n.* Ⓤ 《美》 사과브랜디.
ápple knòcker 《美俗》 무경험자, 촌사람.
ápple píe 사과 파이.
ápple-pie bèd 시트를 접어 넣어 발이 나오지 않게 한 침대.
ápple-pie órder 《口》 질서 있음, 정돈; 양호한 상태.
ápple-pòlish *vi., vt.* 《口》 (…의, …에게) 비위 맞추다.
ápple-pòlisher *n.* Ⓒ 《口》 아첨 잘하는 사람.
ápple·sàuce *n.* Ⓤ ① 《美》 사과소스《저민 사과의 설탕찜》. ② 《俗》 허튼소리; 마음에도 없는 아첨. ***A-!*** 제발 그만해.
Áp·ple·ton láyer[ǽpltən-] 애플턴층《지구 고층권 중, 헤비사이드층 너머의 전리층 상층부》.
***ap·pli·ance**[əpláiəns] *n.* Ⓒ 기구, 기계; 장치(device); U,C 응용, 적용.
***ap·pli·ca·ble**[ǽplikəbəl] *a.* 응용[적용]할 수 있는; 적절한(suitable). **-bly** *ad.* **-bil·i·ty**[ˋ—bílə-ti] *n.* Ⓤ 적응성, 적당, 적절.
***ap·pli·cant**[ǽplikənt] *n.* Ⓒ 신청자; 응모자, 지원자, 후보자(*for*).
:ap·pli·ca·tion[æ̀plikéiʃən] *n.* ① Ⓤ 적용, 응용. ② U,C 신청, 출원(出願), 지원(*for*); Ⓒ 원서, 신청서. ③ Ⓤ (약의) 도포(塗布); Ⓒ 바르는 (고)약. ④ Ⓤ 부지런함, 열심(*a man of close* ~ 열심가). ⑤ 〖컴〗 응용《컴퓨터에 의한 실무처리 등에 적합한 특정 업무, 또는 그 프로그램》. ***make an*** **~ *for*** (***help***) ***to*** (***a person***) (아무)에게 (원조)를 부탁하다. ***on*** **~** 신청하는 대로(*to*).
applicátion pàckage 〖컴〗 응용 패키지《특정 응용 분야의 프로그램을 모은 소프트웨어의 집합체》.
applicátion prògram 〖컴〗 응용 프로그램.
applicátion sòftware 〖컴〗 응용 소프트웨어《소프트웨어를 그 용도에 따라 두 개로 대별했을 때 application이 속하는 카테고리》.
ap·pli·ca·tor[ǽplikèitər] *n.* Ⓒ 도포구(塗布具); (화장용) 솔, 도구《아이섀도 등을 펴기 위한》.
ap·plied** [əpláid] *a.* 응용된. **~ *chemistry 응용 화학.
ap·pli·qué[æ̀plikéi] *n., vt.* (F.) Ⓤ 아플리케(를 달다[붙이다]).
:ap·ply[əplái] *vt.* ① 적용하다, 응용하다. ② (물건을) 대다, 붙이다, (약·페인트를) 바르다, 칠하다. ③ (열·힘 따위를) 가하다. ④ (용도에) 쓰다; 돌리다. ── *vi.* ① 적합하다, 꼭 들어맞다. ② 신청[지원]하다 (*for*). ③ 부탁[요청]하다(~ ***to*** him ***for*** help). **~ *oneself to*** …에 전념하다.
ap·pog·gia·tu·ra [əpɑ̀dʒətúərə/əpɔ̀dʒətúərə] *n.* (It.) Ⓒ 〖樂〗 앞꾸밈음《장식음의 일종》.
:ap·point[əpɔ́int] *vt.* ① 임명하다; 지명하다. ② (날짜·장소를) 지정하다. ③ 〖法〗 귀속을 정하다. ***~·ed** [-id] *a.* 지정된; 약속의; 설비된. **~·er, ap·póin·tor** *n.* Ⓒ 임명자. **:~·ment** *n.* C,U 임명, 선정, 지정; Ⓒ 관직, 지위; (회합의) 약속; (*pl.*) 설비, 장구(裝具).
ap·point·ee[əpɔ̀intíː, æpɔin-] *n.* Ⓒ 피임명자.
ap·poin·tive[əpɔ́intiv] *a.* 《美》 (관직 따위) 임명에 의한(opp. elective). **~ *power*** 임명권.
ap·port[əpɔ́ːrt] *n.* Ⓒ 〖心靈〗 환자

(幻姿).
ap·por·tion[əpɔ́:rʃən] *vt.* 할당하다, 벼르다, 나누다; 배분하다. **~·ment** *n.* U,C 할당, 배분.
ap·pose[æpóuz] *vt.* 곁〔다음〕에 놓다; 늘어놓다, 병치(竝置)하다.
ap·po·site[ǽpəzit] *a.* 적당〔적절〕한(*to*). **~·ly** *ad.* **~·ness** *n.*
:ap·po·si·tion[æ̀pəzíʃən] *n.* U ① 병치(竝置), 나란히 놓음. ② 〖文〗 동격. **~·al** *a.* 병치한; 〖文〗 동격의.
ap·pos·i·tive[əpázətiv/-ɔ́-] *a., n.* C 동격의 (어구). **~·ly** *ad.*
ap·prais·al[əpréizəl] *n.* U,C 평가, 감정.
ap·praise [əpréiz] *vt.* 평가하다(estimate); 감정하다. **ap·práis·er** *n.* C 평가〔감정〕인; 《美》 (세관의) 사정관.
***ap·pre·ci·a·ble**[əprí:ʃiəbəl] *a.* 평가할 수 있는; 느낄 수 있을 정도의; 다소의. **-bly** *ad.*
:ap·pre·ci·ate[əprí:ʃièit] *vt., vi.* ① 평가하다(opp. depreciate); 판단하다, …의 진가를 인정하다. ② 음미하다, 감상하다. ③ (좋음을) 이해하다; 감사하다. ④ 시세가 오르다.
:ap·pre·ci·a·tion[əprì:ʃiéiʃən] *n.* U ① 평가; 진가의 인정. ② 감상, 맛봄. ③ 인식; 감사. ④ (가격의) 등귀; 증가. ***in* ~ *of*** …을 인정하여, …을 감사하여.
ap·pre·ci·a·tive** [əprí:ʃiətiv, -ʃièi-] *a.* 감상안(眼)이 있는, 눈이 높은(~ ***audience 눈높은 관객〔청중〕); 감상적(鑑賞的)인; 감사의(~ ***remarks*** 감사의 말). **~·ly** *ad.* **~·ness** *n.*
ap·pre·ci·a·tor [əprí:ʃièitər] *n.* C 진가를 아는 사람; 감상자.
ap·pre·ci·a·to·ry[əprí:ʃiətɔ̀:ri/-təri] *a.* 평가의; 감상적(鑑賞的)인.
***ap·pre·hend**[æ̀prihénd] *vt.* ① 염려〔우려〕하다. ② (붙)잡다, 체포하다. ③ (뜻을) 이해하다, 감지하다. — *vi.* 이해하다; 우려하다. **-hen·si·ble**[-səbəl] *a.* 이해할 수 있는.
***ap·pre·hen·sion**[æ̀prihénʃən] *n.* U ① 파악; 이해(력). ② 체포. ③ (종종 *pl.*) 우려, 걱정, 두려움. ***-hén·sive** *a.* 근심〔우려〕하는(*for, of*); 이해가 빠른. **-hén·sive·ly** *ad.*
ap·pren·tice**[əpréntis] *n., vt.* C 도제〔계시〕(로 삼다); 견습(으로 보내다). ***be bound* ~ *to …의 도제가 되다. **~·ship**[-ʃìp] *n.* U,C 도제살이(*at*); 도제의 신분; C 도제 기간.
ap·prise, ap·prize[1][əpráiz] *vt.* 알리다(~ *him of it*).
ap·prize[2] *vt.* 《古》 =APPRAISE.
ap·pro[ǽprou] *n.* 《英》 〖商〗 = APPROVAL. ***on* ~** =on APPROVAL.
:ap·proach[əpróutʃ] *vt.* ① (…에) 접근하다; 접근시키다. ② (아무에게 이야기를) 꺼내다, (교섭을) 개시하다(*on, with*); (매수 따위의 속셈으로) 접근하다. ③ (문제 해결에) 착수하다. — *vi.* ① 접근하다. ② 거의 …와 같다. — *n.* ① U 접근, 다가감(~ *to the moon* 달에의 접근). ② U 유사, 근사. ③ C 길, 입구(*to*); (학문 따위에의) 입문. ④ C (종종 *pl.*) (아무에의) 접근; 구애; 교제의 제의. ***make one's* ~*es*** 환심을 사려고 하다. **~·a·ble** *a.* **~·ing** *a.*
appróach ròad (고속 도로에의) 진입로.
appróach shòt 〖골프〗 어프로치 샷《퍼팅그린(putting green)에 공을 올리기 위한 샷》.
ap·pro·bate[ǽprəbèit] *vt.* 《美》 인가〔면허〕하다, 시인〔찬동〕하다.
***ap·pro·ba·tion**[æ̀proubéiʃən] *n.* U 허가; 시인; 칭찬.
:ap·pro·pri·ate[əpróupriit] *a.* 적당한(*to, for*); 특유한, 고유의(*to*). — [-prièit] *vt.* ① 착복하다, 도용하다, 후무리다. ② (어떤 목적에) 돌리다, 충당하다. ~ ***a thing to oneself*** 물건을 횡령하다. **~·ly** *ad.*
ap·pro·pri·a·tion**[əpròupriéiʃən] *n.* ① U 사용(私用), 도용(盜用), 착복. ② U,C 충당, 충당금; 세출 예산. ~ ***bill 세출 예산안.
ap·pro·pri·a·tor [əpróuprièitər] *n.* C 전용자, 사용자; 도용자.
ap·prov·a·ble[əprú:vəbəl] *a.* 인정할 수 있는.
:ap·prov·al[əprú:vəl] *n.* U ① 시인; 찬성. ② 인가. ***on* ~** 〖商〗 반품할 수 있는 (조건으로).
appróval ràting (대통령 등에 대한) 지지율.
:ap·prove[əprú:v] *vt.* ① 시인하다, 찬성하다, 마음에 들다. ② 인가하다; 실증하다, 보여주다(~ *oneself*…). — *vt.* 시인〔찬성〕하다. **~d** *a.* 시인〔인가〕된; 정평 있는. **~·er** *n.* **~·ing** *a.* 시인하는, 찬성의.
approx. approximate(ly).
***ap·prox·i·mate**[əpráksəmit/-ɔ́k-] *a.* 근사한, 대체의. — [-mèit] *vt., vi.* 접근시키다〔하다〕. **:~·ly** *ad.* 대체로, 대략. ***-ma·tion**[-->-méiʃən] *n.* U,C 접근; C 〖數〗 근사치.
appt. appoint(ed); appointment.
ap·pur·te·nance [əpə́:rtənəns] *n.* C (보통 *pl.*) 부속품〔물〕; 기계장치; 〖法〗 종물(從物). **-nant** *a., n.* 부속의〔된〕(*to*); C 부속물.
Apr. April.
***ap·ri·cot**[ǽprəkàt, éip-/éiprikɔ̀t] *n.* C 살구; U 살구빛.
†A·pril[éiprəl, -pril] *n.* 4월.
Ápril fóol 에이프릴 풀《만우절에 속아 넘어간 사람》; 그 장난.
Ápril Fóols' Dày =ALL FOOL'S DAY.
a pri·o·ri [éi praiɔ́:rai, à: prì:ɔ́:ri] (L.) 연역(演繹)적으로〔인〕, 선천적으로〔인〕(opp. *a posteriori*).
:a·pron[éiprən] *n.* C 에이프런(같은 것); 불쑥 나온 앞무대; 《美俗》 바텐더; 〖空〗 격납고 앞의 광장. — *vt.* (…에) 에이프런을〔앞치마를〕 두르다.

ápron strìng 앞치마의 끈. ***be tied to one's wife's ~s*** 아내에게 쥐어 살다.
ap·ro·pos[æ̀prəpóu] *ad.* (F.) 적당히, 적절히, 때맞춰. ***~ of*** …에 대하여, …의 이야기로 생각나는데 (talking of). ***~ of nothing*** 느닷없이, 불쑥. — *a.* 적당한, 적절한.
APS American Press Society; Ascent Propulsion System.
apse[æps] *n.* Ⓒ 〖建〗(교회 동쪽 끝의) 쑥 내민 반원〔다각〕형의 부분.
ap·sis[ǽpsis] *n.* (*pl.* ***-sides*** [-sedìːz]) Ⓒ 〖天〗 원일점; 근일점.
:apt[æpt] *a.* ① (자칫) …하기 쉬운 (*to*). ② 적당한. ③ 이해가 빠른. ***∠·ly** *ad.* 적절히; 잘. **∠·ness** *n.* Ⓤ 적절함; 성향; 재능.
ap·ter·ous[ǽptərəs] *a.* 날개 없는.
ap·ter·yx[ǽptəriks] *n.* 〖鳥〗 = KIWI.
***ap·ti·tude**[ǽptitjùːd/-titjùːd] *n.* Ⓤ,Ⓒ ① 적절함. ② 경향; 재능, 소질. ③ 적성.
APU Asian Parliamentary Union.
a·py·ret·ic[èipairétik] *a.* 〖醫〗 열이 없는, 무열(성)의.
A.Q. achievement quotient(cf. IQ).
aq·ua[ǽkwə, áːk-] *n.* (L.) Ⓤ 물; 용액; 옥색.
aq·ua·belle[ǽkwəbèl] *n.* Ⓒ 수영복 차림의 미인.
aq·ua·cade[ǽkwəkèid] *n.* Ⓒ 《美》 수중(水中)〔수상〕쇼.
aq·ua·cul·ture[ǽkwəkʌ̀ltʃər] *n.* =AQUICULTURE; Ⓤ 양어, 양식(養殖).
aq·ua·farm[ǽkwəfɑ̀ːrm] *n.* Ⓒ 양어장, 양식장.
áqua fórtis 〖化〗 질산.
Aq·ua·lung[-lʌ̀ŋ] *n.* Ⓒ 〖商標〗 애퀴렁《잠수용 수중 호흡기》(cf. skin-dive).
aq·ua·ma·rine[æ̀kwəməríːn] *n.* ① Ⓤ,Ⓒ 〖寶石〗 남옥(藍玉)《beryl의 일종》. ② Ⓤ 청녹색.
aq·ua·naut[ǽkwənɔ̀ːt] *n.* Ⓒ 해저 탐험가; 잠수 기술자; =SKIN-DIVER.
aq·ua·plane[ǽkwəplèin] *n., vi.* Ⓒ 수상 스키(를 타다).
áqua ré·gi·a[-ríːdʒiə] 〖化〗 왕수(王水).
aq·ua·relle[æ̀kwərél] *n.* Ⓒ,Ⓤ 수채화(법).
aq·ua·ro·bics[æ̀kwəróubiks] *n.* Ⓤ 애쿼로빅스《수영과 에어로빅 댄스를 합친 건강법》.
a·quar·i·um**[əkwέəriəm] *n.* (*pl.* ***~s, -ia[-riə]) Ⓒ ① 양어지(養魚池)〔조(槽)〕. ② 수족관.
A·quar·i·us[əkwέəriəs] *n.* 〖天〗 물병자리; 보병궁(寶甁宮).
a·quat·ic[əkwǽtik, -kwɑ́-] *a.* 물의, 수중(水中)〔수상〕의; 물속에 사는〔생장하는〕. — *n.* ① Ⓒ 수생 동〔식〕물. ② (*pl.*) 수중〔수상〕 경기.
aq·ua·tint[ǽkwətìnt] *n.* ① Ⓤ 애쿼틴트, 동판 부식법의 일종. ② Ⓒ 그 판화.
áqua ví·tae[-váitiː] 알콜; 독한 술.
aq·ue·duct[ǽkwədʌ̀kt] *n.* Ⓒ 도수관(導水管), 수도; 수도교(橋); 〖生〗 (체내의) 관(管)(canal).
a·que·ous[éikwiəs, ǽk-] *a.* 물의 〔같은〕; 〖地質〗 수성(水成)의.
áqueous húmo(u)r 〖生〗 (눈의) 수양액(水樣液).
áqueous róck 수성암.
aq·ui·cul·ture[ǽkwəkʌ̀ltʃər] *n.* Ⓤ 수경법(水耕法).
aq·ui·fer[ǽkwəfər] *n.* Ⓤ 〖地〗 대수층(帶水層)《지하수를 함유한 삼투성 지층》.
aq·ui·line[ǽkwəlàin] *a.* 수리의〔같은〕; 독수리 부리 같은, 갈고리 모양의(*an ~ nose* 매부리코).
A·qui·nas [əkwáinæs, -nəs], **St. Thomas**(1225?-74) 이탈리아의 철학자·가톨릭교(敎)의 신학자.
AR 〖美郵便〗 Arkansas. **Ar** 〖化〗 argon. **Ar.** Arabic; Aramic.
A.R.A. Associate of the Royal Academy; American Railway Association.
:Ar·ab[ǽrəb] *n.* Ⓒ 아라비아〔아랍〕 사람; 아라비아종의 말; (*or* a-) 부랑아(street ~). — *a.* 아라비아〔아랍〕(사람)의.
ar·a·besque[æ̀rəbésk] *n.* Ⓒ ① 당초무늬. ② 〖발레〗 아라베스크《양손을 앞뒤로 뻗치고 한 발로 섬》. — *a.* 당초무늬의; 이상한; 정교한.
:A·ra·bi·a[əréibiə] *n.* 아라비아.
:A·ra·bi·an[-n] *a., n.* 아라비아(사람)의; Ⓒ 아라비아 사람〔말(馬)〕.
Arábian bìrd 불사조(phoenix).
***Ar·a·bic**[ǽrəbik] *a.* 아라비아의; 아라비아 사람〔어(語)〕의. — *n.* Ⓤ 아라비아어.
Árabic númerals 〔**fígures**〕 아라비아 숫자.
Ar·ab·ism[ǽrəbìzəm] *n.* Ⓤ ① 아라비아풍. ② 아랍어법. ③ 아랍 민족주의.
Ar·ab·ist[ǽrəbist] *n.* Ⓒ 아랍학자.
ar·a·ble[ǽrəbəl] *a.* 경작에 적합한.
Árab Léague, the 아랍 연맹.
Árab Repúblic of Égypt, the 이집트 아랍 공화국.
a·rach·nid[əræ̀knid] *n.* Ⓒ 〖動〗 거미 무리의 동물.
A·ra·gon[ǽrəgɑ̀n, -gən] *n.* 스페인의 북동부 지방《본디 왕국》.
Ar·al·dite[ǽrəldàit] *n.* Ⓒ 〖商標〗 애럴다이트《접착제》.
Ár·al Séa[ǽrəl-] (the ~) 애랄해(海)《카스피 해 동쪽의 내해》.
Ar·a·ma·ic[æ̀rəméiik] *n.* Ⓤ 아람어(語)《셈어(語)에 속하는 고대어》.
ARAMCO[ɑːrǽmkou] the Arabian-American Oil Company.
ar·ba·lest, -list[ɑ́ːrbəlist] *n.* Ⓒ (중세의) 노궁(弩弓), 석궁(cf. crossbow).
ar·bi·ter[ɑ́ːrbitər] *n.* Ⓒ 중재인.
ár·bi·tra·ble *a.* 중재할 수 있는.
árbiter e·le·gan·ti·á·rum[-èligæ̀nʃiɑ́ːrəm] (L.) (심미안·예법·에티켓의) 권위자.

A

ar·bi·trage[ɑ́ːrbitridʒ] *n.* Ⓤ 〖商〗 시세차를 이용한 되넘기기 거래.
ar·bi·tral[ɑ́ːrbitrəl] *a.* 중재의.
ar·bit·ra·ment[ɑːrbítrəmənt] *n.* Ⓤ,Ⓒ 중재(에 의한 재결).
***ar·bi·trar·y**[ɑ́ːrbitrèri/-bitrəri] *a.* ① 제 마음〔멋〕대로의; 기분내키는 대로의. ② 횡포한, 전횡(專橫)의, 독단적인. **-trar·i·ly** *ad.* **-i·ness** *n.*
ar·bi·trate[ɑ́ːrbətrèit] *vt., vi.* 중재하다; 재정(裁定)하다; 중재 재판에 제소하다. ~ ***between*** (two parties) ***in*** (a dispute) (분쟁에) 관해 두사이를 중재하다. **-tra·tor** *n.*
ar·bi·tra·tion [ɑ̀ːrbətréiʃən] *n.* Ⓤ,Ⓒ 중재; 조정; 중재(재판)《노동법에서는 arbitration(중재), conciliation(알선), mediation(조정)을 구별해서 씀》.
ar·bor**[1], 《英》 **-bour**[ɑ́ːrbər] *n.* Ⓒ ① 정자. ② 나무 그늘의 휴게소. ***grape ~ 포도 시렁. **ar·bo·re·al** [ɑːrbɔ́ːriəl] *a.* 수목(樹木)의〔에 나는, 에 사는〕; 교목성(喬木性)의.
ar·bor[2] *n.* Ⓒ 〖機〗 주축(主軸)(main axle).
Árbor Dày 《美》 식목일《4, 5월경 각 주(州)에서 행함》.
ar·bo·res·cent[ɑ̀ːrbərésnt] *a.* 나무 같은; 나뭇가지 모양의.
ar·bo·re·tum[ɑ̀ːrbəríːtəm] *n.* (*pl.* **~s, -ta**[-tə]) Ⓒ 수목원(樹木園).
árbor ví·tae[-váitiː] 수목 모양의 구조; 〖解〗 소뇌 활수(小腦活樹).
ar·bor·vi·tae[ɑ̀ːrbərváitiː] *n.* Ⓒ 〖植〗 지빵나무; =ARBOR VITAE.
ar·bo·vi·rus[ɑ̀ːrbəváirəs] *n.* Ⓒ 〖醫〗 절지 동물 바이러스《뇌염 등을 일으키는 바이러스의 총칭》.
ar·bu·tus[ɑːrbjúːtəs] *n.* Ⓒ ① 〖植〗 (북아메리카산의) 철쭉과의 일종. ② (남유럽산의) 소귀나무, 마취목(무리).
:**arc**[ɑːrk] *n.* Ⓒ ① 호(弧). ② 〖電〗 전호(電弧), 아크.
ARC, A.R.C. American Red Cross 미국 적십자.
***ar·cade**[ɑːrkéid] *n.* Ⓒ ① 아케이드《유개(有蓋) 도로 또는 상가》. ② 〖建〗 줄지은 홍예랑(紅霓廊).
Ar·ca·di·a[ɑːrkéidiə] *n.* 아르카디아《고대 그리스 산간의 목가적 전원》; Ⓒ 평화로운 이상적 전원. **~n** *a., n.* 아르카디아의〔같은〕; 전원의; 목가적인; Ⓒ 순박한 시골 사람.
Ar·ca·dy[ɑ́ːrkədi] *n.* 《詩》 =ARCADIA.
ar·ca·num [ɑːrkéinəm] *n.* (*pl.* **~s, -na**[-nə]) Ⓒ (보통 *pl.*) 비밀; 신비; 비방약.
:**arch**[1][ɑːrtʃ] *n.* Ⓒ ① 〖建〗 아치, 홍예, 아치문(*a triumphal* ~ 개선문). ② 호(弧), 궁형(弓形). — *vt., vi.* 활 모양으로 굽(히)다; 홍예를 틀다.
arch[2] *a.* ① 주된. ② 장난〔익살〕스러운; 교활한. **∠·ly** *ad.* 장난스럽게, 짓궂게. **∠·ness** *n.*
***ar·ch(a)e·ol·o·gy** [ɑ̀ːrkiɑ́lədʒi/-ɔ́-] *n.* Ⓤ 고고(考古)학. **-o·log·i·cal**[-kiəlɑ́dʒikəl/-ɔ́-] *a.* **-cal·ly** *ad.* **-gist** *n.*
***ar·cha·ic**[ɑːrkéiik] *a.* 고대의; 고풍의; 고문체의; (A-) 고대 그리스풍의.
ar·cha·ism[ɑ́ːrkiìzəm, -kei-] *n.* ① Ⓒ 고어(古語). ② Ⓤ 고풍의 문장〔말투〕; 고풍; 의고(擬古)주의.
arch·an·gel[ɑ́ːrkèindʒəl] *n.* Ⓒ 대천사(大天使).
***arch·bish·op**[ɑ̀ːrtʃbíʃəp] *n.* Ⓒ (신교의) 대감독; (가톨릭·성공회의) 대주교. **~·ric**[--́--rik] *n.* Ⓤ,Ⓒ 위의 직〔교구〕.
árch brìdge 아치교(橋).
àrch·déacon *n.* Ⓒ (신교의) 부감독; 〖가톨릭〗 부주교. **~·ry**[--́--ri] *n.* Ⓤ,Ⓒ 그 직〔교구, 저택〕.
àrch·díocese *n.* Ⓒ archbishop의 교구.
árch·dúchess *n.* Ⓒ 대공비(大公妃).
árch·dúchy *n.* Ⓒ 대공(大公)국, 대공령(領)《archduke의》.
árch·dúke *n.* Ⓒ 대공(大公)《옛 오스트리아의 왕자》.
Ar·che·an[ɑːrkíːən] *n., a.* (the ~) 〖地〗 시생대(始生代)(의).
arched[ɑːrtʃt] *a.* 아치형의; 홍예가 있는.
àrch·énemy *n.* Ⓒ 대적(大敵); =SATAN.
Ar·che·o·zo·ic[ɑ̀ːrkiəzóuik] *n., a.* (the ~) 시생대(始生代)(의).
***arch·er**[ɑ́ːrtʃər] *n.* ① Ⓒ 사수(射手)《활의》, 궁술가. ② (A-) 〖天〗 사수(射手)자리(Sagittarius). * **~·y** [-ri] *n.* Ⓤ 궁술; 《집합적》 사수대(射手隊).
ar·che·typ·al[ɑ́ːrkitàipəl] *a.* 원형의; 전형적인.
ar·che·type[ɑ́ːrkitàip] *n.* Ⓒ 원형(原型); 전형.
àrch·fíend *n.* (the ~) 마왕(Satan).
arch·foe[ɑ́ːrtʃfòu] *n.* =ARCHENEMY.
ar·chi·bald[ɑ́ːrtʃəbɔ̀ːld, -bəld] *n.* Ⓒ 《英俗》 고사포.
ar·chi·e·pis·co·pal [ɑ̀ːrkiipískəpəl] *a.* archbishop의.
Ar·chi·me·de·an[ɑ̀ːrkəmíːdiən, -mədíːən] *a.* 아르키메데스 원리의.
Ar·chi·me·des[ɑ̀ːrkəmíːdiːz] *n.* 아르키메데스《고대 그리스의 수학·물리학자(287?-212 B.C)》.
Árchimédes' prínciple 〖理〗 아르키메데스의 원리.
ar·chi·pel·a·go[ɑ̀ːrkəpéləgòu] *n.* (*pl.* **~(e)s**) Ⓒ 군도(群島); 다도해; (the A-) 에게 해(海).
:**ar·chi·tect**[ɑ́ːrkətèkt] *n.* ① Ⓒ 건축가; 건축 기사(*a naval* ~ 조선(造船) 기사); 제작자. ② (the A-) 조물주(Creator)(*of*).
ar·chi·tec·ton·ic[ɑ̀ːrkətektɑ́nik/-kitektɔ́n-] *a.* 건축〔설계〕의, 건축이〔설계가〕 교묘한; 조직〔구성〕적인; 체계적 지식의.

A

:ar·chi·tec·ture[ɑ́:rkətèktʃər] *n.* ① U 건축술; 《집합적》 건조물. ② U,C 건축 양식; 구성. ③ 〖컴〗 구조. **˚-tur·al**[⌐—téktʃərəl] *a.* 건축학〔술〕의. 건축(상)의.

ar·chi·trave[ɑ́:rkətrèiv] *n.* C 평방(平枋)《entablature의 최하부》; 처마도리.

ar·chives[ɑ́:rkaivz] *n. pl.* ① 공문서 보관소. ② 공문서, 고(古)기록. ③ 문서 기록. **ar·chí·val** *a.* **ar·chi·vist**[ɑ́:rkəvist] *n.*

ar·chon[ɑ́:rkɑn, -kən] *n.* C 담임 목사; 〖가톨릭〗 주석(主席) 사제.

árch·wày *n.* C 아치 길.

árch·wìse *ad.* 아치 꼴로.

ar·ci·form[ɑ́:rsəfɔ̀:rm] *a.* 활〔아치〕 모양의.

árc làmp 〔**lìght**〕 〖電〗 호광등(弧光燈), 아크등.

:arc·tic[ɑ́:rktik] *a.* 북극(지방)의; 극한(極寒)의. — *n.* (the A-) 북극(지방); (*pl.*) 방한(防寒) 덧신.

Árctic Círcle, the 북극권.

Árctic Ócean, the 북빙양(北氷洋).

Árctic Zòne, the 북극대(帶).

Arc·tu·rus[ɑ:rkt*j*úərəs] *n.* 〖天〗 대각성(大角星)《목자자리의 가장 큰 별》.

ARD acute respiratory disease 급성 호흡기병.

˚ar·dent[ɑ́:rdənt] *a.* ① 열심인, 열렬한. ② 불같은, 타는 듯한, 뜨거운; 빛나는. **˚~·ly** *ad.* **~·ness** *n.* **ár·den·cy** *n.* U 열렬(함).

árdent spírits 독한 술.

˚ar·dor, 《英》 **-dour**[ɑ́:rdər] *n.* U 열정; 열심, 열의(zeal).

˚ar·du·ous[ɑ́:rdʒuəs/-dju-] *a.* 힘드는; 부지런한; 험악한. **~·ly** *ad.*

†are[1][強 ɑ:r, 弱 ər] *v.* be의 2인칭 단수〔1·2·3인칭 복수〕의 직설법 현재.

are[2][ɑ:r, εər] *n.* (F.) C 아르《100 m^2》(cf. hectare).

:ar·e·a[έəriə] *n.* ① U,C 면적, 공간. ② C 지역, 지방; 영역; 범위; 〖컴〗 영역. ③ C 공지; 《英》 지하철 출입구.

área bòmbing (전)지역 폭격.

área còde (전화의) 시외 국번《미국은 숫자 3자리》.

ar·e·al[έəriəl] *a.* 면적의; 지역의.

área·wày *n.* C 《美》 건물 사이의 통로.

˚a·re·na[əríːnə] *n.* C ① (원형 극장 복판의 모래를 깐) 투기장(鬪技場). ② 《一般》 경기장; 활동 장소, (투쟁 등의) 무대.

ar·e·na·ceous[æ̀rənéiʃəs] *a.* 모래같은; 모래(땅)에 자라는.

aréna théater 《美》 원형 극장.

†aren't[ɑ:rnt] are not의 단축.

Ar·e·op·a·git·i·ca[æ̀riɑ̀pədʒítəkə/-ɔ̀pədʒíti-] *n.* Milton이 출판의 자유를 주장한 팸플릿(1644)의 제목.

Ar·es[έəri:z] *n.* 〖그神〗 아레스《군신(軍神); 로마 신화의 Mars》.

a·rête[əréit] *n.* (F.) C 〖地〗 험준한 산등성이《빙하 침식 등에 의한》.

ARF ASEAN Regional Forum 아세안 지역 포럼.

arg[ɑ:rg] *n.* 〖컴〗 =ARGUMENT.

Arg. Argentina.

ar·gent[ɑ́:rdʒənt] *n., a.* U 《古·詩》 은(銀)(의).

ar·gen·tif·er·ous[ɑ̀:rdʒəntífərəs] *a.* 은을 함유한.

˚Ar·gen·ti·na[ɑ̀:rdʒəntí:nə] *n.* 아르헨티나《남아메리카 남부의 공화국》.

˚Ar·gen·tine[ɑ́:rdʒəntì:n, -tàin] *a., n.* 아르헨티나의; C 아르헨티나 사람; (a-) 은(빛)의.

ar·gen·tite[ɑ́:rdʒəntàit] *n.* U 휘은광(輝銀鑛).

ar·gil[ɑ́:rdʒil] *n.* U 백점토(白粘土), 도토(陶土).

ar·gi·nine[ɑ́:rdʒənì:n, -nàin] *n.* U 〖生〗 아르기닌《아미노산의 일종》.

Ar·give[ɑ́:rdʒaiv, -gaiv] *a., n.* C 그리스의 (사람).

Ar·go[ɑ́:rgou] *n.* 〖그神〗 아르고선(船)《Jason이 금 양털을 찾으러 간 배》; 〖天〗 아르고자리.

ar·gon[ɑ́:rgɑn/-gɔn] *n.* U 〖化〗 아르곤.

Ar·go·naut[ɑ́:rgənɔ̀:t] *n.* 〖그神〗 아르고선(船) 승무원; =FORTY-NINER.

ar·go·sy[ɑ́:rgəsi] *n.* C 대(大)상선(대); 《詩》 배.

ar·got[ɑ́:rgou, -gət] *n.* U 은어(隱語).

:ar·gue[ɑ́:rgju:] *vi.* 논하다, 논쟁하다(*about, on*); (…에) 찬성〔반대〕론을 주장하다. — *vt.* ① 논하다(~ *it away* 〔*off*〕 논파(論破)하다). ② 주장하다; 찬부(贊否)의 이유를 말하다(*against, for*). ③ 입증하다, 보이다. ④ 설득하여 …시키다(*into, out of*). ~ (*a person*) ***down*** (아무를) 설복시키다. ~ ***it away*** 〔***off***〕 논파하다, 말로 녹이다. **ár·gu·a·ble** *a.* 논할 수 있는.

:ar·gu·ment[ɑ́:rgjəmənt] *n.* U,C 논의, 논증; (논문 등의) 개요; 〖컴〗 인수(引數). **-men·ta·tion**[⌐—men-téiʃən] *n.* U,C 논의, 논쟁; 토의; 입론(立論). **ar·gu·men·ta·tive**[ɑ̀:r-gjəméntətiv] *a.* 논쟁적인; 논쟁을 좋아하는.

Ar·gus[ɑ́:rgəs] *n.* ① 〖그神〗 아르고스《백안(百眼)의 거인》. ② C 엄중한 감시인.

Árgus-éyed *a.* 눈이 날카로운; 방심 않는, 경계하는.

ar·gy-bar·gy[ɑ́:rgibɑ́:rgi] *n.* U,C 《英口》 입씨름(argument), 언쟁.

ar·gyle[ɑ́:rgail] *n.* C (편물의) 마름모 색무늬; 그 무늬의 양말.

a·ri·a[ɑ́:riə, έər-] *n.* (It.) C 〖樂〗 아리아, 영창(詠唱).

Ar·i·ad·ne [æ̀riǽdni] *n.* 〖그神〗 Minos 왕의 딸《Theseus를 미궁에서 탈출케 함》.

Ar·i·an[1][έəriən] *a., n.* 아리우스의; C 아리우스파의 (사람). **~·ism** [-ìzəm] *n.*

A

Ar·i·an² *a., n.* =ARYAN.
ar·id[ǽrid] *a.* (토지 따위가) 건조한; 불모의; 무미 건조한. **~·ness, a·rid·i·ty**[ərídəti, æ-] *n.*
Ar·ies[έəri:z, -riì:z] *n.* 〖天〗 양자리; (황도의) 백양궁(the Ram).
*__a·right__[əráit] *ad.* 바르게; 정확히.
a·ri·o·so[ɑ̀:rióusou, æ̀r-] *a., ad.* (It.) 영서창(詠敍唱)의〔으로〕.
:**a·rise**[əráiz] *vi.* (***arose; arisen*** [ərízn]) ① 일어나다, 나타나다, (사건 따위가) 발생하다. ② (태양·연기 등이) 솟아 오르다. ③ (먼지·바람이) 일다. ④《詩》부활〔소생〕하다. ⑤ (잠자리 따위에서) 일어나다.
*__a·ris·en__[ərízn] *v.* arise의 과거분사.
*__ar·is·toc·ra·cy__[æ̀rəstákrəsi/-ɔ́-] *n.* Ⓒ 귀족(주의자). *__a·ris·to·crat·ic__[ərìstəkrǽtik, æ̀rəs-] *a.* 귀족(주의자)의.
Ar·is·toph·a·nes[æ̀ristáfənì:z/-ɔ́-] *n.* 그리스의 시인·희극 작가(448?-380? B.C.).
Ar·is·tot·le[ǽristɑ̀tl/-tɔ̀tl] *n.* 아리스토텔레스《그리스의 철학자; Plato의 제자(384-322 B.C.)》. **Ar·is·to·te·li·an**[æ̀ristətí:liən, -ljən/-tɔt-] *a., n.*
arith. arithmetic(al).
:**a·rith·me·tic**[əríθmətik] *n.* Ⓤ 산수; 계산; Ⓒ 산수책. :**ar·ith·met·i·cal**[æ̀riθmétikəl] *a.* **a·rith·me·ti·cian**[əriθmətíʃən, æ̀riθ-] *n.* Ⓒ 산술가, 산술 잘하는 사람.
arithmétic/lógic ùnit 〖컴〗 산술 논리 장치《생략 ALU》.
arithmétic progréssion 등차 수열.
arithmétic séries 등차 급수.
Ariz. Arizona.
*__Ar·i·zo·na__[æ̀rəzóunə] *n.* 미국 남서부의 주(州)《생략 Ariz.》.
*__ark__[ɑ:rk] *n.* Ⓒ ① 〖聖〗 (Noah의) 방주(方舟); 계약의 궤《모세의 십계명을 새긴 두 개의 석판을 넣어 둔》. ② 《口》 볼품 없는 큰 배. ***Noah's ~*** 노아의 방주; (동물 장난감을 넣은) 방주. ***touch the ~*** 신성한 것을 모독하다.
Ark. Arkansas.
*__Ar·kan·sas__[ά:rkənsɔ̀:] *n.* 미국 중남부의 주(州)《생략 Ark.》; [*+ɑ:rkǽnzəs] (the ~) 그 주에 있는 강《Mississippi 강의 지류》.
Ar·kie[ά:rki] *n.* Ⓒ《美口》 Arkansas 주 출신의 방랑 농민.
Ár·ling·ton Nátional Cémetery [ά:rliŋtən-] 알링턴 국립 묘지.
ARM anti-radiation missile 대전자파(對電磁波) 미사일.
†**arm**¹[ɑ:rm] *n.* ① Ⓒ 팔; (동물의) 앞발, 전지(前肢). ② Ⓒ 팔 모양의 것; 까치발; (의자의) 팔걸이; 큰 가지; 후미, 내포(內浦)(~ of the sea). ③ Ⓤ 힘, 권력. ④ Ⓒ 유력한 일익(一翼). ***~ in ~*** 팔을 끼고. ***better ~*** 오른팔. ***child in ~s*** 갓난애. ***fold one's ~s*** 팔짱을 끼다. ***keep (a person) at ~'s length*** 경원하다. ***make a long ~*** 팔을 뻗치다. ***one's right ~*** 오른팔; 유력한 부하. ***with folded ~s*** 팔짱을 낀 채; 방관만 하여. ***with open ~s*** 두 손을 벌려, 환영하여.
:**arm**² ① Ⓒ (보통 *pl.*) 무기, 병기. ② Ⓒ 병과(兵科). ③ (*pl.*) 군사, 전쟁; 무력. ④ (*pl.*) (방패·기 따위의) 문장(紋章). ***bear ~s*** 무기를 들다, 병역에 복무하다. ***be up in ~s*** 무장 궐기하다; 반기를 들다. ***carry ~s*** 무기를 지니다(*Carry ~s!* 어깨에 총!). ***go to ~s*** 무력에 호소하다. ***in ~s*** 무장하고. ***lie upon one's ~s*** 무장한 채로 자다. ***Presents ~s*** 받들어 총! ***small ~s*** 휴대무기《권총·소총·기관총 따위》. ***To ~s*** 전투 준비!(의 나팔). ***under ~s*** 무장하고. — *vt., vi.* 무장시키다〔하다〕, 장갑시키다; 무기〔기구〕를 쥐(게 하)다. ***~ against*** (…에) 대한 방위〔예방〕책을 세우다. ***be ~ed to the teeth*** 충분히 무장을 갖추다.
*__ar·ma·da__[ɑ:rmά:də, -méi-] *n.* Ⓒ 함대; 비행대. ***the (Invincible) A-*** (스페인의) 무적 함대《1588년 영국 함대에 격파됨》.
ar·ma·dil·lo[ɑ̀:rmədílou] *n.* (*pl.* ***~s***) Ⓒ 〖動〗 아르마딜로《라틴 아메리카산》.
Ar·ma·ged·don[ɑ̀:rməgédən] *n.* ① 〖聖〗 아마게돈《세계의 종말 때 선(善)과 악(惡)의 대결전장》. ② Ⓒ (국제적인) 대결전, 대동란.
*__ar·ma·ment__[ά:rməmənt] *n.* Ⓤ,Ⓒ 군비, 병력; 병기; (진지·군함 등의) 장비.
ar·ma·ture[ά:rmətʃər, -tʃùər] *n.* Ⓒ 갑옷(armor); 장갑(裝甲), 방호물; 〖建〗 보강 철재; (해저 전선의) 외장(外裝); 발전자《발전기의 회전부》; (계전기(繼電器)의) 접편(接片); 전기자(電氣子).
árm·bànd *n.* Ⓒ 완장; 상장(喪章).
:**arm·chair**[ά:rmtʃὲər/⌐⌐] *n.* Ⓒ 팔걸이 의자, 안락 의자.
arme blanche[ά:rm blɑ̃:ʃ] *n.* (F.) Ⓒ 백병기(白兵器)《기병도(刀)·기병창》;《집합적》기병.
*__armed__[ɑ:rmd] *a.* 무장한(*an ~ robber* 무장 강도).
ármed fórce (**sérvices**) 군대《육·해·공의》.
ármed neutrálity 무장 중립.
ármed péace 무장 평화.
Ar·me·ni·a[ɑ:rmí:niə, -njə] *n.* 아르메니아《이란 서부의 한 공화국》. **-ni·an** *n., a.*
arm·ful[ά:rmfùl] *n.* Ⓒ 한 아름의 분량, 한 팔 (또는 두 팔) 그득.
árm·hòle *n.* Ⓒ (옷의) 진동.
ar·mi·ger[ά:rmidʒər] *n.* Ⓒ 기사의 종자; 대향사(大鄕士)《문장이 달린 무기를 가질 자격이 있음》.
arm·ing[ά:rmiŋ] *n.* Ⓤ 무장; (자석의) 접극자(接極子).
Ar·min·i·us[ɑ:rmíniəs], **Jacobus** (1560-1609) 네덜란드의 반 Calvin파 신학자.
*__ar·mi·stice__[ά:rməstis] *n.* Ⓒ 휴전.

Ármistice Dày (제1차 대전의) 휴전 기념일《11월 11일》.
arm·let[á:rmlit] *n.* Ⓒ 팔찌; 좁은 후미.
:ar·mor, 《英》 **-mour**[á:rmər] *n.* Ⓤ ① 갑옷(투구), 갑주. ② (군함·요새 따위의) 철갑. ③ 방호복(*a submarine* ~ 잠수복). ④ (동식물의) 방호 기관. ⑤ 기갑부대. ── *vt.* 장갑하다.
ar·mo·ri·al[ɑ:rmɔ́:riəl] *a.* 문장(紋章)의.
armórial béarings 문장(紋章).
***ar·mor·y,** 《英》 **-mour·y**[á:rməri] *n.* ① Ⓒ 병기고. ② Ⓒ 《美》 병기 공장; 병기류. ③ Ⓤ 문장학(紋章學); 문장 화법(blazonry).
ármo(u)r-bèarer *n.* Ⓒ 중세 기사의 시종《갑옷을 들고 다님》.
ármo(u)r-clàd *a.* =⇩.
armo(u)red[á:rmərd] *a.* 무장한, 장갑한, 외장을 한.
ármo(u)red cáble 외장(外裝) 케이블.
ármo(u)red cár (군용·현금 수송용) 장갑차.
ármo(u)red fórces 기갑 부대.
ar·mo(u)r·er[á:rmərər] *n.* Ⓒ 무구(武具) 장색; 병기 제작자; (군대의) 병기계(係).
ármo(u)r plàte 장갑판(板).
árm·pìt *n.* Ⓒ 겨드랑이.
árms contròl 군비 관리〔제한〕.
árms ràce 군비 경쟁.
árm-twìsting *n.* Ⓤ (개인적인) 압력. ── *a.* 강압적인.
†ar·my[á:rmi] *n.* Ⓒ 육군; 군대; 군(부); 대군(大軍). ***standing*** 〔***reserve***〕 ~ 상비〔예비〕군.
ármy còrps 군단.
Ármy Lìst 〔**Règister**〕 《美》 육해군 현역 장교 명부.
Ármy Póst Óffice 《美》 육군 우체국《생략 A.P.O.》.
Ármy Sérvice Còrps 《英》 육군 병참단. 「의 해충》.
ármy·wòrm *n.* Ⓒ 거염벌레《농작물
ar·ni·ca[á:rnikə] *n.* ① Ⓒ 아르니카《약초》. ② Ⓤ 아르니카 팅크《외상용》.
Ar·nold[á:rnəld], **Mattew**(1822-88) 영국의 시인·비평가.
a·roint[ərɔ́int] *int.* 《古》《다음 용법뿐》 ***A- thee!*** 꺼져라!, 물러가라!
a·ro·ma[əróumə] *n.* Ⓒ 방향(芳香); (예술 작품의) 기품, 묘미. **ar·o·mat·ic**[æ̀rəmǽtik] *a.* 향기로운.
aròma·thérapy *n.* Ⓤ 방향 요법.
:a·rose[əróuz] *v.* arise의 과거.
†a·round[əráund] *prep., ad.* ① (…의) 주변〔둘레〕에. ② (…의) 사방에. ③ 《美》 (…을) 돌아; (…의) 여기저기〔이곳저곳〕에〔으로〕. ④ (…의) 근처에. ⑤ 약, 대략. ***all*** ~ 사면(팔방)에, 도처에(서); 일동에게. ***be*** ~ 《美》 기상(起床)하다; 오다; 유행하고 있다. ***have been*** ~ 《口》 여러 경험을 쌓고 있다, 세상일을 환히 알고 있다.
:a·rouse[əráuz] *vt.* ① 깨우다, 일으키다(awaken). ② 자극하다, 격려하다; 분발시키다(excite).
ARP., A.R.P. air-raid precautions. **ARPA** Advanced Research Projects Agency 고등(우주) 연구 계획국.
ar·peg·gi·o[ɑ:rpédʒiou] *n.* (It.) (*pl.* ~*s*) Ⓒ 〖樂〗 아르페지오《화음을 이루는 음을 연속해서 급속히 연주하는 법》.
ar·que·bus[á:rkwəbəs] *n.* =HARQUEBUS.
ar·raign[əréin] *vt.* 〖法〗 (법정에) 소환하다, 공소 사실의 사실 여부를 묻다; 나무라다, 문책〔비난〕하다. **~·ment** *n.* Ⓤ,Ⓒ 죄상 인부(罪狀認否)(의 절차); 비난, 힐난, 문책.
:ar·range[əréindʒ] *vt.* ① 가지런히 하다, 정리〔정돈〕하다, 배열하다. ② (분쟁을) 해결하다; 조정〔처리〕하다. ③ 계획〔준비〕하다. ④ 각색〔편곡〕하다. ── *vi.* 타합하다, 마련〔정〕하다, (사전) 준비하다(*for, about*).
:ar·range·ment[-mənt] *n.* ① Ⓤ,Ⓒ 정돈, 정리. ② Ⓤ,Ⓒ 배열, 배치(*flower* ~ 꽃꽂이); 배합, 분류. ③ (*pl.*) 준비(preparation)(*for, with*). ④ Ⓒ,Ⓤ 화해, 협정. ⑤ Ⓤ 각색, 편곡.
ar·rant[ǽrənt] *a.* 전적인(*an* ~ *lie* 새빨간 거짓말); 악명 높은, 극악한.
ar·ras[ǽrəs] *n.* Ⓤ (프랑스의) 애러스천; Ⓒ 애러스천 벽걸이.
ar·ray**[əréi] *vt.* ① 차리다, 성장(盛裝)시키다. ② 배열〔정렬〕시키다; (배심원을) 소집하다. ── *n.* Ⓤ ① 정렬; 벌여세움; 군세(軍勢). ② 의장(衣裝), 치장. ③ 〖컴〗 배열《일정한 프로그램으로 배열된 정보군(群)》. ***in proud ~ 당당히.
ar·rear[əríər] *n.* (*pl.*) (일·지불의) 밀림; 미불(未佛) 잔금; 잔무(殘務). ***in*** ~(***s***) 밀려서, 미불되어. ***in*** ~ ***of*** …에 뒤져서. ***in*** ~(***s***) ***with*** (***work***) (일)이 지체되어. **~·age**[əríəridʒ] *n.* Ⓤ,Ⓒ 연체(延滯)(금); 부채; 잔무.
:ar·rest[ərést] *vt.* ① 체포하다, 붙들다. ② 막다, 저지하다. ③ (마음을) 끌다(attract). ── *n.* Ⓤ,Ⓒ 저지; 체포, 구속, 구류. ***under*** ~ 구류중. **~·er** *n.* Ⓒ 체포하는 사람; 방지장치; 피뢰기(避雷器). **~·ment** *n.*
arréster hòok 속도 제동 장치《항공 모함의 비행기 착함용》.
ar·rest·ing[əréstiŋ] *a.* 주의를 끄는, 깜짝 놀라게 하는《목소리 등》; 인상적인, 눈부신.
arrésting gèar 착함기의 속도를 늦추기 위해 모함 갑판에 친 강색.
ar·ris[ǽris] *n.* Ⓒ 〖建〗 모서리, 귀퉁이.
:ar·ri·val[əráivəl] *n.* ① Ⓤ,Ⓒ 도착; 출현. ② Ⓒ 도착자〔물〕, 도달; 달성. ③ Ⓒ 《口》 출생, 신생아.
†ar·rive[əráiv] *vi.* ① 도착하다(*at,*

A

in). ② (연령·시기 따위에) 달하다(*at*). ③ 명성을〔지위를〕 얻다(*a pianist who has ~d* 잘 팔리는〔인기 있는〕 피아니스트); (시기가) 오다.
ar·ri·viste[æriví:st] *n.* (F.) Ⓒ (목적을 위해 수단을 안 가리는) 야심가; 벼락 출세한 사람, 벼락부자.
*__ar·ro·gant__[ǽrəgənt] *a.* 거만한, 건방진. *__-gance, -gan·cy__ *n.* Ⓤ 오만, 거만. **~·ly** *ad.*
ar·ro·gate[ǽrəgèit] *vt.* (칭호 등을) 사칭하다; 멋대로 제것으로 하다; 정당한 이유 없이 (…을 남에게) 돌리다. **-ga·tion**[ˋ-géiʃən] *n.* Ⓤ,Ⓒ 사칭, 가로챔; 참람(僭濫), 월권(행위).
‡**ar·row**[ǽrou] *n.* Ⓒ 화살; 화살표; 굵은 화살표《영국 관유품 표시; 보통 BROAD ~ 라고 함》.
árrow·hèad *n.* Ⓒ 화살촉; 쇠귀나물속(屬)의 식물.
árrow kèy 〖컴〗 화살표 키.
árrow·ròot *n.* ① Ⓒ 〖植〗 칡의 일종. ② Ⓤ 갈분.
ar·row·y[-i] *a.* 화살의〔같은〕; 빠른.
arse[ɑːrs] *n.* Ⓒ 《俗》 궁둥이(ass).
ar·se·nal[ɑ́ːrsənəl] *n.* Ⓒ 병기고, 군수품 창고; 조병창.
ar·se·nate[ɑ́ːrsənit] *n.* Ⓤ 〖化〗 비산염(砒酸鹽).
ar·se·nic[ɑ́ːrsənik] *n.* Ⓤ 〖化〗 비소. ── [ɑːrsénik] *a.* 비소의.
arsénic ácid 비산.
ar·se·ni·ous[ɑːrsíːniəs], **ar·se·nous**[ɑ́ːrsənəs] *a.* 아비(亞砒)의.
arsénious ácid 아비산.
ar·son[ɑ́ːrsn] *n.* Ⓤ 〖法〗 방화(죄). **~·ist** *n.* Ⓒ 방화범.
ars·phen·a·mine[ɑːrsfénəmìːn] *n.* Ⓤ 〖藥〗 살바르산.
ARSR air route surveillance radar 항공로 감시 레이더.
art¹[ɑːrt] *vi.* 《古·詩》 (thou가 주어일 때) be의 2인칭·단수·직설법 현재.
†**art**² *n.* ① Ⓤ 예술; (종종 *pl.*) 미술. ② Ⓒ 기술, 기능. ③ (*pl.*) 과목, 교양 과목(liberal arts). ④ Ⓤ 인공, 기교, 숙련. ⑤ Ⓒ (종종 *pl.*) 술책(trickery), 책략. ***applied ~*** 응용 미술. ***~ and part*** 〖法〗 방조죄, 종범(*in*). ***~s and crafts*** 공예 미술. ***~ editor*** 예술란 담당 편집자. ***Bachelor*** 〔***Master***〕 ***of Arts*** 문학자〔석사〕. ***black ~*** 마술. ***fine ~s*** 미술. ***the ~ preservative of all ~s*** 인쇄술. ***work of ~*** 예술품; 걸작. ── *vt.* (영화·소설 등에) 기교를 가하다(*up*).
ARTC air route traffic control 항공로 교통 관제.
árt crìtic 미술 평론가.
árt déaler 미술상, 화상(畫商).
árt dirèctor 〖映〗 미술 감독.
ar·te·fact[ɑ́ːrtəfæ̀kt] *n.* =ARTIFACT.
Ar·te·mis[ɑ́ːrtəmis] *n.* 〖그神〗 아르테미스《달·수렵의 여신; 로마 신화의 Diana》.
ar·te·ri·al[ɑːrtíəriəl] *a.* 동맥의〔같은〕; 동맥혈의.
ar·te·ri·og·ra·phy[ɑːrtìəriɑ́grəfi/-ɔ́g-] *n.* Ⓤ 〖醫〗 조영법.
ar·te·ri·o·scle·ro·sis [ɑːrtìəriousklərόusis] *n.* Ⓤ 동맥 경화증.
ar·te·ri·tis[ɑ̀ːrtəráitis] *n.* Ⓤ 〖醫〗 동맥염.
*__ar·ter·y__[ɑ́ːrtəri] *n.* Ⓒ 동맥; 간선도로.
ar·té·sian wéll[ɑːrtíːʒən-/-ziən-] (물 줄기 있는 데까지) 깊이 판 우물.
árt fìlm 예술 영화.
*__art·ful__[ɑ́ːrtfəl] *a.* 교활한(sly). **~·ly** *ad.*
árt gàllery 미술관.
ar·thri·tis[ɑːrθráitis] *n.* Ⓤ 관절염.
ar·thro·pod[ɑ́ːrθrəpɑ̀d/-pɔ̀d] *n., a.* Ⓒ 절지 동물(의).
Ar·thur[ɑ́ːrθər] *n.* 남자 이름. ***King ~*** 고대 영국의 전설적인 왕. **Ar·thu·ri·an**[ɑːrθjúəriən] *a.*
ar·ti·choke[ɑ́ːrtitʃòuk] *n.* Ⓒ 흰꽃엉겅퀴《꽃의 일부는 식용》. ***Jerusalem ~*** 뚱딴지《뿌리는 식용》.
†**ar·ti·cle**[ɑ́ːrtikəl] *n.* Ⓒ ① (신문·잡지의) 논설, 기사. ② (같은 종류의 물건의) 한 품목; 한 개(*an ~ of furniture* 가구(家具) 한 점). ③ 물품. ④ 조목, 조항. ⑤ (*pl.*) 계약, 규약. ⑥ 〖文〗 관사. ***~s of association*** 정관(定款). ***~s of war*** 군율. ***definite*** 〔***indefinite***〕 ***~*** 정〔부정〕관사. ── *vt.* ① 조목별로 쓰다, 나열하다. ② 계약하여 도제로 삼다. ③ (죄상을 열거하여) 고발하다. ── *vi.* 고발하다(*against*). **~d**[-d] *a.* 연기(年期) 도제 계약의.
ar·tic·u·lar[ɑːrtíkjələr] *a.* 관절의.
*__ar·tic·u·late__[ɑːrtíkjəlit] *a.* ① (언어가) 음절이 있는. ② (논설이) 이론정연한; 분명한, 또렷한. ③ 의견을 분명히 말할 수 있는. ④ 관절이 있는; 구분〔마디〕 있는. ── [-lèit] *vt., vi.* 똑똑히 발음〔표현〕하다; 관절로 잇다〔이어지다〕.
ar·tic·u·la·tion[ɑːrtìkjəléiʃən] *n.* Ⓒ 마디, 관절; Ⓤ 분절(分節); 접합; 똑똑히 발음함; 발음(법).
ar·ti·fact[ɑ́ːrtəfæ̀kt] *n.* Ⓒ 가공품; (유사 이전의) 고기물(古器物).
ar·ti·fice[ɑ́ːrtəfis] *n.* Ⓤ 책략; 모략; Ⓒ 기교, 고안(device). **ar·tif·i·cer**[ɑːrtífəsər] *n.* Ⓒ 기술가〔공〕; 장색(匠色), 장인(匠人)(craftsman); 제작자(***the Great ~r*** 조물주, 하느님).
‡**ar·ti·fi·cial**[ɑ̀ːrtəfíʃəl] *a.* ① 인공〔인조〕의(*an ~ eye*〔*leg, tooth*〕 의안〔의족, 의치〕). ② 부자연스러운, 일부러 꾸민 것 같은(*an ~ smile* 거짓웃음). **-ci·al·i·ty**[ɑ̀ːrtəfìʃiǽləti] *n.* Ⓤ 인공; Ⓒ 인공물.
artifícial flówers 조화(造花).
artifícial horízon 〖空〗 인공 수평의(儀).
artifícial inseminátion 인공 수정《생략 AI》.
artifícial intélligence 〖컴〗 인공지능《인간의 뇌에 가까운 역할을 하므로 '제5세대 컴퓨터'라 불림; 생략 AI》.

artifícial kídney 〖醫〗 인공 신장.
artificial lánguage 〖컴〗 인공 언어; 기계어.
artifícial léather 인조 피혁.
artifícial pérson 〖法〗 법인.
artifícial respirátion 인공 호흡.
artifícial sátellite 인공 위성.
artifícial seléction 인위 도태.
artifícial sílk 인조견.
*__ar·til·ler·y__[ɑːrtíləri] *n.* Ⓤ ① 《집합적》 대포(cannon). ② 포병(대). ③ 포술, 포학(砲學). **~·man, -ler·ist**[-rist] *n.* Ⓒ 포병.
ar·ti·san[áːrtəzən/àːtizǽn] *n.* Ⓒ 장색(匠色).
‡**art·ist**[áːrtist] *n.* Ⓒ 예술가, 화가.
ar·tiste[ɑːrtíːst] *n.* (F.) Ⓒ 예술인; 《戲》 명인, 달인.
‡**ar·tis·tic**[ɑːrtístik], **-ti·cal**[-əl] *a.* ① 기술의, 예술(가)의; 미술(가)의. ② 예술〔미술〕적인, 멋〔풍류〕있는.
art·ist·ry[áːrtistri] *n.* Ⓤ 예술적 기교; 예술성.
art·less[áːrtlis] *a.* 무기교(無技巧)의; 단순한; 천진스러운; 자연스러운; 서투른; 어리석은. **~·ly** *ad.*
árt pàper 아트지(紙). 「는.
art·y[áːrti] *a.* 《口》 예술가연(然)하
A.R.U. American Railway Union.
A.R.V. American (Standard) Revised Version (of the Bible).
Ar·y·an[ɛ́əriən] *a., n.* 인도이란어의; 아리아족(族)〔민족〕의; Ⓒ 아리아 사람; Ⓤ 아리아 말; 인도이란어.
As 〖化〗 arsenic.
†**as**[強 æz, 弱 əz] *ad., conj.* ① 같을 만큼, 그만큼《as... as...의 앞의 as는 *ad.*, 뒤의 as는 *conj.*》. ② (*conj.*) 그러나, …이〔하〕지만; …이〔하〕므로(*young as he is* 젊지만). ③ …처럼〔같이〕, …대로(*At Rome, do as Rome does.* 《속담》 입향순속(入鄕循俗)). ④ 《*prep.* 처럼 써서》 …로서(는)(*live as a saint* 성인 같은 생활을 하다/*act as chairman* 의장 노릇을 하다). ⑤ …하고 있을 때 (when). ⑥ …하면서, …함에 따라 (while). ⑦ (*conj.*) 《口》 ＝THAT. — *rel. pron.* 《such, the same, as에 수반되어》 …한 바의(*such people as have seen it* 그것을 본 사람들/*as many books as I bought* 내가 산 책이란 책은 모두). ***as ever*** 변함 없이, 여전히. ***as for*** …에 관하여서는, …따위는(as regards). ***as if*** 마치 …처럼. ***as it is*** 〔***was***〕 있는 그대로; 그러나 실제로는 (이에 반(反)하여). ***as it were*** 말하자면. ***as of*** …현재(로)(*as of Jan.* 1, 1991, 1991년 1월 1일 현재). ***as though*** ＝as if. ***as to*** ＝as for. ***as who should say*** 마치 …라고 할 것처럼, …라고 말하려는 듯이.
A.S. Anglo-Saxon. **A.S., A/S** 〖商〗 account sales. **As.** Asia(n); Asiatic. **a.s.** 〖商〗 at sight. **ASA** American Standards Association. **A.S.A.** American Statistical Association; 《英》 Amateur Swimming Association.
as·a·fet·i·da, -foet-[æsəfétədə] *n.* Ⓒ 〖植〗 아위; Ⓤ 그 수지에서 얻은 진정제.
a.s.a.p., ASAP as soon as possible.
as·bes·tine[æsbéstin, æz-] *a.* 석면(石綿)의〔같은〕, 불연성(不燃性)의.
as·bes·tos, -tus[æzbéstəs, æs-] *n.* Ⓤ 석면, 돌솜.
as·bes·to·sis[æ̀sbestóusis] *n.* Ⓤ 〖醫〗 석면증.
ASC, A.S.C Air Service Command; American Standards Committee. **ASCAP**[ǽskæp] American Society of Composers, Authors and Publishers 미국 작곡가 작사자 출판사 협회.
as·ca·rid[ǽskərid] *n.* (*pl.* ***-rids, -carides***) Ⓒ 회충(蛔蟲).
‡**as·cend**[əsénd] *vi.* ① 올라가다; 오르다; 오르막이 되다. ② (시대가) 거슬러 올라가다. **~·ance, ~·ence, ~·an·cy, ~·en·cy** *n.* Ⓤ 우세, 우월, 우위, 주권(*over*). **~·ing** *a.*
as·cend·ant, -ent[əséndənt] *a.* 상승(上昇)하는; 우세〔우월〕한. — *n.* Ⓤ 우위, 우세.
ascénding órder 〖컴〗 오름차순.
ascénding sórt 〖컴〗 오름차순 정렬.
as·cen·sion[əsénʃən] *n.* Ⓤ 상승; 즉위; (the A-)(예수의) 승천.
Ascénsion Dày 예수 승천일 《Easter 후 40일째의 목요일》.
‡**as·cent**[əsént] *n.* Ⓤ,Ⓒ 상승, 오름, 등산; Ⓒ 오르막(길).
ascént propúlsion sỳstem 우주 정거장 귀환용 로켓 엔진.
*__as·cer·tain__[æ̀sərtéin] *vt.* 확인하다; 알아내다, 조사하다. **~·a·ble** *a.* **~·ment** *n.*
as·cet·ic[əsétik] *n.* Ⓒ 고행자, 금욕 생활자. — *a.* 고행의, 금욕적인. **-i·cism**[-təsìzəm] *n.* Ⓤ 금욕주의, 고행〔수도〕 생활.
ASCII[ǽskiː] 〖컴〗 American Standard Code for Information Interchange 미국 정보 교환 표준 부호. **ASCM** antiship cruise missile 대함(對艦) 순항 미사일. **ASCOM** Army Service Command 〖美軍〗 육군 기지창.
a·scór·bic ácid[əskɔ́ːrbik-] 〖生化〗 아스코르빈산《비타민 C의 별명》.
As·cot[ǽskət] *n.* 영국 Ascot의 경마장; 애스컷 경마《6월 제 3 주에 행함》; (a-) Ⓒ (스카프 모양의) 넥타이.
*__as·cribe__[əskráib] *vt.* (…에) 돌리다, (…의) 탓으로 하다(*to*). **as·crib·a·ble**[-əbl] *a.* (…에(게)) 돌릴 수 있는, (…에) 의한(*to*). **as·crip·tion**[əskrípʃən] *n.* Ⓤ 돌림, 이유 붙임; 송영(頌詠)《설교 끝에 행하는 신의 찬미》.
as·cus[ǽskəs] *n.* (*pl.* ***-ci*** [ǽsai]) Ⓒ 〖植〗 (자낭균류의) 자낭.

A

as·dic[ǽzdik] *n.* Ⓒ 잠수함 탐지기.
ASEAN[ǽsiən, eizíːən] Association of Southeast Asian Nations.
a·sep·sis[əsépsis, ei-] *n.* Ⓤ 무균(無菌) 상태; 『醫』 무균법. **a·sép·tic** *a.* 균이 없는, 방부성(防腐性)의.
a·sex·u·al[eisékʃuəl] *a.* 『生』 성별(性別)이〔성기가〕 없는, 무성(無性)의. **~·i·ty** *n.* Ⓤ 무성.
As·gard[ǽsgɑːrd, áːs-] *n.* 『北歐神話』 아스가르드《신들의 천상의 거처》.
ash[1][æʃ] *n.* Ⓒ 『植』 양물푸레나무.
:ash[2] *n.* Ⓤ ① (보통 *pl.*) 재. ② (*pl.*) 유골; 《詩》 (*pl.*) 유해; 폐허. ***be ruduced*** 〔***burnt***〕 ***to ~es*** 타서 재가 되다.
:a·shamed[əʃéimd] *a.* 부끄러이 여겨(*of*), 낯을 붉히어; 부끄러워하여(*to* do).
ásh càn 《美》 재 담는 통, 쓰레기통; 《口》 폭뢰(爆雷).
ásh càrt 쓰레기 운반차.
ash·en[ǽʃən] *a.* ① 양물푸레나무(ash[1])(제(製))의. ② 재(ash[2])의〔같은〕; 회색의, 창백한.
a·shiv·er[əʃívər] *a.* 몸을 떠는 (듯한), 떨고 있는.
ash·lar, -ler[ǽʃlər] *n.* Ⓒ,Ⓤ 『建』 떠내어 다듬은 돌; Ⓤ 그 돌을 쌓기.
ash·man[ǽʃmæ̀n] *n.* Ⓒ 《美》 쓰레기 청소부.
:a·shore[əʃɔ́ːr] *ad.* 해변에, 물가에. ***go ~*** 상륙하다. ***run ~*** 좌초되다.
ásh·tràу *n.* Ⓒ 재떨이.
Ásh Wédnesday 성회(聖灰) 수요일《Lent의 첫날》.
ash·y[ǽʃi] *a.* 재의〔같은〕; 회색의; 재투성이의.
†A·sia[éiʒə, -ʃə] *n.* 아시아.
A·si·ad[éiʒiæ̀d, -ʃi-] *n.* =ASIAN GAMES.
Ásia Mínor 소아시아.
:A·sian[éiʒən, -ʃən] *a., n.* 아시아(풍)의; Ⓒ 아시아 사람. ***A·si·at·ic** [èiʒiǽtik, -ʃi-] *a., n.* =ASIAN.
Ásian-Áfrican *n., a.* 아시아 아프리카(의).
Ásian Gàmes, the 아시아 경기대회.
:a·side[əsáid] *ad.* 옆〔곁〕에; 떼어서, 떨어져서. ***~ from*** 《美》 …은 차치〔별문제로〕 하고, …외에; 《美》 …은 제외하고. ── *n.* Ⓒ 『劇』 방백(傍白); 여담, 잡담.
as·i·nine[ǽsənàin] *a.* 나귀의〔같은〕; 어리석은.
†ask[æsk, ɑːsk] *vt., vi.* ① 묻다, 물어보다(*about, of; if*). ② 부탁하다, (요)청하다. ③ 초청하다; 필요로 하다. ④ 《古》 (…의) 결혼 예고를 발표하다. ***~ after*** …의 일을 묻다, …의 안부를 묻다. ***~ for*** …을 요구〔청구〕하다; …을 찾다〔방문하다〕; …을 요하다. ***~ (a person) in*** (아무를) 불러 들이다, 들이다. ***~ ... of (a person)*** (아무에게) …을 묻다〔부탁하다〕. ***be ~ed out*** 초대받다. ***for the ~ing*** 청구하는 대로, 거저.
a·skance[əskǽns], **a·skant**[-t] *ad.* 옆으로, 비스듬히; 곁눈질로. ***look ~ at*** …을 곁눈질로 흘기다; 의심쩍게 보다.
a·skew[əskjúː] *ad., pred. a.* 한쪽에〔으로〕 (쏠리어); 반대로 뒤틀리어; 일그러져; 옆으로; 비스듬히.
a·slant[əslǽnt, əslɑ́ːnt] *ad., pred. a.* 비스듬히, 기울어져. ── *prep.* …을 비스듬히, …을 가로질러.
†a·sleep[əslíːp] *ad., pred. a.* ① 잠들어. ② 영면(永眠)하여. ③ 활발치 않아; (몸이) 마비되어. ④ (팽이가) 서서. ***fall ~*** 잠들다.
ASM air-to-surface missile.
A.S.N.E. American Society of Newspaper Editors.
a·so·cial[eisóuʃəl] *a.* 비사교적인; 《口》 이기적인.
asp[1][æsp] *n.* Ⓒ 독사《남유럽·아프리카 산》; 이집트 코브라.
asp[2] *n.* =ASPEN.
ASPAC Asian and Pacific Council.
***as·par·a·gus**[əspǽrəgəs] *n.* Ⓤ 『植』 아스파라거스.
as·par·tame[æspɑ́ːrtèim] *n.* Ⓤ 강력한 인공 감미료의 일종.
A.S.P.C.A. American Society for the Prevention of Cruelty to Animals 미국 동물 학대 방지회.
:as·pect[ǽspekt] *n.* ① Ⓒ 국면, 양상; 광경. ② Ⓤ,Ⓒ 모습, 얼굴 생김새. ③ Ⓤ,Ⓒ 『文』 (동사의) 상(相). ④ Ⓒ 방향, 방위, 향.
as·pen[ǽspən] *n.* Ⓒ 사시나무. ── *a.* 사시나무의; (와들와들) 떠는.
as·per·i·ty[æspérəti] *n.* Ⓤ 꺼칠꺼칠함; (말의) 격렬함, 퉁명스러움.
as·perse[əspə́ːrs] *vt.* 나쁜 소문을 퍼뜨리다, 중상하다; (세례의) 물을 뿌리다. **as·pérs·er** *n.* **as·per·sion** [əspə́ːrʃən, -ʒən] *n.*
***as·phalt**[ǽsfælt, -fɔːlt], **as·phal·tum**[æsfɔ́ːltəm/-fǽl-] *n.* Ⓤ 아스팔트.
ásphalt jùngle 아스팔트 정글《약육 강식장으로서의 대도시》.
as·pho·del[ǽsfədèl] *n.* Ⓒ 아스포델《백합과의 식물; 남유럽산》; 『그神』 극락의 꽃; 《詩》 =DAFFODIL.
as·phyx·i·a[æsfíksiə] *n.* Ⓤ 『病』 질식, 가사(假死).
as·phyx·i·ate[æsfíksièit] *vt.* 질식시키다. **-a·tion**[─ ⌐ ─éiʃən] *n.*
as·pic[ǽspik] *n.* Ⓤ 고기젤리.
as·pi·dis·tra[æ̀spədístrə] *n.* Ⓒ 『植』 엽란(葉蘭).
as·pir·ant [əspáiərənt, ǽspər-] *a., n.* Ⓒ (높은 지위 등을) 갈망하는 (사람), 지망자(*to, after, for*).
as·pi·rate[ǽspərit] *n., a.* Ⓒ 기음(氣音)(의), 기식음(의), [h]음(의). ── [-pərèit] *vt.* 기식음으로 발음하다, [h]음을 넣어 발음하다.
:as·pi·ra·tion[æ̀spəréiʃən] *n.* Ⓤ,Ⓒ ① 갈망, 대망, 포부(*for, after*). ② 『醫』 빨아냄(suction); 기음(발음).
as·pi·ra·tor[ǽspərèitər] *n.* Ⓒ

〖化〗 아스퍼레이터; 〖醫〗 흡인기.
:as·pire[əspáiər] *vi.* ① 대망을 품다; 갈망하다; 동경하다(*to, after, for; to* do). ② 《詩》 올라가다; 치솟다.
***as·pi·rin**[ǽspərin] *n.* Ⓤ 〖藥〗 아스피린; Ⓒ 아스피린정(錠).
as·pir·ing[əspáiəriŋ] *a.* 열망〔갈망〕하는, 큰 뜻이 있는.
ASQC American Society for Quality Control 미국 품질 관리 협회.
a·squint[əskwínt] *ad., pred. a.* 곁눈질로〔의〕, 흘긋; 비스듬히〔한〕.
ASR airport surveillance radar 대공 감시 레이더; automatic sendreceive (set) 〖컴〗 자동송수신(장치).
:ass[æs] *n.* Ⓒ ① 당나귀. ② [英+ɑ:s] 바보; 외고집쟁이. ③ 《卑》 엉덩이. **~es' bridge** 못난이들이 못 건너는 다리《이등변 삼각형의 두 밑각은 서로 같다는 정리》. **make an ~ of** …을 우롱하다.
as·sa·fet·i·da, -foet-[æsəfétidə] *n.* =ASAFETIDA.
as·sa·gai, as·se-[ǽsəgài] *n.* Ⓒ 《南阿》 (토인의) 창.
as·sa·i[əsɑ́:i] *ad.* (It.) 〖樂〗 매우. ***allegro* ~** 매우 빠르게.
***as·sail**[əséil] *vt.* ① 습격〔엄습〕하다; 논란하다. ② (…에) 감연히 부닥치다. **~·a·ble** *a.* ***~·ant, ~·er** *n.* **~·ment** *n.*
***as·sas·sin**[əsǽsin] *n.* Ⓒ 암살자, (고용된) 자객. **-si·nate**[-sənèit] *vt.* 암살하다. ***-si·na·tion**[–⌒–néiʃən] *n.* Ⓤ,Ⓒ 암살. **-si·na·tor**[–⌒–nèitər] *n.* Ⓒ 암살자.
:as·sault[əsɔ́:lt] *n.* Ⓒ 습격, 강습; 돌격; Ⓤ,Ⓒ 강간; 〖法〗 폭행, 협박. — *vt.* 강습하다, (…에게) 폭행을 가하다; 공격하다.
as·say[æséi, ǽsei] *n., vt.* Ⓒ 시금(試金)(하다); 분석(하다); 분석물. **~·a·ble** *a.* **~·er** *n.*
***as·sem·blage**[əsémblidʒ] *n.* ① Ⓒ 《집합적》 회중(會衆), 집단; 집합, 집회(assembly), 수집. ② Ⓤ (기계의 부품) 조립.
:as·sem·ble[əsémbəl] *vt., vi.* 모으다, 모이다, 집합하다; (*vt.*) (기계를) 짜맞추다, 조립하다; 〖컴〗 어셈블하다.
as·sem·bler[əsémblər] *n.* Ⓒ 조립자; 〖컴〗 어셈블러, 기호 변환 프로그램.
:as·sem·bly[əsémbəli] *n.* ① Ⓒ 집합, 집회; 무도회; 회의. ② Ⓒ (A-) 입법의회; 《美》 (주의회의) 하원. ③ Ⓒ 집합 신호〔나팔〕. ④ Ⓤ (자동차 등 부품의) 조립; Ⓒ 조립 부품. ***General A-*** (UN의) 총회; 《美》 주(州)의회. ***National A-*** 〖프史〗 국민의회; 국회.
assémbly hàll 회의장; 조립 공장.
assémbly lànguage 〖컴〗 어셈블리 언어.
assémbly lìne 《美》 일관 작업 조직《인원과 기계》.
as·sem·bly·man[-mən] *n.* Ⓒ 의원; (A-) 《美》 (주의회) 하원의원.
assémbly plànt 〔**shòp**〕 조립 공장.
assémbly prògram 〖컴〗 어셈블리 프로그램.
assémbly ròom 집회실, 회의실; 무도장; 조립실.
assémbly ròutine 〖컴〗 어셈블리 루틴.
assémbly tìme 〖컴〗 어셈블리 타임《어셈블러가 기호 언어를 기계어 명령으로 번역함에 요하는 시간》.
as·sém·bly·woman[–wùmən] *n.* (*pl.* ***-women***) Ⓒ 여성 의원; (A-) (미국 일부 주(州)의) 여성 하원 의원.
as·sent**[əsént] *n., vi.* Ⓤ 승낙〔동의〕(하다)(agree)(*to*). ***by common* ~** 전원 일치로. ***give one's* ~ *to …에 동의하다. ***Royal* ~** (국왕의) 비준, 재가. **as·sén·tor** *n.* Ⓒ 동의〔찬성〕자.
:as·sert[əsə́:rt] *vt.* 주장하다; 단언하다. **~ *oneself*** 자설(自說)을 주장하다; 주제넘게 굴다. ***as·sér·tion** *n.* Ⓤ,Ⓒ 주장, 단언; 독단. **as·sér·tive** *a.*
as·sess[əsés] *vt.* (과세를 위해) 사정(査定)하다, 평가하다; 과세하다; 할당하다. **~·a·ble** *a.* 평가 할 수 있는. ***~·ment** *n.* Ⓤ 재산 평가, 수입 사정; Ⓒ 사정액, 할당액. **as·sés·sor** *n.* Ⓒ 재산〔과세〕 평가인.
as·set**[ǽset] *n.* ① Ⓒ 자산의 한 항목; 가치 있는 것(*a cultural* ~ 문화재). ② (*pl.*) 자산, 재산. **~*s and liabilities 자산과 부채. ***personal*** 〔***real***〕 **~*s*** 동〔부동〕산.
as·sev·er·ate[əsévərèit] *vt.* 서언(誓言)하다; 단언하다(state positively). **-a·tion**[əsèvəréiʃən] *n.* Ⓤ,Ⓒ 서언, 단언.
as·si·du·i·ty[æsidjú:əti] *n.* Ⓤ 근면; Ⓒ (보통 *pl.*) (아무에의) 배려.
as·sid·u·ous[əsídʒuəs] *a.* 근면〔부지런〕한; 빈틈없이 손이 미치는. **~·ly** *ad.* **~·ness** *n.*
:as·sign[əsáin] *vt.* ① 할당〔배당〕하다. ② (구실을) 명하다, 맡기다; 지정하다; 돌리다(*to*). ③ (재산·권리 등을) 양도하다(transfer). ***~·ment** *n.* Ⓤ 할당; 지정; 임무; 양도; Ⓒ 연구 과제; 〖컴〗 지정.
as·sig·na·tion[æsignéiʃən] *n.* Ⓒ 회합(의 약속); (특히, 연인끼리의) 밀회; Ⓤ 〖法〗 양도.
as·sign·ee[əsàiní:, æsiní:] *n.* Ⓒ 〖法〗 양수인; 수탁자; 파산 관재인(管財人).
as·sign·or[əsáinər] *n.* Ⓒ 양도인.
as·sim·i·la·ble[əsímələbəl] *a.* 동화할 수 있는.
***as·sim·i·late**[əsímələ̀it] *vt.* ① 동화(同化)하다, 흡수하다. ② 소화하다; 이해하다; 비교하다(*with*). — *vi.* 동화하다; 비슷해지다. — *n.* Ⓒ 《美》 동화된 물건〔사람〕. ***-la·tion**[–⌒–léiʃən] *n.* Ⓤ 동화 (작용). **-la·tive**

A

[-lèitiv] *a.* 동화의, 동화력 있는. **-la·tor** *n.*

:as·sist[əsíst] *vt., vi.* 돕다, 거들다; 참석하다(*at*). — *n.* Ⓒ 조력; 〖野〗 보살(補殺); 〖籠〗 어시스트.

:as·sist·ant[əsístənt] *a., n.* 보조의; Ⓒ 조수; 점원. **:-ance** *n.* Ⓤ 조력, 원조.

assístant proféssor 조교수.

as·size[əsáiz] *n.* Ⓒ 재판; (*pl.*) 《英》 순회 재판. ***the Great A-*** 최후의 심판.

assn., assoc. association.

as·so·ci·a·ble[əsóuʃiəbəl] *a.* 연상되는(*with*); 〖醫〗 교감성의.

:as·so·ci·ate[əsóuʃièit] *vt.* ① 연합시키다(unite). ② 연상하다. — *vi.* 교제하다(*with*). — [-ʃiit] *n.* Ⓒ ① 동료, 한동아리; 준(準)회원. ② 연상되는 것. — *a.* 동아리〔동료〕의, 연합한; 준(準)….

assóciate degrèe 《美》 준학사 《전문대 졸업생에게 수여함》.

assóciate júdge 배심 판사.

assóciate proféssor 부교수.

:as·so·ci·a·tion[əsòusiéiʃən, -ʃi-] *n.* ① Ⓤ 연합, 합동, 결합. ② Ⓒ 조합, 협회. ③ U,C 연상; Ⓤ 관념 연합. ④ Ⓤ 교제, 친밀. **~·al** *a.*

associátion fóotball 《英》 축구, 사커(soccer).

as·so·ci·a·tive[əsóuʃièitiv, -ʃə-] *a.* 연합의, 결합하는; 연상의.

as·soil[əsɔ́il] *vt.* 《古》 사면〔석방〕하다; 속(贖)하다, 보상하다.

as·so·nance[ǽsənəns] *a.* 유음(類音), 협음(協音); 〖韻〗 모운(母韻) 《모음만의 압운: m*a*ke-r*a*ce 따위》. **-nant** *a.*

as·sort[əsɔ́:rt] *vt.* 분류하다; 갖추다; 짝〔골라〕맞추다. — *vi.* 맞다, 갖춰지다, 일치하다; 교제하다(*with*). ***~·ed**[-id] *a.* 유별(類別)한; (각종) 구색을 갖춘(*~ed chocolates* (한 상자에) 여러 가지로 구색을 갖춘 초콜릿). ***~·ment** *n.* Ⓤ 종별, 유별; Ⓒ (각종의) 구색 맞춤.

Asst., asst. assistant.

as·suage[əswéidʒ] *vt.* 누그러지게 하다, 가라앉히다. **~·ment** *n.* Ⓤ 경감, 완화.

as·sua·sive[əswéisiv] *a.* 누그러지게 하는, 진정시키는.

:as·sume[əsjú:m] *vt.* ① (책임을) 지다; (임무를) 떠맡다. ② 짐짓 (…을) 가장하다(pretend). ③ 가로채다(usurp). ④ 생각〔가정〕하다, 미루어 헤아리다. ⑤ 몸에 차리다〔지니다〕, (양상을) 띠다. — *vi.* 주제넘게 굴다. **as·súm·a·ble** *a.* 미루어 헤아릴 수 있는, 생각할 수 있는. **-bly** *ad.* 아마. ***~d**[-d] *a.* 짐짓 꾸민(*an ~d voice* 꾸민 목소리); 가짜의(*an ~d name* 가명). **as·sum·ed·ly**[-idli] *ad.* 아마, 필시. **as·súm·ing** *a.* 주제 넘은, 건방진.

***as·sump·tion**[əsʌ́mpʃən] *n.* ① U,C (임무·책임의) 떠맡음; 횡령. ② U,C 짐짓 꾸밈, 가장. ③ Ⓒ 가정, 억설, 가설. ④ Ⓤ 건방짐, 주제넘음. ⑤ (the A-) 성모 승천 (대축일). **-tive** *a.* 가정의, 가설의; 건방진; 짐짓 꾸민.

:as·sur·ance[əʃúərəns] *n.* ① Ⓒ 보증. ② Ⓤ 확신, 자신; 철면피. ③ Ⓤ 《英》 보험. ***have the ~ to*** (do) 뻔뻔스럽게도 …하다. ***life ~*** 《英》 생명보험. ***make ~ doubly*** 〔***double***〕 ***sure*** 재삼 다짐하여 틀림없게 하다.

:as·sure[əʃúər] *vt.* ① (…에게) 보증하다, 확신시키다, 납득〔안심〕시키다. ② 보험에 넣다(insure). ③ 확실히 하다. ~ ***oneself of*** …을 확인하다. ***I ~ you.*** 확실히, 틀림없이. ***~d**[-d] *a.* 확실한; 자신 있는; 보험에 부친. ***as·sur·ed·ly**[əʃú:əridli] *ad.* 확실하게; 자신 있게, 대담히. **as·sured·ness**[-dnis] *n.* Ⓒ 확실, 확신; 철면피; 대담 무쌍.

As·syr·i·a[əsíriə] *n.* (고대) 아시리아. **~n** *a., n.* 아시리아의; Ⓒ 아시리아 사람(의); Ⓤ 아시리아 말(의).

As·syr·i·ol·o·gy[əsìriɑ́lədʒi/-ɔ́l-] *n.* Ⓤ 아시리아학(學)〔연구〕.

as·ta·tic[eistǽtik, æs-] *a.* 불안정한; 〖理〗 무정위(無定位)의. ***~ galvanometer*** 무정위 전류계. ***~ needle*** 무정위(자)침.

as·ta·tine[ǽstəti:n] *n.* Ⓤ 〖化〗 아스타틴《방사성 원소; 기호 At》.

as·ter[ǽstər] *n.* Ⓒ ① 〖植〗 과꽃; 탱알. ② 〖生〗 (핵분열의) 성상체(星狀體).

as·ter·isk[ǽstərìsk] *n., vt.* Ⓒ 별표(《＊》)(를 달다).

as·ter·ism[ǽstərìzəm] *n.* Ⓒ 세 별표(⁂); 〖天〗 성군(星群), 별자리.

a·stern[əstə́:rn] *ad.* 〖海〗 고물에〔쪽으로〕; 뒤에〔로〕. ***drop*** 〔***fall***〕 ***~*** 딴 배에 뒤처지다〔앞질리다〕. ***Go ~!*** 후진(後進)!《구령》.

as·ter·oid[ǽstərɔ̀id] *a., n.* 별 모양의; Ⓒ (화성과 목성 궤도간의) 작은 유성; 〖動〗 불가사리.

ásteroid bèlt 〖天〗 소행성대《대부분의 소행성이 존재하는 화성과 목성 궤도 사이의 영역》.

as·the·ni·a[æsθí:niə] *n.* Ⓤ 〖醫〗 무력증, 쇠약.

as·the·no·pi·a[æsθənóupiə] *n.* Ⓤ 〖醫〗 안정(眼睛) 피로. 「천식.

asth·ma[ǽzmə, ǽs-] *n.* Ⓤ 〖醫〗

asth·mat·ic[æzmǽtik, æs-] *a.* 천식의. — *n.* Ⓒ 천식 환자.

as·tig·mat·ic[æ̀stigmǽtik] *a.* 난시(亂視)의, 난시 교정(용)의.

a·stig·ma·tism[əstígmətìzəm] *n.* Ⓤ 난시; 비점수차(非點收差).

a·stir[əstə́:r] *ad., a.* 움직여; 일어나; 술렁거려; 활동하여.

:as·ton·ish[əstɑ́niʃ/-tɔ́n-] *vt.* 놀라게 하다. ***~·ing** *a.* **~·ing·ly** *ad.* **:~·ment** *n.* Ⓤ 경악(*in* 〔*with*〕 *~ment* 놀라서).

***as·tound**[əstáund] *vt.* (깜짝) 놀라

게 하다. ~·ing *a.*
ASTP Army Specialized Training Program.
a·strad·dle[əstrǽdl] *ad., a.* 걸치어; 걸친.
as·tra·khan[ǽstrəkən/æ̀strəkǽn] *n.* Ⓤ 아스트라칸《러시아 Astrakhan 지방산 새끼양의 털가죽》; Ⓒ 아스트라칸을 모조한 직물.
as·tral[ǽstrəl] *a.* 별의, 별이 많은; 별로부터의.
ástral lámp 무영등(無影燈).
a·stray**[əstréi] *a., ad.* 길을 잃어; 타락하여. ***go ~ 길을 잃다, 잘못하다; 타락하다.
a·stride[əstráid] *ad., prep.* (…에) 걸터앉아, (…에) 걸치어.
as·trin·gent[əstríndʒənt] *a., n.* 수렴성의[이 있는]; 엄(격)한; Ⓤ,Ⓒ 수렴제. **-gen·cy** *n.* Ⓤ 수렴성.
as·tri·on·ics[æ̀striániks/-ɔ́n-] *n.* Ⓤ 〖로켓〗 우주 전자 공학.
as·tro-[æ̀strou, -trə] '별·우주'의 뜻의 결합사.
àstro·biólogy *n.* Ⓤ 천체 생물학.
ástro·còmpass *n.* Ⓒ 〖海〗 성측(星測) 나침반, 천측 컴퍼스.
as·tro·dome[ǽstrədòum] *n.* Ⓒ 〖空〗 (기상(機上)의) 천체 관측실.
àstro·dynámics *n.* Ⓤ 천체 역학.
as·tro·ga·tion[æ̀strougéiʃən] *n.* Ⓤ 우주 여행(연구).
àstro·geólogy *n.* Ⓤ 천체 지질학.
ástro·hàtch *n.* =ASTRODOME.
as·tro·labe [ǽstrəlèib] *n.* Ⓒ (고대의) 천체 관측의(儀).
as·trol·o·ger [əstrálədʒər/-ɔ́-] *n.* Ⓒ 점성가(占星家).
***as·trol·o·gy**[əstrálədʒi/-ɔ́-] *n.* Ⓤ 점성학[술]. **as·tro·log·i·cal**[æ̀strəládʒikəl/-ɔ́-] *a.*
àstro·meteorólogy *n.* Ⓤ 천체 기상학.
***as·tro·naut**[ǽstrənɔ̀:t] *n.* Ⓒ 우주 비행사[여행자].
as·tro·nau·tics[æ̀strənɔ́:tiks] *n.* Ⓤ 항주학, 우주 비행술[항행학].
àstro·navigátion *n.* Ⓤ 천측 항법; 〖空〗 우주 비행.
:**as·tron·o·mer**[əstránəmər/-ɔ́-] *n.* Ⓒ 천문학자.
***as·tro·nom·i·cal** [æ̀strənámikəl/-ɔ́-] *a.* 천문학(상)의; (숫자가) 천문학적인, 거대한. 「문대.
astronómical obsérvatory 천
astronómical tíme [**yéar**] 천문시(天文時)[년(年)].
:**as·tron·o·my**[əstránəmi/-ɔ́-] *n.* Ⓤ 천문학. 「진술.
àstro·photógraphy *n.* Ⓤ 천체 사
àstro·phýsics *n.* Ⓤ 천체 물리학.
As·tro·turf[ǽstrətə̀:rf] *n.* 〖商標〗 인공 잔디.
as·tute[əstjú:t] *a.* 날카로운, 기민한(shrewd); 교활한(crafty). **~·ly** *ad.*
a·sty·lar[eistáilər] *a.* 〖建〗 무주식(無柱式)의.
A·sun·ción[əsùnsióun] *n.* 파라과이의 수도.
a·sun·der**[əsʌ́ndər] *ad.* 따로따로, 떨어져(apart); 조각조각[토막토막, 동강동강]으로, 따로따로 떨어져[흩어져](in pieces). ***break ~ 둘로 쪼개지다. ***come*** ~ 산산이 흩어지다. ***fall*** ~ 무너지다. ***whole worlds*** ~ 하늘과 땅만큼 떨어져서.
A.S.V. American Standard Version (of the Bible).
As·wan[ɑ:swɑ́:n, æs-] *n.* 이집트 남동부의 도시; 그 부근의 댐.
***a·sy·lum**[əsáiləm] *n.* Ⓒ ① 수용소, 양육원; 정신 병원. ② 도피처(refuge).
a·sym·me·try[eisímətri, æs-] *n.* Ⓤ 불균정(不均整), 비대칭(非對稱) (opp. symmetry). **-met·ric**[ˊ--mét-], **-met·ri·cal**[-əl] *a.*
as·ymp·tote[ǽsimptòut] *n.* Ⓒ 〖數〗 점근선(漸近線).
a·syn·chro·nism[eisíŋkrənìzəm/æs-] *n.* Ⓤ 비(非)동시성.
a·syn·chro·nous [eisíŋkrənəs, æs-] *a.* 비(非)동시성의; 〖컴·電〗 비동기(非同期)의(~ ***communication*** 비동기 통신).
†**at**[強 æt, 弱 ət] *prep.* ①《위치》…에(서)(*at home*). ②《시간·시절·나이》…(때)에(*at noon/at* (*the age*) *of fifteen*). ③《상태·정황·종사》…하는 중에, …하여[하고](*at peace/at work*). ④《방향·목표》…에 대하여, …을 향하여(*look at it*). ⑤《경로》…을 통하여; …에 의하여, …로부터(*come in* (*out*) *at the window* 창으로 들어가다[나오다]). ⑥《원인》…에 접하여, …을 보고[듣고], …으로(because of)(*rejoice at the news* 그 소식을 듣고 기뻐하다). ⑦《가격·비율》…로(*at a lower price* 더 싼 값으로). ⑧《자유·임의》…로, …에 따라서(*at will* 마음대로). ⑨《동작의 모양》…하게, …으로(*at a gallop* 전속력으로).
At 〖化〗 astatine. **at.** atmosphere; atomic; attorney. **AT, A.T.** Air Transport(ation); ampere turn; anti-tank. **AT & T** American Telephone and Telegraph Company.
at·a·vism[ǽtəvìzəm] *n.* Ⓤ 〖生〗 격세 유전.
a·tax·i·a[ətǽksiə], **a·tax·y**[-si] *n.* Ⓤ 〖醫〗 운동 실조, 기능 장애《특히 손발의》.
at bat[æt bǽt] (*pl.* ~***s***) 〖野〗 타수《생략 a.b.》.
ATC Air Traffic Control; Air Transport Command; automatic train control. **A.T.C.O.** Air Traffic Controllers Organization.
†**ate**[eit/et] *v.* eat의 과거.
-ate[1][eit, èit] *suf.* '…시키다, …(이 되게) 하다, …을 부여하다' 따위의 뜻: loc*ate*, concentr*ate*, evapo-

A

rate.
-ate[2][ət, èit] *suf.* ① 어미가 ate인 동사의 과거분사에 상당하는 형용사를 만듦: anim*ate*(anim*ated*), situ*ate*(situ*ated*). ② '…의 특징을 갖는, (특징으로) …을 갖는, …의' 의 뜻: passion*ate*, collegi*ate*.
-ate[3][ət, èit] *suf.* ① '직위, 지위' 의 뜻: consul*ate*. ② '어떤 행위의 산물' 의 뜻: leg*ate*, mand*ate*. ③ 〖化〗 '…산염(酸鹽)' 의 뜻: sulf*ate*.
at·el·ier[ǽtəljèi] *n.* Ⓒ 아틀리에, (화가·조각가의) 작업실.
a tem·po[ɑ:témpou] (It.) 〖樂〗 보통〔원래〕 속도로.
Ath·a·na·sius[æ̀θənéiʃəs], **Saint** (296?-373) Alexandria의 대주교로 아리우스교(敎)(Arianism)의 반대자. **-sian**[-ʒən, -ʃən] *a.*
***a·the·ism**[éiθiìzəm] *n.* Ⓤ 무신론. ***-ist** *n.* **-is·tic**[èiθiístik] *a.*
A·the·na[əθí:nə], **-ne**[-ni(:)] *n.* 〖그神〗 지혜·예술·전술의 여신《로마신화의 Minerva》.
Ath·e·n(a)e·um [æ̀θiní:əm] *n.* (the ～) 아테네 신전《시인·학자가 모였음》; (a-) Ⓒ 문예〔과학〕 연구회; (a-) 독서실, 도서실.
***A·the·ni·an**[əθí:niən] *a., n.* Ⓒ 아테네의 (사람).
***Ath·ens**[ǽθinz] *n.* 아테네《그리스의 수도》.
ath·er·o·scle·ro·sis[æ̀θərouskləróusis] *n.* Ⓤ 〖醫〗 동맥 경화증.
a·thirst[əθə́:rst] *pred. a.* 목이 타서〔말라서〕; 갈망하여.
***ath·lete**[ǽθli:t] *n.* Ⓒ 운동가, 경기자; 강건한 사람.
áthlete's fóot (발의) 무좀.
ː**ath·let·ic**[æθlétik] *a.* 운동〔경기〕의; 운동가같은; 강장(强壯)한. ～ ***meet(ing)*** 운동〔경기〕회. * **～s**[-s] *n.* Ⓤ 운동, 경기; 체육; 체육 실기〔원리〕.
ath·o·dyd[ǽθədìd] *n.* Ⓒ 도관(導管) 제트 (엔진).
at-hóme *n.* Ⓒ (보통 오후의) 면회; (가정적인) 초대(회). ～ ***day*** 면회일, 집에서 손님을 접대하는 날.
a·thwart[əθwɔ́:rt] *ad., prep.* (…을) 가로〔건너〕질러(across); (…에) 거슬러, (…에) 반하여(against).
a·tin·gle[ətíŋgl] *pred. a.* ＝TINGLING.
-a·tion[éiʃən] *suf.* 《명사어미》 '동작·결과' 의 상태를 뜻함: medit*ation*, occup*ation*.
a·ti·shoo[ətíʃu:, ətjú:] *int.* 에취《재채기 소리》. — *n.* Ⓒ 재채기.
Atl. Atlantic.
at·lan·tes[ətlǽnti:z] *n. pl.* 〖建〗 남상(男像) 기둥.
ː**At·lan·tic**[ətlǽntik] *n., a.* (the ～) 대서양(의).
Atlántic Chárter, the 대서양 헌장《1941년 8월 14일 북대서양상에서 선언됨》.
At·lan·ti·cism[ətlǽntəsìzəm] *n.* Ⓤ 범대서양주의.
ː**Atlántic Ócean, the** 대서양.
Atlántic Páct, the 대서양 동맹.
Atlántic (Stándard) Tìme 대서양 표준시.
At·lan·tis[ətlǽntis] *n.* 신의 벌을 받아 바다 밑으로 가라앉았다는 전설적인 대서양의 섬.
***at·las**[ǽtləs] *n.* ① Ⓒ 지도책. ② (A-) 〖그神〗 아틀라스《신의 벌로 하늘을 어깨에 짊어졌다는 거인》. ③ 《美》 (A-) 수폭 탄두를 적재한 대륙간 탄도 유도탄.
Átlas Móuntains, the 아프리카 북서부의 산맥.
ATM asychronous transfer mode 비동기 전송 방식; automated-teller machine. **atm.** atmosphere; atmospheric.
ː**at·mos·phere**[ǽtməsfìər] *n.* ① (the ～) 대기; (*sing.*) 공기. ② (*sing.*) 분위기; 주위의 정황, 기분. ③ Ⓒ 〖理〗 기압; 천체를 싸고 있는 가스체. ④ (*sing.*) (예술 작품의) 풍격, 운치.
***at·mos·pher·ic** [æ̀tməsférik], **-i·cal**[-əl] *a.* 대기의, 대기 중의 (*atmospheric pressure* 기압).
at·mos·pher·ics[-s] *n.* ① *pl.* 〖電〗 공전(空電). ② Ⓤ 공전학. ③ *pl.* (회담·교섭 등의) 분위기.
at. no. atomic number.
at·oll[ǽtɔ:l, ətɑ́l/ǽtɔl, ətɔ́l] *n.* Ⓒ 환초(環礁).
ː**at·om**[ǽtəm] *n.* Ⓒ 원자; 미진; (an ～ of) 미량. **～·ism**[-ìzəm] *n.* Ⓤ 원자론〔설〕. 「(cf. nuclear).
ː**a·tom·ic**[ətɑ́mik/-ɔ́-] *a.* 원자의
atómic áge, the 원자력 시대.
atómic áirplàne 원자력 비행기.
atóm(ic) bómb 원자 폭탄.
atómic cárrier 원자력 항공 모함.
atómic clóck 원자 시계.
atómic clóud (원자폭탄에 의한) 원자운(雲), 버섯 구름.
atómic cócktàil 《美》 (암 치료용의) 방사성 내복약.
atómic contról 원자력 관리.
atómic disintegrátion 〖理〗 원자 붕괴.
atómic diséase 원자병.
atómic dúst 원자진(原子塵).
atómic electrícity 원자력 전기.
atómic énergy 원자력.
Atómic Énergy Authòrity 《英》 원자력 공사《생략 AEA》.
atómic físsion 원자핵 분열.
atómic fórmula 〖化〗 원자식〔설〕.
atómic fúsion 원자핵 융합.
atómic gún 원자포.
atómic máss 〖化〗 원자 질량(質量).
atómic máss ùnit 원자 질량 단위《생략 AMU》.
atómic númber 원자 번호.
atómic píle 원자로《NUCLEAR REACTOR의 구칭》.
atómic plánt 원자력 공장.
atómic pówer 원자력 (발전).

atómic pówer plànt 〔**stàtion**〕 원자력 발전소.
atómic propúlsion 원자력 추진.
atómic reáction 원자핵 반응.
atómic shíp 원자력 함선. 「함.
atómic súbmarine 원자력 잠수
atómic théory 원자론. 「계.
atómic tíme clòck 원자 연대 시
atómic válue 〖化〗 원자가.
atómic wárfare 원자력 전쟁.
atómic wárhead 원자 탄두.
atómic wéapon 원자 병기.
atómic wéight 원자량.
at·om·is·tic[ætəmístik] *a.* 원자(론)의; 별개의 독립군(群)으로 이루어진.
at·om·ize[ǽtəmàiz] *vt.* 원자〔미분자〕로 만들다; 《俗》 원자 폭탄으로 분쇄하다; 분무(噴霧)하다. **-iz·er** *n.* Ⓒ 분무기; 향수 뿌리개.
átom smàsher 원자핵 파괴 장치.
a·ton·al[eitóunl/æ-] *a.* 〖樂〗 무조(無調)의. **-i·ty**[ㅗ-nǽləti] *n.* Ⓤ 〖樂〗 무조성〔주의〕.
*__a·tone__[ətóun] *vt., vi.* 보상〔속(贖)〕하다, 배상하다(*for*); 속죄하다. *__~·ment__ *n.* Ⓤ,Ⓒ 보상; (the A-) (예수의) 속죄.
a·ton·ic[eitánik/ætɔ́n-] *a.* 〖音聲〗 악센트 없는; 무강세의; 〖醫〗 활력 없는; 이완(증)의.
a·top[ətáp/-ɔ́-] *ad., prep.* (…의) 꼭대기에(서).
at·o·py[ǽtəpi] *n.* Ⓤ 〖醫〗 아토피성(체질)《천식·습진 등에 걸리기 쉬운 일종의 알레르기 체질》.
ATP adenosine triphosphate.
ATR advanced thermal (converter) reactor 신형 열전환 원자로; audio tape recording.
at·ra·bil·ious[ætrəbíljəs] *a.* 우울증〔성〕의; 침울한, 까다로운.
*__a·tro·cious__[ətróuʃəs] *a.* ① 흉악한; 흉포한, 잔학한. ② 지독한, 지겨운, 서투른. *__a·troc·i·ty__[ətrásəti/-ɔ́-] *n.* Ⓤ 극악; Ⓒ (보통 *pl.*) 잔학행위; Ⓒ 《俗》 지독함.
at·ro·phy[ǽtrəfi] *n., vi., vt.* Ⓤ,Ⓒ 〖醫〗 쇠약〔위축〕(하다, 하게 하다).
at·ro·pine[ǽtrəpìːn, -pin] *n.* Ⓤ 〖化〗 아트로핀《진경제(鎭痙劑)로 쓰이는 독약》.
ATS, A.T.S. American Temperance Society; Army Transport Service; Auxiliary Territorial Service 《英》 여자 국방군. **att.** attention; attorney.
at·ta·boy[ǽtəbɔ̀i] *int.* 《美俗》 좋아, 됐어, 잘한다!
:**at·tach**[ətǽtʃ] *vt.* ① 붙이다, 달다(fasten). ② (서명 따위를) 곁들이다(affix). ③ 부착하다, 소속〔부속〕시키다, 돌리다(attribute). ④ (중요성 따위를) 두다. ⑤ 애정으로 맺다; 이끌다. ⑥ 〖法〗 구속하다, 압류하다(seize). **~ *oneself to*** …에 가입하다; …에 애착을 느끼다. **~·a·ble** *a.* *__~·ment__ *n.* ① Ⓤ 부착, 접착, 붙임; Ⓒ 부속물〔품〕, 닮. ② Ⓒ 애정, 사모, 애착(*for, to*). ③ Ⓤ 〖法〗 체포; 압류.
at·ta·ché[ætəʃéi, ətǽʃei] *n.* (F.) Ⓒ (대사·공사 등의) 수행원; 대〔공〕사관원. **~ *case*** 소형 서류 가방의 일종. ***military*** 〔***naval***〕 **~** 대〔공〕사관부 육〔해〕군 무관.
:**at·tack**[ətǽk] *vt.* ① 공격하다, 습격〔엄습〕하다. ② (병이) 침범하다. ③ (일에 기운차게) 착수하다. — *n.* ① Ⓤ,Ⓒ 공격; 비난. ② Ⓒ 발작(fit).
at·ta·gal[ǽtəgæl], **-girl**[-gəːrl] *int.* 《美俗》 좋아, 잘한다(cf. attaboy).
:**at·tain**[ətéin] *vt., vi.* ① (목적을) 이루다, 달성하다. ② (장소·위치 따위에) 이르다, 도달하다. *__~·a·ble__ *a.* *__~·ment__ *n.* Ⓤ 달성, (기술 등의) 터득; Ⓒ (보통 *pl.*) 학식, 예능.
at·tain·der[ətéindər] *n.* Ⓤ 〖法〗 공권(公權)〔사권(私權)〕 상실.
at·taint[ətéint] *vt.* 〖法〗 (…의) 공권〔사권〕을 상실케 하다; (명예를) 더럽히다. — *n.* Ⓤ 오명, 치욕.
at·tar[ǽtər] *n.* Ⓤ 꽃의 정(精); 장미 향수.
†**at·tempt**[ətémpt] *vt.* ① 시도하다, 해보다, 꾀하다. ② (생명을) 노리다. — *n.* Ⓒ 시도, 노력; 습격.
†**at·tend**[əténd] *vt., vi.* ① (…에) 출석하다, (학교 등에) 다니다. ② 모시다, 섬기다; 간호하다(*on, upon*). ③ 주의하다, 주의하여 듣다. ④ 수행하다(go with). ⑤ 노력하다(*to*).
:**at·tend·ance**[əténdəns] *n.* ① Ⓤ,Ⓒ 출석, 출근, 참석(*at*). ② Ⓤ 시중, 돌봄, 간호(*on, upon*). ③ Ⓒ 출석〔참석〕자. ***in* ~** 봉사하여, 섬기어. ***dance* ~ *on*** …을 모시다; …에게 아첨하다.
atténdance allòwance 《英》 간호수당《신체 장애자 간호에 국가가 지급하는 특별 수당》.
atténdance bòok 출근〔출석〕부.
atténdance cèntre 《英》 청소년 보호 관찰 센터.
:**at·tend·ant**[-ənt] *a.* ① 시중드는, 수행의. ② 부수의, 따르는(*on, upon*). ③ 출석의. — *n.* Ⓒ 곁에 따르는 사람, 수행원; 출석〔참석〕자; 《주로 英》 점원, 안내인.
at·tend·ee[ətèndíː] *n.* Ⓒ 출석자.
†**at·ten·tion**[əténʃən] *n.* Ⓤ ① 주의, 주목; 주의력. ② 고려, 배려; 보살핌, 돌봄. ③ 친절, 정중. ④ (보통 *pl.*) 정중한 행위; (구혼자의) 정중한 몸가짐, 구혼. ⑤ 응급 치료; (고객에 대한) 응대. ***A-!*** 차려《구령》. ***call away the* ~** 주의를 딴 곳으로 돌리다. ***come to*** 〔***stand at***〕 **~** 차려 자세를 취하다〔하고 있다〕. ***with* ~** 주의하여; 정중하게.
:**at·ten·tive**[əténtiv] *a.* ① 주의 깊은. ② 경청하는(*to*). ③ 정중한, 친절한(*to*). **~·ly** *ad.*
at·ten·u·ate[əténjuèit] *vt., vi.* 얇게〔가늘게〕 하다〔되다〕; 묽게〔희박하

A

게] 하다(dilute); 약화하다[되다]. **-a·tion**[─̀─́éiʃən] *n.* Ⓤ 엷게[묽게] 함, 희박화; (전류·전압 등의) 감쇠, 저하. **-à·tor** *n.*

***at·test**[ətést] *vt., vi.* 증명[증언]하다; 맹세[선서]시키다. **at·tes·ta·tion** [ӕtestéiʃən] *n.* Ⓤ 증명; 증거; Ⓒ 증명서. **~·er, at·tés·tor** *n.*

Att. Gen. Attorney General.

At·tic[ǽtik] *a.* (옛 그리스의) Attica (Athens)의; 아테네풍의; 고전풍의, 고아한. ── *n.* Ⓤ Attica어(語)《Plato나 Sophocles의 일상어》.

:at·tic[ǽtik] *n.* Ⓒ 다락방; 고미다락.

At·ti·ca[ǽtikə] *n.* 고대 그리스의 한 지방.

Áttic fáith 굳은 신의.

Áttic órder 〖建〗 아티카식《각주식》.

Áttic sált [**wít**], **the** 기지, 점잖은 익살.

At·ti·la [ǽtilə] *n.* 훈족(族)의 왕 (406?-453).

:at·tire[ətáiər] *n.* Ⓤ 옷차림새; 의복, 복장. ── *vt.* 차려 입다, 차리다. **~·ment** *n.* Ⓤ《廢》의복, 복장.

:at·ti·tude[ǽtitjùːd] *n.* Ⓒ ① 자세, 몸가짐; 태도(*toward*). ② 〖空〗 비행 자세. ③ 〖컴〗 속성. ***strike an ~*** 짐짓 (점잔) 빼다, 젠체하다. **-tu·di·nize**[─̀─́dənàiz] *vi.* 짐짓 (점잔) 빼다.

at·tor·ney**[ətə́ːrni] *n.* Ⓒ 변호사; 대리인. ***~ at law 변호사. ***by ~*** 대리인으로. ***letter*** [***warrant***] ***of ~*** 위임장. ***power of ~*** (위임에 의한) 대리권.

attórney géneral 법무 장관.

:at·tract[ətrǽkt] *vt.* ① 끌다, 끌어당기다. ② 매혹하다, 유혹하다. **~·a·ble** *a.* 끌리는.

at·tract·ant[ətrǽktənt] *a., n.* (특히 벌레를) 유인하는; Ⓒ 유인 물질, 잡아끄는 것.

:at·trac·tion[ətrǽkʃən] *n.* ① Ⓤ 끄는 힘, 유혹, 흡인(력); 〖理〗 인력. ② Ⓒ 매력; 인기거리. ③ Ⓤ 〖文〗 견인(牽引).

:at·trac·tive[ətrǽktiv] *a.* ① 사람의 마음을 끄는; 관심을 끄는. ② 인력이 있는. **~·ly** *ad.* **~·ness** *n.*

at·trib·ut·a·ble[ətríbjutəbəl] *a.* (…에) 돌릴 수 있는, 기인하는(*to*).

:at·trib·ute[ətríbjuːt] *vt.* (…에) 돌리다, (…의) 탓으로 돌리다. ── [ǽtribjùːt] *n.* Ⓒ 속성, 특질; 붙어 다니는 것《Neptune이 갖고 있는 trident 따위》; 표지; 〖文〗 한정사.

at·tri·bu·tion[ӕtrəbjúːʃən] *n.* Ⓤ 귀속, 귀인(歸因); Ⓒ 속성.

at·trib·u·tive[ətríbjətiv] *a.* 속성의; 속성을 나타내는; 〖文〗 한정적인, 관형적인(opp. predicative). ── *n.* Ⓒ 〖文〗 한정사.

at·tri·tion[ətríʃən] *n.* Ⓤ 마찰; 마손(摩損). ***war of ~*** 소모전.

at·tune[ətjúːn] *vt.* 가락을[음조를] 맞추다; 〖無電〗 (파장에) 맞추다.

atty. attorney. **atty. gen.** attorney general. **ATV** all-terrain vehicle 전지형(全地形) 만능차. **at. vol.** atomic volume.

a·twit·ter[ətwítər] *a.* 안절부절 못하여, 흥분하여.

at. wt. atomic weight. **AU** astronomical unit. **Au** 〖化〗 aurum(L.= gold). **Au., A.U., a.u.** angstrom unit.

au·bade[oubáːd] *n.* (F.) Ⓒ 아침의 (악)곡. 「(의).

***au·burn**[ɔ́ːbərn] *n., a.* Ⓤ 적갈색

***auc·tion**[ɔ́ːkʃən] *n., vt.* Ⓤ,Ⓒ 공매, 경매(하다).

áuction brìdge 〖카드〗 으뜸패를 경락시키는 브리지.

auc·tion·eer[ɔ̀ːkʃəníər] *n.* Ⓒ 경매인. ── *vt.* 경매하다.

au·da·cious[ɔːdéiʃəs] *a.* 대담한; 뻔뻔스러운. **~·ly** *ad.* ***au·dac·i·ty**[ɔːdǽsəti] *n.* Ⓤ 대담; Ⓒ 뻔뻔스러움; 무례; (보통 *pl.*) 대담한 행위.

***au·di·ble**[ɔ́ːdəbəl] *a.* 들리는, 청취할 수 있는. **-bly** *ad.*

:au·di·ence[ɔ́ːdiəns/-djə-] *n.* ① Ⓒ 청중, 관객; (라디오·텔레비전의) 청취[시청]자; 독자(들). ② Ⓒ 알현; Ⓤ 들음, 청취. ***be received in ~*** 알현이 허가되다. ***give*** [***grant***] ***an ~ to*** …에게 알현[접견]을 허락하다.

áudience chàmber [**room**] 알현[접견]실.

áudience ràting (텔레비전·라디오의) 시청률.

au·di·o[ɔ́ːdiòu] *a.* 〖無電〗 저(低) [가청(可聽)]주파의; 〖TV〗 음성의. ── *n.* (*pl.* ***-dios***) Ⓤ 〖컴〗 들림(띠), 오디오.

áudio frèquency 저[가청]주파.

au·di·om·e·ter[ɔ̀ːdiámitər/-ɔ́m-] *n.* Ⓒ 청력계; 음향 측정기.

au·di·o·phile[ɔ́ːdioufàil] *n.* Ⓒ 고급 라디오; 하이파이 애호가.

áudio respónse ùnit 〖컴〗 음성 응답 장치.

áudio·tàpe *n.* Ⓒ 음성 녹음 테이프 (cf. video tape).

àudio-vísual *a.* 시청각의(*~ education* 시청각 교육).

audio-vísual áids 시청각 교육 용구《환등·레코드·8밀리 영화·테이프리코더 따위》.

au·dit[ɔ́ːdit] *n.* Ⓒ 회계 감사; (회사의) 감사; 결산 (보고서). ── *vt., vi.* (회계를) 감사하다; 《美》 청강생으로 출석하다.

au·di·tion[ɔːdíʃən] *n., vt., vi.* Ⓤ 청력, 청각; Ⓒ (가수의) 오디션; 시청(試聽) 테스트를 하다[받다].

***au·di·tor**[ɔ́ːditər] *n.* Ⓒ 방청자; 회계 감사관; 검사; 《美》 청강생. **~·ship**[-ʃìp] *n.* Ⓤ 검사역의 직.

:au·di·to·ri·um[ɔ̀ːditɔ́ːriəm] *n.* (*pl.* ***~s, -ria***[-riə]) Ⓒ 방청[청중]석; 《美》 강당; 공회당.

au·di·tor·y[ɔ́ːditɔ̀ːri/-təri] *a.* 귀의, 청각의. ── *n. pl.* 《古》 청중(석).

au fait[ou féi] (F.) 숙련하여, 정

통하여; 유능하여.
au fond[ou fɔ̃:ŋ] (F.) 근본적으로는, 실제는.
auf Wie·der·seh·en[àuf ví:dərzèiən] (G.) 안녕.
***Aug.** August. **aug.** augmentative; augmented.
au·ger[ɔ́:gər] n. Ⓒ 큰 송곳, 타래〔나사〕송곳.
***aught**[1] [ɔ:t] n., ad. 《古》 ⇨ ANYTHING. **for ~ I care** 내게는 관심이 없다; 아무래도 상관 없다. **for ~ I know** 내가 알고 있는 한, 아마.
aught[2] n. Ⓒ 제로, 영, 무(無).
***aug·ment**[ɔ:gmént] vt., vi. 늘(리)다, 증대〔증가〕하다. **~·a·ble** a.
aug·men·ta·tion[ɔ̀:gmentéiʃən] n. Ⓤ 증대; 증가율; Ⓒ 첨가물.
aug·men·ta·tive[ɔ:gméntətiv] a. 느는, 증대〔증가〕하는; 〚言〛 확대의. — n. Ⓒ 〚文〛 확대사(辭).
au grand sé·rieux[ou grɔ̃:ŋ seriǿ:] (F.) 진지하게.
au gra·tin[ou grǽtin, -grætǽŋ] (F.) 그라탱 요리의(*prawns* ~ 새우 그라탱).
au·gur[ɔ́:gər] n. Ⓒ (고대 로마의) 복점관(卜占官); 예언자(prophet). — vt., vi. 점치다, 예언〔예지(豫知)〕하다; (사건·현상이) 조짐이 되다. **~ well** 〔**ill**〕 (재)수가 좋다〔나쁘다〕.
au·gu·ry[ɔ́:gjuri] n. Ⓤ 점; Ⓒ 전조(omen).
au·gu·ral[ɔ́:gjərəl] a. 점의, 예언의; 전조의.
†**Au·gust**[ɔ́:gəst] n. 8월.
***au·gust**[ɔ:gʌ́st] a. 당당한; 존귀한.
Au·gus·tan[ɔ:gʌ́stən] a., n. Ⓒ 로마황제 Augustus(시대)의 (작가).
Augústan Áge 아우구스투스 시대 《라틴 문학의 황금 시대》; 《一般》 문운(文運) 융성 시대《영국에서는 특히 Queen Anne의 시대(1702-14)를 포함한 반세기(1700-50)》.
Au·gus·tine[ɔ́:gəstì:n, əgʌ́stin, ɔ:gʌ́stin], **Saint** (354-430) 성아우구스티누스《초기 교회의 지도자》.
Au·gus·tus[ɔ:gʌ́stəs] (63 B.C.-14 A.D.) 로마 최초의 황제(재위 27 B.C.-14 A.D.)(cf. Augustan Age).
au jus[ou ʒú:s] (F.) (고기 요리에서) 고깃국물을 부은.
auk[ɔ:k] n. Ⓒ 바다쇠오리.
auk·let[ɔ́:klit] n. Ⓒ 작은 바다쇠오리.
auld[ɔ:ld] a. 《Sc.》 = OLD.
auld lang syne[ɔ́:ld læ̀ŋ záin, -sáin] 그리운 옛날.
AUM air-to-underwater missile.
au na·tu·rel[ou nӕ̀tʃərél] (F.) 자연 그대로의; 간단히 요리한.
†**aunt**[ænt/ɑ:nt] n. Ⓒ 아주머니, 숙모, 백모, 이모, 고모(cf. uncle).
aunt·ie, aunt·y[ǽnti, ɑ́:nti] n. Ⓒ 아줌마《aunt의 애칭》; 《俗》 요격용 미사일.
Áunt Sálly 《英》 파이프를 떨어뜨리는 놀이; (공격의) 표적.
au pair[òu pέər] (F.) 상호 원조의.
àu páir gírl 《英》 영어 공부를 위해 가사를 돕는 것을 조건으로 영국 가정에서 기거하는 외국인 여학생.
au pied de la lettre[ou pjé də lɑ: létr] (F.) 문자(그)대로.
au·ra[ɔ́:rə] a. (*pl.* **~s, -rae**[-ri:]) Ⓒ (사람이나 물체로부터의) 발기체(發氣體); 미묘한 분위기.
au·ral[ɔ́:rəl] a. 귀의; 청력의, 청각의(*an ~ aid* 보청기).
au·ra·min(e)[ɔ́:rəmì:n, -min] n. Ⓤ 〚化〛 아우라민《황색 물감》.
au·re·ate[ɔ́:riit, -èit] a. 금빛(도금)의, 번쩍이는; 미사 여구를 늘어놓은, 화려한.
Au·re·li·us[ɔ:rí:liəs] (*Marcus ~ Antoninus*)(121-180) 로마 황제(재위 161-180), 스토아파의 철학자.
au·re·ole[ɔ́:riòul] n. Ⓒ 후광; (해·달의) 무리(halo).
Au·re·o·my·cin[ɔ̀:rioumáisin] n. Ⓤ〚商標〛 오레오마이신《항생 물질약》.
au re·voir[òu rəvwɑ́:r] (F.) 안녕《헤어질 때의 인사》.
au·ric[ɔ́:rik] a. 금의; 〚化〛 제2금「의.
au·ri·cle[ɔ́:rikl] n. Ⓒ 〚解〛 귓바퀴, 외이(外耳); (심장의) 심이(心耳); 귀비슷한 것〔부분〕.
au·ric·u·lar[ɔ:ríkjələr] a. 귀〔심이(心耳)〕의〔같은〕; 청각의; 귓속말의, 가만히 말한.
au·rif·er·ous[ɔ:rífərəs] a. 금을 산출〔함유〕하는.
au·ri·form[ɔ́:rəfɔ̀:rm] a. 귀 모양의.「리.
Au·ri·ga[ɔ:ráigə] n. 〚天〛 마차꾼자
au·ri·scope[ɔ́:rəskòup] n. Ⓒ 검이경(檢耳鏡).
au·rochs[ɔ́:rɑks/-rɔks] n. *sing.* & *pl.* (유럽산(産)의) 들소.
***au·ro·ra**[ərɔ́:rə, ɔ:r-] n. ① Ⓒ 극광; 서광. ② (A-) 〚로神〛 오로라《새벽의 여신》. **-ral** a. 극광의; 새벽의; 빛나는.
auróra aus·trá·lis[-ɔ:stréilis] (L.) 남극광(光).
auróra bo·re·ál·is [-bɔ̀:riǽlis, -éilis] (L.) 북극광.
aur·ous[ɔ́:rəs] a. 금의; 금을 함유한; 〚化〛 제 1 금의.
au·rum[ɔ́:rəm] n. (L.) Ⓤ 〚化〛 금《금속 원소; 기호 Au》.
AUS, A.U.S. Army of the United States. **Aus.** Austria(n); Australia(n).
aus·cul·ta·tion[ɔ̀:skəltéiʃən] n. Ⓤ〚醫〛 청진; 들음.
aus·land·er[áuslæ̀ndər] n. (G.) Ⓒ 외국인.
***aus·pice**[ɔ́:spis] n. ① Ⓤ (새의 나는 모양으로 판단하는) 점. ② Ⓒ (종종 *pl.*) 조짐, 길조(omen); 유리한 정세. ③ (*pl.*) 후원, 찬조(patronage). **under the ~s of** …의 찬조〔후원·주최〕로.
aus·pi·cious[ɔ:spíʃəs] a. 길조의, 상서로운; 행운의. **~·ly** ad.

A

Aus·sie[ɔ́:si/ɔ́(:)zi] *n.* Ⓒ《俗》 오스트레일리아 (사람).
Aust. Austria(n).
Aus·ten[ɔ́:stən], **Jane**(1775-1817) 영국의 여류 소설가.
***aus·tere**[ɔ:stíər] *a.* ① 엄(격)한; 가혹한. ② (문체가) 극도로 간결한. ③ (맛이) 신; 떫은.
***aus·ter·i·ty**[ɔ:stérəti] *n.* ① Ⓤ 엄격, 준엄; 간소, 내핍. ② Ⓒ (보통 *pl.*) 금욕 생활; 내핍 생활.
austérity prógram 〖經〗 내핍 계획《국내 소비 억제, 수출 증대로 국민 경제를 개조하려는 계획》.
aus·tral[ɔ́:strəl] *a.* 남쪽의; (A-) 오스트레일리아의.
Aus·tral·a·sia[ɔ̀:strəléiʒə, -ʃə] *n.* 오스트랄라시아, 남양주《오스트레일리아 및 그 부근 여러 섬의 총칭》. **~n** *a., n.* Ⓒ 오스트랄라시아의 (사람).
†**Aus·tral·ia**[ɔ:stréiljə] *n.* 오스트레일리아. **:~n**[-n] *a., n.* Ⓒ 오스트레일리아의 (사람).
Austrálian bállot 《美》 전(全)후보자 이름이 기재된 투표 용지에 표를 하는 방식.
Austrálian Rùles 18명이 하는 럭비 비슷한 구기.
Aus·tra·lo·pith·e·cus [ɔ:strèiloupíθəkəs] *n.* 오스트랄로피테쿠스《화석으로 남은 원인(猿人)》.
:Aus·tri·a[ɔ́:striə] *n.* 오스트리아.
:Aus·tri·an[-n] *a., n.* Ⓒ 오스트리아의 (사람).
Áustria-Húngary *n.* 오스트리아 헝가리《옛 연합 왕국》.
Aus·tro·ne·sia[ɔ̀:strouní:ʒə] *n.* 오스트로네시아《태평양 중남부의 군도》. **~n**[-ʒən] *a.* 오스트로네시아(인, 어족)의. ── *n.* Ⓤ 오스트로네시아 어족.
au·tarch[ɔ́:ta:rk] *n.* Ⓒ 독재자.
au·tar·chy[ɔ́:ta:rki] *n.* Ⓤ 절대 주권; 전제 정치; 자치; =AUTARKY.
au·tár·chic, -chi·cal *a.*
au·tar·ky[ɔ́:ta:rki] *n.* Ⓤ 〖經〗 경제적 자급 자족, 경제 자립 정책; Ⓒ 경제 자립국.
***au·then·tic**[ɔ:θéntik] *a.* 믿을 만한, 확실한; 진짜의, 진정한; 권위 있는. **-ti·cal·ly** *ad.* 확실히. **~·i·ty** [ɔ̀:θentísəti] *n.* Ⓤ 진실성.
au·then·ti·cate[ɔ:θéntikèit] *vt.* 확증〔증명〕하다(prove). **-ca·tion** [-⌐-kéiʃən] *n.* Ⓤ 확증, 증명.
:au·thor[ɔ́:θər] *n.* Ⓒ ① 저자. ② 창시자. ③ 하수인, 본인. ④ 저작. **~·ess**[ɔ́:θəris] *n.* Ⓒ 여류 작가 (ʻauthorʼ로 씀이 보통임). **~·ship** [-ʃip] *n.*
au·thor·i·tar·i·an[əθɔ̀:rətέəriən, -θàr-/ɔ:θɔ̀ritέər-] *a.* (민주주의에 대하여) 권위〔독재〕주의의. ── *n.* Ⓒ 권위〔독재〕주의자. **~·ism**[-ìzəm] *n.* Ⓤ 권위주의.
***au·thor·i·ta·tive** [əθɔ́:rətèitiv, -θá-/ɔ(:)θɔ́ritətiv] *a.* 권위 있는, 믿을 만한(*an* ~ *source*); 관헌의, 당국의; 명령적인. **~·ly** *ad.*
:au·thor·i·ty [əθɔ́:riti, əθár-/əθɔ́ri-] *n.* ① Ⓤ 권위, 권력(*over, with*). ② Ⓤ 권능, 권한. ③ Ⓒ,Ⓤ 전거(典據). ④ Ⓒ 권위자, 대가(*on*). ⑤ Ⓒ (보통 *pl.*) 관헌; 당국, 요로, 소식통. ***on good*** **~** 권위〔근거〕 있는 출처에서. ***on one's own*** **~** 독단으로. ***the authorities concerned,*** or ***the proper authorities*** 관계 관청, 당국.
***au·thor·ize**[ɔ́:θəràiz] *vt.* ① 권한〔권능〕을 주다; 위임하다. ② 인가하다. ③ 정당하다고 인정하다. **-i·za·tion**[⌐-izéiʃən] *n.* Ⓤ 위임; 인가; Ⓒ 허가서.
***au·thor·ized**[-d] *a.* 권한을 부여받은, 공인된, 검정필의.
Áuthorized Vérsion, the 흠정역(欽定譯) 성서《1611년 영국왕 James I의 명령으로 된; 생략 A.V.》.
au·tism[ɔ́:tizəm] *n.* Ⓤ 〖心〗 자폐증. **au·tis·tic**[ɔ:tístik] *a.*
:au·to[ɔ́:tou] *n.* (*pl.* **~s**) *n., vi.* Ⓒ 《口》 자동차(automobile)(로 가다); Ⓤ 〖컴〗 자동.
au·to-[ɔ́:tə] '자신의, 자기…; 자동차'의 뜻의 결합사. 「석기.
àuto·ánalyzer *n.* Ⓒ 〖化〗 자동 분
Au·to·bahn[áutɔbà:n, ɔ́:t-] *n.* (*pl.* **~s, ~*en***[-bà:nən]) (G.) Ⓒ 아우토반《독일의 고속 도로》.
***au·to·bi·og·ra·phy**[ɔ̀:təbaiágrəfi/-ɔ́g-] *n.* Ⓒ 자서전. **-pher** *n.* Ⓒ 자서전 작자. **-o·graph·ic**[ɔ̀:təbàiəgrǽfik], **-i·cal**[-əl] *a.*
áuto·bòat *n.* Ⓒ 발동기선.
áuto·bùs *n.* Ⓒ 버스.
Au·to·CAD[ɔ́:təkæ̀d] *n.* 〖컴〗 전산 설계 소프트웨어《상표 이름》.
au·to·ceph·a·lous[ɔ̀:təséfələs] *a.* 자주적인; (교회 따위가) 독립한.
áuto-chànger *n.* Ⓒ (레코드를 자동적으로 바꾸는) 자동 연속 연주 장치(달린 플레이어).
au·toch·thon[ɔ:tákθən/-ɔ́-] *n.* (*pl.* **~(*e*)*s***) Ⓒ 토착인(人); 토착 동물〔식물〕.
au·toch·tho·nous[-θənəs] *a.* 토생(土生)의, 토착의(aboriginal).
au·to·cide[ɔ́:tousàid] *n.* Ⓤ,Ⓒ (충돌에 의한) 자동차 자살.
au·to·clave[ɔ́:təklèiv] *n.* Ⓒ 압력솥〔냄비〕.
áuto còurt =MOTEL.
***au·toc·ra·cy**[ɔ:tákrəsi/-ɔ́-] *n.* Ⓤ 독재〔전제〕 정치. ***au·to·crat** [ɔ́:təkræ̀t] *n.* Ⓒ 독재〔전제〕 군주; 독재자. **-crat·ic**[ɔ̀:təkrǽtik], **-i·cal** [-əl] *a.*
áuto·cròss *n.* Ⓒ (벌판 따위를 달려 시간을 겨루는) 자동차 경주.
Au·to·cue[ɔ́:toukjù:] *n.* Ⓒ 〖商標〗 오토큐《텔레비전 방송의 자동 프롬프터 장치》.
áuto·cỳcle *n.* Ⓒ 오토바이.
au·to-da-fé[ɔ́:toudəféi] *n.* (*pl.* ***autos-***[-z-]) (Port.) Ⓒ 종교 재판소

의 판결; 그 처형《보통 화형(火形)》.
àuto·érotism *n.* Ⓤ 〖心〗 자기 색정, 자기 발정(發情).
áuto·fòcus *a.* (카메라가) 자동 초점의.
au·to·gi·ro, -gy·ro[ɔ̀:toudʒáirou/-dʒáiər-] *n.* (*pl.* **~s**) Ⓒ 오토자이로.
áuto·gràft *n.* Ⓒ 〖醫〗 자가 이식편「(片).
au·to·graph[ɔ́:təgræ̀f, -ɑ̀:-] *n., a.* Ⓒ 자필(의), 자필 서명(한); 자필 원고. — *vt.* 자필로 쓰다; 자서(自署)하다. **~·ic**[ɔ̀:təgræ̀fik], **-i·cal**[-əl] *a.*
áutograph àlbum 〔**bòok**〕 사인첩(帖).
au·to·hyp·no·sis[ɔ̀:touhipnóusis] *n.* Ⓤ 자기 최면.
au·to·in·oc·u·la·tion [-inɑ̀kjuléiʃən/-ɔ̀k-] *n.* Ⓤ 자가 접종(接種).
àuto·intoxicátion *n.* Ⓤ 자가 중독.
au·to·ist[ɔ́:touist] *n.* =MOTORIST.
au·to·mat[ɔ́:təmæ̀t] *n.* Ⓒ《美》 자동 판매기; 자동 판매식 음식점.
au·tom·a·ta [ɔ:tɑ́mətə/-ɔ́-] *n.* automaton의 복수.
au·to·mate[ɔ́:təmèit] *vt.* 오토메이션화하다, 자동화하다. — *vi.* 자동 장치를 갖추다.
áutomated-téller machìne 《美》 현금 자동 지급기《생략 ATM》 (《英》 cash dispenser).
:au·to·mat·ic[ɔ̀:təmǽtik] *a.* 자동(식)의; 기계적인, 무의식적인, 습관적인. — *n.* Ⓒ 자동 기계〔장치, 권총〕. ***-i·cal·ly** *ad.*「출.
automátic cálling 〖電話〗 자동 호
automátic dáta prócessing 자동 정보 처리《생략 ADP》.
automátic dríve 〔**transmíssion**〕 자동 변속 장치.
automátic interplánetary státion 자동 행성간 스테이션《우주 로켓에 대한 옛 소련 호칭》.
automátic operátion 자동 조작.
automátic pílot 〖空〗 자동 조종 장치.
automátic télephone 자동 전화.
automátic tráin contròl 열차 자동 제어 (장치).
automátic tráin stòp 열차 자동 정지 장치.
:au·to·ma·tion[ɔ̀:təméiʃən] (< *autom*(atic)+(oper)*ation*) *n.* Ⓤ 오토메이션, 자동 조작; 〖컴〗 자동화.
au·tom·a·tism[ɔ:tɑ́mətìzəm/-ɔ́-] *n.* Ⓤ 자동 (작용), 자동 현상; 〖心〗 무의식 행동.
au·tom·a·ton[ɔ:tɑ́mətɑ̀n/-tɔ́mətən] *n.* (*pl.* **~s, -ta**) Ⓒ 자동 인형〔장치〕; 기계적으로 행동하는 사람; 〖컴〗 자동장치.
:au·to·mo·bile[ɔ́:təməbì:l, ⌐—⌐, ɔ̀:təmóubi:l] *n.* Ⓒ 자동차. — *vi.* 자동차에 타다〔로 가다〕. — *a.* 자동(식)의. **-bil·ist**[ɔ̀:təməbí:list, -móubil-] *n.* 《美》 =MOTORIST.
au·to·mo·tive[ɔ̀:təmóutiv] *a.* 자동차의; 자동적인.
au·to·nom·ic[ɔ̀:tənɑ́mik/-ɔ́-], **-i·cal**[-əl] *a.* 자치적인; 자율적인 (*the* ~ *nervous system* 자율신경계).
au·ton·o·mist [ɔ:tɑ́nəmist/-ɔ́-] *n.* Ⓒ 자치론자, 자치주의자.
au·ton·o·mous [ɔ:tɑ́nəməs/-ɔ́-] *a.* 자치적인, 독립된. ***-my**[-nəmi] *n.* Ⓤ 자치(권); Ⓒ 자치체.
áuto·phòne *n.* Ⓒ 자동 전화.
áuto·pìlot *n.* Ⓒ 〖空〗 자동 조정 장치(automatic pilot).
au·to·plas·ty[ɔ́:təplæ̀sti] *n.* Ⓤ 〖醫〗 자기 조직 이식술《피부의 이식 따위》.
au·top·sy[ɔ́:tɑpsi, -təp-/-tɔp-] *n.* Ⓒ 검시(檢屍), 부검.
au·to·ra·di·o·graph[ɔ̀:touréidiəgræ̀f, -grɑ̀:f] *n.* Ⓤ 방사선 사진.
àuto·suggéstion *n.* Ⓤ 〖心〗 자기 암시.
au·to·tron·ic[ɔ̀:toutrɑ́nik/-trɔ́n-] *a.* (엘리베이터가) 자동 전자 장치인.
áuto·trùck *n.* Ⓒ《美》 화물 자동차, 트럭.
au·to·type[ɔ́:tətàip] *n.* Ⓤ 오토타이프, 단색 사진(법). — *vt.* 오토타이프로 복사 하다.
†au·tumn[ɔ́:təm] *n.* Ⓤ 가을. ***au·tum·nal**[ɔ:tʌ́mnəl] *a.*
aux., auxil. auxiliary.
:aux·il·ia·ry[ɔ:gzíljəri] *a.* 보조의, 추가의. — *n.* Ⓒ 보조자〔물〕; 〖文〗 조동사; (*pl.*) 외인 부대.
auxíliary mémory 〔**stòrage**〕 〖컴〗 보조 기억 장치.
auxíliary vérb 조동사.
av. avenue; average; avoirdupois. **A.V.** Authorized Version (of the Bible). **a.v., a/v** (L.) *ad valorem.*
:a·vail[əvéil] *vt., vi.* 이롭다, 도움〔소용〕이 되다, 가치가 있다. ~ ***oneself of*** …을 이용하다. — *n.* Ⓤ 이익, 효용. ***be of*** ~ 〔***no*** ~〕 도움이 되다〔되지 않다〕, 쓸모 있다〔없다〕. ***to no*** ~, or ***without*** ~ 보람 없이, 무익하게.
:a·vail·a·ble[-əbəl] *a.* ① 이용할 수 있는; 유효한(*for, to*). ② 손에 넣을 수 있는. ③ (일 따위에) 전심할 수 있는, 여가가 있는. **-bil·i·ty**[—⌐—bíləti] *n.* Ⓤ 유효성, 유익, 도움, 쓸모.
***av·a·lanche**[ǽvəlæ̀ntʃ, -lɑ̀:nʃ] *n., vi.* Ⓒ (눈·산)사태 (나다); 쇄도(하다).
a·vant-garde[əvɑ̀:ntgɑ́:rd] *n.* (F.) Ⓒ (예술상의) 전위, 아방가르드.
***av·a·rice**[ǽvəris] *n.* Ⓤ 탐욕. ***-ri·cious**[æ̀vəríʃəs] *a.* 탐욕스러운, 욕심 사나운.
a·vast[əvǽst, -ɑ́:-] *int.* 〖海〗 그만!, 멈춰!
av·a·tar[æ̀vətɑ́:r] *n.* Ⓒ 〖印神〗 화신, 권화(權化).

A

a·vaunt[əvɔ́:nt] *int.* 《古》 가라!, 물러가라!
AVC, A.V.C. American Veterans' Committee; Army Veterinary Corps. **avdp.** avoirdupois.
a·ve[ɑ́:vi, ɑ́:vei] *int.* 어서 오세요!; 안녕!, 자 그럼! — *n.* (A-) = AVE MARIA.
Ave. Avenue.
Ave Ma·ri·a[-mərí:ə] 아베마리아 《성모에의 기도》(의 시각).
a·venge**[əvéndʒ] *vt., vi.* (…의) 원수를 갚다, (…을 위해) 복수하다, 대갚음하다(～ *one's father* 아버지의 원수를 갚다) (cf. revenge). ～ ***oneself, or ***be*** ～***d*** (…에게) 복수하다(*on, upon*). **a·véng·er** *n.*
:av·e·nue[ǽvənjù:] *n.* Ⓒ ① 가로수 길; 가로. ② 《美》(번화한) 큰 거리《특히 남북으로 뻗은》(cf. street); (성공 따위에의) 길, 수단.
***a·ver**[əvə́:r] *vt.* (*-rr-*) 단언하다, 주장하다. ～**·ment** *n.* Ⓤ,Ⓒ 주장, 단언.
:av·er·age[ǽvəridʒ] *n., a.* Ⓒ,Ⓤ ① 평균(의); 표준(의), 보통(의). ② 〖商〗 해손(海損). ***on an*** 〔***the***〕 ～ 평균하여; 대개는. — *vt., vi.* 평균하다, 평균 …이 되다. ～ ***down*** 〔***up***〕 (증권 따위를 매매하여) 평균 값을 내리다〔올리다〕.
áverage áccess tìme 〖컴〗 평균 접근 시간.
A·ver·nus[əvə́:rnəs] *n.* 이탈리아의 나폴리 부근의 호수《지옥의 입구로 불려졌음》; 〖로神〗 지옥.
***a·verse**[əvə́:rs] *a.* 싫어하여; 반대하여(*to*).
***a·ver·sion**[əvə́:rʒən, -ʃən] *n.* Ⓤ 혐오, 반감; Ⓒ 싫은 물건〔사람〕.
***a·vert**[əvə́:rt] *vt.* 돌리다, 피하다; 막다.
a·vi·ar·y[éivièri] *n.* Ⓒ 새장, 조류 사육장.
***a·vi·a·tion**[èiviéiʃən] *n.* Ⓤ 비행술.
aviátion bàdge 항공 기장.
aviátion còrps 항공대.
aviátion gròund 비행장.
aviátion médicine 항공 의학.
aviátion spìrit 항공 가솔린.
***a·vi·a·tor**[éivièitər] *n.* (*fem.* *-tress, -trix*) Ⓒ 비행사, 비행가.
áviator glàsses 플라스틱제 착색 렌즈의 안경.
áviator's éar 고공 비행성 중이염(中耳炎).
a·vi·cul·ture[éivəkʌ̀ltʃər] *n.* Ⓤ 조류 사육(鳥類飼育).
av·id[ǽvid] *a.* 탐욕스런; 갈망하는 (*for, of*). **a·vid·i·ty**[əvídəti] *n.* Ⓤ 갈망, 탐욕. ～**·ly** *ad.*
a·vi·on·ics[èiviɑ́niks/-ɔ́n-] *n.* Ⓤ 항공 전자 공학.
a·vi·so[əváizou] *n.* (*pl.* ～*s*) (Sp.) Ⓒ 통보함(艦).
AVM Automatic Vehicle Monitoring. **A.V.M.** 《英》 air vice-marshal.
av·o·ca·do[æ̀vəkɑ́:dou] *n.* (*pl.* ～(*e*)*s*) Ⓒ 〖植〗 아보카도《열대 아메리카산; 그 과실》.
av·o·ca·tion[æ̀voukéiʃən] *n.* Ⓒ 부업; 여기(餘技), 취미; 직업; 본직(本職).
av·o·cet[ǽvəsèt] *n.* Ⓒ 〖鳥〗 뒷부리장다리떼새.
:a·void[əvɔ́id] *vt.* ① 피하다, 회피하다(do*ing*). ② 〖法〗 무효로 하다(annul). *～**·a·ble**[-əbl] *a.* *～**·ance**[-əns] *n.* Ⓤ 도피, 회피, 무효.
av·oir·du·pois[æ̀vərdəpɔ́iz] *n.* Ⓒ 상형(常衡)《16 온스를 1 파운드로 정한 형량(衡量); 생략 avoir., avdp.》 (cf. troy); 《美口》 체중, 몸무게.
A·von[éivən, ǽ-] *n.* (the ～) 영국 중부의 강; 잉글랜드 남서부의 주 《1974년 신설》.
a·vo·set *n.* = AVOCET.
a·vouch[əváutʃ] *vt.* (진실하다고) 공언하다; 단언〔확언〕하다; 보증하다; 인정하다, 자백하다. ～**·ment** *n.* Ⓤ,Ⓒ 단언, 주장.
a·vow[əváu] *vt.* 공언하다; 시인하다. ～**·al** *n.* Ⓤ,Ⓒ 공언; 자백; 시인. ～**·ed·ly**[-idli] *ad.* 공공연히; 명백히.
AVR automatic voltage regulator 자동 전압 조정기.
a·vun·cu·lar[əvʌ́ŋkjulər] *a.* 아저씨〔백부·숙부〕의〔같은〕.
aw[ɔ:] *int.* 오오!《항의·혐오의 기분》.
A.W. atomic weight. **A/W** actual weight; all water.
AWACS 《美》 Airborne Warning and Control System 공중 경보 조정 장치.
:a·wait[əwéit] *vt.* (…을) 기다리다.
†a·wake[əwéik] *vt.* (***awoke; awoke,*** ～***d***) 일으키다, 깨우다(arouse); 자각시키다(*to*). — *vi.* 눈뜨다, 깨다; 깨닫다; 분기하다(*to*). — *a.* 깨어서, 방심 않는; 잘 알아채어(*to*). ～ ***or asleep*** 자나 깨나.
:a·wak·en[əwéikən] *vt., vi.* = AWAKE.
a·wak·en·ing[-iŋ] *a.* 눈뜨게 하는, 각성의. — *n.* Ⓤ,Ⓒ 눈뜸, 각성.
:a·ward[əwɔ́:rd] *vt.* ① 심사하여 주다, 수여하다. ② 재정(裁定)하다. — *n.* Ⓒ 심판, 판정; 상품. ～**·ee** [əwɔ̀:rdí:, —⌐⌐] *n.* Ⓒ 수상자.
:a·ware[əwέər] *pred. a.* 깨닫고, 알아차리고(*of; that*). *～**·ness** *n.*
†a·way[əwéi] *ad.* ① 떨어져서, 멀리; 저쪽으로. ② 부재(不在)하여. ③ 점점 소멸하여, 없어져. ④ 끊임없이, 착착(*work* ～). ～ ***back*** 《美口》 훨씬 이전; 훨씬 멀리에. ***A- with ... !*** …을 쫓아버려라, 제거하라(*A- with him!* 그를 쫓아버려라/*A- with you!* 비켜라, 물러나라, 가라). ***do*** 〔***make***〕 ～ ***with*** …을 없애다; 처리〔처분〕하다, 죽이다. ***far*** 〔***out***〕 ***and*** ～ (*the best*) 단연〔남을 훨씬 앞질러〕(일등). ***right*** 〔***straight***〕 ～ 곧, 즉각.

:awe[ɔ:] *n., vt.* Ⓤ 경외(敬畏)(시키다). ***stand in ~ of*** …을 경외〔두려워〕하다. **∠·less** *a.*

Á-wèapon *n.* Ⓒ 원자 무기.

a·wear·y[əwíəri] *a.* 《詩》=WEARY.

a·weath·er[əwéðər] *ad.* 〖海〗 바람 불어 오는 쪽에〔으로〕(opp. alee).

áwe-inspìring *a.* 두려운 마음이 일게 하는, 옷깃을 바로잡게 하는, 엄숙한.

awe·some[∠səm] *a.* 두려운, 무서운.

áwe-strìcken〔**-strùck**〕 *a.* 두려운 감이 들어, 두려워 하여.

***aw·ful**[ɔ́:fəl] *a.* ① 두려운; 장엄한. ② [ɔ́:fl] 《口》 대단한, 무서운, 굉장한. **:~·ly** *ad.* ① 무섭게. ② [ɔ́:fli] 《口》 굉장히(very).

AWG American Wire Gauge.

***a·while**[əhwáil] *ad.* 잠시(for a while).

:awk·ward[ɔ́:kwərd] *a.* ① 보기 흉한; 섣부른, 서투른; 약빠르지 못한; …하기 어려운(*to* do); 어색한. ② 사용하기 거북한(*an ~ tool*); 다루기 어려운, 어거하기 힘든, 깔볼 수 없는. **~·ly** *ad.* **~·ness** *n.*

awl[ɔ:l] *n.* Ⓒ (구둣방 따위의) 송곳.

A.W.L., a.w.l. absent with leave 「승낙 결근.

awn[ɔ:n] *n.* Ⓒ 〖植〗 (보리 따위의) 꺼끄러기.

***awn·ing**[ɔ́:niŋ] *n.* Ⓒ (창에 단) 차일, 비막이; (갑판의) 천막.

:a·woke[əwóuk] *v.* awake의 과거(분사).

AWOL, a·wol[éiɔ̀:l] *n., a.* absent without leave 무단 결근의; Ⓒ 무단 결근〔외출〕한 사람.

a·wry[ərái] *pred. a., ad.* 뒤틀린, 뒤틀리어, 일그러진〔져〕; 잘못되어. ***go*** 〔***run***〕 ***~*** 실패하다. ***look ~*** 스쳐〔곁눈질로〕 보다.

AWVS American Women's Volunteer Services.

:ax, 《英》 **axe**[æks] *n.* (*pl.* ***axes*** [∠iz]), *vt.* Ⓒ ① 도끼(로 자르다). ② (인원·예산 따위를) 삭감(하다). ③ 《口》 면직〔해고〕(하다). ***have an ~ to grind*** 《美》 속 배포가 있다, 생각하는 바가 있다. ***put the ~ in the helve*** 수수께끼를 풀다.

ax. axiom.

ax·el[ǽksəl] *n.* Ⓒ (스케이트에서) 액슬《점프하여 공중에서 1회전 반》.

a·xen·ic[eizénik, -zí:n-] *a.* 〖生〗 무균의, 무기생물(無寄生物)의.

áx-grìnder *n.* Ⓒ 음모가; 속 배포가 있는 사람.

ax·i·al[ǽksiəl] *a.* 굴대의, 축(軸)의(둘레의).

ax·il[ǽksil] *n.* Ⓒ 〖植〗 잎겨드랑이. **~·lar·y**[ǽksəlèri] *a.*

ax·il·la[æksílə] *n.* (*pl.* ***-lae***[-li:]) Ⓒ 〖解〗 겨드랑이(armpit); 〖植〗 잎겨드랑이.

ax·i·ol·o·gy[æ̀ksiálədʒi/-ɔ́l-] *n.* Ⓤ 〖哲〗 가치론, 가치 철학.

ax·i·om[ǽksiəm] *n.* Ⓒ 공리(公理), 자명한 이치. **-o·mat·ic**[æ̀ksiəmǽtik], **-i·cal**[-əl] *a.*

ax·is**[ǽksis] *n.* (*pl.* ***axes[ǽksi:z]) Ⓒ 굴대, 축; 추축(樞軸). ***the A-*** (2차 대전 당시의) 추축국《독일·이탈리아·일본》.

***ax·le**[ǽksəl] *n.* Ⓒ 굴대, 축(軸); = **∠·trèe** 차축(車軸).

ax·o·lotl[ǽksəlɑ̀tl/ǽksəlɔ̀tl] *n.* Ⓒ 아홀로틀《멕시코산 도롱뇽의 총칭》.

:ay[1], **aye**[1] [ai] *int.* =YES. — *n.* Ⓤ 찬성; Ⓒ 찬성자.

ay[2], **aye**[2] [ei] *ad.* 《詩·方》 언제나, 늘. ***for ~*** 영구히, 영원히.

a·yah[á:jə, áiə] *n.* 《Ind.》 Ⓒ 하녀, 유모.

a·ya·tol·lah[ɑ̀:jətóulɑ:] *n.* Ⓒ 아야톨라《이란의 이슬람 최고 지도자의 호칭》.

AYC American Youth Congress.

aye-aye[áiài] *n.* Ⓒ 〖動〗 다람쥐원숭이(Madagascar 섬산).

AYH American Youth Hostels.

A.Y.L. As You Like It. 《Shak.》.

a·zal·ea[əzéiljə] *n.* Ⓒ 진달래.

Az·er·bai·jan, -dzhan[ɑ̀:zərbaidʒɑ́:n, æ̀z-] *n.* 아제르바이잔《독립국 연합의 공화국의 하나; 카스피해 연안에 있음》.

A·zil·ian[əzí:ljən] *a.* 아질기(期)의《구석기 시대와 신석기 시대 중간》.

az·i·muth[ǽzəməθ] *n.* Ⓒ 〖天·海〗 방위, 방위각(角).

a·zo·ic[əzóuik] *a.* 무생의; (*or* A-) 〖地〗 무생물 시대의.

A·zores[əzɔ́:rz, éizɔrz] *n. pl.* (the ~) 아조레스 제도《북대서양 중부; 포르투갈령》.

A·zov[ǽ:zɔf, éi-], **the Sea of** 아조프해(海)《흑해의 북동쪽》.

Az·tec[ǽztek] *n.* Ⓒ 아즈텍인(人)《1519년 스페인에 정복된 멕시코 원주민》.

***az·ure**[ǽʒər] *n., a.* Ⓤ 하늘빛(의); (the ~) 《詩》 푸른 하늘.

az·ur·ite[ǽʒəràit] *n.* Ⓤ 남동광(藍銅鑛).

B

B, b[bi:] *n.* (*pl.* ***B's, b's***[-z]) Ⓤ 〖樂〗 나음, 나조(調); Ⓒ B자 모양의 것.

B 〖체스〗 bishop; black《연필 따위의 흑색 농도》; 〖化〗 boron. **B.** Bay; Bible; British; Brotherhood. **b.** bachelor; 〖野〗 base; baseman; bass; basso; bay; blended;

blend of; book; born; bowled; breadth; brother. **B-** bomber 《미군 폭격기; B-52 따위》. **B/-** 〖商〗 bag; bale. **Ba** 〖化〗 barium. **B.A.** Bachelor of Arts(=A.B.)문학사; British Academy.

baa[bɑː] *n.* Ⓒ 매《양의 울음 소리》. — *vi.* (*~ed, ~'d*) 매 하고 울다.

Ba·al[béiəl] *n.* (*pl.* *~im*[-im]) 바알신(神)《고대 Phoenicia 사람의》; Ⓒ (때로 b-) 사신(邪神). 「이름》.

báa-làmb *n.* Ⓒ 《兒》 매애《새끼양을

B.A.A.S. British Association for the Advancement of Science.

Bab·bitt[bǽbit] *n.* S. Lewis 작의 소설(의 주인공); Ⓒ (*or* b-) 속물. **~·ry** *n.* Ⓤ (저속한) 실업가 기질.

bab·bitt *n.* Ⓤ 《美》 배빗합금《주석·안티몬·구리·납의 합금으로 마찰 방지용》.

***bab·ble**[bǽbəl] *n., vi., vt.* Ⓤ (어린이 등이) 떠듬거리는 말(을 하다); 허튼소리(를 하다), 수다(떨다) (*about*); 지껄여 누설하다(*out*); (시냇물의) 졸졸거림, (시냇물이) 졸졸 흐르다. **~r** *n.* Ⓒ 수다쟁이, 입이 싼 사람; 〖鳥〗 꼬리치레(의 일종).

:babe[beib] *n.* 《詩》=BABY; Ⓒ 천진난만한 사람; (귀여운) 계집아이; 아가씨.

Ba·bel[béibəl, bǽb-] *n.* Shinar의 고도(古都); 바벨 탑(the Tower of Babel)《옛날 Babylon에서 하늘까지 닿도록 쌓으려다 실패한 탑; 창세기 11:9》; Ⓤ (*or* b-) 언어의 혼란, 소란(한 장소).

ba·bies'-breath[béibizbrèθ] *n.* Ⓒ 〖植〗 대나물; 광대나물.

ba·boo, -bu[bɑ́ːbuː] *n.* (Ind.) Ⓒ =MR.; 영어를 쓸 줄 아는 서기; 영국물이 든 인도인.

***ba·boon**[bæbúːn/bə-] *n.* Ⓒ 비비(狒狒); 보기 싫은 놈.

ba·bush·ka[bəbúːʃkə] *n.* (Russ.) Ⓒ 세모꼴의 여자들 머리쓰개.

†ba·by[béibi] *n.* Ⓒ 갓난애; 어린애 같은 사람, 작은 동물〔물건〕; 《美》 젊은 여자, 소녀; 애인. ***hold the ~*** 성가신 것을 떠맡다. ***pass the ~*** 책임 회피하다.

báby blúe 옅은 푸른 색.

báby bòom 베이비 붐《제2차 세계 대전 후 미국에서 출생률이 급격히 상승한 현상》.

báby bòomer 베이비 붐 세대.

báby càrriage 《美》 유모차.

báby fàrm 육아원, 탁아소.

báby gránd 소형 그랜드 피아노.

báby·hòod *n.* Ⓤ 유아기; 《집합적》 젖먹이.

ba·by·ish[béibiiʃ] *a.* 갓난애〔어린애〕 같은; 유치한, 어리석은.

Bab·y·lon [bǽbələn] *n.* 바빌론 《Babylonia의 수도》; Ⓒ 화려한 도회; 타락한 도시.

Bab·y·lo·ni·a[bæ̀bəlóuniə, -njə] *n.* 아시아 남서부의 고대 제국. **-ni·an** *a.*

báby-sìt *vi.* (*-sat; -tt-*) (시간제, 유료로) 어린애를 보아주다. **:~ter** *n.* Ⓒ (시간제의) 어린애 봐주는 사람.

báby tàlk 유아 말.

bac·ca·lau·re·ate[bæ̀kəlɔ́ːriit] *n.* Ⓒ 학사(bachelor)의 학위; (대학 졸업생에 대한) 송별 설교(~ sermon).

bac·ca·ra(t)[bæ̀kərɑ́ː, ⌐—⌐] *n.* (F.) Ⓤ 바카라《도박용 카드놀이의 일종》.

bac·cha·nal[bǽkənl] *a.* (*or* B-) 주신(酒神) 바커스의〔같은〕; 바커스 예찬의. — [bɑ̀ːkənɑ́l, bæ̀kənǽl, bǽkənl] *n.* Ⓒ 바커스 예찬자; 주정꾼; (B-) (*pl.*) =⇩.

Bac·cha·na·li·a [bæ̀kənéiliə, -ljə] *n. pl.* (고대 로마의) 주신제(祭); Ⓒ (b-) 큰 술잔치; 야단법석. **~n**[-n] *a., n.* =BACCHANAL.

bac·chant[bǽkənt] *n.* (*fem.* *~e*) Ⓒ 주신 Bacchus의 사제(司祭); 술 마시고 떠드는 사람.

Bac·chic[bǽkik] *a.* 주신 Bacchus의; 만취한.

Bac·chus[bǽkəs] *n.* 〖그·로神〗 바커스《술의 신》.

bac·co[bǽkou], **bac·cy**[bǽki] *n.* Ⓤ,Ⓒ 《英口》 담배.

bach[bætʃ] *n., vi.* Ⓒ 《美俗》 독신자; 독신 생활을 하다.

Bach[bɑːx, bɑːk], **Johann Sebastian**(1685-1750) 독일의 작곡가.

:bach·e·lor[bǽtʃələr] *n.* Ⓒ 독신자; 학사.

bach·e·lor·dom[-dəm] *n.* Ⓤ (남자의) 독신(의 신분), 독신 기질; 《집합적》 독신자.

báchelor gìrl 《口》 (자활하고 있는) 젊은 독신 여성.

báchelor·hòod *n.* Ⓤ 독신(생활), 독신 시절.

báchelor's bùtton 수레국화 (cornflower) 따위.

báchelor·shìp *n.* Ⓤ (남자의) 독신(bachelorhood); 학사의 자격.

bac·il·lar·y[bǽsəlèri] *a.* 간상(桿狀)의; 간균(桿菌)의〔에 의한〕.

***ba·cil·lus**[bəsíləs] *n.* (*pl.* *-li* [-lai]) Ⓒ 간상균(桿狀菌); 세균.

†back[bæk] *n.* ① Ⓒ 등, 잔등. ② Ⓒ 뒤; 후부, 안; (손발의) 등; (의자의) 등널. ③ Ⓒ 등뼈. ④ Ⓒ 산등성이. ⑤ Ⓒ,Ⓤ 〖球技〗 후위(後衛). ***at the ~ of*** …의 뒤에; 후원자로서. ***~ and belly*** 의식(衣食). ***behind a person's ~*** 아무가 없는 데서. ***break the ~ of*** …을 이겨내다; …을 꺾다〔죽이다〕; (어려운 일의) 고비를 넘기다. ***get one's*** 〔***a person's***〕 ***~ up*** 성내다〔나게하다〕. ***on one's ~*** 등에 지고; 벌떡 누워; 몸져 누워, 무력하여. ***on the ~ of*** …의 등뒤에; …에 더하여. ***put one's ~ into*** …에 헌신하여 노력〔일〕하다. ***put*** 〔***set***〕 ***a person's ~ up*** 노하게 하다. ***see the ~ of*** …을 쫓아버리

다; 면하다. ***turn one's*** ~ 도망치다. ***turn the*** [***one's***] ~ ***on*** …을 저버리다, …에서 달아나다. ***with one's*** ~ ***to the wall*** 궁지에 빠져.
— *a.* ① 뒤의, 배후의; 안의, 속의. ② 벽지의. ③ 거꾸로의; 밀린; 이전 [과거]의. ~ ***number*** 달을 넘긴 잡지; 시대에 뒤진 사람[사상, 방법]. ~ ***slum*** 빈민굴. ~ ***vowel*** 후설 모음《u, ɔ, ɑ 따위》.
— *ad.* ① 뒤로, 뒤쪽으로, 뒤에; 되돌아가서. ② 소급하여; (몇 년) 전에. ~ ***and forth*** 앞뒤로, 오락가락. ~ ***of***《美》…의 뒤에; …을 지지하여. ***go*** ~ ***on*** [《英》***from***] …을 어기다, 배반하다. ***keep*** ~ 누르다, 숨겨두다.
— *vi.* 후퇴하다. — *vt.* ① 후퇴시키다. ② (책 따위의) 등을 붙이다, 뒤를 대다. ③ (…에) 대하여 배경이 되다. ④ 원조[지지]하다. ⑤ (말에) 타다; (내기에) 걸다. ⑥ (어음에) 배서하다;《口》업어 나르다. ~ ***and fill***〖海〗갈지자로 나아가다;《美口》변덕부리다; 우물쭈물하다, (마음이) 동요하다. ~ ***down*** 물러서다, 포기하다. ~ ***out*** (***of***)《口》(…에서) 손을 떼다, (…을) 취소하다, 위약하다. ~ ***up*** 돕다;〖球技〗뒤를 지키다;《美》후퇴하다. ~ ***water*** (배를) 후진시키다;《美口》손떼다, 한 말을 취소하다.

báck·àche *n.* [U,C] 등의 통증.

báck-álley *a.* 은밀한, 음성적인; 뒤가 구린.

báck·bénch(er) *n.* [C]《英》하원 뒷자리(에 앉은 평의원).

báck·bìte *vt., vi.* (***-bit; -bitten,***《口》***-bit***) (없는 데서) 험담하다.

báck·bòard *n.* [C] (짐차의) 뒤판; (농구의) 백보드;〖醫〗(어린이의) 척추 교정판.

:back·bone [⌐bòun] *n.* ① [C] 등뼈. ② [U] 기골(氣骨).

báck·brèaker *n.* [C] 몹시 힘드는 일, 중노동.

báck·brèaking *a.* 몹시 힘드는.

báck·chàt *n.* [U]《口》말대꾸, 대답; (만담 따위의) 수작; 모욕.

báck cóuntry《美》벽촌.

báck·còurt *n.* [C]〖테니스·籠〗백코트.

báck dóor 뒷문.

báck·dóor *a.* [C] 은밀한; 교활한.

báck·dròp *n.* [C] 배경(막).

backed [bækt] *a.* 등[안]을 댄;〖商〗배서가 있는.

báck·er *n.* [C] 후원자.

báck·field *n.* [U]〖蹴〗후위(後衛)《quarterback, halfback, fullback》;〖野〗외야.

báck·fire *n.* [C] (산불을 끄기 위한) 맞불; (내연기관의) 역화(逆火).

báck formàtion〖言〗역성(逆成), 역성어《editor 로부터 동사 *edit*가 만들어진 것 따위》.

back·gam·mon [⌐gæ̀mən, ⌐⌐—] *n.* [U] 서양 주사위 놀이.

:back·ground [⌐gràund] *n.* ① [C] 배경; 이면. ② [U] (의복의) 바탕색. ③ [C] (무대의) 배경. ④ [U,C] (사람의) 경력, 소양. ⑤ [U] (연극·영화·방송 등의) 음악 효과, 반주 음악. ⑥〖컴〗뒷면. ***in the*** ~ 표면에 나서지 않고, 흑막 속에서.

báck·hànd *a., n.* =BACKHANDED; [C] (테니스 따위의) 역타(逆打); 왼쪽으로 기운 필적(筆跡).

báck·hánded *a.* 손등으로의; (필적이) 왼쪽으로 기운; 서투른; 간접적인; 성의 없는; 빈정대는.

báck·hòuse *n.* [C]《美》옥외변소.

báck·ing *n.* [U] (제본의) 등붙이기; 지원; 배서; 속널.

báck·làsh *n.* [U,C] (기계·톱니바퀴 등의 느슨해지거나 마모된 곳의) 덜거덕거림; 격한 반동, 반발. ***white*** ~ 흑인에 대한 백인의 반격.

báck·lìst *n.* [C] (출판사의) 재고 서적 목록.

báck·lòg *n.* [C]《美》(난로 속 깊숙이 넣는) 큰 장작;《口》주문 잔고, 체화(滯貨); 잔무; 축적, 예비.

báck númber ⇨ BACK(*a.*).

báck òut《美口》철회, 탈퇴; 변절.

báck·pàck *n., vi.* [C] 배낭(을 지고 여행하다).

báck pássage《口》직장(直腸).

báck·pèdal *vi.* (자전거) 페달을 뒤로 밟다; 후퇴하다《특히 권투에서》.

báck ròom 뒷방; 비밀 연구소.

báck-room bóy《英口》비밀 연구원[공작원].

báck·scàttering *n.* [U] (방사선 등의) 후방 산란.

báck·scràtcher *n.* [C] 등긁이;《口》타산적인 사람; 아첨꾼.

báck·séat *n.* [C] 뒷자리; 말석, 하찮은 지위.

báckseat dríver 운전수에게 지시를 하는 승객; 간섭 좋아하는 사람.

báck·sìde *n.* [C] 등, 뒤쪽; (보통 *pl.*) 궁둥이(rump).

báck slàng 철자나 발음을 거꾸로 하는 속어.

báck·slìde *vi.* (***-slid; -slid, -slidden***) 다시 과오에 빠지다, (신앙적으로) 타락하다.

báck·spàce *n.* [C] (보통 *sing.*)〖컴〗뒷(글)쇠(=~ key).

báck·spìn *n.* [C] 백스핀《테니스 따위에서 공의 역회전》.

báck·stàge *n., a.* [C] 무대 뒤(의).

báck stáirs 뒷계단; 음모.

báck·stày *n.* [C] (종종 *pl.*)〖海〗(마스트의) 뒤쪽 버팀줄; [U]《一般》버팀.

báck·stòp *n.* [C]〖野〗백네트.

báck·strèet *n.* [C] 뒷골목.

báck·strétch *n.* [C]〖競技〗백스트레치《장방형 코스의 homestretch와 반대쪽 부분》.

báck·stròke *n.* [C] 되치기;〖테니스〗역타(逆打); [U] 배영(背泳).

báck·swórd *n.* [C] 한쪽 날의 검; (펜싱용의) 목검.

báck tàlk 말대꾸.

báck-to-báck *a.* 잇따른; 등을 맞

대고 선《주로 연립주택에서》.
báck-to-schóol *a.* 신학기의.
báck·tràck *vi.* 《美》 물러나다, 되돌아가다.
báck·ùp *n.* Ⓤ 뒷받침; 후원; 저장; Ⓒ (차량 따위의) 정체(停滯); 여벌, 〖컴〗 여벌받기, 백업(~ *file* 여벌(기록)철, 백업파일).
:**back·ward**[bǽkwərd] *a.* ① 뒤로의, 거꾸로의(reversed). ② 싫어하는. ③ 개악의; 퇴보의; 뒤떨어진; 진보가 느린[뒤늦은]. ④ 수줍은, 내향적인. ⑤ 철 늦은. — *ad.* 뒤로, 후방으로; 거꾸로; 퇴보하여. **~·ly** *ad.* 마지못해; 늦어져. **~·ness** *n.* **:~s** *ad.* =BACKWARD.
back·ward·a·tion[bæ̀kwərdéiʃən] *n.* Ⓤ 《英》〖證〗 수도(受渡) 유예(금·날변).
báck·wàsh *n.* Ⓒ 역류; 노로 저은 물; (사건의) 여파.
báck·wàter *n.* Ⓤ 되밀리는 물, 역수; Ⓒ (문화의) 침체, 정체.
báck·wóods *n. pl.* 《美》 변경의 삼림지, 오지(奧地).
báck·wóods·man [-mən] *n.* Ⓒ 《美》 변경 개척자.
back·yard[∠já:rd] *n.* Ⓒ 《美》 뒤뜰; 늘 가는 곳.
***Ba·con**[béikən], **Francis**(1561-1626) 영국의 (경험학파의) 철학자·수필가·정치가.
:**ba·con**[béikən] *n.* Ⓤ 베이컨; 《美俗》 이익, 벌이. ***bring home the ~*** 《口》 성공하다. ***save one's ~*** 《口》 손해를 모면하다.
Ba·co·ni·an[beikóuniən] *a.* Bacon (학설)의.
:**bac·te·ri·a**[bæktíəriə] *n. pl.* (*sing.* **-rium**) 박테리아. **-al** *a.*
bac·te·ri·cide[bæktíərəsàid] *n.* Ⓤ,Ⓒ 살균제. **-cid·al**[-∸sáidl] *a.* 살균(제)의.
bac·te·ri·o·gen·ic[bæktìəriədʒénik] *a.* 세균성의, 세균이 원인인.
bac·te·ri·ol·o·gy[bæktìəriálədʒi/-ɔ́l-] *n.* Ⓤ 세균학. **-gist** *n.* **-ri·o·log·i·cal**[-riəládʒikəl/-ɔ́-] *a.*
***bac·te·ri·um** [bæktíəriəm] *n.* bacteria의 단수형.
†**bad**[1][bæd] *a.* (***worse; worst***) ① 나쁜, 불량한; 부정한, 불길한. ② 나쁘게 된, 썩은. ③ 서투른, 시원치 않은, 형편이 좋지 않은. ④ 아픈; 악성의, 심한. ⑤ 무효의. ⑥ 《美》 적의가 있는, 위험한(*a ~ man* 악한). ***feel ~*** 편찮다; 불쾌하게 느끼다, 유감스럽게 생각하다(*about*). ***go ~*** 썩다, 못쓰게 되다. ***have a ~ time*** (***of it***) 혼나다. ***in a ~ way*** 《口》 중병으로; 경기가 좋지 않아. ***not ~,*** or ***not half*** [***so***] ***~*** 《口》 과히 나쁘지 않은, 꽤 좋은. — *n.* Ⓤ 나쁜 것[상태], 악운. ***be in ~*** 《美口》 …의 호감을 못 사다. ***go from ~ to worse*** 점점 나빠지다. ***go to the ~*** 파멸[영락, 타락]하다. ($1,000) ***to the ~*** (천 달러) 결손이 되어. **∠·ness** *n.*
bad[2] *v.* 《古》 bid의 과거.
bád blóod 나쁜 감정, 증오.
bád débt 대손(貸損)(금).
bád débt expènse 대손(貸損) 상각.
:**bade**[bæd/beid] *v.* bid의 과거.
bád égg 《俗》 악인, 신용 없는 인물.
BADGE[bædʒ] Base Air Defense Ground Environment 반자동 방공 경계 관제 조직.
:**badge**[bædʒ] *n.* Ⓒ 기장(記章), 휘장, 배지; 표.
***badg·er**[bǽdʒər] *n.* Ⓒ 오소리; Ⓤ 그 모피. — *vt.* (…으로) 지분대다, 괴롭히다.
Bádger Státe, the 미국 Wisconsin주의 딴 이름.
bád hát 《英俗》 깡패.
bad·i·nage[bæ̀dinɑ́:ʒ] *n., vt.* (F.) Ⓤ 농담, 놀림; 놀리며 집적거리다.
bád·lànds *n. pl.* 불모의 땅, 황무지; 암흑가.
:**bad·ly**[bǽdli] *ad.* (***worse; worst***) 나쁘게, 서투르게, 심하게. ***be ~ off*** 살림이 어렵다.
bad·min·ton[bǽdmintən] *n.* Ⓤ 배드민턴; 소다수로 만든 청량 음료.
bád-mòuth *vt.* 《美》 혹평하다, 헐뜯다.
bád-témpered *a.* 기분이 언짢은, 꾀까다로운; 심술궂은.
bád tíme 곤경.
Bae·de·ker[béidikər] *n.* Ⓒ (베데커의) 여행 안내서.
***baf·fle**[bǽfəl] *vt.* 좌절시키다, 깨뜨리다, 꺾다, 방해하다; 감당할 수 없게 되다. — *vi.* (…에) 애태우다, 허우적거리다. — *n.* Ⓒ (수류·기류·음향 따위의) 방지 장치. **~·ment** *n.* **-fling** *a.* 방해하는; 이해하기 어려운; 당황케 하는; (바람이) 일정 방향으로 불지 않는.
baff·y[bǽfi] *n.* Ⓒ 〖골프〗 배피《클럽의 일종; wood의 4번》.
†**bag**[bæg] *n.* ① Ⓒ 자루; 가방, 손가방; 지갑. ② Ⓒ 주머니 모양의 것; (동물 체내의) 낭(囊)(sac); 눈 밑의 처진 살, 소의 젖통; (*pl.*) 음낭(陰囊). ③ (*pl.*) 《英俗》 (헐렁한) 바지. ④ Ⓒ 《美》〖野〗 베이스, 누(壘). ⑤ Ⓒ 사냥감. ***~ and baggage*** 소지품 일체; 짐을 모두 꾸려서, 몽땅. ***bear the ~*** 재정권을 쥐다, 돈을 마음대로 쓰게 되다. ***empty the ~*** 얘깃거리가 다 떨어지다. ***get the ~*** 해고당하다. ***give a person the ~*** (…을) 해고하다; 《俗》 …에게 말 없이 가버리다; (구혼자에게) 단호히 거절하다. ***give*** [***leave***] ***a person the ~ to hold*** 곤란을 당하여 아무를 돌보지 않다; 책임을 지우다. ***hold the ~*** 혼자 책임을 뒤집어쓰다; 빈털터리가 되다. ***in the ~*** 《口》 확실한; 손에 넣은(것이나 마찬가지인). ***make a good ~*** 사

냥감을 많이 잡다. ***the whole ~ of tricks*** 온갖 술책〔수단〕. — *vt.* (**-gg-**) 자루에 넣다; 《口》 잡다, 죽이다, 훔치다(steal). — *vi.* 자루처럼 부풀다(swell).

bag·a·telle[bæ̀gətél] *n.* (F.) Ⓒ 사소한 일〔물건〕(a mere trifle); (피아노용의) 소곡(小曲); Ⓤ 배거텔 놀이《당구의 일종》.

ba·gel[béigəl] *n.* Ⓒ,Ⓤ 도넛형의 굳은 빵.

bag·ful[bǽgfùl] *n.* Ⓒ 자루 하나 가득(의 분량).

:bag·gage[bǽgidʒ] *n.* ① Ⓤ 《美》 수화물(《英》 luggage); 《英》 군용 행낭. ② Ⓒ 말괄량이; 닳고 닳은 여자, 논다니.

bággage càr 《美》 수화물차.

bággage chèck 《美》 수〔소〕화물표.

bággage clàim (공항의) 수화물 찾는 곳.

bággage ràck 《美》 (열차 등의) 그물 선반.

bággage ròom 《美》 =CLOAKROOM.

bággage tàg 《美》 꼬리표.

bag·ger[bǽgər] *n.* Ⓒ 《野俗》 …루타(***a three-*** ~ 삼루타).

bag·ging[bǽgiŋ] *n.* Ⓒ 자루 만드는 재료.

bag·gy[bǽgi] *a.* 자루 같은; 헐렁한; 불룩한. **-gi·ly** *ad.* **-gi·ness** *n.*

Bag(h)·dad[bǽgdæd, ∠∠] *n.* 이라크의 수도.

bág·man[-mən] *n.* Ⓒ 《英》 외판원, 세일즈맨.

bagn·io[bǽnjou, -áː-] *n.* (*pl.* ***~s***) Ⓒ (동양풍의) 목욕탕; (노예를 가두는 터키의) 감옥; 매춘굴.

:bág·pìpe *n.* Ⓒ (종종 *pl.*) 백파이프《스코틀랜드 고지 사람이 부는 피리》. **-pìper** *n.*

ba·guet(te)[bægét] *n.* Ⓒ 길쭉한 네모〔골패짝〕꼴(로 깎은 보석).

bág·wòrm *n.* Ⓒ 도롱이 벌레.

bah[baː] *int.* 《蔑》 바보같은!; 흥!

Ba·ha·ism[bəháːizəm] *n.* Ⓤ 바하이교(敎)《세계 평화를 창도하는 페르시아에서 일어난 종교》.

Ba·ha·mas[bəháːməz] *n. pl.* 바하마《미국 플로리다 반도 동남쪽에 있는 독립국》.

Bah·rein, -rain[baːréin] *n.* 바레인《페르시아만 서부의 독립국》.

baht[baːt] *n.* (*pl.* ~(***s***)) Ⓒ 태국의 화폐 단위.

bai·gnoire[beinwáːr/∠—] *n.* (F.) Ⓒ (극장의) 특별석.

bail¹**[beil] *n.* Ⓤ 보석; Ⓒ 보석금; 보석 보증인. ***accept 〔***allow,*** or ***admit***〕 ***to take*** ~ 보석을 허가하다. ***give leg*** ~ 탈주하다. ***go*** ~ ***for*** …의 보석 보증인이 되다, …을 보증하다. ***out on*** ~ 보석〔출옥〕 중. — *vt.* (보증인이 수감자를) 보석받게 하다(*out*); (화물을) 위탁하다. **∠·a·ble** *a.* 보석할 수 있는; 죄가 가벼운. **∠·ment** *n.* Ⓤ,Ⓒ 보석; 위탁. **∠·or** *n.* Ⓒ 위탁인.

bail² *n.* Ⓒ 〖크리켓〗 삼주문 위의 가로 나무.

bail³ *vt., vi., n.* (뱃바닥에 괸 물을) 퍼내다(*out*); Ⓒ그 물을 퍼내는 기구; 《口》 낙하산으로 뛰어내리다(*out*).

bail⁴ *n.* Ⓒ (냄비·주전자 따위의) 들손, 손잡이(arched handle).

bail·ee[beilíː] *n.* Ⓒ 수탁자(受託者).

bail·er[béilər] *n.* Ⓒ 뱃바닥에 괸 물을 퍼내는 사람; 파래박; 〖크리켓〗 bail²에 맞는 공.

bai·ley[béili] *n.* Ⓒ 성벽; 성안의 뜰.

bail·ie[béili] *n.* Ⓒ 《Sc.》 시참사(市參事) 회원.

bail·iff[béilif] *n.* Ⓒ sheriff 밑의 집행관; 법정내의 간수; (지주의) 집사(執事); 《英》 (시의) 집행관.

bail·i·wick[béiləwìk] *n.* Ⓒ bailie 또는 bailiff의 관할 구역; (전문) 분야, 영역.

báil·òut *n.* Ⓒ 낙하산에 의한 탈출; 긴급 구조. — *a.* 탈출의〔을 위한〕.

bails·man[béilzmən] *n.* Ⓒ 보석 보증인.

bairn[bɛərn] *n.* Ⓒ 《Sc.》 어린이.

:bait[beit] *n.* Ⓤ 미끼, 먹이; 유혹. — *vt.* 미끼를 달다; 유혹하다; 개를 추켜 (동물을) 지분거리다(cf. bear-baiting); 구박하다, 괴롭히다. — *vi.* 《古》 (동물이) 먹이를 먹다; 여행중 (식사를 위해) 쉬다.

baize[beiz] *n.* Ⓤ 일종의 나사(羅紗)《책상보·커튼용》.

:bake[beik] *vt.* (빵을) 굽다, 구워 만들다; (벽돌을) 구워 굳히다. — *vi.* (빵이) 구워지다. — *n.* Ⓒ (한 번) 굽기; 《美》 회식《즉석에서 구워 내놓는》.

báke·hòuse *n.* Ⓒ 제빵소.

Ba·ke·lite[béikəlàit] *n.* Ⓒ 〖商標〗 베이클라이트《그릇·절연체용 합성수지》.

:bak·er[béikər] *n.* Ⓒ 빵집, 빵 굽는 사람, 빵 제조업자; 《美》 휴대용 빵 굽는 기구. ***~·y** *n.* Ⓒ 제빵소, 빵집.

báker's dózen 13개.

***bak·ing**[béikiŋ] *n.* Ⓤ 빵굽기; Ⓒ 한 번 굽기. — *a., ad.* 《俗》 태워버릴 것 같은〔같아〕.

báking pòwder 베이킹 파우더.

báking sòda 탄산수소나트륨.

bak·sheesh, -shish[bǽkʃiːʃ] *n.* Ⓤ 행하, 팁《터키·이집트·인도 등지에서》.

bal. balance; balancing.

bal·a·lai·ka[bæ̀ləláikə] *n.* Ⓒ 발랄라이카《기타 비슷한 삼각형의 러시아 악기》.

:bal·ance[bǽləns] *n.* ① Ⓒ 저울, 천칭(天秤). ② Ⓤ 균형, 평형, 조화; 비교, 대조. ③ (B-) 〖天〗 천칭(天秤) 자리. ④ Ⓤ 〖商〗 수지; Ⓒ 차액, 잔액; 《美口》 나머지. ~ ***due***

(…에) 대출(*from*), (…으로부터의) 차입(*to*). ~ **of international payments** 국제 수지. ~ **of power** 세력 균형. ~ **of trade** 무역 수지. **be** 〔**hang, tremble**〕 **in the** ~ 미결(상태)이다; 위기에 처해 있다. **on** (**the**) ~ 차감하여, 결국. **strike a** ~ 수지를 결산하다. ── *vt., vi.* (…의) 균형을 잡다; 저울로 달다; 대조하다; 차감하다; 결산하다; 망설이다, 주저하다(*between*). ~ **oneself** 몸의 균형을 잡다. ~**d**[-t] *a.* 균형이 잡힌(~*d diet* 완전 영양식).

bál·anc·er *n.* Ⓒ 다는 사람; 청산인; 평형기; 곡예사.

bálance bèam 저울대; (체조의) 평균대.

bálanced búdget 균형 예산.

bálance shèet 〖商〗 대차대조표.

bal·a·ta[bǽlətə] *n.* Ⓒ 열대나무의 일종《발라타고무를 채취함》; Ⓤ 발라타고무《껌용》.

bal·brig·gan[bælbrígən] *n.* Ⓤ 무명 메리야스의 일종; (흔히 *pl.*) 그것으로 만든 속옷·파자마 등.

:bal·co·ny[bǽlkəni] *n.* Ⓒ 발코니; (이층의) 노대(露臺); (극장의) 이층 특별석(gallery).

:bald[bɔːld] *a.* 벗어진, 털 없는, 대머리의; 노출된(bare); 있는 그대로의(plain); (문체가) 단조로운. **∠·ing** *a.* (약간) 벗어진. **∠·ly** *ad.* 노골적으로. **∠·ness** *n.*

báld cóot 대머리; 〖鳥〗 큰물닭.

báld éagle 흰머리독수리《미국의 국장(國章)》.

bal·der·dash [bɔ́ːldərdæ̀ʃ] *n.* Ⓤ 헛소리.

báld-fàced *a.* (말 등의) 얼굴에 흰 반점이 있는.

báld·hèad *n.* Ⓒ 대머리(의 사람). **-héaded** *a.* 대머리의.

báld·pàte *n.* Ⓒ 대머리인 사람; 〖鳥〗 아메리카 홍머리오리.

bal·dric[bɔ́ːldrik] *n.* Ⓒ (어깨에서 비스듬히 걸치는) 장식띠《칼·나팔 따위를 다는》.

***bale**[1][beil] *n., vt.* Ⓒ (상품을 꾸린) 짐짝, 가마니, 섬; 포장하다.

bale[2] *n.* Ⓤ《詩·古》 재앙, 악(惡), 해; 슬픔; 고통. **∠·ful** *a.* 해로운.

bale[3] *v., n.* =BAIL[3].

ba·leen[bəlíːn] *n.* Ⓤ 고래 수염, 고래뼈.

bále·fire *n.* Ⓒ 봉화; 모닥불; 《廢》 화장용의 장작더미.

***balk, baulk**[bɔːk] *n.* Ⓒ 장애, 방해; 《廢》 실책; 〖野〗 보크; 〖建〗 (귀를 둥글린) 각재(角材), 들보감. ── *vt.* 방해하다; 좌절시키다(*in*), 실망시키다(*in*); (기회를) 놓치다. ── *vi.* (말이 뒷걸음질 쳐) 급히 멈추다(jib); 진퇴양난이 되다.

Bal·kan**[bɔ́ːlkən] *a.* 발칸 반도의; 발칸 제국(민)의〔에 관한〕. ***the ~ ***Peninsula*** 발칸 반도. ***the*** ~***s,*** or ***the*** ~ ***States*** 발칸 제국. ~**·ize** [-àiz] *vt.* 작은 나라로 분열시키다.

balk·y[bɔ́ːki] *a.* 《美》 (말이) 움직이지 않는.

†ball[1][bɔːl] *n.* Ⓒ 공, 구(球); Ⓤ 구기, 야구; Ⓒ 〖野〗 볼(cf. strike); 탄알, 포탄; 둥근 것《눈알 따위》; (고기·과자 등의) 덩어리; 천체, 지구. ~ ***and chain*** 《美》 쇳덩이가 달린 차꼬《죄수의 족쇄》. ***catch*** 〔***take***〕 ***the*** ~ ***before the bound*** 선수를 쓰다. ***have the*** ~ ***at one's feet*** 〔***before one***〕 성공할 기회를 눈앞에 두다. ***keep the*** ~ ***rolling,*** or ***keep up the*** ~ (좌석이 심심해지지 않도록) 이야기를 계속하다. ***play*** ~ 경기를 시작하다; 행동을 개시하다; 《美》 협력하다(*with*). ***take up the*** ~ …의 이야기를 받아서 계속하다. ── *vt., vi.* 공(모양)으로 만들다〔되다〕.

:ball[2] *n.* Ⓒ (공식의) 대무도회.

***bal·lad**[bǽləd] *n.* Ⓒ 민요; 전설 가요, 발라드.

bal·last**[bǽləst] *n.* Ⓤ 밸러스트, 바닥짐; (기구의) 모래 주머니; 자갈, 쇄석; (마음의) 안정, 침착성(을 주는 것). ***in ~ (배가) 바닥짐만으로, 실은 짐 없이. ── *vt.* 바닥짐을 싣다; (철도·도로에) 자갈을 깔다; 안정시키다. ~**·ing** *n.* Ⓤ 바닥짐 재료; 자갈.

bállast tànk 밸러스트 탱크《바닥짐으로서 물을 저장하는 탱크》.

báll béaring 〖機〗 볼베어링.

báll bòy 공 줍는 소년.

báll cártridge 실탄.

báll còck 부구(浮球) 콕《물탱크 등의 유출조절》.

bal·le·ri·na[bæ̀ləríːnə] *n.* (*pl.* ~***s, -ne*** [-ni]) (It.) Ⓒ 발레리나《여자 발레 무용가》.

***bal·let**[bǽlei, bæléi] *n.* Ⓤ 발레, 발레단〔음악〕.

bal·lis·ta[bəlístə] *n.* (*pl.* ***-tae*** [-tiː]) Ⓒ 〖史〗 투석포(投石砲).

bal·lis·tic míssile[bəlístik-] 탄도 병기, 탄도탄.

bal·lis·tics[bəlístiks] *n.* Ⓤ 〖軍〗 탄도학.

bal·lon d'es·sai [bɑlɔ̃ː desé] (F.) 관측 기구(氣球), 시험 기구; 탐색(kite)《여론의 반응을 알기 위한 성명·행동 따위》.

:bal·loon[bəlúːn] *n., vi.* Ⓒ 기구, 풍선(처럼 부풀다); 기구(를 타고 올라가다). ~**·er,** ~**·ist** *n.*

ballóon barràge 조색(阻塞)〔방공〕 기구망.

ballóon tìre 저압(低壓) 타이어.

***bal·lot**[bǽlət] *n.* Ⓒ 투표 용지, 투표용의 작은 공; Ⓤ (무기명) 투표; Ⓒ 투표 총수; Ⓤ 제비, 추첨; 투표권; Ⓒ 입후보자 명단. ── *vi.* (무기명) 투표하다(*for, against*); 추첨으로 결정하다(~ *for a place* 추첨으로 장소를 정하다). ~**·age**[-ɑ̀ːʒ, ∠--] *n.* Ⓤ 결선 투표.

bállot bòx 투표함.

bállot pàper 투표 용지.

báll pàrk 《美》 야구장.

báll pén =BALL-POINT (PEN).
báll·plàyer *n.* Ⓒ 야구선수; 구기를 하는 사람.
báll-point (**pén**) *n.* Ⓒ 볼펜.
báll·pròof *a.* 방탄의.
báll·ròom *n.* Ⓒ 무도장.
bal·lute[bəlúːt] (<*bal*loon+parach*ute*) *n.* Ⓒ (우주선 귀환용) 기구 낙하산.
bal·ly[bǽli] *a., ad.* 《英俗》 지독한; 지독하게; 정말로.
bal·ly·hoo[bǽlihùː] *n.* Ⓤ 《美》 (요란스러운) 대선전; 야단법석(uproar); 떠벌려 퍼뜨림. ── [ˊ-ˋ, ˋ-ˊ] *vt., vi.* 대선전하다.
balm**[bɑːm] *n.* ① Ⓤ,Ⓒ 향유; 방향 수지; 방향. ② Ⓤ,Ⓒ 진통제; 위안물. ③ Ⓒ 〖植〗 멜리사, 서양 박하. ~ ***of Gilead [gíliæd] 감람과의 상록수; (그 나무에서 채취되는) 향유.
***balm·y**[1][bɑ́ːmi] *a.* 향기로운; 진통의(soothing), 기분 좋은, 상쾌한(refreshing). **bálm·i·ly** *ad.*
balm·y[2] *a.* 《俗》 바보 같은; 머리가 돈.
bal·ne·ol·o·gy[bæ̀lniɑ́lədʒi/-ɔ́-] *n.* Ⓤ 〖醫〗 온천학, 광천학.
bal·sa[bɔ́ːlsə, bɑ́ːl-] *n.* ① Ⓒ 발사 《열대 아메리카산의 상록교목》; Ⓤ 발사재(材)《가볍고 강함》. ② Ⓒ 그 뗏목(raft).
bal·sam[bɔ́ːlsəm] *n.* ① Ⓤ 발삼, 방향 수지. ② Ⓒ 진통제; 봉선화.
bálsam fír 발삼전나무《북아메리카산의 상록수, 테레빈이 채취됨》; 발삼전나무 재목.
bal·se·ro[bɑlsérɔ] *n.* (Sp.) Ⓒ 뗏목 타는 사람.
Bal·tic**[bɔ́ːltik] *a.* 발트해의. ***the ~ Sea 발트해. ***the ~ States*** 발트 제국.
Bál·ti·more chóp[bɔ́ːltəmɔ̀ːr-] 〖野〗 높은 바운드의 내야 안타.
Báltimore óriole 북미산(産) oriole의 일종《빛깔은 오렌지색과 흑색》.
bal·us·ter[bǽləstər] *n.* Ⓒ 난간동자《난간의 작은 기둥》.
bal·us·trade[bǽləstrèid, ˋ-ˊ] *n.* Ⓒ 난간. **-trad·ed**[-id] *a.* 난간이 달린.
Bal·zac[bǽlzæk, bɔ́ːl-], **Honoré de** (1799-1850) 프랑스의 소설가.
bam·bi·no[bæmbíːnou] *n.* (*pl.* **~*s,* *-ni***[-niː]) (It.) Ⓒ ① 어린 아이. ② 아기 예수의 상(象).
:bam·boo[bæmbúː] *n.* Ⓒ 대, 대나무; Ⓤ 죽재. ── *a.* 대나무로 만든; 대나무의.
bámboo cúrtain, the (이전의 중공의) 죽의 장막.
bambóo shòot 〔**spròut**〕 죽순.
bámboo télegraph 대양주 원주민들의 정보 전달 방법(grapevine telegraph).
bam·boo·zle[bæmbúːzəl] *vt., vi.* 속이다; 어리둥절하게 만들다, 하다. **~·ment** *n.*

ban**[bæn] *vt.* (**-*nn*-**) 금지하다(forbid); 〖宗〗 파문하다. ── *n.* Ⓒ 금지(령); 파문; 〖史〗 소집령. ***lift 〔***remove***〕 ***a ~*** 해금(解禁)하다. ***nuclear test ~*** (***treaty***) 핵실험 금지(조약). ***place*** 〔***put***〕 ***under a ~*** 금지하다.
ba·nal[bənǽl, bənɑ́ːl] *a.* 평범한(commonplace). **~·ly** *ad.* **~·i·ty**[bənǽləti] *n.*
:ba·nan·a[bənǽnə] *n.* Ⓒ 바나나 《열매·나무》.
banána bèlt 《美·Can 俗》 온대 지역.
banána repùblic 《蔑》 바나나 공화국《국가 경제를 바나나 수출·외자(外資)에 의존하는 중남미의 소국》.
ba·nan·as[bənǽnəz] *a.* 《美俗》 미친, 흥분한, 몰두한. ── *int.* 쓸데없는 소리!
:band[bænd] *n.* Ⓒ ① 끈, 밴드, 띠; 테. ② 일대(一隊), 집단, 군(群). ③ 악대, 악단(*a jazz ~*). ④ 〖라디오〗 밴드, 주파수대(帶); 〖컴〗 자기(磁氣) 드럼의 채널. ***beat the ~*** 뛰어나다. ── *vi., vt.* 단결하다〔시키다〕(*together*).
:band·age[bǽndidʒ] *n., vt.* Ⓒ 붕대(를 감다); 안대(眼帶); 포대(布帶), 띠.
Band-Àid *n.* ① Ⓤ,Ⓒ 〖商標〗 반창고의 일종. ② Ⓒ (b- a-) (문제·사건 등의) 임시 방편, 미봉책; 《형용사적》 임시 방편의.
ban·dan·(n)a[bændǽnə] *n.* Ⓒ 무늬 있는 큰 비단 손수건.
b. & b. bed and breakfast 《英》 아침밥이 딸린 일박.
bánd·bòx *n.* Ⓒ (모자 따위를 넣는) 종이 상자. ***look as if one came*** 〔***had come***〕 ***out of a ~*** 말끔한 차림을 하다.
ban·deau[bǽndou, -ˊ] *n.* (*pl.* **~*x***[-z]) Ⓒ 여자용 머리띠, 가는 리본.
ban·de·rol(**e**)[bǽndəròul] *n.* Ⓒ 작은 기; 조기(弔旗); 명(銘)을 써 넣은 리본.
ban·dit**[bǽndit] *n.* (*pl.* **~*s,* ~*ti[bændíti]) Ⓒ 산적, 노상 강도; 도둑, 악당. **~·ry** *n.* Ⓤ 산적 행위; 《집합적》 산적단.
bánd·màster *n.* Ⓒ 악장(樂長).
ban·dog[bǽndɔ̀ːg/-ɔ̀-] (<band dog) *n.* Ⓒ (사슬에 매인) 사나운 개, 탐정견.
ban·do·leer, -lier[bæ̀ndəlíər] *n.* Ⓒ 〖軍〗 (어깨에 걸쳐 띠는) 탄띠.
bánd sàw 띠톱.
bánd shèll (야외) 음악당.
bands·man[bǽndzmən] *n.* Ⓒ 악사, 악단 대원, 밴드맨.
bánd·stànd *n.* Ⓒ (야외) 연주대.
bánd·wàgon *n.* Ⓒ 《美》 (행렬 선두의) 악대차; 《口》 (선거·경기 따위에서) 우세한 쪽; 사람의 눈을 끄는 것; 유행.
bánd·wìdth *n.* Ⓤ 〖通信·컴〗 대역폭(帶域幅), 띠너비.

ban·dy[bǽndi] *vt.* ① 서로 (공 따위를) 던지고 받고 하다, 주고 받다. ② (소문을) 퍼뜨리다(*about*). ～ ***compliments with*** …와 인사를 나누다. ～ ***words*** 〔***blows***〕 ***with***… 와 언쟁〔주먹질〕하다. ── *a.* 안짱다리의.

bándy-lègged *a.* 안짱다리의(bow-legged).

B

bane[bein] *n.* Ⓤ 독; 해; 파멸. ～**·ful** [béinfəl] *a.* 해로운, 유독한. **∠·ful·ly** *ad.* **∠·ful·ness** *n.*

:bang[bæŋ] *n.* Ⓒ 강타하는 소리《탕, 쾅, 탁》; 돌연한 음향; 강타; 원기(vigor); 《美俗》 스릴, 흥분. ***in a*** ～ 급하게. ── *vt., vi.* 쿵쿵〔탁〕 치다, 쾅 닫다〔닫히다〕, 탕 발사하다〔울리다〕; 《俗》 (머리에) 주입시키다; 《美俗》 (여자와) 성교하다. ── *ad.* 쾅하고, 탁하고, 갑자기; 모두; 꼭. ***go*** ～ 뻥〔탕〕 울리다; 쾅 닫히다.

bán·ga·lore torpédo[bǽŋgəlɔ̀ːr-] (TNT를 채운) 폭약 철관《철조망 파괴용》.

Bang·kok[bǽŋkɑk, ─∠/bæŋkɔ́k, ∠─] *n.* 방콕《태국의 수도》.

Ban·gla·desh[bæ̀ŋglədéʃ] *n.* 방글라데시《1971년 파키스탄에서 분리·독립한 공화국》.

ban·gle[bǽŋgəl] *n.* Ⓒ 팔찌; 손〔발〕목걸이.

báng-ùp *a.* 《美俗》 최고의.

ban·ian[bǽnjən] *n.* ＝BANYAN.

:ban·ish[bǽniʃ] *vt.* 추방하다(exile); (근심 따위를) 떨어 버리다. ～**·ment** *n.* Ⓤ 추방.

ban·is·ter[bǽnəstər] *n.* ＝BALUSTER; Ⓒ (때로 *pl.*) 난간.

ban·jo [bǽndʒou] *n.* (*pl.* ～(*e*)*s*) Ⓒ 밴조《손가락 또는 깍지로 타는 현악기》. ～**·ist** *n.*

:bank[1] [bæŋk] *n.* Ⓒ 둑, 제방; 퇴적, 쌓여 오른 것(*a* ～ *of cloud* 층운); 강변; 모래톱, 얕은 여울; 언덕; 〖空〗 '뱅크' 가로 경사. ── *vi.* 둑이 되다; 〖空〗 '뱅크' 하다. **∠·ing** *n.* Ⓤ 둑 쌓기.

†bank[2] *n.* Ⓒ 은행; 저장소; (the ～) (노름의) 판돈; 노름의 물주. ── *vt.* 은행에 맡기다. ── *vi.* 은행을 경영하다; 은행과 거래하다. ～ ***on*** 〔***upon***〕 《口》 (…을) 믿다〔의지하다〕. ***break the*** ～ (도박에서) 물주를 파산시키다; (…을) 무일푼으로 하다. **:∠·er** *n.* ⇨BANKER[1]. **·∠·ing** *n.* Ⓤ 은행업.

bank[3] *n.* Ⓒ (갤리선의) 노 젓는 자리; 한줄로 늘어선 노; (건반의) 한 줄; (신문의) 부제목.

bank·a·ble[∠əbəl] *a.* 은행에 담보할 수 있는. 「예금.

bánk accòunt 은행 계정; 당좌

bánk bìll 《英》 은행 어음; 《美》 지폐.

bánk·bòok *n.* Ⓒ 예금 통장.

bánk dìscount (은행의) 어음 할인.

:bank·er[1][∠ər] *n.* Ⓒ 은행가〔업자〕; (도박의) 물주; Ⓤ 카드놀이의 일종.

bank·er[2] *n.* Ⓒ 대구잡이 배; 〖獵〗 둑을 뛰어 넘을 수 있는 말.

Bánk for Internátional Séttlements, the 국제 결제 은행《생략 BIS》.

·bánk hòliday 《美》 (일요일 이외의) 은행 공휴일; 《英》 일반 공휴일.

·bánk nòte 은행권, 지폐.

bánk ràte 어음 할인율; 은행 일변(日邊).

bánk·ròll *n.* Ⓒ 《美》 자금(원(源)), 자본. ── *vt.* 《美》 경제적으로 지지〔지원〕하다.

·bank·rupt[bǽŋkrʌpt, -rəpt] *n.* Ⓒ 파산자. ── *a.* 파산한, 지불 능력이 없는; (신용·명예 등을) 잃은. ***go*** ～ 파산하다. ── *vt.* 파산시키다.

·bank·rupt·cy[bǽŋkrʌptsi, -rəpt-] *n.* Ⓤ,Ⓒ 파산, 파탄.

:ban·ner[bǽnər] *n.* Ⓒ 기, 군기; 기치; 주장; 전단 표제. ***carry the*** ～ 선두에 서다, 앞장서다. ***unfurl one's*** ～ 주장을 밝히다. ── *a.* 《美》 일류의, 제 1위의; 주요한.

ban·ner·et[bæ̀nərét] *n.* Ⓒ 작은 기.

ban·nock[bǽnək] *n.* Ⓒ 《Sc.》 빵.

banns[bænz] *n. pl.* (교회에서 연속 3회 행하는) 결혼 거행의 예고. ***ask*** 〔***call, publish***〕 ***the*** ～ 결혼을 예고하다. ***forbid the*** ～ 결혼에 이의를 제기하다.

:ban·quet[bǽŋkwit] *n.* Ⓒ 연회, 향연. ── *vt., vi.* 향응하다, 향응을 받다. ～**·er** *n.*

ban·quette[bæŋkét] *n.* Ⓒ ① (성벽 안 쪽의) 사격용 발판. ② 《美》 보도(步道).

ban·shee, -shie[bǽnʃiː, ─∠] *n.* Ⓒ 《Sc., Ir.》 가족의 죽음을 예고한다는 요정(妖精).

bánshee wàil 《英俗》 공습 경보.

ban·tam[bǽntəm] *n.* Ⓒ 밴텀닭, 당(唐)닭; 암팡지고 싸움 좋아하는 사람; 《美》 ＝JEEP. ── *a.* 몸집이 작은; 가벼운; 공격적인; 〖拳〗 밴텀급의.

bántam·wèight *n.* Ⓒ 밴텀급 선수《권투·레슬링 따위》.

ban·ter[bǽntər] *n., vt., vi.* Ⓤ 놀림, 놀리다(joke), 조롱(하다)(chaff).

ban·ting(**·ism**) [bǽntiŋ(ìzəm)] *n.* Ⓤ 《英》 (지방·당분의 감량에 의한) 체중 감량법.

bant·ling[bǽntliŋ] *n.* Ⓒ 《蔑》 꼬마, 풋내기(greenhorn).

Ban·tu[bǽntuː] *n.* (*pl.* ～(*s*)) ① Ⓒ 반투족의 토인《아프리카 남·중부의》. ② Ⓤ 반투어(語).

ban·yan[bǽnjən] *n.* Ⓒ (인도산의) 벵골 보리수(～ tree).

ba·o·bab[béioubæ̀b, bɑ́ː-] *n.* Ⓒ 바오밥나무《아프리카산의 거목》.

Bap., Bapt. Baptist. **bapt.** baptized.

·bap·tism[bǽptizəm] *n.* Ⓤ,Ⓒ 세례, 침례; 명명(식). ～ ***of blood*** 피의 세례, 순교. ～ ***of fire*** 포화의 세례, 첫 출전〔시련〕.

bap·tis·mal[bæptízməl]

*__Bap·tist__[bǽptist] *n.* Ⓒ 침례교도; 세례자《요한》.
Báptist Chúrch 침례교회.
bap·tis·try[bǽptistri], **-ter·y** [-təri] *n.* Ⓒ 세례장, 세례실; 세례용 물통.
*__bap·tize__[bæptáiz, ∠-] *vt., vi.* (…에게) 세례를 베풀다, 침례를 행하다, 명명하다(christen).
:**bar**[1] [baːr] *n.* Ⓒ ① 막대기; 막대 모양의 것(*a* ~ *of soap* 비누한 개, 막대 비누/*a chocolate* ~ 판(板)초콜렛); 쇠지레(crowbar); 가로장, (문)빗장, 동살, 칸막이의 가로 나무. ② 줄(무늬), (빛깔의) 띠; 〖紋〗 가로줄. ③ 술집, 카운터, 술청, 목로, 바. ④ 〖樂〗 소절, 종선(縱線). ⑤ (강어귀의) 모래톱. ⑥ 장애, 장벽, 관문, (통행 금지의) 차단봉; (난간의) 돌난대. ⑦ (법정안의) 난간; (the ~) 법정; 피고석. ⑧ (the ~) 《집합적》 변호사들, 법조계. ~ ***association*** 변호사 협회, 법조 협회. ~ ***gold*** 막대 금, 금덩어리. ***be admitted*** 〔《英》 ***called***〕 ***to the*** ~ 변호사 자격을 얻다. ***behind*** ~***s*** 옥에 갇혀. ***in*** ~ ***of*** 〖法〗 …을 방지하기 위하여. ***let down the*** ~***s*** 장애를 제거하다. ***the*** ~ ***of public opinion*** 여론의 제재. ***trial at*** ~ 전(全)판사 참석 심리. —— *vt.* (**-rr-**) (…에) 빗장을 지르다, (가로대로) 잠그다; (길을) 막다; 금하다, 방해하다, 제외하다; 줄을 치다, 줄무늬를 넣다. ~ ***in*** 가두다. ~ ***out*** 내쫓다. —— *prep.* …을 제하고. ~ ***none*** 예외 없이(cf. barring).
bar[2] *n.* Ⓒ 〖理〗 바《압력의 단위》.
bar[3] *n.* Ⓒ 《美》 모기장.
BAR, B.A.R. Browning automatic rifle 〖軍〗 자동 소총. **bar.** barometer; barometric; barrel; barrister.
barb[1] [baːrb] *n.* Ⓒ (낚시 끝의) 미늘; (철조망의) 가시; (물고기의) 수염. —— *vt.* (…에) 가시를 달다. ~***ed*** [-d] *a.* 미늘이〔가시가〕 있는. ~***ed wire*** 가시 철사, 철조망.
barb[2] *n.* Ⓒ 바버리 말《Barbary산의 좋은 말》.
Bar·ba·dos[baːrbéidouz] *n.* 바르바도스《서인도 제도에 속하는 섬; 영연방내의 독립국》.
*__bar·bar·i·an__[baːrbέəriən] *n.* Ⓒ 야만인; (말이 통하지 않는) 외국인; 교양 없는 사람. —— *a.* 야만적인, 미개한.
bar·bar·ic[baːrbǽrik] *a.* 야만적인, 조야(粗野)한.
*__bar·ba·rism__[báːrbərìzəm] *n.* ① Ⓤ 야만, 미개(상태); 조야. ② Ⓒ 거친 행동〔말투〕.
r·bar·i·ty[baːrbǽrəti] *n.* Ⓤ,Ⓒ 잔인(한 행위); 조야.
a·rize[báːrbəràiz] *vt., vi.*
:rbərəs] *a.* ① 야 한, 조야한; 무식한. ② 이국어(語)의; 이국의; 파격적인. ~**·ly** *ad.*
Bar·ba·ry[báːrbəri] *n.* 바버리《이집트를 제외한 북아프리카 북부 지방》.
Bárbary ápe 꼬리 없는 원숭이.
Bárbary Státes, the 바버리 제국《옛 Morocco, Algeria, Tunis, Tripoli 등의 회교국》.
*__bar·be·cue__[báːrbikjùː] *n.* Ⓤ,Ⓒ 〖料理〗 바비큐; Ⓒ (돼지 등의) 통구이; Ⓒ 고기 굽는 틀; 통돼지 구이가 나오는 연회. —— *vt.* 통째로 굽다; 직접 불에 굽다; (고기를) 바비큐 소스로 간하다.
bárbecue man(o)éuver 〔**ròll**〕 (우주선의) 바비큐 비행《태양열·냉기를 고루 받도록 1시간에 2번씩 자전하며 비행》.
bar·bel[báːrbəl] *n.* Ⓒ 수염이 있는 물고기《잉어 따위》.
bár·bèll *n.* Ⓒ 바벨《역도용》.
:**bar·ber**[báːrbər] *n., vt.* Ⓒ 이발사; 이발하다; (…의) 수염을 깎다. ~***'s itch*** 〔***rash***〕 〖醫〗 모창(毛瘡), 이발소 습진.
bar·ber·ry[báːrbèri, -bəri] *n.* Ⓒ 〖植〗 매발톱나무; 그 열매.
bárber·shòp *n.* Ⓒ 이발소. 「둥.
bárber('s) pòle 이발소의 간판 기
bar·bi·can[báːrbikən] *n.* Ⓒ (도시·요새의) 외보(外堡); (성문 따위의) 망루, 성문탑.
bar·bi·tal[báːrbitɔ̀ːl, -tæ̀l] *n.* Ⓤ 〖藥〗 바르비탈《진정·수면제; 商標名: 베로날(veronal)》.
bar·bi·tu·rate[baːrbítʃurit/-tju-] *n.* Ⓤ 〖化〗 바르비투르산염(酸鹽)《수면제》.
bar·bi·tú·ric ácid [bὰːrbətjúərik-] 〖化〗 바르비투르산.
bar·ca·rol(l)e[báːrkəròul] *n.* Ⓒ (Venice의) 뱃노래; 뱃노래풍의 곡.
bár còde 바코드.
*__bard__[baːrd] *n.* Ⓒ (고대 Celt족의) 음유(吟遊) 시인; 시인(*the B- of Avon* =SHAKESPEARE).
:**bare**[bεər] *a.* ① 벌거벗은, 알몸의, 노출된, 드러낸; 노골적인. ② 장식〔가구〕 없는; …이 없는(*of*). ③ 닳아빠진(cf. threadbare), 써서 낡은. ④ 부족한, 결핍된. ⑤ 가까스로의, 간신히 …한(*a* ~ *majority* 간신히 이뤄진 과반수); 다만 그것뿐인(mere). ***at the*** ~ ***thought*** (***of...***) (…을) 생각만 해도. ~ ***livelihood*** 겨우 먹고사는 생활. ~ ***of*** …이 없는. ***lay*** ~ 털어놓다, 폭로하다. ***under*** ~ ***poles*** 돛을 올리지 않고; 벌거숭이로. ***with*** ~ ***feet*** 맨발로. ***with*** ~ ***life*** 겨우 목숨만 건지고. —— *vt.* 발가벗기다, 벗기다(strip)(*of*); 들춰내다, 폭로하다. ∠**·ness** *n.*
báre·bàck(ed) *a., ad.* 안장 없는 말의; 안장 없이; 맨발에. ***ride*** ~ 안장 없는 말에 타다.
báre·fàced *a.* 맨얼굴의; 후안(무치)의. **-fàcedly** *ad.* 뻔뻔스럽게.

***báre·fòot** *a., ad.* 맨발의〔로〕.
***báre·fòoted** *a., ad.* =⇧.
báre·hánded *a., ad.* 맨손의; 맨손으로.
báre·hèad, báre·héaded *a., ad.* 맨머리 바람의〔으로〕.
báre·légged *a., ad.* 양말을 신지 않은〔않고〕.
:bare·ly[⌐li] *ad.* 간신히, 겨우; 거의 …않고; 드러내놓고, 꾸밈없이.
barf[bɑːrf] *vi., vt.* 《美俗》 토하다.
bár·flỳ *n.* Ⓒ 《口》 술집의 단골; 술꾼.
bar·gain**[bɑ́ːrgən] *n.* Ⓒ 매매, 거래; (매매) 계약; 매득(買得)(부사적으로 써서: *I got this a* ~. 싸게 샀다). ***bad 〔***good***〕 ~ 비싸게〔싸게〕 산 물건. ~ ***counter*** 특매장. ~ ***day*** 염가 판매일. ~ ***sale*** 대염가 판매. ***buy at a*** (***good***) ~ 싸게 사다. ***drive a hard*** ~ 심하게 값을 깎다(*with*). ***Dutch*** 〔***wet***〕 ~ 술자리에서의 계약. ***into the*** ~ 그 위에, 게다가. ***make*** 〔***strike***〕 ***a*** ~ 매매 계약을 맺다. ***make the best of a bad*** ~ 역경에 견디다. — *vi., vt.* (매매의) 약속을 하다, 흥정하다, 교섭하다(*with, that*). ~ ***away*** 헐값으로 팔아버리다. ~ ***for*** …을 기대하다, …을 믿다(expect). **~·ing** *n.* Ⓤ 거래, 계약; 교섭.
barge**[bɑːrdʒ] *n.* Ⓒ ① 거룻배, 바지《바닥이 편편한 화물선》. ② (의식용의) 유람선; 집배(houseboat). — *vt., vi.* 거룻배로 나르다; 거칠게 내닫다; 《口》 주제넘게 나서다. ~ ***into 〔***against***〕 …에 난폭하게 부딪치다. **⌐·man, bar·gee**[bɑːrdʒíː] *n.* Ⓒ barge의 사공.
bárge·bòard *n.* Ⓒ 〖建〗 박공(널).
bár·hòp *vi.* (*-pp-*) 《美口》 여러 술집을 돌아다니며 마시다. — *n.* Ⓒ 술집 밖의 손님에게 음식을 나르는 웨이트리스. **~per** *n.*
bar·i·at·rics[bæ̀riǽtriks] *n.* Ⓤ 비만병학.
bar·ic[bǽrik] *a.* 〖化〗 바륨의, 바륨을 함유한.
bar·i·tone, 《英》 **bar·y-**[bǽrətòun] *n.* Ⓤ 바리톤; Ⓒ 바리톤 (가수). — *a.* 바리톤의.
bar·i·um[bέəriəm] *n.* Ⓤ 〖化〗 바륨《금속 원소》. ~ ***meal*** 바륨액《소화관 X선 촬영용 조영제(造影劑)》.
:bark[1][bɑːrk] *vi.* ① 짖다; 소리지르다(*at*). ② (총성이) 울리다. ③ 《美俗》 소리치며 손님을 끌다. — *vt.* 소리지르며 말하다. ~ ***at the moon*** 쓸데없이 떠들어대다. ~ ***up the wrong tree*** 《美》 헛물켜다, 헛다리 짚다. — *n.* Ⓒ 짖는 소리; 기침 소리; 포성, 총성. ***His*** ~ ***is worse than his bite.*** 입은 거칠지만 나쁜 사람이 아니다.
bark**[2] *n.* Ⓤ 나무껍질, 기나피(quinine); 《俗》 피부. ***man with the ~ ***on*** 《美口》 우락부락한 사나이. — *vt.* (나무에서) 껍질을 벗기다; 나무껍질로 덮다; 《俗》 (…의 피부를) 까다; (가죽을) 무두질하다.
bark[3]**, barque**[bɑːrk] *n.* Ⓒ 바크배《세대박이》; 《詩》 (돛)배.
bár·kèep(er) *n.* Ⓒ 술집 주인; 바텐더.
bark·en·tine, -quen-[bɑ́ːrkəntìːn] *n.* Ⓒ 〖海〗 세대박이 돛배의 일종.
bark·er[1][bɑ́ːrkər] *n.* Ⓒ 짖는 동물; 소리 지르는 사람; (가게·구경거리 등의) 여리꾼.
bark·er[2] *n.* Ⓒ (나무)껍질 벗기는 사람〔기구〕. **~·y** *n.* Ⓒ 무두질 공장, 가죽 다루는 곳(tanyard).
:bar·ley[bɑ́ːrli] *n.* Ⓤ 보리.
bárley·bràke, -brèak *n.* 남녀 3 인씩 편짜는 술래잡기.
bárley·còrn *n.* Ⓒ 보리알; 《古》 길이의 단위《1/3 inch; 보리알의 길이에서》. ***John B-*** '술'의 별명.
barm[bɑːrm] *n.* Ⓤ 누룩, 효모(yeast).
bár·màid *n.* Ⓒ 술집의 여급.
bar·man[⌐mən] *n.* = BARKEEP(ER).
Bár·me·cide féast [bɑ́ːrməsàid-] 말뿐인 잔치〔친절〕.
bar mítz·vah[-mítsvə] (종종 B- M-) 13세에 행하는 유대교의 남자 성년식.
barm·y [bɑ́ːrmi] *a.* 발효하는; 《英俗》 머리가 돈, 어리석은. ***go*** ~ 머리가 돌다, 멍청해지다.
:barn[bɑːrn] *n.* Ⓒ ① (농가의) 헛간, 광; 《美》 가축 우리 겸용 헛간. ② 전차〔버스〕 차고. ③ 텅빈 건물.
bar·na·cle[bɑ́ːrnəkəl] *n.* Ⓒ ① 조개삿갓, 따개비. ② (지위에) 붙들고 늘어지는 사람, 무능한 관리.
bárn dànce 《美》 농가의 댄스 파티.
bárn dòor 헛간에 큰 문. ***cannot hit a*** ~ 사격이 매우 서투르다.
bárn-door fówl 닭.
bárn·stòrm *vi.* 《美口》 지방 순회 공연하다; 지방 유세하다.
bárn·stòrmer *n.* Ⓒ 지방 순회 배우; 지방 유세자.
***bárn·yàrd** *n.* Ⓒ 《美》 헛간의 앞마당; 농가의 안뜰.
bar·(o)-[bǽr(ə)] *pref.* '중량·기압'의 뜻: *baro*meter.
bar·o·gram [bǽrəgræ̀m] *n.* Ⓒ 〖氣〗 자기(自記) 기압 기록.
bar·o·graph[-græ̀f, -ɑ̀ː-] *n.* Ⓒ 자기 기압계〔청우계〕.
:ba·rom·e·ter[bərɑ́mətər/-rɔ́mi-] *n.* Ⓒ ① 기압계, 청우계. ② (여론 등의) 표준, 지표. **bar·o·met·ric** [bæ̀rəmétrik], **-ri·cal**[-əl] *a.*
***bar·on**[bǽrən] *n.* Ⓒ ① 남작. ② 《美》 산업〔금융〕계의 거물(an oil ~ 석유왕). ③ 《英》 (영지를 받은) 귀[illegible] **~·age**[-idʒ] *n.* Ⓤ ① 남작의 [illegible] ② 《집합적》 남작들; 귀족. ~[illegible] Ⓒ 남작 부인; 여남작. [illegible] nit, -èt] *n.* Ⓒ 준[illegible] 래, knight의 [illegible] 준남작의 작위.

ba·ro·ni·al[bəróuniəl] *a.* 남작의, 남작다운; (건물 등이) 당당한.
bar·o·ny[bǽrəni] *n.* Ⓒ 남작의 작위; 남작령(領).
***ba·roque**[bəróuk] *n., a.* Ⓒ 〖建〗(16-18세기의) 바로크식(의); 기괴〔기이〕한(양식·작품)(cf. rococo).
ba·rouche[bərúːʃ] *n.* Ⓒ 4인승 대형 4륜 마차.
bár pìn 가늘고 긴 브로치《장식용 「핀》.
barque ⇨BARK[3].
bar·quen·tine[báːrkəntìːn] *n.* = BARKENTINE.
***bar·rack**[1][bǽrək] *n., vt.* Ⓒ (보통 *pl.*) 병사(兵舍); 병영(에 수용하다); 가(假) 막사, 바라크(식 건물).
bar·rack[2] *vi., vt.* 《英·濠》(상대편 경기자를) 야유하다.
bárracks bàg 〖軍〗 잡낭(雜囊).
bar·ra·cu·da[bæ̀rəkúːdə] *n.* Ⓒ 〖魚〗(서인도산의) 창꼬치의 무리.
bar·rage[bəráːdʒ/bǽraːʒ] *n.* Ⓒ ① 〖軍〗 탄막. ② (질문 등의) 연속. ③ [báːridʒ] 댐〔제방〕 공사.
barráge ballòon (보통 *pl.*) 조색(阻塞) 기구.
bar·ran·ca[bərǽŋkə] *n.* (*pl.* **~s**) (Sp.) Ⓒ 협곡.
bar·ra·try[bǽrətri] *n.* Ⓤ 교사(敎唆); 소송 교사(죄). **-trous**[bǽrətrəs] *a.*
barred[baːrd] *a.* 빗장(bar)이 있는 (*a ~ window*); 줄(무늬) 있는; 모래톱이 있는.
‡**bar·rel**[bǽrəl] *n.* Ⓒ ① 통; 한 통의 분량, 1배럴《미국에서는 31.5갤런, 영국에서는 36.18 또는 9갤런》. ② 통 모양의 것《북통 따위》. ③ (소·말의) 몸통(trunk). ④ 총신(銃身). ***a ~ of*** 《美口》 하나 가득의, 많은. ── *vt.* ((英) **-ll-**) (…을) 통에 담다.
bárrel chàir (등널이 둥근) 안락의자.
bárrel hòuse 《美·古俗》 싸구려 「술집, 대폿집.
bárrel òrgan 손으로 돌려 연주하는 풍금(hand ~).
bárrel ròll 〖空〗(비행기의) 통돌이, 연속 횡전(橫轉).
‡**bar·ren**[bǽrən] *a.* ① (땅이) 불모의, 메마른; (식물이) 열매를 맺지 않는. ② 임신 못 하는. ③ 빈약한(meager), 신통찮은(dull); 무능한. ④ …을 결한, …이 없는(*of*). ── *n.* (보통 *pl.*) 메마른 땅, 불모 지대. **~·ly** *ad.* **~·ness** *n.*
bar·rette[barét] *n.* Ⓒ 《美》(여성용의) 머리핀.
***bar·ri·cade** [bǽrəkèid, ⌐─⌐], **-cádo**[⌐─kéidou] *n.* (*pl.* **-does**) ⓊⒸ 방책, 바리케이드; 통행 차단물, 장애물. ── *vt.* 방책을 만들다, 막다, 방해하다.
bar·ri·er[bǽriər] *n.* Ⓒ ① 울타리; 만행, 관문; (국경의) 성채. ② 장벽, 방해(*to*)(*language ~* 언어 장벽)…
bar·ba… …야만화하다. …*(tariff)* ~ 무역〔관…
***bar·ba·rous**[… 만〔미개〕의; … 잔보초(堡礁)《해안과 나란히 뻗은 산호초》.
bar·ring[báːriŋ] *prep.* =EXCEPT.
bar·ri·o[báːriòu] *n.* (*pl.* **~s**) (미국의) 스페인어 통용 지역.
bar·ris·ter[bǽrəstər] (<bar) *n.* Ⓒ 《英》 법정(法廷) 변호사; 《美口》 변호사, 법률가.
bár·ròom *n.* Ⓒ 《美》(호텔 따위의) 바, 바가 있는 방.
bar·row[1][bǽrou] *n.* Ⓒ (2륜) 손수레; (1륜) 손수레(wheelbarrow); 들것식의 하물 운반대.
bar·row[2] *n.* Ⓒ 무덤《봉분, 또는 석총(石塚)》.
bárrow bòy 《英》 손수레 행상인.
Bart. Baronet.
bár·tènder *n.* Ⓒ 《美》 바텐더(《英》 barman).
***bar·ter**[báːrtər] *vi.* 물물교환하다(*for*); 교역하다. ── *vt.* (이익에 현혹되어 영예·지위 따위를) 팔다(*away*). ── *n.* Ⓤ 물물 교환(품).
bárter sỳstem 〖經〗 바터제.
Bar·thol·o·mew [baːrθáləmjùː/-ɔ́-] *n.* 〖聖〗 바르톨로뮤《예수의 12제자 중 하나》.
bar·ti·zan[báːrtəzən, bàːtizǽn] *n.* Ⓒ 〖建〗(옥상의) 퇴(退)망루.
bar·ton[báːrtn] *n.* Ⓒ 《英方》 농가의 뜰.
bar·y·on[bǽriàn/-ɔ̀n] *n.* 〖理〗 바리온《neutron, proton, hyperon을 함유하는 소립자의 일종》.
ba·ry·ta[bəráitə] *n.* Ⓤ 〖化〗 각종의 바륨 화합물.
ba·ry·tes[bəráitiːz] *n.* Ⓤ 중정석(重晶石).
bar·y·tone[bǽrətòun] *n.* =BARITONE.
bas·al[béisəl] *a.* 기초의, 근본의. **~ *metabolism*** 기초 대사(代謝).
ba·salt[bəsɔ́ːlt, bǽsɔːlt] *n.* Ⓤ 현무암(玄武岩).
bas bleu[baːbləː] (F.) =BLUESTOCKING.
bas·cule[bǽskjuːl] *n.* 〖土〗 도개(跳開) 장치.
báscule brìdge 도개교(跳開橋).
†**base**[1][beis] *n.* Ⓒ 기초, 기부(基部), 기저(基底); 밑변; 토대(foundation); 기슭(foot); 기지; 〖競〗 출발점; 〖野〗 누(壘); 〖化〗 염기; 〖數〗 기수(基數); 색이 날지 않게 하는 약; 어간(stem); 〖植·動〗 기각(基脚), 기부; 〖測〗 기선; (복합물 중의) 주요소; 〖컴〗 기준. ── *vt.* (…에) 기초를 두다(*on*).
‡**base**[2] *a.* ① 천한, 비열한(mean[2]); 비속한(~ *Latin* 통속 라틴어). ② (금속이) 열등한; (주화가) 조악한. ③ 〖樂〗 저음의. ④ 《古》(태생이) 천한, 사생아의(bastard). **~ *coin*** 악화(惡貨)(debased coin), 위조 화폐(counterfeit coin). ── *n.* Ⓤ 〖樂〗 저음(bass). **⌐·ly** *ad.* **⌐·ness** *n.*
báse àddress 〖컴〗 기준 번지.
†**base·ball**[béisbɔ̀ːl] *n.* Ⓤ 야구; Ⓒ 야구공.
báse·bòard *n.* Ⓒ 〖建〗(벽 아랫부

분의) 굽도리 널.
báse·bórn *a.* 태생이 비천한.
báse·bréd *a.* 천하게 자라난.
báse·búrner *n.* Ⓒ《美》(위에서 연료가 자동적으로 보급되는) 자동식 난로.
Bá·se·dow's disèase [báːzə-dòuz-] 바제도 병.
báse exchànge (미 공군의) 매점, 주보《생략 BX》.
báse hít 안타.
báse·less *a.* 기초〔근거〕없는. ～·**ly** *ad.*
báse lìne 기(준)선, 〖野〗 누선(壘線); 〖컴〗 기준선. 「누수(壘手).
base·man [ˊmən] *n.* Ⓒ 내야수,
:báse·ment *n.* Ⓒ 지하실, 지계(地階).
báse métal 비(卑)금속.
báse rùnner 주자.
báse rùnning 주루(走壘).
ba·ses[1] [béisiːz] *n.* basis의 복수.
bas·es[2] [béisiz] *n.* base[1]의 복수.
báse stèaling 도루.
báse úmpire 누심(壘審).
bash [bæʃ] *vt., n.* 《口》 후려갈기다, Ⓒ 후려갈김; 일격(을 가하다).
ba·shaw [bəʃɔ́ː] *n.* Ⓒ 《口》 고관; 거만한 사람〔관리〕; ＝PASHA.
***bash·ful** [bǽʃfəl] *a.* 수줍어하는, 수줍은(shy) 부끄러워 하는, 숫기 없는. ～·**ly** *ad.* ～·**ness** *n.*
:ba·sic [béisik] *a.* 기초의, 근본의; 〖化〗 염기성의. ── *n.* (B-) 《口》 ＝ BASIC ENGLISH. ***-si·cal·ly** [-əli] *ad.* 기본〔근본〕적으로, 원래.
BASIC, Ba·sic [béisik] *n.* Ⓒ 베이식《대화형의 프로그램 언어》(＜*B*eginner's *A*ll-purpose *S*ymbolic *I*nstruction *C*ode).
básic dréss 기본형 드레스《액세서리 따위의 변화로 다양하게 입을 수 있는 옷》.
Básic Énglish 베이식 영어《Ogden이 고안한 간이영어; 어휘 850》.
ba·sic·i·ty [beisísəti] *n.* Ⓤ 〖化〗 염기도(鹽基度).
bas·il [bǽzəl] *n.* Ⓤ 〖植〗 박하 비슷한 향기 높은 식물《향미료》.
bas·i·lar [bǽsələr] *a.* 기초의, 기부(基部)의.
ba·sil·i·ca [bəsílikə, -zíl-] *n.* Ⓒ 〖古로〗(장방형의) 공회당; (초기) 그리스도 교회당.
ba·sil·i·con [bəsílikən, -zíl-] *n.* Ⓤ 연고(軟膏)의 일종《송진에서 채취한 로진으로 만든》.
bas·i·lisk [bǽsəlìsk, -z-] *n.* Ⓒ 〖그·로神〗 괴사(怪蛇)《그 눈빛·독기는 사람을 죽임》; (열대 아메리카산의) 등지느러미 도마뱀; 《古》 뱀무늬가 있는 옛날 대포.
:ba·sin [béisən] *n.* Ⓒ 대야; 세면기; 한 대야 가득한 분량; 웅덩이(pool), 못; 분지; 유역; 내만(內灣); 〖船〗 독.
:ba·sis [béisis] *n.* (*pl.* **-ses**) Ⓒ 기초, 근거(지); 근본 원리; 주성분. ***on a first-come first-served*** ～ 선착순으로. ***on the war*** ～ 전시 체제로.
***bask** [bæsk, -ɑː-] *vi.* (햇볕·불을) 쬐다, 몸을 녹이다; (은혜 따위를) 입다, 행복한 처지에 있다(*in*).
†bas·ket [bǽskit, -áː-] *n.* Ⓒ 바구니, 광주리; 한 바구니(의 분량) (*a* ～ *of apples*); 바구니 모양의 것; (농구의) 네트. ***～·ful** [-fùl] *n.* Ⓒ 한 바구니 가득(한 분량).
:básket·bàll *n.* Ⓤ 농구; Ⓒ 농구공.
básket càse 《俗》(수술 등으로) 사지가 절단된 환자.
bas·ket·ry [-ri] *n.* Ⓤ 바구니 세공법; 《집합적》 바구니 세공품. 「(품).
básket·wòrk *n.* Ⓤ 바구니 세공
ba·so·phil [béisəfil], **-phile** [-fàil] *n.* Ⓒ 〖生〗 염기성 백혈구.
Basque [bæsk] *n., a.* Ⓒ 바스크 사람《스페인 및 프랑스의 피레네 산맥 서부지방에 삶》(의); Ⓤ 바스크 말(의); Ⓒ (b-) 여자용의 꼭맞는 웃옷(의).
bas-re·lief [bɑ̀ːrilíːf, bæ̀s-] *n.* (*pl.* ～***s***) Ⓤ,Ⓒ 얕은 돋을새김.
***bass**[1] [beis] *n.* Ⓤ 〖樂〗 저음(부); Ⓒ 베이스 (가수); Ⓒ 저음 악기. ── *a.* 저음의.
bass[2] [bæs] *n.* Ⓒ 〖魚〗 농어의 일종.
bass[3] *n.* ＝BASSWOOD; ＝BAST.
báss drúm [béis-] (관현악용의) 큰 북. 「짧은 사냥개》.
bas·set [bǽsit] *n.* Ⓒ 바셋《다리가
bas·si·net [bæ̀sənét] *n.* Ⓒ (포장 달린) 요람; 그 모양의 유모차.
bass·ist [béisist] *n.* Ⓒ 베이스 악기 주자.
bas·so [bǽsou] *n.* (*pl.* ～***s***, ***-si*** [-siː]) (It.) Ⓒ 〖樂〗 저음(부); 저음 가수.
bas·soon [bəsúːn] *n.* Ⓒ 바순《저음 목관 악기》. ～·**ist** *n.* 「gamba.
báss víol [béis-] ＝VIOLA da
bass·wood [bǽswùd] *n.* Ⓒ 참피나무; Ⓤ 그 재목.
bast [bæst] *n.* Ⓤ 〖植〗 인피부(靭皮部); (참피나무의) 속껍질《돗자리·바구니의 재료》.
***bas·tard** [bǽstərd] *n.* Ⓒ 서자, 사생아; 가짜. ── *a.* 서출의; 가짜의(sham); 열등한; 모양이 이상한, 비정상인. ～·**ize** [-àiz] *vt., vi.* 서자로 인정하다; 조악하게 하다, 나빠지다. ～·**ly** *a.* 서출의, 사생의; 가짜의. **-tar·dy** *n.*
baste[1] [beist] *vt.* 시침질하다. **bást·ing** *n.* Ⓤ 가봉, 시침질; Ⓒ (보통 *pl.*) 시침질한 바늘 땀.
baste[2] *vt.* (고기를 구울 때) 기름을 치다, 버터를 바르다.
baste[3] *vt.* 치다, 때리다(thrash).
Ba·stil(l)e [bæstíːl, (F.) bastij] *n.* (the ～)(파리의) 바스티유 감옥; (b-) Ⓒ 감옥, 형무소. ～ ***Day*** 프랑스 혁명 기념일《7월 14일》.
bas·ti·na·do [bæ̀stənéidou, -náː-] *vt., n.* (*pl.* ～***es***) 발바닥을 때리다, 곤장 치다; Ⓒ 그 형벌; 매, 곤장.
bas·tion [bǽstʃən, -tiən] *n.* Ⓒ

B

(성의) 능보(稜堡); 요새(要塞).
†**bat**¹[bæt] *n.* Ⓒ (구기의) 배트; 타봉, (크리켓의) 타자; 《口》 일격(blow); 덩어리, (벽돌·진흙 따위의) 조각; 《美俗》 야단 법석(spree). ***cross ~s with*** 《俗》 (…와) 시합하다. ***go on a ~*** 《美俗》 법석을 떨다. ***go to ~ for*** 《美口》 (…을) 위하여 지지〔변호〕하다; 〖野〗 …의 대타를 하다. ***off one's own ~*** 자력으로; 혼자 힘으로. (***right***) ***off the ~*** 《美口》 즉시. ***times at ~*** 〖野〗 타수(打數). ― *vi., vt.* (-tt-) 배트로 치다; …의 타율을 얻다. ***~ around*** 〔***back and forth***〕 상세히 논의〔검토〕하다.
:**bat**² *n.* Ⓒ 박쥐. (***as***) ***blind as a ~*** 장님이나 다름없는. ***have ~s in the belfry*** 머리가 돌다.
bat³ *vt.* (-tt-) 《口》 (눈을) 깜박이다(wink). ***never ~ an eyelid*** 한숨도 자지 않다. ***not ~ an eye*** 꿈쩍도 안 하다, 놀라지 않다.
bat⁴ *n.* Ⓒ,Ⓤ 《英俗》 속력, 속도, 보속(步速). ***go full ~*** 전속력으로 가다.
bat., batt. battalion; battery.
bát·bòy *n.* Ⓒ 〖野球〗 배트보이《팀의 잡일을 하는 소년》.
batch[bætʃ] *n.* Ⓒ (빵·도기 따위의) 한 번 굽기; 한 번 구운 분량; 한 떼(의 손님), 한 묶음(의 편지) (따위); 〖컴〗 묶음, 배치.
bátch pròcessing 〖컴〗 자료의 일괄 처리.
bátch prodùction 간헐적 생산(연속 생산에 대하여).
bate¹[beit] *vt.* 덜다, 줄이다(lessen); 약하게 하다(weaken). ― *vi.* 줄다; 약해지다. ***with ~d breath*** 숨을 죽이고.
bate² *n.* Ⓤ 《英俗》 분개, 노여움.
bate³ *n., vt.* Ⓤ (무두질용의) 알칼리액(에 담그다).
ba·teau[bætóu] *n.* (*pl.* ***~x***[-z]) Ⓒ《美》 바닥이 평평한 작은 배.
bát·èyed *a.* 장님 같은.
bát·fòwl *vi.* (밤에 등불로) 눈이 부시게 하여 새를 잡다.
Bath[bæθ, bɑːθ] *n.* 잉글랜드 Somerset주의 도시·온천장; 바스 훈위〔훈장〕. ***Go to ~!*** 썩 나가! ***the Order of the ~*** 《英》 바스 훈위〔훈장〕.
†**bath** *n.* (*pl.* ***~s***[bæðz, bɑːðz]) Ⓒ 목욕; 목욕통(bathtub); 목욕실; (때로 *pl.*) 목욕탕; 탕치장(湯治場), 온천장; Ⓤ,Ⓒ 침액(浸液), 용액(의 그릇). ― *vi., vt.* 《英》 목욕하다〔시키다〕. 「씀).
Báth brìck 배스 숫돌《금속 닦는데
Báth chàir (환자 외출용의) 바퀴 달린 의자.
:**bathe**[beið] *vt., vi.* 잠그다, 적시다, 끼얹다, 씻다; (빛·열 따위가) …을 덮다; 목욕하다; 헤엄치다. ***~ oneself in the sun*** 일광욕하다. ― *n.* 《英》 해수욕, 미역(*take a ~*). **báth·er** *n.* Ⓒ 해수욕자, 미역감는 사람; 온천 요양객.
:**báth·ing** *n.* Ⓤ 목욕, 수영, 멱감기(*a bathing beauty* (미인 대회에 나오는) 수영복 차림의 미인).
báth·hòuse *n.* Ⓒ 목욕탕; (수영장 따위의) 탈의장.
Bath·i·nette[bæθənét, bɑ̀ːθ-] *n.* 〖商標〗 유아용 접이식 휴대 욕조.
báthing càp 수용모.
báthing dràwers 《廢》 수영 팬츠. 「ING SUIT.
báthing drèss 《주로英》 =BATH-
báthing machìne 이동 탈의차.
báthing plàce 해수욕장; 수영장.
báthing sùit (여성) 수영복.
báthing trùnks (남성) 수영 팬츠.
báth màt (욕실용의) 발 닦는 매트.
ba·thom·e·ter[bəθɑ́mitər/-θɔ́m-] *n.* Ⓒ 수심 측량계. 「MAX.
ba·thos[béiθɑs/-θɔs] *n.* =ANTICLI-
báth·ròbe *n.* Ⓒ 화장복《욕실용》.
:**bath·room**[⌐rù(ː)m] *n.* Ⓒ 욕실; 《婉曲》 변소.
báth sàlt 목욕용의 소금.
Báth stòne 〖建〗 배스석(재).
báth·tùb *n.* Ⓒ 욕조.
bath·y·scaph(e)[bǽθiskèif, -skæ̀f] *n.* (F.) Ⓒ 배시스케이프《해저 탐험용 잠수정》.
bath·y·sphere[bǽθəsfìər] *n.* Ⓒ (심해 생물조사용의) 구형 잠수기(器).
ba·tik[bətíːk, bǽtik] *n., a.* Ⓤ 납결(臘纈) 염색(법), 납결 염색한(천).
bat·man[bǽtmən] *n.* Ⓒ《英》 장교의 당번병.
*__ba·ton__[bətɑ́n, bæ-, bǽtən] *n.* Ⓒ (관직을 상징하는) 지팡이; 지휘봉; 경찰봉; (릴레이의) 배턴.
báton chàrge 《英》 (폭동 등에서 경찰의) 경찰봉 공격.
báton twìrler (행렬의) 지휘봉 흔드는 사람(cf. drum majorette).
ba·tra·chi·an[bətréikiən] *a., n.* Ⓒ 〖動〗 꼬리 없는 양서류의 (동물)《개구리류》.
bats[bæts] *a.* 《俗》 머리가 돈.
*__báts·man__[bǽtsmən] *n.* =BATTER¹; 착함(着艦)유도선.
batt. battalion; battery.
*__bat·tal·i·on__[bətǽljən] *n.* Ⓒ 〖軍〗 육군 포병〔보병〕대대; 대부대; (army); (*pl.*) 대군(armies).
bat·tels[bǽtlz] *n. pl.* 《英》 (Oxf. 대학의) 식비; 학비.
bat·ten¹[bǽtn] *vi., vt.* 살찌(게 하)다; 많이 먹다(*on*).
bat·ten² *n., vt.* Ⓒ 〖建〗 (마루청용의) 작은 널빤지(를 깔다); 마루청(을 깔다); 작은 오리목(으로 누르다); 〖海〗 누름대(로 막다).
:**bat·ter**¹[bǽtər] *n.* Ⓒ 〖野〗 타자.
:**bat·ter**² *vt., vi.* ① 연타〔난타〕하다(pound)(*about, at*), 쳐부수다. ② 상하게 하다, 써서 헐게 만들다. ③ 학대하다, 혹평하다. ④ 포격하다. **~ed**[-d] *a.* 써서 낡은, 찌그러진, 마멸된.
bat·ter³ *n.* Ⓤ 〖料理〗 (우유·달걀·버

터·밀가루 등의) 반죽.
bàttered báby 어른들의 학대를 받는 아이. 「아내.
bàttered wífe 남편에게 학대받는
báttering ràm 〖史〗 파성(破城)용의 큰 망치.
***bat·ter·y**[bǽtəri] *n.* ① Ⓤ 〖法〗 구타. ② Ⓒ 포열, 포대; (군함의) 비포(備砲); Ⓒ 포병 중대. ③ Ⓒ 한 벌의 기구; 전지; 〖野〗 배터리《투수와 포수》.

B

***bat·ting**[bǽtiŋ] *n.* Ⓤ ① 〖野·크리켓〗 타격, 배팅(~ *order*). ② 탄 솜, 이불 솜.
bátting àverage 〖野〗 타율; 《美口》 성공률, 성적.
bátting òrder 〖野·크리켓〗 타순(打順).
†bat·tle[bǽtl] *n.* Ⓤ 싸움, 전투(*a close* ~ 접전); Ⓒ 투쟁; (the ~) 승리, 성공. ***accept*** 〔***give***〕 ~ 응전〔도전〕하다. ***general's*** 〔***soldier's***〕 ~ 전략〔무력〕전. ***line of*** ~ 전선.
báttle arrày 전투 대형, 진용.
báttle-àx(e) *n.* Ⓒ (중세의) 전투용 도끼.
báttle crùiser 순양전함.
báttle crỳ 함성; 표어, 슬로건.
bat·tle·dore[bǽtldɔ̀ːr] *n.* Ⓒ 깃털 제기채; 빨랫방망이. ~ ***and shuttlecock*** 깃털 제기차기.
báttle drèss 전투복.
báttle fatìgue 전선에서 생기는 일종의 신경 쇠약.
***báttle·fìeld** *n.* Ⓒ 싸움터, 전장.
báttle·frònt *n.* Ⓒ 전선.
báttle·gròund *n.* Ⓒ 전쟁터; 논쟁
báttle lìne 전선. 「의 원인.
bat·tle·ment[bǽtlmənt] *n.* Ⓒ (보통 *pl.*) 〖築城〗 (총안(銃眼)이 있는) 흉벽.
báttle pìece 전쟁화(畫).
báttle·plàne *n.* Ⓒ 《廢》 전투기.
báttle-rèady *a.* 전투 준비가 된.
báttle róyal 난전; 대논전〔논쟁〕.
báttle-scàrred *a.* 부상을 입은; (군함 등이) 역전(歷戰)을 말해주는.
***báttle·shìp** *n.* Ⓒ 전함.
báttle·wàgon *n.* Ⓒ 《美俗》 전함.
bat·ty[bǽti] *a.* 박쥐 같은; 《俗》 머리가 돈(crazy).
bau·ble[bɔ́ːbəl] *n.* Ⓒ 〖史〗 (광대가 가지는) 지팡이; 값 싸고 번지르르한 물건(gewgaw).
baud[bɔːd] *n.* Ⓒ 〖컴〗 자료 처리 속도의 단위《1초에 1bit》.
Bau·de·laire [boudəlɛ́ər] **Charles Pierre** (1821-67) 프랑스의 시인.
baulk[bɔːk] *v., n.* =BALK.
baux·ite[bɔ́ːksait/bóuzait] *n.* Ⓤ 〖鑛〗 보크사이트《알루미늄의 원광》.
bawd[bɔːd] *n.* Ⓒ 유곽의 포주《여주인》. **báw·dry** *n.* Ⓤ 외설(행위). **∠·y** *a.* 음탕한.
bawl**[bɔːl] *vt., vi.* 고함지르다; 《美口》 호통치다. ~ ***out 고함지르다; 《美口》 야단치다(scold). — *n.* Ⓒ 고함, 호통 소리.
bay[1][bei] *n.* Ⓒ 〖植〗 월계수(laurel tree); (*pl.*) 월계관; 영예.
:bay[2] *n.* Ⓒ 만《gulf보다 작음》, (바다·호수의) 내포(內浦), 후미; 산모롱이; 〖軍〗 (참호 안의) 좀 넓은 곳; 〖空〗 (기체 내의) 격실(隔室).
bay**[3] *n.* Ⓤ 궁지; (사냥개의 길고도 굵은) 짖는 소리; 쫓겨서 몰린 상태. ***be 〔***stand***〕 ***at*** ~ 궁지에 빠져 있다. ***bring*** 〔***drive***〕 ***to*** ~ 궁지로 몰다. ***turn*** 〔***come***〕 ***to*** ~ 궁지에 몰려 반항하다. — *vi., vt.* 짖다, 짖어대며 덤비다; 소리지르다. ~ ***a defiance*** 큰 소리로 반항하다. ~ (***at***) ***the moon*** 달을 보고 짖다《무익한 일》.
bay[4] *n.* Ⓒ 〖建〗 기둥과 기둥 사이의 우묵 들어간 벽면.
bay[5] *a., n.* Ⓒ 밤색의 (말).
bay·ber·ry[béibəri -bèri] *n.* Ⓒ (북아메리카산의) 소귀나무의 무리, 그 열매; (서인도산의) 베이베리 나무《그 잎으로 bay rum을 만듦》.
báy lìne 〖鐵〗 대피선, 측선.
bay·o·net**[béiənit] *n., vt.* Ⓒ 총검(으로 찌르다); (the ~) 무력(으로) 강요〔강박〕하다). ***Fix 〔***Unfix***〕 ~***s!*** 꽂아〔빼어〕 칼!《구령》.
bay·ou[báiuː] *n.* Ⓒ 《美南部》 (강·호수 따위의) 늪 같은 후미, 내포.
báyou blúe 《美俗》 값싼 술, 밀주.
báy rúm 베이럼《머릿기름》.
báy wíndow 퇴창(退窓), 내민 창.
báy·wrèath *n.* Ⓒ 월계관.
ba·za(a)r**[bəzɑ́ːr] *n.* Ⓒ (동양의) 상점가, 시장; (백화점·큰 상점의) 특매장; 바자. ***charity ~ 자선시.
ba·zoo·ka[bəzúːkə] *n.* Ⓒ 〖軍〗 바주카포《전차 공격용의 휴대 로켓포》.
B.B. Blue Book.
B bàttery 〖電〗 B 전지.
B.B.C. Baseball Club; British Broadcasting Corporation. **bbl.** (*pl.* ***bbls.***) barrel.
B-bop[bíːbɑ̀p/-bɔ̀p] *n.* Ⓤ 《俗》 = BEBOP.
BBS 〖컴〗 bulletin board system 게시판 체제.
:B.C. Bachelor of Chemistry 〔Commerce〕; Before Christ 기원전; Bicycle Club; Boat Club; British Columbia. **BCD** 〖컴〗 binary-coded decimal 이진화 십진수. **BCG** Bacillus Calmette-Guérin (vaccine). **B.C.L.** Bachelor of Civil Law. **B. Com.** Bachelor of Commerce. **bd.** (*pl.* ***bds.***) band; board; bond; bound; bundle. **B.D.** Bachelor of Divinity. **B/D** bank draft; brought down 차기(次期) 이월. **Bde.** Brigade. **bd. ft.** board foot 〔feet〕. **bdg.** binding 제본. **bdl.** bundle. **B.D.S.T.** British Double Summer Time. **Be.** 〖化〗 beryllium.
†be[強 biː, 弱 bi] *vi., aux. v.* (⇨권말 변화표) …이다; 있다, 존재하다

(exist).
be-[bi, bə] *pref.* '전면에'의 뜻(*be*sprinkle); '아주'의 뜻(*be*dazzle); '…으로 만들다'의 뜻(*be*little, *be*foul); '…을 붙들다'의 뜻(*be*jewel); 타동사로 만듦(*be*smile).
B.E. Order of the British Empire. **B/E, b.e.** bill of exchange.
B.E.A.(C.) British European Airways (Corporation).
†**beach**[bi:tʃ] *n.* Ⓒ 바닷가, 물가, 해변; 냇가, 호반; 《집합적》 (해변의) 모래, 조약돌. ***on the ~*** 초라해져. — *vi., vt.* 바닷가에 얹히다[얹히게 하다]; 바닷가에 끌어 올리다.
béach bàll 비치볼.
béach bùggy 비치버기《큰 타이어의 해변용 자동차》.
béach·còmber *n.* Ⓒ (바닷가의) 큰 파도; (부둣가의) 부랑자.
béach flèa 갯벼룩(sand hopper).
béach·hèad *n.* Ⓒ 〖軍〗 상륙 거점, 교두보.
beach-la-mar[bi:tʃləmɑ́:r] *n.* Ⓤ (남서 태평양 제도에서 쓰이는) 사투리 영어.
béach umbrèlla 《美》 비치파라솔.
béach wàg(g)on STATION-WAG(G)ON의 구칭.
béach·wèar *n.* Ⓤ 해변복.
***bea·con**[bí:kən] *n.* Ⓒ 횃불, 봉화; 등대; 수로[항로] 표지. — *vt., vi.* (…에게) 봉화를 올리다, 봉화로 신호하다; (비추어) 인도하다; 경고하다.
béacon fire [light] 신호의 횃불[표지등].
bead**[bi:d] *n.* Ⓒ 구슬, 염주알; (*pl.*) 염주, 로자리오(rosary); (이슬·땀의) 방울; 거품; (총의) 가늠쇠. ***count [say, tell] one's ~s 염주알을 돌리며 기도를 올리다. ***draw a ~ on*** …을 겨누다. — *vt.* 염주알을 꿰(어 장식하)다. — *vi.* 염주 모양이 되다; 거품이 일다(sparkle). **∠·ing** *n.* Ⓤ,Ⓒ 구슬 세공; 구슬선(장식); 거품. **∠·y**[bí:di] *a.* 구슬 같은, 구슬이 달린(*~y eyes* 또렷또렷한 눈); 거품이 인.
bead·ed[∠id] *a.* (땀·거품 등) 구슬 모양의, 방울진; 구슬이 달려 있는, 구슬 모양으로 된; 거품이 인; 땀방울이 맺힌.
bea·dle[bí:dl] *n.* Ⓒ 《英》 (교구(教區)·법정의) 하급 관리; (행렬의 선두에 서서) 대학 총장 등의 권표(mace)를 받드는 사람.
béad·wòrk *n.* Ⓤ 구슬 세공, 염주알 장식; 〖建〗 구슬선.
bea·gle[bí:gəl] *n.* Ⓒ 작은 사냥개.
:**beak**[1][bi:k] *n.* Ⓒ (맹조 따위의) 부리(cf. bill[2]); (거북·낙지 등의) 주둥이; (주전자 따위의) 귀때; (옛 전함의) 격돌 함수(擊突艦首); 《俗》 (매부리) 코; 〖建〗 누조(漏槽); 《英俗》 치안 판사; 교사. **beaked**[bi:kt] *a.* 부리가 있는; 부리 비슷한.
beak[2] *n.* Ⓒ 《英俗》 치안 판사; 교사, (특히) 교장.
beak·er[bí:kər] *n.* Ⓒ 비커; 굽 달린 큰 잔.
bé-all and énd-all (the ~) 요점, 정수; 중요부.
:**beam**[bi:m] *n.* Ⓒ ① (대)들보, 도리; (배의) 가로 들보; 선폭(船幅). ② (천칭의) 대; (쟁기의) 성에. ③ 광선; 방향 지시 전파; (확성기·마이크로폰의) 유효 가청(可聽) 범위. ④ 밝은 표정, 미소. ***fly [ride] the ~*** 신호 전파에 따라 비행하다. ***kick the ~*** (저울 한쪽이 가벼워) 저울대를 뛰어오르게 하다, 가볍다; 압도되다. ***off the ~*** 〖空〗 지시 전파로부터 벗어나서; 《俗》 잘못되어. ***on the ~*** 〖海〗 용골과 직각으로, 정 옆으로; 〖空〗 지시 전파를 따라, 옳게 조종하여; 《俗》 바르게. ***on the [one's] ~('s) ends*** 거의 전복되어; 위험에 처하여. ***the ~ in one's (own) eye*** 〖聖〗 제 눈속에 있는 들보, 스스로 깨닫지 못하는 큰 결점. — *vt., vi.* (빛을) 발하다, 빛나다, 번쩍이다; 미소짓다(*upon*); 신호 전파를 발하다; 방송하다; 레이다로 탐지하다. * **∠·ing** *a.* 빛나는; 웃음을 띤.
béam còmpass 빔 컴퍼스《대형 원을 그리기 위함》.
béam rìder 전자 유도 미사일.
béam wìnd 〖海〗 옆바람.
:**bean**[bi:n] *n.* Ⓒ (pea와 구별하여) (납작) 콩《강남콩·잠두류》; (콩 비슷한) 열매; 하찮은 것; 사소한 일; (*pl.*) 《口》 조금, 약간; (*pl.*) 《俗》 힐책, 벌; 《美俗》 머리; 《俗》 경화(硬貨). ***full of ~s*** 원기 왕성하여(cf. ~ fed). ***give a person ~s*** 《俗》 꾸짖다. ***not care a ~*** 《俗》 조금도 개의치 않다. ***not know ~s*** 아무것도 모르다. ***Old ~!*** 《英》 야 이 사람아! — *vt.* 《俗》 (공으로) (…의) 머리를 때리다.
béan·bàg *n.* Ⓤ 콩 따위를 헝겊으로 싼 공기.
béan·bàll *n.* Ⓒ 〖野〗 빈볼《고의로 타자의 머리를 겨눈 공》.
béan càke 콩깻묵.
béan còunter 《口》 (관청·기업의) 회계통[사]; 통계학자.
béan cùrd [chèese] 두부.
bean·er·y[bí:nəri] *n.* Ⓒ 《美俗》 싼 음식점.
béan·fèast *n.* Ⓒ 《英》 (연 1회의) 고용인에게 베푸는 잔치; 《俗》 즐거운 잔치.
béan-fèd *a.* 콩으로 키워진; 원기 왕성한.
béan·hèad *n.* Ⓒ 천치, 바보.
bean·ie[bí:ni] *n.* Ⓒ 빵모자.
bean·o[bí:nou] *n.* (*pl.* ***~s***) Ⓒ 《美俗》 =BEANFEAST; =BINGO.
béan·pòd *n.* Ⓒ 콩꼬투리.
béan pòle 콩줄기를 받치는 막대기; 《口》 키다리.
béan sòup 콩 수프.
béan spròut 콩나물.
béan·stàlk *n.* Ⓒ 콩줄기, 콩대.
bean·y[bí:ni] *a.* 원기 왕성한.
†**bear**[1][bɛər] *n.* Ⓒ 곰; 난폭자, 거동

이 거친 사람 ; 〖證〗 (값 따위가) 내려갈 기세 ; 파는 편, 매도측(側), 함부로 파는 사람(opp. bull¹). ***a ~ market*** 하락세, 약세. ***the Great* 〔*Little*〕 *B-*** 〖天〗 큰〔작은〕곰자리. — *vt., vi.* 팔아치우다.

†**bear**² *vt.* (***bore,*** 《古》 ***bare; borne, born***) ① 나르다. ② 지니다 ; (이름·특징 따위를) 가지다. ③ 견디다 ; 받치다 ; …하기에 족하다, 적합하다. ④ (의무·책임을) 지다 ; (비용을) 부담하다 ; 경험하다, (비난·벌을) 받다. ⑤ (열매를) 맺다, 산출하다(yield) ; (애를) 낳다(*born in Seoul/borne by Mary/She has borne two sons.*). ⑥ (불평·원한을) 품다. ⑦ 밀다, 쫓다. ⑧ 허락하다. — *vi.* ① 지탱하다, 배겨내다 ; 견디다. ② 덮치다, 누르다, 밀다 ; 기대다 ; 다가가다(*on, upon*). ③ 영향을 주다, 관계하다, 목표하다(*on, upon*). ④ …의 방향을 잡다, 나아가다(go) (*~ south*) ; …의 방향에 있다 (*The island ~s due east.* 섬은 정동에 있다). ***~ a hand*** 거들어 주다. ***~ a part*** 참가〔협력〕하다(*in*). ***~ away*** 가지고 가버리다 ; (상을) 타다 ; 〖海〗 진로를 변경하다, 출항하다. ***~ back*** (군중 등을) 밀쳐내다. ***~ a person company*** …와 동행하다 ; …의 상대를 하다. ***~ down*** 압도하다 ; 넘어뜨리다, 내리누르다 ; 용쓰다. ***~ down on* 〔*upon*〕** …을 엄습하다 ; …을 내리누르다 ; 〖海〗 …에 접근하다. ***~ hard* 〔*heavy, heavily*〕 *upon*** …을 압박하다. ***~ in mind*** 기억하다. ***~ off*** 견디다 ; (상 따위를) 타다(carry off) ; 빼앗다. ***~ on* 〔*upon*〕** …을 압박하다 ; …쪽을 향하다 ; …에 관계가〔영향이〕 있다. ***~ oneself*** (*erectly*) 자세를 (바로) 잡다 ; 행동하다. ***~ out*** 지탱하다, 견디다 ; 합세〔변호〕하다 ; 증명하다. ***~ up*** 지지하다 ; (자락을) 걷어 올리다 ; (불행에) 굴하지 않다(*under*). ***~ with*** …을 참다. ***be borne in upon*** …가 확신하기에 이르다(*It was borne in upon us that...* (우리는) …이라고 확신하고 있다). **∠·a·ble** *a.* 참을 수 있는 ; 지탱할 수 있는.

béar·bàiting *n.* Ⓤ 〖英史〗 (개를 덤비게 하는) 곰 놀리기.

bear·ber·ry [bέərbèri, -bəri] *n.* Ⓒ 까막월귤 ; 덩굴월귤(cranberry) ; =HOLLY.

:beard [biərd] *n.* Ⓒ (턱)수염 ; (낚시의) 미늘 ; (보리 따위의) 꺼끄러기(awn). ***in spite of a person's ~*** …의 뜻을 거역하여. ***speak in one's ~*** 중얼거리다. ***take by the ~*** 대담하게 공격하다. ***to a person's ~*** (…의) 면전에서 ; (…의) 면전을 꺼리지 않고. — *vt.* 수염을 잡다〔뽑다〕 ; 공공연히 반항하다(defy), 대담하게 대들다. ***~ the lion in his den*** 상대의 영역에 들어가 과감히 맞서다, 호랑이 굴에 들어가다.

∠·ed [∠id] *a.* 수염 있는 ; (화살·낚시 따위) 미늘 있는 ; 꺼끄러기 있는. **∠·less** *a.* 수염 없는 ; 젊은, 애송이의.

***bear·er** [bέərər] *n.* Ⓒ 나르는〔가지고 있는〕 사람 ; 짐꾼 ; (소개장·수표의) 지참인 ; (공직의) 재임자 ; 꽃피는〔열매 맺는〕 나무.

béarer còmpany 〖軍〗 들것 부대.

béarer secúrity 무기명 증권.

béar gàrden (bearbaiting용의) 곰 사육장 ; 시끄러운 곳.

béar·hùg *n.* Ⓒ (힘찬) 포옹.

bear·ing** [bέəriŋ] *n.* Ⓒ 태도(manner), 거동(behavior) ; Ⓤ 관계, 관련(*on, upon*) ; 말뜻 ; 인내 ; Ⓒ (보통 *pl.*) 방위(方位) ; 〖機〗 축받이 ; 〖紋〗 단문(單紋)(*armorial ~s* 문장). ***beyond* 〔*past*〕 *all ~s 도저히 참을 수 없는. ***bring* (*a person*) *to his ~s*** (…에게) 제 분수를 알게 하다 ; 반성시키다. ***lose one's ~s*** 방향을 잃다, 어찌할 바를 모르다. ***take one's* 〔*the*〕 *~s*** 자기의 위치를 확인하다.

bear·ish [bέəriʃ] *a.* 곰 같은 ; 우락부락한 ; 〖證〗 약세의(cf. bullish).

béar lèader (부호의 자제 곁을 따르는) 가정 교사.

béar·skìn *n.* ① Ⓤ 곰 가죽(제품). ② Ⓒ (영국 근위병의) 검은 털모자.

Béar Státe Arkansas 주의 딴이름.

:beast [biːst] *n.* Ⓒ 짐승, 가축, 《英》 식용 소 ; 짐승 같은 놈, 비인간 ; (the ~)(인간의) 야수성. ***~ of burden* 〔*draft*〕** 짐 나르는 짐승《마소 따위》. ***∠·ly** [-li] *a., ad.* 짐승 같은, 잔인한 ; 더러운(dirty) ; 《口》 불쾌한, 지겨운(*~ly weather* 고약한 날씨) ; 심히, 대단히(*~ly drunk* 곤드레 만드레 취하여). **béast·li·ness** *n.*

beast·ings [bíːstiŋz] *n. pl.* 《美》 =BEESTINGS.

†**beat** [biːt] *vt.* (***beat; ~en***) ① (계속해서) 치다 ; 매질하다 ; (금속을) 두들겨 펴다 ; (길을) 밟아 고르다 ; 쳐서 울리다 ; 날개치다. ② (달걀을) 휘젓다. ③ 〖樂〗 (…의) 박자를 맞추다. ④ 지게 하다 ; (…을) 앞지르다 ; 녹초가 되게 하다 ; 《俗》 쩔쩔매게 만들다. ⑤ 《美口》 속이다. ⑥ 《美俗》 면하다 ; 공짜로 타다. — *vi.* ① 연거푸 치다(*at*) ; 때리다, 내리치다, 불어치다, 내리쬐다(*at*). ② (심장·맥박이) 뛰다. ③ (북이) 울리다. ④ 날개치다. ⑤ 〖海〗 돛에 바람을 비스듬히 받아 나아가다. ⑥ 《口》 (경기에서) 이기다. ***~ about*** 찾아 헤매다 ; 〖海〗 돛에 바람을 비스듬히 받아 나아가다. ***~ about the bush*** 넌지시 떠보다. ***~ a retreat*** 퇴각의 북을 울리다 ; 퇴각하다. ***~ away*** 계속해 치다 ; 두드려 털다. ***~ down*** 타파하다 ; 값을 깎다 ; 실망시키다. ***~ it*** 《俗》 도망치다. ***~ off*** 쫓아버리다. ***~ one's way*** 《美》 부정 입장하다, (기차 따위에) 무임 승차하다. ***~ out*** (금속을) 두들겨 펴다 ; (뜻을) 분

명히 하다; 해결하다; 몹시 지치게 하다. ~ ***the band*** 〔***the devil***〕 빼어나다, 모든면에서 우월하다. ~ (*a person*) ***to it*** 《美》(아무를) 앞지르다. ~ ***up*** 기습하다; 북을 울려 소집하다; (달걀을) 휘저어 거품 일게 하다; 순회하다; 때리다. ~ ***up and down*** 여기저기 뛰어 돌아다니다. — *n.* Ⓒ ① 계속해서 치기; 치는〔두들기는〕소리; 고동; 〖樂〗 박자. ② 순찰 (구역); 세력권. ③ 《美》 (신문사 사이의) 특종기사 앞지르기(scoop), 특종기사. ④ 《美俗》 이긴 사람〔경기, 내기〕. ⑤ 《美俗》 거지, 부랑자; = BEATNIK. ***be in*** 〔***out of, off***〕 ***one's*** ~ 전문〔전문밖〕이다. — *a.* 《口》 지친; 놀란; 비트족의. **∠·dom** *n.* Ⓤ 《口》 비트족의 사회. **∠·er** *n.* Ⓒ 치는 사람; 우승자; 뒤섞는 기구.

:beat·en[bíːtn] *v.* beat의 과거분사. — *a.* 두들겨 맞은; 두들겨 편(~ ***gold*** 금박); 진; 밟아 다져진. ~ ***track*** 상도(常道), 관례.

béat generátion 비트족(의 세대).

be·a·tif·ic[bìːətífik], **-i·cal**[-əl] *a.* 축복을 주는〔줄 수 있는〕; 행복에 넘친(blissful). **-i·cal·ly** *ad.*

be·at·i·fy[biːǽtəfài] *vt.* 축복하다(bless); 〖가톨릭〗 시복(諡福)하다. **-fi·ca·tion**[–̀–̀–fikéiʃən] *n.*

***beat·ing**[bíːtiŋ] *n.* Ⓤ 때림; Ⓒ 매질; 타파; Ⓤ (심장의) 고동; 날개치기; 〖海〗 바람을 비스듬히 받아 배가 나아감; (금속을) 두들겨 펴기.

be·at·i·tude[biːǽtətjùːd] *n.* Ⓤ 지복(至福); (the B-) 〖聖〗 지복, 팔복《마태복음 5:3-11》.

Bea·tles[bíːtlz] *n. pl.* (the ~) 비틀스《영국의 록 그룹; 1962-70》.

beat·nik[bíːtnik] *n.* Ⓒ 《口》 비트족의 사람(cf. beat generation).

Be·a·trice[bíːətris] *n.* 베아트리체《단테가 애인을 모델로 한 이상의 여성》.

béat-ùp *a.* 《美口》 낡은.

beau[1][bou] *n.* (*pl.* ~***s,*** ~***x***) Ⓒ 멋쟁이 남자(dandy); 구혼자, 애인.

beau[2] *a.* (F.) 아름다운, 좋은.

Béau·fort scále[bóufərt-] 보퍼트 풍력 계급《풍력을 0-12의 13계급으로 나눔》.

beau geste[bouʒést] 아름다운 행위, 겉치레뿐인 친절.

béau idéal 미의 극치; 최고의 이상.

Beau·jo·lais[bòuʒəléi] *n.* Ⓤ 프랑스 Beaujolais산의 빨간〔백〕 포도주.

beau monde [bóu mánd/-mɔ́nd] 사교계, 상류 사회.

beaut[bjuːt] *n.* Ⓒ 《美俗》 고운〔멋진〕 것〔사람〕.

***beau·te·ous**[bjúːtiəs] *a.* 《詩》 아름다운(beautiful).

beau·ti·cian[bjuːtíʃən] *n.* Ⓒ 《美》 미용사.

†beau·ti·ful[bjúːtəfəl] *a.* 아름다운; 훌륭한, 우수한. ***the*** ~ 아름다움. **:~·ly** *ad.*

***beau·ti·fy**[bjúːtəfài] *vt., vi.* 아름답게 하다; 아름다워지다. **-fi·ca·tion**[–̀–fikéiʃən] *n.*

***beau·ty**[bjúːti] *n.* Ⓤ 아름다움, 미(美); 미모; (the ~) 미점, 좋은점; Ⓒ 아름다운 것; 미인; 아름다운 동물.

béauty cóntest 미인 선발 대회.

béauty párlor 〔**sálon, shóp**〕 《美》 미장원.

béauty quéen 미인 대회의 여왕.

béauty sléep 《口》 초저녁잠.

béauty spót 명승지, 아름다운 경치; 애교점《곱게 보이려고 붙인》.

beaux[bouz] *n.* beau[1]의 복수.

beaux-arts[bòuzáːr] *n. pl.* (F.) 미술.

beaux yeux[bóuzjə́ː] *pl.* (F. = pretty eyes) 명모(名眸), 미모. ***for your*** ~ 당신을 기쁘게 해주려고.

:bea·ver[1][bíːvər] *n.* Ⓒ 비버, 해리(海狸); Ⓤ 비버 모피; Ⓒ 그 모피로 만든 실크해트; 《美口》 부지런한 사람. ***eager*** ~ 《俗》 노력가.

bea·ver[2] *n.* Ⓒ 턱가리개《투구의 얼굴을 보호하는 것》; 《俗》 턱수염(beard).

béaver bòard 섬유로 만든 가벼운 널《건축 재료》.

be·bop[bíːbàp/-ɔ̀-] *n.* Ⓤ 비밥《재즈의 일종》. **~·per** *n.* Ⓒ 비밥 연주자〔가수〕.

be·calm[bikáːm] *vt.* 잠잠하게〔가라앉게〕 하다; 바람이 자서 (배를) 정지시키다.

†be·came[bikéim] *v.* become의 과거.

†be·cause [bikɔ́ːz, -káz, -kʌ́z/-kɔ̀z] *conj.* (왜냐하면) …이므로〔하므로〕, …라는 이유로〔는〕, …이라고 해서. — *ad.* ~ ***of*** …때문에.

bec·ca·fi·co[bèkəfíːkou] *n.* (*pl.* ~***s***) Ⓒ 휘파람새 비슷한 철새《이탈리아에서 식용함》.

be·cha·mel[béiʃəmèl] *n.* Ⓤ 흰 소스의 일종.

be·chance[bitʃǽns, -áː-] *vi., vt.* (…에) 우연히 일어나다.

bêche-de-mer[bèiʃdəmέər] *n.* (F.) ① Ⓒ 〖動〗 해삼. ② =BEACH-LA-MAR.

beck[bek] *n.* Ⓒ 손짓, (사람을 부르기 위한) 고갯짓(nod). ***be at a person's*** ~ ***and call*** 아무가 시키는 대로 하다. ***have a person at one's*** ~ 아무를 마음대로 부리다.

***beck·on**[békən] *vi., vt.* 손짓〔고갯짓·몸짓〕으로 부르다, (손·턱으로) 신호하다(*to*); 유인〔유혹〕하다.

be·cloud[bikláud] *vt.* 흐리게 하다; 애매하게 하다.

†be·come [bikʌ́m] *vi.* (***-came; -come***) …이 되다. — *vt.* (…에) 어울리다, (…에) 적합하다(suit). ~ ***of*** (물건·사람이) 되어 가다(*What has* ~ *of that book?* 그 책은 어떻게 되었나).

***be·com·ing**[-iŋ] *a.* 어울리는; 알맞은.

Béc·que·rel ràys[bekərél-] 베크렐선《방사선》.

†**bed**[bed] *n.* Ⓒ 침대; =MATTRESS; 동물의 잠자리(lair); Ⓤ 취침; Ⓒ 숙박; 묘상(苗床), 화단; 하상(河床), 강바닥; 토대; 지층, 층(*a coal ~* 탄층); 무덤. ***be brought to ~ of*** (*a child*) 해산하다. ***be confined to one's ~*** 병상에 누워 있다. ***~ and board*** 침식(을 같이하기), 부부 관계(*separate from ~ and board* 별거하다). ***~ of downs*** 〔***flowers, roses***〕 안락한 환경. ***~ of dust*** 무덤. ***die in one's ~*** 제명에 죽다. ***get out of ~ on the right*** 〔***wrong***〕 ***side*** 기분이 좋다〔나쁘다〕. ***go to ~*** 자다. ***keep one's ~*** 몸져 누워 있다. ***lie in*** 〔***on***〕 ***the ~ one has made*** 자업자득하다. ***make a*** 〔***the***〕 ***~*** 잠자리를 깔다〔개다〕. NARROW ***~. take to one's ~*** 병 나다. — *vt., vi.* (***-dd-***) 재우다; 자다; 화단에 심다(*out*); 고정시키다, 판판하게 놓다(lay flat); (벽돌 따위를) 쌓아 올리다.

be·dab·ble[bidǽbəl] *vt.* (물을) 튀기다, 튀겨 더럽히다.

be·dad[bidǽd] *int.* (Ir.) =BEGAD.

be·daub[bidɔ́:b] *vt.* 더덕더덕 칠하다; 지나치게 꾸미다.

be·daz·zle[bidǽzl] *vt.* 현혹시키다, 당혹하게 하다.

béd·bùg *n.* Ⓒ《美》빈대.

béd·chàmber *n.* Ⓒ《古》침실(*a Lady of the ~* 궁녀).

béd·clòthes *n. pl.* 침구《요를 제외한 시트나 모포 따위》.

béd·còver *n.* =BEDSPREAD.

bed·ding[bédiŋ] *n.* Ⓤ《집합적》침구(류); (마소에 깔아 주는) 짚; 토대, 기반; 〖地〗 성층(成層).

bédding plànt 화단용의 화초.

be·deck [bidék] *vt.* 장식하다(adorn).

be·dev·il[bidévəl] *vt.* (《英》***-ll-***) 귀신들리게 하다; 매혹하다; 괴롭히다. **~·ment** *n.* Ⓤ 귀신들림, 광란.

be·dew[bidjú:] *vt.* (이슬·눈물로) 적시다.

bed·fast[bédfæ̀st, -ɑ̀:-] *a.* =BEDRIDDEN.

béd·fèllow *n.* Ⓒ 잠자리를 같이하는 사람, 친구; 아내.

Béd·ford córd[bédfərd-] 코르덴 비슷한 두터운 천.

Bed·ford·shire[bédfərdʃìər, -ʃər] *n.* 영국 중부의 주. ***go to ~*** 《兒》코하다, 자다.

be·dight[bidáit] *vt.* (*~; ~(ed)*) 《古》장식하다(adorn).

be·dim[bidím] *vt.* (***-mm-***) (눈 따위를)흐리게 하다; 어슴푸레하게 하다.

be·di·zen[bidáizən -dízən] *vt.* (잔뜩) 꾸미다(*with*). **~·ment** *n.*

bed·lam[bédləm] *n.* Ⓒ 정신 병원; Ⓤ 큰소동; 혼란; (B-) 런던 베들레헴 정신 병원의 속칭. **~·ite**[-àit] *n.* Ⓒ 미친 사람.

béd lìnen 시트와 베갯잇.

béd·màking *n.* Ⓤ (취침을 위한) 침대 정돈.

Bed·ou·in[béduin] *n.* (the ~(s)) 베두인족《아랍계의 유목민》; Ⓒ 베두인족의 사람; 유랑인, 방랑자.

béd·pàn *n.* Ⓒ (환자용의) 변기; 탕파(湯婆).

béd·plàte *n.* Ⓒ 〖機〗 대(臺), 받침판.

béd·pòst *n.* Ⓒ 침대 기둥《네귀의》(BETWEEN *you and me and the ~*). ***in the twinkling of a ~*** 순식간에.

be·drag·gle[bidrǽgəl] *vt.* 질질 끌어 적시다〔더럽히다〕.

bed·rid(·den)[bédrìd(n)] *a.* 자리보전하고 있는.

béd·ròck *n.* Ⓤ 〖地〗 기반(基盤)(암), 암상(岩床); 기초, 바닥; 기본원리(*the ~ price* 최저 가격/*get down to ~* 진상을 조사하다; 돈이 바닥나다).

béd·ròll *n.* Ⓒ《美》(돌돌 만) 휴대용 침구.

:**béd·ròom** *n.* Ⓒ 침실.

Beds. Bedfordshire.

béd·sìde** *n., a.* Ⓒ 베갯머리(의), 침대 곁(의), (환자의) 머리맡(의). ***have a good ~ manner (의사가) 환자를 잘 다루다.

béd-sítting ròom 《英》침실 겸 거실.

béd·sòck *n.* Ⓒ (보통 *pl.*) 침대용 두툼한 양말.

béd·sòre *n.* Ⓒ (병상에 오래 누워 생기는) 욕창(褥瘡).

béd·sprèad *n.* Ⓒ 침대보.

béd·sprìng *n.* Ⓒ 침대의 스프링; 《美俗》미사일의 레이더 안테나.

béd·stèad *n.* Ⓒ 침대(의 뼈대).

béd·stràw *n.* Ⓤ 갈퀴덩굴의 무리; 깔짚; 욧속의 짚.

bed·tick[ˊtìk] *n.* Ⓒ 욧잇.

***béd·tìme** *n.* Ⓤ 잘 시각.

bédtime stòry (아이들에게) 취침 때 들려주는 옛날 이야기.

béd·wètting, béd-wètting *n.* Ⓤ 자면서 오줌싸기.

†**bee**[bi:] *n.* Ⓒ 꿀벌, 일꾼; 《美》(유희·공동 작업 따위를 위한) 모임(*a spelling ~* 철자 경기회). ***have a ~ in one's bonnet*** 〔***head***〕 열중해 있다; 머리가 돌아 있다.

bée·brèad *n.* Ⓤ 새끼 꿀벌의 먹이《벌집에 모은 꽃가루 반죽》.

***beech**[bi:tʃ] *n.* Ⓒ 너도밤나무; Ⓤ 그 재목. **ˊ·en** *a.* 너도밤나무(재목)의.

béech·nùt *n.* Ⓒ 너도밤나무의 열매.

bée cùlture 양봉.

:**beef** [bi:f] *n.* Ⓤ 쇠고기; (*pl.* ***beeves***) Ⓒ 식용우(牛); Ⓤ《口》근육, 체력, 완력; 《俗》무게; (*pl.* ***~s***) Ⓒ《美俗》불평. — *vi.* 《美俗》불평을 하다. **ˊ·y** *a.* 건장한, 뚱뚱한.

béef·càke *n.* Ⓤ《집합적》《美俗》남성의 근육미 사진(cf. cheesecake).

béef càttle 식육용 소.

béef·èater *n.* (종종 B-) Ⓒ 런던탑

의 수위; (왕의) 호위병.
béef éxtract 쇠고기 엑스트랙트.
:béef·stèak *n.* [U,C] 두껍게 저민 쇠고깃점; 비프스테이크.
béef téa 진한 쇠고기 수프, 고깃국.
béef-wìtted *a.* 굼뜬, 둔한.
bée·hìve *n.* [C] 꿀벌통; 사람이 붐비는 장소.
Béehive Státe, the Utah주의 딴 이름.
bée·kèeper *n.* [C] 양봉가(家).
bée kèeping 양봉.
bée·lìne *n.* [C] 직선, 최단 거리 (***make*** [***take***] ***a*** ~ 일직선으로 가다). ── *vi.* 《美口》 직행하다.
Be·el·ze·bub[biːélzəbʌ̀b] *n.* 〖聖〗 =DEVIL.
bée·màster *n.* [C] 양봉가.
†been[bin/bi(ː)n] *v.* be의 과거분사.
beep[biːp] *n.* [C] 삑하는 소리; 경적; 통화가 녹음 중임을 알리는 소리; (인공 위성의) 발신음. ── *vi., vt.* ~를 울리다[발신하다]. **∠·er** *n.* [C] ~를 하는 장치; 무선 호출기.
:beer[biər] *n.* [U] 맥주. **~ *and skittles*** 편안(한 생활). ***black*** [***draught***] ~ 흑[생]맥주. ***small*** ~ 약한 맥주; 시시한 것. ***think small ~ of...*** …을 깔보다(*She thinks no small ~ of herself.* 자신 만만하다). **~·y** [bíəri] *a.* 맥주 같은; 얼근히 취한.
béer bùst 《美俗》 맥주 파티.
béer gàrden 비어 가든《옥외에서 청량 음료·맥주 등을 파는 가게》.
béer hàll 《美》 비어 홀.
béer·hòuse *n.* [C] 《英》 비어 홀.
bée's knées 《俗》 최상급의 것; 월등히 좋은 것[일].
beest·ings[bíːstiŋz] *n. pl.* 《단수 취급》 (새끼 낳은 암소의) 초유(初乳).
bees·wax[bíːzwæ̀ks] *n., vt.* [U] 밀, (…에) 밀랍(蜜蠟)(을 바르다).
bees·wing[bíːzwìŋ] *n.* [U] 묵은 포도주; 그 위의 얇은 더껑이.
·beet[biːt] *n.* [C] 비트《근대·사탕무 따위》. ***red*** ~ 붉은 순무. ***white*** [***sugar***] ~ 사탕무.
·Bee·tho·ven[béitouvən], **Ludwig van** (1770-1827) 독일의 작곡가.
:bee·tle[1][bíːtl] *n.* [C] 투구벌레(류), 딱정벌레; 《俗》 =VOLKSWAGEN. ── *vi., a.* 돌출하다(project); 돌출한.
bee·tle[2] *n., vt.* [C] 나무메, 큰 망치(로 치다).
béetle-bròwed *a.* 눈썹이 굵은; 상을 찌푸린, 뚱한.
béetle-crùsher *n.* [C] 《英口》 큰 발; 큰 장화; 《英》 경관.
béetle·hèad *n.* [C] 바보.
bee·tling[bíːtliŋ] *a.* 불거진《벼랑·눈썹 따위》.
béet·ròot *n.* [C,U] 《英》 사탕무 뿌리《샐러드 용》.
béet sùgar 사탕무 설탕. 「복수.
beeves[biːvz] *n.* beef(식용 소)의
bef. before. **B.E.F.** British Expeditionary Force(s) 영국 해외 파견군.
·be·fall[bifɔ́ːl] *vt., vi.* (***-fell; -fallen***) (…의 신상에) 일어나다; (재난 따위가) 닥치다(happen to).
be·fit[bifít] *vt.* (***-tt-***) (…에) 어울리다, 적합하다(suit). **~·ting** *a.* 알맞은, 어울리는.
be·fog[bifɔ́ːg, -ɑ́-/-ɔ́-] *vt.* (***-gg-***) 안개로 덮다; 얼떨떨하게 하다; (설명 등을) 모호하게 하다(obscure).
be·fool[bifúːl] *vt.* 놀리다, 우롱하다; 속이다.
†be·fore[bifɔ́ːr] *prep.* …의 앞(쪽)에; …의 이전에. ── *ad.* 앞(쪽)에; 이전에. ── *conj.* …보다 이전에. **~ *everything*** 무엇보다 먼저. **~ *God*** 하늘에 맹세코. **~ *I was aware*** 모르는 사이에. **~ *long*** 오래지 않아. **~ *a person's face*** 면전에서, 공공연히.
:befóre·hànd *ad.* 전부터, 미리. ***be ~ with*** …에 앞서다(forestall), …에 대비하다, …을 예기하다. ***be ~ with the world*** 여유가 있다; 현금을 가지고 있다.
befóre·mèntioned *a.* 전술한.
befóre-tàx *a.* 세금이 포함된.
be·foul[bifául] *vt.* 더럽히다, 부정(不淨)하게 하다; 헐뜯다.
be·friend[bifrénd] *vt.* (…의) 친구가 되다; 돕다.
be·fud·dle[bifʌ́dl] *vt.* 억병으로 취하게하다; 어리둥절하게[당황하게]하다. **~·ment** *n.*
:beg[beg] *vt., vi.* (***-gg-***) 빌다(ask); 구걸하다, 빌어먹다; (개가) 앞발을 들고 서다(*B-!* 앞발 들고 섯). **~ *for*** …을 빌다, 바라다. **~ (*leave*) *to*** 실례지만(*I ~ to disagree.* 미안하지만 찬성할 수 없습니다). **~ *of*** (*a person*) (아무에게) 부탁[간청]하다. **~ *off*** (의무·약속 따위를) 사정하여 면하다, 정중하게 거절하다. **~ *the question*** 〖論〗 증명되지 않은 일에 근거하여 논하다. ***go ~ging*** 살 [말을] 사람이 없다.
be·gad[bigǽd] *int.* 맹세코!
†be·gan[bigǽn] *v.* begin의 과거.
·be·get[bigét] *vt.* (***-got;*** 《古》 ***-gat; -gotten, -got; -tt-***) (아버지가 자식을) 보다; 낳다(become the father of); 생기다.
:beg·gar[bégər] *n.* [C] 거지; 가난뱅이; 악한; 놈; 자식(fellow). ── *vt.* 거지로 만들다, 가난하게 하다; 무력[빈약]하게 하다(*It ~s description.* 필설로 표현하기 힘들다). ***I'll be ~ed if...*** 절대로 …하지 않다. **~·liness** *n.* [U] 빈궁, 빈약. **~·ly** *a.* 거지 같은, 빈약한.
beg·gar·dom[bégərdəm] *n.* [U] 거지 생활; 거지 패거리.
béggar-my-néighbor *n.* [U] 카드놀이의 일종《상대의 패를 다 딸 때까지 함》. ── *a.* 자기 중심적인, 남의 손해에 의해 이득을 보는, 근린 궁핍적인, 보호주의 적인.

béggar('s)-lìce *n. pl.* 옷에 열매가 달라붙는 식물의 열매《쇠무릎지기·뱀도랏 따위》.
beg·gar·y[bégəri] *n.* Ⓤ 극빈, 거지 생활; 《집합적》 거지.
†**be·gin**[bigín] *vi., vt.* (**-gan; -gun; -nn-**) 시작하다(*She began singing* 〔*to sing*〕.); 시작되다; 착수하다. **~ by** (do*ing*) …하기부터 시작하다, 우선 …하다. **~ with** …부터 시작하다. **not ~ to** (do) 《美口》 …할 정도가 아니다(*They don't ~ to speak English.* 영어의 영자도 지껄이지 못한다). **to ~ with** 우선 제일 먼저. ‡**~·ner** *n.* Ⓒ 초심자, 초학자; 창시자. †**~·ning** *n.* Ⓒ 시작, 개시; 처음; 발단.
be·gird[bigə́:rd] *vt.* (**begirt, ~·ed**) 띠로 감다; 두르다, 둘러싸다 (surround). **be·girt**[-gə́:rt] *a.* 둘러싸인.
be·gone[bigɔ́:n, -á-/-ɔ́-] *int.* 《보통 명령형으로》 가라.
be·go·ni·a[bigóuniə, -njə] *n.* Ⓒ 〖植〗 베고니아, 추해당.
*__be·got__[bigát/-ɔ́-] *v.* beget의 과거(분사). *__~·ten__ *v.* beget의 과거분사.
be·grime[bigráim] *vt.* (…으로) 더럽히다.
be·grudge[bigrʌ́dʒ] *vt.* 아까워하다; 시기하다.
*__be·guile__[bigáil] *vt.* ① 현혹시키다; 사취하다. ② 즐겁게 하다(amuse); 지루함〔지루한 시간〕을 잊게 하다.
be·guil·ing[⊿-iŋ] *a.* 속이는; 기분을 전환시키는.
be·guine[bəgí:n, bei-] *n.* Ⓤ 베긴《서인도 제도 Martinique 섬 토인의 춤》; Ⓒ 베긴풍의 곡.
be·gum[bí:gəm, béi-] *n.* Ⓒ (인도 회교도의) 여왕, 공주.
†**be·gun**[bigʌ́n] *v.* begin의 과거분사.
‡**be·half**[bihǽf, -á:-] *n.* Ⓤ 이익 (interest). **in ~ of...** …을 위하여. **on ~ of...** …을 위하여(in ~ of); …을 대신하여(representing).
‡**be·have**[bihéiv] *vt., vi.* 처신하다; 행동하다(*toward, to*); 예모 있게 행동하다; 올바르게 행동하다; (기계가) 돌아가다; (약 따위가) 작용하다, 반응하다. **~ oneself** 행동하다(*like*); 예모 있게 행동하다.
‡**be·hav·ior,** 《英》 **-iour**[bihéivjər] *n.* Ⓤ ① 행실, 품행. ② 태도, 행동. ③ (기계의) 돌아가는 상태, 움직임. ④ (약의) 효능. ⑤ 〖心〗 행동, 습성. **on** 〔**upon**〕 **one's good ~** 얌전히 하고; 수습 중으로. **~·al** [-əl] *a.* 행동의〔에 관한〕. **~·ism** [-ìzəm] *n.* Ⓤ 〖心〗 행동주의.
behávioral scíence 행동 과학《인간 행동의 법칙을 탐구하는 심리학·사회학·인류학 따위》.
behávior pàttern 〖社〗 행동 양식.
behávior thèrapy 〖醫〗 행동 요법《정신병 환자의 행동 반응을 훈련시켜 치료함》.
Béh·çet's sỳndrome 〔**disèase**〕 [béitʃets-] 〖醫〗 베세트증후군〔병〕《눈·입의 점막, 음부에 병이 생김》.
be·head[bihéd] *vt.* (…의) 목을 베다.
‡**be·held**[bihéld] *v.* behold의 과거·과거분사.
be·he·moth [bihí:məθ, bí:əmɑθ/bihí:mɔθ] *n.* (종종 B-) Ⓤ 〖聖〗 큰 짐승《욥기 40장에 나오는 초식 짐승; 하마인 듯함》.
be·hest[bihést] *n.* Ⓒ 명령.
†**be·hind**[biháind] *ad.* 뒤에〔를〕, 뒤로, 나중에; 그늘에. **— *prep.*** …의 나중〔뒤, 그늘〕에; …에 늦어서(~ *time* 시간에 늦어서/ ~ *the* TIMES). **from ~** 뒤로부터.
behínd·hànd *ad., pred. a.* 늦어, 늦게 되어; (지불이) 밀려(*in, with*).
behínd-the-scénes *a.* 공개 안된, 비밀리의; 흑막의(~ *conference* 비밀 회담).
‡**be·hold**[bihóuld] *vt., vi.* (**-held; -held,** 《古》 **-holden**) 보다(look at). **Lo and ~!** 이 어찌된 셈인가! **~·en** *a.* 은혜를 입은(*to*).
be·hoof[bihú:f] *n.* Ⓤ 《古》 이익 《다음 성구로만》. **in** 〔**for, to, on**〕 *a person's* **~** 아무를 위하여.
be·hoove[bihú:v], 《英》 **-hove** [-hóuv] *vt.* (…함이) 당연하다, 의무이다《보통 it을 주어로》(*It ~s you to refuse such a proposal.* 이런 제안은 거절해야 마땅하다).
beige[beiʒ] *n., a.* Ⓤ 원모(原毛)로 짠 나사; 밝은 회갈색(의).
Bei·jing[béidʒiŋ] *n.* =PEKING.
‡**be·ing**[bí:iŋ] *v.* be의 현재분사. **— *n.*** Ⓤ 존재, 실재; 생존; Ⓒ 생물 (creature), 사람; Ⓤ 본질, 본체 (nature); (B-) 신(神). **for the time ~** 당분간. **in ~** 존재하는, 현존의.
Bei·rut[beirú:t, ⊿–] *n.* 레바논의 수도.
be·jan[bí:dʒən] *n.* =⇩.
be·jaune[bidʒɔ́:n] *n.* (*fem.* **-jauna** [-dʒɔ́:nə]) Ⓒ (대학의) 신입생.
be·jew·el[bidʒú:əl] *vt.* (《英》 **-ll-**) 보석으로 장식하다.
bel[bel] *n.* Ⓒ 〖理〗 벨《전압·전류나 소리의 강도의 단위; 실용상은 decibel이 쓰임》.
be·la·bor, 《英》 **-bour**[biléibər] *vt.* 세게 치다, 때리다(thrash); 욕설하다, 호통치다.
be·lat·ed[biléitid] *a.* 늦은; 뒤늦은; 시대에 뒤진; 《古》 길이 저문.
Be·lau[bəláu] *n.* 벨라우《서태평양상의 여러 섬으로 이룩된 공화국》.
be·laud[bilɔ́:d] *vt.* 격찬하다.
be·lay[biléi] *vt., vi.* 〖海·登山〗 (밧줄걸이 따위에) 밧줄〔자일〕을 감아 매다.
beláying pìn 〖船〗 밧줄걸이.
bel can·to[bèl kɑ́:ntou, -kǽn-] (It.) 〖樂〗 벨칸토 창법.
*__belch__[beltʃ] *n., vi., vt.* Ⓒ 트림(하다); (연기·불을) 내뿜다; 분출(하다); (폭언을) 퍼붓다.
be·lea·guer[bilí:gər] *vt.* 포위하다; 둘러싸다; 괴롭히다.

Bel·fast[bélfæst, —ˊ, belfáːst] *n.* 북아일랜드의 수도·항구.
bel·fry[bélfri] *n.* Ⓒ 종각, 종루(bell tower); 《俗》머리.
Belg. Belgian; Belgium.
***Bel·gium** [béldʒəm] *n.* 벨기에. ***-gian**[-dʒən] *a., n.* 벨기에의; Ⓒ 벨기에 사람(의)
Bel·grade[belgréid, ˊ—] *n.* 베오그라드《신유고 연방의 수도; 현지명 Beograd》.
Bel·gra·vi·a[belgréiviə] *n.* 런던 Hyde Park 부근의 상류 주택 구역; 《英》신흥 상류[중류] 계급.
Be·li·al[bíːliəl, -ljəl] *n.* 『聖』 사탄, 악마(the Devil); 타락 천사 중한 사람(*men of* ~ 악당들).
be·lie[bilái] *vt.* (***belying***) 속이다, 왜곡하여 전하다; (희망에) 어긋나다, (약속을) 어기다, 배반하다; (…와) 일치하지 않다.
:**be·lief** [bilíːf] *n.* Ⓤ 믿음; 신념(conviction); Ⓒ 신앙(faith); Ⓤ 신용(trust). ***to the best of my*** ~ 확실히.
†**be·lieve**[bilíːv] *vt., vi.* ① 믿다, 신용하다; 신앙하다(*in*). ② 생각하다(think); …이라야 한다고[…이 좋다고] 생각하다(*in*). ***B- me.*** 《口》 정말입니다. ***make*** ~ …인 체하다. **be·líev·a·ble** *a.* ***be·líev·er** *n.* Ⓒ 신자(*in*).
be·like[biláik] *ad.* 《古》아마.
Be·lí·sha béacon[bilíːʃə-] 《英》(황색의) 횡단로 표지.
be·lit·tle[bilítl] *vt.* 얕보다; 헐뜯다; 작게 하다, 작아 보이게 하다.
†**bell**[1] [bel] *n.* Ⓒ 종; 방울, 초인종; 종[방울] 소리; 종 모양의 것; (보통 *pl.*) 『海』 (30 분마다의) 시종(時鍾). ***bear* [*carry*] *away the*** ~ 상품을 타다, 승리를 얻다. ***curse by*** ~, ***book, and candle*** 『가톨릭』 (종을 울리고, 파문 선고서를 읽은 후, 촛불을 끔으로써) 정식으로 파문하다. — *vt.* (…에) 방울을 달다. ~ ***the cat*** 어려운 일을 맡다. — *vi.* 종 모양으로 되다[벌어지다].
bell[2] *n., vi., vt.* Ⓒ (교미기의) 수사슴 울음 소리(처럼 울다).
Bell, Graham[gréiəm] (1847-1922) 미국의 과학자《전화의 발명자》.
bel·la·don·na[bèlədánə/-ɔ́-] *n.* Ⓒ 벨라도나《가짓과의 유독 식물; 아트로핀의 원료》.
béll-bòttom *a.* 바지 가랑이가 넓은; 판탈롱의. ~**s** *n. pl.* 나팔바지, 판탈롱.
béll·bòy *n.* Ⓒ 《美》 (호텔이나 클럽의) 급사, 보이.
béll bùoy 『海』 타종 부표(打鐘浮標)《파도에 흔들리어 울림》.
béll càptain (호텔의) 급사장.
***belle**[bel] *n.* Ⓒ 미인; (the ~) (어떤 자리에서) 가장 예쁜 소녀.
belles-let·tres[bellétər, bellétr] *n. pl.* (F.) 순문학.
béll·flòwer *n.* Ⓒ 초롱꽃.
béll fòunder 종 만드는 사람.
béll glàss 종 모양의 유리 그릇.
béll·hòp *n.* 《美口》 =BELLBOY.
bel·li·cose[bélikòus] *a.* 호전적인(warlike). **-cos·i·ty** [bèlikásəti/-ɔ́-] *n.*
***bel·lig·er·ent**[bilídʒərənt] *a.* 교전 중의, 교전국의; 호전적인. — *n.* Ⓒ 교전국; 교전자. **-ence**[-əns] *n.* Ⓤ 호전성; 교전. **-en·cy**[-ənsi] *n.* Ⓤ 교전 상태; 호전성.
bell·man[bélmən] *n.* Ⓒ 종 치는 사람; (어떤 일을 동네에) 알리고 다니는 사람.
béll mètal 종청동(鐘青銅)《구리와 「주석의 합금》.
Bel·lo·na[bəlóunə] *n.* 『로神』 전쟁의 여신; Ⓒ 키가 큰 미인.
***bel·low**[bélou] *vi., vt.* (황소가) 울다, (사람이) 고함을 지르다. — *n.* Ⓒ (황소의) 우는 소리; 노한 목소리.
bel·lows**[bélouz] *n. sing. & pl.* 풀무; (사진기의) 주름 상자; 폐. ***have ~ ***to mend*** (말이) 헐떡거리다.
béll tòwer 종루(belfry).
béll·wèther *n.* Ⓒ (선도의) 방울 달린 양; 선도자.
béll·wòrt *n.* Ⓒ 초롱꽃속의 식물.
***bel·ly**[béli] *n.* Ⓒ 배, 복부; 위; 식욕; (병 따위의) 불룩한 부분, 배; 내부; 태내, 자궁. — *vt., vi.* 부풀(게 하)다.
bélly·àche *n.* Ⓤ,Ⓒ 《口》 복통; 푸념. — *vi.* 《俗》불평을 말하다.
bélly·bùtton *n.* Ⓒ 《美口》 배꼽.
bélly dànce 벨리 댄스, 배꼽춤《중동 여성의 춤》.
bélly-flòp *n., vi.* (**-pp-**) Ⓒ 《口》 배로 수면을 치면서 뛰어 들기[들다].
bélly-lànd *vi.* 『空』 (고장으로) 동체(胴體) 착륙하다.
bélly lànding 『空』 (고장으로 인한) 동체 착륙. 「소.
bélly làugh 《美俗》 웃음거리, 홍
bélly-úp *a.* 《다음 성구로》 ***go*** ~ 《美俗》 뻗다, 죽다, (사회 등이) 무너지다.
†**be·long**[bilɔ́ːŋ/-lɔ́ŋ] *vi.* (…에) 속하다, (…의) 것이다(*to, in*)(*Where do you* ~ (*to*)? 어디 사십니까?/ *You don't* ~ *here.* 여기는 네가 있을 곳이 못 된다). *~**·ings** *n. pl.* 소지품; 재산; 성질, 재능.
:**be·lov·ed**[bilʌ́vid] *a.* 가장 사랑하는; 소중한. — [-lʌ́vd] *n.* Ⓒ 가장 사랑하는 사람, 애인; 남편, 아내.
†**be·low**[bilóu] *ad.* ① 아래에, 아래로; 지상에, 이승에; 지옥에; 아래층에. ② 하위[하류]에. ③ 후단(後段)(의 장)에. ***down*** ~ 아래로; 땅속[무덤·지옥]에; 해저에; 밑바닥에. ***here*** ~ 지상에, 현세에서. — *prep.* ① …의 아래에. ② …의 하위[아래쪽, 하류]에. ③ …보다 못하여. ④ …의 가치가 없어.
belów-the-lìne *ad., a.* 『經』 특별회계로[의].
:**belt**[belt] *n.* Ⓒ 띠, 혁대; 『機』 피대, 벨트; 지대, 지방; 해협. ***below***

B

the ~ 부정한, 부정하게; 비겁한, 비겁하게도. ***tighten one's*** ~ 내핍 생활을 하다《허리띠를 졸라매어 배고픔을 잊다》. ― *vt.* (…에) 띠를 두르다〔매다〕; (혁대로) 때리다. **∠·ing** *n.* Ⓤ 띠의 재료; 벨트 종류.

bélt convéyor 벨트 컨베이어.

bélt hìghwày 《美》 (도시 주변의) 순환〔환상〕 도로.

bélt lìne (도시 주변 전동차·버스의) 순환선.

bélt tìghtening 긴축 (정책); 내핍(생활).

bélt·wày *n.* =BELT HIGHWAY.

bel·ve·dere[bélvədìər] *n.* Ⓒ 전망대; (정원 등) 전망용 정자; (the B-) (로마의) 바티칸 미술관.

B.E.M. British Empire Medal; Bachelor of Engineering of Mines.

Bem·berg[bémbə:rg] *n.* Ⓤ 〖商標〗 벰베르크《인조견의 일종》.

be·mire[bimáiər] *vt.* 진흙투성이로 만들다.

be·moan[bimóun] *vt., vi.* 비탄하다.

be·mock[bimák/-5-] *vt.* 비웃다.

be·muse[bimjú:z] *vt.* 멍하게 하다.

Ben. Benjamin.

†bench[bentʃ] *n.* ① Ⓒ 벤치. ② Ⓒ (개의) 진열대; 작업대. ③ (the ~) 판사석; 법정; Ⓤ 《집합적》 판사들, 재판관. ④ Ⓒ 의석; 〖野〗 '벤치', 선수석. ~ ***and bar*** 법관과 변호사. ***be raised to the*** ~ 판사〔《英》 주교〕로 임명되다. ***sit*** 〔***be***〕 ***on the*** ~ 법관 자리에 있다; 심리 중이다; (보결 선수로서) 대기하고 있다. ― *vt.* (…에) 벤치를 놓다; (어떤) 지위에 앉히다; 〖競〗 (선수를) 퇴장시키다. **∠·er** *n.* Ⓒ 벤치에 앉는 사람; 《英》 법학원(the Inns of Court)의 간부.

bénch jòckey 《美俗》 벤치에서 상대 팀을 야유하는 선수.

bénch·màrk *n.* Ⓒ 〖컴〗 견주기《여러가지 컴퓨터의 성능을 비교·평가하기 위해 쓰이는 표준 문제》.

bénch shòw 개 품평회.

bénch wàrmer 〖野〗 보결 선수.

bénch wàrrant 구속 영장.

:bend[bend] *vt.* (***bent,*** 《古》 ~***ed***) 구부리다; (무릎을) 굽히다; (활을) 당기다; 굴복시키다; (마음을) 기울이다, 주시하다(*to, toward*); 〖海〗 (돛·닻줄을) 잡아매다. ― *vi.* 굽다; 굽히다(*down, over*); 굴복하다(*to, before*); 힘을 쏟다(~ *to the oars* 힘껏 노를 젓다). ~ ***oneself to*** …에 정력을 쏟다. ***on*** ~***ed knees*** 무릎 꿇고, 간절히. ― *n.* Ⓒ 굽이, 굴곡(부); 경향; 〖海〗 결삭(結索)(법) (cf. knot); 〖紋〗 평행사선. ***the*** ~***s*** 케이슨병(caisson disease), 항공병. **∠·er** *n.* Ⓒ 구부리는 것〔사람〕; 곡구(曲球); 《美口》 주흥, 야단법석; 《英俗》 6펜스 은화.

bénd sínister 〖紋章〗 좌경 평행선《서출(庶出)의 표》.

ben·e-[bénə] 'well'의 뜻의 결합사: *bene*factor, *bene*volent(cf. mal-).

:be·neath[biní:θ] *ad.* 아래쪽에; …보다 못하여. ― *prep.* …의 아래에(below, under); …에 어울리지 않는; …의 가치(조차) 없는.

Ben·e·dic·i·te[bènədísəti/-dáis-] *n.* (L.) (the ~) 만물의 송(頌); 그 악곡; (b-) Ⓤ,Ⓒ 축복의 기도, 식전의 감사 기도. ― *int.* 그대〔나·우리들〕에게 천복 있기를!

ben·e·dick [bénədik], **-dict** [-dìkt] *n.* Ⓒ (오랜 독신 생활 후의) 새 신랑; 기혼 남자.

Ben·e·dict[bénədìkt], **St.** (480?-543?) 베네딕트회를 창시한 이탈리아의 수도사.

Ben·e·dic·tine[bènədíktin] *a.* St. Benedict의; 베네딕트회의. ― *n.* Ⓒ 베네딕트회의 수사; [-ti:n] (b-) Ⓤ (프랑스의 Fécamp산의) 달콤한 리큐어 술.

ben·e·dic·tion[bènədíkʃən] *n.* Ⓤ,Ⓒ 축복(blessing); (예배 후의) 축도; (식사 전후의) 감사의 기도; (B-) 〖가톨릭〗 성체 강복식.

Ben·e·dic·tus[bènədíktəs] *n.* (the ~) 라틴어 찬송가의 하나.

ben·e·fac·tion[bènəfǽkʃən] *n.* Ⓤ,Ⓒ 은혜; 선행, 자선(慈善).

ben·e·fac·tor** [bénəfæ̀ktər, ⌐⌐∠⌐] *n.* (*fem.* ***-tress) Ⓒ 은인; 후원자, 보호자(patron); 기증자.

ben·e·fice [bénəfis] *n.* Ⓒ 〖英國國教〗 목사록(祿); 〖가톨릭〗 성직록(church living).

***be·nef·i·cent**[binéfəsənt] *a.* 인정 많은, 자선을 베푸는. **~·ly** *ad.* ***-cence** *n.* Ⓤ 선행, 친절; Ⓒ 시여물(施與物).

***ben·e·fi·cial**[bènəfíʃəl] *a.* 유익〔유리〕한.

ben·e·fi·ci·ar·y [bènəfíʃièri, -ʃəri] *n.* Ⓒ 봉록〔은혜·이익〕을 받는 사람; 수익자; (연금·보험금 따위의) 수취인.

ben·e·fi·ci·ate[bènəfíʃièit] *vt.* (원료·광석 등을) 정련하다.

:ben·e·fit[bénəfit] *n.* Ⓤ,Ⓒ 이익; 은혜, 은전(favor); Ⓒ 자선 흥행; Ⓤ,Ⓒ (사회 보장 제도에 의한 각종의) 급부, 연금; Ⓤ 《美》 세금 면제(relief). ~ ***of clergy*** 〖史〗 성직자 특권《범죄를 범하여도 보통의 재판을 받지 않고, 또한 초범인 경우에는 사형을 받지 않음》; (결혼 따위의) 교회의 승인. ***for the*** ~ ***of*** …을 위하여; 《反語》 …을 곯리기 위하여, …에 빗대어. ***give*** (*a person*) ***the*** ~ ***of the doubt*** 〖法〗 (피고의) 의심스러운 점을 유리하게 해석하여 주다. ― *vt., vi.* 이익을 주다; 도움을 받다(profit)(*by*).

bénefit socìety 〔**assocìation,** 《英》 **clùb**〕 공제 조합.

Ben·e·lux[bénəlʌ̀ks] *n.* 베네룩스 3국《관세 동맹(1948)을 맺고 있는 *Be*lgium, *Ne*therlands, *Lux*emburg의 총칭》.

***be·nev·o·lent** [binévələnt] *a.*

자비스러운(charitable), 친절한. *-**lence** *n.* Ⓤ 자비심, 인정; 덕행, 자선.
Beng. Bengali. **B. Eng.** Bachelor of Engineering.
Ben·gal[beŋgɔ́:l, ben-] *n.* 벵골《본래 인도 중부의 주》; Ⓤ 벵골 비단《견모 교직》.
Ben·gal·ee, -gal·i[beŋgɔ́:li, ben-] *a., n.* 벵골의; Ⓒ 벵골 사람(의); Ⓤ 벵골 말(의).
Ben·ga·lese[bèŋgəlí:z, bèn-] *n., a.* Ⓒ 벵골 사람; 벵골의.
be·night·ed[bináitid] *a.* 길이 저문(*a* ~ *traveler*); 무지한; 미개의.
be·nign[bináin] *a.* 인정 많은, 친절한; (기후가) 온화한(mild); 〖醫〗 병·종기 따위가) 양성(良性)의(opp. malign). **be·nig·ni·ty**[binígnəti] *n.* Ⓤ 친절, 자비; 온화.
be·nig·nant[binígnənt] *a.* 인정 많은, 인자한; 유익한; 〖醫〗 =BENIGN. ~·**ly** *ad.* -**nan·cy** *n.*
Be·nin[benín] *n.* 아프리카 서부의 공화국《1975년 Dahomey를 개칭》.
Ben·ja·min[béndʒəmin] *n.* 〖聖〗 이스라엘 12지파(支派)의 하나; 〖聖〗 Jacob의 막내아들; 막내, 귀동이. ***~'s mess*** 큰 몫.
Ben Ne·vis[bèn névis, -ní:vis] 스코틀랜드 중서부에 있는 영국 최고의 산《1343m》.
ben·ny[béni] *n.* Ⓒ 《美俗》 Benzedrine 정제.
bent**[1] [bent] *v.* bend의 과거(분사). ── *a.* 굽은; 허리가 굽은; 마음을 기울인, 열심인. ***be ~ on 〔***upon***〕 …을 결심〔…에 열중〕하고 있다. ── *n.* Ⓒ 기호(taste); 경향; 성벽, 성질; 《古》 굴곡. ***to the top of one's ~*** 실컷.
bent[2] *n.* Ⓤ,Ⓒ 〖植〗 겨이삭속 또는 그와 비슷한 볏과의 잡초, 그 줄기; 《英方》 황야, 초원(moor).
Ben·tham [béntəm, -θəm], **Jeremy** (1748-1832) 영국의 철학자·법학자. ~·**ism**[-ìzəm] *n.* Ⓤ 공리주의. ~·**ite**[-àit] *n.* Ⓒ 공리주의자.
ben·thic[bénθik] *a.* 심해저의〔에 사는〕.
ben·ton·ite[béntənàit] *n.* Ⓤ 〖鑛〗 벤토나이트《화산재의 분해로 된 점토》. -**it·ic**[bèntənítik] *a.*
ben tro·va·to[bèn trouvá:tou] (It.) 교묘한, 그럴 듯한.
bént·wòod *a.* 나무를 휘어 만든《의자 등》. ── *n.* Ⓤ 굽은 나무.
be·numb[binʌ́m] *vt.* 감각을 잃게 하다(make numb); 마비시키다, 저리게 하다.
Benz[bents] *n.* 벤츠《독일의 자동차명·제조자》.
Ben·ze·drine[bénzədrì:n] *n.* Ⓤ 〖藥〗 amphetamine의 상표명《각성제》.
ben·zene[bénzi:n, ─⌐] *n.* Ⓤ 〖化〗 벤젠.
ben·zine[bénzi:n, ─⌐] *n.* Ⓤ 〖化〗 벤진.
ben·zo·ic[benzóuik] *a.* 안식향의.
ben·zo·in[bénzouin] *n.* Ⓤ 안식향, 벤조인 수지.
ben·zol[bénzɑl, -zɔ(:)l], **-zole** [-zoul, -zɑl] *n.* =BENZENE; Ⓤ 벤졸, 조제(粗製) 벤젠.
ben·zyl[bénzil] *n.* Ⓤ 〖化〗 벤질.
Be·o·wulf[béiəwùlf] *n.* 8세기초에 씌어진 고대 영어의 서사시; 그 시 속의 영웅 이름.
***be·queath**[bikwí:ð, -θ] *vt.* (이름 작품 따위를) 남기다; (후세에) 전하다(hand down); (재산을) 유증하다. ~·**al** *n.* Ⓤ 유증.
be·quest[bikwést] *n.* Ⓤ 〖法〗 유증; Ⓒ 유산, 유물.
be·rate[biréit] *vt.* 《美》 꾸짖다, 야단치다.
Ber·ber[bə́:rbər] *n., a.* Ⓒ 베르베르(Barbary)사람(의); Ⓤ 베르베르 말(의).
be·reave**[birí:v] *vt.* (~d, bereft***) 빼앗다(deprive)(*be ~d of one's mother* 어머니를 여의다/*be bereft of hope* 희망을 잃다). 《주의》 사람의 경우는 *bereaved,* 그 이외는 *bereft* 의 형식. ~·**ment** *n.* Ⓤ,Ⓒ 사별.
be·reft**[biréft] *v.* bereave의 과거(분사). ***be utterly ~ 어찌할 바를 모르고 있다.
be·ret[bəréi, bérei] *n.* (F.) Ⓒ 베레모; 《英》 베레형 군모(*a green ~* 《美》〖軍〗 특전 부대원).
berg[bə:rg] *n.* Ⓒ 빙산(iceberg).
ber·ga·mot[bə́:rgəmɑ̀t/-mɔ̀t] *n.* Ⓒ 베르가모트《귤의 일종》; Ⓤ 그 껍질에서 채취하는 향유.
Berg·son [bə́:rgsən, bέərg-], **Henri** (1859-1941) 베르그송《프랑스의 철학자》.
be·rhyme, -rime[biráim] *vt.* 시로 짓다, 운문으로 하다.
be·rib·boned[biríbənd] *a.* (많은) 리본으로 장식한; 훈장을 단.
ber·i·ber·i[béribéri] *n.* Ⓤ 〖醫〗 각기(병).
Bér·ing Séa[bíəriŋ-, bέər-/bér-], (the ~) 베링 해(海).
Béring Stráit, the 베링 해협.
berke·li·um[bə́:rkliəm] *n.* Ⓤ 〖化〗 버클륨《알파 방사성 원소》.
Berks. Berkshire.
Berk·shire[bə́:rkʃiər/bɑ́:k-] *n.* 잉글랜드 남부의 주《생략 Berks.》; Ⓒ 버크셔종의 돼지.
:Ber·lin[bə:rlín] *n.* 베를린《독일의 수도》; =∠ **wóol** 질 좋은 가는 털실. ~·**er**[-ər] *n.* Ⓒ 베를린 시민.
Ber·li·oz[bέərliòuz], **Hector** (1803-69) 프랑스의 작곡가.
Ber·mu·da[bə(:)rmjú:də] *n.* 버뮤다《대서양의 영령(英領) 군도》.
Ber·nard[bə́:rnərd], **St.** 프랑스의 10−12세기에 살았던 세 성인.
Bern(e)[bə:rn] *n.* 베른《스위스의 수도》.
Ber·nóul·li's príncipie [bərnú:li:z-] 〖理〗 베르누이의 정리.
:ber·ry[béri] *n.* Ⓒ (딸기의) 열매;

B

(커피의) 열매; (물고기·새우의) 알. ― *vi.* 열매가 열리다; 열매를 따다.

ber·sa·glie·re[bɛ̀ərsɑ:lijɛ́əri] *n.* (*pl.* **-ri**[-ri]) (It.) Ⓒ (이탈리아의) 저격병.

ber·serk[bə(:)rsə́:rk] *a., ad.* 광포한〔하게〕, 사납게. **~·er** *n.* Ⓒ 〖北歐傳說〗 사나운 전사; 폭한(暴漢).

berth**[bə:rθ] *n.* (*pl.* **~s**[-θs, -ðz]) Ⓒ (선박·기차의) 침대; 정박지; 조선 여지(操船餘地) (sea room); 숙소; 《口》 지위, 직업. ***give a wide ~ to, or ***keep a wide ~ of*** …에서 멀리 떨어져 있다, …을 피하다. ― *vi., vt.* 정박하다; 정박시키다.

ber·tha[bə́:rθə] *n.* Ⓒ (여자옷의) 넓은 장식 깃.

Bér·til·lon sýstem[bə́:rtəlɑ̀n-/-tilɔ̀n-] 베르티용식 범인 식별법《지문을 중시》.

ber·yl[bérəl] *n.* Ⓤ 〖鑛〗 녹주석(綠柱石); 연한 청색.

be·ryl·li·um[bəríliəm] *n.* Ⓤ 〖化〗 베릴륨《금속 원소의 하나》.

be·seech**[bisí:tʃ] *vt.* (besought***) 간청〔탄원〕하다. **~·ing·ly** *ad.* 탄원〔애원〕하듯이.

be·seem[bisí:m] *vt.* (…에) 어울리다, 적당하다.

***be·set**[bisét] *vt.* (**~; -tt-**) 둘러싸다; 방해하다; 공격하다, 괴롭히다; 꾸미다, 박아넣다. **~·ting** *a.* 끊임없이 괴롭히는, 범하기〔빠지기〕 쉬운《죄·나쁜 버릇·유혹 따위》.

be·shrew[biʃrú:] *vt.* 《古》 저주하다(curse). ***B- me!*** 지겨워!

†**be·side**[bisáid] *prep.* …의 곁에(near); …와 비교하여; …의 외에; …을 벗어나서, …을 떨어져서. ***be ~ oneself*** 정신이 없다, 머리가 돌다. ***~ the mark*** 과녁〔대중〕을 벗어나서.

‡**be·sides**[bisáidz] *ad.* 그 위에, 게다가. ― *prep.* …외에〔의〕, …에 더하여; 《부정문 속에서》 …을 제외하고 (except).

***be·siege**[bisí:dʒ] *vt.* (장기간) 포위하다; (질문·요구 따위로) 몰아세우다. **~·ment** *n.*

be·slav·er[bislǽvər] *vt.* 군침투성이가 되게 하다; 지나치게 아첨하다.

be·slob·ber[bislɑ́bər/-ɔ́-] *vt.* = ⇧; 키스를 퍼붓다.

be·smear[bismíər] *vt.* 뒤바르다.

be·smirch[bismə́:rtʃ] *vt.* 더럽히다, 때 묻히다.

be·som[bí:zəm] *n.* Ⓒ 마당비; 〖植〗 금작화(broom)《빗자루 용》; 닳고 닳은 여자.

be·sot·ted[bisɑ́tid/-ɔ́-] *a.* 정신을 못 가누게 된; 취해버린.

***be·sought**[bisɔ́:t] *v.* beseech의 과거(분사).

be·spake[bispéik] *v.* 《古》 bespeak의 과거.

be·span·gle[bispǽŋgəl] *vt.* 금박〔은박〕으로 장식하다, 번쩍거리게 하다.

be·spat·ter[bispǽtər] *vt.* 튀기(어 더럽히)다; 욕설하다(slander).

be·speak [bispí:k] *vt.* (***-spoke,*** 《古》 ***-spake; -spoken, -spoke***) 예약하다(reserve), 주문하다; 의뢰하다; 입증하다, 나타내다; 예시하다; 《詩》 말을 걸다.

be·spec·ta·cled[bispéktəkəld] *a.* 안경을 낀.

be·spoke[bispóuk] *v.* bespeak의 과거(분사).

be·spo·ken [bispóukən] *v.* bespeak의 과거분사.

be·spread[bispréd] *vt.* (***-spread***) 펼치다, 덮다.

be·sprin·kle[bispríŋkəl] *vt.* 흩뿌리다, 살포하다.

Bés·se·mer stéel[bésəmər-] 베세머강(鋼)《Bessemer의 전로(轉爐)로 만들어 낸 강철》.

†**best**[best] *a.* 《good, well의 최상급》 가장 좋은, 최상의(***the ~ liar*** 지독한 거짓말쟁이). ― *n.* (the ~) 최량, 최선; 전력. ― *ad.* 《well의 최상급》 가장 잘, 제일; 《口》 심하게, 몹시. ― *vt.* (…에게) 이기다. ***at (the) ~*** 기껏해야, 잘해야. ***~ of all*** 무엇보다도, 첫째로. ***for the ~*** 최선의 결과를 얻고자(*All for the ~.* 만사는 하느님의 뜻이다《체념의 말》). ***got*** 〔***have***〕 ***the ~ of it*** 이기다; (거래에서) 잘 해내다. ***give it ~*** 《英》 단념하다. ***had ~*** (do) …하는 것이 제일 좋다(cf. had BETTER[1]). ***make the ~ of*** …을 될 수 있는 대로 이용하다; …로 때우다, 참다. ***make the ~ of one's way*** 길을 서둘다. ***one's ~ days*** 전성기. ***one's*** (***Sunday***) ***~*** 나들이옷. ***the ~ part of*** …의 대부분. ***to the ~ of one's*** (*ability* 〔*power*〕) (힘)이 미치는 한. ***with the ~*** 누구에게도 지지 않고.

bést-before dáte (포장 식품 따위의) 최고 보증 기한의 일부(日付) (cf. use-by date).

bést búy 가장 싸게 잘 산 물건.

be·stead[bistéd] *vt., vi.* (***~ed; ~ed,*** or ***~***) 돕다; 소용에 닿다.

bes·ti·ar·y[béstʃièri/-tiəri] *n.* Ⓒ (중세의) 동물 우화집.

be·stir[bistə́:r] *vt.* (**-rr-**) 분기시키다. ***~ oneself*** 분기하다.

bést-knówn *a.* 가장 유명한.

bést mán 최적임자; 신랑 들러리 (groomsman).

‡**be·stow**[bistóu] *vt.* 주다, 수여하다 (give)(*on*); 쓰다; 《古》 (간직하여) 두다; 《古》 숙박시키다. **~·al** *n.*

be·strad·dle[bistrǽdl] *vt.* = BESTRIDE.

be·strew [bistrú:] *vt.* (***~ed; ~ed, ~n***[-n]) 흩뿌리다.

be·strid·den[bistrídn] *v.* bestride의 과거분사.

be·stride[bistráid] *vt.* (***-strode, -strid; -strid***(***den***)) (…에) 걸터타다; 가랑이를 벌리고 건너 뛰다.

be·strode[bistróud] *v.* bestride 의 과거.

bést séller 베스트셀러《일정 기간에 가장 많이 팔린 책·레코드》; 그 저자〔작자〕.

best·sell·er·dom[béstsélərdəm] *n.* Ⓤ《집합적》 베스트셀러.

bést-sélling *a.* 베스트셀러의.

:bet[bet] *n.* Ⓒ 내기, 건 돈〔것〕. — *vi.* (*bet, betted; -tt-*) 내기를 하다; 걸다(*on, against*). *~ a nickel*《美口》…을 확신하다. *hedge one's ~s* (내기에서) 양쪽에 걸다; 양다리 걸치다. *I ~ you*《美口》꼭 틀림 없이. *You ~!*《口》정말이야; 꼭. *You ~?*《口》정말이지?

bet., betw. between.

be·ta[bí:tə, béi-] *n.* Ⓤ,Ⓒ 베타《그리스어 알파벳의 둘째 자 *B, β*》.

be·take [bitéik] *vt.* (*-took; -taken*) *~ oneself to*《古》(…로) 가다;《古》(…에) 호소하다, (…에) 의지하다; 착수하다. *~ oneself to one's heels* 냅다 줄행랑치다.

be·tak·en[bitéikən] *v.* betake의 과거분사.

béta mínus〔plús〕 2류의 하〔상〕; 2류보다 좀 못한〔나은〕.

béta pàrticle 〖理〗 베타 입자.

béta ràys 〖理〗 (방사선 물질의) 베타선.

béta rhýthm〔wáve〕 〖生〗 베타 리듬〔파〕《매초 10이상의 뇌파의 맥동》.

be·ta·tron[béitətrɑ̀n/bí:tətrɔ̀n] *n.* Ⓒ 〖理〗 베타트론《전자 가속 장치》.

be·tel[bí:təl] *n.* Ⓒ 구장(蒟醬)《후춧과의 나무; 인도 사람은 그 잎에 ~ nut를 싸서 씹음》.

bétel nùt 빈랑나무의 열매.

bétel pàlm 〖植〗 빈랑나무(말레이 원산; 야자과).

Be·tel·geuse[bí:təldʒù:z] *n.* 〖天〗 오리온자리 중의 적색 일등성.

bête noire [béit nwɑ́:r] (F.=black beast) 무서운〔질색인〕 것.

beth·el[béθəl] *n.* Ⓒ (종종 B-)《美》 (선원의) 수상〔해안〕 예배당;《英》비국교도 예배당.

***be·think**[biθíŋk] *vt.* (*-thought*) (~ oneself) 생각하다; 숙고하다; 생각해내다(*of*).

Beth·le·hem[béθliəm -lihèm] *n.* 베들레헴《Palestine의 옛 도읍; 예수의 탄생지》.

be·thought[biθɔ́:t] *v.* bethink의 과거(분사).

be·tide[bitáid] *vt., vi.* 발생하다, 생기다; (…에게) 닥치다.

be·times[bitáimz] *ad.* 일찍.

be·to·ken[bitóukən] *vt.* 보이다, 나타내다; (…의) 전조이다, 예시하다.

be·took[bitúk] *v.* betake의 과거.

:be·tray[bitréi] *vt.* ① 배반하다(sell), 저버리다. ② (여자를) 유괴하다(seduce). ③ (비밀을) 누설하다(reveal). ④ (약점 따위를) 무심코 보이다, 나타내다. *~ oneself* 무심코 본성을 드러내다. *~·al n.* Ⓤ 배반, 배신. *~·er n.*

***be·troth**[bitrɔ́:θ, -tróuð] *vt.* 약혼하다. *~ oneself to* …와 약혼하다. *be ~ed to* …와 약혼 중이다. *~·al n.* Ⓒ,Ⓤ 약혼(식).

†bet·ter[1][bétər] *a.*《good, well의 비교급》더 좋은. — *n.* Ⓤ 더 좋은 것〔일〕; (보통 *pl.*) 손윗 사람, 선배. — *ad.*《well의 비교급》더 좋게; 더욱; 오히려. *be ~ off* 전보다 더 잘 지내다. *be ~ than one's word* 약속 이상으로 잘 해주다. *be the ~ for* …때문에 오히려 좋다. *for ~ (or) for worse* 좋든 나쁘든, 어떤 일이 있어도. *for the ~* 나은 쪽으로(*change for the ~* 호전하다). *get* 〔*have*〕 *the ~ of* …에 이기다. *had ~* (do) …하는 편이 좋다(cf. had BEST). *know ~* 더 분별이 있다(*I know ~ than to quarrel.* 싸움할 정도로 바보는 아니다). *no ~ than* …도 마찬가지; …에 지나지 않다. *not ~ than* …보다 좋지 않다, …에 지나지 않다. *one's ~ feelings* 본심, 양심. *one's ~ half*《口》아내. *one's ~ self* 양심, 분별. *so much the ~* 더욱 좋다. *the ~ part* 대부분. *think ~ of* …을 고쳐 생각하다. *think the ~ of* (생각보다 좋다고) 다시 보다. — *vt., vi.* 개선하다; …보다 낫다. *~ oneself* 승진하다. *~·ment n.* Ⓤ,Ⓒ 개선; 출세.

bet·ter[2], **-tor**[bétər] *n.* Ⓒ 내기하는 사람.

Bétter Góvernment Associàtion《美》정부 개혁 협회《정부의 예산 낭비·부정 등을 조사하는 민간 단체; 생략 BGA》.

bétter hánd 오른손.

bétter-óff *a.* 부유한, 유복한(*the ~ people*).

†be·tween[bitwí:n] *prep., ad.* (두 물건)의 사이에, …사이를; (성질이) …의 중간으로. *~ A and B,* A니 B니 해서(*~ work and worry* 일이다 걱정이다 하여). *~ ourselves,* or *~ you and me* (*and the bed-* 〔*gate-, lamp-*〕*post*) 우리끼리 이야기지만. *~ the cup and the lip* 다 되어 가던 판에. *choose ~ A and B,* A나 B중 어느 하나를 고르다. (*few and*) *far ~* 극히 드물게. *in ~* 중간에, 사이에.

betwéen dècks 〖船〗 중창(中艙)《두 갑판 사이의 공간》.

betwéen·màid *n.* Ⓒ 허드렛일 하는 하녀.

betwéen·tìmes, -whiles *ad.* 틈틈이, 때때로.

be·twixt[bitwíkst] *prep., ad.*《古》=BETWEEN. *~ and between* 중간에, 이도저도 아니게.

BeV, Bev, bev[bev] billion electron volt 〖理〗 10억 전자 볼트.

bev·a·tron [bévətrɑ̀n/-trɔ̀n] *n.* Ⓒ 〖理〗 베바트론《고성능 싱크로트론》.

bev·el [bévəl] *n., a.* Ⓒ 사각(斜角)

(의); 경사(진); =∠ **squàre** 각도자. ― *vt.* (《英》 **-ll-**) 사각을 만들다, 엇베다, 비스듬하게 하다.

bével gèar 〖機〗 베벨기어《우산 모양의 톱니바퀴》.

*__bev·er·age__[bévəridʒ] *n.* Ⓒ 음료. ***alcoholic*** ~ 알콜 음료. ***cooling*** ~ 청량 음료.

bev·y[bévi] *n.* Ⓒ (작은 새·사슴·미인 따위의) 떼.

B

*__be·wail__[biwéil] *vt., vi.* 비탄하다, 슬퍼하다.

:__be·ware__[biwέər] *vi., vt.* 주의〔조심〕하다《명령법·부정사로서, 또는 조동사의 다음에만》(*B- of pickpockets!* 소매치기 조심 하시오!).

be·wigged[biwígd] *a.* 가발을 쓴.

:__be·wil·der__[biwíldər] *vt.* 당황하게 하다(confuse). ~**·ing** *a.* *~**·ingly** *ad.* *~**·ment** *n.*

*__be·witch__[biwítʃ] *vt.* 마법을 걸다(enchant); 매혹하다(charm). ~**·ing** *a.* 황홀하게 하는, 매력 있는. ~**·ment** *n.*

†**be·yond**[bijánd/-ɔ́-] *prep.* ① …의 저쪽〔저편〕에; …을 넘어서. ② …이 미치지 않는, …보다 우수한. ③ …외에. ④ (시간을) 지나서, 늦어서. ~ ***doubt*** 의심할 여지 없이. ***go*** ~ ***oneself*** 자제력을 잃다; 평소보다 잘하다. ***It's*** (***gone***) ~ ***a joke.*** 《口》 그것은 농담이 아니다, 진담이다. ― *ad.* 저쪽〔저편〕에; 외에. ― *n.* (the ~) 저편(의 것); 내세. ***the back of*** ~ 세계의 끝.

bez·el[bézəl] *n.* Ⓒ (날붙이의) 날의 사면(斜面); (보석의) 사면; (반지의) 보석 물리는 데, 거미발; (시계의) 유리 끼우는 홈.

be·zique[bəzí:k] *n.* Ⓤ 카드놀이의 일종.

B/F brought forward 〖簿〗 앞에서 이월(移越). **bf., b.f.** boldfaced (type). **B.F.O.** British Foreign Office 영국 외무성. **bg.** bag(s). **bGH** bovine growth hormone.

B-gìrl *n.* Ⓒ (바의) 여급.

B.G.(M.) back ground (music) 〖樂〗 반주 음악, 배경 음악.

B.H. BILL[1] of health. **BHA** butylated hydroxyanisole《지방 등의 산화 방지제의 일종》.

bhang, bang(ue)[bæŋ] *n.* Ⓤ 인도 대마; (그 잎을 말린) 마취약.

B.H.C. benzene hexachloride. **B.H.P., b.h.p.** brake horsepower.

Bhu·tan[bu:tá:n] *n.* 부탄《인도 북동부의 Himalaya 산맥중의 왕국》.

Bi 〖化〗 bismuth.

bi[bai] *a.* 《俗》 양성애(兩性愛)의.

bi-[bai] *pref.* '둘, 쌍, 복, 등분, 2배, 2기 1회, 1기 2회' 따위의 뜻: *bi*valve, *bi*sect, *bi*carbonate, *bi*weekly.

B.I. British India.

bi·a·ce·tyl[bàiəsí:tl, -sétl] *n.* Ⓤ 〖化〗 비아세틸《초·커피 등의 풍미를 높이는 데 씀》.

bi·an·nu·al[baiǽnjuəl] *a.* 연 2회의, 반년마다의.

*__bi·as__[báiəs] *n.* Ⓤ,Ⓒ (솔기·재단의) 사선, 바이어스; 경사(slanting); 경향, 성벽; 편견; 〖無電〗 '바이어스' 편의(偏倚). ― *vt.* (《英》 **-ss-**) 기울이다, 치우치게 하다, 편견을 갖게 하다. ~**(s)ed**[-t] *a.* 비스듬한, 편견을 가진.

bías tàpe 바이어스 테이프《가는 천 테이프》.

bi·ath·lete[baiǽθli:t] *n.* Ⓒ 동계 올림픽 2종 경기 선수.

bi·ath·lon[baiǽθlan/-lɔn] *n.* Ⓤ 〖競〗 바이애슬론《스키의 장거리 레이스에 사격을 겸함》.

bi·ax·i·al[baiǽksiəl] *a.* 〖理〗 축(軸)이 둘 있는.

bib[bib] *n.* Ⓒ 《古》 턱받이; (에이프런 따위의) 가슴 부분. ***one's best*** ~ ***and tucker*** 나들이옷.

Bib., bi. Bible; Biblical.

bíb·còck *n.* Ⓒ 수도꼭지.

bi·be·lot[bí:blou] *n.* Ⓒ ① 소형의 실내 장식품, 소골동품. ② 초소형판〔본〕.

Bibl., bibl. Biblical; bibliographical.

:__Bi·ble__[báibəl] *n.* (the ~) 성서; Ⓒ (*or* b-) 성전; (b-) 권위 있는 참고서(*the golfer's b-*). **Bib·li·cal, b-**[bíblikəl] *a.*

Bíble Bèlt, the 미국 남부의 신앙이 두터운 지역《fundamentalism을 굳게 믿음》.

Bib·li·cist[bíbləsist] *n.* Ⓒ 성서학자; 성서의 내용을 그대로 믿는 사람.

bib·li·o-[bíbliou, -liə] '책의, 성서의' 뜻의 결합사.

bibliog. bibliographer; bibliography.

bib·li·og·ra·phy[bìbliágrəfi/-ɔ́-] *n.* Ⓒ 참고서〔문헌〕 목록; Ⓤ 서지학(書誌學). **-pher** *n.* Ⓒ 서지학자. **-o·graph·ic**[bìbliəgrǽfik], **-i·cal** [-əl] *a.*

bib·li·ol·a·ter[bìbliálətər/-ɔ́-] *n.* Ⓒ 서적〔성서〕 숭배자. **-trous** *a.* **-try** *n.*

bìblio·mánia *n.* Ⓤ 장서벽(藏書癖). **-mániac** *a., n.* Ⓒ 장서광의 (사람).

bib·li·o·phile[bíbliəfàil], **-phil** [-fil] *n.* Ⓒ 애서가, 서적 수집가.

bib·u·lous[bíbjələs] *a.* 술꾼의, 술을 좋아하는; 흡수성의(absorbent).

bi·cam·er·al[baikǽmərəl] *a.* 〖政〗 양원제(兩院制)의.

bi·carb[baiká:rb] *n.* Ⓤ 중탄산 나트륨.

bi·car·bo·nate [baiká:rbənit, -nèit] *n.* Ⓤ 〖化〗 중탄산염; 중조. ~ ***of soda*** 중탄산나트륨.

bi·cen·te·nar·y [baisénténèri/ bàisentí:nəri] *a., n.* = ⇩.

bi·cen·ten·ni·al [bàisenténiəl] *a., n.* 200년(째)의; Ⓒ 200년제(祭)(의); 200년기(忌)(의).

bi·cen·tric[baiséntrik] *a.* 2중심

의, 쌍심(雙心)의.
bi·ceph·a·lous[baiséfələs] *a.* 쌍두(雙頭)의.
bi·ceps[báiseps] *n.* Ⓒ 〖解〗 이두근(二頭筋); 《口》 근력.
bi·chlo·ride[baiklɔ́:raid] *n.* Ⓤ 〖化〗 이염화물(二鹽化物). **~ of mercur** 염화 제2수은, 승홍(昇汞).
bi·chro·mate[baikróumeit] *n.* Ⓤ 〖化〗 중크롬산염; 중크롬산칼륨.
bi·cip·i·tal[baisípətəl] *a.* 머리가 두 개인; 〖解〗 이두근(二頭筋)의.
bick·er[bíkər] *n.* Ⓒ 말다툼; (불꽃이) 반짝거림; 후드득거림. ── *vi.* 말다툼하다; 반짝거리다; (비가) 후드득 떨어지다.
bi·cron[báikrɑn/-krɔn] *n.* Ⓒ 〖理〗 비크론《1m의 10억 분의 1》.
bi·cul·tur·al[baikʌ́ltʃərəl] *a.* 두 문화(병존)의.
bi·cus·pid[baikʌ́spid] *n.* Ⓒ 〖解〗 앞어금니, 소구치. ── *a.* (이가) 뾰족한 끝이 둘 있는.
†**bi·cy·cle**[báisikəl] *n., vi.* Ⓒ 자전거(에 타다). **-clist** *n.* Ⓒ 자전거 타는 사람.
‡**bid**[bid] *vt.* (***bade, bad, bid; bidden, bid; -dd-***) ① (…에게) 명하다(~ *him* (*to*) do). ② (인사를) 말하다(~ *him farewell, welcome, etc.*). ③ 값매기다, 입찰하다, 값을 다투다《이 뜻의 과거(분사)는 *bid*》. ④ 초대하다; 공고하다. ⑤ (카드놀이에서) 선언하다. ── *vi.* 값을 매기다, 입찰하다. **~ *fair to*** …할 가망이 있다, 유망하다. **~ *for*** = **~** on. **~ *in*** (임자가) 자기 앞으로 낙찰시키다. **~ *off*** 낙찰시키다. **~ *on*** …의 입찰을 하다. **~ *up*** 경매에서 값을 올리다. ── *n.* Ⓒ 부른 값, 입찰; 제안; (호의를 얻는) 노력; 시도. ***call for ~s on*** …의 입찰을 하다. ***make a* [*one's*] *~ for*** …에 값을 매기다; (호의를) 얻으려고 노력하다. **∠·da·ble** *a.* 유순한; 〖카드〗 겨룰 수 있는. **∠·der** *n.*
·**bid·den**[∠n] *v.* bid의 과거분사.
·**bid·ding**[bídiŋ] *n.* Ⓤ ① 입찰, 값 다투기. ② 명령. ③ 초대. ④ 공고; 선언.
bid·dy[bídi] *n.* Ⓒ 암탉(hen); 《美》 하녀; 《俗》 여선생.
·**bide**[baid] *vt., vi.* (***~d, bode; ~d***) 기다리다(~ *one's time* 좋은 기회를 기다리다); 《古》 참다; 《古》 살다, 머물다.
bi·det[bidét/bí:dei] *n.* (F.) Ⓒ 비데《국부 세척기》.
bi·di·rec·tion·al[bàidirékʃənəl, -dai-] *a.* (안테나·마이크 등이) 양지향성(兩指向性)의.
bi·en·ni·al[baiéniəl] *a., n.* 2년에 한 번의; 2년간의; Ⓒ 〖植〗 2년생의 (식물); 2년마다 여는 전람회, '비엔날레'; 2년마다 보는 시험《따위》. **~·ly** *ad.*
bier[biər] *n.* Ⓒ 관가(棺架); 영구차; 관대(棺臺).
Bierce[biərs], **Ambross**(1842-1914?) 미국의 단편 작가.
biff[bif] *n., vt.* Ⓒ 《俗》 강타(하다).
bif·fin[bífin] *n.* Ⓒ 《英》 요리용의 검붉은 사과.
bi·fid[báifid] *a.* 〖植〗 둘로 갈라진.
bi·fo·cal[baifóukəl] *a., n.* 이중 초점의; (*pl.*) 이중 초점 안경.
bi·fo·li·ate[baifóuliit] *a.* 〖植〗 쌍엽의.
bi·fur·cate[*v.* báifərkèit, ─∠─; *a.* -kit] *a., vt., vi.* 두 갈래진; 두 갈래로 가르다[갈리다].
†**big**[big] *a.* (***-gg-***) ① 큰; 성장한 (grown-up). ② 중요한, 높은. ③ 잘난 체하는, 뽐내는(boastful)(***get too ~ for one's boots*** 뽐내다); 임신한(*She is ~ with child.*). ── *ad.* 《口》 뽐내며 잘난 듯이; 다량으로, 크게; 《美口》 성공하여.
big·a·my[bígəmi] *n.* Ⓤ 〖法〗 중혼(重婚)(죄), 이중 결혼(cf. digamy).
bíg báng, Bíg Báng, the 〖天〗 (우주 생성 때의) 대폭발.
bíg báng thèory 〖天〗 (우주 생성의) 폭발 기원설.
bíg bést, the 록 음악.
Bíg Bén 영국 국회 의사당 탑 위의 큰 시계(종).
Bíg Bóard 《美口》 뉴욕 증권 거래소 (상장의 주식 시세표).
bíg bróther 형; (때로 B- B-) (고아·불량 소년 등을 선도하는) 형 대신이 되는 남자; 독재 국가의 독재자.
bíg búg [**chéese, gún, nóise, número, shòt, whéel**] 《俗》 중요 인물, 거물(bigwig).
bíg búsiness 《口》 (종종 나쁜 뜻의) 대기업, 재벌.
bíg déal 《美俗》 하찮은 것.
Bíg Dípper, the ⇨DIPPER.
bigg[big] *n.* Ⓤ 《英》 보리의 일종.
bíg gáme 큰 시합; 큰 사냥감《범 따위》; 큰 목표.
big·gie[bígi] *n.* Ⓒ 《美俗》 훌륭하신 분, 거물; 대단한 것.
big·gish[bígiʃ] *a.* 좀 큰; 젠체하는.
bíg góvernment 큰 정부《보통 중앙 집권화된 정부의 기능과 거액의 재정 지출, 이에 따른 많은 세금을 비판하는 말》.
bíg·hèad *n.* Ⓤ,Ⓒ 〖病〗 두부 팽창증《양(羊) 머리의 심한 염증》; 《美俗》 숙취; 《口》 자기 도취; Ⓒ 《美俗》 그런 사람; 우두머리.
bíg-héarted *a.* 친절한; 관대한.
bight[bait] *n.* Ⓒ 후미; 만곡부.
bíg náme 《口》 명사(名士), 중요 인물; 일류 배우.
big·ot[bígət] *n.* Ⓒ 완고한 사람; 광신자; 괴팍스런 사람. **~·ed**[-id] *a.* 편협한, 완고한. **~·ry** *n.* Ⓤ 편협; 완미한 신앙.
Bíg Scíence 거대 과학《대규모의 과학 연구》.
bíg shòt 《口》 거물, 중요 인물.
bíg síster 누나; (때로 B- S-) (고아·불량 소녀 등을 선도하는) 언니 구

B

실을 하는 여자.
bíg stíck 《美》 (정치·군사적) 압력, 힘의 과시(*a* ~ *policy* 힘의 정책).
bíg tálk 《俗》 호언 장담, 허풍.
bíg tícket *a.* 《美口》 비싼 가격표가 붙은, 비싼, 고가의.
bíg-tíme *a.* 《美俗》 일류의.
bíg tóe 엄지 발가락.
bíg trèe =SEQUOIA.
bíg·wìg *n.* Ⓒ 《口·蔑》 높은 사람, 거물, 요인.
bi·jou[bíːʒuː] *n.* (*pl.* **~x**[-z]) (F.) Ⓒ 보석(jewel); 작고 아름다운 장식. — *a.* 주옥 같은, 작고 우미한.
bi·jou·te·rie[biːʒúːtəri] *n.* Ⓤ 보석류; 자잘구레한 장신구.
bike[baik] *n., v.* 《口》 =BICYCLE.
bíke·wày *n.* Ⓒ 《美》 (공원 등의) 자전거 전용 도로.
Bi·ki·ni[bikíːni] *n.* 비키니 환초(環礁) 《마샬 군도의》; Ⓒ (*or* b-) (투피스의) 여자 수영복.
bi·la·bi·al[bailéibiəl] *a., n.* 『音聲』 두 입술로 발음하는; Ⓒ 양순음(兩脣音)(b, p, m, w 따위).
bi·lat·er·al[bailǽtərəl] *a.* 양측[양면]이 있는; 양자간의; 『法』 쌍무적인 (cf. unilateral).
bil·ber·ry[bílbèri, -bəri] *n.* Ⓒ 월귤나무속(屬)의 일종.
bile[bail] *n.* Ⓤ 담즙; 기분이 언짢음, 짜증. ***black*** ~ 우울.
bíle·stòne *n.* Ⓤ,Ⓒ 『醫』 담석.
bi-lev·el[bailévəl] *a., n.* 상하 2층의; Ⓒ 《美》 반지하 2층의 (가옥).
bilge[bildʒ] *n.* Ⓒ (배 밑의) 만곡부; Ⓒ (통의) 중배; Ⓤ 《俗》 허튼 소리(rot); =∠ **wàter** 배 밑에 괸 더러운 물. — *vt., vi.* (배 밑에) 구멍을 뚫다; 구멍이 뚫리다; 불룩하게 하다, 불룩해지다(bulge).
bil·i·ar·y[bílièri] *a.* 담즙의; 담즙 이상에 의한.
bi·lin·e·ar[bailíniər] *a.* 『數』 쌍일차(雙一次)의.
***bi·lin·gual**[bailíŋgwəl] *a.* 두 나라 말을 하는, 두 나라 말을 쓴.
bil·ious[bíljəs] *a.* 담즙(bile)(질)의; 까다로운.
bilk[bilk] *vt.* (빚·셈을) 떼먹다, 떼먹고 도망치다. — *n.* Ⓒ 사기꾼.
†**bill**[1][bil] *n.* Ⓒ ① 계산서. ② 목록. ③ 벽보; 전단, 포스터. ④ 《美》 지폐; 증서; 환어음. ⑤ 의안, 법안. ⑥ 『法』 소장(訴狀). ⑦ (연극의) 프로(printed program). — *vt.* 광고하다, 프로에 짜넣다; 예고하다; 청구서를 보내다. ~ ***of exchange*** 환어음. ~ ***of fare*** 식단표, 메뉴. ~ ***of health*** 『船』 건강 증명서. ~ ***of lading*** 선하 증권《생략 B/L》. ~ ***of mortality*** 사망 통계표. ***B- of Rights*** 《美》 (정부가 기본적 인권을 보장하는) 권리 장전, 《英》 권리 선언(1689). ~ ***of sale*** 『商』 매도 증서. ***fill the*** ~ 《口》 요구를 충족시키다; 효과가 있다.
:**bill**[2] *n.* Ⓒ 부리(모양의 것) (cf. beak). — *vi.* (비둘기가) 부리를 맞대다. ~ ***and coo*** (남녀가) 서로 애무하며 사랑을 속삭이다.
bill[3] *n.* Ⓒ (옛날의) 갈고리 창; =∠-**hòok** 밀낫.
bíll·bòard *n.* Ⓒ 게시판, 공고판.
bíll·bòok *n.* Ⓒ 어음장.
bíll bròker 증권[어음] 중매인.
bil·let[1][bílit] *n.* Ⓒ 『軍』 (민가에 대한) 숙사 할당 명령서; (병영 이외의) 숙사(宿舍); 일자리, 직업. — *vt.* (병사에게) 숙사를 할당하다.
bil·let[2] *n.* Ⓒ 굵은 장작; 강편(鋼片).
bil·let-doux[bílidúː, -lei-] *n.* (*pl.* ***billets-doux***[-z-]) (F.) Ⓒ 연애 편지.
bíll·fòld *n.* Ⓒ 《美》 (둘로 접게 된) 지갑(wallet).
bil·liard[bíljərd] *a.* 당구(용)의. ~·**ist** *n.* Ⓒ 당구가.
bílliard ròom [**tàble**] 당구장[대].
***bil·liards**[bíljərdz] *n. pl.* 당구.
bill·ing[bíliŋ] *n.* Ⓤ 게시, 광고; 『劇』 (배우의) 프로에서의 서열.
bílling machìne 자동 경리 계산기.
Bil·lings·gate[bíliŋzgèit/-git] *n.* 런던의 어시장; (b-) Ⓤ 폭언, 상말.
***bil·lion**[bíljən] *n., a.* Ⓒ 《美·프》 10억(의); 《英·獨》 1조(兆)(의).
bil·lion·aire[bìljənέər, ∠-∠] *n.* Ⓒ 억만장자.
***bil·low**[bílou] *n., vi.* Ⓒ 큰 파도(가 일다), 놀치다. ~·**y** *a.* 너울의, 물결이 높은.
bíllow clòud 『氣』 파도구름.
bíll·pòster, bíll·stìcker *n.* Ⓒ 삐라 붙이는 사람.
bil·ly[1][bíli] *n.* Ⓒ 곤봉; 《口》 경찰봉; =BILLY GOAT.
bil·ly[2] *n.* Ⓒ 《濠》 (양철) 주전자.
bílly·còck *n.* Ⓒ 《英》 중절모(帽).
bílly gòat 《兒》 숫염소.
bil·ly-o(h)[-òu] *n.* 《英俗》 《다음 성구로만》 ***like*** ~ 맹렬하게.
bil·tong[bíltàŋ/-ɔ̀-] *n.* Ⓤ 《南아》 육포(肉脯).
bi·mes·tri·al[baiméstriəl] *a.* 2개월간의; 두 달에 한 번의.
bi·me·tal[baimétl] *a.* =BIMETALLIC. — *n.* Ⓒ 바이메탈, 두 가지 금속으로 된 물질.
bi·me·tal·lic[bàimətǽlik] *a.* 두 금속의[으로 된]; (금은) 복본위제의.
bi·met·al·lism[baimétəlìzəm] *n.* Ⓤ (금은) 복(複)본위제[주의].
bi·month·ly[baimʌ́nθli] *a., ad.* 2개월에 한 번(의), 한 달 걸러서. — *n.* Ⓒ 격월[월 2회] 발행지(誌).
***bin**[bin] *n.* Ⓒ (뚜껑있는) 큰 상자; 《英》 쓰레기통; 빵을 넣는 큰 통; (울을 친) 저장소; (*the* ~) 《俗》 정신병원.
bi·na·ry[báinəri] *a., n.* Ⓒ 둘의; 둘[두 요소]로 된 (것); 『컴』 2진수의; =∠ **stár** 『天』 연성(連星).
bínary-coded décimal 『컴』 2진화 10진수.
bínary séarch 『컴』 2진 검색.

bin·au·ral[bainɔ́:rəl] *a.* 두 귀의, 두 귀에 쓰는; 입체 음향[방송]의(cf. monaural).
:bind[baind] *vt.* (**bound**) 동이다, 매다; 감다; 제본하다; 속박[구속]하다; 의무를 지우다; (타르·시멘트 따위로) 굳히다; 변비를 일으키게 하다(constipate). — *vi.* 동이다; 굳어지다; 구속하다. ***be bound to*** 꼭 …하다. ***be in duty bound to*** …할 의무가 있다. ~ ***oneself to*** … 할 것을 맹세하다. ~ ***up*** 붕대를 감다, 단으로 묶다. — *n.* Ⓒ 묶는 것; (a ~) 《口》 난처한 입장, 곤경; 〖樂〗 연결선(tie). ***∠·er** *n.* Ⓒ 묶는 것[사람], 끈; 제본인; 굳히는 것; (서류 따위를) 철하는 표지. **∠·er·y**[-əri] *n.* Ⓒ 제본소. ***∠·ing** *a., n.* 묶는, Ⓤ,Ⓒ 동이는 (것, 일); 제본; 붕대; 구속력이 있는, 의무적인.
bínding ènergy 〖理〗 결합 에너지.
bin·dle[bíndəl] *n.* Ⓒ 《美俗》 (부랑자의) 의류·취사 도구의 꾸러미.
bíndle stìff 《美俗》 (침구를 갖고 다니는) 부랑인. 「굴풀).
bínd·wèed *n.* Ⓤ 메꽃(무리의 덩
bine[bain] *n.* Ⓒ 〖植〗 덩굴《특히, hop의》; 〖植〗 인동덩굴의 일종.
Bi·nét-Sí·mon tèst[binéisái-mən-] 〖心〗 비네시몽식 지능 검사법.
binge[bindʒ] *n.* Ⓒ 《口》 법석대는 술잔치. 「일종).
bin·go[bíŋgou] *n.* Ⓤ 빙고《lotto의
bin·na·cle[bínəkəl] *n.* Ⓒ 〖海〗 나침함(羅針函).
bin·o·cle[bínəkəl] *n.* Ⓒ 쌍안경.
bin·oc·u·lar[bənákjələr, bai-/-ɔ́-] *a., n.* 두 눈(용)의; (*pl.*) 쌍안경(opera glass).
bi·no·mi·al[bainóumiəl] *n., a.* Ⓒ 〖數〗 이항식(二項式)(의); 〖生〗 이명식(二名式)의, 이명식 이름. ~ ***nomenclature*** (속(屬)명과 종(種)명과의) 2명법《보기: *Homo sapiens* 사람》. ~ ***theorem*** 이항 정리.
bi·nom·i·nal[bainámənəl/-nɔ́m-] *a.* 〖生〗 =BINOMIAL.
bint[bint] *n.* Ⓒ 《英俗》 여자.
bi·o-[báiou, báiə] '생명'의 뜻의 결합사.
bi·o·as·say[bàiouəséi] *n.* Ⓒ 생물학적 정량(定量). 「학.
bìo·astronáutics *n.* Ⓤ 우주 생리
bìo·availabílity *n.* Ⓤ 생물학적 이용 효능.
bi·o·ce·nol·o·gy[bàiousənálədʒi/-ɔ́-] *n.* Ⓤ 생물 군집학(群集學).
bìo·chémical *a.* 생화학의. ~ ***oxygen demand*** 생화학적 산소요구량. 「**-chémist** *n.*
bìo·chémistry *n.* Ⓤ 생화학.
bi·o·cide[báiəsàid] *n.* Ⓤ,Ⓒ 생명 파괴제, 살(殺)생물제(劑). 「학.
bìo·climàtológy *n.* Ⓤ 생물 기후
bìo·degráde *vi.* (미생물에 의해) 생물 분해하다《세제 등을》.
bi·o·de·grad·a·ble [-digréidəbəl] *a.* 미생물로 분해되는.
bìo·dynámic *a.* 생활 기능학의[기능학적인]. **~s** *n.* Ⓤ 생활 기능학.
bìo·ecólogy *n.* Ⓤ 생물 생태학.
bìo·electrónics *n.* Ⓤ 생체 전자 공학《생체의 전자의 역할을 연구함》; 생체 전자학《진단·치료 따위의 전자 장치의 응용》.
bìo·engineéring *n.* Ⓤ 생의학 공학(biomedical engineering).
bìo·éthics *n.* Ⓤ 생명 윤리(학)《유전자 공학이나 심장 이식 등에 관해 야기되는》.
bìo·féedback Ⓤ 바이오피드백《뇌파계를 따라 알파파(波)를 조절, 안정된 정신 상태를 얻는 방법》.
bìo·génesis *n.* Ⓤ 생물 발생설(發生說)《생물은 생물에서 발생한다는 설》.
bìo·geochémistry *n.* Ⓤ 생물 지구 화학.
bìo·geógraphy *n.* Ⓤ 생물 지리학.
***bi·og·ra·pher**[baiágrəfər/-ɔ́-] *n.* Ⓒ 전기(傳記) 작가.
:bi·og·raph·y[baiágrəfi/-ɔ́-] *n.* Ⓒ 전기(life). ***bi·o·graph·ic**[bàiougræ̀fik], **-i·cal**[-əl] *a.*
biol. biological; biologist; biology.
***bi·o·log·ic**[bàiəládʒik/-ɔ́-], **-i·cal**[-əl] *a.* 생물학(상)의; 응용 생물학의.
biológical clóck (생물의) 생체 시계.
biológical contról 생물학적 방제(防除)《천적을 도입하여 유해 생물을 억제》. 「균전.
biológical wárfare 생물학전, 세
***bi·ol·o·gist**[baiálədʒist/-ɔ́-] *n.* Ⓒ 생물학자. 「물학.
:bi·ol·o·gy[baiálədʒi/-ɔ́-] *n.* Ⓤ 생
bìo·luminéscence *n.* Ⓤ (반딧불 등의) 생물 발광(發光).
bi·ol·y·sis[baiáləsis/-ɔ́-] *n.* Ⓤ (생물체의) 미생물에 의한 분해.
bío·màss *n.* Ⓤ 〖生態〗 생물량.
bìo·mechánics *n.* Ⓤ 생물 역학.
-mechánical *a.*
bìo·médical *a.* 생물 의학의. ~ ***engineering*** 생의학 공학(bioengineering).
bìo·médicine *n.* Ⓤ 생물 의학.
bi·o·met·rics[bàioumétriks] *n.* Ⓤ 생물 측정학.
bi·om·e·try[baiámətri/-ɔ́-] *n.* Ⓤ 수명 측정(법); =⇧.
bìo·mólecule *n.* Ⓒ 유생 분자(有生分子)《바이러스처럼 생명 있는》.
bi·on·ics[baiániks/-ɔ́-] *n.* Ⓤ 생체 공학《인간·동물의 행동 양식을 연구하여 컴퓨터 설계에 응용하는 학문》.
bi·o·nom·ics[bàiounámiks/-ɔ́-] *n.* Ⓤ 생태학.
bi·on·o·my[baiánəmi/-ɔ́-] *n.* Ⓤ 생명학; 생리학; 생태학.
bìo·phýsics *n.* Ⓤ 생물 물리학.
bio·plasm[báiouplæ̀zəm] *n.* Ⓤ 〖生〗 원생질(原生質). **-plast**[-plæ̀st] *n.* Ⓒ 원생체, 원생질 세포.
bi·op·sy [báiɑpsi/-ɔ-] *n.* Ⓤ 〖醫〗 생검(生檢), 생체 조직 검사.

bìo·psychíatry *n.* Ⓤ 생체 정신 의학.
bìo·rhýthm *n.* Ⓤ,Ⓒ 바이오리듬《생체의 주기성》.
bío·règion *n.* Ⓒ 〖生〗 자연의 생태적 군집을 이루는 지역. **~al** *a.*
BIOS [báiɑs/-ɔs] basic input/output system 기본 입출력 시스템《키보드·디스크 장치·표시 화면 등의 입출력 장치를 제어하는 루틴의 집합으로 보통 ROM 위에 놓임》.
bìo·sátellite *n.* Ⓒ 생물 위성.
bío·scìence *n.* Ⓤ 생물 과학; 우주 생물학.
bi·os·co·py [baiɑ́skəpi/-ɔ́-] *n.* Ⓤ 생사(生死) 반응 검사.
bío·sphère *n.* 〖生〗 (the ~) 생물권(圈).
bìo·státics *n.* Ⓤ 생물 정(靜)역학.
bìo·sýnthesis *n.* Ⓤ 〖生化〗 생합성(生合成).
bìo·synthétic *a.* 생합성의.
bìo·technólogy *n.* Ⓤ 생명 공학.
bi·o·te·lem·e·try [bàioutəlémətri] *n.* Ⓤ 〖宇宙〗 생물 원격 측정법.
bi·ot·ic [baiɑ́tik/-ɔ́-], **-i·cal** [-əl] *a.* 생명에 관한; 생명의. **~ *formation*** 〖生態〗 생물 군계(群系).
bi·o·tin [báiətin] *n.* Ⓤ 〖生化〗 비오틴《비타민 B 복합체》.
bi·o·tite [báiətàit] *n.* Ⓤ 〖鑛〗 흑운모(黑雲母).
bi·o·tope [báiətòup] *n.* Ⓒ 〖生〗 소(小)생활권.
bi·o·vu·lar [baiɑ́vjələr/-ɔ́v-] *a.* 〖生〗 이란생의《쌍생아》(cf. monovular).
bi·par·ti·san, -zan [baipɑ́:rtəzən] *a.* 양당(兩黨)의.
bi·par·tite [baipɑ́:rtait] *a.* 2부로〔2통으로〕 된; 〖植〗 (잎이) 두 갈래로 째진.
bi·ped [báiped] *n.* Ⓒ 두 발 동물. ― *a.* 두 발의.
bi·plane [báiplèin] *n.* Ⓒ 복엽(複葉)(비행)기.
bi·po·lar [baipóulər] *a.* 〖電〗 2극이 있는; (의견·성질이) 정반대의.
***birch** [bə:rtʃ] *n., vt.* Ⓒ 자작나무; Ⓤ 그 재목; Ⓒ 자작나무 회초리(로 때리다).
†**bird** [bə:rd] *n.* Ⓒ 새; 엽조; 《俗》 녀석(*a queer* ~ 괴짜), 계집아이; (the ~) 《俗》 (청중의) 야유《휘파람이나 쉿쉿하는 소리》(*give him a* ~ 야유하다); 《口》 비행기; 《美俗》 로케트; 인공 위성. **~ *in the hand*** 〔***bush***〕 확실〔불확실〕한 것. **~ *of paradise*** 극락조. **~ *of passage*** 철새; 방랑자. **~ *of peace*** 비둘기. **~ *of prey*** 맹금(猛禽). **~*s of a feather*** 동류〔동호〕인. ***eat like a* ~** 적게 먹다. ***get the* ~** 《俗》 야유당하다; 해고되다. ***kill two* ~*s with one stone*** 일석 이조를 얻다, 일거양득하다. ― *vi.* 들새를 관찰하다; 새를 잡다.
bírd·bràin *n.* Ⓒ 《俗》 얼간이.
bírd càge 새장.
bírd càll 새소리; 새소리가 나는 피리.
bírd dòg 새 사냥개.
bírd·dòg *vt.* 《美》 뒤를 밟다, 감시하다.
bird·er [ˊ-ər] *n.* Ⓒ (특히 직업적) 새 사냥꾼; 들새 관찰자.
bírd-èyed *a.* 눈이 날카로운; 잘 놀라는.
bírd fàncier 조류 애호가; 새장수.
bírd·hòuse *n.* Ⓒ 새장; 새집.
***bird·ie** [bə́:rdi] *n.* Ⓒ 《兒》 새, 작은 새.
bírd·lìme *n.* Ⓤ (새 잡는) 끈끈이; 올무.
bird·man [ˊ-mæ̀n, -mən] *n.* Ⓒ 조류 전문가, 관찰자; 《口》 비행가.
bírd·sèed *n.* Ⓤ 새 모이.
bírd's-èye *a.* 위에서 본, 조감적(鳥瞰的)인(*a* ~ *view* 조감도); 새눈(무늬)의. ― *n.* Ⓤ 새눈 무늬의 무명.
bírd's-nèst *n.* Ⓒ 새 둥지. **~ *soup*** 바다제비집 수프《중국 요리》.
bírd strìke 항공기와 새떼의 충돌.
bírd wàtcher 들새 관찰자; 로켓〔위성〕 관측자.
bi·ret·ta [birétə] *n.* 〖가톨릭〗 비레타, 모관(毛冠)《4각의 성직모》.
***Bir·ming·ham** [bə́:rmiŋəm] *n.* 영국 중부의 공업 도시.
Bi·ro [báirou] *n.* Ⓒ 《英》 (종종 b-) 〖商標〗 바이로《볼펜의 일종》.
:**birth** [bə:rθ] *n.* Ⓤ,Ⓒ 출생, 탄생; 출산; Ⓤ 태생, 혈통, 가문(descent); Ⓒ 태어난 것; Ⓤ 기원. ***by*** **~** 태생은; 타고난. ***give* ~ *to*** …을 낳다, 생기게 하다. ***new*** **~** 신생, 갱생, 재생.
bírth certìficate 출생 증명서.
bírth contròl 산아 제한.
†**birth·day** [bə́:rθdèi] *n.* 생일(*a* ~ *cake* 생일 케이크).
bírthday hónours 《英》 국왕〔여왕〕 생일에 행해지는 서훈(敍勳).
bírthday sùit 《口》 알몸. ***in one's* ~** 알몸으로.
bírth·màrk *n.* Ⓒ 모반(母斑), (날 때부터 몸에 지닌) 점.
bírth pàng (출산의) 진통; (*pl.*) (사회 변화에 따른) 일시적 혼란, 불행한 사태.
bírth pìll 경구(經口) 피임약.
***bírth·plàce** *n.* Ⓒ 출생지, 발생지.
bírth ràte 출생율.
bírth·rìght *n.* Ⓤ,Ⓒ 생득권(生得權); 장자 상속권.
bírth·stòne *n.* Ⓒ 탄생석《난 달을 상징하는 보석》.
bis. bissextile. **BIS, B.I.S.** Bank for International Settlements 국제 결제(決濟) 은행. British Information Service 영국 정보부.
Bis·cay [bískei, -ki], **the Bay of** 비스케이만《프랑스 서해안에 있는 큰 만》.
:**bis·cuit** [bískit] *n.* Ⓒ 《英》 비스킷(《美》 cookie, cracker); Ⓤ 비스킷

색; Ⓒ《英俗》 매트리스. ***take the ~*** 《英俗》 일등상을 타다. ***~ ware*** 애벌구이 오지그릇.

bi·sect[baisékt] *vt.* 2(등)분하다. **bi·séc·tion** *n.* **bi·sec·tor**[-séktər] *n.* Ⓒ 〖數〗 2등분선.

bi·sex·u·al[baisékʃuəl] *a.* 양성(兩性)의; 양성을 갖춘.

:bish·op[bíʃəp] *n.* Ⓒ 〖聖公會·가톨릭〗 (종종 B-) 주교; 감독; 〖체스〗 비숍《모자꼴의 말》. **~·less** *a.* **~·ric**[-rik] *n.* Ⓒ 비숍의 직〔교구〕.

Bíshop's ríng 〖氣〗 비숍 고리《화산 폭발·원폭 실험 등으로 공중의 미소한 먼지에 의한 태양 주위의 암적색 둥근 테》.

Bis·mark[bízma:rk], **Otto von** (1815-98) 독일 제국을 건설한 프러시아 정치가.

bis·muth[bízməθ] *n.* Ⓤ 〖化〗 비스무트, 창연(蒼鉛)《금속원소; 기호 Bi》.

bi·son[báisən] *n.* (*pl.* ~) Ⓒ 들소《유럽·북아메리카산》.

bisque[1][bisk] *n.* Ⓤ 애벌 구운 오지 그릇.

bisque[2] *n.* Ⓒ (테니스 따위에서) 1점의 핸디캡.

bis·sex·tile [baisékstəl, bi-/-tail] *n., a.* Ⓤ,Ⓒ 〖天〗 윤년(의).

bis·ter, 《英》 **-tre**[bístər] *n.* Ⓤ 비스터《고동색 그림물감》.

bis·tort[bístɔ:rt] *n.* Ⓒ 〖植〗 범꼬리.

bis·tou·ry[bístəri] *n.* Ⓒ 외과용 메스.

bis·tro[bístrou] *n.* (*pl.* **~s**) Ⓒ 비스트로《소형 바·나이트클럽》.

bi·sul·fate, -phate[baisʌ́lfeit] *n.* Ⓤ,Ⓒ 〖化〗 중황산염(重黄酸鹽).

bi·sul·fide, -phide[baisʌ́lfaid, -fid], **-fid, -phid**[-fid] *n.* Ⓤ,Ⓒ 〖化〗 이황화물(二黄化物).

†bit[1][bit] *n.* Ⓒ 작은 조각; (a ~) 조금, 소량; 잠시(*Wait a ~*); 잔돈; 《美俗》 12센트 반; (음식의) 한 입거리. ***a ~ of a...*** 어느 편인가 하면, 좀. ***a good ~*** 오랫동안; 대단히. ***a nice ~ of*** 많은. ***~ by ~*** 점점, 조금씩. ***do one's ~*** 《口》 본분을 다하다. ***give a ~ of one's mind*** 잔소리하다. ***not a ~*** 《口》 조금도 …않다.

bit[2] *n.* Ⓒ (말의) 재갈; 구속(물); (송곳의) 끄트머리; (대패의) 날. ***draw ~*** 말을 세우다; 삼가다. ***get*** 〔***take***〕 ***the ~ between the teeth*** (말이) 날뛰다; 반항하다. — *vt.* (***-tt-***) (…에게) 재갈을 물리다; 구속하다.

bit[3](<*bi*nary dig*it*) *n.* Ⓒ (보통 *pl.*) 〖컴〗 두값, 비트《정보량의 최소 단위》.

bit[4] bite의 과거(분사).

bitch[bitʃ] *n.* Ⓒ (개·이리·여우의) 암컷; 《俗》 개년; 갈보, 매춘부; 아주 싫은〔어려운〕 일.

:bite[bait] *vt.* (***bit; bitten, bit***) ① 물다, 물어뜯다. ② (추위가) 스미다. ③ (벼룩·모기가) 물다; (게가) 물다; (물고기가) 덥석 물다. ④ (톱니바퀴가) 맞물다(grip). ⑤ 《美》《수동형으로》 속이다. ⑥ (산이) 부식하다(eat into). — *vi.* 물다, 대들어 물다(*at*); 부식하다; 피부에 스미다; 먹이를 덥석 물다; 유혹에 빠지다. ***be bitten with*** …에 열중하다. ***~ away*** 〔***off***〕 물어 끊다. ***~ off more than one can chew*** 힘에 부치는 일을 하려고 들다. ***~ one's nails*** 분해하다, 안달하다. ***~ the dust*** 〔***ground***〕 쓰러지다; 지다; 전사하다. — *n.* 한 번 묾〔깨묾〕, 한 입; 물린〔쏘인〕 상처; (물고기가) 미끼를 물기; 부식. (***a***) ***~ and*** (***a***) ***sup*** 급히 먹는 식사. ***make two ~s at*** 〔***of***〕 ***a*** CHERRY. **bít·er** *n.* Ⓒ 물어 뜯는 개; 무는 사람; 사기꾼(*The biter* (*is*) *bit.* 《美談》 남잡이가 제잡이). ***bít·ing** *a.* 찌르는 듯한, 날카로운; 부식성의.

bít màp 〖컴〗 두값본.

bít pàrt (연극·영화의) 단역.

bitt[bit] *n.* Ⓒ (보통 *pl.*) 〖船〗 계주(繫柱)《닻줄 따위를 매는》.

***bit·ten**[bítn] *v.* bite의 과거분사.

:bit·ter[bítər] *a.* ① 쓴; 격심한(~ *cold* 몹시 추운). ② 가엾은; 비참한. ③ 모진(harsh). ***to the ~ end*** 끝까지. — *n.* Ⓤ 쓴맛; 《英》 쓴 맥주; (*pl.*) 고미제(苦味劑)《키니네 따위》. **:~·ly** *ad.* ***~·ness** *n.*

bítter-énder *n.* Ⓒ 《美口》 끝까지 견디는 사람, 철저한 항전론자.

bit·tern[bítə(:)rn] *n.* Ⓒ 〖鳥〗 알락해오라기.

bítter·ròot *n.* Ⓒ 쇠비름과의 화초.

bítter·swèet *a., n.* Ⓒ 쓰고도 단(것); 고생스럽고도 즐거운; 〖植〗 배풍등.

bit·ty[bíti] *a.* 단편적인, 가늘게 자른.

bi·tu·men[baitjú:mən, bítjumən] *n.* Ⓤ 가연(可燃) 광물《아스팔트·석유·피치 따위》.

bi·tu·mi·nous[baitjú:mənəs, bi-] *a.* 역청(瀝靑)의. ***~ coal*** 역청탄; 연탄(軟炭).

bi·va·lent[baivéilənt, bívə-] *a.* 〖化·生〗 2가지의, 2가 염색체의. **-lence** *n.*

bi·valve[báivælv] *n., a.* Ⓒ 쌍각(雙殼) 조개(의); 굴; 양판(兩瓣)의.

biv·ou·ac[bívuæk] *n., vi.* Ⓒ (***-ack-***) 텐트 없는 야영(을 하다), 〖登山〗 비부아크(하다).

bívouac shéet (야영용) 천막《등산가용》.

bi·week·ly[bàiwí:kli] *a., ad.* 격주(隔週)의〔로〕; 주 2회(의) (semiweekly). — *n.* Ⓒ 격주〔주 2회〕 간행물.

bi·year·ly[bàijíərli] *a., ad.* 1년에 두 번(의); 2년에 한 번(의).

biz[biz] *n.* 《口》 =BUSINESS.

bi·zarre[bizá:r] *a.* 기괴한; 기묘한.

Björn·son[bjə́:rnsn], **Björnstjerne** (1832-1910) 뵤른손《노르

웨이의 시인·소설가·극작가》.

BK 〖化〗 berkelium. **bk.** bank; block; book. **bkpt.** bankrupt. **bks.** banks; books; barracks. **B.L.** Bachelor of Laws. **bl.** bale; barrel; black. **B/L, b.l.** bill of lading.

blab [blæb] *vt., vi.* (*-bb-*), *n.* 지절거리다, 비밀을 누설하다; Ⓒ 지절거리는〔비밀을 누설하는〕 사람; Ⓤ 지절거림, 수다.

blab·ber(·mouth) [blǽbər(màuθ)] *n.* Ⓒ 수다쟁이.

†**black** [blæk] *a.* ① 검은; 더러운. ② 암담한(dismal). ③ 지르퉁한(~ *in the face* 안색을 변하여). ④ 불길한. ⑤ 사악한(wicked) (~ *cruelty* 굉장한 잔학). ⑥ 험악한. ⑦ 《口》 철저한. ***beat ~ and blue*** 멍이 들도록 때리다. ***~ and white*** 흑백 얼룩의〔으로〕; 분명(한); 인쇄된. ***say ~ in one's eye*** 비난하다. — *n.* ① Ⓤ,Ⓒ 검정, 흑색(물감) 흑점; 검은그림물감〔잉크〕. ② Ⓒ 흑인. ③ Ⓒ 상복. ***~ and white*** 글씨 쓴 것; 인쇄(된 것); 흑백 사진〔TV〕. ***in ~ and white*** (글씨로) 써서; 인쇄되어; 흰 바탕에 검게. — *vt., vi.* ① 검게 하다〔되다〕, (구두를) 닦다. ② 더럽히다. ***~ out*** …을 온통 검게 칠하다; 무대를 어둡게 하다; 등화 관제하다(cf. DIM out); blackout를 일으키다. **∠·ly** *ad.* ***∠·ness** *n.*

black·a·moor [∠əmùər] *n.* Ⓒ 흑인(Negro), (특히) 아프리카 흑인; 피부색이 검은 사람.

bláck-and-blúe *a.* 맞아서 멍이든.

bláck árt 마술, 마법.

bláck·bàll *n., vt.* Ⓒ 반대(투표)(하다); (사회에서) 배척하다.

bláck·bèetle *n.* Ⓒ 〖蟲〗 바퀴.

Bláck Bèlt ① 《美》 (남부의) 흑인 지대. ② [∠∠] (유도·태권의) 검은 띠, 유단자.

***bláck·bèrry** *n.* Ⓒ 검은 딸기.

***bláck·bìrd** *n.* Ⓒ 《美》 찌르레기(의 무리); 《英》 지빠귀(의 무리).

†**black·board** [∠bɔ̀ːrd] *n.* Ⓒ 칠판.

black bòok 블랙리스트, 요시찰인 명부.

bláck bóx 블랙박스《자동제어 장치·비행기록 장치 따위》.

bláck bréad (호밀제의) 흑빵.

bláck·càp *n.* Ⓒ (머리가 검은 유럽산의) 꾀꼬리의 무리; (미국산의) 박새의 무리; 《美》 (열매가 검은) 나무딸기류(類).

Bláck Chámber (정부의) 첩보 기「관.

bláck·còat *n.* Ⓒ (검은 옷을 입는) 성직자; 《英》 월급쟁이.

bláck cómedy 블랙 코메디《블랙 유머를 쓰는 희극》.

Bláck Còuntry, the (잉글랜드 중부의 Birmingham을 중심한) 대공업지대.

bláck·dàmp *n.* Ⓤ (탄갱 안의) 질식 가스.

Bláck Déath, the 흑사병, 페스트《14세기 유럽에 유행》.

bláck díamond 석탄.

bláck dóg 《口》 우울, 기분이 언짢「음.

***black·en** [∠ən] *vt., vi.* ① 검게〔어둡게〕 하다〔되다〕. ② (남의 인격·평판을) 비방하다.

Bláck Énglish (미국의) 흑인 영어.

bláck éye (맞아서 생긴) 눈언저리의 멍.

bláck·fàce *n.* Ⓒ 흑인으로 분장한 배우〔가수〕; Ⓤ 〖印〗 굵은〔블랙〕 활자.

bláck·fàced *a.* 얼굴이 까만; 음침한 얼굴을 한; 〖印〗 굵은 활자의.

bláck·fìsh *n.* Ⓒ 둥근 머리의 돌고래; 검은 물고기《농어 따위》.

Bláck Fórest 독일 서남부의 삼림 지대.

bláck flág (해골을 그린) 해적기.

bláck Fríday 불길한 금요일《예수가 처형된》.

bláck góld 석유.

black·guard [blǽgərd, -gɑːrd] *n., vt.* Ⓒ 악한(惡漢) (*You* ~! 이 나쁜 놈); 욕지거리하다.

Bláck Hánd 《美》 흑수단(黑手團)《범죄를 일삼던 이탈리아계 미국인의 비밀 단체》; 《一般》 폭력단.

bláck·hèad *a.* 뱃속 검은.

bláck-héarted *a.* 뱃속이 검은.

bláck húmo(u)r 블랙 유머《빈정거리며 냉소적인 유머》.

black·ing [∠iŋ] *n.* Ⓤ 흑색 도료; 구두약.

bláck ínk 검정 잉크; 《美》 흑자, 대변(貸邊).

bláck·jàck *n., vt.* Ⓒ 큰 잔, 조끼(jug); 해적기; 《美》 곤봉(으로 때리다); 협박하다.

bláck léad [-léd] 흑연.

bláck·lèg *n.* Ⓒ 《俗》 사기꾼; 《英》 파업 파괴자.

bláck létter 〖印〗 고딕 활자.

bláck líe 악의 있는 거짓말.

bláck·lìst *n.* Ⓒ 요주의 인물 명부.

bláck lúng (탄진에 의한) 흑폐증(黑肺症).

bláck mágic 마술, 요술.

bláck·màil *n., vt.* Ⓤ 갈취(한 돈), 공갈(하다).

Bláck María 《俗》 죄수 호송차.

bláck márk 흑점《벌점》.

bláck márket 암시장; 암거래.

bláck marketéer 〔**márketer**〕 암거래 상인.

Bláck Mónday 《學生俗》 방학 후의 첫 등교일.

Bláck Múslim 흑백인의 완전 격리를 주장하는 흑인 회교 단체.

bláck nátionalism (미국의) 흑인 민족주의.

bláck·òut *n.* Ⓒ (무대의) 암전(暗轉); 등화 관제; 〖空〗 (방향 급변 따위로 인한) 일시적 시력〔의식〕 상실.

Bláck Pánther 검은 표범《미국의 흑인 과격파 당원》.

bláck pépper 후춧가루《겁질째 빻「은》.

bláck póint (보리의) 흑수병.
Bláck Pówer 《美》 흑인 (지위 향상) 운동.
bláck pùdding 검은 소시지《돼지의 피나 기름을 넣어 만듦》.
Bláck Séa, the 흑해.
bláck shéep (가문·단체의) 귀찮은 존재.
Bláck Shírt 검은 셔츠 당원《이탈리아의 Fascist의 별명》.
:bláck·smìth *n.* Ⓒ 대장장이.
bláck·snàke *n.* Ⓒ (북아메리카의) 먹구렁이; 《美》 쇠가죽 채찍.
bláck spót 위험 구역.
Bláck Stréam [**Cúrrent**], **the** 흑조(黑潮).
bláck stúdies 《美》 흑인 연구 (코스).
bláck téa 홍차.
bláck·thòrn *n.* Ⓒ 자두나무《유럽산》; 산사나무《미국산》.
bláck tíe 검은 넥타이; 신사.
bláck·tòp *n., a.* Ⓤ 아스팔트 포장(의). — *vt.* (도로를) 아스팔트로, 포장하다.
black·wash [⌐wɑ̀ʃ/⌐wɔ̀ʃ] *vt.* 폭로하다.
Bláck Wátch 《英》 스코틀랜드 고지 제 42 연대.
bláck·water féver 〖醫〗 흑수열《악성 말라리아》.
blad·der [blǽdər] *n.* Ⓒ 방광(膀胱); (물고기의) 부레.
blad·der·wort [⌐wə̀ːrt] *n.* Ⓒ 〖植〗 통발속의 식물.
:blade [bleid] *n.* Ⓒ ① (풀의) 잎. ② 칼날, 칼. ③ 검객(劍客); 멋쟁이. ④ (노의) 노깃, (프로펠러의) 날개. ⑤ 견갑골(骨)(scapula).
bláde·bòne *n.* Ⓒ 견갑골.
blah [blɑː] *int.* 《美俗》 바보같이! — *n.* Ⓤ 허튼 소리, 어리석은 짓.
blain [blein] *n.* Ⓒ 〖病〗 수포(水疱), 종기; 농포(膿疱).
Blake [bleik], **William** (1757-1827) 영국의 시인·화가.
blam·a·ble [bléiməbəl] *a.* 비난할 만한.
:blame [bleim] *vt.* ① 나무라다, 비난하다(*for*). ② (…의) 탓으로 돌리다(*on, upon*). ***be to*** ~ 책임을 져야 마땅하다(*You are to* ~. 네가 나쁘다). — *n.* Ⓤ 비난; 책임; 허물. **⌐·ful**(**·ly**) *a.* (*ad.*) ***⌐·less**(**·ly**) *a.* (*ad.*)
bláme·wòrthy *a.* 나무랄 만한.
blanch** [blæntʃ, blɑːntʃ] *vt., vi.* ① 희게 하다[되다](whiten), 표백하다. ② (얼굴을) 창백하게 하다, 창백해지다. ***~ over (과실 따위를) 둘러대다.
blanc·mange [bləmɑ́ːndʒ/-mɔ́ndʒ] *n.* Ⓤ,Ⓒ 블라망주《우유가 든 흰 젤리; 디저트용》.
***bland** [blænd] *a.* ① 온화한, 부드러운. ② 기분 좋은《산들바람 따위》. ③ 상냥한(suave). ④ 순한(sweet)《담배·약 등》.
blan·dish [blǽndiʃ] *vt.* 비위를 맞추다, 아첨하다; (교묘하게) 설득하다(coax). **~·ment** *n.* (*pl.*) 추종, 아첨.
:blank [blæŋk] *a.* ① 백지의. ② 공허한; 흥미 없는, 단조로운. ③ (벽 따위) 문이나 창이 없는. ④ 무표정한, 멍한. ⑤ 순전한(~ *stupidity*). — *n.* Ⓒ 백지; 《美》 기입 용지(《英》 form); 여백, 공백; 공허; 대시(—) (*Mr.* — ('Mr. Blank'라 읽음) 모씨(某氏)); 〖컴〗 빈자리. ***draw a*** ~ 《口》 꽝을 뽑다; 실패하다. ***in*** ~ 공백인 채로. — *vt.* 비우다, 공백으로[무효로] 하다; 《美口》 영패(零敗)시키다. ***B- him!*** 염병할! **⌐·ly** *ad.* 단호히; 멍하니.
blánk cátridge 공포탄.
blánk chéck 백지 수표. ***give a person a*** ~ 얼마든지 돈을 주다; 멋대로 하게 하다.
:blan·ket [blǽŋkit] *n.* Ⓒ 담요, 모포. ***be born on the wrong side of the*** ~ 사생아로 태어나다. ***wet*** ~ 흥을 깨뜨리는 것[사람]; 탈을 잡는 사람. — *a.* 총괄적인; 차별하지 않는; 일률적인. — *vt.* ① 담요에 싸(서 헹가래하)다. ② 《口》 (사건을) 덮어 버리다(obscure). ③ 《美》 (전화를) 방해하다. ④ 《口》 숨기다. ⑤ (법률이) (…에) 대하여 총괄적으로 적용되다.
blánket àrea (방송국 주변의) 난청 지역.
blánket bómbing 《美》 융단[무차별, 전면] 폭격.
blánket chèst 이불장.
blánket insúrance 《美》 전종(全種) 보험.
blánket vìsa 일괄 사증《세관이 선객 전부에게 일괄하여 주는 비자》.
blank·e·ty(**-blank**) [blǽŋkəti(-blǽŋk)] *a., ad.* 《口》 괘씸한; 괘씸하게도.
blánk fòrm 기입 용지.
blánk vérse 무운시(無韻詩)《보통 5각약강격(五脚弱強格)》.
blan·quette [blɑːŋkét] *n.* (F.) Ⓤ,Ⓒ 블랑케트《화이트 소스로 조리한 송아지 고기 스튜》.
blare [blɛər] *vi.* (나팔이) 울려 퍼지다; 외치다, (동물이 굵은 소리로) 울다. — *vt.* 울리다. — *n.* (*sing.*) 울림; 외치는[우는] 소리.
blar·ney [blɑ́ːrni] *n., vt., vi.* Ⓤ 알랑대는 말(을 하다). 「지친.
bla·sé [blɑːzéi, ⌐—] *a.* (F.) 환락에
***blas·pheme** [blæsfíːm, ⌐—] *vt., vi.* ① (신에 대하여) 불경한 언사를 쓰다. ② (…에) 험담을 하다. **-phém·er** *n.* Ⓒ 모독자. ***-phe·my** [blǽsfəmi] *n.* Ⓤ 불경, 모독. **-phe·mous**(**-ly**) *a.* (*ad.*)
:blast [blæst, -ɑː-] *n.* Ⓒ ① 한 바탕 부는 바람, 돌풍(gust). ② (나팔 따위의) 소리, 울려 퍼짐, 송풍(送風). ③ 발파, 폭파; 폭약. ④ (독기·악평의) 해독. ***at a*** [***one***] ~ 단숨

B

에. ***in*** (***full***) ~ 한창 (송풍되어, 활약하여). ***give*** (***a person***) ***a*** ~ 《口》 (아무를) 호되게 비난하다. ***out of*** ~ 송풍이 멎어; 활약을 중지하여. — *vt., vi.* ① 폭파하다. ② 시들(게 하)다; 마르(게 하)다. ③ 파멸시키다[하다] (*B- him!* 뒈져라!/*B- it!* 빌어먹을!). ~·**ed**[∸id] *a.* 시든; 결단난; 저주받은.

B

blást fùrnace 용광로, 고로(高爐).
blást-òff *n.* Ⓤ (로켓 등의) 발사.
blást pìpe 송풍[배기]관.
blat[blæt] *vt., vi.* (***-tt-***) (송아지·양이) 울다; 《口》 시끄럽게 지껄이다 (blurt out).
bla·tant[bléitənt] *a.* 소란스러운; 성가시게 참견하는; (차림이) 야한. **-tan·cy** *n.*
blath·er[blǽðər] *vt., vi., n.* 지껄여대다; Ⓤ 허튼 소리(를 하다).
blath·er·skite[-skàit] *n.* Ⓒ 《口》 허튼 소리를 하는 사람; 떠버리.
:blaze[1][bleiz] *n.* ① (*sing.*) 화염, (강한) 빛, 광휘(光輝). ② (*sing.*) (명성의) 드날림. ③ (*sing.*) (감정의) 격발(*in a* ~ 불끈 성나). ④ (*pl.*) 《俗》 지옥(hell) (*Go to* ~*s!* 뒈져라!). ***like*** ~***s*** 《俗》 맹렬히. — *vi.* 불타다(*up*), 빛나다; 불같이 노하다(*up*). ~ ***away*** 펑펑 쏘아대다, 부지런히 일하다(*at*). ~ ***out*** [***up***] 확 타오르다; 격노하다.
blaze[2] *n., vt.* Ⓒ (길잡이로 나무껍질을 벗긴) 안표(眼標)(를 만들다, 로 표시하다); (가축 얼굴의) 흰 점[줄].
blaze[3] *vt.* 포고하다(proclaim), (널리) 알리다.
blaz·er[bléizər] *n.* Ⓒ 블레이저 코트《화려한 빛깔의 스포츠용 상의》.
blaz·ing[bléiziŋ] *a.* 타는 (듯한); 강렬한, 심한.
blázing stár 리아트리스속의 식물; 《古》 흥미의 대상《사람·물건》.
bla·zon[bléizən] *n.* Ⓒ 문장(紋章); 문장 묘사[기술](법); 과시. — *vt.* 문장을 그리다, 문장으로 장식하다; 말을 퍼뜨리다, 공표하다. ~·**ry**[-ri] *n.* Ⓤ 문장; 미관.
bldg. building.
·bleach[bli:tʃ] *vt.* 표백하다, 마전하다. ~***ing powder*** 표백분. ∸·**er** *n.* Ⓒ 마전장이, 표백기; (*pl.*) 《美》 (야구장 따위의) 노천 관람석.
bleach·er·ite [blí:tʃəràit] *n.* Ⓒ 《美》 외야석(外野席)의 구경꾼.
·bleak[bli:k] *a.* ① 황폐한, 황량한. ② 으스스 추운, 쌀쌀한. ③ 쓸쓸한 (dreary). ∸·**ly** *ad.* ∸·**ness** *n.*
blear[bliər] *a.* 흐린, 침침한(~ *eyes*); 몽롱한(dim). — *vt.* 흐리게 하다. ~·**y**[blíəri] *a.* 눈이 흐린; 몽롱한.
bléar-éyed *a.* 흐린 눈의; 눈이 잘 보이지 않는.
·bleat[bli:t] *vt.* (염소·송아지 따위가) 매애 울다. — *n.* Ⓒ (염소 따위의) 매애 우는 소리.
bleb[bleb] *n.* Ⓒ 〖醫〗 물집; 기포(氣泡).
bled[bled] *v.* bleed의 과거(분사).
:bleed[bli:d] *vi.* (***bled***) ① 출혈하다. ② 피흘리다《나라를 위하여 따위》. ③ 슬퍼하다(*for* him). — *vt.* ① (환자의) 피를 뽑다. ② 돈을 우려내다. ③ 〖製本〗 (잘못하여) 인쇄면의 한 끝을 잘라내다; (사진판에 미적 효과를 주려고) 페이지의 가를 자르다. — *n.* Ⓒ 〖印〗 찍힌 부분까지도 자른 사진; 인쇄된 부분까지도 자른 페이지. ∸·**ing** *n.* Ⓤ 출혈; 방혈(放血) (bloodletting).
bleed·er[blí:dər] *n.* Ⓒ 피를 잘 흘리는 사람; 혈우병자(血友病者); 《俗·蔑》 (역겨운) 인물, 놈.
bléeding héart 〖植〗 금낭화.
bleep[bli:p] *n.* Ⓒ 삐익하는 소리《휴대용 라디오 등에서 나는》. — *vi.* 삐익 소리를 내다.
·blem·ish[blémiʃ] *n., vt.* Ⓒ 흠, 결점(defect); 손상하다(injure).
blench[1][blentʃ] *vi.* 뒷걸음치다, 주춤하다(flinch).
blench[2] *vi., vt.* 희어[푸르러]지다, 희게[푸르게] 하다.
:blend[blend] *vt., vi.* (~***ed, blent***) 섞(이)다, 융화[조화]하다(harmonize). — *n.* Ⓒ 혼합(물). ∸·**ing** *n.* ① Ⓤ 혼합; 〖言〗 혼성. ② Ⓒ 혼성어.
blende[blend] *n.* Ⓤ 〖鑛〗 섬아연광.
blénded whískey 블렌드 위스키《보통 malt whiskey와 grain whiskey를 혼합한 것》.
blend·er[bléndər] *n.* Ⓒ ① 혼합하는 사람[것]. ② 《美》 믹서《주방용품》.
blent[blent] *v.* blend의 과거(분사).
bleph·a·ri·tis[blèfəráitis] *n.* Ⓤ 안검염(眼瞼炎).
:bless[bles] *vt.* (***blest***, ~***ed***) ① 정화(淨化)하다. ② (신을) 찬미하다 (glorify). ③ (신이) 은총을 내리다. ④ 수호하다. ⑤ (…의) 행복을 빌다; 행운을 감사하다. ⑥ 《反語》 저주하다. ***be*** ~***ed with*** …을 누리고 있다; 《反語》 …으로 곤란을 받고 있다. ***B- me!*** 야단났구나!; 당치도 않다. ~ ***oneself*** 이마와 가슴에 십자를 긋다. ~ ***one's stars*** 행운을 감사하다. ***God*** ~ ***you!*** 신의 가호가 있기를!; 고맙습니다!; 이런! **:**∸·**ing** *n.* Ⓒ (신의) 가호, 은총; 축복; 식전[식후]의 기도; 행복; 고마운 것.
·bless·ed[blésid] *a.* ① 신성한. ② 복된, 축복을 받은, 행복한. ③ 《反語》 저주받은(cursed). ***not a*** ~ ***one*** 《俗》 하나[한 사람]도 없는. (***my father***) ***of*** ~ ***memory*** 돌아가신 (우리 아버지).
·blest[blest] *v.* bless의 과거(분사). — *a.* =BLESSED.
:blew[blu:] *v.* blow [1, 2]의 과거.
blg. building.
·blight[blait] *n.* ① Ⓤ 〖植〗 말라 죽는 병. ② (a ~) (식물의) 병균, 해충. ③ Ⓒ 파멸을[실패를] 초래하는

것; 암영. ***cast a ~ over*** …에 어두운 그림자를 던지다. ── *vt.* ① 말라 죽게 하다. ② 파멸시키다(ruin).
blimp[blimp] *n.* Ⓒ 《口》 소형 연식 비행선; 《俗》 완고한 보수주의자; 《美俗》 뚱뚱보.
†**blind**[blaind] *a.* ① 장님의; 눈먼. ② 맹목적인, 어리석은, 이성을 잃은. ③ 숨은(*a ~ ditch* 암거(暗渠)). ④ 문[창]이 없는《벽 따위》. ⑤ 무감각한(*a ~ stupor* 망연 자실). ⑥ 막다른(*a ~ alley*). ***be ~ of an eye,*** or ***be ~ in*** [***of***] ***one eye*** 한 눈이 보이지 않다. ***go ~*** 장님이 되다. ***go it ~*** 맹목적으로 하다. ── *vt.* 눈멀게 하다; 속이다. ── *n.* Ⓒ 블라인드, 커튼, 발, 차일. **∠·er** *n.* Ⓒ (보통 *pl.*) 《美》 (말의) 눈가리개(blinkers). ˙**∠·ly** *ad.* ⁑**∠·ness** *n.*
blínd álley 막다른 골목; 막바지; 전도가 없는 형세《직업·지위 등》.
blínd dáte 《口》 (소개에 의한) 서로 모르는 남녀간의 데이트 (상대).
blínd flýing 〖空〗 계기 비행.
blínd·fòld *vt.* (…의) 눈을 가리다; 어찌할 바를 모르게 하다; 속이다. ── *a., ad.* 눈이 가려진[가려져]; 무모한[하게]. **~·ed**[-id] *a.*
blínd lánding 〖空〗 계기 착륙.
blínd màn 장님.
blind·man[∠mən] *n.* Ⓒ (우체국의) 수신인 주소 성명 판독계원.
blíndman's búff 소경놀이.
blínd píg [***tíger***] 《廢·美俗》 주류 밀매점.
blínd-rèader *n.* =BLINDMAN.
blínd shéll 불발탄.
blínd spòt (눈·주의의) 맹점; 〖無電〗 수신 감도가 나쁜 지역.
blínd·wòrm *n.* Ⓒ 〖動〗 발 없는 도마뱀의 일종《유럽산》.
˙**blink**[bliŋk] *vi., vt.* ① 깜박거리(게 하)다; (등불이) 반짝거리다. ② 힐끔 보다; 무시하다(ignore) (*at*). ── *n.* Ⓒ ① 깜박거림. ② 힐끔 봄. ③ 섬광. **∠·er** *n., vt.* Ⓒ 명멸(明滅) 신호등; (*pl.*) =BLINDER; (*pl.*) 보안용 안경; (말에) 눈마리개를 하다.
blink·ing[blíŋkiŋ] *a.* 반짝이는, 명멸하는;《英》 지독한, 심한. **~·ly** *ad.*
blintz[blints], **blin·tze**[blíntsə] *n.* Ⓒ 《美》 엷은 핫 케이크.
blip[blip] *n.* Ⓒ (레이더의) 영상.
⁑**bliss**[blis] *n.* Ⓤ 더없는 행복[기쁨], 지복(至福)(heavenly joy). ˙**∠·ful (-ly)** *a.* (*ad.*)
˙**blis·ter**[blístər] *n., vt., vi.* Ⓒ ① (화상 따위) 물집(이 생기(게 하)다). ② 돌출부. ③ (독설 따위로) 중상하다. ***~ gas*** 독가스의 일종《피부를 상하게 함》.
blíster còpper 〖治〗 조동(粗銅).
˙**blithe** [blaið], **blithe·some** [∠səm] *a.* 명랑[쾌활]한, 유쾌한; 행복한.
blith·er·ing[blíðəriŋ] *a.* 허튼 소리 하는; 《口》 철저한; 수다스러운.
blitz[blits], **blitz·krieg**[∠krì:g] *n., vt.* (G.) Ⓒ 전격전(을 가하다), 급습(하다).
bliz·zard[blízərd] *n.* Ⓒ 심한 눈보라; 쇄도; 구타; 일제 사격.
bloat[blout] *vi., vt.* 부풀(리)다 (swell); 자부하(게 하)다; (*vt.*) (청어를) 훈제하다. **~·ed**[∠id] *a.* 부풀은; 우쭐대는. **∠·er** *n.* Ⓒ 훈제한 청어.
blob[blab/-ɔ-] *n.* Ⓒ (걸쭉한 액체의) 한 방울; 작은 얼룩점; 〖크리켓〗 영점. ── *vi., vt.* (**-bb-**) (…에) 한 방울 튀기다[들다], 떨어지다, 튀다.
˙**bloc**[blak/-ɔ-] *n.* (F.) Ⓒ (정치·경제상의) 블록, …권(圈); 《美》 의원 연합.
⁑**block**[blak/-ɔ-] *n.* Ⓒ ① 덩어리, 토막. ② 받침(나무); 경매대(競賣臺); 단두대. ③ 모탕; 조선대; 모자골; 목판; 각석(角石). ④ 《英》 (큰 건축의) 한 채. ⑤ 《美》 (시가의) 한 구획; 한 벌. ⑥ 한 장씩 떼어 쓰게 된 것. ⑦ 활차, 도르래. ⑧ 장애, 방해. ⑨ 〖컴〗 블록《한 단위로 취급되는 연속된 언어의 집단》. ***as like as two ~s*** 아주 닮은, 쏙 빼. ***~ and tackle*** 고패와 고팻줄. ***go to the ~*** 단두대로 가다; 경매에 부쳐지다. ── *vt.* ① 방해하다; (길을) 막다 (*up*). ② 봉쇄하다. ***~ in*** [***out***] 약도를 그리다, (대체의) 설계를 하다. ***~ off*** 저지하다(check).
˙**block·ade**[blakéid/blɔk-] *n.* Ⓒ 봉쇄, (항만) 폐쇄; 교통 차단; 경제 봉쇄. ***raise*** [***break***] ***a ~*** 봉쇄를 풀다[깨뜨리다]. ── *vt.* 봉쇄하다.
blockáde-rùnner *n.* Ⓒ 밀항자.
blóck·bàll *n.* Ⓒ 〖野〗 장애구.
blóck·bùster *n.* Ⓒ 《口》 고성능의 대형 폭탄; 유력자; (신문의) 광고.
blóck dìagram (기기(器機)의) 분해 조립도; 〖컴〗 구역 도표.
blóck·hèad *n.* Ⓒ 바보.
blóck·hòuse *n.* Ⓒ 토치카; 작은 목조 요새; 로켓 발사 관제소.
block·ish[∠iʃ] *a.* 목석 같은, 어리석은.
blóck lètter 〖印〗 블록 자체.
blóck prìnting 목판 인쇄.
block·y[∠i] *a.* 뭉툭한; 농담(濃淡)의 채가 있는《사진 등》.
bloke [blouk] *n.* Ⓒ 《英俗》 놈 (fellow, chap).
⁑**blond**(**e**)[bland/-ɔ-] *a., n.* Ⓒ 블론드(의) (사람)《금발에 흰 피부임; 원래 blond는 남성형, blonde는 여성형》.
†**blood**[blʌd] *n.* ① Ⓤ 피, 혈액. ② Ⓤ 유혈, 살육. ③ Ⓤ 혈통, 가문; 순종. ④ (the ~) 왕족. ⑤ Ⓒ 《英》 혈기 왕성한 사람, 멋쟁이. ***bad*** [***ill***] ***~*** 적의(敵意). ***~ and thunder*** (통속 소설의) 유혈과 소동[폭력]. ***in*** [***out of***] ***~*** 기운차게[없이]. ***in cold ~*** 냉정히; 침착하게. ***in hot*** [***warm***] ***~*** 핏대를 올리고, 성나서. ***let ~*** 〖醫〗 방혈(放血)하다. ***make***

a person's ~ run cold (아무를) 겁에 질리게 하다.
blóod bànk 혈액 은행.
blóod bàth 대학살.
blóod bróther 친형제; 피로써 맺은 형제.
blóod cèll [**còpuscle**] 혈구.
blóod clót 〖醫〗 혈병(血餅), (응) 혈괴((凝)血塊).
blóod cóunt 혈구수 측정.
blóod·cùrdling *a.* 소름 끼치는, 등골이 오싹하는.
blóod dònor 헌혈자.
blood·ed[blʌ́did] *a.* ① …의 피를 지닌. ② (가축 등의) 순종의, 혈통이 좋은.
blóod gròup [**tỳpe**] 혈액형.
blóod·guilty *a.* 사람을 죽인.
blóod hèat 혈온《인간의 표준 체온; 보통 37℃》.
blóod·hòrse *n.* Ⓒ 순종의 말.
blóod·hòund *n.* Ⓒ (후각이 예민한 영국산의) 경찰견; 《俗》 탐정.
blood·less[∠lis] *a.* 핏기 없는; 피 흘리지 않는, 무혈의; 기운 없는; 무정한.
blóod·lètting *n.* Ⓤ 방혈(phlebotomy); 유혈.
blóod màrk 핏자국.
blóod·mobìle *n.* Ⓒ 《美》 채혈차(採血車), 긴급 혈액 수송차.
blóod mòney 살인 사례금; 《軍俗》 (적기를 격추한 자에게 주는) 공로금; 피살자의 근친에게 주는 위자료.
blóod pòisoning 패혈증(敗血症).
blóod prèssure 혈압.
blóod relátion [**rèlative**] 혈족.
blóod·ròot *n.* Ⓒ 양귀비과의 식물.
blóod róyal 왕족.
*__blóod·shèd__ *n.* Ⓤ 유혈(의 참사); 살해; 학살.
blóod·shòt *a.* 충혈된.
blóod·stàined *a.* 피 묻은; 살인을 한.
blóod·stòck *n.* Ⓤ 《집합적》 순종의 말.
blóod·stòne *n.* Ⓒ,Ⓤ 〖鑛〗 혈옥수(血玉髓).
blóod·sùcker *n.* =LEECH; 고혈을 빠는 사람, 흡혈귀; 식객.
blóod tèst 혈액 검사.
blóod·thìrsty *a.* 피에 굶주린.
blóod transfùsion 수혈(법).
blóod tỳpe =BLOOD GROUP.
blóod vèssel 혈관.
blóod·wòrm *n.* Ⓒ 붉은 지렁이《낚싯밥용》.
:**blood·y**[∠i] *a.* ① 피의, 피 같은; 피투성이의. ② 잔인한. ③ 《英俗》 심한《꺼리어 b—(d)y라고도 씀》. — *vt.* 피투성이를 만들다.
Blóody Máry 보드카와 토마토 주스를 섞어 만든 칵테일.
bloo·ey, -ie[blú:i] *a.* 《美俗》 고장난.
:**bloom**[1][blu:m] *n.* ① Ⓒ (관상용의) 꽃. ② Ⓤ 《집합적》 (특정 장소·식물·철의) 꽃. ③ Ⓤ 개화기, 한창; (기운·아름다움의) 전성기(prime). ④ Ⓤ 건강한 얼굴빛, 앵두빛. ⑤ Ⓤ (포도 따위의 껍질의) 뿌연 가루. ***in*** (***full***) ~ 꽃이 피어; 만발하여. — *vi.* 피다; 번영하다.
bloom[2] *n.* Ⓒ 〖冶〗 쇳덩이.
bloom·er[blú:mər] *n.* 《英俗》 = BONER.
bloom·ers[blú:mərz] *n. pl.* (여자용의) 블루머《운동용 팬츠》.
*__bloom·ing__[blú:miŋ] *a.* ① 활짝 핀(in bloom). ② 한창인, 청춘의. ③ 번영하는. ④ 《英口》 지독한. ⑤ 《反語》 어처구니 없는. **~·ly** *ad.*
bloop[blu:p] *vt.* 〖野〗 텍사스 히트를 치다.
bloop·er[blú:pər] *n.* Ⓒ 《俗》 큰 실수; 〖野〗 역회전의 높은 공; 텍사스 히트.
:**blos·som**[blɑ́səm/-ɔ́-] *n.* ① Ⓒ (과실 나무의) 꽃(cf. flower). ② Ⓤ 《집합적》 (한 과실 나무의) 꽃(전체). ③ Ⓤ 개화(기); 청춘. ***in*** ~ 꽃이 피어. ***in full*** ~ 만발하여. — *vi.* 피다; 번영하다; (낙하산이) 펼쳐지다.
:**blot**[blɑt/-ɔ-] *n.* Ⓒ ① (잉크 따위의) 얼룩, 때(stain). ② 오점, 오명, 결점(*on*). — *vt.* (**-tt-**) ① 더럽히다. ② (글씨를) 지우다. ③ (잉크를) 빨아들이다. ~ ***out*** 지우다; 감추다. **blót·ter** *n.* Ⓒ 압지(壓紙); 기록부.
blotch[blɑtʃ/-ɔ-] *n.* Ⓒ (큼직한) 얼룩; 점, 종기(boil).
:**blótting pàper** 압지.
blot·to[blɑ́tou/-ɔ́-] *a.* 《俗》 곤드레만드레 취한.
*__blouse__[blauz, -s] *n.* Ⓒ 블라우스《여자·어린이용의 셔츠식의 웃옷》; 《美》 군복의 상의(上衣).
blou·son[bláusɑ̀n, blú:zɑn, blú:zɔn] *n.* Ⓒ 여성용 재킷《허리 부분을 고무나 벨트로 대어 불룩하게 한 옷》.
†**blow**[1][blou] *vi.* (***blew; blown,*** 《俗》 ***~ed***) ① (입으로) 불다. ② (바람이) 불다(*It is ~ing.* = *The wind is ~ing.*). ③ 바람에 날리다(*The dust ~s.*). ④ (퓨즈·진공관이) 끊어지다. ⑤ (피리가) 울리다. ⑥ 헐떡이다(pant). ⑦ (고래가) 숨을 내뿜다(spout air). ⑧ 폭발하다. ⑨ 《口》 자랑하다, 풍떨다(brag). — *vt.* ① 불다, 휘몰아치다(puff). ② (유리 그릇·비누 방울을) 불어서 만들다. ③ 취주하다. ④ 말을 퍼뜨리다. ⑤ 《美俗》 실패하다. ⑥ (파리가 쉬를) 슬다. ⑦ 《俗》 (…에) 돈을 쓰다; 한턱 내다. ⑧ 《俗》 비밀을 누설하다, 고자질하다. ⑨ (퓨즈를) 끊어지게 하다(melt). ⑩ 《俗》 저주하다(*B- it!* 빌어먹을!/*I'm ~ed if I do.* 절대 하지 않는다). ⑪ (코를) 풀다. ⑫ 《美俗》 마리화나를 피우다. ~ ***hot and cold*** 좋게 말했다 나쁘게 말했다 하다, 변덕스럽다. ~ ***in*** 《俗》 난데없이 나타나다; 들르다(drop in). ~ ***off*** 불어 날리다; (물·증기를) 내뿜다. ~ ***out*** 불어 끄다; 태풍이 멎다; (불이) 꺼지다; (용광로의) 운전을 정지하다, (용광로가) 활동을 정지하다; 펑크가 나다. ~ ***over*** (바람이) 멎

다; (불행이) 지나가 버리다; (소문이) 잊혀지다. ~ **sky-high** 찍소리 못 하게 윽박지르다. ~ **up** 부풀게 하다,《비유》부풀다; 폭발〔폭파〕하다; 못쓰게 하다; (바람이) 점점 세게 불다;〖寫〗확대하다; 일어나다(arise);《口》노하다; 꾸짖다. ― *n.* Ⓒ ① (바람이) 한 번 불기. ② 취주. ③ (고래의) 숨뿜기. ④《口》자만, 허풍. ⑤《口》휴식, 산책.

blow² *n., vi.* (*blew; blown*) Ⓤ 개화(開花); 꽃피다(bloom¹).

:blow³ *n.* Ⓒ ① 강타, 타격(hard hit). ② 불행. ***at one*** ~ 일격에; 단번에. ***come*** 〔***fall***〕 ***to*** ~***s*** 주먹다짐을 시작하다.

blów-by-blów *a.* 상세한.

blow·er[⌐ər] *n.* Ⓒ 부는 사람〔것〕; 송풍기; 유리를 불어 만드는 사람; (the ~)《英俗》전화.

blów·flỳ *n.* Ⓒ 금파리.

blów·hàrd *n.* Ⓒ《俗》허풍선이.

blów·làmp *n.* =BLOWTORCH.

:blown[bloun] *v.* blow¹·²의 과거분사.

blów·òut *n.* Ⓒ (공기·물의) 분출, 펑크; (퓨즈의) 용해;《俗》큰 잔치, 대향연.

「제트기.

blów·pìpe *n.* Ⓒ 취관(吹管);《空俗》

blów·tòrch *n.* Ⓒ (파이프공의) 발염(發炎) 장치, 토치램프.

blów·ùp *n.* Ⓒ 폭발; 발끈 화냄;《美》파산;〖寫〗확대.

blów wàsh (제트 엔진의) 뜨거운 가스의 분출.

blow·y[blóui] *a.* =WINDY.

blowz·y[bláuzi] *a.* 단정치 못한(untidy); 봉두난발의; 지저분한; 고상하지 못한; 얼굴이 불그레한.

blub·ber¹[blʌ́bər] *vt., vi., n.* Ⓤ 엉엉 욺; 엉엉 울다; (얼굴을) 눈물로 얼룩지게 하다, 울며 말하다.

blub·ber² *n.* Ⓤ (고래의) 기름.

blúbber lìp 두꺼운 입술.

blu·chers[blúːtʃərz] *n. pl.* (구식의) 한 장의 가죽으로 된 구두.

bludg·eon[blʌ́dʒən] *n.* Ⓒ 곤봉.

†blue[bluː] *a.* ① 푸른. ② 음울한, 우울한, 낙담한. ③ (추위·공포 따위로) 새파래진, 창백한(livid). ④ 푸른 옷을 입은. ⑤ 인텔리의《여자》. ⑥《口》외설한(obscene). ⑦ 엄한《법률 따위가》. ***a*** ~ ***moon*** 거의 없는 일, 어리석은 일. ***like*** ~ ***murder*** 전속력으로. ***look*** ~ 우울해 보이다. ***once in a*** ~ ***moon*** 극히 드물게 (cf. a ~ moon). ***till all is*** ~ 철저하게, 끝까지(*drink till all is* ~ 곤드레만드레 취하다). ***true*** ~ 충실한. ― *n.* ① Ⓤ,Ⓒ 파랑 (*dark* ~ 암청색), 남빛. ② (the ~) 푸른 하늘〔바다〕. ③ (*pl.*) 우울. ④ (*pl.*) 블루스《우울한 곡조의 재즈곡》. ***out of the*** ~ (청천 벽력같이) 뜻밖에, 불시의.

blúe bàby 〖醫〗청색아《선천성 심질환·폐확장 부전의 유아》.

Blúe·bèard *n.* ① 푸른 수염《6명의 아내를 죽였다는 전설의 남자》. ② Ⓒ 잔인한 남편.

***blúe·bèll** *n.* Ⓒ 종 모양의 푸른 꽃이 피는 풀《야생의 히아신스·초롱꽃 따위》.

「그 열매.

***blúe·bèrry** *n.* Ⓒ 월귤나무의 일종;

***blúe·bìrd** *n.* Ⓒ《一般》푸른 새; (특히) 지빠귓과의 일종《미국산》.

blúe-bláck *a.* 암청색의.

blúe blòod 명문(名門)《피부가 희고 정맥이 비쳐 보이는 데서》;《口》귀족.

blúe·bònnet *n.* Ⓒ 스코틀랜드병(兵); 수레국화.

blúe bòok 영국 의회 보고서; (미국 대학 입시용의) 푸른 표지 답안지철;《口》신사록;《美》자동차 도로 안내서.

blúe·bòttle *n.* Ⓒ〖蟲〗금파리;〖植〗수레국화.

blúe-brick univérsity《英》전통 있는 대학.

blúe·còat *n.* Ⓒ《美》경관; (19세기의) 병사.

blúe-cóllar *a.* 육체 노동의, 작업복의(*a* ~ *worker* 공장 노동자)(cf. white-collar).

blúe dévils 우울(증).

blúe·fìsh *n.* Ⓒ〖魚〗전갱이(의 무리; 푸른 빛깔).

blúe·gràss *n.* Ⓤ〖植〗새포아풀속의 목초(牧草).

blúe·jàcket *n.* Ⓒ 수병.

blúe jèans 청바지《jean 또는 denim 제(製)》.

blúe làws《美》청교도적 금법(禁法)《주일의 오락·근로를 금지한 식민지 시대의 청교도적인 법률》.

blúe Mónday 사순절(Lent) 전의 월요일;《美口》우울한 월요일.

blúe·nòse *n.* Ⓒ 극단적인 도덕가, 잔소리꾼.

blúe-péncil *vt.* (《英》*-ll-*) (편집자가) 파란 연필로 원고를 수정하다, 정정하다.

Blúe Péter 출범기(出帆旗).

blúe·prìnt *n., vt.* Ⓒ 청사진; 계획(하다).

blúe rácer 뱀의 일종《무해》.

blúe ríbbon (가터 훈장의) 푸른 리본; 일등상, 최고의 명예; 금주회 회원장(章).

「의.

blúe-ríbbon *a.*《口》일류의, 최고

blúe-ríbbon júry (중대 형사 사건의) 특별 배심원.

blúe rúin《口》질이 낮은 진술.

blúeský 푸른 하늘;《美》가짜 증권.

「단속법.

blúe-ský láw《美》부정 증권 거래

blúe·stòcking *n.* Ⓒ (18세기 런던의) 청탑(青鞜)회원; 여류 문학자.

blúe·stòne *n.* Ⓤ 황산동; 푸른돌《청회색의 바닥돌; 건축 재료》.

blúe stréak《美口》번개, 전광석화(같이 빠른 것).

***bluff¹**[blʌf] *n., a.* ① Ⓒ 절벽(의). ② 무뚝뚝하나 진실한. ③ 솔직한. ⌐**·ly** *ad.*

B

bluff[2] *n., vt., vi.* U,C 허세(부리다); 속임; 속이다(cheat).
blu·ing[blú:iŋ] *n.* U (흰 천 세탁용) 청색 물감《표백제의 일종》.
*__blu·ish__[blú:iʃ] *a.* 푸르스름한.
*__blun·der__[blʌ́ndər] *n., vi., vt.* C 실책(을 하다), 큰 실수(를 하다); 잘못 …하다, 머뭇머뭇하다.
blun·der·buss[blʌ́ndərbʌ̀s] *n.* C (17-8세기의) 나팔총.
:**blunt**[blʌnt] *a.* ① 날 없는, 날이 무딘, 들지 않는(dull). ② (이해력이) 둔한(dull). ③ 거리낌 없는(outspoken). — *vt., vi.* 무디게 하다, 무디어지다. *__∠.ly__ *ad.*
*__blur__[blə:r] *vt., vi.* (**-rr-**) ① 더럽히다; 더러워지다. ② 흐리게 하다; 흐려지다. — *n.* C ① 더러움. ② 몽롱, 흐림. ③ 오점, 오명.
blurb[blərb] *n.* C《口》(신간 서적의 커버(jacket)에 실린) 선전〔광고〕 문구.
blurt[blə:rt] *vt.* 무심결에 말하다 「(*out*).
:**blush**[blʌʃ] *n., vi.* ① C 얼굴을 붉힘〔붉히다〕. ② 부끄러워하다. ③ 빨개지다. ***at*** (***the***) ***first*** ~ 언뜻 보아. ***put to the*** ~ 얼굴을 붉히게 만들다. ***spare a person's ~es*** 《口》 수치심을 주지 않도록 하다 (*spare my ~es* 너무 칭찬 마라).
*__blus·ter__[blʌ́stər] *vi., n.* U ① (파도·바람이) 휘몰아치다〔침〕, 거세게 일다〔일기〕. ② 떠들어대다〔댐〕, 허세 부리다〔부림〕.
Blvd. boulevard. **B.M.** Bachelor of Medicine 의학사; Bachelor of Music 음악사; ballistic missile; British Museum. **BMEWS**《美》Ballistic Missile Early Warning System 미사일 조기 경보망. **B.M.O.C.** big man on campus 인기가 있는 유력한 학생. **B. Mus.** Bachelor of Music 음악사. **Bn.** Baron. **bn.** battalion. **b.n.** bank note. **B.O.** Board of Ordnance; body odo(u)r. **b.o.** back order; bad order; box office; branch office; broker's order; buyer's option. **b/o**〖簿〗brought over.
bo·a[bóuə] *n.* C 큰 구렁이; 보아《모피로 만든 긴 목도리》. ~ ***constrictor*** (아메리카산의) 큰 구렁이.
B.O.A.C. British Overseas Airways Corporation.
*__boar__[bɔ:r] *n.* ① C 수퇘지; 멧돼지 (wild ~). ② U 그 고기.
†**board**[bɔ:rd] *n.* ① C 널판. ② C 대판(臺板). ③ C,U 판지(板紙), 마분지(pasteboard). ④ C 식탁. ⑤ U 식사. ⑥ C 회의(council); 평의원회, 위원회. ⑦ C 부(部), 청, 국, 원, 처. ⑧ C〖海〗뱃전; U 배안; 《美》(버스·열차 따위의) 차안, 차간. ⑨ (*pl.*) 무대. ⑩ C《美》증권 거래소. ⑪ C〖컴〗기판, 판. ***above*** ~ 공명 정대하게. ~ ***and*** 〔***on***〕 ~ (두 배가) 뱃전이 맞닿을 정도로 나란히. ~ ***and lodging*** 식사를 제공하는 하숙. ~ ***of directors*** 중역〔평의원〕회. ***B- of Education***《美》교육위원회;《英》교육국《구칭; 지금은 the Ministry of Education》. ~ ***of health*** 보건국. ~ ***of trade***《美》실업(추진) 연맹《chamber of commerce 비슷한 딴 기구》; (B- of T-)《英》상무성(商務省). ***go by the*** ~ (돛대가 부러져) 배 밖으로 떨어지다; 실패하다. ***on*** ~ 배〔차〕를 타고. ***tread the ~s*** 무대를 밟다, 배우가 되다.
— *vt.* ① (…에) 널을 대다. ② 식사를 주다. ③ 승차하다. — *vi.* ① 하숙하다(*with*). ② 식사하다(*at*). ~ ***out*** (하숙인이) 외식하다(dine out). :**∠·er** *n.* C 하숙인, 기숙생.
*__board·ing__[∠iŋ] *n.* U ① (널)판장. ② 기숙.
bóarding hòuse 하숙집; 기숙사.
bóarding lìst *n.* C (여객기의) 승객 명부, (여객선의) 승선 명부.
bóarding òut 외식.
bóarding schóol 기숙사제 학교.
bóard mèeting 중역〔이사·평의원〕회.
bóard·ròom *n.* C (주로) 중역 회의실. 「도.
bóard·wàlk *n.* C《美》널을 깐 보
boar·ish[bɔ́:riʃ] *a.* 돼지 같은; 잔인한; 음욕이 성한.
:**boast**[boust] *vi., vt.* ① 자랑하다 (*of, about; that*). ② (…을) 가졌음을 자랑하다, 가지고 있다. **∠·er** *n.* **∠·ful** *a.* **∠·ful·ly** *ad.* **∠·ful·ness** *n.*
†**boat**[bout] *n.* C ① 보트. ② 기선. ③ 배 모양의 그릇(*a sauce* ~). ***burn one's ~s*** 배수의 진을 치다. ***in the same*** ~ 같은 처지에. ***take*** ~ 배를 타다. — *vi., vt.* ① 배로 가다〔나르다〕. ② 배에 싣다. ~ ***it*** 배로 가다. **∠·ing** *n.* U 뱃놀이.
boat·el[boutél] *n.* C《美》보텔《자가용 배로 여행하는 사람을 위한 물가의 호텔》.
bóat·hòuse *n.* C 보트 창고.
bóat·lòad *n.* C 배의 적재량; 배 한 척분의 화물.
*__boat·man__[∠mən] *n.* C ① 뱃사공, 보트 젓는 사람. ② 보트 세 놓는 사람.
bóat·ràce *n.* C 보트 경조(競漕).
boat·rock·er[∠ràkər/-rɔ̀k-] *n.* C 문제를 일으키는 인물.
boat·swain[bóusən, bóutswèin] *n.* C (상선의) 갑판장; (군함의) 병조장(兵曹長).
*__bob__[1][bab/-ɔ-] *n.* C ① (시계·저울 따위의) 추. ② (낚시의) 찌. ③ 획 움직임. ④ =CURTSY. ⑤ 한 번 흔듦. ⑥ 단발(cf. shingle). ⑦ (말의) 자른 꼬리. ⑧ = BOBSLED. — *vt.* (**-bb-**) ① 획 움직이다. ② 짧게 자르다. ③ 단발하다. — *vi.* ① 획 움직이다, 둥실거리다. ② 획 머리를 들다(*up*). ③ 제물낚시로 낚다(*for*).

④ 꾸벅 절[인사]하다(*at*).
bob[2] *n., vt.* (**-bb-**) Ⓒ 가볍게 침[치다](tap[1]).
bob[3] *n.* Ⓒ 《美口》 실링(shilling).
bob·ber[bábər/bɔ́b-] *n.* Ⓒ 《美》 낚시찌.
bob·bin[bábin/-ɔ́-] *n.* Ⓒ 실감개, 보빈; 가는 실; 〖電〗 (코일) 감는 틀.
bob·bish[bábiʃ/-ɔ́-] *a.* 《英俗》 기분 좋은; 기운찬.
bob·ble[bábəl/bɔ́b-] *vi., vt.* 《美口》 깐닥깐닥 상하로 움직이다; (공을) 놓치다. 「경.
bob·by[bábi/-ɔ́-] *n.* Ⓒ 《英口》 순
bóbby pìn 《美》 머리핀의 일종.
bóbby·sòcks *n. pl.* 《美口》 양말 《발목까지 오는 소녀용》.
bóbby·sòx·er[-sàksər/-ɔ̀-] *n.* Ⓒ 《口》 (유행을 따르는) 10대 소녀.
bób·càt *n.* Ⓒ (아메리카산(産)의) 살쾡이(lynx).
bob·o·lìnk[bábəlìŋk/-ɔ́-] *n.* Ⓒ 〖鳥〗 쌀새류《미국산》.
bób·slèd, -slèigh *n.* Ⓒ 연결 썰매; 봅슬레이 경기용 썰매. — *vi.* ~를 타다.
bób·stày *n.* Ⓒ 〖海〗 제1사장(斜檣) 버팀《밧줄·쇠줄》.
bób·tàil *n.* Ⓒ 자른 꼬리(의 말·개).
bob·white[bábhwáit/bɔ́b-] *n.* Ⓒ 메추라기의 일종《북아메리카산(産)》.
Boc·cac·ci·o[boukáːtʃiòu/bɔk-], **Giovanni**(1313-75) 이탈리아의 작가·시인.
bóck (bèer)[bak(-)/bɔk(-)] *n.* ⓊⒸ 독한 흑맥주. 「(body).
bod[bad/bɔd] *n.* Ⓒ 《美俗》 몸
BOD biochemical oxygen demand 생화학적 산소 요구량.
bode[1][boud] *vt., vi.* (…의) 조짐을 나타내다[이 되다](~ *ill* [*well*] 징조가 나쁘다[좋다]).
bode[2] *v.* bide의 과거.
bod·ice[bádis/-ɔ́-] *n.* Ⓒ 여성복의 몸통 부분《꽉 끼는》, 보디스.
bod·i·less[bádilis/-ɔ́-] *a.* 몸통이 없는; 실체가 없는; 무형의.
:**bod·i·ly**[bádəli/-ɔ́-] *a.* ① 몸의. ② 육체적인. — *ad.* ① 몸소. ② 통째로, 모조리.
bod·kin[bádkin/-ɔ́-] *n.* Ⓒ 돗바늘, 송곳 바늘; 긴 머리 핀. ***sit*** ~ 두 사람 사이에 끼어 앉다.
†**bod·y**[bádi/-ɔ́-] *n.* ① Ⓒ 몸, 육체. ② Ⓒ 몸통 (부분). ③ Ⓒ 동의(胴衣). ④ Ⓒ 시체. ⑤ Ⓒ 주부(主部). ⑥ Ⓒ 본문《서문·일러두기·부록 따위에 대하여》. ⑦ Ⓒ 대(隊), 떼. ⑧ Ⓒ 《口》 사람(*an honest* ~ 정직한 사람). ⑨ Ⓒ 〖理〗 물체. ⑩ Ⓤ 실질, 농도(density)(*wine of a good* ~ 독한 포도주). ⑪ Ⓒ 차체, 선체. ⑫ Ⓒ 덩이(mass)(*a* ~ *of water, cloud, etc.*). ***~ and breeches*** 《美口》 아주, 완전히. ***~ corporate*** 법인. ***~ of Christ*** 성체 성사용의 빵. ***~ politic*** 정치 통일체, 국가. ***in a*** ~ 하나로 되어. ***in*** ~ 몸소, 스스로. ***keep ~ and soul together*** 겨우 생계를 유지하다. — *vt.* 형체를 주다. ***~ forth*** 표상하다; 체현하다 (embody); (…을) 마음에 그리다.
bódy·buìlder *n.* Ⓒ 보디빌딩용 기구; 보디빌딩하는 사람; 영양식; 차체 제작공. **-buìlding** *n.*
bódy·guàrd *n.* Ⓒ 호위(병).
bódy lànguage 보디 랭귀지, 신체 언어《몸짓·표정 따위 의사 소통의 수단》.
bódy shòp 차체 (수리) 공장.
bódy stòcking 보디스타킹《꼭 맞는 스타킹식의 속옷》.
bódy·wòrk *n.* Ⓤ 차체; 차체의 제작[수리].
Boe·o·tian[bióuʃən] *a., n.* Ⓒ 보에오티아《고대 그리스의 한 지방》의 (사람); 느리광이(의).
Boer[bɔːr, bouər] *n.* Ⓒ 보어 사람 《남아프리카 Transvaal등지의 네덜란드계의 백인》. 「은행.
B. of E. Bank of England 영국
boff[baf/bɔf] *n.* Ⓒ 《美俗》 큰 웃음; 폭소를 노린 대사[짓]; 히트(친 연극, 노래 따위).
bof·fin[báfin/-ɔ́-] *n.* Ⓒ 《英俗》 과학자, (군사) 연구원.
bof·fo[báfou/bɔ́f-] *a., n.* 《美俗》 히트의; =BOFF.
B. of H. Band of Hope 금주단(禁酒團); Board of Health 위생국.
Bó·fors (gùn)[bóufɔːrz(-), -s(-)] *n.* Ⓒ 2연장(聯裝) 자동 고사포.
B. of T. Board of Trade (영국) 상무성.
***bog**[bag, bɔ(ː)g] *n., vi., vt.* (**-gg-**) ⓊⒸ 소택지, 수렁(에 가라앉다, 가라앉히다)(*be ~ged* 수렁에 빠지다; 궁지에 빠져 꼼짝 못 하다). **∠·gy** *a.* 수렁이 많은, 소택지의.
bo·gey, bo·gie[bóugi] *n.* = BOGY; Ⓒ 〖골프〗 기준 타수(par) 보다 하나 더 많은 타수.
bog·gle[bágəl/-ɔ́-] *vi.* 주춤거리다, 머뭇거리다(*at, about*); (말이) 겁에 질려 멈춰서다, 펄쩍 뛰어 물러서다 (shy); 속이다; 시미치 떼다; 《口》 실수하다.
bo·gle [bágəl/-ɔ́-] *n.* Ⓒ 도깨비, 귀신, 요괴.
Bo·go·tá[bòugətáː] *n.* 남아메리카 콜롬비아 공화국의 수도.
bog·trot·ter[bágtràtər/bɔ́gtrɔ̀-] *n.* 《蔑》 =IRISHMAN.
bo·gus[bóugəs] *a.* 《美》 가짜의, 엉터리의(sham).
bóg·wòod *n.* Ⓤ 묻힌 나무.
bo·gy[bóugi] *n.* Ⓒ 도깨비, 귀신; 유령; 《軍俗》 국적 불명의 항공기.
Bo·he·mi·a[bouhíːmiə] *n.* 체코공화국 서부의 주. * **~n**[-n] *a., n.* Ⓒ 보헤미아의; 보헤미아 사람(의); Ⓤ 《古》 체코 말(의); 방랑의; Ⓒ (종종 b-) 방랑자; 태평스러운 (사람); 습관에 구애받지 않는.
:**boil**[1][bɔil] *vi., vt.* ① 끓(이)다; 비등하다[시키다]. ② 삶(아지)다, 데치

(어 지)다. ③ 격분하다. ~ **down** 졸이다; 요약하다(digest). ~ **over** 끓어 넘다; 분통을 터뜨리다. ── *n.* (the ~) 비등(상태). **at** 〔**on**〕 **the** ~ 비등하여. *****∠**·er** *n.* Ⓒ 보일러; 끓이는 그릇《냄비·솥》.

boil[2] *n.* Ⓒ 〖醫〗 종기, 부스럼(cf. carbuncle).

*****boil·ing**[∠iŋ] *n., a.* Ⓤ 끓음; 비등(하는); (바다가) 거칠고 사나운. **the whole** ~ 《口》 전체, 전부.

bóiling pòint 끓는점.

bóil-òff *n.* Ⓤ 〖宇宙〗 (로켓의 count-down 중의) 연료의 증발.

*****bois·ter·ous**[bɔ́istərəs] *a.* ① (비바람이) 사납게 몰아치는(stormy). ② 소란스러운; 난폭한(rough); 야단법석의. ~**·ly** *ad.*

bo·ko[bóukou] *n.* (*pl.* ~**s**) Ⓒ 《英俗》 코.

bo·la(s)[bóulə(s)] *n.* (Sp.) Ⓒ (쇠뭉치가 달린) 올가미.

:bold[bould] *a.* ① 대담한. ② 거리낌 없는(forward). ③ (글씨·윤곽 따위) 굵은; 〖印〗 볼드체의; 뚜렷한. ④ 가파른(steep). **in** ~ **outline against** (*the sky*) (하늘)에 뚜렷이. **make** ~ **to** (do) 감히 …하다. *****∠**·ly** *ad.* *****∠**·ness** *n.*

bóld·fàce *n.* Ⓤ 〖印·컴〗 굵은 글자, 볼드체 활자.

bole[boul] *n.* Ⓒ 나무 줄기(trunk).

bo·le·ro[bəlέərou] *n.* (*pl.* ~**s**) (Sp.) Ⓒ 볼레로《경쾌한 스페인 무도(곡)》; 볼레로《여자의 짧고 앞이 트인 웃옷》.

bol·i·var[bálivər/-ɔ́-] *n.* Ⓒ Venezuela 은화·화폐 단위.

*****Bo·liv·i·a**[bəlíviə] *n.* ① 남아메리카의 공화국. ② Ⓤ (b-) 부드러운 모직물의 일종.

boll[boul] *n.* Ⓒ (목화·아마 따위의) 둥근 꼬투리.

bol·lard[bálərd/-ɔ́-] *n.* Ⓒ 〖海〗 배 매는 기둥.

bol·lix[báliks/bɔ́l-] *vt.* 《俗》 엉망이 되게 하다.

boll·worm[bóulwə̀ːrm] *n.* Ⓒ 솜벌레의 유충《목화씨를 먹음》.

Bo·lo·gna[bəlóunjə] *n.* 이탈리아 북부 도시; (b-) Ⓒ,Ⓤ 볼로냐 소시지《굵고 네모짐》.

bo·lom·e·ter[boulámitər/-ɔ́-] *n.* Ⓒ 〖理〗 저항 방사열계.

bo·lo·ney[bəlóuni] *n.* Ⓤ 헛소리.

*****Bol·she·vik, b-**[bálʃəvìk, bóul-, bɔ́(ː)l-] *a., n.* Ⓒ 볼셰비키, 다수파〔과격파〕의 (당원). **-vik·i**[bálʃəvìkiː/-ɔ́-] *n. pl.* 다수파, 과격파《러시아 사회 민주당의 급진파, 러시아 공산당(1918-)의 모체》(cf. Mensheviki).

Bol·she·vism[-vìzəm] *n.* Ⓤ 과격주의〔사상〕. **-vist** *n.*

bol·ster[bóulstər] *n.,* *vt., vi.* Ⓒ 긴 베개《시트 밑의》; 받침(을 대다); 메우는 물건, 메우다. ~ **up** 지지하다, (사기를) 북돋우다.

:bolt[1][boult] *n.* Ⓒ ① 빗장. ② 볼트. ③ 전광, 번갯불. ④ (큰 활의) 굵은 화살. ⑤ 도주. ⑥ (도배지·천 등의) 한 통〔필〕. ⑦ 《美》 탈당, 자당(自黨)의 정책〔후보〕에 대한 지지 거절. **a** ~ **from the blue** 청천 벽력, 아닌 밤중의 홍두깨. ── *vi.* ① 뛰어 나가다. ② 도망하다. ③ 《美》 자당(의 후보·정책)으로부터 이탈하다. ── *vt.* ① 빗장으로 걸다. ② 볼트로 죄다. ③ 《美》 탈퇴하다, 이탈하다. ④ (씹지 않고) 삼키다. ~ **in** 가두다. ~ **out** 내쫓다. **∠·er**[1] *n.*

bolt[2] *vt.* 체질하다. **∠·er**[2] *n.* Ⓒ 체.

bo·lus[bóuləs] *n.* Ⓒ 큰 알약《수의용》.

:bomb[bɑm/-ɔ-] *n.* ① Ⓒ 폭탄, 수류탄. ② (the ~) 원자〔수소〕 폭탄. ③ Ⓒ 《美俗》 (흥행의) 큰 실패. ── *vt.* 폭격하다(*be* ~*ed out* 공습으로 집을 잃다). ~ **up** (비행기에) 폭탄을 싣다. **∠·er** *n.* Ⓒ 폭격기.

*****bom·bard**[bambáːrd/bɔm-] *vt.* ① 포격〔공격〕하다. ② 욕하다, 비방하다. *~**·ment** *n.*

bom·bar·dier[bàmbərdíər/bɔ̀m-] *n.* Ⓒ 폭격수; 《英》 포병 하사관.

bom·bast[bámbæst/-ɔ́-] *n.* Ⓤ 호언 장담. ── *a.* 《廢》 과장된. **bom·bás·tic** *a.*

bómb bày (폭격기의) 폭탄실.

bómb dispòsal 불발탄 처리.

bombed[bɑmd/-ɔ-] *a.* 《俗》 술이나 마약에 취한; 공습을 받은.

bómbing plàne 폭격기.

bómb lòad (비행기의) 폭탄 적재량.

bómb·pròof *a.* 폭탄에 견디는.

bómb ràck (비행기의) 폭탄 부착 장치.

bómb·shèll *n.* Ⓒ 폭탄; 돌발 사건.

bómb·sìght *n.* Ⓒ 폭격 조준기.

bómb·sìte *n.* Ⓒ 공습 피해 지역.

bon[bɔ(ː)n, bɔ̃] *a.* (F.) =GOOD. ~ **jour**[ʒúər] 안녕하십니까《아침·낮 인사》. ~ **mot**[móu] 명언. ~ **soir** [swáːr] 안녕하십니까《저녁 인사》. ~ **ton**[tɔ́ːn] 고상함; 상류 사회. ~ **voyage**[vwɑːjáːʒ] (길 떠나는 사람에게) 여행 중 부디 안녕히.

bo·na fi·de[bóunə fáidi; -fàid] (L.) 진실한; 성의 있는.

bo·nan·za[bounǽnzə] *n.* (Sp.) Ⓒ (금·은의) 노다지 광맥; 《口》 대성공, 큰벌이(거리). **in** ~ 크게 수지 맞아.

Bo·na·parte[bóunəpàːrt] *n.* = NAPOLEON Ⅰ.

bon·bon[bánbàn/bɔ́nbɔ̀n] *n.* (F.) Ⓒ 봉봉《과자》.

bon·bon·nière [bànbaníər/bɔ̀n-bɔnjέər] *n.* (F.) Ⓒ 봉봉 그릇.

:bond[1][band/-ɔ-] *n.* ① Ⓒ 묶는 것, 끈, 새끼. ② Ⓒ 유대, 맺음, 인연(tie); (종종 *pl.*) 속박, 쇠고랑(shackles); 감금. ③ Ⓒ 계약. ④ Ⓒ 증서; 증권, 공채 증서, 채권. ⑤ Ⓒ 보증인. ⑥ Ⓤ (세금 납입까지의) 보세 창고 유치. ⑦ Ⓒ 접착제. ⑧ Ⓒ (벽돌

따위의) 쌓는 법. ⑨ Ⓒ 〖化〗 (원자의) 결합수(結合手), 가표(價標). — *vt.* ① 채권으로 대체하다(~ *a debt*), 저당잡히다. ② 보세 창고에 넣다. ③ 결합하다. ④ (벽돌·돌을) 엇물림으로 쌓다.

bond^{2} *a.* 사로잡힌, 노예의.

***bond·age**[´idʒ] *n.* Ⓤ 노예의 신분; 속박.

bónded fáctory 〔**míll**〕 보세 공장.

bónded wárehouse 보세 창고.

bónd·hòlder *n.* Ⓒ 공〔사(社)〕채권 소유자.

bond·man[bándmən/-ɔ́-] *n.* Ⓒ 노예; (중세의) 농노(serf).

bonds·man[´zmən] *n.* Ⓒ 보증인; =BONDMAN.

bónd·stòne *n.* Ⓒ 〖建〗 받침돌, 이음돌.

†**bone**[boun] *n.* ① Ⓒ,Ⓤ 뼈, 뼈로 만든 것. ② (*pl.*) 해골, 시체. ③ (*pl.*) 골격, 몸. ④ (*pl.*) 캐스터네츠. ⑤ Ⓒ 코르셋 따위의 뼈대, 우산의 살. ⑥ 《美俗》 (*pl.*) 주사위(dice). ~ ***of contention*** 분쟁의 씨. ***have a ~ to pick*** (*with*) (…에게) 할 말〔불만〕이 있다. ***make no ~s of*** …을 태연히 하다, …을 주저하지 않다. ***make old ~s*** 장수하다. ***to the ~*** 골수까지, 완전히. — *vt.* ① 뼈를 발라내다; 골분 비료를 주다. ② 《英俗》 훔치다. — *vi.* 《俗》 공부만 들이파다(*up*).

bóne-drý *a.* 《口》 바싹 마른; 《口》 절대 금주의.

bóne dùst 골분《비료·사료》.

bóne·hèad *n.* Ⓒ 《俗》 얼간이, 바보.

bónehead pláy 〖野〗 실책.

bóne mèal (비료·사료용의) 골분.

bon·er[bóunər] *n.* Ⓒ 《俗》 큰 실수, 실책.

bóne·sètter *n.* Ⓒ (무면허) 접골사.

bóne·yàrd *n.* Ⓒ 폐차장; 《俗》 묘지.

bon·fire**[bánfàiər/-ɔ́-] *n.* Ⓒ ① (경축의) 화톳불. ② 모닥불(make a ~ of*** …을 태워 버리다).

Bónfire Nìght 《英》 11월 15일의 밤(cf. guy^{2}).

bon·go^{1}[báŋgou/-ɔ́-] *n.* (*pl.* ~***s***) Ⓒ 영양(羚羊)의 일종《아프리카산》.

bon·go^{2} *n.* (*pl.* ~(***e***)***s***) Ⓒ 봉고《손으로 두드리는 세로로 긴 북, 2개 한 벌》.

bon·ho·mie [bànəmíː, ´´´/bɔ́nɔmìː] *n.* (F.) Ⓤ 온용(溫容); 붙임성.

Bon·i·face[bánəfèis/bɔ́n-] *n.* (*or* b-) Ⓒ 여인숙의 주인.

bo·ni·to[bəníːtou] *n.* (*pl.* ~(***e***)***s***) Ⓒ 〖魚〗 가다랭이.

bon jour, bon mot ⇨BON.

***Bonn**[ban/bɔn] *n.* 구서독의 수도.

‡**bon·net**[bánit/-ɔ́-] *n.* Ⓒ ① 보닛《여자·어린애의 턱끈 있는 모자》. ② 《Sc.》 남자 모자. ③ (기계의) 덮개.

bon·ny, bon·nie[báni/-ɔ́-] *a.* 《주로 Sc.》 (혈색 좋고) 아름다운; 건강해 보이는. **bon·ni·ly** *ad.* 《英方》 아름답게; 즐거운 듯이.

bon soir, bon ton ⇨BON.

***bo·nus**[bóunəs] *n.* Ⓒ ① 보너스, 상여〔위로〕금. ② 특별 배당금, 할증금(割增金), 리베이트, 경품.

bon voyage ⇨BON.

***bon·y**[bóuni] *a.* ① 뼈의, 골질(骨質)의. ② 뼈만 앙상한, 말라 빠진.

bonze[banz/-ɔ-] *n.* Ⓒ (불교의) 중, 승려.

boo^{1}[buː] *int., vi., vt.* 피이! 《비난·경멸·남을 놀라게 할 때 지르는 소리》; (…에게) 피이하다.

boo^{2} *n.* Ⓤ 《美俗》 마리화나.

boob [buːb] *n.* Ⓒ 《美俗》 멍청이 (fool).

bóob tùbe 《美俗》 텔레비전.

boo·by[búːbi] *n.* Ⓒ 〖鳥〗 가마우지의 일종; 멍청이(fool).

bóoby hàtch 《美俗》 정신 병원.

bóoby prìze (경기 등에서) 꼴찌상.

bóoby tràp 장난으로 꾸며 놓은 함정 장치; 〖軍〗 위장 폭탄.

bóoby-tràp *vt.* (***-pp-***) booby trap을 장치하다.

boo·dle[búːdl] *n.* Ⓤ 뇌물; 부정 이득; 많은 돈. ***the whole*** (***kit and***) ~ 모두; 누구나 다.

boo·dler[búːdlər] *n.* Ⓒ 《美俗》 독직 공무원; 수회자(收賄者).

boog·ie-woog·ie[bú(ː)giwú(ː)gi] *n.* Ⓤ 〖樂〗 부기우기《재즈피아노곡의 일종》.

boo·hoo[bùːhúː] *vi., n.* Ⓒ 엉엉 울다〔울어댐〕.

†**book**[buk] *n.* ① Ⓒ 책; (the B-) 성서. ② Ⓒ 권, 편. ③ Ⓒ 대본. ④ Ⓒ 장부; (*pl.*) 회계부. ⑤ (*pl.*) 명부. ⑥ (the ~) 기준, 규칙; 설명서. ***be at one's ~s*** 공부하고 있는 중이다. ~ ***of life*** '생명 책'《천국에 들어갈 사람들의 기록》. ***bring a person to ~*** 힐문하다. ***close the ~s*** (회계) 장부를 마감하다. ***God's*** 〔***the Good***〕 ~ 성서. ***in a person's good*** 〔***bad, black***〕 ~***s*** 아무의 귀염을 받아〔마음에 들지 않아〕. ***keep ~s*** 치부하다. ***like a ~*** 정확하게; 충분히. ***on the ~s*** 명부에 올라. ***speak by the ~*** 전거를 들어 (정확하게) 이야기하다. ***suit a person's ~*** 뜻에 맞다. ***the B- of Books*** 성서. ***without ~*** 암기하여; 전거 없이. — *vt.* ① (장부에) 기입하다. ② (좌석을) 예약하다. ③ (…행의) 표를 사다. ④ 《口》 (행동을) 예정하다, 약속시키다. — *vi.* 좌석을 예약하다. ***be ~ed*** (***for it***) 붙들려 꼼짝 못 하다. ***be ~ed for*** 〔***to***〕 …가는 표를 사 가지고 있다. ***be ~ed up*** 예매가 매진되다; 선약이 있다.

bóok àgent 《美》 서적 외판원.

bóok·bìnder *n.* Ⓒ 제본업자〔공〕.

bóok·bìndery *n.* Ⓤ 제본(술); Ⓒ 제본소.

bóok·bìnding *n.* Ⓤ 제본(술).

B

bóok bùrning 분서(焚書), 금서; 사상 탄압.
:bóok·càse *n.* Ⓒ 책장, 책꽂이.
bóok clùb 도서 클럽; 독서회.
bóok concèrn 《美》 출판사.
bóok ènd 북엔드《책버팀대의 일종》.
book·ie[∠i] *n.* Ⓒ 《口》 마권업자.
bóok·ing** *n.* Ⓤ,Ⓒ ① 치부, 기입. ② 예약, 출연 계약; 출찰(出札). ~ ***clerk 《英》 출찰계. ~ ***office*** 《英》 출찰소, 매표소.
book·ish[∠iʃ] *a.* 책의, 책을 좋아하는, 학식이 많은; 학자연하는; 서적상(上)의, 탁상의.
bóok jàcket 책 커버.
***bóok·kèeper** *n.* Ⓒ 장부계원.
bóok·kèeping *n.* Ⓤ 부기.
bóok lèarning 〔**knòwledge**〕 = BOOKLORE.
book·let[∠lit] *n.* Ⓒ 팸플릿, 작은 책자.
book·lore[∠lɔ̀ːr] *n.* Ⓤ 탁상의 학문.
bóok lòuse 〖蟲〗 책좀.
bóok·màker *n.* Ⓒ (이익 본위의) 저작자, 편집자; 마권업자.
bóok·màking *n.* Ⓤ ① (이익 본위의) 저작; 서적 제조. ② 마권 영업.
book·man[∠mən] *n.* Ⓒ 학자, 문인; 출판업자; 제본소.
bóok·màrk(er) *n.* Ⓒ 서표(書標).
bóok màtches 종이 성냥.
book·mo·bile[∠moubìːl] *n.* Ⓒ 《美》 이동 도서관.
bóok nòtice (신문·잡지의) 신간 도서 안내.
bóok·plàte *n.* Ⓒ 장서표(藏書票) (*ex libris*).
bóok·ràck *n.* Ⓒ 책장, 책꽂이; 독서대(臺).
bóok ràte 《美》 서적 우편〔소포〕요금.
bóok·rèst *n.* Ⓒ 독서대, 서안(書案).
bóok revìew 서평.
***bóok·sèller** *n.* Ⓒ 책장수.
***bóok·shèlf** *n.* (*pl.* **-shelves**) Ⓒ 서가, 책선반.
bóok·stàll *n.* Ⓒ 헌 책 파는 노점.
bóok·stànd *n.* Ⓒ 《美》 서가(書架); = BOOKSTALL.
:bóok·stòre, :-shòp *n.* Ⓒ 서점.
book·sy[búksi] *a.* 《口》 책〔학문〕을 좋아하는 척하는.
bóok tòken 《英》 도서 구입권.
bóok vàlue 장부 가격.
bóok·wòrk *n.* Ⓤ 서적〔교과서〕에 의한 연구; 서적 인쇄.
***bóok·wòrm** *n.* Ⓒ 좀; 독서광.
:boom[1][buːm] *n.* Ⓒ ① (종·대포·파도·먼 데서 울리는 천둥 따위의) 쿵〔콩〕 소리, 울림. ② 벼락 경기, 붐. ③ 급등. — *vi.* ① 진동하다, 울리다. ② 경기〔인기〕가 오르다. — *vt.* 경기가 일게 하다; (후보자를) 추어올리다, 선전하다. **∠·ing** *a.*
boom[2] *n.* Ⓒ 〖海〗 돛의 아래 활대; (항구의) 방재(防材); 기중기의 가로대.
bóom-and-búst *n.* Ⓒ 《口》 (불경기 전후에 일어나는) 벼락 경기, 일시적 호황.
boom·er[búːmər] *n.* Ⓒ 《특히 美》 신흥 지역으로 모이는 사람; 뜨내기 노동자; 《濠俗》 큰 수캥거루.
***boom·er·ang**[búːməræ̀ŋ] *n.* Ⓒ 부메랑《던진 자리로 되돌아오는 오스트레일리아 토인의 무기》; 하늘에 대고 침뱉기, 긁어부스럼.
bóom tòwn (벼락 경기로 생긴) 신흥 도시.
***boon**[1][buːn] *n.* Ⓒ ① 은혜, 혜택, 이익. ② 《古》 부탁.
boon[2] *a.* 유쾌한(merry), 명랑한(gay); 《雅》 (날씨가) 기분이 좋은.
boon·dog·gle[búːndɑ̀gəl/-ɔ̀-] *n., vi.* Ⓒ 《口》 쓸데 없는 짓(을 하다).
boor[buər] *n.* Ⓒ 시골뜨기(rustic), 농사꾼; 우락부락한 사나이. **~·ish** [búəriʃ] *a.*
***boost**[buːst] *n., vt.* Ⓒ ① 뒤에서 밂〔밀다〕. ② (값을) 인상함〔하다〕.
boost·er[búːstər] *n.* Ⓒ 《美》 후원자(supporter); 〖電〗 승압기; (텔레비전·라디오 등의) 증폭기; 〖로켓〗 부스터《미사일·로켓의 보조 추진 장치》, 보조 로켓. ~ ***shot*** 〖醫〗 두 번째의 예방 주사.
bóoster ròcket 부스터로켓《로켓·미사일의 추진·증속(增速)에 쓰는 보조로켓》.
:boot[1][buːt] *n., vt.* Ⓒ ① (보통 *pl.*) 《美》 장화(를 신기다); 《英》 목 긴 구두(를 신다). ② 구둣발질(하다). ③ 《口》 해고(하다). ④ 《俗》 (미해군의) 신병. ⑤ 칼집 모양으로 된 보호 커버. ⑥ 〖컴〗 띄우다(*up*)《(운영 체제를) 컴퓨터에 판독시키다; 그 조작으로 가동할 수 있는 상태로 하다》. ***big in one's ~s*** 뽐내어. ***die in one's ~s*** 변사하다(die by violence). ***get*** 〔***give***〕 ***the ~*** 《口》 해고되다〔하다〕. ***have one's heart in one's ~s*** 겁을 집어먹다; 깜짝 놀라다. ***lick the ~s of*** …에게 아첨하다. ***like old ~s*** 《美俗》 맹렬〔철저〕히. ***Over shoes, over ~s*** 《속담》 이왕 내친 걸음이면 끝까지. ***The ~ is on the other leg.*** 사실은 정반대다; 당치도 않다. ***wipe one's ~s on*** …을 모욕하다.
boot[2] *n.* Ⓤ 《古·方》 덤. ***to ~*** 덤으로. — *vt.* 《古·詩》 쓸모 있다.
bóot·blàck *n.* Ⓒ 《美》 구두닦이.
bóot càmp 《口》 (미국 해군의) 신병 훈련소.
boot·ee[búːtiː, ─∠] *n.* Ⓒ (보통 *pl.*) 여자용의 목긴 구두; 어린이용의 부드러운 털실 신.
Bo·ö·tes[bouóutiːz] *n.* 〖天〗 목자자리《일등성 Arcturus를 포함하는 북방 별자리》.
bóot-fàced *a.* 엄한 표정의, 무표정한, 무뚝뚝한.
:booth[buːθ/buːð] *n.* (*pl.* **~s** [buːðz]) Ⓒ ① 오두막. ② 노점, 매점. ③ 공중 전화 박스; (선거용) 가설 기표소.
bóot·jàck *n.* Ⓒ 장화 벗는 기구.

bóot·làce *n.* Ⓒ《주로 英》 구두끈.
bóot·lèg *vt.* (*-gg-*), *n.* 《美》(주류를) 밀매〔밀수〕하다; Ⓤ 밀매〔밀수〕주. **~ger** *n.* Ⓒ 밀매〔밀수〕자.
boot·less[búːtlis] *a.* 무익한.
bóot·lìck *vt., vi.* 《美俗》 아첨하다.
bóot·stràp *n.* Ⓒ (보통 *pl.*) ① 편상화의 손잡이 가죽. ② 〖컴〗 부트스트랩《예비 명령에 의해 프로그램을 로딩(loading)하는》.
bóot trèe 구둣골.
*__boo·ty__[búːti] *n.* Ⓤ 《집합적》 ① 전리품; 포획물. ② (사업의) 이득.
booze[buːz] *n., vi., vt.* Ⓤ 《口》 술(을 들이키다)(drink deep); Ⓒ 주연. **bóoz·y** *a.* 《口》 술취한.
bop[bap/-ɔ-] *n.* = BEBOP.
bo·peep[boupíːp] *n.* Ⓤ '아웅 깍꿍' 놀이. ***play*** **~** 아웅놀이하다, (행동이) 신출 귀몰하다, (좀처럼) 정체를 드러내지 않다.
BOQ Bachelor Officers' Quarters; Battalion Officers' Quarters. **bor.** 〖化〗 boron; borough.
bo·ra[bɔ́ːrə] *n.* Ⓒ ① 보라《아드리아해 연안 겨울의 건조한 북동 한풍》. ② 《濠》 원주민의 성인식.
bo·rac·ic[bərǽsik] *a.* 〖化〗 =BORIC.
bor·age[báːridʒ, bɔ́(ː)-, bʌ́-] *n.* Ⓤ 〖植〗 서양지치.
bo·rate[bóureit, bɔ́ː-] *n., vt.* Ⓤ 붕산염(으로 처리하다).
bo·rax[bóurəks, bɔ́ː-] *n., a.* Ⓤ 〖化〗 붕사; 《俗》 값싸고 번쩍이는 (것).
bo·ra·zon[bɔ́ːrəzàn/-zɔ̀n] *n.* Ⓤ 〖化〗 보라존《다이아몬드보다 굳은 질화붕소의 결정체》.
Bor·deaux[bɔːrdóu] *n.* 보르도《프랑스 남서부의 항구 도시》; Ⓤ 보르도(산의) 포도주. **~** ***mixture*** 보르도액《살충·살균제》.
†**bor·der**[bɔ́ːrdər] *n.* Ⓒ ① 가, 가장자리; 가선. ② 경계(boundary); 국경, 변경. — *vt., vi.* ① 접하다. ② 가를 두르다. **~** ***on*** 〔***upon***〕 …에 접하다; …와 비슷하다(resemble).
bor·de·reau[bɔ̀ːrdəróu] *n.* Ⓒ 명세서, 각서. 「대.
bórder·lànd *n.* Ⓒ 국경〔중간〕지
*__bórder·lìne__ *n., a.* ① Ⓒ 경계선(의). ② 이것도 저것도 아닌(*a* ~ *case* 이것도 저것도 아닌 것〔경우〕).
:**bore**[1][bɔːr] *v.* bear[2]의 과거.
:**bore**[2] *n., vt., vi.* Ⓒ ① 송곳 구멍, 시굴공(試掘孔). ② 총구멍; 구경. ③ 구멍(을 뚫다). ④ 싫증〔넌더리〕나게 하다; 싫증나게 하는 사람〔일〕. **∠·some** *a.* 싫증나는.
bore[3] *n.* Ⓒ 밀물, 해일.
bo·re·al[bɔ́ːriəl] *a.* 북쪽의; 북풍의.
Bo·re·as[bɔ́ːriəs] *n.* 〖그神〗 북풍의 신; Ⓤ 《詩》 북풍.
*__bore·dom__[bɔ́ːrdəm] *n.* Ⓤ 권태; Ⓒ 지루한 것.
bo·ric[bɔ́ːrik] *a.* 붕소(硼素)의, 붕소를 함유하는. **~** ***acid*** 붕산.
bo·ride[bɔ́ːraid] *n.* Ⓤ 〖化〗 붕화물(硼化物).
*__bor·ing__[bɔ́ːriŋ] *n.* Ⓤ 구멍뚫기; (채광의) 시굴, 보링. — *a.* 싫증〔진저리〕나게 하는.
†**born**[bɔːrn] *v.* bear[2]의 과거분사. — *a.* 태어난; 타고난. **~** ***and bred,*** or ***bred and*** **~** 토박이의, 순수한. **~** ***of woman*** 무릇 인간으로 태어난. ***in all one's*** **~** ***days*** 나서 지금까지.
:**borne**[bɔːrn] *v.* bear[2]의 과거분사.
Bor·ne·o [bɔ́ːrniòu] *n.* 보르네오(섬).
bo·ron[bɔ́ːran/-rɔn] *n.* Ⓤ 〖化〗 붕소(硼素).
*__bor·ough__[bə́ːrou/bʌ́rə] *n.* Ⓒ ① 《美》 자치 읍·면; (New York 시의) 독립구. ② 《英》 자치 도시; 국회의원 선거구(로서의 시). ③ (the B-)(런던의) Southwark 자치구.
†**bor·row**[bɔ́ːrou, bár-/bɔ́r-] *vt., vi.* 빌리다, 차용하다. **~** ***troubles*** 부질없이 걱정을 하다. ***~·er*** *n.*
bort[bɔːrt] *n.* Ⓤ 저품질의 다이아몬드《공업용》; 다이아몬드 부스러기.
bor·zoi[bɔ́ːrzɔi] *n.* Ⓒ (러시아의) 보르조이 개. 「SENSE.
bosh[baʃ/-ɔ-] *n., int.* 《口》 =NON-
bos'n[bóusn] *n.* 〖海〗 =BOATSWAIN.
Bos·ni·a and Her·ze·go·vi·na [bázniə and hɛ̀ərtsəgouvíːnə/bɔ́z-] 보스니아 헤르체고비아《옛 유고슬라비아 연방에서 독립한 공화국》.
:**bos·om**[búzəm, búː-] *n.* Ⓒ ① 가슴. ② (의복의) 흉부, 품; 《美》 셔츠의 가슴(dickey). ③ 가슴속, 내부. ④ (바다·호수의) 표면. — *a.* 믿고 있는(*a* ~ *friend* 친구). — *vt.* 껴안다; 마음속에 간직하다.
:**boss**[1][bɔːs, bas/bɔs] *n., vt., vi.* Ⓒ 《口》 두목, 보스; 감독(하다); (…의) 우두머리가 되다. **∠·y**[1] *a.*
boss[2] *n.* Ⓒ 둥근 돌기, 사마귀; 〖建〗 둥근 돋을새김, 양각 장식. **∠·y**[2] *a.*
bos·sa no·va [básə nóuvə/bɔ́s-] 보사노바《브라질 기원의 재즈·춤》.
bóss-èyed *a.* 《英俗》 애꾸눈의; 사팔뜨기의; 일방적인.
bóss shót 《英俗》 잘못 쏨; 실수; 서투른 기획.
:**Bos·ton** [bɔ́ːstən, bás-/bɔ́s-] *n.* 보스턴《미국 Massachusetts주의 주도》.
Bóston Téa Pàrty, the 〖美史〗 보스턴 차(茶) 사건(1773).
BOT balance of trade; beginning of tape 〖컴〗 테이프 시작.
B.O.T. Board of Trade.
*__bo·tan·i·cal__[bətǽnikəl] *a.* 식물학의.
botánical gárden(s) 식물원.
:**bot·a·ny**[bátəni/-ɔ́-] *n.* Ⓤ 식물학. ***-nist*** *n.* **-nize**[-nàiz] *vi.* 식물을 채집〔연구〕하다.
botch[batʃ/-ɔ-] *vt.* 서투르게 수선하다(*up*); 망치다(spoil). — *n.* Ⓒ 서투른 수선, 흉한 기움질.
bótch-ùp *n.* 《口》 =BOTCH.

B

bo·tel[boutél] *n.* =BOATEL.
bot·fly[bátflài/-5-] *n.* Ⓒ 말파리.
†**both**[bouθ] *pron., a.* 둘 다(의), 쌍방(의). — *ad.* 다같이(alike). ~ ***...and...*** …이기도 하고 …이기도 하다, …도 …도.
:**both·er**[báðər/-5-] *vt., n.* ① (…을) 괴롭히다, 귀찮게〔성가시게〕하다; Ⓒ 귀찮은 사람〔일〕. ② Ⓤ 법석(fuss). — *vi.* 괴로워하다, 번민하다. ***B-*** (***it***)***!*** 귀찮아!, 지긋지긋하다! **~·a·tion**[bàðəréiʃən/bɔ̀ð-] *n., int.* =BOTHER. (*n.*); 귀찮아!
both·er·some[báðərsəm/bɔ́ð-] *a.* 귀찮은, 성가신.
bó trèe[bóu-] (인도의) 보리수.
Bot·swa·na[bɑtswá:nə/bɔts-] *n.* 아프리카 남부의 독립국《수도는 Gaborone》.
†**bot·tle**[bátl/-5-] *n.* ① Ⓒ 병. ② Ⓒ 젖병. ③ (the ~) 술. — *vt.* ① 병에 담다. ②《英俗》(범인을) 붙잡다. ③ (감정을) 억누르다(*up*).
bóttle bàby 우유로 키운 아이.
bóttle-fèd *a.* 인공 영양의, 우유로 자란.
bóttle·nèck *n.* Ⓒ 애로; 장애.
bóttle·nòse *n.* Ⓒ 〖動〗돌고래의 일종《약 3 미터》; 주먹코, (술꾼의) 주부코.
bóttle pàrty 술을 각자 지참하는 「파티.
bóttle-wàsher *n.* Ⓒ 병 씻는 사람〔기계〕;《英口》잡역부; (신분이나 지위의) 말석.
†**bot·tom**[bátəm/-5-] *n.* ① Ⓒ (밑)바닥, 기초. ② Ⓒ 바다 밑, 물밑. ③ Ⓒ 근거, 원인. ④ Ⓒ 배 밑; 배, 선복(船腹). ⑤ Ⓒ (의자의) 앉는 부분, (바지의) 궁둥이. ⑥ Ⓤ 말석, 꼴찌. ⑦ (the ~)《稀》저력, 끈기. ⑧ Ⓒ 〖野〗한 회(回)의 말(*the ~ of the fifth,* 5회 말). ***at*** (***the***) ***~*** 실제로는, 마음속은. ***~ up*** 거꾸로. ***go to the ~*** 가라앉다; 탐구하다. ***stand on one's own ~*** 독립하다. ***touch ~*** 바닥에 닿다, (값이) 밑바닥으로 떨어지다; 좌초하다. — *vt.* 바닥을 대다; (…을) 근거로 하다. — *vi.* 기초를 두다, 기인하다(rest) (*on*). — *a.* 바닥의, 최저의(*the ~ price* 최저 가격/*the ~ doller* 마지막 1달러). **~·less** *a.*
bóttom·mòst *a.* 제일 밑의, 최저 「의.
bóttom líne, the 최저값; 수지결산; (계상된) 순이익, 손실; 최종결과〔결정〕;《口》요점.
bot·u·lin[bátʃəlin/bɔ́-] *n.* Ⓤ 〖醫〗보툴리누스 (독소)《식중독의 원인이 됨》.
bot·u·lism[bátʃəlìzəm/bɔ́tju-] *n.* Ⓤ 보툴리누스 중독.
bou·doir[bú:dwɑ:r] *n.* (F.) Ⓒ (상류) 부인의 침실.
bouf·fant[bu:fá:nt] *a.* (소매나 스커트 등이) 불룩한.
bou·gain·vil·lae·a[bù:gənvíliə] *n.* Ⓒ 〖植〗부겐빌리아《빨간 꽃이 피는 열대 식물》.
:**bough**[bau] *n.* Ⓒ 큰 가지.
†**bought**[bɔ:t] *v.* buy의 과거(분사).
bouil·lon[búljɑn/búljɔn] *n.* (F.) Ⓤ 부용《소·닭고기의 맑은 수프》.
boul·der[bóuldər] *n.* Ⓒ 크고 둥근 돌, 옥석.
Bou·le[bú:li:] *n.* Ⓒ (근대 그리스의) 의회, 하원; (b-) 〖古그〗입법 의회.
boul·e·vard[bú(:)ləvà:rd] *n.* (F.) Ⓒ 불바르, (가로수가 있는) 넓은 길;《美》큰길, 대로.
boul·e·var·dier[bù(:)ləvɑ:rdíər] *n.* Ⓒ 파리의 카페 단골; 플레이보이.
***bounce**[bauns] *vi.* ① 뛰어오르다, 껑충 뛰다(jump). ② 튀다. ③《주로 英》허풍을 치다(talk big). — *vt.* ① 튀어 돌아오게 하다. ②《口》꾸짖다. ③《英》을러서 …시키다 (*into, out of*). ④《美俗》해고하다. — *n.* Ⓒ 튀어 올라옴, 되튐; Ⓤ 원기;《英俗》허풍, 허세; (the ~)《美俗》해고. — *ad.* 툭 튀어; 불쑥, 갑자기. **bóunc·er** *n.* Ⓒ 거대한 것; 뛰는 사람〔것〕; 허풍;《英俗》허풍선이;《美俗》경호인《나이트클럽 따위의》. **bóunc·ing** *a.* 튀는; 거대한; 강한; 기운찬, 원기 왕성한; 허풍떠는.
:**bound**[1][baund] *n.* Ⓒ ① 경계. ② (보통 *pl.*) 한계, 범위, 한도(limits). ***keep within ~s*** 절도(節度)가 있다, 도를 지나치지 않다. ***know no ~s*** 끝이 없다, 심하다. — *vt.* ① 한정하다(limit). ② 경계를 접하다. — *vi.* (…와) 인접하다(*on*).
:**bound**[2] *n.* Ⓤ,Ⓒ 뜀; (공 따위가) 되튐; 탄력. — *vi., vt.* 뛰다; 되튀(게)하)다, 튀다.
:**bound**[3] *v.* bind의 과거(분사). — *a.* (…할) 의무가 있는(*to* do); 제본한; 확실한;《美口》결심을 한. ***~ up*** 열중하여(*in*); 밀접한 관계에 (*with*). ***I'll be ~.*** 틀림없어.
:**bound**[4] *a.* …행의(*for*); …에 가는 (*Where are you ~?* 어디 가십니까?).
「한계.
:**bound·a·ry**[báundəri] *n.* Ⓒ 경계,
bound·en[báundən] *a.*《英古》책임〔의무〕있는;《古》은혜를 입고 (*to*). ***one's ~ duty*** 본분.
bóund·er *n.* Ⓒ《英口》버릇 없는 사람, 벼락 출세자(upstart).
***bóund·less** *a.* 한없는.
***boun·te·ous**[báuntiəs] *a.* 활수한 (generous); 풍부한.
boun·ti·ful[báuntifəl] *a.* =⇧.
***boun·ty**[báunti] *n.* ① Ⓤ 활수함, 관대(generosity). ② Ⓒ 하사품 (gift); 장려금; 보수.
bóunty hùnter 현상금을 탈 목적으로 범인을〔맹수를〕 쫓는 사람.
***bou·quet**[boukéi, bu:-] *n.* Ⓒ 꽃다발; Ⓤ,Ⓒ 향기(aroma).
Bour·bon[búərbən, bɔ́:r-] *n.* Ⓒ (프랑스의) 부르봉 왕가의 사람;《蔑》완고한 보수(정치)가; (b-)[bɔ́:r-] Ⓤ,Ⓒ 버본 위스키.

*bour·geois[buərʒwáː, ⌐—] a., n. (F.) (pl. ~) ① Ⓒ 〖프史〗 중산 계급의 (사람). ② Ⓒ (현대의) 유산 계급의 (사람), 부르조아(의) (opp. proletariat).
bour·geoi·sie[bùərʒwaːzíː] n. (F.) (the ~) 〖史〗 중산 계급; (무산 계급에 대한) 유산〔부르조아〕 계급.
Bour·ki·na Fas·so[buərkíːnə fáːsou] n. 부르키나파소《아프리카 서부의 공화국》.
bourn(e)[1][buərn, bɔːrn] n. Ⓒ 시내, 개울.
bourn(e)[2] n. Ⓒ 《古》 경계; 목적「(지).
bourse[buərs] n. (F.) Ⓒ (특히 파리의) 증권 거래소.
bou·stro·phe·don[bùːstrəfíːdən, bàu-] n., a., ad. Ⓤ 첫행을 우측에서 좌측으로 다음 행을 좌측에서 우측으로 번갈아 쓰는 초기 그리스어의 서법(의, 으로).
*bout[baut] n. Ⓒ (일·발작 따위의) 한 바탕, 한참(spell); 한판. drinking ~ 주연.
bou·tique[buːtíːk] n. Ⓒ 가게; 여성복 장식품점.
bou·ton·nière [bùːtəníər] n. (F.) Ⓒ 단추 구멍에 꽂는 꽃.
bou·zou·ki[buzúːki] n. Ⓒ 부주키《만돌린 비슷한 그리스의 현악기》.
bo·vine[bóuvain] a., n. Ⓒ 소과의 (동물); 소의; 소 같은, 느린.
bóvine grówth hòrmone 소의 성장 호르몬(제)《생략 bGH》.
Bov·ril[bávril/-ɔ́-] n. Ⓤ 〖商標〗 (쇠)고기 정(精).
bov·ver[bávər/bɔ́v-] n. Ⓒ 《英俗》 (불량 소년들에 의한) 소란, 싸움, 폭력 사건.
bóvver bòot (보통 pl.) 《英俗》 (불량 소년이 신는) 바닥에 징을 박은 구두.
⁑bow[1][bou] n. Ⓒ ① 활. ② (현악기의) 활(의 한 번 당기기). ③ 나비 넥타이(bow tie); =BOWKNOT. ④ 만곡부. bend 〔draw〕 the 〔a〕 long ~ 허풍 떨다. — vt., vi. 활 모양으로 휘(어지)다; (현악기를) 켜다. ∠·ing n. Ⓤ (현악기의) 운궁법(運弓法).
⁑bow[2][bau] n. Ⓒ, vi. ① 인사(하다), 절(하다), 머리를 숙이다. ② 몸을 굽힘〔굽히다〕. ③ 굴복하다(yield)(to). ~ and scrape 절을 하며 왼쪽 발을 뒤로 빼다《옛날의 정중한 인사》; 지나치게 굽신굽신하다; 아첨하다. ~ down 인사하다(to). — vt. 구부리다(bend); 굴복시키다.
*bow[3][bau] n. Ⓒ 이물, 함수, 뱃머「리.
Bów béllS[bóu-] (런던 구시내의) St. Mary-le-Bow 성당의 종; 그 종소리가 들리는 범위; 런던 토박이.
bowd·ler·ize[báudləràiz, bóud-] vt. (책의) 속악한〔상스러운〕 곳을 삭제하다(expurgate).
⁑bow·el[báuəl] n. ① Ⓒ 장(腸)의 일부. ② (pl.) 창자; 내부. ③ (pl.) 《古》 동정. ~s of mercy 자비심. move the ~s 대변을 보게 하다.
bówel mòvement 배변(排便), 변통(便通)《생략 BM》.
bow·er[1][báuər] n. Ⓒ 정자; 나무 그늘; 내실; 침실. ~·y[báuəri] a. 나무 그늘의.
bow·er[2] n. Ⓒ 이물닻, 주묘(主錨).
bow·er[3] n. (euchre에서) 최고의 패. the best ~ 조커. the left ~ 으뜸패와 같은 빛의 다른 잭. the right ~ 으뜸패의 잭.
bow·er[4] n. Ⓒ 절하는 사람; 굴복자.
bow·fin[bóufìn] n. =MUDFISH.
bów·ie (knìfe)[bóui(-), búːi(-)] n. Ⓒ (외날의) 사냥칼.
bów·knòt[bóu-] n. Ⓒ 나비매듭.
⁑bowl[1][boul] n. Ⓒ ① 대접, 사발, 공기(의 양); 큰 잔. ② (the ~) 음주, 주연. ③ 저울의 접시, (숟가락의) 오목한 부분, (파이프의) 대통. ④ 축구 경기장.
⁑bowl[2] n. ① Ⓒ (bowling 등의) 나무공. ② (pl.) (잔디에서 하는) 볼링 경기. — vt. ① (공을) 굴리다, 볼링을 하다. ② (차를) 굴리다. ③ 〖크리켓〗 투구하다. ④ (마차가) 미끄러지듯 달리다(along). ~ down 〔over〕 쓰러뜨리다; 당황하게 하다. ~ out 〖크리켓〗 아웃시키다; 지우다. *∠·ing n. Ⓤ 볼링《구기》. ~ing alley 볼링장, 볼링공의 주로(走路). ~ing green 잔디 볼링장.
bowl·der[bóuldər] n. =BOULDER.
bow·leg[bóulèg] n. Ⓒ 앙가발, O 형 다리, 내반슬. ~·ged[-id] a. 앙가발이의.
bowl·er[1][bóulər] n. Ⓒ 《英》 중산「모.
bowl·er[2] n. Ⓒ 공 굴리는〔볼링하는〕 사람; 〖크리켓〗 투수.
bow·line[bóulin, -làin] n. Ⓒ 〖海〗 (가로돛의 양끝을 팽팽하게) 당기는 밧줄; =∠ knòt 일종의 옭매듭.
bow·man[bóumən] n. Ⓒ 활잡이, 궁술가(archer).
bow·ser[báuzər] n. Ⓒ (공항의) 급유용 트럭; 《濠》 급유용 펌프.
bów·shòt[bóu-] n. Ⓒ 화살이 닿는 거리, 사정 거리.
bow·sprit[bóusprìt, báu-] n. Ⓒ 〖船〗 제일사장(第一斜檣).
bow·string [bóustrìŋ] n., vt. (~ed or -strung) Ⓒ (활) 시위; 교수용 밧줄; 교살(하다).
bów tíe[bóu-] 나비 넥타이.
bów wíndow[bóu-] 활 모양의 퇴(退)창.
*bow·wow[báuwáu] n., vi. Ⓒ 멍멍(짖다).
box[1][baks/-ɔ-] n. Ⓤ,Ⓒ 〖植〗 회양목; Ⓤ 그 재목.
†box[2] n. Ⓒ ① 상자. ② (상자에 든) 선물(a Xmas ~). ③ 상자 모양의 것. ④ (신문·잡지의) 선을 두른 기사. ⑤ 마부석; (극장의) 특등석; 배심〔증인〕석(席); 〖野〗 타자석. ⑥ 초막(哨幕)(booth). ⑦ 《美》 사서함. ⑧ 《美俗》 여성의 성기. ⑨ 《俗》 텔레비전. be in a (tight) ~ 어찌할 바를 모르고 있다. ~ and needle

나침반. ***in the same*** ~ 같이 곤란한 입장으로. ***in the wrong*** ~ 장소를 잘못 알아, 잘못하여. ― *vt., vi.* 상자에 넣다(*up*); 상자 모양으로 만들다; 칸막다; 상자를 달다. ~ ***off*** 칸막다; 〚海〛 뱃머리를 돌리다. ~ ***the compass*** (토론이) 결국 원점으로 되돌아 가다.

box³ *n., vt., vi.* Ⓒ 따귀(를 갈기다); 손[주먹]으로 갈기다; 권투하다. ~ ***on the ear(s)*** 빰따귀를 때리다. *∠·**er** *n.* :∠·**ing** *n.* Ⓤ 권투.

B

Bóx and Cóx 동시에는 안 나타나는 두 사람; 한 역할을 교대로 하는 두 사람《J. M. Morton의 희극 중의 인물에서》.

bóx·càr *n.* Ⓒ 유개 화차.

bóxer shòrts 《美》 허리에 고무를 넣은 헐렁한 남성 바지.

Bóxing Dày 《英》 크리스마스의 이튿날《고용인·우편 배달부에게 Xmas box를 줌》.

bóxing glòve 권투 장갑, 글러브.

bóxing wèight 권투 선수의 체중 등급.

bóx jùnction 《英》 (교차점의) 정지 금지 구역《격자형의 노란선이 그어져 있음》.

bóx·kèeper *n.* Ⓒ (극장의) 좌석계원.

bóx kìte 상자 모양의 연《주로 기상 「관측용》.

bóx lùnch 《美》 (특히 주문받아 만드는 샌드위치, 튀김 닭, 과일 등의) 도시락.

bóx nùmber 《美》 사서함 번호; (신문의) 광고 반신용 번호《익명 광고주의 주소 대용임》.

bóx òffice 매표소.

bóx-òffice *a.* (연극·영화 따위가) 인기 있는, 크게 히트한.

bóx-office succéss (흥행의) 대성공.

bóx séat (극장 따위의) 박스석, 특별 좌석.

bóx sùpper 《美》 box lunch를 팔아 기금을 모으는 자선 단체·교회가 주최하는 파티.

†**boy**[bɔi] *n.* Ⓒ ① 사내아이, 소년. ② 남(자)학생(*a college* ~ 대학생). ③ (친숙하게) 놈, 녀석. ④ 급사, 보이. ***my*** ~ 얘《호칭》. :∠·**hood** *n.* Ⓤ 소년기; 소년 사회. *∠·**ish** *a.*

***boy·cott**[bɔ́ikɑt/-kɔt] *vt.* 불매(不買)동맹을 하다, 배척[보이콧]하다. ― *n.* Ⓒ 보이콧, 불매동맹.

:**boy·friend**[bɔ́ifrènd] *n.* Ⓒ 《口》 (여성의) 애인, 남자 친구.

***bóy scòut** 소년단원《the Boy Scouts의 단원》.

bp. baptized; birthplace; bishop. **B/P** bills payable 지급어음 (cf. B/R). **b.p.** boiling point. **B.Ph., B.Phil.** Bachelor of Philosopy. **BPI** 〚컴〛 Bits Per Inch 인치당 비트 수. **BPS** 〚컴〛 Bits Per Second 초당 비트 수. **Br** 〚化〛 bromine. **Br.** Britain; British. **B/R** bills receivable 받을어음(cf. B/P).

bra[brɑː] *n.* 《美口》 =BRASSIERE.

brace**[breis] *n.* Ⓒ ① 지주(支柱); 버팀대(prop). ② 〚建〛 거멀장; 꺾쇠; 죄는 끈; (보통 *pl.*) 중괄호《{ }》. ③ (사냥개 따위의) 한 쌍. ④ (보통 *pl.*) 《英》 바지멜빵. ⑤ 〚醫〛 부목(副木); (보통 *pl.*) 치열 교정기(齒列矯正器). ~ ***and bit 손잡이가 굽은 송곳, 회전 송곳. ― *vt., vi.* ① 버티다, 죄다. ② 긴장시키다. ③ 〚印〛 { }로 묶다. ~ (***oneself***) ***up*** 기운을 내다. **brác·er** *n.* Ⓒ 밧줄, 띠; 《口》 술, 흥분제. *∠·**let** *n.* Ⓒ 팔찌. **brác·ing** *a.* 죄는, 긴장시키는; 상쾌한.

brach·y·ce·phal·ic [brӕkisəfǽlik] *a.* 〚解〛 단두(短頭)의(cf. dolichocephalic).

brack·en[brǽkən] *n.* Ⓤ 《英》 고사리(의 숲).

***brack·et**[brǽkit] *n.* Ⓒ ① 까치발; 선반받이; 돌출한 전등의 받침대. ② (보통 *pl.*) 모난 괄호《[ ], 〔 〕》(cf. braces, parenthesis). ③ 동류, 부류; (어떤) 계층(*high income* ~*s* 고소득층). ― *vt.* ① ~으로 받치다. ② 괄호로 묶다. ③ 일괄해서 다루다, 하나로 몰아 다루다.

brack·ish[brǽkiʃ] *a.* 소금기 있는; 맛없는.

brad[brӕd] *n.* Ⓒ 곡정(曲釘), 대가리가 작고 가는 못. 「탈; 산허리.

brae[brei] *n.* 《Sc.》 Ⓒ 가파른 비

***brag**[brӕg] *vt., vi.* (**-gg-**) 자랑하다, 허풍떨다(*of, about*). ― *n.* Ⓤ 자랑, 흰소리; Ⓒ 허풍선이.

brag·ga·do·ci·o [brӕ̀gədóuʃiòu/-tʃi-] *n.* Ⓤ 자랑; Ⓒ 자랑꾼.

brag·gart[brǽgərt] *n., a.* Ⓒ 자랑꾼(의).

Brah·ma[brɑ́ːmə] *n.* (Skt.) 범천(梵天)《창조의 신》.

Brah·man[brɑ́ːmən] *n.* (*pl.* ~*s*) Ⓒ 브라만《인도의 사성(四姓) 중 최고의 caste》.

Brah·min[brɑ́ːmin] *n.* =BRAHMAN; Ⓒ 《美》 지식인.

Brahms [brɑːmz], **Johannes** (1833-97) 독일의 작곡가.

***braid**[breid] *n.* ① Ⓤ 끈 끈, 땋은 끈; 몰. ② Ⓒ 땋은 머리. ― *vt.* (끈을) 꼬다, 땋다(plait); 끈목으로 장식하다.

Braille, b-[breil] *n.* Ⓤ 브레일식 점자(법)《소경용》.

†**brain**[brein] *n.* ① Ⓒ 뇌. ② (보통 *pl.*) 두뇌, 지력. ***beat*** [***cudgel, rack***] ***one's*** ~***s*** (***out***) 머리를 짜내다. ***crack one's*** ~***s*** 발광하다, 미쳐버리다. ∠·**less** *a.* 어리석은.

bráin cèll 뇌신경 세포.

bráin chìld 《美口》 생각, 계획; 두뇌의 소산, 작품.

bráin dràin 두뇌 유출.

bráin fèver 뇌막염.

bráin màpping 뇌사상(腦寫像) 촬영.

bráin·pàn *n.* 《口》 =SKULL.

bráin pìcker 남의 지혜를 이용하는 사람.

bráin scàn 〖醫〗 뇌 신티그램(scintigram)《방사성 동위원소를 써서 뇌의 혈류량·뇌종양 등을 조사하는 방법》.

bráin·sìck *a.* 미친, 광기의.

bráin stòrm (발작적인) 정신 착란; 《口》 갑자기 떠오른 묘안, 영감.

bráin·stòrming *n.* Ⓤ 브레인스토밍《회의에서 각자 의견을 제출하여 최선책을 결정하는 일》.

bráins trùst 〖放〗 (청취자의 질문에 대답하는) 응답 위원단; =BRAIN TRUST.

bráin sùrgery 뇌수술. 「퀴즈.

bráin tèaser 《口》 어려운 문제,

bráin trùst 《美》 브레인트러스트《정부의 정책 고문단》.

bráin trùster 《美》 정책 고문.

bráin·wàshing *n.* Ⓤ 세뇌(洗腦).

bráin wàve 〖醫〗 뇌파; 《口》 영감, 묘안.

bráin wòrk(er) 정신 노동(자).

brain·y [∠i] *a.* 머리가 좋은.

braise [breiz] *vt.* (고기·채소를) 기름에 살짝 튀긴 후 약한 불에 끓이다.

:brake[1] [breik] *n., vt., vi.* Ⓒ 브레이크(를 걸다).

brake[2] *n.* Ⓤ 양치(羊齒)의 무리; 고사리(bracken).

brake[3] *n.* Ⓒ 덤불(bush); 수풀(thicket).

brake[4] *v.* 《古》 break의 과거.

brake·man [∠mən], 《英》 **brakes·** [∠smən] *n.* Ⓒ 제동수(制動手).

bra·less [brɑ́:lis] *a.* 《口》 브래지어를 하지 않은, 노브라의.

bram·ble [brǽmbəl] *n.* Ⓒ 가시나무, 찔레나무; 《英方》 검은딸기, 나무딸기. **-bly** *a.* bramble이 무성한.

bran [bræn] *n.* Ⓤ 밀기울, 겨, 왕겨.

†branch [bræntʃ, brɑ:ntʃ] *n.* Ⓒ ① 가지 (모양의 것). ② 분파, 분가, 지류, 지맥, 지선, 지점, 출장소; 부문. ③ 〖言〗 어족(語族). ④ 〖컴〗 (프로그램의) 가지, 분기. — *vi.* ① 가지를 내다. ② 갈라지다(*away, off, out*).

bran·chi·al [brǽŋkiəl] *a.* 아가미의, 아가미 같은.

:brand [brænd] *n.* Ⓒ ① 상표, 상품명; 품질. ② 타는 나무, 타다 남은 나무(동강). ③ (가축에 찍은) 낙인; 그 인두; 오명. ④ 《詩》 검(劍). — *vt.* 낙인을 찍다; 오명을 씌우다; (…라고) 단정하다(*as*); (가슴에) 강하게 새겨두다.

bran·dish [brǽndiʃ] *vt.* (칼 따위를) 휘두르다(flourish).

brand-new [brǽnd*n*jú:] *a.* 아주 새것인.

·bran·dy [brǽndi] *n.* Ⓤ,Ⓒ 브랜디.

brant [brænt] *n.* Ⓒ 〖鳥〗 (북아메리카·북유럽산의) 흑기러기.

Braque [bræk], **Georges** (1882-1963) 프랑스의 화가(cf. Fauvism).

brash [bræʃ] *a.* 《美》 성마른; 성급한; 경솔한; 뻔뻔스러운; 무른.

bra·sier [bréiʒər] *n.* =BRAZIER.

Bra·sil·ia [brəzí(:)ljə] *n.* 브라질의 수도.

:brass [bræs, -ɑ:-] *n.* ① Ⓤ 놋쇠, 황동; Ⓒ 놋제품. ② Ⓒ 금관악기(*a* ~ *band* 취주악단). ③ Ⓤ 《英俗》 금전; 《口》 철면피. ④ Ⓤ 《美俗》《집합적》 고급 장교.

bráss fárthing 《口》 하찮은 것; 조금. 「관리.

bráss hát 《俗》 고급 장교; 고급

brass·ie [brǽsi, -ɑ́:-] *n.* Ⓒ 바닥에 놋쇠를 붙인 골프채.

bras·siere, ***bras·sière*** [brəzíər] *n.* (F.) Ⓒ 브래지어.

bráss tácks 놋쇠 못; 《口》 요점, 실제 문제.

brass·ware [brǽswɛ̀ər], **-work** [-wə̀:rk] *n.* Ⓤ 놋그릇, 유기.

bráss wìnds 금관악기.

brass·y [brǽsi, -ɑ́:-] *a.* (빛깔·소리가) 놋쇠 같은; 뻔뻔스런. — *n.* =BRASSIE. 「숭.

brat [bræt] *n.* Ⓒ 《蔑》 꼬마놈, 선머

brat·ty [brǽti] *a.* 《口》 건방진, 개구쟁이의.

braun·ite [bráunait] *n.* Ⓤ 브라운광(鑛), 갈(褐)망간광. 「관.

Bráun tùbe [bráun-] 〖電〗 브라운

bra·va·do [brəvɑ́:dou] *n.* (*pl.* ~(*e*)*s*) Ⓤ 허세.

†brave [breiv] *a.* ① 용감한. ② 화려한(showy). ③ 《古》 훌륭한. — *n.* Ⓒ 용사; 북아메리카 토인의 전사. — *vt.* 용감하게 해내다; 도전하다. ~ *it out* 태연히 밀고 나가다. **:∠·ly** *ad.* **∠·ness** *n.* Ⓤ 용감(성).

:brav·er·y [∠əri] *n.* Ⓤ 용감; 화려.

bra·vo[1] [brɑ́:vou, ─∠] *n.* (*pl.* ~(*e*)*s*) Ⓒ 갈채, 브라보를 외치는 소리. — *int.* 잘한다!; 좋다!; 브라보!

bra·vo[2] *n.* (*pl.* ~(*e*)*s*) Ⓒ 폭한(暴漢), 자객.

bra·vu·ra [brəvjúərə] *n.* (It.) Ⓤ 화려한 곡〔연주〕; 용맹; 의기(意氣).

brawl [brɔ:l] *n., vi.* Ⓒ 말다툼〔싸움〕(하다). 「**∠·y** *a.*

brawn [brɔ:n] *n.* Ⓤ 근육, 완력.

bray[1] [brei] *n.* Ⓒ 나귀의 울음소리; 나팔 소리. — *vi.* (나귀가) 울다; (나팔 소리가) 울리다.

bray[2] *vt.* 으깨다, 찧다, 찧어 바수다(pound).

Braz. Brazil; Brazilian.

braze[1] [breiz] *vt.* 놋쇠로 만들다〔장식하다〕; 놋쇠빛으로 하다.

braze[2] *vt.* (놋쇠·납으로) 땜질하다.

·bra·zen [bréizən] *a.* ① 놋쇠로 만든. ② 놋쇠빛의, 놋쇠처럼 단단한; 시끄러운. ③ 뻔뻔스러운(impudent). — *vt.* 뻔뻔스럽게 …하다. ~ *it out* 뻔뻔스럽게 해내다. **~·ly** *ad.* 뻔뻔스럽게. **~·ness** *n.*

brázen·fàce *n.* Ⓒ 철면피.

brázen-fàced *a.* 뻔뻔스러운, 염치없는.

B

bra·zier, -sier[bréiʒər] *n.* Ⓒ 화로; 놋갓장이.
:Bra·zil[brəzíl] *n.* 브라질. * **~·ian** *a., n.* 브라질의; Ⓒ 브라질 사람.
Br. Col. British Columbia.
B.R.C.S. British Red Cross Society.
breach**[briːtʃ] *n.* ① Ⓤ,Ⓒ (법률·도덕·약속 따위의) 위반, 파기. ② Ⓒ 절교; 불화. **~ *of duty* [*faith*]** 배임〔배신〕. **~ *of promise 파약(破約); 〖法〗 약혼 불이행. **~ *of the peace*** 치안 방해, 폭동. ***stand in the* ~** 적의 정면에 서다, 난국에 처하다. — *vt.* 깨뜨리다.
†bread[bred] *n.* Ⓤ ① 빵; 먹을 것, 양식. ② 생계. ***beg one's* ~** 빌어먹다. **~ *and butter*** 버터 바른 빵; 《口》 생계. **~ *and scrape*** 버터를 조금 바른 빵. **~ *buttered on both sides*** 매우 넉넉한 처지. ***break* ~** 식사를 같이 하다(*with*); 성체성사에 참례하다. ***know* (*on*) *which side one's* ~ *is buttered*** 빈틈없다. ***take the* ~ *out of* (*a person's*) *mouth*** 남의 밥줄을 끊다.
bréad-and-bútter *a.* 생계를 위한; 《주로 英》 한창 먹을 나이의〔자라는〕; 환대에 감사하는(*a* ~ *letter* 대접에 대한 사례장).
bréad·bàsket *n.* Ⓒ 빵광주리; (the ~) 《美》 보리(따위)의 산지, '곡창'; 《俗》 위, 밥통; Ⓒ 《俗》 소이탄.
bréad·bòard *n.* Ⓒ 밀가루 반죽하는 대(臺); 빵을 써는 도마.
bréad·bòarding *n.* Ⓤ 평평한 실험대 위의 회로 조립 「매.
bréad·frùit *n.* Ⓒ 빵나무; Ⓤ 그 열
bréad lìne 《美》 빵 배급을 받는 사람(의 열).
bréad mò(u)ld (빵에 생기는) 검은 곰팡이.
bréad·stùff *n.* Ⓒ (보통 *pl.*) 빵의 원료; Ⓤ (각종의) 빵.
:breadth[bredθ, bretθ] *n.* ① Ⓤ,Ⓒ 폭, 나비. ② Ⓤ 넓은 도량. ***by a hair's* ~** 아슬아슬하게. ***to a hair's* ~** 한 치도 안 틀리게, 정확히.
bréad·wìnner *n.* Ⓒ (집안의) 벌이하는 사람.
†break[breik] *vt.* (***broke,*** 《古》 ***brake; broken,*** 《古》 ***broke***) ① 부수다, 깨뜨리다. ② (뼈를) 부러뜨리다, (기를) 꺾다. ③ 타박상을 내다(bruise). ④ 억지로 열다; 끊어지게 하다. ⑤ (약속·법규·질서를) 어기다, 깨뜨리다. ⑥ (땅을) 갈다. ⑦ (*기계를*) 고장내다. ⑧ (말을) 길들이다; 교정하다. ⑨ 누설하다, 털어놓다. ⑩ (돈을) 헐다, 잔돈으로 바꾸다. ⑪ 파산〔파멸〕시키다; 해직하다; 좌천〔강등〕시키다. ⑫ (공을) 커브시키다. — *vi.* ① 부서지다, 깨지다, 꺾어지다. ② 침입하다(*into*); 탈출하다; 나타나다. ③ 돌발하다; 급변하다, 변성(變聲)하다. ④ 교제〔관계〕를 끊다. ⑤ 헤치고 나아가다. ⑥ (압력·무게로) 무너지다. ⑦ (주가가) 폭락하다, (구름 따위가) 쪼개지다, 흩어지다. ⑧ 도망치다, 내달리다(dash) (*for, to*). ⑨ 싹이 트다. ⑩ (공이) 커브하다. **~ *away*** 도망치다, 이탈하다(*from*). **~ *down*** 파괴하다, 으스러뜨리다; 분류〔분해〕하다; 부서지다, 으스러지다, 실패하다; (몸이) 쇠약해지다; 울음을 터뜨리다; 정전(停電)되다. **~ *even*** 《美口》 득실이 없게 되다. **~ *forth*** 돌연 …하다; 떠들기〔지껄이기〕 시작하다. **~ *in*** 침입하다; (말을) 길들이다; 말참견하다; 갑자기 나타나다. **~ *into*** …에 침입하다; 갑자기 …하기 시작하다(~ *into tears*). **~ *in upon*** 갑자기 엄습하다, 방해하다; 퍼뜩 머리에 떠오르다. **~ *off*** 꺾다; 끊다; 부러지다, 갈라지다; 갑자기 그치다. **~ *out*** 일어나다, 돌발하다; (부스럼 따위가) 내돋다; 시작하다. **~ *through*** (…을) 헤치고 나아가다; (구멍을) 뚫다; (햇빛이) …사이에서 새나다; 돌파하다. **~ *up*** (*vt., vi.*) 분쇄하다, 해산하다, 쇠약하(게 하)다; 끝나게 하다; 《英》 방학이 되다. **~ *with*** …와 절교하다; (낡은 사고 방식을) 버리다.
— *n.* Ⓒ ① 깨진 틈. ② 변환점. ③ 변성(變聲). ④ 중단. ⑤ 《美》 폭락. ⑥ 《美》 도망, 탈주; 개시. ⑦ 《口》 실책, 실언. ⑧ 《口》 운, 운명, 행운, 기회(*an even* ~ 비김, 동점, 공평한 기회/*a bad* ~ 불운, 실언 실수). ⑨ 대형 4륜마차. ⑩ 〖컴〗 (일시) 정지. **~ *of day*** 새벽. ***Give me a* ~!** 《美口》 그만해; (한 번 더) 기회를 다오. **∠·a·ble** *a.* * **∠·er** *n.* Ⓒ 깨뜨리는 사람〔기계〕; (암초를 나타내는) 부서지는 파도; 말을 길들이는 사람, 조마사(調馬師)(cf. ~ in).
break·age[bréikidʒ] *n.* Ⓤ 파손; Ⓒ 파손물; 파손(배상)액. 「추다.
bréak-dànce *vi.* 브레이크 댄스를
bréak dàncing 브레이크 댄스.
***bréak·dòwn** *n.* Ⓒ ① (기계의) 고장, 사고; 붕괴; 쇠약. ② 분해, 분석, 분류. ③ 《美》 요란스러운 댄스. ④ 〖電〗 방전.
bréak-éven *a.* 수입과 지출이 맞먹는; 이익도 손해도 없는.
bréak-éven pòint 채산점(採算點), 손익 분기점.
†break·fast[brékfəst] *n.* Ⓤ,Ⓒ 조반. — *vt., vi.* 조반을 먹다〔내다〕. **~er** *n.* Ⓒ 조반을 먹는 사람.
bréak·ìn *n.* Ⓒ (건물에의) 침입; 연습 운전.
break·ing[bréikiŋ] *n.* Ⓤ 파괴; 〖電〗 단선; (말의) 길들이기.
bréaking pòint, the 극한; 한계점; 파괴점.
bréak·nèck *a.* 목이 부러질 것 같은, 위험한. ***at* ~ *speed*** 무서운 속도로. 「〔탈출〕.
bréak·òut *n.* Ⓒ 〖軍〗 포위진 돌파
bréak·thròugh *n.* Ⓒ 〖軍〗 적진 돌파; (난국의) 타개.

bréak·ùp *n.* Ⓒ 해산; 붕괴; 종말.
bréak·wàter *n.* Ⓒ 방파제.
bream[bri:m] *n.* Ⓒ 잉어과의 담수어; 도미 비슷한 바다물고기.
:breast[brest] *n.* Ⓒ ① 가슴, 흉부. ② 유방(*a child at* 〔*past*〕 *the* ~ 젖먹이〔젖 떨어진 아이〕); 마음(속). ***beat the*** ~ 가슴을 치며 슬퍼하다. ***give the*** ~ ***to*** …에게 젖을 먹이다. ***make a clean*** ~ ***of*** …을 몽땅 털어놓다〔고백하다〕. — *vt.* ① 가슴에 받다. ② 무릅쓰다; 감연히 맞서다(face).
bréast-bèating *n.* Ⓤ 가슴을 치면서 호소함, 강력히 항의함.
bréast·bòne *n.* Ⓒ 흉골(胸骨).
bréast·fèd *a.* 모유로 키운(cf. bottle-fed).
bréast-fèed *vt.* 모유로 기르다.
bréast-hígh *a., ad.* 가슴 높이의〔로〕.
bréast·pìn *n.* Ⓒ 브로치(brooch).
bréast·plàte *n.* Ⓒ (갑옷의) 가슴받이.
bréast stròke 개구리 헤엄.
bréast wàll (제방의) 흉벽(胸壁).
bréast·wòrk *n.* Ⓒ 〖軍〗 (급히 만든) 흉벽.
˙breath[breθ] *n.* ① Ⓤ 숨, 호흡 (작용). ② Ⓒ 한 호흡, 한 숨. ③ Ⓒ 순간. ④ Ⓒ (바람의) 선들거림(*a* ~ *of air*); 속삭임. ⑤ Ⓒ (은근한) 향기(whiff). ⑥ Ⓤ 〖音聲〗 숨, 무성음(cf. voice). ⑦ Ⓤ 생기; 생명. ***at a*** ~ 단숨에. ***below*** 〔***under***〕 ***one's*** ~ 소곤소곤. ~ ***of life*** 〔***one's nostrils***〕 귀중한〔불가결의〕 것. ***catch*** 〔***hold***〕 ***one's*** ~ (움찔하여) 숨을 죽이다; 한차례 쉬다. ***draw*** ~ 숨 쉬다. ***gather*** ~ 숨을 돌리다. ***get out of*** ~, or ***lose one's*** ~ 숨차다. ***give up the*** ~ 죽다. ***in a*** ~ 이구 동성으로; 단숨에. ***in the same*** ~ 동시에. ***save*** 〔***spend, waste***〕 ***one's*** ~ 잠자코 있다〔쓸데없이 지껄이다〕. ***take*** ~ 쉬다. ***take a person's*** ~ 〔***away***〕 …을 깜짝 놀라게 하다. ***with one's last*** ~ 임종시에(도); 최후까지.
breath·a·lyz·er, -lys·er[bréθəlàizər] *n.* Ⓒ 〖商標〗 몸 속 알코올분 측정기.
:breathe[bri:ð] *vi.* ① 호흡하다, 살아 있다. ② 휴식하다, 쉬다(rest). ③ 선들거리다, (향기가) 풍기다. — *vt.* ① 호흡하다. ② (생기·생명을) 불어넣다(infuse) (*into*). ③ 휴식시키다. ④ (향기를) 풍기다; 속삭이다. ⑤ (불평을) 털어놓다; 발언하다. ⑥ (나팔 따위를) 불다. ⑦ 〖音聲〗 무성음으로 발음하다(cf. voice). ~ ***again*** 〔***freely***〕 마음 놓다, 안심하다. ~ ***one's last*** 죽다. ~ ***upon*** (…에) 입김을 내뿜다, (…을) 흐리게 하다; 더럽히다; 나쁘게 말하다.
breathed[breθt, bri:ðd] *a.* 〖音聲〗 무성음의(voiceless). ~ ***sound*** 무성음《p, t, k, s, ʃ, f, θ 따위》.
breath·er[brí:ðər] *n.* Ⓒ 심한 운동; 《口》 한 숨 돌리기; (숨쉬는) 생물; (잠수부에의) 송기 장치; 환기 구멍.
bréath gròup 〖音聲〗 기식군(氣息群)《단숨에 발음하는 음군(音群)》.
˙breath·ing[brí:ðiŋ] *n.* Ⓤ ① 호흡(*deep* ~ 심호흡). ② 휴식; 미풍. ③ 발성, 말. ④ 열망, 동경. ⑤ [h] 음, 기음(氣音).
bréathing capàcity 폐활량.
bréathing spàce 휴식할 기회; 숨돌릴 짬.
˙bréath·less *a.* ① 숨가쁜. ② 죽은. ③ 숨을 죽인. ④ 바람 없는. ~**·ly** *ad.*
˙bréath·tàking *a.* 깜짝 놀랄 만한, 손에 땀을 쥐게 하는, 흥분시키는(thrilling).
bréath tèst 《英》 주기(酒氣) 검사.
bred[bred] *v.* breed의 과거(분사). — *a.* …하게 자란(*well-*~ 뱀뱀이 좋게 자란).
breech[bri:tʃ] *n.* Ⓒ 궁둥이; 뒷부분; 총미(銃尾), 포미(砲尾).
bréech·clòth, -clòut *n.* Ⓒ 《美》 (인디언의) 허리에 두른 천.
˙breech·es[brítʃiz] *n. pl.* ① 반바지. ② (승마용) 바지. ~ ***buoy*** (바지 모양의) 구명대. ***wear the*** ~ 남편을 깔아 뭉개다.
bréech·lòader *n.* Ⓒ 후장총(後裝銃).
:breed[bri:d] *vt., vi.* (***bred***) ① (새끼를) 낳다; 알을 까다. ② 기르다, 키우다(raise); 길들이다. ③ 번식시키다〔하다〕. ④ (…을) 야기하다. ~ ***from*** (좋은 말 등)의 씨를 받다. ~ ***in and in*** 동종 교배를〔근친 결혼을〕 반복하다. — *n.* Ⓒ 품종, 종류. ***happy*** ~ 행복한 종족《영국인을 가리킴(Sh(ak).의 문장에서)》. **˙**⌐**·er** *n.* Ⓒ 사육자; 종축(種畜); 장본인.
bréeder reàctor 〖理〗 증식형(增殖型) 원자로.
˙breed·ing[⌐iŋ] *n.* Ⓤ ① 번식. ② 사육. ③ 교양, 예의범절. ④ 〖理〗 증식 작용.
bréeding gròund 양식장, 사육장.
:breeze[bri:z] *n.* ① Ⓤ,Ⓒ 산들바람. ② Ⓒ 소문. ③ Ⓒ 《英口》 법석, 소동, 싸움(*kick up a* ~ 소동을 일으키다). — *vi.* ① 산들바람이 불다. ② 거침없이〔힘차게〕 나아가다〔행동하다〕. ~ ***through*** 홱 지나치다; 대강 훑어보다. **bréez·y** *a.* 산들바람이 부는; 쾌활〔유쾌〕한.
Brén (**gùn**)[bren(-)] *n.* Ⓒ 《英》 경기관총의 일종.
brer, br'er[brə:r] *n.* Ⓒ 《美南部》 형제《brother의 간략형》.
:breth·ren[bréðrən] *n. pl.* 《brother의 옛 복수형》 (종교상의) 형제; 동포; 회원, 동인.
Bret·on[brétən] *a., n.* Ⓒ (프랑스의) 브리타니(Brittany; (F.) Bre-

tagne)의 사람; Ⓤ 브리타니어(語).
breve[bri:v] *n.* Ⓒ 단모음 기호《ŏ, ĭ 따위의 ˘》; 〖樂〗 2온음표.
bre·vet[brəvét, brévit] *n., vt.* Ⓒ 〖軍〗 (봉급은 그대로인) 명예 진급(을 시키다); 그 사령.
bre·vi·ar·y[brí:vièri, brév-] *n.* Ⓒ 〖가톨릭〗 성무 일도서(聖務日禱書).
*__brev·i·ty__[brévəti] *n.* Ⓤ (문장 따위의) 간결(簡潔), 짧음.
*__brew__[bru:] *vt.* ① 양조하다; (음료를) 조합(調合)하다. ② (차를) 끓이다. ③ (음모를) 꾸미다. ― *vi.* ① 양조하다. ② 조짐이 보이다; (폭풍우가) 일어나려 하다. ***drink as one has ~ed*** 자업자득하다. ― *n.* Ⓤ 양조; Ⓒ 양조량. **~·age** [∠idʒ] *n.* Ⓤ 양조(주). **∠·er** *n.* Ⓒ (맥주) 양조업자. * **∠·er·y** *n.* Ⓒ 양조장. **∠·ing** *n.* Ⓤ (맥주) 양조; Ⓒ 양조량.
Brezh·nev[bréʒnef], **Leonid** (1906-82) 옛 소련 공산당 서기장.
*__bri·ar__[bráiər] *n.* =BRIER[1·2].
:__bribe__[braib] *n., vt., vi.* Ⓒ 뇌물(로 매수하다), (…에게) 증회하다. **bríb·a·ble** *a.* 매수할 수 있는. **bríb·er** *n.* Ⓒ 증회자. * **bríb·er·y** *n.* Ⓤ 증수회.
bric-a-brac[bríkəbræ̀k] *n.* (F.) Ⓤ《집합적》골동품, 고물 (장식품).
:__brick__[brik] *n.* ① Ⓤ,Ⓒ 벽돌. ② Ⓒ 벽돌 모양의 것; (장난감의) 집짓기 나무. ③ Ⓒ《口》서글서글한 사람, 호인. ― *vt.* 벽돌로 둘러싸다[막다] (*in, up*); 벽돌로 짓다; 벽돌을 깔다. ***drop a ~*** 실수하다; 실언하다. ***feel like ~s***《美口》비참한 생각이 들다. ***have a ~ in one's hat*** 취해 있다. ***like a ~,*** or ***like ~s*** 활발히, 맹렬히(*like a hundred of ~s* 맹렬한 기세로).
bríck·bàt *n.* Ⓒ 벽돌 조각[부스러기]; 《口》통렬한 비평.
bríck chéese《美》벽돌 모양의 치즈.
bríck fìeld《英》벽돌 공장.
bríck·kìln *n.* Ⓒ 벽돌 가마.
bríck·làyer *n.* Ⓒ 벽돌공.
bríck-réd *a.* 붉은 벽돌색의.
bríck·wòrk *n.* Ⓒ 벽돌로 지은 것 [집]; Ⓤ 벽돌쌓기[공사].
bríck·yàrd *n.* Ⓒ《美》벽돌 공장.
*__brid·al__[bráidl] *n., a.* Ⓒ 혼례(의), 새색시의, 신부의.
brídal wrèath 조팝나무.
:__bride__[braid] *n.* Ⓒ 새색시, 신부.
bríde·càke *n.* =WEDDING CAKE.
:__bride·groom__[∠grù(:)m] *n.* Ⓒ 신랑.
brides·maid[bráidzmèid] *n.* Ⓒ 신부 들러리《미혼 여성》.
brides·man[-mən] *n.* Ⓒ 신랑 들러리《미혼 남성》.
†**bridge**[1][bridʒ] *n.* Ⓒ ① 다리. ② 선교(船橋), 함교(艦橋). ③ 콧대; 가공의치(架工義齒); (바이올린 등의) 기러기발; (안경 중앙의) 브리지. ④ (방송국 등의 장면과 장면을 잇는) 연결음악. ⑤ (당구의) 큐대. ***burn one's ~s*** 배수의 진을 치다. ― *vt.* ① 다리 놓다. ② 중개역을 하다.
bridge[2] *n.* Ⓤ 브리지《카드놀이의 일종》.
brídge·hèad *n.* Ⓒ 교두보.
brídge lòan 브리지 론《갱신 가능 단기 차관》.
brídge tòll 다리 통행세.
brídge·wòrk *n.* Ⓤ 교량 공사; 〖齒〗 가공(架工) 의치(술).
:__bri·dle__[bráidl] *n.* Ⓒ 굴레《고삐·재갈 따위의 총칭》, 고삐; 구속(물). ***put a ~ on a person's tongue*** 아무에게 말조심시키다. ― *vt.* 굴레를 씌우다, 고삐를 매다; 구속하다. ― *vi.* 몸을 뒤로 젖히다(*up*)《자랑·경멸·분개의 표정》.
brídle pàth 승마길.
brídle rèin 고삐.
Brie[bri:] *n.* Ⓤ 희고 말랑말랑한 프랑스산의 치즈.
:__brief__[bri:f] *a.* 짧은; 단시간의; 간결한. ***to be ~*** 간단히 말하면. ― *n.* Ⓒ ① 대의, 요령; 〖法〗 (소송 사실의) 적요서(*have plenty of ~s* (변호사가) 사건 의뢰를 많이 받다); (원고·피고의) 신청서; 영장(writ). ② (로마 교황의) 훈령. ③ =BRIEFING. ***hold a ~ for*** …을 신속히 처리하다. ― *vt.* ① 요약하다. ② (변호사에게) 소송 사실 적요서를 제출하다; 변호를 의뢰하다. ③ 명령(briefing)을 내리다. **∠·less** *a.* 의뢰자 없는 (*a ~less lawyer*). :**∠·ly** *ad.*
bríef càse 서류 가방.
brief·ing[∠iŋ] *n.* Ⓤ,Ⓒ (출발 전에 전투기 탑승원에게 주는) 간결한 명령(서); (간추린) 보고서.
*__bri·er__[1], __-ar__[1][bráiər] *n.* Ⓒ 찔레나무; 들장미(wild rose).
*__bri·er__[2], __-ar__[2] *n.* Ⓒ (철쭉과의) 브라이어 나무; (그 뿌리로 만든) 파이프.
brig[1][brig] *n.* Ⓒ 두대박이 범선.
brig[2] *n.* Ⓒ《美》(군함의) 영창(營倉).
*__bri·gade__[brigéid] *n., vt.* Ⓒ 대(隊), 여단; 대로[여단으로] 편성하다. ***a fire ~*** 소방대.
brig·a·dier[brìgədíər] *n.* Ⓒ《英》여단장; 《美》=∠ **géneral** 육군 준장.
brig·and[brígənd] *n.* Ⓒ 산적, 도둑. **~·age**[-idʒ] *n.* Ⓤ 강탈, 산적 행위; 산적들.
brig·an·tine[brígəntì:n, -tàin] *n.* Ⓒ brig[1] 비슷한 범선.
†**bright**[brait] *a.* ① 환한, 밝게 빛나는; 갠, 화창한. ② 머리가 좋은. ③ (색깔이) 선명한. ④ 쾌활한. ⑤ (액체가) 맑은. ⑥ 유망한; 명성이 있는. ***~ and early*** 아침 일찍이. ― *ad.* =BRIGHTLY. :**∠·ly** *ad.* :**∠·ness** *n.*
:__bright·en__[bráitn] *vt., vi.* 반짝이(게 하)다; 밝아지다; 밝게 하다, 상쾌하게 되다[하다].
bríght·èyed *a.* 눈이[눈매가] 시원

한[또렷한].
bright lights, the 《口》 도시의 환락가.
Bright's disease[bráits-] 브라이트병《신장염의 일종》.
brill[bril] *n.* (*pl.* ~(**s**)) Ⓒ 【魚】 가자미의 무리.
***bril·liance**[bríljəns], **-lian·cy**[-si] *n.* Ⓤ ① 광휘, 광채; 빛남. ② 훌륭함; 재기. ③ (빛깔의) 명도(cf. hue, saturation).
:bril·liant[-ənt] *a.* ① 찬란하게 빛나는, 번쩍번쩍하는(sparkling). ② 훌륭한(splendid). ③ 재기에 넘치는. ── *n.* Ⓒ 브릴리언트형의 다이아몬드. **~·ly** *ad.*
bril·lian·tine[bríljəntì:n] *n.* Ⓤ 포마드의 일종; 알파카 비슷한 천.
:brim[brim] *n.* Ⓒ (속에서 본) 가, 가장자리; (모자의) 양테. ***to the*** ~ 넘치도록. ── *vt., vi.* (**-mm-**) (가장자리까지) 가득 채우다, 넘치다(*over*). **~·ful**(**l**)[´fúl] *a.* 넘치는, 넘칠 것 같은.
brim·stone[brímstòun] *n.* =SULFUR《주로 상업 용어》. ***fire and*** ~ 제기랄! **-ston·y** *a.*
brin·dle[bríndl] *n.* Ⓒ 얼룩(개), Ⓤ 얼룩진 색. **~d**[-d] *a.* 얼룩진, 얼룩덜룩한, 얼룩 갈색[회색]의.
brine[brain] *n.* Ⓤ 소금물, 바닷물; (the ~) 바다. ~ ***pan*** 소금 가마.
†bring[briŋ] *vt.* (***brought***) ① 가지고[데리고] 오다. ② 오게 하다; 초래하다, 일으키다. ③ 이끌다. ④ 낳다. ⑤ (소송 등을) 제기(提起)하다(*against*). ⑥ (이익을) 가져오다. ~ ***about*** 야기하다; 수행하다. ~ ***around*** 《口》 의식을 회복시키다; 설득하다. ~ ***back*** 데리고 돌아오다; 상기시키다. ~ ***down*** 내리다, 떨어뜨리다; 넘어뜨리다, 멸망시키다; (자랑을) 꺾다; (기록을) 보유하다. ~ ***forth*** 낳다; (열매를) 맺다(bear); 초래하다, (비밀을) 밝히다(reveal). ~ ***forward*** 내놓다, 제출하다. ~ ***in*** 들여오다; 소개하다, 판결하다; (…만큼의) 수입이 있다; 【野】 생환시키다. ~ ***on*** (병을) 일으키다; …을 야기하다. ~ ***out*** 내놓다; (비밀을) 밝히다; 발표하다; 나타내다. ~ ***over*** 넘겨주다; 개종(改宗)시키다; 제편으로 끌어넣다. ~ ***round*** 《英》 = ~ AROUND. ~ ***to*** 의식을 회복시키다; (배를) 멈추다. ~ ***to bear*** (영향·압력을) 가하다; (총을) 들이대다, 집중하다. ~ ***to pass*** 일으키다. ~ ***under*** 진압하다; 억제하다. ~ ***up*** 기르다; 훈육[교육]하다; 제안하다; 토하다.
bringing-úp *n.* Ⓤ 양육; (가정에서의) 교육.
brink**[briŋk] *n.* (the ~) ① (벼랑의) 가장자리. ② 물가. ③ (…할) 찰나, 위기, (…한) 고비(verge[1]). ***on the ~ ***of ...*** …에 임하여, …의 직전에.
brink·man·ship[´mənʃìp] *n.* Ⓤ (외교 교섭 등을 위험한 사태까지 몰고 가는) 극한 정책.
brin·y[bráini] *a.* 소금물의; 짠(cf. brine).
bri·oche[brí:ouʃ, -ɑʃ/-ɔʃ] *n.* Ⓒ (F.) 버터와 달걀이 든 빵.
bri·quet(**te**)[brikét] *n.* Ⓒ 연탄; 조개탄.
:brisk[brisk] *a.* ① 기운찬, 활발한, 활기 있는(lively). ② 상쾌한(crisp). **: ∠·ly** *ad.*
bris·ket[brískət] *n.* Ⓤ,Ⓒ (짐승의) 가슴(고기).
bris·tle**[brísəl] *n.* Ⓒ 강모(剛毛), (돼지 등의) 빳빳한 털《브러시용》. ***set up one's [*a person's*] ~**s** 화내다[나게 하다]. ── *vt., vi.* 털을 곤두세우다, 털이 곤두서다; 촘촘이 나다(~ ***with hair*** 털이 촘촘이 나 있다); 줄을 짓다(~ ***with spears*** 창을 죽 늘어 세우다).
brístle·tàil *n.* Ⓒ 【蟲】 반대좀.
Brit. Britain; Britannia; British; Briton.
:Brit·ain[brítən] *n.* 대(大)브리튼(Great Britain).
Bri·tan·ni·a [britǽniə, -njə] *n.* 《詩》 =GREAT BRITAIN. **-nic**[-nik] *a.*
Brit·i·cism[brítəsìzəm] *n.* Ⓤ,Ⓒ 영국식 영어(어법).
:Brit·ish[brítiʃ] *a.* 영국(인)의. **~·er** *n.* Ⓒ 《美》 영국인.
Brítish Acádemy, the 대영 학사원.
Brítish Cómmonwealth (of Nátions), the 영연방.
Brítish Émpire, the =⇧.
Brítish Énglish 영국 영어.
Brítish Ísles, the 영국 제도.
Brítish Muséum, the 대영 박물관.
Brítish thérmal ùnit 영국 열량 단위《1파운드의 물을 화씨 1도 올리는 열량》.
Brítish wárm 【英軍】 짧은 외투.
***Brit·on**[brítn] *n.* Ⓒ ① 브리튼 사람《로마인 침입 당시의 Britain 남부의 켈트인》. ② 영국인.
Brit·ta·ny[brítəni] *n.* 브리타니《프랑스 북서부의 반도 Bretagne의 영어명》.
***brit·tle**[brítl] *a.* 부서지기 쉬운; 《詩》 덧없는.
Bro., bro. brother.
broach[broutʃ] *n.* Ⓒ (고기 굽는) 꼬치, 꼬챙이; 송곳; 교회의 뾰족탑(spire). ── *vt., vi.* 꼬챙이에 꿰다; 입을 열다; (이야기를) 꺼내다; 공표하다, 널리 알리다.
†broad[brɔ:d] *a.* ① (폭·면적이) 넓은. ② 광대한. ③ 마음이 넓은. ④ 밝은, 명백한, 노골적인, 야비한(*a ~ joke*). ⑤ 대강의, 넓은 뜻의, 일반적인. ***as ~ as it is long*** 《口》 폭과 길이가 같은; 결국 마찬가지인. ***in ~ daylight*** 대낮에, 공공연히. ── *n.* Ⓒ 넓은 곳; 《英》 (강이 넓어

진) 호수; 《俗·蔑》 계집(애). ∠·ish *a.* 좀 넓은. *∠·ly *ad.*
bróad árrow 《英》 (관물(官物)·죄수복에 붙이는) 세 갈래의 화살표.
bróad·bànd *a.* 〖電〗 광(주파수) 대역의.
bróad bèan 〖植〗 잠두.
bróad·blòwn *a.* (꽃이) 만발한.
bróad·brìm *n.* Ⓒ 양테가 넓은 모자; (B-) 《美口》 퀘이커 교도.
bróad-bròw *n.* Ⓒ 《口》 취미나 관심이 광범위한 사람.
:broad·cast[∠kæst, -ɑ̀:-] *vt., vi.* (~, ~***ed***) ① 방송〔방영〕하다. ② (씨 따위를) 흩뿌리다. — *n.* Ⓒ,Ⓤ ① 방송 (프로). ② (씨) 살포. — *a.* 방송의, 방송된; 살포한. **~·er** Ⓒ 방송자〔장치〕; 살포기.
***broad·cast·ing**[∠kæstiŋ, -kɑ̀:st-] *n.* Ⓤ 방송, 방송 사업.
bróadcasting frèquency 방송 주파수.
bróadcasting stàtion 방송국.
Bróad Chúrch (영국 국교의) 광교회파(廣敎會派).
bróad·clòth *n.* Ⓤ 《英》 (검은) 고급 양복감; 《美》 브로드《셔츠용 포플린》.
***broad·en**[∠n] *vt., vi.* 넓히다; 넓어지다.
bróad·gàuge(d) *a.* 광궤의; 《美》 =BROAD-MINDED.
bróad jùmp 넓이뛰기.
bróad·lòom *a.* 폭 넓게 짠.
***bróad-mínded** *a.* 도량이 넓은, 관대한.
bróad séal 국새; 정부의 관인.
bróad·shèet *n.* Ⓒ 한 면만 인쇄한 대판지(大版紙)《광고·포스터 등》.
bróad·sìde *n.* Ⓒ 뱃전; 한 쪽 뱃전의 대포의 전부; 그의 일제 사격; (비난 따위의) 일제 공격.
bróad-spéctrum *a.* 광역 항균 스펙트럼의《광범위한 미생물에 유효한 약 등에 이름》.
bróad·swòrd *n.* Ⓒ 날 넓은 칼.
***Broad·way**[brɔ́:dwèi] *n.* 뉴욕시의 남북으로 뻗은 번화가《부근에 큰 극장이 많음》.
Brob·ding·nag[brɑ́bdiŋnæg/-ɔ́-] *n.* (걸리버 여행기 중의) 거인국. **~·i·an**[∸–næ̀giən] *a., n.* 거대한; Ⓒ 거인.
bro·cade[broukéid] *n., vt.* Ⓤ 비단(으로 꾸미다); (…을) 비단으로 짜다.
broc·(c)o·li[brɑ́kəli/-ɔ́-] *n.* Ⓒ,Ⓤ 〖植〗 모란채《cauliflower의 일종; 식용》.
bro·chure[brouʃúər, -ʃɔ́:r] *n.* (F.) Ⓒ 팸플릿, 가철(假綴)한 책.
bro·de·rie ang·laise[broudrí: ɑ:ŋgléiz] (F.) 영국 자수《바탕천을 도려내어 하는》.
brogue[1][broug] *n.* Ⓒ (생가죽의) 튼튼한 구두.
brogue[2] *n.* Ⓒ 아일랜드 사투리; 시골 사투리.
broi·der[brɔ́idər] *v.* 《古》 =EMBROIDER.
***broil**[1][brɔil] *vt., vi., n.* 굽다; 쬐다; Ⓤ 굽기; 쬐기; 불고기.
broil[2] *n., vi.* Ⓒ 싸움〔말다툼〕(하다).
broil·er[brɔ́ilər] *n.* Ⓒ 《美》 불고기용 철판〔석쇠〕; 불고기용 영계.
†broke[brouk] *v.* break의 과거〔《古》 과거분사〕. — *a.* 《口》 무일푼의; 파산한. ***go for*** ~ 기를 쓰고 해 보다.
†bro·ken[bróukən] *v.* break의 과거분사. — *a.* ① 깨진, 부서진; 끊어진, 부러진. ② 파산한, 멸망한, 쇠약한. ③ (말 따위가) 길든(tamed). ④ 울퉁불퉁한. ⑤ (외국어 따위) 서투른, 변칙적인(~ ***English*** 엉터리 영어). ~ ***heart*** 실연(失戀). ~ ***line*** 파선(破線); 절선(折線); 고속 도로의 차선 변경 금지 표지. ~ ***meat*** 먹다 남은 고기, 고깃점. ~ ***money*** 잔돈. ~ ***numbers*** 분수; 우수리. ~ ***time*** 짬짬이 나는 시간; 방해가 된 (근무) 시간. ~ ***weather*** 변덕스러운 날씨.
bróken-dówn *a.* 부서진; 기가 꺾인; 몰락한, 파산한.
bróken-héarted *a.* 슬픔에 잠긴; 실연한.
bróken·nécked *a.* 목뼈가 부러진; 결딴난.
bróken-wínded *a.* (말이) 폐기종에 걸린; 숨찬.
***bro·ker**[bróukər] *n.* Ⓒ 중개인. **~·age**[-idʒ] *n.* Ⓤ 중개(수수료), 구전.
bro·king[bróukiŋ] *n.* Ⓤ 중개업.
brol·ly[brɑ́li/-ɔ́-] *n.* Ⓒ 《英口》 양산; 《英俗》 낙하산.
bro·mate[bróumeit] *vt., n.* 〖化〗 브롬과 화합시키다; Ⓤ 브롬산염.
bro·mic[bróumik] *a.* 〖化〗 브롬의〔을 함유한〕. ~ ***acid*** 브롬산.
bro·mide[bróumaid] *n.* Ⓤ 브롬화물; 브로마이드 사진〔인화지〕; 《美》 진부한 말, 상투어. **bro·mid·ic** [broumídik] *a.* 《美口》 평범한, 진부한(trite).
bro·mine[bróumi(:)n] *n.* Ⓤ 〖化〗 브롬, 브로민.
bro·mism[bróumizəm] *n.* Ⓤ 브롬「중독.
bron·chi[brɑ́ŋkai/-ɔ́-], **bron·chi·a**[-kiə] *n. pl.* 기관지. **-chi·al** [-kiəl] *a.* 기관지의. **-chi·tis**[braŋkáitis/brɔŋ-] *n.* Ⓤ 기관지염.
bron·c(h)o[brɑ́ŋkou/-ɔ́-] *n.* (*pl.* ~***s***) Ⓒ (미국 서부의) 야생마(wild pony).
bróncho·bùster *n.* Ⓒ 《美俗》 야생마를 길들이는 카우보이.
bron·cho·pneu·mo·nia [-njuːmóunjə] *n.* Ⓤ 〖醫〗 기관지 폐렴.
Bron·të[brɑ́nti/-ɔ́-], **Charlotte** (1816-55), **Emily**(1818-48) 영국의 작가 자매.
bron·to·sau·rus [brɑ̀ntəsɔ́:rəs/brɔ̀n-] *n.* Ⓒ 〖古生〗 (아메리카 쥐라기(紀)의) 뇌룡(雷龍).

Bronx[brɑŋks/-ɔ-] *n.* (the ～) 뉴욕시 북부의 독립구의 하나(cf. borough).
Brónx chéer 《美》 혀를 입술 사이에서 떨어 내는 소리《경멸을 나타냄》(cf. raspberry).
:bronze[brɑnz/-ɔ-] *n., a.* Ⓤ 청동; 청동(색)의(*a* ～ *statue* 동상). — *vt., vi.* 청동색으로 만들다〔되다〕; (햇볕에 태워) 갈색으로 만들다〔되다〕.
Brónze Àge, the 청동기 시대.
***brooch**[broutʃ, bru:tʃ] *n.* Ⓒ 브로치.
:brood[bru:d] *n.* Ⓒ ①《집합적》 한 배의 병아리; (동물의) 한 배 새끼. ②《蔑》 아이들. ③ 종류, 종족(breed). — *vi.* ① 알을 품다〔안다〕. ② 생각에 잠기다, 곰곰이 생각하다(*on, over*). ③ (구름·걱정이) 내리 덮이다(*over, on*) — *vt.* 숙고하다(～ *vengeance* 복수의 계획을 짜다). ∠·**er** *n.* Ⓒ 인공 부화기.
:brook[1][bruk] *n.* Ⓒ 시내. ∠·**let** *n.* Ⓒ 실개천.
brook[2] *vt.* 견디다, 참다(endure).
***Brook·lyn**[brúklin] *n.* 뉴욕시 독립구의 하나(cf. borough).
:broom[bru(:)m] *n., vt.* Ⓒ 비(로 쓸다), 청소하다; 〖植〗 금작화.
bróom·stìck *n.* Ⓒ 빗자루. ***marry*** 〔***jump***〕 ***over the*** ～ 내연의 관계를 맺다.
Bros. Brothers.
***broth**[brɔ(:)θ, brɑθ] *n.* Ⓤ,Ⓒ 묽은 수프(thin soup).
broth·el[brɔ́:θəl, brɑ́θ-] *n.* Ⓒ 갈봇집.
†broth·er[brʌ́ðər] *n.* Ⓒ 형제, 친구, 동료; 동지, 동포(cf. brethren). ～***s in arms*** 전우. ～·**less** *a.* 형제가 없는. * ～·**ly** *a.* 형제의〔같은〕; 친절한.
***broth·er·hood**[-hùd] *n.* Ⓤ 형제〔동포〕 관계; Ⓒ 동료; Ⓒ 친선 단체, 협회, 결사, 조합; Ⓒ 《美》 철도 종업원 조합.
bróther-in-làw** *n.* (*pl.* ***brothers-in-law) Ⓒ 매부, 처남, 시숙 등.
Bróther Jónathan 《英古》 (전형적) 미국인(cf. John Bull).
bróther úterine 이부(異父) 형제.
brough·am[brú:əm] *n.* Ⓒ 브룸《마부·운전사의 자리가 밖에 있는 마차·자동차》. 「사).
†brought[brɔ:t] *v.* bring의 과거(분
brou·ha·ha[blu:hɑ́:hɑ:, ∠–∠] *n.* Ⓤ 소음; (무질서한) 소동; 열광.
:brow[brau] *n.* ① Ⓒ 이마. ② (보통 *pl.*) 눈썹. ③ (the ～) (돌출한) 벼랑 꼭대기. ***bend*** 〔***knit***〕 ***one's*** ～***s*** 눈살을 찌푸리다.
brów·bèat *vt.* (～; ～***en***) 노려보다, 위협하다.
†brown[braun] *n.* ① Ⓤ,Ⓒ 다갈색, 밤색. ② Ⓤ 갈색 그림물감. — *a.* 다갈색의; 햇볕에 탄(tanned), 거무스름한. ***do up*** ～ 《美俗》 완전히 마무리하다. — *vt., vi.* 갈색이 되(게 하)다; 햇볕에 타다. ～ ***off*** 《俗》 지루하게 만들다; 꾸짖다. ～ ***out*** 《美》 =DIM out. ∠·**ish** *a.*
brówn bétty 사과 푸딩.
brówn bréad 흑빵.
brówn cóal 갈탄.
Brówn·i·an móvement[bráuniən-] 〖理〗 브라운 운동《액체 속의 미립자의 불규칙 운동》.
brown·ie[∠i] *n.* Ⓒ 〖Sc. 傳說〗 (농가의 일을 도와 준다는) 작은 요정(妖精) (brown elf); Ⓒ 땅콩이 든 판(板) 초콜릿; (B-) (소녀단의) 유년단원.
Brown·ing[1][bráuniŋ] *n.* Ⓒ 브라우닝 자동 권총.
Brown·ing[2], **Robert**(1812-89), **Elizabeth**(1806-61) 영국의 시인 부부.
brown·ish[bráuniʃ] *a.* 갈색을 띤.
brówn·nòse *vt., vi.* 《俗》 (…의) 환심을 사다, 아첨하다.
brówn·òut *n.* =DIMOUT.
brówn páper 갈색 포장지.
brówn ríce 현미.
Brówn Shìrt 나치스 당원.
brówn stúdy 멍하니 생각에 잠김《brown=gloomy》, 몽상.
brówn súgar 누런 설탕; 《美俗》 동남 아시아산의 저질 헤로인.
***browse**[brauz] *n.* Ⓤ 어린 잎, 새싹; 〖컴〗 훑어보기. — *vi., vt.* (소 따위가 어린 잎을) 먹다(feed)(*on*); 책을 여기저기 읽다.
bru·in[brú(:)in] *n.* Ⓒ ① 곰. ② (B-) (옛날 이야기의) 곰.
:bruise[bru:z] *n.* Ⓒ 타박상; (과일의) 흠. — *vi., vt.* (몸·마음에) 상처나다〔내다〕; 감정을 상하(게 하)다.
brúis·er *n.* Ⓒ 권투가; 《口》 난폭자.
bruit[bru:t] *vt.* 소문을 내다(*about*). — *n.* Ⓒ 풍설; 소동.
Brum[brʌm] *n.* 《英口》 =BIRMINGHAM.
brunch[brʌntʃ] (<*breakfast*+*lunch*) *n.* Ⓤ,Ⓒ《口》 늦은 조반, 조반 겸 점심.
Bru·nei[brú:nai] *n.* 보르네오 섬 북서부의 독립국.
bru·net(te)[bru:nét] *a., n.* Ⓒ 브루네트의 (사람)《머리와 눈이 검거나 갈색이고 피부색이 거무스름함. 원래 brunet은 남성형, brunette은 여성형》(cf. blond(e)).
brunt[brʌnt] *n.* (the ～) 공격의 주력〔예봉〕. ***bear the*** ～ (…의) 정면에 맞서다(*of*).
:brush[1][brʌʃ] *n.* ① Ⓒ 브러시, 솔. ② Ⓒ 붓, 화필; (the ～) 미술, 화풍. ③ Ⓒ (여우 따위의) 꼬리(bushy tail). ④ Ⓒ (솔·붓으로) 한 번 문지르기; 찰과(擦過); (작은) 싸움. ***at a*** ～ 일거에. ***give ... another*** ～ …을 더 공들여 손질하다. — *vt.* (…에) 솔질을 하다; 털다, 비비다(rub); 스치다(*against*). — *vi.* 질주하다. ～ ***aside*** 〔***away***〕 털어버리다; 무시

B

하다. ~ ***over*** 가볍게 칠하다. ~ ***up*** 《口》 멋을 내다; 닦다, (학문 따위를) 다시 하다.

brush[2] *n.* Ⓤ 숲, 잡목림; =BRUSHWOOD; (the ~) 《美》 미개척지.

brúsh-búrn *n.* Ⓒ 찰과상. 「전.

brúsh dìscharge 〖電〗 브러시 방

brúsh-òff *n.* (the ~) 《美俗》 (매정한) 거절; 해소.

brúsh·stròke *n.* Ⓒ (회화·서도의) 일필, 일획, 필법.

***brúsh·ùp** *n.* Ⓒ 닦음, 수리, 손질, 몸단장; 복습.

brúsh·wòod *n.* ① Ⓤ 숲. ② Ⓒ 베어낸 작은 나뭇가지. 「법, 화풍.

brúsh·wòrk *n.* Ⓤ ① 필치. ② 화

brusque[brʌsk/-u-] *a.* 무뚝뚝한.

Brus·sels**[brʌ́səlz] *n.* 브뤼셀《벨기에의 수도》. ~ ***sprouts 평지과의 다년생 초본《양배추의 일종》.

:bru·tal[brúːtl] *a.* ① 짐승 같은. ② 모진, 가차 없는; 잔인한. ③ 《美俗》 굉장히 좋은, 대단한. **~·li·ty**[bruːtǽləti] *n.* Ⓤ 야수성, 잔인, 무도. * **~·ly** *ad.*

bru·tal·ize[brúːtəlàiz] *vt., vi.* 짐승같이 만들다[되다]; (…에게) 잔인한 처사를 하다.

:brute[bruːt] *n.* ① Ⓒ 짐승. ② Ⓒ 《口》 싫은 놈. ③ (the ~)(인간의) 수성, 수욕. — *a.* ① 야수적인. ② 잔인한, 육욕적인. ③ 감각이 없는 (~ *matter* 무생물). **brút·ish** *a.*

B.S. Bachelor of Science [Surgery]. **B/S, b.s.** balance sheet; bill of sale. **B.Sc.** Bachelor of Science. **B.S.T.** British summer time. **Bt.** Baronet. **B.T.U., B.th.u.** British thermal unit.

bub[1][bʌb] *n.* Ⓒ (보통 *pl.*) 유방.

bub[2] *n.* Ⓒ 《美口》 아가, 젊은이《소년·젊은이에 대한 호칭》.

:bub·ble[bʌ́bəl] *n.* ① Ⓒ 거품; Ⓤ 거품이는 소리; 끓어 오름. ② Ⓒ 거품같이 허망한 계획. ***burst*** (*a person's*) ~ (아무의) 희망을 깨다. — *vt., vi.* ① 거품 일(어 넘쳐 흐르)다. ② 부글부글 소리 내다. ***a ~ company*** (이내 쓰러지는) 포말(泡沫) 회사. ***blow ~s*** 비눗방울을 불다; 공론(空論)에 열중하다. **~ *over*** 거품 일어 넘치다; 기를 쓰다. ~ ***gum*** 풍선껌. **búb·bler** *n.* Ⓒ (역 따위의) 분수식 수도.

búbble ecónomy 거품 경제.

bu·bo[bjúːbou] *n.* (*pl.* **-boes**) Ⓒ 〖醫〗 림프선종(腺腫)《특히 서혜부, 겨드랑이의》.

bu·bon·ic[bjuːbánik/-ɔ́-] *a.* 〖醫〗 림프선종(腺腫)의. ~ ***plague*** 선(腺)페스트. 「의.

buc·cal[bʌ́kəl] *a.* 입의; 볼(cheek)

buc·ca·neer[bʌ̀kəníər] *n., vi.* Ⓒ 해적(질하다). 「니아의 수도.

Bu·cha·rest[bjúːkərést] *n.* 루마

Buch·man·ism [búkmənìzəm, bʌ́k-] *n.* Ⓤ 미국인 Frank Buchman (1878-1961)이 일으킨 종교 운동《영국에서는 Oxf. Group 운동, 미국에서는 MRA 운동으로 발전》.

buck**[1][bʌk] *n.* Ⓒ ① 수사슴; (토끼·염소 따위의) 수컷. ② 멋쟁이(남자) (dandy). ③ 《美口》 흑인 남자; 《美俗》 달러. ***as hearty as a ~ 원기 왕성한. ~ ***private*** 《美軍俗》 이등병 《Pfc.의 아래》.

buck[2] *vi., vt.* (말이 등을 굽히고) 뛰어오르다; (말이 탄 사람을) 날뛰어 떨어뜨리다(*off*); 《美口》 저항하다; 《美》 (머리·뿔로) 받다(butt). ~ ***up*** 《美口》 기운을 내다; 격려하다. — *n.* Ⓒ (말의) 뛰어오름; 도약; 반항.

buck[3] *n.* Ⓒ 《美》 (포커에서) 패를 나눌 차례인 사람 앞에 놓는 표지. ***pass the ~ to*** 《美口》 …에게 책임을 전가하다.

buck·a·roo[bʌ́kərùː, ⌐−⌐] *n.* Ⓒ 《美西部》 목동.

búck bàsket 세탁물 광주리.

:buck·et[bʌ́kit] *n.* Ⓒ ① 양동이. ② 피스톤, 물받이. ③ 버킷[양동이] 가득(bucketful). ***a ~ of bolts*** 《美俗》 고물 자동차. ***give*** (*a person*) ***the ~*** 《俗》 (아무를)해고하다. ***kick the ~*** 《俗》 죽다.

buck·et·ful[bʌ́kitfùl] *n.* (*pl.* **~s, bucketsful**) Ⓒ 한 양동이 가득. ***come down ~*** 《口》 비가 억수로 쏟아지다.

búcket sèat (자동차 등의) 접의자.

búcket shòp 무허가 중개소; 엉터리 거래소; (주식의) 장외 거래점.

búck·èye *n.* Ⓒ ① 《美》 칠엽수류(七葉樹類). ② (B-) Ohio주 사람.

búck·hòrn *n.* Ⓒ 사슴 뿔.

Búck·ing·ham Pálace[bʌ́kiŋəm-] 버킹엄 궁전《런던의 왕실 궁전》.

Buck·ing·ham·shire[-ʃìər, -ʃər] *n.* 영국의 한 주《생략 Bucks.》.

buck·ish[bʌ́kiʃ] *a.* (남자가) 멋부리는, 플레이보이인.

buck·le**[bʌ́kəl] *n., vt., vi.* ① Ⓒ 혁대장식(으로 채우다), 죔쇠(로 죄다) (*up*). ② 구부리다, 굽다. ③ 뒤틀(리)다. ~ (down***) ***to***, or ~ ***oneself to*** …에 전력을 기울이다.

buck·ler[bʌ́klər] *n.* Ⓒ 둥근 방패. 「=BULLY[1].

buck·o[bʌ́kou] *n.* (*pl.* **~es**) 《俗》

búck-pàssing *n., a.* Ⓤ 책임 회피[전가](의).

buck·ram[bʌ́krəm] *n.* Ⓤ 〖製本〗 아교를 먹인 천.

búck·sàw *n.* Ⓒ 틀톱.

búck·shòt *n.* Ⓤ 녹탄《사슴·꿩 따위의 사냥용 총알》.

búck·skìn *n.* ① Ⓤ 사슴 가죽. ② (*pl.*) 사슴 가죽 바지.

búck·thòrn *n.* Ⓒ 털갈매나무.

búck·tòoth *n.* (*pl.* **-teeth**) Ⓒ 뻐드렁니. 「밀가루.

búck·whèat *n.* Ⓤ 메밀; 《美》 메

bu·col·ic[bjuːkálik/-kɔ́l-] *a., n.* 시골[전원]의; 양 치는 사람의, 전원생활의; Ⓒ 목가.

:bud[1][bʌd] *n.* Ⓒ 눈, 싹, 꽃봉오리.

***nip in the* ~** 미연에 방지하다.
— *vi., vt.* (-dd-) 싹트(게 하)다.
bud² *n.* 《美口》 = BUDDY.
Bu·da·pest [bú:dəpèst, ˌ—ˌ—ˊ] *n.* 부다페스트《헝가리의 수도》.
***Bud·dha** [bú:də] *n.* 부처. ***Búd·dhism** *n.* Ⓤ 불교. ***Búd·dhist** *n.*
bud·dy [bʌ́di] *n.* Ⓒ 《美口》 동료, 소년; 여보게《부르는 말》. **~-~** *a.* 《美俗》 아주 친한.
budge [bʌdʒ] *vi., vt.* 조금 움직이다; 몸을 움직이다.
⁑**budg·et** [bʌ́dʒit] *n., vi.* Ⓒ 예산(안); (뉴스·편지 따위의) 한 묶음; 예산을 세우다(*for*). ***open the* ~** (의회에) 예산안을 제출하다. **~·ar·y** [-èri/-əri] *a.*
bud·let [bʌ́dlit] *n.* Ⓒ 어린 싹.
Bue·nos Ai·res [bwéinəs áiəriz] 아르헨티나의 수도.
buff¹ [bʌf] *n.* ① Ⓤ (물소 따위의) 담황색의 가죽. ② Ⓤ 담황색(dull yellow). ③ (the ~) 《口》 (사람의) 맨살, 알몸. ④ Ⓒ 열광자, 팬, …광(狂). ***strip to the* ~** 발가벗기다. — *vt.* 부드러운 가죽으로 닦다.
buff² *vt., vi.* (…의) 충격을 완화하다, 약화시키다. — *n.* Ⓒ 《英方·古》 타격, 찰싹 때림. — *a.* 의연한.
⁑**buf·fa·lo** [bʌ́fəlòu] *n.* (*pl.* **~(*e*)*s***, 《집합적》 ~) Ⓒ ① 물소. ② 아메리카 들소(bison). ③ 《軍俗》 수륙양용 탱크.
buff·er [bʌ́fər] *n.* Ⓒ ① (기차 따위의) 완충기(《美》 bumper). ② 〖컴〗 버퍼. **~ *state*** 완충국.
***buf·fet¹** [bʌ́fit] *n.* Ⓒ 일격, 한 대(blow); (운명·파도·바람의) 타격. — *vt., vi.* 치다, 때리다; (운명·파도·바람과) 싸우다(*with*).
buf·fet² [bəféi, bu-/bʌ́fit] *n.* Ⓒ 찬장(sideboard); [búfei] 뷔페, 간이 식당. **~ *car*** 《주로 英》 식당차.
buf·foon [bəfú:n] *n.* Ⓒ 익살꾼, 어릿광대(clown). ***play the* ~** 익살떨다. **~·er·y** [-əri] *n.* Ⓤ 익살; 조잡한 농담. **~·ish** *a.*
***bug** [bʌg] *n.* Ⓒ ① 《주로 英》 빈대. ② 벌레, 곤충, 딱정벌레. ③ 《美口》 (기계·조직 따위의) 고장, 결함. ④ 젠체하는 사람. ⑤ 《美俗》 소형 자동차. ⑥ 〖컴〗 《俗》 오류《프로그램 작성시 뜻하지 않은 잘못》. ***big* ~** 《비꼼》 거물, 명사. ***go* ~** 발광하다, 미치다. ***smell a* ~** 《美》 수상쩍게 여기다.
bug·a·boo [bʌ́gəbù:] *n.* = ⇩.
búg·bèar *n.* Ⓒ 도깨비; 무서운 것.
búg-éyed *a.* 《美俗》 (놀라서) 눈알이 튀어나온.
bug·ger [bʌ́gər] *n.* Ⓒ ① 비역쟁이. ② 《卑》 싫은 놈[일]; 《俗》《형용사에 붙어》 (…란) 놈. **~ *all*** 《英俗》 전무, 제로. — *vt., vi.* (…와) 비역하다. **~ *about*** 《卑》 빈둥빈둥하다; 혼내주다. ***B- off!*** 《卑》 꺼져.
***bug·gy¹** [bʌ́gi] *n.* Ⓒ 《美》 말 한 필이 끄는 4륜[2륜]마차.
bug·gy² *a.* 빈대가 많은.
búg·hòuse *n.* Ⓒ 《美俗》 정신 병원; 《英俗》 초라한 극장.
búg·hùnting *n.* Ⓤ 곤충 채집.
***bu·gle** [bjú:gəl] *n., vi., vt.* (군대용) Ⓒ 나팔(을 불다, 불어 집합시키다); 《古》 뿔피리. **bú·gler** *n.* Ⓒ 나팔수.
buhl [bu:l] *n.* Ⓤ (별갑(鱉甲)·금은 따위의) 상감(象嵌).
†**build** [bild] *vt.* (**built**) ① 짓다, 세우다, 만들다; (재산·지위 따위를) 쌓아올리다. ② (…에) 의지[의존]하다 (*on, upon*). **~ *in*** 붙박이로 짜넣다; (집·벽 따위로) 에워싸다. **~ *up*** 빽빽이 세우다; (명성을) 조작하다; (건강을) 증진하다; 고쳐 짓다; 〖劇〗 (최고조로) 돋우어 올리다. — *n.* Ⓤ 만듦새, 구조; Ⓤ,Ⓒ 체격. ⁑**ˊ·er** *n.* †**ˊ·ing** *n.* Ⓒ 건물, 빌딩 (***the main* ~** 주건물); Ⓤ 건축(술).
búilding blòck (장난감의) 집짓기 나무; (건축용) 블록; 〖컴〗 빌딩 블록.
búilding lìne (도로 따위에 임하는) 건축 제한선.
búilding lòt 건축용 대지(building site).
búild-ùp *n.* Ⓒ 형성; 발전; 선전, 매명(賣名); 〖劇〗 (장면을) 최고조로 돋우어 올리기; 《美口》 날조, 조작.
†**built** [bilt] *v.* build의 과거(분사).
búilt-ìn *a.* 붙박이의, 짜넣은; (성질이) 고유의.
⁑**bulb** [bʌlb] *n.* Ⓒ 구근(球根); 구근식물; 전구, 진공관. **ˊ·ous** *a.* 구근(모양)의; 동글동글한.
bul·bul [búlbul] *n.* Ⓒ 명금(鳴禽)의 일종《nightingale의 일종으로 페르시아 명칭》; 가수; 시인.
Bulg. Bulgaria(n).
Bul·gar·i·a [bʌlgέəriə] *n.* 불가리아. **-an** *n., a.* Ⓒ 불가리아 사람(의); 불가리아의; Ⓤ 불가리아 말(의).
***bulge** [bʌldʒ] *n.* Ⓒ ① 부푼 것; (물통 따위의) 중배(의 불룩함). ② 《口》 이익, 잇점. ③ 〖海〗 배 밑의 만곡부(bilge). ④ 〖軍〗 (전선의) 돌출부. — *vi.* 부풀다(swell out).
búl·gy *a.*
bu·lim·i·a [bju:lí(:)miə] *n.* Ⓤ 〖醫〗 식욕 항진, 병적 기아.
⁑**bulk** [bʌlk] *n.* ① Ⓤ 부피(volume); 크기. ② (the ~) 대부분(*of*). ③ Ⓒ 거대한 사람[것]. ④ Ⓤ 적하(積荷). ***break* ~** 짐을 부리다. ***by* ~** (저울을 쓰지 않고) 눈대중으로. ***in* ~** 포장 않은 채로; 대량으로. — *vi., vt.* 부풀(리)다, 쌓아 올리다; 중요하게 보이다. **~ *large* [*small*]** 커[작아]지다; 중요하게[하지 않게] 보이다. ***ˊ·y** *a.* 부피가 커진, 턱없이 큰, 거대한; 다루기 힘든.
búlk bùying 매점(買占).
búlk càrgo (곡류 따위) 포장 않은 뱃짐.
búlk fàre 단체 여행 할인 항공 운임.
búlk·hèad *n.* Ⓒ (배 따위의) 격벽

B

(隔壁); (지하실의) 들어서 여는 문.

:bull¹ [bul] *n.* ① Ⓒ 황소; (코끼리·고래 따위의) 수컷(cf. ox). ② (B-) 〖天〗 황소자리(Taurus). ③ Ⓒ 〖證〗 사는 편, 시세가 오르리라고 내다보는 사람(cf. bear¹). ④ Ⓒ《美俗》 경관. ⑤ Ⓤ《俗》 쓸데 없는 소리. ⑥ =BULLDOG. ***a ~ in a china shop*** 남에게 방해가 되는 난폭자. ***shoot the ~*** 《美俗》 기염을 토하다; 허튼 소리를 하다. ***take the ~ by the horn*** 감연히 난국에 맞서다. —*a.* 수컷과 같은, 황소 같은, 센, 큰. **∠·ish** *a.*

bull² *n.* Ⓒ (로마 교황의) 교서.

búll·bàiting *n.* Ⓤ (개를 부추겨서 괴롭히는) 소 놀리기(cf. bearbaiting).

***búll·dòg** *n.* Ⓒ 불도그; 용맹〔완강〕한 사람; 《英俗》 학생감 보좌역.

bull·doze [∠dòuz] *vt.* 불도저로 고르다; 《美口》 위협하다; 못살게 굴다; 《美口》 (무리하게) 강행하다.

***bull·doz·er** [búldòuzər] *n.* Ⓒ 불도저; 《美口》 위협자.

:bul·let [búlit] *n.* Ⓒ 소총탄.

:bul·le·tin [búlətin] *n.* Ⓒ 게시, 공보; 회보. **~ *board*** 게시판. — *vt.* 공시하다, 게시하다.

búlletin bòard sỳstem 〖컴〗 전자 게시판 시스템《전자 우편이나 파일의 교환을 전화 회선을 이용하여 행함; 생략 BBS》.

búllet·pròof *a.* 방탄의.

búll·fight *n.* Ⓒ 투우. **~er** *n.*

búll·finch *n.* Ⓒ 〖鳥〗 피리새; 높은 산울타리.

búll·fròg *n.* Ⓒ 식용 개구리《북아메리카산》.

búll·hèad *n.* Ⓒ 〖魚〗 둑중개, 메기; 완고한 사람.

búll·héaded *a.* 완고한; 머리가 큰.

búll·hòrn *n.* Ⓒ 《美》 전기 메가폰.

bul·lion [búljən] *n.* Ⓤ 금〔은〕덩어리.

bull·ish [búliʃ] *a.* 수소와 같은; 완고한; 〖證〗 오르는 시세의.

búll-nècked *a.* 목이 굵은.

bul·lock [búlək] *n.* Ⓒ 네 살 이하의 불깐 소(steer).

búll pèn 소의 우리; 《美口》 유치장; 〖野〗 구원 투수 연습장.

búll rìng 투우장.

búll sèssion 《俗》 (비공식) 토론, 자유 토론; 남자끼리의 잡담(모임).

búll's-èye Ⓒ 과녁의 중심점, 정곡; 둥근 창; 볼록 렌즈(가 달린 남포).

búll·shìt *n.* Ⓤ 《卑》 무의미한 일.

búll térrier 불테리어《불독과 테리어의 잡종》.

búll tòngue 《美》 (목화 재배용의) 큰 쟁기.

***bul·ly¹** [búli] *n.* Ⓒ 약자를 괴롭히는 자. — *vt., vi.* 위협하다; 못살게 굴다(tease). —*a.* 《口》 훌륭한. — *int.* 《口》 멋지다!, 장하다!

bul·ly² *n.* Ⓤ 통조림 쇠고기.

búlly·ràg *vt.* (**-gg-**) 위협하다, 못살게 굴다.

bul·rush [búlrʌ̀ʃ] *n.* Ⓒ 〖植〗 큰고랭이; 애기부들.

***bul·wark** [búlwərk] *n.* Ⓒ ① 누벽(壘壁). ② 방파제. ③ (보통 *pl.*) (상(上) 갑판의) 뱃전. — *vt.* 성채로 견고히 하다; 방어하다.

bum [bʌm] *n.* Ⓒ《美口》 게으름뱅이; 부랑자(tramp). ***get the ~'s rush*** 《美俗》 내쫓기다. — *a.* 쓸모없는; 품질이 나쁜; 잘못된. — *vi., vt.* (**-mm-**) 《美口》 빈둥빈둥 놀고 지내다; 술에 빠지다; 《美俗》 떼를 써 빼앗다(sponge on), 조르다.

bum·ble¹ [bʌ́mbəl] *vi.* 큰 실수를 하다, 실책을 하다.

bum·ble² *vi.* (벌 등이) 윙윙 거리다.

búmble·bèe *n.* Ⓒ 뒝벌.

bumf, bumph [bʌmf] *n.* Ⓤ 《英俗》 화장지; 논문, 신문, 문서.

bum·mer [bʌ́mər] *n.* Ⓒ 《口》 빈둥거리는 자, 부랑자; 《美俗》 불쾌한 경험〔감각, 일〕.

:bump [bʌmp] *vt., vi.* ① 부딪치다, 충돌하다(*against, into*). ② 털썩 떨어뜨리다(*down, on*). ③ 덜거덕거리며 나아가다. **~ *off*** 부딪쳐 떨어뜨리다; 《美俗》 죽이다. — *ad., n.* Ⓒ ① 텅〔쿵〕(하는 소리). ② 때려서 생긴 멍〔혹〕. ③ (수레의) 동요. ④ (보트의) 충돌. ⑤ 악기류(惡氣流), 돌풍. ⑥ 재능, 능력, 육감. ***∠·er** *n., a.* Ⓒ ① 부딪는 (사람·것). ② 범퍼, 완충기. ③ 가득 채운 잔; 초만원(의); 풍작(의)(**~*er crop*** 대풍작), 풍어의, 대히트(의).

bump·kin [bʌ́mpkin] *n.* Ⓒ 시골뜨기, 뒤틈바리.

bump·tious [bʌ́mpʃəs] *a.* 주제넘은.

bump·y [bʌ́mpi] *a.* (지면이) 울퉁불퉁한(rough); (수레가) 덜커덕거리는(jolting).

bun** [bʌn] *n.* Ⓒ ① 롤빵《건포도를 넣은 단 빵》. ② (롤빵 모양으로) 묶은 머리. ***take the ~ 《美俗》 일등이 되다, 이기다.

Bu·na [bjúːnə] *n.* 〖商標〗 부나《합성고무의 일종; 천연 고무와 흡사함》.

:bunch [bʌntʃ] *n., vi., vt.* Ⓒ (포도 따위) 송이〔다발, 떼〕(가 되다, 로 만들다). **∠·y** *a.*

bun·co [bʌ́ŋkou] *n.* (*pl.* **~s**), *vt.* Ⓒ《美口》 속임수의 내기; 야바위(치다).

bun·combe, -kum [bʌ́ŋkəm] *n.* Ⓤ《美》 인기 위주의 연설, 빈 말.

bund [bʌnd] *n.* Ⓒ 바닷가의 거리.

:bun·dle [bʌ́ndl] *n., vi., vt.* ① Ⓒ 다발, 꾸러미. ② 꾸리다, 다발지어 묶다, 싸다. ③ 서둘러 떠나(게 하)다(*away, off*). **~ *of nerves*** 굉장히 신경질적인 사람. **~ *oneself up*** (많이) 껴입다.

bún fight 《英俗》 =TEA PARTY.

bung [bʌŋ] *n., vt., vi.* Ⓒ 마개(를 하다), 막다; 《俗》 상처를 입히다, 쳐부수다(*up*).

***bun·ga·low** [bʌ́ŋgəlòu] *n.* Ⓒ 방갈로(식 주택)《베란다 있는 목조 단층

집》.
bun·gee[bʌ́ndʒi] *n.* [U,C] 번지《고무끈 다발을 무명으로 싼 코드》.
búngee-jùmp *vi.* 번지점프하다.
búngee jùmping 번지점프《발목 같은 데에 신축성 있는 로프를 매고 높은 데서 뛰어내리는 놀이》.
búng·hòle *n.* [C] 통주둥이.
bun·gle[bʌ́ŋgəl] *n., vt., vi.* [C] 실수(하다). **bún·gling** *a.* 서투른.
búngle·some *a.* 서툰, 솜씨 없는.
bun·ion[bʌ́njən] *n.* [C] (엄지발가락 샅의) 염증, 못.
bunk[1][bʌŋk] *n., vi.* [C] (배·기차 따위의) 침대[잠자리](에서 자다), 등걸잠 자다.
bunk[2] *n.* 《美俗》 =BUNCOMBE.
bunk[3] *n., vi.* [C] 《英俗》 도망(하다), 빵소니치다. ***do a ~*** 도망하다.
búnk-bèd *n.* [C] 2단 침대.
bunk·er[bʌ́ŋkər] *n., vt.* [C] (배의) 연료 창고(에 쌓아 넣다); 〖골프〗 벙커《모래땅의 장애 구역》(에 쳐서 넣다); 〖軍〗 지하 엄폐호.
búnker cóal (석탄 수송선의) 자항용(自航用) 연료탄(炭).
búnker òil 연료유.
búnk·hòuse *n.* [C] 산막; 합숙소.
bun·ko[bʌ́ŋkou] *n.* 《美口》 =BUNCO. 「COMBE.
bun·kum[bʌ́ŋkəm] *n.* =BUN-
***bun·ny**[bʌ́ni] *n.* [C] 《口》 토끼; 《方》 다람쥐.
***bunt**[bʌnt] *vt., vi., n.* [C] (머리·뿔로) 받다[받기]; 가볍게 치다[침]; 〖野〗 번트[연타(軟打)](하다). 「리.
bun·ting[1][bʌ́ntiŋ] *n.* [C] 멧새의 무
bun·ting[2] *n.* [U] ① 기(旗) 만드는 천. ② 《집합적》 (장식) 기(flags).
Bun·yan[bʌ́njən], **John**(1628–88) 영국의 목사·작가《*Pilgrim's Progress*》.
:bu·oy[búːi, bɔi] *n.* [C] 부표(浮標), 부이. — *vt., vi.* ① 띄우다. ② 기운을 돋우다, 지지하다(support). ③ 뜨다(*up*).
buoy·an·cy[bɔ́iənsi, búːjən-] *n.* [U] ① 부력(浮力). ② (타격을 받고도) 쾌활, 경쾌. ③ 〖商〗 (시세 따위의) 오름세.
***buoy·ant**[bɔ́iənt, búːjənt] *a.* ① 부력이 있는. ② 경쾌한(light), 쾌활한(cheerful). ③ (값이) 오름세의.
B.U.P. British United Press.
bur[1][bəːr] *n.* [C] 우엉의 열매; 가시 있는 식물; 성가신 사람; =BURR[1].
bur[2] *vi., n.* =BURR[2].
Bur·ber·ry[bə́ːrbəri, -bèri] *n.* ① 바바리 코트. ② [U] 바바리 방수포.
bur·ble[bə́ːrbəl] *vi.* 부글부글 소리 나다; 투덜거리다.
:bur·den[1][bə́ːrdn] *n.* ① [C] 짐(load). ② [C] 무거운 짐, 부담; 귀찮은 일. ③ [U] (배의) 적재량. ***~ of proof*** 거증(擧證)의 책임. ***lay down life's ~*** 죽다. — *vt.* (…에게) 무거운 짐을 지우다; 괴로움을 끼치다. **~·some** *a.* 무거운; 귀찮은.
bur·den[2] *n.* ① (the ~) 요지, 요점. ② [C] (노래의) 반복. 「우엉.
bur·dock[bə́ːrdàk/-ɔ̀-] *n.* [C] 〖植〗
:bu·reau[bjúərou] *n.* (*pl.* **~s, ~x**[-z]) [C] ① 《美》 경대 붙은 옷장. ② 《英》 양소매[서랍 달린] 책상. ③ 사무소(*a ~ of information* 안내소). ④ (관청의) 국, 부.
bu·reauc·ra·cy[bjuərɑ́krəsi/bjuərɔ́-] *n.* ① [U] 관료 정치. ② (the ~) 관료 사회; 《집합적》 관료(들)(officialdom). **bu·reau·crat**[bjúərəkræ̀t] *n.* [C] 관료. **bu·reau·crat·ic**[⌐–krǽtik] *a.* **bu·reau·crat·ism**[bjuərɑ́krətìzəm/bjuərɔ́kræt-] *n.* [U] 관료주의.
bu·ret(te)[bjuərét] *n.* [C] 〖化〗 뷰렛《눈금 있는 유리관》.
burg[bəːrg] *n.* [C] 《美口》 시, 읍.
bur·geon[bə́ːrdʒən] *n., vi.* [C] 싹(트다).
burg·er[bə́ːrgər] *n.* [C,U] 《美口》 햄버거 스테이크(가 든 빵)(hamburger). 「ough의) 시민.
bur·gess[bə́ːrdʒis] *n.* [C] (bor-
burgh[bəːrg/bʌ́rə] *n.* 《Sc.》 =BOROUGH. **∠·er**[bə́ːrgər] *n.* [C] (네덜란드·독일의) 시민(citizen).
:bur·glar[bə́ːrglər] *n.* [C] 밤도둑. **~·ize**[-àiz] *vt., vi.* 《口》 (불법으로) 침입하다. **-gla·ry** *n.* [U,C] 밤도둑(질), (야간의) 불법 주거 침입.
búrglar alàrm 자동 도난 경보기.
búrglar·pròof *a.* 도난 방지의.
bur·gle[bə́ːrgəl] *vt., vi.* 《口》 밤도둑질하다.
bur·go·mas·ter[bə́ːrgəmæ̀stər, -mɑ̀ː-] *n.* [C] (네덜란드·독일 등지의) 시장, 읍장.
Bur·gun·dy[bə́ːrgəndi] *n.* ① 부르고뉴《프랑스의 남동부 지방》. ② [U] (종종 b-) 그 곳에서 나는 붉은 포도주, 부르고뉴. 「식.
:bur·i·al[bériəl] *n.* [U,C] 매장, 매장
búrial gròund [plàce] 묘지.
búrial sèrvice 매장식.
bur·i·er[bériər] *n.* [C] 매장자, 매장 도구.
bu·rin[bjúərin] *n.* [C] (동판) 조각칼. **~·ist** *n.* [C] (동판·대리석 등의) 조각사.
burke[bəːrk] *vt.* ① (상처 없이) 질식시켜 죽이다, 몰래 처치하다《사람을》. ② (소문을) 휘지비지해버리다; (의안을) 묵살하다.
Bur·ki·na Fa·so[bə́ːrkinə fɑ́ːsou] 부르키나 파소《아프리카 서부의 공화국; 구칭 Upper Volta》.
burl[bəːrl] *n.* [C] (실·털실의) 마디; (나무의) 옹이. 「굵은 삼베.
bur·lap[bə́ːrlæp] *n.* [U] (부대용의)
***bur·lesque**[bəːrlésk] *a.* 익살스러운(comic). — *n.* [C] 익살스런 풍자, (개작한) 해학시(parody); [U] 《美》 저속한 소극(笑劇)(horseplay). — *vt.* 익살스럽게 흉내내다.
bur·ley[bə́ːrli] *n.* (*or* B-) [C] 《美》 Kentucky주(부근)산의 담배.

B

bur·ly[bə́ːrli] *a.* 강한, 억센; 덜렁대는.
***Bur·ma**[bə́ːrmə] *n.* 버마 (cf. 「Myanmar).
Bur·mese[bəːrmíːz] *a., n.* (*pl.* ~) 버마의; Ⓒ 버마 사람(의); Ⓤ 버마 말(의).
†**burn**[1][bəːrn] *vt., vi.* (~***ed, burnt***) ① 태우다; 타다; (불을) 때다; 타게 하다. ② 그슬리다; 그을다. ③ 불에 데다, 얼얼하다. ④ 화끈거리다; 화내다. ⑤ 흥분하다, 열중하다. ⑥ 내리쬐다, 볕에 타다. ⑦ 『化』 소작(燒灼)하다. ⑧ 산화시키다. ***be burnt to death*** 타 죽다. ~ ***away*** 태워버리다; 타 없어지다. ~ ***down*** 몽땅 태워버리다; 약해지다. ~ ***for*** (…을) 열광〔동경〕하다. ~ ***one's finger*** 공연히 참견〔당황〕하여 되게 혼나다. ~ ***out*** 타버리다; 다 타다. ~ ***powder*** 발사〔발포〕하다. ~ ***up*** 타버리다, 다 타다; 열광시키다. ***have*** (*books*) ***to*** ~ 《美》 (책이) 주체 못할 만큼 있다. ***∠.er*** *n.* Ⓒ 태우는〔굽는〕 사람; 버너. ***∠.ing*** *a.* (불) 타는; 열렬한, 격렬한; 긴급한.
burn[2] *n.* Ⓒ 《北英·Sc.》 시내, 개울 (brook).
búrned-óut *a.* ① 타버린, 다 탄; 소진된; (전구 따위가) 타서 끊어진. ② (정력을 다 써) 지친.
búrning glàss 화경(火鏡).
búrning móuntain 화산.
búrning pòint 발화점.
***bur·nish**[bə́ːrniʃ] *vt., vi.* 닦다 (polish); 광나다, 닦이다. — *n.* Ⓤ 윤, 광택.
bur·noose, -nous[bəːrnúːs] *n.* Ⓒ (아라비아인의) 두건 달린 망토.
burn·sides[bə́ːrnsàidz] *n. pl.* 《美》 구레나룻.
***burnt**[bəːrnt] *n.* burn의 과거(분사).
burp[bəːrp] *n., vi.* Ⓒ 《口》 트림(하「다).
búrp gùn 《美》 자동 권총.
***burr**[1][bəːr] *n., vt.* Ⓒ ① (치과 의사 등의) 리머(reamer). ② 깔쭉깔쭉하게 깎다〔깎은 자리〕, 깔쭉깔쭉함.
burr[2] *vi.* 그릉그릉〔윙윙〕하다; 목젖을 울려서 내는 r음(《[R]》), 후음(喉音)으로 말하다. — *n.* Ⓒ 그릉그릉, 윙윙하는 소리.
bur·ro[búərou, bə́ːr-] *n.* Ⓒ 당나귀 (donkey).
***bur·row**[bə́ːrou, bʌ́r-] *n.* Ⓒ (토끼 따위의) 굴, 숨어 있는 곳. — *vt., vi.* ① 굴을 파다. ② 굴에 살다; 숨다. ③ 찾다; 탐구하다(*in, into*).
bur·sa[bə́ːrsə] *n.* (*pl.* ***-sae***[-siː], ~***s***) Ⓒ 『動·解』 낭(囊)(sac).
bur·sar[bə́ːrsər] *n.* Ⓒ (대학의) 회계원(treasurer); 《주로 Sc.》 (대학) 장학생.
‡**burst**[bəːrst] *vt., vi.* (***burst***) ① 파열〔폭파〕하다. ② 째(어지)다, 터뜨리다, 터지다. ③ 충만하다. ④ 별안간 나타나다(*forth, out, upon*); 갑자기 …하기 시작하다(break) (*into*). ***be*** ~***ing to*** (do) 《口》 …하고 싶어 못 견디다. ~ ***away*** 파열하다; 뛰쳐나가다. ~ ***in*** (문이 안으로) 확 열리다; 뛰어들다; 말참견하다. ~ ***open*** 확 열다 ~ ***out laughing*** 웃음을 터뜨리다. ~ ***up*** 폭발하다; 《俗》 파산하다. ~ ***with*** …으로 충만하다 (*She is* ~*ing with health.*). — *n.* Ⓒ 파열, 폭발; 돌발; 분발.
bur·then[bə́ːrðən] *n., v.* =BURDEN[1].
bur·ton[bə́ːrtn] *n.* 《英俗》 《다음 성구로》 ***go for a*** ~ 깨지다, 못쓰게 되다; 꺼지다, 죽다.
Bu·run·di[bərʌ́ndi, burún-] *n.* 아프리카 중동부의 공화국.
‡**bur·y**[béri] *vt.* ① 묻다, 감추다. ② 매장하다, 장사지내다. ③ 몰두하게 하다(*in*); 초야에 묻히다. ~***ing ground*** 묘지. ~ ***oneself in*** (…에) 몰두하다; (…에) 묻히다.
†**bus**[bʌs] *n.* (*pl.* ~(***s***)***es***) Ⓒ ① 버스. ② 《口》 여객기, (낡은 대형의) 자동차. ③ 『컴』 버스《여러 장치 사이를 연결, 신호를 전송하기 위한 공통로》. — *vi.* (***-ss-***) ~ ***it*** 버스에 타고 가다.
bús bòy〔**gìrl**〕 식당 웨이터의 조수〔여자 조수〕, 접시닦이. 「털모자.
bus·by[bʌ́zbi] *n.* Ⓒ (영국 기병의)
‡**bush**[buʃ] *n.* ① Ⓒ 관목(shrub). ② Ⓒ (관목의) 덤불, 숲. ③ Ⓒ 담쟁이의 가지《옛날의 술집 간판》 (*Good wine needs no* ~. 《속담》 좋은 술에 간판은 필요 없다). ④ Ⓤ 삼림지, 오지(奧地). ***beat about the*** ~ 남을 떠보다; 요점을 피하다. ***take to the*** ~ 벽지로 달아나다, 산적이 되다. — *vi., vt.* 무성하게 자라다〔하다〕. ~ ***out*** 미개척지에 길을 내다. ~***·ed***[-t] *a.* 《口》 =WORN-OUT.
‡**bush·el**[1][búʃəl] *n.* Ⓒ 부셸《건량(乾量) 단위; 미국에서는 1.95말, 영국에서는 2.01말》; 부셸 되.
bush·el[2] *vt., vi.* (《英》 ***-ll-***) 《美》 (옷을) 고쳐 만들다; 수선하다.
búsh·fighter *n.* Ⓒ 유격병, 게릴라.
búsh·fire *n.* Ⓒ (끄기 힘든) 잡목림 지대의 산불.
bush·ing[búʃiŋ] *n.* Ⓒ 『機』 굴대받이통; (구두 따위 끈 꿰는 구멍의) 고리쇠; 『電』 투관(套管).
búsh lèague 《俗》 『野』 =MINOR LEAGUE.
bush·man[∠mən] *n.* Ⓒ 총림지(叢林地)의 거주민; (B-) (남아프리카의) 부시맨 토인.
búsh·màster *n.* Ⓒ 열대 아메리카산의 큰 독사.
búsh pìlot 《美》 미〔반〕개척지를 비행하는 비행사.
búsh·rànger *n.* Ⓒ (호주의) 산적; 산림 지대에 사는 사람.
búsh tèlegraph (밀림에서의) 정보 전달(법).
búsh wàrbler (오스트레일리아산) 휘파람새의 무리.
búsh·whàck *vi.* 《美》 덤불을 베어

헤쳐 길을 내다. — *vt.* 매복하다, (숲을 이용해) 기습하다. **~·er** *n.* Ⓒ 삼림 지대의 여행에 익숙한 사람.
***bush·y**[búʃi] *a.* 덤불 같은〔이 많은〕; 털이 많은.
:bus·i·ly[bízəli] *ad.* 바쁘게, 분주하게; 열심히, 부지런히.
†busi·ness[bíznis] *n.* ① Ⓤ 실업; 상업, 거래. ② Ⓤ 직업, 직무. ③ Ⓤ 사무, 영업. ④ Ⓒ 사업, 점포. ⑤ Ⓤ 용건, 볼일. ⑥ (a ~) 사건, 일. ⑦ Ⓤ (연극의) 몸짓(action). ***Business as usual.*** (금일) 영업합니다《게시》. ***do a big ~*** 장사가 잘 되다, 번창하다. ***enter into ~*** 실업계에 투신하다. ***have no ~ to*** (do) (…할) 권리가 없다. ***make a great ~ of*** …을 감당 못하다. ***make the ~ for*** …을 없애버리다, 해치우다. ***mean ~*** 《口》 진정이다. ***mind one's own ~*** 자기 분수를 지키다, 남의 일에 간섭 않다. ***on ~*** 용무로(*No admittance except on ~.* 관계자외 출입 금지). ***send (a person) about his ~*** (아무를) 꾸짖다; 추방하다; 해고하다.
búsiness àgent 《英》 업무 대리(점).
búsiness càrd 업무용 명함.
búsiness cènter 번화가.
búsiness còllege 〔**schòol**〕 《美》 실무 학교《부기·속기·타이프 등을 훈련》. 「업 통신.
búsiness correspondence 상
búsiness cỳcle 《美》 경기 순환(《英》 trade cycle).
búsiness Ènglish 상업 영어.
búsiness fluctuàtion 경기 변동.
búsiness hòurs 근무〔영업〕 시간.
búsiness lètter 업무용 편지; 업무용〔사무용〕 통신문.
***búsiness·lìke** *a.* 사무적〔실제적〕인; 민첩한.
:busi·ness·man[-mæ̀n] *n.* Ⓒ 실업가; 사무가, 회사원.
bus·kin[bʌ́skin] *n.* ① Ⓒ (보통 *pl.*) 반장화; (고대 그리스·로마의 비극 배우가 신은) 두꺼운 바닥의 편상화. ② (the ~) 비극.
bús·lòad *n.* Ⓒ 버스에 가득 탄 승객; 버스 한 대분, 버스 가득.
bus·man[bʌ́smən] *n.* Ⓒ 버스 승무원. ***~'s holiday*** 《美》 평상시와 비슷한 일을 하며 보내는 휴일, 이름뿐인 휴일.
bús stòp 버스 정류소.
:bust[1][bʌst] *n.* Ⓒ ① 흉상(胸像), 반신상. ② 상반신; (여자의) 가슴.
bust[2] *n.* Ⓒ《俗》 파열, 펑크; 실패, 파산; 《口》 후려침. — *vt., vi.* 《俗》 =BURST; 《俗》 파산〔실패〕하다; 《口》 좌천하다; (트러스트를 해체하여) 몇 작은 회사로 가르다; 때리다; 길들이다; 《俗》 체포하다.
bus·tard[bʌ́stərd] *n.* Ⓒ 〖鳥〗 능에.
bust·er[bʌ́stər] *n.* Ⓒ ① 거대한 〔크게 효과적인, 파괴적인〕 것. ② 《美》 법석, 소란. ③ (종종 B-) 《蔑》 젊은 친구《호칭》.
:bus·tle[1][bʌ́sl] *vi., vt.* ① 떠들다; 떠들게 하다. ② 재촉하다; 서두르(게 하)다(*up*). — *n.* (*sing.*) 야단법석. **bus·tling·ly**[bʌ́sliŋli] *ad.* 떠들썩하게; 번잡하게.
bus·tle[2] *n.* Ⓒ (옛날, 여자 스커트를 부풀리는) 허리받이.
búst-ùp *n.* Ⓒ 파열; 해산; 《俗》 싸움; 이혼.
bust·y[bʌ́sti] *a.* 가슴이 큰 《여성》.
†bus·y[bízi] *a.* ① 바쁜; (…으로) 분주한(do*ing, at, it, with*). ② (전화가) 통화 중인(*The line is ~.* 통화 중). ③ 교통이 번잡한, 번화한(*a ~ street* 번화가). ④ 참견 잘 하는. — *vt.* 바쁘게 만들다. ***~ oneself at*** 〔***in, with, doing***〕 …하기에 분주하다. ***get ~*** 일에 착수하다. **~·ness** *n.* Ⓤ 바쁨.
búsy·bòdy *n.* Ⓒ 참견하기 좋아하는 사람.
†but[強 bʌt, 弱 bət] *conj.* ① 그러나, 그렇지만. ② 《not, never 등과 함께 써서》 (…이) 아니고(*He is not a statesman, ~ a politician.* 정치가가 아니고 정객이다); …하는 것이 아니면(unless)(*It never rains ~ it pours.* 《속담》 왔다하면 장대비다; 화불단행(禍不單行)). ③ ~ = but that …하지 않을 만큼(that…not)(*He is not such a fool ~ he can tell that.* 그것을 모를 만큼 어리석지는 않다). ④ 《부정어 하나 다음에 but (that)이 오면》 ~ = that …not (*It can hardly be ~ that it is intended as a satirical hit.* 그것은 빈정대려고 한 비평이 아닐 리가 없다). ⑤ 《부정어 둘 다음에 but이 오면, 즉 3중의 부정어가 겹치면 but은 뜻이 없어짐》 ~ (that) = that(*It is not impossible ~ such a day as this may come.* 이러한 날이 올 것은 불가능하지 않다). ⑥ 《마찬가지로 부정구문 중에 deny, doubt 따위 부정적 의미의 동사와 함께 써서》 ~ *that* = that (*I don't doubt ~ that*) *they will do it.* 그들은 그것을 꼭 하리라고 생각한다). ⑦ …이외에는, …을 제하고는(*All ~ she went away.* 그 여자 외에는 모두 다 떠났다《이 경우 *All ~ her* 라면 but은 *prep.*》). ⑧ 《무의미한 but》(*Heavens! B- it rains!* 제기랄, 비가 오네!/*B- how nice!* 야, 근사하구나!). — *rel. pron.* 《but =who 〔that〕 …not》(*There is no one ~ knows it.* 모르는 사람은 한 사람도 없다). — *ad.* 다만 …뿐 (*There is ~ one God.* 신은 단 하나다/*He is ~ a child.* 그는 한낱 어린애다). — *prep.* …이외에는 (except) (*All ~ him remained.* 그 사람 외에는 모두 남았다); …을 제외하면, …이 없더라면(*B- that you were there, he would have been drowned.* 네가 없었더라면 그

B

는 빠져 죽었을 것이다). ***all*** **~** 거의. ***anything*** **~** 《강한 부정》 결코…않다. **~** ***for*** …이 없었더라면(if it were not for; if it had not been for). **~** ***good*** 《美口》 비참히, 아주. **~** ***then*** 그렇지만, 그러나 한편. ***cannot choose*** **~** (do) …하지 않을 수 없다. ***not*** **~** ***that*** 〔***what***〕 …이 아니라는 것은 아니다 (*Not* ~ *that* 〔*what*〕 *he thought otherwise.* 그가 다른 생각을 하지 않은 것은 아니나). (***It is***) ***not that ...,*** **~** ***that ...*** …라는 것이 아니고 …인 것이다; …라고 해서가 아니라 …이기 때문이다(*Not that I like this house,* ~ *that I have no other place to live in.* 이 집이 마음에 들어서가 아니고, 이 밖에는 살 집이 없기 때문이다). ***nothing*** **~** …에 지나지 않는다(*It is nothing* ~ *a joke.* 그저 농담에 지나지 않는다). ── *vt., n.* '그러나' 라고 말하다; (보통 *pl.*) '그러나' 라는 말(*B- me not* ~*s!* '그러나, 그러나' 라는 말은 그만 둬라).

bu·ta·di·ene[bjù:tədáii:n, ⌐⌐⌐⌐] *n.* Ⓤ 〖化〗 부타디엔《합성고무 제조용》.

bu·tane[bjú:tein, ⌐⌐] *n.* Ⓤ 〖化〗 부탄《가연성 탄화수소》.

butch·er[bútʃər] *n.* Ⓒ ① 푸주한; 도살업자. ② 학살자. ③《俗》 외과 의사. ④ (열차·관람석에서의) 판매원. ⑤ 권투 선수. ── *vt.* (먹기 위해) 도살하다; 학살하다(massacre). **~*'s meat*** 식육. **~·er·y** *n.* Ⓤ 도살, 학살; Ⓒ 《英》 도살장.

bútcher bìrd 때까치.

but·ler**[bʌ́tlər] *n.* Ⓒ ① 집사, 하인 우두머리. ② 식사 담당원. **~*'s pantry 식기실.

butt[1][bʌt] *n.* Ⓒ 큰 (술)통.

butt[2] *n.* Ⓒ ① 과녁; 무겁; (*pl.*) 사적장(射的場). ② 표적; 비웃음의 대상, 웃음거리.

***butt**[3] *vt., vi.* ① (머리·뿔 따위로) 받다; 부딪치다(*against, into*). ② 불쑥 나오다, 돌출하다(*on, against*).

butt[4] *n.* Ⓒ (막대·총 따위의) 굵은 쪽의 끝; 나무 밑동; 꽁초; 《俗》 궁둥이.

butte[bju:t] *n.* Ⓒ 《美》 외따로 선 산, 독메.

bútt ènd 굵은 쪽의 끝; 그루터기; 남은 부분〔조각〕.

†**but·ter**[1][bʌ́tər] *n., vt.* Ⓤ ① 버터(를 바르다). ②《口》 아첨(하다) (*up*). ***look as if*** **~** ***would not melt in one's mouth*** 시치미 떼다, 태연하다.

but·ter[2] *n.* Ⓒ 머리〔뿔〕로 받는 짐승; 미는 사람.

***bútter·cùp** *n.* Ⓒ ① 〖植〗 미나리아재비. ② 《美俗》 악의 없는 귀여운 아가씨. ③ 《俗》 여자역의 호모.

bútter·fàt *n.* Ⓤ 우유의 지방《버터 원료》.

bútter·fingers *n. sing. & pl.* 물건을 잘 떨어뜨리는 사람; 서투른〔부주의한〕 사람.

bútter·fìsh *n.* Ⓒ 미끈거리는 물고기《미꾸라지 따위》.

‡**but·ter·fly**[-flài] *n.* Ⓒ 나비; 멋쟁이, 바람둥이《여자》.

bútterfly stròke 버터플라이 수영법, 접영(蝶泳).

but·ter·ine[bʌ́tərì:n] *n.* Ⓤ 인조 버터.

bútter knìfe 버터나이프《빵에 버터 바르는》.

bútter·mìlk *n.* Ⓤ 버터밀크《버터를 뺀 후의 우유》.

bútter·nùt *n.* Ⓒ (북미산의) 호두 《열매·나무》.

bútter·scòtch *n.* Ⓒ 버터스코치 《버터가 든 사탕·버터볼》.

bútter sprèader 버터 바르는 주걱.

but·ter·y[1][bʌ́təri] *a.* 버터 비슷한 〔를 함유하는〕; 버터 바른; 《口》 알랑거리는.

but·ter·y[2] *n.* Ⓒ (주류의) 저장실; 식료품 저장실(pantry).

but·tock[bʌ́tək] *n.* Ⓒ (보통 *pl.*) 엉덩이(rump).

‡**but·ton**[bʌ́tn] *n.* ① Ⓒ 단추, 누름단추; 단추 모양의 것. ② (*pl.*) 《주로 英》 급사. ── *vt., vi.* (…에) 단추를 달다; 단추를 채우다〔가 채워지다〕.

bóttoned úp 말 없는; 내향성의.

***bútton·hòle** *n., vt.* ① Ⓒ 단추구멍(에 꽂는 꽃). ② 단추구멍을 내다. ③ (아무를) 붙들고 길게 이야기하다.

bútton·hòok *n.* Ⓒ 단추걸이《신 따위의 단추 끼는 고리》.

bútton-ón *a.* 단추로 채우는, 단추식의.

bútton-thròugh *a.* (위에서 아래까지) 단추를 채우는《옷》.

bútton trèe 〔**wòod**〕 플라타너스; 그 재목.

but·ton·y[bʌ́tni] *a.* 단추 같은〔가 많이 달린〕.

but·tress[bʌ́tris] *n., vt.* Ⓒ 〖建〗 버팀벽(으로 버티다); 지지(하다).

but·ty[1][bʌ́ti] *n.* Ⓒ《英方》 동료; (탄광의) 십장, 감독.

but·ty[2] *n.* Ⓒ 《英方》 버터를 바른 빵 한 조각; 샌드위치.

but·yl[bjú:til] *n.* Ⓤ 부틸《합성고무의 일종》.

bu·tyr·ic[bju:tírik] *a.* 버터의〔에서 뽑은〕; 〖化〗 낙산(酪酸)의.

butyric ácid 낙산(酪酸).

bux·om[bʌ́ksəm] *a.* (여자가) 토실토실한; 건강하고 쾌활한.

†**buy**[bai] *vt., vi.* (***bought***) ① 사다. ② 매수하다(bribe). ③ (희생을 치르고) 손에 넣다. ④ 한턱 내다(~ *him beer*). ⑤ (아무의) 의견을 받아들이다. ⑥ 선전에 넘어가다. ***B- Americna Policy*** 미국 상품 우선 매입 정책《표어》. **~ *a pig in a poke*** 물건을 잘 안 보고 사다; 얼결에 맡다. **~ *back*** 되사다. **~ *off*** (협박자 등을) 돈을 주어 내쫓다; 돈을 내고 면제받다. **~ *out*** (권리 따위를) 돈으로 사다. **~ *over*** 매수하다. **~ *up*** 매점(買占)하다. ── *n.* Ⓒ《口》 구입, 물건 사기; 《美口》 매

득(bargain). **:∠·er** *n.* Ⓒ 사는 사람, 작자; 구매계원.
búyer's màrket 〖經〗 (공급 과잉으로 구매자가 유리한) 구매자 시장.
búy·òut, búy-òut *n.* Ⓒ (주식의) 매점(買占).
:buzz[bʌz] *n.* ① Ⓒ (벌레의) 날개소리(humming); (기계의) 소리; (극장 따위의) 웅성거림. ② (a ~) 《美口》 전화의 호출 소리. ③ Ⓒ 속삭임(whisper); 잡담, 소문. —— *vt., vi.* ① 윙윙거리다; 와자지껄하다, 웅성거리며 퍼뜨리다. ② 《口》 (…에게) 전화를 걸다. ③ 〖空〗 저공비행하다. **~ about** 바삐 돌아다니다. **~ off** 전화를 끊다, 《英口》 떠나다, 가다.
buz·zard[bʌ́zərd] *n.* Ⓒ 〖鳥〗 말똥가리; 아메리카독수리; 멍청이.
búzz bòmb 폭명탄(爆鳴彈).
buzz·er[bʌ́zər] *n.* Ⓒ 윙윙거리는 벌레; 버저, 사이렌, 경보.
búzz·phràse *n.* Ⓒ (실업가·정치가·학자 등이) 빼기며 쓰는 말[전문용어].
búzz sàw 《美》 둥근톱(circular 「saw).
búzz sèssion 소(小)그룹으로 나누어 개개인의 의견을 개진하는 과정.
B.V. Blessed Virgin.
BVD[bì:vi:dí:] *n.* Ⓒ 《美口》 남성용 내의. (<商標)
B.V.M. Blessed Virgin Mary.
bx. (*pl.* **bxs.**) box.
†by[1][bai] *ad., prep.* ① (…의) 곁에(near)(*He lives close by.* 바로 이웃에 살고 있다/*south by west* 서쪽으로 약간 치우친 남쪽, 서미남(西微南)). ② (…을) 지나서(past)(*Many days went by.* 여러 날이 지났다/*go by the house* 집앞을 지나가다). ③ 《美口》(지나는 길에) 집으로[에](*at, in, into*)(*Please come by.* 들르십시오); …의 동안에[은](*by day* 낮에는). ④ …까지에는(*by noon*). ⑤ …에 의하여, …을 써서, …으로(*a poem by Poe/by rail* 기차로). ⑥ …로, …씩(*sell by the pound* 1파운드 얼마로 팔다/*by degrees* 차차로). ⑦ …에 대하여, …에 관하여, …은(*my duty by them* 그들에 대한 나의 의무/*Alice by name* 이름은 앨리스/*a doctor by profession* 직업은 의사/*2ft. by 7 in.* 길이 2피트 폭 7인치의). ⑧ …에 걸고, …에 맹세코(*By God!* 신에 맹세코, 꼭). —— *a.* 부수적인, 우연한; 본도를 벗어난, 궁벽한; 내밀의. ***by and again*** 《美》 때때로. ***by and by*** 곧, 멀지 않아서. ***by and large*** 전반적으로, 어느 모로 보나; 대체로. ***by oneself*** 혼자, 독력으로; 단독으로, 고립하여. ***by the by*** [***bye***] ⇨BYE. ***close*** [***hard, near***] ***by*** 바로 곁에. ***stand by*** ⇨STAND.
by[2]**, bye**[bai] *n.* Ⓒ (토너먼트 경기에서 짝지을 상대가 없어) 남은 사람[상태] odd man [condition]. ***by the by***(***e***) 말이 난 김에 말이지, 그런데, 그건 그렇고.
by-[bai] *pref.* ① '부수적인'의 뜻: *by*product. ② '옆의, 곁의'의 뜻: *by*stander. ③ '지나간'의 뜻: *by*gone.
by-and-by[báiəndbái] *n.* (the ~) 가까운 미래.
bye-bye[1][báibài] *n.* Ⓤ,Ⓒ 《兒》 잠(sleep). ***go to ~*** 코하다.
bye-bye[2][∠∠] *int.* 《口》 안녕.
bý(e)-elèction *n.* Ⓒ 중간 선거; 《英》 보궐 선거.
bý·effèct *n.* Ⓒ 부차적 효과, 부작용; 생각지 않은 효과.
bý(e)·làw *n.* Ⓒ 내규; 부칙; 세칙; (지방 단체의) 조례(條例).
bý·gòne** *a., n.* 과거의; (*pl.*) 과거(the past). ***Let ~s be ~s. 《속담》 과거를 묻지 마라.
bý·lìne *n.* Ⓒ (철도의) 병행선; 《美》 (신문·잡지의) 필자명을 적는 줄; 부업; 내직(side-line).
bý-nàme *n.* Ⓒ ① (first name에 대해) 성(姓) (surname). ② 별명.
BYOB bring your own bottle.
***bý-pàss** *n.* Ⓒ ① 우회로, 보조 도로, 측도(側道). ② (수도의) 측관(側管); 〖電〗 측로(shunt). —— *vt.* 우회하다; 회피하다; 무시하다; (…에) 측관[보조관]을 대다.
bý-pàth *n.* (*pl.* **~s**) Ⓒ 사도(私道); 샛길, 옆길.
bý-plày *n.* Ⓒ 〖劇〗 (본 줄거리에서 벗어난) 부수적인 연극; (회화중의) 본제를 벗어난 이야기.
***bý·pròduct** *n.* Ⓒ 부산물.
Byrd[bə:rd], **Richard Evelyn** (1888-1957) 미국 해군 장교·극지 탐험가.
byre[báiər] *n.* Ⓒ 외양간.
bý·ròad *n.* Ⓒ 옆길, 샛길.
By·ron[báiərən], **George Gordon**(1788-1824) 영국의 시인.
bys·si·no·sis[bìsənóusis] *n.* Ⓤ 〖醫〗 면폐증(綿肺症).
***bý·stànder** *n.* Ⓒ 방관자, 구경꾼; 「국외자.
bý-strèet *n.* Ⓒ 뒷골목, 뒷거리.
bý-tàlk *n.* Ⓤ 여담; 잡담.
byte[bait] *n.* Ⓒ 〖컴〗 바이트《정보 단위로서 8 bit로 됨》. ***~ mode*** 바이트 단위 전송 방식. ***~ storage*** 바이트 기억기(機).
bý-wày *n.* Ⓒ 옆길; 샛길; (학문·연구 따위의) 별로 알려지지 않은 방면.
bý·wòrd *n.* Ⓒ 우스운 것, 웃음거리; 속담, 격언; (개인의) 말버릇.
bý·wòrk *n.* Ⓤ 부업, 내직(by-line).
Byz·an·tine** [bízəntì:n, -tàin, bizǽntin] *a., n.* Ⓒ 비잔틴(Byzantium)의 (사람); 〖建·美術〗 비잔틴식[파]의 (사람). ***~ architecture 비잔틴식 건축. ***~ Empire*** 동로마 제국(395-1453). **-tin·ism**[bizǽntənìzəm] *n.* 비잔틴풍.
By·zan·ti·um[bizǽnʃiəm, -ti:əm] *n.* Constantinople의 옛 이름; 지금의 Istanbul.
Bz. 〖化〗 benzene.

C

C, c[si:] *n.* (*pl.* ***C's, c's***[-z]) Ⓒ 〖樂〗 다음(音); 다조(調); Ⓒ 〖數〗 제 3기지수; Ⓤ (로마 숫자의) 백(centum); Ⓒ 《美俗》 100달러 (지폐); 제 3의 가정자, 병(丙); C모양의 것; 《美》 (학업 성적의) 가(可).

C 〖化〗 carbon; 〖電〗 coulomb. **C.** Cape; Catholic; Celsius; Celtic; Centigrade. **C., c.** candle; capacity; case; catcher; cent; center; centimeter; century; chapter; *circa*(L.=about); cirrus; city; copyright; cost; cubic; current. **©** copyrighted. **Ca** 〖化〗 calcium. **CA, C.A.** chief accountant; chronological age 생활 연령(cf. MA). **C.A.** Central America; Court of Appeal. **C.A., c.a.** chartered accountant. **ca.** cent(i)are; *circa*(L.=about). **C/A** capital account; credit account; current account. **CAA** 《英》 Civil Aeronautics Administration.

:cab[kæb] *n.* Ⓒ 택시(taxi); 승합 마차; 기관사실; 트럭의 운전대(臺); 《英》 자습서. — *vi.* (**-bb-**) 택시로 가다.

CAB 《美》 Civil Aeronautics Board; Consumers' Advisory Board.

ca·bal[kəbǽl] *n., vi.* (**-ll-**) Ⓒ 도당, 비밀 결사; 음모(를 꾸미다)(conspire). 「CABBALA.

cab·a·la[kǽbələ, kəbɑ́:lə] *n.* =

ca·bal·le·ro[kæbəljέərou] *n.* (Sp.) Ⓒ (스페인의) 신사, 기사; 《美》 말 탄 사람; 여성 숭배자.

ca·ba·na[kəbɑ́:nə], **ca·ba·ña**[-njə] *n.* Ⓒ 오두막《해변 등의》; 방갈로풍의 집. 「Ⓒ 카바레.

cab·a·ret[kæbəréi/ ́ – ̀] *n.* (F.)

:cab·bage[1][kǽbidʒ] *n.* Ⓤ,Ⓒ 양배추.

cab·bage[2] *n., vt.* Ⓤ 재단할 때 떼어 먹은 천; 훔치다.

cábbage bùtterfly 배추흰나비.

cábbage pàlm (**trèe**) 〖植〗 야자나무의 일종.

cábbage·wòrm *n.* Ⓒ 배추 벌레, 배추 흰나비의 유충.

cab·ba·la[kǽbələ/kəbɑ́:lə] *n.* Ⓤ (헤브라이의) 신비 철학; Ⓒ 신비로운 교리(教理)〔설(說)〕.

cab·by[kǽbi] *n.* Ⓒ 《口》 마부(cabman); 택시 운전사.

:cab·in[kǽbin] *n.* Ⓒ (통나무) 오두막; 캐빈《1·2등 선실(船室), 여객기의 객실, 군함의 함장실·사관실, 우주선의 선실 따위》. 「보이, 급사.

cábin bòy (1·2등 선실·사관실의)

cábin clàss (기선의) 특별 2등.

cábin crùiser =CRUISER.

:cab·i·net[kǽbənit] *n.* Ⓒ ① 상자, 용기; 장식장〔찬장〕, 진열장(유리)장, 캐비닛. ② 〖寫〗 카비네판. ③ 회의실, 각의실. ④ (C-) 내각; 《美》 대통령의 고문단; 《古》 사실(私室). ***C-council*** 각의(閣議). **~ *edition*** 카비네판《4·6판》. ***C- government*** 내각 책임제(하의 내각). ***C- member*** 〔***minister***〕 각료.

cábinet·màker *n.* Ⓒ 가구상(家具商), 소목장이; 《英·諧》 (조각(組閣) 중의) 신임 수상. 「사진《4×6》.

cábinet phòtograph 카비네판의

cábinet piàno 소형 피아노.

cábinet pùdding 카스텔라에 달걀·우유를 넣어 만든 푸딩. 「주.

cábinet wìne 독일산의 고급 포도

cábinet·wòrk *n.* Ⓤ 가구《고급의》; 고급 가구 제조.

cábin fèver (인적이 드문 곳에 있음으로써 일어나는) 초조, 소외감, 사람 그리움; 밀실 공포증.

cábin pàssenger 특별 2등 선객.

:ca·ble[kéibəl] *n* Ⓤ,Ⓒ (철사·삼 따위의) 케이블; 굵은 밧줄, 강삭(鋼索); 닻줄; 피복(被覆) 전선; 케이블선(線); Ⓒ 해저 전선〔전신〕, 해외 전보. — *vt., vi.* (통신을) 해저 전신으로 치다; 케이블을 달다; 해저 전신으로 통신하다. ***nothing to ~ home about*** 《口》 평범한, 중요하지 않은.

cáble addréss 해외 전보 수신 약

cáble càr 케이블카. 「호.

cáble·càst *n.* Ⓒ 유선 TV 방송.

cáble·gràm *n.* Ⓒ 해저 전신〔전보〕.

cáble ràilway 케이블〔강삭〕 철도.

ca·blese[kèibəlí:z] *n.* Ⓤ 해외 전보 용어. 「설선.

cáble shìp 〔**làyer**〕 해저 전선 부

cáble('s) lèngth 〖海〗 연(鏈)《보통 $^{1}/_{10}$ 해리; 《美》 219m, 《英》 = 185m》.

cáble tránsfer 《美》 (외국) 전신환. 「CATV》.

cáble TV́ 〖컴〗 유선 텔레비전《생략

cáble·vìsion *n.* =CATV. 「블〕.

cáble·wày *n.* Ⓒ 공중 삭도〔케이

cab·man[́ -mən] *n.* Ⓒ 택시 운전사; (cab의) 마부.

ca·boo·dle[kəbú:dl] *n.* Ⓒ 《口》 물건〔사람〕의 모임, 무리, 한떼. ***the whole ~*** 모두, 누구든지 다.

ca·boose[kəbú:s] *n.* Ⓒ 《美》 (화물 열차 끝의) 승무원차; 《英》 (상선 갑판 위의) 요리실.

cab·o·tage[kǽbətɑ̀:ʒ, -tidʒ] *n.* Ⓤ 연안 무역〔항행〕; 국내 항공(권).

cab·ri·o·let[kæ̀briəléi] *n.* Ⓒ 한 필이 끄는 2륜마차; coupé 비슷한 자동차. 「장.

cáb·stànd *n.* Ⓒ (cab의) 주〔승〕차

ca'can·ny[kɑːkǽni, kɔː-] *n., vi.* Ⓤ《英》 태업; 《Sc.》 신중히 하다.
ca·ca·o[kəkɑ́ːou, -kéiou] *n.* (*pl.* ~*s*) Ⓒ 카카오나무(의 열매).
cach·a·lot[kǽʃəlɑ̀t, -lòu/-lɔ̀t] *n.* Ⓒ 〖動〗 향유고래.
cache[kæʃ] *n., vi., vt.* Ⓒ (식료 따위의) 감춰 두는 곳(에 저장하다, 감추다)《탐험가·동물 등이》; 〖컴〗 캐시.
cáche mèmory 〖컴〗 캐시 기억장치.
ca·chet[kæʃéi, ´-] *n.* (F.) Ⓒ (편지 따위의) 봉인; 특징; 〖醫〗 교갑 (capsule).
cach·in·nate[kǽkənèit] *vi.* 큰 소리로 웃다. **-na·tion**[ˋ-néiʃən] *n.*
ca·chou[kəʃúː, kǽʃuː] *n.* (F.) Ⓒ 구중향정(口中香錠).
ca·cique[kəsíːk] *n.* (Sp.) Ⓒ (서인도 제도의) 추장; (정계의) 보스.
cack·le**[kǽkl] *n., vi., vt.* Ⓤ,Ⓒ 꼬꼬댁[꽥꽥]하고 우는 소리[울다]; 수다(떨다); 새되게 웃는 소리[웃다]. ***cut the ~ 《俗》 서론을 생략하고 본론으로 들어가다; 《명령형》 입닥쳐!
CACM Central American Common Market 중앙 아메리카 공동시장.
「발음.
cac·o·e·py[kǽkouèpi] *n.* Ⓒ 틀린
ca·cog·ra·phy [kækɑ́grəfi/-ɔ́-] *n.* Ⓤ 철자가 틀림, 잘못 씀; 악필.
ca·coph·o·ny[kækɑ́fəni/-ɔ́-] *n.* (*sing.*) 불협화음; 불쾌한 음(조).
cac·tus[kǽktəs] *n.* (*pl.* ~***es***, ***-ti*** [-tai]) Ⓒ 〖植〗 선인장.
CAD/CAM 〖컴〗 computer-aided design (manufacturing) 컴퓨터 이용 설계[생산].
cad[kæd] *n.* Ⓒ 비열한 사람.
ca·das·ter, 《美》 **-tre**[kədǽstər] *n.* Ⓒ 토지대장. **-tral** *a.* ***cadastral survey*** (***map***) 과세지 측량[지도].
ca·dav·er·ous[kədǽvərəs] *a.* 송장 같은, 창백한.
cad·die[kǽdi] *n., vi.* Ⓒ 캐디(로 일하다).
cad·dis[1][kǽdis] *n.* Ⓤ 털실의 일종.
cad·dis[2] *n.* =CADDIS WORM.
cáddis flỳ 〖蟲〗 날도래.
cad·dish[kǽdiʃ] *a.* 천한, 비열[야비]한(cf. cad). 「미끼).
cáddis wòrm 날도래의 유충《낚시
cad·dy[kǽdi] *n.* Ⓒ 《英》 차통.
***ca·dence**[kéidəns] *n.* Ⓒ,Ⓤ 운율; (목소리의) 억양; Ⓒ 〖樂〗 종지법.
ca·den·za[kədénzə] *n.* (It.) Ⓒ 〖樂〗 카덴차《협주곡의 장식 악구》.
ca·det[kədét] *n.* Ⓒ 《美》 육군[해군] 사관 학교 생도; 상선(商船) 학교 학생; 아우; 차남 이하의 아들, (특히) 막내 아들; [kædéi] 아우(쪽)《이름 뒤에 붙임》 (opp. *aîné*).
cadge[kædʒ] *vi., vt.* 《英》 도부치다, 행상하다; 조르다.
ca·di[kɑ́ːdi, kéidi] *n.* Ⓒ (회교국의) 하급 재판관.
Cad·il·lac[kǽdilæ̀k] *n.* Ⓒ 〖商標〗 미국제 고급 자동차; Ⓤ 《美俗》 헤로인, 코카인.
「카드뮴.
cad·mi·um[kǽdmiəm] *n.* Ⓤ 〖化〗
ca·dre[kɑ́ːdrei] *n.* Ⓒ 테두리; 뼈대, 구조, 조직; 개요; [kǽdri] 〖軍〗 간부 (조직), 기간 요원.
ca·du·ceus[kədjúːsiəs, -ʃəs] *n.* (*pl.* ***-cei***[-siài]) Ⓒ 〖그神〗 Hermes의 지팡이《두 마리 뱀이 감기고 꼭대기에 작은 날개가 있음; 평화·의술·상업의 상징; 미육군 의무대의 기장》.
cae·cum, ce·cum[síːkəm] *n.* (*pl.* ***-ca***[-kə]) Ⓒ 〖解〗 맹장.
***Cae·sar**[1][síːzər] *n.* 로마 황제; Ⓒ 전제 군주.
Cae·sar[2], **Gaius Julius**(100-44 B.C.) 로마의 장군·정치가.
Cae·sar·e·an, -i·an[sizέəriən] *a.* 황제의; 카이사르의.
Caesárean operátion (**séction**) 제왕 절개, 개복(開腹) 분만(술).
Cáesar's sàlad (고급) 샐러드의 일종.
「사람.
Cáesar's wìfe 공정함을 요구받는
cae·si·um[síziəm] *n.* =CESIUM.
cae·su·ra[siʒúrə, -zjúrə] *n.* Ⓒ (시행(詩行)의) 중간 휴지.
C.A.F., c.a.f. cost and freight 《美》 운임 포함 가격; cost, assurance and freight 운임 보험료 포함 가격.
****ca·fé, ca·fe***[kæféi, kə-] *n.* ① Ⓒ 커피점, 다방; 요리점; 바; 술집 (barroom). ② Ⓤ 커피.
CAFEA Commission on Asian and Far Eastern Affairs.
café au lait[kǽfei ou léi] (F.) 우유를 탄 커피. 「피.
café noir[-nwɑ́ːr] (F.) 블랙 커
:caf·e·te·ri·a[kæ̀fətíəriə] *n.* Ⓒ 《주로 美》 카페테리아《셀프서비스 식당》. ***school*** ~ 교내식당.
cafetéria plàn 카페테리아 방식 《건강보험, 퇴직연금, 특별휴가 등 몇 가지 복지 방식 중 종업원이 선택할 수 있게 한 복지 제도》.
caf·fein(e)[kǽfíːn, ´-] *n.* Ⓤ 〖化〗 카페인, 다소(茶素).
caf·tan[kǽftən, kɑːftɑ́ːn] *n.* Ⓒ 터키[이집트] 사람의 긴 소매 옷.
:cage[keidʒ] *n.* Ⓒ 새장, 조롱(鳥籠); (동물의) 우리; 감금실; 포로 수용소; 승강기의 칸; 철골 구조. — *vt.* 새장[우리]에 넣다; 가두다.
cáge bìrd 새장에 기르는 새.
cáge·ling *n.* Ⓒ 조롱 속의 새.
cag·er[kéidʒər] *n.* Ⓒ 《美俗》 농구선수; 취한(醉漢).
cag(e)·y[kéidʒi] *a.* 《口》 빈틈없는.
ca·goule, ka·gool[kəgúːl] *n.* Ⓤ 카굴《무릎까지 오는 얇고 가벼운 아노락(anorak)》.
ca·hoot(s)[kəhúːt(s)] *n.* (*pl.*) 《美俗》 공동, 공모. ***go*** ~ 《俗》 한패가 되다; 똑같이 나누다. ***in*** ~ 《俗》 공모하여, 한통속이 되어.
CAI computer-assisted instruction 컴퓨터 보조 교육.
cai·man[kéimən, ´-] *n.* (*pl.* ~***s***)

=CAYMAN.

Cain[kein] *n.* 〖聖〗 가인《동생 Abel을 죽인 Adam과 Eve의 장남》; Ⓒ 동기살해자. ***raise* ~** 《俗》 큰 소동을 일으키다.

Cai·no·zo·ic[kàinəzóuik, kèi-] *a.* =CENOZOIC.

Cai·rene[káiəri:n] *a., n.* Cairo (시민)의; Ⓒ Cairo 시민.

cairn[kɛərn] *n.* Ⓒ 돌무더기.

cairn·gorm[⌐gɔ̀:rm] *n.* Ⓤ (스코틀랜드산의) 연수정(煙水晶).

***Cai·ro**[káiərou] *n.* 이집트의 수도. ***the* ~ *Conference* 〔*Declaration*〕** 카이로 회담〔선언〕.

cais·son[kéisɑn, kéisən/-sɔn] *n.* Ⓒ 탄약 상자〔차〕; 케이슨《수중 공사용 잠함(潛函)》.

cáisson disèase 케이슨 병, 잠함병.

cai·tiff[kéitif] *a., n.* (*pl.* **~s**[-s]) Ⓒ 《古·詩》 비열한 (사람).

ca·jole[kədʒóul] *vt.* 구워삶다(flatter); 그럴듯한 말로〔감언으로〕 속이다(*into* do*ing*). **-er·y**[-əri], **~-ment** *n.* Ⓤ 감언, 그럴싸하게 속임.

†**cake**[keik] *n.* ① Ⓤ,Ⓒ 케이크, 양과자. ② Ⓒ (딱딱한) 덩어리, (비누 따위의) 한 개. ***a piece of* ~** 쉽게 할 수 있는 일. **~*s and ale*** 과자와 맥주; 인생의 쾌락; 연회. ***My* ~ *is dough.*** 내 계획은 실패했다. ***take the* ~** 《口》 상품을 타다, 남보다 빼어나다(excel). ***You cannot eat your* ~ *and have it* (*too*).** 《속담》 동시에 양쪽 다 좋은 일은 할 수 없다. ── *vi., vt.* (과자 모양으로) 덩어리지다, 굳다; 굳게 하다.

cáke èater 《俗》 유약한 남자, 쾌락만을 좇는 사람.

cáke·wàlk *n.* Ⓒ 《美》 (남녀 한 쌍의) 걸음걸이 경기《흑인의 경기, 상품은 과자를 줌》; 일종의 스텝댄스.

Cal. California; large calorie(s). **cal.** calendar; caliber; small calorie(s).

cal·a·bash[kǽləbæ̀ʃ] *n.* Ⓒ 〖植〗 호리병박의 일종.

cal·a·boose[kǽləbù:s] *n.* Ⓒ 《美口》 유치장, 교도소.

cal·a·mine[kǽləmàin] *n.* Ⓤ 이극석(異極石); 《英》 능아연석(菱亞鉛石); 〖藥〗 칼라민.

cálamine lótion 칼라민 로션《햇볕에 탄 자리에 바름》.

ca·lam·i·tous[kəlǽmitəs] *a.* 비참한; 재난을 일으키는.

‡**ca·lam·i·ty**[kəlǽməti] *n.* Ⓒ,Ⓤ 재난; 비참, 참화. **~ *howler*** 《美俗》 불길한 예언만 하는 사람.

cal·a·mus[kǽləməs] *n.* (*pl.* **-mi** [-mài]) Ⓒ 창포; (열대산의) 등(藤).

ca·lan·do[kɑlɑ́:ndou] *a., ad.* (It.) 〖樂〗 점점 느린〔느리게〕; 약한〔하게〕.

ca·lash[kəlǽʃ] *n.* Ⓒ 2륜 포장 마차; 포장(hood).

cal·car·e·ous, -i·ous[kælkɛ́əriəs] *a.* 석회(질)의.

cal·ce·o·lar·i·a[kælsiəlɛ́əriə] *n.* Ⓒ 〖植〗 칼세올라리아《남아메리카 원산의 현삼과의 관상 식물》.

cal·ces[kǽlsi:z] *n.* calx의 복수.

cal·cic[kǽlsik] *a.* 칼슘의.

cal·cif·er·ol[kælsífəròul, -rɔ̀:l] *n.* Ⓤ 〖生化〗 칼시페롤《비타민 D_2》.

cal·cif·er·ous[kælsífərəs] *a.* 탄산석회를 함유하는〔가 생기는〕.

cal·ci·fy[kǽlsəfài] *vt., vi.* 석회화하다; 석회염류의 침적(沈積)에 의해 경화(硬化)하다. **-fi·ca·tion**[⌐–fikéiʃən] *n.*

cal·ci·mine [kǽlsəmàin, -min] *n., vt.* Ⓤ 칼시민《백색 수성 도료(水性塗料)》(을 바르다).

cal·ci·na·tion [kælsənéiʃən] *n.* Ⓤ 〖化〗 하소(煆燒), 하소물(物).

cal·cine[kǽlsain, -sin] *vt., vi.* (구워) 생석회로 하다〔가 되다〕, 하소(煆燒)하다. **~*d alum*** 백반(白礬). **~*d lime*** 생석회.

cal·cite[kǽlsait] *n.* Ⓤ 방해석.

***cal·ci·um**[kǽlsiəm] *n.* Ⓤ 칼슘.

cálcium cárbide 탄화칼슘; (칼슘)카바이드.

cálcium cárbonate 탄산칼슘.

cálcium chlóride 염화칼슘.

cálcium lìght 칼슘광(光), 석회광.

cálcium óxide 산화칼슘, 생석회.

cal·cu·la·ble[kǽlkjələbəl] *a.* 계산〔신뢰〕할 수 있는.

cal·cu·la·graph [kǽlkjələgræ̀f, -grɑ̀:f] *n.* Ⓒ 통화 시간 기록기.

‡**cal·cu·late**[kǽlkjəlèit] *vt., vi.* 계산하다; 산정〔추정〕하다; 기대〔전망〕하다(depend)(*on*); 계획하다; …할 작정〔예정〕이다(intend); 《美口》 (…라고) 생각하다; 《보통 수동으로》 (어떤 목적에) 적합시키다(adapt)(*for*). ***be* ~*d to*** (do) …하기에 적합하다; …하도록 계획되어 있다. **-lat·ed**[-id] *a.* 계획적인; 고의적인; 적합한(*a* **~*d crime*** 계획적 범죄/**~*d risk*** 산정(算定) 위험률). **-lat·ing** *a.* 계산하는, 타산적인; 빈틈없는. ‡**-la·tion**[⌐–léiʃən] *n.* Ⓤ,Ⓒ 계산; 타산; Ⓒ 계산의 결과; Ⓤ,Ⓒ 계획; 예측. **-la·tive**[-lèitiv, -lətiv] *a.* 계산상의; 타산적인; 계획적인. **-la·tor** *n.* Ⓒ 계산자〔기〕; 타산적인 사람; 〖컴〗 계산기.

cal·cu·lous[kǽlkjələs] *a.* 〖病〗 결석(結石)(질)의, 결석증에 걸린, 결석에 의한.

cal·cu·lus [kǽlkjələs] *n.* (*pl.* **-li** [-lài], **~es**) Ⓒ 〖醫〗 결석(stone); Ⓤ 〖數〗 계산법; 미적분학. ***differential* 〔*integral*〕 ~** 미〔적〕분학.

Cal·cut·ta[kælkʌ́tə] *n.* 인도 동북부의 항구 도시.

cal·dron[kɔ́:ldrən] *n.* Ⓒ 큰 솥〔가마〕.

Cal·e·do·ni·a [kæ̀lidóuniə] *n.* 《詩》 =SCOTLAND.

†**cal·en·dar**[kǽləndər] *n.* Ⓒ ① 달력, 역법(曆法). ② (공문서의) 기록부; 일람표; 연중행사 일람; (의회의) 의사 일정(표). ***solar* 〔*lunar*〕 ~** 태양〔태음〕력. ── *vt.* 달력〔연대표〕에 적다; 일람표로 하다.

cálendar àrt (달력 따위에 실린) 값싼 그림.
cálendar clòck [**wàtch**] 날짜 시계《월·일·요일 등도 나타냄》.
cálendar dáy 역일(曆日)《오전 영시부터 다음 날 0시까지의 24시간》.
cálendar gìrl 캘린더에 인쇄된 (건강한 살결의) 미인.
cálendar mónth 역월(曆月).
cálendar yéar 역년(曆年)《1월 1일부터 12월 31일까지의 1년; cf. fiscal year》.
cal·en·der[kǽləndər] *n., vt.* Ⓒ 윤내는 기계(에 걸다), 윤을 내다.
cal·ends[kǽləndz] *n. pl.* (고대 로마력(曆)의) 초하루.
cal·en·ture[kǽləntʃùər, -tʃər] *n.* Ⓤ (열대 지방의) 열병, 열사병.
:calf[1] [kæf, -ɑ:-] *n.* (*pl.* **calves** [-vz]) Ⓒ 송아지; (코끼리·고래·바다표범 등의) 새끼; 《口》 머리 나쁜 아이; =CALFSKIN; (빙산의) 얼음 덩어리. ***in*** [***with***] **~** (소가) 새끼를 배어. ***kill the fatted* ~ *for*** (돌아온 탕아 등을) 환대하다, …의 준비를 하다. ***slip the*** [***her***] **~** (소가) 유산하다.
calf[2] *n.* (*pl.* **calves**[-vz]) Ⓒ 장딴지, 종아리.
cálf·bòund *a.* 송아지 가죽으로 장정한.
cálf lòve 풋사랑《소년·소녀의》.
cálf·skìn *n.* Ⓒ 송아지 가죽.
***cal·i·ber,** 《英》 **-bre**[kǽləbər] *n.* ① Ⓒ (총포의) 구경. ② Ⓤ 기량(器量); 재능(ability); 인품. ③ Ⓤ 품질; 등급. **-brate**[kǽləbrèit] *vt.* (…의) 구경을 측정하다, 눈금을 조사하다. **-bra·tion**[⏝–bréiʃən] *n.* Ⓤ 구경 측정; (*pl.*) 눈금.
cal·i·bra·tor[kǽləbrèitər] *n.* Ⓒ 구경(口徑) 측정기; 눈금 검사기.
cal·i·co**[kǽlikòu] *n.* (*pl.* **~(*e*)*s), *a.* Ⓤ,Ⓒ 《英》 옥양목(의); 《美》 사라사(무늬)(의).
Calif. California.
:Cal·i·for·ni·a[kæ̀ləfɔ́:rniə, -njə] *n.* (미국) 캘리포니아주. ***-an** *n., a.*
Califórnia póppy 양귀비(의 일종)《California의 주화(州花)》.
cal·i·for·ni·um [kæ̀ləfɔ́:rniəm] *n.* Ⓤ 〖化〗 칼리포르늄《알파 방사성 원소》.
cal·i·per[kǽləpər] *n.* Ⓒ (종종 *pl.*) 캘리퍼스, 양각 측경기(測徑器).
***ca·liph, -lif**[kéilif, kǽl-] *n.* 칼리프《이슬람교국의 왕, Mohammed의 후계자의 칭호, 지금은 폐지》. **ca·li·phate**[kǽləfèit] *n.* Ⓒ 그 지위.
cal·is·then·ic[kæ̀ləsθénik] *a.* 미용 체조의. **~s** *n.* Ⓤ 미용 체조(법).
calk[1] [kɔ:k] *vt.* (뱃널 틈을) 뱃밥(oakum)으로 메우다.
calk[2] *n., vt.* Ⓒ (편자의) 뾰족징(을 박다); 《美》 (구두의) 바닥징(을 박다).
cal·kin[kɔ́:kin] *n.* Ⓒ (편자의) 꺾어 구부린 끝; (구두의) 바닥징.
calk·ing[kɔ́:kiŋ] *n.* Ⓒ (편자의) 꺽어 구부린 끝; (구두의) 바닥징.
†call[kɔ:l] *vt.* ① (소리내어) 부르다, (이름을) 부르다, 불러내다; 불러오다; 소집하다; (…에게) 전화를 걸다. ② …라고 이름붙이다; …라고 부르다; …라고 일컫다; 명(命)하다. ③ (주의 따위를) 불러 일으키다; 주의를 주다, 비난하다. ④ …라고 생각하다. ⑤ (리스트 등을) 죽 읽다. ⑥ 〖競〗 (경기를) 중지시키다, (심판이) (…의) 판정을 내리다, (…을) 선언하다; (지불을) 요구하다; (채권 따위의) 상환을 청구하다; (포커에서 건 패를) 보이라고 요구하다. — *vi.* ① 소리쳐 부르다; (새가) 울다; (나팔이) 울리다. ② 들르다, 방문[기항]하다. ③ 전화를 걸다. ④ (포커에서) 든 패를 보일 것을 요구하다. **~ *after*** (…을) 쫓아가서 부르다; (…을) 따서[에 연유하여] 이름짓다. **~ *at*** (집을) 방문하다. **~ *away*** (기분을) 풀다(divert), 주의를 딴 데로 돌리다; 불러가다. **~ *back*** 되불러들이다; 취소하다(revoke); 《美》 (전화 걸린 사람이) 나중에 되걸다. **~ *down*** (신에게) 기구하다 (invoke); (천벌을) 가져오다; 《美俗》 꾸짖다. **~ *for*** 요구하다; 가지러[데리러] 가다. **~ *forth*** (용기를) 불러 일으키다. **~ *in*** 회수하다; 불러들이다, 초청하다, (의사를) 부르다. **~ *in sick*** (근무처에) 전화로 병결(病缺)을 알리다. **~ *into play*** 작용[활동케]하다. **~ *a person* NAMES.** **~ *off*** (주의를) 딴 데로 돌리다 (divert); 《口》 (약속을) 취소하다; 손을 떼다, 돌아보지 않다; (명부를) 죽 읽다, 열거하다. **~ *on*** [***upon***] (*a person*) 방문하다; 부탁[요구]하다. **~ *out*** 큰 소리로 외치다; (경관대·군대 등을) 출동시키다; (…에) 도전하다; 《美口》 (노동자를) 파업에 몰아넣다. **~ *over*** 점호(點呼)하다. **~ *round*** (집을) 방문하다, 들르다. **~ *up*** 불러내다; 전화로 불러내다; 《美》 상기(想起)하다; (군인을) 소집하다. ***what you*** [***we, they***] **~,** or ***what is* ~*ed*** 소위, 이른바. — *n.* Ⓒ ① 외치는 소리; (새의) 울음소리; (나팔·호루라기의) 소리; 부름, (전화의) 불러냄; 초청; 소집; 점호(roll call); 〖컴〗 불러내기. ② 유혹(lure). ③ 요구, 필요. ④ 방문; 기항(寄港). ⑤ 천직(天職)(calling). ***at*** [***on***] **~** 요구있는 대로. **~ *of the wild*** [***sea***] 광야(曠野)[바다]의 매력. **~ *to quarters*** 《美軍》 귀영 나팔《소등 나팔 15분전》. ***have the* ~** 인기[수요]가 있다. ***within* ~** 지호지간에, 지척에, 연락이 되는 곳에; 대기하고.
cál·la (**lìly**) [kǽlə(-)] *n.* Ⓒ 〖植〗 칼라; 토란의 일종.
cáll·bàck *n.* Ⓒ (결함 부품 개수를 위한) 제품 회수.
cáll-back pày 비상 초과 근무 수당.
cáll bèll 초인종.
cáll bìrd 미끼새, 후림새.
cáll bòx 《美》 (우편의) 사서함; 경찰[소방]서의 연락 전화; 《英》 공중전화실; 화재 경보기.
cáll·bòy *n.* Ⓒ (배우에게 무대에 나

갈 차례를 알리는) 호출계; 호텔의 보이(bellboy).

cálled gàme 〖野〗 콜드 게임.

:**call·er**[kɔ́:lər] *n.* Ⓒ 방문자, 손님.

cáll-fire *n.* Ⓒ (상륙군의 요구에 의한) 함포 사격.

cáll fórwarding 착신 전환《걸려온 전화가 자동적으로 지정된 번호로 연결됨》. 「부》.

cáll gìrl 콜걸《전화로 불러내는 매춘

cáll hòuse 콜걸이 사는 집.

cal·lig·ra·phy[kəlígrəfi] *n.* Ⓤ 서예(書藝); 능서(能書).

***call·ing**[kɔ́:liŋ] *n.* Ⓤ,Ⓒ 부름, 소집, 점호; Ⓒ 신〔하늘〕의 뜻, 천직; 직업.

cálling càrd 《美》 (방문용) 명함 (visiting card).

Cal·li·o·pe[kəláiəpi] *n.* 〖그神〗 칼리오페《웅변과 서사시의 여신》.

cal·li·per[kǽləpər] *n.* =CALIPER.

cal·lis·then·ic(s) [kæ̀ləsθénik(s)] *a.* (*n.*) =CALISTHENIC(S).

cáll lètters =CALL SIGN.

cáll lòan 콜론, 콜〔당좌〕 대부금.

cáll mòney (은행간의) 콜머니, 콜〔당좌〕 차입금. 「도서 신청 번호.

cáll nùmber 〔**màrk**〕 (도서관의)

cal·los·i·ty[kəlɑ́səti/-ɔ́-] *n.* Ⓤ ① (피부의) 경결(硬結), 못. ② 무감각; 무정, 냉담.

***cal·lous**[kǽləs] *a.* (피부가) 못이 박힌; 무정한, 무감각한; 냉담한(*to*). ∼·**ly** *ad.* ∼·**ness** *n.*

cáll-òver *n.* Ⓒ 점호.

cal·low[kǽlou] *a.* 아직 깃털이 다 나지 않은; 미숙한, 풋내기의.

cáll sìgn 〖無線〗 호출 부호.

cáll-ùp *n.* Ⓒ (군대의) 소집 (인원); (특히 매춘부와의) 약속.

cal·lus[kǽləs] *n.* Ⓒ 굳은 살, 피부 경결, 못; 〖病〗 가골(假骨); 〖植〗 유합(癒合) 조직.

:**calm**[kɑ:m] *a.* 고요한, 바람이 없는, 평온한; 차분한; 《口》 뻔뻔스러운. ∼ ***belt*** 무풍대. ── *vt., vi.* 가라앉(히)다(*down*). ── *n.* Ⓒ 고요함, 바람 없음, 정온(靜穩). **:∠·ly** *ad.* ***∠·ness** *n.*

cal·ma·tive[kǽlmətiv, kɑ́:mə-] *a., n.* 〖醫〗 진정시키는; Ⓒ 진정제.

cal·o·mel[kǽləmèl] *n.* Ⓤ 〖化〗 감홍(甘汞), 염화제일수은《하제》.

Cál·or gàs[kǽlər-] 〖商標〗 =BUTANE. 「Ⓤ 열(熱)(의).

ca·lor·ic[kəlɔ́:rik, -ɑ́-/-ɔ́-] *n., a.*

***cal·o·rie, -ry**[kǽləri] *n.* Ⓒ 칼로리, 열량.

cal·o·rif·ic[kæ̀lərífik] *a.* 열을 내는, 열의. ∼ ***value*** 발열량.

cal·o·rim·e·ter[kæ̀lərímitər] *n.* Ⓒ 열량계.

ca·lotte[kəlɑ́t/-ɔ́-] *n.* Ⓒ 〖가톨릭〗 (성직자가 쓰는) 반구형 모자.

cal·u·met[kǽljəmèt] *n.* Ⓒ (북아메리카 토인의) 장식 담뱃대《화친의 표시로 그것을 빪》.

ca·lum·ni·ate[kəlʌ́mnièit] *vt.* 중상(中傷)하다(slander), 비방하다. **-a·tion**[kəlʌ̀mniéiʃən], **-ny**[kǽləmni] *n.* Ⓤ,Ⓒ 중상. **-ni·ous**[kəlʌ́mniəs] *a.*

Cal·va·ry[kǽlvəri] *n.* 갈보리, 예수가 못박힌 땅; Ⓒ 십자 고상(十字苦像)《Gol-gotha의 라틴어 역》; (c-) Ⓒ 고통, 수난.

calve[kæv, -ɑ:-] *vt., vi.* (소·고래 등이) 새끼를 낳다; (빙산이) 갈라져 분리되다(cf. calf[1]). 「수.

***calves**[kævz, -ɑ:-] *n.* calf[1,2]의 복

Cal·vin[kǽlvin], **John**(1509-64) 프랑스의 종교 개혁자. ∼·**ism** *n.* ∼·**ist** *n.* 「Ⓒ 〖化〗 금속회(灰).

calx[kælks] *n.* (*pl.* ∼***es, calces***)

Ca·lyp·so [kəlípsou] *n.* 〖그神〗 Odysseus를 7년간 자기 섬에 잡아 가둔 nymph; (c-) (*pl.* ∼***s***) Ⓒ 칼립소《Trinidad 토인의 노래》; 그 리듬을 이용한 재즈곡.

ca·lyx [kéiliks, kǽl-] *n.* (*pl.* ∼***es, -lyces***[-lisì:z]) Ⓒ 꽃받침.

cam[kæm] *n.* Ⓒ 〖機〗 캠《회전 운동을 왕복 운동 따위로 바꾸는 장치》.

Cam., Camb. Cambridge.

cam·a·ril·la[kæ̀məríla] *n.* (Sp.) Ⓒ 왕의 사설 고문단; 비밀 결사.

cam·ber[kǽmbər] *n., vi., vt.* Ⓤ,Ⓒ 위로 (붕긋이) 휨〔휘(게 하)다〕.

cam·bist[kǽmbist] *n.* Ⓒ (각국의) 도량형〔화폐〕 비교표; 환전상.

cam·bi·um [kǽmbiəm] *n.* (*pl.* ∼***s, -bia***) Ⓒ 〖植〗 형성층.

Cam·bo·di·a[kæmbóudiə] *n.* 캄보디아《인도차이나 남서부의 공화국》.

Cam·bri·a[kǽmbriə] *n.* Wales의 구칭. **-an** *n., a.* Ⓒ 웨일즈의 (사람); 〖地〗 캄브리아기(紀)〔계〕(의).

cam·bric[kéimbrik] *n., a.* ① Ⓤ (상질의 얇은) 아마포(亞麻布)(제의). ② Ⓒ 백마(白麻) 손수건.

cámbric téa 열탕(熱湯)에 우유·설탕을(때로 홍차를) 넣은 음료.

***Cam·bridge**[kéimbridʒ] *n.* 잉글랜드 중동부의 대학 도시; 케임브리지 대학; (미국의) Harvard, M.I.T. 두 대학 소재지. 「ford blue).

Cámbridge blúe 담청색(cf. Ox-

Cam·bridge·shire [kéimbridʒʃiər, -ʃər] *n.* 잉글랜드 중서부의 주.

Cambs. Cambridgeshire.

†**came**[1][keim] *v.* come의 과거.

came[2] *n.* Ⓒ (격자창 등의) 납으로 만든 틀.

:**cam·el**[kǽməl] *n.* Ⓒ 낙타. ***break the*** ∼***'s back*** 차례로 무거운 짐을 지워 견딜 수 없게 하다.

cámel·bàck *n.* Ⓒ 낙타등; 《美》 재생 고무의 일종《타이어 수리용》.

cámel drìver 낙타 모는 사람.

cam·el·eer[kæ̀məlíər] *n.* Ⓒ 낙타 모는 사람; 낙타 기병(騎兵).

ca·mel·lia[kəmí:ljə] *n.* Ⓒ 〖植〗 동백《나무·꽃》.

cámel('s) hàir 낙타털 (모직물).

Cam·em·bert[kǽməmbὲər] *n.* Ⓤ (프랑스의) 카망베르 치즈《연하고 향기가 강함》.

cam·e·o[kǽmiòu] *n.* (*pl.* ~*s*) Ⓒ 카메오 새김(을 한 조가비·마노 등).
cámeo ròle (주연을 돋보이기 위한 유명한 배우의) 특별 출연.
:**cam·er·a**[kǽmərə] *n.* Ⓒ ① 카메라, 사진기; 텔레비전 카메라; 암실; (구식 사진기의) 어둠 상자. ② (*pl.* **-erae**[-rì:]) 판사의 사실(私室). ***in* ~** 판사의 사실에서, 비밀히.
cámera-cónscious *a.* 《美》 카메라에 익숙지 않은.
cámera gùn 〖空〗 카메라 총《전투기의 사격 연습용》.
cámera·màn *n.* Ⓒ (영화의) 촬영기사; (신문사의) 사진반원. 「는.
cámera-shỳ *a.* 사진 찍기를 싫어하
cámera tùbe 〖TV〗 촬상관(撮像管). 「숙한.
cámera-wìse *a.* 《美》 카메라에 익
Cam·e·roon, -roun [kæ̀mərú:n] *n.* 서아프리카의 공화국.
cam·i·sole[kǽməsòul] *n.* Ⓒ 《英》 여성용의 (소매 없는) 속옷; 여자용 화장옷; 광인(狂人)용 구속복.
cam·let[kǽmlit] *n.* Ⓤ,Ⓒ 〖史〗 낙타〔염소〕 모직물; 방수포; 명주와 털의 교직.
cam·mies[kǽmiz] *n. pl.* 《美軍俗》 미채복(迷彩服), (얼룩무늬) 전투복.
cam·o·mile[kǽməmàil] *n.* Ⓒ 〖植〗 카밀레의 일종.
*__cam·ou·flage__[kǽməflɑ̀:ʒ, kǽmu-] *n., vt.* ① Ⓤ,Ⓒ 〖法〗 위장(僞裝)(하다), 미채(迷彩), 카무플라주. ② Ⓤ 변장, 속임; 속이다, 눈속임(하다).
†**camp**[kæmp] *n.* ① Ⓒ 야영(지); 《美》 캠프(촌). ② Ⓤ 텐트 생활(camping); 군대 생활. ③ Ⓒ 동지(들); 진영. ④ Ⓒ 수용소, 억류소(concentration camp). ***be in the same* 〔*enemy's*〕 ~** 동지〔적〕이다. **~ *school*** 임간 학교. ***change* ~*s*** 주장〔입장〕을 바꾸다. ***go to* ~** 캠프하러 가다; 자다. ***make* 〔*pitch*〕 ~** 텐트를 치다. ***take into* ~** 제것으로 하다; 이기다. ― *vi., vt.* 야영하다〔시키다〕(encamp). **~ *out*** 캠프생활을 하다; 노숙하다. *__∠·er__ *n.* Ⓒ 야영하는 사람.
:**cam·paign**[kæmpéin] *n.* Ⓒ ① (일련의) 군사 행동. ② 종군. ③ (조직적인) 운동, 유세(canvass). ***election* ~** 선거전. ― *vi.* 종군〔운동, 유세〕하다. ***go* ~*ing*** 종군하다; 운동하다. **~·er** *n.*
campáign bàdge 종군 기장.
campáign biógraphy 《美》 (대통령) 후보자 약력.
campáign bùtton 선거 운동 기장《후보자의 이름 따위를 넣은 plate를 지지자 가슴에 닮》.
campáign chèst 〔**fùnd**〕 선거 운동 자금.
campáign clùb 《美》 선거 후원회.
campáign èmblem 《美》 정당의 심볼《미국 공화당의 독수리, 민주당의 수탉 따위》.
campáign mèdal 종군 기장.
cam·pa·ni·le[kæ̀mpəní:li] *n.* (*pl.* ~*s*, **-nili**[-ní:li:]) Ⓒ 종루(鐘樓).
cam·pan·u·la[kæmpǽnjələ] *n.* Ⓒ 초롱꽃속의 식물. 「침대.
cámp bèd (캠프용) 접침대; 야전
cámp chàir (캠프용) 접의자.
cámp·cràft *n.* Ⓤ 캠프(생활) 기술.
cámp fèver 야영지에서 발생하는 열병《특히, 티푸스》.
*__cámp·fìre__ *n.* Ⓒ 캠프파이어, 야영의 모닥불(을 둘러싼 모임·친목회) (***a* ~ *girl*** 미국 소녀단원).
cámp fòllower 비전투 종군자《노무자, 세탁부, 위안부 등》.
cámp·gròund *n.* Ⓒ 야영지; 야외 전도(傳道) 집회지.
*__cam·phor__[kǽmfər] *n.* Ⓤ 장뇌(樟腦). **~·ic**[kæmfɔ́:rik, -fɑ́r-/-fɔ́r-] *a.* 장뇌질의.
cam·pho·rate[-rèit] *vt.* (…에) 장뇌를 넣다.
cámphor bàll 장뇌〔나프탈렌〕알.
cámphor trèe 〖植〗 녹나무.
cam·ping(-out) [kǽmpiŋ(-áut)] *n.* Ⓤ 캠프 생활; 야영.
cam·pi·on[kǽmpiən] *n.* Ⓒ 〖植〗 석죽과의 식물《전추라》.
cámp mèeting 야외 전도 집회.
camp·o·ree[kæ̀mpərí:] *n.* Ⓒ 《美》 (보이스카우트의) 지방 대회(cf. jamboree).
cámp-òut *n.* Ⓤ (그룹에 의한) 야영(野營).
cámp·sìte *n.* Ⓒ 캠프장, 야영지.
cámp·stòol *n.* Ⓒ 캠프용 접의자.
:**cam·pus**[kǽmpəs] *n.* Ⓒ 《美》 (주로 대학의) 교정; 대학 (분교).
cám·shàft *n.* Ⓒ 〖機〗 캠축.
camp·y[kǽmpi] *a.* 《俗》 ① 동성애의; 가냘픈. ② 과장되고 우스운〔진부한〕; 짐짓 하는 듯한; 낡은.
Ca·mus[kæmjú:], **Albert**(1913-60) 프랑스의 작가.
:**can**[1][強 kæn, 弱 kən] *aux. v.* (***could***) ① …할 수 있다. ② 해도 좋다(may)(*C- I go now?*). ③ …하고 싶다(feel inclined to); …나 해라(*You* ~ *go to* HELL!). ④ 《부정·의문》 …할〔일〕리가 없다(*It* ~ *not be true.* 그건 정말 일 리가 없다); …일까, …인지 몰라(*C- it be true?* 정말일까). ***as ... as* ~ *be*** 더(할 나위) 없이. **~*not but*** do …하지 않을 수 없다. **~*not ... too*** 아무리 …하여도 지나치지 않다〔지나치단 법은 없다〕(*We* ~*not praise the book too much.* 그 책은 아무리 칭찬해도 오히려 부족할 지경이다).
†**can**[2][kæn] *n.* Ⓒ 양철통; 《美》 (통조림 따위의) (깡)통(《英》 tin); 액체를 담는 그릇; 물컵; 변소; 엉덩이; 《美俗》 교도소. ***a* ~ *of worms*** 《口》 귀찮은 문제; 복잡한 사정. ***carry the* ~** 《美俗》 책임지(워지)다. ***in the* ~** 〖映〗 촬영이 끝나; 《一般》 준비가 되어. ― *vt.* (**-nn-**) ① 통〔병〕조림으로 하다(cf. canned). ② 《美俗》 해고하다(fire); 중지하다. CANNED

program. **∠·ning** *n.* Ⓤ《美》통〔병〕조림 제조(업).

Can. Canada; Canadian. **can.** cannon; canto.

Ca·naan[kéinən] *n.* ①〖聖〗가나안의 땅《Palestine의 서부》. ② Ⓒ 약속된 땅(Land of Promise.). **∼·ite**[-àit] *n.* Ⓒ 가나안 사람.

†**Can·a·da**[kǽnədə] *n.* 캐나다.

⁑**Ca·na·di·an**[kənéidiən] *a., n.* Ⓒ 캐나다의 (사람).

Canádian Frénch 캐나다 프랑스말《프랑스계 캐나다인이 사용》.

⁑**ca·nal**[kənǽl] *n., vt.* (*-l(l)-*, 《英》*-ll-*) Ⓒ ① 운하(를 개설하다); 수로. ②〖解·植〗도관(導管). **∼·ize**[kənǽlaiz, kǽnəlàiz] *vt.* (…에) 운하〔수로〕를 파다〔내다〕.

cánal·bòat *n.* Ⓒ (운하용의 좁고 긴) 화물선.

canál rày〖電〗양이온선.

Canál Zòne, the 파나마 운하 지대《미국의 조차지》.

ca·na·pé[kǽnəpi, -pèi] *n.* (F.) Ⓒ 카나페《얇게 썬 토스트에 치즈 얹은 크래커 또는 빵》.

ca·nard[kənɑ́ːrd] *n.* Ⓒ 허보(虛報).

⁑**ca·nar·y**[kənέəri] *n.* ① Ⓒ〖鳥〗카나리아. ② Ⓤ 카나리아빛《담황색》. ③ Ⓒ《俗》여자 가수. ④ Ⓒ《俗》동료를 파는 범인, 밀고자.

Canáry Íslands, the 카나리아 제도《아프리카 북서 해안의 스페인령; the Canaries》.

canáry sèed 카나리아의 모이〔사료〕.

canáry yéllow 카나리아색.

ca·nas·ta[kənǽstə] *n.* Ⓤ rummy[2] 비슷한 카드놀이.

Ca·nav·er·al[kənǽvərəl], **Cape** *n.* ⇨CAPE KENNEDY.

Can·ber·ra[kǽnbərə] *n.* 캔버라《오스트레일리아의 수도》.

can·can[kǽnkæ̀n] *n.* (F.) Ⓒ 캉캉《다리를 차올리는 춤》.

⁑**can·cel**[kǽnsəl] *n., vt.* (《英》*-ll-*) 삭제(하다); 취소(하다); 상쇄〔말소〕(하다);〖컴〗없앰;〖印〗(…을) 삭제하다. *∼ed check* 지불필(畢) 수표. **∼·la·tion**[kæ̀nsəléiʃən] *n.*

⁑**can·cer**[kǽnsər] *n.* ① Ⓤ,Ⓒ〖醫〗암(癌). ② Ⓒ 사회악. ③ (C-)〖天〗게자리. *∼ of the stomach* 〔*breast*〕위암〔유방암〕. *the Tropic of C-* 북회귀선. **∼·ous** *a.*

can·cer·pho·bi·a [kæ̀nsərfóubiə], **can·cer·o·pho·bi·a**[-rou-fóubiə] *n.* Ⓤ 암공포증.

cáncer stìck《俗·戲》궐련(cigarette).

can·de·la[kændíːlə] *n.* Ⓒ 칸델라《광도의 단위, 촉광과 거의 비슷함》.

can·de·la·brum[kæ̀ndilɑ́ːbrəm] *n.* (*pl.* *∼s, -bra(s)*[-brə(z)]) Ⓒ 가지촛대, 큰 촛대.

C. & F., c. & f. cost and freight 운임 포함 가격.

***can·did**[kǽndid] *a.* 솔직한(frank); 성실한; 공정한; 입바른, 거리낌없는;〖寫〗자연 그대로의. *to be quite ∼ (with you)* 솔직히 말하면《일반적으로 문두(文頭)에》 **∼·ly** *ad.*

can·di·da·cy[kǽndidəsi] *n.* Ⓤ,Ⓒ《美》후보 자격, 입후보. **:-date** [kǽndədèit/-dit] *n.* Ⓒ 후보자; 지원자. **-da·ture**[∠dətʃùər, -tʃər/-tʃə] *n.*《英》=CANDIDACY.

cándid cámera 〔**phótograph**〕 소형 스냅 카메라〔사진〕.

can·died[kǽndid] *a.* 당(분)화된; 설탕을 쓴〔친〕; 말솜씨 교묘한; 달콤한; 결정(結晶)한.

⁑**can·dle**[kǽndl] *n.* Ⓒ (양)초, 양초 비슷한 것; 촉광. *burn the ∼ at both ends* 재산〔정력〕을 낭비하다. *cannot* 〔*be not fit to*〕 *hold a ∼ to* …와는 비교도 안 되다. *hold a ∼ to another* 남을 위해 등불을 비추다, 조력하다. *not worth the ∼* 애쓴 보람이 없는, 돈 들인 가치가 없는. *sell by the ∼* 〔*by inch of*〕 (경매에서) 촛동강이 다 타기 직전의 호가로 팔아 넘기다. ― *vt.* (달걀을) 불빛에 비춰 조사하다.

cándle ènds 촛동강; (인색한 사람이) 조금씩 주워 모은 잡동사니.

cándle·hòlder *n.* =CANDLESTICK.

***cándle·lìght** *n.* Ⓤ 촛불(빛); 불을 켤 무렵, 저녁.

Can·dle·mas[kǽndlməs] *n.*〖가톨릭〗성촉절(聖燭節)《2월 2일》.

cándle·pìn *n.* ① Ⓒ 초 모양의 볼링 핀. ② (*pl.*) 일종의 볼링.

cándle pòwer 촉광(cf. lux).

***cándle·stìck** *n.* Ⓒ 촛대.

cándle·wìck *n.* Ⓒ 초의 심지.

cán-dó *a.*《美俗》의욕 있는; 유능한; (어려운 일을) 할 수 있는.

***can·dor,**《英》**-dour**[kǽndər] *n.* Ⓤ 공평함; 솔직; 담백함.

C & W country and western.

†**can·dy**[kǽndi] *n.* Ⓤ,Ⓒ《美》사탕, 캔디(《英》sweets);《英》얼음 사탕. ― *vt., vi.* (…에) 설탕절임으로 하다, 설탕으로 끓이다; (말을) 달콤하게 하다(sweeten) (cf. candied).

cándy stòre《美》과자 가게(《英》sweetshop).

cándy-strìped *a.* 흰색과 기타 색과의 줄무늬의.

cándy·tùft *n.* Ⓒ〖植〗이베리스꽃《여러 색깔의 꽃이 피는 식물》.

⁑**cane**[kein] *n.* Ⓒ (등(藤), 대, 사탕수수 따위의) 줄기; 지팡이, 단장, 회초리; 유리 막대. ― *vt.* 매로 치다.

cáne·bràke *n.* Ⓒ 등〔대나무〕숲.

cáne cháir 등(藤)의자.

cáne sùgar 사탕수수 설탕.

cáne·wòrk *n.* Ⓤ 등(藤)세공(품).

can·ful[kǽnfùl] *n.* Ⓒ 깡통 가득함〔가득한 분량〕.

Ca·nic·u·la[kəníkjələ] *n.*〖天〗천랑성(天狼星).

ca·nine[kéinain] *a., n.* 개의〔같은〕; Ⓒ 개, 개과(科)의 (동물); =∠· **tòoth** 송곳니.

can·ing[kéiniŋ] *n.* Ⓤ 매질, 태형(笞刑); 등나무로 엮은 앉을 자리.
Ca·nis[kéinis] *n.* (L.) 〖動〗 개속(屬). ~ ***Major***〔***Minor***〕 〖天〗 큰〔작은〕 개자리.
can·is·ter[kǽnistər] *n.* Ⓒ 차통, 커피통, 담배〔산탄(散彈)〕통.
***can·ker**[kǽŋkər] *n.* ① Ⓤ,Ⓒ 〖醫〗 옹(癰), 구암, 구강 궤양. ② Ⓤ 〖獸醫〗 마제암(馬蹄癌); (개·고양이의) 이염(耳炎); 〖植〗 암종(癌腫). ③ Ⓒ 해독; 고민. — *vi., vt.* (…에) 걸리(게 하)다; 파괴하다, 부패하다〔시키다〕. ~**·ous**[-əs] *a.*
cánker·wòrm *n.* Ⓒ 자벌레.
can·na[kǽnə] *n.* Ⓒ 칸나(꽃).
can·na·bis[kǽnəbis] *n.* Ⓤ 마리화나. **-bìsm** *n.*
canned**[kænd] *v.* can[1]의 과거(분사). — *a.* 《美》 통조림으로 한; 《俗》 녹음된; 《俗》 미리 준비한; 《俗》 취한. ~ ***goods 통조림 식품. ~ ***heat*** 휴대 연료; 독한 술; 《俗》 폭탄. ~ ***music*** 레코드 음악. ~ ***program*** 〖放〗 녹음〔녹화〕 프로.
can·nel[kǽnl] *n.* Ⓤ 촉탄(燭炭)《활활 타오름》(=∠ **còal**).
can·ner[kǽnər] *n.* Ⓒ 《美》 통조림업자. ~**·y**[kǽnəri] *n.* Ⓒ 통조림 공장; 교도소.
***can·ni·bal**[kǽnəbəl] *n., a.* Ⓒ 식인종; 서로 잡아먹는 동물; 식인의, 서로 잡아먹는. ~**·ism**[-ìzəm] *n.* Ⓤ 식인(의 풍습); 잔인한 행위.
can·ni·bal·ize[kǽnəbəlàiz] *vt.* 사람 고기를 먹다; (차·기계 따위를) 해체하다; 뜯어서 짜맞추다〔조립하다〕; 인원을 차출하여 다른 부대를 보충하다. — *vi.* 수선 조립업을 하다.
can·ni·kin[kǽnəkin] *n.* Ⓒ 작은 양철통; 컵.
can·ning[kǽniŋ] *n.* ⇨CAN[2].
:**can·non**[kǽnən] *n.* (*pl.* ~***s,*** 《집합적》 ~), *vi.* Ⓒ 대포(를 쏘다); 〖空〗 기관포; 《俗》 권총; 《俗》 소매치기; 《英》 〖撞〗 캐넌(《美》 carom)(을 치다); 맹렬히 충돌하다. ~**·ade**[kæ̀nənéid] *n., vt., vi.* Ⓒ 연속 포격(하다). ~**·eer**[kæ̀nəníər] *n.* Ⓒ 포수, 포병. ~**·ry**[kǽnənri] *n.* 《집합적》 포(砲); Ⓤ,Ⓒ 연속, 포격.
cánnon bàll 포탄《본디 구형》; 《美俗》 특급 열차. 「죽.
cánnon cràcker 대형 꽃불〔폭
cánnon fòdder 대포 밥《병졸 등》.
cánnon shòt 포탄; 포격; 착탄 거리.
†**can·not**[kǽnɑt/-ɔt] =can not.
can·ny[kǽni] *a.* 주의 깊은, 조심성 많은, 세심한(cautious); 빈틈없는; 《Sc.》 알뜰한; 조용한. **-ni·ly** *ad.* **-ni·ness** *n.*
:**ca·noe**[kənúː] *n.* Ⓒ 카누〔마상이〕. ***paddle one's own*** ~ 독립 독행하다. — *vt., vi.* (***-noed; -noeing***) 카누를 젓다; 카누로 가다.
can·on[kǽnən] *n.* ① Ⓒ 교회법. ② Ⓒ (the ~) 정전(正典) (cf. Aocrypha). ③ Ⓒ 성인록(聖人錄). ④ Ⓒ 미사(mass)의 일부; 법전(code). ⑤ Ⓒ 규범, 규준; 전칙곡(典則曲). ⑥ Ⓤ 〖印〗 캐넌 활자《48포인트》. ⑦ Ⓒ 《英》 성직자회 평의원.
ca·ñon[kǽnjən] *n.* (Sp.) = CANYON.
ca·non·i·cal[kənɑ́nikəl/-nɔ́n-] *a.* 교회법의; 정전(正典)의; 정규의. ~**s** *n. pl.* 제복(祭服).
canónical hóurs (하루 7회의) 기도 시간.
can·on·ize[kǽnənàiz] *vt.* 시성(諡聖)하다, 찬미하다; 정전(正典)으로 인정하다. **-i·za·tion**[∸–nizéiʃən/-nai-] *n.*
can·on·ry[kǽnənri] *n.* Ⓤ 성직자회 평의원의 직〔녹〕.
ca·noo·dle[kənúːdl] *vi., vt.* 《美俗》 키스하다, 껴안다, 애무하다(fondle).
cán òpener 《美》 깡통따개(《英》 tin opener); 《美俗》 금고 도둑.
can·o·py**[kǽnəpi] *n., vi.* Ⓒ 닫집(으로 덮다); 차양; 하늘. ***under the ~ 《美俗》 도대체(in the world). **-pied** *a.*
canst[強 kænst, 弱 kənst] *aux. v.* 《古·詩》 can[2]의 2인칭 현재.
cant[1][kænt] *n.* Ⓤ (거지 등의) 우는 소리; 암호의 말; 변말, 은어(lingo); 유행어; 위선적인 말. ~ ***phrase*** 유행어. — *vi.* 변말을〔유행어를〕 쓰다; 위선적인 말을 하다.
cant[2] *n., vi., vt.* Ⓒ 경사(면); 기울(이)다; 비스듬이 베다.
†**can't**[kænt, -ɑː-] cannot의 단축.
Cant. Canterbury; Canticles.
Cantab. Cantabrigian.
can·ta·bi·le[kɑːntɑ́ːbilèi, kəntɑ́ːbilei] *a., n., ad.* (It.) Ⓒ 〖樂〗 노래하는 듯한 (느낌의 곡); 노래하듯이.
Can·ta·brig·i·an[kæ̀ntəbrídʒiən] *a., n.* Ⓒ Cambridge 〔Harvard〕 대학의 (재학생, 출신자).
can·ta·loup(e)[kǽntəlòup/-lùːp] *n.* Ⓒ,Ⓤ 멜론의 일종《로마 부근원산》; =MUSKMELON.
can·tan·ker·ous[kæntǽŋkərəs, kən-] *a.* 비꼬인, 툭하면 싸우는, 심술 사나운(ill-natured).
can·ta·ta[kəntɑ́ːtə/kæn-] *n.* (It.) Ⓒ 〖樂〗 칸타타.
cánt·dòg *n.* =PEAV(E)Y.
can·teen[kæntíːn] *n.* Ⓒ ① 《英》 주보; (기지 등의 간이 식당〔오락장〕). ② 《美》 수통, 빨병. ③ (캠프용) 취사도구 상자. ***a dry***〔***wet***〕 ~ 술을 팔지 않는〔파는〕 군(軍)매점.
can·ter[kǽntər] *n., vi., vt.* (a ~) 〖馬術〗 캔터, (gallop와 trot 중간의) 보통 구보(로 몰다, 나아가다, 달리게 하다).
Can·ter·bur·y**[kǽntərbèri/-bəri] *n.* 잉글랜드 남동부의 도시; (c-) Ⓒ 독서대. ***the ~ ***Tales*** 캔터베리 이야기《중세 영어로 씌어진 Chaucer 작은 운문 이야기 집》.
Cánterbury bèll 〖植〗 풍경초.

C

cánt hòok 《美》(통나무를 움직이기 위한) 갈고리 지레(cf. peavey).

can·ti·cle[kǽntikəl] *n.* Ⓒ 찬송가. ***the Canticles*** 〖聖〗 아가(雅歌)(the Song of Solomon).

can·ti·lev·er[kǽntəlèvər, -lì:v-] *n.* Ⓒ 〖建〗 외팔보.

can·tle[kǽntl] *n.* Ⓒ 안미(鞍尾)《안장 뒤의 활처럼 휜》; 조각, 끄트러기.

***can·to**[kǽntou] *n.* (*pl.* **~s**) Ⓒ ① (장편시의) 편(篇)《산문의 chapter에 해당》. ② 《俗》(경기의) 한 이닝〔게임〕, (권투의) 한 라운드.

can·ton[kǽntn, -tɑn/-tɔn] *n.* Ⓒ (스위스의) 주(州); (프랑스의) 군(郡); [-tən] 〖紋〗 소(小)구획. ── [kǽntɑn, ─ˊ/-tɔ́n] *vt.* 주〔군으〕로 나누다; 분할하다; [kæntóun/kəntú:n] 〖軍〗 숙영(宿營)시키다. **~·ment**[kæntóunmənt, -tɑ́n-/kəntú:n-] *n.* Ⓒ 숙영(지).

Can·ton·ese[kæ̀ntəní:z] *a., n.* 광동(廣東)(사람, 말)의; (*sing. & pl.*) Ⓒ 광동 사람; Ⓤ 광동말.

can·tor[kǽntər] *n.* Ⓒ 합창 지휘자; 독창자《유대 교회의》.

Cantuar. *Cantuariensis* (L. =of Canterbury).

Ca·nuck[kənʌ́k] *n.* Ⓒ 《美俗·蔑》(프랑스계) 캐나다 사람.

:can·vas[kǽnvəs] *n.* ① Ⓤ 돛; 범포(帆布). ② Ⓒ 텐트. ③ Ⓒ,Ⓤ 캔버스, 화포. ④ Ⓒ 유화. ***carry too much ~*** 신분〔능력〕에 맞지 않은 일을 시도하다. ***under ~*** 돛을 올리고; 〖軍〗 야영하여.

***can·vass**[kǽnvəs] *vt.* 조사하다; 논하다; 선거 운동하며 돌아 다니다; (…에게) 부탁하며 다니다, 주문 맡으러 다니다. ── *n., vi.* Ⓒ 선거 운동(하다); 권유(하다); 정사(精査)(하다). **~·er** *n.* Ⓒ 운동〔권유〕원.

can·yon** [kǽnjən] *n.* Ⓒ 《美》 협곡(canon). ***Grand C- Colorado 강의 대계곡《국립 공원》.

can·zo·ne[kænzóuni/-tsóu-] *n.* (*pl.* ***-ni***[-ni:]) (It.) Ⓒ 칸초네, 민요풍의 가곡.

can·zo·net[kæ̀nzənét] *n.* Ⓒ 칸초네타《서정적인 소(小)가곡》.

caou·tchouc[káutʃuk, kautʃú:k] *n.* Ⓤ 탄성〔생〕 고무.

†**cap**[kæp] *n.* Ⓒ ① (양태 없는) 모자, 제모. ② 뚜껑, 캡, (버섯의) 갓. ③ 정상, 꼭대기. ④ 뇌관; 포장한 소량의 화약; (수리한 타이어의) 지면 접촉 부분. ***~ and bells*** (어릿광대의) 방울 달린 모자. ***~ and gown*** (대학의) 식복(式服). ***~ in hand*** 《口》 모자를 벗고; 겸손하게. ***feather in one's ~*** 자랑할 만한 공적. ***kiss ~s with*** 아무와 함께 술을 마시다. ***pull ~s*** (맞붙어) 싸우다. ***set one's ~ for*** 《俗》(여자가 남자에게) 연애를 걸어 오다. ── *vt.* (***-pp-***) ① (…에) 모자를〔뚜껑을〕 씌우다. ② (…의) 꼭대기〔위〕를 덮다〔씌우다〕. ③ 탈모하다. ④ (남을) 지게하다; (인용구·익살 따위를) 다투어 꺼내다. ── *vi.* 모자를 벗다. ***to ~ all*** 결국에는, 필경〔마지막〕에는.

CAP computer-aided publishing. **CAP, C.A.P.** Civil Air Patrol. **cap.** capacity; capital; capitalize; captain; *caput* (L.=chapter).

:ca·pa·ble[kéipəbəl] *a.* 유능한; 자격있는(*for*); …할 수 있는, …되기 쉬운(*of*). ***-bil·i·ty**[kèipəbíləti] *n.* Ⓤ,Ⓒ 할 수 있음, 능력; (*pl.*) 뻗을 소질, 장래성. **-bly** *ad.*

***ca·pa·cious**[kəpéiʃəs] *a.* 넓은; 너그러운; 듬뿍 들어가는.

ca·pac·i·tance[kəpǽsətəns] *n.* Ⓤ 〖法〗 (도체의) 용량; Ⓒ 콘덴서.

ca·pac·i·tate[kəpǽsətèit] *vt.* (…을) 가능하게 하다; (…에게) 능력〔자격〕을 주다(*for*).

ca·pac·i·tor[kəpǽsətər] *n.* Ⓒ 〖電〗 축전기(condenser).

:ca·pac·i·ty[kəpǽsəti] *n.* ① Ⓤ 수용력; 용량, 용적. ② Ⓤ 능력, 재능, 역량(ability). ③ Ⓒ 자격, 지위. ④ 〖컴〗 용량. ***be filled to ~*** 가득 차다. ***be in ~*** 법률상의 능력이 있다. ***~ house*** 대만원(의 회장).

cap-a-pie, *cap-à-pie*[kæ̀pəpí:] *ad.* (F.) 머리에서 발끝까지, 완전히, 온몸에(*armed ~* 완전 무장하여).

ca·par·i·son[kəpǽrisən] *n., vt.* Ⓒ (보통 *pl.*) (중세의 기사·군마의) 성장(盛裝); 미장(美裝)(시키다).

Cap·Com, Cap·com[kǽpkɑ̀m/-kɔ̀m] (<*Cap*sule *com*municator) *n.* Ⓒ 우주선 교신 담당자.

***cape**[1][keip] *n.* Ⓒ 어깨망토; (여성·어린이옷의) 케이프.

:cape[2] *n.* Ⓒ 곶. ***the C-*** (***of Good Hope***) (남아프리카의) 희망봉.

Cápe Cólo(u)red 《南아》 백인과 유색 인종과의 혼혈인.

Càpe Kénnedy 미국 Florida 주에 있는 우주 로켓 발사 기지《구칭 Cape Canaveral》.

ca·per**[1][kéipər] *vi., n.* Ⓒ (까불까불) 뛰어다니다〔다님〕, 깡충거리다(frisk)〔거림〕; (종종 *pl.*) 광태(狂態). ***cut ~s 〔***a ~***〕 깡충거리다; 광태를 다하다.

ca·per[2] *n.* Ⓒ 풍조목(風鳥木)의 관목《지중해 연안산》.

cápe·skìn *n.* Ⓒ (주로 장갑에 쓰이는) 튼튼한 가죽.

Cape·town, Cape Town [kéiptàun] *n.* 케이프타운《남아프리카 공화국의 입법 기관 소재지》.

cap·ful[kǽpfùl] *n.* Ⓒ 모자 가득(한 양). ***a ~ of wind*** 일진의 바람.

cáp gùn =CAP PISTOL.

cap·il·lar·i·ty[kæ̀pəlǽrəti] *n.* Ⓤ 〖理〗 모세관 현상.

cap·il·lar·y [kǽpəlèri/kəpíləri] *a., n.* 털 같은; Ⓒ 모세관(의); Ⓤ 모관 현상(의). 「(引力).

cápillary attráction 모세관 인력

cápillary tùbe 모세관.

†**cap·i·tal**[kǽpitl] *a.* ① 주요한, 으뜸〔수위〕의. ②《英》훌륭한. ③ 사형에 처할 만한; 중대한, 대단한 (gross). ***C-!*** 됐어!, 좋아! ~ ***city*** 수도. ~ ***letter*** 대문자, 머릿글자. ~ ***punishment*** 사형. ── *n.* ① Ⓒ 수도. ② Ⓒ 머릿글자, 대문자. ③ Ⓤ 자본(금); 자본가측〔계급〕; 이익. ~ ***and labor*** 노자(勞資). ***circulating*** 〔***fixed***〕 ~ 유동〔고정〕 자본. ***make*** ~ (***out***) ***of*** …을 이용하다. ***working*** ~ 운전 자본. *~**·ism**[-ìzəm] *n.* Ⓤ 자본주의. *~**·ist** *n.* Ⓒ 자본가〔주의자〕. **cap·i·tal·is·tic**[⌐−−ístik] *a.* ~**·ize**[-àiz] *vt.* 자본화하다; 자본으로 산입〔평가〕하다; (…에) 투자하다;《美》(*vt., vi.*) 이용하다(*on*); 《美》머릿글자〔대문자〕로 쓰다〔인쇄하다〕. ~**·i·za·tion**[kæ̀pətəlizéiʃən] *n.* ~**·ly** *ad.*

cápital flíght 〖經〗(외국으로의) 자본 도피.

cápital góods 자본재.

cápital-inténsive *a.* 자본 집약적인.

cápital lèvy 자본세(稅).

cápital shìp 주력함(主力艦).

cápital stóck (회사의) 주식 자본.

cap·i·ta·tion[kæ̀pətéiʃən] *n.* Ⓒ 인두세(人頭稅).

***Cap·i·tol**[kǽpətl] *n.* (the ~)(고대 로마의) Jupiter 신전(의 언덕); 《美》국회〔주의회〕의사당.

Cápitol Híll 《美》국회(의사당이 있는 언덕).

ca·pit·u·late[kəpítʃəlèit] *vi.* (조건부 또는 무조건으로) 항복하다, 굴복하다. **-la·tion**[−⌐−léiʃən] *n.* Ⓤ (조건부 또는 무조건) 항복; Ⓒ 항복문서; 일람표.

cap'n[kǽpən] *n.* ＝CAPTAIN.

ca·po[ká:pou] *n.* (It.) Ⓒ (마피아 등의) 조장.

ca·pon[kéipən, -pɑn] *n.* Ⓒ (거세하여 살찌운) 식용 수탉;《美俗》여성적인 남자; 면《남색의 상대》(catamite);《比》겁쟁이.

cap·o·ral[kǽpərəl, kæ̀pərǽl] *n.* (F.) Ⓤ 프랑스산의 살담배.

cáp pìstol 장난감 권총.

Ca·pri[ká:pri, kæprí:] *n.* 카프리섬《이탈리아 나폴리만의 명승》.

cáp·ric ácid[kǽprik-] 〖化〗 카프르산(酸).

ca·pric·ci·o[kəprí:tʃiòu] *n.* (*pl.* ~***s***, ***-ci***[-tʃi:]) (It.) Ⓒ 장난(prank); 변덕(caprice); 〖樂〗 기상곡(綺想曲).

***ca·price**[kəprí:s] *n.* Ⓤ,Ⓒ 변덕; 〖樂〗＝CAPRICCIO. ***ca·pri·cious**[kəpríʃəs] *a.*

Cap·ri·corn[kǽprikɔ̀:rn], **Cap·ri·cor·nus**[kæ̀prikɔ́:rnəs] *n.* 〖天〗 염소자리.

cap·ri·ole[kǽpriòul] *n.* Ⓒ 〖馬術〗 도약. ── *vi.* (말이) 도약하다.

ca·pró·ic ácid[kəpróuik-] 〖化〗 카프로산(酸).

caps. capital letters; capsule.

cap·si·cum[kǽpsikəm] *n.* Ⓒ 고추(의 열매).

cap·size[kǽpsaiz, −⌐] *vi., vt.* 전복하다〔시키다〕.

cap·stan[kǽpstən] *n.* Ⓒ 〖海〗 (닻을 감아 올리는) 고패.

cáp·stòne *n.* Ⓒ (돌기둥·담 따위의) 갓돌; 결정.

***cap·sule**[kǽpsəl/-sju:l] *n.* Ⓒ ① (약·우주 로켓 등의) 캡슐. ② 〖植〗 (씨·포자의) 꼬투리, 삭과; 두겁쇠, (코르크 마개를) 덧싼 박(箔); 요약. ── *vt., a.* 요약하다〔한〕.

cap·sul·ize[kǽpsəlàiz/-sju:l-] *vt.* (정보 등을) 요약하다.

Capt. Captain.

†**cap·tain**[kǽptin] *n.* Ⓒ ① 장(長), 수령, 두목. ② 선장, 함장. ③ 육군〔공군〕 대위; 해군 대령; 군사(軍師). ④ 주장(主將). ***a*** ~ ***of industry*** 대실업가. ~**·cy** *n.* Ⓤ,Ⓒ ~의 지위〔임무, 직, 임기〕.

Cáptain Géneral 총사령관.

cap·tion[kǽpʃən] *n.* Ⓒ (페이지·장 따위의) 표제(title), 제목(heading); (삽화의) 설명; (영화의) 자막. ── *vt.* (…에) 표제를 붙이다; 자막을 넣다.

cap·tious[kǽpʃəs] *a.* 꾀까다로운; 흠〔트집〕잡는.

cap·ti·vate[kǽptəvèit] *vt.* (…의) 넋을 빼앗다; 황홀하게 하다, 매혹하다(fascinate). **-vát·ing** *a.* **-va·tion**[⌐−véiʃən] *n.*

‡**cap·tive**[kǽptiv] *n.* Ⓒ 포로. ── *a.* 포로가 된; 매혹된. ***cap·tiv·i·ty**[kæptívəti] *n.* Ⓤ (사로) 잡힌 상태〔몸〕; 감금.

cáptive áudience 싫어도 들어야 하는 청중《스피커 따위를 갖춘 버스의 승객 등》.

cáptive ballóon 계류 기구.

cáptive fíring (로켓의) 지상 분사.

cáptive tèst 로켓 본체를 고정시킨 채 하는 엔진 시험.

cap·tor[kǽptər] *n.* Ⓒ 잡는〔빼앗는〕 사람; 포획자.

‡**cap·ture**[kǽptʃər] *n., vt.* Ⓤ 잡음, 포획; Ⓒ 포획물; 잡다, 포획〔생포〕하다, 빼앗다; Ⓤ 〖컴〗 갈무리.

Cap·u·chin[kǽpjutʃin] *n.* Ⓒ (프란체스코파의) 수도사; (c-) (남아메리카의) 꼬리말이원숭이.

ca·put mor·tu·um[kéipət mɔ́:rtʃuəm] (L.) 찌꺼기, 가치가 없는 잔여(殘餘).

CAR Civil Air Regulations.

†**car**[ka:r] *n.* Ⓒ ① 자동차; 차. ② 전차, (열차의) 객차. ③ (비행선·경기구의) 객실; 곤돌라.

ca·ra·ba·o[kæ̀rəbáu, kɑ̀:rəbɑ́:ou] *n.* (*pl.* ~***s***, 《집합적》 ~) Ⓒ (필리핀의) 물소(water buffalo).

car·a·bi·neer, -nier[kæ̀rəbiníər] *n.* Ⓒ 기총병(騎銃兵)(cf. carbine).

Ca·ra·cas[kərɑ́:kəs, -rǽ-] *n.* 카라카스《Venezuela의 수도》.

car·a·cul[kǽrəkəl] *n.* Ⓒ 양의 일종; Ⓤ 카라쿨 모피《새끼양 가죽, 아스트라칸 비슷 함》.

C

ca·rafe [kərǽf, -ɑ́:-] *n.* Ⓒ (식탁·침실용 등의) 유리 물병.
***car·a·mel** [kǽrəməl, -mèl] *n.* Ⓤ 캐러멜, 구운 설탕《조미·착색용》; Ⓒ 캐러멜 과자.
car·a·pace [kǽrəpèis] *n.* Ⓒ (거북 따위의) 등딱지; (새우·가재 따위의) 딱지.
***car·at** [kǽrət] *n.* Ⓒ 캐럿《보석의 단위; 1/5 g》; 금위(金位)(*gold* 14 ~*s fine*, 14금).
:car·a·van [kǽrəvæ̀n] *n.* Ⓒ ① (사막의) 대상(隊商). ② (집시·서커스 등의) 포장 마차. ③ 《英》 이동 주택, 하우스 트레일러. **~·sa·ry** [kærəvǽnsəri], **~·se·rai** [-rài] *n.* Ⓒ 대상 숙박 여관.
cáravan pàrk 〔**sìte**〕《英》 이동 주택용 주차장(《美》trailer park).
car·a·vel [kǽrəvèl] *n.* Ⓒ (15-16 세기의) 쾌속 범선《Columbus가 이 것을 탐》.
car·a·way [kǽrəwèi] *n.* Ⓒ 〖植〗 캐러웨이《회향풀의 일종》.
cáraway sèeds 캐러웨이의 열매《향료》.
cár·bàrn *n.* Ⓒ 《美》 전차〔버스〕 차고.
car·bide [kɑ́:rbaid, -bid] *n.* Ⓤ 〖化〗 탄화물, 카바이드.
car·bine [kɑ́:rbain, -bi:n] *n.* Ⓒ 카빈총, 기병총.
***car·bo·hy·drate** [kɑ̀:rbouhái-dreit] *n.* Ⓒ 〖化〗 탄수화물, 함수탄소.
car·bo·lat·ed [kɑ́:rbəlèitid] *a.* 석탄산을 함유한.
***car·bol·ic** [kɑ:rbálik/-ɔ́-] *a.* 탄소〔콜타르〕에서 얻은.
carbólic àcid 석탄산.
car·bo·lize [kɑ́:rbəlàiz] *vt.* 석탄산을 가하다, 석탄산으로 처리하다.
cár bòmb (테러용의) 자동차 폭탄.
***car·bon** [kɑ́:rbən] *n.* ① Ⓤ 〖化〗 탄소; Ⓒ 탄소 막대. ② Ⓤ,Ⓒ 카본지; Ⓒ 카본지 복사.
car·bo·na·ceous [kɑ̀:rbənéiʃəs] *a.* 탄소의〔를 함유한〕.
car·bo·na·do [kɑ̀:rbənéidou] *n.* (*pl.* ~(*e*)*s*) Ⓒ 흑금강석, 흑다이아몬드의 일종《드릴용》.
car·bon·ate [*n.* kɑ́:rbənit, -nèit; *v.* -nèit] *n., vt.* 〖化〗 Ⓒ 탄산염(화하다), 탄소화하다.
cárbon blàck 카본 블랙《인쇄 잉크원료》.
cárbon cópy (복사지에 의한) 복사; 《口》 아주 닮은 사람〔물건〕.
cárbon cỳcle (생태계의) 탄소 순환.
cárbon dáting 탄소의 방사성 동위 원소 함유량에 의한 연대 측정.
cárbon dióxide 이산화탄소, 탄산가스(~ *snow* 드라이 아이스).
cárbon 14 탄소의 방사성 동위원소《기호 ^{14}C; 원자량 14; 생물체의 연대 측정에 이용》.
***car·bon·ic** [kɑ:rbánik/-ɔ́-] *a.* 탄소〔탄산〕의, 탄소를 함유한. ~ *acid* (*gas*) 탄산 (가스).
car·bon·if·er·ous [kɑ̀:rbəníf ərəs] *a.* 석탄을 산출하는; (C-) 〖地〗 석탄기〔계〕의. ── *n.* (the C-) 석탄기.
car·bon·ize [kɑ́:rbənàiz] *vt.* 탄화(炭化)하다; 숯으로 만들다. **-i·za·tion** [kɑ̀:rbənizéiʃən] *n.*
cárbon monóxide 일산화탄소.
cárbon pàper 〔**tìssue**〕 카본〔탄산〕지《복사용》.
cárbon pìle 탄소 원자로.
cárbon prócess 〖寫〗 카본 인화법.
cárbon stèel 탄소강(鋼)《2% 이하의 탄소와 철의 합금》.
cárbon tetrachlóride 〖化〗 4염화탄소《소화용(消火用)》.
cárbon 13 탄소의 방사성 동위 원소《기호 ^{13}C; 원자량 13; 생체내의 추적 표지(tracer)로써 쓰임》.
car·bo·run·dum [kɑ̀:rbərʌ́ndəm] *n.* Ⓒ 금강사(砂)《연마재》.
car·boy [kɑ́:rbɔi] *n.* Ⓒ 상자〔채롱〕에 든 유리병《극약 용기》.
car·bun·cle [kɑ́:rbʌŋkəl] *n.* Ⓒ 〖鑛〗 홍옥(紅玉)《루비 등》; 석류석; 〖醫〗 정(疔), 뾰루지; (모주의) 붉은 코; Ⓤ 적갈색.
car·bu·ret [kɑ́:rbərèit, -bjərèt] *vt.* (《英》 *-tt-*) 탄소와 화합시키다; 탄소 화합물《가솔린 따위》을 섞다. **-re(t)·tor** *n.* Ⓒ 기화기(氣化器), 탄화기; (자동차의) 카뷰레터.
***car·cass, -case** [kɑ́:rkəs] *n.* Ⓒ (짐승의) 시체.
cárcass méat 날고기, 생육(生肉).
car·cin·o·gen [kɑ:rsínədʒən] *n.* Ⓒ 〖醫〗 발암(發癌) 물질〔인자〕.
car·ci·no·ma [kɑ̀:rsənóumə] *n.* (*pl.* ~*s*, ~*ta* [-tə]) Ⓒ 〖醫〗 암(cancer); 악성 종양.
cár còat 《美》 카코트《짧은 외투》.
card[1] [kɑ:rd] *n.* Ⓒ 금속빗〔솔〕. ── *vt.* (양털·삼 따위를) 빗다, 훑다, 솔질하다. **∠·er** *n.* **∠·ing** *n.*
†card[2] *n.* Ⓒ ① 카드; 판지(板紙); 명함; 엽서; 초대장. ② 트럼프, 카드; (*pl.*) 카드놀이; 프로(그램). ③ 《口》 인물, 놈; 별난 사람, 괴짜. ④ 《英口》 (the ~) 적절한 것(*for*). ***castle*** 〔***house***〕 ***of ~s*** (어린이가 만드는) 카드의 집; 무너지기 쉬운 것, 위태로운 계획. ***have a ~ up one's sleeve*** 준비가〔비책이〕 있다. ***in*** 〔***on***〕 ***the ~s*** 아마 (…인〔일〕 것 같은) (likely). ***lay*** 〔***place, put***〕 ***one's ~s on the table*** 계획〔비법〕을 밝히다〔말하다〕. ***leave one's ~*** (*on*) (…에) 명함을 두고 가다. ***play one's best ~*** 비장의 수법을 쓰다. ***queer ~*** 괴짜. ***play one's ~s well*** 〔***rightly***〕 재치있게 조치하다, 일 처리를 잘 하다. ***show one's ~s*** (손에) 든 패를 보이다, 계획〔비밀〕을 보이다. ***speak by the ~*** 정확히 말하다. ***the best ~*** 인기 있는 것. ***throw*** 〔***fling***〕 ***up one's ~s*** 계획을 포기하다.
Card. Cardinal.
car·da·mom, -mum [kɑ́:rdəməm], **-mon** [-mən] *n.* Ⓒ 생강과의 식물(의 열매)《향료》.

*__card·board__[ká:rdbɔ̀:rd] *n.* Ⓤ 판지(板紙), 마분지. 「의.
__cárd-càrrying__ *a.* 정식 당원〔회원〕
__cárd càse__ 명함 케이스; 카드 상자.
__cárd càtalog(ue)__ (도서관의) 카드식 목록.
__car·di·ac__[ká:rdiæ̀k] *a., n.* 심장의; (위(胃)의) 분문(噴門)의; Ⓒ 심장병 환자.
__cárdiac cýcle__ 심장 주기.
__cárdiac glýcoside__ 강심 배당체(強心配糖體).
__car·di·gan__[ká:rdigən] *n.* Ⓒ 카디건《앞을 단추로 채우는 스웨터》.
*__car·di·nal__[ká:rdənl] *a.* 주요한, 기본적인; 붉은, 주〔진〕홍색의(scarlet). — *n.* Ⓒ 〖가톨릭〗 (교황청의) 추기경《진홍색 옷·모자를 착용》; Ⓤ 진〔주〕홍색; =**∠ bírd** (북미산의) 알록참새《finch 무리》. **~·ate**[-èit, -it] *n.* Ⓤ 추기경의 직〔지위〕.
__cárdinal flòwer__ 〖植〗 빨간로벨리아. 「수(基數).
__cárdinal númber__ 〔**númeral**〕 기
__cárdinal pòints__ 〖天〗 방위 기점(基點)《north, south, east, west》.
__cárdinal vírtues, the__ 기본 도덕《justice, prudence, temperance, fortitude, faith, hope, charity 일곱 가지 덕》.
__cárd ìndex__ 카드식 색인. 「다.
__cárd-ìndex__ *vt.* 카드식 색인을 만들
__car·di·o·gram__[ká:rdiəgræ̀m] *n.* Ⓒ 심전도(心電圖).
__car·di·o·graph__ [ká:rdiəgræ̀f, -grɑ̀:f] *n.* Ⓒ 심전계(心電計).
__car·di·ol·o·gy__[kɑ̀:rdiáləʒi/-ɔ́-] *n.* Ⓤ 심장학.
__car·di·o·vas·cu·lar__ [kɑ̀:rdiouvǽskjələr] *a.* 심장혈관의. ~ ***disease*** 심장 혈관병.
__cárd·phòne__ *n.* Ⓒ《英》 카드식 전화《동전 대신에 전화 카드(phonecard)를 넣고 통화하는 전화기》.
__cárd·plàyer__ *n.* Ⓒ (흔히) 카드놀이를 하는 사람.
__cárd pùnch__《英》 (컴퓨터 카드의) 천공기. 「기꾼.
__cárd·shàrp(er)__ *n.* Ⓒ 카드놀이 사
__cárd tàble__ 카드놀이용 테이블.
__cárd vòte__《英》 카드 투표《노동 조합 대회 따위에서 대의원이 대표하는 조합원의 수를 명기한 카드로 표수를 정하는 투표》.
__CARE__[kɛər] Cooperative for American Relief to Everywhere, Inc. 미국 대외 원조 물자 발송 협회 (~ *goods* 케어 물자).
†__care__[kɛər] *n.* ① Ⓤ 근심, 걱정(worry); Ⓒ 근심거리. ② Ⓤ 시중, 돌봄, 간호, 감독(charge); 고생(pains). ③ Ⓤ 주의, 조심(caution). ④ Ⓤ 관심; Ⓒ 관심사. ***C-killed the cat.***《속담》 걱정은 몸에 해롭다. ~ ***of*** …방(方)《생략 c/o》. ***take ~,*** or ***have a ~*** 조심하다. ***take ~ of*** …을 돌보다, 소중히 하다; …에 조심하다;《美》…을 다루다. ***take ~ of oneself*** 몸을 조심하다; 자기 일은 자기가 하다. ***under the ~ of*** …의 신세를 지고, …의 보호 밑에. ***with ~*** 조심하여. — *vi.* ① 걱정〔근심〕하다. ② 돌보다, 시중들다, 병구완하다. ③ 하고자 하다, 좋아하다. ~ ***about*** …을 염려〔걱정〕하다, …에 주의하다. ~ ***for*** …을 좋아하다, 탐내다; …을 돌보다, 걱정〔근심〕하다. ~ ***nothing for*** 〔***about***〕 …에 전혀 흥미가〔관심이〕 없다. ***for all I ~*** 나는 알 바 아니나〔아니지만〕; 어쩌면, 혹시. ***I don't ~ if*** (I go). 《口》 (가도) 괜찮다《권유에 대한 긍정적 대답》. ***Who ~s?*** 알게 뭐야.
__ca·reen__[kərí:n] *vi., vt.* 〖海〗 (배를) 기울이다, (배가) 기울다; (기울여) 수리하다.
:__ca·reer__[kəríər] *n.* ① Ⓤ 질주; 속력. ② Ⓒ 인생 행로, 생애; 경력, 이력; (교양·훈련을 요하는) 직업. ③ Ⓤ,Ⓒ 성공, 출세. ***in full*** 〔***mad***〕 ~ 전속력으로. ***make a ~*** 출세하다. — *a.* 직업적인, 본격적인. ~ ***diplomat*** 직업 외교관. ~ ***woman*** 〔***girl***〕《口》 (자립하고 있는) 직업 여성. — *vi.* 질주〔쾌주〕하다(speed)(*about*). **~·ism**[-ìzəm] *n.* Ⓤ 입신 출세주의. **~·ist** *n.*
__caréer's máster__ 〔**místress**〕 학생 진로 지도 교사〔여교사〕.
*__cáre·frèe__ *a.* 근심걱정 없는, 태평한, 행복한, 명랑한.
†__care·ful__[kɛ́ərfəl] *a.* ① 주의 깊은, 조심스런(cautious)(*of*). ② 소중히 하는〔여기는〕(mindful)(*of*). **:~·ly** *ad.* ***~·ness** *n.*
__cáre làbel__ (의류 따위에 붙인) 취급 주의 라벨.
__cáre-làden__ *a.* 근심〔고생〕이 많은.
:__care·less__[kɛ́ərlis] *a.* ① 부주의한, 경솔한. ② 걱정하지 않는(nonchalant). ③《古》 마음 편한(carefree). ***be ~ of*** …을 염두에 두지 않다. ***~·ly** *ad.* ***~·ness** *n.*
*__ca·ress__[kərés] *n., vt.* Ⓒ 애무《키스·포옹 등》(하다); 어르다.
__ca·ress·ing__[∠iŋ] *a.* 애무하는; 달래는 듯한. **~·ly** *ad.*
__car·et__[kǽrət] *n.* Ⓒ 탈자(脫字) 기호, 삽입 기호《∧》.
__cáre·tàker__ *n.* Ⓒ 돌보는 사람, 관리인; 지키는 사람;《英》 고용원《사환·수위를 점잖게 이르는 말》(cf.《美》 custodian). ~ ***government*** 선거 관리 정부〔내각〕. 「〔찌든〕.
__cáre·wòrn__ *a.* 근심 걱정으로 야윈
__cár·fàre__ *n.* Ⓤ (전차·버스의) 요금.
__cár·fàx__ *n.* Ⓒ《英》 십자로 지대.
__cár fèrry__ 카페리《(1) 열차·자동차 따위를 나르는 배. (2) 바다 따위를 넘어 자동차를 나르는 비행기》.
:__car·go__[ká:rgou] *n.* (*pl.* ~(*e*)*s*) Ⓒ 뱃짐, 선하, 적하(積荷).
__cárgo bòat__ 화물선. 「송기.
__cárgo lìner__ 정기 화물선, 화물 수
__cár·hòp__ *n.* Ⓒ《美》 (차를 탄 채 들

어가는 식당의) 급사《특히, 여급사》.
Car·ib[kǽrəb] *n.* Ⓒ (서인도 제도의) 카리브 사람; Ⓤ 카리브 말.
Car·ib·be·an[kæ̀rəbíːən, kəríbiən] *a.* 카리브 사람〔해(海)〕의. ***the*** **~ (*Sea*)** 카리브해.
car·i·bou[kǽrəbùː] *n.* (*pl.* **~s** 《집합적》 **~**) Ⓒ 북미산 순록(馴鹿).
˙**car·i·ca·ture**[kǽrikətʃùər, -tʃər] *n.* Ⓒ (풍자) 만화, 풍자 그림〔글〕; Ⓤ,Ⓒ 만화화(化). — *vt.* 만화화하다. **-tur·ist** *n.*
car·ies[kɛ́əriːz] *n.* (L.) Ⓤ 〖醫〗 카리에스, 골양(骨瘍); 충치.
car·i·ole[kǽriòul] *n.* Ⓒ 말 한 필이 끄는 짐마차; 유개(有蓋) 짐차.
car·i·ous[kɛ́əriəs] *a.* 카리에스에 걸린; 부식한.
cark·ing[kɑ́ːrkiŋ] *a.* 마음을 괴롭히는. **~ *cares*** 근심 걱정.
car·jack[kɑ́ːrdʒæ̀k] *vt.* (차를) 강탈하다(cf. highjack). **~·ing** *n.* Ⓤ 자동차 강탈.
cár knòcker 철도 차량 검사〔수리〕원.
cár·lòad *n.* Ⓒ 《주로 美》 화차 1량분(輛分)의 화물.
cárload lòt 《美》 화차 대절 취급 「표준량.
cárload ràte 화차 대절 운임(률).
˙**Car·lyle**[kɑːrláil], **Thomas**(1795-1881) 스코틀랜드의 평론가·역사가·사상가.
car·man[kɑ́ːrmən] *n.* Ⓒ 승무원; 운전사, 마부.
Car·mel·ite[kɑ́ːrməlàit] *n., a.* Ⓒ 카르멜파의 수도사(의).
car·mine[kɑ́ːrmain, -min] *n., a.* Ⓤ 양홍(洋紅)색(의). 「학살.
car·nage[kɑ́ːrnidʒ] *n.* Ⓤ (대량)
˙**car·nal**[kɑ́ːrnl] *a.* 육체의, 육욕적인, 육감적인(sensual); 물질적인, 현세〔세속〕적인(worldly).
cárnal abúse 〖法〗 (보통 성교가 따르지 않는) 미성년자에 대한 강제 외설 행위; (소녀에 대한) 강간.
cárnal knówledge 성교.
:**car·na·tion**[kɑːrnéiʃən] *n., a.* Ⓒ 카네이션; Ⓤ 살빛(의).
˙**Car·ne·gie**[kɑ́ːrnəgi, kɑːrnéigi], **Andrew** (1835-1919) 미국의 강철왕·자선가.
Cárnegie Háll 카네기홀《New York 시의 연주회장》.
car·nel·ian[kɑːrníːljən] *n.* Ⓒ 〖鑛〗 홍옥수(紅玉髓).
car·net[kɑːrnéi] *n.* (F.) Ⓒ (자동차의) 국경 통과 허가증; 회수권철.
car·n(e)y, -nie[kɑ́ːrni] *n.* Ⓒ 순회 흥행〔배우〕, 순회 오락장(에서 일하는 사람).
:**car·ni·val**[kɑ́ːrnəvəl] *n.* Ⓒ 사육제《Lent 전의 축제》; Ⓒ 축제, 법석.
Car·niv·o·ra[kɑːrnívərə] *n. pl.* (L.) 〖動〗 식육류(食肉類); (c-) 《집합적》 육식 동물.
car·ni·vore[kɑ́ːrnəvɔ̀ːr] *n.* Ⓒ 육식 동물; 식충(食蟲) 식물. **-niv·o·rous**[kɑːrnívərəs] *a.* 육식성의(cf. herbivorous, omnivorous).
car·ny[kɑ́ːrni] *n.* Ⓒ 《美口》 (여흥이나 회전목마가 있는) 순회 흥행; 거기에서 일하는 연예인.
:**car·ol**[kǽrəl] *n.* Ⓒ 기쁨의 노래; 찬(미)가(hymn); 《詩》 새의 지저귐. — *vi., vt.* (《英》 (**-ll-**)) 기뻐 노래하다, 지저귀다.
Car·o·li·na[kæ̀rəláinə] *n.* 미국 동남부 대서양연안의 두 주《North ~, South ~》.
Car·o·line[kǽrəlàin, -lin] *a.* 영국왕 Charles Ⅰ·Ⅱ (시대)의; =CAROLINGIAN. 「제도.
Cároline Íslands, the 캐롤린
Car·o·lin·gi·an[kæ̀rəlíndʒiən] *a., n.* Ⓒ (프랑스의) Charlemagne 왕조의 (군주).
car·om[kǽrəm] *n., vi.* Ⓒ 《美》 〖撞〗 캐럼《연속해 두 공을 맞힘》(하다).
car·o·tene, -tin[kǽrətiːn] *n.* Ⓤ,Ⓒ 〖化〗 카로틴《일종의 탄수화물》.
ca·rot·id[kərɑ́tid/-ɔ́-] *n., a.* Ⓒ 〖解〗 경(頸)동맥(의).
ca·rous·al[kəráuzəl] *n.* =⇩.
ca·rouse[kəráuz] *n.* Ⓤ 큰 술잔치 (noisy feast). — *vi., vt.* 통음(痛飮)하다(drink heavily); 술을 마시며 떠들다.
˙**carp**[1][kɑːrp] *n.* (*pl.* **~s,** 《집합적》 **~**) Ⓒ 잉어.
carp[2] *vi.* 시끄럽게 잔소리하다; 흠을 찾다, 약점을 잡다, 트집 잡다(*at*). **∠·ing** *a.* 흠〔탈〕잡는.
car·pal[kɑ́ːrpəl] *n., a.* 〖解〗 Ⓒ 손목뼈〔완골(腕骨)〕(의).
cár pàrk 《英》 주차장(《美》 parking lot).
Car·pa·thi·ans[kɑːrpéiθiənz] *n. pl.* (the ~) (중부 유럽의) 카르파티아 산맥.
:**car·pen·ter**[kɑ́ːrpəntər] *n., vi., vt.* Ⓒ 목수(일을 하다). ***~'s rule* 〔*square*〕** 접자〔곱자〕. **-try**[-tri] *n.* Ⓤ 목수직; 목수일; Ⓒ 목공품.
:**car·pet**[kɑ́ːrpit] *n.* Ⓒ ① 융단, 양탄자(cf. rug); 깔개. ② (풀의) 온통 깔림. ***call on the ~*** 불러서 꾸짖다. ***on the ~*** 심의〔연구〕 중에; 《口》 야단맞아.
cárpet·bàg *n.* Ⓒ (융단감으로 만든) 여행 가방. **~ger** *n.* Ⓒ (한 몫 보려고 타고장에서 온) 뜨내기; 〖美史〗 《蔑》 (남북전쟁 후의 부흥기에 남부로 건너간) 북부의 야심(정치)가.
cárpet bèdding 융단 무늬로 화단 꾸미기.
cárpet bòmbing 융단〔초토〕 폭격.
cárpet dànce 약식 무도(회).
car·pet·ing[kɑ́ːrpitiŋ] *n.* Ⓤ 깔개용 직물, 양탄자감; 깔개.
cárpet knìght 《蔑》 무공〔실전 경험〕 없는 기사; 곰살궂은 사내.
cárpet slìpper (모직천으로 만든) 실내용 슬리퍼.
cárpet swèeper 양탄자 (전기) 청소기. 「이동 전화.
cár·phòne, cár phòne 카폰,

car·pol·o·gy [kɑːrpálədʒi/-pɔ́l-] *n.* Ⓤ 과일(분류)학.

cár pòol (통근 따위에서) 몇 사람이 그룹을 만들어 교대로 자기 차에 태워다 주는 방식.

cár·pòrt *n.* Ⓒ (간이) 자동차 차고.

car·pus [kɑ́ːrpəs] *n.* (*pl.* **-pi** [-pai]) Ⓒ 〖解〗 손목; 손목뼈.

car·rel(l) [kǽrəl] *n.* Ⓒ (도서관의) 개인 열람석; 수도원(회랑)의 작은 방.

:car·riage [kǽridʒ] *n.* ① Ⓒ 탈것, 마차; 《英》 (철도의) 객차; 포차(砲車). ② [美+ kǽriidʒ] Ⓤ 운반; 수송(비), 운임. ③ Ⓤ 몸가짐; 자세, 태도. ④ Ⓤ 처리, 경영. **~ *and pair*** [***four***] 쌍두[4두] 4륜 마차.

cárriage drìve 《英》 (대저택·공원 따위의) 마찻길.

cárriage fórward 《英》 운임 수취인 지급으로.

cárriage-frée *ad.* 운임 없이.

cárriage pòrch 차 대는 곳.

cárriage tràde 부자 단골 손님; 부자 상대의 장사.

cárriage·wày *n.* Ⓒ (가로의) 차도. ***dual* ~** 《英》 중앙 분리대가 있는 도로.

:car·ri·er [kǽriər] *n.* Ⓒ 운반인[업자]; 《美》 우편 집배원; 운송 회사; 전서 비둘기; 항공모함; (자전거의) 짐받이; 보균자; = ∠ **wàve** 〖無電〗 반송파(搬送波).

cárrier pìgeon 전서(傳書) 비둘기.

car·ri·ole [kǽriòul] *n.* =CARIOLE.

car·ri·on [kǽriən] *n.* Ⓤ 사육(死肉), 썩은 고기; 불결물. ― *a.* 썩은 고기의[같은], 썩은 고기를 먹는.

cárrion cròw 〖鳥〗 《英》 까마귀; 《美》 검은 매의 일종.

Car·roll [kǽrəl], **Lewis** (1832-98) 영국의 수학자·동화 작자.

cár·ron òil [kǽrən-] 화상(火傷)에 바르는 기름약.

car·rot** [kǽrət] *n.* Ⓒ 당근. **~ *and stick 회유와 위협 (정책). **~·y** *a.* 당근색의; (머리털이) 붉은.

cárrot·tòp *n.* Ⓒ 《俗》 머리털이 붉은 사람; 빨강머리《종종 애칭》.

car·rou·sel [kæ̀rəsél, -zél] *n.* Ⓒ 《美》 회전 목마(merry-go-round).

†car·ry [kǽri] *vt.* ① 운반하다, 나르다; 휴대하다; (아이를) 배다; 버티다; (몸을 어떤 자세로) 유지하다(hold); 행동하다(~ *oneself*). ② (액체를) 이끌다, (소리를) 전하다; 미치다; 연장하다(extend); 감복시키다; (주장·의안 따위를) 통과[관철]시키다. ③ 수반하다, (의미 따위를) 띠다; (이자 따위를) 낳다. ④ (진지 따위를) 점령하다; 획득하다. ⑤ 〖簿〗 (다른 장부에) 전기(轉記)하다; 이월하다; 〖數〗 한 자리 올리다; 《美》 (신문에) 싣다; (명부에) 올리다. ⑥ 기억해 두다. ⑦ 가게에 놓다[팔다]. ― *vi.* 가져가다, 나르다; (소리·총 따위가) 미치다. **~ *all*** [***everything, the world***] ***before one*** 파죽지세로 나아가다. **~ *away*** 앗아[채어]가다; 도취시키다. **~ (*a person*) *back*** 생각나게 하다. **~ *forward*** (사업 등을) 진행[추진]하다; (부기에서) 차기(次期)[다음 페이지]로 이월하다. **~ *off*** 앗아[채어]가다, 유괴하다; (상을) 타다; 잠시 견디다(palliate); 해치우다. **~ *on*** 계속하다; (사업을) 영위하다. **~ *oneself*** 행동하다. **~ *out*** 성취하다, 수행하다. **~ *over*** 이월하다. **~ *the audience*** [***house***] 청중[만장]을 도취시키다. **~ *the*** DAY. **~ *through*** 완성하다; 견디어내다, 버티다; 극복하(게 하)다. **~ *weight*** 중시되다, 유력하다; 〖競馬〗 핸디캡이 붙여지다. **~ *a person with one*** 납득시키다. **~ *something with one*** 어떤 일을 기억하고 있다; …을 수반[휴대]하다. ― *n.* Ⓤ ① (총포의) 사정; (골프 공 따위가) 날아간 거리. ② 〖컴〗 자리 올림.

cárry·àll *n.* Ⓒ 《美》 마차《4인(이상)승》; (긴 좌석의) 합승 자동차.

cárry-còt *n.* Ⓒ (유아용) 휴대 침대.

cárrying capàcity (차의) 적재량.

cárrying chàrge 운반비; 선불 경비《자산이 이익을 올리지 않는 동안에 치러야 할 경비》.

cárryings-ón *n. pl.* 《口》 (남녀의) 농탕치기, 바람.

cárrying tráde 운송업.

cárry-òn *a., n.* Ⓒ (비행기 안으로) 휴대할 수 있는 (소지품).

cárry-òver *n.* Ⓒ 〖簿〗 이월; 〖放〗 (음악에 의한) 장면 연결.

cár·sìck *a.* 차멀미 난.

:cart [kɑːrt] *n., vi.* ① Ⓒ 2륜마차[손수레](로 나르다). ② 수월히 이기다. **~ *about*** 들고[끌고]돌아다니다, 안내하고 다니다. ***in the* ~** 《英俗》 곤경에 빠져(in a fix). ***put the* ~ *before the horse*** 본말을 전도하다. **∠·age** *n.* Ⓤ (짐차) 운송(료). **∠·er** *n.* Ⓒ (짐)마차꾼. **~·ful** [∠fùl] *n.* Ⓒ 한 차(車)분.

carte [kɑːrt] *n.* (F.) Ⓒ 명함; 메뉴. **~ *de vi·site*** [∠ də vizíːt] 명함, 명함판 사진.

carte blanche [kɑ́ːrt blɑ́ːnʃ] (F.) 백지[전권] 위임.

car·tel [kɑːrtél] *n.* Ⓒ 〖經〗 카르텔, 기업 연합《가격 유지·시장 독점을 위한》(cf. syndicate, trust); 포로 교환 조약서.

Car·ter [kɑ́ːrtər], **James Earl** (1924-) 미국 제 39 대 대통령(재직 1977-81)《애칭 Jimmy》.

Car·te·sian [kɑːrtíːʒən] *a., n.* Ⓒ 데카르트(Descartes)(파)의 (학도).

Car·thage [kɑ́ːrθidʒ] *n.* 카르타고 《아프리카 북안에 있던 고대 도시 국가》. **Car·tha·gin·i·an** [kɑ̀ːrθədʒíniən] *a., n.*

cárt hòrse 짐마차 말.

Car·thu·sian [kɑːrθúːʒən] *a., n.* Ⓒ (프랑스의) 카르투지오 교단(敎團)의 (수도자).

C

car·ti·lage [kάːrtilidʒ] *n.* Ⓤ,Ⓒ 연골(軟骨). **-lag·i·nous** [kὰːrtilǽdʒənəs] *a.*
cárt·lòad *n.* Ⓒ 한 수레(의 양) (cartful); 《口》 대량.
car·to·gram [kάːrtəgrӕm] *n.* Ⓒ 통계 지도.
car·to·graph [kάːrtəgrӕf, -grὰːf] *n.* Ⓒ (그림) 지도. **car·tog·ra·pher** [kaːrtάgrəfər/-tɔ́g-] *n.* Ⓒ 지도 제작자. **car·tóg·ra·phy** [-fi] *n.* Ⓤ 지도 제작(법).
car·ton [kάːrtən] *n.* Ⓒ 판지(板紙), 마분지; 두꺼운 종이 상자.
˙**car·toon** [kaːrtúːn] *n.* Ⓒ 《美》 (모자이크·벽화 따위의) (실물 크기의) 밑그림; 풍자화, 시사 만화; (연속) 만화, 만화 영화. ── *vt.* 만화로 풍자하다. **~·ist** *n.* Ⓒ 만화가.
cár·tòp *a.* 자동차 지붕 위에 싣기 알맞은(*a* ~ *canoe*). **~per** *n.* Ⓒ 자동차 지붕 위에 싣고 다닐 수 있는 보트(~ boat).
cár-tràcks *n. pl.* 궤도.
˙**car·tridge** [kάːrtridʒ] *n.* Ⓒ 탄약통, 약포(藥包); (카메라의) 필름통(에 든 필름); (전축의) 카트리지《바늘 꽂는 부분》; (내연 기관의) 기동(起動) 장치.
cártridge bèlt 탄띠.
cártridge bòx 탄약 상자.
cártridge càse 약협(藥莢), 탄피.
cártridge clìp 삽탄자(揷彈子).
cártridge pàper 약협(藥莢) 용지; 도화지.
cárt·wày *n.* Ⓒ 짐(마차) 길.
cárt whèel (짐차의) 바퀴; 옆재주넘기.
cárt whìp (짐마차몰이가 쓰는) 굵은 채찍.
:**carve** [kaːrv] *vt.* (~*d*; 《詩》 ~*n*) ① 자르다, (요리한 고기를) 썰다. ② 파다, 조각하다. ③ (진로를) 트다, 열다. ~ *for oneself* 제멋대로 하다[굴다]. ~ *out* 베어[떼어, 잘라] 내다; 분할하다; 개척하다. ~ *up* (유산·땅 따위를) 가르다. ˙**cárv·er** *n.* Ⓒ 조각가; (요리 고기를) 써는 사람; (*pl.*) 고기 써는 나이프와 포크. ˙**cárv·ing** *n.* Ⓤ 조각; Ⓒ 조각물; Ⓤ 고기 썰어 놓기.
car·vel [kάːrvəl] *n.* =CARAVEL.
carv·en [kάːrvən] *v.* 《詩》 carve의 과거분사. ── *a.* 조각한.
cárving knìfe (식탁용) 고기 썰때 쓰는 큰 나이프.
cár·wàsh *n.* Ⓒ 《美》 세차장; 세차 장치; 세차.
Cas·a·no·va [kӕzənóuvə, -sə-] *n.* Ⓒ (or c-) 엽색(獵色)꾼, 색마.
˙**cas·cade** [kӕskéid] *n., vi.* Ⓒ (계단 모양의) 분기(分岐) 폭포, 작은 폭포(를 이루어 떨어지다); 현애(懸崖)식 가꾸기(의 꽃); 〖電〗 (축전지의) 직렬; 〖컴〗 캐스케이드.
cascáde shòwer 〖理〗 방사선이 단계적으로 입자 수를 늘리어 가는 현상.
cas·car·a [kӕskέərə] *n.* Ⓒ 털갈매나무의 일종.
cascára sa·grá·da [-səgréidə, -grάː-] 털갈매나무의 껍질《완화제》.
†**case**[1] [keis] *n.* ① Ⓒ 경우, 사건. ② 소송. ③ (the ~) 실정, 사정. ④ Ⓒ 실례, 예, 사실(*a* ~ *in point* 적례(適例)). ⑤ Ⓒ 병증(*a bad* [*hard*] ~ 난증(難症)), 환자. ⑥ Ⓒ 〖文〗 격; 《口》 괴짜. *as is often the* ~ *with* …에는 흔히 있는 일이지만. *as the* ~ *may be* 경우에 따라서. *be in good* ~ 어지간히 (잘) 살고 있다. ~ *by* ~ 하나하나, 축조적(逐條的)으로. *drop a* ~ 소송을 취하하다. *in any* ~ 어떤 경우에도, 어떻든, 아무튼. *in* ~ 만일(…한 경우에) (if); …에 대비하여. *in* ~ *of* …한 때[경우]에는. *in nine* ~*s out of ten* 십중팔구. *in no* ~ 결코 …않다. *in the* ~ *of* …에 관해 말하면, …의 입장에서 말하면.
†**case**[2] *n.* Ⓒ ① 상자, 케이스, 갑. ② (칼)집, 자루, 주머니, 통, 용기, 겉싸개, 외피(外被), (시계의) 딱지; 한 벌. ③ 활자 케이스. *upper* [*lower*] ~ 대[소]문자 활자 케이스. ── *vt.* case에 넣다[로 짜다].
cáse·bòok *n.* Ⓒ 판례집, 사례집.
cáse·hàrden *vt.* 〖冶〗 담금질하다《표면을 경화(硬化)하는》; (사람을) 무정하게[무신경하게] 만들다.
cáse hístory [**récord**] 개인 경력[기록]; 병력(病歷).
ca·sein [kéisiːn] *n.* Ⓤ 카세인, 건락소《치즈의 주성분》.
cáse knìfe 집 있는[식탁용] 나이프.
cáse làw 판례법.
˙**case·ment** [kéismənt] *n.* Ⓒ (두 짝) 여닫이 창(의 한 쪽)(~ window); 창틀; 《一般》 창.
cáse méthod 사례 연구 교육법; =CASE SYSTEM.
cáse shòt 산탄(散彈).
cáse stúdy 사례(事例) 연구《사회 조사법의 하나》.
cáse sýstem 〖美法〗 판례주의 교육법(case method).
˙**cáse·wòrk** *n.* Ⓤ 케이스워크《개인이나 가족의 특수 사정에 따라 개별적으로 원조·지도하는 사회사업 활동》. **~er** *n.* Ⓒ 케이스워크를 하는 사람.
cáse·wòrm *n.* Ⓒ 몸 둘레에 집을 짓는 유충《도롱이벌레 따위》.
CASF composite air strike force 〖美軍〗 혼성 공중 기동 공격군.
:**cash** [kӕʃ] *n.* Ⓤ 현금. *be in* [*out of*] ~ 현금을 갖고 있다[있지 않다]. ~ *down* 즉전(卽錢). ~ *in* [*on*] *hand* 현금 시재. ~ *on delivery* 대금 상환 (인도)《생략 C.O.D.》. *hard* ~ 경화(硬貨). ── *vt.* 현금으로 (지불)하다. ~ *in* 《美》 현금으로 바꾸다; 청산하다; 죽다. ~ *in on* 《口》 …로 벌다. ~ *in one's checks* 《美俗》 죽다.
cásh accóunt 현금 계정.
cásh-and-cárry *a.* 《美》 (슈퍼마켓 따위의) 현금 상환 인도의, 현금 판매제의.

cásh·bòok *n.* Ⓒ 현금 출납부.
cásh·bòx *n.* Ⓒ 돈궤, 금고.
cásh càrd 캐시〔현금 인출〕 카드.
cásh crédit 당좌 대부.
cásh cròp 바로 현금으로 바꿀 수 있는 농작물.
cásh díscount 현금 할인.
cásh dìspenser 《英》 현금 자동 지급기.
cash·ew[kǽʃuː/—ˊ] *n.* Ⓒ 캐슈《아메리카 열대 식물; 열매는 식용》.
***cash·ier**[1][kæʃíər] *n.* Ⓒ 출납〔회계〕원(teller); (은행의) 지배인.
cash·ier[2][kæʃíər, kə-] *vt.* (사관·관리를) 면직하다; 내버리다.
cashíer's chéck 자기앞 수표.
cash·mere[kǽʒmiər, kǽʃ-] *n.* Ⓤ (인도 Kashmir 지방산 염소털의) 캐시미어 천.
cásh prìce 현찰 가격.
cásh règister 금전 등록기.
cásh sàle 현찰 판매.
cas·ing[kéisiŋ] *n.* Ⓒ 상자, 싸개; 포장; 창〔문〕틀; 둘러싼 것; 《美》 (타이어의) 외피(外被); Ⓤ 포장재료.
cásing·hèad gàs 유전〔유정(油井)〕 가스.
ca·si·no[kəsíːnou] *n.* (*pl.* **~s**) Ⓒ (춤·도박 따위를 할 수 있는) 오락장, 클럽; =CASSINO.
***cask**[kæsk, -ɑː-] *n.* Ⓒ 통(barrel); 한 통(의 분량).
***cas·ket**[kǽskit, -ɑ́ː-] *n.* Ⓒ (보석·편지용의) 작은 상자; 《美》 관(棺).
Cás·pi·an Séa[kǽspiən-] (the ~) 카스피해, 이해(裏海).
casque[kæsk] *n.* Ⓒ 투구.
Cas·san·dra[kəsǽndrə] *n.* 〖그神〗 카산드라《Troy의 여자 예언자》; Ⓒ 세상에서 믿어 주지 않는 (흉사의) 예언자.
cas·sa·tion[kæséiʃən] *n.* Ⓤ,Ⓒ 〖法〗 파기(破棄). ***Court of C-*** 파기원(院)《프랑스의 최고 법원》.
cas·sa·va[kəsɑ́ːvə] *n.* Ⓒ 〖植〗 카사버《열대 식물; 뿌리의 전분으로 tapioca를 만듦》.
cas·se·role[kǽsəròul] *n.* Ⓒ 뚜껑 달린 찜 냄비; Ⓤ 오지냄비 요리; Ⓒ 《英》 스튜 냄비.
***cas·sette**[kæsét, kə-] *n.* Ⓒ 필름통(cartridge); (보석 따위를 넣는) 작은 상자; (녹음·녹화용의) 카세트.
cassétte tàpe recòrder 카세트식 테이프 리코더.
cas·sia[kǽʃə, -siə] *n.* Ⓤ 계피.
cas·si·mere[kǽsəmiər] *n.* = CASHMERE.
cas·si·no[kəsíːnou] *n.* Ⓤ 카드 놀이의 일종.
Cas·si·o·pe·ia[kæ̀siəpíːə] *n.* 〖天〗 카시오페이아자리.
cas·sock[kǽsək] *n.* Ⓒ (성직자의) 통상복《보통 검은색》.
cas·so·war·y[kǽsəwɛ̀əri] *n.* Ⓒ 〖鳥〗 화식조(火食鳥)《오스트레일리아·뉴기니아산(産)》.
:cast[kæst, -ɑː-] *vt.* (***cast***) ① 던지다(throw); (표를) 던지다; 내던지다, 벗어버리다. ② (광선·그림자·암담한 기분 따위를) 던지다. ③ (눈길을) 향하다, 돌리다. ④ (나무가 덜 익은 과실을) 떨어뜨리다, 짐승이 새끼를 조산하다, 지우다. ⑤ (허물을) 벗다, (뿔을) 갈다(shed). ⑥ (녹인 금속을 거푸집에 부어) 뜨다; 〖印〗 연판으로 뜨다. ⑦ 계산하다. ⑧ 배역(配役)하다. ⑨ 해고하다. — *vi.* ① 주사위를 던지다. ② 낚시줄을 드리우다. ③ 생각〔궁리〕하다; 예상하다. ④ 계산하다. **~ *about*** 찾다; 생각하다. ~ ACCOUNTS. **~ *aside*** (내던져) 버리다, 배척하다. **~ *away*** (내)버리다; 물리치다; 파선시키다. **~ *down*** 태질치다; 낙담시키다. **~ *off*** (벗어) 던지다, (속박에서) 벗어나다; 끝마무르다; 〖海〗 (배를) 풀어놓다. **~ *on*** 재빨리 입다; (뜨개질의) 첫코를 뜨다〔잡다〕. **~ *out*** 내던지다; 쫓아내다. **~ *up*** 던져〔쳐〕올리다; 합계하다(add up). — *n.* Ⓒ ① 던짐; 한 번 던짐; 사정(射程). ② 시도. ③ 거푸집(mold), 주물(鑄物), 주조. ④ 《집합적》 배역. ⑤ 계산, 셈. ⑥ (생긴) 모양; 종류, 타이프. ⑦ 색조, (빛깔의) 기미(tinge). ⑧ (가벼운) 사팔뜨기(slight squint). **~ *of mind*** 기질. ***have a ~ in the eye*** 사팔눈이다. ***the last ~*** 최후의 모험적 시도. — *a.* (말 따위가) 일어설 수 없는 모양의.
cas·ta·net[kæ̀stənét] *n.* Ⓒ (보통 *pl.*) 〖樂〗 캐스터네츠《손에 쥐고 딱딱 소리내는 두 짝의 나무》.
cást·awày *a., n.* Ⓒ 파선한 (사람); 버림받은 (자); 무뢰한.
caste**[kæst, -ɑː-] *n.* Ⓒ 카스트, (인도의) 사성(四姓); Ⓤ 사성제도; Ⓒ 《一般》 특권 계급; Ⓤ 사회적 지위. ***lose ~ 영락하다.
cast·er[kǽstər, -ɑ́ː-] *n.* Ⓒ cast 하는 사람; =CASTOR[2].
cas·ti·gate[kǽstəgèit] *vt.* 매질하다; 징계하다; 혹평하다. **-ga·tion** [ˋ—géiʃən] *n.*
Cas·tíle sóap[kæstíːl-] 캐스틸 비누《올리브유를 주원료로 하는 고급 비누》.
cast·ing[kǽstiŋ, -ɑ́ː-] *n.* Ⓤ 주조; Ⓒ 주물(鑄物); Ⓤ 〖劇〗 배역.
cásting nèt 좽이, 투망(cast net).
cásting vóte 결정 투표《의장이 던짐》.
cást íron 주철(鑄鐵), 무쇠.
cást-íron *a.* 무쇠로 만든; 견고한, 불굴의; (규칙 따위) 융통성 없는.
†cas·tle[kǽsl, -ɑ́ː-] *n.* ① Ⓒ 성; 큰 저택, 누각; (체스의) 성장(城將)《차(車)에 해당》. ② (the C-) 《英》 더블린 성, 아일랜드 정청(政廳). **~ *in the air*** 〔***in Spain***〕 공중 누각, 공상. **~d**[-d] *a.* 성을 두른, 성으로 튼튼히 한, 성이 있는.
cást·òff *a., n.* 벗어버린; Ⓒ 버림받은 사람〔것〕.

Cas·tor[kǽstər, -ɑ́:-] *n.* 〖天〗 쌍둥이자리의 알파성. ~ **and Pollux** 〖그神〗 Jupiter 의 쌍둥이 아들《뱃사람의 수호신; 우애의 전형》.
cas·tor[1][kǽstər, -ɑ́:-] *n.* Ⓒ 해리(海狸), 비버; 해리 털가죽; 해리 가죽 모자; Ⓤ 해리향(香).
cas·tor[2] *n.* Ⓒ 양념 병(cruet); (가구 다리의) 바퀴.
cástor bèan 《美》 아주까리 열매.
cástor óil 아주까리 기름.
cástor-óil plànt 아주까리, 피마자.
cas·trate[kǽstreit] *vt.* 거세하다(geld); 골자를 빼버리다(mutilate); (마땅치 않은 곳을) 삭제하다. **cas·tra·tion**[kæstréiʃən] *n.*

C

cást stéel 주강(鑄鋼).
:cas·u·al[kǽʒuəl] *a.* ① 우연의. ② 뜻하지 않은, 무심결의. ③ 임시의; 《廢》 불확실한. ④ 태평한. ~ **labor-er** 임시 노동자. ~ **wear** 약식 평상복《산책·스포츠용 따위》. ── *n.* Ⓒ 임시 노동자; (*pl.*) 《英》 임시 구제를 받는 사람들. **~·ize**[-àiz] *vt.* (상시 고용자를) 임시 고용자로 하다. * **~·ly** *ad.*
***cas·u·al·ty**[-ti] *n.* Ⓒ 상해, 재해, 재난(mishap); 사상자〔병〕; (*pl.*) 사상자수.
Cásualty Cléaring Stàtion (소개 지역 내의) 상병(傷病) 군인 임시 수용소.
cásualty insùrance 상해 보험.
cas·u·ist[kǽʒuist] *n.* Ⓒ 〖神〗 결의론자(決疑論者); 궤변가(quibbler). **~·ry** *n.* Ⓤ 결의론《개개의 행위를 비판하는 이론》; 궤변.
cas·u·is·tic[kæ̀ʒuístik], **-ti·cal**[-əl] *a.* 결의론적인; 궤변의. **-ti·cal·ly** *ad.*
ca·sus bel·li[kéisəs bélai, kɑ́:səs béli:] (L.) 개전(開戰)의 이유(가 되는 사건·사태).
CAT Civil Air Transport.
†cat[kæt] *n.* Ⓒ ① 고양이; 고양이속(屬)의 동물《사자·표범·범 따위》. ② 메기(catfish). ③ 심술궂고 앙칼진 여자. ④ =CAT-O'-NINE-TAILS. ⑤ 《美俗》 (열광적인) 스윙 연주가, 재즈광(狂). ⑥ 《美俗》 사내 녀석(fellow), 멋쟁이 사내; 룸펜. ***A ~ has nine lives.*** 《속담》 고양이는 목숨이 아홉《질겨서 좀처럼 안 죽는다》. ***A ~ may look at a king.*** 《속담》 고양이도 상감을 뵐 수 있다《누구나 각자에 상당한 권리가 있다》. CARE ***killed the ~. fight like ~s and dogs*** 쌍방이 쓰러질 때까지 싸우다. ***It is enough to make a ~ speak.*** 《英》 (고양이도 한 마디 없을 수 없을 만큼) 기막힌 맛이다《술 따위》. ***It rains ~s and dogs.*** 억수같이 퍼붓는다. ***let the ~ out of the bag*** 《口》 비밀을 누설하다. ***see which way the ~ jumps*** 형세를 관망하다(sit on the fence). ***The ~ jumps.*** 대세가 결정되다. ***turn the ~ in the pan*** 배신하다.

ca·tab·o·lism[kətǽbəlìzəm] *n.* Ⓤ 〖生〗 이화(異化)〔분해〕 작용(opp. anabolism). **cat·a·bol·ic**[kæ̀təbɑ́lik/-ɔ́-] *a.*
cat·a·chre·sis[kæ̀təkrí:sis] *n.* (*pl.* **-ses**[-si:z]) Ⓤ,Ⓒ (말의) 오용.
cat·a·clysm[kǽtəklìzəm] *n.* Ⓒ 홍수(deluge); (지각의) 대변동; (사회·정치상의) 대변혁. **-clys·mal**[kæ̀təklízməl], **-clys·mic**[-mik] *a.*
cat·a·comb[kǽtəkòum] *n.* Ⓒ (보통 *pl.*) 지하 묘지.
ca·tad·ro·mous[kətǽdrəməs] *a.* (물고기가) 강류성(降流性)의.
cat·a·falque[kǽtəfæ̀lk] *n.* Ⓒ 영구대(靈柩臺); 영구차.
cat·a·lase[kǽtəlèis] *n.* Ⓤ 〖生化〗 카탈라아제《과산화수소를 물과 산소로 분해하는 효소》.
cat·a·lec·tic[tæ̀təléktik] *a., n.* Ⓒ 〖韻〗 각운(脚韻)이 1음절 적은 (행).
cat·a·lep·sy[kǽtəlèpsi], **-sis**[kæ̀təlépsis] *n.* Ⓤ 〖醫〗 경직증.
:cat·a·log(ue)[kǽtəlɔ̀:g, -lɑ̀g/-lɔ̀g] *n.* Ⓒ 목록, 카탈로그; 《美》 (대학 등의) 편람(便覽); 〖컴〗 목록, 카탈로그. ── *vt.* 카탈로그로 만들다〔에 올리다〕; 분류하다.
ca·ta·logue rai·son·né [-rèizənéi] (F.) 해설 붙은 분류 목록.
ca·tal·pa[kətǽlpə] *n.* Ⓒ 〖植〗 개오동 나무.
ca·tal·y·sis[kətǽləsis] *n.* (*pl.* **-ses**[-sì:z]) Ⓤ 〖化〗 접촉 반응; Ⓒ 유인(誘因). **cat·a·lyst**[kǽtəlist] *n.* Ⓒ 촉매, 접촉 반응제. **cat·a·lyt·ic**[kæ̀təlítik] *a.*
cat·a·lyze[kǽtəlàiz] *vt.* 〖化〗 (…에) 촉매작용을 하다.
cat·a·ma·ran[kæ̀təmərǽn] *n.* Ⓒ 뗏목; (두 척을 나란히 연결한) 안정선(船); 《口》 앙알거리는 여자.
cat·a·me·ni·a[kæ̀təmí:niə] *n.* *pl.* 월경(menses).
cat·a·mite[kǽtəmàit] *n.* Ⓒ 면《남색의 상대자》, 미동.
cat·a·mount[kǽtəmàunt] *n.* Ⓒ 고양잇과의 야생 동물《퓨마 등》.
cát-and-dóg *a.* 사이가 나쁜(~ *life* 아웅다웅하는 (부부) 생활); 《俗》 (증권 따위가) 투기적인.
cát and móuse 〔**rát**〕 (여럿이 원형으로 손을 잡고 도망다니는 아이는 손을 들어 통과시키고 쫓는 아이는 손을 내려 방해하는) 아이들의 놀이.
***cat·a·pult**[kǽtəpʌ̀lt] *n.* Ⓒ 〖史〗 쇠뇌, 투석기(投石機), (돌던지는) 새총; 〖空〗 캐터펄트《함재기 사출 장치》. ── *vi., vt.* 투석기로〔새총으로〕 쏘다; 발사〔사출〕하다.
***cat·a·ract**[kǽtərǽkt] *n.* ① Ⓒ 큰 폭포; 호우(豪雨); 분류(奔流), 홍수. ② Ⓤ,Ⓒ 〖醫〗 (눈의) 백내장(白內障).
***ca·tarrh**[kətɑ́:r] *n.* Ⓤ 〖醫〗 카타르; 《英》 감기. **~·al**[-əl] *a.*
***ca·tas·tro·phe**[kətǽstrəfi] *n.* Ⓒ ① (희곡의) 대단원(*dénouement*); (비극의) 파국. ② 대이변, 큰 재변,

파멸. **cat·a·stroph·ic**[kæ̀təstrɑ́fik/-ɔ́-] *a.*
cat·a·to·ni·a[kæ̀tətóuniə] *n.* Ⓤ 〖醫〗 긴장병.
Ca·taw·ba[kətɔ́:bə] *n.* Ⓒ 카토바 포도《북미산》; Ⓤ 카토바 포도주.
cát·bìrd *n.* Ⓒ 〖鳥〗 (북아메리카산의) 개똥지빠귀.
cát·bòat *n.* Ⓒ 외대박이 작은 배.
cát búrglar (2층 따위 높은 곳으로부터 침입하는) 도둑, 강도.
cát·càll *vi., vt.,* 야유하다. ── *n.* Ⓒ (집회·극장 등에서 고양이 소리로) 야유하는 소리, 휘파람.
†**catch**[kætʃ] *vt.* (**caught**) ① (붙)잡다, 붙들다; 집다, 잡다(take). ② (…하고 있는 것을) 발견하다, 보다. ③ 뒤따라 미치다. ④ (폭풍우가) 휩쓸다. ⑤ (기차에) 때맞추다, 대다. ⑥ 움켜잡다, 휘감다; (던진 것을) 받다. ⑦ 맞(히)다, (주먹을) 먹이다(give). ⑧ (…에) 감염하다(~ *a bad cold* 악성 감기에 걸리다). ⑨ 불이 붙다, 불이 옮아 번지다. ⑩ (주의를) 끌다. ⑪ 이해하다, 알다(get). ⑫ (벌을) 받다. ── *vi.* ① (붙)잡으려고 하다, 이해하려고 하다(*at*). ② (자물쇠가) 걸리다; 휘감기다; (목소리가) 잠기다. ③ 불이 붙다. ④ 감염하다. ***be caught in*** (*the rain, a trap*) (비를) 만나다; (함정·올가미에) 걸리다. ***~ as ~ can*** 닥치는 대로[기를 쓰고] 붙들다[덤비다]. ***~*** (*a person*) ***a blow on the head*** (아무의) 머리를 치다. ***~ a person at*** [***in*** (do***ing***)] …하고 있는 것을 붙들다(*C- me at it!*=I'll never do it.). ***~ at a*** STRAW. ***~ it*** 《口》 야단맞다. ***C- me!*** 내가 그런 일을 할 것 같아! ***~ off*** 잠들다. ***~ on*** 《口》 인기를 얻다, (연극이) 히트하다; 《美》 이해하다. ***~ out*** 〖野〗 (공을 잡아 타자를) 아웃시키다. ***~ up*** 뒤따라 미치다, 호각(互角)이 되다(*on, to, with*); (이야기하는 사람을) 훼살을 놓다, 질문 공세를 펴다(heckle), (상대방의 말을) 중도에 꺾다. ***~ you later*** 《口》 안녕. ── *n.* ① Ⓒ (붙)잡음, 포획; 포구(捕球) 포수(捕手); Ⓤ 캐치볼(*play* ~). ② Ⓒ 《口》 좋은 결혼 상대; 발굴물, 횡재. ③ Ⓒ 손잡이; 걸쇠; 《口》 올가미, 함정, 트릭; (목소리·숨의) 걸림. ④ Ⓒ 〖樂〗 윤창곡(輪唱曲), 가끔. ***by ~es*** 때때로. ***no ~ =not much of a ~*** 대단치 않은 물건, 별 것 아닌 것.
cátch·àll *n.* Ⓒ 잡동사니 넣는 그릇, 잡낭; 포괄적인 것.
cátch-as-càtch-cán *n., a.* Ⓤ 랭카셔식 레슬링; 수단을 가리지 않는; 함부로의, 되는 대로의.
‡**catch·er**[⌐ər] *n.* Ⓒ 잡는 사람[도구]; 〖野〗 포수, 캐처.
catch·ing[⌐iŋ] *a.* 전염성의; 마음을 빼앗는.
「제; 선전 문구.
cátch·lìne *n.* Ⓒ (주의를 끄는) 표
catch·ment[⌐mənt] *n.* Ⓤ 집수(集水); Ⓒ 집수량(*a ~ area* 집수지역, 유역); 저수지.
cátch·pènny *n., a.* 값싼, Ⓒ 굴퉁이(의), 값싸고 번드르르한(것).
cátch phràse 주의를 끄는 문구, 캐치프레이즈, 표어.
cátch-22[⌐twèntitú:] *n.* Ⓒ 《俗》 (희생자는 보상받지 못한다는) 딜레마, 곤경《H. Heller의 작품에서》.
catch·up[kǽtʃəp, kétʃ-] *n.* Ⓤ 《美》 케첩(catsup).
cátch-ùp *n.* Ⓤ 격차 해소, 회복.
cátch·wèight *n.* Ⓤ 〖競〗 (규정에 구애받지 않는) 선수의 체중. ── *a., ad.* 무차별제의[로].
cátch·wòrd *n.* Ⓒ 표어(slogan); (연극 대사에서) 상대 배우가 이어받게 되는 계기 말; (사전의) 난외(欄外) 표제어.
catch·y[⌐i] *a.* 외우기 쉬운; 매력 있는; 미혹시키는.
cate[keit] *n.* Ⓒ (보통 *pl.*) 《古》 진미(珍味), 미식.
cat·e·chet·ic[kæ̀təkétik], **-i·cal** [-əl] *a.* 문답식(교수법)의; 〖宗〗 교리 문답의.
cat·e·chism[kǽtəkìzəm] *n.* Ⓒ 교리 문답서; 문답집; 연속적 질문. **-chist** *n.* Ⓒ 문답 교수자; 전도사.
cat·e·chize, -chise[kǽtəkàiz] *vt.* 문답으로 가르치다; 세세한 점까지 질문하다. **-chiz·er** *n.*
cat·e·chu·men [kæ̀təkjú:mən/-men] *n.* Ⓒ 〖宗〗 (교의(敎義) 수강중의) 예비 신자; 초심자, 입문자.
cat·e·gor·i·cal[kæ̀təgɔ́:rikəl/-ɔ́-] *a.* 범주(範疇)의; 절대적인, 무조건의; 명백한; 〖論〗 단언적인. **~·ly** *ad.* **~·ness** *n.*
categórical impérative (칸트 철학에서) 지상 명령《양심의》.
***cat·e·go·ry**[kǽtəgɔ̀:ri/-gəri] *n.* Ⓒ 부류, 부문(class); 〖論〗 범주.
cat·e·nar·y[kǽtənèri/kətí:nəri] *n., a.* Ⓒ 쇠사슬 모양(의); 〖數〗 현수선(懸垂線)(의).
cat·e·nate[kǽtənèit] *vt.* 사슬꼴로 연결하다, 연속하여 사슬로 하다, 연쇄하다. **càt·e·ná·tion** *n.*
ca·ter[kéitər] *vi.* 음식을[식사를] 조달하다, 제공하다(*for*); 오락을 제공하다(*for, to*). **~·er** *n.* Ⓒ 음식[식사] 제공인; 음식점[다방] 경영자.
cat·er-cor·nered [kǽtərkɔ̀:rnərd] *a., ad.* 대각선의[으로].
‡**cat·er·pil·lar**[kǽtərpìlər] *n.* Ⓒ ① 모충(毛蟲), 풀쐐기. ② 욕심쟁이. ③ 무한궤도.
cat·er·waul[kǽtərwɔ̀:l] *vi.* (고양이가) 야옹야옹 울다, 으르렁대다. ── *n.* Ⓒ 고양이의 울음 소리.
cát fight 서로 맹렬히 으르렁거림.
cát·fish *n.* Ⓒ 〖魚〗 메기.
cát·gùt *n.* Ⓤ (현악기·라켓의) 줄, 장선, 거트.
***ca·thar·sis**[kəθɑ́:rsis] *n.* Ⓤ,Ⓒ 〖醫〗 (위·장(腸)의) 세척(洗滌), 배변(排便); 〖哲〗 카타르시스, 정화(淨化)(emotional relief)《걸작 비극 등이

C

끼치는 효과》.
Cath. cathedral; catholic.
ca·thar·tic[kəθáːrtik], **-ti·cal**[-əl] *n.* Ⓒ 하제(下劑). ―*a.* 통리(通利)의, 설사의.
Ca·thay [kæθéi, kə-] *n.* 《古·詩》「=CHINA.
cát·hèad *n.* Ⓒ 〖海〗 (이물 양쪽의) 닻걸이, 양묘가(揚錨架).
ca·the·dra[kəθíːdrə] *n.* (L.) Ⓒ (bishop의) 교좌(教座); 교수의 의자. ***ex*** ~ 권위에 의한.
:ca·the·dral [kəθíːdrəl] *n.* Ⓒ (cathedra가 있는) 대성당; 대회당.
Cath·er[kǽðər], **Willa**(1873-1947) 영국 여류 소설가.
cath·e·ter[kǽθitər] *n.* Ⓒ 〖醫〗 카테터, 도뇨관(導尿管). **~·ize**[-ràiz] *vt.* (…에) 카테터를 꽂다.
cath·ode[kǽθoud] *n.* Ⓒ 〖電〗 (전해조·전자관의) 음극(opp. anode); (축전지 따위의) 양극.
cáthode ràу 음극선.
cáthode-ràу tùbe 브라운관.
:cath·o·lic[kǽθəlik] *a.* 전반[보편]적인; 도량[속]이 넓은, 관대한; (C-) 가톨릭[천주](교)의. ― *n.* Ⓒ (C-) 가톨릭 교도; 구교도. ***Ca·thol·i·cism**[kəθáləsìzəm/-ɔ́-] *n.* Ⓤ 가톨릭[천주]교(의 교의·신앙·조직). **~·i·ty**[kæθəlísəti] *n.* Ⓤ 보편성; 관용; 도량; (C-) =CATHOLICISM.
Cátholic Chúrch, the (로마) 가톨릭 교회.
Cátholic Epístles 〖聖〗 공동 서한《James, Peter, Jude 및 John 이 평신도에게 준 일곱 가지 교서》.
ca·thol·i·cize[kəθáləsàiz/-ɔ́-] *vt., vi.* 일반화하다; (C-) 가톨릭교적으로 하다[되다].
cát·hòuse *n.* Ⓒ 《美俗》 매춘굴.
cat·i·on[kǽtàiən] *n.* Ⓒ 〖化〗 양(陽) 이온(cf. anion).
cat·kin[kǽtkin] *n.* Ⓒ 〖植〗 (버드나무 따위의) 유제화서(柔荑花序).
cát·lìke *a.* 고양이 같은; 재빠른.
cát·mìnt *n.* 《英》 =CATNIP.
cát·nàp *n., vi.* (*-pp-*) Ⓒ 걸잠[풋잠] (들다).
cát·nìp *n.* Ⓤ 〖植〗 개박하.
càt-o'-níne-tàils *n.* Ⓒ *sing.* & *pl.* 아홉 가닥 끈 채찍.
cát's cràdle 실뜨기 (놀이).
cát's-èye *n.* Ⓒ 묘안석(猫眼石); 야간 반사 장치《횡단 보도 표지·자전거 후미(後尾) 따위의》.
cát's mèat 고양이 먹이의 고기《지스러기 고기나 말고기》; 하치 고기.
cát's-pàw *n.* Ⓒ 앞잡이(로 쓰이는 사람)(tool); (해면에 잔 물결을 일으키는) 연풍.「CATCHUP.
cat·sup [kǽtsəp, kétʃəp] *n.* =
cat('s) whìsker 광석 수신기나 전자 회로 접속용의 가는 철사.
cát·tàil *n.* Ⓒ 〖植〗 부들.
cat·tish[kǽtiʃ] *a.* 고양이 같은; (여성의 언동 등이) 교활한.
:cat·tle[kǽtl] *n.* 《집합적; 복수 취급》 ① 《美》 소, 축우. ② 《稀》 가축(livestock). ③ (사람을 경멸적으로) 개새끼들.
cáttle brèeding 목축(업).
cáttle-càke *n.* Ⓤ 《英》 가축용 고형 사료.
cáttle lèader 쇠코뚜레.
cáttle-lìfter *n.* Ⓒ 소 도둑.
cát·tle·man[-mən] *n.* Ⓒ 《美》 목축업자, 목장 주인.
cáttle pèn 외양간, 가축 우리.
cáttle shòw 축우[가축] 품평회.
cat·tle·ya[kǽtliə] *n.* Ⓒ 〖植〗 카틀레야《양란(洋蘭)의 일종》.
cat·ty[kǽti] *a.* = CATTISH.
cat·ty-cor·nered[kǽtikɔ̀ːrnərd] *a., ad.* 《美》 = CATER-CORNERED.
CATV community antenna television 유선[공동 안테나] 텔레비전.
cát·wàlk *n.* Ⓒ 좁은 도로.
Cau·ca·sia[kɔːkéiʒə, -ʃə/-zjə] *n.* 코카서스《흑해와 카스피해와의 중간 지방》. **~n**[-n] *a., n.* 코카서스의; Ⓒ 코카서스 사람(의); 백인(의).
***Cau·ca·sus**[kɔ́ːkəsəs] *n.* (the ~) 코카서스 산맥[지방].
cau·cus[kɔ́ːkəs] *n., vi.* Ⓒ 《집합적》 (정당 따위의) 간부회(를 열다).
cau·dal[kɔ́ːdəl] *a.* 꼬리의[같은](*a ~ fin*); 미부의.
cau·date[kɔ́ːdeit] *a.* 꼬리가 있는.
†caught[kɔːt] *v.* catch의 과거·과거분사.
caul[kɔːl] *n.* Ⓒ 〖解〗 대망(大網); (태아의) 양막의 일부; 헤어네트; 부인모(帽)의 후부.「DRON.
caul·dron [kɔ́ːldrən] *n.* = CAL-
***cau·li·flow·er**[kɔ́ːləflàuər] *n.* Ⓒ 〖植〗 콜리플라워《양배추의 일종》.
cáuliflower éar (권투 선수 등의 상한) 찌그러진 귀.
caulk[kɔːk] *v.* = CALK[1].
caus·al[kɔ́ːzəl] *a.* 원인의, 인과율의. **~·ly** *ad.*
cau·sal·i·ty[kɔːzǽləti] *n.* Ⓤ 원인 작용, 인과 관계. ***law of*** ~ 인과율.
cau·sa·tion[kɔːzéiʃən] *n.* Ⓤ 원인(이 됨); 인과 관계; 결과를 낳음. ***law of*** ~ 인과율.
caus·a·tive[kɔ́ːzətiv] *a.* 원인이 되는, 일으키는(*of*); 〖文〗 사역의. ― *n.* =∠ **vèrb** 사역 동사《make, let, get 따위》. **~·ly** *ad.* 원인으로서; 사역적으로.
†cause[kɔːz] *n.* ① Ⓤ,Ⓒ 원인; Ⓤ 이유, 동기(*for*). ② Ⓒ 소송(의 사유); 사건; 문제. ③ Ⓒ 대의(大義), 주의, 주장; 명분; 운동. ***in the ~ of*** …을 위해서. ***make common ~ with*** …와 협력하다, …에(게) 편들다. ***plead a ~*** 소송의 이유를 개진하다. ***the first ~*** 제일 원인; (the F- C-) 조물주, 하느님. ― *vt.* 야기시키다; …시키다(~ *him to do...*). **∠·less** *a.* 이유[원인] 없는, 우발적인. **∠·less·ly** *ad.*
cause cé·lè·bre[kɔ́ːz səlébrə] (F.) 유명한 소송 사건.
cau·se·rie[kòuzəríː] *n.* (F.) Ⓒ

한담(閑談)(chat), 담론; 문예 수필.
cause·way[kɔ́:zwèi] *n.* Ⓒ (습지 따위 사이의) 두렁길; (높인) 인도.
caus·tic[kɔ́:stik] *a.* 부식성의(corrosive), 가성(苛性)의; 신랄한, 빈정대는. ~ ***silver*** 질산은(窒酸銀). ~ ***soda*** 가성소다. — *n.* Ⓤ,Ⓒ 부식제(劑); 빈정댐.
cáustic líme 생석회.
cau·ter·ize[kɔ́:təràiz] *vt.* (달군 쇠나 바늘로) 지지다; 마비시키다; 뜸질하다; 부식시키다. **-i·za·tion**[kɔ̀:tərizéiʃən] *n.*
cau·ter·y[kɔ́:təri] *n.* Ⓤ 소작(燒灼)법, 뜸질; Ⓒ 소작 기구.
:**cau·tion**[kɔ́:ʃən] *n.* ① Ⓤ 조심(스럼), 신중함. ② Ⓒ 경계, 경고. ③ (a ~) 《口》 묘한 녀석; 야릇한[기발한] 것. — *vt.* (…에게) 경고[충고]하다. ~·**ar·y**[-èri/-əri] *a.* 경고의, 교훈의.
:**cau·tious**[kɔ́:ʃəs] *a.* 조심스러운, 신중한. *~·**ly** *ad.* ~·**ness** *n.*
cav·al·cade[kæ̀vəlkéid] *n.* Ⓒ 기마 행렬[행진]; 행렬, 퍼레이드.
***cav·a·lier**[kæ̀vəlíər] *n.* Ⓒ ① 기사. ② (귀부인의) 시중 드는 남자, 춤 상대; 명랑하고 스마트한 군인; 상냥한 남자; 정중한 신사. ③ (C-) (Charles 시대의) 왕당원. — *a.* 무관심한, 돈단무심의; 거만한. ~·**ly** *ad., a.* 가사답게[다운].
***cav·al·ry**[kǽvəlri] *n.* Ⓤ 《집합적》 기병(대).
cav·al·ry·man[-mən] *n.* Ⓒ 기병.
cav·a·ti·na[kæ̀vətí:nə] *n.* (It.) Ⓒ 〖樂〗 카바티나, 짧은 서정 가곡.
:**cave**[keiv] *n.* Ⓒ 굴, 동굴; (토지의) 함몰; 《俗》 어두운 말. — *vi., vt.* 함몰하다(*in*); 《口》 항복하다[시키다]; 움푹 들어가(게 하)다.
ca·ve·at[kéiviæ̀t] *n.* (L.) Ⓒ 경고; 〖法〗 절차 정지 신청.
càveat émp·tor[-émptɔ:r] (L.) 〖商〗 매주(買主)의 위험 부담.
cáve dwèller (선사 시대의) 동굴 거주인; 《北》 원시인.
cáve-ìn *n.* Ⓒ 함몰(지점).
cáve màn 혈거인; 야인.
cav·en·dish[kǽvəndiʃ] *n.* Ⓤ 판(板)담배《단맛을 가하여 판처럼 압축한 씹는 담배》.
***cav·ern** [kǽvərn] *n.* Ⓒ 동굴, 굴 (large cave). ~·**ous** *a.* 동굴이 많은; 움푹 들어간[팬].
cav·i·ar(e)[kǽviɑ̀:r, ㅅ-ㄹ] *n.* Ⓤ 철갑상어의 알젓. ~ ***to the general*** 너무 고상해 세속에 안 맞는 것.
cav·il[kǽvəl] *n., vi.* (《英》 -**ll**-) Ⓒ 흠[탈]잡음, 흠[탈]잡다(carp)(*at, about*).
***cav·i·ty**[kǽvəti] *n.* Ⓒ 어웅하게 뚫림, 구멍, 굴; 〖解〗 (체)강(腔).
ca·vort[kəvɔ́:rt] *vi.* 《美口·英俗》 껑충거리다, 뛰다; 활약하다.
CAVU ceiling and visibility unlimited 〖空〗 시계(視界) 양호.
ca·vy[kéivi] *n.* Ⓒ 〖動〗 기니피그, 모르모트.
caw[kɔ:] *vi.* (까마귀가) 깍깍 울다. — *n.* Ⓒ 까마귀 우는 소리.
Cax·ton[kǽkstən], **William** (1422?-91) 영국 최초의 인쇄업자.
cay[kei, ki:] *n.* Ⓒ 암초(reef); 낮은 섬, 사주(砂洲).
cay·enne[keién, kai-] *n.* Ⓒ 고추.
cayénne pépper =⇧.
cay·man[kéimən] *n.* (*pl.* ~**s**) Ⓒ 〖動〗 아메리카악어.
cay·use[káijù:s, ㅡㄹ] *n.* Ⓒ (북미 토인의) 조랑말; 《一般》 말.
CB convertible bonds 전환 사채. **C.B.** Companion of the Bath; confined to barracks. **Cb** 〖化〗 columbium. **CBC** Canadian Broadcasting Corporation. **C.B.D.** cash before delivery 〖商〗 출하(出荷) 전 현금지불.
C-bòmb(<cobalt bomb) *n.* Ⓒ 코발트 폭탄.
CBR chemical, biological and radiological 화생방의. **C.B.S.** Columbia Broadcasting System. **CBW** chemical and biological warfare. **C.C., c.c.** city council; country council; carbon copy. **cc.** chapters. **cc, c.c.** cubic centimeter(s). **CCD** Civil Censorship Department. **C.C.S.** Casualty Clearing Station. **CCTV** closed circuit television. **CCUS** Chamber of Commerce of the United States. **CD** Compact disc. **Cd** 〖化〗 cadmium. **C.D.** 《英》 Civil Defence. **cd.** cord(s). **CDM** cold dark matter. **CDMA** code division multiple access. **Cdr.** Commander. **CD-ROM** compact disc read-only memory. **CDT** 《美》 Central Daylight Time. **CDU, C.D.U.** Christian Democrat(ic) Union. **Ce** 〖化〗 cerium. **C.E.** Church of England; Civil Engineer; Council of Europe 유럽회의. **CEA** 《美》 Council of Economic Advisers.
:**cease**[si:s] *vi., vt.* 그치다, 끝나다; 그만두다, 멈추다, 중지하다. — *n.* Ⓤ 중지, 중단. ***without*** ~ 끊임없이.
céase-fíre *n.* Ⓒ 정전(停戰).
***cease·less**[sí:slis] *a.* 끊임없는. ~·**ly** *ad.* 끊임없이.
ce·cum[sí:kəm] *n.* (*pl.* -**ca**[-kə]) Ⓒ 〖醫〗 맹장.
CED Committee for Economic Development 《美》 경제 개발 위원회.
***ce·dar**[sí:dər] *n.* Ⓒ (히말라야) 삼목.
cédar bird 〔**wáxwìng**〕 〖鳥〗 황여새.
ce·darn[sí:dərn] *a.* 《詩》 cedar(s)의, cedar 재의.
cede[si:d] *vt.* (권리 따위를) 이양하다, 양도하다.

C

ce·dil·la[sidílə] *n.* Ⓒ 세딜라《façade, François 따위의 c 밑의 부호; c가 a, o, u 앞에서 [s] 로 발음됨을 표시》.
CEEB 《美》 College Entrance Examination Board 대학 입학 시험 위원회.
ceil[si:l] *vt.* (…에) 천장을 대다.
†**ceil·ing**[sí:liŋ] *n.* Ⓒ ① 천장(널). ② 한계; 〖空〗 상승 한도.
céiling prìce 최고 가격.
cel·a·don[sélədàn, -dn/-dɔ̀n] *n., a.* Ⓤ 청자색(의).
cel·an·dine[séləndàin] *n.* Ⓒ 〖植〗 애기똥풀《노란꽃이 핌》; 미나리아재비의 일종.
Cel·a·nese[sélənì:z, ⌐-⌐] *n.* Ⓤ 〖商標〗 셀러니즈《인견의 일종》.
Cel·e·bes[séləbì:z, səlí:biz] *n.* 셀레베스 섬.
cel·e·brant[séləbrənt] *n.* Ⓒ (미사) 집전 사제(司祭); 축하자.
‡**cel·e·brate**[séləbrèit] *vt.* ① (의식 따위를) 거행하다(perform); 경축하다. ② 찬양〔찬미〕하다; 기리다. — *vi.* 식을 거행하다; 흥청거리며 떠들다. ‡**-brat·ed**[-id] *a.* 유명한. **-bra·tor**[-ər] *n.* Ⓒ 축하하는 사람. ‡**-bra·tion**[⌐-bréiʃən] *n.* Ⓤ 축하; 칭찬; Ⓒ 축전, 의식.
***ce·leb·ri·ty**[səlébrəti] *n.* Ⓤ 명성(fame); Ⓒ 명사(名士).
ce·ler·i·ty[səlérəti] *n.* Ⓤ 빠르기; 속도; 신속.
***cel·er·y**[séləri] *n.* Ⓒ 〖植〗 셀러리.
ce·les·ta[siléstə] *n.* Ⓒ 첼레스타《종소리 같은 소리를 내는 작은 건반악기》.
ce·les·tial**[səléstʃəl] *a.* 하늘의; 천상(天上)의; 신성한. ~ ***body 천체. — *n.* Ⓒ 천인, 천사; (C-) 중국인. ~**·ly** *ad.*
Celéstial Émpire, the 왕조 시대의 중국.
celéstial guídance 〖로켓〗 천측(天測) 유도.
celéstial mechánics 천체 역학.
celéstial navigátion 천문 항법.
ce·li·ac[sí:liæ̀k] *a.* 〖解〗 복강〔배〕의. ~ ***disease*** 〖醫〗 소아 지방변증.
cel·i·ba·cy[séləbəsi] *n.* Ⓤ 독신 생활.
cel·i·bate[séləbit] *a., n.* 독신(주의)의; Ⓒ 독신자〔주의자〕.
‡**cell**[sel] *n.* Ⓒ ① 작은 방, (교도소의) 독방; 《詩》 무덤. ② (벌집의) 봉방. ③ 전지(電池); 〖化〗 전해조(電解槽). ④ 〖生〗 세포; (정치단체의) 세포. ⑤ 〖컴〗 낱칸, 셀《비트 기억 소자》.
‡**cel·lar**[sélər] *n.* ① Ⓒ 지하실, 땅광. ② Ⓒ 포도주 저장실. ③ Ⓤ 저장 포도주. ***from ~ to attic*** 집안 구석구석 까지. ***keep a good*** 〔***small***〕 ~ 포도주의 저장이 많다〔적다〕. ~**·age**[sélərid͡ʒ] *n.* Ⓤ 《집합적》 지하실(cellars); 지하실 사용료.
céll biólogy 세포 생물학.
céll divìsion 〔**mèmbrane, wàll**〕 세포 분열〔막〕.
cel·list[tʃélist] *n.* Ⓒ 첼로 연주가.
***cel·lo**[tʃélou] *n.* (*pl.* ~**s**) Ⓒ 첼로《violoncello의 단축》.
cel·lo·phane[séləfèin] *n.* Ⓤ 셀로판.
cel·lu·lar[séljələr] *a.* 세포로 된, 세포(모양)의; 구획된.
céllular phóne 〔**télephone**〕 소형 휴대 이동 전화기.
cel·lule[sélju:l] *n.* Ⓒ 〖生〗 작은 세포.
***cel·lu·loid**[séljəlɔ̀id] *n.* Ⓤ 셀룰로이드, 영화. — *a.* 《美》 영화의.
***cel·lu·lose**[séljəlous] *n.* Ⓤ 섬유소(素).
cel·lu·lous[séljələs] *a.* 세포가 많은, 세포로 이루어진.
***Celt**[selt, k-] *n.* Ⓒ 켈트 사람, (the ~s) 켈트족《Ireland, Wales, Scotland 등지에 삶》. ***Célt·ic** *n., a.* Ⓤ 켈트말(의), 켈트족의.
Celt. Celtic.
‡**ce·ment**[simént] *n.* Ⓤ 시멘트; 접합제; (우정 따위의) 유대. — *vt., vi.* 접합하다, 결합하다(unite); (우정 따위를) 굳게 하다.
‡**cem·e·ter·y**[sémətèri/-tri] *n.* Ⓒ 공동묘지, 매장지(graveyard).
cen. central; century.
ce·no·bite[sénəbàit, sí:-] *n.* Ⓒ 수도사.
cen·o·taph[sénətæ̀f, -à:-] *n.* Ⓒ 기념비; (the C-) (런던의) 세계대전 영령 기념비.
Ce·no·zo·ic[sì:nəzóuik, sèn-] *n., a.* (the ~) 〖地〗 신생대(의), 신생대층.
cen·ser[sénsər] *n.* Ⓒ 향로(香爐)《쇠사슬에 매달아 흔드는》.
***cen·sor**[sénsər] *n.* ① Ⓒ (고대 로마의) 감찰관. ② Ⓒ 검열관; 풍기 단속원, 까다롭게 구는 사람. ③ Ⓤ 〖精神分析〗 잠재의식 억압력(censorship). — *vt.* 검열하다. * ~**·ship**[-ʃìp] *n.* Ⓤ 검열; 검열관의 직(무); =CENSOR ③.
cen·so·ri·al[sensɔ́:riəl] *a.* 검열(관)의.
cen·so·ri·ous[-riəs] *a.* 잔소리가 심한, 까다로운; 혹평하는(hypercritical). ~**·ly** *ad.*
cen·sure**[sénʃər] *n.* Ⓤ 비난, 견책, 혹평. ***hint ~ of …을 풍자하다. — *vt.* 비난하다(blame), 견책하다(reprimand); 혹평하다. **cén·sur·a·ble** *a.* 비난할 (만한).
***cen·sus**[sénsəs] *n.* Ⓒ 국세〔인구〕조사.
‡**cent**[sent] *n.* Ⓒ 센트《미국과 캐나다의 화폐 단위; 1센트 동전; 백분의 1달러》. ***feel like two ~s*** 《美》 부끄럽다.
cent. centigrade; central.
cen·taur[séntɔ:r] *n.* Ⓒ 〖그神〗 반인반마(半人半馬)의 괴물; (the C-) 〖天〗 켄타우루스자리.

cen·ta·vo[sentáːvou] *n.* (*pl.* ~*s*) Ⓒ 남아메리카 제국(諸國)·필리핀 등지의 화폐 단위《백분의 1 페소》.
cen·ten·a·ri·an [sèntənέəriən/-néər-] *a., n.* Ⓒ 백 살의 (사람).
*__cen·ten·ary__[senténəri, séntənèri/sentíːnəri] *a.* 백의, 백 년(마다)의. — *n.* Ⓒ 백 년간; 백년제(祭).
*__cen·ten·ni·al__[senténiəl] *a.* 백년제(祭)의; 백 년(마다)의; 백 살[세]의. — *n.* Ⓒ 백년제. ~·**ly** *ad.* 백년마다.
Centénnial Státe, the 《美》 Colorado주의 딴 이름.
†**cen·ter,** 《英》 **-tre**[séntər] *n.* ① Ⓒ (보통 the ~) 중심, 중앙; 핵심, 중추. ② Ⓒ 중심지[인물]. ③ Ⓤ 〖政〗 중간[중도]파. ***catch on*** (***the***) ~ 《美》 (피스톤이) 중앙에서 서다; 《比》 이러지도 저러지도 못 하게 되다. ~ ***field*** 〖野〗 센터(필드). ~ ***of gravity*** 중심(重心). — *vi., vt.* 집중하다(*in, at, on, about, around*).
cénter bìt 〖機〗 타래 송곳.
cénter·fòld *n.* Ⓒ (잡지 따위의) 접어서 넣은 광고; 중앙 페이지의 좌우 양면 광고.
cénter làne 《美》 (홀수 차선의) 중앙 차선, 가변 차선.
cénter·pìece *n.* Ⓒ 식탁 중앙에 놓는 장식물《유리 제품, 레이스 따위》, (천장의) 중앙부 장식.
cen·tes·i·mal[sentésəməl] *a.* 백분의 1의; 백진(법)의.
cen·ti-[sénti, -tə] '100, 100분의 1' 의 뜻의 결합사.
*__cénti·gràde__ *a.* 백분도의; 섭씨의《생략 C.》.
céntigrade thermómeter 섭씨 온도계.
cénti·gràm, 《英》 **-gràmme** *n.* Ⓒ 센티그램.
cénti·lìter, 《英》 **-tre** *n.* Ⓒ 센티리터.
cen·time[sɑ̃ːntiːm] *n.* (F.) Ⓒ 상팀《백분의 1 프랑》.
:**cénti·mèter,** 《英》 **-tre** *n.* Ⓒ 센티(미터).
cen·ti·mo[séntəmòu] *n.* (*pl.* ~*s*) Ⓒ 스페인·베네수엘라 등의 화폐 단위《백분의 1 페세타》.
*__cen·ti·pede__[-pìːd] *n.* Ⓒ 지네.
CENTO, Cento[séntou] Central Treaty Organization 중앙 조약 기구(1959-79).
:**cen·tral**[séntrəl] *a.* 중심(center)의; 중앙의; 주요한. — *n.* Ⓒ 《美》 전화 교환국; 교환수(operator). ~·**ly** *ad.* 중심[중앙]에.
Céntral Áfrican Repúblic, the 중앙 아프리카 공화국.
céntral alárm sỳstem 중앙 경보 장치《비상시 경찰이나 경비 회사에 자동적으로 통보됨》.
Céntral América 중앙 아메리카.
Céntral Ásia 중앙 아시아.
céntral bánk 중앙 은행.
céntral góvernment (지방 정부에 대해) 중앙 정부.
céntral héating 중앙 난방 (장치).
Céntral Intélligence Àgency 《美》 중앙 정보국《생략 CIA》.
cen·tral·ism[-ìzəm] *n.* Ⓒ 중앙 집권제[주의].
cen·tral·ist[-ist] *n.* Ⓒ 집중화; 중앙 집권주의자.
cen·tral·is·tic[sèntrəlístik] *a.* 중앙 집권주의적인.
cen·tral·ize[séntrəlàiz] *vt., vi.* 집중하다; 중앙 집권화하다. **-i·za·tion**[∸-izéi-/-laiz-] *n.* Ⓤ 중앙 집권; (인구 등의) 집중(*urban centralization* 도시 집중).
céntral nérvous sỳstem 〖解〗 중추 신경계.
Céntral Párk 센트럴 파크《뉴욕시의 대공원》.
céntral prócessing ùnit 〖컴〗 중앙 처리 장치《생략 CPU》.
céntral reservátion 《英》 (도로의) 중앙 분리대.
Céntral Resérve Bànks 《美》 연방 준비 은행.
Céntral (**Stàndard**) **Tìme** 《美》 중부 표준시.
†**cen·tre**[séntər] *n., v.* 《英》 =CENTER.
cen·tric[séntrik], **-tri·cal**[-əl] *a.* 중심의; 중추적인.
cen·trif·u·gal[sentrífjəgəl] *a.* 원심(성)의(opp. centripetal).
centrífugal fórce 원심력.
cen·tri·fuge[séntrəfjùːdʒ] *n.* Ⓒ 원심 분리기(機).
cen·trip·e·tal[sentrípətl] *a.* 구심(성)의(opp. centrifugal).
centrípetal fórce 구심력.
cen·trism[séntrìzəm] *n.* Ⓤ 중도주의.
cen·trist[séntrist] *n.* Ⓒ 중도파(당원·의원); 온건파.
cen·tro·some [séntrousòum] *n.* Ⓒ 〖生〗 (세포의) 중심체.
cen·tu·ri·on[sentjúəriən] *n.* Ⓒ (고대 로마의) 백인대장(百人隊長).
†**cen·tu·ry**[séntʃuri] *n.* Ⓒ ① 세기, 백년. ② 백인조; (고대 로마의) 백인대(隊). ③ 《美俗》 백 달러 (지폐).
céntury plànt 〖植〗 용설란.
CEO chief executive officer 최고 경영자.
ce·phal·ic[səfǽlik] *a.* 머리의, 두부의; 두부에 있는.
ceph·a·lo·pod [séfələpɑ̀d/-pɔ̀d] *n.* Ⓒ 두족류(頭足類)《낙지·오징어 따위》.
ce·ram·ic[sərǽmik] *a.* 도(자)기의, 제도(製陶)(술)의. — *n.* Ⓒ 요업 제품. ~**s** *n.* Ⓤ 제도술[업]; 《복수 취급》 도자기.
cer·a·mist[sérəmist] *n.* Ⓒ 제도가[업자], 도예가(陶藝家).
Cer·ber·us[sə́ːrbərəs] *n.* 〖그·로神〗 케르베로스《머리가 셋, 꼬리는 뱀인 지옥을 지키는 개》; 무서운 문지기.
:**ce·re·al**[síəriəl] (<Ceres) *a.* 곡

물의. ── *n.* (보통 *pl.*) 곡물(류); U,C 《美》 곡물식품《오트밀 따위》.

cer·e·bel·lum[sèrəbéləm] *n.* (*pl.* **~s, -bella**)(L.) C 소뇌(小腦).

cer·e·bral[sérəbrəl, sərí:-] *a.* 뇌의; 대뇌(cerebrum)의. **~ *anemia*** 뇌빈혈.

cérebral déath 〖醫〗 뇌사(腦死).

cérebral hémorrhage 뇌일혈.

cer·e·brate[sérəbrèit] *vi.* 뇌를 쓰다, 생각하다. **-bra·tion**[sèrəbréiʃən] *n.* U 뇌의 작용; 사고(思考).

cer·e·bri·tis[sèrəbráitis] *n.* U 뇌염.

cer·e·bro·spi·nal [sèrəbrouspáinəl] *a.* 뇌척수의. **~ *meningitis*** 뇌척수막염.

cer·e·brum[sérəbrəm, sərí:-] *n.* (*pl.* **~s, -bra**) (L.) C 대뇌, 뇌.

cere·ment[síərmənt] *n.* U,C 밀랍입힌 천《시체를 쌈》(cerecloth); 수의.

***cer·e·mo·ni·al**[sèrəmóuniəl] *n., a.* C 의식(의); =⇩. **~·ly** *ad.*

cer·e·mo·ni·ous[-niəs] *a.* 격식[형식]을 차린, 딱딱한(formal). **~·ly** *ad.*

:cer·e·mo·ny[sérəmòuni/-məni] *n.* ① C 식, 의식. ② C 예의, 딱딱함(formality). ***Master of Ceremonies*** 사회자《생략 M.C.》; 《英》 의전(儀典)관. ***stand on*** [***upon***] **~** 격식 차리다; 스스러워하다. ***with*** **~** 격식을 차려. ***without*** **~** 스스럼 없이, 마음 편히.

Ce·res[síəri:z] *n.* 〖로神〗 곡물(穀物)의 여신(cf. Demeter; cereal).

ce·rise[sərí:s, -z] *n., a.* (F.) U 연분홍(의).

ce·ri·um[síəriəm] *n.* U 〖化〗 세륨《금속 원소; 기호 Ce》.

CERN (F.) *Conseil Européen pour la Recherche Nucléaire* 유럽 원자핵 공동 연구소.

ce·ro·plas·tic[sìərouplǽstik] *a.* 밀랍으로 형을 뜬.

cert[sə:*r*t] *n.* C 《英俗》 확실함.

†cer·tain[sə́:*r*tən] *a.* ① 확실한(sure). ② 틀림없이 …하는. ③ 확신한(convinced) (*of; that*). ④ 신뢰할[믿을] 수 있는. ⑤ (어떤) 일정한, 정해진(fixed); 어떤(some). ***for*** **~** 확실히. ***make*** **~** ***of*** 확인[다짐]하다. **†~·ly** *ad.* 확실히; (대답에서) 알았습니다; 물론이죠, 그렇고 말고요. ***~·ty** *n.* U 확신; 확실(성). ***for*** [***of, to***] ***a*** **~*ty*** 확실히.

:cer·tif·i·cate[sərtífəkit] *n.* C 증명서, 면(허)장, 인가증; 증서; 주권. ***a*** **~** ***of birth*** [***health, death***] 출생[건강, 사망] 증명서. ── [-kèit] *vt.* (…에게) 증명서를[면허장을] 주다.

***cer·ti·fi·ca·tion**[sə̀:*r*təfəkéiʃən] *n.* U 증명, 검정; 증명서 교부, 면허.

cer·ti·fied**[sə́:*r*təfàid] *a.* 증명된, 보증된. **~ *check 지불 보증 수표. **~ *milk*** (공인 기준에 맞는) 보증 우유. **~ *public accountant*** 《美》 공인 회계사《생략 C.P.A.》(cf. 《英》 CHARTERed accountant). **-fi·a·ble**[-əbəl] *a.* 증명[보증]할 수 있는. **-fi·er**[-ə*r*] *n.* C 증명자.

***cer·ti·fy**[sə́:*r*təfài] *vt., vi.* (정당성·자격 따위를) 증명하다, 보증하다; 《美》 지불을 보증하다.

***cer·ti·tude**[sə́:*r*tət*j*ù:d] *n.* U 확신(conviction); 확실(성).

ce·ru·le·an[sərú:liən] *n., a.* U 하늘빛(의).

ce·ru·men[sirú:mən/-men] *n.* U 귀지.

ce·ruse[síəru:s] *n.* U 백연(白鉛); 「분.

Cer·van·tes[sərvǽnti:z], **Miguel de** (1547-1616) 스페인의 소설가《*Don Quixote*》.

cer·vi·cal[sə́:*r*vikəl] *a.* 목의, 경부(頸部)의.

cer·vine[sə́:*r*vain] *a.* 사슴의[같은]; 진한 고동색의.

ce·si·um[sí:ziəm] *n.* U 〖化〗 세슘《금속 원소; 기호 Cs》.

ces·sa·tion**[seséiʃən] *n.* U,C 중지, 휴지(ceasing). **~ *of diplomatic relations 외교 관계 단절. **~ *of hostilities*** [***arms***] 휴전.

ces·sion[séʃən] *n.* U 할양, 양도(ceding).

ces·sion·ar·y[séʃənèri/-nəri] *n.* C 양수인(讓受人).

cess·pit[séspìt] *n.* C 쓰레기 버리는 구멍; 《英》 쓰레기장.

cess·pool[séspù:l] *n.* C 구정물 웅덩이; 더러운 곳.

c'est la vie[selɑví:] (F.) (=that is life) 그것이 인생이다.

CET Central European Time 중앙 유럽 표준시《파리나 베를린 등의》.

ce·ta·cean[sitéiʃən] *a., n.* C 고래 무리의 (포유 동물).

ce·tane[sí:tein] *n.* U 〖化〗 (석유 속의) 세탄.

cétane nùmber 〖化〗 세탄가(價) (cf. octane number).

ce·te·ris pa·ri·bus [sétəris pǽribəs/sí:-] (L.) 다른 사정이 같다면(other conditions being equal).

cet. par. *ceteris paribus.*

ce·vi·tám·ic ácid[sì:vaitǽmik-] 비타민 C.

Cey·lon[silɑ́n/-ɔ́-] *n.* 실론《Sri Lanka 공화국》. **Cey·lo·nese**[sìləní:z] *a., n.* C 실론의 (사람).

Cé·zanne[sizǽn], **Paul**(1839-1906) 프랑스 후기 인상파의 화가.

C.F., c.f. 〖商〗 cost and freight.

Cf californium.

:cf.[sí:éf, kəmpέə*r*] *confer* (L.=compare). **c.f., cf.** center field(er). **c/f** carried forward 〖簿〗 (다음으로) 이월. **CFC** chlorofluorocarbon. **c.f.c.** 〖商〗 cost, freight and commission. **C.F.I.** cost, freight, and insurance 《보통 C.I.F.》. **C.G.** Coast Guards;

Consul General, Commanding General. **cg, cg.** centigram(s). **C.G.M.** Conspicuous Gallantry Medal. **C.G.S., c.g.s.** centimeter-gram-second. **C.G.T.** *Confédération Générale du Travail* (F.= General Confederation of Labor).
ch. (*pl.* **Chs., chs.**) chapter.
cha-cha(**-cha**)[tʃɑ́:tʃɑ̀:(tʃɑ́:)] *n.* Ⓒ 〖樂〗 차차차《서인도 제도의 4분의 2박자 빠른 무도곡》. ***hot cha-cha*** 핫차차《차차차보다 속도가 빠른 재즈곡》.
cha·conne[ʃəkɔ́:n] *n.* Ⓒ 샤콘《스페인 기원의 우아한 춤; 또 그 음악》.
Chad[tʃæd] *n.* 아프리카 중북부의 공화국《전 프랑스령; 1959년 독립》.
chad[tʃæd] *n.* Ⓤ 〖컴〗 차드《펀치카드에 구멍을 뚫을 때 생기는 종이 부스러기》, 천공 밥.
cha·dor[tʃʌ́dər] *n.* Ⓒ 차도르《이란 등의 여성이 쓰는 검은 천》.
chafe**[tʃeif] *vt.* ① (손을) 비벼서 녹이다. ② (쓸려서) 벗어지게〔닳게〕 하다. ③ 성나게 하다. — *vi.* ① 벗겨지다. ② 성나다(*at*). ③ 몸을 비비다(rub)(*against*). ~ ***under… 으로 짜증내다. — *n.* ① Ⓒ 찰과상(의 아픔). ② (a ~) 짜증(fret). ***in a ~*** 짜증이 나서.
chaf·er [tʃéifər] *n.* Ⓒ 풍뎅이(beetle).
chaff**[1][tʃæf/-ɑ:-] *n.* Ⓤ ① (왕)겨; (말먹이) 여물. ② 폐물, 시시한 것. ③ 레이더 탐지 방해용 금속편. ***be caught with ~ 쉽게 속다. **∠·y** *a.* 겨가 많은, 겨 같은; 시시한.
chaff[2] *n., vi., vt.* Ⓤ (악의 없는) 놀림, 놀리다; 농담하다.
cháff·cùtter *n.* Ⓒ 작두.
chaff·er[1][tʃǽfər/-ɑ́:-] *n.* Ⓒ 놀리는 사람.
chaf·fer[2][tʃǽfər] *vi., vt., n.* 값을 깎다(bargain); Ⓤ 값을 깎음, 흥정. **~·er** *n.* Ⓒ 값을 깎는〔흥정하는〕 사람.
chaf·finch[tʃǽfintʃ] *n.* Ⓒ 〖鳥〗 검은 방울새, 되새(무리).
cháf·ing dìsh[tʃéifiŋ-] 식탁용 풍로.
Cha·gall[ʃɑ:gɑ́:l, ʃə-], **Marc**(1887-1985) 러시아 태생의 프랑스 화가.
cha·grin[ʃəgrín/ʃǽgrin] *n.* Ⓤ,Ⓒ 분함, 유감. — *vt.* 《보통 수동태》 분하게 하다. ***be ~ed*** 분해하다.
†**chain**[tʃein] *n.* Ⓒ ① (쇠)사슬; 연쇄, 연속. ② (보통 *pl.*) 속박, 굴레, 구속; 구속물; 족쇄. ③ 〖測量〗 측쇄(의 길이)《측량용은 66피트, 기술용은 100피트》. ④ 연쇄점 조직. ⑤ 〖化〗 원자의 연쇄; 연쇄 반응. ⑥ 〖컴〗 사슬. ***in ~s*** 감옥에 갇혀. — *vt.* (쇠)사슬로 연결하다; 구속〔속박〕하다; 투옥하다.
cháin bràke 사슬 브레이크.
cháin brídge 사슬 적교(吊橋).
cháin gàng 《美》 (호송 중의) 한 사슬에 매인 죄수.
cháin lètter 행운의 (연쇄) 편지.
cháin máil 사슬〔미늘〕 갑옷.
cháin reàction 〖理〗 연쇄 반응.
cháin reàctor 〖理·化〗 연쇄 반응로, 원자로.
cháin-smòke *vi.* 줄담배를 피우다.
cháin smòker 줄담배 피우는 사람.
cháin stìtch (바느질의) 사슬땀.
cháin·stìtch *vt., vi.* 사슬땀으로 바느질하다〔뜨다〕.
***cháin stòre** 《美》 연쇄점, 체인 스토어.
†**chair**[tʃɛər] *n.* ① Ⓒ 의자(cf. stool). ② Ⓒ (대학의) 강좌; 대통령〔지사·사장〕의 자리; (the ~) 의장〔교수〕석(席)〔직〕, 의장. ③ Ⓒ 《美》 전기 (사형) 의자. ***appeal to the ~*** 의장에게 채결(採決)을 요청하다. ***escape the ~*** 《美》 사형을 모면하다. ~ ***socialism*** (실천적이 못되는) 강단 사회주의. ***take a ~*** 참석하다. ***take the ~*** 의장석에 앉다, 개회〔사회〕하다. — *vt.* 자리〔직〕에 앉히다; 의자에 앉히어 메고 다니다.
cháir lìft 체어 리프트《등산·스키 따위의 사람을 산 위로 나르는》.
‡**chair·man**[∠mən] *n.* Ⓒ 의장, 사회자, 위원장. **~·ship**[-ʃip] *n.* Ⓤ chairman의 지위〔신분·자격〕.
cháir·wàrmer *n.* Ⓒ 《美俗》 (호텔 로비 따위에서) 의자에 오래 앉아 있는 사람; 게으름뱅이.
cháir·wòman *n.* (*pl.* **-women** [-wìmin]) Ⓒ 《주로 英》 여(女)의장〔위원장, 사회자〕《호칭은 Madame Chairman》.
chaise[ʃeiz] *n.* Ⓒ 2륜〔4륜〕 경(輕)마차.
cháise lóngue[-lɔ́:ŋ/-lɔ́ŋ] (F.) 긴 의자의 일종.
chal·ced·o·ny [kælsédəni, ∠sidòu-] *n.* Ⓤ,Ⓒ 옥수(玉髓)《보석》.
chal·co·py·rite [kælkoupáirait/-páiə-] *n.* Ⓤ 황동광(黃銅鑛).
Chal·de·a[kældí(:)ə] *n.* 칼데아《페르시아만 연안의 옛 왕국》. **-an**[-n] *a., n.* 칼데아(사람)의; Ⓒ 칼데아 사람; Ⓤ 칼데아 말; Ⓒ 점성가(占星家)(astrologer).
Chal·dee[kældi:, –∠] *a., n.* = CHALDEAN.
cha·let[ʃæléi, ∠–] *n.* Ⓒ (스위스 산중의) 양치기의 오두막; 스위스의 농가.
chal·ice[tʃǽlis] *n.* Ⓒ 성작(聖爵)《굽 달린 큰 잔》; 《詩》 잔 (모양의 꽃)《나리 따위》.
†**chalk**[tʃɔ:k] *n.* Ⓤ,Ⓒ 분필; Ⓤ 백악(白堊)(질). ***by a long ~,*** or ***by long ~s*** 《口》 훨씬(by far). (*He does*) ***not know ~ from cheese.*** 선악을 분간하지 못 하다. — *vt.* 분필로 쓰다〔문지르다〕. ~ ***out*** 윤곽을 뜨다〔잡다〕, 설계하다. ~ ***up*** (득점을) 기록하다. **∠·ly** *a.* 백악(질)의.
chálk·bòard *n.* Ⓒ 《美》 칠판.

chálk tàlk 칠판에 그림 등을 그려 가며 하는 강연.
:**chal·lenge**[tʃǽlindʒ] *n.* ① Ⓒ 도전(장); 결투의 신청. ② Ⓒ (보초 등의) 수하. ③ Ⓒ 이의 신청. ④ Ⓤ 〖法〗 기피. — *vt.* ① 도전하다, (싸움을) 걸다; (시합을) 신청하다. ② 수하하다. ③ (주의를) 촉구하다. ④ (이의를) 말하다; 기피하다. ~ ***attention*** 주의를 끌다; 주의를 요하다. ~ (*a person*) ***to a duel*** 격투를 신청하다. **chál·leng·er** *n.* **chál·leng·ing** *a.*
chállenge cùp 〔**tròphy**〕 우승컵.
chal·lis[ʃǽli/-lis], **chal·lie**[ʃǽli] *n.* Ⓤ 메린스 비슷한 여성복의 모직 또는 비단.
cha·lyb·e·ate[kəlíbiit] *a.* (광천이) 철분을 함유하는.
:**cham·ber**[tʃéimbər] *n.* ① Ⓒ 방; 침실. ② (the ~) 회의실. ③ (*pl.*) 변호사〔판사〕 사무실. ④ Ⓒ 〖解〗 (체내의) 소실(小室). ⑤ Ⓒ (총의) 약실. ⑥ (the ~) 의원(議院)의회. ~ ***of commerce*** 〔***agriculture***〕 상업〔농업〕 회의소. ***the upper*** 〔***lower***〕 ~ 상〔하〕원.
chámber còncert 실내악 연주회.
chámber còuncil 비밀 회의.
chámber còunsel 법률 고문.
*__cham·ber·lain__[-lin] *n.* Ⓒ 시종, 집사(執事) (steward); (시(市)의) 출납 공무원. ***Lord C-*** (***of the Household***) 《英》 의전 장관. ***Lord Great C-*** (***of Great Britain***) 《英》 시종 장관.
chámber·màid *n.* Ⓒ 하녀, 시녀.
chámber mùsic 〔**òrchestra**〕 실내악〔악단〕.
chámber òpera 실내 오페라.
chámber pòt 침실용 변기.
cham·bray[ʃǽmbrei] *n.* Ⓤ 굵은 줄〔바둑판〕 무늬의 (린네르) 천.
cha·me·le·on[kəmíːliən, -ljən] *n.* Ⓒ 카멜레온; 변덕쟁이.
cham·fer[tʃǽmfər] *n.* Ⓒ 〖建〗 목귀《목재·석재 등의 모서리를 둥글린》. — *vt.* 모서리를 깎아내다, 목귀질하다.
cham·ois[ʃǽmi/ʃǽmwɑː] *n.* (*pl.* ~, ***-oix***[-z]) Ⓒ 영양(羚羊)(의 무리); [英+ʃǽmi] Ⓤ 섀미 가죽《영양·사슴·염소 따위의 부드러운 가죽》.
cham·o·mile[kǽməmàil] *n.* = CAMOMILE.
champ¹[tʃæmp] *vt., vi.* 어적어적 씹다; (말이 재갈을) 우적우적 물다.
champ² *n.* 《俗》 =CHAMPION.
*__cham·pagne__[ʃæmpéin] *n.* Ⓤ 샴페인.
cham·paign[ʃæmpéin] *a., n.* Ⓒ 드넓은〔질펀한〕 (평야), 평원.
*__cham·pi·on__[tʃǽmpiən] *n.* Ⓒ ① 투사; (주의의) 옹호자(*for*). ② 우승자, 챔피언, 선수권 보유자. — *vt.* (…을) 대신해 싸우다, 옹호하다. — *a.* 일류의, 선수권을 가진, 더 없는(*a* ~ *idiot* 지독한 바보). ⁑~**·ship** [-ʃìp] *n.* Ⓒ 선수권; 우승; Ⓤ 옹호.
champ·le·vé[ʃǽmpləvei] *a.* (F.) 바탕에 새겨 에나멜을 입힌.
Champs É·ly·sées[ʃɑ̃ːnzeilizéi] (F.) 샹젤리제《파리의 번화가》.
Chanc. Chancellor; Chancery.
†**chance**[tʃæns/-ɑː-] *n.* ① Ⓒ 기회, 호기. ② Ⓤ 우연, 운; Ⓒ 우연한 일. ③ Ⓤ,Ⓒ 가망(성); 승산, 가능성. ***by any*** ~ 만일. ***by*** ~ 우연히(accidentally). ***even*** ~ 반반의 가망성. ***game of*** ~ 운에 맡긴 승부. ***on the*** ~ ***of*** 〔***that***〕 …을 기대〔예기〕하고. ***take*** ~***s*** 〔***a*** ~〕 운명에 맡기고 해보다. ***take one's*** 〔***the***〕 ~ (…을) 무릅쓰고 해 보다, 추세에 내맡기다. ***the main*** ~ 절호의 기회. — *a.* 우연의(casual). ~ ***customer*** 뜨내기 손님. ~ ***resemblance*** 남남끼리 우연히 닮음. — *vi.* 우연히 발생하다, 공교롭게(도) …하다(happen). — *vt.* 운에 맡기고 해보다. ~ ***on*** 〔***upon***〕 우연히 만나다〔발견하다〕.
chan·cel[tʃǽnsəl/-ɑ́ː-] *n.* Ⓒ 성단소(聖壇所), 성상 안치소.
chan·cel·ler·y[tʃǽnsələri] *n.* Ⓒ chancellor의 직〔관청〕; 대사관〔영사관〕 사무국.
*__chan·cel·lor__[tʃǽnsələr/-ɑ́ː-] *n.* Ⓒ ① 《英》 여러 고관의 칭호《장관·대법관·상서(尙書) 등》. ② (독일의) 수상. ③ 《英》 (대학의) 명예 총장. ④ 대사관 1등 서기관. ***Lord*** (***High***) ***C-*** 《英》 대법관. ***the C- of the Exchequer*** 《英》 재무 장관. ~**·ship**[-ʃìp] *n.*
chánce-médley *n.* Ⓤ 〖法〗 과실 살상〔살인〕, 방위 살인.
chan·cer·y[tʃǽnsəri/-ɑ́ː-] *n.* Ⓒ 《美》 형평법(衡平法) 재판소(court of equity); (the ~) 《英》 대법관청; Ⓒ 기록소. ***in*** ~ 형평법 재판소에서 (소송 중인); 〖拳〗 머리가 상대 겨드랑이에 끼여; 진퇴 양난이 되어.
chan·cre[ʃǽŋkər] *n.* Ⓤ 〖醫〗 하감(下疳).
chan·croid[ʃǽŋkrɔid] *n.* Ⓤ 〖醫〗 연성(軟性) 하감.
chanc·y[tʃǽnsi, tʃɑ́ːn-] *a.* 《口》 불확실한, 위태로운; (Sc.) 행운을 가져오는.
*__chan·de·lier__[ʃændəlíər] *n.* Ⓒ 샹들리에.
chan·dler[tʃǽndlər/-ɑ́ː-] *n.* Ⓒ 양초 제조인; 양초 상인; 잡화상. ~**·y** *n.* Ⓒ 양초 창고; 잡화점; Ⓤ 잡화류.
†**change**[tʃeindʒ] *vt.* ① 변하다, 바꾸다(*into*), 고치다. ② 바꿔치다, 갈다. ③ 환전(換錢)하다; 잔돈으로 바꾸다; (수표를) 현금으로 하다. ④ 갈아타다(~ *cars*); 갈아입다. — *vi.* ① 변하다, 바뀌다. ② 갈아입다; 바꿔타다. ③ 교대하다. ~ ***about*** 《口》 변절하다; (지위 등이) 바뀌다. ~ ***at*** …에서 갈아타다. ~ ***for*** …행으로 갈아타다. ~ (*a* £ 5 *note*) ***for gold***

(5파운드 지폐를) 금화로 바꾸다. ~ *into* …으로 갈아 입다. ── *n.* ① U,C 변화, 변경, 변천; 바꿈, 갈아입음, 갈아탐, 전지(轉地). ② U 거스름돈, 잔돈. ③ C (보통 *pl.*) 〖樂〗 편종(編鍾)을〔종소리를〕 다르게 침; 조바꿈, 전조(轉調). ④ (C-) C (상업의) 거래소《'Change라고도 씀》. ~ *of air* 전지 요양. ~ *of cars* 갈아탐. ~ *of clothes* 갈아입음. ~ *of heart* 변심; 전향. ~ *of life* (여성의) 갱년기. *for a* ~ 변화를〔기분 전환을〕 위해. *ring the* ~*s* 여러 가지 명종법(鳴鍾法)을 시도하다; 이리저리 해 보다. *small* ~ 잔돈; 쓸데 없는 것. *take the* ~ *out of* (*a person*) (…에게) 대갚음하다. ∠**·ful** *a.* 변화 많은.

:change·a·ble[tʃéindʒəbəl] *a.* 변화기 쉬운, 불안전한, 변덕스러운(fickle); 가변성의 ~**·ness** *n.* **-bly** *ad.* **-bil·i·ty**[─bíləti] *n.*

chánge·less *a.* 변화 없는, 불변의; 단조로운. ~**·ly** *ad.*

change·ling[tʃéindʒliŋ] *n.* C 바꿔친 아이《요정이 예쁜 아이 대신 두고 가는 못생긴 아이 따위》; 저능아.

chánge·màker *n.* C 자동 동전 교환기〔환전기〕.

chánge·òver *n.* C (정책) 전환; 개각(改閣).

chánge rìnging 조바꿈 타종(법).

chánge-ùp *n.* C 〖野〗 체인지업《투수가 모션을 바꾸지 않고 속도를 낮추어 던지는 공》.

chánging ròom (운동장 따위의) 탈의실.

:chan·nel[tʃǽnəl] *n.* C ① 수로, 해협, 강바닥, 하상(河床). ② (문지방 등의) 홈(groove). ③ 루트, 경로 (*through the proper* ~ 정당한 경로로); 계통, (수송의) 수단. ④ 〖放〗 통신로(路), 채널《일정한 주파대(帶)》. ⑤ 〖컴〗 채널. *the* (*English*) *C-* 영국 해협. ── *vt.* (《英》 **-ll-**) (…에) 수로를 트다〔열다〕; 홈을 파다.

Chánnel Íslands, the 채널 제도(諸島)《영국 해협(海峽)의 Alderney, Guernsey 등의 네 섬》.

Chánnel Túnnel, the 영불 해협 터널(Eurotunnel) 《1994년 개통》.

chan·son[ʃǽnsən/ʃɑːŋsɔ́ːŋ] *n.* (F.) C 노래; 샹송.

***chant**[tʃænt/-ɑː-] *n.* C ① 노래; (기도서의) 성가; 영창(詠唱). ② (억양 없는) 음영조(吟詠調); 단조로운 애기투. ── *vt., vi.* ① 노래하다(sing). ② 읊다, 단조롭게 이야기하다, 되풀이하여 말하다. ③ 기리어 노래하다; 크게 찬양하다. ~ *the praises of* …을 되풀이하여 칭찬하다. ∠**·er** *n.* C 가수, 성가대원〔장〕.

chant·(e)y[ʃǽnti, tʃǽn-] *n.* C (뱃사람의) 노래《일할 때 가락 맞추는》.

chan·ti·cleer[tʃǽntəklìər] *n.* C 수탉(rooster); (C-) (의인적(擬人的)으로) 수탉씨(cf. Reynard, Bruin, Puss).

***cha·os**[kéiɑs/-ɔs] *n.* U ① (천지 창조 이전의) 혼돈. ② 혼란 (상태); 무질서. ***cha·ot·ic**[keiɑ́tik/-ɔ́-] *a.*

:chap[1][tʃæp] *n.* C 《口》 놈, 녀석.

chap[2] *n.* C (보통 *pl.*) (살갗의) 틈, 동창(凍瘡); (목재·지면의) 균열. ── *vt., vi.* (**-pp-**) (추위로) 트(게 하)다.

chap[3] *n.* C (보통 *pl.*) (동물·바이스의) 턱(jaws); 뺨(cheeks). *lick one's* ~*s* 입맛 다시다; 군침을 삼키며 기다리다.

chap. chaplain; chapter.

cha·pa·ra·jos, -re-[tʃæ̀pəréious/tʃɑ̀ːpəréihous] *n. pl.* C 《美》 (카우보이의) 두꺼운 가죽 바지.

chap·ar·ral[tʃæ̀pərǽl, ʃæp-] *n.* C 《美》 관목 수풀〔덤불〕.

cháp·bòok *n.* C (이야기·노래의) 싸구려 책《옛날 행상인이 판》.

:chap·el[tʃǽpəl] *n.* ① C (학교·관저 따위의) 부속 예배당(cf. church; chaplain). ② C (영국 국교회 이외의) 교회당. ③ U (대학에서의) 예배(에의 참석).

chap·er·on(e)[ʃǽpəròun] *n., vt.* C 샤프롱《사교 석상에 나가는 아가씨에 붙어다니는 (나이 지긋한) 부인》; (…에) 붙어 다니다. **-on·age**[-idʒ] *n.* U 샤프롱 노릇.

cháp·fàllen *a.* 풀이 죽은(dispirited), 낙심한(dejected).

***chap·lain**[tʃǽplin] *n.* C 목사《chapel 전속의》; 군목(軍牧).

chap·let[tʃǽplit] *n.* C 화관(花冠); 〖가톨릭〗 (rosary의 3분 1 길이의) 묵주(默珠).

chap·man[tʃǽpmən] *n.* C 《英》 (예전의) 행상인.

chaps[tʃæps] *n. pl.* 《美》 =CHAPARAJOS.

:chap·ter[tʃǽptər] *n.* C ① (책의) 장(章). ② 부분; 한 구간, 한 시기; 연속. ③ (조합의) 지부. ④ 《英》 성직자단(의 집회). ~ *and verse* 출처, 전거(典據)《성서의 장과 절(verse)에서》. ~ *of* (*accidents*) (사고)의 연속. *read* (*a person*) *a* ~ 설교를 하다. *to the end of the* ~ 최후까지.

chápter hòuse (cathedral 부속의) 참사회 회의장; 《美》 학생 회관《대학의 fraternity나 sorority의 지부 회관》.

char[1][tʃɑːr] *n.* U 숯, 목탄; C 까맣게 탄 것. ── *vt., vi.* (**-rr-**) 숯으로 굽다; (새까맣게) 태우다〔타다〕.

char[2] *n., v.* (**-rr-**) =CHARE.

char-à-banc[ʃǽrəbæ̀ŋk] *n.* (F.) C 대형 유람 버스〔마차〕.

***char·ac·ter**[kǽriktər] *n.* ① U,C 인격, 성격; 특질, 특징. ② C 인물. ③ U,C 평판; 명성. ④ C 지위, 신분, 자격. ⑤ C (소설·극의) 인물, 역(役). ⑥ C 괴짜; (전 고용주가 사용인에 주는) 인물 증명서, 추천장. ⑦ C 글자, 기호. ⑧ C 〖컴〗 문자. *in* ~ 격에 맞아. *man of* ~ 인격자. *out of* ~ 어울리지 않아〔않게〕.

C

~·less *a.* 특징이 없는.

cháracter àctor 〔**àctress**〕 성격 배우〔여배우〕.

cháracter assassinátion 《美》 인신 공격, 중상.

:**char·ac·ter·is·tic** [kæ̀riktərístik] *a.* 특색의〔있는, 을 나타내는〕 (*of*). — *n.* Ⓒ 특질, 특징. **-ti·cal·ly** *ad.* 독특하게, 특징으로서.

char·ac·ter·i·za·tion [kæ̀riktərizéiʃən] *n.* U,C 성격 묘사, 특색지움.

*__char·ac·ter·ize,__ 《英》 **-ise** [kǽriktəràiz] *vt.* 특징을 나타내다〔그리다〕; 특색짓다.

char·ac·ter·ol·o·gy [kæ̀riktərálədʒi/-ɔ́-] *n.* Ⓤ 〖心〗 성격학. 「사.

cháracter skètch 인물〔성격〕 묘

cha·rade [ʃəréid/-rɑ́:d] *n.* ① (*pl.*) 《단수 취급》 제스처 게임《인형(doll)과 지느러미(fin)의 그림 또는 동작을 보여 'dolphin'을 알아 맞히게 하는 따위》. ② Ⓒ 그 게임의 몸짓(으로 나타내는 말). 「에 굽다.

chár·brɔ̀il *vt.* (고기 따위를) 숯불

*__char·coal__ [tʃɑ́:rkòul] *n.* ① Ⓤ 숯 (char). ② Ⓒ 목탄화; (목탄화용의)

chárcoal bùrner 숯장이. 「목탄.

chárcoal dràwing 목탄화(畫).

chárcoal gràY 〔《英》 **grèy**〕 진회색.

chare [tʃɛər] *n., vi.* Ⓒ (보통 *pl.*) 허드렛일(을 하다); 잡역부(婦)(로 일하다).

†**charge** [tʃɑ:rdʒ] *vt.* ① 채워넣다, (총에) 탄환을 재다(load), 채우다; (전기를) 통하다, (전지를) 충전하다. ② (책임 따위를) 지우다, (임무를) 맡기다(entrust) (*with*); 명하다, 지시하다. ③ 비난하다, (죄를) 씌우다, 고소하다(accuse) (*with*). ④ (지급의 책임을) 지우다; (대금 따위를) 청구〔요구〕하다, (세를) 부과하다. ⑤ 습격〔엄습〕하다, (…을) 향해 돌격하다. — *vi.* 대금〔요금〕을 청구하다 (*for*); 돌격하다(*at, on*); (…라고) 비난하다, 고발하다(*against, that* …). **~ *high* (*for*)** (…에 대하여) 고액(高額)을 요구하다. **~ *off*** 손해 공제를 하다; (…의) 탓으로 돌리다, (…의) 일부로 보다(*to*). **~ *oneself with*** …을 떠맡다. — *n.* ① Ⓒ 짐, 하물. ② U,C (총의) 장전; (탄알의) 한 번 잼; 충전(充電). ③ Ⓤ 보호(care); 관리; 책임, 의무; 위탁 (trust); Ⓒ 위탁물〔인〕. ④ Ⓤ 명령, 지시. ⑤ Ⓒ 혐의, 소인(訴因), 고소; 비난. ⑥ Ⓒ 부채; 대금; 세; (보통 *pl.*) 비용. ⑦ Ⓒ 돌격, 돌진. ⑧ Ⓒ 문장(紋章)(의 의장(意匠)). ***bring a ~ against*** 고소하다. ***free of ~*** 무료로. ***give in ~*** 맡기다. ***in ~ of*** …을 맡아, …담당〔책임〕의(*the nurse in ~ of the child*); …에게 맡겨져(*the child in ~ of the nurse*). ***in full ~*** 쏜살같이, 곧장. ***on the ~ of*** …의 이유〔혐의〕로. ***take ~*** 《口》 (사물이) 수습할 수 없게 되다. ***take ~ of*** …을 떠맡다, …을 돌보다.

charge·a·ble [tʃɑ́:rdʒəbəl] *a.* (세금·비용·책임·죄 따위가) 부과〔고발〕되어야 할.

chárge accòunt 외상 계정.

chárge càrd 〔**plàte**〕 (특정 업소에서만 통용되는) 크레디트 카드.

char·gé d'af·faires [ʃɑ:rʒéi dəfɛ́ər/⌐— —⌐] (*pl.* ***chargés d'-***) (F.) 대리 공사〔대사〕.

chárge nùrse 《英》 (병동의) 수간호사.

charg·er [tʃɑ́:rdʒər] *n.* Ⓒ (장교용의) 군마; 충전기.

chárge shèet 《英》 (경찰의) 사건부(簿); 고발장, 기소장.

char·i·ly [tʃɛ́ərili] *ad.* 조심스럽게, 소심하게; 아까운 듯이.

char·i·ness [tʃɛ́ərinis] *n.* Ⓤ 조심성; 아까워함.

*__char·i·ot__ [tʃǽriət] *n.* Ⓒ (옛 그리스·로마의) 2륜 전차; (18세기의) 4륜 경마차.

char·i·ot·eer [tʃæ̀riətíər] *n.* Ⓒ chariot의 마부.

cha·ris·ma [kərízmə] *n.* (*pl.* ***-mata*** [-mətə]) U,C 카리스마《개인적인 매력, 대중을 끄는 힘》. **char·is·mat·ic** [kæ̀rizmǽtik] *a.*

*__char·i·ta·ble__ [tʃǽrətəbəl] *a.* 자비로운, 인정 많은.

:**char·i·ty** [tʃǽrəti] *n.* ① Ⓤ 사랑《기독교적인》, 자비. ② U,C 베풂, 기부(금), 자선 (사업). ③ Ⓒ 양육원. ***be in*** 〔***out of***〕 **~ *with*** …을 가엾게 여기다〔여기지 않다〕. **~ *concert*** 〔***hospital, school***〕 자선 음악회〔병원, 학교〕. ***out of ~*** 가엾이〔딱하게〕 여겨.

cha·riv·a·ri [ʃərivɑ́rí:, ʃivərí:/ʃɑ̀:rəvɑ́:ri] *n.* Ⓒ 시끄러운 음악; 법석.

char·la·dy [tʃɑ́:rlèidi] *n.* 《英》 = CHARWOMAN.

char·la·tan [ʃɑ́:rlətən] *n.* Ⓒ 허풍선이; 사기꾼; 돌팔이 의사(quack). **~·ry** *n.* Ⓤ 아는 체함, 허풍.

Char·le·magne [ʃɑ́:rləmèin] *n.* (742-814) 샤를마뉴 대제(大帝)《프랑크의 왕; 신성 로마 제국을 일으켜 황제(Charles I)가 됨》.

Charles [tʃɑ:rlz] *n.* 남자 이름. **~'s** [⌐iz] ***Wain*** 북두칠성.

Charles·ton [tʃɑ́:rlztən, -stən] *n.* Ⓒ 《美》 찰스턴《fox trot의 일종》.

chár·ley hòrse [tʃɑ́:rli-] 《美俗》 (스포츠 선수 따위의 근육 혹사로 인한 손발(특히 다리)의) 근육 경직.

char·lie [tʃɑ́:rli] *n.* Ⓒ 《英俗》 바보; 《美俗·蔑》 백인; (*pl.*) 유방.

Char·lotte [ʃɑ́:rlət] *n.* ① 여자 이름. ② (c-) U,C 과일 등을 카스텔라에 싼 푸딩.

chárlotte rússe [-rú:s] (F.) 커스터드가 든 푸딩.

:**charm** [tʃɑ:rm] *n.* ① U,C 매력; (보통 *pl.*) (여자의) 애교, 미모. ② Ⓒ 마력, 마법. ③ Ⓒ 주문(呪文); 주

물(呪物), 호부(護符)(amulet). ④ Ⓒ 작은 장식《시곗줄·팔찌 따위》. — *vt., vi.* ① (…에게) 마법을 걸다, 홀리다, 매혹하다, 황홀케 하다(bewitch); 기쁘게 하다. ② (땅꾼이 피리로 뱀을) 부리다, 길들이다. ***be ~ed with*** …에 넋을 잃다, 열중하다. **∠·er** *n.* Ⓒ 뱀 부리는 사람. **:∠·ing** *a.* 매력적인, 아름다운; 즐거운; 재미있는.

char·meuse[ʃɑːrmúːz] *n.* (F.) Ⓤ 샤머즈《수자직(繻子織)의 일종》.

chárm schòol 신부 학교《젊은 여성을 위한 미용·교양·사교 강좌》.

chár·nel hòuse [tʃɑ́ːrnl-] 납골당.

Char·on[kɛ́ərən] *n.* 〖그神〗 카론《삼도내(Styx)의 뱃사공》; 《諧》 뱃사공(ferryman).

:chart[tʃɑːrt] *n.* Ⓒ ① 그림, 도표. ② 해도(海圖), 수로도. — *vt.* 그림으로〔도표로〕 나타내다.

:char·ter[tʃɑ́ːrtər] *n.* Ⓒ (자치 도시·조합 따위를 만드는) 허가서; 특허장; (국제 연합 등의) 헌장; 계약서; =∠ **pàrty** 용선(傭船) 증서. ***the Atlantic C-*** 대서양 헌장. ***the C- of the United Nations*** 유엔 헌장. ***the Great C-*** =MAGNA C(H)ARTA. ***the People's C-*** 〖英史〗 인민 헌장. — *vt.* 특허하다; (배를) 빌다. **~ed** [-d] *a.* 특허를 받은; 용선 계약을 한. ***~ed accountant*** 《英》 공인 회계사. ***~ed ship*** 세낸 배, 용선(傭船).

chárter mémber (회사·단체 따위의) 창립 위원.

chart·ism [tʃɑ́ːrtizəm] *n.* Ⓤ 〖英史〗 인민 헌장주의〔운동〕(1837-48).

Char·treuse[ʃɑːrtrúːz/-trúːs] *n.* 카르투지오회의 수도원; Ⓤ (c-) 위 수도원제(製)의 리큐어; 연두빛.

chár·wòman *n.* Ⓒ (빌딩의 날품팔이) 잡역부(婦); 《英》 파출부.

char·y[tʃɛ́əri] *a.* 몹시 조심하는; 스스러워하는(shy); 아끼는(*of*).

Cha·ryb·dis[kəríbdis] *n.* Sicily 앞 바다의 큰 소용돌이《배를 삼킴》.

Chas. Charles.

:chase[1][tʃeis] *vt.* ① 뒤쫓다. ② 쫓아〔몰아〕내다, 사냥하다. — *vi.* 쫓아가다, 부리나케 걷다, 달리다. — *n.* ① Ⓤ,Ⓒ 추적, 출격. ② (the ~) 사냥, 수렵; Ⓒ 《英》 사냥터. ③ Ⓒ 쫓기는 짐승〔배〕. ***give ~ to*** …을 뒤쫓다.

chase[2] *vt.* (금속에) 돋을새김〔섭새김〕하다, (돋을 무늬를) 새겨〔찍어〕내다(emboss).

chase[3] *n.* Ⓒ (벽면의) 홈; 〖印〗 (조판의) 죔틀.

chas·er[tʃéisər] *n.* Ⓒ 추격자; 사냥꾼; 추격함〔포·기〕; 《口》 (독한 술 다음에 마시는) 입가심 음료《맥주·물 따위》; 조각사(<chase[2]).

***chasm**[kǽzəm] *n.* Ⓒ (바위·지면의) 깊게 갈라진 틈; 틈새(gap); (감정·의견 따위의) 간격, 차.

chas·sé[ʃæséi/∠∠] *n.* (F.) Ⓤ 〖댄스〗 샤세《발을 빨리 앞·옆으로 옮기는 스텝》. — *vi.* 샤세로 추다.

chas·sis[ʃǽsi] *n.* (*pl.* ~[-z]) Ⓒ (비행기·자동차·마차 따위의) 차대; (포차의) 포대; (라디오·TV의) 조립 밑판.

***chaste**[tʃeist] *a.* ① 정숙〔순결〕한(virtuous). ② (문체·취미 등) 담박한, 수수한(simple), 고아한, 점잖은. **∠·ly** *ad.*

***chas·ten**[tʃéisən] *vt.* (신이) 징계〔응징〕하다; (글을) 다듬다; (열정을) 억제하다; 누그러뜨리다. **~·er** *n.* Ⓒ 응징자〔물〕; 시련자〔물〕.

***chas·tise**[tʃæstáiz] *vt.* 《詩》 응징〔징계〕하다, 벌하다(punish). **~·ment**[tʃæstáizmənt/tʃǽstiz-] *n.*

***chas·ti·ty**[tʃǽstəti] *n.* Ⓤ 정숙, 순결.

chástity bèlt 정조대.

chas·u·ble[tʃǽzjəbəl, tʃǽs-] *n.* Ⓒ (미사 때 사제가 alb 위에 입는 소매 없는) 제의(祭衣).

:chat[tʃæt] *n., vt.* (*-tt-*) ① Ⓤ,Ⓒ (…와) 잡담(하다); 〖컴〗 대화. ② Ⓒ 지빠귓과의 작은 새.

******châ·teau***[ʃætóu] *n.* (*pl.* **~x**[-z]) (F.) Ⓒ 성; 대저택.

chat·e·laine[ʃǽtəlèin] *n.* Ⓒ 성주(城主)의 부인; 여자 성주; (열쇠·시계 등을 다는) 여자의 허리 장식 사슬.

cha·toy·ant[ʃətɔ́iənt] *a.* 광택이〔색채가〕 변화하는《견직물·보석 따위》.

chat·tel[tʃǽtl] *n.* Ⓒ (보통 *pl.*) 가재(家財); 〖法〗 동산(動産); 《古》 노예.

:chat·ter[tʃǽtər] *vi., n.* Ⓤ ① 재잘거리다; 수다. ② (기계가) 털털거리다〔거리는 소리〕; (이가) 덜덜 떨리다〔떪, 떨리는 소리〕; (새·원숭이가) 시끄럽게 울다〔우는 소리〕. ③ (시냇물이) 졸졸 흐르다〔흐르는 소리〕; 여울.

chátter·bòx *n.* Ⓒ 수다쟁이.

chat·ting[tʃǽtiŋ] *n.* 〖컴〗 채팅《통신망에서 실시간으로 모니터를 통해 대화를 나누는 일》.

chat·ty[tʃǽti] *a.* 수다스러운, 이야기를 좋아하는.

Chau·cer [tʃɔ́ːsər], **Geoffrey** (1340?-1400) 영국의 시인.

***chauf·feur**[ʃóufər, ʃoufə́ːr] *n., vi.* (F.) Ⓒ (자가용의) 운전사 (노릇하다); (자가용차에) 태우고 가다.

chau·tau·qua, C- [ʃətɔ́ːkwə] *n.* Ⓒ 《美》 (성인을 위한) 하기(夏期) 문화 강습회《New York주의 호수(가의 마을) 이름》.

chau·vin·ism[ʃóuvənìzəm] *n.* Ⓤ 맹목적 애국주의, 극우적(極右的) 배타 사상. **-ist** *n.*

chaw[tʃɔː] *vt., vi.* 《俗》 (질겅질겅) 씹다. ***~ up*** 《美》 완전히 해내다.

Ch.E. Chemical Engineer.

†cheap[tʃiːp] *a.* ① 싼; 값싼, 싸구려의, 시시한. ② (인플레 등으로) 값어치가 떨어진. ***~ money*** 가치가 떨어진 돈. ***feel ~*** 초라하게 느끼다, 풀이 죽다. ***hold*** (*a person*) ***~*** (아무를) 얕보다. ***on the ~*** 《주로 英》 (값)싸게. — *ad.* 싸게. **∠·ly** *ad.* **∠·ness** *n.*

cheap·en[tʃíːpən] *vt., vi.* 싸게 하다; 싸지다.

chéap-jàck *n.* Ⓒ 싸구려 행상인. — *a.* 싸구려의.
chéap·skàte *n.* Ⓒ 《美口》 구두쇠.
:cheat[tʃiːt] *vt., vi.* ① 속이다; 속여서 빼앗다. ② (시간을) 보내다(beguile). ③ 용케 피하다(elude). — *n.* Ⓒ 속임, 협잡(꾼). **∠·er** *n.* Ⓒ 협잡〔사기〕꾼.
†check[tʃek] *n.* ① Ⓒ 저지(물), (돌연한) 방해; 정지, 휴지; Ⓤ 억제, 방지. ② Ⓤ 감독, 감시, 관리, 지배. ③ Ⓒ (잘못을 막기 위한) 대조(표), 체크, 점검; 〖컴〗 검사. ④ Ⓒ (하물) 상환표〔패〕, 물표; 수표(《英》 cheque); 《美》 (먹은) 음식의 계산서. ⑤ Ⓤ,Ⓒ 바둑판〔체크〕 무늬; Ⓤ 〖체스〗 장군. ~ ***bouncer*** 부정 수표 남발자. ***hold*** 〔***keep***〕 ***in*** ~ 저지하다; 억제하다. ***pass*** 〔***hand***〕 ***in one's ~s*** 죽다. — *vt.* ① (갑자기) 제지하다, 방해〔억제〕하다. ② 〖체스〗 장군 부르다. ③ 〖野〗 견제하다. ④ 〖軍〗 책하다. ⑤ (하물의) 물표〔상환표〕를 붙이다; 물표를 받고 보내다〔맡기다〕; 체크표를 하다, 점검〔대조·검사〕하다. ⑥ 균열〔금〕을 내다. — *vi.* ① (장애로 인해) 갑자기 멈추다; (사냥개가 냄새를 잃고) 멈춰서다. ② 《美》 수표를 쓰다〔떼다〕. ~ ***at*** …에게 화를 내다. ~ ***in*** 여관에 들다; 《美俗》 죽다; 《美口》 도착하다; 출근하다. ~ ***off*** 체크하다, 표를 하다. ~ ***out*** 《美》 (셈을 마치고) 여관을 나오다; 《俗》 죽다; 《美口》 물러나다, 퇴근하다. ~ ***up*** 대조〔사조(査照)〕하다. — *int.* 〖체스〗 장군!; 《美口》 좋아!, 찬성!, 맞았어!
chéck bèam 〖空〗 (착륙하려는 항공기에 보내는) 유도 전파.
chéck·bòok *n.* Ⓒ 수표장(帳).
chéck càrd 《美》 (은행 발행의) 크레디트 카드. 「의.
checked[-t] *a.* 체크〔바둑판〕 무늬
***check·er**[tʃékər] *n.* ① Ⓒ 《美》 바둑판〔체크〕 무늬. ② Ⓒ (체커의) 말; (*pl.*) 《美》 체커《서양 장기》(《英》 draughts). — *vt.* 바둑판 무늬로 하다, 교착(交錯)시키다, 변화를 주다 (vary). **~ed**[-d] *a.* 바둑판 무늬의; 교착된, 변화가 많은.
chécker·bòard *n.* Ⓒ 체커판.
chéck-ìn *n.* Ⓤ,Ⓒ (호텔에의) 숙박 수속, 체크인.
chécking accòunt 《美》 당좌 예금《수표로 찾음》. 「거인 명부.
chéck lìst 《美》 대조표, 일람표; 선
check·mate[∠mèit] *n.* Ⓤ,Ⓒ (체스의) 외통 장군; (사업의) 막힘, 실패; 대패(大敗). — *vt.* 외통 장군을 부르다; 막히게〔막다르게〕 하다.
chéck·òff *n.* Ⓤ (봉급에서의) 조합비 공제.
chéck·òut *n.* Ⓤ,Ⓒ (호텔에서의) 퇴숙(退宿) 수속; 점검, 검사.
chéck·pòint *n.* Ⓒ 《美》 검문소.
chéck·ròll *n.* Ⓒ 점호 명부; 선거인 열람 명부.
chéck·ròom *n.* Ⓒ 《美》 휴대품 맡기는 곳.
chéck·ùp *n.* Ⓒ 대조, 사조(査照).
chéck·wrìter *n.* Ⓒ 《英》 수표 금액 인자기(印字器).
Ched·dar[tʃédər] *n.* Ⓤ 치즈의 일종(~ cheese).
†cheek[tʃiːk] *n.* ① Ⓒ 볼, 뺨. ② Ⓤ 철면피; 건방진 말〔태도〕. ~ ***by jowl*** 사이좋게 나란히, 친밀히. ***have plenty of*** ~ 낯가죽이 두껍다. ***None of your ~s!*** 건방진 소리 마라.
chéek·bòne *n.* Ⓒ 광대뼈.
chéek tòoth 어금니.
cheek·y[tʃíːki] *a.* 《口》 건방진. **cheek·i·ly** *ad.* **cheek·i·ness** *n.*
cheep[tʃiːp] *vi.* 삐악삐악 울다. — *n.* Ⓒ 그 소리.
:cheer[tʃiər] *n.* ① Ⓒ 갈채, 환호, 응원. ② Ⓤ 기분, 기운(spirits). ③ Ⓤ 음식, 성찬. ***give three ~s for*** …을 위해 만세 삼창을 하다. ***make good*** ~ 유쾌하게 음식을 먹다. ***of good*** ~ 명랑한, 기분이 좋은. ***The fewer the better*** ~. 《속담》 좋은 음식은 사람이 적을수록 좋다. ***What ~?*** 기분은 어떤가. — *vt., vi.* (…에게) 갈채하다; 격려하다, 기운이 나다, 기운을 북돋우다. ***C- up!*** 기운을 내라. ~ ***up at*** …을 듣고〔보고〕 기운이 나다. **~·ing**[tʃí(ː)riŋ/tʃíər-] *n.* Ⓤ 갈채. **∠·less** *a.*
:cheer·ful[∠fəl] *a.* 기분〔기운〕이 좋은; 즐거운; 유쾌한; 기꺼이 하는. **:~·ly** *ad.* ***~·ness** *n.*
cheer·i·o(h)[tʃìərióu] *int.* 《英口》 여어(hello); 잘 있게(goodby); 축하한다; 만세(hurrah).
***chéer·lèader** *n.* Ⓒ 응원 단장.
***cheer·y**[tʃíəri] *a.* 기분〔기운〕좋은. ***cheer·i·ly** *ad.* **cheer·i·ness** *n.*
†cheese[1][tʃiːz] *n.* Ⓤ 치즈. ***green*** ~ 생치즈. ***make ~s*** (여성이) 무릎을 굽히고 인사하다.
cheese[2] *n.* Ⓒ 《俗》 일류품; '대장'; 거짓말; 돈; 대단한〔귀중한〕 것.
cheese[3] *vt.* 《俗》 그만두다, 멈추다. ***C- it!*** 멈춰(Have done!); 정신 차려(Take care!); 튀어라(Run away!).
chéese·búrger *n.* Ⓤ,Ⓒ 치즈가 든 햄버거(스테이크) 샌드위치.
chéese·càke *n.* Ⓤ,Ⓒ 치즈·설탕·달걀을 개어서 넣은 케이크; Ⓤ 《俗》 《집합적》 각선미 사진(의 촬영); Ⓒ 매력 있는 여자.
chéese·clòth *n.* Ⓤ 일종의 설핀 무명.
chéese·pàring *n., a.* Ⓤ 치즈 겉껍질을 깎은 지스러기, 하찮은 것; 몹시 인색한〔함〕; 구두쇠 근성; (*pl.*) 사천.
chees·y[tʃíːzi] *a.* 치즈 같은; 《美俗》 볼품없이 된, 나쁜.
chee·tah[tʃíːtə] *n.* Ⓒ 치타; Ⓤ 그 털가죽. 「방장(廚房長).
chef[ʃef] *n.* (F.) Ⓒ 쿡(장(長)), 주
chef-d'oeu·vre[ʃeidə́ːvər] *n.* (*pl.* ***chefs-***[ʃei-]) (F.) Ⓒ 걸작(masterpiece).
Che·khov[tʃékɔːf/-ɔ-], **Anton**

(1860-1904) 러시아의 극작가·단편 작가. 「구.

Chel·sea[tʃélsi] *n.* 런던 남서부의
Chélsea bùn 건포도를 넣은 롤빵.
chem. chemical; chemist; chemistry.
:chem·i·cal[kémikəl] *a.* 화학(상)의; 화학적인. ~ ***combination*** 화합. ~ ***engineering*** 화학 공업. ~ ***formula*** 〔***warfare***〕 화학식〔전〕. —— *n.* Ⓒ (종종 *pl.*) 화학 약품. **~·ly** *ad.*
chémical Máce[-méis] 〖商標〗 분사식 최루 가스.
chem·i·co·bi·ol·o·gy [kèmikoubaiάlədʒi/-5l-] *n.* Ⓤ 생화학.
·che·mise[ʃəmí:z] *n.* Ⓒ 슈미즈, 속치마.
chem·i·sette[ʃèmizét] *n.* Ⓒ 슈미젯《여성의 목·가슴을 가리는 속옷》.
:chem·ist[kémist] *n.* Ⓒ 화학자; 《英》 약제사, 약종상.
:chem·is·try[-ri] *n.* Ⓤ 화학.
chem·o·sphere [kéməsfiər, kí:m-] *n.* Ⓒ 〖氣〗 화학권《성층권 상부부터 중간권·온도권에 걸친》.
chem·o·syn·the·sis [kèmousínθəsis, kì:m-] *n.* Ⓤ 〖植·生化〗 화학 합성.
chem·o·ther·a·py[kèmouθérəpi, kì:-] *n.* Ⓤ 화학 요법.
chem·ur·gy[kémə:rdʒi] *n.* Ⓤ 농산(農產) 화학.
che·nille[ʃəní:l] *n.* Ⓤ (자수용의) 꼰실; 코르덴풍의 골진 피륙《깔개·커튼용》. 「check).
·cheque[tʃek] *n.* Ⓒ 《英》 수표(《美》
chéque·bòok *n.* Ⓒ 《英》 = CHECKBOOK.
·cheq·uer(ed) [tʃékər(d)], **&c.** 《英》 =CHECKER(ED), &c.
C(h)e·rén·kov radiátion[tʃəréŋkɔ:f-, -kəf-/-kɔf-] 체렌코프 방사《물질 속을 하전 입자가 고속도로 통과할 때 일어나는 에너지 방사》.
:cher·ish[tʃériʃ] *vt.* ① 귀여워하다; 소중히 하다〔키우다〕. ② (희망·원한을) 품다(foster).
Cher·o·kee [tʃérəkì:, ⏑—⏑́] *n.* (the ~(s)) 체로키족《북아메리카 인디언의 한 종족》. 「여송연.
che·root[ʃərú:t] *n.* Ⓒ 양끝을 자른
:cher·ry[tʃéri] *n.* ① Ⓒ 벚나무(~ tree); Ⓤ 그 재목. ② Ⓒ 버찌. ③ Ⓤ 체리(색), 선홍색. ④ (*sing.*) 처녀막〔성〕. ***make two bites at*** 〔***of***〕 ***a*** ~ 꾸물거리다. —— *a.* 벚나무 재목으로 만든; 선홍색의.
:chérry blòssom 벚꽃.
chérry brándy 버찌를 넣어 만든 브랜디.
chérry pìe 버찌〔체리〕가 든 파이; 《美俗》 손쉬운 일〔벌이〕.
chérry stòne 버찌의 씨.
:chérry trèe 벚나무.
:cher·ub [tʃérəb] *n.* (*pl.* **~im** [-im]) Ⓒ ① 게루빔《둘째 계급의 천사》 (cf. seraph). ② 날개 있는 천동(天童)(의 그림·조상(彫像)). ③ (*pl.* **~s**) 귀여운 아이; 통통하고 순진한 사람. **che·ru·bic**[tʃərú:bik] *a.* 귀여운.
cher·vil[tʃə́:rvil] *n.* Ⓤ 〖植〗 파슬리의 무리《샐러드용》.
Ches. Cheshire.
Chesh·ire[tʃéʃər] *n.* 영국 서부의 주(州). ***grin like a*** ~ ***cat*** 이유 없이 징그럽게 웃다.
:chess[tʃes] *n.* Ⓤ 체스, 서양 장기.
chéss·bòard *n.* Ⓒ 체스 판.
chéss·màn *n.* Ⓒ 체스의 말.
:chest[tʃest] *n.* Ⓒ ① 가슴. ② (뚜껑 있는) 큰 상자, 궤. ~ ***of drawers*** 옷장. ~ ***trouble*** 폐병.
ches·ter·field[tʃéstərfì:ld] *n.* Ⓒ (침대 겸용) 큰 소파의 일종; (벨벳 깃을 단) 싱글 외투의 일종.
:chest·nut[tʃésnʌ̀t, -nət] *n., a.* ① Ⓒ 밤《나무·열매》; Ⓤ 밤나무 재목; =HORSE CHESTNUT. ② Ⓤ 밤색(의); Ⓒ 구렁말(의). ③ Ⓒ 《口》 진부한 이야기〔익살〕.
chést vòice 〖樂〗 흉성(胸聲).
chest·y[tʃésti] *a.* 《俗》 뽐내는; 자만〔자부〕하는. 「울.
che·vál glàss[ʃəvǽl-] 체경, 거
chev·a·lier[ʃèvəlíər] *n.* Ⓒ (중세의) 기사; (프랑스의) 최하위의 레종도뇌르 훈위(勳位) 소유자; (옛 프랑스 귀족의) 둘째〔셋째〕 아들.
Chev·i·ot[tʃéviət, tʃí:v-] *n.* Ⓒ (Eng. 와 Scot. 와의 경계의) ~ Hills 원산의 양; (c-) [*英*+ʃév-] Ⓤ 체비엇 모직 (비슷한 무명).
Chev·ro·let[ʃèvrəléi/⏑—⏑́] *n.* Ⓒ 〖商標〗 시보레《자동차 이름》.
chev·ron[ʃévrən] *n.* Ⓒ 갈매기표 무늬《∧》; (부사관·경관 등의) 갈매기표 수장(袖章).
Chev·y[ʃévi] *n.* 《美俗》 =CHEVROLET(cf. Caddy).
chev·y[tʃévi] *n.* Ⓒ 《英》 사냥(의 몰잇소리); 추적(追跡). —— *vt., vi.* 뒤쫓다(chase); 쫓아 다니다; 혹사(酷使)하다, 괴롭히다; 뛰어 다니다.
:chew[tʃu:] *vt., vi.* ① 씹다, 씹어〔깨물어〕 부수다(cf. crunch, munch). ② 숙고(熟考)하다(*over*). —— *n.* Ⓒ 씹음, 씹는 물건; 한 입, 한 번 씹음 └〔깨묾〕.
chéwing gùm 껌.
Chey·enne[ʃaién, -ǽn] *n.* (*pl.* ~(**s**)) 샤이엔족《북아메리카 원주민》.
chg. (*pl.* ***chgs.***) change; charge.
chgd. changed; charged.
chi[kai] *n.* Ⓤ,Ⓒ 그리스어 알파벳의 스물 둘째 글자《*X, x*》.
Chiang Kai-shek[tʃǽŋ káiʃék] (1887-1975) 장제스(蔣介石)《중국 총통》.
Chi·an·ti[kiǽnti, -ά:n-] *n.* Ⓤ 이탈리아산 붉은 포도주.
chi·a·ro·scu·ro[kiὰ:rəskjú(:)rou] *n.* (It.) Ⓤ (그림·문예상의) 명암(明暗)의 배합〔대조〕(법).
chi·as·mus[kaiǽzməs] *n.* 〖修〗 교차 대구법《어구의 X 모양 배열 전

환; 보기: *Grief joys, joy grieves*》.
chic[ʃi(ː)k] *n., a.* (F.) Ⓤ 멋짐, 멋진, 스마트한[함].
:Chi·ca·go[ʃikáːgou, -kɔ́ː-] *n.* 시카고《미국 중부의 대도시》.
chi·cane[ʃikéin] *n.* Ⓤ 책략, 궤변, 속임. — *vt., vi.* 얼버무리다, 어물쩍거리다, 속이다.
chi·can·er·y[-əri] *n.* Ⓤ,Ⓒ 속임(수의 말).
Chi·ca·no[tʃikáːnou] *n.* (*pl.* **~s**) Ⓒ《美》 멕시코계 미국인.
chi·chi[tʃíːtʃiː] *a., n.* Ⓤ,Ⓒ 멋진 (스타일), 스마트한 (디자인).
:chick[tʃik] *n.* Ⓒ ① 병아리, 열종이. ②《애칭》 어린애; (the ~s) 한 집안의 아이들. ③《美俗》 젊은 여자.
chick·a·dee[tʃíkədìː] *n.* Ⓒ 박새(무리).
chick·a·ree[tʃíkərìː] *n.* Ⓒ 붉은 털의 다람쥐《북미산》.
†chick·en[tʃíkin] *n.* (*pl.* **~(s)**) ① Ⓒ 새새끼, 병아리. ② Ⓒ 닭; Ⓤ 영계 고기, 닭고기. ③ Ⓒ《口》 어린애, 풋내기, 계집아이, 약골. ④ Ⓒ 하찮은 일, 거짓말, 성마름. ***go to bed with the ~s*** 일찍 자다. ***play ~***《美俗》 상대가 물러서기를 기대하면서 서로 도전하다.
chícken brèast 새가슴.
chícken fèed《美》 닭모이;《美俗》 잔돈.
chícken-héarted *a.* 소심한.
chícken pòx 수두(水痘), 작은 마마.
chícken yàrd《美》 양계장.
chíck·wèed *n.* Ⓒ 【植】 별꽃.
chí·cle (gúm)[tʃíkl(-)] *n.* Ⓤ《美》 치클《껌 원료》.
chic·o·ry[tʃíkəri] *n.* Ⓤ,Ⓒ 【植】 치코리《잎은 샐러드용, 뿌리는 커피 대용》;《英》 =ENDIVE.
chid[tʃid] *v.* chide의 과거(분사).
chid·den[tʃídn] *v.* chide의 과거분사.
chide**[tʃaid] *vt., vi.* (chid, ~d; chidden, chid, ~d***) 꾸짖다; 꾸짖어 내쫓다(*away*).
†chief[tʃiːf] *n.* Ⓒ ① 장(長), 수령, 지도자. ② 추장, 족장(族長). ③ 장관, 국장, 소장, 과장(따위). ***~ of staff*** 참모장. ***in ~*** 최고위의; 주로 (*the editor in ~* 편집장). — *a.* ① 첫째의, 제 1위의, 최고의. ② 주요한.
Chíef Exécutive《美》 대통령; 행정 장관《주지사·시장 등》.
chíef jústice 재판(소)장; (C- J-) 대법원장.
:chief·ly[tʃíːfli] *ad.* ① 주로. ② 흔히, 대개.
***chief·tain**[tʃíːftən] *n.* Ⓒ 지도자, 두목, 추장, 족장. **~·cy, ~·ship**[-ʃip] *n.*
chiff·chaff[tʃíftʃæf] *n.* Ⓒ 【鳥】 솔새속(屬)《꾀꼬리 무리》의 명금(鳴禽).
chif·fon[ʃifán/ʃífɔn] *n.* (F.) ① Ⓤ 시퐁《얇은 비단》. ② (*pl.*) 옷의 장식《리본 따위》.
chif·fo·nier[ʃìfəníər] *n.* Ⓒ (거울 달린) 옷장.
chig·ger[tʃígər] *n.* Ⓒ 털진드기; =CHIGOE.
chi·gnon[ʃíːnjɑn/ʃiːnʌ́n] *n.* (F.) Ⓒ (속발(束髮)의) 쪽.
chig·oe[tʃígou] *n.* Ⓒ 모래벼룩《서인도·남미산》, 진드기의 일종.
chil·blain[tʃílblèin] *n.* Ⓒ (보통 *pl.*) 동상(凍傷).
†child[tʃaild] *n.* (*pl.* ***~ren***[tʃíldrən]) Ⓒ ① 아이, 어린이, 유아. ② 자식; (*pl.*) 자손. ③ 미숙자. ***a ~ of fortune*** [***the age***] 운명[시대]의 총아, 행운아. ***as a ~*** 어릴 때. ***with ~*** 임신하여. **∠·less** *a.* 아이[어린애] 없는.
chíld·bèaring, chíld·bìrth *n.* Ⓤ,Ⓒ 출산, 해산.
chíld·bèd *n.* Ⓤ 산욕(産褥); 해산.
:child·hood[∠hùd] *n.* Ⓤ ① 유년기, 어림. ② 초기의 시대.
:child·ish[∠iʃ] *a.* 어린애 같은, 앳된, 유치한. **~·ly** *ad.* **~·ness** *n.*
chíld lábo(u)r 미성년자 노동.
***chíld·lìke** *a.* (좋은 뜻으로) 어린애다운, 천진한(cf. childish).
chíld·pròof *a.* 아이는 다룰 수 없는; 어린 아이가 장난칠 수 없는.
chíld psychólogy 아동 심리(학).
†chil·dren[tʃíldrən] *n.* child의 복수.
***Chil·e**[tʃíli] *n.* 칠레《공화국》. **~·an**[tʃíliən] *a., n.* 칠레의; Ⓒ 칠레 사람(의).
chil·i[tʃíli] *n.* (*pl.* ***~es***) Ⓤ,Ⓒ 고추(의 일종).
:chill[tʃil] *n.* Ⓒ ① (보통 *sing.*) 한기(寒氣), 냉기(coldness). ② 으스스함, 오한; 냉담함; 섬뜩함, 두려움. ***cast a ~ over*** …의 흥을 깨다. ***catch*** [***have***] ***a ~*** 오싹[으스스]하다. ***~s and fever***《美》 【醫】 학질, 간헐열. ***take the ~ off*** (음료 따위를) 조금 데우다. — *a.* ① 차가운, 찬. ② 냉담한. — *vt.* ① 차게 하다, 냉동하다. ② 흥을 잡치다; 낙심시키다(dispirit). ③ (용철(熔鐵)을) 냉강(冷剛)하다. ④ (음료를) 알맞게 데우다(cf. mull³). — *vi.* 식다, 차가워[추워]지다, 한기가 들다. **~ed**[-d] *a.* 냉각된, 냉장한. **:chíl·ly** *a.* 찬, 차가운.
chíll càr《美》 냉동차(車).
Chíl·tern Húndreds[tʃíltərn-]《英》 영국 북서쪽 구릉 지대인 Chiltern Hills 부근의 왕의 영지. ***accept*** [***apply for***] ***the ~*** 하원 의원을 사퇴하다.
chi·mae·ra[kaimíːrə, ki-] *n.* = CHIMERA.
:chime[tʃaim] *n.* ① Ⓒ 차임《조율(調律)한 한 벌의 종》; (*pl.*) 그 소리; (시보(時報)의) 차임. ② Ⓤ,Ⓒ 조화. ***fall into ~ with*** …와 조화하다. ***keep ~ with*** …와 가락을 맞추다. — *vt., vi.* ① (가락을) 맞추어 울리다; (종·시계가) 아름다운 소리로 울리다. ② 울리어 알리다. ③ 일치[조화]하다, 가락을 맞추다. ***~ in*** 찬성하다, 맞장구치다; (…와) 가락

〔장단〕을 맞추다(*with*); 일치하다.
chi·me·ra[kaimí:rə, ki-] *n.* (*or* C-) 〖그神〗 키메라《사자의 머리, 염소의 몸, 용〔뱀〕의 꼬리를 한 괴물; 입으로 불을 뿜음》; Ⓒ 괴물; 환상. **chi·mer·ic**[-mérik], **-i·cal**[-əl] *a.* 환상의, 정체를 알 수 없는.
:chim·ney[tʃímni] *n.* Ⓒ 굴뚝, (남포의) 등피.
chímney còrner 노변(爐邊), 난롯가. 「NER.
chímney nòok =CHIMNEY COR-
chímney pìece =MANTELPIECE.
chímney pòt 연기 잘 빠지게 굴뚝 위에 얹은 토관; 《美》 실크해트.
chímney stàck 짜맞춘 굴뚝; (공장 따위의) 큰 굴뚝.
chímney stàlk (공장의) 큰 굴뚝; (굴뚝의) 돌출부.
chímney swàllow 《英》 (흔히 볼 수 있는) 제비.
chímney swèep(er) 굴뚝 청소부. 「칼새.
chímney swìft (북미산의) 제비,
chimp[tʃimp] *n.* 《口》 =CHIMPANZEE.
***chim·pan·zee**[tʃìmpænzí:, ─ˊ─/-pən-, -pæn-] *n.* Ⓒ 침팬지.
:chin[tʃin] *n.* Ⓒ 턱; 턱끝. **~ *in* (*one's*) *hand*** 손으로 턱을 괴고. ***keep one's* ~** 버티다, 굴하지 않다. ***wag one's* ~** 지껄이다(talk). ── *vt., vi.* 《美》 지껄이다; (바이올린 따위를) 턱에 대다. **~ *oneself*** (철봉에서) 턱걸이하다. ***C- up!*** 《俗》 기운〔힘〕 내라.
†Chi·na[tʃáinə] *n.* 중국. ***the People's Republic of* ~** 중화 인민 공화국. ***the Republic of* ~** 중화민국. ── *a.* 중국(산)의.
:chi·na *n., a.* Ⓤ 자기(磁器)(의); 《집합적》 도자기(porcelain).
Chína àster 〖植〗 과꽃.
chína clày 도토(陶土), 고령토.
Chína ìnk 먹.
Chi·na·man[-mən] *n.* Ⓒ 《蔑》 중국인(Chinese); (c-) 질그릇 장수.
Chína trèe 〖植〗 멀구슬나무.
chína·wàre *n.* Ⓤ 도자기.
chin·chil·la[tʃintʃílə] *n.* ① Ⓒ 친칠라《남아메리카산》. ② Ⓤ 그 모피. ③ Ⓒ 친칠라 모피 제품.
chin-chin[tʃíntʃìn/ˊˊ] *int.* 《英》 축배!, 안녕!, 야아!
chin·cough[tʃínkɔ̀:f, -ɑ̀:-] *n.* Ⓤ 〖醫〗 백일해.
chine[tʃain] *n.* Ⓒ 등뼈(살); 산등성이, 산마루.
Chi·nee[tʃainí:] *n.* 《俗》 =CHINESE.
†Chi·nese[tʃainí:z, ˊ─] *a.* 중국의; 중국어의; 중국인의. ── *n.* (*pl.* ~) Ⓒ 중국인; Ⓤ 중국어.
Chínese béllflower 도라지.
Chínese cháracter 한자.
Chínese ínk 먹.
Chínese lántern 종이 초롱.
Chínese lántern plànt 꽈리.
Chínese púzzle 복잡한 퀴즈; 난문제.
Chínese Wáll 만리 장성.
Chínese whíte 아연백(亞鉛白)《그림물감》.
chink[1][tʃiŋk] *n., vi., vt.* Ⓒ 갈라진 틈; 균열(이 생기다, 을 만들다), 금(이 가다, 이 가게 하다); 《美》 (…의) 틈을 메우다〔막다〕.
chink[2] *vi., vt.* 짤랑짤랑 소리나(게 하)다. ── *n.* ① Ⓒ 그 소리. ② Ⓤ,Ⓒ 《俗》 주화, 돈.
chín mùsic 《美俗》 잡담, 회화.
chi·no[tʃí:nou ʃí:-] *n.* Ⓤ 질긴 능직 천의 일종; (*pl.*) 그것으로 만든 바지.
Chi·nook[tʃinúk, ʃinú:k] *n.* (*pl.* ~(***s***)) ① Ⓒ 치누크《미국 북서부의 토인》. ② Ⓤ 치누크 언어.
chin·qua·pin[tʃíŋkəpìn] *n.* Ⓒ (북미산) 밤나무의 일종; 그 열매.
chintz[tʃints] *n., a.* Ⓤ (광택을 낸) 사라사 무명(의).
chín-ùp *n.* Ⓒ (철봉에서의) 턱걸이.
chín·wàg *n.* Ⓒ 《俗》 수다, 잡담. ── *vi.* (***-gg-***) 《俗》 수다떨다.
:chip[tʃip] *n.* ① Ⓒ (나무·금속 따위의) 조각, 나무때기. ② Ⓒ 얇은 조각. ③ Ⓒ 사기 그릇 따위의 이빠진 곳〔흠〕; 깨진 조각, 쪼가리 ④ Ⓒ (포커 따위의) 점수패. ⑤ Ⓒ 너절한 것. ⑥ (*pl.*) 《英》 (감자 따위) 얇게 썬 것(의 튀김). ⑦ Ⓒ 가축의 말린 똥《연료용》. ⑧ (*pl.*) 《俗》 돈. ⑨ Ⓒ 〖컴〗 칩. ***a* ~ *of* 〔*off*〕 *the old block*** 아비 닮은 아들. ***a* ~ *in porridge* 〔*pottage, broth*〕** 있으나 마나 한 것. ***have a* ~ *on one's shoulder*** 《美口》 시비조다. ***dry as a* ~** 무미 건조한. ***in* ~*s*** 《俗》 돈많은. ***The* ~*s are down.*** 《美俗》 주사위는 던져졌다; 결심이 섰다. ***when the* ~*s are down*** 《口》 위급할 때, 일단 유사시. ── *vt.* (***-pp-***) 자르다, 깎다, 쪼개다. ── *vi.* 떨어져 나가다, 빠지다(*off*). **~ *at*** …에 덤벼〔대〕들다; 독설을 퍼붓다. **~ *in*** 《口》 (이야기 도중에) 말 참견하다; 돈을 추렴하다(contribute).
chíp·bòard *n.* Ⓤ 마분지, 판지.
chip·munk[ˊmʌ̀ŋk] *n.* Ⓒ 얼룩다람쥐《북미산》.
chip·per[tʃípər] *a.* 《美口》 쾌활한.
chip·ping[tʃípiŋ] *n.* Ⓒ (보통 *pl.*) 지저깨비. 「새.
chípping spàrrow (북미산의) 참
chip·py[1][tʃípi] *a.* 지저깨비의; 《俗》 너절한; 《俗》 숙취(宿醉)로 기분이 나쁜; 성마른, 잔뜩 성이 난.
chip·py[2] *n.* Ⓒ chipmunk 및 chipping sparrow의 애칭; 《俗》 갈보.
chirk[tʃə:rk] *a., vi.* 《美俗》 쾌활한〔해지다, 하게 행동하다〕; (문 따위가) 삐걱거리다.
chi·ro·graph[káirougræ̀f] *n.* Ⓒ 증서, 자필 증서.
chi·rog·ra·phy[kairɑ́grəfi/-rɔ́g-] *n.* Ⓤ 글씨, 필체, 필적.
chi·ro·man·cer [káirəmæ̀nsər]

C

n. Ⓒ 수상가(手相家).

chi·rop·o·dy [kirɑ́pədi, kai-/kirɔ́-] *n.* Ⓤ (손)발치료《못·부르튼 곳 등의》.

chi·ro·prac·tic [kàirəprǽktik] *n.* Ⓤ (척추) 지압 요법.

chi·ro·prac·tor [káirəprӕktər] *n.* Ⓒ 지압(指壓) 치료사.

:chirp [tʃəːrp] *vi.* (새·벌레가) 짹짹〔찍찍〕 울다. ── *n.* Ⓒ 그 우는 소리.

chirr [tʃəːr] *vi.* (귀뚜라미 등이) 귀뚤귀뚤〔찌르찌르〕 울다. ── *n.* Ⓒ 그 우는 소리.

chir·rup [tʃírəp, tʃə́ːr-] *vi.* 지저귀다; (갓난애를) 혀를 차서 어르다; 《俗》(박수 부대가) 박수를 치다. ── *n.* Ⓒ 지저귐; (쯧쯧) 혀 차는 소리.

***chis·el** [tʃízl] *n.* ① Ⓒ 끌, 조각칼. ② Ⓤ (the ~) 조각술. ③ Ⓤ,Ⓒ 《俗》 잔꾀, 사기. ── *vt.* 《英》(*-ll-*) 끌로 깎다〔파다〕; 《美俗》 속이다.

chit[1] [tʃit] *n.* Ⓒ 어린애; (건방진) 계집애; 새끼 고양이.

chit[2] *n.* Ⓒ 짧은 편지, 메모; (식당·다방 따위의) 전표.

chit[3] *n., vi.* (*-tt-*) Ⓒ 싹(을 내다).

chit·chat [tʃíttʃæ̀t] *n.* Ⓤ 잡담; 세상 얘기.

chi·tin [káitin] *n.* Ⓤ 〖生化〗 키틴질(質), 각질(角質)《곤충·갑각류의 겉을 싸는 성분》.

chit·ter·lings [tʃítliŋz] *n. pl.* (돼지 따위의) 곱창《튀김 등으로 씀》.

***chiv·al·rous** [ʃívəlrəs] *a.* 기사적인(knightly), 의협적인, 용감하고 관대한; 여성에게 정중한(gallant). **~·ly** *ad.*

***chiv·al·ry** [ʃívəlri] *n.* Ⓤ 기사도〔제도〕.

chive [tʃaiv] *n.* Ⓒ 〖植〗 골파.

chiv·(v)y [tʃívi] *n., v.* =CHEVY.

chlo·ral [klɔ́ːrəl] *n.* Ⓤ 〖化〗 클로랄《알데히드의 일종》; =**∠ hýdrate** 포수(抱水) 클로랄《마취제》.

chlo·ram·phen·i·col [klɔ̀ːræmfénikɔ̀ːl] *n.* =CHLOROMYCETIN.

chlo·rate [klɔ́ːreit] *n.* Ⓒ 〖化〗 염소산염.

chlor·dane [klɔ́ːrdein] *n.* Ⓤ,Ⓒ 〖化〗 클로르데인《강력한 살충제》.

chlo·rel·la [klərélə] *n.* Ⓤ,Ⓒ 〖植〗 클로렐라《녹조(綠藻)의 일종》.

chlo·ric [klɔ́ːrik] *a.* 〖化〗 염소를 함유하는. **~ *acid*** 염소산.

chlo·ride [klɔ́ːraid] *n.* Ⓤ 염화물; 《口》 표백분. **~ *of lime*** 표백분.

chlo·rine [klɔ́ːrin] *n.* Ⓤ 〖化〗 염소.

chlórine dióxide 2산화염소《주로 목재 펄프·지방·기름·소맥분의 표백제용》.

chlo·rite[1] [klɔ́ːrait] *n.* Ⓒ 〖化〗 아염소산염.

chlo·rite[2] *n.* Ⓤ 〖鑛〗 녹니석.

chlo·ro·dyne [klɔ́ːroudàin] *n.* Ⓤ 클로로다인《진통 마취약》.

chlo·ro·fluor·o·car·bon [klɔ̀ːrouflùroukɑ́ːrbən, -flɔ̀ːr-] *n.* Ⓤ,Ⓒ 〖化〗 클로로플루오르카본《Freon을 이름; 생략 CFC》.

chlo·ro·form [klɔ́ːrəfɔ̀ːrm] *n., vt.* Ⓤ 클로로포름(으로 마취시키다).

chlo·ro·my·ce·tin [klɔ̀ːroumaisíːtn] *n.* Ⓤ 〖藥〗 클로로마이세틴《항생 물질의 일종; 티푸스·폐렴약》.

chlo·ro·phyl(l) [klɔ́ːrəfìl] *n.* Ⓤ 엽록소(葉綠素).

chlo·ro·prene [klɔ́ːrouprìːn] *n.* Ⓤ 클로로프린《합성고무의 원료》.

chlo·rous [klɔ́ːrəs] *a.* 〖化〗 아염소산의.

chlor·prom·a·zine [klɔːrprɑ́məzìːn/-prɔ́m-] *n.* Ⓤ 〖藥〗 클로르프로마진《진정제·구토 억제》.

chock [tʃak/-ɔ-] *n., vt.* Ⓒ 굄목; (배의) 밧줄걸이; 쐐기(로 고정시키다); (가구 따위로) 꽉 채우다(*up*) (~ *up a room with furniture*). ── *ad.* 꽉, 빽빽히; 아주.

chock·a·block [tʃɑ́kəblɑ́k/tʃɔ́kəblɔ́k] *a., ad.* 꽉 찬; 꽉 차서(*with*).

chóck-fúll *a.* 꽉 찬.

:choc·o·late [tʃɔ́ːkəlit, -ɑ́-/-ɔ́-] *n., a.* Ⓤ 초콜릿(과자·빛)(의).

chócolate-bòx *a.* 표면적으로 고운, 번쩍번쩍하는.

chócolate sóldier 전투를 좋아하지 않는 병사.

:choice [tʃɔis] *n.* ① Ⓤ,Ⓒ 선택(selection); 가림(preference). ② Ⓤ 선택권〔력〕; Ⓒ 선택의 기회. ③ Ⓒ 뽑힌 것〔사람〕, 우량품, 정선(精選)된 것(best part) (*of*). ④ Ⓤ 선택의 범위〔종류〕 (variety) (*We have a large*〔*great*〕 *~ of ties.* 여러 가지 넥타이가 있습니다). ***at one's own ~*** 좋아하는〔마음〕 대로. ***by ~*** 좋아서, 스스로 택하여. ***~ for the tokens*** 《英俗》 베스트 셀러, 날개돋힌 책. ***for ~*** 어느 쪽인가를 택해야 한다면. ***have no ~*** 가리지 않다《아무 것이나 좋다》; 이것저것 가릴 여지가 없다. ***have no ~ but to*** (do) …할 수밖에 없다. ***have one's ~*** 자유로 선택할 수 있다. ***Hobson's ~*** (주어진 것을 갖느냐 안 갖느냐의) 명색뿐인 선택. ***make ~ of*** …을 고르다. ***without ~*** 가리지 않고, 차별없이. ── *a.* 고르고 고른(select), 우량한.

:choir [kwaiər] *n.* Ⓒ 《집합적》 (교회의) 성가대; (보통 *sing.*) 성가대석.

chóir·bòy *n.* Ⓒ (성가대의) 소년 가수.

chóir lòft (교회의 2층) 성가대석.

chóir màster 성가대 지휘자.

chóir òrgan (성가대 반주용) 최저음 파이프 오르간.

:choke [tʃouk] *vt.* ① 막히게 하다, 질식시키다. ② 목졸라 죽이다; 꽉 채워 넣다(fill), (틀어)막다(block). ③ 멈추다, (불을) 끄다. ④ (감정을) 억제하다. ── *vi.* 숨이 막히다, (목이) 메다(*with*); 막히다. **~ *back*** 억누르다(hold back). **~ *down*** 간신히 삼키다; 꿀꺽 참다. **~ *in*** 〔***up***〕 《美俗》 잠자코 있다. **~ *off*** 질식〔중지〕시키다. **~ *up*** 막다(*with*); 막히게 하다; 말라죽게 하다. ── *n.*

Ⓒ ① 질식. ② (파이프의) 폐색부. ~**d**[-t] *a.* 《口》 넌더리 내어, 실망하여.
chóke·dàmp *n.* Ⓤ (탄갱·우물 등의) 탄산〔유독〕 가스.
chóke-fúll *a.* =CHOCK-FULL.
chóke·pòint *n.* Ⓒ《美》(교통·항해의) 험난한 곳, (교통) 정체〔병목〕 지점.
chok·er[ˊ-ər] *n.* Ⓒ choke시키는 물건〔사람〕; 《口》 초커《목걸이》.
chok·y[tʃóuki] *a.* 숨막히는, 목이 메는 듯한; 감정을 억제하는.
cho·le·li·thi·a·sis[kòuləliθáiəsis] *n.* Ⓤ 〖醫〗 담석증.
chol·er[kálər/-ɔ́-] *n.* Ⓤ《古》 담즙 (bile); 울화, 노여움, 성마름. ~**·ic** [kálərik/-ɔ́-] *a.* 담즙질(質)의; 성마른, 잘 불끈거리는.
***chol·er·a**[kálərə/-ɔ́-] *n.* Ⓤ 콜레라. ***Asiatic* 〔*epidemic, malignant*〕 ~** 진성 콜레라.
chólera bèlt (보온용의) 복대(腹帶).
cho·les·ter·ol [kəléstərɔ̀ul, -rɔ̀(ː)l] *n.* Ⓤ 〖生化〗 콜레스테롤《혈액·뇌·담즙 등에 있는 지방질》.
cho·line[kóuliːn] *n.* Ⓤ 〖生化〗 콜린《비타민 B복합체의 하나》.
cho·lin·es·ter·ase[kòulənéstərèis, kàl-/kɔ̀l-] *n.* Ⓤ 〖生化〗 콜린에스테라아제《아세틸콜린을 초산과 콜린으로 가수분해하는 효소》.
chon·dri·tis[kandráitis/kɔn-] *n.* Ⓤ 〖醫〗 연골염.
choo-choo[tʃúːtʃùː] *n.* Ⓒ《美兒》 기차, 칙칙폭폭(《英》 puff-puff).
†**choose**[tʃuːz] *vt., vi.* (***chose; chosen***) ① 고르다(select), 선택하다. ② 선거하다(elect). ③ …하고 싶은 기분이 들다, …하려고 생각하다. ***as you ~*** 좋을〔마음〕대로. ***cannot ~ but*** (do) …하지 않을 수 없다.
choos·(e)y[tʃúːzi] *a.* 《口》 가리는, 까다로운.
:**chop**[1][tʃap/-ɔ-] *vt.* (***-pp-***) ① 찍다, 쳐〔패〕 자르다, 싹뚝 베다(hack), 잘게 자르다(mince)(*up*). ② (길을) 트다. ③ 〖테니스〗 (공을) 깎아치다. — *vi.* ① 자르다; 잘라지다, 가르다; 갈라지다; 금이 가다. ② 충뿔나게 참견하다(*in*). ***~ about*** 난도질하다. ***~ in*** 《口》 불쑥 말참견하다. — *n.* Ⓒ ① 절단(한 한 조각), 두껍게 베어낸 고깃점. ② 〖테니스〗(공을) 깎아치기.
chop[2] *n.* Ⓒ (보통 *pl.*) 턱, 뺨; (*pl.*) 입, (항구·골짜기의) 입구, 어귀.
chop[3] *vi., vt.* (***-pp-***) 갑자기 바꾸다〔바뀌다〕. ***~ about*** (바람이) 끊임없이 바뀌다; 갈팡질팡하다, 마음이 바뀌다. ***~ and change*** (생각·직업 따위를) 자꾸 바꾸다. ***~ logic*** 억지 이론〔궤변〕을 늘어놓다. ***~ words*** 언쟁〔말다툼〕하다.
chop[4] *n.* Ⓒ (인도·중국의) 관인(官印), 면허증; 상표; 《印口》 품질, 등급, 품종. ***first ~*** 일급품.
chop-chop[tʃáptʃáp/tʃɔ́ptʃɔ́p] *ad., int.* 《俗》 빨리 빨리, 서둘러.
chóp·fàllen *a.* =CHAPFALLEN.
chóp·hòuse *n.* Ⓒ 고기 요리점; 《古》(중국의) 세관.
Chopin[ʃóupæn/ʃɔ́pæn], **Frédéric François**(1810-49) 폴란드 태생의 프랑스 작곡가.
chop·per[tʃápər/-ɔ́-] *n.* Ⓒ 자르는〔써는〕 사람; 고기 써는 큰 식칼 (cleaver); 《美俗》 헬리콥터; 《俗》 (특히) 의치; 〖電子〗 초퍼《직류나 광선을 단속하는 장치》.
chop·ping[tʃápiŋ/tʃɔ́p-] *a.* 자르는 (데 쓰는); (아이가) 크고 뚱뚱한. — *n.* Ⓒ 패기, 난도질.
chop·py[tʃápi/-ɔ́-] *a.* (바람이) 변하기 쉬운; 삼각파가 이는.
chóp·stìck *n.* Ⓒ (보통 *pl.*) 젓가락.
chóp sú·ey[-súːi] 잡채.
cho·ral[kɔ́ːrəl] *a., n.* Ⓒ 성가대 (choir)의; 합창(chorus)의; 합창대, 성가. ***~ service*** 합창 예배.
cho·rale[kərǽl/kɔráːl] *n.* Ⓒ = CHORAL.
chóral spéaking 〖劇〗 제창(齊唱), 슈프레히코어(G. *Sprechchor*)《한 떼의 사람이 같은 말을 동시에 하기》.
†**chord**[kɔːrd] *n.* Ⓒ ① (악기의) 현, 줄(string). ② 화현(和弦), 화음. ③ 심금(心琴), 정서. ④ 〖數〗 (원의) 현(弦).
chor·date[kɔ́ːrdeit] 〖生〗 *a.* 척삭(脊索)이 있는; 척삭동물의. — *n.* Ⓒ 척삭동물.
chore[tʃɔːr] *n.* Ⓒ《美》 잡일, 허드렛일, 싫은 일.
cho·re·a[kɔːríːə, kə-] *n.* Ⓤ 무도병(St. Vitus's dance).
cho·re·og·ra·pher[kɔ̀ːriágrəfər/kɔ̀ːriɔ́-] *n.* Ⓒ 〖발레〗 안무가(按舞家).
cho·re·og·ra·phy [kɔ̀ːriágrəfi], 《英》 **cho·reg·ra·phy**[kəré-] *n.* Ⓤ 발레(의 안무); 무용술.
cho·ric[kɔ́ːrik/-ɔ́-] *a.* =CHORAL.
cho·rine[kɔ́ːriːn] *n.* 《俗》 =CHORUS GIRL.
chor·is·ter [kɔ́ːristər, -á-/-ɔ́-] *n.* Ⓒ 성가대원; 성가대 지휘자(choir leader).
cho·rog·ra·phy [kɔːrágrəfi/kɔːrɔ́g-] *n.* Ⓤ 지방지지(地方地誌), 지세도.
cho·rol·o·gy[kəráləd͡ʒi/-rɔ́l-] *n.* Ⓤ 생물 분포학.
chor·tle[tʃɔ́ːrtl] *vi.* 의기 양양하게 웃다.
:**cho·rus**[kɔ́ːrəs] *n.* Ⓒ 합창, 코러스; 합창곡〔단〕. ***in ~*** 이구동성으로, 일제히. — *vt.* 합창하다.
chórus gìrl 코러스 걸《레뷔 가수·무용수》.
:**chose**[1][tʃouz] *v.* choose의 과거.
chose[2][ʃouz] *n.* Ⓤ 〖法〗 물(物), 재산, 동산.
:**cho·sen**[tʃóuzn] *v.* choose의 과거분사. — *a.* 선택된, 뽑힌. ***the ~***

people (신의) 선민《유대인의 자칭》.
chou[ʃuː] *n.* (*pl.* **choux**[ʃuː]) Ⓤ 슈크림.
Chou En-lai[tʃóu énlái] (1898-1976) 저우언라이(周恩來)《중국의 정치가》.
chow[tʃau] *n.* ① Ⓒ (혀가 검은) 중국종 개. ② Ⓤ《美俗》음식, 식사. — *vi.*《美俗》먹다.
chow·der[tʃáudər] *n.* Ⓤ《美》(조개·생선의) 잡탕《요리》.
chòw méin[tʃàu méin] (Chin.) 초면(炒麵).
Chr. Christ; Christian.
chres·tom·a·thy [krestáməθi/-ɔ́-] *n.* Ⓤ (외국어 학습용의) 명문집(名文集).
:Christ[kraist] *n.* 그리스도, 구세주. **∠·ly** *a.* 그리스도의[같은].
***chris·ten**[krísn] *vt., vi.* ① 세례를 주다(baptize). ② 세례하여 명명하다; 이름을 붙이다. ③《口》처음으로 사용하다. **~·ing**[-iŋ] *n.* Ⓤ,Ⓒ 세례(식); 명명(식).
Chris·ten·dom[krísndəm] *n.* Ⓤ《집합적》기독교국[교도].
Christ·er[kráistər] *n.* Ⓒ《美學生俗》술 못 먹는 놈.
:Chris·tian[krístʃən] *n.* Ⓒ ① 기독교도. ②《口》신사, 숙녀, 문명인. ***Let's talk like ~s.*** 점잖게 얘기하자. — *a.* ① 그리스도(교)의. ②《口》신사적인.
Chrístian búrial 교회장(葬).
Chrístian Éra 서력 기원.
Chris·ti·an·i·a[krìstʃiǽniə] *n.* Ⓒ 『스키』 회전법의 하나.
***Chris·ti·an·i·ty**[krìstʃiǽnəti] *n.* Ⓤ 기독교 (신앙).
Chris·tian·ize[krístʃənàiz] *vt.* 기독교화하다. **-i·za·tion** [krìstʃən-izéiʃən/-tjənai-, -tʃə-] *n.*
:Chrístian náme 세례명, 이름.
Chrístian Scíence 신앙 치료를 특색으로 하는 미국의 M.B. Eddy 여사가 창시(1866)한 교파.
Chríst·lìke *a.* 그리스도 같은; 그리스도적인.
†Christ·mas[krísməs] *n.* Ⓤ 크리스마스, 성탄절(~ Day)《12월 25일》. ***~ book*** 크리스마스의 읽을거리. ***Merry ~!*** 크리스마스를 축하합니다.
Chrístmas bòx《英》크리스마스 선물《우체부·하인 등에 대한》. 「드.
Chrístmas càrd 크리스마스 카
Chrístmas càrol 크리스마스 송가(頌歌). 「[전야(제)].
Chrístmas Éve 크리스마스 이브
Chrístmas sèal 크리스마스 실.
Chrístmas·tìde *n.* Ⓤ 크리스마스 계절《Dec. 24-Jan. 6》.
Chrístmas trèe 크리스마스 트리.
Chris·tol·o·gy[kristálədʒi/-ɔ́-] *n.* Ⓤ 그리스도론(論). 「크롬산염.
chro·mate[króumeit] *n.* Ⓒ 『化』
chro·mat·ic[kroumǽtik] *a.* 색(채)의; 염색성의; 『樂』 반음계의(cf. diatonic).
chromátic aberrátion 『光』 색수차(色收差).
chromátic scále 반음계.
chomátic sensátion 색채 감각.
chro·ma·tin [króumətin] *n.* Ⓤ 『生』 염색질, 크로마틴.
chro·ma·to·phore[króumətəfɔ̀ːr] *n.* Ⓒ 『動·植』 색소세포, 색소체.
chrome[kroum] *n.* Ⓤ 『化』 크롬, 크로뮴(chromium); 황색 그림물감.
chro·mic[∠-ik] *a.* 크롬을 함유하는.
chróme stéel [**yéllow**] 크롬강(鋼)[황(黃)]. 「『化』 크로뮴.
chro·mi·um [króumiəm] *n.* Ⓤ
chro·mo[króumou] *n.*《美》=⇩.
chro·mo·gen[króumədʒən] *n.* Ⓤ 『化·染』 색원체; 매염 염료의 일종.
chro·mo·lith·o·graph[kròumou-líθougræ̀f, -grɑ̀ːf] *n.* Ⓒ 착색 석판화(畫). 「Ⓒ 『生』 염색체.
chro·mo·some[króuməsòum] *n.*
chro·mo·sphere [króuməsfìər] *n.* Ⓒ 『天』 채층(彩層)《태양 주변을 덮는 붉은 색 가스층》.
Chron. 『舊約』 Chronicles.
***chron·ic**[kránik/-ɔ́-] *a.* 오래 끄는, 만성의; 고질이 된. **-i·cal·ly** *ad.*
chron·i·cle**[kránikl/-ɔ́-] *n.* Ⓒ 연대기(年代記); 기록; 이야기; (C-)…신문(*The News C-*). ***the Chronicles 『舊約』 역대기. — *vt.* (연대순으로) 기록하다. **-cler** *n.* Ⓒ 연대기 작자, 기록자.
chrónicle plày 시대극, 사극.
chron(·o)-[krán(ə)/krɔ̀-] '시(時)'의 뜻의 결합사.
chron·o·log·i·cal[krɑ̀nəládʒikəl/krɔ̀nəlɔ́dʒ-] *a.* 연대순의. **~·ly** *ad.*
chro·nol·o·gy[krənálidʒi/-ɔ́-] *n.* ① Ⓤ 연대학. ② Ⓒ 연대기. **-gist** *n.* Ⓒ 연대학자.
chro·nom·e·ter [krənámitər/-nɔ́mi-] *n.* Ⓒ 크로노미터《항해용 정밀 시계》; 《一般》 정밀 시계.
chro·nom·e·try [krənámitri/-nɔ́m-] *n.* Ⓤ 시각 측정《과학적인》.
chron·o·pher[kránəfər/-ɔ́-] *n.* Ⓒ 시보(時報) 장치.
chron·o·scope [kránəskòup/krɔ́nə-] *n.* Ⓒ 크로노스코프《전자에 의한 극미 시간 측정기》.
chrys·a·lid[krísəlid] *n., a.* Ⓒ 번데기(의); 준비기(期)(의).
chrys·a·lis[krísəlis] *n.* (*pl.* **~es, -lides**[krisǽlədìːz]) Ⓒ 번데기(chrysalid); 준비기.
***chrys·san·the·mum** [krisǽnθə-məm] *n.* Ⓒ 국화(꽃).
chrys·o·ber·yl[krísoubèril] *n.* Ⓤ 『鑛』 금록옥(金綠玉).
chrys·o·lite[krísəlàit] *n.* Ⓤ 귀감람석(貴橄欖石).
chrys·o·prase[krísouprèiz] *n.* Ⓤ 『鑛』 녹옥수(綠玉髓).
chub[tʃʌb] *n.* (*pl.* **~s,**《집합적》~) Ⓒ 황어 무리의 민물고기.
chub·by[tʃʌ́bi] *a.* 토실토실 살찐(plump).

*__chuck¹__[tʃʌk] *vt.* ① 가볍게 두드리다(pat). ② (휙) 던지다. ③《英俗》(친구를) 버리다. ④ (턱 밑 따위를 장난삼아) 톡톡 치다. ~ ***away*** 버리다; 낭비하다. ***C- it!*** 집어쳐!, 그만둬!. 닥쳐! ~ ***oneself away on***《口》(남이 보아 하찮은 사람)과 결혼〔교제〕하다; …에 시간〔돈, 노력〕을 허비하다. ~ ***out*** (성가신 자를) 쫓아내다, 끌어내다; (의안을) 부결하다. ~ ***up*** 그만두다; 포기〔방기〕하다. — *n.* Ⓒ 던짐; 가볍게 침; 중지; 투전(投錢). ***get the*** ~ 해고당하다. ***give the*** ~《俗》갑자기 해고하다; (친구를) 뿌리쳐 버리다.

chuck² *n., vt.* Ⓒ 〖機〗 척《선반(旋盤)의 물림쇠》; 지퍼(zipper); (소의) 목 부분의 살, 목정;《美西部俗》음식; 〖機〗 척에 걸다〔으로 죄다〕.

chuck³ *vt., vi.* (암탉이 병아리를) 꼬꼬하고 부르다. — *n.* Ⓒ 그 소리.

chúck·hòle *n.* Ⓒ 도로상의 구멍.

:**chuck·le**[tʃʌ́kl] *vi.* ① 킬킬 웃다. ② (암탉이) 꼬꼬거리다. — *n.* Ⓒ 낄낄 웃음; 꼬꼬하는 울음 소리.

chúckle·hèad *n.* Ⓒ《口》바보, 천치. ~**ed** *a.*

chúck wàgon《美西部》농장〔목장〕의 취사(炊事)용 마차.

chuff[tʃʌf] *n.* Ⓒ 시골뜨기; 뒤틈바리; 구두쇠.

chug[tʃʌg] *vi.* (*-gg-*) (발동기 따위가) 칙칙〔폭폭〕 소리를 내다. — *n.* Ⓒ 칙칙〔폭폭〕하는 소리.

*__chum__[tʃʌm] *n., vi.* (*-mm-*) Ⓒ 단짝; 한 방의 동무; 친구; 한 방을 쓰다, 사이 좋게 지내다. ∠·**my** *n., a.* Ⓒ《口》단짝(의), 사이 좋은.

chump[tʃʌmp] *n.* Ⓒ 큰 나뭇조각〔고깃점〕;《口》멍텅구리, 바보(blockhead);《俗》대가리(head).

chunk[tʃʌŋk] *n.* Ⓒ《口》큰 덩어리; 땅딸막한 사람〔말〕. ∠·**y** *a.*《口》똥똥한, 앙바름한. 「투덜거리다.

chun·ter[tʃʌ́ntər] *vi.* 중얼거리다,

†**church**[tʃəːrtʃ] *n.* ① Ⓒ 교회당, 성당. ② Ⓤ (교회에서의) 예배(*early* ~ 새벽 예배). ③ Ⓒ (C-) 교파. ④ Ⓤ 전기독교도; 교권. ⑤ (the C-) 성직(聖職). ***after*** ~ 예배 후. ***Anglican C-*** =C- of England. ***as poor as a*** ~ ***mouse*** 몹시 가난하여. ***at*** ~ 예배중에. ***C- of England*** 영국국교회, 성공회. ***C- of Jesus Christ of Latter-day Saints*** 모르몬 교회. ***Eastern C-*** 동방〔그리스〕 교회. ***English C-*** =C- of England. ***enter*** 〔***go into***〕 ***the C-*** 성직자〔목사〕가 되다. ***High*** 〔***Low***〕 ***C-*** 고파(高派)〔저파(低派)〕 교회《의식 등을 중시하는〔하지 않는〕 영국 국교의 일파》. ***talk*** ~ 종교적인 말을 하다;《俗》재미 없는 말을 하다. ***Western C-*** 서방〔가톨릭〕 교회.

chúrch·gòer *n.* Ⓒ (늘) 교회에 다니는 사람.

chúrch·gòing *a., n.* Ⓤ 교회에 다니는〔다니기〕.

*__Church·ill__ [tʃə́ːrtʃil], **Winston** (1874-1965) 영국 보수당의 정치가·수상(1940-45, 1951-55).

church·less[tʃə́ːrtʃlis] *a.* 교회 없는; 교회에 안 다니는.

church·man[∠mən] *n.* Ⓒ 목사.

chúrch·wàrden *n.* Ⓒ 교구위원〔집사〕;《英》긴 사기 담뱃대.

*__chúrch·yàrd__ *n.* Ⓒ 교회의 경내(境內); 교회 묘지.

churl[tʃəːrl] *n.* Ⓒ 촌사람; 야비한 사나이; 구두쇠. ∠·**ish** *a.*

churn[tʃəːrn] *n.* Ⓒ 교유기(攪乳器)《버터를 만드는 대형 통》. — *vt., vi.* (우유·크림을) 휘젓다(stir); (휘저어) 버터를 만들다; 휘저어지다, 거품일(게 하)다. ∠·**er** *n.*

churr[tʃəːr] *vi., n.* =CHIRR.

chut[ɿ, tʃʌt] *int.* 쳇, 쯧쯧《마땅찮을 때》.

chute[ʃuːt] *n.* Ⓒ (물·재목 따위의) 활강로(滑降路); 급류, 폭포(rapids);《口》낙하산.

chut·ist[ʃúːtist] *n.* Ⓒ 낙하산병.

chut·ney, -nee[tʃʌ́tni] *n.* Ⓤ 처트니《인도의 달콤하고 매운 양념》.

chutz·pa(h)[hútspə] *n.* Ⓤ《俗》후안무치; 뻔뻔스러움.

chyle[kail] *n.* Ⓤ 〖生〗 유미(乳糜)《소장에서 만드는 지방성 임파액》.

chyme[kaim] *n.* Ⓤ 〖生〗 유미죽《위에서 위액으로 변화된 음식》.

C.I. Channel Island. **CIA**《美》Central Intelligence Agency.

CIC Counter Intelligence Corps. 「녕.

ciao[tʃau] *int.* (It.) 여어《인사》; 안

*__ci·ca·da__[sikéidə, -kɑ́ː-] *n.* (*pl.* ~*s, -dae*[-diː]) Ⓒ 매미.

cic·a·trice[síkətris], **-trix**[-triks] *n.* (*pl.* ***-trices***[∸–tráisiːz]) Ⓒ 흉터, 상처 자국; 〖植〗 엽흔(葉痕).

cic·a·trize[síkətràiz] *vi., vt.* 흉터가 나(게 하)다; 아물(게 하)다.

Cic·e·ro[sísəròu], **Marcus Tullius** (106-43 B.C.) 키케로《로마의 웅변가·정치가》. ~·**ni·an**[sìsəróuniən] *a., n.* 키케로적인; Ⓒ 웅변인, 키케로 숭배자.

cic·e·ro·ne[sìsəróuni, tʃìtʃə-] *n.* (*pl.* ***-ni***[-niː], ~***s***) (It.) Ⓒ (관광) 안내인.

ci·cis·be·o[tʃìːtʃizbéiou] *n.* (*pl.* ***-bei***[-béiiː]) (It.) Ⓒ (특히 18세기 이탈리아의, 유부녀의 공공연한) 애인.

C.I.D. Criminal Investigation Department《美》검찰국; 〖軍〗 범죄수사대;《英》(런던 경찰국의) 수사과.

*__ci·der__[sáidər] *n.* Ⓤ 사과술《한국의 '사이다'는 탄산수》. ***all talk and no*** ~ 공론(空論).

cíder prèss 사과 착즙기(搾汁器).

C.I.F., c.i.f. cost, insurance, and freight 운임 보험료 포함 (가격).

:**ci·gar**[sigɑ́ːr] *n.* Ⓒ 엽궐련, 여송연.

:**cig·a·ret(te)** [sìgərét, ∸–∠] *n.* Ⓒ 궐련.

cil·i·a[síliə] *n. pl.* (*sing.* ***-ium*** [-iəm]) 속눈썹; 〖植·生〗 섬모(纖毛), 솜털.
CIM computer-integrated manufacturing 컴퓨터 통합 생산 체제.
Cim·me·ri·an[simíəriən] *a.* 〖그神〗 (아득한 옛날, 영원한 암흑 세계에 살았다는) 키메르 사람의. ~ ***darkness*** 칠흑, 암흑.
C. in C., C-in-C Commander-in-Chief.
cinch[sintʃ] *n.* Ⓒ 《美》 (말의) 뱃대끈; 《口》 꽉 쥠[잡음]; 《俗》 확실한 일, 수월한 일(*That's a* ~. 그런 것은 식은 죽먹기다). — *vt.* 《美》 (말의) 뱃대끈을 죄다; 《俗》 꽉 붙잡다, 확보하다, 확실히 하다.
cin·cho·na[sinkóunə, siŋ-] *n.* Ⓒ 기나 나무; Ⓤ 기나피《키니네를 채취》.
cin·cho·nine[síŋkənìːn] *n.* 〖藥〗 싱코닌《기나피에서 채취한 알칼로이드》.
Cin·cin·nat·i[sìnsənǽti] *n.* 미국 오하이오주의 상공업 도시.
cinc·ture[síŋktʃər] *n.* Ⓒ 《詩》 띠(girdle), 띠끈; 울. — *vt.* (…을) 띠로 감다, 둘러싸다.
cin·der**[síndər] *n.* ① Ⓤ (석탄 따위의) 타다 남은 찌꺼기; 뜬숯. ② (*pl.*) 타다 남은 것, 재(ashes); = CINDER TRACK. ***burn up the ~s 《美》 (경주에서) 역주하다.
cínder blòck 속이 빈 건축용 블록.
***Cin·der·el·la**[sìndərélə] (<cinder) *n.* ① 신데렐라(=G. *Aschenbrödel;* F. *Cendrillon*). ② Ⓒ 숨은 미인[재원]; 하녀; 밤 12시까지만의 무도회(~ dance).
cínder pàth [**tràck**] 경주로.
cin·e-[síni, -nə] 'cinema'의 뜻의 결합사.
cíne·càmera *n.* Ⓒ 영화 촬영기.
cíne·film *n.* Ⓤ 영화용 필름.
:**cin·e·ma**[sínəmə] *n.* ① 《英》 Ⓤ 영화관(*go to the* ~ 영화 보러 가다). ② Ⓒ (한 편의) 영화. ③ (the ~) 《집합적》 영화(《美》 movies).
cínema cìrcuit 영화관의 흥행 계통.
cin·e·mac·tor[sínəmæ̀ktər] *n.* Ⓒ 《美俗》 영화 배우.
cin·e·mac·tress[-tris] *n.* Ⓒ 《美俗》 영화 여배우.
Cin·e·ma·Scope [sínəməskòup] *n.* Ⓤ,Ⓒ 〖商標〗 시네마스코프《와이드 스크린 방식 영화의 하나》.
cin·e·ma·theque[sìnəmətέk] *n.* Ⓤ,Ⓒ 실험 영화 극장.
cin·e·mat·o·graph[sìnəmǽtəgræ̀f, -grɑ̀ːf] *n.* Ⓒ 《英》 영사기; 촬영기. **-gra·phic**[⌐–⌐–grǽf] *a.*
cin·e·ma·tog·ra·phy[sìnəmətɑ́grəfi/-ɔ́-] *n.* Ⓤ 영화 촬영 기술[기법].
cin·e·rar·i·a[sìnərέəriə] *n.* Ⓒ 시네라리아《엉거싯과 식물》.
cin·e·rar·i·um[sìnərέəriəm] *n.* (*pl.* ***-ia***[-iə]) Ⓒ 납골소(納骨所).
cin·er·a·tor[sínərèitər] *n.* Ⓒ 화장로(爐).
cin·na·bar[sínəbɑ̀ːr] *n.* Ⓤ 〖鑛〗 진사(辰砂)《수은 원광》; 선홍색; 주홍.
***cin·na·mon**[sínəmən] *n., a.* Ⓤ 계피; 육계색(肉桂色)의.
cin·que·cen·to[tʃìŋkwitʃéntou] *n.* (It.) Ⓤ 16세기(의 이탈리아 예술). **-cén·tist** *n.*
cinque·foil [síŋkfɔil] *n.* Ⓒ ① 〖植〗 양지꽃속의 식물. ② 〖建〗 매화무늬.
CIO, C.I.O. Congress of Industrial Organizations 《美》 산업별 노동 조합 회의(⇨AFL-CIO).
ci·pher** [sáifər] *n.* ① Ⓒ 영(零)(zero); 하찮은 사람[것]; 아라비아 숫자. ② Ⓤ,Ⓒ 암호 (해독서). ***in ~ 암호로. — *vt., vi.* 계산하다; 암호로 쓰다.
cípher kèy 암호 해독법.
cir·ca[sə́ːrkə] *prep.* (L.) 약 (…년경)(생략 c., ca.).
Cir·ce[sə́ːrsi] *n.* 〖그神〗 키르케《사람을 돼지로 바꾼 마녀》; Ⓒ 요부.
†**cir·cle**[sə́ːrkl] *n.* Ⓒ ① 원(주)(*draw a* ~ 원을 그리다), 권(圈). ② 원형의 장소. ③ 〖天〗 궤도(orbit); 주기(cycle). ④ (종종 *pl.*) 집단, 사회; …계(界), 범위(*have a large ~ of friends* 안면이 넓다). ***come*** [***go***] ***full*** ~ 일주하다. ***family*** ~ 집안, 가족. ***go round in ~s*** 《口》 제자리를 맴돌다; 노력의 성과가 없다. ***in a*** ~ 둥그렇게, 원을 그리며. ***run round in ~s*** 《口》 하찮은 일에 안달복달하다. ***well-informed ~s*** 소식통. — *vi., vt.* 돌다, 둘러싸다.
cir·clet[sə́ːrklit] *n.* Ⓒ 작은 원[고리]; 팔찌, 반지, 머리띠.
:**cir·cuit**[sə́ːrkit] *n.* Ⓒ ① 주위, 주행, 순회(구). ② 우회 (도로). ③ 범위. ④ 순회 재판(구). ⑤ 〖電·컴〗 회로. ⑥ 흥행 계통(chain); =CINEMA CIRCUIT. ***closed*** ~ 폐회로. ***go the ~ of*** …을 일주하다. ***short*** ~ 〖電〗 단락(短絡), 합선. — *vt., vi.* 순회하다.
círcuit bòard 〖컴〗 ① 회로판. ② 회로판 또는 집적 회로를 탑재한 회로 구성 소자.
círcuit brèaker 〖電〗 회로 차단기.
círcuit cóurt 순회 재판소.
círcuit drìve 〖野〗 본루타.
cir·cu·i·tous[sə(ː)rkjúːitəs] *a.* 에움길의, 에두르는, 완곡한(roundabout). **~·ly** *ad.*
círcuit rìder 《美》 (Methodist파의) 순회 목사.
:**cir·cu·lar**[sə́ːrkjələr] *a.* ① 원형(circle)의, 고리 모양[환상]의. ② 순환[순회]하는. ③ 회람의. — *n.* Ⓒ 회장(回章); 안내장; 광고 전단. **~·ize**[-àiz] *vt.* (…에게) 광고를 돌리다; 원형으로 만들다.
círcular létter 회장(回章), 회문(回文).
círcular númber 〖數〗 순환수.
círcular sáw 둥근톱《동력을 씀》.
:**cir·cu·late**[sə́ːrkjəlèit] (<circle) *vi., vt.* ① 돌[게 하]다, 순환하다[시

키다). ② 유포〔유통〕하다〔시키다〕. ③ 널리 미치다. **-lat·ing**[-iŋ] *a.*
círculàting cápital 유동 자본.
círculàting décimal 순환 소수.
círculàting líbrary (회원제) 대출 도서관.
:cir·cu·la·tion[sə̀ːrkjəléiʃən] *n.* ① U,C 순환; 운행. ② U (통화 따위의) 유통; 유포; 배포(配布). ③ (*sing.*) 발행 부수; (도서의) 대출 부수.
cir·cu·la·tor[sə́ːrkjəlèitər] *n.* C 소문 퍼뜨리는 사람; 〖數〗 순환 소수.
cir·cu·la·to·ry [sə́ːrkjələtɔ̀ːri/ sə̀ːkjəléitəri] *a.* (혈액) 순환의; 유통의.
cir·cum-[sə́ːrkəm] *pref.* '주(周), 회(回), 여러 방향으로'의 뜻.
cir·cum·am·bi·ent[sə̀ːrkəmǽmbiənt] *a.* 주위의; 둘러싼.
cir·cum·cise[sə́ːrkəmsàiz] *vt.* (유대교 따위) 할례를 행하다; (마음을) 깨끗이 하다.
cir·cum·ci·sion[sə̀ːrkəmsíʒən] *n.* U 할례; 포경 수술.
***cir·cum·fer·ence** [sərkʌ́mfərəns] *n.* U,C 원주, 주위, 주변. **-en·tial**[sərkʌ̀mfərénʃəl] *a.*
cir·cum·flex[sə́ːrkəmflèks] *a.* 곡절(曲折) 악센트가 있는; 만곡(灣曲)한. — *vt.* (…에) 곡절 악센트를 붙이다; 굽히다.
círcumflex áccent 곡절 악센트 기호《모음 글자 위의 ^, ˘, ˜》.
cir·cum·lo·cu·tion[sə̀ːrkəmloukjúːʃən] *n.* ① U 완곡. ② C 완곡한 표현, 에두른 표현. ***-loc·u·to·ry** [-lάkjətɔ̀ːri/-lɔ́kjətəri] *a.*
cìrcum·návigate *vt.* (세계를) 일주하다. **-navigátion** *n.*
cir·cum·nu·tate [-njúːtèit] *vi.* 〖植〗 (덩굴손 따위가 자라면서) 둘둘 감기다, 회전 운동을 하다.
cir·cum·scribe[sə́ːrkəmskràib] *vt.* 둘레에 선을 긋다, 한계를 정하다; 에워싸다(surround); 제한하다; 〖幾〗 외접(外接)시키다.
cir·cum·scrip·tion [sə̀ːrkəmskrípʃən] *n.* U 한계 설정, 제한; 경계선; 범위; 〖幾〗 외접.
cir·cum·spect[sə́ːrkəmspèkt] *a.* 조심성 많은; 빈틈없는. **-spec·tion** [∸–spékʃən] *n.*
:cir·cum·stance [sə́ːrkəmstæ̀ns/ -əns] *n.* ① (*pl.*) 사정, 정황, 상황; 환경, 처지, 생활 형편. ② C 일어난 일; 사건, 사실. ③ U 부대 사항, 상세. ④ U 형식에 치우침. ***in easy*** 〔***good***〕 ***~s*** 살림이 넉넉하여. ***not a ~ to*** 《俗》 …와 비교가 안 되는. ***the whole ~s*** 자초지종. ***under no ~s*** 여하한 일이 있어도 …않다. ***under*** 〔***in***〕 ***the ~s*** 이러한 사정에서는. ***with ~*** 자세히. ***without ~*** 형식 차리지 않고.
cir·cum·stanced [sə́ːrkəmstæ̀nst/-stənst] *a.* (어떤) 사정〔처지〕에 놓인(*be awkwardly ~d* 거북한 입장에 놓여 있다).
cir·cum·stan·tial [sə̀ːrkəmstǽnʃəl] *a.* 정황에 의한, 추정상의; 상세한(detailed)(*a ~ report*); 우연한, 부수적인, 중요치 않은. ***~ evidence*** 〖法〗 정황 증거.
cir·cum·stan·ti·ate [sə̀ːrkəmstǽnʃièit] *vt.* (정황에 의해) 실증하다; (…에) 관하여 상술(詳述)하다.
cir·cum·stel·lar[-stélər] *a.* 별 주위의〔를 도는〕.
cir·cum·vent[-vént] *vt.* 선수치다, 속이다, (함정에) 빠뜨리다; 에워싸다. **-vén·tion** *n.*
:cir·cus[sə́ːrkəs] *n.* C 서커스, 곡예, 곡마단〔장〕; (고대 로마의) (원형) 경기장; 《英》 (방사상으로 도로가 모이는) 원형 광장(*Piccadilly ~* (런던의) 피커딜리 광장); 재미있는 사람〔일·것〕.
cirque[səːrk] *n.* C 《詩》 천연의 원형 극장; 원형의 공간; 〖地〗 권곡(圈谷).
cir·rho·sis[siróusis] *n.* U 〖醫〗 (특히 과음에 의한 간·신장 등의) 경변증(硬變症).
cir·rhot·ic[sirάtik/-ɔ́-] *a.* 〖醫〗 경변증의.
cir·ro·cu·mu·lus [sìroukjúːmjələs] *n.* C 〖氣〗 권적운(卷積雲), 털쌘구름.
cir·ro·stra·tus [sìroustréitəs, -rǽt-] *n.* (*pl.* ***-ti***[-tai], ~) C 권층운(卷層雲), 털층구름.
cir·rus[sírəs] *n.* (*pl.* ***-ri***[-rai]) C 〖氣〗 권운(卷雲), 새털구름; 〖植〗 덩굴손(tendril); 〖動〗 촉모(觸毛).
CIS Center for Integrated System; the Commonwealth of Independent States 독립 국가 연합.
cis·al·pine[sisǽlpain, -pin] *a.* (이탈리아 쪽에서 보아) 알프스 산맥의 이편〔남쪽〕의.
cis·at·lan·tic[sìsətlǽntik] *a.* 대서양의 이편〔유럽쪽, 미국쪽〕의.
cis·lu·nar[sislúːnər] *a.* 〖天〗 달궤도 안쪽의, 달과 지구 사이의.
cis·mon·tane [sismάntein/-ɔ́-] *a.* (독일측에서 본) 알프스 산맥의 이편〔북쪽〕의.
cis·sy[sísi] *n.* C 《口》 무기력한 사내; 《美俗》 동성애의 남자(sissy).
Cis·ter·cian[sistə́ːrʃən] *a., n.* C (프랑스의) 시토(Citeaux)파 수도회의 (수사).
***cist·ern**[sístərn] *n.* C (흔히, 옥상의) 저수 탱크; 〖解〗 체강(體腔).
cit·a·ble[sáitəbəl] *a.* 인용할 수 있는; 소환할 수 있는.
***cit·a·del**[sítədl, -dèl] *n.* C (도시를 지키는) 요새; 거점; 피난처; (군함의) 포탑.
ci·ta·tion[saitéiʃən] *n.* ① U 인용; C 인용문. ② U 소환; C 소환장. ③ C 〖美軍〗 열기(列記)《수훈 군인, 부대 따위의》, 감사장.
***cite**[sait] *vt.* 인용하다(quote); 〖法〗 소환하다(summon); (훈공 따위를)

열기(列記)하다.
cith·er[síθər] *n.* Ⓒ 옛 그리스의 하프 비슷한 악기; =⇩.
cith·ern[síθərn] *n.* Ⓒ (16-17세기의) 기타 비슷한 악기(cittern).
cit·i·fied[sítəfàid] *a.* 《口》 (습관·복장 등이) 도시풍의.
:cit·i·zen[sítəzən] *n.* Ⓒ ① 시민, 공민. ② 도회 사람. ③ 《美》 민간인(civilian). ④ 국민(member of a nation). **~ *of the world*** 세계인(cosmopolitan). **~·ry** *n.* 《집합적》 시민. ***~·ship**[-ʃìp] *n.* Ⓤ 시민의 신분, 공민〔시민〕권; 국적.
CITO Charter of International Trade Organization 국제 무역 헌장.
cit·rate[sítreit, sáit-] *n.* Ⓤ 〖化〗 구연산염.
cit·ric[sítrik] *a.* 레몬의〔에서 채취한〕. **~ *acid*** 구연산.
cit·rin[sítrin] *n.* Ⓤ 〖生化〗 시트린 《비타민 P》.
cit·rine[sítri:n] *a., n.* Ⓤ 레몬색(의), 담황색(의).
cit·ron[sítrən] *n.* ① Ⓒ 〖植〗 시트론, 둥근불수감《나무·열매》; 그 껍질의 사탕절임. ② Ⓤ 레몬빛.
cit·ron·el·la[sìtrənélə] *n.* Ⓤ 시트로넬라유(油)《향료·모기약》.
cit·tern[sítərn] *n.* =CITHERN.
†cit·y[síti] *n.* ① Ⓒ 시(市)《미국에서는 주청(州廳)이 인정한 도시; 영국에선 칙허장에 의함, 또 cathedral이 있는 도회》. ② Ⓒ 도시. ③ (the C-) 런던시부(市部)〔상업 지구〕. ***one on the ~*** 《美俗》 물 한 잔의 주문.
cíty árticle (신문의) 경제 기사.
cíty assèmbly 시의회.
cíty-bòrn *a.* 도시 태생의.
cíty-brèd *a.* 도시에서 자란.
cíty bùster 《口》 원자 폭탄, 수소 폭탄.
cíty cóuncil(or) 시(市) 참사회(원).
cíty delívery 시내 우편 배달.
cíty éditor 〖新聞〗 《美》 사회부장; 《英》 경제부장.
cíty háll 《美》 시청.
cíty màn 《英》 실업가.
cíty mánager 《美》 (시의회 임명의) 시정 관리자; 사무 시장.
cíty plán(ning) 도시 계획.
cíty·scàpe *n.* Ⓒ 도시 풍경(화)《빌딩이 즐비한》.
cíty slícker 《口》 도회지 물이 든 사람, 《美口》 (닳아빠진) 도시인.
cíty-státe *n.* Ⓒ 도시 국가《아테네 따위》.
civ. civil; civilian.
civ·et[sívit] *n.* ① Ⓒ 사향고양이. ② Ⓤ 그것에서 얻는 향료.
civ·ic**[sívik] *a.* 시(市)의, 시민〔공민, 국민〕의. **~ *rights 시민〔공민〕권. **~s** *n.* Ⓤ 공민학〔과〕, 시정학.
cívic cénter 〔《英》 **céntre**〕 시의 중심지.
civ·i·cism[sívəsìzəm] *n.* Ⓤ 시민주의, 시정(市政) 존중.
cívic·mínded *a.* 공덕심이 있는; 사회 복지에 열심인.
:civ·il[sívəl] *a.* 시민〔국민〕의; 문관〔민간〕의; 일반인의; 민사〔민법상〕의 (cf. criminal); 국내의; 예의 바른; 문명의. **~·ly** *ad.* 정중히, 예의바르게; 민법상.
cívil áction 〖法〗 민사 소송.
cívil aviátion 민간 항공.
cívil códe 민법.
cívil déath 〖法〗 시민〔공민〕권 박탈〔상실〕.
cívil defénce 〔《英》 **defénse**〕 민간 방위〔방공〕.
cívil disobédience 시민적 저항 《반세(反稅) 투쟁 따위》.
cívil enginéer 토목 기사.
cívil enginéering 토목 공학; 토목 공사.
***ci·vil·ian**[sivíljən] *n.* Ⓒ ① (군인에 대한) 일반인, 민간인; 문관; 비전투원. ② 민법〔로마법〕 학자. **—** *a.* 일반인〔문민·민간〕의; 문관의.
ci·vil·ian·ize[-àiz] *vt.* 시민권을 주다; 군관리를 민간에 이양하다.
***ci·vil·i·ty**[sivíləti] *n.* ① Ⓤ 정중함. ② (*pl.*) 정중〔공손〕한 태도.
:civ·i·li·za·tion[sìvəlizéiʃən] *n.* ① ⓊⒸ 문명. ② Ⓤ 문명 세계〔사회〕. ③ 《집합적》 문명국(민). ④ Ⓤ 교화, 개화.
***civ·i·lize**[sívəlàiz] *vt.* 문명으로 이끌다; 교화하다. **:~d** *a.* 문명의; 교양 있는, 세련된(refined).
cívil láw 민법; (C- L-) 로마법(法).
cívil líberty 공민의 자유.
cívil márriage 종교 의식에 의하지 않은 신고 결혼.
cívil ríghts (공)민권.
cívil sérvant 《英》 문관, 공무원.
cívil sérvice 문관 근무, 행정 사무; 《집합적》 공무원(~ *examination* 공무원 임용 시험).
cívil súit 민사 소송.
***cívil wár** 내란; (the C- W-) 《美》 남북 전쟁(1861-65); 《英》 Charles I 세와 의회와의 분쟁(1642-49).
cívil yéar 역년(曆年).
civ·vy, -vie[sívi] *n.* Ⓒ 《俗》 일반인; 시민; (*pl.*) 평복.
Cívvy Strèet 《英俗》 비전투원의 민간인 생활.
C.J. Chief Justice. **ck.** cask; check; cook. **Cl** 〖化〗 chlorine. **cl.** centiliter; claim; class; clause.
clab·ber[klǽbər] *n.* Ⓤ 상해서 응고한 우유(cf. yog(h)urt). **—** *vt.* (우유가) 굳어지다; 신 맛이 생기다.
clack[klæk] *n., vi.* (*sing.*) 잘깍〔딱〕 소리(내다); 지껄임; 지껄여대다(chatter).
***clad**[klæd] *v.* 《古·雅》 clothe의 과거(분사). **—** *a.* 갖춘, 장비한(*iron ~ vessels* 철갑선).
:claim[kleim] *n.* Ⓒ ① (당연한) 요구, 청구(demand); (권리의) 주장. ② 권리, 자격(title). ③ (보험·보상

금의) 지급 청구, 클레임. ***jump a* ~** 《美》 (남이) 선취한 땅[채굴권]을 가로채다. ***lay* ~ *to*** …의 소유권을 주장하다, …을 요구하다; …라고 자칭하다. — *vt.* ① 요구[청구·신청]하다. ② 주장[공언·자칭]하다. ③ (…의) 가치가 있다, 필요로 하다. — *vi.* 손해 배상을 청구하다(*against*).
***claim·ant** [kléimənt] *n.* Ⓒ 청구자, 신청자.
clair·voy·ance [klɛərvɔ́iəns] *n.* Ⓤ 천리안, 투시(력); 굉장한 통찰력. **-ant** *a., n.* (*fem.* **-ante**) Ⓒ 천리안의 (사람).
clam** [klæm] *n.* (*pl.* ~(*s*)), *vi.* (**-mm-**) Ⓒ 대합조개(를 잡다); 《美口》 과묵한 사람, 뚱보. **~ *up 《美口》 입을 다물다.
cla·mant [kléimənt] *a.* 시끄러운; 긴급한(urgent).
clám·bàke *n.* Ⓒ 《美》 (바닷가에서) 대합을 구워 먹는 피크닉.
***clam·ber** [klǽmbər] (cf. climb) *vi., n.* (a ~) (애를 써서) 기어 오르다[오름].
clam·my [klǽmi] *a.* 끈끈한; (날씨가) 냉습한.
:clam·or, 《英》 **-our** [klǽmər] *n.* (*sing.*) 외치는 소리, 왁자지껄 떠듦, 소란(uproar); (불평·요구 등의) 외침; 들끓는 비판. — *vi., vt.* 와글와글 떠들다; 시끄럽게 말하다; 떠들어 …시키다. **~ *down*** 야유를 퍼부어 (연사를) 침묵시키다.
***clam·or·ous** [klǽmərəs] *a.* 시끄러운. **~·ly** *ad.*
clamp**[1] [klæmp] *n., vt.* Ⓒ 죔쇠(로 죄다). **~ *down 《美口》 탄압하다, 억누르다.
clamp[2] *vi.* 육중한 발걸음으로 쿵쿵거리며 걷다. — *n.* Ⓒ 그 소리.
clámp·dòwn *n.* Ⓒ 《口》 엄중 단속, 탄압.
clám·shèll *n.* Ⓒ 대합조개의 조가비; 흙 푸는 버킷.
clám·wòrm *n.* Ⓒ 갯지렁이.
***clan** [klæn] *n.* Ⓒ ① 씨족, 일가, 일문; (스코틀랜드 고지 사람의) 일족. ② 당파, 파벌(派閥)(coterie).
clan·des·tine [klændéstin] *a.* 비밀의; 은밀한(underhand)(~ ***dealings*** 비밀 거래).
***clang** [klæŋ] *vi., vt.* 쾅[땡그랑] 울리다. — *n.* Ⓒ 쩽그렁[쾅]하는 등의 소리.
clan·gor, 《英》 **-gour** [klǽŋgər] *n.* (*sing.*) 쾅쾅[땡그랑땡그랑] 울리는 소리. **~·ous** *a.*
clank [klæŋk] *vi.* (무거운 쇠사슬 따위가) 탁[철꺽] 소리를 내다. — *n.* (*sing.*) 철걱, 탁(하는 소리).
clan·nish [klǽniʃ] (<clan) *a.* 씨족의; 파벌적인; 배타적인.
clán·shìp *n.* Ⓤ 씨족 제도[정신]; 파벌 감정, 애당심.
clans·man [klǽnzmən] *n.* Ⓒ 가문[일가]의 한 사람.
:clap[1] [klæp] *vt., vi.* (**-pp-**) ① 철썩 때리다, 치다(slap); 날개치다(flap). ② 박수하다. ③ 쾅 닫히다(slam); (돛을) 싹 펴다. ④ 투옥하다. **~ *eyes on*** …을 보다, 발견하다《보통 부정문에서》. **~ *hold of*** …을 붙들다. **~ *up* [*together*]** 서둘러 만들다; (거래를) 재빨리 해치우다. — *n.* Ⓒ clap하기[하는 소리].
clap[2] *n.* (the ~) 《卑》 임질.
clap·board [klǽpbɔ̀ːrd, klǽbərd] *n.* Ⓤ 《美》 미늘벽 판자.
clap·per [klǽpər] *n.* Ⓒ 박수[손뼉] 치는 사람; 종의 추; 딱딱이; 《俗》 혀; 수다쟁이.
cláp·tràp *a., n.* Ⓤ (인기·주목을 끌기 위한) 과장된 (연설, 작품).
claque [klæk] *n.* (F.) Ⓒ 《집합적》 한통속《극장 따위에 고용된 박수부대》; 빌붙는 패거리.
clar. clarendon (type).
clar·en·don [klǽrəndən] *n.* Ⓤ 〖印〗 클라렌든《약간 길이가 길고 굵은 활자의 일종》.
clar·et [klǽrit] *n.* Ⓤ 클라레《보르도 포도주》; 자줏빛. — *a.* 자줏빛의.
***clar·i·fy** [klǽrəfài] *vt., vi.* 맑게[정하게] 하다, 맑아지다; 명백히 하다[되다]. **-fi·ca·tion** [⌐—fikéiʃən] *n.*
***clar·i·net** [klæ̀rənét] *n.* Ⓒ 클라리넷《목관 악기》.
***clar·i·on** [klǽriən] *n.* Ⓒ 클라리언《예전에 전쟁 때 쓰인 나팔》. — *a.* 낭랑하게 울려 퍼지는.
***clar·i·ty** [klǽrəti] *n.* Ⓤ 맑음, 투명함; 뚜렷함(clearness).
:clash [klæʃ] *n.* ① (*sing.*) 우지끈, 쾅, 쨍강《부딪치는 소리》. ② Ⓒ 충돌; 불일치, 불화(conflict). — *vt., vi.* ① 쾅[우지끈, 쨍강] 울리다. ② 충돌하다(collide)(*against, into, upon*). ③ (의견이) 대립하다(*with*).
:clasp [klæsp, -ɑː-] *n., vt., vi.* Ⓒ 물림쇠(로 물리다), 죔쇠(로 죄다); 악수(하다); 포옹; 껴안다.
clasp·er [klǽspər] *n.* Ⓒ 달라붙는 것[사람]; 〖植〗 덩굴손.
clásp knìfe 접칼.
†class [klæs, -ɑː-] *n.* ① Ⓒ,Ⓤ 계급. ② Ⓒ,Ⓤ 학급, 반; 수업 시간. ③ 《美》 《집합적》 동기생, 동기병(兵). ④ Ⓒ 등급. ⑤ (the ~es) 상류 계급. ⑥ Ⓤ 《口》 우수. ⑦ Ⓒ 〖動·植〗 강(綱) 《phylum과 order의 중간》. ***be in a* ~ *by oneself*** 타의 추종을 불허하다. ***be no* ~** 너절하다. ***in* ~** 수업중. ***the* ~*es and the masses*** 상류 계급과 일반 대중. — *vt.* 분류하다, 가르다.
cláss àction 집단[공동] 소송.
cláss bòok 《英》 교과서; 《美》 학급 기록부; 졸업생 앨범.
cláss-cónscious *a.* 계급 의식이 있는. **~·ness** *n.* Ⓤ 계급 의식.
cláss-fèeling *n.* Ⓤ 계급간의 적대 감정.
:clas·sic [klǽsik] *a.* ① 고급의, 명작의; 고상한, 고아한. ② 고전적인, (문학·예술이) 고대 그리스·로마풍

의. ③ 유서깊은, 유명한; (복장 등) 유행과 동떨어진. ④《英》멋진; 우수한. ~ **myth** 그리스〔로마〕 신화. — ***n.*** ① Ⓒ 고급의 문예, 명작. ② (the ~s) (그리스·로마의) 고전, 고전어; Ⓒ 고전작가. ③ Ⓒ 고전학자; 《古》 고전주의자. ***the ~s*** (그리스·라틴의) 고전어(語)〔문학〕.

:clas·si·cal[klǽsikəl] *a.* ① 그리스·라틴 문학의, 고전적인. ② 고전주의의; (재즈·탱고 따위에 대하여) 고전음악의. ③ 우수〔고상〕한(classic). ~**·ly** *ad.*

clássical educátion 고전어(語) 교육(cf. humanities).

clássical lánguages, the 고전어《그리스·라틴어》.

clássical músic 고전 음악(cf. popular music).

clássical schòol 〖經〗 고전 학파《Adam Smith, Ricardo 등》.

clas·si·cism[klǽsəsìzəm] *n.* Ⓤ 고전주의〔숭배〕; 의고(擬古)주의《고전적 어법, 고전의 지식》(cf. romanticism). **-cist** *n.*

***clas·si·fied**[klǽsəfàid] *a.* 분류〔분배〕된; 《美》 (공문서 따위) 기밀의, 기밀 취급으로 지정된; 《俗》 비밀의, 은밀한.

clássified ád 《美》 (구인·구직 따위의) 3행 광고(want ad).

:clas·si·fy[klǽsəfài] *vt.* 분류〔유별〕하다; 등급으로 가르다. (공문서를) 기밀 취급으로 하다. **:-fi·ca·tion** [⌐–fikéiʃən] *n.* Ⓤ,Ⓒ 분류; 《美》 (정부·군 문서의) 기밀 종별.

class·man[⌐mæ̀n] *n.* Ⓒ 《英》 (대학의) 우등 시험 합격자.

:class·mate[⌐mèit] *n.* Ⓒ 급우, 동급생.

cláss mèeting 학급회.

cláss nùmber (도서관의) 도서 분류 번호.

†class·room[⌐rù(ː)m] *n.* Ⓒ 교실.

cláss strúggle 〔**wár, wárfare**〕 계급 투쟁.

class·y[klǽsi, klɑ́ːsi] *a.* 《美俗》 고급의, 멋있는.

:clat·ter[klǽtər] *n., vi., vt.* Ⓤ 덜거덜거〔덜거덕덜거덕〕 소리(나다, 나게 하다); 수다; 재잘거리다.

:clause[klɔːz] *n.* Ⓒ 조목, 조항(*a saving* ~ 단서); 〖文〗 절(節). ***main*** ~ 주절. ***subordinate*** ~ 종속절.

claus·tro·pho·bi·a [klɔ̀ːstrəfóubiə] *n.* Ⓤ 〖醫〗 밀실 공포증.

clave[kleiv] *v.* 《古》 cleave²의 과거.

clav·i·chord[klǽvəkɔ̀ːrd] *n.* Ⓒ 클라비코드《피아노의 전신》.

clav·i·cle[klǽvəkəl] *n.* Ⓒ 〖解·動〗 쇄골(鎖骨).

cla·vier[kləvíər] *n.* Ⓒ 건반 악기.

:claw[klɔː] *n.* Ⓒ ① (새·짐승의) 발톱(이 있는 발); (게의) 집게발. ② 움켜잡음. ③ 《비유》 (공격의) 발톱. ***cut the ~s of*** …에서 공격력을 빼앗다, …을 무력하게 만들다. — ***vt., vi.*** (발톱으로) 할퀴다; (욕심부려) 긁어모으다. ~ ***back*** (애써서) 되찾다; 《英》 (부적절한 급부금 따위를) 부가세 형식으로 회수하다. ~ ***hold of*** …을 꽉 잡다〔움켜잡다〕. ~ ***one's way*** 기듯이 나아가다.

cláw bàr 노루발 지렛대.

cláw hàmmer 노루발 장도리; 《口》 연미복.

:clay[klei] *n.* Ⓤ ① 찰흙, 점토; 흙(earth). ② 육체. ***potter's*** ~ 도토(陶土). ~**·ey**[kléii] *a.* 점토질의; 점토를 바른(clayish).

clay·more[kléimɔ̀ːr] *n.* Ⓒ (고대 스코틀랜드 고지인(人)의) 양날의 큰 칼.

cláymore míne 작은 금속 파편을 비산시키는 지뢰.

cláy pígeon 클레이《사격용으로 공중에 치던지는 둥근 표적》.

cláy pípe 토관(土管); 사기 파이프.

cld. called; cleared; colored.

†clean[kliːn] *a.* ① 깨끗한, 청결한. ② 순결한; 결백한. ③ (산란기를 지나서, 위험 없이) 식용에 적합한(*a ~ fish* 식용어). ④ 미끈한, 균형이 잡힌; 모양이 좋은. ⑤ 흠없는(*a ~ copy* 청서(淸書)/ ~ *timber* 마디〔옹두리〕 없는 재목). ⑥ 훌륭한, (솜씨가) 멋진(skillful)(*a ~ hit*). ⑦ 마땅한, 당연히 해야 할(*That's the ~ thing for us to do.* 바로 우리들이 해야 할 일이다). ⑧ 완전한(*He lost a ~ 10,000 won.* 고스란히 만 원이나 손해를 보았다). ⑨ 방사성 낙진이 없는〔적은〕; 방사능에 오염이 안된. ***be ~ in one's person*** 몸차림이 말쑥하다. ~ ***record*** 흠없는 (훌륭한) 경력. ~ ***tongue*** 깨끗한 말씨(쓰기). ***come*** ~ 《俗》 자백〔실토〕하다. ***make a*** ~ BREAST ***of. Mr. C-*** 정직한〔청렴 결백한〕 사람《세제(洗劑)의 상표명에서》. ***show a ~ pair of*** HEEL***s.*** — ***ad.*** ① 깨끗이. ② 아주, 완전히. — ***vt.*** ① 깨끗이 하다; 청소하다; 씻다. ② 처치하다, 치우다. ~ ***out*** 깨끗이 청소〔일소〕하다; 다 써버리다; 《俗》 (아무를) 빈털터리로 만들다. ~ ***up*** 치우다; 청소하다, (악인·적을) 일소하다; 《美口》 (돈을) 벌다. **:⌐·er** *n.* Ⓒ 청소부〔기〕. **:⌐·ing** *n.* Ⓤ 세탁. **⌐·ness** *n.* Ⓤ 청결, 결백.

cléan-cút *a.* (윤곽이) 또렷한(neat); (설명 따위) 명확한, 단정하고 건강한(*a ~ boy*).

cléan-hánded *a.* 결백한.

cléan-límbed *a.* 수족의 균형이 잡힌.

***clean·ly**[⌐li] *ad.* 청결히, 깨끗이; 완전히(completely). — [klénli] *a.* 깨끗한 것을 좋아하는, 말쑥한(neat). 청결한. ***-li·ness**[klénlinis] *n.* Ⓤ 깨끗함, 청결; 명백함; 결백.

***cleanse**[klenz] *vt.* 청결히 하다; 깨끗이 하다(*from, of*). **cléans·er** *n.* Ⓤ,Ⓒ 세제(洗劑).

cléan-sháven *a.* 깨끗이 면도한.

cleans·ing[klénziŋ] *n.* Ⓤ 깨끗이 함, 정화; (죄의) 청결. ―― *a.* 깨끗이하는, 정화하는. ~ ***cream*** 피부의 때빼기 크림. ~ ***department*** (지방 자치제의) 청소국.
cléan·ùp *n.* Ⓤ 청소, 정화(淨化), (범죄 등의) 일소; 《俗》 벌이; 이득(profit); Ⓒ 〖野〗 4번 타자.
†**clear**[kliər] *a.* ① 밝은, 맑은, 갠; ((목)소리가) 청아한. ② (머리가) 명석한; 명백한. ③ 가리는 것 없는; 방해받지 않는. ④ 죄 없는; 결점 없는, 더럽혀지지 않는; 흠 없는(clean). ⑤ 순전한, 깔축없는, 정미〔알속〕의(*a* ~ *hundred dollars* 깔축없는 백 달러). ⑥ 확신을 가진. ⑦ 접촉하지 않은, 떨어진. ***get*** ~ ***of*** …에서 떨어지다, 피하다. ***keep*** ~ ***of*** …에서 떨어져 있다, …에 접근치 않다. ―― *ad.* 분명히; 완전히, 아주. ―― *vt.* ① 분명히 하다; 맑게 하다; 깨끗이 하다. ②처치하다, 치우다(*They* ~*ed the land of* 〔*from*〕 *trees.* 그 토지의 나무를 베어 버렸다). ③ (토지를) 개간하다. ④ (빚을) 갚다. ⑤ (배의) 출항 준비를 하다. ⑥ 뛰어 넘다. ⑦ (정리를 위해) 떨이로 팔다(cf. clearance). ⑧ (어음·셈을) 결제(決濟)하다. ⑨ 순이익을 올리다(*from*). ―― *vi.* ① 분명해지다; 맑아지다; 개다. ② 출항 절차를 마치다; 출항하다; 떠나다. ~ ***away*** 처치하다; (안개가) 걷히다; 떠나다, 사라지다. ~ ***out*** 쓸어내다; (급히) 떠나가다. ~ ***the sea*** 소해(掃海)하다. ~ ***up*** (날씨가) 개다; 풀다(solve), 밝히다(explain); 깨끗이 치우다〔처리하다〕; (빚을) 청산하다. ―― *n.* Ⓒ 빈 터, 공간; 〖배드민턴〗 클리어 샷; 〖컴〗 지움, 지우기. ***in the*** ~ 안목으로; (혐의 등이) 풀리어; 결백하여; 무죄하여; 명문(明文)으로; 《美俗》 빚지지 않고. **:∠·ly** *ad.* 똑똑히, 분명히, 확실히. **:∠·ness** *n.*
***clear·ance**[klíərəns] *n.* ① Ⓤ 제거, 일소; 처치; (상품의) 떨이; 해제. ② Ⓤ (산림지의) 개간; Ⓒ 개간한 곳. ③ Ⓤ (은행간의) 어음 교환(액). ④ Ⓤ 출항 인가, Ⓒ 그 증서; Ⓤ 통관 절차. ⑤ Ⓤ,Ⓒ 〖機〗 빈틈, 여유.
cléarance sàle 재고 정리 매출, 특매.
cléar-cút *a.* 윤곽이 뚜렷한(*a* ~ *face*); 명쾌한.
cléar-héaded *a.* 머리가 좋은.
***clear·ing**[klíəriŋ] *n.* ① Ⓤ 청소; 제거. ② Ⓒ (산림 속의) 개간지. ③ Ⓤ 어음 교환.
cléaring hòspital 〔**stàtion**〕 〖軍〗 야전 병원.
cléaring·hòuse *n.* Ⓒ 〖商〗 어음 교환소; 정보 센터.
cléar-síghted *a.* 눈이 잘 보이는; 명민한; 선견지명 있는.
cléar·wày *n.* Ⓒ 《英》 정차 금지 구간.
cleat[kli:t] *n.* Ⓒ 쐐기 모양의 미끄럼막이; 〖船〗 (볼록한) 밧줄걸이. ―― *vt.* 밧줄걸이에 밧줄을 고정시키다.
cleave**[1][kli:v] *vt., vi.* (clove, cleft,*** ~***d; cloven, cleft,*** ~***d***) ① 짜개〔빠개〕(지)다, 가르다, 갈라지다. ② 베어 헤치며 나아가다. ③ (물·공기를) 헤치며 나아가다. **cléav·age** *n.* Ⓤ,Ⓒ 갈라짐, 터진 금. **cléav·er** *n.* Ⓒ 고기 써는 식칼.
cleave[2] *vi.* (~***d,*** 《古》 ***clave, clove;*** ~***d***) 집착하다(stick)(*to*); 단결하다(*together*).
clef[klef] *n.* Ⓒ 〖樂〗 음자리표. ***C*** 〔***F, G***〕 ~ 다〔바, 사〕음자리표, 가온〔낮은, 높은〕음자리표.
cleft**[kleft] *v.* cleave[1]의 과거(분사). ―― *a., n.* 짜개진, 갈라진; Ⓒ 갈라진 금〔틈〕(crack, chink). ***in a ~ ***stick*** 진퇴양난에 빠져.
cléft líp 〔**pálate**〕 언청이.
clem·a·tis[klémətis] *n.* Ⓒ 〖植〗 참으아리속의 식물《선인장·위령선·사위질빵 무리》.
clem·en·cy[klémənsi] *n.* Ⓤ,Ⓒ 관대함, 인정 많음; 자비로운 행위〔조처〕. **clém·ent** *a.*
clem·en·tine[kléməntàin] *n.* Ⓒ 클레멘타인《오렌지의 일종》.
***clench**[klentʃ] *vt.* ① 꽉 죄다〔쥐다〕; (이를) 악물다. ② (못의) 대가리를 쳐서 구부리다(clinch). ③ (의론을) 결정짓다. ―― *vi.* 단단히 죄어지다. **∠·er** *n.* =CLINCHER.
***Cle·o·pa·tra**[klì:əpǽtrə, -pá:-] *n.* (69?-30 B.C.) (절세 미인으로 알려진) 이집트 최후의 여왕.
clere·sto·ry[klíərstɔ̀:ri, -stouri] *n.* Ⓒ 〖建〗 (교회 등의) 고창층(高窓層).
***cler·gy**[klə́:rdʒi] *n.* (the ~) 《집합적》 목사(들), 성직자.
:cler·gy·man[-mən] *n.* Ⓒ 성직자, 목사.
cler·ic[klérik] *n., a.* Ⓒ 목사(의).
cler·ic·al**[-əl] *n., a.* Ⓒ 목사(의), 성직의; 서기의(cf. clerk); 베끼는 (데 있어서의)(*a* ~ *error* 잘못 씀, 오기); (*pl.*) 목사〔성직〕복. ~ ***staff 사무직원. **cler·i·cal·ism**[-əlìzəm] *n.* Ⓤ 성직 존중주의; 성직자의 (정치적) 세력.
†**clerk**[klə:rk/klɑ:k] *n.* Ⓒ ① 사무원, 회사원; 서기. ② 《美》 점원, 판매원. ③ 〖宗〗 목사, 성직자(clergyman). ④ 《古》 학자. ~ ***in holy orders*** 목사, 성직자. ***the C- of the weather*** 《美俗》 기상대장. **∠·shìp** *n.* Ⓤ,Ⓒ 서기〔사무원〕의 직〔신분〕.
Cleve·land[klí:vlənd] *n.* 잉글랜드 북동부의 주《1974년 신설》.
†**clev·er**[klévər] *a.* ① 영리한, 머리가 좋은. ② 교묘한(*at*).
***clev·er·ly**[-li] *ad.* 영리하게; 솜씨 있게, 잘.
***clev·er·ness**[-nis] *n.* Ⓤ 영리함; 솜씨있음, 교묘.
clev·is[klévis] *n.* Ⓒ U자형 연결기.
clew[klu:] *n., vt.* Ⓒ 실꾸리(로 감

다); ＝CLUE.

***cli·ché** [kli(ː)ʃéi] *n.* (*pl.* **～s** [-z]) (F.) Ⓒ 진부한 문구(《My wife' 대신 'my better half'라고 하는 따위》).

***click** [klik] *n., vi., vt.* Ⓒ 짤까닥[째깍] (소리가 나(게 하)다); 〖音聲〗 혀 차는 소리; 《口》 크게 히트치다, 성공하다; 〖컴〗 마우스의 단추를 누르다.

click stop 카메라의 회전 눈금이 새긴 자국에서 찰칵하고 멎는 방식.

cli·ent** [kláiənt] *n.* Ⓒ 변호 의뢰인; 단골, 고객. **～ *state 무역 상대국.

cli·en·tele [klàiəntél, klìːɑːntéil] *n.* Ⓤ 《집합적》 소송 의뢰인; 고객, (연극·상점의) 단골 손님(customers).

:cliff [klif] *n.* (*pl.* **～s**) Ⓒ 벼랑, 절벽.

clíff dwèller 암굴에 사는 사람; 《口》 (도시의) 고층 아파트 주민.

clíff·hànger *n.* Ⓒ 연속[연재] 스릴러[소설], 대모험물[담].

clíff·hànging *a.* (끝까지) 손에 땀을 쥐게 하는.

cli·mac·ter·ic [klaimǽktərik] *n., a.* Ⓤ 위기(의); 갱년[폐쇄]기의; (7년마다 오는) 액년(의).

cli·mac·tic [klaimǽktik], **-ti·cal** [-əl] *a.* 절정(climax)의.

:cli·mate [kláimit] *n.* Ⓒ ① 기후, 풍토. ② (사회·시대의) 풍조, 사조.

cli·mat·ic [klaimǽtik] *a.*

cli·ma·tol·o·gy [klàimətɑ́lədʒi/-ɔ́-] *n.* Ⓤ 기후학, 풍토학.

:cli·max [kláimæks] *n., vi., vt.* Ⓒ ① 〖修〗 점층법(漸層法). ② 절정[최고조](에 달하다, 달하게 하다).

†climb [klaim] *vt., vi.* ① 기어오르다(*up*); 오르다(rise). ② (식물이) 기어오르다. ③ 출세하다. **～ *down*** 기어내리다; 《口》 물러나다, 양보[단념]하다(give in). **—** *n.* Ⓒ (보통 *sing.*) 오름; 오르는 곳, 비탈; 치받이. * **∠·er** *n.* Ⓒ 오르는 사람, 야심가; 등산자[가]; 덩굴 식물. **∠·ing** *a., n.*

clímbing àccident 등반 조난 사고.

clímbing ìrons (등산용) 동철; 쉬타이크아이젠.

clime [klaim] *n.* Ⓒ 《詩》 풍토; 지방, 나라.

cli·mo·graph [kláimougræ̀f, -grɑ̀ːf] *n.* Ⓒ 클라이모그래프, 기후도.

***clinch** [klintʃ] *vt., vi.* ① (빠지지 않도록 못대가리를) 쳐 구부리다; 죄다. ② (의론의) 결말을 짓다. ③ 〖拳〗 (상대를) 껴안다, 클린치하다. **—** *n.* Ⓒ ① 못대가리를 두드려 구부림. ② 〖拳〗 클린치. ③ (밧줄의) 매듭(knot). **∠·er** *n.* Ⓒ 두드려 구부리는 연장; 결정적인 의론, 매듭지음.

cline [klain] *n.* Ⓒ 연속[단계적] 변이(《원래 생물학 용어》).

:cling [kliŋ] *vi.* (***clung***) 들러붙다(stick), 달라붙다(*to*); 고수[집착]하다(adhere)(*to*). **～·y** [∠i] *a.*

:clin·ic [klínik] *n.* Ⓒ 임상 강의(실, 클라스); (외래) 진찰실; 진료소.

clin·i·cal** [-əl] *a.* 임상(臨床)의. **～ *lectures 임상 강의. **～ *medicine*** 임상 의학. **～ *thermometer*** 체온계.

clínical trìal 임상 실험.

clin·i·car [klínikɑ̀ːr] *n.* Ⓒ 병원 자동차.

cli·ni·cian [kliníʃən] *n.* Ⓒ (실제 경험이 많은) 임상의(醫).

clink[1] [kliŋk] *n., vi., vt.* Ⓤ 쨍[절그렁] (소리가 나다[를 내다]); 《古》 각운(脚韻)(rhyme).

clink[2] *n.* Ⓒ 《口》 교도소; 유치장.

clink·er [klíŋkər] *n.* Ⓤ,Ⓒ (네덜란드식 구이의) 경질(硬質) 벽돌; 교착 벽돌덩이; (용광로 속의) 용재(容滓) 덩이; Ⓒ 《英俗》 (종종 regular ～) 극상품, 일품(逸品); 뛰어난 인물; 《俗》 실패(작).

cli·nom·e·ter [klainɑ́mətər/-ɔ́mi-] *n.* Ⓒ 경사계(傾斜計).

Cli·o [kláiou] *n.* 〖그神〗 역사의 여신(《Nine Muses의 그 사람》).

:clip[1] [klip] *vt.* (**-pp-**) ① (가위로) 자르다(cut), 짧게 자르다[깎다](cut short)(*away, off*). ② 바싹 자르다, 잘라[오려]내다. ③ (어미의 음을) 발음하지 않다. ④ 《口》 때리다. **—** *vi.* ① 질주하다, 달리다(cf. clipper). ② (신문을) 오려내다. **～*ped word*** 생략어(《'ad' 따위》). **—** *n.* ① Ⓒ 가위로 잘라냄, 한번 가위질; 벤[오려낸] 물건. ② Ⓤ 쾌주(快走). ③ Ⓒ 《美口》 회(回)(*at one* ～ 한번에). ④ Ⓒ 〖컴〗 오림, 오리기, 클립. **∠·per** *n.* Ⓒ 베는[깎는] 사람; 가위, 이발기계; 쾌속선(船), 쾌속(여객)기; (C-) 클립퍼기(機). **∠·ping** *n., a.* Ⓤ 깎기, Ⓒ 깎아[베어]낸 털[풀]; Ⓒ 《美》 (신문 따위의) 오려낸 것; Ⓒ 《口》 강타; 《俗》 굉장한; 일류의.

:clip[2] *n., vt.* (**-pp-**) Ⓒ 클립, 종이 끼우개, 클립(으로 물리다).

clíp·bòard *n.* Ⓒ 종이 끼우개(판); 〖컴〗 오려둠판, 오림판.

clíp jòint 《俗》 하급 카바레[나이트클럽].

clip·pie [klípi] *n.* Ⓒ 《英口》 (버스·전차의) 여차장.

clipt [klipt] *v.* clip[1,2]의 과거(분사).

clique [kliːk] *n., vi.* Ⓒ 도당(을 짜다), 파벌(을 만들다).

cliq·uy [klíːki] *a.* 당파심이 강한, 배타적인. **clí·qui·ness** *n.*

clit·ic [klítik] *a., n.* Ⓒ 〖言〗 접어(接語)(의); (단어가) 접어적인 (cf. enclitic, proclitic).

clit·o·ris [klítəris, kláit-] *n.* Ⓒ 〖解〗 음핵.

:cloak [klouk] *n.* Ⓒ ① (소매 없는) 외투, 망토. ② 가면; 구실. ***under the ～ of*** …을 빙자[구실로]하여; …을 틈타. **—** *vi., vt.* 외투를 입(히)다; 덮어 가리다.

clóak-and-dágger *a.* (소설·연극이) 음모나 스파이 활동을 다룬, 음모극의.

clóak·ròom *n.* Ⓒ 휴대품 보관소(baggage room); 《美》 (의사당) 의원 휴게실(《英》 lobby); 《英》 변소.
clob·ber[1] [klábər/-ɔ́-] *n.* Ⓒ 《英·濠俗》 의복, 장비.
clob·ber[2] *vt.* 《俗》 때려눕히다; 쳐서 이기다; 통렬히 비판하다.
cloche [klouʃ] *n.* Ⓒ 헬멧형 여자 모자; 〖園藝〗 (종 모양의) 유리 덮개.
†**clock**[1] [klɑk/-ɔ-] *n.* Ⓒ 시계《괘종·탁상시계 따위》. ***around the ~,*** 24시간 내내, 밤낮없이. ― *vt.* (…의) 시간을 재다[기록하다]; 〖競〗 (…의) 속도에 달하다. **~ *in*** 〔***out***〕 타임리코더로 출〔퇴〕근 시간을 기록하다.
clock[2] *n.* Ⓒ (발목에서 위로 걸쳐서의) 양말의 장식 수.
clóck·fàce *n.* Ⓒ 시계의 문자판.
clóck generátor 〖컴〗 시계 생성기.
clóck·lìke *a.* 시계처럼 정확한, 규칙적인.
clóck wàtcher 퇴근 시간에만 마음 쓰는 사람, 태만한 사람.
clóck·wìse *ad., a.* (시계 바늘처럼) 오른쪽으로 도는〔돌아〕.
clóck·wòrk *n.* Ⓤ 태엽 장치.
***clod** [klɑd/-ɔ-] *n.* Ⓒ 흙덩이; 흙; 투미한〔우둔한〕 사람.
clód·hòpper *n.* Ⓒ 시골뜨기, 농사꾼; (*pl.*) 무겁고 투박한 구두.
clog** [klɑg/-ɔ-] *n.* Ⓒ 방해〔장애〕물; 바퀴멈추개《제동 장치》; (보통 *pl.*) 나무창신(을 신고 추는 춤). ― *vt., vi.* (-gg-***) 방해하다; (틀어)막다; 막히다.
clog·gy [klági/klɔ́gi] *a.* 막히기 쉬운; 들러붙는.
cloi·son·né [klɔ̀izənéi/klwɑːzɔ́nei] *n., a.* (F.) Ⓤ 칠보 자기(七寶磁器)(의)(*a* ~ *medal* 칠보 메달).
***clois·ter** [klɔ́istər] *n.* Ⓒ 수도원(monastery), 수녀원(nunnery); 은둔처; (the ~) 은둔 생활; (안뜰을 싼) 회랑.
clois·tered [klɔ́istərd] *a.* 초야에 묻힌; 수도원에 틀어박힌.
clois·tral [-trəl] *a.* 수도원의; 은둔적(隱遁的)인.
clone [kloun] *n.* Ⓒ 〖植〗 영양계(系); 〖動〗 분지계(分枝系); 〖生〗 복제생물, 빼쏜 것; 〖컴〗 복제품.
clop [klɑp/klɔp] *n.* Ⓒ 따가닥따가닥《말굽 소리; clóp-clòp 라고도 함》.
†**close**[1] [klouz] *vt.* ① 닫다; (눈을) 감다. ② (틀어)막다; 메우다(fill up). ③ 끝내다. ④ (조약을) 체결하다. ⑤ 〖電〗 접속하다. ⑥ 둘러싸다, 에우다; 접근하다, 다가가다. ― *vi.* ① 닫히다. ② 합쳐지다; 막히다, 메이다. ③ 끝나다. ④ 다가들다; (다가들어) 맞붙다(*with*); 일치하다(*on, upon, with*). **~ *about*** 둘러싸다. **~ *an account*** 거래를 끊다; 청산하다. **~ *down*** 폐쇄하다; (반란을) 진압하다; (마약 거래를) 단속하다. **~ *in*** 포위하다; (밤 따위가) 다가오다(*upon*). **~ *out*** (물건을) 떨이로 팔다; (업무를) 폐쇄하다. **~ *the eyes of*** …의 임종을 지켜보다. **~ *the ranks*** 〖軍〗 열의 간격을 좁히다. **~ *up*** 닫다, 폐쇄하다; 밀집하다〔시키다〕; (상처 따위가) 아물다; 낫다. ***with ~d doors*** 비공개로. ― *n.* Ⓒ (보통 *sing.*) 결말, 끝(장); 드잡이; [klous] 구내, 경내(境內); 〖樂〗 마침; 〖컴〗 닫음, 닫기.
†**close**[2] [klous] *a.* ① 가까운, 접근한. ② 닫은(closed), 좁은, 꼭 끼는, 거북한; 간힌; 바람이 잘 안 통하는, 답답한(stuffy), 무더운(sultry), 밀접한, 밀집된(crowded)(~ *order* 밀집대형); 친밀한. ③ 비밀의; 말없는. ④ 정밀한, (번역 따위가) 정확한. ⑤ 한정된; 금렵(禁獵)의. ⑥ 인색한(stingy)(~ *with one's money* 돈에 인색한). ⑦ 아슬아슬한, 접전(接戰)의. ⑧ 〖音聲〗 폐쇄(음)의(*a* ~ *vowel* 폐모음; [i], [u] 처럼 입을 작게 벌리는 모음). ― *ad.* 밀접하여, 바로 곁에; 가깝게; 친하게; 정밀〔정확〕히. **~ *application*** 정려(精勵). **~ *at hand*** 가까이, 절박하여. **~ *by*** 바로 가까이. **~ *call*** 〔***shave***〕 《口》 위기 일발. **~ *on*** 〔***upon***〕 거의, 대략. **~ *resemblance*** 아주 닮음. ***come to ~ quarters*** 접전이 되다. ***keep*** 〔***lie***〕 **~** 숨어 있다. ***press*** (*a person*) **~** 호되게 굶리다. ***sail ~ to the wind*** 〖海〗 바람을 거의 마주받으며 배를 진행시키다; 법률에 저촉될락말락한 짓을 하다; 음탕한 이야기를 하다. *∠**·ly** *ad.* 꼭, 빽빽이, 갑갑하게; 가까이; 면밀히, 찬찬히; 친밀히; 일심으로; 알뜰〔검소〕하게. ∠**·ness** *n.*
clóse-crópped *a.* 머리를 짧게 깎은.
clóse-cút *a.* 짧게 깎은〔벤〕.
***closed** [klouzd] *a.* 폐쇄한.
clósed círcuit 〖電〗 폐회로(閉回路).
clósed-círcuit télevision 〖컴〗 유선〔폐회로〕텔레비전《생략 CCTV》.
clósed(-dóor) sèssion 비밀 회의.
clósed-énd *a.* 〖經〗 (투자 신탁이) 폐쇄〔자본액 고정〕식의, 유니트식의(opp. open-end).
clósed lòop 〖컴〗 닫힌 맴돌이.
clóse·dòwn *n.* Ⓒ 《美》 공장 폐쇄.
clósed séason 《美》 금렵기(《英》 close season).
clósed shóp 노조원 이외는 고용하지 않는 사업장(opp. open shop).
clósed sýllable 폐음절《자음으로 끝나는 음절; melody의 *mel-*》.
clóse-físted *a.* 구두쇠의, 인색한.
clóse-fítting *a.* (옷 따위가) 꼭 맞는.
clóse-gráined *a.* 나뭇결이 고운〔촘촘한〕.
clóse hármony 〖樂〗 밀집 화성.
clóse-háuled *a., ad.* 〖海〗 돛을 바람이 불어오는 쪽으로 (활짝) 편〔펴고〕.
clóse·lípped *a.* 말수가 적은, 입이 무거운.

C

clóse-móuthed *a.* 좀처럼 입을 떼지 않는, 입이 무거운.
clóse-òut *n.* Ⓒ《美》재고떨이 대매출.
*__clos·er__[klóuzər] *n.* Ⓒ 닫는 것〔사람〕, 폐색기.
clóse sháve《口》위기 일발.
clóse shòt〖映·TV〗근접 촬영.
clóse·stòol *n.* Ⓒ 의자식 실내용 변기.
:**clos·et**[klázit/-ɔ́-] *n.* Ⓒ 벽장, 다락장(cupboard); 작은 방, 사실(私室); 변소. ***of the ~*** 이론상〔뿐〕의. ── *vt.* 사실에 가두다. ***be ~ed with*** …와 밀담하다. ── *a.* 비밀의; 실제적이 아닌, 서재용의.
clóset dràma 서재극(書齋劇), 레제 드라마《읽기 위한 드라마》.
clóset politìcian 비실제적인 정치가.
clóse-ùp *n.* Ⓤ,Ⓒ〖映·TV〗근접 촬영, 클로즈업; 정사(精査)(close examination).
clóse-wóven *a.* 촘촘히 짠, 피륙이 톡톡한.
*__clos·ing__[klóuziŋ] *n.* Ⓤ,Ⓒ 폐쇄; 마감, 폐점; 종결. ── *a.* 끝의, 마지막의; 폐잠〔폐회〕의. ***~ address*** 폐회사(辭). ***~ price*** 파장 시세. ***~ quotations***〖證〗입회 최종 가격. ***~ time*** 폐점〔폐장〕시간.
clo·sure[klóuʒər] *n.* Ⓤ,Ⓒ 폐쇄, 체결; 울타리; (표결에 들어가기 위한) 토론 종결. ── *vt.* (…에 대하여) 토론 종결을 선언하다.
clot[klat/-ɔ-] (***-tt-***) *n., vi.* 엉기다; Ⓒ (혈액·대변 따위의) 엉긴 덩어리. **~·ted**[ˊid] *a.* 엉겨붙은(*~ted nonsense* 잠꼬대, 허튼 소리).
†**cloth**[klɔːθ, klaθ] *n.* (*pl.* **~s**[-θs, -ðz]) ① Ⓤ 피륙, 옷감. ② Ⓤ 표지(表紙) 헝겊(*~ binding* 클로스 장정). ③ Ⓒ (어떤 용도에 쓰이는) 천, 걸레, 행주, 식탁보. ④ Ⓒ 법의(法衣). ⑤ (the ~)《집합적》목사(the clergy), 성직자(clergymen). ***lay*** 〔***draw, remove***〕 ***the ~*** 상을 차리다〔치우다〕.
:**clothe**[klouð] *vt.* (***~d,***《古》***clad*** [klæd]) ① (옷을) 주다; 입히다. ② 덮다, 가리다. ③ (권한 따위를) 주다(furnish)(*with*). ***be ~d*** 〔***clad***〕 ***in*** (…을) 입고 있다. ***~ and feed*** …에 의식(衣食)을 대다.
†**clothes**[klouðz] *n. pl.* ① 옷(*two suits of ~* 옷 두 벌). ② 침구. ③ 빨랫감. ***in long ~*** 배내옷을 입고, 유치하여.
clóthes bàg 〔**bàsket**〕 세탁물 주머니〔광주리〕.
clóthes·hòrse *n.* Ⓒ 빨래 너는 틀.
clóthes·lìne *n.* Ⓒ 빨랫줄.
clóthes mòth 옷좀나방《그 유충은 옷감을 해침》.
clóthes-pèg,《英》**-pìn** *n.* Ⓒ 빨래집게.
clóthes·prèss *n.* Ⓒ 옷장.
clóthes trèe (기둥 모양의) 모자·외투걸이.
cloth·ier[klóuðjər, -ðiər] *n.* Ⓒ 피륙〔옷감〕 장수.
:**cloth·ing**[klóuðiŋ] *n.* Ⓤ《집합적》의류(衣類).
clóthing wòol 방모(紡毛) 사용 양털.
Clo·tho[klóuθou] *n.*〖그神〗클로토《Fates 중의 하나; 생명의 실을 잣는 운명의 신》.
clo·ture[klóutʃər] *n.* =CLOSURE.
†**cloud**[klaud] *n.* ① Ⓤ,Ⓒ 구름. ② Ⓒ 연기, 모래 먼지. ③ Ⓒ (움직이는) 큰 떼(*a ~ of birds* 새 떼). ④ Ⓒ (거울 따위의) 흐림; 구름무늬; 의운(疑雲), 암운, 근심의 빛. ***a ~ of words*** 구름잡는 것 같은 말. ***in the ~s*** 하늘 높이; 비현실적으로, 공상하여; 멍하여. ***on a ~***《俗》행복〔득의〕의 절정에. ***under a ~*** 의혹을 받고; 미움받고(out of favo(u)r), 풀이 죽어(chapfallen). ── *vi., vt.* 흐려지(게 하)다, 어두워지(게 하)다. ***~ over*** 〔***up***〕 잔뜩 흐리다. **~·ed** [ˊid] *a.* 흐린; 구름무늬의.
clóud·bùrst *n.* Ⓒ 호우(豪雨).
clóud-càpped *a.* 구름이 덮인; 구름 위에 솟은.
clóud càstle 몽상, 백일몽.
clóud chàmber〖理〗안개상자《원자(립)의 궤적(軌跡)을 보기 위한》.
clóud-cúckoo-lànd *n.* Ⓤ 이상향.
clóud·lànd *n.* Ⓤ,Ⓒ 꿈나라, 몽환경(夢幻境), 선경(仙境).
*__clóud·less__ *a.* 구름 없는, 맑게 갠; 밝은. **~·ly** *ad.* 구름 한 점 없이.
cloud·let[ˊlit] *n.* Ⓒ 조각 구름.
clóud níne《俗》행복의 절정, 지복(至福).
clóud sèeding (인공 강우를 위해) 구름에 드라이아이스를 뿌리기.
†**cloud·y**[kláudi] *a.* 흐린; 똑똑〔또렷〕하지 않은; 탁한; (대리석 따위) 구름 무늬가 있는. **clóud·i·ness** *n.*
clout[klaut] *vt., n.* Ⓒ《口》탁 때리다〔때림〕.
clóut nàil 징.
clove[1][klouv] *v.* cleave[1]의 과거.
clove[2] *n.* Ⓒ 정향(丁香)나무《이 나무에서 향료를 채취함》.
clove[3] *n.* Ⓒ〖植〗(마늘 따위의) 주아(珠芽), 살눈.
cloven[klóuvən] *v.* cleave[1]의 과거분사. ── *a.* 갈라진, 째진.
clóven-fóoted, -hóofed *a.* 발굽이 갈라진, 악마(의 발) 같은(devilish).
:**clo·ver**[klóuvər] *n.* Ⓤ,Ⓒ 클로버, 토끼풀. ***live in ~*** 호화로운 생활을 즐기다《소에 비유하여》.
clóver·lèaf *n.* Ⓒ 클로버의 잎; (네잎 클로버형의) 입체 교차로.
*__clown__[klaun] *n.* Ⓒ 어릿광대(jester); 촌뜨기(rustic), 교양 없는 사람. **ˊ·er·y** *n.* Ⓤ 익살맞음, 무무함. **ˊ·ish** *a.*
cloy[klɔi] *vt.* (미식(美食)·열락(悅樂)에) 물리게 하다(satiate)(*with*). **ˊ·ing** *a.* 넌더리나게 하는.

clóze tèst[klóuz-] 클로즈식 독해 테스트《공란의 문장을 채우는》.
†**club**[klʌb] *n.* Ⓒ ① 곤봉, 굵은 몽둥이; (구기용의) 클럽, 타봉(bat). ② (동지가 모이는) 클럽, 회; 클럽 회관; (트럼프의) 클럽의 패(*the king of ~s*). — *vt.* (**-bb-**) 곤봉으로 치다; (막대 모양으로 어우르다란 뜻에서) 단결시키다; (돈 따위를) 분담하다. — *vi.* 클럽을 조직하다; 협력하다, 돈을 추렴하다(*together, with*).
club·(b)a·ble[-əbəl] *a.* 사교적인, 클럽 회원이 되기에 적합한.
club·by[ˊ-i] *a.* 사교적인.
clúb chàir 〔**sòfa**〕 낮고 푹신한 안락 의자.
clúb fòot (가구 따위의) 굽은 발.
clúb·fóot *n.* Ⓒ 내반족(內反足). ~**ed** *a.*
clúb·hòuse *n.* Ⓒ 클럽 회관.
clúb làw 폭력(주의).
*__cluck__[klʌk] *vt., n.* (암탉이) 꼬꼬 울다; Ⓒ 그 우는 소리.
*__clue__[klu:] *n.* Ⓒ 단서, 실마리, (해결의) 열쇠; (이야기의) 줄거리(cf. clew).
*__clump__[klʌmp] *n., vi.* Ⓒ 풀숲, 덤불(bush), 수풀; 덩어리; 쿵쿵(무겁게 걷다).
*__clum·sy__[klʌ́mzi] *a.* 솜씨 없는; 볼품〔모양〕 없는; 무뚝뚝한; 볼썽사나운; 어설픈(awkward). **-si·ly** *ad.* **-si·ness** *n.*
:**clung**[klʌŋ] *v.* cling의 과거(분사).
clunk[klʌŋk] *n., vi.* (a ~) 텅하는 소리(를 내다); Ⓒ《口》 강타, 일격; 쾅 치다.
clun·ker[klʌ́ŋkər] *n.* Ⓒ《美俗》 털털이 기계, 고물 차; 시시한 것.
:**clus·ter**[klʌ́stər] *n., vi.* Ⓒ 덩어리, 떼(를 이루다), 몰리다; 송이〔떨기〕(bunch)(를 이루다); 〖컴〗 다발.
clúster bòmb 집속(集束) 폭탄《폭발시 입탄(粒彈)이 튐》.
clúster còllege《美》 (종합 대학내의 독립된) 교양학부.
:**clutch**[1][klʌtʃ] *vt., vi.* 꽉〔단단히〕 붙들다(grasp tightly); 달려들어 움켜 쥐다(snatch)(*at*). — *n.* (a ~) 붙잡음, 파악; Ⓒ 연동기, 클러치; (보통 *pl.*) 움켜잡는 손, (악인 따위의) 독수(毒水), 지배(력)(power).
clutch[2] *n.* Ⓒ 한 번에 품는 알, 한 둥지의 날짐승의 갓깬 새끼.
clut·ter [klʌ́tər] *n.* (a ~) 혼란. *in a ~* 어수선하게 흩뜨리어. — *vt.* 어수선하게 하다, 흩뜨리다(*up*). — *vi.* 후다닥 뛰어가다;《方》 떠들다.
Cly·tem·nes·tra[klàitəmnéstrə] *n.* 〖그傳說〗 Agamemnon의 부정(不貞)한 아내.
Cm 〖化〗 curium. **Cm., Cm** centimeter(s). **Cmdr.** Commander. **C.M.G.** Companion (of the Order) of St. Michael and St. George. **CNN**《美》 Cable News Network. **CNO** chief of naval operations. **Co** 〖化〗 cobalt. **CO., C.O.** Commanding Officer; conscientious objector. ***Co., CO.** company; county. ***CO., C/O** care of; carried over.
co-[kou] *pref.* 'with, together, joint, equally' 등의 뜻 : *co*operate, *co*-ed.
:**coach**[koutʃ] *n.* Ⓒ ① 대형의 탈것; 4륜 대형 마차; 객차;《美》 =BUS;《英》(장거리용) 대형 버스. ② (경기의) 코치; (수험 준비의) 가정 교사. *~ and four* 사두(四頭) 마차. — *vt.* 코치하다(teach)(*~ swimming/~ a team*); 수험 준비를 해 주다; (전투기에) 무전 지령을 하다. ˊ**~·er** *n.*
cóach bòx 마부석.
cóach-bùilt *a.* (차체가) 목제인.
cóach dòg =DALMATIAN.
*__coach·man__[ˊ-mən] *n.* Ⓒ (coach의) 마부.
cóach·wòrk *n.* Ⓤ 자동차의 설계〔디자인〕.
co·act[kouǽkt] *vi.* 같이 일하다, 협력하다.
co·ac·tion[kouǽkʃən] *n.* Ⓤ 협동 작용; 〖生態〗 (유기체간의) 상호 작용.
co·ad·ju·tant[kouǽdʒətənt] *n.* Ⓒ 협력자, 조수. — *a.* 서로 돕는, 협동하는.
co·ad·ju·tor[kouǽdʒətər, kòuədʒúːtər] *n.* (*fem.* **-tress**) Ⓒ 보좌(역); 부주교, 보좌 신부.
co·a·gen·cy[kouéidʒənsi] *n.* Ⓤ 협동; 공동 작업.
co·ag·u·lant[kouǽgjələnt] *n.* Ⓤ,Ⓒ 응고제.
co·ag·u·late[kouǽgjəlèit] *vi., vt.* 엉겨 굳(게 하)다. **-la·tion**[-ˋ-léiʃən] *n.*
co·ag·u·lum[kouǽgjələm] *n.* (*pl.* **-la**[-lə]) Ⓒ 응결〔응고〕물.
†**coal**[koul] *n.* Ⓤ 석탄; Ⓒ 석탄 덩어리; Ⓤ 숯(charcoal). ***call*** 〔***drag, haul, take***〕 (*a person*) ***over the ~s*** 호되게 꾸짖다. ***carry*** 〔***take***〕 ***~s to Newcastle*** 헛수고하다《Newcastle이 탄광지임》. ***cold ~ to blow at*** 가망이 없는 일. ***heap ~s of fire on a person's head*** (원수를 은혜로써 갚아) 부끄럽게 하다《로마서 7 : 20》. — *vt.* 태워 숯으로 하다; (…에) 석탄을 공급하다. — *vi.* 석탄을 싣다.
cóal bèd 탄층(炭層).
cóal-bláck *a.* 새까만.
cóal brèaker 쇄탄기(碎炭機), 쇄탄소.
cóal bùnker (배·기차의) 석탄고(庫).
cóal dèpot 저탄장.
co·a·lesce[kòuəlés] *vi.* 합체〔합동〕하다; 유착하다. **-lés·cence** *n.* **-cent** *a.*
cóal fàce (탄갱의) 막장, 채벽(採壁).
cóal fìeld 탄전(炭田).
cóal gàs 석탄 가스.
cóal hèaver 석탄 인부.
cóaling dèpot 급탄소(給炭所).

cóaling stàtion 급탄역[항(港)].
*__co·a·li·tion__[kòuəlíʃən] *n.* Ⓤ 연합, 합동; Ⓒ (정치적인) 제휴, 연립. ~ *cabinet* 연립 내각.
cóal mèasures 탄층(炭層).
cóal mìne 탄갱.
cóal òil 《美》 등유(燈油).
cóal pìt 탄갱(炭坑).
cóal scùttle (실내용) 석탄 그릇.
cóal tàr 콜타르.
coam·ing[kóumiŋ] *n.* Ⓒ 〖船〗 (갑판 승강구 따위에 해수 침투를 막는) 테두리판(板).
co·ap·ta·tion[kòuæptéiʃən] *n.* Ⓤ 뼈맞추기, 접골.
:**coarse**[kɔːrs] *a.* ① 조잡한, 조악한 (~ *fare* 조식(粗食)). ② 눈[올, 결]이 성긴, 거친(rough). ③ 야비[조야]한, 음탕한. **∠·ly** *ad.* **cóars·en**[∠n] *vt., vi.* 조악하게[거칠게] 하다[되다].
cóarse-gráined *a.* 결이 거친; 조야한.
†**coast**[koust] *n.* ① Ⓒ 해안(seashore); (the ~) 연안 지방. ② (the C-) 《美口》 태평양 연안 지방. ③ 《美·Can.》 (썰매·자전거 따위로의) 내리받이 활주. ***from ~ to ~*** 《美》 전국[미국] 방방곡곡(에). ***The ~ is clear.*** 해안 감시(방해)가 없다, 이제야말로 호기다. — *vi.* ① 연안을 항행하다. ② (썰매·자전거 따위로) 미끄러져 내려오다. ③ (우주선이) 타력으로 추진하다. **∠·er** *n.* Ⓒ 연안 무역선; 활강 썰매[자전거]; = ROLLER COASTER; 작은 쟁반; 컵(을 받치는) 접시. **∠·ing** *n.* Ⓤ 연안 항행; 연안 무역; (썰매·자전거의) 내리받이 활주.
*__coast·al__[∠əl] 연안[해안]의, 근해의 (~ *defense* 연안 경비). **~·ly** *ad.*
cóaster bràke (자전거의) 코스터 브레이크(페달을 뒤로 밟아 거는).
cóast guàrd 해안 경비대(원).
cóasting tràde 연안 무역.
cóast·lànd *n.* Ⓤ 연안 지대.
*__cóast·lìne__ *n.* Ⓒ 해안선.
*__coast·ward(s)__[∠wərd(z)] *ad.* 해안쪽으로.
coast·wise[∠wàiz] *ad., a.* 해안을 따라서; 연안의.
†**coat**[kout] *n.* Ⓒ ① 상의; (여자의) 코트, 외투. ② (동·식물의) 외피(外被); 덮개; (페인트 따위의) 칠, 막(膜). ***change*** [***turn***] ***one's ~*** 변절하다. ***~ of arms*** 문장(紋章). ***~ of mail*** 쇠미늘 갑옷. ***cut one's ~ according to one's cloth*** 수입에 걸맞는 지출을 하다. — *vt.* 덮다; (도료를) 칠하다, 입히다, 도금하다 (*with*).
cóat càrd (트럼프의) 그림 패.
coat·ee[koutíː] *n.* Ⓒ (여성·어린이의) 몸에 착 붙는 짧은 상의.
co·a·ti[kouáːti] *n.* Ⓒ 긴코너구리 《raccoon 비슷하며 코가 뾰족한 라틴 아메리카산》.
*__coat·ing__[kóutiŋ] *n.* ① Ⓤ,Ⓒ 겉칠, 겉입힘, 도금. ② Ⓤ 상의용 옷감.
co·áuthor *n.* Ⓒ 공저자(共著者).
*__coax__[kouks] *vt.* ① 어르다, 달래다; 교묘히 설복하다(persuade softly) (*into* do*ing*; *to* do). ② 감언으로 사취하다(*out of*). ③ (열쇠·관(管)·실 등을) 살살 (잘) 집어넣다.
cò·áxial *a.* 〖理〗 동축(同軸)의.
coáxial cáble 〖電·컴〗 동축 케이블.
cob[kɑb/-ɔ-] *n.* Ⓒ 다리 짧고 튼튼한 조랑말; (석탄·돌 따위의) 둥근 덩이; =COBNUT.
*__co·balt__[kóubɔːlt/−∠] *n.* Ⓤ 코발트 《금속 원소》; 코발트색(그림 물감).
cóbalt blùe 진한 청색.
cóbalt bòmb (의학용) 방사성 코발트 용기; 코발트 폭탄《수폭을 코발트로 싼 것》.
cóbalt 60[-síksti] 〖醫〗 방사성 코발트《암치료용》.
cob·ble[1][kɑ́bəl/-ɔ́-] *n., vt.* Ⓒ 조약돌[자갈](을 깔다).
cob·ble[2] *vt.* (구두를) 수선하다 (*up*); 어설프게 꿰매다. *__cób·bler__ *n.* Ⓒ 신기료장수, 구두장이; 서투른 장인(匠人); Ⓤ,Ⓒ 《美》 과일 파이의 일종.
cob·ble·stone[-stòun] *n.* Ⓒ (철도·도로용의) 조약돌, (밤)자갈.
cò·bellígerent *n.* Ⓒ 공동 참전국. — *a.* 협동하여 싸우는. 「용」.
cób·nùt *n.* Ⓒ 개암나무의 열매《식
COBE[kóubiː] Cosmic Background Explorer satellite.
COBOL, Co·bol[kóuboul] (< *co*mmon *b*usiness *o*riented *l*anguage) *n.* Ⓤ 〖컴〗 코볼《사무 계산용 프로그램 언어》.
*__co·bra (de ca·pel·lo)__[kóubrə (di kəpélou)] *n.* Ⓒ 코브라《인도의 독사》.
*__cob·web__[kɑ́bwèb/-ɔ́-] *n., vt.* (***-bb-***) Ⓒ ① 거미집; 거미줄(로 덮다). ② 올가미, 함정. ③ (*pl.*) (머리의) 혼란.
co·ca[kóukə] *n.* Ⓒ 코카《남아메리카산의 약용 식물》; Ⓤ 《집합적》 코카 잎.
Co·ca-Co·la[kòukəkóulə] *n.* Ⓤ,Ⓒ 〖商標〗 코카콜라.
co·cain(e)[koukéin, kóu∠] *n.* Ⓤ 〖化〗 코카인《coca 잎에서 얻는 국소 마취제》. **co·cáin·ism** *n.* Ⓤ 〖醫〗 코카인 중독.
coc·cus[kɑ́kəs/-ɔ́-] *n.* (*pl.* ***cocci***[kɑ́ksai/-ɔ́-]) Ⓒ 〖菌〗 구균(球菌); 〖植〗 소건과(小乾果).
coc·cyx[kɑ́ksiks/-ɔ́-] *n.* (*pl.* ***-cyges***[kɑksáidʒiːz/kɔk-]) Ⓒ 〖解〗 미저골(尾骶骨).
co·chin, C-[kóutʃin, -ɑ́-] *n.* Ⓒ 코친《닭》.
coch·i·neal[kɑ́tʃəniːl/kóutʃ-] *n.* Ⓒ 연지벌레; Ⓤ 양홍(洋紅)(carmine).
:**cock**[1][kɑk/-ɔ-] *n.* Ⓒ ① 《英》 수탉; (새의) 수컷(cf. peacock). ② 지도자; 두목. ③ =WEATHERCOCK.

④ 마개, 꼭지(faucet). ⑤ (총의) 공이치기, 격철. ⑥ (짐짓 새침을 떠는 코의) 위로 들림; (눈의) 칩떠보기; (모자의) 위로 잦힘. ⑦《卑》음경(penis). ***at full*** 〔***half***〕 ~ (총의) 공이치기를 충분히〔반쯤〕 당기어; 충분히〔반쯤〕 준비하여. ***~ of the loft*** 〔***walk***〕 통솔자, 보스, 두목. ***Old ~!*** 이봐 자네! ***That ~ won't fight.*** 그따위 것〔변명·계획〕으론 통하지 않아, 그렇게 (간단히는) 안 될걸. ― *vt.* ① (총의) 공이치기를 올리다. ② 짐짓 새침떨며 코끝을 위로 치키다. ③ (귀를) 쫑긋 세우다. ④ (눈을) 칩떠보다, 눈짓하다. ― *vi.* 쫑긋 서다.

cock² *n., vt.* Ⓒ 건초 더미(를 쌓아 올리다).

cock·ade[kɑkéid/kɔ-] *n.* Ⓒ 꽃 모양의 모표.

cock-a-doo·dle-doo[kákədù:dldú/kɔ́-] *n.* Ⓒ 꼬끼오《닭의 울음》; 《兒》 꼬꼬, 수탉.

cock-a-hoop[kàkəhú:p/kɔ̀-] *a., ad.* 크게 의기 양양한〔하여〕.

cock·a·ma·mie [kákəmèimi/kɔ́k-] *a.*《美俗》 어처구니 없는, 바보 같은.

cóck-and-búll *a.* 허황된, 황당한 (*a ~ story*).

cóck-and-hén *a.*《口》 남녀가 섞인《클럽 따위》.

cock·a·too[kàkətú:/kɔ̀-] *n.* Ⓒ (오스트레일리아·동인도 제도산의) 큰 앵무새.

cock·a·trice[kákətris/kɔ́kətràis] *n.* Ⓒ (한 번 노려 사람을 죽인다는 전설상의) 괴사(怪蛇).

cóck·bòat *n.* Ⓒ 부속 소형 보트.

cóck·chàfer *n.* Ⓒ 풍뎅이.

cóck·cròw(ing) *n.* Ⓤ 이른 새벽, 첫새벽, 여명.

cócked hát 정장용 삼각모자; 챙이 젖혀진 모자.

Cock·er[kákər/-ɔ́-] *n.*《다음 성구로》 ***according to ~*** 올바른, 올바르게, 정확하게《수학자 E. Cocker의 이름에서》.

cock·er¹ *vt.* (어린이의) 응석을 받아주다.

cock·er² *n.* Ⓒ 투계 사육자, 투계사; = ≺ **spáninel** 스파니엘종의 개《사냥·애완용》.

cock·er·el[≤ərəl] *n.* Ⓒ 어린 수탉; 한창 혈기의 젊은이.

cóck·eyed *a.* 사팔눈의; 《俗》 한쪽으로 쏠린〔뒤틀린〕 (tilted or twisted).

cóck·fighting *n.* Ⓤ 투계(鬪鷄).

cóck·hòrse *n.* Ⓒ (장난감) 말《빗자루, 막대기 따위》.

cock·le¹[kákəl/-ɔ́-] *n.* Ⓒ 새조개 (의 조가비); 작은 배, 조각배. ***~s of the*** 〔***one's***〕 ***heart*** 깊은 마음속.

cock·le² *n., vt., vi.* Ⓒ 주름(잡다, 잡히다).

cóckle·shèll *n.* =COCKLE¹.

***cock·ney**[kákni/-ɔ́-] *n.* ① Ⓒ (종종 C-) 런던내기, 런던 토박이《Bow Bells가 들리는 범위내에 태어나, 그 곳에 사는 사람》; (East End 방면의) 주민. ② Ⓤ 런던 말투. ― *a.* 런던 내기〔말투〕의. **~·ism**[-ìzəm] *n.* Ⓤ,Ⓒ 런던내기풍; 런던 말씨.

***cóck·pìt** *n.* Ⓒ 투계장, 싸움터; 〖空〗 조종실.

cóckpit vóice recòrder 〖空〗 (사고 원인 규명을 위한) 조종실 음성 녹음 장치《생략 CVR》.

cóck·ròach *n.* Ⓒ 〖蟲〗 바퀴.

cócks·còmb *n.* Ⓒ (수탉의) 볏; 〖植〗 맨드라미; 멋쟁이 사내.

cóck·súre *a.* 확신하여(*of*); 반드시 일어나는〔하는〕 (*to* do); 자신 만만한 (too sure), 독단적인(dogmatic).

***cock·tail**[≤tèil] *n.* ① Ⓒ 칵테일《얼음 넣은 혼합주》. ② Ⓒ 꼬리 자른 말. ③ Ⓒ,Ⓤ 새우〔굴〕 칵테일《전체용》. ④ Ⓒ 벼락 출세자.

cócktail pàrty 칵테일 파티.

cóck-ùp *n.* Ⓒ《英俗》 실수, 실패; 혼란 상태. 「방진.

cock·y[≤i] *a.*《口》 젠체하는, 시건

cock·y-leek·y, -ie [kàkilí:ki/kɔ̀k-] *n.*《Sc.》Ⓤ 부추가 든 치킨 수프.

co·co, co·coa¹[kóukou] *n.* (*pl.* ***~s***) Ⓒ 〖植〗 코코야자《나무·열매》.

***co·coa²**[kóukou] *n.* Ⓤ 코코아(색).

***co·co(a)·nut**[kóukənʌ̀t] *n.* Ⓒ 코코야자 열매.

COCOM[kóukɑm/-kɔm] *Co*ordinating *Com*mittee for Export to Communist Areas 〔for Export Control〕 코콤《대(對)공산권 수출 통제 위원회》.

co·coon[kəkú:n] *n.* Ⓒ 누에고치.

co·cotte[koukát/-kɔ́t] *n.* Ⓒ 매춘부.

cod¹**[kɑd/-ɔ-] *n.* (*pl.* ***~s, 《집합적》 ~) Ⓒ 〖魚〗 대구.

cod² *vt., vi.* (***-dd-***)《俗》 속이다, 우롱하다.

COD chemical oxygen demand 화학적 산소 요구량. **C.O.D., c.o.d.** 〖商〗 collect 〔《英》 cash〕 on delivery.

co·da[kóudə] *n.* (It.) Ⓒ 〖樂〗 코다, 결미구; (연극의) 종결부.

cod·dle[kádl/-ɔ́-] *vt.* 소중히 하다; 어하다(pamper); (달걀 따위를) 뭉근 불에 삶다.

†**code**[koud] *n.* Ⓒ ① 법전. ② 규정 (set of rules); (사교의) 예법, 규율. ③ (전신) 부호(*the Morse ~* 모스 부호); (전문(電文)용) 암호; (수기(手旗)용) 신호. ④ 〖컴〗 코드, 부호; 부호 시스템. ***civil ~*** 민법전. ***~ of honor*** 의례(儀禮); 결투의 예법. ― *vt.* ① 법전으로 만들다. ② 암호(문으)로 고치다(cf. decode). ③ 〖컴〗 (프로그램을) 코드〔부호〕화하다. 「장」.

códe bòok 전신 암호부(簿)〔약호

co·deine[kóudi:n], **co·de·in** [-diin] *n.* Ⓤ 〖藥〗 코데인《진통·최면

제》.
co·der [kóudər] *n.* Ⓒ 〖컴〗 코더《coding하는 사람》.
códe tèlegram 암호 전보.
códe wòrd 전신 약호 문자.
co·dex [kóudeks] *n.* (*pl.* **-dices** [-disìːz]) Ⓒ 고사본(古寫本)《특히 성서의》.
cód·fish *n.* (*pl.* **~es,** 《집합적》 ~) =COD¹.
códfish aristòcracy 《美》 (대구잡이로 한몫 본) 벼락부자들; 신흥 계급.
codg·er [kádʒər/-ɔ́-] *n.* Ⓒ 《口》 괴짜, 괴팍한 사람《특히 노인》.
cod·i·cil [kádəsil/kɔ́d-] *n.* Ⓒ 유언 보충서.
cod·i·fy [kádəfài, kóu-/kɔ́-, kóu-] *vt.* 법전으로 편찬하다. **-fi·ca·tion** [ˌ--fikéiʃən] *n.* **-fi·er** *n.* Ⓒ 법전 편찬자.
cod·ing [kóudiŋ] *n.* Ⓤ 부호화; 〖컴〗 부호화, 코딩《정보를 계산 조작에 편리한 부호로 바꾸는 일》.
cod·ling [kádliŋ/-ɔ́-], **-lin** [-lin] *n.* Ⓒ 덜 익은 사과.
cód-liver óil 간유.
co·don [kóudan/-dɔn] *n.* Ⓒ 〖生〗 코돈《nucleotide 3개로 된 유전 정보 단위》.
co·ed, co-ed [kóuéd] *n.* Ⓒ 《美口》 (대학 등의) 남녀 공학의 여학생.
cò·éditor *n.* Ⓒ 공편자(共編者).
***cò·educátion** *n.* Ⓤ 남녀 공학. **~al** *a.*
cò·effícient *n.* Ⓒ 〖數·理·컴〗 계수. **~ of expansion** 팽창 계수.
coe·la·canth [síːləkæ̀nθ] *n.* Ⓒ 실러캔스《현존하는 중생대의 강극어(腔棘魚)의 하나》.
coe·len·ter·ate [siːléntərèit, -rit] *n., a.* Ⓒ 〖動〗 강장동물(의).
co·énzyme *n.* Ⓒ 〖生化〗 보효소(補酵素), 조(助)효소.
co·e·qual [kouíːkwəl] *a., n.* Ⓒ (지위·연령 따위가) 동등한 (사람).
***co·erce** [kouə́ːrs] *vt.* 강제하다 (compel); (권력 따위로) 억누르다 (*into* doing, *to* do).
co·er·cion [kouə́ːrʃən] *n.* Ⓤ 강제, 위압. **-cive** *a.*
co·e·val [kouíːvəl] *a., n.* Ⓒ 같은 시대의 (사람).
cò·exécutor *n.* (*fem.* **-trix** [-triks]) Ⓒ 〖法〗 (유언 따위의) 공동 집행자.
cò·exíst *vi.* 공존하다(*with*). ***~·ence** *n.* **~ent** *a.*
cò·exténd *vi., vt.* 같은 넓이[길이]로 펴지다[펼치다].
cò·exténsive *a.* 같은 시간[공간]에 걸친.
†**cof·fee** [kɔ́ːfi, -á-/-ɔ́-] *n.* Ⓤ 커피; Ⓒ 커피 한 잔.
cóffee bèan 커피의 열매.
cóffee brèak (오전·오후의) 차 마시는 시간, 휴게 (시간).
cóffee cùp 커피 잔.
cóffee grìnder [mìll] 커피 가는 기계.
cóffee gròunds 커피 (우려낸) 찌「끼.
cóffee hòuse (고급) 다방.
cóffee klàt(s)ch [-klætʃ] 간담회(懇談會).
cóffee plànt 커피 나무.
cóffee pòt 커피 (끓이는) 주전자.
cóffee ròom (호텔 따위의 간단한 식당을 겸한) 다실.
cóffee sèt 커피 세트《다구(茶具)「한 벌》.
cóffee shòp 《美》 다방; =COFFEE ⌊ROOM.
cóffee trèe 커피 나무.
cof·fer [kɔ́ːfər, -á-/-ɔ́-] *n.* Ⓒ (귀중품) 상자; 금고; (*pl.*) 재원(財源)(funds). 「관(에 넣다).
‡**cof·fin** [kɔ́ːfin, -á-/-ɔ́-] *n., vt.* Ⓒ
cò·fígurative *a.* 각 세대가 독자적인 가치관을 가지는.
cog [kag/-ɔ-] *n.* Ⓒ 톱니바퀴(의 톱니); 《口》 (큰 조직 중에서) 별로 중요치 않은 사람. **slip a ~** 실수하다, 그르치다.
co·gent [kóudʒənt] *a.* 수긍케 하는, (의론 따위) 설득력 있는. **có·gen·cy** *n.*
cog·i·tate [kádʒətèit/-ɔ́-] *vi., vt.* 숙고(熟考)하다(meditate). **-ta·tion** [ˌ--téiʃən] *n.*
co·gi·to er·go sum [kádʒitòu ə́ːrgou sʌ́m/kɔ́dʒ-] (L.) =I think, therefore I exist. 나는 생각한다, 그러므로 나는 존재한다《Descartes의 말》.
co·gnac [kóunjæk, kán-] *n.* Ⓤ,Ⓒ 코냑《프랑스산의 브랜디》.
***cog·nate** [kágneit/-ɔ́-] *a., n.* Ⓒ 동족(同族)의 (사람); 같은 어계(語系)의 (언어); 같은 어원의 (말)《*cap*과 *chief* 따위》.
cógnate óbject 〖文〗 동족 목적어《보기: dream a pleasant *dream*》.
cog·ni·tion [kagníʃən/kɔg-] *n.* Ⓤ 인식.
cog·ni·tive [kágnətiv/kɔg-] *a.* 인식상의, 인식력이 있는.
cog·ni·za·ble [kágnəzəbəl/kɔ́g-] *a.* 인식할 수 있는; (범죄가) 재판 관할권내에 있는.
cog·ni·zant [kágnəzənt/kɔ́g-] *a.* 인식하여(*of*). **-zance** *n.*
cog·no·men [kagnóumən/kɔgnóu-men] *n.* (*pl.* **~s, -mia**) Ⓒ 성(surname); (고대 로마인의) 셋째 이름《보기: Marcus Tullius *Cicero*》; 별명.
co·*gno·scen·te* [kànjəʃénti/kɔ̀-] *n.* (*pl.* **-*ti*** [-tiː]) (It.) Ⓒ (미술품의) 감정가(connoisseur).
cóg·ràil *n.* Ⓒ (아프트식 철도의) 톱니 모양의 철로.
cóg·whèel *n.* Ⓒ 톱니바퀴.
co·hab·it [kouhǽbit] *vi.* (흔히 미혼자가 부부처럼) 동거 생활을 하다. **~·ant** *n.* Ⓒ 동서(同棲)자. **-i·ta·tion** [-ˌ-téiʃən] *n.*
co·heir [kóuέər] *n.* (*fem.* **~ess**) Ⓒ 공동 상속인.

co·here[kouhíər] *vi.* 밀착하다(stick together); 응집(凝集)〔결합〕하다; (논리의) 조리가 서다, 동이 닿다(be consistent). ***co·her·ent** [-híərənt] *a.* 밀착하는; 앞뒤의 동이 닿는, 조리가 선. **-ence, -en·cy** *n.*

***co·he·sion**[kouhí:ʒən] *n.* Ⓤ 점착(성), 결합(력)(sticking together); 〖理〗 (분자의) 응집력(凝集力). ***-sive** *a.* 점착력이 있는; 밀착〔결합〕하는. **-sive·ly** *ad.*

co·hort[kóuhɔ:rt] *n.* Ⓒ (고대 로마의) 보병대《legion의 1/10 (300-600명)》; 군대; 집단, 무리; 《美》 동료.

C.O.I. Central Office of Information.

coif[kɔif] *n.* Ⓒ 두건《수녀·병사·변호사 등의》.

coif·feur[kwɑ:fə́:r] *n.* (F.) Ⓒ 이발사(hairdresser).

coif·fure[kwɑ:fjúər] *n.* (F.) Ⓒ 머리형, 결발(結髮) (양식) (hairdo).

coign(e)[kɔin] *n.* Ⓒ (돌의) 뾰족 내민 귀. ~ ***of vantage*** (관찰·행동에) 유리한 지위〔지점〕.

:coil[kɔil] *n., vi.* Ⓒ 둘둘 감은 것; 둘둘 감(기)다; 사리(다)(*up*); 〖電〗 코일.

†coin[kɔin] *n.* Ⓤ,Ⓒ 경화(硬貨); Ⓤ 《俗》 돈. ***pay*** (*a person*) (***back***) ***in his*** 〔***her***〕 ***own*** ~ 앙갚음하다. — *vt.* (화폐를) 주조하다; (신어를) 만들다. ~ ***money*** 《口》 돈을 척척 벌다. ~ ***one's brains*** 머리를 써 돈을 벌다.

***co·in·cide**[kòuinsáid] *vi.* 일치〔합치〕하다(correspond)(*with*).

***co·in·ci·dence** [kouínsədəns] *n.* ① Ⓤ (우연의) 일치, 부합. ② Ⓤ 동시 발생; Ⓒ 동시에 일어난 사건.

***co·in·ci·dent**[kouínsədənt, -si-] *a.* 일치하는. **-den·tal**[-ˌ-ˊdéntl] *a.* =COINCIDENT.

cóin machìne 자동 판매기.

co·i·tion[kouíʃən], **-tus**[kóuitəs] *n.* Ⓤ 성교.

coke[1][kouk] *n., vt., vi.* Ⓤ 코크스(로 만들다, 가 되다).

coke[2] *n.* (종종 C-) =COCA-COLA; 《美》 =COCAIN.

Col. Colombia; Colonel; Colorado; Colossians. **col.** collected; collector; college; colonel; colonial, colony; colo(u)r(ed); column.

col·an·der[kʌ́ləndər, -ɑ́-] *n.* Ⓒ 물 거르는 장치, 여과기(濾過器).

†cold[kould] *a.* ① 추운, 차가운; 한기가 도는. ② 냉정한, 열의 없는(indifferent). ③ (뉴스 따위가) 좋지 않은, 불쾌한. ④ 〖獵〗 (냄새가) 희미한(faint). ⑤ 한색(寒色)의. ***have*** ~ ***feet*** 《口》 겁을 먹고 있다. ***in*** ~ ***blood*** 냉연히, 태연히. — *n.* Ⓤ 추위, 한기; Ⓒ,Ⓤ 감기. ***catch*** 〔***take***〕 (***a***) ~ 감기가 들다. ~ ***in the head*** 코감기, 코카타르. ~ ***without*** (감미를 가하지 않은) 물 탄 브랜디(cf. WARM with). ***have a*** ~ 감기에 걸려 있다. ***leave out in the*** ~ 따돌리다, 배돌게 하다. ***of*** ~ 빙점하(에서)(*3 degrees of* ~).

cóld-blóoded *a.* 냉혈의; 냉혹한, 태연한.

cóld bóot 〖컴〗 콜드 부트.

cóld chìsel (금속을 쪼는) 정, 끌.

cóld cólors 한색《청·회색 따위》.

cóld crèam (화장용) 콜드크림.

cóld dárk mátter 〖宇宙〗 찬 암흑 물질《암흑 물질 중 구성 입자 운동이 광속(光速)에 비하여 무시할 수 있는 것; 생략 CDM》.

cóld frònt 한랭 전선.

cóld-héarted, -lívered *a.* 냉담한, 무정한.

cold·ish[ˊ-iʃ] *a.* 으슬으슬 추운.

cóld líght 무열광(無熱光)《인광·형광 따위》.

:cold·ly[ˊ-li] *ad.* 차게, 춥게; 냉랭하게, 냉정하게.

cóld méat 냉육(冷肉); 《俗》 시체.

:cold·ness[ˊ-nis] *n.* Ⓤ 추위, 차가움; 냉랭함, 냉담.

cóld pàck 냉찜질; (통조림의) 저온 처리법.

cóld-pàck *vt.* 냉찜질을 하다; (과일 따위를) 저온 처리법으로 통조림하다.

cóld-shóulder *vt.* 《口》 냉대〔무시〕하다.

cóld sòre (코감기 때의) 입속〔입언저리〕 발진.

cóld stéel 칼〔날〕붙이.

cóld stórage 냉동; 냉장(고).

cóld swéat 식은 땀.

cóld wár 냉전(冷戰).

cóld wàve 한파; 콜드파마.

co·le·op·ter·ous[kòuliɑ́ptərəs, kɑ̀:-/kɔ̀liɔ́p-] *a.* 초시류(鞘翅類)《투구벌레 따위》의.

Cole·ridge[kóulridʒ], **Samuel Taylor** (1772-1834) 영국의 시인·비평가.

cole·seed[kóulsì:d] *n.* Ⓤ,Ⓒ 〖植〗 평지의 씨.

cole·slaw[kóulslɔ̀:] *n.* Ⓤ 《美》 양배추 샐러드.

cole(·wort)[kóul(wə̀:rt)] *n.* Ⓒ 평지류(類), 양배추(의 일종).

col·ic[kɑ́lik/-ɔ́-] *n., a.* Ⓤ 복통(의), 산통(疝痛)의. **col·ick·y**[-i] *a.*

col·i·se·um[kɑ̀lisí:əm/kɔ̀lisí(:)əm] *n.* Ⓒ (원형) 대경기장, (원형) 큰 연기장; (C-) =COLOSSEUM.

co·li·tis[kəláitis, kou-/kɔ-] *n.* Ⓤ 결장염, 대장염.

coll. colleague; college; collected; collect(ion); collective(ly); collector; colloquial.

***col·lab·o·rate**[kəlǽbərèit] *vi.* 함께 일하다, 협력하다; 공동 연구하다(*with*); 적측〔점령군〕에 협력하다. **-ra·tor** *n.* ***-ra·tion**[kəlæ̀bəréiʃən] *n.*

col·lage[kəlɑ́:ʒ] *n.* (F.) Ⓤ 〖美術〗 콜라주《신문이나 광고를 오려 붙여선이나 색채로 처리한 추상적 회화 구성

법》; 그 작품.

col·la·gen[káləʤən/-ɔ́-] *n.* Ⓤ 『生化』 교원질(膠原質). **~ disease** 교원병.

:col·lapse[kəlǽps] *n., vi.* Ⓤ 붕괴(하다); 쇠약(해지다); 실패(하다); 찌부러[무너]지다. **col·láps·i·ble, -a·ble** *a.* 접는 식의.

:col·lar[kálər/-ɔ́-] *n.* Ⓒ ① 칼라깃. ② (훈장의) 경식장. ③ 목걸이; 고리 모양의 물건. ***against the ~*** (말의) 목걸이가 어깨에 스치어; 괴로움[어려움]을 견디어; 마지못해. ***in ~*** (말이) 목걸이를 걸고; 일할 준비를 하고; 《古》 직업을 얻어. ***out of ~*** 《古》 실직하여. ***slip the ~*** 《口》 곤란[힘든 일]에서 벗어나다. — *vt.* ① (…에) 칼라[목걸이]를 달다. ② 멱살을 잡다, 붙잡다.

cóllar·bòne *n.* Ⓒ 쇄골(鎖骨).

collat. collateral(ly).

col·late[kəléit, kou-, káleit] *vt.* 대조하다, 교합(校合)하다; 『宗』 성직을 주다. **col·lá·tion** *n.* Ⓤ,Ⓒ 대조, 사조(査照); 성직 수여; Ⓒ 가벼운 (저녁) 식사. **col·lá·tor** *n.*

***col·lat·er·al**[kəlǽtərəl/kɔ-] *a.* ① 평행하는(parallel); 부차적인. ② 방계의. ③ 증권류를 담보로 한. — *n.* Ⓒ 방계의 친척; Ⓤ 담보 물건, 부저당품《증권류》. **~·ly** *ad.*

***col·league**[káli:g/-ɔ́-] *n.* Ⓒ 동료; 동아리.

†col·lect[1][kəlékt] *vt.* ① 모으다, 수집하다. ② (세를) 징수하다, 거둬들이다. ③ (기운을) 회복하다, (생각을) 가다듬다. — *vi.* ① 모으다, 쌓이다. ② 수금하다. **~ *a horse*** 말을 제어하다. **~ *one's courage*** 용기를 떨치어 일으키다. **~ *oneself*** 정신을 가다듬다, 마음을 가라앉히다. ***~ one's faculties*** [***feelings, emotions, ideas, wits***] 자신(自信)을 되찾다, 제 정신으로 돌아오다. ***~ one's scattered senses*** 흐트러진 마음을 가다듬다. — *a., ad.* 《美》 대금 상환의[으로], 선불의[로]. **~·ed** [-id] *a.* 모은; 침착[냉정]한. ***col·léc·tor** *n.* Ⓒ 수집가, 수금원, 징수원.

col·lect[2][kálikt, -lekt/-ɔ́-] *n.* Ⓒ 축도(祝禱)《짧은 기도문》.

:col·lec·tion[kəlékʃən] *n.* ① Ⓤ 수집; Ⓒ 수집물, 컬렉션. ② Ⓤ,Ⓒ 수금, 징수. ③ Ⓒ (쓰레기 등의) 더미. ***make a ~ of*** (***books***) (책)을 모으다.

***col·lec·tive**[-tiv] *a.* 집합적인, 집단[전체]적인. — *n.* Ⓒ ① 『文』 집합명사. ② 집단농장. **~·ly** *ad.* **-tiv·ism**[-ìzəm] *n.* Ⓤ 집단주의. **-tiv·ist** *n.*

colléctive agréement 단체 협약.

colléctive bárgaining 단체 교섭.

colléctive behávior 『社』 집단 행동.

colléctive fárm =KOLKHOZ.

colléctive nóun 집합 명사.

colléctive secúrity (유엔의) 집단 안전 보장.

colléctive uncónscious 『心』 집단적 무의식.

col·leen[káli:n, kalí:n/-ɔ́-] *n.* 《Ir.》 Ⓒ 소녀.

†col·lege[káliʤ/-ɔ́-] *n.* ① Ⓤ,Ⓒ 단과 대학. ② Ⓒ (특수) 전문학교. ③ Ⓒ 《英》 (Oxf., Camb. 양대학의) 학료(學寮)(*Balliol* [béiljəl] ~). ④ Ⓒ 단체, 학회.

cóllege bòards (때때로 C- B-) 《美》 대학 입학 시험.

cóllege trý 《美》 (팀·모교를 위한) 최대한의 노력; 학생 시절을 연상케 하는 노력.

cóllege wìdow 《美口》 대학가에 살면서 학생과 교제하는 미혼 여성.

col·le·gian[kəlí:ʤiən] *n.* Ⓒ 대학생; 전문 학교생. ***-giate**[-ʤiit] *a.* 대학(생)의.

***col·lide**[kəláid] *vi.* 충돌하다 (*with*); 일치하지 않다.

col·lie[káli/-ɔ́-] *n.* Ⓒ 콜리《원래는 양지키는 개; 스코틀랜드 원산》.

col·lier[káljər/kɔ́liə] *n.* Ⓒ 《주로 英》 석탄 운반선; 탄갱부(coal miner). **~·y** *n.* Ⓒ (지상 시설을 포함한) 탄갱, 채탄소.

col·lins[1][kálinz/-ɔ́-] *n.* Ⓒ 《英口》 방문 후의 인사장.

col·lins[2][kálinz/-ɔ́-] *n.* Ⓒ 칵테일의 일종.

:col·li·sion[kəlíʒən] *n.* Ⓤ,Ⓒ 충돌 (colliding); 『컴』 부딪힘.

col·lo·cate[káləkèit/-ɔ́-] *vt.* 함께[나란히] 두다; 배치하다. ***-ca·tion**[∸-kéiʃən] *n.* ① Ⓤ 배열, 병치; (문장 속의) 말의 배열. ② Ⓒ 『文』 연어(連語).

col·lo·di·on[kəlóudiən], **-di·um** [-diəm] *n.* Ⓤ 『化』 콜로디온《긁힌 상처·사진 필름에 바르는 용액》.

col·loid[kálɔid/-ɔ́-] *n., a.* Ⓤ 『化』 콜로이드(모양의), 아교질(의). **col·loi·dal**[kəlɔ́idl] *a.*

colloq. colloquial(ly); colloquialism.

:col·lo·qui·al[kəlóukwiəl] *a.* 구어(체)의. **~·ism**[-ìzəm] *n.* Ⓤ 구어체; Ⓒ 구어적 표현. **~·ly** *ad.*

col·lo·qui·um [kəlóukwiəm] *n.* (*pl.* ***~s, -quia***[-kwiə]) Ⓒ 전문가 회의, 세미나.

col·lo·quy[káləkwi/-ɔ́-] *n.* Ⓤ,Ⓒ 대화; 회담; 토의.

col·lo·type[káloutàip/-ɔ́-] *n.* Ⓤ 콜로타이프판; Ⓒ 콜로타이프 인쇄물. — *vt.* ~로 인쇄하다.

col·lude[kəlú:d] *vi.* 밀의(密議)에 가담하다, 공모하다. **col·lu·sion** [-ʒən] *n.* Ⓤ 공모.

col·ly·wob·bles[káliwàblz/kɔ́liwɔ̀b-] *n. pl.* 《口·方》 (배의) 꾸루룩거림(rumbling), 복통.

Col·ney Hatch[kóuni hǽtʃ] 정신 병원《런던의 병원 이름에서》.

Colo. Colorado.

Co·logne[kəlóun] *n.* (독일의) 쾰

른(G. *Köln*); (c-) =EAU DE COLOGNE.

Co·lom·bi·a[kəlʌ́mbiə/-ɔ́-, -ʌ́-] *n.* 콜롬비아《남아메리카의 공화국》. **~n** *a., n.*

Co·lom·bo [kəlʌ́mbou] *n.* Sri Lanka의 수도. ~ ***Group*** [***Powers***] 콜롬보 그룹《인도·파키스탄·미얀마·인도네시아·스리랑카의 5개 중립국》. ~ ***Plan*** 콜롬보 계획《1950년 Colombo 회의에서 채택된 영연방의 동남아 개발 계획》.

:co·lon[1] [kóulən] *n.* Ⓒ 콜론(:).

co·lon[2] *n.* (*pl.* ***~s, cola***) Ⓒ 결장(結腸)《대장의 하부》.

:colo·nel[kə́:rnəl] *n.* Ⓒ 육군 대령; 연대장. **~·cy, ~·ship**[-ʃìp] *n.*

cólonel commándant 《英》 = BRIGADIER.

:co·lo·ni·al[kəlóuniəl/-njəl] *a.* 식민(지)의; (종종 C-) 《美》 영국 식민지 시대의, 낡아빠진. — *n.* Ⓒ 식민지 거주민. **~·ism** [-ìzəm] *n.*

:col·o·nist[kálənist/-ɔ́-] *n.* Ⓒ 식민(사업)가; 식민지 사람; 이주민; 외래 동〔식〕물.

col·o·nize[kálənàiz/-ɔ́-] *vt.* 식민지로 삼다; 식민하다; 이식하다(transplant). — *vi.* 개척자가 되다; 입식(入植)하다(settle). **-niz·er** *n.* Ⓒ 식민지 개척자. **-ni·za·tion**[⌐—nizéiʃən/-nai-] *n.*

col·on·nade [kàlənéid/-ɔ̀-] *n.* Ⓒ 〖建〗 주열(柱列), 주랑(柱廊); 가로수.

:col·o·ny[káləni/-ɔ́-] *n.* Ⓒ 식민지, 거류지, 조계; 식민(단); 거류민(단); …인(人) 거리(*the Chinese ~ in California* 캘리포니아주(州)의 중국인 거리); 〖生〗 군체(群體), 군락(群落). ***summer*** [***winter***] ~ 피서〔피한〕지.

col·o·phon[káləfàn, -fən/kɔ́ləfən] *n.* Ⓒ 책의 간기(刊記); 출판사의 마크.

†col·or, 《英》 **-our** [kʌ́lər] *n.* ① U,C 색, 색채; Ⓤ 채색. ② Ⓒ (보통 *pl.*) 그림 물감. ③ Ⓤ 안색, 혈색. ④ Ⓤ (작품의) 맛, 음조. ⑤ Ⓤ 분위기, 활기, 생채(生彩); (흥미를 돋우는) 곁들이 프로. ⑥ U,C 겉모습, 꼴; 가장, 구실(pretext). ⑦ (*pl.*) 군기(旗), 선〔함〕기(船〔艦〕旗); 국기〔군기〕 게양〔하기〕식. ⑧ (*pl.*) 색리본, 무색옷. ***change*** ~ 안색이 (파랗게, 붉게) 변하다. ***come off with flying ~s*** 군기를 휘날리며 개선하다, 성공을 거두다, 면목을 세우다. ***gain*** ~ 혈색이 좋아지다. ***give*** [***lend***] ***~ to ...*** (이야기 따위를) 그럴 듯이 해 보이다. ***local*** ~ 지방〔향토〕색. ***lose*** ~ 창백해지다; 색이 바래다. ***nail one's ~s to the mast*** 주의〔주장〕을 선명하게 하다; 의지를 굽히지 않다. ***off*** ~ 《口》 기운 없는, 건강이 좋지 않은, 《美俗》 상스러운. ***see the ~s of a person's money*** (…에게서 현금으로) 지불을 받다. ***show one's ~s*** 본심을 나타내다, 본성〔본색〕을 드러내다; 의견을 말하다. ***with the ~s*** 병역에 복무하여; 현역인. — *vt., vi.* ① (…에) 물들이다. ② 윤색(潤色)하여 전하다. ③ 물들다, 얼굴을 붉히다 (*up*). **~·a·ble** *a.* 착색할 수 있는; 그럴 듯한; 겉보기의. ***~ed**[-d] *a.* 채색한, 유색의, 흑인(Negro)의; 윤색한; 편견이 있는. **:~·ful** *a.* 다채로운; (문체를) 꾸민, 화려한(florid). **~·ist** *n.* Ⓒ 착색〔채색〕의 명수; 미문가(美文家). ***~·less** *a.* 색이 없는; 퇴색한; 공평한.

·Col·o·rad·o [kàlərǽdou, -á:-/kɔ̀lərá:-] *n.* 미국 서부의 주《생략 Colo., Col.》. 「색제.

col·or·ant[kʌ́lərənt] *n.* Ⓤ 《美》 착

col·o·ra·tion[kʌ̀ləréiʃən] *n.* Ⓤ 착색, 채색; 배색; 색조.

col·o·ra·tu·ra[kʌ̀lərətjúərə/kɔ̀lərətúərə] *n., a.* Ⓤ 콜로라투라《성악의 화려한 장식적 기교》(의); Ⓒ 콜로라투라 가수(의). ~ ***soprano*** 콜로라투라 소프라노 가수.

cólor bàr 백인과 유색 인종과의 법률적·사회적 차별.

cólor-bèarer *n.* Ⓒ 기수(旗手).

cólor-blìnd *a.* 색맹의.

cólor bòx 그림물감 상자.

cólor·càst *n., vt.* (***~ed***) Ⓒ 컬러 텔레비전(으로 방송하다).

cólor film 컬러 필름; 천연색〔컬러〕 영화.

col·or·ing[kʌ́ləriŋ] *n.* ① Ⓤ 착색(법); 채색(법). ② U,C 안료, 그림물감. ③ Ⓤ (살갗, 모발의) 색. ④ Ⓤ 색조. ⑤ Ⓤ 스타일; 윤색. ⑥ Ⓤ 외견; 편견.

cóloring màtter 물감, 안료(顔料), 그림물감.

cólor lìne 《美》 백인과 흑인과의 (사회적·정치적) 차별.

color·man[-mən] *n.* Ⓒ 《英》 그림물감 장수.

cólor phóto 천연색〔컬러〕 사진.

cólor photógraphy 컬러 사진술.

cólor prèjudice 유색 인종(특히 흑인)에 대한 편견.

cólor prìnt 채색 판화.

cólor prìnting 색판 인쇄.

cólor schème (장식 등) 색채의 배합 설계.

cólor sèt 컬러 텔레비전 수상기.

cólor sùpplement (신문 따위의) 컬러 부록 페이지〔면〕.

cólor télevision 컬러 텔레비전 (color TV).

cólor témperature 〖理〗 색온도 《단위 K(elvin)》.

cólor(-)wàsh *n., vi., vt.* Ⓤ 질척한 그림물감(으로 그리다).

***co·los·sal**[kəlásəl/-lɔ́sl] *a.* 거대한; 《口》 굉장한.

Col·os·se·um [kàləsí:əm/kɔ̀ləsí(:)-] *n.* (the ~) 콜로세움《고대 로마의 원형 대연기장》(의 유적).

C

Co·los·sians[kəlɑ́ʃənz/-ɔ́-] *n. pl.* 〖聖〗 골로새서(書)《신약의 한 편》.
co·los·sus[kəlɑ́səs/-ɔ́-] *n.* (*pl.* **~es, -si**[-sai]) Ⓒ 거상(巨像), 거인; (C-) (Rhodes 항(港) 어귀에 있던 거대한) Apollo의 동상.
co·los·to·my[kəlɑ́stəmi/-lɔ́s-] *n.* ⓊⒸ 〖醫〗 결장 조루술(結腸造瘻術), 인공항문 성형(술).
†**col·our**[kʌ́lər], **&c.** 《英》 =COLOR, &c.
Col. Sergt. Colo(u)r Sergeant 〖軍〗 군기(軍旗) 호위 하사관.
Colt[koult] *n.* Ⓒ 〖商標〗 콜트식 자동 권총(~ revolver).
:**colt**[koult] *n.* Ⓒ (너댓 살까지의 수컷) 망아지; 당나귀 새끼; 미숙한 사람, 풋내기(greenhorn). **∠·ish** *a.* (망아지처럼) 깡총거리는, 까부는.
col·ter[kóultər] *n.* Ⓒ (보습 앞에 단) 풀 베는 날.
cólts·fòot *n.* Ⓒ 〖植〗 머위.
*__Co·lum·bi·a__[kəlʌ́mbiə] *n.* 컬럼비아《미국 S. Carolina주의 주도》; (N.Y. 시의) 컬럼비아 대학; 《詩》 미국(<Columbus). **~n** *a., n.* 미국의; Columbus의; Ⓤ 〖印〗 16포인트 활자.
col·um·bine[kɑ́ləmbàin/-ɔ́-] *n.* Ⓒ 〖植〗 매발톱꽃. — *a.* 비둘기의, 비둘기 같은.
co·lum·bi·um[kəlʌ́mbiəm] *n.* Ⓤ 《古》 〖化〗 콜룸븀《niobium의 구칭》.
:**Co·lum·bus**[kəlʌ́mbəs], **Christopher** (1451?-1506) 이탈리아의 탐험가《서인도 제도 발견》.
Colúmbus Dày 콜럼버스 기념일 《10월 12일》.
:**col·umn**[kɑ́ləm/-ɔ́-] *n.* Ⓒ 원주(圓柱)(모양의 물건); (신문의) 난; (군사·군함·숫자 따위의) 종렬(縱列); 〖컴〗 열. **~·ist**[-*n*ist] *n.* Ⓒ (신문 따위의) 기고가.
co·lum·nar[kəlʌ́mnər] *a.* 원주(모양)의; 원주로 된.
Com. Commander; Commission(er); Committee; Commodore. **com.** comedy; common(ly); commerce.
com-[kəm, kɑm/kəm, kɔm] *pref.* '함께, 전혀'의 뜻《b, p, m의 앞》 (*com*bine, *com*pare).
co·ma[1][kóumə] *n.* (*pl.* **-mae** [-mi:]) Ⓒ 〖天〗 코마《혜성의 핵둘레의 대기》; 〖植〗 씨(에 난) 솜털.
co·ma[2] *n.* ⓊⒸ 혼수(昏睡)(stupor).
com·a·tose[kóumətòus, kɑ́m-] *a.*
Co·man·che[kəmǽntʃi] *n.* (the ~(s))(아메리카 인디언의) 코만치족; Ⓒ 코만치 사람; Ⓤ 코만치 말.
:**comb**[koum] *n.* Ⓒ 빗(모양의 것); (닭의) 볏(모양의 것)《산봉우리·물마루 따위》; 벌집. *cut a person's ~* 기를 꺾다. — *vt.* (머리를) 빗다; (양털을) 빗질하여 기르다; 샅샅이 뒤지어 찾다. — *vi.* (놀이) 굽이치다 (roll over), 부서지다(break). **~ out** (머리를) 빗다, 가려내다. **∠·er** *n.* Ⓒ 빗질하는[훑는] 사람; 훑는 기계, 소모기(梳毛機); 밀려드는 물결, 길고 흰 파도.
:**com·bat**[kɑ́mbæt, kʌ́m-/kɔ́mbət] *n.* ⓊⒸ 격투, 전투(~ *plane* 전투기). ***in single ~*** 일대일[맞상대] 싸움으로. — [kəmbǽt, kɑ́mbæt/kɔ́mbət] *vi., vt.* 격투하다(*with, against*); 분투하다(*for*).
*__com·bat·ant__[kəmbǽtənt, kɑ́mbət-/kɔ́mbətənt, -ʌ́-] *n., a.* Ⓒ 전투원; 싸우는; 전투적인; 호전적인.
cómbat càr 《美》 전차, 탱크.
cómbat cròp 스포츠형 머리.
cómbat fatìgue 전쟁 신경증.
com·ba·tive[kəmbǽtiv, kɑ́mbə-/kɔ́mbə-, kʌ́m-] *a.* 호전적인(bellicose).
cómbat tèam 〖美軍〗 (특정 작전을 위한) 연합 전투 부대.
cómbat ùnit 전투 단위.
combe[ku:m] *n.* =COOMB(E).
:**com·bi·na·tion** [kɑ̀mbənéiʃən/kɔ̀mb-] *n.* ① ⓊⒸ 결합, 단결; 공동 동작; 배합, 짝지움. ② Ⓤ 〖化〗 화합; Ⓒ 화합물; (*pl.*) 〖數〗 조합(組合)(cf. permutation). ③ (*pl.*) 콤비네이션《내리닫이 속옷》. ④ Ⓒ (자물쇠의) 이리저리 맞추는 글자[숫자]. ⑤ ⓊⒸ 〖컴〗 조합. ***in ~ with*** …와 공동[협력]하여.
combinátion càr 《美》 혼합 열차 《1·2등 또는 객차와 화차의》.
combinátion drùg 복합약《2종 이상의 항생 물질 등의 혼합약》.
combinátion lòck (금고 따위의) 글자[숫자] 맞춤 자물쇠.
:**com·bine**[kəmbáin] *vt.* (…을) 결합[합동]시키다; 겸하다, 아우르다, 화합시키다. — *vi.* 결합[화합]하다 (*with*). — [kɑ́mbain/-ɔ́-] *n.* Ⓒ 《美口》 기업 합동, 카르텔; 도당; 연합; 복식 수확기, '콤바인'《베기와 탈곡을 동시에 하는 농기구》.
combíning fòrm 〖文〗 결합사《보기: *Anglo-, -phone* 따위; 접두·접미사가 종위적(從位的)임에 대해 이것은 등위적인 연결을 함》.
com·bo[kɑ́mbou/-ɔ́-] *n.* Ⓒ 《美》 소편성의 재즈 악단(<*combi*nation); 《濠俗》 토인 여자와 동거하는 백인.
comb-out[kóumàut] *n.* Ⓒ 행정 정리; 일제 검사[검색]; (신병의) 일제 징집.
com·bus·ti·ble[kəmbʌ́stəbl] *a., n.* Ⓒ 타기 쉬운 (것), 연소성의; 격하기 쉬운(fiery). **-bil·i·ty**[−̀−−bíləti] *n.* Ⓤ 가연성(可燃性).
*__com·bus·tion__[kəmbʌ́stʃən] *n.* Ⓤ 연소, (유기물의) 산화(oxidation); 격동, 흥분, 소동.
comdg. commanding. **Comdr.** commander. **Comdt.** commandant.
†**come**[kʌm] *vi.* (***came; come***) ① 오다, (상대쪽으로) 가다(*I will ~ to you tomorrow.* 내일 댁으로 가겠

습니다). ② 일어나다, 생기다(occur), (생각이) 떠오르다. ③ …태생[출신]이다(*of, from*). ④ 만들어지다(*The ice cream will not* ~. 아이스크림이 좀처럼 되지 않는다). ⑤ …하게 되다, …해지다(*I have* ~ *to like him.* 그가 좋아졌다). ⑥ 합계[결국] …이 되다(*What you say* ~*s to this.* 너의 말은 결국 이렇게 된다). ⑦《형용사, p.p.형의 보어를 수반하여》…이 되다[해지다], …이다(~ *untied* 풀려지다/*It came true.* 참말이었다[임을 알았다]). ⑧ 손에 넣을 수 있다, 살 수 있다(*The suitcases* ~ *in three sizes.* 여행 가방에는 세 종류가 있습니다). ⑨《명령형》자! (now then), 이봐, 어이(look), 그만 둬(stop), 좀 삼가라(behave)(*C-,* ~, *don't speak like that!* 어이 이봐, 그런 말투는 삼가는 게 좋다). ⑩《가정법 현재형으로》…이 오면[되면](*She will be ten* ~ *Christmas.* 크리스마스가 오면 열 살이 된다). ⑪《美俗》오르가슴에 이르다. — *vt.* (어떤 나이에) 달하다(*The dog is coming five.*); 하다(do)(*I can't* ~ *that.* 그것은 나로선 못한다);《口》…체[연]하다(pretend to be)(~ *the moralist* 군자연하다). ~ ***about*** (사건 따위가) 일어나다; (바람 방향이) 바뀌다. ~ ***across*** 만나다; 우연히 발견하다; 떠오르다. ~ ***again*** 다시 한번 말하다. ~ ***along***《口》《명령형으로》자 빨리. ~ ***apart*** 낱낱이 흩어지다, (육체적·정신적으로) 무너지다. ~ ***around*** = ~ round. ~ ***at*** (…에) 달하다; (…을) 엄습하다, 덤벼들다; 손에 넣다. ~ ***away*** 끊어지다, 떨어지다; (자루 따위가) 빠지다. ~ ***back*** 돌아오다,《口》회복하다, 되돌아오다;《美俗》되쏘아 주다(retort). ~ ***between*** 사이에 들다; 사이를 갈라놓다. ~ ***by*** (…을) 손에 넣다(get); (…의) 옆을 지나다[에 오다];《美》들르다(call). ~ ***down*** 내리다;《英口》돈을 지불하다(*with*), 돈을 주다; 전래하다(*from*); 영락하다; 병이 되다. ~ ***down on*** [***upon***] 불시에 습격하다; 요구하다;《口》꾸짖다. ~ ***forward*** 자진해 나아가다, 지원하다. ~ ***from*** …의 출신이다. ~ ***from behind***〖競〗역전승을 거두다. ~ ***in*** 들(어 가)다; 당선[취임]하다; 도착하다; 유행되기 시작하다; (익살 따위의) 재미[묘미]가 …에 있다(*Where does the joke* ~ *in?* 그 익살의 묘취(妙趣)는 어디 있지). ~ ***in handy*** [***useful***] 도움[소용]이 되다. ~ ***into*** 되다; 상속하다(inherit). ~ ***off*** 떨어지다, 빠지다; 이루다, 이루어지다; 행해지다(be held); …이 되다(turn out)(~ *off a victor* [*victorious*]). ~ ***on*** 다가오다, 가까워지다, 일어나다; 엄습하다; 등장하다; 진보하다; (의안이) 상정되다;《口》자 오너라. ~ ***on in***《美》들어오다. ~ ***out*** 나오다; 드러나다; 출판되다; 첫무대[사교계]에 나가다; 판명하다; 스트라이크를 하다; 결과가 …이 되다. ~ ***out with*** 보이다; 입밖에 내다, 누설하다. ~ ***over*** 오다; (감정이) 엄습하다; 전래하다; (적측에서) 오다, 자기편이 되다. ~ ***round*** 돌아서 오다; 회복하다; 기분을 고치다; (…의) 기분을[비위를] 맞추다; 의견을 바꾸다. ~ ***through*** 해내다; 지불하다; 성공하다. ~ ***to*** 합계[결국] …이 되다; 제정신이 들다; (…의) 상태가 되다; 닻을 내리다; (배가) 머물다《to은 ad.》. ~ ***to oneself*** 제 정신으로 돌아오다. ~ ***to pass*** 일어나다. ~ ***to stay*** 영구적인 것이 되다. ~ ***up*** 오르다; 올라오다; 접근하다, 다가오다; 일어나다; 유행하기 시작하다;《英》(대학의) 기숙사에 들다. ~ ***upon*** 만나다; (…을) 요구하다. ~ ***up to*** …에 달하다, 필적하다. ~ ***up with*** …에 따라 붙다; 공급하다; 제안하다. ~ ***what may*** 무슨 일이 일어나더라도. ***First* ~, *first served.***《諺》빠른 놈이 장땡이다, 선착자 우선(‘come’은 p.p.). ***˙cóm·er*** *n.* **:cóm·ing** *n., a.* ⇨COMING.

come-at-able [kʌmǽtəbəl] *a.*《口》가까이 하기 쉬운, 교제하기 쉬운; 손에 넣기 쉬운.

cóme·bàck *n.* Ⓒ《口》회복, 복귀, 되돌아옴;《俗》말대꾸(retort);《美俗》불평.

cómeback wín 역전승.

COMECON [kámikàn/kɔ́mikɔ̀n] Council for Mutual Economic Assistance 동유럽 경제 상호 원조 회의.

˙co·me·di·an [kəmíːdiən] *n.* Ⓒ 희극 배우, 희극 작가.

co·me·di·enne [kəmìːdién, -mèid-] *n.* (F.) Ⓒ 희극 여우.

com·e·do [kámədòu/kɔ́m-] *n.* (*pl.* ~***nes*** [∸–dóuniːz], ***-dos***) Ⓒ〖醫〗여드름.

cóme·dòwn *n.* Ⓒ《口》(지위·명예의) 하락, 영락; 퇴보.

:com·e·dy [kámədi/kɔ́m-] *n.* Ⓤ,Ⓒ (1편의) 희극 (영화); 희극 (문학).

còme-híther *a.* (특히 성적으로) 도발적인; 유혹적인. — *n.* Ⓤ 유혹. ~**y** *a.* 매혹적인.

˙come·ly [kʌ́mli] *a.* 자색이 고운, 아름다운;《古》적당한; 걸맞는. **-li·ness** *n.*

co·mes·ti·ble [kəméstəbəl] *a., n.* 먹을 수 있는(eatable); Ⓒ (보통 *pl.*) 식료품. 「별.

:com·et [kámit/-ɔ́-] *n.* Ⓒ 혜성, 살

com·et·ar·y [kámitèri/-təri], **co·met·ic** [kəmétik] *a.* 혜성의, 혜성 같은.

come·up·(p)ance [kʌ̀mʌ́pəns] *n.* Ⓒ (보통 *pl.*)《美口》(당연한) 벌.

com·fit [kʌ́mfit] *n.* Ⓒ 사탕, 캔디.

:com·fort [kʌ́mfərt] *n.* ① Ⓤ 위로, 위안(solace); 안락; 마음 편함(ease). ② Ⓒ 위안을[위로를] 주는 사람[것], 즐거움; (*pl.*) 생활을 안락

하게 해 주는 것, 위안물《necessities 와 luxuries 와의 중간》. **be of (good) ~** 원기 왕성하다. **cold ~** 달갑지 않은 위안. — *vt.* 위로〔위안〕하다(console); (…에게) 원조하다. *~·er *n.* Ⓒ 위안하는 사람, 위안물; 조붓하고 긴 털실 목도리; 《美》 이불(comfortable); 《英》 (젖먹이의) 고무 젖꼭지(pacifier); (the C-) 성신(聖神). ~·less *a.*

:com·fort·a·ble[kʌ́mfərtəbəl] *a.* 기분 좋은; 안락한, 마음 편한; (수입 따위) 충분한. — *n.* Ⓒ 《美》 이불. *-bly *ad.*

cómfort bàg 위문대(袋).

cómfort stàtion 〔ròom〕 《美》 공중 변소(rest room).

cómfort stòp 《美》 (버스 여행의) 휴식을 위한 정거.

:com·ic[kámik/-ɔ́-] *a.* 희극의; 우스운(funny). — *n.* Ⓒ 희극 배우; 《口》 만화책(comic book); (*pl.*) 만화(란)(funnies). *cóm·i·cal *a.*

cómic bòok 만화책〔잡지〕.

cómic ópera 희가극(cf. musical comedy).

cómic strìp 연재 만화.

Com. in Chf. Commander in Chief.

Com·in·form [káminfɔ̀ːrm/-ɔ́-] *n.* (the ~) 코민포름《공산당 정보국(*Com*munist *Inform*ation Bureau); 1947-56》.

:com·ing[kʌ́miŋ] *n., a.* (*sing.*) 도래; 내방(來訪); 다가올, 미래의; 다음의(next); 신진의, 유명해지기 시작한; 지금 팔리기 시작한.

Com·in·tern[kámintə̀ːrn/-ɔ́-] *n.* (the ~) 코민테른(*Com*munist *Intern*ational)《제 3 인터내셔널》.

COMISCO[kəmískou] *Com*mittee of *I*nternational *S*ocialist *Co*nference 코미스코《국제 사회주의자 회의 위원회; 1947년 창설》.

com·i·ty[káməti/-ɔ́-] *n.* Ⓤ 예양(禮讓), 겸양(courtesy); 〖國際法〗 국제 예양(~ *of nations*).

:com·ma[kámə/-ɔ́-] *n.* Ⓒ 쉼표, 콤마; 〖樂〗 콤마.

cómma bacìllus 〖醫〗 콤마상(狀)균《아시아 콜레라의 병원균》.

†com·mand[kəmǽnd/-ɑ́ː-] *vt.* ① (…에게) 명(命)하다, 명령하다. ② 지휘〔지배〕하다. ③ 마음대로 할 수 있다. ④ (존경·동정 따위를) 얻다. ⑤ 바라보다, 내려다보다(overlook) (~ *a fine view* 좋은 경치가 보이다). **~ *oneself*** 자제하다. — *vi.* 지휘〔명령〕하다. — *n.* ① Ⓒ 명령, (컴퓨터에의) 지령; Ⓤ 지휘(권); 지배(력)(*over*). ② Ⓒ 〖軍〗 관구; 관하〔예하〕 부대〔함선〕. ③ Ⓤ (말의) 구사력(mastery)(*have a good ~ of French* 프랑스어에 능통하다). ④ Ⓤ 전망. ⑤ Ⓒ 〖컴〗 명령, 지시. ***at ~*** 손안에 있는. ***~ of the air 〔sea〕*** 제공〔제해〕권. ***high ~*** 최고 사령부. ***in ~ of*** …을 지휘하여. ***officer in ~*** 지휘관. *~·ing *a.* 지휘하는; 위풍당당한; 전망이 좋은. *~·ment *n.* Ⓒ 계율(*the Ten Commandments* 〖聖〗 (여호와가 Moses에게 내린) 십계).

com·man·dant [kɑ́məndæ̀nt, -dɑ̀ː-/kɔ̀məndǽnt] *n.* Ⓒ (요새·군항 등의) 사령관.

commánd càr 〖美陸軍〗 사령관 전용차.

com·man·deer[kɑ̀məndíər/-ɔ̀-] *vt.* 징발〔징용〕하다; 《口》 강제로〔제멋대로〕 뺏다.

:com·man·der[kəmǽndər/-ɑ́ː-] *n.* Ⓒ 지휘〔사령〕관; 해군 중령.

commánder in chíef (*pl.* ***-s in chief***) (종종 C- in C-) 총사령관; 최고 사령관.

commánd mòdule 〖宇宙〗 사령선《생략 CM》.

com·man·do[kəmǽndou/-ɑ́ː-] *n.* (*pl.* ~(***e***)***s***) Ⓒ 남아프리카의 보어 민군(民軍); 전격 특공대.

commánd pàper 《英》 칙령서(勅令書)《생략 Cmd.》.

commánd perfórmance 어전(御前) 연주〔연극〕.

commánd pòst 〖美陸軍〗 (전투) 지휘소《생략 CP》; 〖英軍〗 포격 지휘소.

***com·mem·o·rate** [kəmémərèit] *vt.* (…으로) 기념하다, 축하하다; (…의) 기념이 되다. **-ra·tive**[-rətiv, -rèi-] *a.* **-ra·to·ry**[-rətɔ̀ːri/-təri] *a.* ***-ra·tion**[-ㅡ-réiʃən] *n.* Ⓤ 기념; 축전(祝典).

:com·mence[kəméns] *vt., vi.* 개시하다《begin보다 격식을 차린 말》. *~·ment *n.* Ⓤ 개시; 학사 학위 수여식〔일〕, 졸업식.

com·mend**[kəménd] *vt.* 칭찬하다(praise); 추천하다(*to*); (…의) 관리를) 위탁하다. ***~ itself to …에게 인상을 주다. ***C- me to*** 《古》 …에게 안부 전해 주시오; 《古》 오히려 …이 낫다〔좋다〕; 《諧》《反語》 …이라니 고맙기도 하군, (…은) …이 제일이다 (*C- me to callers on such a busy day!* 이렇게 바쁜 중에 손님이라니 반갑기도 하군). ~·a·ble *a.* 권장〔추천〕할 수 있는.

***com·men·da·tion** [kɑ̀məndéiʃən/-ɔ̀-] *n.* Ⓤ 칭찬, 추천; Ⓒ 상, 상장.

com·mend·a·to·ry[kəméndətɔ̀ːri/-təri] *a.* 칭찬의; 추천의.

com·men·sal[kəménsəl] *a., n.* Ⓒ 식탁을 같이 하는 (사람); 공생하는 (동·식물).

com·men·su·ra·ble[kəménʃərəbəl] *a.* 같은 단위로 잴 수 있는, 〖數〗 통약〔약분〕할 수 있는(*with*); 걸맞는, 균형잡힌.

com·men·su·rate[ㅡrit] *a.* 같은 양〔크기〕의(*with*); 균형잡힌(*to, with*).

:com·ment[káment/-ɔ́-] *n.* Ⓤ,Ⓒ 주석(note); 해설; 논평, 의견. ***No ~.*** 의견 없음《신문 기자 등의 질문에

대한 상투 어구》. — *vi.* 주석〔논평〕하다(*on, upon*).
*__com·men·tar·y__ [kάməntèri/kɔ́məntəri] *n.* Ⓒ 주석(서), 논평, 비평; 〖放送〗 시사 해설.
com·men·tate [kάməntèit/kɔ́-men-] *vi.* 해설하다, 논평하다.
*__com·men·ta·tor__ [kάməntèitər/kɔ́mən-] *n.* Ⓒ 주석자; (라디오 따위의) 뉴스 해설자(cf. newscaster).
:com·merce [kάmərs/-ɔ́-] *n.* Ⓤ 상업, 통상, 무역; 교제.
:com·mer·cial [kəmə́ːrʃəl] *a.* ① 상업〔통상·무역〕(상)의. ② 판매용의. ③ 돈벌이 위주인(~ *novels*); 《美》(방송이) 광고용의(*a* ~ *program* 광고 프로/*a* ~ *song* 선전용 노래). — *n.* Ⓒ 광고 방송, 커머셜; (스폰서의) 제공 프로(cf. SUSTAINing program). **~·ism**[-ʃəlìzəm] *n.* Ⓤ 영리주의; 상관습; Ⓤ,Ⓒ 상용어(법). **~·ize**[-àiz] *vt.* 상업〔상품〕화하다. **~·ly** *ad.*
commércial àgency 상업 신용 조사소.
commércial àgent 상무관(商務官); 대리상(代理商).
commércial attaché (공사관·대사관의) 상무관.
commércial láw 상법.
commércial mèssage 〖TV·라디오〗 광고 방송《보통 CM》.
commércial pàper 상업 어음.
commércial ròom 《美》 세일즈맨 전용 여관〔객실〕.
commércial trável(l)er (지방을 도는) 외판원.
commércial tréaty 통상 조약.
com·mie, C- [kάmi/kɔ́-] *n.* = COMMUNIST.
com·mi·na·tion [kὰmənéiʃən/kɔ̀m-] *n.* Ⓤ 위협; 신벌(神罰)의 선언(denuciation).
com·min·gle [kəmíŋgl/kɔ-] *vt., vi.* 혼합하다; 뒤섞이다.
com·mi·nute [kάmənjùːt/kɔ́m-] *vt.* 잘게 바수다.
com·mis·er·ate [kəmízərèit] *vt.* 동정하다, 가엾이 여기다(pity). **-a·tion**[-ˌ-ˊ-éiʃən] *n.*
com·mis·sar[kάməsὰːr/kɔ̀misάːr] *n.* Ⓒ (러시아의) 인민 위원(cf. ⇩) 《지금은 'minister'》.
com·mis·sar·y[kάməsèri/kɔ́məs-əri] *n.* Ⓒ 《美》(광산·군대 등의) 양식 판매점; 《廢》〖軍〗 병참 장교; 대표자(deputy).
:com·mis·sion [kəmíʃən] *n.* ① Ⓤ,Ⓒ 위임(장), (권한·직무의) 위탁. ② Ⓤ (위탁의) 임무, 직권. ③ Ⓒ 위원회. ④ Ⓤ (업무의) 위탁; Ⓒ 대리 수수료. ⑤ Ⓒ 〖軍〗 장교 임명 사령. ⑥ Ⓒ 부탁. ⑦ Ⓤ,Ⓒ 범행, 수행. ***in* 〔*out of*〕 ~** 현역〔퇴역〕의. — *vt.* (…에게) 위임〔임명〕하다. ***~ed officer*** (육군) 장교, (해군) 사관. ***~ed ship*** 취역함.
commíssion àgent 〔**mèr-chant**〕 위탁 판매인, 객주.
com·mis·sion·aire[kəmìʃənέər] *n.* Ⓒ 《英》(제복의) 수위, 사환.
:com·mis·sion·er[kəmíʃənər] *n.* Ⓒ 위원, 이사; 국장, 장관; 판무관; 커미셔너《프로스포츠의 최고 책임자》. ***High C-*** 고등 판무관.
commíssion hòuse 위탁 판매점, 증권 중매점(仲買店).
commíssion sàle 위탁 판매.
:com·mit[kəmít] *vt.* (**-tt-**) ① 저지르다(~ *suicide*/ ~ *a crime*/ ~ *an error*). ② 위탁〔위임〕하다, 위원에게 맡기다(entrust)(*to*). ③ (감옥·정신 병원에) 넣다. ④ (체면을) 손상하다. ⑤ 속박하다(~ *oneself to* do..., *to a promise*); 언질을 주다(pledge). **~ *to memory*** 기억해 두다. **~ *to paper*** 적어 두다. **~ *to the earth* 〔*flames*〕** 매장〔소각(燒却)〕하다. **~·tal** *n.* =⇩.
:com·mit·ment[-mənt] *n.* ① Ⓤ,Ⓒ 범행; (범죄의) 수행. ② Ⓤ 위임; 위원회 회부. ③ Ⓤ,Ⓒ 공약〔서약함〕, 언질을 줌; 혼약; (…한다는) 공약. ④ Ⓤ,Ⓒ 투옥, 구류; 구속(영장).
:com·mit·tee[kəmíti] *n.* Ⓒ ① 위원회; 《집합적》 위원들. ② [kəmíti/kɔ̀mitíː] 〖法〗 수탁자(受託者); (미친 사람의) 후견인. **~·man**[-mən] *n.* Ⓒ 위원(한 사람).
commn. commission.
com·mode[kəmóud] *n.* Ⓒ 옷장, (서랍 있는) 장농; 찬장; 실내 세면대〔변기〕.
com·mo·di·ous[-iəs] *a.* (집·방이) 넓은(roomy); 편리한. **~·ly** *ad.*
:com·mod·i·ty[kəmάdəti/-ɔ́-] *n.* Ⓒ 물품, 상품; 필수품, 일용품(~ *prices* 물가).
*__com·mo·dore__[kάmədɔ̀ːr/-ɔ́-] *n.* Ⓒ 《美》 해군 준장; 《英》 전대(戰隊) 사령관; (넓은 뜻의 경칭으로서) 제독.
†**com·mon**[kάmən/-ɔ́-] *a.* ① 공통의, 공동의, 공유의(*to*). ② 공중의(public). ③ 일반의, 보통의, 흔히 있는. ④ 평범한, 통속적인; 품위없는(~ *manners* 무무함). ***in ~*** 공통으로, 공동하여(*with*). ***make ~ cause with*** …와 협력하다. ***the Book of C- Prayer*** (영국 국교회의) 기도서. — *n.* ① Ⓒ (부락의) 공유지(共有地), 공유지(公有地)《울 없는 들판·황무지》. ② Ⓤ 〖法〗 공유〔공용(公用)〕권, 입회권. ③ (*pl.*) 평민, 서민. ④ (*pl.*) 《집합적》 (C-) (영국·캐나다의) 하원 (의원). ⑤ (*pl.*) 《英》 (대학 따위의 공동 식탁의) 정식; 《一般》 식료. ***out of* (*the*) ~** 보통이 아닌. ***put a person on short ~s*** 감식시키다. ***the House of Commons*** 《英》 하원. **~·age**[-idʒ] *n.* Ⓤ 공용권; Ⓒ 공유지. **~·al·ty** *n.* Ⓒ 평민, 대중. **~·er** *n.* Ⓒ 평민; (Oxf. 대학 등의) 자비생(自費生); 토지 공용자; 《英》 하원 의원. **:~·ly** *ad.*
cómmon cárrier 일반 운송 업자〔회사〕; 일반 통신 사업자.

cómmon cáse 〖文〗 통격(通格).
cómmon cóuncil 시[읍·면]의회.
cómmon críer 광고하는 사람.
cómmon denóminator 〖數〗 공분모; 공통점[신조].
Cómmon Éra =CHRISTIAN ERA.
cómmon fáctor [**divísor**] 공약수.
cómmon fráction 〖數〗 분수.
cómmon génder 〖文〗 통성(通性) 《남녀 양성에 통용되는 *child, parent* 등》(cf. neuter).
cómmon góod 공익(公益).
cómmon gróund 《美》 (사회 관계·논쟁·상호 이해 등의) 공통 기반.
cómmon knówledge 주지의 사실, 상식.
cómmon làw 관습법.
cómmon-law márriage 내연(관계).
Cómmon Márket, the 유럽 공동 시장.
cómmon méasure [**tíme**] 보통 박자《4분의 4박자, 기호 C》.
cómmon múltiple 〖數〗 공배수 (公倍數)(*the lowest* ~).
cómmon nóun 〖文〗 보통 명사.
:cómmon·plàce *a., n.* Ⓒ 평범한 (일·말); 비망록(~ book).
cómmon pléas 《美》 민사 재판소; 《英》〖法〗 민사 소송.
cómmon ròom 교원 휴게실, 담화실, 휴게실.
cómmon schòol 《美》 국립 초등학교.
:cómmon sénse 상식, 양식.
cómmon·sénse *a.* 상식적인.
cómmon sóldier 병(졸).
cómmon stóck 《美》 보통주(株).
cómmon trúst fùnd 공동 투자 신탁 기금.
com·mon·weal [⌐wì:l] *n.* Ⓤ (the ~) 안녕, 공익(公益).
com·mon·wealth** [⌐wèlθ] *n.* Ⓒ 국가(state); Ⓤ 《집합적》 국민 (전체); Ⓒ 공화국(republic); 《美》 주(州)《Pa., Mass., Va., Ky.의 4주(州)의 공식명; cf. state》; 단체, 연방. ***the (***British***) ***C- of Nations*** 영연방. ***the C- of Australia*** 오스트레일리아 연방.
Cómmonwealth Dày 영연방의 날《5월 24일; 구칭 Empire Day》.
cómmon yèar 평년.
***com·mo·tion** [kəmóuʃən] *n.* Ⓤ,Ⓒ 동요, 동란, 격동, 폭동.
commr. commissioner; commoner; commander.
com·mu·nal [kəmjú:nəl, kámjə-/ kɔ́m-] *a.* 자치 단체의, 공동[공공]의; 사회 일반의. **~·ism** [-nəlìzəm] *n.* **~·ly** *ad.*
***com·mune**[1] [kəmjú:n] *vi.* 친하게 이야기하다(*with*); 성체(聖體)(Holy Communion)를 영하다. — [kámju:n/-ɔ́-] *n.* Ⓤ 간담(懇談); 친교; 심사(深思).
com·mune[2] [kámju:n/-ɔ́-] *n.* Ⓒ 코뮌《프랑스·이탈리아·벨기에 등지의 시읍면 자치체(최소 행정 구분)》; (중국의) 인민 공사; 히피 부락.
com·mu·ni·ca·ble [kəmjú:nikəbəl] *a.* 전할 수 있는; 전염성의.
com·mu·ni·cant [-kənt] *n., a.* Ⓒ 성체(聖體)를 영하는 사람; 전달[통지]자, 전달하는.
:com·mu·ni·cate [kəmjú:nəkèit] *vt.* (열·동력·사상 따위를) 전하다; 감염시키다(*to*). — *vi.* 통신[서신왕래]하다(*with*); 통하다; 성체를 영하다. **-ca·tor** *n.* Ⓒ 전달자; 발신기; (차내의) 통보기.
:com·mu·ni·ca·tion [kəmjù:nəkéiʃən] *n.* ① Ⓤ 전달, 통신, 서신왕래, 연락. ② Ⓤ,Ⓒ 교통 (기관). ***~s gap*** 연령층·사회 계층 간의 의사 소통 결여. ***~s satellite*** 통신 위성. ~(***s***) ***theory*** 정보 이론. ***means of*** ~ 교통 기관.
communicátion engineèring 통신 공학.
communicátion zòne 〖軍〗 (싸움터의) 후방 지대, 병참 지대.
com·mu·ni·ca·tive [kəmjú:nəkèitiv, -kə-] *a.* 얘기를 좋아하는 (talkative); 터놓고 이야기하는; 통신(상)의, 전달의.
***com·mun·ion** [kəmjú:njən] *n.* ① Ⓤ 공유(共有)(관계). ② Ⓤ 친교; 간담; 영적인 교섭(*hold ~ with nature* 자연을 마음의 벗으로 삼다). ③ Ⓒ 종교 단체; (C-) 성찬, 영성체.
com·mu·ni·qué [kəmjú:nəkèi, ⌐⌐⌐⌐] *n.* (F.) Ⓒ 코뮈니케, 공식 발표, 성명.
:com·mu·nism [kámjənìzəm/-ɔ́-] *n.* Ⓤ 공산주의. **:-nist** *n., a.* Ⓒ 공산주의자; (*or* C-) 공산당원; 공산주의의. **-nis·tic** [⌐–nístik], **-ti·cal** [-əl] *a.*
Cómmunist Chína 중공(中共) 《중화 인민공화국의 속칭》.
Cómmunist Manifésto, The (Marx와 Engels가 집필한) 공산당 선언《1848》.
Cómmunist Párty, the 공산당.
:com·mu·ni·ty [kəmjú:nəti] *n.* Ⓒ (지역) 사회; 공동 생활체; (the C-) 공중; Ⓤ 공유, (사상의) 일치.
commúnity anténna télevision 공동 시청 안테나《생략 CATV》.
commúnity cènter 지역 문화 회관.
commúnity chèst 공동 모금.
commúnity cóllege 지역 주민에게 초급 대학 정도의 직업 교육을 베푸는 기관.
commúnity hòme 《英》 비행 소년 소녀 교정 시설.
commúnity próperty 〖美法〗 (부부의) 공유 재산.
commúnity schòol 《美》 지역 사회 학교《현실 사회 생활을 교재로 함》.
com·mu·nize, -ise [kámjənàiz/ kɔ́m-] *vt.* (토지·재산 등을) 공유화하다; 공산화하다.
com·mut·a·ble [kəmjú:təbəl] *a.* 교환[대체]할 수 있는. **-bil·i·ty** [–⌐⌐–

bíləti] *n.*
com·mu·tate[kάmjətèit/-ɔ́-] *vt.* 〖電〗(전류를) 정류(整流)하다. **-ta·tor** *n.* Ⓒ 정류자(整流子); 〖數〗 교환자(子); 〖電〗 정류〔교환〕기.
com·mu·ta·tion [kὰmjətéiʃən/-ɔ̀-] *n.* Ⓤ 교환; Ⓒ 교환물; Ⓤ,Ⓒ 대체; 감형; Ⓤ《美》정기권 통근.
commutátion tìcket 《美》정기권.
com·mu·ta·tive[kəmjúːtətiv] *a.* 교호의; 〖數〗 교환의.
com·mute[kəmjúːt] *vt.* (…와) 교환하다; 대상(代償)〔대체〕하다; 감형하다; 대체하다; 〖電〗 정류(整流)하다. — *vi.* 대상하다; 정기〔회수〕권으로 승차〔통근〕하다. **com·mut·er**[-ər] *n.* Ⓒ (정기권에 의한) 통근자.
comp. comparative; compare; comparison; compilation; compiled; composer; composition; compositor; compound.
‡**com·pact**[1] [kəmpǽkt] *a.* 잔뜩〔꽉〕찬(firmly packed), 질이 밴; (체격이) 잘 짜인(well-knit), (집·자동차 따위가) 아담한; 간결한; …로 된(composed)(*of*); (문체가) 간결한. — *vt.* 잔뜩〔꽉〕 채우다; 빽빽하게〔배게〕 하다, 굳히다, 안정시키다; 결합하여 만들다. — [kάmpækt/-ɔ́-] *n.* Ⓒ 콤팩트《분갑》; 소형 자동차. ~**·ly** *ad.* ~**·ness** *n.*
*__com·pact__[2] [kάmpækt/-ɔ́-] *n.* Ⓤ,Ⓒ 계약(agreement).
cómpact dísc 〖컴〗 압축판; 짜임(저장)판《생략 CD》.
com·pac·tion[kəmpǽkʃən] *n.* Ⓤ 꽉 채움; 〖컴〗 압축.
com·pact·or[kəmpǽktər] *n.* Ⓒ (흙·쓰레기를) 다지는 기계.
com·pa·dre[kəmpάːdrei] *n.* Ⓒ 《美》친한 친구; 동아리(buddy).
‡**com·pan·ion**[1] [kəmpǽnjən] *n.* Ⓒ 동료, 동무, 동반자, 반려; 짝; (C-) 최하급의 knight 작(爵)(*C- of the Bath* 바스 훈작사). ~**·ship**[-ʃìp] *n.* Ⓤ 교우관계.
com·pan·ion[2] *n.* Ⓒ (배의, 뒷갑판의) 채광창(窓).
com·pan·ion·ate[-it] *a.* 우애적인. 「인.
compánionate márriage 우애 결혼(cf. commonlaw marriage).
compánion·wày *n.* Ⓒ 〖海〗 갑판과 선실의 승강 계단.
†**com·pa·ny**[kʌ́mpəni] *n.* ① Ⓤ 《집합적》 친구, 동아리; 교제, 교우, 친교(*in* ~ 동행하여). ② Ⓤ《집합적》손님(들), 방문자. ③ Ⓒ《집합적》일단, 일행, 패거리. ④ Ⓒ 회사, 상사《생략 Co.》. ⑤ Ⓒ《집합적》〖軍〗(보병) 중대(*a* ~ *commander* 중대장); 〖海〗승무원. ***bear*** 〔***keep***〕 ***a person*** ~ 동행하다, 교제〔상종〕하다. ***be good*** ~ 사귀어(보아) 재미있다. ***err*** 〔***sin***〕 ***in good*** ~ 높은 양반들도 실패한다(고로 나의 실패도 무리 아니다). ***for*** ~ 교제〔의리〕상, 따라서(*weep for* ~ 따라서 울다). ***keep*** ~ ***with*** …와 사귀다; …와 친밀해지다. ***part*** ~ ***with*** …와 (도중에) 헤어지다; 절교하다. ***Two's*** ~, ***three's none.*** 《속담》 둘은 친구, 셋이면 갈라진다.
cómpany làw 《英》 회사법(《美》 corporation).
cómpany màn (동료를 배신하는) 회사측 종업원, (회사측의) 끄나풀.
cómpany mánners 짐짓 꾸미는 남 앞에서의 예의.
cómpany ófficer 〖軍〗 위관(尉官).
cómpany sécretary (주식 회사의) 총무 담당 중역, 총무부장.
cómpany stóre (회사의) 매점, 구매부. 「시.
cómpany tòwn 한 기업 의존 도
cómpany ùnion 《美》(한 회사만의) 단독〔어용(御用)〕 노동 조합.
compar. comparative; comparison.
*__com·pa·ra·ble__[kάmpərəbəl/-ɔ́-] *a.* 비교할 수 있는(*with*); 필적하는(*to*). **-bly** *ad.*
com·par·a·tor[kάmpərèitər/-ɔ́-] *n.* Ⓒ 〖機〗 컴퍼레이터, 비교 측정기.
‡**com·pare**[kəmpέər] *vt.* (…와) 비교하다(*with*); 참조하다; 비유하다, 비기다(*to*). — *vi.* 필적하다(*with*). (***as***) ~***d with*** …와 비교하여. ***cannot*** ~ ***with***, or ***not to be*** ~***d with*** …와는 비교도 안 되다. ~ ***favorably with*** …와 비교하여 낫다. — *n.* 《다음 성구로》 ***beyond*** 〔***past, without***〕 ~ 비길 데 없이.
‡**com·par·i·son**[kəmpǽrisən] *n.* Ⓤ,Ⓒ ① 비교(*There is no* ~ *between them.* 비교가 되지 않는다). ② 유사. ③ 〖修〗 비유; 〖文〗 비교 변화. ***bear*** 〔***stand***〕 ~ ***with*** 〔***to***〕 …에 필적하다. ***in*** ~ ***with*** …와 비교하여. ***without*** ~ 비길 데 없이.
compárison shòpper 상품 비교 조사계《경쟁 상대점(店)을 다니며 상품의 종류·품질·가격 등을 조사하는 소매점 종업원》.
*__com·part·ment__[kəmpάːrtmənt] *n.* Ⓒ 구획, 구분; (객차·객선내의) 칸막이방.
*__com·pass__[kʌ́mpəs] *n.* Ⓒ 나침반, 자석; (보통 *pl.*) (제도용) 컴퍼스; Ⓤ,Ⓒ 둘레(circuit); 한계, 범위(limits); Ⓤ,Ⓒ 〖樂〗 음역(音域). BOX[2] ***the*** ~. ***in small*** ~ 간결하게. — *vt.* 일주하다; 에우다(*with*); 손에 넣다; 이해하다; 이루다, 달성하다; (음모 따위를) 꾸미다(plot).
cómpass càrd 컴퍼스 카드, (나침반의) 반면(盤面).
*__com·pas·sion__[kəmpǽʃən] *n.* Ⓤ 연민(憐憫)(pity), 동정(*on*).
*__com·pas·sion·ate__[-it] *a.* 자비로운; 온정적인; 정상을 참작한. ~ ***allowance*** (규정 외의) 특별 수당.
cómpass sàw 실톱.
*__com·pat·i·ble__[kəmpǽtəbəl] *a.* 양립할 수 있는(*with*); 〖TV〗 (컬러 방송을 흑백 수상기에서 흑백으로 수상할 수 있는) 겸용식의; 〖컴〗 호환성 있

는. ~ ***colo(u)r system*** 흑백 겸용식 컬러 텔레비전. **-bil·i·ty**[–ˋ–bíl-əti] *n.* Ⓤ 〖컴〗 호환성.
com·pa·tri·ot[kəmpéitriət/-pǽ-] *n., a.* Ⓒ 동국인, 동포; 같은 나라의.
com·peer[kəmpíər, kámpiər/kɔ́-] *n.* Ⓒ 대등한 사람; 동료.
:com·pel[kəmpél] *vt.* (**-ll-**) 강제하다(force), 억지로 …시키다; 강요하다. ***~·ling** *a.* 강제적인; 어쩔 수 없게 만드는; 사람을 움직이고야 마는, 마음을 끄는.
com·pen·di·um[kəmpéndiəm] *n.* (*pl.* **~s, -dia**) Ⓒ 대요(大要). **-di·ous** *a.* 간결한.
***com·pen·sate**[kámpənsèit/-ɔ́-] *vt.* (…에게) 보상하다, 변상하다(make up for)(~ *a loss* / ~ *him for a loss*); 지불하다; (금(金)의 함유량을 조정하여 통화의) 구매력을 안정시키다. — *vi.* 보상하다. **-sa·to·ry**[kəmpénsətɔ̀:ri/-təri] *a.*
:com·pen·sa·tion [kɑ̀mpənséi-ʃən/kɔ̀mpen-] *n.* Ⓤ,Ⓒ ① 보상(금). ② 《美》 보수; 봉급, 급료, 수당. ③ 〖心·生〗 대상 작용. ④ 〖經〗 (달러화의) 구매력 보정.
com·père, com·pere[kámpɛər/-ɔ́-] *n., vt.* (F.) Ⓒ 《주로 英》 (방송 따위의) 사회자; (…의) 사회를 맡아보다, 사회를 보다.
:com·pete[kəmpí:t] *vi.* (사람이) 경쟁하다(*with; for, in*); (물건이) 필적하다(*with*).
***com·pe·tent**[kámpətənt/kɔ́mp-] *a.* 유능한(capable), 적당한(fit); 상당한, 충분한(*a* ~ *income* 충분한 수입); 자격〔권능〕이 있는. ***-tence, -ten·cy** *n.* Ⓤ 적성, 능력, 자격; Ⓤ 권능, 권한; Ⓒ 충분한 자산.
:com·pe·ti·tion [kɑ̀mpətíʃən/kɔ̀mp-] *n.* Ⓤ,Ⓒ 경쟁; Ⓒ 경기회, 콩쿠르(contest). ***com·pet·i·tive** [kəmpétətiv] *a.* 경쟁적인. ***com·pet·i·tor**[kəmpétətər] *n.* Ⓒ 경쟁자.
***com·pile**[kəmpáil] *vt.* (자료 따위를) 모으다; 편집하다; 〖컴〗 다른 부호〔컴퓨터 언어〕로 번역하다. **com·pil·er** *n.* Ⓒ 편집자; 〖컴〗 번역기, 컴파일러. **com·pi·la·tion**[kɑ̀mpəléi-ʃən/kɔ̀m-] *n.* Ⓤ 편집; Ⓒ 편집물.
com·pla·cent[kəmpléisnt] *a.* 자기 만족의, 득의의; 안심한; 은근한, 느긋한(selfsatisfied). **~·ly** *ad.* **-cence, -cen·cy** *n.*
:com·plain[kəmpléin] *vi.* 불평하다(*of, against*); 고소하다(appeal)(*to*); (병상·고통을) 호소하다, (…이) 아프다고 하다(~ *of a headache* 골치가 아프다고 하다). **~·ant** *n.* Ⓒ 불평꾼; 원고(plaintiff). **~·ing·ly** *ad.* 불만스러운 듯이, 투덜대며.
:com·plaint[kəmpléint] *n.* Ⓤ,Ⓒ ① 불평; 비난; 불평거리. ② 《美》 고소(accusation). ③ 병.
com·plai·sant [kəmpléisənt, -zənt] *a.* 공손〔친절〕한; 상냥한(affable). **-sance** *n.*
:com·ple·ment [kámpləmənt/kɔ́mplə-] *n.* Ⓒ 보충(물); 〖文〗 보어; 〖數〗 여각(餘角), 여집합; (함선 승무원의) 정원; 〖컴〗 보수. — [-mènt] *vt.* 메워 채우다, 보충하다. ***-men·ta·ry**[kɑ̀mpləméntəri/kɔ̀m-] *a.* 보충적인, 보족의.
†com·plete[kəmplí:t] *a.* 완전한; 순전〔철저〕한(thorough). — *vt.* 완성하다, 끝마치다(finish). **:~·ly** *ad.* **~·ness** *n.* ***com·ple·tion** [-plí:ʃən] *n.* Ⓤ 완성, 종료.
:com·plex [kəmpléks, kámpleks/kɔ́mpleks] *a.* 복잡한(complicated); 복합의(composite); 〖文〗 복문(複文)의. — [kámpleks/-ɔ́-] *n.* Ⓒ 집합〔복합〕체; 〖精神分析〗 복합, 콤플렉스; 고정〔강박〕관념; 콤비나트. ***~·i·ty**[kəmpléksəti] *n.* Ⓤ 복잡(성); Ⓒ 복잡한 것.
cómplex fráction 〖數〗 번분수(繁分數).
***com·plex·ion**[kəmplékʃən] *n.* Ⓒ 안색, 형세, 모양(aspect)(*the* ~ *of the sky*). 「素數).
cómplex númber 〖數〗 복소수(複
cómplex séntence 〖文〗 복문(複文)《종속절이 있는 문장》.
com·pli·ance**[kəmpláiəns] *n.* Ⓤ 응낙; 순종(*to*). ***in* ~ *with …에 따라서. **-ant** *a.*
***com·pli·cate** [kámplikèit/kɔ́mpli-] *vt.* 복잡하게 하다, 뒤얽히게 하다. **:-cat·ed**[-id] *a.* 복잡한, 까다로운. ***-ca·tion**[ˋ–kéiʃən] *n.* Ⓤ,Ⓒ 복잡, 분규(紛糾); Ⓒ 병발증(secondary disease).
com·plic·i·ty[kəmplísəti] *n.* Ⓤ 연루(連累), 공범.
:com·pli·ment [kámpləmənt/kɔ́m-] *n.* Ⓒ 찬사, 겉말, 치렛말; (*pl.*) (의례적인) 인사, 치하의 말. ***Give my ~s to*** …에게 안부 전해 주십시오. ***return the* ~** 답례하다; 대갚음〔보복〕하다. ***with the ~s of*** …근정(謹呈), 혜존(惠存)《저서 증정의 서명 형식》. — [-mènt] *vt., vi.* (…에게) 인사하다; 칭찬하다(*on*); 치렛말하다; 증정하다(*with*).
***com·pli·men·ta·ry**[kɑmpləméntəri/kɔ́m-] *a.* 인사의; 경의를 표하는〔표하기 위한〕; 무료의, 우대의(*a* ~ *ticket* 우대권); 치렛말의〔을 잘하는〕.
:com·ply[kəmplái] *vi.* 응하다, 따르다, 승낙하다(*with*).
com·po[kámpou/-ɔ́-] *n.* (*pl.* **~s**) Ⓒ,Ⓤ 혼합물, 합성품; (특히) 회반죽, 모르타르; 모조품.
***com·po·nent**[kəmpóunənt] *a., n.* Ⓒ 구성하는(*a* ~ *part* 구성 분자); 요소, 부분; 〖數〗 (벡터장의) 성분, 〖理〗 (힘·속력 등의) 분력(分力).
com·port[kəmpɔ́:rt] *vt.* 행동하다(behave)(~ *oneself*). — *vi.* 합치〔적합〕하다(agree)(*with*).
:com·pose[kəmpóuz] *vt., vi.* ① 짜맞추다, 구성하다(make up). ②

C

짓다(~ *a poem*), 저작[작곡·구도(構圖)]하다. ③ 『印』 (판을) 짜다. ④ (안색·태도 등을) 누그러뜨리다; (마음을) 진정시키다(calm)(*oneself*). ⑤ (논쟁·싸움 따위를) 가라앉히다, 조정하다(settle). * **~d**[-d] *a.* 침착[태연]한. **com·pos·ed·ly**[-idli] *ad.* ***com·pós·er** *n.* Ⓒ 작곡가.

***com·pos·ite** [kəmpázit/kɔ́mpɔ-] *a.* ① 합성의, 혼성의. ② (C-) 『建』 혼합식의. ③ 『로켓』 다단식(多段式)의; (발사 화약이) 혼합 연료와 산화제로 이루어진.

compósite phótograph 합성 사진, 몽타주 사진.

compósite schòol (캐나다의) 혼성[종합] 중[고등]학교《인문·상업·공업과를 포함》.

:com·po·si·tion[kàmpəzíʃən/-ɔ́-] *n.* Ⓤ 짜맞춤, 조립, 조성(助成); 조직, 구도(構圖); Ⓤ,Ⓒ 배합; 식자; Ⓤ (타고난) 성질; 작곡; 작문; Ⓒ 혼합물; 화해.

com·pos·i·tor [kəmpázitər/-pɔ́z-] *n.* Ⓒ 식자공(工).

com·post[kámpoust/kɔ́mpɔst] *n.* Ⓒ 혼합물; Ⓤ 혼합 비료, 퇴비.

***com·po·sure**[kəmpóuʒər] *n.* Ⓤ 침착, 냉정, 자제.

com·pote[kámpout/kɔ́mpɔt] *n.* Ⓤ,Ⓒ 과일 따위의 설탕찜; 굽 달린 과일 접시.

:com·pound[1][kəmpáund, kam-/kɔm-] *vt.* ① 혼합[조합(調合)]하다(mix)(*with, into*). ② 『言』 (낱말·문장을) 복합하다(combine). ③ (분쟁을) 가라앉히다; 화해시키다. ④ 돈으로 무마하다. ⑤ (이자를) 복리 계산으로 치르다. ⑥ 하나로 만들어 내다, 조성하다. ~ ***a felony*** (돈을 받고) 중죄의 기소를 중지하다. ── [kámpaund/-ɔ́-] *a.* 혼합[복합·합성]의. ── [kámpaund/-ɔ́-] *n.* Ⓒ 혼[화]합물; 복합어《보기 : textbook, bluebell》.

com·pound[2][kámpaund/-ɔ́-] *n.* Ⓒ (동양에서) 울타리친 백인 저택(의 구내); (아프리카의) 현지 노무자의 주택 지구; 포로 수용소.

cómpound É =CORTISONE.

com·pound·er [kampáundər/kəm-] *n.* Ⓒ (부채의) 일부 지불자; (범죄의) 기소 중지자.

cómpound éye 『蟲』 복안(複眼), 겹눈.

còmpound flówer 『植』 두상화(頭狀花)《국화꽃 따위》.

cómpound frácture 『醫』 복잡골절.

cómpound ínterest 복리.

cómpound rélative 『文』 복합 관계사《보기 : what, where, whoever 등》.

cómpound séntence 『文』 중문(重文)《and, but, or, for 따위의 등위 접속사로 단문(單文)을 결합한 문장》.

cómpound wórd 복합어, 합성어.

com·preg[kámprèg/-ɔ́-] *n.* Ⓤ,Ⓒ (합성 수지로 접착한) 고압 합판.

:com·pre·hend [kàmprihénd/kɔ̀m-] *vt.* (완전히) 이해하다; 포함하다(include).

com·pre·hen·si·ble[-hénsəbəl] *a.* 이해할 수 있는(understandable). **-bil·i·ty**[-̀-̀-bíləti] *n.*

:com·pre·hen·sion[-hénʃən] *n.* Ⓤ ① 이해(력). ② 포함; 함축.

:com·pre·hen·sive[-hénsiv] *a.* 이해력이 있는; 포함하는, 함축성이 풍부한, 광범위에 걸친.

comprehénsive schòol 《英》 종합 중(등)학교《여러 과정이 있는》.

Comprehénsive Tést Bàn Tréaty, the 포괄적 핵실험 금지 조약《생략 CTBT》.

***com·press**[kəmprés] *vt.* 압축[압착]하다; 줄이다(*into*). ── [kámpres/-ɔ́-] *n.* Ⓒ 습포(濕布). * **~ed** *a.* 압축된; 간결한(~*ed air* 압축 공기). **~·i·ble** *a.* ***com·prés·sion** *n.* Ⓤ 압축, 압착; 축소, 요약. ***com·prés·sor** *n.* Ⓒ 압축기[장치]; 압축자; 『醫』 지혈기.

***com·prise, -prize**[kəmpráiz] *vt.* 포함[함유]하다; (…로) 되다[이루어지다](consist of).

:com·pro·mise[kámprəmàiz/-ɔ́-] *n.* Ⓤ,Ⓒ 타협; 절충(안); 사화(*between*); (명예·신용 등을) 위태롭게 하는 것. ***make a ~ with*** …와 타협하다. ── *vt.* 사화[화해]하다, 서로 양보하여 해결하다; (신용·명예를) 위태롭게 하다(endanger); (의혹·불평 등을) 입게 하다. ***be ~d by*** … 에게 누를 끼치게 되다. ***~ oneself*** 신용을 의심 받게 하다, 의심받을 일[짓]을 하다. ── *vi.* 타협하다, 서로 양보하다.

comp·trol·ler[kəntróulər] *n.* Ⓒ 회계 감사관(controller).

com·pul·sion**[kəmpʌ́lʃən] *n.* Ⓤ 강제; 『心』 강박 충동. ***by ~ 강제적으로. ***-sive** *a.* 강제적인, 강박감에 사로잡힌.

***com·pul·so·ry**[kəmpʌ́lsəri] *a.* 강제적인; 의무적, 필수의. **-so·ri·ly** *ad.*

compùlsory educátion 의무 교육.

compùlsory execútion 『法』 강제 집행.

com·punc·tion[kəmpʌ́ŋkʃən] *n.* Ⓤ 양심의 가책; 후회(하는 마음)(regret).

***com·pute**[kəmpjúːt] *vt., vi.* 계산[산정]하다(*at*). ***com·pu·ta·tion** [kàmpjutéiʃən/-ɔ̀-] *n.*

:com·put·er, -pu·tor[-ər] *n.* Ⓒ 전자계산기(electronic ~), 컴퓨터, 셈틀; 계산기(器), 계산하는 사람.

compúter-aided públishing = DESKTOP PUBLISHING《생략 CAP》.

compúter cónferencing 컴퓨터 회의.

com·put·er·ese [kəmpjùːtəríːz] *n.* Ⓤ 컴퓨터의 전문 용어, (컴퓨터에 주는) 일련의 지시 기호.

compúter gràphics 『컴』 컴퓨터

그래픽《컴퓨터로 도형 처리》.

com·put·er·ize[kəmpjúːtəràiz] *vt.* 컴퓨터로 처리〔관리, 자동화〕하다. **-i·za·tion**[-ˌ-ˌ-izéiʃən] *n.* Ⓤ 컴퓨터화.

compúter lànguage 〖컴〗 컴퓨터 언어.

com·put·er·nik[-nik] *n.* Ⓒ 컴퓨터 조작자; 컴퓨터광. 「러스.

compúter vìrus 〖컴〗 컴퓨터 바이

com·put·e·ry[kəmpjúːtəri] *n.* Ⓤ 컴퓨터 시설; 컴퓨터의 기술〔조작〕.

:com·rade[kámræd/kɔ́mrid] *n.* Ⓒ 동무, 동지(mate), 친구(companion). ~ ***in arms*** 전우. **~·ship**[-ʃìp] *n.* Ⓤ 동지로서의 사귐; 동지애, 우애.

C

COMSAT, Com·sat [kámsæt/-ɔ́-](<*com*munication+*sat*ellite) *n.* Ⓒ 통신 위성; (미국의) 통신 위성 회사.

Com·stock·er·y [kʌ́mstàkəri/-ɔ́-] *n.* Ⓤ,Ⓒ (미술·문학의) 풍기상 엄한 단속〔검열〕.

Comte[kɔːnt], **Auguste**(1798-1857) 프랑스의 철학자·사회학자.

comte[kɔ̃ːnt] *n.* (F.) Ⓒ 백작(count).

con[1][kan/-ɔ-] *vt.* (**-nn-**)《英·美古》정독(精讀)하다; 공부〔암기〕하다; 정사(精査)하다.

con[2] *ad.* 반대하여(against)(cf. pro[1]). — *n.* Ⓒ 반대론〔투표(자)〕.

con[3] (<confidence) *a.*《美俗》사기의, 속이는(~ ***game*** 사기/***a ~ man*** 사기꾼). — *vt.* (**-nn-**) 속이다.

con[4] *vt.* (**-nn-**) (배의) 조타(操舵)를 지휘하다. — *n.* Ⓤ 조타 지휘.

con[5] (<convict) *n.* Ⓒ《美俗》죄수.

con-[kan, kən/kɔn, kən] *pref.* = COM-《b, h, l, m, p, r, w 이외의 자음 앞에서》.

con a·mo·re[kàn əmɔ́ːri/kɔ̀n-] (It.) 〖樂〗 애정을 갖고, 부드럽게; 열심히, 마음속에서.

co·na·tion[kounéiʃən] *n.* Ⓤ,Ⓒ 〖心〗 능동, 의욕(감).

con bri·o[kan bríːou/kɔn-] (It.) 〖樂〗 활발히, 기운차게.

con·cat·e·nate [kankǽtənèit/kɔn-] *vt.* 잇다, 연결시키다. **-na·tion**[kankæ̀tənéiʃən/kɔn-] *n.*

***con·cave**[kankéiv/kɔ́nkeiv] *n., a.* Ⓒ 옴폭〔오목〕함〔한〕; 요면(凹面)(의)(opp. convex). **con·cav·i·ty**[-kǽvəti] *n.* Ⓤ,Ⓒ 오목한 상태〔물건·부분〕, 요면.

:con·ceal[kənsíːl] *vt.* 숨기다(hide)(*from*). ***~·ment** *n.* Ⓤ 숨김, 숨음, 감춤; Ⓒ 숨기는〔숨는〕 장소.

***con·cede**[kənsíːd] *vt., vi.* 인정하다; (권리 따위를) 승인하다, 주다; (승리를) 양보하다(*to*).

:con·ceit[kənsíːt] (<conceive) *n.* Ⓤ 자부; 생각; 혼자〔제딴의〕 생각; 착상, 기상(奇想)(fancy);《古》사견(私見). ***be out of ~ with*** …이 시틋해지다, 싫증이 나다. ***in one's own ~*** 자기 혼자 생각으로. ***~-ed**[-id] *a.* 자부심이 강한.

:con·ceive[kənsíːv] *vt., vi.* ① (생각·의견·감정 등을) 마음에 품다(entertain); 생각하다, 생각해내다(*of*), 상상하다. ②《흔히 수동구문으로》(말로) 나타내다(express). ③ 임신하다(*with*). ***~·a·ble** *a.* 생각할 수 있는.

con·cen·ter [kənséntər, kan-/kɔn-] *vt., vi.* (…을) 중심으로 모으다〔모이다〕, 집중하다.

:con·cen·trate [kánsəntrèit, kɔ́n-] *vt., vi.* 집중하다; 전념하다(*on, upon*); 〖化〗 농축하다. ***~d uranium*** 농축 우라늄.

***con·cen·tra·tion**[kànsəntréiʃən, kɔ̀n-] *n.* Ⓤ,Ⓒ ① 집중; 전념. ② 농축, 농도.

concentrátion càmp 강제 수용소《포로, 정치범 등의》.

con·cen·tra·tor [kánsəntrèitər/kɔ́n-] *n.* Ⓒ 집중시키는 사람〔것〕; 농축기; 선광기.

con·cen·tric[kənséntrik] *a.* 동심(同心)의(*with*).

***con·cept**[kánsept/-ɔ́-] *n.* Ⓒ 개념, 생각.

:con·cep·tion[kənsépʃən] *n.* Ⓤ 개념 작용; Ⓤ,Ⓒ 임신; Ⓒ 개념(idea); Ⓤ,Ⓒ 착상(conceiving); 계획(plan). **-tu·al** *a.* 개념의.

con·cep·tu·al·ism[kənséptʃuəlìzəm] *n.* Ⓤ 〖哲〗 개념론.

:con·cern[kənsə́ːrn] *vt.* ① (…와) 관계가 있다. ②《수동으로》관계하다. ③ 걱정케 하다. ***as ~s*** …에 관해서는. ***be ~ed about*** …에 관심을 가지다; 걱정하다. ***~ oneself about*** …을 염려〔괘념〕하다. ***~ oneself in*** 〔***with***〕 …에 관계하다. ***so far as*** (*I am*) ***~ed*** (내)게 관한한. ***To whom it may ~*** 관계자〔관〕 앞《서류의 수신인 쓰기 형식》. — *n.* ① Ⓒ (이해) 관계. ② Ⓤ 관심, 걱정, 염려. ③ Ⓒ (종종 *pl.*) 관심사, 사건. ④ Ⓒ 영업, 사업; 회사, 상사(firm). ⑤ Ⓒ《口》것, 일, 놈(***I dislike the whole ~.*** 어디까지나 싫다). ***have no ~ for*** …에 아무 관심도 없다. ***~ed**[-d] *a.* 근심〔걱정〕하여; 관계의〔있는〕(***the authorities ~ed*** 당국자); 종사하여(*in*). **:~·ing** *prep.* …에 관하여. **~·ment** *n.*《文語》Ⓤ 중요함; Ⓒ 관계하고 있는 일; Ⓤ 걱정.

:con·cert[kánsə(ː)rt/-ɔ́-] *n.* ① Ⓒ 합주(곡); 연주회(cf. recital). ② Ⓤ 협조, 제휴(***in ~*** 협력하여); 협력, 일치. — [kənsə́ːrt] *vt.* 협정하다. **~·ed**[-id] *a.* 협정의, 협동의; 〖樂〗 합창〔합주〕용으로 편곡한.

cóncert gránd (**piáno**) 연주회용의 그랜드 피아노.

con·cer·ti·na[kànsərtíːnə/kɔ̀n-] *n.* Ⓒ 〖樂〗 (보통 육각형의 소형) 손풍금(cf. accordion).

cóncert·màster *n.* Ⓒ 합주장(合

奏長)《보통 수석 바이올리니스트》.
con·cer·to[kəntʃértou] *n.* (*pl.* ~***s, -ti***[-ti:]) Ⓒ 〖樂〗 콘체르토, 협주곡.
cóncert pìtch 〖樂〗 합주조(合奏調); (능률 따위의) 이상적(異常的) 호조.
cóncert tòur (연주자·악단의) 연주 여행.
˙**con·ces·sion**[kənséʃən] *n.* ① Ⓤ,Ⓒ 양보, 양여(conceding), 허가. ② Ⓒ 면허(grant); 이권. ③ Ⓒ 조차지, 조계. ④ Ⓒ《美》 구내 매점(사용권). **-sive** *a.* 양보의, 양보적인.
concéssive cláuse 〖文〗 양보절 《though, even if 따위로 시작되는 부사절》.
conch[kaŋk, kantʃ/-ɔ-] *n.* (*pl.* ~***s***[-ks], ~***es***[kántʃiz/-ɔ́-]) Ⓒ (대형의) 고둥《소라 따위》; 귓바퀴.
con·chie, -chy[kántʃi/kɔ́n-] *n.* =CONSCIENTIOUS OBJECTOR.
con·chol·o·gist [kaŋkálədʒist/kɔŋkɔ́l-] *n.* Ⓒ 패류학자, 패류 연구가.
con·chol·o·gy [kaŋkálədʒi/kɔŋkɔ́l-] *n.* Ⓤ 패류학(貝類學).
con·ci·erge[kànsiέərʒ/kɔ̀n-] *n.* (F.) Ⓒ 수위, 문지기; (아파트의) 관리인.
con·cil·i·ate [kənsílièit] *vt.* 달래다(soothe), 화해시키다(reconcile); 회유하다(win over); (아무의) 호의(따위)를 얻다; 〖法〗 알선하다. **-a·tion**[–̀–éiʃən] *n.* Ⓤ 달램; 〖法〗 조정, 화해(cf. arbitration). ***the Conciliation Act***《英》 (노동쟁의) 조정 법률. **-a·to·ry**[kənsíliətɔ̀:ri/-təri] *a.*
:con·cise[kənsáis] *a.* 간명〔간결〕한 (succinct). ~**·ly** *ad.* ~**·ness** *n.*
con·clave[kánkleiv/-ɔ́-] *n.* Ⓒ 비밀 회의; 교황 선거 회의(실).
:con·clude[kənklú:d] *vt., vi.* ① 끝내다; 결론〔추단〕하다(infer). ② 결심하다. ③ (조약을) 체결하다. ***To be ~d*** (연재물 따위가) 차회(次回) 완결. ***to ~*** 결론으로서 말하면.
:con·clu·sion[kənklú:ʒən] *n.* ① Ⓤ 종결; 결과(result); Ⓒ 결론; 추단(推斷). ② Ⓤ 체결. ***in ~*** 최후로. ***try ~s with*** …와 자웅을 결하다.
˙**con·clu·sive**[kənklú:siv] *a.* 결정적인; 확정적인; 명확한; 종국의, 최종의. ~**·ly** *ad.*
con·coct [kankákt, kən-/kənkɔ́kt] *vt.* (음식 따위를) 한데 섞어서 만들다, 조합하다; 조작하다; (음모 등을) 꾸미다(make up). **con·cóc·tion** *n.* Ⓤ,Ⓒ 조합〔조제〕물; 날조(물); Ⓒ 책모.
con·com·i·tant [kənkámətənt/-kɔ́m-] *a., n.* Ⓒ 부수(附隨)하는 (물건, 일). **-tance, -tan·cy** *n.* Ⓤ 부수.
:con·cord [kánkɔ:rd, káŋ-/kɔ́ŋ-, kɔ́n-] *n.* Ⓤ ① 일치, 화합; 협약. ② 협화음(opp. discord).
˙**con·cord·ance** [kənkɔ́:rdəns, kan-/kɔn-] *n.* ① Ⓤ 일치. ② Ⓒ (성서나 중요한 작가의) 용어 색인.
con·cord·ant[kankɔ́:rdənt/kɔn-] *a.* 맞는(*with*).
con·cor·dat [-dæt] *n.* Ⓒ 협약; (로마 교황과 정부간의) 조약.
Con·corde[kankɔ́:rd/kɔn-] *n.* Ⓒ 콩코드《영·불 공동 개발의 초음속 여객기》.
con·cours[kɔ̃ku:r] *n.* (F.) Ⓒ 콩쿠르, 경연.
˙**con·course**[káŋkɔ:rs/-ɔ́-] *n.* Ⓒ ① (사람·물건의) 집합; 군집, 군중; (강의) 합류. ② 큰 길(driveway); (역·공항의) 중앙 홀.
con·cres·cence[kənkrésəns] *n.* Ⓤ 〖生〗 (조직·세포 따위의) 유착.
:con·crete[kankrí:t, ´–/kɔ́nkri:t] *a.* 구체적인(real)(opp. abstract); 콘크리트(제)의. — [kánkri:t/-ɔ́-] *n.* (the ~) 구체(성); Ⓤ 콘크리트. — *vt., vi.* 콘크리트로 굳히다; [–´] 응결시키다〔하다〕. **con·cre·tion** [kankrí:ʃən/kən-] *n.* Ⓤ 응결; Ⓒ 응결물.
cóncrete júngle 콘크리트 정글 《인간을 소외하는 도시》.
cóncrete músic 뮈지크 콩크레트 (F. *musique concrète*)《악음 외의 모든 자연음·인공음을 구사한 음악》.
cóncrete númber 〖數〗 명수(名數).
cóncrete póetry 구상시(具象詩).
con·cre·tize [kánkrətàiz/kɔ́n-] *vt.* 구체〔현실〕화하다, 유형화하다.
con·cu·bine[káŋkjəbàin/-ɔ́-] *n.* Ⓒ 첩. **-bi·nage**[kànkjú:bənidʒ/kɔn-] *n.* Ⓤ 첩을 둠; 첩의 신분.
con·cu·pis·cence [kankjú:pisəns/kɔn-] *n.* Ⓒ 음욕; 탐욕; 〖聖〗 욕망.
˙**con·cur**[kənkə́:r] *vt.* (**-rr-**) ① 동시에 일어나다; 병발하다(*with*). ② 협력하다(*to* do). (여러 가지 사정이) 서로 관련되다. ③ (의견이) 일치하다, 동의하다(agree)(*with*).
con·cur·rent [kənkə́:rənt, -kʌ́rənt] *a.* 동시에 일어나는, 병발하는 (concurring); 동시의; 일치〔조화〕하는; 같은 권한〔권리〕의; 동일점에 집중하는; 겸임의(*a ~ post* 겸직). — *n.* Ⓒ 병발사(건); 동시에 작용하는 원인; 《古》 경쟁자. ~**·ly** *ad.* 병발〔일치, 겸무〕하여. **-rence** *n.*
con·cuss[kənkʌ́s] *vt.* 뒤흔들다; (…에게) 뇌진탕을 일으키게 하다.
con·cus·sion[kənkʌ́ʃən] *n.* Ⓤ 격동; 뇌진탕.
con·cyc·lic [kansáiklik/-ɔ-] *a.* 〖幾〗 동일 원주상의.
:con·demn[kəndém] *vt.* ① 비난하다; (죄를) 선고하다. ② 운명짓다(*to*). ③ (의사가) 포기하다; 불량품으로〔위험물로〕 결정하다. ④《美》 (정부가 공용으로) 수용하다. ~**ed** *a.* 유죄 선고를 받은; 비난된; 사형수의. ˙**con·dem·na·tion** [kàndem-

néiʃən/kɔ̀n-] *n.*
:con·dense[kəndéns] *vt., vi.* ① 응축(凝縮)하다; (기체를) 액화하다. ② (이야기 등을) 단축하다, 간결히 하다. ③ (전기의) 강도를 더하다. **con·den·sa·tion**[kàndenséiʃən/kɔ̀n-] *n.* ***~d**[-t] *a.* 압축된, 간결한.
condénsed mílk 연유(煉乳).
***con·dens·er**[kəndénsər] *n.* Ⓒ ① 응결기, 응축기. ② 집광(集光) 렌즈. ③ 축전기, 콘덴서.
con·den·ser·y[-səri] *n.* Ⓒ《美》연유 제고 공장.
***con·de·scend** [kàndisénd/-ɔ̀-] *vi.* ① (아랫사람에게) 겸손히 행하다. ② 스스로를 낮추어 …하다(deign)(*to*). ③ (짐짓 은혜나 베푸는 듯이) 친절히 하다[생색 쓰다]. **~·ing** *a.* 겸손한(humble); 짐짓 겸허한; 덕색질하는. **-scén·sion** *n.* Ⓤ 겸허, 겸손; 덕색질하는[생색 쓰는] 태도.
con·dign[kəndáin] *a.* (처벌이) 지당한, 당연한, 타당한.
con·di·ment [kándəmənt/-ɔ́-] *n.* Ⓒ,Ⓤ 양념《겨자, 후추 따위》.
†con·di·tion[kəndíʃən] *n.* ① Ⓤ 상태, 처지, 신분(social position). ② (*pl.*) 상황, 사정, 형세; 조건(term). ③ Ⓒ《美》재시험. ***change one's* ~** 결혼하다. ***in* ~** 건강하여, 양호한 상태로. ***on* ~ *that*** … 라는 조건으로, 만일 …이면(if). ***out of* ~** 건강을 해쳐; (보존이) 나쁜. ── *vt.* ① 조건 짓다, (…의) 조건이 되다; 좌우[결정]하다. ② 조절하다; (양털 등을) 검사하다. ③《美》재시험을 조건으로 가(假)진급시키다. **~ed**[-d] *a.* 조건이 붙은; (어떤) 상태의; (실내 공기 등) 조절된. **~·er** *n.* Ⓒ 조건 붙이는 사람[물건]; (유용성 증가를 위한) 첨가물; 공기 조절 장치. **~·ing** *n.* Ⓤ 검사; (공기) 조절.
con·di·tion·al**[kəndíʃənəl] *a.* 조건부의; 가정의. **~ *clause〚文〛조건절《if, unless 따위로 인도되는 부사절》. **~·ly** *ad.*
condítional sále《英》(안 팔리는 물건을 함께) 끼어 파는 판매;《美》조건부 판매《지불 완료 후에 소유권이 옮겨짐》.
condítioned réflex [**respónse**]〚心〛조건 반사.
con·do[kándou/kɔ́n-] *n.* Ⓒ《美口》(분양 맨션 등의) 전유 공유식 주택, 콘도미니엄.
con·do·la·to·ry [kəndóulətɔ̀:ri/-təri] *a.* 문상[조위]의.
con·dole[kəndóul] *vi.* 조문하다, 조위하다(*with*). **con·dó·lence** *n.*
con·dom[kándəm, -ʌ́-/-ɔ́-] *n.* Ⓒ 콘돔.
con·dom·i·nate [kəndámənit, kan-/-ɔ́-] *a.* 공동 통치[지배]의.
con·do·min·i·um[kàndəmíniəm/kɔ̀n-] *n.* (*pl.* **~s, -ia**[-niə]) Ⓤ,Ⓒ 공동 관리[통치]; Ⓒ 분양 아파트[맨션].
con·done[kəndóun] *vt.* 용서하다;〚法〛(간통을) 용서하다. **con·do·na·tion**[kàndounéiʃən/kɔ̀n-] *n.*
con·dor[kándər/kɔ́ndɔ:r] *n.* Ⓒ〚鳥〛콘도르《남미산의 큰 매의 일종》.
con·duce[kəndjú:s] *vi.* 도움이 되다, 이바지하다(contribute)(*to, toward*). **con·du·cive**[-siv] *a.* (…에) 도움이 되는, 이바지하는(*to*).
:con·duct[kándʌkt/kɔ́n-] *n.* Ⓤ ① 행위, 행동, 품행. ② 지도, 지휘. ③ 취급, 관리. ④ 취향(趣向), 줄거리의 전개(법), 각색. ── [kəndʌ́kt] *vt., vi.* ① 행동하다(~ *oneself*); 이끌다(*over*). ② 지도[지휘]하다; 처리[경영]하다. ③ (전기·열을) 전하다. **~·ance**[kəndʌ́ktəns] *n.* Ⓤ〚電〛전도 계수. **~·i·ble**[-əbl] *a.* 전도성(傳導性)의. **con·dúc·tion** *n.* Ⓤ (물 따위를) 끌기; (열 따위의) 전도. **con·dúc·tive** *a.* **con·duc·tiv·i·ty** [kàndʌktívəti/kɔ̀n-] *n.* Ⓤ 전도성.
cónduct móney 증인 출석비, (응모병의) 응소 여비.
:con·duc·tor[kəndʌ́ktər] *n.* Ⓒ ① 지도자, 지휘자. ② 안내자, 차장《단, 영국에서는 기차 차장은 'guard'라고 함》. ③〚理〛전도체. ④ 피뢰침. **~·ship**[-ʃìp] *n.* Ⓤ ~의 직.
con·du·it[kándju:it/kɔ́ndit] *n.* Ⓒ 도관(導管); 수도(aqueduct), 암거(暗渠), 수멍; (매몰 전선의) 선거(線渠).
cónduit sýstem (전차의) 선거전로(線渠電路)식.
***cone**[koun] *n.* Ⓒ ① 원추(형)(의 물건)(*an ice cream* ~ 웨이퍼로 만든 아이스크림 컵); 솔방울. ② (원추형의) 폭풍 신호(storm ~).
CONEFO Conference of Newly Emerging Forces 신생국 회의.
Con·es·tó·ga (**wágon**) [kànistóugə(-)/kɔ̀n-] *n.* Ⓒ (미서부 개척 시대의) 대형 포장 마차.
co·ney[kóuni] *n.* =CONY.
Có·ney Ísland[kóuni-] New York 시의 해수욕장, 대중적 환락향.
con·fab[kánfæb/-ɔ́-] *n., vi.* (**-bb-**)《口》=CONFABULATION; CONFABULATE.
con·fab·u·late[kənfǽbjəlèit] *vi.* 담소하다(chat). **-la·tion**[-⌒-léiʃən] *n.*
con·fect[kánfekt/kɔ́n-] *n.* Ⓒ 캔디, 봉봉, 설탕절임 과일(따위). ── [kənfékt] *vt.* 성분을 섞어서 만들다; (이야기·구실 등을) 지어내다.
con·fec·tion[kənfékʃən] *n.* Ⓒ 당과(糖菓). **~·er** *n.* Ⓒ 과자 제조인, 과자상(商). **~·ar·y**[-èri/-əri] *n.* Ⓤ《집합적》과자; Ⓒ 과자점; Ⓤ 과자 제조.
con·fed·er·a·cy**[kənfédərəsi] *n.* ① Ⓒ 연합; 동맹(국), 연방. ② (the C-)〚美史〛남부 연방. ③ Ⓒ 도당(league); Ⓤ,Ⓒ 공모(共謀). ***Southern C- =the CONFEDERATE STATES OF AMERICA.

*__con·fed·er·ate__[kənfédərit] *a.* 연맹〔연합〕한; 공모한; (C-) 〖美史〗 남부연방(측)의. — *n.* Ⓒ 동맹국; 한패, 공모자. — [-rèit] *vt., vi.* (…와) 동맹시키다〔하다〕; 한패로 하다〔되다(*with*)〕. *__-a·tion__[-⌐-éiʃən] *n.* Ⓒ 동맹국; Ⓤ 동맹, 연방.

__Conféderate Státes of América, the__ 〖美史〗 미국 남부연방《남북전쟁 때의 남부 11주》(cf. Federal States).

*__con·fer__[kənfə́:r] *vt.* (*-rr-*) (…에게) 주다, 수여하다(bestow)(*on, upon*). — *vi.* 회담〔협의〕하다(*with*). **~·ee**[kànfərí:/-ɔ̀-] *n.* Ⓒ《美》 회의 출석자; 상담 상대. **~·ment** *n.* Ⓤ,Ⓒ 수여; 협의. **~·er** *n.* Ⓒ 수여〔협의〕자.

:__con·fer·ence__[kánfərəns/-ɔ́-] *n.* ① Ⓒ 회의; Ⓤ 상담, 협의. ②《美》 Ⓒ (학교간의) 경기 연맹.

:__con·fess__[kənfés] *vt., vi.* ① 자공(自供)하다, 자백하다; 자인하다. ② 신앙을 고백하다; (신부에게) 참회하다. ③ (신부가) 고해를 듣다. ~ ***to*** (약점·과실 따위를) 시인하다, …은 정말이라고 말하다. ***to ~ the truth*** 사실은. **~ed**[-t] *a.* 공인된, 명백한 (*stand ~ed as* …임〔죄상〕이 뚜렷하다). **~·ed·ly**[-idli] *ad.* 명백히.

:__con·fes·sion__[kənféʃən] *n.* ① Ⓤ,Ⓒ 자백. ② Ⓒ 신앙 고백. ③ Ⓤ 〖가톨릭〗 고해. **~·al** *a., n.* Ⓒ 참회의 (자리).

__con·fes·sor__[kənfésər] *n.* Ⓒ 고백자; 참회〔고해〕자; 고해 (듣는) 신부; (박해에 굴치 않는) 신앙 고백자, 독신자. ***the C-*** 독신왕(篤信王)《영국왕 Edward(재위 1042-66)》.

__con·fet·ti__[kənféti(:)] *n. pl.* 《단수취급》(It.) 캔디; (사육제 같은 때의) 색종이 조각.

__con·fi·dant__ [kànfidǽnt, ⌐-⌐/kɔ̀nfidǽnt] *n.* (*fem.* *~e*) Ⓒ (속을 털어 놓을 수 있는) 친구, 심복.

:__con·fide__[kənfáid] *vi.* ① (속을) 털어놓다; 신임〔신뢰〕하다(*in*). ② 신탁〔위탁〕하다(*to*). **con·fí·ding** *a.* 믿기 쉬운; 믿어버리고 있는.

:__con·fi·dence__[kánfidəns/kɔ́nfi-] *n.* Ⓤ ① 신임, 신용, 신뢰(trust). ② (만만한) 자신; 대담한(boldness). ③ 뻔뻔스러움(assurance). ④ 속사정 이야기, 비밀. ***in ~*** 내밀히. ***make a ~*** 〔*~s*〕 ***to*** (*a person*), or ***take*** (*a person*) ***into one's ~*** (아무에게) 비밀을 털어놓다. 「신용 사기.

__cónfidence gàme__ 〔《英》 __trìck__〕

__cónfidence lìmits__ 〖統〗 신뢰성 한계.

__cónfidence màn__ (신뢰를 악용한) 사기꾼.

:__con·fi·dent__[kánfidənt/kɔ́nfi-] *a.* ① 확신〔신용〕하여〔하고 있는〕. ② 자신 있는; 자부심이 강한; 대담한. — *n.* =CONFIDANT. * **~·ly** *ad.*

*__con·fi·den·tial__ [kànfidénʃəl/kɔ̀nfi-] *a.* ① 신임하는, 심복의. ② 비밀의; (편지가) 친전(親展)의. ③ 무간한, 격의 없는(*a ~ tone*). **~·ly** *ad.*

__confidéntial communicátion__ 〖法〗 비밀 정보《법정에서 증언을 강요당하지 않는》.

__confidéntial pàpers__ 기밀 서류.

__confidéntial príce lìst__ 내시(內示) 가격표.

__con·fig·u·ra·tion__[kənfìgjəréiʃən] *n.* Ⓒ 구성, 배치, 형상; 〖心〗 = GESTALT; 〖컴〗 구성.

__con·fig·ure__[kənfígjər] *vt.* (어떤 틀에 맞추어) 형성하다(*to*); 〖컴〗 구성하다.

:__con·fine__[kənfáin] *vt.* 제한하다(*to, within*); 가두다, 감금하다(*in*). ***be ~d*** 죽치고〔틀어박혀〕 있다; 해산을 하다(*be ~d of a child*). — [kánfain/-ɔ́-] *n.* Ⓒ (보통 *pl.*) 경계, 한계. * **~·ment** *n.* Ⓤ 감금, 억류; 제한, 한계; Ⓤ,Ⓒ 해산 (자리에 눕기), 산욕.

:__con·firm__[kənfə́:rm] *vt.* ① 강하게〔굳게〕 하다, 견고히 하다. ② 확인〔다짐〕하다, (조약을) 비준하다. ③ (…에게) 견진성사(堅振聖事)〔안수례〕를 베풀다. ***~ing the conjecture*** 과연, 생각〔예기〕했던 바와 같이. **~·a·ble** *a.* 확인〔확증〕할 수 있는. * **~ed**[-d] *a.* 확인된; 뿌리 깊은, 만성의, 손댈 수 없는.

*__con·fir·ma·tion__ [kànfərméiʃən/-ɔ̀-] *n.* Ⓤ,Ⓒ ① 확정, 확인. ② 〖宗〗 견진성사(堅振聖事), 안수례.

__con·firm·a·tive__[kənfə́:rmətiv], __-to·ry__[-tɔ̀:ri/-təri] *a.* 확증〔확인〕하는.

__con·fis·cate__ [kánfiskèit/-ɔ́-] *vt.* 몰수〔징발〕하다. **-ca·tion**[⌐-kéiʃən] *n.*

*__con·fla·gra·tion__ [kànfləgréiʃən/-ɔ̀-] *n.* Ⓒ 큰 불(big fire).

__con·flate__[kənfléit] *vt.* 융합시키다; 혼합하다; (특히) 2종류의 이본(異本)을 융합시키다.

:__con·flict__[kánflikt/-ɔ́-] *n.* Ⓤ,Ⓒ 투쟁; 모순, 충돌. ***~ of laws*** 법률 저촉; 국제 사법(私法). — [kənflíkt] *vi.* (…와) 다투다; 충돌하다 (disagree)(*with*). **~·ing** *a.*

__con·flu·ence__[kánfluəns/-ɔ́-] *n.* Ⓤ,Ⓒ 합류; Ⓒ 합류점, 집합, 군중, 군집. **-ent** *a., n.* Ⓒ 합류하는 (강), 지류(tributary).

__con·flux__[kánflʌks/-ɔ́-] *n.* =⇧.

*__con·form__[kənfɔ́:rm] *vi., vt.* (…와) 일치하다〔시키다〕, 따르(게 하)다, 적합하다〔시키다〕 (*to*). **~·a·ble** *a.* 적합〔조화〕된(adapted) (*to, with*); 순종하는(obedient)(*to*). **~·ist** *n.* Ⓒ 준봉자(遵奉者); (C-) 영국 국교도.

__con·for·ma·tion__[kànfɔ:rméiʃən/-ɔ̀-] *n.* Ⓤ,Ⓒ 구조, 형상; 조화적 배치; Ⓤ 적합; 순종(*to*).

*__con·form·i·ty__[kənfɔ́:rməti] *n.* Ⓤ 일치, 상사(相似), 적합; 따름; 국교 신봉(信俸). ***in ~ with*** 〔*to*〕 …에

따라서.

:con·found[kənfáund] *vt.* ① (…와) 혼동하다(*with*). ② 곤혹(困惑)하게 하다. ③ (희망·계획을) 꺾다(defeat). ④ 저주하다《damn보다 좀 약한 말》(*C- it!* 에이 지겨워!, 아뿔싸!). ***~·ed**[-id] *a.* 지겨운, 어이없는.

con·fra·ter·ni·ty[kànfrətə́:rnəti/-ɔ̀-] *n.* Ⓒ (종교·자선의) 결사, 단체.

con·frère[kánfrɛər/-ɔ́-] *n.* (F.) Ⓒ 동지, 회원, 동료.

:con·front[kənfrʌ́nt] *vt.* (…에) 직면하다; 맞서다(oppose); 대항시키다; (어려움이, …의) 앞에 나타나다. ***be ~ed with*** …에 직면하다. **~·er** *n.* Ⓒ 대항자[물], 대결자.

con·fron·ta·tion[kànfrəntéiʃən/kɔ̀n-] *n.* Ⓤ,Ⓒ 직면; 《法》 (불리한 증인과의) 법정 대결, 대심(對審).

Con·fu·cius[kənfjú:ʃəs] *n.* (<공부자(孔夫子)(551-479 B.C)) 공자. **-cian**[-ʃən] *a., n.* 공자의; 유교의; Ⓒ 유학자. **-cian·ism**[-ʃənìzəm] *n.* Ⓤ 유교.

:con·fuse[kənfjú:z] *vt.* ① 혼란시키다; 혼동하다(mix up). ② 당황케[어쩔줄 모르게] 하다(perplex). ***~d**[-d] *a.* 혼란[당황]한; 낭패한. **con·fus·ed·ly**[-idli] *ad.*

:con·fu·sion[kənfjú:ʒən] *n.* Ⓤ ① 혼란; 혼동. ② 당황; 착란. ***~ worse confounded*** 혼란에 또 혼란《Milton의 '*Paradise Lost*' 에서》. ***drink ~ to*** …을 저주하여 잔을 들다.

con·fute[kənfjú:t] *vt.* 논파(論破)하다; 논박하다. **-fu·ta·tion**[kànfjutéiʃən/-ɔ̀-] *n.*

Cong. Congregational(ist); Congress(ional).

con·ga[káŋgə/-ɔ́-] *n.* Ⓒ 콩가《Cuba의 춤(곡)》.

con·gé[kánʒei/-ɔ́:-] *n.* (F.) Ⓒ 해직(解職); (작별) 인사.

con·geal[kəndʒí:l] *vi., vt.* 동결[응결]하다[시키다]. **con·ge·la·tion**[kàndʒəléiʃən/-ɔ̀-] *n.*

con·gee[kándʒi:/-ɔ́-] *vi.* 작별 인사하다. — *n.* =CONGÉ.

con·ge·ner[kándʒənər/-ɔ́-] *n.* Ⓒ 동류[동종]의 것. **-ne·ric**[⌐—néríк] *a.* 동종의.

***con·gen·ial**[kəndʒí:njəl] *a.* ① 같은 성질의; 마음이 맞는. ② (기분에) 맞는. **con·ge·ni·al·i·ty**[kəndʒì:niǽləti] *n.*

con·gen·i·tal[kəndʒénətl] *a.* 타고난, 선천적인.

cón·ger (èel)[káŋgər(-)/-ɔ́-] *n.* Ⓒ 《魚》 붕장어.

con·ge·ries[kándʒərì:z/kəndʒíəri:z] *n. sing. & pl.* 뭉친 덩이, 집적.

***con·gest**[kəndʒést] *vi., vt.* ① 충혈하다[시키다]. ② 충만[밀집]하다[시키다]. **~·ed**[-id] *a.* **con·ges·tion**[-dʒéstʃən] *n.* Ⓤ 밀집, 혼잡, 충혈. **con·gés·tive** *a.* 충혈(성)의.

con·glo·bate[kanglóubeit, káŋgloubèit/kɔ́n-] *a.* 공 모양의, 둥그런. — *vt., vi.* 공 모양으로 하다[되다].

con·glom·er·ate [kənglámərit/-ɔ́-] *a., n.* Ⓒ (잡다한 것이) 밀집하여 뭉친 (것), 집괴상(集塊狀)의 (바위). — [-rèit] *vt., vi.* 한데 모아 뭉치게 하다; 모여 뭉치다. **-a·tion**[kənglàməréiʃən/-ɔ̀-] *n.* Ⓤ 모여 뭉침; Ⓒ 집괴(集塊).

con·glu·ti·nate [kənglú:tənèit] *vt., vi.* 교착시키다[하다], 유착시키다[하다]. **-ná·tion** *n.*

Con·go[káŋgou/kɔ́ŋ-] *n.* (the ~) ① 콩고《콩고지방의 구(舊)프랑스 공동체내의 공화국》. ② 콩고 강.

Cóngo dỳe [**còlo(u)r**] 콩고 염료《인공 물감의 일종》.

con·grats[kəngrǽts], **con·grat·ters**[kəngrǽtərz] *int.* 《口》 =CONGRATULATIONS.

:con·grat·u·late [kəngrǽtʃəlèit] *vt.* 축하하다(…에), 축하의 말을 하다(*~ him on his birthday*). ***~ oneself on*** [***upon***] …을 의기양양[우쭐]해 하다. **:-la·tion**[—⌐—léiʃən] *n.* Ⓤ 축하; (*pl.*) 축하의 말 (*Congratulations!* 축하합니다!).

con·grat·u·la·to·ry [-lətɔ̀:ri/-təri] *a.* 축하의. ***~ telegram*** 축전(祝電).

***con·gre·gate**[káŋgrigèit/-ɔ́-] *vi., vt.* 모이다, 모으다(assemble). ***-ga·tion**[⌐—géiʃən] *n.* Ⓤ 모임; 집합; 《宗》 집회; 《집합적》 회중(會衆). **-ga·tive**[-gèitiv] *a.*

con·gre·ga·tion·al[kàŋgrigéiʃənəl/-ɔ̀-] *a.* 회중의; (C-) 조합 교회의. ***C- Church*** 조합 교회. **~·ism**[-ìzəm] *n.* Ⓤ 조합 교회주의. **~·ist** *n.*

:con·gress[káŋgris/kɔ́ŋgris] *n.* ① Ⓒ 회의, 위원회. ② (C-) Ⓤ (미국·중남미의) 국회. ***con·gres·sion·al**[kəngréʃənəl/kəŋ-] *a.* 회의의; (C-) 《美》 국회의.

cóngress gàiters [**bòots, shòes**] (종종 C-) (안쪽에 고무천을 덧댄) 깊숙한 단화.

congréssional district 《美》 하원의원 선거구(區).

congréssional stàffer 《美》 의회 스태프(의 한 사람).

***con·gress·man**[-mən] *n.* (종종 C-) Ⓒ 《美》 국회[하원] 의원. **~-at-lárge** *n.* (*pl.* **-men-**) Ⓒ 주 선출 국회의원.

con·gress·wom·an [-wùmən] *n.* (종종 C-) Ⓒ 《美》 여자 국회[하원] 의원.

con·gru·ent[káŋgruənt/-ɔ́-] *a.* 일치하는; 《幾》 합동의. **-ence** *n.*

con·gru·i·ty[kəngrú:iti/kəŋ-] *n.* Ⓤ 적합; 일치, 조화; 《幾》 합동.

con·gru·ous[káŋgruəs/-ɔ́-] *a.* = CONGRUENT; 적당한(fitting).

con·ic[kánik/-ɔ́-], **-i·cal**[-əl]

a. 원뿔〔원추〕 모양(cone)의.
cónic séction 〖幾〗 원뿔 곡선.
co·nid·i·um[kənídiəm] *n.* (*pl.* **-ia** [-iə]) Ⓒ 〖植〗 분생자(分生子)《무성 단세포의 포자》.
co·ni·fer[kánəfər, kóunə-] *n.* Ⓒ 〖植〗 침엽수. **co·nif·er·ous**[kounífərəs] *a.*
co·ni·form[kóunəfɔ̀:rm] *a.* 원뿔꼴의(conical).
conj. conjugation; conjunction; conjunctive.
***con·jec·ture**[kəndʒéktʃər] *n., vt., vi.* U,C 추측(하다). **-tur·al** *a.*
con·join[kəndʒɔ́in] *vt., vi.* 결합하다, 연합하다, 합치다.
con·joint[kəndʒɔ́int/kɔ́ndʒɔint] *a.* 결합한(united); 공동의(joint). **~·ly** *ad.*
con·ju·gal[kándʒəgəl/-ɔ́-] *a.* 부부(간)의, 결혼의.
***con·ju·gate**[kándʒəgèit/-ɔ́-] *vt.* (동사를) 변화〔활용〕시키다; 결합시키다. **:-ga·tion**[ㅗ-géiʃən] *n.* U,C (동사의) 변화.
con·junct[kəndʒʌ́ŋkt] *a.* 결합한.
:con·junc·tion [kəndʒʌ́ŋkʃən] *n.* U,C 결합, 접합; Ⓒ 〖文〗 접속사. ***in ~ with*** …와 함께. ***-tive** *a., n.* 〖文〗 접속의; Ⓒ 접속어.
con·junc·ti·va [kàndʒʌŋktáivə/-ɔ̀-] *n.* Ⓒ 〖解〗 결막.
con·junc·ti·vi·tis [kəndʒʌ̀ŋktəváitis] *n.* Ⓤ 결막염.
con·junc·ture[kəndʒʌ́ŋktʃər] *n.* Ⓒ 경우, 때(*as this* ~ 이 때); 위기(crisis).
con·jur·a·tion[kàndʒəréiʃən/-ɔ̀-] *n.* Ⓤ 주술(呪術), 마법; 주문.
con·jure**[kándʒər, kʌ́n-] *vt., vi.* 마법〔요술〕을 쓰다. ~ ***up (유령 따위를) 마법으로 불러내다(summon); (환상을) 불러일으키다. **cón·jur·er, -ju·ror**[-rər] *n.* Ⓒ 마술〔주술〕사.
conk[1][kaŋk/kɔŋk] *n., vt.* Ⓒ 《俗》 머리(를 때리다); 《英俗》 코(를 때리다).
conk[2] *vi.* 《口》 (기계가) 망그러지다; 실신하다.
Conn. Connecticut.
con·nat·u·ral[kənǽtʃərəl] *a.* 타고난(*to*); 동질성의; 동족의.
:con·nect[kənékt] *vt.* ① (두개의 것을) 잇다, 결합〔연결〕하다. ② 연상하다. — *vi.* 이어지다, 접속하다(*with*); 〖野〗 강타하다. **~·ed**[-id] *a.* 관계〔연락〕 있는.
***Con·nect·i·cut**[kənétikət] *n.* 미국 북동부의 주《생략 Conn.》.
connécting ròd (기관 따위의) 연접봉.
:con·nec·tion, 《英》 **-nex·ion** [kənékʃən] *n.* ① Ⓤ 연결, (열차·배 따위의 시간적) 연락; U,C 관계. ② U,C 교섭, 사귐, 친밀함; 정교; 친척〔연고〕 관계; 연줄. ③ Ⓒ 거래처, 단골(customers). ***criminal ~*** 간통. ***in ~ with*** …와 관련하여. ***in this ~*** 이와 관련하여, 이에 덧붙여. ***take up one's ~s*** 《美》 대학을 나오다.
con·nec·tive[kənéktiv] *a., n.* 연결의; Ⓒ 연결물; 〖文〗 연결사《관계사·접속사 따위》.
connéctive tìssue 〖解〗 결합 조직.
con·nec·tor, -nect·er[kənéktər] *n.* Ⓒ 연결자; (철도의) 연결수; 연결물〔관〕; 〖電〗 접속용 소켓; 〖電話〗 접속기; 〖컴〗 연결자, 이음기.
:con·nex·ion *n.* =CONNECTION.
cón·ning tòwer[kániŋ-/-ɔ́-] (군함의) 사령탑; (잠수함의) 전망탑.
con·nive[kənáiv] *vi.* (나쁜 일을) 못본 체하다, 묵인하다(wink)(*at*); 공모하다, 서로 짜다(*with*). **con·nív·ance** *n.*
con·nois·seur[kànəsə́:r/-ɔ̀-] *n.* Ⓒ 감정〔감식〕가, 익수, 전문가(expert).
con·no·ta·tive[kánoutèitiv/-ɔ́-] *a.* 〖論〗 내포적인; 함축하는; 암시하는.
con·note[kənóut/kɔ-] *vt.* (특별한 뜻을) 품다(imply); 〖論〗 내포(內包)하다. **con·no·tat·ion** [kànətéiʃən/-ɔ̀-] *n.* U,C 〖論〗 내포(opp. denotation).
con·nu·bi·al[kənjú:biəl] *a.* 결혼의, 부부의.
con·nu·bi·al·i·ty[-ㅗbiǽləti] *n.* U,C 결혼 (생활), 부부 관계.
:con·quer[káŋkər/-ɔ́-] *vt.* 정복하다; 극복하다. — *vi.* 이기다. **~·a·ble** *ad.* 정복할 수 있는. **:~·or** [-ər] *n.* Ⓒ 정복자, 승리자; (the C-) 영국왕 William I의 별명.
:con·quest[káŋkwest/-ɔ́-] *n.* U,C 정복; Ⓒ 정복한 토지〔주민〕. ***the*** (NORMAN) ***C-.***
con·quis·ta·dor[kankwístədɔ̀:r/kɔn-] *n.* Ⓒ 정복자《16세기 멕시코·페루를 정복한 스페인인》.
Cons., cons. constable; constitution; consul.
con·san·guin·e·ous [kànsæŋgwíniəs/-ɔ̀-] *a.* 혈족〔동족〕의. **-i·ty** [-gwínəti] *n.*
:con·science[kánʃəns/-ɔ́-] *n.* Ⓤ 양심, 선악관념(*a bad* 〔*guilty*〕 ~ 양심에 꺼릴 못된 마음). ***for ~(') sake*** 양심을 위해〔에 꺼리어〕; 제발. ***have … on one's ~*** …을 마음에 꺼리다, …이 양심에 걸리다. ***have the ~ to*** (do) 철면피하게도(…하다). ***in all ~,*** or ***upon one's ~*** 양심상, 정말. ***keep a person's ~*** 양심에 부끄럽지 않은 행동을 하게 하다.
cónscience clàuse 〖法〗 양심 조항《병역 면제 등에 관한》.
cónscience mòney (탈세자 따위의) 속죄 납금.
cónscience-strìcken *a.* 양심에 찔린〔꺼리는〕.
***con·sci·en·tious**[kànʃiénʃəs/-ɔ̀-] *a.* 양심적인. **~·ly** *ad.* **~·ness** *n.*
consciéntious objéctor 양심

〔종교〕적 병역 거부자《생략 C.O.》.
:con·scious[kánʃəs/-ɔ́-] *a.* 의식〔자각〕있는; 알아채어(*of, that*). *become* ~ 제정신이 들다. *~·ly *ad.* 의식적으로, 알면서.
:con·scious·ness[-nis] *n.* Ⓤ 의식. ***stream of*** ~ 〚心〛 의식의 흐름.
con·script[kánskript/-ɔ́-] *a., n.* 징집된; Ⓒ 징집병, 장정. — [kənskrípt] *vt.* 군인으로 뽑다, 징집〔징용〕하다. **con·scrip·tion**[kənskrípʃən] *n.* Ⓤ 징병, 징용.
cónscript fáthers (옛 로마의) 원로원 의원.
***con·se·crate** [kánsikrèit/-ɔ́-] *vt.* ① 하느님에게 바치다(dedicate) (~ *a church* 헌당(獻堂)하다). ② 성화〔성별〕하다(hallow). ③ 바치다. *-**cra·tion**[ㅗ-kréiʃən] *n.* Ⓤ,Ⓒ 봉헌(식); Ⓤ 정진, 헌신(devotion); 신성화. 「성별자, 봉헌자.
con·se·cra·tor[-krèitər] *n.* Ⓒ
con·se·cu·tion [kànsikjú:ʃən/kɔ̀n-] *n.* Ⓤ 연속; 이론적 일관성.
con·sec·u·tive** [kənsékjətiv] *a.* 연속적인; 〚文〛 결과의. ~ ***numbers 연속 번호. ~·**ly** *ad.* ~·**ness** *n.*
***con·sen·sus**[kənsénsəs] *n.* Ⓒ (의견 등의) 일치, 총의; 컨센서스; 〚生〛 교감(交感).
:con·sent[kənsént] *n., vi.* Ⓤ 동의(하다)(*to*). ***by common*** 〔***general***〕 ~ 만장일치로. **con·sen·tient** [-ʃənt] *a.* 일치한.
:con·se·quence [kánsikwèns/kɔ́nsikwəns] *n.* ① Ⓒ 결과(result), 추세; 〚論〛 결론. ② Ⓤ 중대함, 주요성. ***in*** ~ ***of*** …의 결과, …로 인해. ***of*** ~ 유력한; 중대한. ***of no*** ~ 사소한, 중요치 않은. ***take*** 〔***answer for***〕 ***the*** **~s** 결과를 감수하다, 결과에 대해 책임지다.
***con·se·quent** [kánsikwènt/kɔ́nsikwənt] *a.* 결과로서 일어나는 (resulting)(*on, upon*); 필연의. :~·**ly** *ad.* 따라서.
con·se·quen·tial[kànsikwénʃəl/-ɔ̀-] *a.* 결과로서 일어나는, 필연의; 중대한; 거드름 부리는. ~·**ly** *ad.*
con·serv·an·cy[kənsə́:rvənsi] *n.* ① Ⓒ《집합적》《英》(하천·산림 등의) 관리 위원회. ② Ⓤ (하천·산림 등의) 관리, 보존.
***con·ser·va·tion** [kànsə:rvéiʃən/-ɔ̀-] *n.* ① Ⓤ 보존; (하천·산림의) 국가 관리. ② Ⓒ 보안림(林)〔하천〕. ③ Ⓤ 〚理〛 (질량의) 불변, (에너지의) 불멸.
:con·serv·a·tive[kənsə́:rvətiv] *a.* ① 보수적인; (C-) 보수당의. ② 보존력이 있는. ③ 신중한, 조심스러운. ***the C- Party*** (영국의) 보수당. — *n.* Ⓒ 보수적인 사람; (C-) 보수당원. *-**tism**[-ìzəm] *n.* Ⓤ 보수주의.
con·ser·va·toire [kənsə̀:rvətwá:r, ㅡㅡㅗ] *n.* (F.) Ⓒ 음악〔미술〕학교.
con·ser·va·tor [kánsərvèitər/kɔ́n-] *n.* Ⓒ 보호자; [kənsə́:rvətər] (박물관 등의) 관리인; 《英》 (항해·어업의) 관리 위원.
con·serv·a·to·ry[kənsə́:rvətɔ̀:ri/-təri] *n.* Ⓒ 온실; =CONSERVATOIRE.
***con·serve**[kənsə́:rv] *vt.* ① 보존〔저장〕하다(preserve). ② 설탕절임으로 하다. — [kánsə:rv/kənsə́:rv, kɔ́n-] *n.* Ⓤ (종종 *pl.*) 설탕절임 한 과일; 잼.
†**con·sid·er**[kənsídər] *vt.* ① 생각하다(ponder); 고려〔참작〕하다. ② (…로) 생각하다〔보다〕(regard as). — *vi.* 생각하다, 숙고하다. ***all things*** **~ed** 여러 가지〔모〕로 생각한 끝에.
:con·sid·er·a·ble[kənsídərəbəl] *a.* ① (수량·금액 등이) 상당한, 적지 않은. ② 고려할 만한〔해야 할〕; 중요한. — *ad.* 《俗》 어지간히, 듬뿍. — *n.* Ⓤ《美口》 다량, 다액. **:-bly** *ad.* 꽤, 상당히 많이.
***con·sid·er·ate**[kənsídərit] *a.* ① 동정〔인정〕 있는. ② 사려 깊은, 신중한. ~·**ly** *ad.* ~·**ness** *n.*
:con·sid·er·a·tion[-sìdəréiʃən] *n.* ① Ⓤ 고려; 생각; Ⓒ 고려할 만한 일. ② Ⓒ 보수. ③ Ⓤ 감안, 헤아림. ④ Ⓤ 중요함; 존중. ***for a*** ~ 보수를 주면〔받으면〕. ***have no*** ~ ***for*** …을 고려하지 않다; …을 마음에 두지 않다. ***in*** ~ ***of*** …을 고려〔감안〕하여; …의 사례로서. ***on*** 〔***under***〕 ***no*** ~ 절대로 …않다. ***take into*** ~ 고려하다. ***the first*** ~ 첫째 요건. ***under*** ~ 고려중.
:con·sid·er·ing[kənsídəriŋ] *prep.* …(한 점)을 고려한다면, …에 비해서는(for)(~ *his age* 나이에 비해서는). — *ad.* 《口》 비교적.
***con·sign**[kənsáin] *vt.* ① 위탁하다(entrust), 넘겨주다. ② 〚商〛 탁송하다. ~·**ee**[kànsainí/-ɔ̀-] *n.* Ⓒ 맡는 사람, 수탁자, 하수인(荷受人). ~·**er**[kənsáinər] *n.* Ⓒ 위탁자.
con·sign·ment[kənsáinmənt] *n.* ① Ⓤ 위탁. ② Ⓒ 위탁 상품〔화물〕; 적송품(積送品).
consígnment nòte 《주로 英》 출하 통지서.
consígnment sàle 위탁 판매.
:con·sist[kənsíst] *vi.* ① (…로) 되다(*of*). ② (…에) 있다, 가로놓이다(lie)(*in*). ③ 양립〔일치〕하다(*with*).
***con·sist·en·cy**[-ənsi], **-ence** [-əns] *n.* ① Ⓤ 일관성; 일치. ② Ⓤ,Ⓒ 농도, 밀도.
***con·sist·ent**[-ənt] *a.* 일치하는; 모순 없는(*with*), 시종 일관돼 있는. ~·**ly** *ad.*
con·sis·to·ry[kənsístəri] *n.* Ⓒ 교회 회의(실), 종교 법원; 〚가톨릭〛 추기경 회의; 《一般》 집회.
con·so·ci·ate [kənsóuʃièit] *vt., vi.* 합동〔연합〕하다. — [-ʃiit] *a.* 합동〔연합〕한.
consol. consolidated.

*con·so·la·tion[kànsəléiʃən/-ɔ̀-] *n.* ① Ⓤ 위자(慰藉), 위로. ② Ⓒ 위안이 되는 것〔사람〕. **sol·a·to·ry** [kənsálətɔ̀:ri/-sɔ́lətəri] *a.*
consolátion màtch〔**ràce**〕 패자 부활전.
consolátion mòney 위자료.
consolátion prìze 애석상(賞).
:**con·sole**[1][kənsóul] *vt.* 위로하다, 위자하다. **con·sól·a·ble** *a.*
con·sole[2][kánsoul/-ɔ́-] *n.* Ⓒ (오르간 따위의) 연주대(臺); 〖建〗 소용돌이 모양의 까치발; (라디오·텔레비전·전축의) 콘솔형〔대형〕 캐비닛《바닥에 놓음》; 〖컴〗 조종대, 제어탁자; = ∠ **tàble** (벽면) 고정 테이블.
*con·sol·i·date [kənsálidèit/-sɔ́li-] *vt., vi.* ① 굳게〔공고하게〕 하다, 굳어〔튼튼해〕지다, 견실하게 하다〔되다〕. ② 결합〔합병〕하다; 정리〔통합〕하다; 〖軍〗 (새 점령지를) 기지로서 굳히다. **-da·to·ry**[-dətɔ̀:ri/-təri] *a.* 통합하는, 굳히는.
consólidated annúities = CONSOLS.
Consólidated Fúnd, the 《英》 정리 공채 기금.
consólidated schòol (몇 개 학구의) 통합 (초등) 학교.
*con·sol·i·da·tion[kənsàlədéiʃən/-ɔ̀-] *n.* Ⓤ,Ⓒ 통합, 합병; 강화.
con·sols[kənsálz/-ɔ́-] *n. pl.* (영국 정부의) 정리〔콘솔〕 공채.
con·som·mé[kànsəméi/kənsɔ́mei] *n.* (F.) Ⓤ 콩소메《말간 수프》 (clear soup).
:**con·so·nant**[kánsənənt/-ɔ́-] *a.,* ① 일치〔조화〕된(*with, to*). ② 자음의; 〖樂〗 협화음의. ― *n.* Ⓒ 자음(글자); 협화음. **-nance, -nan·cy** *n.* Ⓤ 일치, 조화; Ⓤ,Ⓒ 〖樂〗 협화(음). **-nan·tal**[∠–nǽntl] *a.* 자음의.
*con·sort[kánsɔ:rt/-ɔ́-] *n.* Ⓒ (주로 왕·여왕의) 배우자(spouse); 요함(僚艦). ***prince*** ~ 여왕의 부군(夫君). ― [kənsɔ́:rt] *vi., vt.* 교제하다〔시키다〕; 조화〔일치〕하다(agree) (*with*).
con·sor·ti·um [kənsɔ́:rʃiəm, -tiəm] *n.* (*pl.* ***-tia***[-ʃiə]) Ⓒ (개발도상 국가의 원조를 위한) 국제 차관단; 연합, 협회.
con·spe·cif·ic[kànspisífik/kɔ̀n-] *a.* 〖動·植〗 동종의.
con·spec·tus[kənspéktəs] *n.* Ⓒ 개관(概觀); 개설, 적요(摘要); 일람.
:**con·spic·u·ous**[kənspíkjuəs] *a.* 두드러진. ***be*** ~ ***by one's absence*** 없음〔결근〕으로 해서 오히려 더 드러나다. ***cut a*** ~ ***figure*** 이채를 띠다. ~**·ly** *ad.*
conspícuous consúmption〔**wáste**〕 과시적인 낭비.
*con·spir·a·cy[kənspírəsi] *n.* Ⓤ,Ⓒ 공모; 음모(plot); 동시 발생.
*con·spir·a·tor[kənspírətər] *n.* Ⓒ 공모〔음모〕자. **-to·ri·al**[–∠–tɔ́:riəl] *a.* 공모의.
*con·spire[kənspáiər] *vi., vt.* ① 공모하다, (음모를) 꾸미다(plot) (*against*). ② 협력하다.
*con·sta·ble[kʌ́nstəbəl,-á-] *n.* Ⓒ 치안관; 《英》 경관.
con·stab·u·lar·y[kənstǽbjulèri/-ləri] *n.* Ⓒ《집합적》 경찰대〔력〕.
*con·stan·cy[kánstənsi/-ɔ́-] *n.* Ⓤ ① 불변성, 항구성. ② 정절, 성실.
:**con·stant**[kánstənt/-ɔ́-] *a.* ① 불변의, 일정한. ② 마음이 변치 않는 (not fickle), 성실한(faithful). ― *n.* Ⓒ 〖數·理〗 상수(常數)《생략 k》; 변치 않는 것.
con·stant·an[kánstəntæ̀n/kɔ́n-] *n.* Ⓤ 콘스탄탄《동과 니켈의 합금》.
*Con·stan·ti·no·ple [kànstæntinóupəl/-ɔ̀-] *n.* Istanbul의 옛 이름.
:**con·stant·ly** [kánstəntli/kɔ́n-] *ad.* 변함없이; 끊임없이; 빈번히.
con·stel·late[kánstəlèit/-ɔ́-] *vt., vi.* (별자리의 벌처럼) 모으다, 모이다.
con·stel·la·tion [kànstəléiʃən/-ɔ̀-] *n.* Ⓒ ① 별자리. ② 기라성 같은 모임.
con·ster·na·tion[kànstərnéiʃən/-ɔ̀-] *n.* Ⓤ 깜짝 놀람, 경악.
con·sti·pate[kánstəpèit/-ɔ́-] *vt.* 변비 나게 하다(bind). **-pat·ed**[-id] *a.* 변비의(bound). **-pa·tion**[∠–péiʃən] *n.* Ⓤ 변비.
con·stit·u·en·cy [kənstítʃuənsi] *n.* Ⓒ 선거구; 《집합적》 선거구민; 고객.
*con·stit·u·ent[-ənt] *a.* ① 구성〔조직〕하는. ② 선거권이 있는. ― *n.* Ⓒ ① (구성) 요소, 성분. ② 〖文〗 구성소. ③ (선거) 유권자. ***immediate*** ~ 〖文〗 직접 구성소. 「국민 의회.
Constítuent Assémbly 〖프史〗
constítuent bódy 선거 모체.
:**con·sti·tute** [kánstitjù:t/kɔ́nstitjù:t] *vt.* ① 구성〔조직〕하다. ② 제정하다(establish). ③ 선임하다; 임명하다(appoint). **-tut·or**[-ər] *n.* Ⓒ 구성〔제정〕자.
:**con·sti·tu·tion** [kànstitjú:ʃən/kɔ̀nstitjú:-] *n.* ① Ⓤ 구성, 조직. ② Ⓒ 체격, 체질. ③ Ⓤ 제정, 설립. ④ Ⓒ 법령, 규약; (the C-) 헌법.
*con·sti·tu·tion·al[-əl] *a.* ① 타고난, 체질의. ② 헌법의, 입헌적인. ③ 보건(상)의. ④ 구성〔조직〕의. ~ ***formula*** 〖化〗 구조식. ~ ***government***〔***monarchy***〕 입헌 정치〔군주국〕. ― *n.* Ⓒ (건강을 위한) 운동, 산책. ~**·ism**[-nəlìzəm] *n.* Ⓤ 입헌제〔주의〕; 헌정(憲政) 옹호. ~**·ist** *n.* ~**·i·ty**[∠–∠–ǽləti] *n.* Ⓤ 합헌성. ~**·ly** *ad.* 선천〔본질〕적으로; 헌법상.
:**con·strain**[kənstréin] *vt.* ① 강제하다(compel) (*to*). ② 억누르다(repress). ③ 속박하다. ***be*** ~***ed to*** (*do*) 부득이〔할 수 없이〕 …하다. ~**ed**[-d] *a.* 강제된, 무리한. *~**t** *n.* Ⓤ 강제; 억압; 속박.
con·strict[kənstríkt] *vt.* 단단히〔꽉〕 죄다. ~**·ed**[-id] *a.* 꽉 죄인;

갑갑한. **con·stríc·tion** *n.* **-tive** *a.* **-tor** *n.* Ⓒ 왕뱀(cf. boa); 괄약근; 압축기.

con·strin·gen·cy [kənstríndʒənsi] *n.* Ⓤ 수축성.

:con·struct [kənstrʌ́kt] *vt.* ① 조립하다; 세우다, 구성하다. ② 〖幾〗 작도(作圖)하다. ── [kɑ́nstrʌkt/kɔ́n-] *n.* Ⓒ 구조물; 구문(構文); 〖心〗 구성 개념. **~·er, -struc·tor** *n.*

:con·struc·tion [kənstrʌ́kʃən] *n.* ① Ⓤ 건조, 건축; 건축 양식; 건설업. ② Ⓒ 건조물. ③ Ⓒ 구문(構文). ④ Ⓤ 작도(*a* ~ *problem* 작도 문제). ⑤ Ⓒ 해석(<construe). ***put a false* ~ *on*** …을 곡해하다. **~·al** [-ʃənəl] *a.* **~·ism** [-ìzəm] *n.* = CONSTRUCTIVISM. **~·ist** *n.* Ⓒ 법령 해석자; 〖美術〗 =CONSTRUCTIVIST.

***con·struc·tive** [-tiv] *a.* 구성(구조)상의, 구성적인; 건설적인(opp. destructive).

con·struc·tiv·ism [-tivìzəm] *n.* Ⓤ 〖美術〗 구성주의, 구성파. **-ist** *n.* Ⓒ 구성화의 화가.

***con·strue** [kənstrúː] *vt.* (구문을) 해부하다(analyze), 해석하다. ── *vi.* 해석하다; (문장이) 해석되다. ⇨ CONSTRUCTION.

con·sub·stan·tial [kɑ̀nsəbstǽnʃəl/kɔ̀n-] *a.* 동체(동질)의.

con·sue·tude [kɑ́nswitjùːd/kɔ́nswitjùːd] *n.* Ⓤ 습관; (법적인) 관례.

con·sul** [kɑ́nsəl/-ɔ́-] *n.* Ⓒ ① 영사. ② (고대 로마의) 집정관. ③ 〖프史〗 집정. ***acting (***hono***(***u***)***rary***) **~** 대리(명예) 영사. **~·ship** [-ʃìp] *n.* Ⓤ 영사의 직(임기).

con·su·lar [kɑ́nsələr/kɔ́nsju-] *a.* 영사의; 집정(관)의.

cónsular ínvoice 〖商〗 영사 증명 「송장.

con·su·late [kɑ́nsəlit/kɔ́nsju-] *n.* Ⓒ 영사관; Ⓤ 영사의 직(임기).

cónsulate géneral 총영사관.

cónsul géneral 총영사.

:con·sult [kənsʌ́lt] *vt.* ① 상의(의논)하다; 의견을 듣다; (의사의) 진찰을 받다. ② (참고서를) 조사하다, (사전을) 찾다. ③ (이해·감정 따위를) 고려하다(consider). **~ *a person's convenience*** (아무의) 사정을 고려하다. ── *vi.* 상의하다(*with*). **~·a·ble** *a.* 협의(자문)의.

con·sul·tan·cy [kənsʌ́ltənsi] *n.* Ⓤ,Ⓒ 컨설턴트업(무).

***con·sult·ant** [kənsʌ́ltənt] *n.* Ⓒ ① 의논자; 의논(상의) 상대. ② 고문; 고문 의사, 고문 기사.

***con·sul·ta·tion** [kɑ̀nsəltéiʃən/-ɔ̀-] *n.* ① Ⓤ,Ⓒ 상담, 협의; 진찰; (변호사의) 감정. ② Ⓒ 협의회. ③ Ⓤ 참고, 참조.

con·sult·ing [kənsʌ́ltiŋ] *a.* 진찰(고문)의. **~ *physician*** (***lawyer***) 고문 의사(변호사). **~ *room*** 진찰실.

con·sum·a·ble [kənsúːməbəl] *a.* 소비(소모)할 수 있는. ── *n.* Ⓒ (보통 *pl.*) 소모품.

:con·sume [kənsúːm] *vt.* ① 소비(소모)하다, 다 써버리다(use up). ② 다 먹어(마셔) 치우다; 다 불태워 버리다. ── *vi.* 다하다, 소멸(소모)하다. ***be* ~*d with*** (비탄으로) 몸이 여위다; (질투·분노로) 가슴을 태우다.

:con·sum·er [-ər] *n.* Ⓒ 소비자.

consúmer reséarch 소비자 수요 조사. 「RESISTANCE.

consúmer resístance =SALES

consúmer(s') gòods 소비재.

consúmer(s') prìce ìndex 소비자 물가 지수(생략 CPI).

***con·sum·mate** [kɑ́nsəmèit/kɔ́n-] *vt.* 이루다, 성취(완성)하다. ── [kənsʌ́mət] *a.* 무상의, 완전한(perfect). **-ma·tion** [⌐-méiʃən] *n.* Ⓤ 완성.

:con·sump·tion [kənsʌ́mpʃən] *n.* Ⓤ ① 소비(consuming); 소모. ② 소모병, (폐)결핵. **-tive** *a., n.* 소비(소모)의; Ⓒ 폐병의 (환자).

consúmption gòods =CONSUMER(S') GOODS.

Cont. Continental. **cont.** containing; contents; continent (-al); continue(d); contract.

:con·tact [kɑ́ntækt/-ɔ́-] *n.* Ⓤ 접촉(touch); 교제. ***come in*** (***into***) **~ *with*** …와 접촉하다. ***lose* ~ *with*** …와의 접촉이 두절되다. ── [kəntǽkt] *vt., vi.* 접촉시키다(하다); 연락을 취하다.

cóntact brèaker (전류의) 차단기.

cóntact càtalysis 〖化〗 접촉(촉매) 작용.

cóntact flỳing (**flìght**) 접촉(유시계(有視界)) 비행.

cóntact lèns 콘택트 렌즈.

cóntact màker 전류 접촉기.

cóntact mìne 촉발 수뢰.

con·tac·tor [kɑ́ntæktər/kɔ́n-] *n.* Ⓒ 〖電〗 전류 단속기.

cóntact prìnt 밀착 인화.

con·ta·gion [kəntéidʒən] *n.* ① Ⓤ (접촉) 전염. ② Ⓒ 전염병; 악영향. ***-gious** *a.* 전염성의.

†con·tain [kəntéin] *vt.* ① 포함(함유)하다; 넣다. ② …이 들어가다(있다)(hold). ③ (감정·소변 따위를) 참다. ***be* ~*ed between*** (***within***) … 사이(안)에 있다. **~·ment** [-mənt] *n.* Ⓤ 견제; 봉쇄.

con·tained [kəntéind] *a.* 자제(억제)하는; 조심스러운.

:con·tain·er [kəntéinər] *n.* Ⓒ 용기(容器); (화물 수송용) 컨테이너. **~·ize** [-àiz] *vt.* 컨테이너에 넣다(로 수송하다). **~·ship** [-ʃìp] *n.* Ⓒ 컨테이너선.

contáinment pólicy (공산 세력에 대한) 봉쇄 정책.

con·tam·i·nant [kəntǽmənənt] *n.* Ⓒ 오염균(물질).

con·tam·i·nate [kəntǽmənèit] *vt.* 더럽히다, 오염하다.

***con·tam·i·na·tion** [kəntæ̀mənéiʃən] *n.* ① Ⓤ 오염. ② Ⓒ 더럽히는

것. ③ Ⓤ 〖言〗 혼성(混成). ***radioactive*** ~ 방사능 오염.
contd. contained; continued.
conte[kɔ̃:nt] *n.* (F.) Ⓒ 콩트.
contemn[kəntém] *vt.* 경멸하다.
:con·tem·plate [kántəmplèit/kɔ́ntem-] *vt.* ① 응시하다, 눈여겨〔뚫어지게〕 보다(gaze at). ② 숙고하다(study carefully), 심사(深思)하다. ③ 예기하다; 꾀〔계획〕하다(~ *a trip;* ~ *visiting Lake Como*). ***be lost in*** ~ 명상에 잠겨 있다. ***have*** (*a thing*) ***in*** 〔***under***〕 ~ (어떤 일을) 계획하고 있다. — *vi.* 심사하다. **-pla·tor**[-ər] *n.* Ⓒ 숙고자.
:con·tem·pla·tion [kàntəmpléiʃən/kɔ̀ntem-] *n.* Ⓤ ① 눈여겨 봄. ② 숙고, 명상. ③ 계획. 예상. ***in*** ~ 계획중. **-tive**[kəntémplətiv, kántəmplèi-/kɔ́ntemplèi-] *a.*
con·tem·po·ra·ne·ous[kəntèmpəréiniəs] *a.* 동시대의. **~·ly** *ad.*
:con·tem·po·rar·y[kəntémpərèri/-pərəri] *a., n.* Ⓒ ① 같은 시대의(사람, 잡지); 현대의. ② 같은 나이의(사람). ③ (신문의) 동업자.
:con·tempt[kəntémpt] *n.* Ⓤ 모욕, 경멸(disdain)(*for*); 치욕. ***~·i·ble**[-əbəl] *a.* 야비한(mean).
***con·temp·tu·ous**[kəntémptʃuəs] *a.* 경멸적인〔하는〕. ***~·ly** *ad.* **~·ness** *n.*
:con·tend [kənténd] *vi.* 다투다(fight), 경쟁하다(compete) (*with*); 논쟁하다(debate). — *vt.* 주장하다(maintain)(*that*). **~·er** *n.* Ⓒ 경쟁〔주장〕자.
:con·tent[1][kántent/-ɔ́-] *n.* ① (*pl.*) 알맹이; 내용, 목차. ② Ⓤ (때로 *pl.*) 용적, 용량. ③ Ⓤ 요지. ~ ***analysis*** 〖社會·心〗 내용 분석《매스커뮤니케이션의》.
:con·tent[2][kəntént] *vt.* (…에) 만족시키다(satisfy)(~ *oneself* 만족하다)(*with*). — *pred. a.* 만족하여; 흐뭇해하여. — *n.* Ⓤ 만족. ***to one's heart's*** ~ 마음껏. ***~·ed**[-id] *a.* 만족한. ***~·ment** *n.* Ⓤ 만족.
***con·ten·tion**[kənténʃən] *n.* ① Ⓤ 다툼; 경쟁(contest); 논쟁(dispute). ② Ⓒ 논(쟁)점. **-tious** *a.* 다투기〔말다툼〕 좋아하는, 걸핏하면 싸우려 드는; 〖法〗 소송의.
con·ter·mi·nous [kəntə́:rmənəs/kɔn-] *a.* 경계를 같이하는, 서로 인접하는; 동일 연장(延長)의.
†con·test[kántest/-ɔ́-] *n.* Ⓒ 다툼, 논쟁; 경쟁, 경연, 콩쿠르. — [kəntést] *vt., vi.* 다투다, 경쟁하다; 논쟁하다. **con·tést·ant** *n.* Ⓒ 경쟁자; 경기〔경연〕자, 소송 당사자. **con·tes·ta·tion**[kàntestéiʃən/-ɔ̀-] *n.* Ⓤ 논쟁, 주장, 쟁점.
***con·text**[kántekst/-ɔ́-] *n.* Ⓒ,Ⓤ 문맥; 정황, 배경, 경위. **con·tex·tu·al**[kəntékstʃuəl] *a.*
con·tig·u·ous[kəntígjuəs] *a.* 접촉〔인접〕하는(adjoining). **con·ti·gu·i·ty**[kàntəgjú(:)iti/kɔ̀n-] *n.*
†con·ti·nent[1][kántənənt/kɔ́n-] *n.* ① Ⓒ 대륙; 본토, 육지. ② (the C-) 유럽 대륙.
con·ti·nent[2] (< contain) *a.* 절제하는(temperate), 금욕적인; 정절의(chaste). **-nence, -nen·cy** *n.* Ⓤ 절제; 정조(chastity). **~·ly** *ad.*
:con·ti·nen·tal[kàntənéntl/kɔ̀n-] *a.* 대륙의. **~·ism**[-təlìzəm] *n.* Ⓤ 대륙주의〔기질〕.
continéntal bréakfast (커피, 롤빵, 주스 정도의) 가벼운 아침 식사.
Continéntal Cóngress 〖美史〗 대륙회의《독립 전후 필라델피아에서 두 번(1774-89) 열린 각 주 대표자 회의》.
continéntal divíde 대륙 분수령; (the C- D-) 로키 산맥 분수령.
continéntal shélf 〖地〗 대륙붕.
continéntal Súnday (휴식이나 예배보다는) 레크리에이션을 위한 일요일.
continéntal sỳstem 대륙 봉쇄《나폴레옹의 1806년 대영 정책》.
con·tin·gen·cy [kəntíndʒənsi] *n.* ① Ⓤ 우연(성). ② Ⓒ 우발 사건.
contíngency tàble 〖統〗 분할표(分割表).
con·tin·gent[-dʒənt] *a.* 뜻하지 않은, 임시의; 있을 수 있는(*to*); …나름인(*upon*). — *n.* ① Ⓒ 우발사건(contingency); 몫. ② 《집합적》 분견(分遣)(함)대. **~·ly** *ad.*
contíngent liabílity 불확정 책임액《우발 사건에 대해 지출된》.
:con·tin·u·al[kəntínjuəl] *a.* 끊임없는, 연속적인, 빈번한(~ *bursts of laughter* 잇단 폭소). **:~·ly** *ad.*
***con·tin·u·ance**[kəntínjuəns] *n.* Ⓤ 연속, 계속(기간); 〖法〗 연기.
con·tin·u·ant[kəntínjuənt] *a., n.* Ⓒ 〖音聲〗 계속음(의)《[f, r, s, v] 등 음색을 바꾸지 않고 길게 발음할 수 있는 자음》.
***con·tin·u·a·tion** [kəntìnjuéiʃən] *n.* ① Ⓤ 계속, 연속. ② Ⓒ (이야기의) 계속, 속편(sequel). ③ Ⓒ 연장(부분).
continuátion schòol 보습 학교.
con·tin·u·a·tive [kəntínjuèitiv/-ətiv] *a., n.* Ⓒ 연속적인 (것); 〖文〗 계속사.
†con·tin·ue[kəntínju:] *vi.* 계속하다; 계속해서〔변함없이〕 …하다〔이다〕. — *vt.* 계속하다, 연장〔연기〕하다. ***~d fraction*** 〔***proportion***〕 〖數〗 연분수〔연비례〕. ***~d story*** 연재 소설. ***To be ~d.*** 계속, 이하 다음 호에.
***con·ti·nu·i·ty** [kàntənjú:əti/kɔ̀n-] *n.* Ⓤ ① 연속, 계속, 연결. ② 촬영〔방송〕 대본(scenario; radio script).
continúity gìrl 〔**clèrk**〕 〖映〗 필름 편집원.
:con·tin·u·ous[kəntínjuəs] *a.* 연속적인, 끊이지 않는(unbroken) (*a* ~ *flow, rain, &c.*). **~·ly** *ad.*
contínuous cúrrent 〖電〗 직류.

C

contínuous índustry 일관 생산 업.
con·tin·u·um[kəntínjuəm] *n.* (*pl.* ***-tinua*** [-tínjuə], **~*s***) Ⓒ 연속(체).
con·tort[kəntɔ́:*r*t] *vt.* 비틀다, 구부리다(twist), 일그러지게 하다; 왜곡하다. **-tór·tion** *n.* **-tór·tion·ist** *n.* Ⓒ(몸을 자재로 구부리는) 곡예사.
***con·tour**[kántuə*r*/-ɔ́-] *n.* Ⓒ 윤곽
cóntour lìne 등고선. ⌊(outline).
cóntour màp 등고선 지도.
con·tra-[kántrə/kɔ́n-] '반(비, 역)···'의 뜻의 결합사 : *contra*ception, *contra*dict.
con·tra·band [kántrəbæ̀nd/-ɔ́-] *a., n.* Ⓤ 금제의; 금제〔밀매〕품; 밀무역(smuggling). **~ *of war*** 전시 금제품. **~·ist** *n.*
con·tra·bass[-bèis] *n.* Ⓒ 콘트라베이스(double bass).
con·tra·bas·soon[-bəsú:n] *n.* Ⓒ 콘트라바순(double bassoon).
con·tra·cep·tion [kàntrəsépʃən/-ɔ̀-] *n.* Ⓤ 피임. **-tive** *a., n.* 피임의; Ⓒ 피임약〔용구〕.
:con·tract [kántrækt/-ɔ́-] *n.* ① Ⓤ,Ⓒ 계약; 청부; Ⓒ 계약서. ② Ⓒ 약혼. ③ =**∠ brídge** 〖카드〗 점수 계약식의 브리지. ***make*** 〔***enter into***〕 ***a ~ with*** ···와 계약을 맺다. ── [kántrækt/kəntrǽkt] *vt.* ① 계약하다. ② (혼인·친교를) 맺다. ③ (못된 버릇이) 들다, (병에) 걸리다, (감기가) 들다; (빚을) 지다. ④ 수축(收縮)시키다. **~ *note*** 약속 어음, 계약서. ── *vi.* 계약하다; 수축되다. **~·ed**[-id] *a.* 수축된; 도량이 좁은. **~·i·ble**[kəntrǽktəbəl] *a.* 수축할 수 있는. **con·trac·tile**[-til/-tail] *a.* 수축성의. ***con·trác·tion** *n.* Ⓤ,Ⓒ 단축, 수축; 〖文〗 생략, 축약. ***con·trác·tor** *n.* Ⓒ 청부인; 수축근(筋).
con·trac·tu·al[-tʃuəl] *a.*
***con·tra·dance**[kántrədæ̀ns/kɔ́ntrədà:ns] *n.* =CONTREDANSE.
con·tra·dict**[kàntrədíkt/-ɔ̀-] *vt.* ① 부정하다(deny); 반박하다. ② (···와) 모순되다. **~ *oneself 모순된 말〔짓〕을 하다. ***-dic·tion**[-díkʃən] *n.* **-dic·to·ry**[-təri] *a.*
còntra·distínction *n.* Ⓤ 대조, 대비(對比).
còntra·distínguish *vt.* 대조하여 구별하다(A *from* B); 대비하다.
con·trail[kántreil/-ɔ́-] (<*con*densation *trail*) *n.* =VAPOR TRAIL.
con·tral·to[kəntrǽltou] *n.* (*pl.* **~*s***, ***-ti***[-ti:]) ① Ⓤ 〖樂〗 콘트랄토《여성 최저음》. ② Ⓒ 콘트랄토 가수.
con·tra·prop [kántrəpràp/kɔ́ntrəprɔ̀p] *n.* Ⓒ 〖空〗 동축(同軸) 이중 반전(反轉) 프로펠러.
con·trap·tion[kəntrǽpʃən] *n.* Ⓒ 《美口》 신안(新案)(device); 《英俗》 (기묘한) 장치(gadget).
con·tra·pun·tal[kàntrəpʌ́ntl/-ɔ̀-] *a.* 〖樂〗 대위법(counterpoint)의〔에 의한〕. **~·ly**[-təli] *ad.*
con·tra·ri·e·ty[-ráiəti] *n.* ① Ⓤ 반대, 모순. ② Ⓒ 모순점.
con·tra·ri·ly[kántrerəli/kɔ́n-] *ad.* ① 반대로, 이에 반해. ② [kəntrέərəli] 심술궂게(perversely); 완고하게.
con·tra·ri·wise [kántreriwàiz/kɔ́n-] *ad.* 거꾸로, 반대로; 짓궂게; 고집 세게.
:con·tra·ry[kántreri/kɔ́n-] *a.* ① 거꾸로의, 반대의. ② [kəntrέəri] 빙퉁그러진(perverse). ── *n.* (the ~) 반대, 역(逆). ***by contraries*** 정반대로. ***on the ~*** 이에 반하여; 그렇긴커녕. ***to the ~*** 그와는 반대로〔의〕(*an opinion to the ~* 반대 의견). ── *ad.* (···에) 반하여(*to*).
:con·trast[kántræst/kɔ́ntra:-] *n.* ① Ⓤ 대조(*between*). ② Ⓤ,Ⓒ 차이(점). ── [kəntrǽst/-á:-] *vt.* 대조하다(~ *this with that* 이것과 저것과를 비교하다). ── *vi.* (···와) 현저히 다르다(*with*).
con·tras·tive[kəntrǽstiv] *a.* 대조적인. **~ *linguistics*** 대조 언어학.
con·tra·vene[kàntrəví:n/-ɔ̀-] *vt.* 어기다, 위배하다, 범하다(violate); 반대하다; (···와) 모순되다. **con·tra·vén·tion** *n.*
con·tre·danse [kántrədæ̀ns/kɔ́n-] *n.* (F.) Ⓒ 대무(對舞)(곡).
con·tre·temps[kántrətà:ŋ/kɔ́n-] *n.* (*pl.* ~[-z]) (F.) Ⓒ 뜻밖의 일〔사고〕.
:con·trib·ute[kəntríbju:t] *vt., vi.* ① 기부〔기증〕하다. ② 기고(寄稿)하다. ③ 이바지〔공헌·기여〕하다. ***-u·tor**[-tríbjətə*r*] *n.*
:con·tri·bu·tion [kàntrəbjú:ʃən/kɔ̀n-] *n.* ① Ⓤ 기부, 기증; 공헌; Ⓒ 기부금. ② Ⓤ 기고(寄稿).
con·trib·u·tive[kəntríbjətiv] *a.* 기여〔이바지〕하는(*to*).
con·trib·u·to·ry [kəntríbjətɔ̀:ri/-təri] *a.* 기여하는. **~ *negligence*** 〖法〗 기여 과실(寄與過失).
con·trite[kəntráit/kɔ́ntrait] *a.* (죄를) 뉘우친(penitent). **con·tri·tion** [-tríʃən] *n.*
:con·trive[kəntráiv] *vt.* ① 연구〔발명·고안〕하다. ② 꾀하다(plot). ③ 그럭저럭 ···하다(manage)(*to* do); (불행 따위를) 일부러 부르다. ── *vi.* 연구〔계획〕하다. ***con·triv·ance** [-əns] *n.* Ⓤ 고안; Ⓒ 고안품; 장치; 계략. **con·trív·er** *n.*
†con·trol[kəntróul] *n.* ① Ⓤ 지배(력), 관리, 통제, 억제; 〖컴〗 제어, 컨트롤. ② Ⓒ (실험의) 대조 표준. ③ Ⓒ (보통 *pl.*) 조종 장치. ***be in ~ of*** ···을 관리하고 있다. ***bring*** 〔***keep***〕 ***under ~*** (억)누르다, 억제하다. **~*ed economy*** 통제 경제. **~ *of production*** 생산 관리. ***out of*** 〔***beyond***〕 **~** 지배가 미치지 못하는, 억누를 수 없는. ***without ~*** 제멋대로. ── *vt.* (**-ll-**) 지배〔관리·통제·

억제]하다; (회계를) 감사하다. ***~·ler** *n.* Ⓒ 다잡는 사람, 관리인; (회계) 감사관(comptroller); 〖電·컴〗 제어기. 「간.
contról còlumn 〖空〗 회전식 조종
contról pànel 〖컴〗 제어판.
contról ròd (원자로의) 제어봉.
contról ròom (녹음 스튜디오 등의) 조정실.
contról stìck 〖空〗 (앞뒤 및 좌우로 움직이는) 조종간(桿).
contról tòwer 〖空〗 관제탑.
***con·tro·ver·sy** [kántrəvə̀:rsi/-ɔ́-] *n.* U,C 논쟁, 논의; 말다툼. *beyond* [*without*] ~ 논쟁의 여지 없이, 당연히. **-sial** [ˌ-və́:rʃəl] *a.*
con·tro·vert [kɑntrəvə́:rt] *vt.* 반박하다; 논쟁하다. **~·i·ble** [ˌ-və́:rtəbəl] *a.* 논의의 여지가 있는.
con·tu·ma·cious [kὰntjuméiʃəs/kɔ̀n-] *a.* 복종하지 않는; 법정 소환에 응하지 않는. **-ma·cy** [ˊ-məsi] *n.* U 불순종, 완고.
con·tu·me·ly [kəntjú:məli, kántjumìli/kɔ́ntjumi-] *n.* U,C 오만 무례; 모욕. **-li·ous** [ˌ-mí:liəs] *a.* 모욕적인, 무례한.
con·tuse [kəntjú:z] *vt.* (…에게) 타박상을 입히다(bruise). **-tu·sion** [-ʒən] *n.* U,C 타박상.
co·nun·drum [kənʌ́ndrəm] *n.* Ⓒ 수수께끼; 재치 문답; 수수께끼 같은 인물.
con·ur·ba·tion [kὰnə:rbéiʃən/-ɔ̀-] *n.* Ⓒ 집합 도시, 광역도시권.
con·va·lesce [kὰnvəlés/-ɔ̀-] *vi.* (병이) 차도가 있다, 건강을 회복하다.
con·va·les·cent [kὰnvəlésnt] *a., n.* Ⓒ 회복기의 (환자). **-cence** *n.* U 회복(기).
con·vec·tion [kənvékʃən] *n.* U 〖理·氣〗 대류(對流); 전달.
convéction cùrrent 〖電〗 대류 전류; 〖理〗 전류.
con·vec·tor [kənvéktər] *n.* Ⓒ 대류식(對流式) 난방기.
con·vene [kənví:n] *vt.* 소집[소환]하다(summon). — *vi.* 회합하다.
:con·ven·ience [kənví:njəns] *n.* ① U 편리, 형편좋음. ② Ⓒ (의식주의) 편의; 편리한 것; 《英》 변소(privy). *at one's* ~ 편리하도록[한 때에].
convénience fòod 인스턴트 식품. 「식품.
convénience gòods 일용 잡화
convénience màrket 일용 잡화 식료품 시장.
convénience òutlet 실내 콘센트. 「품점, 편의점.
convénience stòre 일용 잡화 식
:con·ven·ient [-njənt] *a.* 편리한, 형편이 좋은. *make it* ~ *to* do 형편을 보아서. *when it is* ~ *to* (*you*) (당신)의 형편이 좋을 때. ***~·ly** *ad.*
***con·vent** [kánvənt/-ɔ́-] *n.* Ⓒ 수녀원(nunnery) (cf. monastery); 수녀단.
con·ven·ti·cle [kənvéntikəl] *n.* Ⓒ 〖英史〗 비(非)국교도의 비밀 집회(소).
:con·ven·tion [kənvénʃən] *n.* Ⓒ ① 협의회, 집회. ② 협약. ③ (사회의) 관례[관습], 인습.
con·ven·tion·al** [-ʃənəl] *a.* 관습[인습]적인. ~ ***weapons (핵무기에 대해) 재래식 병기. **~·ism** [-ʃənəlìzəm] *n.* ① U 관례 고수, 전통주의. ② Ⓒ 상투어구. **~·ist** [-ʃənəlist] *n.* **~·i·ty** [-ˌ-ʃənǽləti] *n.* U 관례 존중; Ⓒ 인습, 관례. **~·ize** [-ʃənəlàiz] *vt.* 인습화하다. **~·ly** *ad.*
convéntional tàriff 협정 세율.
con·ven·tion·eer [kənvènʃəníər] *n.* Ⓒ 《美》 대회[회의] 참석자.
con·verge [kənvə́:rdʒ] *vi., vt.* 한 점에 집중하다[시키다]; 한 점에 모으다[모아지다].
con·ver·gence [kənvə́:rdʒəns], **-gen·cy** [-i] *n.* U 집중(성); 수렴; 폭주. 「집중하는.
con·ver·gent [-ənt] *a.* (한 점에)
convérging léns 〖理〗 수렴(收斂) 렌즈.
con·vers·a·ble [kənvə́:rsəbl] *a.* 말하기 좋아하는, 말붙이기 쉬운.
con·ver·sant [kənvə́:rsənt] *a.* 잘 알고 있는, 친한 (사이의)(*with*).
†con·ver·sa·tion [kὰnvərséiʃən/-ɔ̀-] *n.* U,C 회화; 담화. ***~·al** [-ʃənəl] *a.* 회화(체)의; 좌담을 잘[좋아]하는. **~·al·ist** *n.*
conversátion pìece 풍속화; 화제가 되는 것.
conversátion stòpper 《口》 (바로 대답할 수 없는) 뜻밖의 발언.
:con·verse[1] [kənvə́:rs] *vi.* 이야기[담화]하다(*with*). — [kánvə:rs/-ɔ́-] *n.* U 담화.
***con·verse**[2] [kánvə:rs/-ɔ́-] *n., a.* (the ~) 역(逆)(의); 〖論〗 전환 명제.
***con·ver·sion** [kənvə́:rʒən, -ʃən] *n.* U ① 전환; 전향; 개종. ② 환산, 환전. ③ 횡령. ④ 〖컴〗 변환.
convérsion còst 〖經〗 (원료를 상품으로 만드는 과정의) 전환 코스트.
convérsion ràtion 〖理〗 변환비 《원자로 속에서 핵분열성 원자 1개에서 새로 생기는 원자수》.
convérsion tàble (도량형 등의) 환산표; 〖컴〗 변환표.
:con·vert [kənvə́:rt] *vt.* ① 바꾸다, 전환[전향·개심]시키다(turn). ② 대환[환산]하다. ③ 횡령하다. ④ 〖컴〗 변환하다. — [kánvə:rt/-ɔ́-] *n.* Ⓒ 개종[전향]자. **~·er, -vér·tor** *n.* Ⓒ convert하는 사람; 〖電·컴〗 변류기; 변환기[장치]; 〖冶〗 전환로. **~·i·bil·i·ty** [-ˌ-təbíləti] *n.* ***~·i·ble** [-əbl] *a.* ~***ible note*** 태환권.
con·vert·i·plane, -vert·a- [kənvə́:rtəplèin] *n.* Ⓒ (수직 비행이 가능한) 전환식 비행기.
***con·vex** [kɑnvéks, ˊ-/kɔnvéks] *a.* 볼록한, 철면(凸面)의(opp. con-

cave). — [kánveks/kɔ́nveks] *n.* Ⓒ 볼록면〔렌즈〕. **~·i·ty**[kənvéksəti, -ɑ-/-ɔ-] *n.*

:con·vey[kənvéi] *vt.* ① 나르다; 운반하다. ② 전하다, 전달하다(transmit), 나타내다. ③ 〖法〗 양도하다.

***con·vey·ance**[-əns] *n.* Ⓤ,Ⓒ ① 운반, 수송 (기관); 전달. ② 〖法〗 양도(증서). **-anc·er** *n.* Ⓒ 운반〔전달〕자; 〖法〗 (부동산) 양도 취급인.

con·vey·er, -or[-ər] *n.* Ⓒ 수송자〔장치〕, 컨베이어; 양도인.

convéyer bèlt 컨베이어 벨트.

convéyer sỳstem 컨베이어 시스템, 유동 작업 방식.

C

***con·vict**[kənvíkt] *vt.* (…의) 유죄를 증명하다(*of*); 유죄를 선고하다(declare guilty); (…에게) 과오를 깨닫게 하다. — [kánvikt/-ɔ́-] *n.* Ⓒ 죄인, 죄수(*an ex-~* 전과자).

:con·vic·tion[kənvíkʃən] *n.* ① Ⓤ,Ⓒ 확신, 신념. ② Ⓤ,Ⓒ 유죄 판결. ③ Ⓤ 죄의 자각, 회오. ④ Ⓤ 심복시킴, 설득(력).

:con·vince[kənvíns] *vt.* 확신〔납득〕시키다(*of, that*). **be ~d** 확신하다(*of, that*). **con·vin·ci·ble**[-əbəl] *a.* 설득할 수 있는. **con·vínc·ing** *a.* 납득이 가는.

con·viv·i·al[kənvíviəl] *a.* 연회의; 연회〔잔치〕를 좋아하는, 명랑한(jovial). **~·i·ty**[-vìviǽləti] *n.*

con·vo·ca·tion[kànvəkéiʃən/-ɔ̀-] *n.* Ⓤ (회의의) 소집; Ⓒ 집회; (C-) 〖英大學〗 평의회; (C-) 〖英國國敎〗 성직회의. **-ca·tor**[⌐-⌐tər] *n.* Ⓒ (회의) 소집자, 참집자.

con·voke[kənvóuk] *vt.* (의회 등을) 소집하다.

con·vo·lute[kánvəlù:t/-ɔ́-] *a., vt., vi.* 회선상(回旋狀)의; 말다, 감다. **-lu·tion**[⌐-⌐ʃən] *n.*

con·volve[kənválv/-vɔ́lv] *vt., vi.* 감다; 감기다; 둘둘 말다.

con·vol·vu·lus[kənválvjələs/-ɔ́-] *n.* (*pl.* **~es, -li**[-lài]) Ⓒ 〖植〗 메꽃(류).

***con·voy**[kánvɔi, kənvɔ́i/kɔ́nvɔi] *vt.* 호위〔호송〕하다. — [kánvɔi/-ɔ́-] *n.* Ⓤ 호송; Ⓒ 호위자, 호위함(艦).

con·vulse[kənvʌ́ls] *vt.* (격렬히) 진동시키다; (경련을) 일으키다, 몸을 떨다. **be ~d with laughter** 〔**anger**〕 포복 절도하다〔노여움으로 몸을 부들부들 떨다〕. ***con·vúl·sion** *n.* ① Ⓒ 격동; (사회적) 동요. ② (*pl.*) 몸의 뒤틂. **con·vúl·sive** *a.*

co·ny, -ney[kóuni] *n.* Ⓤ 토끼의 털(rabbit fur); Ⓒ 토끼.

***coo**[ku:] *vi.* (비둘기가) 구구 울다; 밀어를 속삭이다(BILL² *and ~*). — *n.* Ⓒ 구구구《비둘기 따위의 울음 소리》.

†cook[kuk] *vt.* ① (불에) 요리하다. ② 《口》 조작〔날조〕하다, 변경하다(tamper with)(*~ accounts* 장부를 속이다). ③ 열〔불〕에 쬐다. ④ 《俗》 잡치다(ruin); 해치우다; 피로케 하다(*I am ~ed.* 몹시 지쳤다). — *vi.* 요리되다(*The dinner is ~ing.*); 취사하다; 숙수로 일하다. **~ a person's goose** 《俗》 아무를 해치우다, 실패케 하다. **~ up** 조작하다. — *n.* Ⓒ 요리사, 쿡. **be a good** 〔**bad**〕 **~** 요리 솜씨가 좋다〔나쁘다〕. **⌐·er** *n.* Ⓒ 냄비, (가마)솥; 요리용 식품〔과일〕.

cóok·bòok *n.* Ⓒ 《美》 요리책.

***cook·er·y**[⌐əri] *n.* ① Ⓤ 요리(법). ② Ⓒ 취사장.

***cóokery bòok** 《英》 =COOKBOOK.

cóok·hòuse *n.* Ⓒ 취사장.

***cook·ie, -y**[kúki] *n.* Ⓒ 《美》 쿠키《납작한 케이크》; 《Sc.》 빵.

cóokie-cùtter *a.* 《美》 개성 없는, 틀에 박힌, 흔해빠진.

:cook·ing[kúkiŋ] *n., a.* Ⓤ 요리(법); 요리용의.

cóok·òut *n.* Ⓒ 야외 요리〔파티〕.

cóok·shòp *n.* Ⓒ 작은 요리점.

cóok's tóur 일정이 꽉 짜인 관광 여행; 대강 훑어 봄.

cóok·stòve *n.* Ⓒ 《美》 요리용 레인지.

†cool[ku:l] *a.* ① 시원〔서늘〕한; (기분 좋게) 차가운. ② 냉정〔침착〕한(calm); 냉담한(cold). ③ 뻔뻔스러운(impudent) (*have a ~ cheek* 철면피다). ④ 《口》 정미(正味)의, 에누리 없는(*It cost me a ~ thousand dollars.* 에누리 없는 천 달러나 들었다). **as ~ as a cucumber** 아주 냉정〔침착〕한. — *n.* (the ~) 냉기; 서늘한 곳. **keep one's ~** 《俗》 침착하다. — *vt., vi.* ① 차게 하다〔식히다〕; 차지다, 식다. ② (마음을) 가라앉히다, 가라앉다. **~ one's heels** 《口》 오래 기다리게 되다. **:⌐·er** *n.* Ⓒ 냉각기; 청량음료; (the ~) 《美俗》 교도소. **⌐·ish** *a.* 좀 차가운. **:~·ly**[kú:*l*li] *ad.* ***⌐·ness** *n.*

cool·ant[kú:lənt] *n.* Ⓤ,Ⓒ 〖機〗 냉각제〔수〕.

cóol-héaded *a.* 침착한.

coo·lie, -ly[kú:li] *n.* Ⓒ (인도·중국 등의) 쿨리; 하급 노무자.

cóoling-óff *a.* (분쟁 등을) 냉각시키기 위한.

cóol jázz 쿨 재즈《모던 재즈의 한 형식》.

coomb(**e**)[ku:m] *n.* Ⓒ 《英》 협곡(峽谷)(ravine); 산허리의 깊은 골짜기(hollow).

coon [ku:n] *n.* Ⓒ 너구리의 일종(raccoon); 《美口》 녀석.

cóon's àge 《口》 기나긴 동안.

coop[ku:p] *n., vt.* Ⓒ 닭장〔계사〕(에 넣다); 가두다(confine)(*in, up*).

co-op[kóuɑp, —⌐/kóuɔp] *n.* Ⓒ 《口》 소비조합 매점(cooperative store).

co-op. cooperation; cooperative.

coop·er[kú:pər] *n., vt.* Ⓒ 통(메)장이; (통을) 고치다.

:co·op·er·ate[kouɑ́pərèit/-ɔ́-] *vi.*

① 협동〔협력〕하다. ② (사정 따위가) 서로 돕다. **:-a·tion**[-ˊ-éiʃən] *n.* Ⓤ 협력, 협동(조합). **-a·tor** *n.* Ⓒ 협력자; 소비조합원(員).
co·op·er·a·tive** [kouápərətiv/-ɔ́-] *a., n.* 협동의; Ⓒ 협동조합(의). ~ ***society 협동〔소비〕조합. ~ ***store*** =COOP.
co-opt[-ápt/-ɔ́-] *vt.* 신(新)회원으로 선출하다. **co-op·ta·tion**[ˋ-téiʃən], **co-op·tion**[-ápʃən/-ɔ́-] *n.* Ⓤ 신회원 선출.
***co·or·di·nate**[kouɔ́ːrdənit] *a., n.* Ⓒ ① 동등〔동격〕의 (것). ② 〖文〗 등위(等位)의. ③ 〖數〗 좌표(의). — [-nèit] *vt.* ① 동격으로 하다. ② 조정하다(adjust), 조화시키다(harmonize). ***-na·tion**[-ˋ-néiʃən] *n.* Ⓤ 동격(화); 조정. **co·ór·di·na·tive** *a.* ***co·ór·di·na·tor** *n.* Ⓒ 조정자; 방송 진행계.
coórdinate cláuse 등위절.
coórdinate conjúnction 등위 접속사.
coot[kuːt] *n.* Ⓒ 〖鳥〗 검둥오리; 큰물 닭; 《口》 바보.
coot·ie[kúːti] *n.* 《口》 =LOUSE.
cò-ówner *n.* Ⓒ 〖法〗 공동 소유자. **~ship** *n.* Ⓤ 공유.
cop[kap/-ɔ-] *n.* 《美俗》 =POLICEMAN; Ⓤ 《英俗》 체포. — *vt.* (***-pp-***) 《美俗》 체포하다; 훔치다. ~ ***it*** 벌받다, 죽다. — *vi.* 《다음 성구로》 ~ ***out*** 《美俗》 도망하다, 손을 떼다, 체념하다, 배반하다.
co·pal[kóupəl] *n.* Ⓤ 코펄《천연수지; 니스의 원료》.
co·par·ce·nar·y[koupáːrsənèri/-nəri] *n., a.* Ⓤ 〖法〗 공동 상속(의).
cò·pártner *n.* Ⓒ 협동자. **~ship** *n.* Ⓤ 협동.
:cope[1][koup] *vi.* 다투다, 대항하다; 잘 대처하다(struggle)(***with***).
cope[2] *n.* Ⓒ (사제의) 가빠; 덮개《닫집·하늘 따위》. — *vt.* (cope로) 덮어 가리다.
co·peck[kóupek] *n.* =KOPECK.
***Co·pen·ha·gen** [kòupənhéigən] *n.* 코펜하겐《덴마크의 수도》.
***Co·per·ni·cus** [kòupə́ːrnikəs], **Nicolaus**(1473-1543) 폴란드의 천문학자. **-ni·can** *a.* 코페르니쿠스의 (*the Copernican system* 〔*theory*〕 코페르니쿠스설, 지동설).
cópe·stòne *n.* Ⓒ (담의) 갓돌; 끝마무리, 극치.
cop·i·er[kápiər/-ɔ́-] *n.* =COPYIST; 복사하는 사람, 복사기.
co·pi·lot[kóupàilət] *n.* Ⓒ 〖空〗 부조종사.
cop·ing[kóupiŋ] *n.* Ⓒ 갓돌(copestone)(공사), (돌담·벽돌담의) 지붕돌.
cóping sàw 활톱, 실톱.
***co·pi·ous**[kóupiəs] *a.* 많은; 말수가 많은(~ *notes* 상주(詳註)). **~ly** *ad.* **~·ness** *n.*
:cop·per[kápər/-ɔ́-] *n., a.* ① Ⓤ 구리, 동(銅). ② 동전; 동기; 구리(제)의; 구릿빛의. ***have hot ~s*** (폭음 후) 몹시 목이 마르다. — *vt.* 구리로 싸다〔를 입히다〕; 구리 도금을 하다.
cop·per·as [kápərəs/-ɔ́-] *n.* Ⓤ 〖化〗 녹반(綠礬).
cópper·hèad *n.* Ⓒ 미국의 독사; (C-) 〖美史〗 남북전쟁 때 남부에 동정한 북부 사람.
Cópper Índian 북아메리카 원주민.
cópper nítrate 〖化〗 질산구리.
cópper·plàte *n.* Ⓤ 동판; Ⓒ 동판 인쇄; Ⓤ (동판 인쇄처럼) 가늘고 예쁜 초서체 글씨.
cópper·smìth *n.* Ⓒ 구리 세공인.
cópper súlface 〖化〗 황산구리.
cop·pice[kápis/-ɔ́-] *n.* =COPSE.
cop·ra[káprə -óu-/-ɔ́-] *n.* Ⓤ 코프라《야자나무의 건과》.
cò-prodúce *vt.* 공동 제작하다. **-producer** *n.*
cop·ro·lite[káprəlàit/-ɔ́-] *n.* Ⓤ 분석(糞石)《동물 똥의 화석》.
copse[kaps/-ɔ-] *n.* Ⓒ 잡목〔덤불〕숲.
Copt[kapt/kɔpt] *n.* Ⓒ ① 콥트인《고대 이집트인의 자손》. ② 콥트 교도《예수를 믿는 이집트인》.
cop·ter, 'cop- [káptər/-ɔ́-] *n.* 《口》 =HELICOPTER.
cop·u·la[kápjələ/-ɔ́-] *n.* (*pl.* **~s, -lae**[-lìː]) Ⓒ 〖論·文〗 계사(繫辭)《'be' 따위》.
cop·u·late[kápjəlèit/-ɔ́-] *vi.* 교접하다. **-la·tive**[-lèitiv, -lə-] *a., n.* 연결〔교접〕의; Ⓒ 연사(連辭)《'be'》, 연결〔연계〕 접속사《'and' 따위》. **-la·tion**[ˋ-léiʃən] *n.*
†cop·y[kápi/-ɔ́-] *n.* ① Ⓒ 베낌, 복사; 모방. ② Ⓒ (책·신문 따위의) (한) 부. ③ Ⓤ 원고; (습자의) 본. ④ Ⓤ 광고문(안). ***a clean*** 〔***fair***〕 ~ 청서, 정서. ***foul*** 〔***rough***〕 ~ 초고. ***keep a ~ of*** …의 사본을 떠두다. ***make good ~*** 좋은 원고가 되다, (신문의) 특종이 되다. — *vt., vi.* 베끼다; 모방하다(imitate); (남의 답안을) 몰래 보고 베끼다.
cópy·bòok *n., a.* Ⓒ 습자책; 진부(陳腐)한, 판에 박힌.
cópy·càt *n.* Ⓒ 《口》 흉내〔입내〕장이, 모방자.
cópy dèsk (신문사의) 편집자용 책상, '데스크'.
cópy·hòld *n., a.* Ⓤ 〖英法〗 등록 부동산(소유권)(의). **~er** *n.* Ⓒ 위의 소유권 보유자.
cópying ìnk 복사용 잉크.
cópying prèss 복사기.
copy·ist[-ist] *n.* Ⓒ 베끼는 사람; 모방자.
cópy·rèad *vt.* (원고를) 정리하다.
cópy·rèader *n.* Ⓒ 《美》 원고 편집〔정리〕원《신문사·출판사의; 보통 데스크라 부름》.
***cópy·rìght** *n., vt., a.* Ⓤ,Ⓒ 판권〔저작권〕(을 얻다; 을 가진).
***cópy·wrìter** *n.* Ⓒ 광고 문안 작성

C

자, 카피라이터.

co·quet[koukét/kɔ-] *vi., vt.* (**-tt-**) (여자가) 교태를 짓다, (…에 대하여) 아양을 떨다(*with*). **~·ry**[-kətri] *n.* Ⓤ 요염함; Ⓒ 아양, 교태.

co·quette[koukét/kɔ-] *n.* Ⓒ 요염한 계집, 요부. **co·quét·tish** *a.* 요염한.

Cor. Corinthians. **cor.** corner; cornet; coroner; correct(ed); correlative; correspondence; correspondent; corresponding.

cor·a·cle[kɔ́:rəkl, kɑ́-/kɔ́-] *n.* Ⓒ 가죽을〔방수포를〕 입힌 고리배.

***cor·al**[kɔ́:rəl/-ɔ́-] *n., a.* Ⓤ,Ⓒ 산호(의); Ⓤ 산호빛(의).

córal ìsland 산호 섬.

córal rèef 산호초(礁).

córal snàke 독사의 일종.

cor·bel[kɔ́:rbəl] *n.* Ⓒ 〖建〗 (벽의) 내물림 받침.

:cord[kɔ:rd] *n.* ① Ⓤ,Ⓒ 새끼, 끈; (전기의) 코드. ② Ⓒ (종종 *pl.*) 구속. ③ Ⓤ 골지게 짠 천. **—** *vt.* 밧줄로 묶다. **~·age**[´idʒ] *n.* Ⓤ 《집합적》 밧줄. **~·ed**[´id] *a.* 밧줄로 동인〔묶은〕; 골지게 짠.

:cor·dial[kɔ́:rdʒəl/-diəl] *a.* ① 충심〔진심〕으로의, 성실한. ② 강심성(强心性)의. **—** *n.* Ⓤ 강심〔강장〕제; 달콤한 (리큐어) 술. ***~·ly** *ad.* **cor·di·al·i·ty**[≻dʒiǽləti/-di-] *n.* Ⓤ 성실, 친절.

cor·dil·le·ra [kɔ̀:rdəljέərə, kɔ:rdílərə] *n.* (Sp.) Ⓒ 대산맥, 연산.

cord·ite[kɔ́:rdait] *n.* Ⓤ 끈 모양의 무연 화약.

cor·don[kɔ́:rdn] *n.* Ⓒ 비상(경계)선; 장식끈; (어깨에서 걸치는) 수장(綬章). POST[2] ***a ~.***

cor·don sa·ni·taire [kɔ́:rdɔ̃ŋ sɑni:tέr] (F.) 방역선(防疫線).

cor·do·van[kɔ́:rdəvən] *n.* Ⓤ 코도반 가죽《상질의 구두 가죽》.

***cor·du·roy**[kɔ́:rdərɔ̀i] *n.* ① Ⓤ 코르덴. ② (*pl.*) 코르덴 바지.

córduroy róad 《美》 통나무 길.

CORE Congress of Racial Equality.

core**[kɔ:r] *n.* ① Ⓒ (과일의) 속; 나무 속. ② (the ~) 핵심, 마음속. ③ Ⓒ 〖컴〗 코어. ***to the ~ 철저하게. **—** *vt.* 속을 빼내다(*out*).

Co·ré·a(n) *n., a.* =KOREA(N).

co·re·spond·ent [kòurispɑ́ndənt/kóurispɔ́nd-] *n.* Ⓒ 〖法〗 (간통 사건의) 공동 피고.

Cor·gi[kɔ́:rgi] *n.* Ⓒ 코르기 개《다리가 짧고 몸통이 긴》.

co·ri·an·der[kɔ̀:riǽndər/kɔ̀r-] *n.* Ⓤ,Ⓒ 〖植〗 고수풀《미나릿과》.

Co·rin·thi·an**[kərínθiən] *a.* (고대 그리스 도시) Corinth의; 코린트 사람의; 〖建〗 코린트식의; 호화스런, 사치한. **—** *n.* Ⓒ 코린트 사람. ***the ~s 〖新約〗 고린도서.

Co·ri·ó·lis fòrce[kɔ̀:rióulis-] 〖理〗 코리올리 힘.

:cork[kɔ:rk] *n.* Ⓤ 코르크; Ⓒ 코르크 마개〔부표〕; =CORK OAK. **—** *vt.* 코르크 마개를 하다; (감정을) 억누르다(*up*); (얼굴을) 태운 코르크로 검게 칠하다. **~·y** *a.* 코르크 같은; 《口》 들뜬, 쾌활한.

cork·er[kɔ́:rkər] *n.* Ⓒ ① (코르크) 마개를 막는 사람〔기구〕. ② 《俗》 (반박의 여지가 없는) 결정적 의론〔사실〕; 새빨간 거짓말; 좋아하는 사람〔것〕.

cork·ing[kɔ́:rkiŋ] *a.* 《俗》 큼직한; 특출한; 좋아하는.

córk òak 〔**trèe**〕 코르크 나무.

córk·scrèw *n., a., vt., vi.* Ⓒ 타래송곳(모양의)(*a ~ staircase* 나사층층대); 나사 모양으로 나아가(게 하)다(*~ oneself out of the crowd* 군중 속에서 간신히 빠져 나오다).

cor·mo·rant[kɔ́:rmərənt] *n., a.* Ⓒ 가마우지 (같은); 탐욕스러운, 많이 먹는; 대식가.

†corn[1] [kɔ:rn] *n.* ① Ⓒ 낟알(grain). ② Ⓤ 《집합적》 곡물(cereals). ③ Ⓤ 《英》 밀; 《美》 옥수수(maize); 《Sc., Ir.》 귀리(oats). ④ Ⓤ 《俗》 고리타분〔진부〕한 것. ⑤ 《美口》 = **córn whisk(e)y** 옥수수 술. **—** *vt.* (고기를) 소금에 절이다; 곡물을 심다. ***~(ed) beef*** 콘비프.

corn[2] *n.* Ⓒ (발가락의) 못, 티눈.

Corn. Cornish; Cornwall.

Córn Bèlt, the (미국 중서부의) 옥수수 지대.

córn brèad 《美》 옥수수 빵.

córn chàndler 《英》 곡물상(商).

cor·ne·a[kɔ́:rniə] *n.* Ⓒ 〖解〗 (눈의) 각막.

***corned**[kɔ:rnd] *a.* 소금에 절인; 《英俗》 만취한.

†cor·ner[kɔ́:rnər] *n.* Ⓒ ① 구석; (길의) 모퉁이. ② 궁벽한 시골; 궁지, 궁경. ③ (증권이나 상품의) 매점(買占)(buying up)(*make a ~ in cotton*). ***around*** 〔***round***〕 ***the ~*** 길모퉁이에, 길 어귀에; 가까이. ***cut ~s*** 질러가다; (돈·시간을) 절약하다. ***drive a person into a ~*** (아무를) 궁지에 몰아넣다. ***leave no ~ unsearched*** 샅샅이 찾다. ***look out of the ~ of one's eyes*** 곁눈질로 보다. ***turn the ~*** 모퉁이를 돌다; (병·불경기가) 고비를 넘다. **—** *vt., vi.* 구석에 처박다; 궁지에 몰아넣다〔빠지다〕(*up*); 《美》 길모퉁이에서 만나다; 매점하다.

córner bòy 〔**màn**〕 《英》 거리의 부랑자〔깡패〕.

córner·stòne *n.* Ⓒ (건축의) 주춧돌, 초석, 귓돌; 기초.

cor·net[kɔ:rnét, kɔ́:rnit] *n.* Ⓒ 코넷《금관악기》; 원뿔꼴의 종이봉지; 《英》 =ice cream CONE.

***córn·fìeld** *n.* Ⓒ 곡물 밭; 밀밭; 옥수수 밭.

córn·flàkes *n. pl.* 콘플레이크《cereal의 일종》.

córn flòur 《英》 =CORNSTARCH.

córn·flòwer *n.* Ⓒ 〖植〗 수레국화 《엉거싯과》.
córn·hùsk *n.* Ⓒ 《美》 옥수수 껍질.
cor·nice[kɔ́ːrnis] *n.* Ⓒ 〖建〗 (처마·기둥 꼭대기의) 배내기.
Cor·nish[kɔ́ːrniʃ] *a., n.* Ⓤ (영국의) Cornwall(사람)의 (말)《고대 켈트어》.
córn lìquor 옥수수 위스키.
córn mèal 곡식〔옥수수〕 가루.
córn mìll 《英》 제분기; 《美》 옥수수 빻는 기계《가축 사료 제조용》.
córn pòne 《美南部》 (네모진) 옥수수 빵.
córn pòppy 〖植〗 개양귀비.
córn·ròw *n.* Ⓒ 흑인 머리형의 일종 《세 가닥으로 땋아 붙임》.
córn sìlk 옥수수 수염《이뇨제》.
córn·stàlk *n.* Ⓒ 밀〔옥수수〕의 줄기〔대〕; 《英口》 키다리. 「말.
córn·stàrch *n.* Ⓤ 《美》 옥수수 녹
cor·nu·co·pi·a [kɔ̀ːrnəkóupiə, -njə-] *n.* ① (the ~) 〖그神〗 풍요의 뿔(horn of plenty). ② (a ~) 풍부(의 상징); Ⓒ 뿔 모양의 그릇.
Corn·wall[kɔ́ːrnwɔːl/-wəl] *n.* 잉글랜드 남서단의 주《생략 Corn.》.
corn·y[kɔ́ːrni] *a.* 곡물의; 《口》 촌스러운; 《美俗》 (재즈가) 감상적인 (oversentimental); 진부한.
co·rol·la [kərálə/-ɔ́-] *n.* Ⓒ 〖植〗 꽃부리(petals).
cor·ol·lar·y [kɔ́ːrəlèri, kár-/ kərɔ́ləri] *n.* Ⓒ (정리(定理)에 대한) 계(系); 당연한〔자연의〕 결과.
***co·ro·na** [kəróunə] *n.* (*pl.* **~s** **-nae**[-niː]) Ⓒ 관(冠); 〖天〗 코로나 《태양의 광관(光冠)》; 〖電〗 코로나 방전.
cor·o·nach[kɔ́ːrənək, kár-/kɔ́r-] *n.* 《Sc.·Ir.》 만가(輓歌).
cor·o·nal[kəróunəl, kɔ́ːrə-, kárə-] *a.* 화관의; 〖天〗 코로나의. ── [kɔ́ː-rənəl, -á-/-ɔ́-] *n.* Ⓒ 보관(寶冠); 화관, 화환(wreath).
***cor·o·na·tion**[kɔ̀ːrənéiʃən, kàr-/ kɔ̀r-] *n.* Ⓒ 대관식; Ⓤ 대관, 즉위.
cor·o·ner[kɔ́ːrənər, kár-/kɔ́r-] *n.* Ⓒ 검시관(檢屍官). **~'s inquest** 검시.
***cor·o·net**[kɔ́ːrənit, kár-/kɔ́r-] *n.* Ⓒ (귀족의) 작은 관; (금·은제의) 여자용 머리 장식.
Corp., corp. Corporal; Cororation. **Corpl.** Corporal.
***cor·po·ral**[1][kɔ́ːrpərəl] *a.* 육체의 (bodily); 개인의. **~·ly** *ad.*
cor·po·ral[2] *n.* Ⓒ 〖軍〗 상병《sergeant의 아래》; (C-) 《美》 지대지 미사일.
***cor·po·rate**[kɔ́ːrpərit] *a.* 단체의, 법인 조직의; 단결한.
:**cor·po·ra·tion**[kɔ̀ːrpəréiʃən] *n.* Ⓒ 법인; 자치 단체; 시의회; 《美》 유한회사, 주식회사(company); 《口》 올챙이배(potbelly).
corporátion làw 《美》 회사법 (《英》 company law).
cor·po·re·al[kɔːrpɔ́ːriəl] *a.* 육체(상)의; 물질적인; 형이하(形而下)의; 〖法〗 유형의.
:**corps**[kɔːr] *n.* (*pl.* **corps**[-z]) Ⓒ 군단, 단(團), 대, 반. **~ de ballet** (F.) 발레단. **~ diplomatique** (F.) 외교단.
***corpse**[kɔːrps] *n.* Ⓒ 시체.
cor·pu·lent[kɔ́ːrpjələnt] *a.* 뚱뚱한(fat). **-lence** *n.*
***cor·pus** [kɔ́ːrpəs] *n.* (*pl.* **-pora** [-pərə]) Ⓒ ① 신체; 시체. ② (문헌 따위의) 집성.
Córpus Chrís·ti[-krísti] 〖가톨릭〗 성체 축일.
cor·pus·cle[kɔ́ːrpʌsəl] *n.* Ⓒ 〖解〗 소체(小體); 혈구(*red ~s*). **cor·pus·cu·lar**[kɔːrpʌ́skjulər] *a.*
córpus de·líc·ti[-dilíktai] (L. =body of the crime) 범죄 사실; (피해자의) 시체.
córpus jú·ris[-dʒúəris] 대법전; 법규집, 법전.
cor·ral[kərǽl/kɔrɑ́ːl] *n., vt.* (**-ll-**) Ⓒ (짐승 잡는) 우리(에 몰아 넣다); 《美口》 잡다; 가축 우리.
†**cor·rect**[kərékt] *a.* 바른, 정확한; 예의에 맞는(proper). ── *vt.* 바로잡다, 정정하다; (결점을) 고치다, 교정하다(cure)(*of*); 징계하다. * **~·ly** *ad.* **~·ness** *n.*
cor·rec·tion**[kərékʃən] *n.* Ⓤ,Ⓒ 정정, 정오(正誤); 교정; 바로잡음, 질책; 〖證〗 너무 오른〔내린〕 값의 정정; 〖컴〗 바로잡기. ***house of ~ 감화원, 소년원. **-tive** *a., n.* 고치는, 바로잡는; (해를) 완화하는; 징계하는; Ⓒ 교정물〔수단〕.
corréctive tráining 《英》 교정 교육 처분《교도 시설에서의 직업 및 일반 교육》.
***cor·re·late**[kɔ́ːrəlèit, kár-/kɔ́r-] *vt., vi., n.* 서로 관계하다〔시키다〕; Ⓒ 상관물. * **cor·re·la·tion**[⊥–léiʃən] *n.* Ⓤ 상관성; Ⓒ 상호 관계.
cor·rel·a·tive[kərélətiv/kɔ-, kə-] *a.* 상호 관계 있는, 상관적인. ***~ conjunctions*** 〖文〗 상관 접속사 《either... or, not only... but 따위》. ── *n.* Ⓒ 상관물〔어구〕. **~·ly** *ad.*
:**cor·re·spond**[kɔ̀ːrəspánd, kàr-/ kɔ̀rəspɔ́nd] *vi.* (…에) 상당하다(*to*); 일치〔부합·조화〕하다(*to, with*); 서신 왕래〔교환〕하다(*with*).
:**cor·re·spond·ence**[kɔ̀ːrəspánd-əns] *n.* ① Ⓤ 서신 왕래, 왕복 서한 (letters). ② Ⓤ,Ⓒ 일치, 상당; 조응(照應); 조화.
correspóndence còlumn (신문의) 독자 통신란, 투고란.
correspóndence còurse 〔schòol〕 통신 강좌〔교육 학교〕.
:**cor·re·spond·ent**[-ənt] *n.* Ⓒ 서신 왕래자; 통신원(*a special* ~특파원); 거래처.
:**cor·re·spond·ing**[kɔ̀ːrəspándiŋ] *a.* ① 대응하는, 상당〔일치〕하는. ②

서신 내왕[통신]하는. **~·ly** *ad.* (…에) 상당하여.
:cor·ri·dor[kɔ́:ridər, kɑ́r-/kɔ́ridɔ̀:r] *n.* Ⓒ 복도(long hallway); (*or* C-) 회랑(回廊)(지대)(*the Polish* ~).
córridor tràin 《英》 각 차량의 복도가 통한 열차.
cor·ri·gen·dum[kɔ̀:rədʒéndəm, kɑ̀r-/kɔ̀r-] *n.* (*pl.* **-da**[-də]) Ⓒ 바로 잡아야 할 잘못[틀림]; (*pl.*) 정오표(errata).
cor·ri·gi·ble[kɔ́:ridʒəbəl, kɑ́r-/kɔ́r-] *a.* 교정할 수 있는.
cor·rob·o·rate[kərɑ́bərèit/-ɔ́-] *vt.* 확실히 하다(verify), 확증하다(confirm). **-ra·tion**[-ㅡ-réiʃən] *n.* Ⓤ 확증; 확증적인 진술[사실].
cor·rode[kəróud] *vt., vi.* 부식하다; 마음에 파고 들다.
cor·ro·sion[kəróuʒən] *n.* Ⓤ 부식[침식]작용[상태]. **cor·ró·sive** *a., n.* 부식(성)의; Ⓤ,Ⓒ 부식제.
cor·ru·gate [kɔ́:rəgèit, kɑ́r-/kɔ́rə-] *vt.* 주름지게 하다, 물결 모양으로 하다. — *vi.* 주름이 지다. — [-git, -gèit] *a.* 물결 모양의. **-ga·tion**[ㅡ-géiʃən] *n.*
córrugated íron 골함석.
córrugated páper 골판지.
:cor·rupt[kərʌ́pt] *a.* ① 타락[부패]한; 사악(邪惡)한; 뇌물이 통하는. ② (원고 등이) 틀린 것 투성이의; 전와(轉訛)된. — *vt., vi.* ① 타락시키다[하다]. ② (말을) 전와(轉訛)시키다; (원문을) 개악하다(cf. interpolate, tamper). **~·i·ble** *a.* 타락하기 쉬운; 뇌물이 통하는.
***cor·rup·tion**[kərʌ́pʃən] *n.* Ⓤ ① 부패; 타락, 부정 (행위); 증수회. ② (언어의) 전와(轉訛). **-tive** *a.* 타락시키는.
cor·sage[kɔ:rsɑ́:ʒ] *n.* Ⓒ 여성복의 동체; (어깨나 허리에 다는) 꽃 장식.
cor·sair[kɔ́:rsɛər] *n.* Ⓒ (특히, 아프리카 북부 해안의) 해적(선).
corse[kɔ:rs] *n.* 《詩》 =CORPSE.
corse·let[kɔ́:rslit] *n.* Ⓒ 몸통에 두르는 갑옷; [kɔ̀:rsəlét] 코르셋 비슷한 속옷.
***cor·set**[kɔ́:rsit] *n.* Ⓒ 코르셋.
cor·tège[kɔ:rtéiʒ] *n.* (F.) Ⓒ 《집합적》 행렬; 수행원 (대열).
Cor·tes[kɔ́:rtez/-tes] *n. pl.* (the ~) (스페인·포르투갈의) 국회.
cor·tex[kɔ́:rteks] *n.* (*pl.* **-tices** [-təsì:z]) Ⓒ 외피(外皮); 피부; 피층(皮層); 나무껍질. **-ti·cal** *a.*
cor·tin[kɔ́:rtin] *n.* Ⓒ 〖生化〗 코르틴《부신피질 호르몬의 유효 성분》.
cor·ti·sone [kɔ́:rtəsòun, -zòun/-tizòun] *n.* Ⓤ 코티손《부신피질에서 분비되는 호르몬; 류머티즘 치료약》.
co·run·dum [kərʌ́ndəm] *n.* Ⓤ 〖鑛〗 강옥(鋼玉).
cor·us·cate[kɔ́:rəskèit, kɑ́r-/kɔ́r-] *vi.* 번쩍 빛나다, 번쩍하다(sparkle). **-ca·tion**[ㅡ-kéiʃən] *n.*
cor·vet(te) [kɔ:rvét] *n.* Ⓒ 일단(—段) 포열의 범장(帆裝) 군함; 《英》 상선 호송용 쾌속함.
cor·y·phée[kɔ̀:rifèi, kɑ̀r-/kɔ́rifèi] *n.* (F.) Ⓒ 발레의 주역 멤버.
co·ry·za[kəráizə] *n.* Ⓤ 〖醫〗 코감기, 코카타르.
cos[1][kɑs/-ɔ-] *n.* Ⓤ,Ⓒ 〖植〗 상추의 일종.
cos[2] cosine.
C.O.S., c.o.s. cash on shipment. **cos.** companies; counties.
Co·sa Nos·tra[kóuzə nóustrə] 코사노스트라《미국의 마피아》.
co·script·er [kòuskríptər] *n.* Ⓒ 〖映〗 각본 합작가.
cosec cosecant.
co·se·cant[kousí:kənt, -kænt] *n.* Ⓒ 〖數〗 코시컨트, 여할(餘割).
cosh[kɑʃ/-ɔ-] *n., vt.* Ⓒ (쇠붙이 대가리가 붙은) 막대(로 치다).
co·sign[kousáin] *vt., vi.* (어음의) 연대 보증인이 되다; (…에) 공동 서명 하다.
co·sig·na·to·ry [kousígnətɔ̀:ri/-təri] *a.* 연서(連署)의. — *n.* Ⓒ 연서인.
co·si·ly[kóuzili] *ad.* =COZILY.
co·sine[kóusain] *n.* Ⓒ 〖數〗 코사인, 여현(餘弦).
***cos·met·ic**[kɑzmétik/-ɔ-] *n., a.* Ⓒ (피부·두발용의) 화장품; 화장용의.
cos·me·ti·cian[kɑ̀zmətíʃən/kɔ̀z-] *n.* Ⓒ 화장품 제조[판매]업자; 미용사.
cos·me·tol·o·gy [kɑ̀zmətɑ́lədʒi/kɔ̀zmətɔ́l-] *n.* Ⓤ 미용술.
***cos·mic**[kɑ́zmik/-ɔ́-] *a.* 우주의; 광대한; 질서정연한.
Cósmic Báckground Explòrer sàtellite 우주 배경 탐사 위성, 코비 위성《생략 COBE》.
cósmic dúst 우주진(宇宙塵).
cósmic ráys 우주선.
cos·mog·o·ny[kɑzmɑ́gəni/kɔzmɔ́g-] *n.* Ⓤ 우주 발생; Ⓒ 우주 발생론.
cos·mog·ra·phy[-mɑ́grəfi/-ɔ́-] *n.* Ⓤ 우주지리학.
cos·mol·o·gy[-mɑ́lədʒi/-ɔ́-] *n.* Ⓤ 우주론.
cos·mo·naut[kɑ́zmənɔ̀:t/-ɔ́-] *n.* Ⓒ 우주 비행사[여행자].
***cos·mo·pol·i·tan** [kɑ̀zməpɑ́lətən/kɔ̀zməpɔ́l-] *a., n.* Ⓒ ① 세계주의적인 (사람), 세계를 집으로 삼는 (사람). ② (러시아의) 자유주의 경향의 인텔리. **~·ism**[-ìzəm] *n.* Ⓤ 세계주의.
cos·mop·o·lite [kɑzmɑ́pəlàit/kɔzmɔ́p-] *n.* =COSMOPOLITAN.
***cos·mos**[kɑ́zməs, -mɑs/kɔ́zmɔs] *n.* Ⓤ 우주; 질서, 조화; Ⓒ 〖植〗 코스모스.
COSPAR Committee on Space Research 국제 우주 공간 연구 위원회.
co-spon·sor[kouspɑ́nsər/-spɔ́n-] *n.* Ⓒ 공동 스폰서[주최자].

Cos·sack[kásæk/-ɔ́-] *n.* (the ~s) 카자흐족(族); Ⓒ 카자흐 사람; 〖史〗 카자흐 기병.
†**cost**[kɔːst/kɔst] *n.* U,C 값, 원가; 비용(expense), 희생, 손해(loss). ***at all ~s,*** or ***at any ~*** 어떤 희생을 치르더라도, 무슨 일이 있어도. ***at ~*** 원가로. ***at the ~ of*** …을 희생하여. ***~ of living*** 생활비. ***to one's ~*** 손실을 입어, (…에) 데어. — *vt.* (***cost***) 요하다; (…이) 들게 하다, 잃게 하다. **∴**∠**.ly** *a.* 값이 비싼; 사치한.
cóst accòunting 원가 계산〔회계〕.
co-star [kóustáːr] *vi., vt.* (*-rr-*) 〖映·劇〗 공연하다〔시키다〕. — [∠∸] *n.* Ⓒ 공연자(共演者).
Cos·ta Ri·ca[kástə ríːkə, kɔ́ːs-/kɔ́s-] 중앙 아메리카의 공화국.
cóst-effèctive *a.* 비용효과가 있는. **~ly** *ad.* **~ness** *n.*
cos·ter[kástər/-ɔ́-] *n.* =⇩.
cóster·mònger *n.* Ⓒ 《英》 (생선·야채 따위의) 행상인.
cost·ing[kɔ́ːstiŋ] *n.* Ⓤ 〖商〗 원가 계산.
cos·tive[kástiv/-ɔ́-] *a.* 변비의.
cóst-of-líving ìndex 소비자 물가 지수.
cóst-plús *a.* (생산 원가에 대한) 이윤 가산 방식의.
cóst-pùsh inflàtion 코스트 푸시 인플레이션《임금 수준 등에 따르는 생산비의 상승이 초래하는 인플레이션》.
:cos·tume[kástjuːm/kɔ́stjuːm] *n.* ① U,C (나라·시대·계급 특유의) 복장; 의상(衣裳). ② Ⓒ (한 벌의) 여성복. — [–∠, ∠–/∠–] *vt.* (…에게) 의상을 입히다(dress).
cóstume jéwelry 인조 장신구《모조 보석 따위》.
cóstume pìece 〔**plày**〕 시대 의상극(衣裳劇).
cos·tum·er [kástjuːmər, –∠–/kɔ́stjuː-], **-tum·i·er**[kɑstjúːmiər/kɔs-tjúːm-] *n.* Ⓒ (연극·무도용) 의상 제조〔판매·세놓는〕 업자.
·co·sy[kóuzi], **& c.** =COZY, &c.
cot[1][kɑt/-ɔ-] *n.* Ⓒ 오두막집; 우리; 가리개, 씌우개.
cot[2] *n.* Ⓒ 즈크 침대; 《英》 소아용 침대(crib).
cot[3] cotangent.
co·tan·gent[koutǽndʒənt] *n.* Ⓒ 〖數〗 코탄젠트, 여접(餘接).
cote[kout] *n.* Ⓒ (비둘기 따위의) 집, (양 따위의) 우리; 《英》 =COTTAGE.
Côte d'Ivoire[kòut divwáːr] 코트디브와르《서아프리카의 공화국; 상아(象牙) 해안》.
co·te·rie[kóutəri] *n.* Ⓒ 한패, 동아리, 동지; 그룹, 일파(clique).
co·til·lion[koutíljən, kə-] *n.* Ⓒ ① 코티용《quadrille 비슷한 활발한 춤》; 그 곡. ② 《美》 (처녀들이 사교계에 소개되는) 정식의 무도회.
:cot·tage[kátidʒ/-ɔ́-] *n.* Ⓒ 시골집, 작은 주택, 교외 주택; 오두막집; (시골의) 별장. **-tag·er** *n.* Ⓒ cottage에 사는 사람.
cóttage chèese (시어진 우유로 만드는) 연한 흰 치즈.
cóttage lòaf 《英》 대소 두 개를 겹친 빵.
cóttage piáno (19세기의) 소형 피아노.
cot·ter[1][kátər/-ɔ́-] *n.* Ⓒ 가로쐐기, 쐐기전(栓).
cot·ter[2], **-tar**[kátər/-ɔ́-] *n.* Ⓒ 《Sc.》 (오두막에 사는) 소작인.
cótter pìn 〖機〗 고정〔쐐기〕핀.
†**cot·ton**[kátn/-ɔ́-] *n.* Ⓤ 목화 (나무); 솜; 무명, 면사, 무명실. — *vi.* 《口》 사이가 좋아지다(*to*). ***~ on*** 《俗》 …을 알다. ***~ up*** 친해지다(*with*).
cótton bátting 정제면(精製綿)《quilt에 넣거나, 수술 등에 쓰임》.
Cótton Bèlt, the (미국 남부의) 목화(木花) 지대.
Cótton Bòard 《英》 면화국(局).
cótton bòll 목화 다래.
cótton càke 목화씨 깻묵《사료용》.
cótton càndy 《美》 솜사탕.
cótton flánnel 면플란넬.
cótton gìn 조면기(繰綿機).
cótton mìll 방적 공장.
cótton·mòuth *n.* Ⓒ 《美》 독사의 일종.
cótton·pìcking *a.* 《美俗》 비열한, 시시한; 《강조 용법》 너무나, 괘씸한. — *ad.* =VERY.
cótton pòwder 면(綿)화약.
cótton·sèed *n.* (*pl.* ***~s,*** 《집합적》 ~) U,C 목화씨.
cóttonseed òil 면실유《식용》.
cótton spìnning 방적업.
cótton·tàil *n.* Ⓒ 《美》 산토끼의 일종.
cótton·wòod *n.* Ⓒ 《美》 사시나무.
cótton wóol 원면, 솜.
cot·ton·y[kátni/-ɔ́-] *a.* 솜〔무명〕의〔같은〕.
cótton yárn 방적사(絲).
cot·y·le·don [kɑ̀təlíːdən/kɔ̀-] *n.* Ⓒ 〖植〗 자엽(子葉), 떡잎.
:couch[kautʃ] *n.* Ⓒ ① 《詩》 침대, 침상; 소파. ② (짐승의) 집(lair). — *vt.* ① 눕히다, 재우다(***~ oneself*** 눕다). ② 말로 나타내다(*in*), 함축시키다(*under*). — *vi.* 눕다, 자다; 웅크리다.
cou·chette[kuːʃét] *n.* (F.) Ⓒ 〖鐵〗 침대차, 낮에는 좌석이 되는 침대.
cóuch potáto 《口》 짬이 나면 텔레비전만 보는 사람.
cou·gar[kúːgər] *n.* Ⓒ 〖動〗 퓨마.
:cough[kɔːf/kɔf] *n., vi., vt.* Ⓒ 기침(하다, 하여 내뱉다). ***~ out*** 〔***up***〕 기침하여 뱉어내다; 《俗》 주다(give); 내다; 돈을 내다(pay).
cóugh dròp 진해정(鎭咳錠).
cóugh sỳrup 진해(鎭咳) 시럽.
†**could**[強 kud, 弱 kəd] can[2]의 과거. ① 《특수용법》 …하고 싶은 (마음이 들다)(*I ~ laugh for joy.* 기뻐서 웃고 싶을 지경이다); …해 주시다〔하

시다](*C- you come and see me tomorrow?* 내일 와주실 수 없겠습니까《can보다 정중》). ② 《부정사와 함께 쓰이어》 아주 …(못하다)(*I ~n't sing.* 노래 같은 건 아주 못 합니다).
†**could·n't**[kúdnt] could not의 단축.
cou·lee[kú:li] *n.* Ⓒ 《美》 깊은 골짜기; 〖地〗 용암류(熔岩流).
cou·lomb[kú:lɑm/-lɔm] *n.* Ⓒ 〖電〗 쿨롱《전기량의 단위》.
coul·ter [kóultər] *n.* 《英》 =COLTER.
‡**coun·cil**[káunsəl] *n.* Ⓒ ① 회의, 평의회. ② 주(州)[시·읍·면·동]의회. ③ (the C-) 《英》 추밀원. ***cabinet ~*** 각의(閣議). ***~ of war*** 군사회의. ***Great C-*** 〖英史〗 노르만 왕조 시대의 귀족·고위 성직자 회의《상원의 시초》.
*__coun·ci·lor,__ 《英》 **-cil·lor**[káunsələr] *n.* Ⓒ 평의원; (주·시·읍·면·동 의회의) 의원; 고문관.
‡**coun·sel**[káunsəl] *n.* ① Ⓤ,Ⓒ 상담, 협의, 충고. ② Ⓤ 목적, 계획. ③ (*sing. & pl.*) 변호사(단). ***keep one's own ~*** 계획 등을 밝히지 않다. ***King's*** [***Queen's***] ***C-*** 《英》 왕실 고문 변호사. ***take ~*** 상의하다. — *vt.* (《英》 ***-ll-***) 조언[권고]하다. — *vi.* 상의[의논]하다. **-sel·(l)ing** *n.* Ⓤ 〖教育·心〗 상담, 조언. ‡**-se·lor,** 《英》 **-sel·lor** *n.* Ⓒ 고문; 《美》 변호사; 〖教育〗 상담 지도 교사.
†**count**[1] [kaunt] *vt.* 세다, 계산하다, (…라고) 생각하다(consider). — *vi.* 수를 세다; 축에 들다[끼다], 큰 비중을 이루다[차지하다]; (…을) 믿다, 기대하다 (rely)(*on, upon*). ***be ~ed on one's fingers*** 손으로 꼽을 정도밖에 없다. ***~ down*** (로켓 발사 때 따위에, … 10, 9, 8, 7 … 하고) 초(秒)읽기하다. ***~ for little*** [***much***] 대수롭지 않다[중요하다]. ***~ off*** 같은 수의 조(組)로 나누다. ***~ out*** 세면서 꺼내다; 제외하다, 셈에서 빠뜨리다; 〖拳〗 'count-out'를 선언하다; 〖英下院〗 정족수 미달로 휴회하다. — *n.* Ⓤ,Ⓒ 계산; 〖컴〗 계수. ***keep ~ of*** …의 수를 기억하고 있다. ***lose ~ of*** …을 잘못 세다; 못다 세다; …의 수를 잊다. ***out of ~*** 무수한. ***take no ~ of*** 무시하다. ‡**∠·less** *a.* 무수한.
*__count__[2] *n.* Ⓒ (유럽의) 백작(《英》 earl).
*__count·a·ble__[káuntəbəl] *a., n.* 셀 수 있는; Ⓒ 〖文〗 가산(可算) 명사.
cóunt·dòwn *n.* Ⓒ (로켓 발사 따위의) 초(秒)읽기.
‡**coun·te·nance**[káuntənəns] *n.* ① Ⓤ,Ⓒ 생김새, 용모, 표정. ② Ⓤ 침착(composure). ③ Ⓤ 찬성, 애고(愛顧), 원조. ***give*** [***lend***] ***~ to*** …을 원조[장려]하다. ***keep in ~*** 체면을 세워주다. ***keep one's ~*** 새침 떨고 있다, 웃지 않고 있다. ***put*** (*a person*) ***out of ~*** (아무를) 당황케 하다; 면목을 잃게 하다. — *vt.* (암암리에) 장려하다; 승인[묵인]하다.
‡**coun·ter**[1][káuntər] *n.* Ⓒ ① 카운터, 계산대, 판매대. ② (게임의) 셈표, 셈돌, 산가지. ③ 모조 화폐. ④ 〖컴〗 계수기.
*__count·er__[2] *a., ad.* 반대의[로], 역(逆)의[으로]. ***run ~ to*** (가르침·이익 등에) 반하다. — *vt., n.* 역습하다. Ⓒ 〖拳〗 되받아치다[치기].
coun·ter-[káuntər] '반대, 대응, 보복, 적대'의 뜻의 결합사.
*__còunter·áct__ *vt.* (…에) 반작용하다; 방해하다; 중화(中和)하다. **-áction** *n.*
cóunter·attàck *n.* Ⓒ 반격. — [⌐⌐] *vt., vi.* (…에) 반격하다.
còunter·attráction *n.* Ⓤ 반대 인력; Ⓒ (다른 것에) 대응하여 인기를 끄는 것.
còunter·bálance *n.* Ⓒ 균형 추(錘); 평형력. — [⌐⌐] *vt.* 균형잡히게 하다; 에끼다, 상쇄하다(offset).
cóunter·blàst *n.* Ⓒ 맹렬한 반대[반박] (*to*).
cóunter·blòw *n.* Ⓒ 반격; 역습; 〖拳〗 카운터블로.
cóunter·chèck *n.* Ⓒ ① 저지, 방해; 대항 수단. ② 재조회. — [⌐⌐] *vt.* (…을) 저지[방해]하다; (…을) 재조회하다.
cóunter·clàim *n.* Ⓒ 〖法〗 반대 요구, 반소(反訴). — [⌐⌐] *vi.* 반소하다(*against, for*).
còunter·clóckwise *a., ad.* (시계 바늘의 반대로) 왼쪽으로 도는[돌게].
cóunter·cùlture *n.* Ⓤ (젊은이의) 반(체제)문화[교양].
cóunter·cùrrent *n.* Ⓒ 역류.
cóunter·demonstrátion *n.* Ⓒ 대항 데모《어떤 데모에 반대하기 위한 데모》.
còunter·éspionage *n.* Ⓤ 방첩책(策)[조직].
cóunter·exàmple *n.* Ⓒ (공·명제에 대한) 반례(反例), 반증.
*__coun·ter·feit__[káuntərfìt] *a., n. vt.* 모조의, 가짜의; Ⓒ 가짜 물건, 모조품; 위조하다; 흉내내다, 시늉을 하다. **~·er** *n.* Ⓒ 위조자.
cóunter·fòil *n.* Ⓒ 《英》 (수표·영수증 등을 떼어주고 남는) 부본.
cóunter·fòrce *n.* Ⓒ 반대 세력.
còunter·insúrgency *n., a.* Ⓤ 대(對)게릴라 활동(의).
còunter·intélligence *n.* Ⓤ 《美》 〖軍〗 방첩 활동.
coun·ter·mand [kàuntərmǽnd/-má:nd] *vt.* (명령·주문 등을) 취소[철회]하다; 반대 명령을 하여 되불러들이다[중지시키다]. — [⌐⌐⌐] *n.* Ⓒ 반대 명령; 취소.
cóunter·màrch *n.* Ⓒ 후퇴; 반대 행진. — [⌐⌐] *vi., vt.* 후퇴[배진(背進), 역행]하다[시키다].
cóunter·mèasure *n.* Ⓒ 대책; 보복[대항] 수단.
cóunter·mòve *n.* =COUNTER-

MEASURE.
còunter·óffer *n.* Ⓒ 반대 신청; 〖商〗 수정 제의.
coun·ter·pane[káuntərpèin] *n.* Ⓒ 이불(coverlet).
*__coun·ter·part__[-pà:rt] *n.* Ⓒ (짝을 이룬 것의) 한 짝; (정부(正副) 서류의) 한 통; 한 쪽; 비슷한 사람[것].
cóunterpart fúnd 〖經〗 대충 자금.
cóunter·plòt *n., vt.* (*-tt-*) Ⓒ 대항책; (적의 책략의) 의표[허]를 찌르다; (…의) 대항책을 마련하다.
cóunter·pòint *n.* Ⓤ 〖樂〗 대위법; Ⓒ 대위법에 의한 곡.
coun·ter·poise[-pɔ̀iz] *vt., n.* (…와) 균형되다, (…와) 평형하다[시키다]; Ⓤ 균형, 평형; Ⓒ 분동(分銅).
còunter·prodúctive *a.* 역효과의[를 초래하는]. 「전.
còunter·propagánda *n.* Ⓤ 역선
cóunter·pùnch *n.* =COUNTER-BLOW.
còunter·revolútion *n.* Ⓤ,Ⓒ 반혁명. **~ist** *n.* Ⓒ 반혁명주의자.
cóunter·sìgn *n., vt.* Ⓒ (군대의) 암호; 〖海〗 응답 신호; 부서(副署)(하다). 「署), 연서.
còunter·sígnature *n.* Ⓒ 부서(副
cóunter·sìnk *n., vt.* (*-sunk*) Ⓒ (나사못의 대가리를 박기 위한) 구멍(을 파다).
coun·ter·vail[kàuntərvéil] *vt., vi.* 《古》 (…와) 같다; 에끼다; 보충[보상]하다.
cóuntervailing dúty 상계 관세.
cóunter·wèight *n.* =COUNTER-BALANCE.
cóunter·wòrd *n.* Ⓒ 대용어《흔히 본래의 뜻과는 딴 뜻으로 쓰이는 말: *lousy* =unpleasant 따위》.
count·ess[káuntis] *n.* Ⓒ 백작 부인《count 또는 earl의 아내》; 여백작.
cóunting hòuse 《주로 英》 회계 사무소.
cóunt nòun 〖文〗 가산 명사.
coun·tri·fied[kʌ́ntrifàid] *a.* 시골풍의.
†**coun·try**[kʌ́ntri] *n.* ① Ⓒ 나라, 국가. ② Ⓒ 고국. ③ Ⓒ 국민(nation). ④ Ⓤ 시골, 지방. ***appeal to the ~*** (의회를 해산하여) 국민의 총의를 묻다. ***go*** (***out***) ***into the ~*** 시골로 가다. — *a.* 시골(풍)의(rustic).
cóunty-and-wéstern *n.* = COUNTRY MUSIC.
cóuntry clùb 컨트리 클럽《테니스·골프 따위의 설비를 갖춘 교외 클럽》.
cóuntry cóusin (도시 사정에 낯선) 시골 친척.
cóuntry·fòlk *n.* 《집합적; 복수 취급》 시골 사람들.
cóuntry géntleman 지방의 대지주; 지방 신사.
cóuntry hòuse 시골의 본집; 시골 신사(country gentleman)의 저택.
cóuntry lìfe 전원 생활.
*__coun·try·man__[-mən] *n.* Ⓒ 시골 사람; 동향인.
cóuntry mùsic 《ㅁ》 컨트리 뮤직 《미국 남부에서 발달한 대중음악》.
cóuntry·sèat *n.* Ⓒ 《英》 (귀족·부호의) 시골 저택.
:**coun·try·side**[-sàid] *n.* Ⓤ 시골, 지방; (the ~) 《집합적; 단수 취급》 지방 주민.
cóuntry·wíde *a.* 전국적인(nation-wide).
cóuntry·wòman *n.* Ⓒ 시골 여자; 동향의 여성.
:**coun·ty**[káunti] *n.* Ⓒ 《美》 군(郡) 《주(州)의 아래 구획》; 《英》 주.
cóunty fáir 《美》 농업 박람회, 농산물 공진회. 「명문.
cóunty fámily 주(州)의 문벌가,
cóunty schóol 《英》 공립의 초등학교[중학교].
cóunty séat 《美》 군청 소재지.
cóunty tówn 《英》 주청 소재지.
coup[ku:] *n.* (*pl.* **~s**[-z]) (F.) Ⓒ (멋진) 일격; 대성공; (기상천외의) 명안.
coup de grace[kú: də grá:s] (F.) 자비의 일격《죽음의 고통을 덜게 하는》; 최후의 일격.
coup de main[-mɛ̃] (F.) 기습.
coup d'é·tat[kú: deitá:] 쿠데타.
coup d'oeil[-də́:i] (F.) 일별, 개관; 통찰.
cou·pé[ku:péi/ㅡㅡ] *n.* (F.) Ⓒ 상자 모양의 2인승 4륜마차; [ku:p] 쿠페《2-6인승의 상자형 자동차》.
†**cou·ple**[kʌ́pl] *n.* Ⓒ 한 쌍[짝], 둘, 두 사람, 한 쌍(의 남녀), 부부. — *vt.* (…와) 연결하다(unite); 결혼시키다; 짝짓다; 연상하다(associate). — *vi.* 결합[결혼]하다; 교미[흘레]하다(mate). **cóu·pler** *n.* Ⓒ 연결기.
cou·plet[kʌ́plit] *n.* Ⓒ (시의) (각운(脚韻)) 대구(對句).
cou·pling[kʌ́pliŋ] *n.* Ⓤ 연결; Ⓒ 연결기(器).
*__cou·pon__[kjú:pan/kú:pɔn] *n.* Ⓒ 쿠폰(권), 떼어내게 된 표[배급권(따위)]; 이자 지급표.
†**cour·age**[kɔ́:ridʒ/kʌ́ridʒ] *n.* Ⓤ 용기. ***pluck up*** [***take***] ***~*** 용기를 내다. ***take one's ~ in both hands*** 대담하게 나서다[감행하다].
:**cou·ra·geous**[kəréidʒəs] *a.* 용기있는(brave), 대담한(fearless). **~·ly** *ad.*
Cour·bet [kuərbéi], **Gustave** (1819-77) 프랑스의 사실파 화가.
cour·i·er[kúriər, kɔ́:r-] *n.* Ⓒ 급사(急使); (여행단의 시중을 드는) 수원(隨員); 시중꾼; 안내원.
†**course**[kɔ:rs] *n.* ① Ⓤ 진행, 추이; 과정, 경과. ② Ⓒ 코스, 진로, 길; 주로(走路), 경마장. ③ Ⓒ 방침; 행위; 경력, 생애; (*pl.*) 행실. ④ Ⓒ 학과, 교육 과정; 과목, 〖美大學〗 단위. ⑤ Ⓒ 한 경기. ⑥ Ⓒ (요리의)

코스. ⑦ Ⓒ 연속(series), (바른) 순서. ⑧ Ⓒ 〖建〗 (기와 따위의) 줄지은 열(row); 층. **(as) a matter of ~** 당연한 일(로서). **by ~ of** …의 관례에 따라서. **~ of events** 일의 추세. **in ~ of** …하는 중으로. **in due ~** 당연한 순서를 따라. **in due ~ (of time)** 때가 와서〔오면〕, 불원간. **in the ~ of (today)** (오늘) 중에. **lower 〔upper〕 ~** 하〔상〕류. **of ~** 물론. — *vt.* (토끼 따위를) 뒤쫓다, (…의) 뒤를 밟다; 달리게 하다. — *vi.* 달리다, 뒤쫓다. **cóurs·er** *n.* Ⓒ 사냥개; 《詩》 준마; 말.

C

†**court**[kɔːrt] *n.* ① Ⓒ 안뜰(courtyard). ② ⓊⒸ (보통 C-) 궁전; 왕실; 왕궁; 《집합적》 조정의 신하. ③ ⓊⒸ 법정, 재판소; 《집합적》 재판관. ④ Ⓒ 정구장; 뒷거리(의 공터), 뒷골목. ⑤ Ⓤ 아첨; 구혼. **at C-** 궁정에(서). **~ of** APPEAL(s). **~ of justice 〔law〕** 법정. **C- of St. James's**[snt dʒéimziz] 영국 궁정. **High C- of Parliament** 《英》 최고 법원으로서의 의회. **pay 〔make〕 one's ~ to** …의 비위를 맞추다; 지싯거리다, 구혼하다(woo). **put out of ~** 무시하다. — *vt., vi.* (…의) 비위를 맞추다; 구혼하다; (칭찬 따위를) 받고자 하다(seek); (사람을) 초청하다, (위험을) 초래하다.

cóurt càrd 《英》 (카드의) 그림 패 (《美》 face card).

Cóurt Círcular 《英》 (신문지상의) 궁정 기사(宮廷記事). 「복.

cóurt drèss (입궐(入闕)용의) 예

:**cour·te·ous**[kə́ːrtiəs/kɔ́ː-] *a.* 정중한; 예의 바른(polite). ***~·ly** *ad.*

cour·te·san, -zan [kɔ́ːrtəzən, kə́ːr-/kɔ̀ːtizǽn] *n.* Ⓒ (고급) 매춘부.

:**cour·te·sy**[kə́ːrtəsi] *n.* Ⓤ 예의, 정중함; 호의; 인사(curtsy). **by ~** 예의상. **by ~ of** …의 호의로.

cóurt guìde 《英》 신사록. 「청.

***cóurt·hòuse** *n.* Ⓒ 법원; 《美》 군

***cour·ti·er**[kɔ́ːrtiər] *n.* Ⓒ 정신(廷臣); 아첨꾼.

cóurt làdy 궁녀.

***court·ly**[kɔ́ːrtli] *a.* ① 궁정의; 예의 바른, 품위 있는, 점잖은. ② 아첨하는. **-li·ness** *n.*

cóurt-mártial *n.* (*pl.* **courts-**) Ⓒ 군법 회의. — *vt.* (《英》 **-ll-**) 군법 회의에 부치다.

cóurt plàster 반창고.

cóurt·ròom *n.* Ⓒ 법정.

***cóurt·shìp** *n.* Ⓤ 구혼, 구애.

cóurt tènnis 코트테니스《벽면을 사용하여 하는 실내 테니스의 일종》.

***cóurt·yàrd** *n.* Ⓒ 안뜰, 마당.

†**cous·in**[kʌ́zn] *n.* Ⓒ 사촌《형제·자매》; 먼 친척(*Don't call ~s with me.* 친척이라고 부르지 말라). **first ~ once removed,** or **second ~** 육촌, 재종(再從).

cóusin-gérman *n.* Ⓒ 친사촌 (first cousin).

couth[kuːθ] *a.* 교양이 있는; 행실이 바른《uncouth부터의 역성어》.

cou·ture[kuːtjúər] *n.* (F.) Ⓒ 여성복 디자인; 《집합적》 여성복 디자이너(들); 그 가게.

cou·tu·ri·er[kuːtúərièi] *n.* (F.) Ⓒ 양재사《남자》.

co·va·lence [kouvéiləns] *n.* Ⓤ 〖化〗 공유 원자가.

co·vá·lent bónd [kouvéilənt-] 〖化〗 공유 결합. 「(結晶).

coválent crýstal 〖化〗 공유 결정

co·var·i·ance[kouvέəriəns] *n.* Ⓤ 〖統計〗 공분산(共分散).

***cove**[kouv] *n.* Ⓒ (깊숙한) 후미, 작은 만(灣); 한 구석.

***cov·e·nant**[kʌ́vənənt] *n., vi., vt.* Ⓒ (…와) 계약(하다); (C-) 〖聖〗 (신이 인간에게 준) 성약(聖約).

Cóv·ent Gárden[kʌ́vənt-, kά-/kɔ́-] (런던의) 청과물 시장; (그 곳의) 극장.

Cov·en·try[kʌ́vəntri, -ά-/-ɔ́-] *n.* 잉글랜드의 Birmingham 동쪽에 있는 도시. **send (*a person*) to ~** 한 패에서 제외시키다.

†**cov·er**[kʌ́vər] *vt.* ① 덮다, 가리다; 싸다(wrap up). ② 모자를 씌우다. ③ 숨기다. ④ (닭이 알을) 품다; 교미〔흘레〕하다; (수말이 암말에) 덮치다. ⑤ 표지를 붙이다. ⑥ (비용·손실을) 메우다; 보호〔비호〕하다, 감싸주다; 포함하다; 겨누다(~ *him with a rifle*). ⑦ (어떤 거리를) 통과하다(go over); (범위가 …에) 걸치다〔미치다〕(extend). ⑧ 〖商〗 (공(空)계약('short' contract)을 경계하여 상품·증권 따위를) 투기적으로 사들이다; (노름에서 상대가 건 돈과) 같은 액을 태우다. ⑨ 〖新聞〗 (…의 보도를) 담당하다(act as reporter of) (~ *a crime, conference, &c.*). — *n.* ① Ⓒ 덮개, 겉싸개; 뚜껑; 표지; 봉투. ② Ⓤ (새·짐승의) 숨는 곳; 풀숲; 보호물(*under ~ of night* 야음을 틈타서); 〖軍〗 (폭격기 엄호의) 전투기대. ③ Ⓒ 한 사람분의 식기〔식탁〕(*a dinner of fifteen ~s,* 15인분의 만찬). **break ~** (새·짐승이) 숨은 곳에서 나오다. **take ~** 〖軍〗 지형을 이용하여 숨다, 피난하다. **under ~** 지붕 밑에; 몰래; 봉투에 넣어. **under the same ~** 동봉하여. **~ed**[-d] *a.* 덮개〔뚜껑·지붕〕 있는 (*a ~ed wag(g)on* 포장 마차; 《英》 유개 화차); 집안의; 모자를 쓴; …로 덮인.

***cov·er·age**[kʌ́vəridʒ] *n.* Ⓤ 적용 범위; 《一般》 범위; 〖經〗 정화(正貨) 준비금; 보험 적용액; 보도 (범위); (광고의) 분포 범위; 〖放〗 유효 시청 범위; 〖保險〗 보상 범위, (보상하는) 위험 범위.

cóver·àll *n.* Ⓒ (상의와 바지가 붙은) 작업복. 「비스료.

cóver chàrge (요리점 따위의) 서

cóver gìrl 잡지 표지에 실린 미인.

:**cov·er·ing**[kʌ́vəriŋ] *n.* Ⓒ 덮개;

지붕; Ⓤ 피복; 엄호. ─ *a.* 덮는; 엄호하는.
cóvering lètter (동봉한) 설명서.
*__cov·er·let__[kʌ́vərlit] *n.* Ⓒ 침대 커버; 덮개; 이불.
cóver stòry 커버스토리《잡지 등의 표지에 관련된 기사》.
cov·ert[kʌ́vərt] *a.* 비밀의, 숨긴, 은밀한(furtive)(～ *glances*)(opp. overt); 〖法〗 보호를 받고 있는; 남편이 있는. ─ *n.* Ⓒ (새·짐승의) 숨는 곳; 피난처.
cóvert clòth 모(毛)나 면(綿) 능「직의 일종.
cov·er·ture[kʌ́vərtʃər] *n.* Ⓤ,Ⓒ 덮개; 숨는 곳, 은신처; Ⓤ 〖法〗 유부녀의 신분.
cóver-ùp *n.* Ⓒ (사건의) 은폐(책).
*__cov·et__[kʌ́vit] *vt., vi.* 몹시 탐[욕심]내다. **～·ous** *a.* 탐내는(*of*); 탐욕스러운; 열망하는.
cov·ey[kʌ́vi] *n.* Ⓒ (엽조의) 떼(bevy); 일대(一隊), 한 무리.
†**cow**[1][kau] *n.* Ⓒ 암소(opp. bull); (코끼리·고래 따위의) 암컷.
cow[2] *vt.* 으르다, 겁을 먹게 하다.
:**cow·ard**[káuərd] *n., a.* Ⓒ 겁쟁이, 열쭝이; 겁많은. ***～·ice**[-is] *n.* Ⓤ 겁, 소심. ***～·ly** *a., ad.* 겁많은; 겁을 내어.
ców·bèll *n.* Ⓒ 소의 목에 단 방울.
:**ców·bòy** *n.* Ⓒ 목동, 카우보이.
ców·càtcher *n.* Ⓒ (기관차의) 에이프런, 배장기(排障器); 〖放〗 (프로 직전의) 짧은 광고 방송《제2차 제품의》.
cow·er[káuər] *vi.* 움츠러들다, 《英方》 웅크리다. 「자.
ców·gìrl *n.* Ⓒ 목장에서 일하는 여
ców·hèrd *n.* Ⓒ 소 치는 사람.
ców·hìde *n.* Ⓤ,Ⓒ 소의 생가죽; Ⓤ 쇠가죽; Ⓒ 쇠가죽 채찍.
cowl[kaul] *n.* Ⓒ (수도사의) 망토 두건(hood); (굴뚝의) 갓; 자동차[비행기]의 앞쪽[전부(前部)].
ców·lìck *n.* Ⓒ (이마 위의 소가 핥은 듯) 일어선 머리털.
cow·man[∠mən] *n.* Ⓒ (미국 서부의) 목장 주인; 《英》 소치는 사람.
ców·pèa *n.* Ⓒ 〖植〗 광저기.
ców·pòx *n.* Ⓤ 우두. 「BOY.
ców·pùncher *n.* 《美口》 =COW-
ców·slìp *n.* Ⓒ 《美》 〖植〗 애기미나리아재비 (따위); 《英》 앵초과의 식물. 「골 거리.
ców tòwn 《美》 (목장 지역의) 시
cox[kɑks/-ɔ-] *n., vt., vi.* Ⓒ 《口》 (보트의) 키잡이(coxswain)(가 되다).
cox·comb[∠kòum] *n.* Ⓒ 멋쟁이, 맵시꾼(dandy); 〖植〗 맨드라미 (cockscomb).
cox·swain[kɑ́kswèin, kɑ́ksn/-ɔ́-] *n.* Ⓒ (보트의) 키잡이(cox).
*__coy__[kɔi] *a.* 수줍어하는(shy), 스스럼 타는; 짐짓 부끄러운 체하는, 요염하게 수줍어하는(coquettishly shy). *be ～ of* …을 (스스러워해) 좀처럼 말하지 않다.
coy·ote[káiout, kaióuti/kɔ́iout] *n.* Ⓒ 이리의 일종《북아메리카 초원의》; 악당.
coy·pu[kɔ́ipu:] *n.* Ⓒ 〖動〗 뉴트리아 《남아메리카산의 설치류의 동물; 그 털가죽(nutria)은 비쌈》.
coz·en [kʌ́zn] *vt., vi.* 속이다(cheat). **～·age**[kʌ́zənidʒ] *n.* Ⓤ 속임(수); 기만.
co·zy[kóuzi] *a.* (따뜻하여) 기분이 좋은, 포근한(snug). ─ *n.* Ⓒ 보온 커버《tea-cozy 따위》. **có·zi·ly** *ad.* **có·zi·ness** *n.*
cp. compare; coupon. **C.P.** Chief Patiarch; Command Post; Common Pleas; Common Prayer; Communist Party. **c.p.** candle power; center of pressure; chemically pure; circular pitch. **CPA** critical path analysis 〖컴〗 대형 계획 최적 스케줄 분석. **C.P.A.** Certified Public Accountant 공인 회계사. **cpd.** compound. **C.P.I.** Consumer Price Index. **Cpl. cpl.** corporal. **C.P.O.** Chief Petty Officer 해군 상사. **C.P.R.** Canadian [Central] Pacific Railway. **cps** cycles per second. **C.P.S.** Consumer Price Survey. **C.P.U.** central processing unit 〖컴〗 중앙 처리 장치. **CPX** Command Post Exercise 지휘소 훈련. **CQ** call to quarters (아마추어 무전의) 통신 신호; Charge of Quarters 〖軍〗 야간의 당직. **CR** 〖컴〗 carriage return. **C.R.** Costa Rica. **Cr** 〖化〗 chromium. **cr.** cathode ray; credit; creditor; crown.
:**crab**[1][kræb] *n.* ① Ⓒ 〖動〗 게. ② (the C-) 〖天〗 게자리(Cancer). ③ 자아틀. ④ Ⓒ 짓궂은 사람. ─ *vt.* (*-bb-*) 《口》 흠[탈]잡다(find fault with).
cráb[2] **(àpple)** *n.* Ⓒ 야생 능금(나무·열매).
crab·bed[krǽbid] *a.* 까다로운, 성난(cross), 빙퉁그러진(perverse); 읽기 어려운.
:**crack**[kræk] *n.* ① Ⓒ 금, 균열, 갈라진 틈. ② Ⓒ (채찍·불꽃 등의) 철썩, 퍽(하는 소리); 철썩[딱] 때림. ③ Ⓒ 《口》 순간. ④ Ⓒ 《口》 재치 있는 말; 신소리. ⑤ Ⓒ 농담. ⑥ Ⓒ 변성(變聲). ⑦ Ⓒ 결점; Ⓤ (가벼운) 정신 이상. ⑧ Ⓒ 《口》 시도, 찬스; 《英古·英俗》 자랑(거리), 허풍. *～ of doom* 최후의 심판 날의 천둥. *in a ～* 순식간에. ─ *vt., vi.* ① 깨뜨리다, 깨지다, 빠개(지)다, 갈라지다; 금이 가(게 하)다. ② 목소리가 변하다. ③ 딱[철썩] 소리가 나(게 하)다; 딱 때리다. ④ 굴(복)하다(give way). ⑤ (농담·익살)을 부리다(～ *a joke*). ⑥ 《口》 (금고 따위를) 비집어 열다. ⑦ 《口》 (술병을) 따다[열다], 따서 마시다. *～ down* 《美口》 혼내다, 단호한 조치를 취하다(*on*).

C

~ **up** 《俗》 (건강·신경이) 결딴나다; 《口》 칭찬하다; 《口》 (착륙할 때 따위에) 기체를 손상시키다; (기체가) 상하다. — *a.* 《口》 멋진, 훌륭한, 일류의. — *ad.* 딱, 퍽, 철썩. * **~ed** [-t] *a.* 깨진, 빠개진, 갈라진, 금이 간; 목소리가 변한; =**∠·bràined** 머리가 돈(crazy).

crack·a·jack[krǽkədʒæ̀k] *a., n.* Ⓒ 《美俗》 특출한 (사람); 특상품(의).

cráck·dòwn *n.* Ⓒ 단호한 조처.

***crack·er**[∠ər] *n.* Ⓒ ① 깨뜨리는〔빠개는〕 사람〔것〕. ② (*pl.*) 호두 까는 집게(nutcracker). ③ 폭죽; 딱총(fire cracker); 크래커 봉봉《양끝을 당기면 터져 과자·장난감 등이 튀어나옴》. ④ 크래커《과자》. ⑤ 《學生俗》 거짓말; 《美》(Georgia, Florida 등지의) 가난한 백인.

crácker-bàrrel *a.* (말 등이) 알기 쉬운, 평범한, 세련되지 않은.

crack·er·jack[krǽkərdʒæ̀k] *a., n.* Ⓒ 《美俗》 뛰어나게 훌륭한 (사람, 것).

crack·ers[krǽkərz] *a.* 《英俗》 머리가 돈. ***go*** ~ 머리가 돌다.

cráck·hèad *n.* Ⓒ 마약 상용자.

crack·ing[krǽkiŋ] *n.* Ⓤ 〖化〗 분류(分溜).

***crack·le**[krǽkəl] *n., vt.* Ⓤ 딱딱〔바스락바스락〕 (소리가 나다)《종이를 구길 때 따위》; (도자기 등의) 구울 때 생긴 잔금. **cráck·ling** *n.* Ⓤ 딱딱〔우지끈〕 소리; (바삭바삭하는) 구운 돼지의 겉가죽.

cráckle·wàre *n.* Ⓤ 잔금이 나게 구운 도자기.

cráck-pòt *a., n.* Ⓒ 《口》 정신나간 (사람), 기묘한 (사람).

cracks·man[krǽksmən] *n.* Ⓒ 《俗》 강도, 금고털이.

cráck-ùp *n.* Ⓒ 파손, 분쇄; 《口》 신경 쇠약, 약간 돎.

-cra·cy[krəsi] *suf.* '정체, 정치, 사회 계급, 정치 세력, 정치 이론'의 뜻 : demo*cracy*.

:cra·dle[kréidl] *n., vt.* Ⓒ ① 요람(搖籃)(에 넣다, 넣어 흔들다); 어린 시절; 키우다; (문명 등의) 발상지. ② (배의) 진수대(進水臺)(에 올리다); (비행기의) 수리대. ③ 〖採〗 선광대(選鑛臺)(로 선광하다).

cradle·lànd *n.* Ⓒ 요람지, 발상지.

crádle sòng 자장가.

crádle tèlephone 탁상 전화.

:craft[kræft, krɑːft] *n.* ① Ⓤ 기능, 기교, 솜씨, 교묘함. ② Ⓤ 기술; Ⓒ 기술이 드는 직업. ③ Ⓤ 간지(奸智); 못된 술책. ④ Ⓒ 배; 항공기. ***art and ~*** 미술 공예. ***the gentle ~*** 낚시질 (친구).

***crafts·man**[∠smən] *n.* Ⓒ 장색(匠色); 예술가.

cráft ùnion =HORIZONTAL UNION.

***craft·y**[∠i] *a.* 교활한(sly). **cráft·i·ly** *ad.* **cráft·i·ness** *n.*

crag[kræg] *n.* Ⓒ 울퉁불퉁한 바위(steep rugged rock), 험한 바위산. **~·ged**[-id], **∠·gy** *a.*

crags·man[krǽgzmən] *n.* Ⓒ 바위잘타는 사람.

crake[kreik] *n.* Ⓒ 〖鳥〗 흰눈썹뜸부기(의 울음소리).

***cram**[kræm] *vt., vi.* (**-mm-**) ① (장소·그릇에) 억지로 채워 넣다; 잔뜩 먹(이)다. ② 《口》 (학과를) 쑤셔 넣다. ③ (*vt.*) 《古》 (…에게) 허풍떨다. — *n.* Ⓤ 채워〔처박아〕 넣음; 《口》 벼락 공부; 《口》 거짓말. **∠·mer** *n.* Ⓒ 《英口》 벼락 공부꾼《교사·학생》. **∠·ming** *n.* Ⓤ 주입식 교육, 벼락 공부.

crám-fùll *a.* 넘치도록 가득한, 꽉 찬.

***cramp**¹[kræmp] *n., vt.* Ⓒ 꺾쇠(로 죄다); 속박하다〔하는 것〕. — *a.* 제한된(restricted), 비좁은, 갑갑〔답답〕한; 읽기〔알기〕 어려운.

***cramp**²*n., vt.* Ⓤ,Ⓒ 경련(을 일으키다). **~ed**[-t] *a.* 경련을 일으킨; 압축된; 답답한; 읽기〔알기〕 어려운.

cran·ber·ry [krǽnbèri/-bəri] *n.* Ⓒ 덩굴월귤《진한 소스의 원료》.

:crane[krein] *n., vt., vi.* Ⓒ 〖鳥〗 두루미; 기중기; 〖TV·映〗 카메라 이동 장치; (두루미처럼 목을) 늘이다, 뻗어 오르다; 기중기로 나르다.

cráne flỳ 꾸정모기(daddy-long-legs); 《美》 장님거미.

cra·ni·om·e·try [krèiniɑ́mitri/-ɔ́m-] *n.* Ⓤ 두개(골) 측정(학).

cra·ni·um[kréiniəm] *n.* (*pl.* **~s, -nia**) Ⓒ 〖解〗 두개(頭蓋)(골). **cra·ni·al**[-niəl, -njəl] *a.*

crank**[kræŋk] *n.* Ⓒ 〖機〗 크랭크; 굴곡; 변덕(맞은 생각·말); 《口》 괴짜, (성격이) 비뚤어진 사람. — *a.* 비슬거리는, 병약한; 〖海〗 뒤집히기 쉬운. — *vt., vi.* 크랭크 꼴로 굽히다; 크랭크를 달다; 크랭크를 돌리다. ~ ***up (크랭크로) 발동기를 돌리다. **∠·y** *a.* 심술궂은; 야릇한; 흔들흔들한; 병약한; 꾸불꾸불한.

cránk·càse *n.* Ⓒ (내연 기관의) 크랭크실(室).

cránk·shàft *n.* Ⓒ 〖機〗 크랭크 축, 크랭크샤프트.

cran·ny[krǽni] *n.* Ⓒ 갈라진 틈〔금〕, 벌어진 틈, 틈새기.

crap[kræp] *n.* Ⓒ (크랩스에서) 주사위를 굴려 나온 지는 끗수; Ⓤ 《俗》 찌꺼기, 너절한 물건. **~s** *n. pl.* 《단수 취급》 크랩스《주사위 두개로 하는 노름의 일종》.

***crape**[kreip] *n.* =CREPE.

crápe mỳrtle 〖植〗 백일홍.

:crash¹[kræʃ] *n., vi.* Ⓒ ① 와지끈〔탁·쾅·아지직·뎅그렁·쟁그렁·와르르〕 소리(를 내며 부서지다). ② 충돌(하다); 《俗》 실패(하다). ③ 파산(하다); 추락(하다). — *vt.* ① (…을) 탁〔쾅·와지끈·와르르·뎅그렁·쟁그렁〕 부수다; 찌부러뜨리다; 격추하다. ② 《口》 (불청객이) 오다. — *ad.* 쾅, 탁, 쟁〔뎅〕그렁, 와지끈.

crash² *n.* Ⓤ (수건·커튼 따위에 쓰는) 성긴 삼베.

crásh bàrrier (도로·경주로 등의) 가드 레일, 중앙 분리대.
crásh-dìve *vi.* (잠수함이) 급잠항하다; (비행기가) 급강하하다.
crásh-hàlt *n.* Ⓒ 급정거.
crásh hèlmet (자동차 경주용) 헬멧.
crásh-lánd *vi., vt.* 〖空〗 불시착하다[시키다].
crass[kræs] *a.* 우둔한; 터무니 없는; 《比》 심한, 지독한.
crate[kreit] *n.* Ⓒ (가구·유리 따위 운송용의) 나무틀, 나무판 상자; (과일을 나르는) 바구니, 광주리.
***cra·ter**[kréitər] *n.* Ⓒ 분화구; 지뢰[포탄] 구멍; (달 표면의) 운석(隕石) 구멍, 크레이터.
cra·vat[krəvǽt] *n.* Ⓒ 〖商〗 넥타이; 목도리(scarf).
***crave**[kreiv] *vt., vi.* 간절히 바라다, 열망하다(*for*); 필요로 하다. ***cráv·ing** *n.* Ⓒ 갈망; 염원.
cra·ven[kréivən] *a., n.* Ⓒ 겁많은[비겁한](자). ***cry*** ~ 항복하다.
craw[krɔː] *n.* Ⓒ (새의) 멀떠구니, (동물의) 위.
craw·fish[∠fìʃ] *n.* Ⓒ 가재; 《美口》 꽁무니 빼는 사람; 변절자.
:**crawl**[krɔːl] *vi.* ① 기(어가)다; 느릿느릿 나아가다; 살금살금 걷다. ② 살살 환심을 사다(creep)(*into*). ③ 벌레가 기는 느낌이 들다; 근실거리다. ~ ***up*** (옷이) 밀려 오르다. — *n.* Ⓤ 기다시피[느릿느릿] 걷는 걸음, 서행; =∠ **stròke** 크롤 수영법. ∠**·er** *n.* Ⓒ 길짐승; 아첨꾼; 《英》 손님을 찾아 천천히 달리는 빈 택시. ∠**·y** *a.* 《口》 근실거리는.
cray·fish[kréifìʃ] *n.* Ⓒ 가재.
:**cray·on**[kréiən, -ɑn/-ɔ̀n] *n., vt.* Ⓒ 크레용 (그림); 크레용으로 그리다; 대충 그리다.
***craze**[kreiz] *vi., vt.* ① 미치(게 하)다. ② (도자기에) 금이 가다[금을 넣다]. — *n.* Ⓒ ① 미침, 열광(mania); 대유행. ② (도자기의) 금.
:**cra·zy**[∠i] *a.* ① 미친; 《口》 열광한. ② (건물 따위가) 흔들흔들하는. ③ 《俗》 굉장한, 멋진.
crázy bòne =FUNNY BONE.
crázy quìlt 조각보 이불.
creak**[kriːk] *vi., vt., n.* 삐걱거리(게 하)다; Ⓒ 그 소리. ***Creaking doors hang the longest. 《속담》 쭈그렁 밤송이 삼 년 간다. ∠**·y** *a.*
:**cream**[kriːm] *n.* Ⓤ ① 크림(색); 유제(乳劑)(emulsion). ② (the ~) 가장 좋은[알짜] 부분, 노른자, 정수. — *vt.* 크림(모양으로) 하다; 크림으로[크림 소스로] 요리하다. ∠**·er·y** *n.* Ⓒ 크림 제조[판매]소. *∠**·y** *a.* 크림 모양[빛]의; 크림을 포함한; 크림색의.
créam càke 크림 케이크.
créam chèese 크림 치즈.
créam-còlored *a.* 크림색의.
créam crácker 《英》 크래커.
créam hòrn 크림혼《원뿔 모양의 크림 과자》.
créam pùff 슈크림; 《美俗》 고급 중고차; 《俗》 계집 같은 남자.
créam sàuce 크림 소스.
créam sóda 소다수.
crease[kriːs] *n., vi., vt.* Ⓒ 주름[금](이 잡히다, 을 내다).
:**cre·ate**[kriːéit] *vt.* ① 창조[창작]하다; 창시하다. ② (…에게) 작위(爵位)를 주다(invest with)(*He was ~d (a) baron.* 남작의 작위가 수여되었다). ③ 일으키다. ④ 〖컴〗 만들다. — *vi.* 《英俗》 법석을 떨다(*about*).
:**cre·á·tion** *n.* Ⓤ 창조, 창작; 창설; Ⓒ 창조[창작]물; Ⓤ 수작(授爵); (the C-) 천지 창조. ***cre·á·tive** *a.* 창조[창작]적인 (재능이 있는). ***cre·á·tor** *n.* Ⓒ 창조[창작]자; (the C-) 조물주, 하느님.
:**crea·ture**[kríːtʃər] *n.* Ⓒ ① 창조물, 생물, 동물. ② 인간, 남자, 여자. ③ 녀석(*Poor ~!* 가엾은 놈). ④ 부하, 수하, 노예. ⑤ 《俗·方》(the ~) 위스키.
créature cómforts 육체적 쾌락을 주는 것《특히 음식물》.
crèche[kreiʃ] *n.* (F.) Ⓒ 《英》 탁아소(day nursery). [신임.
cre·dence[kríːdəns] *n.* Ⓤ 신용;
cre·den·tial[kridénʃəl] *n.* (*pl.*) 신임장; 추천장.
cred·i·ble[krédəbəl] *a.* 신용할[믿을] 수 있는. **-bil·i·ty**[∠–bíləti] *n.* Ⓤ 신뢰성, 진실성.
:**cred·it**[krédit] *n.* ① Ⓤ 신용; 명예; 명성. ② Ⓤ 자랑; Ⓒ 자랑거리. ③ 신용 대부[거래]; (국제 금융상의) 크레디트. ④ Ⓤ 〖簿〗 대변(貸邊)(opp. debit); 채권. ⑤ Ⓒ 《美》 과목 이수증(證), 이수단위(unit). ⑥ Ⓒ 〖放〗 광고[스폰서명] 방송; =CREDIT LINE. ***do (a person)*** ~ …의 명예가[공이] 되다. ***give ~ to*** …을 믿다. ***letter of*** ~ 신용장《생략 L/C》. ***on*** ~ 신용 대부로, 외상으로. ***reflect ~ on*** …의 명예가 되다. — *vt.* 신용하다; 대변에 기입하다(~ *him with a sum;* ~ *a sum to him*); 신용 대부하다, 외상 주다; 《美》 단위 이수 증명을 주다; (…에게) 돌리다(ascribe) (*to*). *~**·a·ble** *a.* 신용할[믿을]만한; 훌륭한. ~**·a·bly** *ad.* 훌륭히.
***créd·i·tor** *n.* Ⓒ 채권자; 〖簿〗 대변《생략 Cr.》(opp. debtor).
crédit accòunt 《英》 외상 거래 계정(《美》 charge account).
crédit bùreau 상업 흥신소.
crédit càrd 크레디트 카드.
crédit lìne 크레디트 라인《기사·회화·사진·텔레비전 프로 등에 밝힌 제공자의 이름》.
crédit nòte 대변 전표.
crédit ràting (개인·법인의) 신용 등급[평가].
crédit sìde 〖簿〗 대변.
crédit stànding (지불 능력에 관한) 신용 상태.
crédit ùnion 신용 조합.

crédit-wórthy *a.* 〖商〗 신용도가 높은, 지불 능력이 있는.
cre·do[krí:dou] *n.* (*pl.* ~*s*) Ⓒ 신조(creed); (the C-) 〖宗〗 사도 신경, 니체노 신경.
cred·u·lous[krédʒələs] *a.* 믿기〔속기〕 쉬운. ~·**ness**, ***cre·du·li·ty**[kridjú:ləti] *n.* Ⓤ (남을) 쉽사리 믿음, 고지식함.
:creed[kri:d] *n.* Ⓒ 신조, 교의(敎義). ***the C-*** or ***Apostles' C-*** 사도 신경.
:creek[kri:k] *n.* Ⓒ 작은 내; 후미, 내포, 작은 만(灣).
creel[kri:l] *n.* Ⓒ (낚시질의) 물고기 바구니; 통발.
:creep[kri:p] *vt.* (***crept***) ① 기다(crawl); (담쟁이 따위가) 휘감겨 붙다. ② 가만히〔발소리를 죽이며〕 걷다. ③ 슬슬 환심을 사다(~ *into favor*). ④ 군실거리다; 오싹하다. — *n.* Ⓒ 김, 포복; (the ~s) 《口》 오싹하는 느낌. ***give a person the ~s*** 섬뜩하게 하다. **∠·er** *n.* Ⓒ 기는 것; 덩굴풀, 담쟁이(ivy); (*pl.*) 어린이용의 헐렁한 옷; Ⓒ (다리 짧은) 닭의 일종; 〖鳥〗 나무발바리. **∠·y** *a.* 기는; 군실군실하는, 오싹하는.
creep·ing[∠iŋ] *a.* 기는, 기어다니는; 휘감겨 붙는; 진행이 더딘, 느린; 아첨하는; 군실거리는. ~·**ly** *ad.*
créep jòint 《美俗》 밀매(蜜賣) 술집(creep dive).
creese[kri:s] *n.* Ⓒ (말레이 사람이 쓰는) 단검(短劍).
cre·mate[krí:meit, kriméit] *vt.* 화장(火葬)하다. **cre·má·tion** *n.*
cre·ma·to·ry[krí:mətɔ̀:ri, krém-/krémətəri] *n.* Ⓒ 화장터.
cren·el(le)[krénl] *n.* Ⓒ (성벽의) 총안(銃眼).
cren·el·(l)ate[krénəlèit] *vt.* (…에) 총안을 만들다〔설비하다〕.
Cre·ole[krí:oul] *n.* Ⓒ (Louisiana 주에 정착한) 프랑스인의 자손; Ⓤ 그 주(州)에서 쓰이는 프랑스 말; Ⓒ 서인도〔남아메리카〕 태생의 유럽 사람; (c-) Ⓒ 미국 태생의 흑인.
cre·o·sol[krí:əsɔ̀(:)l, -sɑ̀l] *n.* Ⓤ 〖化〗 크레오솔《방부제》.
cre·o·sote[krí(:)əsòut] *n.* Ⓤ 〖化〗 크레오소트.
crepe, crêpe**[kreip] *n.* (F.) Ⓤ 크레이프《바탕이 오글오글한 비단의 일종》; Ⓒ 상장(喪章). ~ ***de Chine[∠dəʃí:n] 크레이프 드신《얇은 비단 크레이프》.
crépe pàper (냅킨용의) 오글오글한 종이. 「창용》.
crépe rùbber 크레이프 고무《구두
crep·i·tate[krépətèit] *vi.* 딱딱 소리나다(crackle); 〖醫〗 (폐가) 염발음(捻髮音)을 내다. 「사).
:crept[krept] *v.* creep의 과거(분
cre·pus·cu·lar[kripʌ́skjələr] *a.* 새벽〔해질 무렵〕의(of twilight); 어스레한(dim).
cres., cresc. 〖樂〗 *crescendo.*
cre·scen·do[kriʃéndou] *ad., a. n.* (*pl.* ~*s*) (It.) 〖樂〗 점점 세게, Ⓒ 점점 세어지는 (일·음).
***cres·cent**[krésənt] *n., a.* Ⓒ 초승달(의); 초승달 모양의 (것); (예전 터키의) 초승달기(旗).
cre·sol[krí:soul/-sɔl] *n.* Ⓤ 〖化〗 크레졸. 「용》.
cress[kres] *n.* Ⓤ 〖植〗 양갓냉이《식
cres·set[krésit] *n.* Ⓒ (화톳불의) 기름 단지.
:crest[krest] *n.* Ⓒ ① (닭 따위의) 볏(comb), 도가머리, (투구의) 앞꽂이 장식 깃. ② 갈기(mane). ③ 봉우리, 산꼭대기; 물마루. ④ 문장(紋章)의 꼭대기 부분. ~·**ed**[∠id] *a.*
crést·fàllen *a.* 볏이 처진; 머리를 푹 숙인; 풀이 죽은.
cre·ta·ceous[kritéiʃəs] *a., n.* 백악(白堊)(질)의; (the C-) 〖地〗 백악기(紀)(의).
Crete[kri:t] *n.* 크레타 섬《지중해의 섬; 그리스령(領)》.
cre·tin[krí:tn, kritǽn/kretɔ́n, ∠—] *n.* Ⓒ 크레틴병 환자; 백치(idiot). ~·**ism**[-ìzəm] *n.* Ⓤ 크레틴 병.
cre·tonne [krí:tɑn, kritɑ́n/kretɔ́n, ∠—] *n.* Ⓤ (커튼·의자용) 크레톤 사라사.
cre·vasse[krivǽs] *n.* (F.) Ⓒ (빙하의) 갈라진 틈, 균열. 「터진 곳.
***crev·ice**[krévis] *n.* Ⓒ 갈라진 틈,
:crew[1] [kru:] *n.* Ⓒ 《집합적》 승무원; 《蔑》 동아리, 패거리.
crew[2] *v.* 《주로 英》 crow[2]의 과거.
crew·el[krú:əl] *n.* Ⓤ 자수용 털실.
crew·man[krú:mən] *n.* Ⓒ 승무원. 「인》.
créw nèck 크루넥《깃 없는 네크라
***crib**[krib] *n.* Ⓒ ① (난간이 둘린) 소아용 침대. ② 구유(manger); 통나무〔귀틀〕집, 작은 방. ③ 《口》 (학생의) 주해서. — *vt.* (*-bb-*) (…에) 가두다; 도용(盜用)하다; 표절하다. — *vi.* 《口》 주해서를 쓰다, 몰래 베끼다.
crib·bage[kríbidʒ] *n.* Ⓤ 카드놀이의 일종.
:crick·et[1] [kríkit] *n.* Ⓒ 귀뚜라미.
:crick·et[2] *n.* Ⓤ 크리켓. ~·**er** *n.*
cri·er[kráiər] *n.* Ⓒ 부르짖는〔우는〕 사람; (포고 따위를) 외치며 알리는 사람; 광고꾼, 외치며 파는 상인.
crim. con. 〖法〗 criminal conversation. 「(cf. sin).
:crime[kraim] *n.* Ⓒ 범죄, 나쁜 짓
Cri·me·a[kraimí:ə, kri-] *n.* (the ~) 크리미아 반도. **-an** *a.*
crime pas·si·o·nel[krì:m pɑ:si-ənél] 치정에 의한 범죄.
:crim·i·nal[krímənl] *a., n.* 범죄의; Ⓒ 범인. ~·**ly** *ad.* 죄를 저질러; 형법상. 「욕죄.
críminal contémpt 〖法〗 법정 모
críminal conversátion 〔《英》 **connéxion**〕 〖法〗 간통.
crim·i·nal·is·tics[krìmənəlístiks] *n.* Ⓤ 범죄 수사학.
crim·i·nal·i·ty[krìmənǽləti] *n.* Ⓒ 범죄(행위); Ⓤ 범죄적 성질, 유죄,

범죄성.
críminal láw 형법.
crim·i·nate[krímənèit] *vt.* 유죄로 하다; 죄를 묻다.
crim·i·nol·o·gy [krìmənáləd3i/-ɔ́-] *n.* Ⓤ 범죄학.
crimp[krimp] *vt., n.* (머리 등을) 지지다, 오그라지게 하다; Ⓒ (보통 *pl.*) 고수머리, 오그라짐; 주름(잡기); 제한, 장애(물).
:crim·son[krímzn] *n., a., vt., vi.* Ⓤ 진홍색(의, 으로 하다, 이 되다).
crímson láke 진홍색(그림물감).
crin·kle[kríŋkl] *n., vi., vt.* Ⓒ 주름(지(게 하)다); 오그라들(게 하)다, 오글 쪼글하게 하다; 바스락〔바삭바삭〕 소리 나다.
crin·o·line[krínəlì(ː)n] *n.* Ⓒ 〖史〗 버팀테(hoop)를 넣은 스커트.
cripes[kraips] *int.* 《俗》 어이구나, 야아 이거 참《놀람》.
:crip·ple[krípl] *n., vt.* Ⓒ 신체 장애자, 뚝발이〔불구자〕(로 만들다); 해치다, 약하게 하다; 무능케 하다. ***~d soldier*** 상이 군인.
:cri·sis[kráisis] *n.* (*pl.* ***-ses***[-siːz]) Ⓒ 위기; 〖經〗 공황.
:crisp[krisp] *a.* ① 아삭아삭〔파삭파삭〕하는; (병 따위가) 깨지기 쉬운 (brittle). ② 오그라든. ③ (공기가) 상쾌한(bracing), 팔팔한; 시원시원한, 명확한. — *vi., vt.* 아삭아삭〔파삭파삭〕하게 되다〔하다〕; 오그라들(게 하)다. — *n.* Ⓒ 아삭아삭〔파삭파삭〕한 상태; (*pl.*) 《주로 英》 파삭파삭하도록 얇게 썰어 기름에 튀긴 감자. ****ㅅ·ly*** *ad.* ****ㅅ·ness*** *n.* ***ㅅ·y*** *a.*
crisp·er[kríspər] *n.* Ⓒ (냉장고의) 야채 저장실.
criss·cross[krískrɔ̀ːs/-krɔ̀s] *a., ad., n.* Ⓒ 열십자(무늬)(의, 로); = TICK-TACK-TOE. — *vt.* 열십자〔무늬〕로 하다. — *vi.* 교차하다.
cris·tate[krísteit] *a.* 〖生〗 볏이〔도가머리가〕 있는.
cri·te·ri·on**[kraitíəriən] *n.* (*pl.* ***~s, -ria) Ⓒ (판단의) 표준, (비판의) 기준.
:crit·ic[krítik] *n.* Ⓒ 비평〔평론〕가; 흠〔트집〕 잡는 사람.
:crit·i·cal[krítikəl] *a.* ① 비평의(of criticism), 평론의; 눈이 높은; 비판적인, 입이 건. ② 위독한, 위험한(of a crisis) (*~ condition* 위독 상태); 〖理·數〗 임계(臨界)의(*~ temperature* 임계온도). ***with a ~ eye*** 비판적으로. ***~·ly*** *ad.* 비판적으로; 아슬아슬하게, 위험한 정도로(*be ~ly ill* 위독하다).
crítical máss 〖理〗 임계 질량; 어떤 결과를 얻기 위해 필요한 양.
crítical páth análysis 크리티컬 패스 분석《어떤 계획의 최장 경로를 컴퓨터로 분석하여 가장 유효한 순서를 결정하는 방법》. 「판 철학.
crítical philósophy (칸트의) 비
:crit·i·cism[krítisìzəm] *n.* Ⓤ,Ⓒ 비평, 비판, 평론; 혹평, 비난.
:crit·i·cize[krítisàiz] *vt., vi.* 비평〔비판〕하다; 비난하다.
cri·tique[kritíːk] *n.* Ⓤ,Ⓒ (문예 작품 등의) 비평, 평론(문); 서평; 비판 (*the C- of Pure Reason by Kant* 칸트의 '순수 이성 비판').
croak**[krouk] *vi., vt., n.* Ⓒ (까마귀·해오라기·개구리가) 깍깍〔개골개골〕 울다, 그 소리; 목쉰 소리(로 말하다); 음울한 소리를 내(어 말하)다; 불길한 말을 하다. ***ㅅ·er *n.*
Cro·at[króuət, -æt] *n.* Ⓒ 크로아티아 사람.
Cro·a·tia[krouéiʃə] *n.* 크로아티아 《옛 유고슬라비아에서 독립한 공화국》. ***~n*** *a.*
cro·chet[krouʃéi/ㅅ—, -ʃi] *n., vi., vt.* Ⓤ 코바늘 뜨개질(하다).
crock[krak/-ɔ-] *n.* Ⓒ (토기의) 항아리, 독. ***~·er·y***[ㅅəri] *n.* Ⓤ 토기류(土器類), 사기그릇류.
crocked[krakt/krɔkt] *a.* 《美俗》 술취한; 《英口》 부상당한.
croc·o·dile**[krákədàil/-ɔ́-] *n.* Ⓒ 악어. ***-dil·i·an[ㅅ—dílian] *a., n.* Ⓒ 악어류의 (동물); 악어.
crócodile tèars 거짓 눈물.
cro·cus**[króukəs] *n.* (*pl.* ***~es, -ci[-sai]) Ⓒ ① 〖植〗 크로커스(의 꽃). ② 산화철《마분(磨粉)》.
Croe·sus[kríːsəs] *n.* 크로서스《기원전 6세기의 Lydia 왕》; Ⓒ 그와 같은 갑부. (***as***) ***rich as ~*** 대부호인.
croft[krɔːft/krɔft] *n.* Ⓒ 《英》 (주택에 접한) (텃)밭; 작은 소작 농장. ***ㅅ·er*** *n.* Ⓒ 소작농(小作農).
crois·sant[krwaːsɑ́ːnt] *n.* (F.) Ⓒ 초생달형의 롤빵.
Cro-Mag·non [kroumǽgnən, -mǽnjən] *n., a.* Ⓒ (구석기 시대의) 크로마뇽 사람(의).
crom·lech[krámlek/-ɔ́-] *n.* Ⓒ 〖考〗 환열 석주(環列石柱) (stone circle); =DOLMEN.
Crom·well[krámwəl, -wel/-ɔ́-], **Oliver** (1599-1658) 영국의 정치가·군인. 「노파.
crone[kroun] *n.* Ⓒ (주름투성이의)
cro·ny[króuni] *n.* Ⓒ 다정한 친구, 단짝, 옛벗.
crook**[kruk] *n.* Ⓒ ① 굽은 것; (양치는 목동의) 손잡이가 굽은 지팡이. ② 만곡, 굽음. ③ 《口》 사기꾼, 도둑놈. ***a ~ in one's lot 불행. ***by*** HOOK ***or by ~. on the ~*** 《俗》 부정수단으로. — *vt., vi.* 구부리다; 구부러지다.
cróok·bàck *n.* Ⓒ 곱추, 곱사등이 (hunchback). ***-bàcked*** *a.*
:crook·ed[ㅅid] *a.* 꼬부라진, 뒤틀린, 부정직한; [krukt] 갈고리〔굽은 손잡이〕가 달린.
Cróokes túbe[krúks-] 〖電〗 크룩스(진공)관.
croon[kruːn] *vi., vt.* 작은 소리로 읊조리다; 웅얼웅얼 노래하다(hum). ***ㅅ·er*** *n.* Ⓒ 작은 소리로 읊조리는〔노래하는〕 사람; 저음 가수.

C

C

†**crop**[krɑp/-ɔ-] *n.* ① Ⓒ 작물, 수확〔생산〕(량)(*a bad*〔*bumper, large*〕 ~ 흉〔풍〕작); (the ~s)(한 지방·한 계절의) 전(全)농작물. ② Ⓒ 많음, 모임; 속출. ③ Ⓒ (새의) 멀떠구니(craw). ④ (*sing.*) (머리를) 짧게 깎기(cf. bob[1], shingle[1]). ⑤ Ⓒ (끝에 가죽 고리가 달린) 채찍. ***be out of***〔***in, under***〕 ~ 농작물이 심어져 있지 않다〔있다〕. — *vt.* (**-pp-**) (땅에) 재배하다, 심다(~ *a field with seed, wheat, &c.*); (짧게) 깎다; 수확하다. — *vi.* (농작물이) 되다; 깎아〔베어〕내다(clip); (광상(鑛床)이) 노출하다(*out*), (불시에) 나타나다(*forth, out, up*); (양·새 따위가) 싹을 먹다.

cróp·dùsting *n.* Ⓤ 농약 살포.

crop·per[krɑ́pər/krɔ́p-] *n.* Ⓒ 농부, 《美》(반타작의) 소작인; 작물(*a good* ~ 잘 되는 작물); 베는〔깎는〕 사람〔것〕; 추락, 낙마(落馬), 대실패(*come*〔*fall, get*〕 *a* ~ 말에서 떨어지다, 실패하다).

cróp rotàtion 윤작.

cro·quet[kroukéi/∠–, -ki] *n.* Ⓤ 크로케《나무공을 나무 망치로 ⌐┐형의 틀 안으로 쳐 넣는 게임》.

cro·quette[kroukét/-ɔ-] *n.* (F.) Ⓒ,Ⓤ 〖料理〗 크로켓.

cro·sier[króuʒər] *n.* Ⓒ 〖宗〗(bishop 또는 abbot의) 사목장(司牧杖).

†**cross**[krɔːs/krɔs] *n.* Ⓒ ① 십자가; (the C-) 예수의 수난(의 십자가), 속죄(the Atonement); 기독교. ② 고난, 시련, 고생; 방해(*bear one's* ~ 고난을 참다). ③ 십자형, 십자로(路), 네거리; 십자 훈장(*the Victoria C-* 빅토리아 훈장). ④ 교배, 잡종. ***on the*** ~ 엇갈리게, 교차되게; 《俗》 부정 행위를 하여(살다, 따위). ***take the*** ~ 십자군〔개혁 운동〕에 참가하다(join the crusade). — *a.* ① 열십자(형)의; 비스듬한, 가로의. ② 반대의(~ *luck* 불운). ③ (질문·대답 따위) 심술궂은, 찌무룩한. ④ 잡종의(crossbred). ***as*** ~ ***as two sticks*** 《口》 성미가 지독히 까다로운. ***run*** ~ ***to*** …와 충돌하다. — *vt.* ① 가로지르다, 건너다. ② (팔짱을) 끼다, (발을) 꼬다. ③ (선을) 가로 긋다〔그어 지우다〕(*off, out*). ④ 반대〔방해〕하다. ⑤ (편지 따위가) (…와) 엇갈리다; 교배시키다; 〖電話〗 혼선되게 하다. — *vi.* 가로〔건너〕지르다; 교차하다; 엇갈리게 하다; 잡종이 되다. ***be*** ~***ed in*** …에 실망하다. ~ ***a horse*** 말에 걸터앉다. ~ ***a person's hand***〔***palm***〕 ***with silver*** 아무에게 뇌물을 쥐어주다. ~ ***a person's path*** …을 만나다; …의 앞길〔계획〕을 방해하다. ~ ***oneself***〔***one's heart***〕 가슴(또는, 이마)에 십자를 긋다. ~ ***one's fingers*** 두 손가락을 열 십자로 걸다《재난의 액막이로》. ~ ***one's mind*** 마음에 떠오르다. ~ ***wires***〔***lines***〕 전화를 (잘못) 연결하다. ~***ed***[-t] *a.* 열십자로 교차된, 횡선을 그은(*a* ~*ed check* 횡선 수표); (열십자 또는 횡선으로) 말소한; 방해〔저지〕된. ⁕∠**·ly** *ad.* 가로, 거꾸로; 심술궂게, 뾰로통해서. ∠**·ness** *n.*

cróss·bàr *n.* Ⓒ 가로장, 빗장; (높이 뛰기 등의) 바.

cróss·bèam *n.* Ⓒ 대들보, 도리.

cróss-bènch *n.* (보통 *pl.*) 〖英下院〗 무소속 의원석(席). — *a.* 중립의.

cróss·bìll *n.* Ⓒ 잣새.

cróss-bìll *n.* Ⓒ 〖法〗 반대 소장(反對訴狀).

cróss·bònes *n. pl.* 2개의 대퇴골을 교차시킨 그림《죽음·위험의 상징》.

cross·bow[∠bòu] *n.* Ⓒ 석궁(石弓).

cróss·brèed *n., vt., vi.* (**-bred**) Ⓒ 잡종(을 만들다).

cróss bùn 《주로 英》 십자가(모양을 찍은) 빵《Good Friday용》.

cróss-cóuntry *a.* 들판 횡단의(*a* ~ *race* 단교(斷郊) 경주).

cróss·cúltural *a.* 문화 비교의.

cróss·cùt *a., n.* Ⓒ 가로 켜는 (톱), 동가리톱; 지름길.

cróss-examinátion *n.* Ⓤ,Ⓒ 힐문, 반문; 〖法〗 반대 심문.

cróss-exámine *vt.* 〖法〗 반대 심문하다; 힐문하다.

cróss-èyed *a.* 사팔눈의, (특히) 모들뜨기의.

cróss-fertilizátion *n.* Ⓤ 〖植·動〗 이화(異花)〔타가〕 수정; (이질 문화의) 교류.

cróss-fíle *vt.* 《美》 두 정당의 예비 선거에 입후보하다.

cróss fìre 〖軍〗 십자 포화; 활발히 주고받는 질의 응답; (요구·용건의) 쇄도, 집중; 곤경.

cróss-gráined *a.* 나뭇결이 불규칙한; (성격이) 비뚤어진.

cróss hàirs (망원경 등의 초점에 그은) 십자선.

cróss-hàtch *vt.* (펜화(畫)에서) 종횡선의 음영(陰影)을 넣다.

cróss-immúnity *n.* Ⓤ 〖醫〗 (다른 균에 의한) 교차 면역.

⁑**cross·ing**[∠iŋ] *n.* ① Ⓤ,Ⓒ 횡단, 교차. ② Ⓒ (가로의) 교차점, 네거리, (선로의) 건널목. ③ Ⓤ,Ⓒ 방해, 반대. ④ Ⓤ,Ⓒ 십자를 긋기. ⑤ Ⓤ,Ⓒ 이종 교배. ⑥ Ⓤ,Ⓒ (수표의) 횡선.

cróssing guàrd 《美》(아동 등하교 때의) 교통 안전 유도원.

cross-legged[∠légid] *a.* 발을 꼰〔엇건〕; 책상 다리를 한.

cróss-lìnk *vt.* 〖化〗 교차 결합하다.

cróss-lòts *ad.* 지름길로. ***cut*** ~ 지름길로 가다.

cróss·òver *n.* Ⓒ (입체) 교차로.

cróss-ównership *n.* Ⓤ 《美》(단일 기업에 의한 신문·방송국의) 교차 소유.

cróss·pàtch *n.* Ⓒ 《口》 심술꾸러기.

cróss·pìece *n.* Ⓒ 가로장(나무).

cróss-póllinate *vt.* 이화(異花) 수분시키다.

cróss-pollinátion *n.* Ⓤ 이화(異花)수분.

cróss·púrpose *n.* Ⓒ (보통 *pl.*)

목적〔의향〕의 엇갈림(*at* ~ 이야기가〔행동이〕 엇갈려, 서로 오해하여).
cróss-quéstion *vt.* =CROSS-EXAMINE.
cróss-refér *vi.* (*-rr-*) (같은 책에서) 앞뒤를 참조하다.
cróss réference (한 책 안의) 앞뒤 참조, 상호 참조.
cróss·ròad** *n.* Ⓒ 교차 도로; 갈림길, 골목길; (*pl.*) 《단수 취급》 네거리; 집회소. ***at the ~s 갈림길에 서서, 할 바를 몰라.
cróss sèction 횡단면; 대표적인 면; 단면도.
cróss-section páper 모눈종이.
cróss sèlling 끼워 팔기《영화와 원작본 따위의》.
cross-so·ci·e·tal[╴səsáiətəl] *a.* 사회 전체에 미치는, 사회 각층에 걸친.
cróss-stìtch *n., vt., vi.* Ⓒ (바느질의) 십자뜨기(를 하다).
cróss tàlk 〖電話〗 혼선; 《英》 (하원에서의) 논쟁.
cróss·trèes *n. pl.* 〖海〗 돛대 꼭대기의 활대.
cróss-vòting *n.* Ⓤ 교차 투표《자당·타당의 구별 없이 자유로이 찬부를 투표할 수 있음》.
cróss-wàlk *n.* Ⓒ 횡단 보도.
cróss·wày *n.* =CROSSROAD.
cróss·wàys, ***cróss·wìse** *ad.* ① 옆으로, 가로; 열십자 (모양으로). ② 심술궂게.
***cróss·word** (**pùzzle**) *n.* Ⓒ 크로스워드퍼즐, 십자 말풀이.
crotch[kratʃ/-ɔ-] *n.* Ⓒ (발의) 가랑이, (손의) 갈래, 손샅, (나무의) 아귀; 〖海〗 갈라진 지주.
crotch·et[krátʃit/-ɔ́-] *n.* Ⓒ 별난 생각, 변덕(whim); 갈고리(small hook); 〖樂〗 4분 음표. **~·y** *a.* 변덕스러운; 별난.
⁑**crouch**[krautʃ] *vi., n.* Ⓤ 쭈그〔웅크〕리다〔림〕; 바싹 웅크리다〔웅크림〕; (비굴하게) 움츠리다.
croup[1][kru:p] *n.* Ⓤ 〖病〗 크루프, 위막성(僞膜性) 후두염.
croup[2], **croupe**[kru:p] *n.* Ⓒ (말 따위의) 궁둥이(rump).
crou·pi·er[krú:piər] *n.* Ⓒ (노름판의) 물주.
crou·ton[krú:tan/-tɔn] *n.* (F.) Ⓒ 크루톤《수프에 띄우는 튀긴 빵 조각》.
⁑**crow**[1][krou] *n.* Ⓒ 까마귀《raven, rook 도 포함》. ***as the ~ flies*** 일직선으로. ***eat ~*** 《美口》 굴욕을 참다. ***white ~*** 진품.
crow[2] *vi.* (***crew,*** **~*ed;*** **~*ed***) (수탉이) 울다; 홰를 쳐 때를 알리다; (**~*ed***) (아기가) 까르륵 웃다; 환성〔함성〕을 지르다〔올리다〕(*over*).
crów·bàr *n.* Ⓒ 쇠지레.
†**crowd**[kraud] *n.* Ⓒ ① 《집합적》 군중, 붐빔; (the ~) 민중. ② 다수(*a ~ of books*). ③ 《口》 패거리, 동아리. ④ 관객, 구경꾼. — *vi.* 모여들다, 북적대다; 서로 밀치며 들어가다. — *vt.* 밀치락달치락하다, 잔뜩 처넣다; 찌부러뜨리다(*down*); 밀(어 붙이)다; 《口》 강요하다. **:~·ed**[╴id] *a.* 붐비는, 만원의.
crow·foot[króufùt] *n.* (*pl.* **~*s***) =BUTTERCUP.
†**crown**[kraun] *n.* ① Ⓒ 왕관; (the ~) 왕위, 군주권; (the C-) 군주, 제왕. ② Ⓒ 화관(花冠), 영관, 영예. ③ Ⓒ 왕관표(가 달린 것). ④ Ⓒ 5실링 은화. ⑤ Ⓤ 크라운판(判) 용지 《15×20 인치》. ⑥ Ⓒ 꼭대기; (모자 따위의) 위; 머리, 정수리; (the ~) 절정, 극치(acme). ⑦ Ⓒ 〖齒科〗 (이의) 금관; (닻의) 하단부. — *vt.* (…에게) (왕)관을 주다, 즉위시키다; 꼭대기에 얹다〔를 꾸미다〕; (명예 따위를) 주다; (…의) 최후를 장식하다, 완성하다. ***to ~ all*** 끝판〔결국〕에 가서는, 게다가. **∠·ing** *a.* 최후를 장식하는; 더 없는(*the ~ing folly* 더할 나위 없는 어리석음).
crówn cólony 《英》 직할 식민지.
crówn lànd 왕실 영유지.
crówn prínce (영국 이외의) 왕세자《영국은 Prince of Wales》.
crów's-fòot *n.* (*pl.* **-*feet***) Ⓒ (보통 *pl.*) 눈꼬리의 주름.
crów's-nèst *n.* Ⓒ 돛대 위의 망대.
C.R.T. 〖컴〗 cathode-ray tube(음극(선)관).
CRT displáy[sì:à:rtí:-] 〖컴〗 음극(선)관 표시(기).
***cru·cial**[krú:ʃəl] *a.* ① 최종〔결정〕적인, 중대한. ② 혹독한, 어려운, 곤란한(*a ~ period* 어려운 시기).
cru·ci·ble[krú:səbl] *n.* Ⓒ 도가니(melting pot); 《比》 호된 시련.
cru·ci·fix[krú:səfìks] *n.* Ⓒ 십자가(의 예수상(像)). **~·ion**[╴–fíkʃən] *n.* Ⓤ (십자가에) 못박음; (the C-) 십자가에 못박힌 예수; Ⓒ 그 그림〔상〕; Ⓤ 모진 박해, 큰 시련.
cru·ci·form[krú:səfɔ̀:rm] *a., n.* 십자형(의).
***cru·ci·fy**[krú:səfài] *vt.* 십자가에 못박다; 괴롭히다(torture).
crud[krʌd] *n.* Ⓤ 《俗》 앙금; Ⓒ 쓸모없는 자, 무가치한 것.
⁑**crude**[kru:d] *a.* 천연 그대로의, 생것〔날것〕의(raw)(*~ gum* 생고무); 미숙한; 조잡〔엉성〕한(rough), 무무〔조야〕한(*~ manners* 예절없음); 노골적인(bald). — *n.* Ⓤ 원유(原油). **∠·ly** *ad.* **∠·ness, cru·di·ty**[krú:dəti] *n.*
crúde óil 〔**petróleum**〕 원유.
⁑**cru·el**[krú:əl] *a.* 잔인한; 비참한. — *ad.* 《方》 몹시, 아주. ***~·ly** *ad.* ⁑**~·ty** *n.* Ⓤ 잔학; Ⓒ 잔학 행위.
cruet[krú:it] *n.* Ⓒ (소금·후추 따위를 넣은) 양념병.
crúet stànd 양념병대(臺).
***cruise**[kru:z] *n., vi.* ① Ⓒ 순항(巡航)(하다). ② (택시가 손님을 찾아) 돌아다니다. ③ 순항 속도로 비행하다. ***crúis·er** *n.* Ⓒ 순양함; 행락용 모터보트; 손님 찾아 돌아다니는 택시; (경찰의) 순찰차(prowl car).

C

crúise càr 《美》 순찰차.
crúise míssile 크루즈 미사일《컴퓨터로 조정되며 저공 비행함》.
crúising spèed (배·비행기의) 순항 속도, 경제 (주행) 속도.
crul·ler[krʌ́lər] *n.* Ⓒ 꽈배기 도넛.
***crumb**[krʌm] *n.* ① Ⓒ (보통 *pl.*) (빵·과자의) 작은 조각, 빵부스러기. ② Ⓤ (빵의) 말랑말랑한 속(cf. crust). ③ Ⓒ 소량, 조금(~*s of learning*).
:crum·ble[krʌ́mbl] *vt., vi.* 산산이 바수다〔바스러지다〕; 빻다, 가루로 만들다; 무너〔부서〕지다, 붕괴하다. **-bly** *a.* 무른, 부서지기 쉬운.
crum·my[krʌ́mi] *a.* 《俗》 지저분한; 싸구려의, 하찮은.
crump[krʌmp] *vt.* 쾅하고 폭파시키다. ── *n.* Ⓒ 쾅, 빵빵하는 소리.
crum·pet[krʌ́mpit] *n.* Ⓒ《주로 英》 일종의 구운 과자; Ⓤ《俗》 성적 매력(이 있는 여자).
***crum·ple**[krʌ́mpl] *n., vt., vi.* Ⓒ 주름, 꾸김; 꾸기다, 쭈글쭈글하게 하다, 꾸겨지다(*up*).
crunch[krʌntʃ] *vi., vt., n.* Ⓒ 우두둑우두둑〔어적어적〕 깨물다〔깨묾〕; (*sing.*) 어쩍 깨물다〔깨무는 소리〕; 저벅저벅 걷다〔걷기, 소리〕; (the ~) 위기; (a ~) 금융 핍박, 경제 위기.
crup·per[krʌ́pər] (<croup²) *n.* Ⓒ (말의) 껑거리끈; (말의) 궁둥이.
***cru·sade**[kru:séid] *n.* Ⓒ ① (보통 C-) 〖史〗 십자군. ② 성전(聖戰); 개혁〔박멸〕 운동(*against*). ***cru·sád·er** *n.* Ⓒ 십자군 전사(戰士); 개혁〔박멸〕 운동가.
cruse[kru:z] *n.* Ⓒ《古》 항아리, 주전자, 병. ***the widow's*** ~ 과부의 병《〖聖〗 열왕기上 XVII:10-17》.
:crush[krʌʃ] *vt.* ① 짓눌러 찌부러뜨리다, 으깨다, 부수다. ② 꼭 껴안다. ③ 꺾다; 진압하다. ── *vi.* ① 쇄도하다(*into, through*). ② 찌그러〔으깨〕지다; 꾸기다(wrinkle). ~ ***down*** 뭉개다; 바수다; 진압하다. ── *n.* ① Ⓤ 분쇄. ② Ⓤ 붐빔; (*pl.*) 붐비는 군중. ③ Ⓒ《口》 홀딱 반함〔반하는 상대〕. **∠·er** *n.* Ⓒ 쇄광기(碎鑛機). **∠·ing** *a.* (타격 따위) 철저한.
Cru·soe[krú:sou], **Robinson** Defoe작의 소설(의 주인공).
:crust[krʌst] *n.* ① Ⓤ,Ⓒ 식빵의 껍질(cf. crumb). ② Ⓒ 생활의 양식(糧食); (the ~) 〖地〗 지각(地殼). ── *vt., vi.* 외피〔겉껍데기〕로 덮다; 껍질이〔딱지가〕 생기다. **~·ed**[∠id] *a.* 겉껍데기〔껍질〕 있는; 오래된; 굳어버린(~*ed habits; a ~ed egoist*). **∠·y** *a.* 껍질이 딱딱한〔굳은〕; 심통 사나운(surly).
crus·ta·cean[krʌstéiʃən] *a., n.* Ⓒ 갑각류의 (동물).
crus·ta·ceous[krʌstéiʃəs] *a.* (새우·게의) 껍질〔딱지〕 같은; =⇧.
***crutch**[krʌtʃ] *n.* Ⓒ (보통 *pl.*) 협장(脇杖); 버팀.
crux[krʌks] *n.* (*pl.* ~***es, cruces*** [krú:si:z]) Ⓒ 십자가; 난문제, 난점; 요점(essential part); (the C-) 〖天〗 남십자성.
†cry[krai] *n.* Ⓒ ① 외침, 외치는〔부르 짖는〕 소리. ② 울음〔우는〕 소리. ③ 여론. ***a far*** ~ 원거리, 큰 차이(*to*). ***have*** 〔***get***〕 ***a ~ on*** 《口》 …에 열중〔반〕하여, …에 홀리다. ***in full*** ~ (사냥개가) 일제히 추적하여, 일제히. ***Much*** 〔***Great***〕 ~ ***and no*** 〔***little***〕 ***wool.*** 《속담》 태산 명동에 서일필, 헛소동. ***within*** 〔***out of***〕 ~ 소리가 미치는〔미치지 않는〕 곳에. ── *vi.* ① 부르짖다, 우짖다. ② 큰소리로 외치다. ③ (소리내어) 울다; 흐느껴 울다; (새 등이) 울다. ── *vt.* 외쳐 알리다, 외치며 팔다. ~ ***against*** …에 반대를 외치다. ~ ***down*** 야유를 퍼붓다, 비난하다. ~ ***for*** 다급함을 호소하다, 울며 청하다; 필요로 하다. ~ ***off*** (협정 따위를) 취소하다. ~ ***one's eyes*** 〔***heart***〕 ***out*** 훌쩍훌쩍 울다. ~ ***out*** 큰 소리로 외치다. ~ ***to*** 〔***unto***〕 …에게 조력을 청하다. ~ ***up*** 극구 칭찬하다. ***for ~ing out loud*** 《口》 이거 참, 뭐라고, 야 잘 됐다. **~·ing** *a.* 다급〔긴급〕한(*a ~ing need* 긴급히 필요한 일); 심한(*a ~ing shame* 호된 수치).
crý·bàby *n.* Ⓒ 울보.
cry·o-[kráiou, kráiə] '냉온, 냉동'의 뜻의 결합사.
cry·o·gen·ic[kràioudʒénik] *a.* 저온학의, 극저온의.
cryò·génics *n.* Ⓤ 저온학.
cry·on·ics[kraiɔ́niks] *n.* Ⓤ 인간 냉동 보존술.
crỳo·súrgery *n.* Ⓤ 저온 수술.
crypt[kript] *n.* Ⓒ (교회의) 지하실《옛적에는 납골소》; 〖解〗 선와(腺窩).
crypt·a·nal·y·sis[krìptənǽləsis] *n.* Ⓤ,Ⓒ 암호 해독(법).
cryp·tic[kríptik], **-ti·cal**[-əl] *a.* 비밀의; 신비스런.
cryp·to[kríptou] *n.* (*pl.* ~***s***) Ⓒ (정당 따위의) 비밀 당원.
cryp·to·gam[kríptougæ̀m] *n.* Ⓒ 〖植〗 은화(隱花)식물(cf. phanerogam).
cryp·to·gram[-græ̀m] *n.* Ⓒ 암호 「문.
cryp·to·graph[-græ̀f, -ɑ̀:-] *n.* Ⓤ 암호법; ⇧.
cryp·tog·ra·pher[kriptágrəfər/-ɔ́-] *n.* Ⓒ 암호 사용자〔해독자〕.
cryp·tog·ra·phy[kriptágrəfi/-tɔ́g-] *n.* Ⓤ 암호 사용〔해독〕법; 암호 방식.
cryp·tol·o·gy[kriptálədʒi/-ɔ́-] *n.* Ⓤ 은어, 변말; 암호 연구.
cryp·to·mer·i·a[krìptəmíəriə] *n.* Ⓒ (일본) 삼나무.
:crys·tal[krístl] *n., a.* ① Ⓒ 결정(체); 검파용 광석. ② Ⓤ 수정(처럼 투명한); 크리스털 유리. ③ Ⓒ 수정 제품; 수정과 같은 것.
crýstal báll (점쟁이의) 수정 구슬.
crýstal detéctor 〖無電〗 광석 검

파기; (반도체) 다이오드 검파기.
crýstal gàzer 수정 점쟁이.
crýstal gàzing 수정점(水晶占).
crýstal gláss =FLINT GLASS.
*__crys·tal·line__[krístəlin, -təlàin] *a.* ① 수정의〔같은〕; 결정성의. ② 투명한, 맑은. ── *n.* Ⓒ (눈알의) 수정체(~ lens).
*__crys·tal·lize__[krístəlàiz] *vt., vi.* ① 결정(結晶)하다〔시키다〕. ② (계획 따위를) 구체화하다. ③ 설탕절임으로 하다. **-li·za·tion**[∸–lizéiʃən/-lai-] *n.* Ⓤ 결정(과정); 구체화; Ⓒ 결정(체). 「픽업.
crýstal píckup (전축의) 크리스털
Cs 〖化〗 cesium. **C.S.** Christian Science 〔Scientist〕; Civil Service. **csc** cosecant. **C.S.C.** Civil Service Commission 고시위원회. **CSCE** Conference on Security and Cooperation in Europe 유럽 안전 보장 협력 회의.
CS gàs[síːés-] 최루 가스의 일종 《CS는 군용기호》.
CSM command and service module 사령 기계선(司令機械船). **CST** Central Standard Time. **CT** computerized tomography 컴퓨터 단층 촬영. **ct.** cent(s); country; court. **CTBT** Comprehensive Test Ban Treaty. **CTC** centralized traffic control 열차 집중 제어 장치. **cts.** centimes; cents.
CT scàn[síːtìː-] CT 스캔.
CT scànner[síːtìː-] CT 장치.
Cu 〖化〗 cuprum(L.=copper).
cub. cubic.
*__cub__[kʌb] *n.* Ⓒ ① (곰·사자·여우 따위의) 새끼; 고래〔상어〕의 새끼. ② 버릇 없는 아이; 애송이. ③ 수습 기자(cub reporter).
cub. cubic.
*__Cu·ba__[kjúːbə] *n.* 쿠바《서인도 제도 중의 공화국》. *__~n__ *a., n.* 쿠바(사람)의; Ⓒ 쿠바 사람.
cu·ba·ture[kjúːbətʃər] *n.* Ⓤ 입체 구적법(求積法).
cub·by(·hole)[kʌ́bi(hòul)] *n.* Ⓒ 아늑한〔쾌적한〕 장소.
:**cube**[kjuːb] *n.* Ⓒ 입방(체); 세제곱. ── *vt.* 입방체로 하다; 주사위 모양으로 베다; 세제곱하다.
cúbe róot 입방근, 세제곱근.
cúbe súgar 각사탕.
:**cu·bic**[kjúːbik] *a.* 입방(체)의, 세제곱의. ~ ***equation*** 3차 방정식.
cu·bi·cal[-əl] *a.*
cu·bi·cle[kjúːbikl] *n.* Ⓒ (기숙사 따위의) 작은 침실; 작은 방.
cúbic méasure 체적, 용적.
cub·ism[kjúːbizəm] *n.* Ⓤ 〖美術〗 입체파, 큐비즘. **cúb·ist** *n.*
cu·bit[kjúːbit] *n.* Ⓒ 큐빗 자, 완척(腕尺)《팔꿈치에서 가운뎃손가락 끝까지; 40–55cm》.
cúb scòut 《美》 8–10세의 보이스카우트 단원.
cuck·old[kʌ́kəld] *n.* Ⓒ 부정한 여자의 남편. ── *vt.* (아내가) 오쟁이지다; (남의) 아내와 간통하다.
:**cuck·oo**[kú(ː)kuː] *n.* (*pl.* **~s**), *a.* Ⓒ 뻐꾸기; 뻐꾹《그 울음 소리》; 《美俗》 얼간이, 멍청이; 《美俗》 정신이 돈; 얼빠진.
cu. cm. cubic centimeter(s).
*__cu·cum·ber__[kjúːkəmbər] *n.* Ⓒ 오이. (***as***) ***cool as a ~*** 침착한, 냉정한.
cud[kʌd] *n.* Ⓤ (반추 동물의) 되새김질 먹이. ***chew the ~*** 되새기다; 숙고(熟考)하다.
*__cud·dle__[kʌ́dl] *vt., vi., n.* ① (a ~) 꼭 껴안다〔안음〕(hug); 포옹, (어린애를) 안고 귀여워하다. ② 웅크리고 자다(*up*); 바싹 붙어 자다. **~·some**[-səm], **cud·dly**[-i] *a.* 껴안고 싶어지는.
*__cudg·el__[kʌ́dʒəl] *n., vt.* (《英》 *-ll-*) Ⓒ 곤봉(으로 때리다). ***~ one's brains*** 머리를 짜내다. ***take up the ~s*** 강력히 변호하다(*for*).
cue[1][kjuː] *n.* Ⓒ ① 큐《대사의 실마리 말》; 계기; 단서, 실마리, 역할, 구실, 신호, 힌트. ② 역할(role). ③ 기분(mood). ***in the ~ for*** (*walking*) (산보)하고 싶은 기분이 되어. ***on ~*** 마침내 좋은 때에, 적시에. ***take the*** 〔***one's***〕 ***~ from*** …에서 단서를 얻다, …을 본받다.
cue[2] *n.* Ⓒ 변발(queue); (차례를 기다리는) 열(***stand in ~*** 줄을 서다); (당구의) 큐.
*__cuff__[1][kʌf] *n.* Ⓒ 소맷부리〔동〕, 커프스, (바지의) 접어젖힌 단; (*pl.*) 쇠고랑(handcuffs).
cuff[2] *n., vt.* Ⓒ 손바닥으로 치기〔치다〕(slap).
cúff bùtton 커프스 단추.
cúff lìnk 커프스 버튼(《英》 sleeve link).
cu. ft. cubic foot 〔feet〕.
cu·i bo·no [kwíː bóunou/-bɔ́n-] (L.) 이(利)를〔득을〕 보는 건 누구냐 《흑막은 누군가》; 무슨 소용이 있나.
cu. in. cubic inch(es).
cui·rass[kwirǽs] *n.* Ⓒ 몸통 갑옷; (군함의) 장갑판.
cui·sine[kwizíːn] *n.* Ⓤ 요리(법); Ⓒ 《古》 부엌(kitchen), 조리실.
cul-de-sac[kʌ́ldəsæ̀k, kúl-] *n.* (F.) Ⓒ 막다른 골목(blind alley).
cu·li·nar·y [kʌ́lənèri, kjúː-/kʌ́lənəri] *a.* 부엌(용)의; 요리(용)의 (~ ***art*** 요리법).
cull[kʌl] *vt., n.* (꽃을) 따다; 가려〔골라〕내다; Ⓒ 따기, 채집; 선별; (보통 *pl.*) 가려낸 가축.
culm[kʌlm] *n.* Ⓤ (질이 나쁜) 가루 무연탄, 찌꺼기탄.
*__cul·mi·nate__[kʌ́lmənèit] *vi., vt.* 절정에 이르다〔이르게 하다〕; 드디어 …이 되다(*in*); 〖天〗 남중(南中)하다. **-na·tion**[∸–néiʃən] *n.* Ⓤ (보통 the ~) 최고조, 절정; 전성; 완성; 〖天〗 남중.

cu·lottes[kju:láts/kju:lɔ́ts] *n. pl.* 퀼로트《여성의 바지 같은 스커트》.
cul·pa·ble[kʌ́lpəbəl] *a.* 책〔비난〕할 만한, 유죄(有罪)의. **-bil·i·ty**[∸–bíləti] *n.* U,C 유죄.
*__cul·prit__[kʌ́lprit] *n.* C 피의자, 미결수; 죄인.
*__cult__[kʌlt] *n.* C ① 예배(식), 제례. ② 숭배, 예찬(*of*). ③ 열광, 유행, …열(*the ~ of baseball* 야구열). ④ 숭배자〔팬〕들.
cul·ti·va·ble[kʌ́ltəvəbəl] *a.* 재배할 수 있는.
:**cul·ti·vate**[kʌ́ltəvèit] *vt.* ① 갈다, 경작하다, 재배하다; 배양하다. ② 교화하다, (정신·기능을) 닦다. ③ (수염을) 기르다. ④ (교제를) 청하다; (우정을) 깊게 우려하다. * **-vat·ed**[-id] *a.* 경작된; 교양 있는; 세련된. * **-va·tor** *n.* C 재배자, 경작자〔기〕; 교화〔수련〕자. ⁑**-va·tion**[∸–véiʃən] *n.* U 경작, 재배; (세균의) 배양; 수양; 교양; 교화.
:**cul·tur·al**[kʌ́ltʃərəl] *a.* ① 문화의, 교양의(*~ studies* 교양 과목). ② 배양하는, 경작〔재배〕의. * **~·ly** *ad.*
cúltural lág 〚社〛 문화적 지체(遲滯).
Cúltural Revolútion, the (중국의) 문화 대혁명.
:**cul·ture**[kʌ́ltʃər] *n.* ① U 경작, 재배(cultivation); 배양. ② U 교양, 수양. ③ U,C 문화. ④ U 배양; C 배양균〔조직〕. **~ *area*** 〚社〛 (동질) 문화 영역. **~ *complex*** 〚社〛 문화 복합체. **~ *pattern*** 〚社〛 문화 형식. **~ *trait*** 〚社〛 문화 단위 특성. ***intellectual*** 〔***physical***〕 **~** 지육〔체육〕. ***silk*** **~** 양잠(養蠶). **~d**[-d] *a.* 계발된, 교양 있는, 점잖은; 배양〔양식〕된.
cúlture(d) péarl 양식 진주.
cúlture mèdium 〚生〛 배양기(基).
cúlture shòck 문화 쇼크《타문화에 처음 접했을 때의 충격》.
cul·vert[kʌ́lvərt] *n.* C 암거(暗渠), 지하 수로.
cum[kʌm] *prep.* (L. =with) …와 함께〔더불어〕, …이 딸린, (*a house-~-farm* 농장이 딸린 주택), …부(附)(의).
cum·ber[kʌ́mbər] *n., vt.* U 방해(하다); 폐(를 끼치다), 괴롭히다(trouble). **~·some, cum·brous**[kʌ́mbrəs] *a.* 성가신; 부담이 되는.
Cum·bri·a[kʌ́mbriə] *n.* 잉글랜드 북서부의 주《1974년 신설》.
cùm dívidend 〚證〛 배당부(配當附)《생략 cum div.》.
cum·quat[kʌ́mkwɑt/-ɔt] *n.* = KUMQUAT.
cu·mu·late[kjú:mjəlèit] *vt.* 쌓아 올리다. — [-lit] *a.* 쌓아 올린.
*__cu·mu·la·tive__[kjú:mjəlèitiv, -lə-] *a.* 누적적(累積的)인. **~ *dividend*** 누적 배당.
cúmulative évidence 〚法〛 (이미 증명된 일의) 누적 증거.
cu·mu·lus[kjú:mjələs] *n.* (*pl.* ***-li***[-lài]) U,C 적운, 산봉우리구름; (a ~) 퇴적, 누적.
cu·ne·i·form[kju:ní:əfɔ̀:rm, kjú:niə-] *a., n.* 쐐기 모양의; U 설형(楔形) 문자.
cun·ni·lin·gus[kʌ̀nilíŋgəs] *n.* U 여성 성기의 구강 성교.
:**cun·ning**[kʌ́niŋ] *a.* ① 교활한(sly), 약삭빠른. ② 교묘한(skillful). ③《口》 귀여운(charming). — *n.* U 교활함; (솜씨의) 교묘함; 교활. * **~·ly** *ad.*
†**cup**[kʌp] *n.* C ① 찻종; (양주용의) (굽달린) 컵, 글라스. ② 성배(聖杯); 포도주, 술; (찻잔·컵에) 한 잔; 운명(의 잔). ③ 우승배(*the Davis ~* 데이비스 컵); 잔 모양의 것. ***a bitter*** **~** (인생의) 고배, 쓰라린 경험. ***be a ~ too low*** 기운이 없다; 침울해 있다. **~ *and ball*** 장난감의 일종, 그 놀이. **~ *and saucer*** 접시에 받친 찻잔. ***have got*** 〔***had***〕 ***a ~ too much*** 《口》 취해 있다. ***in one's ~s*** 취하여. ***The*** 〔***One's***〕 **~ *is full.*** 더없는 슬픔〔기쁨·분함〕에 젖어〔빠져〕 있다. — *vt.* (***-pp-***) (손을) 컵 모양으로 하다; 컵으로 받다. **∠·fùl** *n.* C 한 잔 그득(한 분량).
cúp·bèarer *n.* C (궁정·귀족 집 등의) 술 따르는 사람.
:**cup·board**[kʌ́bərd] *n.* C 찬장; 《英》 작은 장, 벽장. ***cry*** **~** 배고픔을 호소하다. SKELETON ***in the ~.***
cúpboard lòve 타산적인 애정.
cúp·càke *n.* C 컵 모양의 틀에 구운 과자.
cúp·hòlder *n.* C 우승자, 우승컵 「소지자.
*__Cu·pid__[kjú:pid] *n.* ① 〚로神〛 큐피드《연애의 신》. ② C (c-) 사랑의 사자. ③ C (c-) 미소년.
cu·pid·i·ty[kju:pídəti] *n.* U 탐욕, 물욕.
Cúpid's bów 큐피드의 활; (윗입술의) 윤곽.
cu·po·la[kjú:pələ] *n.* C 〚建〛 둥근 지붕(의 탑).
cup·ping[kʌ́piŋ] *n.* U 〚醫〛 흡각법(吸角法); 부항에 의한 피빨아내기.
cúpping glàss 부항, 흡종(吸鍾).
cu·pric[kjú:prik] *a.* 〚化〛 제 2 구리의(*~ oxide* 산화 제 2 구리).
cu·prum[kjú:prəm] *n.* U 〚化〛 구리《기호 Cu》. **cu·prous**[-prəs] *a.* 〚化〛 제 1 구리의.
cur[kə:r] *n.* C 들개; 불량배.
*__cur·a·ble__[kjúərəbəl] *a.* 치료할 수 있는, 고칠 수 있는.
cu·ra·çao[kjùərəsóu] *n.* U,C 큐라소《오렌지로 만든 술》.
cu·ra·cy[kjúərəsi] *n.* U,C curate 의 직(職)〔지위·임기〕.
cu·rate[kjúərit] *n.* C 《주로 英》 목사보(補), 부목사《rector, vicar의 보좌역》. **~'s *egg*** 《英》 좋은 점과 나쁜 점이 있는 물건.
cur·a·tive[kjúərətiv] *a.* 치료의; 치료에 효과 있는. — *n.* C 치료법, 의약.

cu·ra·tor[kjuəréitər] *n.* Ⓒ (박물관·도서관 등의) 관장(custodian); [kjúərətər] 〖法〗 후견인, 보호자.
***curb**[kə:rb] *n., vt.* Ⓒ (말의) 고삐〔재갈〕(을 당기어 멈추다); 구속(하다), 억제(하다); 《美》 =CURB MARKET. ***on the* ~** 거리에서.
cúrb bìt 재갈.
cúrb bròker 《美》 장외(場外) 주식 거래 중개인.
cúrb màrket 《美》 장외(場外) 주식 시장.
cúrb sèrvice (주차 중인 손님에게의) 가두(街頭) 판매.
cúrb·stòne *n.* Ⓒ 보도(步道)의 연석(緣石); 《美俗》 공초.
cúrbstòne opínion 거리의 여론.
***curd**[kə:rd] *n., vi.* (보통 *pl.*) 응유(凝乳)(로 되다).
cur·dle[kə́:rdl] *vi., vt.* 엉겨 굳(어지게 하)다. **~ *the blood*** 오싹〔섬뜩〕하게 하다.
curd·y[kə́:rdi] *a.* 응결한.
:cure[kjuər] *vt.* ① 치료하다, (병·못된 버릇을) 고치다(remedy); 제거하다. ② (고기나 과일 따위를 절여〔말려〕) 저장하다. ③ (고무를) 경화(硬化)시키다. — *n.* ① Ⓒ (병의) 치유. ② Ⓤ,Ⓒ 치료법, 약(*for*). ③ Ⓤ,Ⓒ 구제책, 교정법. ④ Ⓤ,Ⓒ 소금절이, 저장(법). ⑤ Ⓤ (영혼의) 구원. **∠·less** *a.* 불치의.
cu·ré[kjuəréi] *n.* (F.) Ⓒ (프랑스의) 교구(敎區) 목사.
cúre-àll *n.* Ⓒ 만능약(panacea).
cu·ret·tage[kjùərətá:ʒ, kjurétidʒ/kjùərətá:ʒ] *n.* Ⓤ,Ⓒ 〖醫〗 소파(수술), 인공 임신 중절.
cu·rette[kjurét] *n.* Ⓒ 〖醫〗 소파기, 퀴레트《이물 적출용 뾰족한 숟가락》. — *vt.* 퀴레트로 적출〔소파〕하다.
cur·few[kə́:rfju:] *n.* Ⓤ,Ⓒ 만종, 저녁 종《8시 쯤》; 소등(消燈) 명령.
cu·rie[kjúəri, kjurí:] *n.* Ⓒ 〖理〗 퀴리《방사능의 단위》.
Curie, Marie(1867-1934), **Pierre**(1859-1906) 라듐을 발견한 프랑스의 물리·화학자 부부.
cu·ri·o[kjúəriòu] *n.* (*pl.* **~s**) Ⓒ 골동품; 진품.
:cu·ri·os·i·ty [kjùəriásəti/kjùəriɔ́s-] *n.* ① Ⓤ 호기심; 진기함. ② Ⓒ 진기한 것, 골동품(curio). **~ *shop*** 골동품점.
:cu·ri·ous[kjúəriəs/kjúər-] *a.* ① 진기한, 이상한, 호기심을 긁는. ② 호기심이 강한(*about*); 무엇이나 알고 싶어하는(inquisitive). ③ (책이) 외설한. **~ *to say*** 이상한 얘기지만. ***~er and ~er*** 기기 묘묘한. ***~·ly** *ad.* **~·ness** *n.*
cu·ri·um[kjúəriəm] *n.* Ⓤ 〖化〗 퀴륨《방사성 원소(Cm)》.
:curl[kə:rl] *n.* Ⓒ 고수머리, 컬; Ⓤ 컬된 상태, 컬하기. — *vt., vi.* ① 곱슬곱슬하게 하다; 뒤틀(리)다(twist); 굽이치(게 하)다. ② (연기가) 맴돌다; (공이) 커브하다. **~ *oneself up*** 잔뜩 꼬부리고 자다. **~ *one's lip*** (경멸적으로) 윗입술을 비쭉하다. **~ *up*** 말아 올리다, 옹그리게 하다; 몸을 옹그리다; 《口》 기운이 없어지다. **~ed**[-d] *a.* 고수머리의, 오그라든. ***∠·y** *a.* 오그라든; 고수머리가 있는; 소용돌이치는.
cur·lew[kə́r:lu:] *n.* Ⓒ 〖鳥〗 마도요.
cur·li·cue[kə́:rlikjù:] *n.* Ⓒ 소용돌이 무늬; 장식체로 쓰기.
curl·ing[kə́:rliŋ] *n.* Ⓤ 컬링《둥근 돌을 미끄러뜨려 과녁을 맞히는 얼음판 놀이》; Ⓤ,Ⓒ 머리의 컬, 지짐.
cúrling ìrons〔**tòngs**〕 헤어아이론.
cur·mudg·eon[kərmʌ́dʒən] *n.* Ⓒ 심술 사나운 구두쇠.
cur·rant[kə́:rənt, kʌ́r-] *n.* Ⓒ (씨 없는) 건포도; 까치밥나무(의 열매).
:cur·ren·cy[kə́:rənsi, kʌ́r-] *n.* ① Ⓤ 유통, 통용; 유포, 퍼짐(circulation). ② Ⓤ,Ⓒ 통화(通貨). ③ Ⓤ 성가(聲價). ***paper* ~** 지폐.
cúrrency prìnciple〔**dòctrine**〕 통화주의, 통화설.
:cur·rent[kə́:rənt, kʌ́r-] *a.* ① 통용하는; 유행하는. ② 현재의; 당좌(當座)의. ③ 흐르는; 갈겨쓴, 초서〔흘림〕체의(cursive). **~ *English*** 시사 영어. **~ *issue,*** or **~ *number*** 이달〔금주〕호. **~ *month*〔*week, year*〕** 이달〔금주, 금년〕. **~ *price*** 시가. **~ *thoughts*** 현대 사조. **~ *topics*** 오늘의 화제. — *n.* ① Ⓒ 흐름, 조류, 해류, 기류; 경향, 풍조(trend). ② Ⓤ,Ⓒ 전류. ***the* ~ *of time*〔*the times*〕** 시류, 세상 풍조. ***~·ly** *ad.* 일반적으로, 널리; 현재.
cúrrent accóunt 당좌 계정.
cúrrent dènsity 전류 밀도.
cúrrent mòney 통화.
:cur·ric·u·lum [kəríkjələm] *n.* (*pl.* **~s, -la**[-lə]) Ⓒ 교과 과정, 이수 과정(course(s) of study). **-lar** *a.* 교육 과정의.
currículum ví·tae[-váiti:] 이력; 이력서.
cur·ri·er[kə́:riər, -ʌ́-] *n.* Ⓒ 가죽 다루는 사람(leather dresser).
cur·rish[kə́:riʃ] *a.* 들개(cur) 같은; 야비한.
cur·ry**[1], **cur·rie**[kə́:ri, kʌ́ri] *n., vt.* Ⓒ,Ⓤ 카레, 카레 요리(하다); Ⓤ 카레 가루. **~ (*and*) *rice 카레라이스. ***give a person* ~** 아무를 호통치다, 윽박지르다.
cur·ry[2] *vt.* (말 따위를) 빗질하다; (무두질한 가죽을) 다듬다; (사람을) 치다, 때리다. **~ *favor with*** …의 비위를 맞추다.
cúrry·còmb *n., vt.* Ⓒ 말빗(으로 빗질하다).
cúrry pòwder 카레 가루.
:curse[kə:rs] *n.* ① Ⓒ 저주(의 대상), 욕설, 악담, 저주의 말《Damn! 따위》. ② Ⓒ 재앙, 빌미, 소수(所祟), 버력; 재해. ③ (the ~) 《俗》 월경(기간). ***Curses come home to***

roost. 《속담》 남 잡이가 제잡이. ***not care a ~*** 조금도〔전혀〕 상관 없다 (*for*). ***under a ~*** 저주를 받아. — *vt., vi.* (**~d, curst**[-t]) 저주하다; 욕을 퍼붓다; 〖宗〗 파문하다; 빌미 붙다, 괴롭히다. ***be ~d with*** … 으로 괴로워하다. ***C- it!*** 빌어먹을!

***curs·ed**[kə́:rsid, -st] *a.* 저주받은, 빌미 붙은, 동티 난; 저주할; 지겨운, 지긋지긋한; 《口》 지독한. **~·ly** *ad.* **~·ness** *n.*

cur·sive[kə́:rsiv] *a.* 잇대어 쓰는, 초서체의. — *n.* Ⓒ 초서체(의 문자·활자·글)(cf. grass hand).

cur·sor[kə́:rsər] *n.* Ⓒ 커서《계산자, 컴퓨터 화면 등의》.

cúrsor kèy 〖컴〗 깜박이(글)쇠〔키〕, 반디(글)쇠〔키〕.

cur·so·ry[kə́:rsəri] *a.* 조잡〔소략〕한, 엉성한.

curst[kə:rst] *v.* curse의 과거(분사). — *a.* =CURSED.

curt[kə:rt] *a.* 짧은, 간략한(brief); 무뚝뚝한. **∠·ly** *ad.* **∠·ness** *n.*

***cur·tail**[kə:rtéil] *vt.* 줄이다, 단축하다; (비용·봉급을) 삭감하다. **~·ment** *n.*

†cur·tain[kə́:rtən] *n., vt.* Ⓒ 커튼(을 달다); 막〔휘장〕(을 치다). ***behind the ~*** 그늘〔뒤〕에서. ***draw a*** 〔***the***〕 ***~ on*** 〔***over***〕 …을 휘장으로 가리다; (어떤 일을) 더 이상 거론않다. ***lift the ~*** 막을 올리다; 터놓고 이야기하다, 폭로하다(reveal). ***The ~ rises*** 〔***is rised***〕. (연극의) 막이 오르다, 개막되다.

cúrtain càll 〖劇〗 커튼콜《관객의 박수로 배우가 다시 무대에 나오는 일》.

cúrtain fàll 종말, 대단원.

cúrtain fìre 탄막(彈幕).

cúrtain lècture 잠자리에서의 아내의 잔소리.

cúrtain ràiser 개막극.

cúrtain wàll 〖建〗 칸막이 벽.

curt·s(e)y**[kə́:rtsi] *n., vi.* Ⓒ (여성이 무릎을 약간 굽혀서 하는) 인사, 절; 인사하다. ***drop 〔***make***〕 ***a ~*** 무릎을 굽혀 (형식대로) 인사하다.

cur·va·ceous[kə:rvéiʃəs] *a.* 《口》 곡선미의; 육체미의《여성에 대한 말》.

cur·va·ture[kə́:rvətʃər] *n.* Ⓤ,Ⓒ 굽음, 휨, 만곡(curve); 〖幾〗 곡률(曲率).

:curve[kə:rv] *n.* Ⓒ ① 곡선. ② (길의) 굽음. ③ 〖野〗 곡구(曲球); 커브. ***French ~*** 운형(雲形) 곡선〔자〕. ***throw a ~*** 《口》 속이다; 의표를 찌르다. — *vt., vi.* 구부리다, 구부러지다; 곡구를 던지다.

cúrve bàll 《美》 〖野〗 곡구; 계략〔(trick).

cur·vet[kə́:rvit] *n.* Ⓒ 〖馬術〗 등약(騰躍)《아름다운 도약법》. — *vi., vt.* (《英》 **-tt-**) 등약하다〔시키다〕.

cu·sec[kjú:sek] (＜*cu*bic *sec*ond) *n.* Ⓒ 큐섹《유량(流量)의 단위; 매초 1입방 피트》.

:cush·ion[kúʃən] *n., vt.* Ⓒ ① 쿠션〔방석〕(에 올려〔얹어〕 놓다, 을 대다); (당구대의) 고무 쿠션. ② 〖放〗 (방송 시간 조절을 위한) 간주(間奏)음악. ③ (충격 따위에 대한) 완충물; (불평·충격을) 가라앉히다.

cusp[kʌsp] *n.* Ⓒ 뾰족한 끝, 첨단.

cus·pid[kʌ́spid] *n.* Ⓒ 송곳니(canine).

cus·pi·date[kʌ́spədèit], **-dated**[-id] *a.* 뾰족한, 날카로운(*a ~ leaf*/*a ~ tooth* 송곳니).

cus·pi·dor[kʌ́spədɔ̀:r] *n.* Ⓒ 《美》 타구(唾具).

cuss[kʌs] *n.* Ⓒ 《美口》 저주; 욕; 놈, 자식. — *vt., vi.* 《美口》 저주하다, 욕을 퍼붓다.

cus·tard[kʌ́stərd] *n.* Ⓒ,Ⓤ 커스터드《우유·달걀·설탕에 향료를 가미하여 만든 과자》.

cústard-píe *a.* =SLAPSTICK.

cus·to·di·an[kʌstóudiən] *n.* Ⓒ 관리인, 보관자(keeper); 수위(janitor).

cus·to·dy**[kʌ́stədi] *n.* Ⓤ ① 보관, 관리(keeping). ② 후견, 보호(care). ③ 감금. ***have the ~ of …을 보관〔관리〕하다. ***in ~*** 구류〔구금〕되어. ***take into ~*** 구금하다(arrest).

†cus·tom[kʌ́stəm] *n.* ① Ⓒ,Ⓤ 습관(habit), 관습, 풍습(usage)(*It is ~ to do so.*). ② Ⓤ,Ⓒ 〖法〗 관습법, 관례. ③ Ⓤ (평소의) 애호, 돌봐줌(patronage); 《집합적》 고객(customers). ④ (*pl.*) 관세, 세관.

:cus·tom·ar·y[kʌ́stəmèri/-məri] *a.* 관습〔관례〕상의; 〖法〗 관례에 의한. **-ar·i·ly** *ad.*

cústom-buílt *a.* (자동차 따위) 주문제(製)의.

:cus·tom·er[-ər] *n.* Ⓒ ① 고객. ② 《口》 (성가신) 녀석, 사내(fellow).

cústom hòuse 〔**òffice**〕 세관.

cus·tom·ize[kʌ́stəmàiz] *vt.* 주문에 따라 만들다.

cústom-máde *a.* 《美》 맞춤의(opp. ready-made).

cústoms ùnion (국가간의) 관세동맹.

†cut[kʌt] *vt.* (***cut; -tt-***) ① 베다, 자르다, 잘라〔베어〕내다; 상처를 입히다. ② 가르다, 빠〔쪼〕개다; 깎다; (옷감을) 마르다; 재단하다; 가로지르다. ③ 긴축하다, 줄이다, 조리차하다. ④ 파서 내다〔트다〕, (도로·도랑을) 내다; 파다, 새기다; (보석을) 잘라 가공하다. ⑤ (태도·모습을) 보이다(*He ~s a poor figure.* 비참한 몰골을 하고 있다); 《口》 (관계를) 끊다, 모르는 체하다. ⑥ 《口》 (무단히) 빠지다(avoid) (*~ a meeting*). ⑦ 몸에 스미다〔사무치다〕, (…의) 감정을 해치다. ⑧ (알코올 따위를) 타다, 녹이다. ⑨ (공을) 깎아 치다; (카드를) 떼다(cf. shuffle); 거세하다. ⑩ (이를) 나게 하다(*~ a tooth*); 《口》 (레코드에) 취입(吹入)하다. — *vi.* (날이) 잘 들다(*This knife ~s well.*); 헤치고 나아가다(make way); 가로지르다; 《口》 도망하다; (바람이) 몸에 스며들다〔몸을 에다〕. ***be ~ out for*** 《美口》 …의 능력이 있다. ***~ about*** 《口》 뛰어 돌아다니다. ***~ across*** 횡

단하다. ~ **adrift** (배를) 흘러가게 하다; (영원히) 헤어지다. ~ **after** (…을) 급히 쫓다[따르다]. ~ **and come again** (식탁의 고기·파이를 썰어) 몇 번이고 마음대로 집어 먹다. ~ **and run** 재빨리 도망치다. ~ **a person dead** 만나도 짐짓 모른 체하다(*He ~ me dead in the street.* 길에서 만나도 모른체 했다). ~ **at** 맹타하다; (희망 등을) 빼앗다. ~ **away** 잘라[떼어] 내다; 도망치다. ~ **back** (나뭇)가지를 치다;〖映〗cutback하다;〖蹴〗갑자기 후퇴하다. ~ **both ways** 양다리 걸치다. ~ **down** 베어[잘라] 넘기다; 바싹 줄이다, 아끼다; (병이) …을 쓰러뜨리다. ~ **in** 끼어들다; 간섭하다; 말참견하다; (댄스 중인 남자로부터) 여자를 가로채다. ~ **it** 도망치다; 입닥쳐! ~ **it** (**too**) FINE[1](*ad.*). ~ **off** 떼어[잘라]내다; (공급을) 중단하다; 차단하다; (병이) …의 목숨을 빼앗다. ~ **off with a shilling** (약간의 재산을 주어) 폐적(廢嫡)하다. ~ **out** 떼 버리다, 잘라 내다, 제거하다;《口》멈추다, 중지하다; 잘라[베어] 만들다; 준비하다(*Your work is ~ out for you.* 자네가 (해줘야) 할 일이 있다); 적합시키다(*He is ~ out for the work.* 그 일에 아주 적격자이다); 연구하다; (경쟁 상대를) 앞지르다, 제쳐놓다; (…에) 대신하다, 대신 들어앉다(supplant). ~ **short** 바싹 줄이다; 갑자기 그치다; (남의) 말을 가로막다(*He ~ me short.* 그는 내 말을 가로막았다). ~ **under**《美》…보다 싸게 팔다(undersell). ~ **up** 째다, 난도질하다; 분쇄하다; 혹평하다;《美口》허세를 피우다(show off); (옷감이 몇 벌 분으로) 마를 수 있다; 마음을 아프게 하다(hurt);《口》농담하다, 장난치다. — *n.* Ⓒ ① 절단, 삭제, 한 번 자르기. ② 벤 상처, 칼자국; 벤[자른] 곳; 도랑. ③ 베어낸 조각, 살점; (*sing.*) 벌채량. ④ 지름길. ⑤ (*sing.*) (옷의) 재단(법); (조발의) 형; (보석의) 커트. ⑥ (카드 패를) 떼기; (공을) 깎아치기. ⑦ 삭제,〖映〗컷; (비용을) 줄이기; 값을 깎기; 깍아내림(*a ~ in salary*). ⑧ 모른 체하기; 빠지기. ⑨ 목판(화), 삽화, 컷. ⑩《俗》(이득의) 몫. ⑪〖컴〗자르기. ~ **and thrust** 백병전; 격투, 드잡이. **draw ~** 제비뽑다. — *a.* 자른, 벤; 저민(~ *tobacco* 살담배); 조탁(彫琢) 세공의(⇨CUT GLASS); 바싹 줄인, 깎아 내린; 불깐, 거세한;《俗》술취한. (**at**) ~ **rates** [**prices**] 할인 가격으로.

cút-and-cóme-agàin *n., a.* Ⓤ《英》풍부(한).

cút-and-dríed *a.* (이야기·계획이) 사전에[미리] 준비된; 진부한, 틀에 박힌.

cút-and-páste *a.*〖컴〗잘라 붙이는. 「의.

cu·ta·ne·ous [kju:téiniəs] *a.* 피부

cút·awày *a.* (상의의) 앞자락을 뒤로 어슷하게 재단한;〖機〗(내부가 보이도록) 일부 떼어낸. — *n.* Ⓒ 앞자락을 비스듬히 재단한 옷《모닝 코트 따위》(~ coat).

cút·bàck *n.* Ⓒ (생산의) 축소, 삭감;〖映〗컷백《장면 전환을 한 후 다시 먼저 장면으로 되돌아가기》(cf. flashback).

***cute** [kju:t] (<acute) *a.* ①《口》약삭빠른; 영리한. ②《美口》귀여운, 예쁜. 「컷 글라스.

cút gláss 조탁(彫琢) 세공 유리,

cu·ti·cle [kjú:tikl] *n.* Ⓒ 표피(表皮); (손톱 뿌리의) 연한 살갗.

cut·ie [kjú:ti] *n.* Ⓒ《美口》예쁜 처녀, 멋진 여자. 「면.

cút-ìn *n.* Ⓒ〖映·TV〗컷인; 삽입 장

cut·las(s) [kʌ́tləs] *n.* Ⓒ (옛 선원의) 휘우듬한 단도.

cut·ler [kʌ́tlər] *n.* Ⓒ 날붙이 장인(匠人)[장수]. **~·y** [-ləri] *n.* Ⓤ《집합적》날붙이; (식탁용) 철물《나이프·포크·스푼 따위》.

***cut·let** [kʌ́tlit] *n.* Ⓒ 커틀릿; (특히 소·양의) 얇게 저민 고기.

cút·lìne *n.* Ⓒ〖新聞〗(사진의) 설명 문구(caption). 「(장치).

cút·òff *n.* Ⓒ 지름길; (증기의) 차단

cút·òut *n.* Ⓒ 도려내기, 오려낸 그림; (영화·각본의) 삭제된 부분;〖電〗안전기;〖機〗(내연 기관의) 배기판.

cút ráte《美》할인 가격[운임·요금].

***cut·ter** [⌐ər] *n.* Ⓒ ① 자르는[베는] 사람; 재단사,〖映〗편집자. ② 절단기(器), 깡통따개, 앞니(incisor). ③ (외대박이) 소형 쾌속 범선; (군함의) 잡역정(雜役艇). ④《美》(연안 경비용) 소형 감시선, (말이 끄는) 소형 썰매. 「붙은 뚜껑.

cútter-lìd *n.* Ⓒ (통조림의) 따개가

cút·thròat *n., a.* Ⓒ 살해자, 자객; 흉악한, 잔인한;〖카드놀이〗셋이서 하는. ~ **razor**《俗》서양 면도칼.

:cut·ting [kʌ́tiŋ] *n.* ① Ⓤ,Ⓒ 자름, 벰, 베어[오려, 도려]냄. ② Ⓒ 베어낸 물건; (신문의) 베어[도려]낸 것. ③ Ⓤ,Ⓒ (보석의) 절단 가공. ④ Ⓤ〖映〗필름 편집. — *a.* 잘 드는, 예리한; 신랄한, 통렬한;《口》할인의. **~·ly** *ad.*

cut·tle·fish [kʌ́tlfìʃ] *n.* (*pl.* ~(**-es**)) Ⓒ 오징어.

cut·ty [kʌ́ti] *a.* (*pl.* **-tier; -tiest**) 짧게 자른, 짧은. — *n.* Ⓒ 짧은 숟가락.

cút·ùp *n.* Ⓒ《美口》장난꾸러기; 허세꾼.

cút·wàter *n.* Ⓒ (이물의) 물결 헤치는 부분.

cút·wòrm *n.* Ⓒ 뿌리 잘라먹는 벌레, 거염벌레.

C.V.O. Commander of the Victorian Order. **CVR** cockpit voice recorder. **CWA** Civil Works Administration. **CWO** Chief Warrant Officer 상급 준위. **c.w.o.** cash with order〖商〗현금불 주문. **cwt.** hundredweight.

-cy[si] *suf.* 《명사 어미》 직·지위·성질·상태 등을 나타냄: abba*cy*, fluen*cy*.

cy·an·ic[saiǽnik] *a.* 〖化〗 시안을 함유한; 푸른. ~ ***acid*** 시안산(酸).

cy·a·nide[sáiənàid, -nid], **-nid** [-nid] *n.* Ⓤ 〖化〗 시안화물(化物), 청산염(青酸鹽); (특히) 청산칼리(potassium ~).

cy·a·no·co·ba·la·min [sàiənoukoubǽləmin] *n.* Ⓤ 비타민 B_{12}의 별칭.

cy·an·o·gen[saiǽnədʒin] *n.* Ⓤ 〖化〗 시안, 청소(青素)《유독 가스》.

cy·a·no·sis [sàiənóusis] *n.* Ⓤ 〖病〗 치아노제《혈액 중의 산소 결핍에 의한 피부 청변증(青變症)》.

cy·ber·na·tion[sàibərnéiʃən] *n.* Ⓤ 전산기에 의한 자동 제어.

cy·ber·net·ic[sàibərnétik] *a.* 인공 두뇌(학)의. 「의학.

cybernétic médicine 인공 두뇌

cy·ber·net·ics[sàibərnétiks] *n.* Ⓒ 인공 두뇌학《인간의 두뇌와 복잡한 (전자) 계산기 따위와의 비교 연구》.

cýber·spàce *n.* 〖컴〗 사이버 스페이스《가상적으로 구축한 환경》.

cy·borg[sáibɔːrg] *n.* Ⓒ 사이보그《SF 소설 따위에서, 신체 일부에 전자 기기 따위를 삽입한 개조 인간 또는 생물체》. 「鐵).

cy·cad[sáikæd] *n.* Ⓒ 〖植〗 소철(蘇

cyc·la·men [síkləmən, sái-, -mèn] *n.* Ⓒ 〖植〗 시클라멘.

:cy·cle[sáikl] *n.* Ⓒ ① 주기(周期), 순환, 일순(一巡). ② 한 시대, 오랜 세월. ③ (시·이야기의) 일련(一連), 담총(談叢)(series)(*the Arthurian* ~ 아더 왕 전설집). ④ 자전거. ⑤ 주파, 사이클. ⑥ 〖컴〗 주기, 사이클. — *vi.* 순환하다; 자전거를 타다. **cy·clic**[sáiklik, sík-], **cy·cli·cal**[-əl] *a.* 주기의, 주기적인, 순환하는. **:cy·cling** *n.* Ⓤ 자전거 타기, 사이클링. ***cy·clist**[sáiklist] *n.* Ⓒ 자전거 타는 사람.

cýcle-tràck, cýcle·wày *n.* Ⓒ 자전거 도로. 「택시.

cy·clo[sí(ː)klou, sái-] *n.* Ⓒ 삼륜

cy·clo·drome[sáikloudròum] *n.* Ⓒ 경륜장(競輪場).

cy·cloid[sáiklɔid] *n.* Ⓒ 〖數〗 사이클로이드, 파선. **cy·cloi·dal**[saiklɔ́idl] *a.*

cy·clom·e·ter[saiklámitər/-klɔ́-] *n.* Ⓒ (차바퀴의) 주정계(走程計).

cy·clone[sáikloun] *n.* Ⓒ 회오리바람, 선풍(tornado). **cy·clon·ic** [-klán-/-ɔ́-] *a.*

cy·clo·nite[sáiklənàit, sík-] *n.* Ⓤ 강력 고성능 폭약.

cy·clo·pe·di·a, -pae-[sàikloupíːdiə] *n.* =ENCYCLOP(A)EDIA. **-dic** *a.*

Cy·clops[sáiklɑps/-klɔps] *n.* (*pl.* ***Cyclopes***[saiklóupiːz]) Ⓒ 〖그神〗 애꾸눈의 거인; 애꾸.

cy·clo·ram·a[sàiklərǽmə, -áː-] *n.* Ⓒ 원형 파노라마.

cy·clo·thy·mi·a [sàikləθáimiə] *n.* Ⓤ 〖心〗 조울 정신병, 순환 기질.

cy·clo·tron[sáiklətrɑ̀n/-trɔ̀n] *n.* Ⓒ 〖理〗 사이클로트론《이온 가속기》.

cyg·net[sígnit] *n.* Ⓒ 백조 새끼.

:cyl·in·der[sílindər] *n.* Ⓒ ① 원통(형). ② 기관의 실린더. ③ 〖幾〗 원기둥(*a right* ~ 직원기둥). ④ (권총(revolver)의 탄창. **cy·lin·dric** [silíndrik], **-dri·cal**[-əl] *a.*

***cym·bal**[símbəl] *n.* Ⓒ (보통 *pl.*) 〖樂〗 심벌즈.

Cym·ry[kímri, sím-] *n.* Ⓒ 웨일즈 사람. **-ric** *a.* =WELSH.

***Cyn·ic**[sínik] *a., n.* Ⓒ ① (고대 그리스의) 견유학파(犬儒學派)의 (사람). ② (c-) 냉소자; 빈정거리는, 비꼬는. ***cýn·i·cal** *a.* 냉소적인, 빈정대는.

cyn·i·cism[sínəsìzəm] *n.* ① Ⓤ 빈정댐. ② Ⓒ 빈정대는 말. ③ Ⓤ (C-) 견유 철학.

cy·no·sure[sáinəʃùər, sínə-] *n.* Ⓒ 주목[찬미]의 대상; 목표; (the C-) 〖天〗 작은곰자리(Little Bear); 북극성(polestar).

Cyn·thi·a[sínθiə] *n.* ① 달의 여신 Diana(의 별명). ② Ⓤ 《詩》 달.

cy·pher[sáifər] *n., v.* =CIPHER.

cý prés[síː préi] 〖法〗 (실행 가능한 범위내에서) 될 수 있는 한 빨리[빠르게].

cy·press[sáipris] *n.* Ⓒ 삼나무의 일종; 그 가지《애도의 상징》.

Cyp·ri·an[sípriən] *a., n.* Ⓒ Cyprus 섬의 (사람); 음탕한 (사람); 매춘부.

Cy·prus[sáiprəs] *n.* 키프로스《지중해 동부의 섬; 공화국》.

cyst[sist] *n.* Ⓒ 〖生〗 포(胞), 포낭; 〖醫〗 낭종(囊腫).

cys·tec·to·my[sistéktəmi] *n.* Ⓤ 〖醫〗 방광 절제술. 「광염.

cys·ti·tis[sistáitis] *n.* Ⓤ 〖醫〗 방

cys·tot·o·my[sistátəmi/-tɔ́t-] *n.* Ⓤ 〖醫〗 방광 절개(술).

Cyth·er·e·a[sìθəríːə] *n.* 〖그神〗 = APHRODITE.

cy·to·ge·net·ics[sàitoudʒənétiks] *n.* Ⓤ 세포 유전학.

cy·tol·o·gy[saitálədʒi/-ɔ́-] *n.* Ⓤ 세포학.

cy·to·plasm [sáitouplæ̀zm] **-plast**[-plæst] *n.* Ⓤ 〖生〗 세포질.

cy·to·sine[sáitəsiːn] *n.* Ⓤ 〖生化〗 시토신《핵산중의 물질》. 「대.

C.Z. Canal Zone 파나마 운하 지

***Czar**[zɑːr] *n.* ① 구(舊)러시아 황제. ② (c-) Ⓒ 황제, 전제 군주. **~·e·vitch**[záːrəvìtʃ] *n.* Ⓒ 구러시아의 황태자. **Cza·rev·na**[zɑːrévnə] *n.* Ⓒ 구러시아 공주[황태자비]. **Cza·ri·na**[-ríːnə] *n.* Ⓒ 구러시아 황후.

***Czech**[tʃek] *n., a.* Ⓒ 체코 사람(의); Ⓤ 체코 말(의).

Czech. Czechoslovakia.

Czech·o·slo·vak, -Slo-[tʃèkəslóuvɑːk/-væk] *a., n.* 체코슬로바

키아의; Ⓒ 체코슬로바키아 사람.
Czech·o·slo·va·ki·a, -Slo- [-sləvɑ́:kiə, -vǽ-] *n.* 체코슬로바키아《유럽 중부의 옛 연방 공화국》.
Czéch Repúblic, the 체코 공화국.

D

D, d [di:] *n.* (*pl.* ***D's, d's***[-z]) Ⓒ D자 모양(의 것); Ⓤ 〖樂〗 라음(音), 라조(調); (로마 숫자의) 500(*DCC* = 700; *CD* = 400).
D. December; Department; 〖理〗 density; *Deus* (L. =God); Dutch.
d. date; daughter; day(s); delete; *denarii* (L. =pence); *denarius* (L. =penny); dialect; diameter; died; dime; dollar; dose.
d—— [di:, dæm] =DAMN.
DA, D.A. 《美》 District Attorney; document for acceptance.
dab [dæb] *vt., vi.* (**-bb-**), *n.* Ⓒ (분따위를) 가볍게 두드리다[두드림] (pat); 톡톡 갖다대다[대기]; 바르다, 칠하다(*on, over*), 한 번 쓱 칠하기[바르기]; 소량; (*pl.*) 《俗》 지문(을 채취하다).
˙dab·ble [dǽbəl] *vt., vi.* (물을) 튀기다(splash), 물장난을 하다; 도락삼아 하다(*in, at*).
DAC Development Assistance Committee.
da ca·po [dɑ: kɑ́:pou] (It.) 〖樂〗 처음부터 반복하여《생략 D.C.》.
Dac·ca [dǽkə, dɑ́:kə] *n.* 다카《방글라데시의 수도》.
dace [deis] *n.* (*pl.* **~s,** 《집합적》 ~) Ⓒ 황어.
da·cha [dɑ́:tʃə] *n.* (Russ.) Ⓤ 교외 별장, 시골 저택.
dachs·hund [dɑ́:kshúnd, -hùnt, dǽʃhùnd] *n.* Ⓒ 닥스훈트《긴 몸, 짧은 발의 독일 개》.
D/A convérter 〖컴〗 DA 컨버터 [변환기]《디지털 신호를 아날로그 신호로 바꾸는 변환기; D/A는 Digital to Analog의 단축》.
Da·cron [déikrɑn, dǽk-/-rɔn] *n.* Ⓤ 〖商標〗 데이크론《폴리에스테르계 합성 섬유》.
dac·tyl [dǽktil] *n.* Ⓒ 〖韻〗 강약약격《–××》. **~·ic** [-tílik] *a.*
dac·ty·lol·o·gy [dæ̀ktəlɑ́lədʒi/-lɔ́l-] *n.* Ⓤ (농아자 등의) 지화법(指話法), 수화(手話).
DAD digital audio disc.
:dad [dæd], **˙dad·dy** [dǽdi] *n.* Ⓒ 《口》 =PAPA.
Da·da(·ism) [dɑ́:dɑ:(ìzəm), -də-] *n.* Ⓤ (때로 d-) 다다이즘《허무주의 예술의 한 파》.
dad·dy-long·legs [dæ̀dilɔ́:ŋlègz/-lɔ́ŋ-] *n. sing. & pl.* 꾸정모기 (cranefly); 긴발장님거미(harvestman).
da·do [déidou] *n.* (*pl.* **~(*e*)*s***) Ⓒ 〖建〗 징두리 판벽.
:daf·fo·dil [dǽfədìl] *n.* Ⓒ 나팔수선화.
daff·y [dǽfi], **daft** [dæft/-ɑ:-] *a.* 《美口》 어리석은(silly); 미친(crazy).
:dag·ger [dǽgər] *n.* Ⓒ 단도; 칼표 《†》. ***at ~s drawn*** 심한 적의를 품고. ***double ~*** 이중칼표《‡》. ***look ~s*** 무서운 눈초리로 노려보다(*at*). ***speak ~s*** 독설을 퍼붓다(*to*).
da·go [déigou] *n.* (*pl.* **~(*e*)*s***) (종종 D-) Ⓒ 《美俗·蔑》 남유럽인(人)《이탈리아·스페인 등지의 사람》.
da·guerre·o·type [dəgɛ́ərətàip, -riə-] *n.* Ⓒ (Daguerre가 발명한 예전의) 은판(銀板) 사진.
Dag·wood [dǽgwùd] *n.* ① 미국의 유명한 만화의 주인공. ② Ⓤ,Ⓒ (or d-) 여러 겹으로 겹친 샌드위치(~ sandwich).
˙dahl·ia [dǽljə, dɑ́:l-, déil-] *n.* Ⓒ 달리아. ***blue ~*** 진기한 것.
Da·ho·mey [dəhóumi] *n.* 다호메이 《아프리카 서부 Benin 공화국의 구칭》.
†dai·ly [déili] *a., ad., n.* 날마다(의); Ⓒ 일간 신문; 《英》 파출부(派出婦).
dáily bréad (보통 one's ~) 생계.
dáily dózen (one's [the] ~) 《口》 매일(아침)의 체조《본래 12종으로 구성됨》; 정해진 일.
:dain·ty [déinti] *a.* 우아한; 품위 있는(elegant); 성미가 까다로운(particular), (취미 따위가) 괘까다로운 (overnice); 맛좋은(delicious). —*n.* Ⓒ 진미. **dáin·ti·ly** *ad.* **dáin·ti·ness** *n.*
dai·qui·ri [dáikəri, dǽk-] *n.* Ⓤ,Ⓒ 다이커리《럼을 밑술로 한 칵테일》.
:dair·y [dɛ́əri] *n.* ① Ⓒ 낙농장[실]; Ⓤ 낙농업. ② Ⓒ 우유점(店), 유제품 판매소.
dáiry càttle 젖소(cf. beef cattle).
dáiry chèmistry 낙농[유(乳)]화학.
dáiry fàrm 낙농장.
dáiry fàrmer 낙농업자.
dáiry fàrming 낙농(업).
dáiry·màid *n.* Ⓒ 젖 짜는 여자.
dáiry·man [-mən] *n.* Ⓒ 낙농장 주인[일꾼]; 우유 장수.
da·is [déiis, dái-] *n.* Ⓒ (응접실·식당 등의) 높은 단(壇), 상좌《귀빈석》; 연단.
:dai·sy [déizi] *n., a.* Ⓒ 데이지; 《俗》 상등품, 썩 훌륭한 (물건)(*She's a real ~.* 천하일색이다); 《美》 훈제(燻製) 햄. ***push up daisies*** 《口》 무덤 밑에 잠들다, 죽다.
dáisy chàin 데이지 화환; 일련의 관련 사건.
Dak. Dakota.

***Da·ko·ta** [dəkóutə] *n.* 다코타《미국 중북부의 주; 남북으로 갈림; 생략 Dak.》.
dal, dal. decaliter.
Dal·ai La·ma [dɑ́ːlai lɑ́ːmə] 달라이라마《티베트의 활불》.
***dale** [deil] *n.* Ⓒ 《주로 英》 골짜기 「(valley).
dal·ly [dǽli] *vi., vt.* (…에게) 희롱[새롱]거리다, 장난치다; 빈둥거리다, 빈들빈들 거닐다(loiter); 우물쭈물 (때를) 헛되게 보내다(idle). **dál·li·ance** *n.*
Dal·ma·tian [dælméiʃiən] *n.* Ⓒ 달마시아 개《포인터 비슷한 큰 바둑이》.
dal se·gno [dɑːl séinjou, dæl-] *ad.* (It.) 〖樂〗 기호 있는 곳에서 반복하여《생략 D.S.》.
:dam[1] [dæm] *n.* Ⓒ 댐, 둑. ── *vt.* (*-mm-*) 둑으로 막다; 저지하다, 막다(*up*).
dam[2] *n.* Ⓒ 어미 짐승; 어미(cf. sire); 《蔑》 아이 딸린 여자.
:dam·age [dǽmidʒ] *n.* ① Ⓤ 손해(harm), 손상(injury). ② (*pl.*) 손해배상(금). ── *vt.* 해치다, 손상시키다(injure). ── *vi.* 못쓰게 되다.
Dam·a·scene [dǽməsìːn, ⌐─⌐] *a.* 다마스쿠스의; (d-) 다마스크 세공(細工)의; 다마스크풍의 물결무늬가 있는. ── *n.* Ⓒ 다마스쿠스 사람; (d-) Ⓤ 다마스크 세공; 물결무늬. ── *vt.* (d-) (…에) 물결무늬를 넣다; (칼날에) 물결무늬를 띠게 하다; (쇠붙이에) 금은으로 상감하다.
Da·mas·cus [dəmǽskəs/-mɑ́ːs-] *n.* 다마스쿠스《시리아의 수도》.
dam·ask [dǽməsk] *n.* Ⓤ 다마스크천, 능직; 석죽색. ── *a.* 다마스크천[능직]의; 석죽색의. =⌐ **stéel** 다마스크 강철《도검용》. ── *vt.* 능직으로 짜다; (뺨을) 붉히다.
dame [deim] *n.* Ⓒ 귀부인(lady); 부인《knight, baronet 부인의 경칭》.
dam·mit [dǽmit] *int.* =DAMN it.
:damn [dæm] *vt., vi.* 비난하다; 저주하다(curse), 욕을 퍼붓다, (관객이) 들어가라고 외치다; 파멸시키다; 빌어먹을!; 지겨워!《꺼리어 d── 또는 d──n 따위로도 씀》. ***D- it*** [***him, you***]***!*** 빌어먹을! ***D- the flies!*** 이 경칠 놈의 파리! ***~ with faint praise*** (…을) 냉담한 칭찬으로 깍아내리다. ***I'll be ~ed if ...*** 절대로 …할 리가 없다. ── *n.* Ⓒ 저주; 《부정어와 함께》 조금도. ***don't care a ~*** 조금도 개의[상관]치 않다. ── *int.* 《俗》 제기랄!, 빌어먹을! **dam·na·ble** [⌐nəbəl] *a.* 저주할; 지겨운.
***damned** [dæmd] *a., ad.* 저주받은(cursed); 지겨운; 《俗》 지독히.
dam·na·tion [dæmnéiʃən] *n.* Ⓤ 비난, 저주; 지옥에 떨어뜨림; 파멸(ruin). ── *int.* 《俗》 제기랄!; 아뿔싸(Damn!). **-to·ry** [dǽmnətɔ̀ːri/-təri] *a.* 「상하다.
dam·ni·fy [dǽmnəfài] *vt.* 〖法〗 손
Dam·o·cles [dǽməklìːz] *n.* 〖그神〗 Syracuse의 참왕(僭王) Dionysius의 가신(家臣). ***sword of ~*** (왕위(王位)에 따라다니는 위험《왕이 Damocles의 머리 위에 칼을 매달아 놓고 왕의 자리가 편안치 못함을 깨단게 하였다는 고사에서》.
Da·mon [déimən] *n.* ***~ and Pythias*** [píθiəs] 〖그神〗 막역한 벗(의 전형). 「《詩·古》 =DAMSEL.
dam·o·sel, -zel [dǽməzèl] *n.*
:damp [dæmp] *n.* Ⓤ 습기; 낙담, 실망; 방해; (탄갱 등의) 독가스. ── *a.* 축축한, 습기 있는. ── *vt.* 축축하게 하다(dampen); 낙담시키다(discourage), 기를 꺾다, 못살게 굴다; (불을) 끄다; 〖理〗 (전파의) 진폭을 감퇴시키다. **~·en** [⌐ən] *vt.* = damp(*v.*). **⌐·er** *n.* Ⓒ 흥을 깨뜨리는 사람, 기를 꺾는 것; (피아노의) 단음(斷音) 장치; (현악기의) 약음기(弱音器); (난로의) 공기 조절판.
dámp còurse 〖建〗 (벽속의) 방습층.
dámp-drý *vt.* (빨래를) 설말리다. ── *a.* 설말린.
dámp·pròof *a.* 방습(防濕)의, 습기를 막는.
dam·sel [dǽmzəl] *n.* Ⓒ 처녀; 《古·詩》 (지체 높은) 소녀.
dam·site [dǽmsàit] *n.* Ⓒ 댐 건설부지.
dam·son [dǽmzən] *n.* Ⓒ 서양자두(나무). ── *a.* 암자색의.
Dan [dæn] *n.* (성서 시대의) 팔레스티나 북단의 마을. ***from ~ to Beersheba*** [biərʃíːbə] 전체에 걸쳐, 끝에서 끝까지《Beersheba는 그 남단의 마을》.
Dan. Daniel; Danish.
dán (bùoy) *n.* Ⓒ (원양 어업용의) 소형 부표(浮標).
†dance [dæns/-ɑː-] *vi., vt.* (…에게) 춤추(게 하)다; 뛰다; (불그림자 따위가) 흔들거리다; (아기를) 어르다. ***~ off*** 《美》 죽다. ***~ to*** [***after***] ***a person's tune*** [***piping***] 아무의 장단에 춤추다, 하라는 대로 하다. ***~ upon nothing*** 교수형을 받다. ── *n.* Ⓒ 춤, 무도(곡), 무도회. ***lead the ~*** 솔선하다. **:dánc·er** *n.*
:danc·ing [⌐iŋ] *n.* Ⓤ 춤, 무도. ***~ girl*** 무희(舞姬). ***~ hall*** 댄스홀, 무도장. ***~ master*** 댄스 교사.
***dan·de·li·on** [dǽndəlàiən] *n.* Ⓒ 민들레.
dan·der [dǽndər] *n.* Ⓤ 《美口》 뻣성, 역정. ***get one's ~ up*** 노하다.
dan·dle [dǽndl] *vt.* (안고) 어르다; 귀여워하다, 어하다.
dan·druff [dǽndrəf] *n.* Ⓤ (머리의) 비듬.
***dan·dy** [dǽndi] *n.* Ⓒ 멋쟁이; 《口》 썩 좋은 물건[사람], 일품. ── *a.* 멋진; 《美口》 훌륭한.
***Dane** [dein] *n.* Ⓒ 덴마크(계의) 사람; 데인 사람.
Dane·law [déinlɔ̀ː] *n.* 〖史〗 9-11세기에 데인 사람이 지배한 영국 북동부; 그 지역에서 행하여진 법률.
†dan·ger [déindʒər] *n.* ① Ⓤ 위험(한 상태)(risk). ② Ⓒ 장애, 위협.

be in ~ of …의 위험[우려가, 걱정이] 있다.
dánger mòney 《英》 위험 수당.
†**dan·ger·ous**[déindʒərəs] *a.* 위험한. *~·**ly** *ad.* 위험하게, 몹시. ***be ~ly ill*** 위독하다, 위독 상태에 있다.
dánger sìgnal 위험 신호.
·**dan·gle**[dǽŋgəl] *vi.* 매달리다; 뒤쫓다; 따라[붙어]다니다(*about, after*). — *vt.* (매)달다; 어른거려 꾀다.
dángling párticiple 현수(懸垂) 분사《분사의 의미상의 주어가 문장의 주어와 같지 않은 분사》.
Dan·iel[dǽnjəl] *n.* 〖聖〗 다니엘서; 헤브라이의 예언자; Ⓒ 명재판관.
·**Dan·ish**[déiniʃ] *a., n.* 덴마크(사람, 말)의; Ⓤ 덴마크 말. 「기 찬.
dank[dæŋk] *a.* 축축한(damp), 습
Danl. Daniel. 「시 철사.
dán·nert wìre[dǽnərt-] 《口》 가
dan·seuse [dɑːnsə́ːz] *n.* (F.) Ⓒ 댄서(발레리나).
·**Dan·te**[dǽnti, dɑ́ːntei] *n.* (1265–1321) 단테《이탈리아 시인 : *Divina Commedia* (신곡)의 작가》. 「의.
Dan·tesque[dæntésk] *a.* 단테식
·**Dan·ube**[dǽnjuːb] *n.* (the ~) 다뉴브 강《흑해로 흐르는 독일의 한 강; 독일명 **Donau**[dóunau]》.
Daph·ne[dǽfni] *n.* 〖그神〗 Apollo 에게 쫓겨 월계수(laurel)로 화한 요정; Ⓒ 〖植〗 (d-) 월계수, 팥꽃나무.
dap·per[dǽpər] *a.* (복장이) 단정한; 작고 활발한.
dap·ple[dǽpəl] *a., n., vt.* Ⓒ 얼룩진 (말·개); 얼룩지게 하다. **~d**[-d] *a.* 얼룩진.
:**dare**[dɛər] *vt., vi.* (**~*d,*** 《古》 ***durst;* ~*d***) 감히[결기 있게, 대담히] …하다《이 뜻으로 쓰일 때 부정문·의문문에서는 조동사 취급》; (위험을) 무릅쓰다, 도전하다. ***I ~ say*** 아마 (probably).
dáre·dèvil *a., n.* Ⓒ 무모한 (사람).
·**daren't**[dɛ́ərnt] dare not의 단축.
dàre·sáy *v.* =DARE say.
:**dar·ing**[dɛ́əriŋ] *n., a.* Ⓤ 대담무쌍(한); 겁이 없는.
†**dark**[dɑːrk] *a.* 어두운, 캄캄한; (피부가) 거무스레한(swarthy); 비밀의, 숨은; 수수께끼 같은; 무지한; 사악한; 음울한; 슬픈, 우울한(sad); 부루퉁한(sullen); 방송이 정지된. ***keep a thing ~*** 사물을 숨겨 두다. — *n.* Ⓤ 암흑, 어둠, 땅거미; 무지. ***a stab in the ~*** 억측, 근거 없는 추측에 따른 행동. ***at ~*** 해질녘에. ***in the ~*** 어둠속에, 어두운 곳에서; 비밀히; 모르고. *∠·**ly** *ad.* :∠·**ness** *n.* Ⓤ 어둠, 암흑; 무지; 실명; 애매.
Dárk Áges, the 암흑 시대《중세》.
Dárk Cóntinent, the 암흑 대륙 《아프리카》. 「기.
Dárk dáys 불우한 시대, 슬럼프 시
dárk déeds 비행(非行).
:**dark·en**[∠ən] *vt., vi.* 어둡게 하다[되다], 모호하게 하다(keep in the dark). ***Don't ~ my door again.*** 다시는 내 집에 발을 들여놓지 마라.
dárk hórse 다크 호스《경마·선거 등에서 역량 미지의 유력한 상대》.
dárk lántern 초롱, 등롱(燈籠).
dark·ling[∠liŋ] *a., ad.* 《주로 詩》 어두운, 어둠 속의[에].
dárk màtter 암흑 물질《전자파로 관측이 안 되는 별 사이의 물질》.
dárk·róom *n.* Ⓒ 〖寫〗 암실.
dárk·some *a.* 《詩》 어스레한, 어둑한, 음울한. 「(Negro).
dark·y[∠i] *n.* Ⓒ 《口》 깜둥이, 흑인
:**dar·ling**[dɑ́ːrliŋ] *a., n.* Ⓒ 귀여운; (부부·연인간의 호칭으로서) 당신, 가장 사랑하는 (사람).
darn[1][dɑːrn] *vt., n.* 꿰매 깁다, Ⓒ 떠서 깁다[깁는 곳].
darn[2] *vt., vi., n.* 《美口》 =DAMN.
darned[dɑːrnd] *a., ad.* 《口》 말도 안 되는, 우라질; 심한, 몹시, 터무니없는[게].
·**dart**[dɑːrt] *n.* ① 던지는 창[화살], Ⓒ 표창(鏢槍); (벌 따위의) 침 (stinger); 〖裁縫〗 다트; (a ~) 돌진. ② (*pl.*) 《단수 취급》 다츠. — *vt., vi.* 던지다, 발사하다; 돌진하다.
Dart·moor[dɑ́ːrtmuər] *n.* 잉글랜드 남서부의 바위가 많은 고원; (그곳에 있는) 다트무어 교도소.
·**Dar·win**[dɑ́ːrwin], **Charles** (1809–82) 다윈《영국의 박물학자》. **~·ism**[-ìzəm] *n.* Ⓤ 다윈설, 진화론. **~·ist** *n.*
Dar·win·i·an[dɑːrwíniən] *a., n.* 다윈설(說)의; Ⓒ 진화론자.
:**dash**[dæʃ] *vt.* ① 던지다, 내던지다 (throw). ② (물을) 끼얹다(splash). ③ 약간 섞다. ④ 때려부수다; (기를) 꺾다; 부끄럽게 하다(abash). ⑤ = DAMN. — *vi.* 돌진하다(*forward*), 부딪다(*against*); 단숨에 하다, 급히 쓰다[해내다](*off*). ***D- it!*** 염병할! — *n.* ① (a ~) 돌진; 충돌. ② Ⓤ 위세, 기운, 허세. ③ (a ~) (가미(加味)된) 소량, (…의) 기미(touch) (*of*). ④ Ⓒ (부호의) 대시《—》. ⑤ Ⓒ (보통 *sing.*) 단거리 경주. ⑥ = DASHBOARD. ***at a ~*** 단숨에. ***cut a ~*** 허세를 부르다. *∠·**ing** *a.* 기운찬; 화려한, 멋부린.
dásh·bòard *n.* Ⓒ (보트 전면의) 물보라 막이, (마차의) 흙받기; (자동차 따위 조종석의) 계기반(計器盤).
das·tard[dǽstərd] *n.* Ⓒ 비겁한 자, 겁쟁이(coward). **~·ly** *a.* 비겁한, 겁약한, 못난.
dat. dative.
:**da·ta**[déitə, dǽt-] *n. pl.* (*sing.* ***datum***) 《단·복수 취급》 자료, 데이터; (관찰·실험에 의한) 지식, 정보.
dáta bànk 〖컴〗 데이터[정보] 은행.
dáta·bàse *n.* Ⓒ 〖컴〗 자료틀, 데이터 베이스.
dáta bàse manágement sỳstem 〖컴〗 데이터 베이스 관리 체계.
dáta communicátion 〖컴〗 데이

터〔자료〕 통신.
dáta·phòne *n.* Ⓒ 데이터폰《컴퓨터에 데이터를 보내는 전화》.
dàta pròcessing 〖컴〗 데이터〔정보〕 처리.
dáta transmìssion 〖컴〗 데이터〔자료〕 전송, 자료 내보냄.
date[1][deit] *n.* Ⓒ 대추야자(의 열매).
†**date**[2] *n.* Ⓒ 날짜, 연월일; 기일; Ⓤ 연대, 시대; Ⓒ 《美口》 만날 약속, 데이트 (상대자). ***at an early ~*** 머지않아. (***down***) ***to ~*** 오늘까지(의). ***have a ~ with*** …와 데이트를 하다. ***out of ~*** 시대에 뒤진. ***up to ~*** 현재까지(의); 최신식의. ― *vt.* 날짜를 쓰다; 시일을 정하다. ― *vi.* 날짜가 적혀 있다; 시작되다(*from*). ***~ back to*** (날짜가) …에 소급하다. **dát·ed** *a.* 날짜 있는; 시대에 뒤진(out-of-date). **∠·less** *a.* 날짜 없는; 무(기)한의; 태고의; 시대를 초월하여 흥미 있는. 「선.
dáte lìne (보통 the ~) 일부 변경
dáte pàlm 대추야자(date).
da·tive[déitiv] *n., a.* Ⓒ 〖文〗 여격(의).
*__da·tum__[déitəm] *n.* (*pl.* ***data***) Ⓒ (보통 *pl.*) 자료, 데이터; 논거; 〖數〗 기지수.
daub [dɔːb] *vt., vi., n.* 바르다(*with*); Ⓤ,Ⓒ 바르기; 처덕처덕 칠하다〔칠하기〕; Ⓒ 서투른 그림(을 그리다).
†**daugh·ter**[dɔ́ːtər] *n.* Ⓒ 딸.
dáughter élement 〖理〗 (방사성 물질의 분열로 생기는) 자원소(cf. parent element).
dáughter-in-làw *n.* (*pl.* ***-s-in-law***) Ⓒ 며느리.
*__daunt__[dɔːnt] *vt.* 으르다, 놀라게 하다(scare); (…의) 기세를 꺾다. ***nothing ~ed*** 조금도 겁내지 않고. *__∠·less__ *a.* 대담한. **∠·less·ly** *ad.*
dau·phin[dɔ́ːfin] *n.* Ⓒ (종종 D-) 〖프史〗 황태자.
DAV, D.A.V. Disabled American Veterans.
dav·en·port[dǽvənpɔ̀ːrt] *n.* Ⓒ 《美》 침대 겸용의 긴 소파.
Da·vid[déivid] *n.* 〖聖〗 다윗《이스라엘의 제 2 대 왕》.
da Vin·ci[də víntʃi], **Leonardo** (1452–1519) 이탈리아의 화가·조각가·건축가·과학자.
Dá·vis apparátus[déivis-] 잠수함으로부터의 탈출 장치의 하나.
Dávis Cùp 데이비스컵《국제 테니스 경기 우승배》.
dav·it[dǽvit, déivit] *n.* Ⓒ (상갑판의) 보트 매다는 기둥.
Da·vy[déivi] *n.* David의 애칭.
Dávy Jónes 해마(海魔). ***in ~'s locker*** 물고기 밥이 되어.
Dávy làmp 갱부용 안전등.
daw[dɔː] *n.* Ⓒ 바보; =JACKDAW.
daw·dle[dɔ́ːdl] *vt., vi.* 빈둥거리며 시간을 보내다(idle)(*away*).
‡**dawn**[dɔːn] *n.* Ⓤ 새벽, 동틀녘, 여명. ― *vi.* 동이 트다, 밝아지다; 시작되다; 점점 분명해지다. ***It*** 〔***Morning, The day***〕 ***~s.*** 날이 샌다. ***It has ~ed upon me that ...*** (…라는) 것을 나는 알게 되었다.
†**day**[dei] *n.* ① Ⓒ 날, 하루. ② Ⓤ 낮, 주간(*before ~* 날 새기 전에). ③ Ⓤ,Ⓒ 축일; 약속날. ④ Ⓒ (종종 *pl.*) 시대(period); (*pl.*) 일생(lifetime); Ⓤ 전성 시대. ⑤ (the ~) (하루의) 싸움, (그날의) 승부; 승리. ***all ~*** (***long***), or ***as the ~ is long*** 종일. ***between two ~s*** 밤을 새워. ***by ~*** 낮에는. ***carry the ~*** 이기다. ***~ about*** 하루 걸러. ***~ after ~,*** or ***~ by ~,*** or ***from ~ to ~*** 매일, 날마다, 나날이, 하루하루. ***~ in, ~ out*** 해가 뜨나 해가 지나, 날마다. ***end one's ~s*** 죽다. ***have one's ~*** 때를 만나다. ***in broad ~*** 대낮에. ***in one's ~*** 젊었을〔한창이었을〕 때에. ***in the ~s of old*** 옛날에. ***keep one's ~*** 약속날을 지키다. ***know the time of ~*** 만사에 빈틈이 없다. ***lose the ~*** 지다. (***men***) ***of the ~*** 당시〔당대〕의 (명사). ***on one's ~*** 《口》 한창 때에. ***one of these ~s*** 근일중에. ***this ~ week*** 〔***month***〕 전주〔전달〕의 오늘; 내주〔내달〕의 오늘. ***win the ~*** 이기다. ***without ~*** 기일을 정하지 않고.
dáy-and-alíve *a.* 《英》 단조로운, 따분한. 「파로 씀》.
dáy bèd 침대 겸용 소파《낮에는 소
dáy·bòarder *n.* Ⓒ 《英》 (식사를 학교에서 하는) 통학생.
dáy·bòok *n.* Ⓒ 업무 일지; 일기.
dáy bòy 《英》 통학생.
‡**dáy·brèak** *n.* Ⓤ 새벽, 동틀녘.
dáy-care cénter 보육원, 탁아소.
dáy còach 《美》 (침대차와 구별하여) 보통 객차.
*__dáy·drèam__ *n., vi.* Ⓒ 백일몽, 공상(에 잠기다). **~er** *n.* Ⓒ 공상가.
dáy·flỳ *n.* Ⓒ 〖蟲〗 하루살이.
dáy làbo(u)rer 날품팔이 (인부).
dáy lètter 《美》 주간 완송(緩送) 전보《요금이 쌈》.
‡**dáy·lìght** *n.* Ⓤ 일광; 낮, 주간. ***burn ~*** 쓸데없는 짓을 하다. ***in broad ~*** 대낮에.
dáylight róbbery 《英》 터무니 없는 대금 청구, 바가지 씌우기.
dáylight-sáving (**tìme**) 하기 일광 절약 시간.
dáy·lòng *a., ad.* 온종일(의).
dáy núrsery 탁아소. 「락실.
dáy ròom (기지·공공 시설 내의) 오
dáy schòol (boarding school에 대한) 통학 학교; 주간 학교.
dáy shìft (교대 근무의) 낮 근무.
‡**dáy·tìme** *n.* (the ~) 낮, 주간.
dáy-to-dáy *a.* 나날의; 그날 벌어 그날 사는.
dáy trìp 당일치기 여행.
dáy-trìpper *n.* Ⓒ 당일치기 여행자.
‡**daze**[deiz] *vt.* 현혹시키다; 멍하게

D

하다(stun); 눈이 부시게 하다(dazzle). — *n.* (a ~) 현혹; 얼떨떨한 상태.

:daz·zle[dǽzl] *vt., vi.* 눈이 부시(게 하)다; 현혹(케)하다. — *n.* (*sing.*) 눈부심; 눈부신 빛.

dázzle pàint 〖軍〗 미채(迷彩), 위장.

***daz·zling**[dǽzliŋ] *a.* 눈부신.

dB, db decibel(s). **DBMS** 〖컴〗 data base management system 자료를 관리 체계. **dbt.** debit. **D. C.** *da capo*(It. =from head) 〖樂〗 처음부터(반복하라); District of Columbia. **DC, D.C.** direct current. **D.C.L.** Doctor of Civil Law. **D.C.M.** Distinguished Conduct Medal. **D.D.** Doctor of Divinity. **D.D., D/D, d.d.** demand draft. **d.d., d/d** delivered.

d — d[di:d, dæmd] =DAMNED.

D-dày *n.* 〖軍〗 공격 개시 예정일; 《一般》 행동 개시 예정일.

D.D.S. Doctor of Dental Surgery. **DDT** dichloro-diphenyl-trichlo-roethane 《살충제》.

de-[di, də, di:] *pref.* '분리(*de*throne), 제거(*de*ice), 반대(*de*centralize), 저하(*de*press)' 따위의 뜻.

DEA 《美》 Drug Enforcement Administration.

***dea·con**[dí:kən] *n.* Ⓒ (교회의) 집사, 〖가톨릭〗 부제(副祭).

de·ac·ti·vate[di:ǽktəvèit] *vt.* (전투부대를) 해산하다; 활성을 잃게 하다.

†dead[ded] *a.* ① 죽은; 무감각한(insensible)(*to*); 활기 없는(not lively). ② 지쳐버린; 고요한; 쓸모 없이 된. ③ 완전한; 확실한(sure). ~ ***above ears*** 《俗》 골이 빈, 바보 같은. ***in ~ earnest*** 진정으로. — *ad.* 아주, 완전히; 몹시. CUT *a person* ~. ~ (***set***) ***against*** 정면으로 반대하여. ~ ***tired*** 녹초가 되어. — *n.* (the ~) 《집합적》 죽은 사람; 가장 생기가 없는 시각; 죽은 듯이 고요함; 가장 …한 때. ***at ~ of night*** 한밤중에. ***in the ~ of winter*** 한 겨울에. ***rise from the ~*** 부활하다.

déad áir (송신 기계 고장 등에 의한) 방송의 중단. 「경기의.

déad-alíve *a.* 기운〔활기〕 없는; 불

déad ángle 사각(死角).

déad báll 〖野〗 사구(死球).

déad·béat *a.* (계기(計器)의 바늘이) 흔들리지 않는, 제 눈금에 딱 서는. — [∠∠] *n.* Ⓒ 《美口》 (외상·빚 등을) 떼먹는 사람; 게으름뱅이, 식객.

déad béat 《口》 지친(exhausted).

déad·bòrn *a.* 사산(死產)의.

déad càlm 죽은 듯이 고요함, 무풍.

déad càt 《美俗》 (서커스의 전시용) 사자, 범(따위); 신랄한〔조소적〕 비판.

déad cértainty 절대 확실한 것.

dead·en [dédn] *vt.* 약하게 하다(weaken); 둔하게 하다; 무감각하게 하다; 소리〔윤기〕를 없애다. — *vi.* 죽다; 약해지다; 둔해지다.

déad énd 막다른 데〔골목〕.

déad-énd *a.* 막다른; 빈민가의.

déad·èye *n.* Ⓒ 세 구멍 도르래; 《俗》 명사수(名射手).

déad·fàll *n.* Ⓒ 《美》 무거운 물체를 떨어뜨려 동물을 눌러 잡는 올가미; (삼림의) 서로 엉켜 쓰러진 나무들.

déad fòrms 허례.

déad gróund 사각(死角); 〖電〗 완전 접지(接地).

déad·hèad *n.* Ⓒ 무임 승객; 무료 입장자; 멍청이; 비어서 가는 차.

déad héat 팽팽한 접전(接戰).

déad·hòuse *n.* Ⓒ 임시 시체 안치소.

déad lánguage 사어(死語)《라틴어·고대 그리스어 따위》.

déad létter 배달 불능의 우편; (법령 따위의) 공문(空文).

***déad·lìne** *n.* Ⓒ (포로 수용소 등의) 사선(死線); (기사의) 마감 시간; 〖컴〗 기한.

***déad·lòck** *n.* Ⓤ,Ⓒ 막힘, 정돈(停頓); 〖컴〗 수렁, 교착.

déad lóss 전손(全損).

:dead·ly[dédli] *a.* 죽음 같은; 치명적인(fatal); 심한; 용서할 수 없는(*the seven* ~ SIN[1]*s*). — *ad.* 주검〔송장〕처럼; 몹시.

déad màrch (특히, 군대의) 장송(葬送) 행진곡(funeral march).

déad mátter 무기물(無機物).

déad-òn *a.* 바로 그대로의, 완전하게 정확한.

déad·pàn *n., vi.* (**-nn-**) Ⓒ 무표정한 얼굴(을 하다).

déad réckoning 〖海·空〗 추측 항법.

Déad Séa, the 사해.

déad séason 사교·거래 등이 한산한 계절.

déad sèt (사냥개가) 사냥감을 가리키는 부동의 자세; 맹공격; 끈질긴 노력.

déad shót 사격의 명수.

déad spòt 《美》 (라디오의) 난청지대(blind spot).

déad stóck 팔다 남은 물건; 농기구(農機具).

déad wàll 창 따위가 없는 평벽(平壁).

déad wáter 괸 물, 갇힌 물.

déad wéight (차량의) 자중(自重).

déadweight tón 중량톤《2240 파운드》.

déad·wòod *n.* Ⓤ 죽은 나무; 《집합적》 무용지물《사람·물건》.

:deaf[def] *a.* 귀머거리의; 들으려 하지 않는(*to*). ***fall on ~ ears*** (요구 따위가) 무시되다.

déaf-àid *n.* Ⓒ 《英》 보청기.

***deaf·en**[défən] *vt.* 귀먹게〔안 들리게〕 하다; 큰 소리가 (다른 소리를) 죽이다. **~·ing** *a., n.* 귀청이 터질 듯한; Ⓤ 방음 장치〔재료〕.

déaf-mùte *n.* Ⓒ (선천적) 농아자(聾兒者).

D

†**deal**[1] [diːl] *vt.* (**dealt**) 나누다(*out*), (카드를) 도르다(distribute); 베풀다; (슬픔을) 주다, (타격을) 가하다. — *vi.* 장사하다; 거래하다(*in*); (문제 등을) 처리하다, 다루다; (사건·일 등에서) 행동하다(*by, toward, with*). — *n.* Ⓤ (어떤) 분량; (the ~) (카드놀이의) 패 도르는 일〔차례〕, 한 판; Ⓒ 거래; 《口》 취급; 정책. ***a (good, great) ~*** 많이, 다량으로. ***Fair*** 〔***New***〕 ***D-,*** **Truman** 〔Roosevelt〕 대통령의 페어딜〔뉴딜〕 정책.

deal[2] *n.* Ⓤ 소나무 재목〔판자〕, 전나무 제목〔판자〕.

:**deal·er** [díːlər] *n.* Ⓒ ① 상인, …상(商). ② 패 도르는 사람. ③ 어떤 특정의 행동을 하는 사람(*a double ~*).

déaler·shìp *n.* Ⓤ (어느 지역내의) 상품 총판권〔점〕.

:**déal·ing** *n.* ① Ⓤ 취급; (타인에의) 태도. ② (*pl.*) (거래) 관계, 교제 (*have ~s with* …와 교제하다).

:**dealt** [delt] *v.* deal[1]의 과거(분사).

*__dean__ [diːn] *n.* Ⓒ 〖宗〗 사제장(司祭長) 《Cathedral 등의 장》; (대학의) 학장; 《美》 학생 과장; 《英》 학생감.

†**dear** [diər] *a.* 친애하는, 귀여운; 귀중한(precious)(*to*); 비싼(costly) (opp. cheap). ***D- Sir*** 근계(謹啓). ***for ~ life*** 간신히 (도망치다, 따위); 열심히. — *n.* Ⓒ 사랑하는 사람, 귀여운 사람, 애인. — *ad.* 사랑스레; 비싸게. — *int.* ***D-, ~!,*** or ***D- me!,*** or ***Oh, ~!*** 어머나!; 참!, 아니 그런데! **:∠·ly** *ad.* 애정 깊이; 비싸게.

*__dearth__ [dəːrθ] *n.* Ⓤ 부족, 결핍; 기근(famine).

dear·y [díəri] *n.* 《口》 =DARLING.

†**death** [deθ] *n.* ① Ⓤ,Ⓒ 죽음, 사망. ② (the ~) 소멸; 사인. ③ Ⓤ 살해, 유혈. ④ Ⓤ (D-) 사신(死神). ⑤ Ⓤ 사형. ***be at ~'s door*** 죽음이 가깝다. ***be ~ on*** 《口》 …에 능하다; …을 아주 좋아〔싫어〕하다. ***be the ~ of*** …의 사인이 되다, …을 죽이다. ***civil ~*** 〖法〗 (범죄 따위에 의한) 공민권 상실. ***to ~*** 극도로, 몹시. ***to the ~*** 죽을 때까지, 최후까지. **∠·less** *a.* 죽지 않는; 불멸의(~ *poem* 불멸의 시). **∠·ly** *a., ad.* 죽은 듯한〔듯이〕; 치명적인〔으로〕; 몹시.

déath ágony 죽음의 고통.

déath·bèd *n.* Ⓒ (보통 *sing.*) 죽음의 자리, 임종.

déath·blòw *n.* Ⓒ (보통 *sing.*) 치명적 타격.

déath cèll 사형수용의 독방.

déath certìficate 사망 진단서.

déath chàir 《美》 =ELECTRIC CHAIR.

déath cùp 파리버섯속(屬)《독버섯》.

déath-dèaling *a.* 치명적인, 죽음을 초래하는.

déath dùties 〖英法〗 상속세(《美》 death tax).

déath hòuse 《美》 사형수 감방.

déath·màsk *n.* Ⓒ 사면(死面), 데스마스크.

déath ràte 사망률(mortality).

déath ràttle 임종 때의 꼬르륵 소리.

déath ràỳ 살인 광선.

déath-ròll *n.* Ⓒ 사망자 명단, 과거장(過去帳).

déath sànd 〖軍〗 죽음의 재(radioactive dust).

déath sèntence 사형 선고.

déath's-hèad *n.* Ⓒ 해골《죽음의 상징》.

déath squàd (군정하에서, 경범자·좌파 등에 대한) 암살대.

déath tàx 《美》 유산 상속세.

déath tòll 사망자 수.

déath·tràp *n.* Ⓒ 위험한 장소; 화재 위험이 있는 건물.

déath wàrrant 사형 집행 명령.

déath·wàtch *n.* Ⓒ 임종의 간호; 경야(經夜); 살짝수염벌레.

de·ba·cle, ***dé·bâ·cle*** [deibáːkl, -bǽkl] *n.* (F.) Ⓒ (강의) 얼음이 깨짐, 사태; 괴멸, 붕괴; 재해; 대홍수.

de·bar [dibáːr] *vt.* (**-rr-**) 제외하다, 저지하다(*from*). **~·ment** *n.*

de·bark[1] [dibáːrk] *vi., vt.* =DISEMBARK.

de·bark[2] *vi., vt.* (나무의) 껍질을 벗기다.

de·base [dibéis] *vt.* (품성·품질 따위를) 저하시키다(degrade). **~d** [-t] *a.* 저하된; 야비한. **~·ment** *n.*

de·bat·a·ble [dibéitəbəl] *a.* 이론(異論)의 여지가 있는.

debátable gróund (자칫 문제가 일어나기 쉬운) 국경 지대; 논쟁점.

:**de·bate** [dibéit] *n.* Ⓤ,Ⓒ 토론, 논쟁; Ⓤ 숙고; Ⓒ 토론회. — *vt., vi.* 토론〔논쟁〕하다(*on, upon*). ***~ with oneself*** 숙고하다.

de·bauch [dibɔ́ːtʃ] *vt.* 타락시키다(corrupt); 유혹하다(seduce); (생활을) 퇴폐시키다. — *n.* Ⓒ 방탕, 난봉. **~ed** [-t] *a.* **deb·au·chee** [dèbɔːtʃíː] *n.* Ⓒ 난봉꾼. **~·er·y** [dibɔ́ːtʃəri] *n.* Ⓤ 방탕; 유혹(seduction); (*pl.*) 유흥.

de·ben·ture [dibéntʃər] *n.* Ⓒ 사채(社債)(권(券)).

debénture bònd 무담보 사채권.

debénture stòck 《英》 사채(권(券)).

de·bil·i·tate [dibílətèit] *vt.* 쇠약하게 하다(weaken). **-ty** *n.* Ⓤ 쇠약.

deb·it [débit] *n., vt.* Ⓒ 〖簿〗 차변(借邊)(에 기입하다)(opp. credit).

deb·o·nair(e) [dèbənέər] *a.* 점잖고 쾌활한, 사근사근한.

de·bouch [dibúːʃ, -báutʃ] *vi.* (좁은 곳에서 넓은 곳으로) 진출하다. **~·ment** *n.* Ⓤ (군대의) 진출; Ⓒ 하구.

de·brief [diːbríːf] *vt.* (귀환 비행사 등으로부터) 보고를 듣다.

de·bris, ***dé·bris*** [dəbríː, déibriː/déb-] *n.* Ⓤ 파괴의 자취; 파괴물〔암석〕의 파편; 쓰레기.

:**debt** [det] *n.* ① Ⓒ 부채, 빚. ② Ⓤ,Ⓒ 의리, 은혜(obligation). ***bad ~*** 대손(貸損). ***be in*** 〔***out of***〕 ***~*** 빚이 있다〔없다〕(*to*). ***~ of honor*** (노름에서의) 신용빚. ***get*** 〔***run***〕 ***into ~***

빚지다. ***pay one's ~ of* 〔*to*〕 *Nature*** 죽다. **:∠·or** *n.* Ⓒ 꾼 사람, 차주(借主), 채무자; 〖簿〗 차변《생략 Dr.》 (opp. creditor).

débtor nàtion 채무국(opp. creditor nation).

de·bug[di:bʌ́g] *vt.* (**-gg-**) 《口》 (…에서) 해충을 제거하다; (…에서) 잘못〔결함〕을 제거하다; 〖컴〗 (프로그램에서) 잘못을 찾아 정정하다; (…에서) 도청기를 제거하다.

de·bunk[di:bʌ́ŋk] *vt.* 《美口》 (명사 등의) 정체를 폭로하다.

De·bus·sy[deibjú:si, dèbjusí:], **Claude Achille**(1862-1918) 프랑스의 작곡가.

de·but, dé·but**[deibjú:, ∠-, di-, déb-] *n.* (F.) Ⓒ 사교계에의 첫발, 첫무대, 첫출연, 데뷔. ***make one's ~ 처음〔공식으로〕 사교계에 나오다; 첫무대를 밟다, 초연(初演)하다.

deb·u·tant[débjutà:nt, -bjə-] *n.* (*fem.* ***-tante***[débjutà:nt]) (F.) Ⓒ 처음으로 사교계에 나선 사람〔처녀〕; 첫무대를 밟는 사람.

***Dec.** December. **dec.** decease(d); decimeter; declaration; declension.

dec·a-[dékə] *pref.* '10'의 뜻: *dec*agon; *deca*liter(=10*l*).

***dec·ade**[dékeid, dəkéid] *n.* Ⓒ 10; 10개; 10년간.

dec·a·dence[dékədəns, dikéidns], **-den·cy**[-i] *n.* Ⓤ 쇠미, 퇴폐. **-dent**[-dənt] *a., n.* 쇠미〔퇴폐〕한; Ⓒ (19세기말 프랑스의) 퇴폐〔데카당〕파의 (예술가).

dec·a·gon[dékəgàn/-gən] *n.* Ⓒ 〖幾〗 십각〔십변〕형. **de·cag·o·nal**[dikǽgənəl] *a.*

dec·a·gram, 《英》 **-gramme**[dékəgræ̀m] *n.* Ⓒ 데카그램《10 그램》.

dec·a·he·dron[dèkəhí:drən] *n.* (*pl.* ***~s, -dra***) Ⓒ 〖幾〗 십면체.

de·cal·co·ma·ni·a[dikæ̀lkəméiniə] *n.* Ⓤ 전사술(轉寫術)《도기·목제품 따위에 무늬 넣는 법》; Ⓒ 전사화(畫).

dec·a·li·ter, 《英》 **-tre**[dékəli:tər] *n.* Ⓒ 데카리터《10 리터》.

Dec·a·logue[dékəlɔ̀:g, -lɑ̀g] *n.* (the ~) 〖宗〗 십계(十戒)(the Ten Commandments).

De·cam·er·on [dikǽmərən] *n.* (the ~) (Boccaccio작의) 데카메론.

dec·a·me·ter, 《英》 **-tre**[dékəmì:tər] *n.* Ⓒ 데카미터《10 미터》.

de·camp[dikǽmp] *vi.* 야영을 걷어치우다, 진을 거두고 물러나다; 도망치다(depart quickly). **~·ment** *n.*

de·cant[dikǽnt] *vt.* (용액 따위의 웃물을 딴 그릇에) 가만히 옮기다. **~·er** *n.* Ⓒ 〖化〗 경사기(傾瀉器); (식탁용의) 마개 달린 유리 술병.

de·cap·i·tate[dikǽpətèit] *vt.* (…의) 목을 베다(behead); 《美口》 해고하다. **-ta·tion**[-∸-téiʃən] *n.*

dec·a·pod[dékəpɑ̀d/-pɔ̀d] *n.* Ⓒ 십각류(十脚類)의 동물《새우·게》; 십완류(十腕類)의 동물《오징어》.

de·car·te·lize[di:kɑ́:rtəlàiz] *vt.* (독점 금지법으로) 카르텔을 해체시키다.

de·cath·lete[dikǽθli:t] *n.* Ⓒ 10종 경기 선수.

de·cath·lon[dikǽθlɑn/-lɔn] *n.* Ⓤ (the ~) 10종 경기(cf. pentathlon).

:de·cay[dikéi] *vi.* 썩다, 부패하다(rot); 쇠미하다. ― *n.* Ⓤ 부패, 쇠미; 〖理〗 (방사성 물질의) 자연 붕괴. **~ed**[-d] *a.*

Dec·can[dékən] *n.* (the ~) 데칸 반도《인도 Narbada강 이남의 지역》; 데칸 고원《데칸 반도의 태반을 차지하는 고원》.

de·cease[disí:s] *n., vi.* Ⓤ 사망(하다). ***~d**[-t] *a.* 죽은, 고(故)…. ***the ~d*** 고인(故人). 「고인(故人).

de·ce·dent [disí:dənt] *n.* Ⓒ 〖法〗

:de·ceit[disí:t] *n.* Ⓤ ① 사기. ② 허위, 거짓(deceiving). ***~·ful** *a.* 거짓의.

:de·ceive[disí:v] *vt.* 속이다; 미혹시키다(mislead). ***~ oneself*** 잘못 생각하다. **de·céiv·a·ble** *a.* 속(이)기 쉬운. **de·céiv·er** *n.* Ⓒ 사기꾼.

de·cel·er·ate[di:sélərèit] *vt., vi.* 감속(減速)하다(opp. accelerate).

†De·cem·ber[disémbər] *n.* 12월.

de·cen·cy**[dí:snsi] *n.* Ⓤ ① 보기 싫지 않음; 체면. ② 예의(바름)(decorum), (태도·언어의) 점잖음(propriety); 품위. ③ 《口》 친절. ***for ~'s sake 체면상. ***the decencies*** 예의범절; 보통의 살림에 필요한 물건(cf. comforts).

de·cen·ni·al[diséniəl] *a., n.* 10년간〔마다〕의; Ⓒ 10년제(祭).

:de·cent[dí:snt] *a.* ① 적당한, 어울리는(proper). ② 점잖은; 상당한 신분의. ③ 《口》 상당한(fair). ④ 관대한, 친절한. **~·ly** *ad.*

de·cen·tral·ize[di:séntrəlàiz] *vt.* (권한을) 분산하다. **-i·za·tion**[di:sèntrəlizéiʃən] *n.* Ⓤ 분산, 집중 배제, 지방 분권(화).

***de·cep·tion**[disépʃən] *n.* Ⓤ ① 속임(deceiving); 속은 상태. ② 사기(fraud), 야바위. **-tive** *a.* 속임의, 미혹케 하는. **-tive·ly** *ad.*

dec·i-[désə, -si] *pref.* '10분의 1'의 뜻: *deci*gram(=1/10 g), *deci*meter(=1/10 m).

dec·i·bel[désəbèl] *n.* Ⓒ 데시벨《전압·음향 측정 단위》.

†de·cide[disáid] *vt.* 결정하다, 해결하다; 결심시키다. ― *vi.* 결심하다 (*on, upon; to* do); 결정하다(*against, between, for*).

:de·cid·ed[-id] *a.* 뚜렷한, 명백한(clear); 단호한(resolute). ***~·ly** *ad.*

de·cid·u·ous[disídʒu:əs] *a.* 탈락성의; 낙엽성의. ***~ tooth*** 젖니.

dec·i·gram, 《英》 **-gramme**[dés-

igræm] *n.* 데시그램《1 그램의 1/10》.
dec·i·li·ter, 《英》 **-tre**[désilì:tər] *n.* Ⓒ 데시리터《1 리터의 1/10》.
dec·i·mal[désəməl](cf. deci-) *a., n.* 십진법의; Ⓒ 소수(의).
décimal classificàtion (도서의) 십진 분류법.
décimal fràction 소수.
décimal pòint 소수점.
décimal sỳstem 십진법.
dec·i·mate[désəmèit] *vt.* (고대 형법에서) 열 명에 하나씩 죽이다; (질병·전쟁 따위가) 많은 사람을 죽이다.
dec·i·me·ter, 《英》 **-tre**[-mì:tər] *n.* Ⓒ 데시미터《1 미터의 1/10》.
de·ci·pher[disáifər] *vt.* (암호(cipher)·난해한 글자 따위를) 풀다, 번역[판독]하다. **~·ment** *n.*
:de·ci·sion[disíʒən] *n.* ① Ⓤ,Ⓒ 결정; 해결. ② Ⓒ 판결; Ⓤ 〖拳〗 판정승. ③ Ⓤ 결심, 결의. ④ Ⓤ 결단력.
decísion-màking *n., a.* Ⓤ 정책[의사] 결정(의).
:de·ci·sive[disáisiv] *a.* 결정적인, 움직이기 어려운; 단호[확고]한; 명확한. ***~·ly** *ad.* **~·ness** *n.*
:deck[dek] *n.* Ⓒ 갑판(과 비슷한 것); (빌딩의)평평한 지붕; 《주로 美》 (카드패의) 한 벌(pack[1]); 《俗》 지면; 〖컴〗 덱, 대(臺), 천공 카드를 모은 것. ***clear the ~s*** 전투 준비를 하다. ***on ~*** 갑판에 나와서; 《口》 준비되어; 《口》〖野〗 다음 타자가 되어. ***upper*** [***main, middle, lower***] 상[중, 제2중, 하] 갑판. — *vt.* 갑판을 깔다; 꾸미다, 단장하다(dress).
déck chàir (즈크로 된) 갑판 의자.
déck hànd 〖海〗 갑판원, 평선원; 〖劇〗 무대계원《장치·조명 따위의》.
déck òfficer 갑판부 사관.
déck pàssenger 3등 선객.
de·claim[dikléim] *vi.* (미사여구를 늘어놓아) 연설하다, 열변을 토하다. — *vt.* (극적으로) 낭독하다(recite).
dec·la·ma·tion[dèkləméiʃən] *n.*
de·clam·a·to·ry [diklǽmətɔ̀:ri/-təri] *a.* 연설조의; 낭독의.
:dec·la·ra·tion[dèkləréiʃən] *n.* Ⓤ,Ⓒ 선언, 포고; 신고. ***~ of war*** 선전 포고. ***the D- of Independence*** 미국 독립 선언《1776년 7월 4일》.
de·clar·a·tive [diklǽrətiv], **-to·ry**[-tɔ̀:ri/-təri] *a.* 선언하는, 단언적인; 서술적인.
declárative séntence 평서문 「(平敍文).
:de·clare[dikléər] *vt.* 선언[포고·발표]하다(proclaim); 언명하다(assert); (소득액·과세품을) 신고하다. — *vi.* 공언[성명]하다. ***~ off*** (언명해 놓고) 그만두다, 해약하다. ***Well, I ~!*** 저런!, 설마! **~d**[-d] *a.* 공언한; 숨김 없는, 공공연한.
de·clas·si·fy[di:klǽsəfài] *vt.* 《美》 기밀 취급을 해제하다; 기밀 리스트에서 빼다.
de·clen·sion[diklénʃən] *n.* Ⓤ,Ⓒ (명사·대명사 등의) 격변화(cf. conjugation); Ⓤ 쇠미(decline); 경사, 기울.
dec·li·na·tion[dèklənéiʃən] *n.* ① Ⓤ,Ⓒ 경사(傾斜). ② Ⓤ,Ⓒ 쇠미. ③ Ⓒ 《美》 사퇴(polite refusal). ④ Ⓤ,Ⓒ 〖天〗 적위(赤緯); Ⓒ〖理〗(지자기의) 편차, 편각.
:de·cline[dikláin] *vi., vt.* ① 아래로 향(하게)하다, 기울(이)다; (해가) 지다. ② 사퇴[사절]하다. ③ (*vi.*) 쇠하다. ④〖文〗격변화하다[시키다]. — *n.* Ⓒ (보통 *sing.*) (물가의) 하락; 쇠미, 쇠약(병); 늘그막(declining years). ***on the ~*** 기울어; 쇠하여.
de·clin·ing [-iŋ] *a.*
de·cliv·i·ty[diklívəti] *n.* Ⓤ,Ⓒ 하향(下向), 내리막(opp. acclivity).
de·coct[di:kάkt/-ɔ́-] *vt.* (약초 따위를) 달이다. **de·cóc·tion** *n.* Ⓤ 달이기; Ⓒ 달인 즙[약].
de·code[di:kóud] *vt.* 암호(code)를 풀다. **de·cód·er** *n.* Ⓒ 암호 해독자; 자동 암호 해독 장치; 〖無電〗 아군 식별 장치; 〖컴〗 해독기(器).
dé·col·le·té[deikὰlətéi/deikɔ́lətei] (*fem.* ***-tée***[-téi/-tei]) *a.* (F.) 어깨와 목을 드러낸, 로브 데콜테(*robe décolletée*)를 입은.
de·col·o(u)r[di:kʌ́lər] *vt.* 탈색[표백]하다.
de·com·mu·nize[di:kάmjunàiz/-kɔ́m-] *vt.* (국가·제도 따위를) 비공산화하다. **-ni·za·tion**[-̀--nizéiʃən] *n.*
***de·com·pose**[dì:kəmpóuz] *vt., vi.* 분해[환원]하다; 썩(이)다. ***-po·si·tion**[-kɑmpəzíʃən/-ɔ-] *n.*
de·con·tam·i·nate[dì:kəntǽmənèit] *vt.* 정화(淨化)하다, (…에서 방사능 따위) 오염을 제거하다. **-na·tion**[-̀-̀--néiʃən] *n.*
de·con·trol[dì:kəntróul] *vt.* (**-ll-**) (…의) 통제를 해제하다. — *n.* Ⓤ 통제 해제.
dé·cor[deikɔ́:r, ㅡ́ㅡ] *n.* (F.) Ⓤ,Ⓒ 「장식; (무대) 장치.
:dec·o·rate[dékərèit] *vt.* 꾸미다, 장식하다(adorn); 훈장을 수여하다.
:dec·o·ra·tion[dèkəréiʃən] *n.* Ⓤ 장식(법); Ⓒ 장식품; 훈장, 서훈(敍勳). ***the D- Day*** = the MEMORIAL DAY. ***-tive**[dékərèitiv, -rə-] *a.* 장식적인. ***-tor**[dékərèitər] *n.* Ⓒ (실내) 장식업자.
dec·o·rous[dékərəs] *a.* 예의바른, 점잖은(decent). **~·ly** *ad.*
de·co·rum[dikɔ́:rəm] *n.* Ⓤ (태도·말·복장 따위의) 고상함, 예의바름.
de·cou·ple[di:kʌ́pl] *vt.* 〖電〗 감결합(減結合)하다《전기의 유해한 귀환 작용을 덜기 위하여 회로의 결합도를 낮춤》.
***de·coy**[dí:kɔi, dikɔ́i] *n.* Ⓒ 미끼새, 유혹물(lure). — [dikɔ́i] *vt.* 꾀어 들이다, 유인하다.
:de·crease[dí:kri:s, dikrí:s](opp. increase) *n.* Ⓤ,Ⓒ 감소(*in*); Ⓒ 감소량[액]. ***on the ~*** 감소되어. — [dikrí:s] *vi., vt.* 줄(이)다; 저하하다, 쇠하다. **de·creas·ing**[dikrí:siŋ] *a.*

:de·cree[dikríː] *n.* Ⓒ 법령, 포고; 명령; 하늘의 뜻, 신명(神命); 판결. — *vt., vi.* 명하다; 포고[판결]하다; (하늘이) 정하다.
dec·re·ment[dékrəmənt] *n.* Ⓤ 감소; Ⓒ 감소량[액](decrease).
de·crep·it [dikrépit] *a.* 노쇠한. **-i·tude**[dikrépitjùːd] *n.* Ⓤ 노쇠, 노후(老朽).
de·cre·scen·do [dìːkriʃéndou, dèi-] *ad.* (It.) 〖樂〗 점점 여리게.
de·cres·cent[dikrésnt] *a.* 점감(漸減)하는; (달이) 이지러지는, 하현(下弦)의.
de·cry[dikrái] *vt.* 비난하다, 헐뜯다. **de·crí·er** *n.* Ⓒ 비난자.
:ded·i·cate[dédikèit] *vt.* 봉납[헌납]하다; 바치다(devote); (자기 저서를) 증정하다. ***Dedicated to*** …께 드림. ~ ***oneself*** 전념하다(*to*). **-ca·tor** *n.* ***-ca·tion**[dèdikéiʃən] *n.* Ⓤ 바침, 헌신; 헌정(獻呈); Ⓒ 헌정사(辭). **-ca·to·ry**[dédikətɔ̀ːri/-təri] *a.* 봉납의; 헌상[헌정]의.
de·duce**[didjúːs] *vt.* 추론(推論)[추정]하다, 연역(演繹)하다(*from*) (opp. induce); (…의) 유래를 캐다(trace[1])(~ ***one's descent 조상을 더듬어 찾다). **de·dúc·i·ble** *a.*
***de·duct**[didʌ́kt] *vt.* 빼다, 할인하다.
***de·duc·tion**[didʌ́kʃən] *n.* Ⓤ,Ⓒ 뺌, 공제; 추론, 추정; 〖論〗 연역법 (opp. induction). **-tive** *a.* 추론[추정]의, 연역적인.
:deed[diːd] *n.* Ⓒ ① 행위. ② 행동(action), 실행(performance). ③ 행하여진 일; 공적, 사적(事績); 사실. ④ 〖法〗 증서. ***in*** ~ 실로, 실제로. ***in word and*** (***in***) ~ 언행이 함께.
dee·jay[díːdʒèi] *n.* 《美俗》 =DISK JOCKEY.
***deem**[diːm] *vt., vi.* 생각하다, (…으로) 간주하다.
†deep[diːp] *a.* ① 깊은; 심원한(profound). ② 깊이 파묻힌. ③ 몰두해 있는. ④ (목소리가) 굵고 낮은. (색이) 짙은. ⑤ 심한, 마음으로부터의. ⑥ 음험한, 속검은. ~ ***one*** 《俗》 교활한 놈. — *ad.* 깊이, 깊숙이; 늦게. ~ ***into the night*** 밤깊도록. — *n.* (the ~) 깊은 곳, 심연(abyss); 《詩》 바다; 깊음, (겨울·밤의) 한창. **:∠·ly** *ad.* **∠·ness** *n.*
déep-chésted *a.* 가슴이 두툼한; (목소리가) 낮고 힘센.
:deep·en[díːpn] *vt., vi.* 깊게 하다, 깊어지다; 짙게[굵게] 하다; 짙어[굵어]지다.
déep-félt *a.* 강하게 느낀, 감명 깊은, 충심으로의.
Déep·fréeze *n.* Ⓒ 〖商標〗 급속 냉동 냉장고. — *vt.* (d-) (***~d, -froze; ~d, -frozen***) (음식을) 급속 냉동하다.
déep-fríed *a.* 기름에 튀긴.
déep kíss 혀키스(French kiss).
déep-láid *a.* 교묘히[몰래] 꾀한.
déep-mined cóal 깊은 갱에서 캐낸 석탄.
déep pòcket 《美俗》 부, 재력; (종종 *pl.*) 풍부한 재원.
déep-réad *a.* 학식이 깊은, 환한.
déep-róoted *a.* 깊이 뿌리 박힌; (감정 등이) 뿌리 깊은.
déep-séa *a.* 심해[원양]의.
déep-sea físhery 원양 어업.
déep-séated, -sét *a.* (원인·병·감정 따위가) 뿌리 깊은.
déep spáce 태양계 밖의 우주.
déep thérapy 〖醫〗 심부 X선 치료 《주대상은 악성 종양》.
:deer[diər] *n.* (*pl.* ~, **~s**) Ⓒ 사슴.
déer·hòund *n.* Ⓒ 사슴 사냥개.
déer·skìn *n.* Ⓤ 사슴 가죽; Ⓒ 그것으로 만든 옷.
de-es·ca·late[diːéskəlèit] *vi., vt.* 단계적으로 축소하다[시키다].
de-es·ca·la·tion[diːèskəléiʃən] *n.* Ⓤ 단계적 축소.
def. defective; defendant; deferred; defined; definite; definition.
de·face[diféis] *vt.* 표면을 손상[마멸]시키다; 흠 내다(mar), 흉하게 하다(disfigure). **~·ment** *n.*
de fac·to[diː fǽktou] (L.) 사실상(의)(cf. *de jure*).
de·fal·cate[difǽlkeit/díːfælkèit] *vi.* 〖法〗 위탁금을 써 버리다(cf. embezzle).
de·fame[diféim] *vt.* (…의) 명예를 손상하다(dishonor), 중상하다(slander). **def·a·ma·tion**[dèfəméiʃən] *n.* **de·fam·a·to·ry**[difǽmətɔ̀ːri/-təri] *a.*
de·fault[difɔ́ːlt] *n.* Ⓤ 태만, (채무) 불이행; (재판에의) 결석; 결핍. ***in ~ of*** …이 없을 때에는, …이 없어서. ***judgment by ~*** 결석 재판. **~·er** *n.* Ⓒ 불이행자; (재판) 결석자; 위탁금 소비자.
de·fea·sance[difíːzəns] *n.* Ⓤ (권리의) 폐기, (계약의) 파기.
:de·feat[difíːt] *vt.* 격파하다, 지우다(overcome); 방해하다(thwart); 〖法〗 무효로 하다. — *n.* Ⓤ 격파, 타파; Ⓤ,Ⓒ 패배; 〖法〗 파기. **~·ism** *n.* Ⓤ 패배주의. **~·ist** *n.*
def·e·cate[défikèit] *vt.* 맑게[정하게] 하다(purify). — *vi.* 맑아지다(clarify); 뒤를[대소변을] 보다.
:de·fect[difékt, díːfekt] *n.* Ⓒ 결함, 결점; Ⓤ,Ⓒ 부족. ***in ~*** 부족[결핍]하여. ***in ~ of*** …이 없는 경우에.
de·fec·tion[difékʃən] *n.* Ⓤ,Ⓒ 배반, 변절, 탈당, 탈회; 결함, 부족.
de·fec·tive**[diféktiv] *a.* 결점 있는, 불완전한. ~ ***verbs 〖文〗 결여 동사 《***will, can, may*** 따위》. **~·ly** *ad.*
:de·fence[diféns] *n.* 《英》 =DEFENSE.
:de·fend[difénd] *vt.* 지키다, 방위하다(protect)(*against, from*); 변호[옹호]하다(vindicate). ***~·er** *n.*
***de·fend·ant**[-ənt] *n., a.* Ⓒ 피고(의)(opp. plaintiff).
:de·fense[diféns, díːfens] *n.* ① Ⓤ 방위, 수비(protection). ② Ⓒ 방

D

어물; (*pl.*) 방어 시설. ③ Ⓤ 변명; Ⓒ 〖法〗 변호; (피고의) 답변; (the ~)《집합적》 피고측. ④ (the ~)《집합적》〖競〗 수비측. **~ in depth** 종심(縱深) 방어(법). **in ~ of** …을 지키어; …을 변호하여. ***~·less** *a.* 무방비의. **~·less·ness** *n.*

defénse mèchanism 〖心〗 (자기) 방위기제(防衛機制).

de·fen·si·ble [difénsəbəl] *a.* 방어〔변호〕할 수 있는. **-bly** *ad.*

:de·fen·sive [difénsiv] *n., a.* Ⓤ (the ~) 방위(의), 수세(의)(opp. offensive). **be** 〔**stand**〕 **on the ~** 수세를 취하다. **~·ly** *ad.*

***de·fer**¹ [difə́:r] *vt., vi.* (**-rr-**) 늦추다, 물리다, 늦춰지다, 연기하다. **~·ment** *n.* Ⓤ,Ⓒ 연기; 《美》 징병 유예.

de·fer² *vi.* (**-rr-**) (남의 의견에) 따르다(*to*); 경의를 표하다(*to*).

***def·er·ence** [déf*ə*rəns] *n.* Ⓤ 복종, 경의. **-en·tial** [dèfərénʃəl] *a.* 공경하는, 공손한(respectful). **-én·tial·ly** *ad.*

de·fer·ra·ble [difə́:rəbəl] *a., n.* 연기〔유예〕할 수 있는; Ⓒ 《美》 징병 유예자.

de·ferred [difə́:rd] *a.* 연기한; 거치한; 《美》 징병 유예된(~ *savings* 거치 예금/*a ~ telegram* 간송 전보).

***de·fi·ance** [difáiəns] *n.* Ⓤ 도전; 반항, 무시. **bid ~ to** 무시하다; 도전하다. **in ~ of** …을 무시하여, …에 상관 않고. **set at ~** 무시하다.

***de·fi·ant** [difáiənt] *a.* 도전〔반항〕적인; 무례한; 무시하는(*of*).

***de·fi·cien·cy** [difíʃənsi] *n.* Ⓤ,Ⓒ 결핍, 결함.

defíciency disèase 〖醫〗 영양 실조, 비타민 결핍증.

defíciency páyment (농민에 대한 정부의) 최저 보증금.

***de·fi·cient** [difíʃənt] *a.* 결함 있는; 불충분한(insufficient)(*in*). 「(액).

***def·i·cit** [défəsit] *n.* Ⓒ 결손, 부족

déficit fináncing (특히, 정부의) 적자 재정.

déficit spénding 적자 지출.

de·file¹ [difáil] *vt.* 더럽히다(soil²). **~·ment** *n.* Ⓤ 더럽힘; Ⓒ 부정물.

de·file² *vi.* 종대(縱隊)로 나아가다. ── *n.* Ⓒ 애로, 좁은 길〔골짜기〕.

:de·fine [difáin] *vt.* 한계를 정하다; 명확히 하다, 정의를 내리다. **de·fín·a·ble** *a.* 정의〔한정〕할 수 있는.

:def·i·nite [défənit] *a.* 명확한, 뚜렷한(clear); 일정한. **:~·ly** *ad.*

:définite árticle 〖文〗 정관사《the》.

***def·i·ni·tion** [dèfəníʃən] *n.* Ⓤ 한정; Ⓒ 정의, 해석; Ⓤ (렌즈의) 선명도, (라디오의) 충실도; 선명(하기).

de·fin·i·tive [difínətiv] *a.* 결정적인, 최종적인(conclusive). ── *n.* Ⓒ 〖文〗 한정사《*the, this, all, some* 따위》. **~·ly** *ad.*

de·flate [difléit] *vt.* (…에서) 공기〔가스〕를 빼다; (통화를) 수축시키다.

***de·fla·tion** [difléiʃən] *n.* Ⓤ ① 공기〔가스〕를 빼기. ② 통화 수축; 디플레이션.

de·flect [diflékt] *vt., vi.* (…의) 진로를 빗나가게 하다; (생각을) 삐뚤어지게 하다; 빗나가다(turn aside). **de·fléc·tion,** 《英》 **-fléx·ion** *n.*

def·lo·ra·tion [dèfləréiʃən/dì:flɔ:-] *n.* Ⓤ 꽃을 땀; 미(美)를 빼앗음; (처녀) 능욕.

de·flow·er [difláuər] *vt.* 꽃을 따다〔꺾다〕; (처녀를) 능욕하다(ravish).

De·foe [difóu], **Daniel**(1659?-1731) 영국의 소설가《*Robinson Crusoe*》.

de·fo·li·ant [di(:)fóuliənt] *n.* Ⓤ,Ⓒ 고엽제(枯葉劑)《월남전에서 미군이 쓴》.

de·fo·li·ate [di(:)fóulièit] *vt., vi.* 잎을 따내다〔말리다〕; 잎이 떨어지다.

de·fo·li·a·tion [di(:)fòuliéiʃən] *n.* Ⓤ 낙엽(기); 나무를 자르거나 숲을 불태우거나 하는 작전.

de·for·est [di:fɔ́:rist, -fár-/-fɔ́r-] *vt.* (…의) 산림〔수목〕을 베어내다; 개척하다. **~·a·tion** [-ˋ-éiʃən] *n.* Ⓤ 산림 벌채〔개척〕.

de·form [difɔ́:rm] *vt.* 흉하게 하다, 모양 없이 하다(misshape); 불구로 하다. ***~ed** [-d] *a.* 흉한, 일그러진; 불구의. ***de·for·ma·tion** [dì:fɔ:rméiʃən] *n.* Ⓤ 변형; 〖美術〗 데포르마시옹《미적 효과를 위한 변형》.

***de·form·i·ty** [difɔ́:rməti] *n.* Ⓤ 불구; 추함; Ⓤ,Ⓒ (인격상의) 결함.

***de·fraud** [difrɔ́:d] *vt.* 편취하다(~ *him of his money*), 속이다(cheat).

de·fray [difréi] *vt.* (경비를) 지불하다(pay). **~·al, ~·ment** *n.*

de·frost [di:frɔ́:st, -frást/-frɔ́st] *vt.* (식품의) 언 것을 녹이다; (냉장고의) 서리를 제거하다. **~·er** *n.* Ⓒ 제상(除霜) 장치.

deft [deft] *a.* 솜씨 좋은, 능숙한(skillful). **ˊ·ly** *ad.* **ˊ·ness** *n.*

deft. defendant.

de·funct [difʌ́ŋkt] *a.* 소멸한; 죽은; (the ~) 고인(the deceased).

de·fuse, de·fuze [di:fjú:z] *vt.* (폭탄에서) 신관을 제거하다; (긴장 상태에서) 위험성을 없애다.

:de·fy [difái] *vt.* 도전하다(~ *him to* do); 반항하다, 거부하다; 무시하다, 깔보다; 방해하다.

deg. degree(s).

dé·ga·gé [dèigɑ:ʒéi/-ˊ-] *a.* (F.) 편안한; (마음) 편한《태도 따위》.

De·gas [dəgɑ́:], **Edgar**(1834-1917) 프랑스의 화가.

de·gas [di:gǽs] *vt.* (**-ss-**) (…에서) 가스를 빼다.

de Gaulle [də góul], **Charles** (1890-1970) 프랑스의 장군·정치가.

de Gaull·ist [də góulist] *n.* Ⓒ (프랑스의) 드골파의 사람.

de·gen·er·a·cy [didʒénərəsi] *n.* Ⓤ 퇴보, 타락; 퇴화.

***de·gen·er·ate** [didʒénərèit] *vi.* 나빠지다(grow worse); 퇴보〔타락〕하다. ── [-dʒénərit] *a., n.* Ⓒ 퇴보

한 (것), 타락한 (사람). *-a·tion[←–←ʃən] n. Ⓤ 퇴보, 타락, 악화; Ⓤ 〖生〗 퇴화. -a·tive[-rətiv, -rèit-] a. 타락(적인 경향)의.

***de·grade**[digréid] vt. 하위로 낮추다; 타락〔악화〕시키다; (현재의 지위·직책·소임으로부터) 떨어뜨리다; 〖生〗 퇴화시키다. ── vi. 떨어지다; 타락〔퇴화〕하다.

***deg·ra·da·tion**[dègrədéiʃən] n. Ⓤ ① 격하, 좌천; 면직. ② 타락, 저하. ③ 〖地〗 침식. ④ 〖化〗 분해.

de·grad·ing[digréidiŋ] a. 타락〔퇴폐〕시키는, 불명예스런, 비열한.

de·grease[di:grí:s] vt. (…에서) 유지를 빼다.

de·gree[digrí:] n. ① Ⓤ,Ⓒ 정도; 등급. ② Ⓒ 도, 눈금. ③ Ⓤ 지위, 계급; Ⓒ 학위, 칭호. ④ Ⓒ 〖文〗 (비교의) 급; 〖數〗 차(次). ***by ~s*** 점차. ***in some ~*** 다소, 얼마간은. ***to a ~*** 몹시; 다소. ***to the last ~*** 극도로.

de·horn[di:hɔ́:rn] vt. (…의) 뿔을 자르다.

de·hu·man·ize[di:hjú:mənàiz] vt. (…의) 인간성을 빼앗다. **-i·za·tion**[–←–nizéiʃən/-nai-] n. Ⓤ 인간성 말살.

de·hu·mid·i·fy [dì:hju(:)mídəfài] vt. 습기를 없애다; 건조시키다.

de·hy·drate[di:háidreit] vt., vi. 탈수하다; 수분이 없어지다. ***~d eggs*** 건조 달걀.

de·hy·dro·freez·ing [di:háidrə-frì:ziŋ] n. Ⓤ 건조 냉동법.

de·ice[di:áis] vt. 제빙(除氷)하다.

de·ic·er[di:áisər] n. Ⓒ 〖空〗 제빙(除氷)〔방빙〕장치.

deic·tic[dáiktik] a. 〖文〗 지시적인; 〖論〗 직증적(直證的)인.

de·i·fy[dí:əfài] vt. 신으로 삼다〔모시다〕, 신성시하다. **-fi·ca·tion**[←–fikéiʃən] n.

deign[dein] vi. 황송하옵게도 …하시다, …하옵시다(*to* do). ── vt. 내리시다. ***~ a reply*** (왕 등이) 대답해 주시다.

de·ism[dí:izəm] n. Ⓤ 자연신교(自然神敎). **-ist** n.

***de·i·ty**[dí:əti] n. Ⓤ 신성(神性)(divine nature); Ⓒ 신, 여신; (the D-) 우주신, 하느님(God).

dé·jà vu[dèiʒa: vjú:] (F.) 〖心〗 기시감(旣視感); 아주 진부한 것.

***de·ject·ed**[didʒéktid] a. 낙담한, 기운 없는. **de·jéc·tion** n. Ⓤ 낙담, 실의.

de ju·re[di: ʒúəri] (L.) 정당한 권리로, 합법의(cf. *de facto*).

Del. Delaware. **del.** delegate; delete; *delineavit*(L.=he 〔she〕 drew it).

De·la·croix[dəlɑkrwɑ́:], **Ferdinand Victor' Eugène** (1798-1863) 프랑스의 화가.

***Del·a·ware**[déləwὲər] n. 미국 동부의 주《생략 Del.》.

:de·lay[diléi] vt. 늦게 하다, 지연〔지체〕시키다, 연기하다(postpone); 방해하다. ── vi. 늦어지다, 지체하다. ── n. Ⓤ,Ⓒ 지연, 유예; 〖컴〗 늦춤. ***without ~*** 즉시, 곧. **~ed**[-d] a. (뒤)늦은.

deláyed-áction a. 지효성(遲效性)의; 지발(遲發)의. ***~ bomb*** 시한 폭탄.

de·le[dí:li] vt. (L.) 〖校正〗 삭제하라, 빼라(delete).

de·lec·ta·ble[diléktəbəl] a. 매우 즐거운, 유쾌한. **-bly** ad. **~·ness** n.

de·lec·ta·tion[dì:lektéiʃən, dilèk-] n. Ⓤ 유쾌, 환희, 환락.

del·e·ga·cy[déligəsi] n. Ⓒ《집합적》 대표단; Ⓤ 대표자 파견〔지위·임명〕.

:del·e·gate[déligèit, -git] n. Ⓒ 대표자(representative), 사절. ── [-gèit] vt. 대표〔대리〕로서 보내다〔임명하다〕; 위임하다(entrust).

del·e·ga·tion[dèligéiʃən] n. ① Ⓤ 대리〔위원〕 파견; 위임. ② Ⓒ《집합적》 (파견) 위원단, 대표단.

de·lete[dilí:t] vt. (문자를) 삭제하다, 지우다(strike out); 〖컴〗 지우다, 소거하다. **de·lé·tion** n. Ⓤ 삭제; Ⓒ 삭제 부분.

del·e·te·ri·ous[dèlətíəriəs] a. (심신에) 해로운, 유독한. **~·ly** ad.

delf(t) [delf(t)], **delft·ware**[délft-wὲər] n. Ⓤ (네덜란드의) 델프트 도자기.

***de·lib·er·ate**[dilíbərèit] vt., vi. 숙고하다; 협의〔논의〕하다. ── [-bər-it] a. 숙고한; 신중한; 유유한. **:~·ly** ad. 숙고한 끝에; 신중히; 완만히.

***de·lib·er·a·tion**[dilìbəréiʃən] n. Ⓤ,Ⓒ 숙고; 심의; Ⓤ 신중. **-tive**[–←–rèitiv, -rit-] a. 신중한; 심의의; 심의를 위한.

***del·i·ca·cy**[délikəsi] n. ① Ⓤ 우미, 정교, (감각의) 섬세함; 민감. ② Ⓤ 허약, 연약함(weakness). ③ Ⓤ 미묘함(nicety). ④ Ⓒ 진미(dainty).

:del·i·cate[délikit] a. ① 우미〔섬세〕한, 정묘한. ② 고상한. ③ 민감한. ④ 허약한, 다루기 힘든. ⑤ 미묘한(subtle). ⑥ 맛있는. ***~·ly** ad.

del·i·ca·tes·sen[dèlikətésn] n. Ⓤ《집합적》 조제(調劑) 식료품; Ⓒ 조제 식료품점.

:de·li·cious[dilíʃəs] a. 맛있는; 유쾌한. ── n. (D-) Ⓤ 델리셔스《사과》. **~·ly** ad.

:de·light[diláit] n. Ⓤ 기쁨, 유쾌; Ⓒ 좋아하는 것. ── vi., vt. 기뻐하다, 기쁘게 하다, 즐기다, 즐겁게 하다(*in*). ***~·ed**[-id] a. 매우 즐거운(highly pleased), 기쁜(glad)(*about, at*). **~·some**[-səm] a. =⇩.

:de·light·ful[-fəl] a. 매우 기쁜〔즐거운〕, 유쾌한. **~·ly** ad.

De·li·lah[diláilə] n. 〖聖〗 델릴라《SAMSON의 불실한 애인》; Ⓒ 요부.

de·lim·it[dilímit], **de·lim·i·tate** [di(:)límətèit] vt. 한계〔경계〕를 정하

다. **-i·ta·tion**[dilìmətéiʃən] *n.* Ⓒ 경계, 한계; Ⓤ 한계 결정.
de·lim·it·er[dilímitər] *n.* Ⓒ 【컴】 구분 문자《테이프상에서 데이터 항목을 구분 짓는》.
de·lin·e·ate[dilínièit] *vt.* 윤곽을 그리다; 묘사하다(describe). **-a·tion**[-ˌ-ˈ-ʃən] *n.* Ⓤ 윤곽 묘사; 서술; Ⓒ 약도, 도형.
de·link[di:líŋk] *vt.* 떼어 놓다; 독립시키다. **~·age** *n.*
de·lin·quent[dilíŋkwənt] *a.* 의무를 게을리하는, 태만한; 체납되어 있는; 죄〔과실〕있는. — *n.* Ⓒ 태만한 사람; 과실〔범죄〕자. ***juvenile* ~** 비행 소년〔소녀〕. **-quen·cy** *n.* Ⓤ,Ⓒ 태만; 과실(fault); 비행, 범죄. ***juvenile delinquency*** 소년 범죄.
del·i·quesce[dèlikwés] *vi.* 용해〔액화〕하다; 【化】 조해(潮解)하다. **-qués·cence** *n.* Ⓤ 용해; 조해(성).
***de·lir·i·ous**[dilíriəs] *a.* 정신 착란의; 헛소리하는; 무아경의, 황홀한.
de·lir·i·um[-riəm] *n.* Ⓤ,Ⓒ 정신 착란; 황홀, 무아경.
delírium tré·mens[-trí:mənz] (알코올 중독에 의한) 섬망증(譫妄症)《생략 D.T.》.
:de·liv·er[dilívər] *vt.* ① 넘겨주다. ② 배달하다. ③ (연설을)하다. ④ (의견을) 말하다. ⑤ (타격을) 가하다; (공을) 던지다. ⑥ 구해내다(rescue), 해방〔석방〕하다(*from*). ⑦ 분만시키다. ***be ~ed of*** (아이를) 낳다; (시를) 짓다. ***~ oneself of*** (*an opinion*) (의견을) 말하다. ***~ the goods*** 물품을 건네주다; 약속을 이행하다; 기대에 어그러지지 않다. ***~·ance** *n.* Ⓤ 구출, 석방, 해방. ***~·er** *n.* Ⓒ 구조자; 인도인; 배달인.
:de·liv·er·y[dilívəri] *n.* ① Ⓤ,Ⓒ 배달; 인도, 교부. ② (a ~) 연설을 하는 식, 이야기투. ③ Ⓒ 분만. ④ Ⓤ,Ⓒ 방출; 투구(投球).
de·liv·er·y·man [-mæ̀n] *n.* Ⓒ 《美》 (상품의) 배달인.
delívery ròom 분만실; 도서 출납실.
dell[del] *n.* Ⓒ 작은 골짜기.
Dél·lin·ger phenómenon[délindʒər-] 【無線】 델린저 현상《태양 활동에 기인한 전파 이상》.
de·louse[di:láus, -z] *vt.* (…에서) 이를 없애다.
Del·phi·an[délfiən], **-phic**[-fik] *a.* (그리스의 옛도읍) Delphi의; (Delphi의 Apollo 신탁과 같이) 모호한.
del·phin·i·um[delfíniəm] *n.* Ⓒ 【植】 참제비고깔(larkspur).
***del·ta**[déltə] *n.* Ⓤ,Ⓒ 그리스어 알파벳의 넷째 글자(Δ, δ); 삼각주; 삼각형의 물건.
délta rày 【理】 델타선(線).
délta-wìng *a.* 삼각익(三角翼)의. ***~ jet plane*** 삼각익 제트기.
del·toid[déltɔid] *a.* 삼각형의. — *n.* Ⓒ 【解】 (어깨의) 삼각근.
***de·lude**[dilú:d] *vt.* 속이다; 호리다, 미혹시키다(mislead).
del·uge**[délju:dʒ] *n.* Ⓒ 대홍수; 큰비; 쇄도; (the D-) 노아(Noah)의 홍수. ***After me 〔***us***〕 ***the* ~.** 나중에야 어찌 되든 알 바 아니다. — *vt.* 범람시키다; (…에) 쇄도하다.
***de·lu·sion**[dilú:ʒən] *n.* Ⓤ 속임, 미혹(deluding); Ⓒ 미망(迷妄); 환상, 착각. **-sive**[-siv], **-so·ry**[-səri] *a.* 호리는, 속이는.
de·luxe[dəlúks, -lʌ́ks] *a., ad.* (F.) 호화로운, 호화판의; 호화롭게. ***a ~ edition*** 호화판.
delve[delv] *vt., vi.* 탐구하다(burrow); 《古》 파다.
Dem. Democrat(ic).
dem·a·gog(ue)[déməgɔ̀:g, -gɑ̀g/-gɔ̀g] *n.* Ⓒ 선동(장치)가. **-gog·ic**[dèməgɑ́dʒik, -gɑ́g-/-gɔ́g-, -gɔ̀dʒ-], **-i·cal**[-əl] *a.* **-go·gy**[déməgòudʒi, -gɑ̀gi/-gɔ̀gi, -gɔ̀dʒi] *n.* Ⓤ 선동, 민중 선동.
†de·mand[dimǽnd/-ɑ́:-] *n.* Ⓒ 요구, 청구; Ⓤ 【經】 수요(량)(*for, on*). ***be in* ~** 수요가 있다. ***on* ~** 청구하는 대로, 일람불의. — *vt., vi.* 요구〔청구〕하다(ask)(*of, from*); 요(要)하다; 심문하다. **~·a·ble** *a.*
demánd bìll 〔**dráft**〕 요구불 어음.
demánd depòsit 요구불 예금.
demánd-pùll inflátion 수요 과잉 인플레(demand inflation).
demánd-sìde *a.* 수요 중시(重視)의.
de·mar·cate[dimɑ́:rkeit, dí:mɑ:rkèit] *vt.* (…의) 경계〔한계〕를 정하다; 한정하다; 구획하다, 구별하다.
de·mar·ca·tion[dì:mɑ:rkéiʃən] *n.* Ⓤ 한계〔경계〕 설정; Ⓒ 경계, 구분.
de·mean[1][dimí:n] *vt.* 《보통 재귀적》 (품위를) 떨어뜨리다(humble).
de·mean[2] *vt.* 처신하다; 행동하다. ***~ oneself like a gentleman*** 〔***lady***〕 신사〔숙녀〕답게 행동하다.
***de·mean·or,** 《英》 **-our**[dimí:nər] *n.* Ⓤ 행동, 태도; 행실.
de·ment·ed[diméntid] *a.* 정신 착란의, 미친.
de·men·tia[diménʃiə] *n.* (L.) Ⓤ 【醫】 치매(癡呆).
deméntia práe·cox[-prí:kɑks/-kɔks] 조발(성) 치매《정신 분열증(schizophrenia)의 구칭》.
de·merg·er[di:mə́:rdʒər] *n.* Ⓒ (한 번 합병한 기업체의) 재분리.
de·mer·it[di:mérit] *n.* Ⓒ 결점, 과실; 죄과; (학교의) 벌점(~ mark).
de·mesne[diméin, -mí:n] *n.* Ⓤ (토지의) 소유; Ⓒ 소유지; 영지; 영토(domain).
De·me·ter[dimí:tər] *n.* 【그神】 농업의 여신(cf. Ceres).
dem·i-[démi] *pref.* '반(半)'의 뜻(cf. hemi-, semi-).
démi·gòd *n.* Ⓒ 반신(半神).
dem·i·john[démidʒɑ̀n/-ɔ̀-] *n.* Ⓒ

D

(채롱에 든) 목이 가는 병.

de·mil·i·ta·rize [di:mílətəràiz] *vt.* 비군사화하다; 군정에서 민정으로 이양하다. **~d zone** 비무장 지대《생략 DMZ》. **-ri·za·tion** [-ˋ-ˊ-rizéiʃən/-rai-] *n.* Ⓤ 비군사화.

dem·i·monde [démimɑ̀nd/ˊ-mɔ́nd] *n.* (F.) (the ~)《집합적》 화류계(의 여자들).

de·mise [dimáiz] *n.* Ⓤ (재산의) 유증(遺贈); 양위(讓位); 죽음, 서거; 폐지, 소멸. — *vt.* 물려주다, 양위하다, 유증하다.

dem·i·sem·i·qua·ver [dèmisémikwèivər/ˊ-ˊ-ˋ-] *n.* Ⓒ《英》〖樂〗 32분 음표.

de·mit [dimít] *vt.* (**-tt-**) (직을) 사임하다.

dem·i·tasse [démitæ̀s, -tɑ̀:s] *n.* Ⓒ 작은 찻종《식후의 블랙커피용》.

Dem·o [démou] *n.* (*pl.* **~s**) Ⓒ《美口》 민주당원(Democrat).

dem·o *n.* (*pl.* **~s**) Ⓒ《口》 데모(참가자); 레코드나 상품의 견본.

de·mob [di:mɑ́b/-ɔ́-] *vt.* (**-bb-**)《英口》=⇩.

de·mo·bi·lize [di:móubəlàiz] *vt.* 〖軍〗 복원(復員)하다, 제대시키다. **-li·za·tion** [-ˋ-lizéiʃən/-lai-] *n.* Ⓤ 동원 해제, 복원.

:de·moc·ra·cy [dimɑ́krəsi/-ɔ́-] *n.* ① Ⓤ 민주주의, 민주 정체. ② Ⓒ 민주국. ③ (D-)《美》 민주당 (강령).

***dem·o·crat** [déməkræ̀t] *n.* Ⓒ 민주주의자; (D-)《美》 민주당원.

:dem·o·crat·ic [dèməkrǽtik] *a.* 민주주의[정체]의; 민주적인. ***the D- Party***《美》 민주당. **-i·cal·ly** *ad.*

de·moc·ra·tize [dimɑ́krətàiz/-ɔ́-] *vt., vi.* 민주화하다. **-ti·za·tion** [-ˋ-tizéiʃən/-tai-] *n.* Ⓤ 민주화; 평등화.

de·mog·ra·phy [dimɑ́grəfi/di:mɔ́g-] *n.* Ⓤ 인구 통계학.

***de·mol·ish** [dimɑ́liʃ/-ɔ́-] *vt.* 파괴하다;《口》먹어치우다.

dem·o·li·tion [dèməlíʃən, dì:-] *n.* Ⓤ,Ⓒ 파괴; 폭파.

demolítion dèrby (차의) 격돌 경기《남은 차가 우승》.

***de·mon** [dí:mən] *n.* Ⓒ 악마, 귀신(fiend); (일·사업에) 비범한 사람.

de·mo·ni·ac [dimóuniæ̀k] *a.* 악마의, 악마와 같은(devilish); 미친 듯한(frantic). — *n.* Ⓒ 귀신 들린 사람. **-a·cal** [dì:mənáiəkəl] *a.* = DEMONIAC.

de·mon·ol·o·gy [dì:mənɑ́lədʒi/-ɔ́-] *n.* Ⓤ 악마 (신앙) 연구.

de·mon·stra·ble [démənstrəbəl, dimɑ́n-] *a.* 논증[증명]할 수 있는.

:dem·on·strate [démənstrèit] *vt.* ① 논증[증명]하다(prove). ② 실지 교수하다, (상품을) 실물 선전하다. — *vi.* ① 시위 운동을 하다; (감정을) 드러내다(exhibit). ② 〖軍〗 양동(陽動)[견제]하다. **-stra·tor** *n.*

:dem·on·stra·tion [dèmənstréiʃən] *n.* ① Ⓤ,Ⓒ 논증. ② Ⓤ,Ⓒ 실지 교수; 실물 선전; 실연(實演). ③ Ⓒ 표시. ④ Ⓒ 데모, 시위 (운동).

***de·mon·stra·tive** [dimɑ́nstrətiv/-ɔ́-] *a.* 감정을 노골적으로 나타내는(*of*); 논증적인; 〖文〗 지시의; 시위적인. — *n.* =ˊ **ádjective** [**pró-noun**] 〖文〗 지시 형용사[대명사].

de·mor·al·ize [dimɔ́:rəlàiz, -mɑ́r-/-mɔ́r-] *vt.* 퇴폐시키다; (…의) 사기를 꺾다; 혼란시키다, 당황케 하다. **-i·za·tion** [-ˋ-izéiʃən/-lai-] *n.* Ⓤ 퇴폐; 혼란.

de·mote [dimóut] *vt.* 강등[좌천]시키다(opp. promote).

de·mot·ic [dimɑ́tik/-ɔ́-] *a.* 민중의, 서민의.

***de·mur** [dimə́:r] *n., vi.* (**-rr-**) 이의(異義)를 말하다(*at, to*); Ⓤ 항변(하다).

de·mure [dimjúər] *a.* 기품 있는, 침착한; 젠체하는, 점잔 빼는, 근직[근엄]한, 진지한. **~·ly** *ad.*

de·mur·rage [dimə́:ridʒ, -mʌ́r-] *n.* Ⓤ 〖商〗 (선박·화차·트럭의) 초과 정류; 정류 일수 초과 할증금.

:den [den] *n.* Ⓒ (야수의) 굴; (도둑의) 소굴; 작고 아늑한 사실(私室).

Den. Denmark.

de·nar·i·us [dinέəriəs] *n.* (*pl.* ***-narii*** [-riài]) Ⓒ 고대 로마의 은화《영국은 1971년까지 pence, penny를 그 머릿자 *d.*로 약기했음》.

de·na·tion·al·ize [di:nǽʃənəlàiz] *vt.* (…의) 국적[국민성]을 박탈하다; 독립국의 자격을 빼앗다; (…의) 국유를 해제하다. **-i·za·tion** [di:næ̀ʃənəlizéiʃən/-lai-] *n.*

de·nat·u·ral·ize [di:nǽtʃərəlàiz] *vt.* 부자연하게 하다; 변성[변질]시키다; (…의) 시민[귀화]권을 박탈하다. **-i·za·tion** [-ˋ-ˊ-izéiʃən/-lai-] *n.* Ⓤ 변질(함, 시킴); 시민권 박탈.

de·na·ture [di:néitʃər] *vt.* 변성(變性)시키다.

de·na·zi·fy [di:nɑ́:tsəfài, -nǽtsə-] *vt.* 비(非)나치스화하다(cf. Nazi). **-fi·ca·tion** [ˋ-tsifikéiʃən] *n.*

den·drol·o·gy [dendrɑ́lədʒi/-drɔ́l-] *n.* Ⓤ 수목학(樹木學).

de·neu·tral·ize [di:n*j*ú:trəlàiz/-njú:-] *vt.* (나라·지역을) 비중립화하다.

D. Eng. Doctor of Engineering.

den·gue [déŋgi, -gei] *n.* Ⓤ 〖醫〗 (열대 지방의) 뎅기열.

Deng Xiao·ping [dʌ́ŋ ʃàupíŋ] 덩샤오핑(鄧小平)《중국의 정치가; 1904-1997》.

de·ni·al** [dináiəl] *n.* ① Ⓤ,Ⓒ 부정, 부인; 거부. ② Ⓤ 극기(克己). ***take no ~ 싫다는 말을 못하게 하다.

de·nic·o·tin·ize [di:níkətinàiz] *vt.* (담배의) 니코틴을 없애다.

de·ni·er[1] [dináiər] *n.* Ⓒ 부인하는 사람.

de·nier[2] [diníər] *n.* Ⓒ 프랑스의 옛 은화; 소액의 돈; 데니어《견사(絹絲)·나일론실의 굵기 단위》.

den·i·grate[dénigrèit] *vt.* 검게 하다; 더럽히다; 평판을 떨어뜨리다.
den·im[dénim] *n.* Ⓤ 데님《작업복(overall)용의 능직 무명》; (*pl.*) (푸른 데님천의) 작업복.
den·i·zen[dénizən] *n.* Ⓒ 주민; 외래어; 외래 동[식]물; 《英》 귀화인. ── *vt.* 귀화를 허가하다, 시민권을 주다.
***Den·mark**[dénma:rk] *n.* 덴마크.
de·nom·i·nate[dinámənèit/-5-] *vt.* 명명하다(name). ── [-nit] *a.* 특정한 이름이 있는. **-na·tor**[-nèitər] *n.* Ⓒ 〖數〗 분모 (cf. numerator); 《古》 명명자.
***de·nom·i·na·tion**[dinàmənéiʃən/-nɔ̀mi-] *n.* ① Ⓤ 명명; Ⓒ (특히 종류의) 명칭. ② Ⓒ 종파, 교파(sect); 종류; 계급. ③ Ⓒ (도량형·화폐의) 단위 명칭. **~·al** *a.* 종파[교파]의 (지배하의). **~·al·ism**[-ìzəm] *n.* Ⓤ 종파심; 파벌주의.
de·nom·i·na·tive[dinámənèitiv, -mənə-/-nɔ́minə-] *a.* 이름 구실을 하는, 이름을 표시하는; 〖文〗 명사[형용사]에서 나온. ── *n.* Ⓒ 명사[형용사] 유래 동사《보기: *horse* a carriage》.
de·no·ta·tion[dì:noutéiʃən] *n.* Ⓤ 지시, 표시; Ⓒ 명칭; (표면상의) 뜻; Ⓤ 〖論〗 외연(opp. connotation).
de·no·ta·tive[dinóutətiv, dí:noutèitiv] *a.* 〖論〗 외연적인; 객관적인, 과학적인.
***de·note**[dinóut] *vt.* 나타내다, 표시하다(indicate); 의미하다.
dé·noue·ment [deinú:ma:ŋ] *n.* (F.) Ⓒ 대단원(大團圓), 종결.
***de·nounce**[dináuns] *vt.* ① 공공연히 비난하다. ② 고발하다(accuse). ③ (조약 따위의) 종결을 통고하다. ④ 《古》 (경고로서) 선언하다.
:dense[dens] *a.* 조밀한, 밀집한; 짙은(thick); 우둔한. **∠·ly** *ad.* **∠·ness** *n.*
den·sim·e·ter[densímitər] *n.* Ⓒ 〖化·理〗 비중계, 밀도계.
den·si·tom·e·ter[dènsitámitər/-tɔ́mi-] *n.* Ⓒ 사진 농도계.
***den·si·ty**[dénsəti] *n.* Ⓤ 밀도, 농도; 〖컴〗 밀도; Ⓤ,Ⓒ 〖理〗 비중. ***traffic** ~* 교통량.
***dent**[dent] *n., vt., vi.* Ⓒ 움푹 팬 곳; 움푹 패(게 하)다.
dent. dental; dentist(ry).
***den·tal**[déntl] *a., n.* 이의; 치과의; Ⓒ 〖音聲〗 치음(齒音)(의)《θ, ð, t, d 따위》; 치음자.
déntal hýgiene 치과 위생.
déntal hýgienist 치과 위생사.
déntal súrgeon 치과 의사.
déntal technìcian 《美》 치과 기공사.
den·tate[dénteit] *a.* 〖動·植〗 이빨이 있는; 톱니 모양의.
den·ti·frice[déntəfris] *n.* Ⓤ,Ⓒ 치마분; 치약.
den·tine[dénti:n], **-tin**[-tin] *n.* Ⓤ (치아의) 상아질(cf. enamel).
:den·tist[déntist] *n.* Ⓒ 치과 의사. **~·ry** *n.* Ⓤ 치과 의술.
den·ture[déntʃər] *n.* (*pl.*) 의치(義齒), 틀니(의 치열).
de·nu·cle·ar·ize[di:njú:kliəràiz] *vt.* 핵무장[핵실험]을 금지[해제]하다. ***~d zone*** 비핵무장[핵실험] 구역.
de·nude[dinjú:d] *vt.* 발가벗기다, (옷 따위를) 벗기다(strip)(*of*); (바위 따위를) 삭박(削剝)하다. **den·u·da·tion** [dì:nju(:)déiʃən, dèn-] *n.* Ⓤ 노출(시키기); 박탈; 삭박(削剝).
***de·nun·ci·a·tion** [dinʌ̀nsiéiʃən, -ʃi-] *n.* Ⓤ,Ⓒ 공공연한 비난; 고발(accusation); (조약 따위의) 파기 통고. **-to·ry**[-∠siətɔ̀:ri, -ʃiə-/-təri] *a.* 비난하는; 위협[협박]적인.
:de·ny[dinái] *vt.* 부정[부인]하다; (주기를) 거절하다(refuse); 면회를 거절하다. ***~ oneself*** 자제(自制)하다. ***~ oneself to callers*** 방문객을 만나지 않다.
de·o·dar[dí:ədà:r] *n.* Ⓒ 〖植〗 히말라야삼목.
de·o·dor·ant[di:óudərənt] *a., n.* 방취의; Ⓤ,Ⓒ 방취제.
de·o·dor·ize[di:óudəràiz] *vt.* 탈취(脫臭)[방취]하다. **-iz·er** *n.* Ⓤ,Ⓒ 방[탈]취제.
de·or·bit[di:ɔ́:rbit] *vt., n.* Ⓤ (우주선 따위를) 궤도에서 벗어나게 하다[하는 일].
de·ox·i·dize[di:áksədàiz/-5-] *vt.* 〖化〗 (…의) 산소를 제거하다, (산화물을) 환원하다.
de·ox·y·ri·bo·nu·clé·ic ácid [di:àksəràibounju:klí:ik-/-ɔ̀ksiràibounju:-] 〖生化〗 디옥시리보핵산(核酸)《생략 DNA》.
dep. departed; department; departs; departure; deponent; deposed; deposit; depot; deputy.
:de·part[dipá:rt] *vi., vt.* 출발[발차]하다, 떠나다; 벗어나다, 빗나가다(deviate); 죽다. ***~ from one's word*** 약속을 어기다. ***~·ed**[-id] *a.* 지나간(gone), 과거의(past); 죽은. ***the ~ed*** 고인, 죽은 사람.
:de·part·ment[-mənt] *n.* Ⓒ 부문; 부, 성(省), 국, 과. **-men·tal**[-∠méntl/dì:pa:rt-] *a.*
†depártment stòre 백화점.
:de·par·ture[dipá:rtʃər] *n.* ① Ⓤ,Ⓒ 출발, 발차; 이탈(離脫), 변경(*from*). ② Ⓤ 《古》 서거(逝去). ***a new ~*** 새 방침, 신기축(新機軸).
:de·pend[dipénd] *vi.* …나름이다, …여하에 달리다(*on, upon*); 의지[신뢰]하다(rely)(*on, upon*). ***~ upon it*** 《口》 확실히. ***That ~s.*** 그것은 사정 여하에 달렸다. ***~·a·ble** *a.* 믿을 수 있는; 신빙성 있는.
de·pend·ant[dipéndənt] *n., a.* = DEPENDENT.
***de·pend·ence**[-əns] *n.* Ⓤ 종속; 의존; 신뢰(reliance); 의지. **-en·cy** *n.* Ⓤ 의존, 종속; Ⓒ 속령, 속국.
:de·pend·ent[-ənt] *a.* (…에) 의지

하고 있는, 의존하는(relying), …나 름의(*on, upon*); 〖文〗 종속의(subordinate). ── *n.* Ⓒ 의존하는 사람; 부양 가족; 식객; 하인.
depéndent cláuse 〖文〗 종속절.
***de·pict** [dipíkt] *vt.* (그림·글로) 묘사하다. **de·pic·tion** [dipíkʃən] *n.*
dep·i·late [dépəlèit] *vt.* 털을 뽑다, 탈모하다.
de·pil·a·to·ry [dipílətɔ̀:ri/-təri] *a., n.* 탈모(작용)의; Ⓤ,Ⓒ 탈모제.
de·plane [di:pléin] *vi.* 비행기에서 내리다(opp. enplane).
de·plete [diplí:t] *vi.* 비우다(empty), 고갈시키다. **de·plé·tion** *n.*
***de·plor·a·ble** [diplɔ́:rəbl] *a.* 슬퍼할; 가엾은, 애처로운, 비참한; 한탄할 만한. **-bly** *ad.*
***de·plore** [diplɔ́:*r*] *vt.* 비탄하다.
de·ploy [diplɔ́i] *vi., vt.* 〖軍〗 전개하다[시키다]. **~·ment** *n.*
de·pol·lute [dì:pəlú:t] *vt.* (…의) 오염을 제거하다. **-lú·tion** *n.*
de·po·nent [dipóunənt] *a., n.* 〖그·라틴文〗 이태(異態)의, Ⓒ 이태 동사 《L. *hortari* 따위》; 〖法〗 선서 증인.
de·pop·u·late [di:pápjəlèit/-ɔ́-] *vt., vi.* (…의) 주민을 없애다[감소시키다]; 인구가 줄다. **-la·tion** [─⌒─léiʃən] *n.*
de·port [dipɔ́:*r*t] *vt.* 처신하다; 이송[추방]하다(expel). **~ *oneself*** (*well*) (잘) 행동하다. ***~·ment** *n.* Ⓤ 행동, 태도. **de·por·ta·tion** [dì:pɔ:*r*téiʃən] *n.* Ⓤ 추방.
***de·pose** [dipóuz] (cf. deposit) *vt.* 면직시키다, (왕을) 폐하다; 〖法〗 증언하다. ── *vi.* 증언하다(testify).
de·pós·al *n.*
:de·pos·it [dipázit/-ɔ́-] *vt.* 놓다; (알을) 낳다(lay); 침전시키다; 맡기다, 공탁하다(~ *a thing with him*); 계약금을 걸다. ── *n.* Ⓤ,Ⓒ 부착[퇴적]물; 침전물; Ⓒ 예금, 공탁금, 보증금, 계약금. **-i·tor** *n.* Ⓒ 공탁자; 예금자. **-i·to·ry** [-tèri/-təri] *n.* Ⓒ 수탁자; 보관소, 저장소.
depósit accòunt 《英》 저축 계정 (《美》 savings account).
de·pos·i·tar·y [dipázitèri/-pɔ́zitəri] *n.* Ⓒ 피신탁인, 관재인(管財人).
dep·o·si·tion [dèpəzíʃən, dì:p-] *n.* Ⓤ 면직; 퇴위; 증언.
***de·pot** [dí:pou/dép-] *n.* Ⓒ ① 《美》 정거장, 버스 정류장. ② 〖軍〗 저장소, 창고. ③ [dépou] 〖軍〗 보충 부대; 병참부.
dépot shìp 모함(母艦).
de·prave [dipréiv] *vt.* 타락[악화]시키다(corrupt). **~d** [-d] *a.* 타락한. **dep·ra·va·tion** [dèprəvéiʃən], **de·prav·i·ty** [diprǽvəti] *n.* Ⓤ 타락; 비행.
dep·re·cate [déprikèit] *vt.* 비난[반대]하다. **-ca·tion** [dèprikéiʃən] *n.* **-ca·to·ry** [-kətɔ̀:ri/-təri] *a.* 반대의; (비난에 대하여) 변명적인.
***de·pre·ci·ate** [diprí:ʃièit] *vt.* (…의) 가치를 떨어뜨리다; 깎아내리다; 얕보다, 경시하다(belittle) (opp. appreciate). ── *vi.* 가치가 떨어지다.
***de·pre·ci·a·tion** [diprì:ʃiéiʃən] *n.* Ⓤ,Ⓒ 가치 하락; 감가 상각; 경시. **-to·ry** [─⌒ʃiətɔ̀:ri/-təri] *a.* 가치 하락의; 경시하는.
dep·re·da·tion [dèprədéiʃən] *n.* Ⓤ 약탈(ravaging); Ⓒ 약탈 행위.
***de·press** [diprés] *vt.* 내리 누르다(press down); 저하시키다; (활동을) 약화시키다; 풀이 죽게 하다(dispirit); 불경기로 만들다. **~·i·ble** *a.* **~·ing** *a.* **~·ing·ly** *ad.*
de·pres·sant [diprésənt] *a., n.* 〖醫〗 진정 작용이 있는; Ⓒ 진정제(sedative).
:de·pressed [-t] *a.* 내리 눌린; 저하된; 움푹 들어간; 풀이 죽은; 불황의. **~ *area*** 빈곤 지구. **~ *classes*** (인도의) 최하층민.
:de·pres·sion [dipréʃən] *n.* ① Ⓤ,Ⓒ 하락; 침하. ② Ⓒ 우묵 팬 곳. ③ Ⓒ 〖氣〗 저기압. ④ Ⓤ 불황. ⑤ Ⓤ,Ⓒ 의기 소침.
:de·prive [dipráiv] *vt.* 빼앗다(divest); 면직시키다; 저해하다(~ *him of his popularity* 그의 인기를 잃게 하다). **dep·ri·va·tion** [dèprəvéiʃən] *n.*
de pro·fun·dis [dì: proufʌ́ndis] (L.) (슬픔·절망의) 구렁텅이에서 (from the depths). 「deputy.
dept. department; deponent;
:depth [depθ] *n.* ① Ⓤ,Ⓒ 깊이, (땅·집 등의) 세로길이. ② Ⓤ 농도; 저음(低音). ③ Ⓤ,Ⓒ (흔히 the ~s) 깊은 곳, 심연, 심해; (겨울·밤 따위의) 한중간(middle). 「雷).
dépth bòmb [**chàrge**] 폭뢰(爆
dépth psychòlogy 심층 심리학.
dep·u·ta·tion [dèpjətéiʃən] *n.* Ⓤ 대리 임명[파견]; Ⓒ 《집합적》 대표단.
de·pute [dipjú:t] *vt.* 대리를 명하다 (appoint as deputy); (임무·권한을) 위임하다(commit).
dep·u·tize [dépjətàiz] *vi., vt.* 대리를 보다[삼다].
dep·u·ty** [dépjəti] *n.* Ⓒ ① 대리, 대표자; 사절. ② (프랑스·이탈리아의) 민의원. ***the Chamber of Deputies (프랑스 제3 공화국의) 하원.
députy góvernor 부지사.
De Quin·cey [də kwínsi], **Thomas** (1785-1859) 영국의 수필가.
der., deriv. derivation; derivative; derive(d).
de·rac·i·nate [dirǽsənèit] *vt.* ① 뿌리째 뽑다, 근절하다. ② 고립시키다, 소외시키다《모국, 환경으로부터》.
de·rail [diréil] *vi., vt.* 탈선하다[시키다]. **~·ment** *n.*
De·rain [dərǽ:ŋ], **Andre** (1880-1954) 프랑스의 화가(cf. Fauvism).
de·range [diréindʒ] *vt.* 어지럽히다, 혼란시키다, 방해하다; 발광시키다. **~·ment** *n.* Ⓤ,Ⓒ 혼란, 발광.
de·ra·tion [di:réiʃən/-rǽʃ-] *vt.* (식

품 따위를) 배급에서 제외하다.

*__Der·by__[dɔ́:rbi/dɑ́:-] *n.* (the ~) (영국 Epsom 시에서 매년 열리는) 더비 경마, 대경마; Ⓒ (d-) 《美》 중산 모자(《英》 bowler).

__der·e·lict__[dérəlikt] *a.* 버려진, 버림받은, 유기된(forsaken); 직무 태만의. —— *n.* Ⓒ 유기물, 유기〔표류〕선; 버림받은 사람. __-lic·tion__[⌐–lík-ʃən] *n.* Ⓤ,Ⓒ 유기, 태만.

__de·req·ui·si·tion__[di:rèkwəzíʃən] *n., vt., vi.* Ⓤ 《英》 접수 해제(하다).

*__de·ride__[diráid] *vt.* 조롱하다(ridicule).

de ri·gueur[də rigɔ́:r] (F.) 예의상 필요한(required by etiquette) (*Tuxedo is ~.* (당일은) 턱시도를 착용할 것).

*__de·ri·sion__[diríʒən] *n.* Ⓤ 비웃음, 조롱(ridicule), 경멸(contempt); Ⓒ 조소〔웃음〕 거리. ***be the ~ of*** …로부터 우롱당하다. __-sive__[dirái-siv], __-so·ry__[-səri] *a.*

:__de·rive__[diráiv] *vt.* (…에서) 끌어내다(*from*); 기원을〔유래를〕 더듬다(trace); (…에) 기원을 발하다. ***be ~d from*** …에 유래하다. *__der·i·va·tion__[dèrəvéiʃən] *n.* ① Ⓤ 유도; 유래, 기원; 〖文〗 파생. ② Ⓒ 파생물; 파생어. *__de·riv·a·tive__[dirívətiv] *a., n.* 파생의; Ⓒ 파생물; 파생어; 〖數〗 도함수.

__der·ma__[dɔ́:rmə] *n.* Ⓤ 피부, (특히) 진피(眞皮).

__der·ma·ti·tis__[dɔ̀:rmətáitis] *n.* Ⓤ 〖醫〗 피부염.

__der·ma·tol·o·gy__ [dɔ̀:rmətɑ́lədʒi/-ɔ́-] *n.* Ⓤ 피부(병)학.

__der·mis__[dɔ́:rmis] *n.* =DERMA.

__der·o·gate__[dérougèit] *vi.* 명성을〔가치를〕 떨어뜨리다〔손상하다〕(*He ~d from his ancestors.* 조상 얼굴에 먹칠을 했다). __-ga·tion__ [dèrəgéi-ʃən] *n.* __de·rog·a·to·ry__[dirɑ́gətɔ̀:ri/-rɔ́gətəri], __de·rog·a·tive__[dirɑ́gə-tiv/-ɔ́-] *a.* (명예·품격을) 손상시키는(detracting) (*from, to*); (말씨가) 경멸적인.

__der·rick__ [dérik] *n.* Ⓒ 데릭 기중기; 《美》 유정탑(油井塔).

__der·ring-do__[dériŋdú:] *n.* Ⓤ 《古》 대담한 행위(daring deeds).

__der·rin·ger__[dérindʒər] *n.* Ⓒ 데린저식 권총《구경이 큼》.

__der·vish__[dɔ́:rviʃ] *n.* Ⓒ (이슬람교의) 탁발승.

__de·sal·i·nate__[di:sǽlənèit], __de·sal·i·nize__[di:sǽlənàiz] *vt.* =⇩.

de·salt[di:sɔ́:lt] *vt.* 염분을 제거하다, 담수화하다.

__des·cant__[deskǽnt] *vi.* 상세히 설명하다(*on, upon*); 노래하다. —— [⌐–] *n.* Ⓒ 상설; 《詩》 노래; 가곡; 〖樂〗 수반(隨伴) 선율.

__Des·cartes__ [deikɑ́:rt], __René__ (1596-1650) 데카르트《프랑스의 철학자·수학자》.

:__de·scend__[disénd] *vi.* ① 내리다, 내려가다〔오다〕(opp. ascend). ② (성질·재산 따위가 자손에게) 전해지다. ③ (도덕적으로) 타락하다, 전락하다(stoop). ④ 급습하다(*on, upon*). :__~·ant__[-ənt] *n.* Ⓒ 자손. __~·ent__ *a.*

:__de·scent__[disént] *n.* Ⓤ,Ⓒ 하강; Ⓒ 내리받이(opp. ascent); Ⓤ 가계(lineage), 상속; 급습. ***make a ~ on*** 〔***upon***〕 …을 급습하다.

:__de·scribe__[diskráib] *vt.* 기술〔묘사〕하다(depict); 그리다(draw).

:__de·scrip·tion__[diskrípʃən] *n.* Ⓤ,Ⓒ 서술, 기술, 묘사; 특징; Ⓒ 종류, 종목. ***beggar*** (***all***) ***~,*** or ***be beyond ~*** 이루 말할 수 없다. *__de·scríp·tive__ *a.* 서술〔기술〕적인. ***de-scriptive grammar*** 기술 문법《규범 문법에 대하여》.

__de·scry__[diskrái] *vt.* (관측·조사하여) 발견하다.

__des·e·crate__[désikrèit] *vt.* (…의) 신성을 더럽히다(profane). __-cra·tion__[dèsikréiʃən] *n.*

__de·seg·re·gate__[di:ségrigèit] *vt., vi.* 《美》 (학교 등의) 인종〔흑인〕 차별 대우를 그만두다.

__de·seg·re·ga·tion__[di:sègrigéiʃən] *n.* Ⓤ 흑인〔인종〕 차별 대우 폐지.

__de·sen·si·tize__[di:sénsətàiz] *vt.* 〖寫〗 (…의) 감광도를 줄이다; 〖生〗 (…의) 과민성을 없애다; 최면술에 걸리지 않게 하다.

__de·sert__[1] [dizɔ́:rt] (<deserve) *n.* (*pl.*) 공적(merit); 공죄(功罪), 당연한 응보.

*__de·sert__[2] *vt.* 버리다(forsake); 도망〔탈주〕하다(*from*). * __~·ed__[-id] *a.* 사람이 살지 않는; 황폐한; 버림받은. __~·er__ *n.* Ⓒ 유기자; 탈주자. *__de·sér·tion__ *n.* Ⓤ 유기, 탈당, 탈함(脫艦), 탈주.

:__des·ert__[3] [dézərt] *n., a.* Ⓒ 사막(지방)(의); 불모의.

:__de·serve__[dizɔ́:rv] *vt.* (상·벌을) 받을 만하다, …할 가치가 있다, …할 만하다(be worthy)(*of*). __de·serv·ed·ly__ [-idli] *ad.* 당연히. __de·sérv·ing__ *a.* 당연히 …을 받아야 할, …할 만한(*of*); 공적 있는.

__de·sex__[di:séks] *vt.* 성기를 제거하다, 거세하다.

__des·ic·cate__[désikèit] *vi., vt.* 건조시키다〔하다〕.

__des·ic·ca·tor__[désikèitər] *n.* Ⓒ (식품) 건조기; (유리) 건조용 용기.

__de·sid·er·a·tum__ [disìdəréitəm, -rɑ́:-, -zìd-] *n.* (*pl.* __*-ta*__[-tə]) Ⓒ 필요를 느끼게 하는 것, 꼭 바라는 것.

†__de·sign__[dizáin] *n.* ① Ⓤ 설계; 디자인; Ⓒ 밑그림, 도안. ② Ⓤ 구상, 줄거리. ③ Ⓒ 계획(scheme), 목적, 의도; 음모(plot)(*against, on*). ***by ~*** 고의로. —— *vt.* ① 도안을 만들다, 설계하다. ② 계획〔기도〕하다(plan). ③ …으로 예정하다, 마음먹다(intend)(*~ one's son for* 〔*to be*〕 *an artist*). :__~·er__ *n.* Ⓒ 설계자; 도안가, 디자이너; 음모가. __~·ing__

a., n.

:des·ig·nate[dézignèit] *vt.* 가리키다; 명명하다; 지명〔선정〕하다; 임명하다(appoint). — [-nit, -nèit] *a.* 지명〔임명〕된. ***-na·tion**[dèzignéiʃən] *n.* Ⓤ 명시; 지정; 임명; Ⓒ 명칭; 칭호.

de·signed[dizáind] *a.* 설계된; 계획적인; 고의의. **de·sign·ed·ly** [-nidli] *ad.* 계획적으로, 일부러.

:de·sir·a·ble[dizáiərəbəl] *a.* 바람직한; 갖고 싶은. ***-bil·i·ty**[dizàiərəbíləti] *n.*

†de·sire[dizáiər] *vt.* 원하다, 바라다, 요구〔욕구〕하다, 구하다(ask for). — *n.* Ⓤ,Ⓒ 소원(wish); 욕구; Ⓒ 바라는 것; Ⓤ,Ⓒ 정욕. ***at one's ~*** 희망에 따라.

***de·sir·ous**[dizáirəs/-zâiər-] *a.* 바라는(*of*); 원하는(*to* do; *that*).

de·sist[dizíst] *vi.* 단념하다, 그만두다(cease)(*from*).

†desk [desk] *n.* Ⓒ 책상; (the ~) 《美》 (신문사의) 편집부, 데스크; 《美》 설교단(pulpit).

désk làmp 전기 스탠드.

désk·tòp *a.* 탁상용의《컴퓨터 등》. — *n.* Ⓒ 〖컴〗 탁상.

désktop públishing 〖컴〗 탁상출판《퍼스널 컴퓨터와 레이저 프린터를 이용한 인쇄 대본 작성 시스템; 생략 DTP》.

désk wòrk 사무, 책상에서 하는 일.

:des·o·late[désəlit] *a.* 황폐한, 황량한(waste), 사람이 안 사는(deserted); 고독한, 쓸쓸한; 음산한(dismal). — [-lèit] *vt.* 황폐케 하다; 주민을 없애다; 쓸쓸〔비참〕하게 하다. **~·ly** *ad.* ***-la·tion**[dèsəléiʃən] *n.* Ⓤ 황폐, 황량, 쓸쓸함, 서글픔; Ⓒ 폐허.

de·sorb[di:sɔ́:rb, -zɔ́:rb] *vt.* 〖理·化〗 흡수제로부터 흡수된 물질을 제거하다.

:de·spair[dispɛ́ər] *n., vi.* Ⓤ 절망(하다); Ⓒ 절망의 원인. **~·ing**[-spɛ́əriŋ] *a.*

des·patch[dispǽtʃ] *v., n.* =DISPATCH.

des·per·a·do[dèspəréidou, -rɑ́:-] *n.* (*pl.* **~(*e*)*s***) Ⓒ 목숨 아까운 줄 모르는 흉한(兇漢), 무법자.

:des·per·ate[déspərit] *a.* 절망적인; 필사적인; 자포자기의; 터무니없는. ***a ~ fool*** 형편 없는 바보. **:~·ly** *ad.* ***-a·tion**[dèspəréiʃən] *n.* Ⓤ 절망; 기를 씀, 필사, 자포자기.

des·pi·ca·ble[déspikəbəl, dispík-] *a.* 야비한; 비열한(mean). **-bly** *ad.*

:de·spise[dispáiz] *vt.* ① 경멸하다. ② 싫어〔혐오〕하다. **de·spís·er** *n.*

:de·spite[dispáit] *n.* Ⓤ 모욕; 원한, 증오. **(*in*) ~ *of*** …에도 불구하고. — *prep.* …에도 불구하고.

de·spoil[dispɔ́il] *vt.* 약탈하다. **~·er** *n.* Ⓒ 약탈자. **~·ment** *n.* Ⓤ 약탈.

de·spo·li·a·tion [dispòuliéiʃən] *n.* Ⓤ 약탈, 강탈.

de·spond[dispɑ́nd/-ɔ́-] *vi.* 낙담하다. **~·ence, ~·en·cy**[-ənsi] *n.* Ⓤ 낙담. **~·ent** *a.*

***des·pot**[déspət, -pɑt/-pɔt, -pət] *n.* Ⓒ 전제 군주, 독재자(autocrat); 폭군(tyrant). **~·ism**[-ìzəm] *n.* Ⓤ 압제, 압박, 횡포; 독재 정치; Ⓒ 절대 군주국. **~·ic**[despɑ́tik/-ɔ́-], **~·i·cal**[-əl] *a.* 횡포〔포악〕한.

:des·sert[dizɔ́:rt] *n.* Ⓤ,Ⓒ 디저트《dinner 끝에 나오는 과자·과일 따위》.

de-Sta·lin·i·za·tion [di:stɑ̀:linizéiʃən/-naiz-] *n.* (1956년 이후 공산권의) 스탈린 격하 운동.

de·ster·i·lize [di:stérəlàiz] *vt.* 《美》 (유휴 물자를) 활용하다; (…의) 봉쇄를 풀다.

:des·ti·na·tion[dèstənéiʃən] *n.* Ⓒ 목적지; 보낼 곳; Ⓤ,Ⓒ 목적, 용도.

:des·tine[déstin] *vt.* 운명짓다; 예정하다, 할당하다. ***be ~d for*** …에 가기로〔…이 되기로〕 되어 있다.

:des·ti·ny[déstəni, -ti-] *n.* Ⓤ 운명, 천명(fate).

***des·ti·tute**[déstətjù:t/-tjù:t] *a.* 결핍한, (…이) 없는(*of*); (생활이) 궁색한(needy).

des·ti·tu·tion [∸–tjú:ʃən/-tjú:-] *n.* Ⓤ 결핍; 빈궁; 빈곤.

†de·stroy[distrɔ́i] *vt.* 파괴하다(demolish); 멸(滅)하다, 죽이다; 폐하다(abolish). — *vi.* 파괴되다; 부서지다. ***~ oneself*** 자살하다. ***~·er** *n.* Ⓒ 파괴자; 구축함.

destróyer èscort 《美》 (대(對)잠수함용) 호송 구축함.

de·struct[distrʌ́kt] *n., a.* Ⓒ (고장난 로켓의) 고의적 파괴; 파괴용의. ***~ button*** (미사일을 공중 폭파시키는) 파괴 버튼. — *vt.* (로켓을) 파괴하다.

de·struct·i·ble[distrʌ́ktəbəl] *a.* 파괴할 수 있는.

:de·struc·tion[distrʌ́kʃən] *n.* Ⓤ 파괴(destroying); 멸망.

de·struc·tive[distrʌ́ktiv] *a.* 파괴적인; 파멸시키는(*of*); 유해한(*to*). **~·ly** *ad.*

de·struc·tor[distrʌ́ktər] *n.* Ⓒ 파괴자; 《英》 폐물 소각로(爐); (미사일 따위의) 파괴 장치.

des·ue·tude[déswitjù:d/disjú(:)itjù:d] *n.* Ⓤ 폐용, 폐지(disuse).

des·ul·to·ry[désəltɔ̀:ri/-təri] *a.* 산만한, 종작 없는. **-ri·ly** *ad.* **-ri·ness** *n.*

det. detachment.

de·tach**[ditǽtʃ] *vt.* 분리하다(separate)(*from*); 분견〔파견〕하다. **~·a·ble** *a.* ***~ed**[-t] *a.* 떨어진; 공평한(impartial); 분견(分遣)된; 초연한, 편견이 없는. ***~ed palace 별궁. ***~·ment** *n.* Ⓤ 분리(opp. attachment); 초월; Ⓒ 《집합적》 분견대. ***artistic detachment*** 〖文〗 초연 기

교《작품 속에 필자의 생활 감정 등을 개입시키지 않는 일》.

:de·tail[dí:teil, ditéil] *n.* Ⓒ 세부; 부분도; (*pl.*) 상세한 내용; Ⓒ《집합적》 분견대. ***go into*** ~ 자세히 말하다. ***in*** ~ 상세히. —— *vt.* 상술(詳述)하다; 〖軍〗 선발〔특파〕하다. **:~ed** [-d] *a.* 상세한(minute).

***de·tain**[detéin] *vt.* 말리다, 붙들다(hold back); 억류〔구류〕하다.

de·tain·ee[diteiní:] *n.* Ⓒ 억류자.

de·tain·er[ditéinər] *n.* Ⓒ 〖法〗 (타인 소유물의) 불법 점유; 감금 계속 영장.

:de·tect[ditékt] *vt.* 발견하다(find out). **de·téc·tion** *n.* Ⓤ,Ⓒ 발견, 탐지. ***de·téc·tor** *n.* Ⓒ 발견자, 탐지자〔기〕(*a lie* ~); (라디오의) 검파기. **:de·téc·tive** *n., a.* Ⓒ 탐정〔형사〕(의). ***detective story*** 탐정〔추리〕소설.

de·tec·ta·phone[ditéktəfòun] *n.* Ⓒ 전화 도청기.

dé·tente[deitá:nt] *n.* (F.) Ⓒ (국제간의) 긴장 완화.

de·ten·tion[diténʃən] *n.* Ⓤ 붙듦(detaining); 억류, 구류(confinement). ~ ***home*** 소년원. ~ ***hospital*** 격리 병원.

de·ter[ditə́:r] *vt.* (**-rr-**) 방해하다(*from*); 단념시키다(*from doing*). **~·ment** *n.* Ⓤ 방해, 방지; 단념시키는 사정(事情).

de·ter·gent[ditə́:rdʒənt] *a., n.* 깨끗하게 하는; Ⓤ,Ⓒ (합성) 세제.

de·te·ri·o·rate[ditíəriərèit] *vt., vi.* 악화〔저하·타락〕시키다〔하다〕. **-ra·tion**[ditìəriəréiʃən] *n.*

de·ter·mi·nant[ditə́:rmənənt] *n., a.* Ⓒ 결정자〔물〕, 결정하는 〔요소〕; 〖數〗 행렬식; 〖生〗 결정소(素); 〖論〗 한정사(辭).

de·ter·mi·nate[ditə́:rmənit] *a.* 일정한; 확정〔결정〕적인; 단호한; 〖數〗 기지수의.

:de·ter·mine[ditə́:rmin] *vt.* (…에게) 결심시키다; 결정〔확정〕하다(fix); 한정하다; 측정하다. ***be ~d*** 결심하(고 있)다. —— *vi.* 결심하다; 결정하다. **:-mi·na·tion**[-ˋ-néiʃən] *n.* Ⓤ 결심; 확정(確定); 판결; 측정. **-mi·na·tive**[ditə́:rminèitiv, -nə-] *a., n.* 결정〔한정〕적인; Ⓒ 〖文〗 한정사《관사·지시 대명사 따위》. **-min·ism** [-ìzəm] *n.* Ⓤ 〖哲〗 결정론.

***de·ter·mined**[ditə́:rmind] *a.* 결심한; 결의가 굳은; 확정된.

de·ter·rent[ditə́:rənt, -tér-] *a., n.* 제지하는, Ⓒ 방해하는(deterring) (것), 방해물(*nuclear* ~ *power* 핵 저지력); 《英》 핵무기.

***de·test**[ditést] *vt.* 미워〔싫어〕하다(hate). **~·a·ble** *a.* 몹시 싫은. **de·tes·ta·tion**[dì:testéiʃən] *n.* Ⓤ 혐오; Ⓒ 몹시 싫은 것.

de·throne[diθróun] *vt.* (왕을) 폐하다(depose). **~·ment** *n.* Ⓤ 폐위, 퇴위.

det·o·nate[détənèit] *vt., vi.* 폭발시키다〔하다〕(explode). **-na·tion** [dètənéiʃən, dì:-] *n.* **-na·tor** *n.* Ⓒ 뇌관; 기폭약; 〖鐵〗 신호용 뇌관.

de·tour[dí:tuər, ditúər] *n.* Ⓒ 우회로.

de·tox·i·fy[di:táksəfài/-tɔ́k-] *vt.* (…의) 독성을 제거하다; (…을) 해독하다.

de·tract[ditrǽkt] *vt., vi.* (가치·명성 따위를) 떨어뜨리다, 손상시키다(*from*). **de·trác·tion** *n.* Ⓤ 훼손; 비방. **de·trác·tive** *a.* **de·trác·tor** *n.*

det·ri·ment[détrəmənt] *n.* Ⓤ 손해(damage). **-men·tal**[dètrəméntl] *a., n.* 유해한(*to*); Ⓒ《英俗》 탐탁지 않은 구혼자《차남·삼남 따위》.

de·tri·tion[ditríʃən] *n.* Ⓤ 마멸(작용), 마손.

de·tri·tus[ditráitəs] *n.* Ⓤ 쇄석(碎石), 암설(岩屑); =DEBRIS.

***De·troit**[ditrɔ́it] *n.* 미국 Michigan주 남동부의 대공업 도시《자동차 공업의 중심지》.

deuce[dju:s/dju:s] *n.* Ⓒ (주사위·카드놀이의) 2점(의 눈·패); Ⓤ 〖테니스〗 듀스《3 대 3》; 불운, 재액; Ⓒ 악마. ***a* 〔*the*〕 ~ *of a...*** 굉장한, 대단한. ~ ***a bit*** 결코 …아니다. ***D-knows!*** 알게 뭐야! ***D- take it!*** 제기랄!, 아뿔싸! ***go to the*** ~ 멸망하다;《명령법으로》 뒈져라! ***the*** ~ 도대체. ***The ~ is in it if I cannot!*** 내가 못하다니 말이 돼. —— *vt.* 〖테니스〗 (경기를) 듀스로 만들다.

deuc·ed[ˊsid, -st] *a., ad.*《英口》 지독한〔히〕. **deuc·ed·ly** [-sidli] *ad.* 지독히, 지겹도록.

de·us ex ma·chi·na[déiəs èks mǽkinə] (L.) (극·소설 속의) 절박한 장면을 구해주는 사건〔기적〕; 부자연한 해결(책).

Deut. Deuteronomy.

deu·te·ri·um [dju:tíəriəm] *n.* Ⓤ 〖化〗 중(重)수소《기호 D 또는 H^2》. ~ ***oxide*** 중수(重水).

deu·ter·on [djú:təràn/djú:tərɔ̀n] *n.* Ⓤ 〖理〗 중양자《중수소(⊕)의 원자핵》.

Deu·ter·on·o·my[djù:tərάnəmi/djù:tərɔ́n-] *n.* 〖聖〗 신명기.

Déut·sche márk [dɔ́itʃ-] (*pl.* **~s**) 독일 마르크《독일의 화폐 단위; 생략 DM》.

de·val·u·ate[di:vǽljuèit] *vt.* (…의) 가치를 내리다; (화폐의) 평가를 절하하다. **-a·tion**[di:væ̀ljuéiʃən] *n.*

***dev·as·tate**[dévəstèit] *vt.* 약탈하다; 망치다, (국토를) 황폐케 하다. **-ta·tion**[dèvəstéiʃən] *n.*

dev·as·tat·ing [-iŋ] *a.* (아주) 호된《반론, 조소 등》;《口》 아주 좋은, 대단한, 못견딜.

†de·vel·op[divéləp] *vt., vi.* 발달〔발전〕시키다〔하다〕; 계발하다; 〖寫〗 현상하다; 〖樂〗 (선율을) 전개시키다. **:~·ment** *n.* Ⓤ 발달, 발전; 전개.

~·er *n.* ~·ing *a.* 발전 도상의.
devélopment àrea 《英》 (산업) 개발 지구.
de·vi·ate[díːvièit] *vi., vt.* (옆으로) 빗나가(게 하)다(turn aside). **-a·tor** *n.* Ⓒ 일탈자; 빗나가는 것.
***de·vi·a·tion**[dìːviéiʃən] *n.* Ⓤ,Ⓒ 벗어남, 일탈(逸脫); 오차; Ⓒ 〖統〗 편차. ~·**ism**[-ìzəm] *n.* Ⓤ (정당에서의) 당규 일탈, (주류에서의) 이탈. ~·**ist** *n.* Ⓒ 일탈〔편향〕자.
:de·vice[diváis] *n.* Ⓒ 계획; 고안; 장치; 도안(design), 의장; 기장(記章); 계략(trick). ***be left to one's own ~s*** 혼자 힘으로 하게 내버려두다.
:dev·il[dévl] *n.* Ⓒ ① 악마《저주를 나타내는 말의 용법은 deuce와 같음》; (the D-)=SATAN. ② 악인. ③ 비상한 정력가; (인쇄소의) 사동. ④ 〖料理〗 매운 불고기. ***be a ~ for*** …광이다. ***beat the ~'s*** TATTOO[1]. ***be ~ may care*** 전혀 무관심이다. ***between the ~ and the deep sea*** 진퇴 양난에 빠져서. ***~ a bit*** 조금도 …아닌. ***~'s advocate*** 험구가, 트집쟁이. ***~'s books*** 카드 패. ***give the ~ his due*** 어떤〔싫은〕 상대에게도 공평히 하다. ***go to the ~*** = go to the DEUCE. ***It's the ~ (and all)*.** 그거 난처하다, 귀찮은데. ***raise the ~*** 《俗》 소동을 일으키다. ***The ~ take the hindmost!*** 뒤떨어진 놈 따위 알게 뭐야(악마에게나 잡아 먹혀라). ***the ~ to pay*** 앞으로 일어날 골칫거리〔곤란〕. ***whip the ~ round the post*** 〔***stump***〕 《美》 교묘한 구실로 곤란을 타개하다. — *vt., vi.* (《英》 ***-ll-***) (고기에) 후추(따위)를 발라 굽다; 절단기에 넣다; 《美口》 괴롭히다; 하청일〔대작(代作)〕을 하다(*for*). **∠·ish** *a., ad.* 악마 같은, 극악무도〔잔혹〕한; 《口》 극도의〔로〕. **∠·ment** *n.* Ⓤ,Ⓒ 악행.
dévil·fish *n.* Ⓒ 〖魚〗 아귀의 일종; 쥐가오리; 낙지.
dev·il(l)ed[-d] *a.* 맵게 한.
dévil-may-cáre *a.* 무모한(reckless); 태평한.
dev·il·(t)ry[-(t)ri] *n.* Ⓤ,Ⓒ 악마의 소행, 악행; 마법.
de·vi·ous[díːviəs, -vjəs] *a.* 꾸불꾸불한(winding); 우회하는; 인륜(人倫)을 벗어난.
:de·vise[diváiz] (cf. device, divide) *vt.* 안출〔궁리〕하다; 〖法〗 유증(遺贈)하다.
dev·i·see [dèvəzíː, divàizíː] *n.* Ⓒ 〖法〗 (부동산의) 수유자(受遺者).
de·vis·er[diváizər] *n.* Ⓒ 고안자.
dev·i·sor[diváizər] *n.* Ⓒ 〖法〗 (부동산의) 유증자(遺贈者).
de·vi·tal·ize[diːváitəlàiz] *vt.* (…의) 생기를〔활력을〕 빼앗다.
de·vo·cal·ize[diːvóukəlàiz] *vt.* 무성음화하다.
***de·void**[divɔ́id] *a.* (…을) 결한, (…이) 전혀 없는(lacking)(*of*).
de·volve[diválv/-ɔ́-] *vt., vi.* (임무 따위) 맡기(어지)다; 넘겨지다, 넘어가다; 전하(여지)다, (임무가) 돌아오다(*to, upon*). **dev·o·lu·tion**[dèvəlúːʃən/dìːv-] *n.* Ⓤ 상전(相傳); 양도; 계승; 〖生〗 퇴화.
Dev·on[dévən] *n.* 잉글랜드 남서부의 주.
De·vo·ni·an [dəvóuniən] *a., n.* Ⓒ Devon의 (사람); (the ~) 〖地〗 데번기(紀)(의).
:de·vote[divóut] *vt.* (심신을) 바치다(*to*). ***~ oneself to*** …에 전념하다; …에 빠지다〔몰두하다〕. ***de·vot·ed** [-id] *a.* 헌신적인; 열애(熱愛)하는. **de·vót·ed·ly** *ad.* **de·vót·ed·ness** *n.* **dev·o·tee**[dèvoutíː] Ⓒ 귀의자(歸依者); 열성가(*of, to*).
:de·vo·tion[divóuʃən] *n.* Ⓤ 헌신; 전념, 귀의; 애착; (*pl.*) 기도. ~·**al** *a.*
:de·vour[diváuər] *vt.* ① 게걸스럽게 먹다; 먹어치우다. ② (화재 따위가) 멸망시키다(destroy). ③ 탐독하다; 뚫어지게 보다; 열심히 듣다. ④ 열중케 하다(absorb). ~·**ing·ly** *ad.* 게걸들린 듯이, 탐하듯이.
***de·vout**[diváut] *a.* 경건한; 열심인; 성실한. ~·**ly** *ad.* ~·**ness** *n.*
:dew[djuː/djuː] *n.* Ⓤ 이슬; (땀·눈물의) 방울. — *vt., vi.* 이슬로 적시다; 이슬이 내리다. ***It ~s.*** 이슬이 내리다. **dew·y**[∠i] *a.* 이슬을 머금은; (잠 따위) 상쾌한.
déw·dròp *n.* Ⓒ 이슬(방울).
Dew·ey[djúːi], **John**(1859-1952) 미국의 철학자·교육가.
Déwey sỳstem 〔**décimal classificàtion**〕 (도서의) 듀이 10진 분류법.
déw·làp *n.* Ⓒ (소의) 목정, 군턱.
DÉW lìne[djúː-](<*D*istant *E*arly *W*arning) (the ~) 《美》 듀라인《북극권 북부에 있는 미국·캐나다 공동의 원거리 조기 경보망》.
déw pòint (습도의) 이슬점(點).
déwy-eýed *a.* 천진난만한 (눈을 가진), 순진한.
Dex·e·drine[déksədrìːn] *n.* 〖商標〗 덱세드린《중추신경 자극제》.
dex·ter·ous[dékstərəs] *a.* (손재간이) 능란한(skillful); 기민한, 영리한. ~·**ly** *ad.* ***dex·ter·i·ty**[dekstérəti] *n.* Ⓤ 솜씨좋음; 기민함.
dex·tral[dékstrəl] *a.* 오른쪽의; 오른손잡이의.
dex·tran[dékstræn, -rən] *n.* Ⓤ 〖化·藥〗 덱스트런《혈장(血漿) 대용품》.
dex·trin [dékstrin], **-trine** [-tri(ː)n] *n.* Ⓤ 호정(糊精)《접착제·반수용(礬水用)》.
Dex·trone[dékstrən] *n.* 〖商標〗 = DEXTRAN.
dex·trose[dékstrous] *n.* Ⓤ 〖化〗 포도당.
dex·trous[dékstrəs] *a.* =DEXTEROUS.
D.F. *Defensor Fidei*(L. =Defend-

er of the Faith); direction finder. **D.F.C.** Distinguished Flying Cross. **D.F.M.** Distinguished Flying Medal. **dg.** decigram. **DHA** docosahexaenoic acid. **D.H.Q.** Division Headquarters. **DI** 〖經〗 diffusion index; discomfort index; 《美》 Department of the Interior. **Di** 〖化〗 didymium. **DIA** 《美》 Defence Intelligence Agency 국방첩보국.

di·a·be·tes[dàiəbí:tis, -ti:z/-ti:z] *n.* Ⓤ 〖醫〗 당뇨병. **-bet·ic**[-bétik, -bí:-] *a., n.* Ⓒ 당뇨병의 (환자).

di·a·bol·ic[dàiəbálik/-ɔ́-], **-i·cal**[-əl] *a.* 악마(적)인, 극악 무도한.

di·ab·o·lism[daiǽbəlìzəm] *n.* Ⓤ 마법; 악마 숭배; 비행.

di·ab·o·lo[diǽbəlòu] *n.* Ⓤ 디아볼로, 공중팽이《손에 든 두 막대 사이에 친 실 위로 팽이를 던졌다 받았다 함》.

di·a·chron·ic[dàiəkránik/-ɔ́-] *a.* 〖言〗 통시적(通時的)인; 시대순의.

di·ac·o·nate [daiǽkənit, -nèit] *n.* Ⓤ,Ⓒ 집사의 직; 《집합적》 집사들.

di·a·crit·ic[dàiəkrítik], **-i·cal** [-əl] *a.* 구별하는, 구별하기 위한. ~ *mark* 〔*point, sign*〕 발음 구별 기호 (ā[ei], ă[æ], ä[ɑ:]의 ¯, ˘, ¨ 등).

di·a·dem[dáiədèm] *n.* Ⓒ 왕관; 왕권, 왕위, 주권.

di·aer·e·sis [daiérəsis] *n.* (*pl.* **-ses**[-sì:z]) =DIERESIS.

diag. diagonal(ly); diagram.

di·ag·nose[dàiəgnóus, -nóuz/dáiəgnòuz, ⌐-⌐] *vt.* 〖醫〗 진단하다.

***di·ag·no·sis**[dàiəgnóusis] *n.* (*pl.* **-noses**[-si:z]) Ⓤ,Ⓒ 진단(법); 〖生〗 표징(標徵). **-nos·tic**[-nástik/-ɔ́-] *a.*

diagnóstic routìne 〖컴〗 진단 경로《다른 프로그램의 잘못을 추적하거나 기계의 고장난 곳을 찾아내기 위한 프로그램》.

di·ag·nos·tics [dàiəgnástiks/-nɔ́s-] *n.* Ⓤ 진단학〔법〕; 〖컴〗 진단.

di·ag·o·nal[daiǽgənəl] *n., a.* Ⓒ 〖數〗 대각선(의), 비스듬한. ~**·ly** *ad.*

:di·a·gram[dáiəgræ̀m] *n.* Ⓒ 도표, 도식. ~**·mat·ic**[dàiəgrəmǽtik], **-i·cal**[-əl] *a.* **-i·cal·ly** *ad.*

:di·al[dáiəl] *n.* Ⓒ (시계·계기·라디오·전화 따위의) 다이얼, 문자반, 지침반(~ plate); =SUNDIAL. — *vt., vi.* (《英》 **-ll-**) 다이얼을 돌리다; 전화를 걸다.

dial. dialect(al); dialectic(al); dialog(ue).

***di·a·lect**[dáiəlèkt] *n.* Ⓤ,Ⓒ 방언; 파생 언어; (어떤 직업·계급 특유의) 통용어, 말씨. **di·a·lec·tal**[dàiəléktl] *a.*

di·a·lec·tic [dàiəléktik] *a.* 변증(법)적인. — *n.* Ⓤ (종종 *pl.*) 변증법.

di·a·lec·ti·cal[-əl] *a.* =⇧.

dialéctical matérialism 변증법적 유물론.

di·a·lec·tol·o·gy[dàiəlektálədʒi/-ɔ́-] *n.* Ⓤ 방언학.

di·al·ing, 《특히 英》 **-al·ling**[dáiəliŋ] *n.* Ⓤ 해시계 제조 기술; 〖컴〗 번호 부르기.

:di·a·log(ue)[dáiəlɔ̀:g, -làg/-lɔ̀g] *n.* Ⓤ,Ⓒ 문답, 대화; 대화체.

díal tòne (전화의) 발신음.

diam. diameter.

:di·am·e·ter[daiǽmitər] *n.* Ⓒ 직경. **di·a·met·ri·c**[dàiəmétrik], **-ri·cal**[-əl] *a.* 직경의; 정반대의. **di·a·mét·ri·cal·ly** *ad.*

:dia·mond[dáiəmənd] *n.* Ⓤ,Ⓒ 다이아몬드, 금강석; Ⓒ 유리칼; (카드의) 다이아; 마름모꼴; 〖野〗 야구장, 내야. *a ~ in the rough,* or *a rough ~* 천연 (그대로의) 다이아몬드; 거칠지만 실은 훌륭한 인물. *~ cut ~* (불꽃 튀기는 듯한) 호적수의 대결. *~ of the first water* 일등 광택의 다이아몬드; 일류의 인물.

díamond·bàck *n.* Ⓒ 마름모 무늬가 있는 동물《뱀·거북 따위》; =∠ **térrapin** 마름모 무늬거북.

díamond wédding 다이아몬드혼식《결혼 60 또는 75 주년 기념식》.

***Di·an·a**[daiǽnə] *n.* 〖로神〗 달의 여신《처녀성과 사냥의 수호신》(cf. Artemis); Ⓒ 독신 여성; 미녀.

di·a·pa·son[dàiəpéizən, -sən] *n.* Ⓒ 〖樂〗 선율(melody); (음성·악기의) 음역; (파이프오르간의) 기본 음전(音栓).

di·a·per[dáiəpər] *n., vt.* Ⓤ 마름모꼴 무늬의 무명; Ⓒ 기저귀(를 채우다); Ⓤ 마름모꼴 무늬(로 꾸미다).

di·aph·a·nous[daiǽfənəs] *a.* 투명한, 비치는. ~**·ly** *ad.* ~**·ness** *n.*

di·a·pho·ret·ic [dàiəfərétik] *a.* 발한 촉진성의.

di·a·phragm [dáiəfræ̀m] *n.* Ⓒ 〖解〗 횡격막(橫隔膜); (전화기의) 진동판; (사진기의) 조리개.

di·ar·rhe·a, 《英》 **-rhoe·a**[dàiərí:ə] *n.* Ⓤ 설사(loose bowels).

†di·a·ry [dáiəri] *n.* Ⓒ 일기(장). **dí·a·rist** *n.*

Di·as·po·ra[daiǽspərə] *n.* (the ~) ① 유대인의 이산《Babylon 포수(捕囚) 이후의》; 《집합적》 팔레스타인 이외에 사는 유대인. ②(d-) 《집합적》 이산한 장소.

di·a·stase[dáiəstèis] *n.* Ⓤ 〖生化〗 디아스타아제, 녹말 당화〔소화〕 효소.

di·as·to·le[daiǽstəlì(:)] *n.* Ⓤ 〖生〗 심장 확장(기(期))(opp. systole).

di·a·ther·my[dáiəθə̀:rmi] *n.* Ⓤ 〖醫〗 투열(透熱) 요법.

di·a·to·ma·ceous[dàiətəméiʃəs] *a.* 〖植〗 규조류의; 규조토의.

di·a·tom·ic[dàiətámik/-tɔ́m-] *a.* 〖化〗 2가(價)의.

di·a·ton·ic[dàiətánik/-ɔ́-] *a.* 〖樂〗 온음계의(cf. chromatic).

di·a·tribe[dáiətràib] *n.* Ⓒ 통렬한 비난, 혹평.

di·ba·sic[daibéisik] *a.* 〖化〗 이염기(二鹽基)의.
dib·ble[díbəl] *n.* Ⓒ 〖農〗 (종묘용(種苗用)의) 구멍 파는 연장. — *vt.* (땅에) 구멍을 파다.
·**dice**[dais] *n. pl.* (*sing.* **die**) ① 주사위; 《단수 취급》 주사위 놀이, 노름. ② 작은 입방체(small cubes). — *vi.* 주사위 놀이를 하다. — *vt.* (주사위) 노름으로 잃다; (야채 따위를) 골패짝 모양으로 썰다.
díce·bòx *n.* Ⓒ (주사위를 흔들어 내는) 주사위통.
di·chot·o·mize[daikátəmàiz/-ɔ́-] *vt., vi.* 2분하다.
di·chot·o·my[daikátəmi/-ɔ́-] *n.* U,C 2분하는〔되는〕 일; 〖論〗 2분법; 〖生〗 2차분지(二叉分枝); 〖天〗 반월 배열(半月配列).
di·chro·mat·ic[dàikroumǽtik] *a.* 두 색의; 〖動〗 이색을 띠는.
dick[1] [dik] *n.* 《俗》《다음 용법뿐》 ***take one's*** **~** 선서하다(*to; that*).
dick[2] *n.* Ⓒ 《俗》 형사, 탐정.
·**Dick·ens**[díkinz], **Charles**(1812-70) 영국의 소설가. 「DEVIL.
dick·ens[díkinz] *n., int.* 《口》 =
dick·er[díkər] *n., vi.* U,C 조그마한 장사(를 하다); 물물 교환(을 하다); 값을 깎다(haggle).
dick·ey, dick·y[díki] *n.* Ⓒ 당나귀; =**∠·bìrd** 작은 새; (와이셔츠 블라우스의, 뗄 수 있는) 가슴판, 앞 장식; (아이의) 턱받이; 《英方》 (마차의) 마부석.
di·cot·y·le·don[dàikatəlí:dən/dài-kɔt-] *n.* Ⓒ 쌍떡잎 식물. **~·ous** *a.*
dict. dictation; dictator; dictated; dictionary.
dic·ta[díktə] *n.* dictum의 복수.
Dic·ta·phone[díktəfòun] *n.* Ⓒ 〖商標〗 딕터폰《속기용 구술 녹음기》.
:**dic·tate**[díkteit, —∠] *vt., vi.* 받아쓰게 하다; 명령하다. — [∠—] *n.* Ⓒ (보통 *pl.*) 명령, 지령.
:**dic·ta·tion**[diktéiʃən] *n.* Ⓤ 구술(口述), 받아쓰기; 명령, 지령. ***at the*** **~** ***of*** …의 지시에 따라.
·**dic·ta·tor**[díkteitər, —∠—] *n.* Ⓒ 구술자; 명령〔독재〕자.
dic·ta·to·ri·al[dìktətɔ́:riəl] *a.* 독재자의, 독재적인(despotic); 명령적인, 오만한.
·**dictátor·shìp** *n.* Ⓒ 독재국〔정권〕; U,C 독재(권); 집정관의 지위.
·**dic·tion**[díkʃən] *n.* Ⓤ 말씨; 용어.
†**dic·tion·ar·y**[díkʃənèri/-ʃənəri] *n.* Ⓒ 사전, 사서(辭書).
Dic·to·graph[díktəgræ̀f, -grà:f] *n.* Ⓒ 〖商標〗 딕토그래프《도청 등에 쓰이는 고성능 송화기》.
dic·tum[díktəm] *n.* (*pl.* **~s, -ta**) Ⓒ 단언, 언명; 격언.
†**did**[did] *v.* do[1]의 과거.
di·dac·tic[daidǽktik], **-ti·cal**[-əl] *a.* 교훈적인.
did·dle[dídl] *vt., vi.* 《口》 편취하다(swindle); (시간을) 낭비하다(waste).

Di·de·rot[dí:dəròu], **Denis**(1713-84) 프랑스의 철학자·비평가.
†**did·n't**[dídnt] did not의 단축.
di·do[dáidou] *n.* (*pl.* **~(*e*)*s***) Ⓒ 《口》 까불기, 까불며 떠들기(prank).
didst[didst] *v.* 《古》 =DID《thou가 주어일 때》.
di·dym·i·um[daidímiəm, di-] *n.* Ⓤ 〖化〗 디디뮴《희금속》. 「의, 쌍의.
did·y·mous[dídəməz] *a.* 〖生〗 쌍생
·**die**[1][dai] *vi.* (**dying**) ① 죽다(**~** ***of hunger*** 〔***illness***〕 아사〔병사〕하다/ **~** ***from wounds*** 부상 때문에 죽다/ **~** ***in an accident*** 사고로 죽다); 말라죽다. ② 희미해지다, 소멸하다(*away, down*). ③ 그치다(*off, out*). ***be dying*** (탐나서, 하고 싶어) 못견디다(itch)(*for; to* do). **~ *away*** (바람·소리 등) 잠잠해지다; 실신하다. **~** GAME[1](*a.*). **~ *hard*** 쉽사리 죽지 않다〔없어지지 않다〕. **~ *in one's boots*** 〔***shoes***〕 변사하다; 교수형을 받다. **~ *on the air*** (종소리 등이) 공중에서 사라지다. ***Never say*** **~!** 죽는 소리 하지 마라.
†**die**[2] *n.* Ⓒ ① (*pl.* **dice**) 주사위. ② (*pl.* **~s**) 거푸집, 나사틀. ③ 찍어내는 틀, 수나사를 자르는 틀. ④ 다이스. ***be upon the*** **~** 위태롭다(be at stake). ***straight as a*** **~** 똑바른. ***The*** **~** ***is cast.*** 주사위는 던져졌다, 벌린 춤이다.
díe·hàrd *a., n.* Ⓒ 끝까지 저항하는〔버티는〕 (사람); 끈덕진 사람.
diel·drin [dí:ldrin] *n.* Ⓤ 딜드린《살충제의 일종》.
di·e·lec·tric[dàiiléktrik] *a.* 유전성(誘電性)의; 절연성의. — *n.* Ⓒ (전도체와 구별하여) 유전체; 절연체.
di·er·e·sis[daiérəsis] *n.* (*pl.* **-ses** [-sì:z]) Ⓒ 분음(分音) 기호《naïve, coöperate 따위에 있는 복점(¨)》.
die·sel, D-[dí:zəl, -səl] *n.* Ⓒ 디젤차〔선〕; =⇩.
·**díesel ègine** 디젤 엔진〔기관〕.
die·sel·ize [dí:zəlàiz, -səl-] *vt.* (배·기차에) 디젤 기관을 달다.
die·sink·er[dáisìŋkər] *n.* Ⓒ 찍어내는 틀(die[2])을 만드는 사람.
:**di·et**[1][dáiət] *n.* C,U 상식(常食); Ⓒ (치료·체중 조절을 위한) 규정식. ***be put on a*** (***special***) **~** 규정식을 취하도록 지시되다. — *vt., vi.* 규정식을 주다〔취하다〕.
:**di·et**[2] *n.* (the **~**) 정식 회의; (덴마크·스웨덴 등지의) 국회, 의회.
di·e·tar·y[dáiətèri/-təri] *a., n.* Ⓒ 식사〔음식〕의 (규정량); 규정식.
di·e·tet·ic[dàiətétik] *a.* 식사의.
di·e·tet·ics[dàiətétiks] *n.* Ⓤ 식이 요법, 영양학.
di·e·ti·tian, -ti·cian[dàiətíʃən] *n.* Ⓒ 영양사〔학자〕. 「ferential.
diff. difference; different; dif-
:**dif·fer**[dífər] *vi.* 다르다(*from*); 의견을 달리하다(disagree)(*from, with*).
†**dif·fer·ence**[dífərəns] *n.* C,U 다름, 차이(점); 차(액); 불화; (종종

D

pl.)(국제간의) 분쟁. ***make a*** ~ 차가 있다; 중요하다; 구별짓다(*between*). ***split the*** ~ 타협하다; 서로 양보하다.

†**dif·fer·ent**[dífərənt] *a.* 다른(*from; to,* 때로 *than*); 여러 가지의. *~·**ly** *ad.*

dif·fer·en·tial**[dìfərénʃəl] *a.* 차별의, 차별적인, 차별하는; 특징의; 〖數〗 미분의; 〖機〗 차동(差動)의. ~ ***calculus 미분. ~ ***gear*** 차동 장치. ── *n.* Ⓤ 미분; Ⓒ 차동 장치; 〖經〗 차별 관세, 협정 임금차.

***dif·fer·en·ti·ate**[dìfərénʃièit] *vt., vi.* 차별〔구별〕하다〔이 생기다〕; 분화시키다〔하다〕; (*vi.*) 미분하다. **-a·tion**[ˌ-ˌ-ʃiéiʃən] *n.* Ⓤ,Ⓒ 구별; 〖生〗 분화, 변이(變異); 특수화; 〖數〗 미분(微分).

†**dif·fi·cult**[dífikʌ̀lt, -kəlt] *a.* 어려운; 까다로운, 다루기 힘든(hard).

†**dif·fi·cul·ty**[dífikʌ̀lti] *n.* ① Ⓤ 곤란. ② Ⓒ 난국; 지장(obstacle). ③ Ⓒ 이의(異議); 《美》 논쟁. ④ (보통 *pl.*) 경제적 곤란, 궁박(窮迫). ***make*** 〔***raise***〕 ~ 이의를 제기하다. ***with*** ~ 간신히.

***dif·fi·dent**[dífidənt] *a.* 자신 없는, 수줍은(shy). ~·**ly** *ad.* *-**dence** *n.* Ⓤ 자신 없음, 망설임(opp. confidence); 암띰, 수줍음.

dif·fract[difrǽkt] *vt.* 〖理〗 (광선·음향 등을) 회절(回折)시키다. **dif·frác·tion** *n.* Ⓤ 〖理〗 회절. **dif·frác·tive** *a.* 회절〔분해〕하는.

***dif·fuse**[difjúːz] *vi., vt.* 발산〔유포〕하다〔시키다〕(spread). ── [-s] *a.* 퍼진, 유포한; (문장·말 등이) 산만한. ~·**ly** *ad.* ~·**ness** *n.*

***dif·fu·sion**[difjúːʒən] *n.* Ⓤ 산포; 유포, 보급; 산만. **-sive** *a.*

diffúsion ìndex 〖經〗 확산 지수, 경기 동향 지수.

diffúsion pùmp 확산 진공 펌프 《가스의 확산을 이용하여 높은 진공도를 만듦》.

:**dig**[dig] *vt.* (***dug,*** 《古》 ***~ged; -gg-***) ① 파다, 파〔캐〕내다, 탐구하다(burrow)(*up, out*). ② 《口》 (손가락·팔꿈치로) 찌르다; (손톱·칼을) 찔러 넣다(*into, in*). ③ 《美俗》 보다, 듣다, 주의를 기울이다, 알다, 좋아하다. ── *vi.* ① 파다; 파서 뚫다, 파나가다. ② 탐구하다(*for, into*). ③ 《美口》 꾸준히 공부하다(*at*). ~ ***down*** 파내려가다; 파무너뜨리다; 《美俗》 돈을 치르다. ~ ***in*** 파묻다, 찔러〔박아〕넣다; 참호를 파서 몸을 숨기다; 《口》 열심히 일하다. ~ ***into*** 《口》 …을 맹렬히 공부하다; 맹공격하다. ~ ***open*** 파헤치다. ~ ***out*** 파내다; 조사해 내다; 《美俗》 도망치다. ~ ***up*** 파서 일구다; 발굴하다; 《口》 드러내다, 들추어〔밝혀〕내다; 《美俗》 (이상〔불쾌〕한 사람·물건)을 만나다. ── *n.* Ⓒ 한 번 찌르기; 쿡 찌르기(poke); 빈정거림, 빗댐; (*pl.*) 《주로 英口》 하숙(diggings). ***have*** 〔***take***〕 ***a*** ~ ***at*** …에게 귀에 거슬리는 소리를 하다.

dig·a·my[dígəmi] *n.* Ⓤ 재혼(cf. bigamy).

di·gen·e·sis[daidʒénəsis] *n.* Ⓤ 〖動〗 세대 교번(世代交番).

:**di·gest**[didʒést, dai-] *vt.* ① 소화하다, 이해하다, 납득하다. ② (모욕·손해 따위를) 참다, 견디다. ③ 요약하다, 간추리다. ── *vi.* 소화되다, 삭다. ── [dáidʒest] *n.* Ⓒ 요약(summary); (문학 작품 따위의) 개요; 요약〔축약〕판; 법률집. ~·**i·ble** *a.* 소화되기 쉬운; 요약할 수 있는.

***di·ges·tion**[didʒéstʃən, dai-] *n.* Ⓤ 소화(작용, 기능), 소화력. *-**tive** *a., n.* 소화의〔를 돕는〕; Ⓒ《단수형》 소화제.

dig·ger[dígər] *n.* Ⓒ 파는 사람〔도구〕; (금광의) 갱부; (D-) 음식물을 도르는 따위의 봉사를 하는 히피.

dig·ging[dígiŋ] *n.* Ⓤ 채굴; 채광; (*pl.*) 채광지; 금광; (*pl.*) 《주로 英古》 하숙(lodgings).

dig·it[dídʒit] *n.* Ⓒ ① 손〔발〕가락(finger, toe). ② (0에서 9까지의) 아라비아 숫자.

dig·it·al[dídʒitl] *a.* 손가락의; (컴퓨터 등이) 계수형인, 디지털형의. ── *n.* Ⓒ 손〔발〕가락; 〖컴〗 디지털.

dígital compúter 〖컴〗 디지털 컴퓨터.

dig·i·tal·is[dìdʒətǽlis] *n.* Ⓤ,Ⓒ 디기탈리스(의 마른 잎)《강심제》.

dígital recórding 디지털 녹음.

Dígital Sígnal Prócessor 〖컴〗 디지털 시그널 프로세서《디지털 신호의 고속처리를 위한 LSI칩; 생략 DSP》.

dig·i·tate[dídʒətèit] *a.* 〖動〗 손가락이 있는; 〖植〗 손가락〔손바닥〕 모양의.

dig·i·tize[dídʒətàiz] *vt.* 〖컴〗 (…을) 디지털화하다, 계수화하다. **-tìz·er** *n.* Ⓒ 〖컴〗 디지털〔계수화〕 장치.

***dig·ni·fy**[dígnəfài] *vt.* (…에) 위엄을〔품위를〕 부여하다. *-**fied**[-d] *a.* 위엄〔품위·관록〕 있는; 고귀한.

dig·ni·tar·y[dígnətèri/-təri] *n.* Ⓒ 고위 성직자, 고승; 귀인, 고관.

:**dig·ni·ty**[dígnəti] *n.* ① Ⓤ 위엄, 존엄, 관록, 품위. ② Ⓒ 고위층 인물, 고관; 《집합적》 고위층. ***be beneath one's*** ~ 체면에 관계되다, 위신을 손상시키다. ***stand*** 〔***be***〕 ***upon one's*** ~ 점잔을 빼다; 뽐내다. ***with*** ~ 위엄있게, 점잔빼고.

di·graph[dáigræf, -grɑːf] *n.* Ⓒ (두 자 한 음의) 겹자(字)《ch, th, ea 등》.

di·gress[daigrés, di-] *vi.* 본론에서 벗어나다, 탈선하다(deviate). **di·grés·sion** *n.* Ⓤ,Ⓒ 여담, 탈선; 본제를 벗어나 지엽으로 흐름. **di·grés·sive** *a.*

di·he·dral[daihíːdrəl] *a., n.* Ⓒ 이면(二面)으로 된; 이면각(角); (비행기 날개의) 상반각(上反角).

dike[daik] *n., vt.* Ⓒ 둑(을 쌓다)

(bank); 도랑(을 만들다, 을 만들어서 배수(排水)하다); 《美俗》 레스비언.

di·lap·i·dat·ed[dilǽpədèitid] *a.* (집 따위가) 황폐한, 황량한; (옷 따위가) 남루한, 초라한. **-da·tion**[—∸—déiʃən] *n.*

***di·late**[dailéit, di-] *vt.* 넓게 펴다, 팽창〔확장〕시키다. — *vi.* 넓어지다; 상세히 말하다, 부연하다(*upon*). **dil·a·ta·tion**[dìlətéiʃən, dàil-], **di·la·tion**[dailéiʃən, di-] *n.*

dil·a·tom·e·ter [dìlətámətər/-tɔ́m-] *n.* Ⓒ 〖理〗 (체적) 팽창계.

di·la·tor[dailéitər, di-] *n.* Ⓒ 〖解〗 확장근(筋); 〖醫〗 확장기(器).

dil·a·to·ry[dílətɔ̀:ri/-təri] *a.* 완만한, 느린.

dil·do[díldou] *n.* Ⓒ 《俗》 남근 모양으로 만든 성구(性具).

:di·lem·ma[dilémə] *n.* Ⓒ 진퇴양난, 궁지, 딜레마; 〖論〗 양도(兩刀)논법.

dil·et·tan·te[dìlətǽnti, -tá:nt] *n.* (*pl.* **~s, -ti**[-ti:]) Ⓒ 예술 애호가, 아마추어 예술가. — *a.* 딜레탕트(풍)의. **-tant·ism**[-ìzəm] *n.* Ⓤ 딜레탕티즘, 예술 애호; 서투른 기예.

:dil·i·gence[1][dílədʒəns] *n.* Ⓤ 부지런함, 근면, 노력.

dil·i·gence[2][dílìʒɑ̀:ns/-dʒəns] *n.* (F.) Ⓒ (프랑스 등지의) 승합 마차 《장거리용》.

:dil·i·gent[dílədʒənt] *a.* 부지런한. ***~·ly** *ad.*

dil·ly[díli] *n.* Ⓒ 《美俗》 멋진〔놀랄 만한〕 것〔사람, 일〕. — *a.* 《濠》 어리석은.

dil·ly·dal·ly[dílidæ̀li] *vi.* 꾸물대다(waste time); 빈둥거리다(loiter).

di·lute[dilú:t, dailú:t] *vt., vi.* 묽게 하다(thin), 희석(稀釋)하다; 약하게 하다(weaken). — *a.* 묽게 한, 약한, 묽은. **di·lú·tion** *n.* Ⓤ 희석; Ⓒ 희석액. ***dilution of labor*** (비숙련공 때문에 생기는) 노동 희석〔능률 저하〕.

dil·u·tee[dìlu:tí:, dài-] *n.* Ⓒ (노동 희석(⇧)을 가져오는) 비숙련공.

di·lu·vi·al[dilú:viəl, dai-], **-vi·an**[-viən] *a.* (특히 노아의) 홍수의; 〖地〗 홍적(기)의.

dilúvial formátion 〖地〗 「(洪積層). 홍적층

di·lu·vi·um [dilú:viəm] *n.* (*pl.* **-via**[-viə], **~s**) Ⓒ 〖地〗 홍적층.

:dim[dim] *a.* (**-mm-**) 어둑한, 어슴푸레한; (소리 따위) 희미한; (빛깔·이해력이) 둔한; 비관적인(*a ~ view*). — *vi., vt.* (**-mm-**) 어둑하게 하다, 어둑해지다; 둔하게 하다, 둔해지다; 흐려지다, 흐리게 하다. **~ out** 등불을 어둡게 하다. ***∠·ly** *ad.* **∠·ness** *n.*

dim. dimension; *diminuendo;* diminutive.

***dime**[daim] *n.* Ⓒ (미국·캐나다의) 10센트 은화.

díme-a-dózen *a.* 《俗》 값싼; 서투른; 평범한.

díme muséum 《美》 값싼 박물관; 싸구려 구경거리. 「소설.

díme nóvel 《美》 삼문(三文)〔저질〕

***di·men·sion**[diménʃən, dai-] *n.* Ⓒ (길이·폭·두께의) 치수; 〖數〗 차(次); 〖컴〗 차원; (*pl.*) 용적; 규모, 크기(size); 《美俗》 (여자의) 버스트·웨이스트·히프의 사이즈. **~·al** *a.*

:di·min·ish[dimíniʃ] *vt., vi.* 줄이다, 감소시키다〔하다〕; (*vt.*) 〖樂〗 반음 낮추다. ***~ed fifth*** 감오도(減五度).

di·min·u·en·do [dimìnjuéndou] *ad.* (It.) 〖樂〗 점점 여리게.

***dim·i·nu·tion**[dìmənjú:ʃən] *n.* Ⓤ 감소, 축소; Ⓒ 감소액〔량·분〕.

***di·min·u·tive**[dimínjətiv] *a.* 작은; 〖言〗 지소(指小)의. — *n.* Ⓒ 〖言〗 지소사(辭)《owl*et*, lamb*kin*, book*let*, duck*ling* 등》(opp. augmentative).

dim·i·ty[díməti] *n.* Ⓤ,Ⓒ 돋을줄무늬 무명《어린이 양복감》.

dim·mer[dímər] *n.* Ⓒ (헤드라이트의) 제광기(制光器), (무대 조명의) 조광기(調光器).

di·mor·phic[daimɔ́:rfik], **di·mor·phous**[-fəs] *a.* 〖生·化·鑛〗 동종 이형(태)의; 〖結晶〗 동질 이상(二像)의.

dim·out[dímàut] *n.* Ⓒ 등화 관제 (blackout, brownout).

***dim·ple**[dímpəl] *n., vt., vi.* Ⓒ 보조개(를 짓다, 가 생기다); 움푹 들어간 곳; 움푹 들어가(게 하)다; 잔물결을 일으키다, 잔물결이 일다.

dim·ply[dímpli] *a.* 보조개가 있는; 잔물결이 있는.

dím·sìghted *a.* 시력이 약한.

dím·wìt *n.* Ⓒ 《口》 얼간이, 멍청이, 바보.

dím-wìtted *a.* 《口》 얼간이〔바보〕의.

***din**[din] *n., vt., vi.* (**-nn-**) Ⓤ 소음(을 일으키다, 이 나다); 큰 소리로 되풀이 하다(say over and over).

DIN *Deutsche Industrie Normen* (G. =German Industry Standard) 독일 공업품 표준 규격.

:dine[dain] *vi., vt.* 식사를 하다〔시키다〕; 정찬(dinner)을 들다〔에 초대하다〕. **~ *on*** 〔***off***〕 식사에 (…을) 먹다. **~ *out*** (초대되어) 밖에서 식사하다. **din·er**[dáinər] *n.* Ⓒ 식사하는 사람; 식당차; 식당차식 음식점.

Díner's Clúb 다이너스 클럽《회원제 신용 판매 조직》.

di·neu·tron [dainjú:trɑn/-trɔn] *n.* Ⓒ 〖理〗 이중 중성자(中性子).

ding[diŋ] *vi., vt.* 땡땡 울리다; 시끄럽게 말하다, 자꾸 뇌까리다, 되풀이하여 일러주다.

díng-a-lìng *n.* Ⓒ 《美俗》 바보, 얼간이, 괴짜.

ding-dong[∸dɔ̀:ŋ] *n.* Ⓒ 땡땡, 뎅뎅《종소리 등》. — *ad.* 부지런히. — *a.* (경쟁 따위) 접전의.

din·ghy, din·gey[díŋgi] *n.* Ⓒ (인도의) 작은 배.

din·gle[díŋgəl] *n.* Ⓒ 깊은 협곡.

D

ding·us[díŋgəs] *n.* Ⓒ《口》(이름을 알 수 없는) 것, 거시기.
***din·gy**[díndʒi] *a.* 거무스름한(dark); 더러운, 지저분한; 그을은(smoky). **-gi·ly** *ad.* **-gi·ness** *n.*
din·ing[dáiniŋ] *n.* Ⓒ 식사.
díning càr 식당차.
díning hàll 대식당《정찬용》.
†**díning ròom** 식당.
díning tàble 식탁.
dink[diŋk] *n.* Ⓒ《卑》음경;《美俗》베트남 사람.
dink·y[díŋki] *a.*《口》작은, 왜소한, 빈약한;《英口》말쑥한, 청초한, 멋진, 예쁜. — *n.* Ⓒ 소형 기관차.
†**din·ner**[dínər] *n.* Ⓤ,Ⓒ 정찬(正餐)《하루 중의 으뜸 식사》; (손님을 초대하는) 만찬, 오찬(午餐).
dínner còat [**jàcket**] =TUXEDO.
dínner drèss [**gòwn**] 여자용 약식 야회복《남자는 Tuxedo에 해당》.
dínner·wàre *n.* Ⓤ 식기류.
***di·no·saur** [dáinəsɔ̀ːr] *n.* Ⓒ〖古生〗공룡(恐龍).
dint**[dint] *n.* Ⓒ 두들겨 움푹 들어간 곳[자국](dent); Ⓤ 힘(force). ***by ~ of …의 힘으로, …에 의하여. — *vt.* (두들겨서) 자국을 내다(dent).
di·o·cese[dáiəsis, -sìːs] *n.* Ⓒ 주교 관구. **di·oc·e·san**[daiásəsən] *a., n.* Ⓒ 주교(bishop) 관구의 (주교).
di·ode[dáioud] *n.* Ⓒ〖電〗다이오드; 2극(二極) 진공관.
di·oe·cious[daiíːʃəs] *a.*〖生〗자웅이주[이체]의.
Di·og·e·nes[daiádʒənìːz/-ɔ́-] *n.* (412?-?323 B.C.) 디오게네스《통 속에서 살았다는 그리스의 철학자》.
Di·o·ny·si·us[dàiəníʃiəs, -siəs] *n.* (430?-367 B.C.) 그리스의 Syracuse의 참왕(僭王)(cf. Damocles).
Di·o·ny·sus, -sos[dàiənáisəs] *n.*〖그神〗=BACCHUS.
Di·o·phán·tine equátion[dàiəfǽntàin-, -tn-]〖數〗디오판투스 방정식《부정 방정식의 해법을 연구한 그리스 수학자의 이름에서》.
di·op·ter,《英》**-tre** [daiáptər/-ɔ́p-] *n.* Ⓒ〖光學〗디옵터《렌즈 굴절률 등의 단위》. 「(광학)의.
di·op·tric[daiáptrik/-ɔ́p-] *a.* 굴절
di·o·ram·a[dàiərǽmə, -ráːmə] *n.* Ⓒ 디오라마[투시화(透視畫)](관(館)).
di·o·rite[dáiəràit] *n.* Ⓤ〖鑛〗섬록암(閃綠岩).
***di·ox·ide**[daiáksaid, -sid/-ɔ́ksaid] *n.* Ⓒ〖化〗이산화물.
:dip[dip] *vt.* (*~ped,*《古》*~t; -pp-*) ① 담그다, 적시다; 살짝 적시다. ② (…에게) 침례를 베풀다. ③ (신호기 따위를) 조금 내렸다 곧 올리다. ④ (양(羊)을) 살충액에 담그어 씻다. ⑤ 퍼내다(*out*), 건져올리다(*up*). ⑥ (양초를) 만들다. — *vi.* ① 젖다, 잠기다; 가라앉다, 내려가다. ② (떠내기 위해 손·국자를) 디밀다. ③ 대충 읽다(*~ into a book*). — *n.* Ⓒ ① 담금, 적심; 한번 잠기기[멱감기]. ② 경사; 하락; 우묵함. ③ (실심지) 양초. ④ (비행기의) 급강하. ⑤《俗》소매치기.
di·phos·phate[daifásfeit/-ɔ́-] *n.* Ⓤ,Ⓒ〖化〗이인산염(二燐酸鹽).
***diph·the·ri·a**[difθíəriə, dip-] *n.* Ⓤ〖醫〗디프테리아.
diph·thong[dífθɔːŋ, díp-/-θɔŋ] *n.* Ⓒ〖音聲〗2중 모음《ai, au, ɔi, ou, ei, uə 따위》.
dip·lo·coc·cus[dìpləkákəs/-kɔ́k-] *n.* (*pl.* ***-ci***[-sai]) Ⓒ〖生〗쌍구균.
dip·loid[díplɔid] *a.* 2중의;〖生〗2배성의, 배수의. — *n.* Ⓒ〖生〗복상(2배체)(複相(2倍體)).
***di·plo·ma**[diplóumə] *n.* Ⓒ 졸업 증서; 학위 증서; 면허장; 상장.
***di·plo·ma·cy**[diplóuməsi] *n.* Ⓤ 외교(수완). 「류) 대학.
diplóma mìll《美口》학위 남발 (삼
***dip·lo·mat**[dípləmæ̀t] *n.* Ⓒ 외교관[가]. **di·plo·ma·tist**[diplóumətist] *n.*《英》=DIPLOMAT.
***dip·lo·mat·ic**[dìpləmǽtik] *a.* 외교상의; 외교에 능한; 고문서학의.
diplomátic immúnity 외교관 면책 특권《관세·체포 등을 면한》.
di·pole[dáipòul] *n.* Ⓒ〖理·化〗쌍극자;〖라디오·TV〗2극 안테나.
dip·per**[dípər] *n.* Ⓒ ① 적시는[푸는] 사람[것], 국자(ladle). ② (the D-) 북두(칠)성. ***the Big D- 북두칠성. ***the Little D-*** (작은곰자리의) 소북두칠성.
dip·so·ma·ni·a[dìpsouméiniə] *n.* Ⓤ 알코올 의존증[중독]. **-ma·ni·ac** [-méiniæ̀k] *n.* Ⓒ 알코올 중독자.
díp·stìck *n.* Ⓒ 유량계(油量計)《탱크 등의 속에 넣어 재는》.
díp-switch *n.* Ⓒ (자동차의) 감광(減光) 스위치《헤드라이트를 숙이는》.
dipt[dipt] *v.* dip의 과거(분사).
***dire**[daiər] *a.* 무서운; 극도의(extreme); 긴급한.
†**di·rect**[dirékt, dai-] *vt.* ① 지도[지휘]하다; 관리[감독]하다(manage); 통제하다(control). ② (영화·극 따위를) 연출하다(cf. produce). ③ (주의·노력을) 돌리다(aim)(*at, to, toward*). ④ …앞으로 (편지를) 내다[겉봉을 쓰다](*to*). ⑤ 길을 가리키다. — *a.* 똑바른, 직접의; 솔직한; 완전한, 정확한(exact)(*the ~ opposite*). ***a ~ descendant*** 직계 자손.
diréct áction 직접 행동《권리를 위한 파업·데모·시민적 저항 등》.
diréct cúrrent〖電〗직류.
†**di·rec·tion**[dirékʃən, dai-] *n.* ① Ⓒ,Ⓤ 방위, 방향. ② Ⓒ 경향; 범위. ③ (보통 *pl.*) 지휘, 명령, 지시, 감독. ④ Ⓤ,Ⓒ 지도; 관리. ⑤ Ⓤ〖劇·映〗감독, 연출. ***in all ~s*** 사면 팔방으로. **~·al** *a.* 방향[방위]의. **-tive** *a., n.* 지휘[지도]하는;〖無電〗지향(식)의; Ⓒ 지령.
diréction finder〖無電〗방향 탐지기, 방위 측정기.

diréction ìndicator 〖空〗 방향지시기.
:di·rect·ly[diréktli, dai-] *ad.* 곧바로; 직접(으로); 즉시. ── *conj.* = as SOON as.
diréct máil 다이렉트메일《직접 개인이나 가정으로 보내지는 광고 우편물》.
diréct narrátion 〔**óbject**〕〖文〗 직접 화법〔목적어〕.
:di·rec·tor[diréktər, dai-] *n.* Ⓒ 지휘자, 지도자; 중역, 이사; 교장; 감독; 〖劇〗 연출가(《英》 producer). **~·ship**[-ʃìp] *n.* Ⓤ director의 직〔임기〕.
di·rec·to·rate[diréktərit, dai-] *n.* ① Ⓤ director의 직. ② Ⓒ 중역〔이사〕회, 간부회; 중역진.
di·rec·to·ri·al[direktɔ́:riəl, dài-] *a.* 지휘(자)의; 관리(자)의.
di·rec·to·ry**[diréktəri, dai-] *n.* Ⓒ 주소 성명록, 인명부; 지령〔훈령〕서; 예배 규칙서; 중역〔이사·간부〕회(directorate); 〖컴〗 자료방, 디렉토리. ***telephone ~ 전화 번호부. ── *a.* 지휘〔관리〕의.
diréct prímary 〖政〗 직접 예선.
diréct propórtion 〖數〗 정비례.
diréct táx 직접세. 「무시한.
dire·ful[dáiərfəl] *a.* 무서운, 무시
dirge[də:rdʒ] *n.* Ⓒ 만가(輓歌), 애도가(funeral song).
dir·i·gi·ble[díridʒəbəl, dirídʒ-] *a., n.* 〖空〗 조종할 수 있는; Ⓒ 비행선.
dirk[də:rk] *n., vt.* Ⓒ 비수, 단검(으로 찌르다).
dirn·dl[də́:rndl] *n.* Ⓒ (Tyrol 지방 농가의) 여성복.
:dirt[də:rt] *n.* Ⓤ ① 쓰레기, 먼지; 오물. ② 진흙; 흙; 《蔑》 토지. ③ 비열한 언사, 욕. ***eat*** ~ 굴욕을 참다. ***fling*** 〔***throw***〕 ~ 욕지거리하다(*at*).
dírt-chéap *a., ad.* 《美口》 똥값의〔으로〕.
dírt fàrmer 《口》 자작농(cf. gentleman farmer).
dírt róad 포장하지 않은 도로.
:dirt·y[də́:rti] *a.* ① 더러운, 추잡한. ② 비열한(base). ③ 날씨가 험악한. ④ 공기 오염도가 높은. ~ ***bomb*** 원자〔수소〕폭탄(opp. CLEAN bomb). **dírt·i·ly** *ad.*
dis. discharge; disciple; discipline; discount; distance; distribute.
dis-[dis] *pref.* '비(非)·반(反)·부(不)(*dis*honest), 분리(*dis*connect), 제거(*dis*cover)' 따위의 뜻.
***dis·a·ble**[diséibəl] *vt.* 무력하게 하다(*from* do*ing; for*); 불구로 만들다(cripple); 무자격하게 하다(cripple); 〖컴〗 불능케 하다. **~·ment** *n.* Ⓤ 무력(화). ***dis·a·bil·i·ty**[dìsəbíləti] *n.* Ⓤ,Ⓒ 무력, 무능; 불구; 〖法〗 무자격.
dis·a·buse[dìsəbjú:z] *vt.* (…의) 어리석음〔잘못〕을 깨닫게 하다(*of*).
***dis·ad·van·tage** [dìsədvǽntidʒ, -vá:n-] *n.* Ⓒ 불리(한 입장), 불편; Ⓤ 손(해). **-ta·geous**[disæ̀dvəntéidʒəs, dìsæd-] *a.* **-geous·ly** *ad.*
dis·af·fect·ed[dìsəféktid] *a.* 싫어진, 불만스러운(discontented); 정떨어진, 마음이 떠난, 이반(離反)한(disloyal). **-féc·tion** *n.*
***dis·a·gree**[dìsəgrí:] *vi.* 일치하지 않다, 맞지 않다(*with, in*); 의견을 달리하다, 다투다(*with*); (음식·풍토가) 맞지 않다(*with*). ***~·ment** *n.*
***dis·a·gree·a·ble**[dìsəgrí:əbəl] *a.* 불쾌한; 까다로운(hard to please). **~·ness** *n.* **-bly** *ad.*
dis·al·low[dìsəláu] *vt.* 허가〔인정〕하지 않다; 부인하다; 각하하다(reject). **~·ance** *n.*
dis·an·nul[dìsənʌ́l] *vt.* (*-ll-*) 취소〔무효로〕하다.
:dis·ap·pear[dìsəpíər] *vi.* 안 보이게 되다; 소실〔소멸〕하다(vanish). ***~·ance**[dìsəpíərəns] *n.* Ⓤ 소멸, 소실; 〖法〗 실종.
:dis·ap·point[dìsəpɔ́int] *vt.* 실망〔낙담〕시키다, (기대를) 어기다(belie) (*I was ~ed in him* 〔*of my hopes*〕. 그에게 실망했다〔나는 희망이 없어졌다〕); (계획 등을) 좌절시키다, 꺾다(upset). **~·ed**[-id] *a.* 실망〔낙담〕한. ***~·ing** *a.* 실망〔낙담〕시키는. **:~·ment** *n.* Ⓤ,Ⓒ 실망〔낙담〕(시키는 것·사람).
dis·ap·pro·ba·tion[dìsæproubéiʃən] *n.* =DISAPPROVAL.
***dis·ap·prove**[dìsəprú:v] *vt.* (…을) 안된다고 하다; 인가하지 않다; 비난하다(*of*). ***-prov·al**[-əl] *n.* Ⓤ 불찬성; 비난, 부인.
***dis·arm**[disá:rm, -z-] *vt.* (…의) 무기를 거두다, 무장 해제하다; (노여움·의혹을) 풀다. ── *vi.* 군비를 해제〔축소〕하다. ***dis·ár·ma·ment** *n.* Ⓤ 무장 해제; 군비 축소.
dis·ar·range[dìsəréindʒ] *vt.* 어지럽게 하다, 난잡〔어수선〕하게 하다. **~·ment** *n.* Ⓤ,Ⓒ 혼란, 난맥.
dis·ar·ray[dìsəréi] *n., vt.* Ⓤ 난잡(하게 하다); (복장이) 흐트러지다〔흐트러짐〕, 흐트러진 복장; 《詩》 옷을 벗기다(undress), 벌거벗기다.
dis·as·sem·ble[dìsəsémbəl] *vt.* (기계 따위를) 분해하다(take apart).
:dis·as·ter[dizǽstər, -zá:s-] *n.* ① Ⓤ 천재(天災), 재해(calamity). ② Ⓒ 재난, 참사.
***dis·as·trous**[dizǽstrəs, -á:s-] *a.* 재해의; 비참한. **~·ly** *ad.*
dis·a·vow[dìsəváu] *vt.* 부인〔거부〕하다(disown). **~·al** *n.* **~·er** *n.*
dis·band[disbǽnd] *vt.* (부대·조직을) 해산하다; (군인을) 제대시키다. ── *vi.* 해산〔제대〕하다. **~·ment** *n.*
dis·bar[disbá:r] *vt.* (*-rr-*) 〖法〗 (…에게서) 변호사 자격을 빼앗다.
***dis·be·lief**[dìsbilí:f] *n.* Ⓤ 불신(unbelief), 의혹(*my ~ in him*).
dis·be·lieve[dìsbilí:v] *vt., vi.* 믿지 않다, 의심하다. 「떨어져 나간.
dis·bound [disbáund] *a.* (책에서)

D

dis·branch [disbrǽntʃ, -brɑ́:ntʃ] *vt.* (…의) 가지를 잘라내다[치다]; (가지를) 꺾다.
dis·bur·den [disbə́:rdn] *vt., vi.* 짐을 내리다; (마음의) 무거운 짐을 벗다; 한시름 놓(게 하)다.
dis·burse [disbə́:rs] *vt.* 지불하다; 지출하다(pay out). **~·ment** *n.* Ⓤ 지불, 지출.
***disc** [disk] *n.* =DISK.
disc. discount; discover(ed); discoverer.
dis·calced [diskǽlst] *a.* 맨발의.
***dis·card** [diskɑ́:rd] *vt.* 〖카드〗(필요 없는 패(card)를) 버리다; (애인·신앙 따위를) 버리다(abandon); 해고하다(discharge). — [ㄹ—] *n.* Ⓒ 버림받은 사람; 내버린 패.
:dis·cern [dizə́:rn, -s-] *vt., vi.* 인식하다, 지각하다(perceive); 분간하다(~ *A and B*/ ~ *A from B*/ ~ *between A and B*). **~·i·ble** *a.* 인식[식별]할 수 있는. **~·ing** *a.* 식별력이 있는; 명민한. **~·ment** *n.*
:dis·charge [distʃɑ́:rdʒ] *vt.* ① 발사하다(shoot); (물 따위를) 방출하다(pour forth). ② (배에서) 짐을 부리다(unload). ③ 해고하다; 해방[제대·퇴원]시키다; (부채를) 갚다, 지불하다. ④ (직무·약속을) 이행하다(~ (*oneself of*) *one's duties* 의무를 이행하다). ⑤ 탈색하다. ⑥ 〖電〗 방전(放電)하다. ⑦ 〖法〗(명령을) 취소하다. — *vi.* 짐을 부리다; 발사[방출·방전]하다; 번지다, 퍼지다(run). — [ㄹ—, —ㄹ] *n.* Ⓤ,Ⓒ 발사, 방출; Ⓤ 짐부리기; 방전; Ⓒ 해고, 해임; Ⓤ 이행; 반제(返濟)(따위).
dis·charg·ee [dìstʃɑ:rdʒí:] *n.* Ⓒ 소집 해제자.
dis·charg·er [distʃɑ́:rdʒər] *n.* Ⓒ discharge하는 사람[것]; 〖電〗 방전자(放電子). 「용).
dísc hàrrow 원판 써레(트렉터
dis·ci [dísai/dískai] *n.* discus의 복수.
***dis·ci·ple** [disáipəl] *n.* Ⓒ 제자; 사도, 문하생, 신봉자. *the* (*twelve*) *~s* (예수의) 12제자.
dis·ci·pli·nar·i·an [dìsəplinέəriən] *a.* 훈련[훈육](상)의; 규율의. — *n.* Ⓒ 훈육가; 엄격한 사람.
dis·ci·pli·nar·y [dísəplinèri/-nəri] *a.* 훈육상의; 징계의.
:dis·ci·pline [dísəplin] *n.* Ⓤ,Ⓒ 훈련, 훈육; Ⓤ (정욕의) 제어; 규율, 풍기(order); 징계. — *vt.* 훈련하다; 징계하다(punish).
dísc jòckey 디스크 쟈키(생략 DJ, D.J.).
dis·claim [diskléim] *vt.* (권리를) 포기하다; (…와의) 관계를 부인하다. **~·er** *n.* Ⓒ 포기(자); 부인(자).
:dis·close [disklóuz] *vt.* 나타[드러]내다, 노출시키다; 폭로하다; (비밀을) 털어놓다; 발표하다. ***dis·clo·sure** [-klóuʒər] *n.*
dis·co [dískou] *n.* =DISCO- 「THEQUE.
dis·coid [dískɔid] *a., n.* Ⓒ 원반(disk) 모양의 (물건).
dis·col·or, (英) **-our** [diskʌ́lər] *vi., vt.* (…으로) 변색하다[시키다]. **~·a·tion** [-ㅡㄴ-éiʃən] *n.* Ⓤ 변색, 퇴색.
dis·com·fit [diskʌ́mfit] *vt.* 쳐부수다; (상대방의) 계획[목적]을 뒤엎다, 좌절시키다; 당황케 하다(disconcert). **-fi·ture** *n.*
***dis·com·fort** [diskʌ́mfərt] *n., vt.* Ⓤ 불쾌(하게 하다); Ⓒ 불편(을 주다).
dis·com·mode [dìskəmóud] *vt.* 괴롭히다; (…에게) 폐를 끼치다.
dis·com·pose [dìskəmpóuz] *vt.* (…의) 마음을 어지럽히다, 불안케 하다(make uneasy). **-po·sure** [-póuʒər] *n.* Ⓤ 불안; 당황, 낭패.
***dis·con·cert** [dìskənsə́:rt] *vt.* 당황하게 하다(discompose); (계획 따위를) 좌절[혼란]시키다(upset). **~·ment** *n.*
dis·con·nect [dìskənékt] *vt.* (…와) 연락을[관계를] 끊다; 자르다, 떼다, 분리하다. **~·ed** [-id] *a.* 연락[일관성]이 없는. **-néc·tion,** (英) **-néx·ion** *n.* Ⓤ,Ⓒ 분리, 절단.
dis·con·so·late [diskɑ́nsəlit/-ɔ́-] *a.* 쓸쓸한, 허전한; 서글픈. **~·ly** *ad.*
***dis·con·tent** [dìskəntént] *n., a., vt.* Ⓤ 불만(인)(*with*); 불만을 품게 하다. ***~·ed** [-id] *a.* 불만스러운(*with*). **~·ment** *n.* Ⓤ 불만, 불평.
***dis·con·tin·ue** [dìskəntínju:] *vt., vi.* 중지[중단·정지]하다; (신문 등의) 구독을 그만두다; 〖法〗(원고가 소송을) 취하하다. **-tin·u·ance, -tin·u·a·tion** [ㅡㄴ-ㅡㄴ-éiʃən] *n.*
dis·con·tin·u·ous [dìskəntínjuəs] *a.* 중도에서 끊어진, 중단된. ***-ti·nu·i·ty** [dìskɑntənjú:əti/-kɔn-] *n.* Ⓤ 불연속; 중단; 끊어짐.
dis·co·phile [dískəfàil] *n.* Ⓒ 레코드 수집가.
***dis·cord** [dískɔ:rd] *n.* Ⓤ 부조화, 불일치, 불화(disagreement); Ⓤ,Ⓒ 〖樂〗 불협화음(opp. concord). *the* APPLE *of ~.*
dis·cord·ant [diskɔ́:rdənt] *a.* 조화[일치]하지 않는; 충돌하는; 불협화음의. **~·ly** *ad.* **-ance** *n.*
dis·co·theque [dískətèk] *n.* Ⓒ 디스코테크.
:dis·count [dískaunt] *n.* Ⓤ,Ⓒ 할인(액)(reduction). *at a ~* 할인해서. — [-ㄹ] *vt.* 할인하다(deduct)(~ *10%,* 1할 감하다/*get a bill ~ed* 어음을 할인해 받다); 에누리하여 듣다; (…의) 가치[효과]를 감하다[잃다].
díscount bànk 할인 은행. 「인.
díscount bròker 어음 할인 중개
díscount còmpany (美口) 채권 감정 할인 회사.
dis·coun·te·nance [diskáuntənəns] *vt.* (…에게) 싫은 내색을 하다, 반대하다; 창피를 주다; 낭패케 하다.
díscount hòuse 싸게 파는 가게.

díscount màrket 어음 할인 시장.
díscount ràte 〖財政〗 어음 할인율; 재할인율.
díscount stòre (**shòp**) 《美》 싸구려 상점, 염가 판매점.
:dis·cour·age [diskə́:ridʒ, -kʌ́r-] *vt.* (…에게) 용기를 잃게 하다; 낙담〔단념〕시키다(*from*)(opp. encourage). **:~·ment** *n.*
·dis·course [dískɔ:rs, ─´] *n.* ① Ⓒ 강연, 설교; 논설; 논문. ② Ⓤ 이야기, 담화. ── [─´] *vt., vi.* (…에게) 강연〔설교〕하다; 논술하다(*upon, of*).
dis·cour·te·ous [diskə́:rtiəs] *a.* 무례한(impolite). **~·ly** *ad.* **~·ness** *n.* **-to·sy**[-təsi] *n.*
†dis·cov·er[diskʌ́vər] *vt.* 발견하다, 찾아내다; 《古》 나타내다, 밝히다. ***D- America.*** 《美》 미국을 발견하자《국내 관광 진흥책으로 쓰는 표어》. ***~ oneself to*** …에게 자기 성명을 대다〔밝히다〕. **·~·er** *n.* Ⓒ 발견자. **:~·y** *n.* Ⓤ 발견; Ⓒ 발견물.
·dis·cred·it[diskrédit] *n.* Ⓤ 불신; 불명예; 의혹. ── *vt.* 신용하지 않다; 신용을〔명예를〕 잃게 하다. **~·a·ble** *a.* 불명예스러운.
·dis·creet[diskrí:t] *a.* 사려가 깊은; 신중한, 분별 있는. **~·ly** *ad.*
dis·crep·ant[diskrépənt] *a.* 어긋나는, 상위(相違)하는. **-an·cy** *n.*
dis·crete[diskrí:t] *a.* 분리한; 구별된, 개별적인; 불연속의; 〖哲〗 추상적인. ── *n.* Ⓒ (시스템의 일부를 이루는) 독립된 장치; 〖컴〗 불연속형. **~·ly** *ad.* **~·ness** *n.*
·dis·cre·tion[diskréʃən] *n.* Ⓤ 사려(깊음), 분별, 신중(discreetness); 행동〔판단〕의 자유, 자유 재량(free decision). ***age of ~*** 분별 연령《영국법에서는 14세》. ***at ~*** 마음대로. ***at the ~ of*** = ***at one's ~*** …의 재량으로, …의 임의로. ***with ~*** 신중히. **~·ar·y**[-ʃənèri/-əri] *a.* 임의(任意)의; 무조건의.
·dis·crim·i·nate [diskrímənèit] *vt.* 분간〔식별〕하다(distinguish)(*between, from*). ── *vi.* 식별하다; 차별하다(*against, in favor of*). ── [-nət] *a.* 차별적인; (식별이) 명확한. **-nat·ing** *a.* 식별력있는; 차별적인. **·-na·tion**[-̀-̀-néiʃən] *n.* Ⓤ 구별; 식별(력), 차별 대우. **-na·tive** [-nèitiv, -nə-], **-na·to·ry**[-nətɔ̀:ri/-təri] *a.* 식별력이 있는; 차별을 나타내는.
dis·cur·sive[diskə́:rsiv] *a.* 산만한. **~·ly** *ad.* 만연히. **~·ness** *n.*
dis·cus[dískəs] *n.*(*pl.* ***~es, disci***[dísai/dískai]) Ⓒ 원반; (the ~) 원반 던지기.
:dis·cuss[diskʌ́s] *vt.* (여러 각도에서) 음미하다, 토론〔논의〕하다, 논하다(debate); 상의하다, 서로 이야기하다(talk over); 《古口》 맛있게 먹다〔마시다〕(enjoy).
dis·cus·sant[diskʌ́snt] *n.* Ⓒ (심포지엄 등의) 토론자.
:dis·cus·sion[diskʌ́ʃən] *n.* ① Ⓤ,Ⓒ 토론, 토의, 논의; 변론. ② Ⓒ 논문(*on*). ③ Ⓤ 《口》 상미(賞味)(*of*).
díscus thròw 원반 던지기.
·dis·dain[disdéin] *n., vt.* Ⓤ 경멸(하다)(scorn). **~·ful** *a.* 경멸적인; 거만한(haughty). **~·ful·ly** *ad.*
:dis·ease[dizí:z] (<dis-+ease) *n.* Ⓤ,Ⓒ 병; Ⓤ 불건전. **:~d**[-d] *a.* 병의, 병적인.
dis·em·bark [dìsembɑ́:rk] *vt., vi.* (선객·짐을) 양륙하다; 상륙시키다〔하다〕. **-bar·ka·tion**[disèmbɑ:rkéiʃən] *n.*
dis·em·bar·rass[dìsembǽrəs] *vt.* (걱정 따위에서) 벗어나게 하다(rid), 안심시키다(relieve)(***~ him of his anxiety*** 그의 걱정을 덜어주다).
dis·em·bod·y[dìsembɑ́di/-ɔ́-] *vt.* (혼을) 육체에서 분리시키다. **-bód·i·ment** *n.*
dis·em·bow·el[dìsembáuəl] *vt.* (《英》 ***-ll-***) 창자를 빼내다. ***~ oneself*** 할복하다. **~·ment** *n.*
dis·en·chant[dìsintʃǽnt, -tʃɑ́:nt] *vt.* (…을) 미몽(迷夢)에서 깨어나게 하다; 마법을 풀다. **~·ment** *n.*
dis·en·cum·ber[dìsinkʌ́mbər] *vt.* (…에서) 장애물〔괴로움〕을 제거하다.
dis·en·fran·chise [dìsenfrǽntʃaiz] *vt.* =DISFRANCHISE.
dis·en·gage[dìsingéidʒ] *vt.* 풀다(loosen); 해방하다(set free); 〖軍〗 (…와의) 싸움을 중지하다. ── *vi.* 떨어지다; 관계를 끊다. **~d**[-d] *a.* 풀린; 떨어진; 자유로운, 한가한, 약속이 없는. **~·ment** *n.* Ⓤ 해방; 이탈; 파혼; 자유, 여가.
dis·en·tan·gle [dìsintǽŋgl] *vt.* (…의) 엉킨 것을 풀다(*from*). **~·ment** *n.*
dis·e·qui·lib·ri·um [disì:kwəlíbriəm] *n.* Ⓤ,Ⓒ 불균형, 불안정.
dis·es·tab·lish[dìsistǽbliʃ] *vt.* (설립된 것을) 폐지하다; (교회의) 국교제를 폐하다. **~·ment** *n.*
dis·es·teem[dìsistí:m] *n., vt.* Ⓤ 경시(하다), 깔보다.
dis·fa·vor, 《英》 **-vour**[disféivər] *n.* Ⓤ 소외(疎外), 냉대; 싫어함(dislike); 인기없음. ***be in ~ with*** … 의 마음에 들지 않다; 인기가 없다. ── *vt.* 소홀히〔냉대〕하다, 싫어하다.
·dis·fig·ure[disfígjər/-fígər] *vt.* 모양〔아름다움〕을 손상하다, 보기 흉하게 하다(deform). **~·ment** *n.*
dis·fran·chise[disfrǽntʃaiz] *vt.* (개인에게서) 공민권〔선거권〕을 빼앗다. **~·ment** *n.*
dis·gorge[disgɔ́:rdʒ] *vt., vi.* (…에게) 토해내다, 게우다; (부정 이득 따위를) 게워내다.
:dis·grace[disgréis] *n., vt.* Ⓤ 창피, 치욕(을 주다); 욕보이다. **:~·ful** *a.* 수치스러운, 욕된. **~·ful·ly** *ad.*
dis·grun·tle[disgrʌ́ntl] *vt.* (…에게) 불만을 품게 하다. **~d**[-d] *a.* 시무룩한; 불평을 품은.

:dis·guise[disgáiz] *vt.* ① (…으로) 변장〔가장〕하다, 거짓 꾸미다. ② (감정 따위를) 속이다, 감추다. ***be ~d,*** or ***~ oneself*** 변장하다. ***throw off one's ~*** 가면을 벗다, 정체를 드러내다. ── *n.* U,C 변장, 가장(복); U 거짓꾸밈(pretense), 구실(pretext). ***in ~*** 변장한〔하여〕; 가장의〔하여〕.

:dis·gust[disgʌ́st] *vt.* 역겹게〔싫증나게〕하다, 정떨어지게 하다. ***be ~ed at*** 〔***by, with***〕 …에 넌더리 나다. ── *n.* U 역겨움, 혐오(*against, at, for, toward*); 유감. ***to one's ~*** 불쾌하게도, 유감스럽게도. **:~·ing** *a.* 구역질나는, 지겨운. **~·ing·ly** *ad.*

†dish[diʃ] *n.* C ① (큰) 접시, 푼주. ② 요리; 식품. ③ 접시꼴(의 물건). ④《美俗》성적 매력이 있는 여자. ⑤《美俗》〖野〗홈베이스. ⑥ 파라볼라 안테나. ***~ of gossip*** 잡담. ── *vt.* 접시에 담다; 접시꼴로 만들다; 가운데를 우묵하게 하다;《俗》해치우다, 지우다, 속이다(cheat);《俗》파산〔낙심〕시키다. ── *vi.* (접시꼴로) 움폭해지다. ***~ out*** 나눠 담다. ***~ up*** 음식을 내놓다;《口》재미나게 이야기하다.

dis·ha·bille[dìsəbíːl] *n.* U 평(상)복, 약복(略服). ***in ~*** 평복 차림으로.

dis·har·mo·ny [dishɑ́ːrməni] *n.* U 부조화, 불협화.

dísh·clòth *n.* C 행주.

***dis·heart·en**[dishɑ́ːrtn] *vt.* 낙담〔실망〕시키다(discourage).

di·shev·el(l)ed[diʃévəld] *a.* (머리카락이) 헝클어진, 봉두난발의; 단정치 못한(untidy).

:dis·hon·est[disɑ́nist/-ɔ́-] *a.* 부정직한. **~·ly** *ad.* ***-es·ty**[-i] *n.*

:dis·hon·or, 《英》 **-our**[disɑ́nər/-ɔ́-] *n.* U ① 불명예, 치욕. ② 경멸. ③ (어음·수표의) 부도. ── *vt.* (…에게) 치욕을 주다, 이름을 더럽히다(disgrace); (어음 지불을) 거절하다. **~·a·ble** *a.* 불명예스러운, 부끄러운(shameful).

dísh·pàn *n.* C 개수통;《俗》사발 모양의 대형 안테나.

dísh·wàsher *n.* C 접시 닦는 사람〔기계〕.

dísh·wàter *n.* U 개숫물;《俗》맛없는 수프, 멀건 커피.

***dis·il·lu·sion**[dìsilúːʒən] *n., vt.* U 환멸(을 느끼게 하다), 미몽〔잘못〕을 깨우치다〔기〕, 각성; 환멸. **~·ment** *n.* U 환멸.

dis·in·cen·tive [dìsinséntiv] *a., n.* C 행동〔의욕·(특히 경제적) 발전〕을 방해하는 (것).

dis·in·cline[dìsinkláin] *vi., vt.* 싫증나(게 하)다, 마음이 내키지 않(게 하)다. **-cli·na·tion**[disìnklinéiʃən] *n.* U 마음 없음, 꺼림, 싫증.

dis·in·fect[dìsinfékt] *vt.* 소독〔살균〕하다. **~·ant** *a., n.* 소독하는; C 소독제. **-féc·tion** *n.*

dis·in·fest[dìsinfést] *vt.* (…에서) 해충·쥐 따위를 (잡아) 없애다.

dis·in·fla·tion[dìsinfléiʃən] *n.* U 〖經〗디스인플레이션. **~·a·ry** *a.*

dis·in·for·ma·tion [disìnfərméiʃən] *n.* U 그릇된 정보《특히 적의 간첩을 속이기 위한》.

dis·in·gen·u·ous[dìsindʒénjuəs] *a.* 불성실한(insincere); 부정직한; 음흉한. **~·ly** *ad.* **~·ness** *n.*

dis·in·her·it[dìsinhérit] *vt.* 〖法〗폐적(廢嫡)〔의절(義絶)〕하다, 상속권을 박탈하다. **-i·tance** *n.*

dis·in·te·grate[disíntigrèit] *vi., vt.* 분해〔붕괴〕하다〔시키다〕. **-gra·tor** *n.* C 분해기, 분쇄기. **-gra·tion** [-ˌ-ˈgréiʃən] *n.*

dis·in·ter[dìsintə́ːr] *vt.* (**-rr-**) (무덤 따위에서) 발굴하다(dig up). **~·ment** *n.*

***dis·in·ter·est·ed** [disíntəristid, -rèst-] *a.* 사심이 없는; 공평한(fair); 《美口》무관심한(not interested). **~·ly** *ad.* **~·ness** *n.*

dis·in·vest[dìsinvést] *vt., vi.* 〖經〗(…에서) 해외 투자를 회수하다.

dis·join[disdʒɔ́in] *vt.* (…에서) 분리하다.

dis·joint[disdʒɔ́int] *vt.* 관절을 통기다, 탈구(脫臼)시키다; 뿔뿔이 해체〔분해〕하다; (질서를) 어지럽히다. **~·ed**[-id] *a.*

dis·junc·tion[disdʒʌ́ŋkʃən] *n.* U,C 분리, 분열(separation), 괴리, 분단; 〖論〗선언(選言), 이접(離接). **-tive** *a., n.* 분리의; 〖論〗선언〔이접〕적인; C 〖論〗선언〔이접〕명제; C 〖文〗이접적 접속사《*but, yet, or, either ... or* 등》.

***disk**[disk] *n.* C 평원반 (모양의 것); 원반; 레코드; 〖컴〗디스크.

dísk càche 〖컴〗디스크 캐시.

dis·kette[diskét] *n.* C 〖컴〗디스켓(floppy disk).

dísk hàrrow =DISC HARROW.

dísk jòckey =DISC JOCKEY.

dísk operáting sỳstem 〖컴〗디스크 운영 체제《생략 DOS》.

:dis·like[disláik] *vt., n.* 싫어하다, 미워하다; U,C 혐오, 증오(aversion) (*to, for, of*).

dis·lo·cate[dísloukèit] *vt.* 관절을 삐다〔퉁기다〕, 탈구시키다; (순서를) 어지럽히다(disturb). ***-ca·tion** [ˌ-ˈkéi-] *n.* U,C 탈구; 〖地〗단층.

dis·lodge[dislɑ́dʒ/-ɔ́-] *vt.* 쫓아내다(expel); 격퇴하다; 떼어내다. **~·ment** *n.*

:dis·loy·al[dislɔ́iəl] *a.* 불충(不忠)한, 불충실〔불성실〕한(unfaithful). **~·ly** *ad.* **~·ty** *n.*

***dis·mal**[dízməl] *a.* ① 음침한, 어두운; 쓸쓸한(dreary). ② 무시무시한. ③ 참담한. **~·ly** *ad.*

dis·man·tle[dismǽntl] *vt.* (아무에게서) 옷을 벗기다(strip)(*of*); (집의 설비·가구, 배의 삭구(索具)·장비 따위를) 철거하다; 분해하다.

:dis·may[disméi] *vt.* 깜짝 놀라게

하다, 근심시키다. — *n.* Ⓤ 당황, 경악(horrified amazement); 낭패. ***with*** ~ 당황하여.
dis·mem·ber[dismémbər] *vt.* (…의) 손발을 자르다; 분할하다.
:dis·miss[dismís] *vt.* ① 면직[해고·퇴학]시키다. ② 떠나게 하다, (하녀 등에게) 물러가라고 말하다. ③ (생각에서) 물리치다, (의혹 따위를) 잊어버리다. ④ 《法》 기각하다. ***~·al** [-əl] *n.* Ⓤ 면직.
dis·mis·sive[dismísiv] *a.* (사람을) 무시하는 듯한(*of*), 깔보는 듯한 《태도, 말 따위》.
***dis·mount**[dismáunt] *vi., vt.* (말·자전거에서) 내리다; 말에서 떨어뜨리다; (기계를 대좌(臺座) 등에서) 떼어 내다; 분해(검사)하다(take apart).
Dis·ney[dízni], **Walt** (1901-66) 미국의 (만화) 영화 제작가.
Dis·ney·land[-lӕnd] *n.* 디즈니랜드《Walt Disney가 Los Angeles에 만든 유원지》.
***dis·o·be·di·ent**[dìsəbí:diənt] *a.* 순종치 않는, 따르지 않는, 불효한. **~·ly** *ad.* ***-ence** *n.* Ⓤ 불순종; 불복종, 불효; 위반.
***dis·o·bey**[dìsəbéi] *vt., vi.* 반항하다, (어버이 등의 말을) 듣지 않다.
dis·o·blige[dìsəbláidʒ] *vt.* (…에게) 불친절하게 하다, 바라는 대로 안 해주다; 노하게 하다(offend); 폐를 끼치다. **-blíg·ing** *a.* 불친절한.
:dis·or·der[disɔ́:rdər] *n., vt.* Ⓤ,Ⓒ 무질서, 혼란(시키다); 소동(social unrest); 병(들게 하다). **~ed**[-d] *a.* 혼란된, 고장난; 병에 걸린. ***~·ly** *a.* 무질서한, 어수선한; 난잡한.
disórderly hóuse 매음굴(brothel); 도박장.
dis·or·gan·ize[disɔ́:rgənàiz] *vt.* (…의) 조직을[질서를] 파괴하다; 혼란시키다(confuse). **-i·za·tion**[—ˌ—izéiʃən] *n.*
dis·o·ri·ent[disɔ́:riènt], **dis·o·ri·en·tate**[disɔ́:riəntèit] *vt.* (…에게) 방향[위치]감각을 잃게 하다; (…의) 머리를 혼란케 하다. **-en·ta·tion** [—ˌ—téiʃən] *n.* Ⓤ 방향감각의 상실; 《醫》 지남력 상실; 혼미.
dis·own[disóun] *vt.* (관계·소유·의무 따위를) 부인하다; 의절하다.
dis·par·age[dispǽridʒ] *vt.* 얕보다(belittle); 헐뜯다(depreciate). **~·ment** *n.* **-ag·ing·ly** *ad.* 경멸하여; 비난하여.
dis·pa·rate[díspərit] *a.* 본질적으로 다른.
dis·par·i·ty[dispǽrəti] *n.* Ⓤ,Ⓒ 다름, 상이; 불균형.
dis·pas·sion·ate [dispǽʃənit] *a.* 냉정한(calm); 공평한(impartial). **~·ly** *ad.*
:dis·patch[dispǽtʃ] *vt., vi.* 급송[급파]하다; (일·식사를) 재빨리 처리하다[마치다]; (사람을) 해치우다[죽이다]. — *n.* Ⓤ 발송, 급송, 급파; 신속한 조처; Ⓤ,Ⓒ 살해, 처형. ***happy*** ~ 할복. ***with*** ~ 재빠르게.
dispátch bòx (공문서의) 송달함.
dispátch nòte (국제 우편 소화물에 다는) 꼬리표.
***dis·pel**[dispél] *vt.* (*-ll-*) 쫓아 버리다; 흩뜨리다.
dis·pen·sa·ble[dispénsəbəl] *a.* 없어도 좋은(not essential); 과히 중요치 않은; 《가톨릭》 특면(特免)될 수 있는.
dis·pen·sa·ry[dispénsəri] *n.* Ⓒ 약국, 무료 진료소, (학교 등의) 양호실.
dis·pen·sa·tion [dìspənséiʃən, -pen-] *n.* ① Ⓤ,Ⓒ 분배; 시여(施與). ② Ⓤ 조제(調劑). ③ Ⓤ (하늘의) 섭리, 하늘의 뜻; 하늘이 준 것. ④ Ⓤ (어떤 특별한) 관리, 지배; 제도(regime). ⑤ Ⓤ 《가톨릭》 특면(特免); Ⓒ 《神》 천계법(天啓法), 율법.
dis·pen·sa·to·ry [dispénsətɔ̀:ri/-təri] *n.* Ⓒ 약품 해설서, 약전 주해서. — *a.* 분배의, 시여하는.
dis·pense**[dispéns] *vt.* ① 분배하다. ② 조제하다. ③ 실시하다. ④ (의무를) 면제하다(*from*). ⑤ 《가톨릭》 (타교도와의 결혼 등을) 특면하다. — *vi.* 면제하다; 특면하다. ~ ***with …의 수고를 덜다; 면제하다(exempt); 없이 마치다(do without).
dis·pens·er[dispénsər] *n.* Ⓒ ① 약제사, 조제사. ② 분배자, 시여하는 사람; 실시[실행]자. ③ 필요한 만큼 인출하는 용기《우표 자동 판매기(stamp ~), 자동 현금 인출기(cash ~), 휴지를 빼내 쓰게 된 용기 등》.
dis·peo·ple[dispí:pəl] *vt.* (…의) 주민을 전멸시키다; (…의) 인구를 감소시키다(depopulate).
***dis·perse**[dispə́:rs] *vi., vt.* 흩어지다, 흩뜨리다; 분산하다[시키다]. **-per·sal**[-əl], **-per·sion**[-pə́:rʃən, -ʒən] *n.* Ⓤ 산란, 산포; 분산; 소산(消散). **-pér·sive** *a.*
dis·pir·it[dispírit] *vt.* 낙담시키다.
dis·place**[displéis] *vt.* 바꾸어 놓다, 이동시키다; 면직하다; (…의) 대신 들어서다, 대치하다; 《海》 배수하다. **~*d person (전쟁) 유민(流民), 난민. ***Displaced Persons Act*** 《美》 난민 보호법(1948). ***~·ment** *n.* Ⓤ 바꿔 놓음, 이동, 대체; 면직; 《海》 배수량(cf. tonnage); 《機》 배기량; 《心》 감정 전이(感情轉移).
:dis·play[displéi] *vt.* 보이다, 진열하다; (기 따위를) 올리다; 펼치다; 과시하다. — *n.* Ⓤ,Ⓒ 진열, 전시; 표시, 과시; 《印》 (돋보이게 하기 위한) 특별 조판; 《컴》 화면 표시기, 디스플레이. ***out of*** ~ 보란 듯이.
displáy àd(vertising) (신문·잡지)의 대형 광고.
displáy tỳpe 《印》 (표제·광고용의) 대형 활자.
:dis·please[displí:z] *vt.* 불쾌하게 하다, 성나게 하다(offend). **-pléas·ing** *a.* 불쾌한, 싫은. ***-pleas·ure** [-pléʒər] *n.* Ⓤ 불쾌; 골.
dis·port[dispɔ́:rt] *vi., vt.* 놀다; 즐겁게 하다. ~ ***oneself*** 즐기다. —

D

n. U,C 즐거움, 놀이.
dis·pos·a·ble[dispóuzəbəl] *a.* 처리할 수 있는, 마음대로 할〔쓸〕 수 있는; 사용 후 버릴 수 있는.
dispósable íncome 가처분 소득, (세금을 뺀) 실수입.
:dis·pos·al[dispóuzəl] *n.* U ① 배치(arrangement). ② 처리, 처분; 양도. ***at*** 〔***in***〕 ***a person's*** ~ …의 마음대로(되는, 쓸 수 있는).
dispósal bàg (여객기 내에 비치된) 구토용의 종이 봉지.
:dis·pose[dispóuz] *vt.* 배치하다(arrange); …할 마음이 내키게 하다(incline)(*for, to*). ~ ***of*** 처리〔처분〕하다, 결말짓다; 없애〔죽여〕버리다; 《口》 먹어치우다. — *vi.* 적당히 처치하다. ***Man proposes, God ~s.*** 《속담》 일은 사람이 꾸미되 성패는 하늘에 달렸다.
:dis·posed[-d] *a.* 하고 싶어하는; …한 기분〔성질〕의. ***be ~ to*** (do) 하고 싶은 마음이 들다. ***be well-*** 〔***ill-***〕 ~ 성품이 좋다〔나쁘다〕; 호의〔악의〕를 갖다.
:dis·po·si·tion[dìspəzíʃən] *n.* U,C ① 배치(arrangement); 처리(disposal). ② 성질, 성향.
dis·pos·sess[dìspəzés] *vt.* (…의) 소유권을 박탈하다, 빼앗다(*of*); 몰아내다. **-sés·sion** *n.*
dis·praise [dispréiz] *n., vt.* U,C 비난(하다).
dis·proof[disprú:f] *n.* U,C 반증.
dis·pro·por·tion [dìsprəpɔ́:rʃən] *n., vt.* U 불균형(되게 하다), 어울리지 않음〔않게 하다〕.
dis·pro·por·tion·ate[-it] *a.* 불균형한. **~·ly** *ad.*
dis·prove[disprú:v] *vt.* 반증〔논박〕하다(refute).
dis·put·a·ble[dispjú:təbəl] *a.* 논의의 여지가 있는, 의심스러운.
dis·pu·tant[dispjú:tənt] *n.* C 논쟁자. — *a.* 논쟁 중의.
dis·pu·ta·tion[dìspjutéiʃən] *n.* U,C 논쟁. **-tious**[-ʃəs], **dis·put·a·tive**[dispjú:tətiv] *a.* 의론〔논쟁〕을 좋아하는; 논쟁적인.
:dis·pute[dispjú:t] *vt., vi.* ① 의론〔논쟁〕하다(debate). ② 싸우다. ③ 반대〔반항〕하다(oppose). ④ 다투다, 겨루다. — *n.* U,C 논쟁, 분쟁. ***beyond*** 〔***out of, past***〕 ~ 의론의 여지 없이. ***in*** ~ 논쟁 중에(*a point in* ~ 논쟁점).
dis·qual·i·fy[diskwɑ́ləfài/-ɔ́-] *vt.* (…의) 자격을 빼앗다. ***be disqualified*** 실격하다(*from, for*). **-fi·ca·tion**[-ˌ-fikéiʃən] *n.* U 불합격, 실격; C 그 이유〔조항〕.
dis·qui·et[diskwáiət] *n., vt.* U 불안(하게 하다). **-e·tude**[-tjù:d] *n.* U 불안(한 상태).
dis·qui·si·tion[dìskwəzíʃən] *n.* C 논문, 논설(*on*).
***dis·re·gard**[dìsrigɑ́:rd] *n., vt.* U 무시(하다), 경시(*of, for*).
dis·rel·ish[disréliʃ] *n., vt.* U 혐오(하다)(dislike).
dis·re·mem·ber [dìsrimémbər] *vt., vi.* 《美口·英方》 잊다, 생각이 안 나다.
dis·re·pair[dìsripɛ́ər] *n.* U 파손「(상태).
dis·rep·u·ta·ble [disrépjətəbəl] *a.* 평판이 나쁜, 불명예스러운.
dis·re·pute[dìsripjú:t] *n.* U 악평, 평판이 나쁨; 불명예.
dis·re·spect[dìsrispékt] *n.* U,C 실례, 무례(*to*). — *vt.* 경시하다. **~·ful** *a.* **~·ful·ly** *ad.*
dis·robe[disróub] *vi., vt.* (…의) 옷〔제복〕을 벗(기)다.
***dis·rupt**[disrʌ́pt] *vi., vt.* 찢어 발기다; 분열하다〔시키다〕. ***-rúp·tion** *n.* U,C 분열; (특히 국가·제도의) 붕괴, 와해; 혼란. **-rúp·tive** *a.*
***dis·sat·is·fac·tion**[dissæ̀tisfǽkʃən] *n.* U 불만; C 불만의 원인.
:dis·sat·is·fy[dissǽtisfài] *vt.* (…에게) 불만을 주다, 만족시키지 않다. **-fied**[-d] *a.* 불만인.
***dis·sect**[disékt] *vt.* 해부〔분석〕하다. **-séc·tion** *n.*
dis·sem·ble[disémbəl] *vt.* (감정 따위를) 숨기다, 속이다(disguise); 《古》 무시하다(ignore). — *vi.* 시치미 떼다, 본심을 안 보이다. **∠r** *n.*
dis·sem·i·nate[disémənèit] *vt.* (씨를) 흩뿌리다; (사상 등을) 퍼뜨리다. **-na·tion**[-ˌ-néiʃən] *n.* U 흩뿌림. **dis·sém·i·nà·tor** *n.* C 파종자.
***dis·sen·sion**[disénʃən] *n.* U,C 의견의 차이〔충돌〕; 불화.
***dis·sent**[disént] *vi.* ① 의견을 달리하다, 이의를 말하다(*from*). ② 〖宗〗 영국 교회〔국교〕에 반대하다(*from*). — *n.* U 이의; 국교 반대. **~·er** *n.* C 반대자; (보통 D-) 비국교도(Nonconformist). **~·ing** *a.* 반대하는; 비국교파의.
dis·sen·tient[disénʃiənt] *a., n.* C 불찬성의 (사람).
dis·ser·ta·tion[dìsərtéiʃən] *n.* C 논문(treatise); 학위 논문.
dis·serv·ice[dissə́:rvis] *n.* U 학대; 위해(危害).
dis·sev·er[dissévər] *vt.* 가르다, 분리〔분할〕하다(sever). **~·ance** *n.*
dis·si·dent[dísədənt] *a., n.* C 의견을 달리하는 (사람). **-dence** *n.* U 불일치.
dis·sim·i·lar[dissímələr] *a.* 같지 않은. **~·i·ty**[-ˌ-lǽrəti] *n.*
dis·sim·i·late [disímjəlèit] *vt.* 〖音聲〗 이화(異化)시키다. **-la·tion**[-ˌ-léiʃən] *n.* U,C 이화 (작용).
dis·sim·u·late[disímjəlèit] *vt., vi.* (감정 따위를) 숨기다; 몽따다(dissemble). **-la·tion**[-ˌ-léiʃən] *n.* U,C (감정·의지 등의) 위장; 위선; 〖精神醫〗 위장《정신 이상자가 보통인을 위장하는 일》.
***dis·si·pate**[dísəpèit] *vt.* 흩뜨리다, (공포 따위를) 몰아내다; (돈·시간을) 낭비하다(waste). — *vi.* 사

라지다; 방탕하다. **-pat·ed**[-id] *a.* 방탕한. **-pa·tion**[ㅗ-péiʃən] *n.*
dis·so·cial[disóuʃəl] *a.* 반사회적인, 비사회적인(unsocial); 비사교적인(unsociable).
dis·so·ci·ate[disóuʃièit] *vt.* 분리하다(separate)(*from*); 분리해서 생각하다(opp. associate); 의식을 분열시키다. **-a·tion**[-ㅗ-éiʃən] *n.*
dissóciated personálity 〖精神醫〗 분열 인격.
dis·sol·u·ble[disáljəbəl/-ɔ́-] *a.* 용해〔해산〕할 수 있는.
dis·so·lute[dísəlùːt] *a.* 방탕한, 난봉 피우는.
*__dis·so·lu·tion__[dìsəlúːʃən] *n.* Ⓤ ① 용해, 분해(dissolving). ② 해산, 해체, 붕괴, 사멸(死滅); 해소, 해약.
:**dis·solve**[dizálv/-ɔ́-] *vt., vi.* ① 녹이다, 녹다(liquefy), 용해시키다; 분해하다(decompose). ② (의회·회사를) 해산하다; 해소시키다, 취소하다. ③ (마력·주문(呪文)을) 풀다, 깨치다. ④ (*vi.*) 〖映·TV〗 용암(溶暗)으로 장면 전환을 하다(fade in and then out). ***be ~d in tears*** 하염없이 울다. ***~ itself into*** 자연히 녹아 …이 되다. **-sólv·a·ble** *a.* **-sol·vent**[-ənt] *a., n.* 용해력이 있는; Ⓒ 용해제.
dis·so·nance[dísənəns] *n.* Ⓤ,Ⓒ 부조화(discord); 불협화. **-nant** *a.*
dis·suade[diswéid] *vt.* 단념시키다(*from*)(opp. persuade). **-sua·sion**[-ʒən] *n.* **-sua·sive**[-siv] *a.*
dis·syl·lab·ic[dìsilǽbik] *a.* 2음절의.
dis·syl·la·ble [disíləbəl] *n.* Ⓒ 2음절어.
dis·sym·me·try[dissímətri] *n.* Ⓤ,Ⓒ 비대칭, 불균형; 〖生〗 반대 대칭 《사람의 좌우 손 따위》.
dist. distance; distinguish(ed); district.
dis·taff[dístæf, -ɑː-] *n.* Ⓒ (실 자을 때의) 실 감는 막대; (물레의) 가락; (the ~) 여성.
dístaff sìde, the 모계, 어머니쪽(opp. spear side).
dis·tal[dístəl] *a.* 〖生〗 (체구의) 말초부의.
†**dis·tance**[dístəns] *n.* Ⓤ,Ⓒ 거리, 간격; 사이; 먼 데. ***at a ~*** 다소 떨어져서. ***in the ~*** 먼 곳에, 멀리. ***keep a person at a ~*** (사람을) 멀리하다, 쌀쌀〔서먹서먹〕하게 대하다. ***keep one's ~*** 가까이 하지 않다, 거리를 두다. — *vt.* 사이를〔간격을〕 두다; 앞지르다; 능가하다.
†**dis·tant**[dístənt] *a.* 먼; 어렴풋한(faint); (태도가) 쌀쌀한; 에두르는(indirect). ***a ~ relative*** 먼 친척. ***in no ~ future*** 조만간, 멀지 않아. **~·ly** *ad.* 멀리, 떨어져서; 냉담하게; 간헐적으로.
*__dis·taste__[distéist] *n.* Ⓤ (음식물에 대한) 싫은, 혐오; Ⓒ 《一般》 싫증, 염증(dislike). **~·ful** *a.*
Dist. Atty. district attorney.
dis·tem·per[1][distémpər] *n.* Ⓤ 디스템퍼《개의 병》; 사회적 불안, 소동(tumult). — *vt.* 탈나게 하다, 어지럽히다(disturb).
dis·tem·per[2] *n., vt.* Ⓤ 디스템퍼《끈끈한 채료》(로 그리다)(cf. tempera); Ⓒ 템페라 그림.
dis·tend[disténd] *vi., vt.* 부풀(리)다(expand). **-tén·sion, -tion** *n.*
dis·tich[dístik] *n.* =COUPLET.
*__dis·til(l)__[distíl] *vt.* (*-ll-*) 증류하(여 만들)다; (…의) 정수(精粹)를 뽑다(extract)(*from*); (뚝뚝) 듣게 하다. — *vi.* 뚝뚝 듣다(trickle down). **-til·land**[dístəlæ̀nd] *n.* Ⓤ,Ⓒ 〖化〗 증류물. **~·er** *n.* Ⓒ 증류기; 증류주 제조업자. **~·er·y** *n.* Ⓒ 증류소; 증류주 제조장(cf. brewery).
dis·til·late[dístəlèit, -lit] *n.* Ⓤ,Ⓒ 증류액; 증류물, 정수(精粹). **-la·tion**[ㅗ-léiʃən] *n.* Ⓤ 증류(법); Ⓤ,Ⓒ 증류액; 증류물.
:**dis·tinct**[distíŋkt] *a.* 명백〔명확〕한; 별개의, 다른(*from*). **:~·ly** *ad.* 명료〔뚜렷〕하게.
:**dis·tinc·tion**[-ʃən] *n.* ① Ⓤ 차별, 구별. ② Ⓤ 특질; 걸출, 탁월(superiority). ③ Ⓤ,Ⓒ 명예. ***a ~ without a difference*** 쓸데없는 구별짓기. ***gain ~*** 유명해지다. ***with ~*** 공훈을 세워서; 훌륭한 성적으로. ***without ~*** 차별없이.
*__dis·tinc·tive__[distíŋktiv] *a.* 독특한, 특수한. ***~·ly** *ad.* 특수〔독특〕하게. **~·ness** *n.*
:**dis·tin·guish**[distíŋgwiʃ] *vt.* 분간하다, 구별하다(~ *A from B* / ~ *between A and B*); 분류하다(classify)(*into*); 두드러지게 하다. ***~ oneself*** 이름을 떨치다; 수훈을 세우다. **~·a·ble** *a.* 구별할 수 있는. **:~ed** [-t] *a.* 저명한; 고귀한 (신분의), 상류의; 수훈(殊勳)의.
*__dis·tort__[distɔ́ːrt] *vt.* (얼굴을) 찡그리다, 비틀다; 〖電〗 (전파·음파 따위를) 일그러뜨리다; (사실을) 왜곡하다(twist). **~·ed**[-id] *a.* 일그러진, 뒤틀린, 곱새긴. **-tór·tion** *n.* Ⓤ,Ⓒ 일그러짐, 왜곡, 억지맞춤.
*__dis·tract__[distrǽkt] *vt.* (마음을) 딴데로 돌리다, 흩뜨리다(divert); (마음을) 어지럽히다; 착란시키다(madden). **~·ed**[-id] *a.* 어수선한; 광란의. ***-trác·tion** *n.* Ⓤ 정신의 흩어짐, 주의 산만; Ⓒ 기분 전환, 오락; Ⓤ 광기. ***to distraction*** 미칠듯이.
dis·train[distréin] *vt.* 〖法〗 (동산을) 압류하다(seize). **~·ee**[dìstreiníː] *n.* Ⓒ 〖法〗 피압류자. **~·er, -trai·nor** *n.* Ⓒ 〖法〗 (동산) 압류인. **ㅗt** *n.* Ⓤ 〖法〗 동산 압류.
dis·traught[distrɔ́ːt] *a.* 몹시 고민한, 마음이 상한; 마음이 산란한, 정신이 돈.
:**dis·tress**[distrés] *n.* ① Ⓤ 심통(心痛), 고통, 고민(trouble); 비탄; Ⓒ 고민거리. ② Ⓤ 고난; 재난, (배의) 조난(*a ship in ~* 난파선). ③ Ⓤ 빈궁; 피로. — *vt.* 괴롭히다; 피로하

게 하다. ~ed[-t] *a.* 궁핍한; 피로한. ~·ful *a.* 고난 많은, 비참한, 고통스런. ~·ing *a.* 괴롭히는; 비참한.
distréssed área 재해 지구(災害地區); 빈민 지구.
distréss gùn 〚海〛 조난 신호포.
distréss mèrchandise (흠이 있어 싸게 파는) 불량 상품.
distréss sèlling 출혈 투매.
distréss sìgnal 조난 신호《SOS 따위》.
dis·trib·u·tar·y [distríbjutèri/-təri] *n.* Ⓒ (본류에서 흘러나온) 지류, 분류.
:dis·trib·ute [distríbju:t] *vt.* ① 분배〔배급〕하다(deal out)(*among, to*). ② 분류하다. ③ 분포〔산포〕하다; 널리 펴다. ④ 〚論〛 확충하다, 주연하다; 〚印〛 해판(解版)하다.
:dis·tri·bu·tion [dìstrəbjú:ʃən] *n.* Ⓤ,Ⓒ 분배, 배분; 〚經〛 (부의) 분배; Ⓤ (동식물·언어 따위의) 분포 (구역); 분류.
dis·trib·u·tive [distríbjutiv] *a.* 분배〔배포〕의; 〚文〛 배분적인. — *n.* Ⓒ 〚文〛 배분사(配分詞)《*each, every,* (*n*)*either* 따위》. ~·ly *ad.* 분배하여; 따로따로. ~·ness *n.*
˙dis·trib·u·tor [distríbjətər] *n.* Ⓒ 분배〔배급·판매〕자.
:dis·trict [dístrikt] *n.* Ⓒ ① 지구, 구역, 지방. ②《英》(county를 나눈) 구. ***D- of Columbia*** (미국) 콜럼비아 특별 행정구《미국 수도의 소재지; 생략 D.C.》.
dístrict attórney 〔**cóurt**〕《美》 지방 검사〔법원〕.
dístrict hèating 지역 난방.
dístrict núrse《英》 지구 간호사, 보건원.
dístrict vísitor《英》 분교구 전도「사.
˙dis·trust [distrʌ́st] *n., vt.* Ⓤ 불신, 의혹(을 품다), 의심하다. ~·ful *a.* 신용치 않는, 의심 많은(*of*); 의심스러운(*of*). ~·ful·ly *ad.*
:dis·turb [distə́:rb] *vt.* 어지럽히다, 소란하게 하다; 방해하다, 불안하게 하다. ***Don't ~ yourself.*** 그대로 계십시오. **:∠·ance** *n.* Ⓤ,Ⓒ 소동; 방해(물); 불안.
dis·un·ion [dìsjú:njən] *n.* Ⓤ,Ⓒ 분리, 분열; 불화.
dis·u·nite [disju:náit] *vt., vi.* 분리〔분열〕하다〔시키다〕(divide).
˙dis·use [disjú:z] *vt.* 사용을 그만두다. — [-jú:s] *n.* Ⓤ 쓰이지 않음.
dis·u·til·i·ty [dìsju:tíləti] *n.* Ⓤ 비효용, 무익; 유해.
di·syl·la·ble [disíləbəl] *n.* = DISSYLLABLE.
:ditch [ditʃ] *n.* Ⓒ 도랑; (the D-)《英空·軍俗》 영국 해협, 북해(北海); 《美口》 파나마 운하. ***die in the last ~*** 죽을 때까지 분전하다. — *vt., vi.* (…에) 도랑을 파다; 도랑에 빠뜨리다〔빠지다〕; 《美俗》 (…을) 버리다, (일을) 잘 회피하다; (육상 비행기를) 해상에 불시착시키다〔하다〕.
dith·er [díðər] *n., vi.* Ⓒ (공포나 흥분에 의한) 떨림; 몸을 떨다; 전율(하다); 《口》 착란 상태.
dith·y·ramb [díθəræ̀mb] *n.* Ⓒ (보통 *pl.*) 바커스(Bacchus)의 찬가; (일반적으로) 열광시(詩)〔문(文)〕.
dit·to [dítou] *n.* (*pl.* ~*s*), *a.* Ⓤ 동상(同上)《생략 do., d°》(의); 같은 것 (*a suit of ~s*《英》 위 아래를 갖춘 옷). — *ad.* 같이, 마찬가지로. — *vt.* 복제〔복사〕하다; 되풀이하다.
dítto machìne 복사기.
dítto màrk 중복 부호《〃》.
dit·ty [díti] *n.* Ⓒ 소가곡, 소곡(小曲).
di·u·ret·ic [dàijuərétik] *a., n.* 〚醫〛 이뇨의; Ⓤ,Ⓒ 이뇨제.
di·ur·nal [daiə́:rnəl] *a.* 매일의; 낮〔주간〕의(opp. nocturnal).
div. diversion; divide(d); dividend; divine; division; divisor; divorced.
di·va [dí:və] *n.* (It.) Ⓒ (오페라의) 여성 제1 가수; 여성의 명오페라 가수.
di·va·lent [daivéilənt] *a.* 〚化〛 이가(二價)의.
di·van [daivǽn, divǽn] *n.* Ⓒ (벽가에 놓는) 긴 의자의 일종; (담배 가게에 딸린) 흡연실; (터키 등지의) 국정(國政) 회의(council), 법정.
:dive [daiv] *n.* Ⓒ 잠수; 다이빙; 〚空〛 급강하; 몰두, 탐구; 《美口》 하급 술집, 《英》 지하 식당. — *vi.* (~*d*, 《美口》 ***dove;*** ~***d***) 잠수〔잠입〕하다, 뛰어들다; 급강하하다; 갑자기 없어지다; 손을 쑥 처넣다(*into*); 몰두〔탐구〕하다.
díve-bòmb *vt.* 급강하 폭격하다.
díve bòmber 〔**bòmbing**〕 급강하 폭격기〔폭격〕.
div·er [dáivər] *n.* Ⓒ 잠수부〔함〕, 해녀, 잠수업자; 무자맥질하는 새《아비·농병아리 따위》.
˙di·verge [divə́:rdʒ, dai-] *vi.* 갈리다(cf. converge); 빗나가다, 벗어나다(deviate); (의견이) 차이지다. **-ver·gent** [-ənt] *a.* 갈리는. **-vér·gence** *n.*
˙di·vers [dáivə:rz] *a.* 여러 가지의 (various); 몇몇의, 약간의.
˙di·verse [divə́:rs, dai-, dáivə:rs] *a.* 다른; 다양한(varied), 여러가지의. ~·ly *ad.*
di·ver·si·fy [divə́:rsəfài, dai-] *vt.* 변화를 주다, 다양하게 하다.
˙di·ver·sion [divə́:rʒən, dai-, -ʃən] *n.* Ⓤ 전환(diverting); Ⓒ 기분 전환, 오락; Ⓒ 〚軍〛 견제(작전). ~·**ism** [-ìzəm] *n.* Ⓤ 편향.
˙di·ver·si·ty [divə́:rsəti, dai-] *n.* Ⓤ 다름; Ⓤ,Ⓒ 다양성.
:di·vert [divə́:rt, dai-] *vt.* ① (딴데로) 돌리다, 전환하다. ② 기분을 전환시키다(distract); 즐겁게 하다. ③ 전용(轉用)하다. ***~ oneself in*** …으로 기분을 풀다.
di·ver·ti·men·to [divə̀:rtəméntou] *n.* (*pl.* ***-ti*** [-ti:], ***-tos***) (It.) Ⓒ 〚樂〛 자유로운 기악의 모음곡.

di·ver·tisse·ment[divə́:rtismənt] *n.* (F.) Ⓒ ① 오락. ②〖樂〗가벼운 기악곡; 막간〔극중〕의 여흥《가요, 춤, 막간의 짤막한 발레 등》.
di·vest[divést, dai-] *vt.* 옷을 벗(기)다(strip)(*of*); 빼앗다(deprive)(*of*) (…에게서) 제거하다.
†**di·vide**[diváid] *vt., vi.* ① 가르다, 갈라지다, 분할하다, 나누(이)다(*up*). ② 분리〔구별〕하다(*from*). ③ 분배하다(*among, between*). ④ (의견을) 대립시키다. ⑤ 표결하다. — *n.* Ⓒ《美》분수계. ***the Great D-*** (로키 산맥의) 대분수령; (운명의) 갈림길; 죽음.
***div·i·dend**[dívidènd] *n.* Ⓒ (주식) 배당금;〖數〗피제수(被除數).
di·vid·er[diváidər] *n.* Ⓒ 분배자; 분할자〔물〕; (*pl.*) 양각기(兩脚器), 컴퍼스; 칸막이.
div·i·na·tion[dìvənéiʃən] *n.* Ⓤ 점; ⓊⒸ (종종 *pl.*) 예언; 전조; 예감.
‡**di·vine**[diváin] *a.* 신의, 신성(神性)의, 신성한(holy); 종교적인; 신수(神授)의; 신에게 바친; 비범한;《口》훌륭한(excellent). **~ *right of kings***〖史〗왕권 신수(설). ***the D- Comedy*** (Dante의) 신곡. ***To err is human, to forgive ~.*** 허물은 인지상사요 용서는 신의 소업이다《Pope》. — *n.* Ⓒ 신학자; 성직자, 목사. — *vt., vi.* 점치다, (…으로) 예언하다, 알아채다(guess). **~·ly** *ad.* **-vín·er** *n.* Ⓒ 점장이, 예언자.
‡**div·ing**[dáiviŋ] *a., n.* 잠수(용)의; Ⓤ 잠수(업); (수영의) 다이빙.
díving bèll (종 모양의) 잠수기.
díving bòard 다이빙대.
díving sùit [**drèss**] 잠수복.
divíning ròd (지하의 물·석유·광맥 따위를 찾아내는 데 쓰던) 점지팡이.
***di·vin·i·ty**[divínəti] *n.* ① Ⓤ 신성(神性), 신격. ② (the D-) 신. ③ Ⓤ 신학; (대학의) 신학부.
di·vis·i·ble[divízəbəl] *a.* 나누어지는; 분할〔분류〕할 수 있는.
‡**di·vi·sion**[divíʒən] *n.* ① Ⓤ 분할, 분배. ② ⓊⒸ 의견의 차이; 분열. ③ Ⓒ 구획, 눈금. ④ Ⓤ 나눗셈. ⑤ Ⓒ 구(區); 국(局), 부(部), 과; 학부. ⑥ Ⓒ〖軍〗사단;〖海軍〗분대. ⑦ ⓊⒸ〖園藝〗포기나누기. **~ *of labor*** 분업. **~ *of powers*** 삼권 분립. **~·al** *a.* 구분을 나타내는; 부분적인.
di·vi·sive[diváisiv] *a.*《특히》의견의 불일치를〔분열을〕일으키는, 분파적. **~·ness** *n.*
***di·vi·sor**[diváizər] *n.* Ⓒ〖數〗제수.
‡**di·vorce**[divɔ́:rs] *n., vt.* ⓊⒸ 이혼(하다); 별거; Ⓒ 분리(하다).
di·vor·cée, -cee[divɔ:rséi, -sí:] *n.* (F.) Ⓒ 이혼한 여성; 미혼자.
di·vulge[divʌ́ldʒ, dai-] *vt.* (비밀을) 누설하다, 폭로하다(disclose).
div·vy[dívi]《俗》*vt., vi.* (…을) 분배하다, 나누다(*up*); (…에게) 몫을 주다. — *n.* ⓊⒸ 분할; 몫;《英》(협동 조합의) 배당.
dix·ie, dix·y[díksi] *n.* Ⓒ (병사의 캠프용) 큰 쇠냄비.
Díx·ie Cùp[díksi-]〖商標〗(자동 판매기용) 종이컵.
Díxie·(Lànd) *n.* 미국 남부 제주(諸州)의 별칭.
D.I.Y.《英》do-it-yourself.
diz·en[dáizn, dízn] *vt.*《古》치장하다(dress gaudily).
***diz·zy**[dízi] *a., vt.* 현기증 나는, 어질어질한; 당혹한〔게 하다〕; 현기증 나게 하다. **-zi·ly** *ad.* **-zi·ness** *n.*
D.J. disk jockey; district judge; (L.) *Doctor Juris*(=Doctor of Law). **dk.** dark; deck; dock. **D.K.** don't know. **dl, dl.** deciliter(s). **D.L.** Deputy Lieutenant; Doctor of Law. **D/L** demand loan.
D làyer〖無電〗D층(層)《전리층의 「최하층」》.
D.L.F.《美》Development Loan Fund. **D.Lit., D.Litt.** Doctor of Literature 〔Letters〕. **DM** Deutsche mark. **D.M.** Doctor of Mathematics; Doctors of Medicine; Daily Mail. **dm.** decameter(s); decimeter(s). **DMA**〖컴〗direct memory access 직접 기억 장치 접근. **D.M.D.** (L.) *Dentariae Medicinae Doctor* (=Doctor of Dental Medicine). **D.M.S.** Doctors of Medical Science(s). **DMSO** dimethyl sulfoxide. **D.Mus.** Doctor of Music. **DMT** dimethyltryptamine. **DMZ** Demilitarized zone. **DN.** debit note. **D.N.** Daily News.
d — n[dæm, di:n] =DAMN.
DNA deoxyribonucleic acid.
DNB, D.N.B. Dictionary of National Biography.
D-nòtice *n.* Ⓒ《英》D통고《정부가 기밀 보전(defense)을 위해 보도기관에 대한 공표 금지 요청》.
†**do¹**[強 du:, 弱 du, də] *vt.* (***did; done***) ① 행하다, 하다; 수행하다, 실행하다. ② 처리〔학습·번역〕하다. ③ (문제를) 풀다. ④ (…의) 도움〔소용〕이 되다(serve). ⑤ (남을 위해) 해주다(*do a person a favor* 은혜를 베풀다). ⑥ 요리하다(cf. halfdone). ⑦ 매만져 가지런히 하다, 꾸미다, 손질하다. ⑧《口》여행하다(*do twenty miles a day* 하루 20마일 여행하다);《口》구경〔방문〕하다(*do Paris* 〔*the sight*〕 파리〔명소〕구경을 하다). ⑨《俗》속이다. ⑩《口》지치게 하다(*I am done up.* 녹초가 됐다). ⑪《美俗》(성행위를) 하다; (마약을) 사용하다. — *vi.* ① 행하다, 일하다, 활동〔관계〕하다. ② 소용되다(*This will do.* 이만하면 됐다). ③ 잘 해나가다, 지내다, 건강하다(*How do you do?* (1) 안녕하십니까? (2) 처음뵙겠습니다《인사》. (3) 어떻게 지내십니까?). ④ 해치우다, 끝마치다. ***do***

D

away with …을 폐지하다; 없애다; 버리다. ***do … by*** (아무를) (좋게, 나쁘게) 대우하다. ***do a person down*** 《英口》 속이다, 꼭뒤지르다. ***do for*** 《口》 망쳐 놓다; 죽이다; 《英口》 …의 신변을 돌보다; …의 소용이 되다; …의 대신이 되다. ***do in*** 《俗》 죽이다; 속이다. ***do it*** 성공하다. ***do out*** 《口》 청소하다. ***do over*** 다시하다; 《口》 개조〔개장〕하다. ***do up*** 《口》 꾸리다; (단추를) 채우다; (끈을) 매다; 수선〔청소〕하다; 《p.p. 형으로》 지치게 하다. ***do with*** 처리〔희망〕하다, 참다. ***do without*** …없이 지내다. ***Have done!*** (1) 해치워라! (2) 그만! ***have done with*** …을 끝내다, 그만두다; …와 관계를 끊다, 떨어지다. HAVE ***to do with***. — *aux. v.* ① 《의문문·부정문을 만듦》 (*Do you like it? No, I* do*n't.*). ② 《긍정문에서 강조를 나타냄》 (*He* did *come.* 정말 왔다). ③ 《부사 선행에 의한 도치》 (*Never* did *I see such a thing.*). — [du:] *n.* Ⓒ 《英俗》 사기. **do·a·ble**[dú:əbəl] *a.* 할 수 있는.

do²[dou] *n.* Ⓤ,Ⓒ 〖樂〗 (장음계의) 도.

do. ditto (It.=the same).

DOB date of birth.

dob·bin[dábin/-ɔ́-] *n.* Ⓒ 말; (순하고 일 잘하는) 농사말; 짐말.

Do·ber·man (pin·scher)[dóubərmən (pínʃər)] 도베르만《털이 짧은 테리어 개의 일종》.

doc[dak/dɔk] *n.* 《美口》 =DOCTOR 《호칭》.

do·cent[dóusənt] *n.* Ⓒ 《美》 (대학의) 비상근 강사; (미술관·박물관 등의) 안내원.

***doc·ile**[dásəl/dóusail] *a.* 유순한; 가르치기 쉬운. **do·cil·i·ty**[dousíləti, da-] *n.*

:dock¹[dák/-ɔ-] *n.* Ⓒ ① 선거(船渠), 독. ② 《美》 선창, 부두(wharf). ③ 〖空〗 격납고(hangar). ④ 〖劇〗 (무대밑) 무대 장치 창고. ***in dry*** ~ 《口》 실직하여. — *vt., vi.* ① dock에 넣다〔들어가다〕. ② (우주선이) 결합〔도킹〕하다〔시키다〕.

dock² *n.* (the ~) (법정의) 피고석.

dock³ *n.* Ⓤ,Ⓒ 〖植〗 참소리쟁이속의 식물《수영 따위》.

dock⁴ *n.* Ⓒ (동물 꼬리의) 심. — *vt.* 짧게 자르다.

dock·age[⁄-idʒ] *n.* Ⓤ 독 사용료.

dock·er[⁄-ər] *n.* Ⓒ 부두 노동자.

dock·et[dákit/-ɔ́-] *n.* Ⓒ 〖法〗 (미결) 소송 사건 일람표; 〖英法〗 판결 요록; 《美》 사무 예정표; (회의의) 협의 사항; 내용 적요(摘要); (화물의) 꼬리표. — *vt.* 소송 사건표(따위)에 써넣다; 꼬리표를 달다.

dock·ing[dákiŋ/-ɔ́-] *n., a.* Ⓤ 입거(入渠)(의); (우주선의) 결합〔도킹〕(의).

dóck-tàiled *a.* 꼬리를 자른.

dóck·yàrd *n.* Ⓒ 조선소; 《英》 해군 공창(工廠)(《美》 navy yard).

doc·o·sa·hex·a·e·nó·ic ácid [dàkəsəhèksəinóuik-/dɔ̀k-] 〖生化〗 도코사헥사엔산《어유(魚油)에 존재하는 지방산; 생략 DHA》.

†doc·tor[dáktər/-ɔ́-] *n.* Ⓒ ① 의사; 박사; 《호칭으로》 선생. ② 《俗》 (배·야영의) 쿡, 주방장. ③ 《口》 수선하는 사람. ***be under the*** ~ 의사의 치료를 받고 있다. — *vt.* 치료하다; 《口》 수선하다. **~·al**[-tərəl] *a.* 박사의; 학위〔권위〕 있는. **~·ate**[-it] *n.* Ⓒ 박사 학위.

doc·tri·naire[dàktrənέər/-ɔ̀-] *n., a.* Ⓒ 공론가(空論家), 순이론가; 공론적인.

:doc·trine[dáktrin/-ɔ́-] *n.* Ⓤ,Ⓒ ① 교의, 교리. ② 주의, 학설. **doc·tri·nal**[dáktrənəl/dɔktráiـ, dɔ́ktri-] *a.* 교의〔교리〕의; 학리상의.

doc·u·dra·ma [dákjədrӕmə, -drà:mə/dɔ́kjə-] *n.* Ⓒ 사실을 바탕으로 한 TV 드라마.

:doc·u·ment[dákjəmənt/-ɔ́-] *n.* Ⓒ ① 문서, 서류; 증서; 기록, 문헌. ② 증거(가 되는 것). ***classified ~s*** 〖軍〗 기밀서류. — [-mènt] *vt.* ① 문서로 증명하다, 문서〔증서〕를 교부하다. ② 증거를 제공하다.

:doc·u·men·ta·ry[dàkjəméntəri/dɔ̀k-] *a.* ① 문서〔증서〕의〔에 의한〕. ② 〖映·放〗 기록물의. — *n.* Ⓒ 〖映·放〗 다큐멘터리, 기록물. ***a ~ bill*** 〖商〗 화환(貨換)어음.

doc·u·men·ta·tion [dàkjəmentéiʃən, -mən-/dɔ̀k-] *n.* Ⓤ ① 증서 교부; 문서 제시. ② 〖컴〗 문서화.

DOD Department of Defense 《美》 국방부.

dod·der[dádər/-ɔ́-] *vi.* 흔들리다; (쇠약·노령으로) 비틀〔비실〕거리다.

do·dec·a·gon[doudékəgàn/-gən] *n.* Ⓒ 〖幾〗 12각형.

do·dec·a·pho·ny[doudékəfòuni] *n.* Ⓤ 〖樂〗 12음 작곡(법). **-phon·ic** [doudèkəfánik/-ɔ́-] *a.*

dodge**[dadʒ/-ɔ-] *vi.* ① 홱 몸을 피하다(*about*), 살짝 숨다. ② 속이다. — *vt.* ① 날쌔게 피하다〔비키다〕. ② 말을 둘러대다; (질문을) 피하다 (evade). ~ ***behind …뒤에 숨다. — *n.* Ⓒ ① 몸을 돌려 피함. ② 《口》 속임수; 묘안. **dódg·er** *n.* Ⓒ ~하는 사람; 교활한 놈; 《美》 작은 전단; 《美南部》 corn bread의 일종.

dódge bàll 도지볼; 피구.

dodg·em[dádʒəm/-ɔ́-] (< *dodge them*) *n.* (the ~s) 꼬마 전기 자동차의 충돌(회피) 놀이.

dodg·y[dádʒi/dɔ́-] *a.* 교묘히 도망치는; 속임수가 능한, 교활한; 교묘한; 위험한.

do·do[dóudou] *n.* (*pl.* **~(e)s**) Ⓒ 도도《지금은 멸종한 날지 못하는 큰 새》; 《俗》 구식 사람, 얼간이.

doe[dou] *n.* Ⓒ (사슴·토끼 따위의) 암컷(cf. buck¹).

***do·er**[dú:ər] *n.* Ⓒ 행위자; 실행가.

†does[強 dʌz, 弱 dəz] *v.* do¹의 3인

칭·단수·직설법 현재.
†**does·n't**[dʌ́znt] does not의 단축형.
doff[dɑf, -ɔː-/-ɔ-] (<do[1]+off) *vt.* (모자 따위를) 벗다(take off)(opp. don[1]); (습관·태도 등을) 버리다.
†**dog**[dɔːg/-ɔ-] *n.* Ⓒ ① 개; 수캐; (여우·이리 따위의) 수컷. ② (the D-) 〖天〗 개자리. ③《口》망나니, 녀석(fellow). ④《口》허세, 겉꾸밈, 과시. ⑤ =FIREDOG. ***a ~ in the manger*** 심술꾸러기. ***a ~'s age*** 《美口》장기간. ***a ~'s chance*** 거의 없는 가망. ***~ eat ~*** 동족 상잔, 함께 망함. ***~'s life*** 비참한 생활. ***~s of war*** 전쟁의 참화. ***Every ~ has his day.*** 《속담》누구나 한 번은 때가 있다. ***Give a ~ an ill name, and hang him.*** 한 번 낙인 찍히면 마지막이다. ***go to the ~s*** 《口》영락하다. ***keep a ~ and bark oneself*** 《口》(남은 놀려 두고) 남이 할 일까지 전부 자기가 해 치우다. ***put on the ~*** 《美口》젠체하다. ***teach an old ~ new tricks*** 노인에게 새 방식을 가르치다. ***throw to the ~s*** 내버리다. — *vt.* (***-gg-***) 미행하다, 뒤를 따르다(follow).
dóg·bàne *n.* Ⓒ 〖植〗 개정향풀속의 식물《약용》.
dóg·càrt *n.* Ⓒ 2륜 마차의 일종; 개(가 끄는) 수레.
dóg·càtcher *n.* Ⓒ 들개 포획인.
dóg-chéap *a., ad.* 《美口》갯값의[으로].
dóg cóllar ① 개의 목걸이. ② 《口》(목사 등의) 세운 칼라.
dóg dàys 삼복, 복중.
doge[doudʒ] *n.* Ⓒ 〖史〗 (옛 Venice, Genoa 공화국의) 총독.
dóg-eàr *n.* =DOG'S-EAR. 「의.
dóg-èat-dóg *a.* 먹느냐 먹히느냐
dóg·fàce *n.* Ⓒ《美俗》군인,《특히》보병; 인기 없는 사내.
dóg fàncier 애견가; 개장수.
dóg·fight *n.* Ⓒ 개싸움; (치열한) 공중전; 난전, 난투.
dóg·fish *n.* Ⓒ 〖魚〗 돔발상어.
*__dog·ged__[∠id] *a.* 완고한. **~·ly** *ad.*
dog·ger·el[dɔ́ːgərəl/-ɔ́-] *n.* Ⓤ 서투른 시. — *a.* 빈약한, 서투른.
dog·gery[dɔ́(ː)gəri, dɑ́g-] *n.* ① Ⓤ (개처럼) 비열한 행동. ②《집합적》개(들); 하층민(rabble). ③ Ⓒ 《美俗》대폿집.
dog·gie, -gy[dɔ́ːgi/-ɔ́-] *n., a.* Ⓒ 강아지; 멍멍(dog); 개의.
dóggie bàg 식당 등에서 손님이 먹고 남은 음식을 넣어주는 종이 봉지.
dog·go[dɔ́ːgou] *ad.* 《俗》몰래 숨어서, 남의 눈을 피하며(*lie ~* 꼼짝 않고 있다, 숨어 있다).
dóg·hòle *n.* Ⓒ 개구멍; 누추한 곳.
dóg·hòuse *n.* Ⓒ 개집. ***in the ~*** 《俗》인기를 잃고, 체면이 깎여.
dóg Làtin 변칙 라틴어.
dóg·lèg *a., n.* Ⓒ (개의 뒷다리처럼) 급각도로 휜 (것).
*__dog·ma__[dɔ́ːgmə, -ɑ́-/-ɔ́-] *n.* ① Ⓤ,Ⓒ 교의, 교조(教條), 교리. ② Ⓒ 독단적 의견.
*__dog·mat·ic__ [dɔːgmǽtik, dɑg-/dɔg-], **-i·cal**[-əl] *a.* ① 독단적인. ② 교의(教義)의, 교리의.
*__dog·ma·tism__[dɔ́ːgmətìzəm, dɑ́g-/dɔ́g-] *n.* Ⓤ 독단론; 교조주의. **-tist** *n.* Ⓒ 독단론자. **-tize**[-tàiz] *vi., vt.* 독단적으로 주장하다[말하다, 쓰다].
do-good·er[dúːgúdər] *n.* Ⓒ《口》《蔑》(공상적) 사회 개량가. **-ism** [∠∠izəm] *n.*
dóg pàddle 개헤엄.
dóg-póor *a.* 몹시 가난한.
dóg ròse 찔레의 일종.
dóg's àge 《口》장기간.
dóg's brèakfast 《口》엉망진창.
dóg's-èar *n.* Ⓒ (페이지 귀퉁이의) 접힘. — *vt.* (책의) 페이지 모서리를 접다. **~ed** *a.*
dóg slèd 개썰매.
dóg·slèep *n.* Ⓤ 겉잠, 풋잠.
dóg sóldier 고참병.
Dóg Stàr =SIRIUS; =PROCYON.
dóg-tàg *n.* Ⓒ (개의) 감찰;《軍俗》(군인의) 인식표.
dóg-tíred *a.* 《口》녹초가 된.
dóg·tòoth *n.* Ⓒ 송곳니.
dóg·tròt *n.* Ⓒ 종종걸음.
dóg·wàtch *n.* Ⓒ 〖海〗 (2시간 교대의) 절반 (당)직.
dóg·wòod *n.* Ⓒ 〖植〗 말채나무.
doi·ly[dɔ́ili] *n.* Ⓒ 도일리《꽃병 따위 받침용의 레이스 또는 종이 냅킨》.
*__do·ing__[dúːiŋ] *n.* Ⓤ ① 행위, 실행. ② (*pl.*) 행실, 소행; 행동.
dó-it-yoursélf *a.* 《口》(조립·수리 따위) 손수하는, 자작의. **~er** *n.* Ⓒ 자작 취미가 있는 사람.
dol. dollar(s).
Dól·by sỳstem[dóulbi-] 돌비 방식《녹음 테이프의 잡음을 줄이는 방법; 商標名》.
dol·drums[dɑ́ldrəmz, dóul-/-ɔ́-] *n. pl.* (the ~) (적도 부근의) 무풍대; 의기소침, 침울.
*__dole__[1][doul] *n.* ① Ⓒ (약간의) 시여(물). ② (the ~)《英口》실업 수당. ***be* [*go*] *on the ~*** 실업 수당을 받고 있다. — *vt.* 짤름거리다(*out*).
dole[2] *n.* Ⓤ 《古》비탄(sorrow, grief). *__∠·ful__ *a.* 슬픔에 잠긴(sad); 음침한(dismal).
dol·er·ite [dɑ́lərài̇t/dɔ́l-] *n.* Ⓤ 〖鑛〗 조립(粗粒) 현무암.
dol·i·cho·ce·phal·ic[dɑ̀likousəfǽlik/dɔ̀likousəfǽlik] *a.* 장두(長頭)의(opp. brachycephalic).
†**doll**[dɑl, dɔːl/dɔl] *n.* Ⓒ 인형; (머리는 둔한) 인형 같은 미녀;《俗》(매력있는) 젊은 여자. — *vt., vi.*《俗》차려입다; 멋내다(*~ oneself up*).
†**dol·lar**[dɑ́lər/-ɔ́-] *n.* Ⓒ 달러(지폐·은화)《생략 $》. ***bet one's bottom ~*** 《美口》전재산을 걸다; 확신하다. ***earn an honest ~*** 정직하게 벌다.
dóllar crísis [**gàp**] 〖經〗 (수입 초

과로 인한) 달러 위기〔부족〕.
dóllar diplòmacy 달러 외교.
dóll·hòuse *n.* Ⓒ 인형의 집; 장난감 같이 작은 집(《英》 doll's house).
*__dol·ly__[dáli/dɔ́-] *n.* Ⓒ 《兒》 인형; 〖映·TV〗 이동식 촬영대.
dólly shót 〖映·TV〗 이동 촬영.
dol·man[dálmən/-ɔ́-] *n.* (*pl.* **~s**) Ⓒ 돌먼(《소매가 케이프 같이 넓은 여성용 망토》); (터키 사람의) 긴 외투.
dol·men[dálmən, dóulmen/dɔ́lmen] *n.* Ⓒ 〖考〗 돌멘, 고인돌(cromlech).
do·lo·mite[dóuləmàit, dál-/dɔ́l-] *n.* Ⓤ 〖鑛〗 백운석.
do·lor, 《英》 **-lour**[dóulər] *n.* Ⓤ 《詩》 비애(sorrow).
dol·or·ous[dálərəs, -óu-/-ɔ́-] *a.* 《詩·諧》 슬픈.
*__dol·phin__[dálfin/-ɔ́-] *n.* Ⓒ 돌고래.
dolt[doult] *n.* Ⓒ 얼간이, 바보.
-dom[dəm] *suf.* '지위·세력·범위·…계·기질·상태' 등의 뜻: free*dom*, king*dom*, official*dom*.
*__do·main__[do*u*méin] *n.* ① Ⓒ 영토, 영역(territory); 토지. ② Ⓒ (활동·연구 등의) 범위, 영역. ③ Ⓤ 〖法〗 토지소유권.
‡**dome**[doum] *n.* Ⓒ ① 둥근 천장〔지붕〕; 둥근 꼭대기. ② 반구(半球)형의 것. ③ 《詩》 대가람. **~d**[-d] *a.*
Dómes·day Bòok[dú:mzdèi-] 〖英史〗 토지 대장(《1086년 William I 가 만들게 한 잉글랜드 전역의》).
‡**do·mes·tic**[do*u*méstik] *a.* ① 가정(내)의, 가사(家事)의. ② 가정에 충실한, 가정적인. ③ 국내〔자국(自國)〕의. ④ 국산의; 자가제의. ⑤ (사육되어) 길들여진. — *n.* Ⓒ 하인, 하녀; (*pl.*) 국산품.
doméstic affáirs 가사.
doméstic ánimal 가축.
*__do·mes·ti·cate__[do*u*méstəkèit] *vt.* ① 길들이다(tame). ② (이민·식물 등을) 토지에 순화(順化)시키다. ③ 가정〔가사〕에 익숙하게 하다. **-ca·tion**[—ˌ—kéiʃən] *n.*
doméstic demànd 〖經〗 내수(內需).
doméstic dùck 집오리.
doméstic ecónomy 가계(家計).
doméstic fówl 가금(家禽).
demèstic índustry 가내 공업.
do·mes·tic·i·ty[dòumestísəti] *n.* Ⓤ 가정적임; 가정 생활(에의 애착); (보통 *pl.*) 가사(家事).
doméstic relátions còurt 가정 법원.
doméstic scíence 가정학.
doméstic víolence 〖社〗 가정내 폭력.
dom·i·cile[dáməsàil, -səl/dɔ́m-] *n.* Ⓒ 주소; 주거; 〖商〗 어음 지급지.
*__dom·i·nant__[dámənənt/dɔ́m-] *a.* 우세한(ascendant), 지배적인; 〖遺傳〗 우성한; 〖樂〗 딸림음의, 속음의. — *n.* Ⓒ 〖遺傳〗 우성(형질); 〖樂〗 딸림음. **-nance** *n.* Ⓤ 우세, 우월; 지배; 〖遺傳〗 우성.
*__dom·i·nate__[dámənèit/dɔ́m-] *vt.* ① 지배하다. ② (격정을) 억제하다(*over*). ③ (…위에) 우뚝 솟다, 우세하다. — *vi.* ① 지배하다, 위압하다. ② 치솟다(tower). *__-na·tion__[ˌ—néiʃən] *n.*
dom·i·neer[dàməníər/dɔ̀m-] *vi.* 권력을 휘두르다; 뻐기다(*over*); 우뚝 솟다. **~·ing** *a.*
Dom·i·nic[dámənik/dɔ́m-], **Saint** (1170-1221) 스페인의 수도사, 도미니크교단의 개조.
Dom·i·ni·ca [dàməní:kə, dəmínəkə/dɔ̀miní:kə] *n.* 서인도 제도의 한 섬. **Do·min·i·can**[dəmínikən] *a., n.* Ⓒ St. Dominic의; 도미니크교단의 (수도사); 도미니카 공화국의 (주민).
do·min·i·cal[dəmínikəl] *a.* 주의, 예수의; 주일의. ***the ~ day*** 주일, 일요일. ***the ~ letter*** 주일 문자(《교회력에서 그해의 일요일을 표시하는 A에서 G까지 중의 한 자》). ***the ~ year*** 서기(西紀), 서력.
Domínican Repúblic, the 도미니카공화국(《수도 Santo Domingo》).
*__do·min·ion__[dəmínjən] *n.* ① Ⓤ 통치권, 주권(sovereignty); 〖法〗 소유권. ② Ⓤ 통치, 지배(rule)(*over*). ③ Ⓒ 영토; (the D-)(영연방) 자치령(*the ~ (of Canada)* 캐나다).
dom·i·no[dámənòu/dɔ́m-] *n.* (*pl.* **~(e)s**) Ⓒ 후드가 붙은 겉옷(을 입은 사람); 무도회용의 가면; 도미노패(牌), (*pl.*) 《단수 취급》 도미노 놀이; 《俗》 타도의 일격, 최종적 순간.
don[1] [dɑn/-ɔ-] (<do[1]+on) *vt.* (***-nn-***) 걸치다, 입다(opp. doff).
don[2] *n.*(D-)스페인의 남자의 경칭; Ⓒ 명사; 《口》 명수, 능수꾼; 《口》(영국 대학의) 학감(學監)(head)·지도교수(tutor)·특별 연구원(fellow).
do·nate[dóuneit, —ˊ] *vt., vi.* 기증〔기부〕하다; 주다. *__do·ná·tion__ *n.* Ⓤ 기증, 기부; Ⓒ 기부금, 기증품.
†**done**[dʌn] *v.* do[1]의 과거분사.
do·nee[douní:] *n.* Ⓒ 기증받는 사람, 수증자(受贈者).
don·gle[dɑŋgl/dɔŋ-] *n.* Ⓒ 〖컴〗 동글(《소프트웨어 보호 장치의 하나》).
don·jon[dʌ́ndʒən, -á-/-ɔ́-] *n.* Ⓒ 아성(牙城), 내성.
Don Ju·an[dàn dʒú:ən, dàn wá:n/dɔ̀n-] 돈후안(《전설상의 스페인의 방탕한 귀족》); 난봉꾼, 엽색꾼.
‡**don·key**[dáŋki/-ɔ́-] *n.* Ⓒ 당나귀(ass); 멍텅구리; 고집통이.
dónkey èngine 〖機〗 (소형의) 증기 기관.
dónkey's yèars 《俗》 매우 오랜동안(《donkey's ears의 익살》).
dónkey wòrk 단조롭고 고된 일.
Donne[dʌn], **John** (1573-1631) 영국의 (종교) 시인.
「자.
do·nor [dóunər] *n.* Ⓒ 기증〔기부〕
dó-nòthing *a., n.* 아무 것도 하지 않는; Ⓒ 게으름뱅이.
Don Quix·o·te [dàn ki*h*óuti, -kwíksət/dɔ̀n kwíksət] 돈키호테

《스페인 작가 Cervantes의 풍자 소설 및 그 주인공》.

†**don't**[dount] do not의 단축. — *n.* Ⓒ (보통 *pl.*) 《口》 금지 조항서 (cf. must[1]).

doo·dad[dú:dæ̀d] *n.* Ⓒ 《美口》 싸구려 장식품; 장치.

doo·dle[dú:dl] *n., vt., vi.* Ⓒ 낙서(하다)《생각 등에 잠겨》.

dóodle·bùg *n.* Ⓒ 《美方》 【蟲】 개미귀신; 《英口》 =BUZZ BOMB.

:**doom**[du:m] *n.* Ⓤ ① (흔히, 나쁜) 운명. ② 파멸, 죽음. ③ (신이 내린) 최후의 심판. ***till the crack of*** ~ 세상의 종말까지. — *vt.* ① (…의) 운명을 정하다(*to*). ② 선고하다.

dooms·day[⌐zdèi] *n.* Ⓒ 세계의 종말; 최후의 심판일.

†**door**[dɔ:r] *n.* Ⓒ ① 문, 문짝. ② 출입구, 문간. ③ 한 집. ***answer the*** ~ 손님맞으러 나가다. ***in*** 〔***out of***〕 ~***s*** 집안〔집밖〕에서. ***lay ... at the*** ~ ***of a person*** …을 아무의 탓〔책임〕으로 돌리다. ***next*** ~ ***but one*** 한 집 건너 이웃. ***next*** ~ ***to*** …의 이웃에; 거의. ***show a person the*** ~ 쫓아내다.

·**dóor·bèll** *n.* Ⓒ (현관의) 초인종.

dóorbell púsher 《俗》 (선거 따위의) 운동원.

dóor·càse *n.* Ⓒ 문틀.

dóor chéck 〔**clòser**〕 도어체크《문이 천천히 닫히게 하는 장치》.

dóor·kèeper *n.* Ⓒ 문지기.

dóor·knòb *n.* Ⓒ 문의 손잡이.

dóor·màn *n.* Ⓒ (호텔·나이트 클럽 등의) 문 열어주는 사람.

dóor màt 신발 흙털개; 《口》 (억울해도) 잠자코 있는 사람.

dóor mòney 입장료.

dóor·nàil *n.* Ⓒ 문에 박는 대갈못 (*as dead as a* ~ 완전히 죽어).

dóor òpener (잠긴) 문을 여는 기구; 《口》 외판원이 집에 들어가기 위해 주는 선물.

dóor·plàte *n.* Ⓒ 문패.

·**dóor·stèp** *n.* Ⓒ 현관 계단.

:**dóor·wày** *n.* Ⓒ 문간, 입구.

dóor·yàrd *n.* Ⓒ 《美》 문앞 뜰.

D.O.P. developing-out paper 【寫】 현상 인화지.

dop·ant[dóupənt] *n.* Ⓤ 【化】 doping을 위해 반도체에 첨가하는 소량의 화학적 불순물.

dope[doup] *n.* Ⓤ 진한〔죽 모양의〕 액체; 도프 도료《비행기 날개 따위에 칠하는 도료》; 《俗》 마취약, (경마말에 먹이는) 흥분제; 《美俗》 경마 정보. — *vt.* 도프를 바르다; 《俗》 (…에) 마약을〔흥분제를〕 먹이다.

dópe fiend 《美俗》 마약 상용자.

dope·ster[⌐stər] *n.* Ⓒ 《口》 예상가, 정보에 밝은 사람.

dop·ey[dóupi] *a.* 《口》 마약에 마취된 것 같은; 멍한; 얼간이의.

Dóp·pler effèct 〔**shift**〕 [dáplər-/-ɔ́-] 【理】 도플러 효과〔이동〕.

Dor·ic[dɔ́:rik, dár-/dɔ́r-] *a., n.* (옛 그리스의) Doris 지방의; Ⓒ 【建】 도리아식(式)(의).

dorm[dɔ:rm] *n.* 《美口》 =DORMITORY.

·**dor·mant**[dɔ́:rmənt] *a.* 잠자는; 휴지중인(inactive), 정지한. ~ ***volcano*** 휴화산. **dór·man·cy** *n.* Ⓤ 휴면 상태.

dór·mer (**wíndow**) [dɔ́:rmər(-)] *n.* Ⓒ 지붕창(의 돌출부).

:**dor·mi·to·ry**[dɔ́:rmətɔ̀:ri/-təri] *n.* Ⓒ ① 《美》 기숙사. ② 《英》 교외 택지(= ~ town, bedroom suburb).

dor·mouse [dɔ́:rmàus] *n.* (*pl.* ***-mice***[-màis]) Ⓒ 【動】 산쥐류(類).

dor·my, -mie[dɔ́:rmi] *a.* 【골프】 (매치 플레이에서) 남은 홀(hole) 수만큼 이겨나가고 있는.

dor·sal[dɔ́:rsəl] *a.* 등의. ~ ***fin*** 등지느러미.

Dor·set·(**shire**)[dɔ́:rsit(ʃìər, -ʃər)] *n.* 영국 남서부의 주《생략 Dors.》.

DOS 【컴】 disk operating system 도스, 디스크 운영 체제.

dos·age[dóusidʒ] *n.* ① Ⓤ 투약, 조제; Ⓒ (약의) 복용량; (X선 방사 등의) 적응량. ② Ⓤ (포도주의 품질 개량을 위한) 당밀·브랜디 따위의 첨가〔섞음질〕.

·**dose**[dous] *n., vt.* ① Ⓒ (약의) 1회분. ② (…에) 투약하다, 복용시키다; (…에게) 약을 지어주다.

dos·si·er[dásièi/-ɔ́-] *n.* (F.) Ⓒ (일건) 서류.

dost[強 dʌst, 弱 dəst] *v.* 《古》 thou가 주어일 때의 do[1].

Dos·to·ev·ski[dàstəjéfski/-ɔ́-], **Feodor**(1821-81) 러시아의 소설가.

:**dot**[dat/-ɔ-] *n., vt., vi.* (***-tt-***) ① Ⓒ 점(을 찍다). ② 점재(點在)시키다(*with*). ~ ***the i's and cross the t's*** 세세한 데까지 (소홀히 않고) 분명하게 하다. ***off one's*** ~ 《英俗》 얼이 빠져; 정신이 돌아. ***on the*** ~ 《口》 제시간에. ***to a*** ~ 《美》 정확히, 완전히.

dot·age[dóutidʒ] *n.* Ⓤ 노망; 익애(溺愛).

do·tard[dóutərd] *n.* Ⓒ 노망든 사람.

dote[dout] *vi.* 노망들다; 익애하다(*on, upon*). **dót·er** *n.* **dót·ing** *a.*

doth[強 dʌθ, 弱 dəθ] *v.* 《古》 = DOES.

dót mátrix prìnter, dót prìnter 【컴】 점행렬 프린터《점을 짜맞추어 글자를 표현하는 인쇄 장치》.

dot·ted[dátid/-ɔ́-] *a.* 점이 있는, 점을 찍은; 점재한. ~ ***line*** 점선. ***sign on the*** ~ ***line*** 무조건 승낙하다.

dot·ty[dáti/dɔ́-] *a.* ① 《口》 정신이 이상한, …에 열중한(*about*); 다리를 저는, 휘청휘청하는. ② 점이 많은, 점투성이의.

Dou·ay[du:éi] *n.* 프랑스 북부의 도시.

Dóuay Bíble 〔**Vérsion**〕, **the** 【가톨릭】 두에이 성서《Latin Vulgate로부터의 영역(英譯)》.

†**dou·ble**[dʌ́bəl] *a., ad.* ① 2배의〔로〕, 2중의〔으로〕. ② 짝〔쌍〕의 (coupled). ③ 〖植〗 겹꽃의, 중판의. ④ 표리가 있는, 거짓의. ⑤ 모호한. ***play*** ~ 쌍방에 내통하다. ***ride*** ~ (말에) 합승하다. ***see*** ~ (취해서) 물건이 둘로 뵈다. ***sleep*** ~ 동침하다 (lie with). ── *vt.* ① 2배 하다, 2중〔두겹〕으로 하다. ② 겹치다, 접다 (fold). ③ (주먹을) 쥐다. ④ 〖劇〗 (혼자서) (…의) 2역을 하다. ⑤ 〖海〗 (곶을) 회항하다. ── *vi.* ① 2배가〔2중이, 두 겹이〕 되다. ② 달리다. ③ 급히 몸을 돌리다〔돌다〕. ④ 일을 겸하다. ⑤ 〖野〗 2루타를 치다. ~ ***back*** 되돌리다; 몸을 홱 되돌려 달리다. ~ ***up*** 한 방을 쓰(게 하)다; 몸을 굽히다; 개키다, 접(히)다; 〖野〗 병살하다. ── *n.* ① Ⓤ,Ⓒ (두)배. ② Ⓒ 아주 비슷한 것〔사람〕; 〖劇〗 대역. ③ Ⓒ 되돌아 옴. ④ Ⓒ 속임수. ⑤ Ⓒ 접어 겹친 것; 주름. ⑥ Ⓒ 〖軍〗 구보. ⑦ Ⓒ 〖野〗 2루타. ⑧ (*pl.*) 복식 경기, 더블스. ⑨ Ⓒ 〖競馬〗 복식. ***be a person's*** ~ 아무를 꼭 닮다, 빼쏘다. ***on*** 〔***at***〕 ***the*** ~ 《口》 속보로. **∠·ness** *n.* **dóu·bly** *ad.* 2배로; 2중〔두겹〕으로.

dóuble ágent 이중 간첩.

dóuble-bárrel(l)ed *a.* 쌍총열의, 2연발의; 이중 목적의, 애매한.

dóuble báss =CONTRABASS.

dóuble bassóon 〖樂〗 더블바순, 콘트라바순.

dóuble béd 더블베드, 2인용 침대.

dóuble bíll 〔**féature**〕 (영화·연극의) 2편 동시 상영.

dóuble-blìnd tést 〖醫〗 이중맹검사법《신약 효과의 검사법》.

dóuble bóiler 이중 냄비〔밥솥〕.

dóuble-bréasted *a.* (상의가) 더블인.

dóuble chín 이중턱.

dóuble-clíck *vt.* 〖컴〗 딸깍딸깍 하다《마우스 (저장)테의 단추를 두 번 눌러 고르는 일》.

dóuble clóth 이중직(二重織).

dóuble-cróp *vt.* (**-pp-**) 〖農〗 이모작하다. ── *vi.* (토지를) 이모작으로 사용하다.

dóuble crópping 〖農〗 이모작.

dóuble cróss 《口》 배반.

dóuble-cróss *vt.* 《口》 기만하다, 배반하다, 속이다.

dóuble dágger ⇨DAGGER.

dóuble dáte 《美口》 남녀 두 쌍의 합동 데이트.

dóuble-déaler *n.* Ⓒ 언행에 표리가 있는 사람, 협잡꾼.

dóuble-déaling *n.* Ⓤ 표리있는 언행; 사기. ── *a.* 표리있는, 불성실한.

dóuble-décker *n.* Ⓒ 2중 갑판의 배; 이층 버스〔전차〕.

dóuble dígit 두 자리의(의).

dóuble dòme 《俗》 지식인, 인텔리 (egghead).

dóuble dóor 양쪽으로 여(닫)는 문.

dóuble Dútch 통 알아 들을 수 없는 말.

dóuble-édged *a.* 양날의; (의론 따위) 모호한.

dou·ble-en·ten·dre[dú:blɑ:n-tɑ́:ndrə] *n.* (F.) Ⓒ 두 가지 뜻의 어구《그 한 쪽은 야비한 뜻》.

dóuble éntry 〖簿〗 복식 부기(법).

dóuble-fáced *a.* 양면의; (언행에) 표리가 있는, 위선적인.

dóuble hárness 쌍두 마차용 마구; 결혼 생활, 협력. ***work in*** ~ 맞벌이하다.

dóuble-héader *n.* Ⓒ 〖野〗 더블헤더; 《美》 기관차를 둘 단 열차.

dóuble ímage 〖美術〗 (쉬르리얼리즘에서의) 이중상(二重像).

dóuble méaning = DOUBLEENTENDRE.

dóuble négative 〖文〗 2중 부정.

dóuble nóte 〖樂〗 배 온음표.

dóuble-páge *a.* 두 페이지에 걸친, 두 페이지 크기의.

dóuble-párk *vi., vt.* (보도에 대어 세운 차에) 나란히 주차하다〔시키다〕.

dóuble pláy 〖野〗 병살(倂殺).

dóuble precísion 〖컴〗 배(倍) 정도《하나의 수(數)를 나타내기 위하여 컴퓨터의 두 개의 워드를 사용하는 일》.

dóuble quíck =DOUBLE TIME.

dóuble-refíne *vt.* 〖冶〗 다시 정련하다.

dóuble-spáce *vi., vt.* 한 줄씩 띄어서 타자하다.

dóuble stándard 이중 표준《여성보다 남성에게 관대하게 된 성(性)도덕률》; 〖經〗 복본위제(bimetallism).

dóuble stár 〖天〗 이중성(二重星).

dóuble stéal 〖野〗 더블 스틸.

Dóuble Súmmer Tìme 《英》 이중서머타임《표준시보다 2시간 빠름》.

dou·blet[dʌ́blit] *n.* Ⓒ (14-18세기의 꼭끼는) 남자용 상의; (짝의) 한 쪽; 이중어, 자매어《같은 어원의 말; *cattle*과 *chattel, disk*와 *dish* 따위》.

dóuble táke 《口》 (희극 배우가) 처음엔 무심히 듣다가 뒤늦게 깨닫고 깜짝 놀라는 체하는 짓.

dóuble tàlk 횡설수설; 조리가 안 서는 말.

Dóuble Tén 〔**Ténth**〕, **the** 쌍십절《중국 건국 기념일; 10월 10일》.

dóuble tìme 〖軍〗 구보(cf. run).

dóuble trúck (신문의) 좌우 양면 광고〔기사〕.

dou·bloon[dʌblú:n] *n.* Ⓒ 옛 스페인의 금화 이름; (*pl.*) 《俗》 돈.

†**doubt**[daut] *n.* Ⓤ,Ⓒ 의심, 의문. ── *vt., vi.* 의심하다. ***beyond*** 〔***no, out of, without***〕 ~ 의심할 여지없이. ***give*** (*a person*) ***the*** BENEFIT ***of the*** ~. ***in*** ~ 의심하여, 망설이고. ***make no*** ~ ***of*** …을 의심하지 않다. ***throw*** ~ ***on*** 〔***upon***〕 …에 의심을 품다. ***∠·ful·ly** *ad.* ***∠·less** *ad.* 확실히.

***doubt·ful**[dáutfəl] *a.* 의심〔의혹〕을 품고 있는, 의심스러운; 의심쩍은 (uncertain) (*of*).

dóubting Thómas 의심 많은 사람.

douche[duːʃ] *n., vt., vi.* Ⓒ 〖醫〗 관수(灌水); 주수기(注水器); 관수하다.

***dough**[dou] *n.* ① Ⓤ 반죽; 굽지 않은 빵. ② 《俗》 =MONEY.

dóugh·bòy *n.* Ⓒ 《美口》 보병.

***dough·nut**[⌐nʌ̀t] *n.* Ⓒ,Ⓤ 도넛.

dough·ty[dáuti] *a.* 《古·諧》 용감한, 굳센.

dough·y[dóui] *a.* 굽지 않은 빵(dough)의 〔같은〕; 생짜의, 설구운; 창백한; 투미한. 「한; 엄한, 가혹한.

dour[duər, dauər] *a.* 뚱한, 부루퉁

:dove[1][dʌv] *n.* Ⓒ ① 비둘기. ② 온유〔순진〕한 사람; 비둘기파, 온건파(cf. hawk). 「과거.

dove[2][douv] *v.* 《美口·英方》 dive의

dóve·còte, dóve·còt *n.* Ⓒ 비둘기장, 비둘기집.

dove·let[⌐lit] *n.* Ⓒ 새끼 비둘기.

***Do·ver**[dóuvər], **the Strait(s) of** 도버 해협.

dóve·tàil *n., vt., vi.* Ⓒ 〖建〗 열장 이음(으로 하다); 꼭 들어 맞(추)다; 긴밀히 들어 맞추다.

dow·a·ger[dáuədʒər] *n.* Ⓒ 귀족의 미망인; 기품 있는 노부인. ~ ***duchess*** 공작 미망인. ***an Empress D-*** 황태후. ***a Queen D-*** 태후, 대비(大妃).

dow·dy[dáudi] *a., n.* 초라한(shabby); Ⓒ 단정치 못한 (여자); 시대에 뒤진. **dów·di·ly** *ad.*

dow·el[dáuəl] *n., vt.* Ⓒ 〖建〗 장부촉(으로 잇다).

dow·er[dáuər] *n., vt.* Ⓒ 과부산(寡婦産)(을 주다); (신부의) 지참금(을 주다); 천부의 재능; 재능을 부여하다.

Dów-Jónes áverage 〔**ìndex**〕 [dáudʒóunz-] 〖證〗 다우존스 평균(주가)〔지수〕.

†down[1][daun] *ad.* ① 밑으로, 밑에; 아래쪽으로, 내려서; 아래층으로; 하류로, 바람 불어가는 쪽으로. ② 가라앉아; 넘어져. ③ (바람이) 자서; (기세가) 줄어서; (값이) 떨어져; 영락하여, 《口》 풀이 죽어서(~ *in the* MOUTH). ④ 마지막 가까이, 뒤쪽으로, 죽 계속하여(*hunt* ~ 바싹 몰아대다/ ~ *to date* 오늘날까지). ⑤ 그 자리에서, 즉석에서, 현금으로(*pay* ~ 지불해 버리다, 현금으로 치르다/ *money* ~ 맞돈). ⑥ 써어져(*take* ~ 받아 쓰다). ⑦ (도시·대학에서) 떠나서, 떨어져서. ⑧ 완전히, 실제로, 정식으로. ⑨ 〖野〗 아웃되어(*one* 〔*two*〕 ~ 1〔2〕사(死)). (***be, feel***) ~ ***in spirits*** 슬퍼하여, 슬퍼하고 있다. ***be*** ~ ***on*** 〔***upon***〕 …에 불평을 말하다. ~ ***and out*** 녹아웃되어; 영락하여. ~ ***here*** 〔***there***〕 《口》 여기〔저기〕. ~ ***the line*** 《口》 길을 내려가; 내내, 완전히. ~ ***to the ground*** 아주, 철저히. ***D- with*** (*the tyrant; your money*) (폭군)을 타도하라; (가진 돈)을 내놔라. ── *prep.* ① …을 내려가. ② …의 아래쪽에, 하류에. ③ …에〔을〕 따라서(*go* ~ *a street* 거리를 (따라)가다). ~ ***the wind*** 바람 불어 가는 쪽으로. ~ ***town*** 상가(에, 로), 상업 지구(에, 로). ── *a.* ① 아래(쪽으)로의. ② 내려가는(*a* ~ *train* 하행 열차). ③ 풀이 죽은(*a* ~ *look* 침울한 얼굴). ── *vt., vi.* ① 쓰러뜨리다, 쏘아 떨어뜨리다. ② 《英口》 삼키다, 마시다. ③ 《口》 내리다. ~ ***tools*** 《口》 파업에 들어가다. ── *n.* Ⓒ ① 내려감, 하강. ② (*pl.*) 불운, 역경(*the ups and* ~*s of life* 인생의 부침). ③ 《口》 원한(grudge), 증오(*have a* ~ *on* …을 미워하다). ④ 〖컴〗 고장, 다운.

down[2] *n.* Ⓤ (새의) 솜털; 배내털; (민들레 따위의) 관모(冠毛).

down[3] *n.* Ⓒ 《英》 언덕, 사구(砂丘); (*pl.*)(영국 남부의) 구원(丘原).

dówn-and-dírty *a.* (성(性)·정치 문제 따위가) 타락하고 더러운, 부도덕한.

dówn-and-óut *a., n.* Ⓒ 영락한 (사람); 〖拳〗 다운당한 (선수).

down-at-(**the-**)**heel**(**s**) *a.* 허술한, 보잘 것 없는, 가난한. ── *n.* Ⓒ 빈민.

dówn·bèat *n., a.* Ⓒ 〖樂〗 강박(強拍); 《美口》 우울한, 불행한.

***dówn·càst** *a.* 풀이 죽은; 눈을 내리뜬; 고개를 숙인.

dówn·cỳcle *n.* Ⓤ (경제 따위의) 하강 사이클.

dówn·dràft *n.* Ⓒ 〖氣〗 하강 기류.

***dówn·fàll** *n.* Ⓒ ① 낙하. ② 호우. ③ 몰락, 멸망.

dówn·gràde *n., a., ad., vt.* Ⓒ 내리받이(의, 가 되어); 좌천시키다.

dówn·héarted *a.* 낙담한.

***dówn·hìll** *n., a., ad.* Ⓒ ① 내리받이(의, 로). ② 쇠퇴(하는); 편한. ③ 비탈을 내려서(*go* ~).

dówn·hòld *n., vi.* 《美》 삭감(하다).

dówn-hóme *a.* 《美口》 남부의, 남부적인, 시골풍의; 상냥한.

Dówn·ing Strèet[dáuniŋ-] 다우닝가(街)《런던의 관청가》; 영국 정부〔내각〕. 「도입선.

dówn-lèad *n.* Ⓒ (안테나의) 옥내

dówn·lòad *vt.* 〖컴〗 올려받기하다 《상위의 컴퓨터에서 하위의 컴퓨터로 데이터를 전송하다》. ── *n.* 〖컴〗 올려받기.

dówn·plày *vt.* 《美口》 얕보다, 가볍게 말하다.

dówn-póint *vt.* (배급품의) 가짓수를 줄이다.

dówn·pòur *n.* Ⓒ 억수, 호우.

***dówn·rìght** *a., ad.* ① 솔직한〔히〕, 명확한(definite); 철저히〔한〕. ② 완전한〔히〕; 아주.

dówns hèad 《俗》 진정제〔마약〕에 지나치게 의존하는 사람.

dówn·sìze *vt.* (자동차 따위를) 소형화하다; (…의) 수를 삭감하다. ── *a.* =DOWNSIZED.

dówn·sìzed *a.* 소형화된.

D

dówn Sóuth 〔**sóuth**〕《美》 남부 여러 주의〔에서〕.

Dówn's sýndrome 〖醫〗 다운 증후군(Mongolism).

:down·stairs[´stέərz] *ad., a.* 아래층에〔으로〕. ── *n.* 《단수 취급》 아래층(방); 아래층에 사는 사람들.

·dówn·stréam *ad., a.* 하류에〔의〕, 물줄기를 따라 내려가서.

dówn-to-éarth *a.* 실제적〔현실적〕인, 진실의; 철저한.

:dówn·tówn *n., ad., a.* Ⓒ 도심지(에, 의), 중심가〔상가〕(에서, 의).

dówn·tràin *n.* Ⓒ 하행 열차.

dówn·trènd *n.* Ⓒ (경기 등의) 하락세, 하향세.

dówn·tròdden *a.* 짓밟힌; 압박된; 유린된. 「내림세, 침체.

dówn-tùrn *n.* Ⓒ 하강; (경기 등의)

dówn únder 《口》 지구의 반대쪽에〔으로〕, 오스트레일리아에〔로〕.

:down·ward[´wərd] *a.* ① 내려가는, 내리받이의; 아래쪽으로의. ② 저하하는, 내림세의. ③ 기원〔시조〕부터의. ── *ad.* ① 아래쪽으로; 아래로 향해. ② 쇠퇴〔타락〕하여.

:down·wards[´wərdz] *ad.* =⇧.

·down·y[dáuni] *a.* ① 솜털의, 솜털 같은〔로 덮인〕. ② 《俗》 교활한.

dow·ry[dáuəri] *n.* =DOWER.

dox·ol·o·gy[dɑksálədʒi/dɔksɔ́l-] *n.* Ⓒ 송영(頌榮)《예배 때 부르는 짧은 찬송》.

dox·y, dox·ie [dáksi/-ɔ́-] *n.* Ⓤ 《口》 (특히 종교상의) (학)설, 교의, 의견.

doy·en[dɔ́iən] *n.* (*fem.* ***doyenne*** [dɔién]) (F.) Ⓒ (단체 등의) 고참, 장로.

·doze[douz] *n., vi., vt.* (a ~) 졸기(nap); 졸다, 졸며 (시간을) 보내다(*away*). ~ ***off*** 꾸벅꾸벅 졸다.

:doz·en[dʌ́zn] *n.* (*pl.* ~(***s***)) ① Ⓒ 1다스, 12개. ② (*pl.*) 다수(*of*). ***a round*** 〔***full***〕 ~ 에누리 없는 한 타. **~th** *a.*

DP., D.P. displaced person(s); 〖컴〗 data processing. **D. Ph(il).** Doctor of Philosophy. **dpt.** department; deponent.

†Dr., Dr[dáktər/dɔ́k-] Doctor.

dr. debit, debtor; drachm; dram(s).

drab[1][dræb] *n., a.* (**-bb-**) Ⓤ 담갈색(의); 단조(로운). 「titute).

drab[2] *n.* Ⓒ 허튼계집; 매춘부(pros-

drab·ble[drǽbəl] *vt., vi.* (옷자락 등을) 끌어 더럽히다. 「DRACHMA.

drachm [dræm] *n.* =DRAM; =

drach·ma[drǽkmə] *n.* (*pl.* **~s, -mae**[-mi:]) Ⓒ 옛 그리스 은화(銀貨).

:draft, draught[dræft, -ɑ:-] (draw의 명사형; cf. draw) *n.* 《주의: 역어의 *표는 영미 모두 흔히 **draught**, *표는 미국에서는 **draft**, 영국은 **draught**, 기타는 모두 **draft**》. ① Ⓒ 끌기, 견인(牽引)(*a beast of* ~ 짐수레 끄는 마소); 견인 중량; (짐수레·그물 따위를) 끌기. ② Ⓒ 한 그물(로 잡은 것)*. ③ (the ~) 《美》 징병; Ⓤ 《집합적》 징집병; Ⓒ 분견대. ④ Ⓒ (한 번) 마심〔들이쉼〕; 그 양*; (물약의) 1회분*. ⑤ Ⓒ 〖商〗 지급 명령서, 환어음(bill of exchange). ⑥ Ⓒ 통기(通氣)*, 외풍*, 통풍(조절 장치)*. ⑦ Ⓤ 빼기, 뽑아냄. ⑧ (the ~)(스포츠에서) 드래프트제(制). ⑨ Ⓒ 도면(drawing), 설계도, 초안, 초고; 〖컴〗 초안. ⑩ Ⓤ,Ⓒ 흘수(吃水)*. ⑪ (*pl.*) 드래프트 장기*(checkers). ***at a*** ~ 한입에, 단숨에. ~ ***on demand*** 요구불 환어음. ***make a*** ~ (***up***)***on*** (자금 등을) 찾아 내다; (우정을) 강요하다; (자산을) 줄이다. ***telegraphic*** ~ 전신환. ── *vt.* ① 선발하다; 분견하다. ② (…의) 기초〔입안〕하다; 밑그림을 그리다. **draft·ee**[dræftí:, drɑ:-] *n.* Ⓒ 소집병. **dráft·er** *n.* Ⓒ 기초〔입안〕자; 복마(卜馬).

dráft bèer =DRAUGHT BEER.

dráft bòard 《美》 징병 위원회.

dráft càrd 《美》 징병 카드.

dráft dòdger 《美》 징병 기피자.

draft·ette[dræftét, -ɑ:-] *n.* Ⓒ 《美口》 여군 (병사).

dráft evàder 징병 기피자.

dráft hòrse 복마, 짐말.

draft·ing[drǽftiŋ, drɑ́:ft-] *n.* ① Ⓤ,Ⓒ 입안, 기초. ② Ⓤ 제도, 본뜨기.

dráfting ròom 《美》 제도실(《英》 drawing room).

dráft nèt 예인망.

drafts·man[drǽftsmən, -ɑ́:-] *n.* Ⓒ 기초〔입안〕자; 제도자. 「오는.

draft·y[´i] *a.* 외풍(draft)이 들어

:drag[dræg] *vi.* (**-gg-**) ① (질질) 끌리다. ② 발을 질질 끌며 걷다. ③ 느릿느릿 나아가다(*along, on*). ④ 물밑을 뒤져 훑다. ── *vt.* ① 끌다, 당기다, 질질 끌다. ② 오래 끌게 하다. ③ (물밑을) 훑다(dredge). ④ 써레질하다. ~ ***down*** (…을) 끌어내리다, (병 등이 사람을) 쇠약하게 하다; (사람을) 영락시키다. ~ ***one's feet*** 발을 질질 끌며 걷다, 《口》 꾸물거리다. ── *n.* ① Ⓤ,Ⓒ 질질 끌기; 〖컴〗 끌기《마우스를 버튼을 누른 채 끄는 것》. ② Ⓒ 질질 끄는〔끌리는〕 것; 써레(harrow); 저인망. ③ Ⓒ (수레의) 바퀴 멈추개. ④ Ⓒ 장애물. ⑤ Ⓤ 《俗》 사람을 움직이는 힘; 연고, 연줄, 줄(pull). ⑥ Ⓤ (항공기에 대하여 작용하는) 항력(抗力). ⑦ Ⓒ 《美俗》 도로, 가로. ⑧ Ⓒ 《美俗》 데이트 상대《여성》. ⑨ Ⓒ (자동차)의 스피드레이스. ⑩ Ⓤ 《俗》 (동성애의) 여장(女裝). ⑪ (a ~) 《俗》 (상대하기) 따분한 사람, 지루한 것.

drag·gle[drǽgəl] *vi.* 질질 끌다; 뒤처져서 따라가다(drag along). ── *vt.* 질질 끌어 더럽히다〔적시다〕.

dràggle·tàil *n.* Ⓒ 지저분한 사람; 칠칠치 못한 여자.

drág·nèt *n.* Ⓒ 저인망(底引網); 수사〔포위〕망.

drag·o·man[drǽgəmən] *n.* (*pl.* **~s, -men**) Ⓒ (근동(近東) 제국의) 통역, 안내원.

:drag·on[drǽgən] *n.* ① Ⓒ 용. ② (D-) 〖天〗 용자리; 마왕(Satan). ③ Ⓒ 엄격한 샤프롱(stern chaperon) 〔감시인〕.

***drágon·flỳ** *n.* Ⓒ 잠자리.

drágon làdy (종종 D-L-) 《口》 (동양의) 맹렬 여성.

drágon's tèeth 내분(內紛)의 씨; 《英俗》 대전차(對戰車) 방어 설비.

dra·goon[drəgúːn] *n.* Ⓒ 〖史〗 용기병(龍騎兵)(cf. cavalier); 난폭한 사람.

drág pàrachute 감속 낙하산.

:drain[drein] *vt.* ① (…에서) 배수하다(draw off); (물을) 빼내다(*away, off*); (배수하여) 말리다. ② 들이키다, 마시다, 비우다. ③ (조금씩) 다 써버리다. — *vi.* ① 흘러 없어지다; 뚝뚝 듣다, 비어 없어지다(*away, off*). ② 배수하다, 마르다. — *n.* ① Ⓤ 배수; Ⓒ 도랑; 하수관(sewer). ② Ⓒ (화폐의) 소모, 고갈; 부담(*on*). ***put*** (*something*) ***down the ~*** (물 쓰듯) 낭비하다.

***drain·age**[⌐idʒ] *n.* Ⓤ ① 배수(설비). ② 배수(법). ③ 하수, 오수.

dráinage bàsin 배수 분지(盆地), 유역.

dráinage wòrk 배수 공사.

dráin·pìpe *n.* Ⓒ 하수〔배수〕관.

drake [dreik] *n.* Ⓒ 수오리(cf. duck¹).

dram[dræm] *n.* Ⓒ 드램《보통 1/16 온스, 약량(藥量)은 1/8 온스》; 미량(微量); (술의) 한 잔.

:dra·ma[dráːmə, -ǽ-] *n.* ① Ⓤ (때로 the ~) 극(문학), 연극; Ⓒ 희곡; 각본. ② Ⓒ 극적 사건.

Dram·a·mine[drǽməmìːn] *n.* 〖商標〗 드라마민《멀미에 듣는 항(抗)히스타민제》.

:dra·mat·ic[drəmǽtik] *a.* (연)극의; 극적인(exciting). ***-i·cal·ly** *ad.*

dra·mat·ics[drəmǽtiks] *n.* ① Ⓤ 연기, 연출법. ② 《복수 취급》 소인극; 신파조의 몸짓.

dram·a·tis per·so·nae[drǽmətis pərsóuniː, dráːmətis pəːsóunai, -ni] (L.) *pl.* 〖劇〗 등장 인물.

***dram·a·tist**[drǽmətist] *n.* Ⓒ 극작가(playwright). ***-tize**[-tàiz] *vt.* 극화하다, 각색하다. **-ti·za·tion**[⌐–tizéiʃən] *n.* Ⓤ,Ⓒ 각색, 극화.

dram·a·turge[drǽmətəːrdʒ] *n.* Ⓒ 극작가. **-tur·gy** *n.* Ⓤ 극작〔연출〕법. 「*nae.*

Dram. Pers. *dramatis perso-*

dram·shop[drǽmʃàp/-ɔ̀-] *n.* Ⓒ 《古》 술집, 목로 주점.

†drank[dræŋk] *v.* drink의 과거.

***drape**[dreip] *vt.* 곱게 주름잡아 걸치다. — *n.* Ⓒ 주름잡아 드리운 천; (스커트·블라우스의) 드레이프.

drap·er[dréipər] *n.* Ⓒ 《英》 피륙상, 포목상(《美》 dry-goods store).

:dra·per·y[dréipəri] *n.* ① Ⓤ,Ⓒ (곱게 주름 잡은) 휘장, 커튼. ② Ⓤ,Ⓒ 포목, 피륙. ③ Ⓤ 〖美術〗 (회화·조각의) 착의(着衣).

:dras·tic[drǽstik] *a.* (수단 따위) 철저한, 과감한(*a ~ measure* 비상 수단). ***-ti·cal·ly** *ad.* 맹렬〔철저〕히.

D ràtion 〖美軍〗 야전용 긴급 휴대 식량.

***draught** [dræft, -ɑː-] *n., v.* = DRAFT.

dráught bèer 생맥주.

dráught hòrse =DRAFT HORSE.

draughts·man[⌐smən] *n.* = DRAFTSMAN.

draught·y[⌐i] *a.* =DRAFTY.

†draw[drɔː] *vt.* (**drew; drawn**) ① 끌다(pull, drag); (끌어)당기다, 이끌다; 자아내다; 이끌어 내다, 얻다. ② (칼을) 빼다, (권총을) 뽑아내다; (물을) 푸다. ③ (이익을) 가져오다. ④ (숨을) 쉬다. ⑤ (선을) 긋다, 줄을 그어 (도면·그림을) 그리다; (문장으로) 묘사하다; 기술하다. ⑥ (문서를) 작성하다. ⑦ (어음 등을) 발행〔취결〕하다. ⑧ (제비를) 뽑아 맞히다. ⑨ 끌어내다, 생기게 하다. ⑩ (결론을) 가져오다. ⑪ 흘수(吃水)가 …이다(displace)(*a ship ~ing 20 feet of water* 흘수 20 피트의 배). ⑫ (금속봉을 잡아 늘여서 철사를) 만들다. ⑬ (얼굴을) 찡그리다; 오므리다; 주름을 만들다. ⑭ (여우를) 끌어내다, 몰이해 내다, (피를) 흘리게 하다. ⑮ (…의) 내장〔속〕을 뽑아 내다. ⑯ (차를) 달여 내다(make). — *vi.* ① 끌다; 접근하다(*to, toward*); 끌리다, 빠지다. ② 움직이다, 모이다, 모여들다. ③ 그리다, 제도하다. ④ 칼을 뽑다; 권총을 빼다. ⑤ 어음을 발행하다, 청구하다; 강요하다; 의지하다(*on*). ⑥ 오그라들다(shrink), 주름이 잡히다. ⑦ 흘수가 …이다. ⑧ 무승부가 되다(cf. drawngame). ⑨ 인기를 끌다(cf. drawing card). ⑩ 제비를 뽑다. ⑪ (차가) 우러나다(steep)(*The tea is ~ing.* 차가 우러난다). ***~ a full house*** 초만원을 이루다. ***~ away*** (경쟁에서 상대를) 떼어놓다; 〖競馬〗 선두에 나서다. ***~ back*** 물러서다; 손을 떼다; 〖軍〗 철수하다. ***~ down*** 내리다; 초래하다. ***~ in*** 끌어 들이다; 꾀어 들이다; 들이켜다; 줄이다; (해가) 짧아지다, 저물다. ***~ it mild*** 〔***strong***〕 《주로 英》 온건하게〔과장하여〕 말하다. ***~ level*** (경주에서) 뒤따라 미치다; 대등하게 되다. ***~ near*** 접근하다. ***~ off*** 철퇴하다〔시키다〕; (물을) 빼내다; (주의를) 딴 데로 돌리다. ***~ on*** 다가오다; 몸에 걸치다, 신다, 입다; 끌어 들이다. ***~ oneself up*** 자세를 고치다; 정색을 하다. ***~ out*** 끄집어〔뽑아〕 내다; 떼놓다, 늘이다, (대(隊)를) 정렬시키다; 《口》 (…로 하여금) 이야기하게 하다(induce to talk);

D

(해가) 길어지다; 오래 끌다; (문서를) 작성하다; (예금을) 인출하다. ~ **up** 끌어 올리다; 정렬시키다; 몸을 일으키다; (마차 따위를) 멈추(게 하)다. — ***n.*** Ⓒ ① 끌(어 내)기. ② 《口》 추첨. ③ 비기기. ④ 인기물, 히트. ***beat a person to the*** ~ 아무를 앞지르다, 선수치다.

:dráw·bàck ***n.*** ① Ⓒ 결점, 약점; 장애(*to*); 핸디캡. ② Ⓤ,Ⓒ 환부(금)(還付(金)).

dráw·brìdge ***n.*** Ⓒ 도개교(跳開橋); 적교(吊橋).

dráw·dòwn ***n.*** Ⓤ 삭감(削減).

draw·ee[drɔːíː] ***n.*** Ⓤ (어음) 수취인(수표·약속 어음에서는 수취인; 환어음에서는 지급인).

:draw·er[drɔ́ːər] ***n.*** Ⓒ ① (어음) 발행인. ② 제도사(製圖士). ③ [drɔːr] 서랍; (*pl.*) 장롱(*a chest of* ~*s*). ④ (*pl.*)[drɔ́ːrz] 드로어즈, 속바지.

:draw·ing[drɔ́ːiŋ] ***n.*** ① Ⓒ (연필·펜 등으로 그린) 그림, 소묘(素描), 데상; Ⓤ (도안·회화의) 제도, 선묘(線描); 〖컴〗 그림 그리기. ② Ⓤ (문서의) 작성. ③ Ⓒ 추첨. ④ Ⓤ (어음의) 발행. ⑤ 《英》 (*pl.*) 매상고. ⑥ Ⓤ (차를) 달여내기. ***out of*** ~ 잘못 그려진; 조화가 안 된〔되어〕.

dráwing blòck 〔**pàd**〕 (떼어 쓰게 된) 스케치북.

dráwing bòard 제도판, 그림판.

dráwing càrd (대성황이 확실한) 인기 프로, 인기 있는 극〔연예인〕.

dráwing ìnstrument 제도 기구.

dráwing màster 미술 교사.

dráwing pàper 도화지, 제도 용지.

dráwing pèn (제도용) 오구(烏口).

dráwing pìn 《英》 제도용 핀, 압정(《美》 thumbtack).

:dráwing ròom 응접실, 객실; 《英》 제도실(《美》 drafting room).

dráwing tàble 제도용 테이블.

dráw·knìfe ***n.*** Ⓒ (양쪽에 손잡이가 달린) 당겨 깎는 칼〔대패〕.

drawl[drɔːl] ***vt., vi.*** 느릿느릿〔점잔빼며〕 말하다. — ***n.*** Ⓒ 느린 말투.

:drawn[drɔːn] ***v.*** draw의 과거분사. — ***a.*** ① 잡아뽑은, 빼낸. ② 팽팽히 잡아늘인; (얼굴 따위) 찡그린. ③ (새 따위) 속을 빼낸. ④ 비긴.

dráwn gáme 드론 게임, 무승부.

dráwn nèt (올이 성긴) 새그물.

dráwn wòrk 올을 뽑아 얽은 레이스의 일종.

draw·shave[drɔ́ːʃèiv] ***n.*** =DRAWKNIFE.

dráw wèll 두레우물.

dray[drei] ***n.*** Ⓒ 큰 짐마차《낮은 차대, 울이 없음》; 화물 자동차.

dráy hòrse 짐마차말.

dray·man[´mən] ***n.*** Ⓒ 짐마차꾼.

:dread[dred] ***vt., vi.*** 두려워하다; 걱정하다. — ***n.*** Ⓤ 두려움, 공포(fear). **:** **´·ful** ***a.*** 무서운(fearful); 지독한, 싫은. **´·ful·ly** ***ad.*** 《口》 몹시; 지독하게.

dread·nought, -naught[´nɔ̀ːt] ***n.*** Ⓒ 대형 전함, 노급함(弩級艦); 용감한 사람.

†dream[driːm] ***n., vi., vt.*** (***dreamt,*** ~***ed***[driːmd, dremt]) Ⓒ ① 꿈(꾸다, 에 보다). ② 몽상(하다), 공상(하다)(*about, of*)(*I little* ~*t of it.* 꿈에도 생각지 않았다). ~ ***a*** ~ 꿈을 꾸다. ~ ***away*** 꿈결같이 보내다. ~ ***up*** 《口》 퍼뜩 생각해내다. * **´·er** ***n.*** Ⓒ 꿈꾸는 사람; 몽상가.

dréam·lànd ***n.*** Ⓤ,Ⓒ 꿈나라, 이상향; 유토피아; Ⓒ 잠.

dréam·lìke ***a.*** 꿈(결) 같은; 어렴풋한, 덧 없는.

dréam rèader 해몽가. 「(분사).

dreamt**[dremt] ***v. dream의 과거

dréam·wòrld ***n.*** Ⓒ 꿈〔공상〕의 세계; =DREAMLAND.

dream·y**[dríːmi] ***a. 꿈(결) 같은, 어렴풋한(vague); 공상적인. **dréam·i·ly** ***ad.*** **dréam·i·ness** ***n.***

drear[driər] ***a.*** 《詩》 =DREARY.

:drear·y[dríəri] ***a.*** ① 황량한, 쓸쓸한, 처량한(dismal). ② 울적한, 음울한; 지루한(dull). **dréar·i·ly** ***ad.*** **dréar·i·ness** ***n.***

dredge[1][dredʒ] ***n., vt.*** Ⓒ 준설기(로 치다)(*up*); 저인망(으로 훑어 잡다).

dredge[2] ***vt.*** (…에) 가루를 뿌리다.

dredg·er[dredʒər] ***n.*** Ⓒ 준설기〔선〕; 가루 뿌리는 기구.

dreg[dreg] ***n.*** Ⓒ (보통 *pl.*) 찌끼, 앙금; 지스러기; 미량(微量). ***drain*** 〔***drink***〕 ***to the*** ~ 남김 없이 다 마시다; (인생의) 쓴맛 단맛 다 보다.

D règion 〖理〗 D층《이온권의 최하층; =D layer》.

Drei·ser[dráisər], **Theodore** (1871-1945) 미국의 소설가.

:drench[drentʃ] ***vt.*** ① 흠뻑 적시다(soak). ② (소·말에) 물약을 먹이다. ***be*** ~***ed to the skin*** 흠뻑 젖다.

†dress[dres] ***vt.*** (~***ed***[-t], 《古》 ***drest***) ① (옷을) 입히다; 치장하다; 정장시키다. ② 꾸미다(decorate). ③ 다듬다, (가죽을) 무두질하다, (머리를) 매만지다. ④ (상처를) 치료하다. ⑤ (대열을) 정렬시키다. ⑥ 조리하다(prepare). — ***vi.*** ① 옷을 입다; (야회복 따위를 입어) 정장하다. ② 정렬하다. ~ ***down*** 《口》 꾸짖다; 갈기다. ~ ***oneself*** (외출 따위의) 몸치장을 하다. ~ ***out*** (옷)치장하다, (상처를) 가료하다. ~ ***up,*** or ***be*** ~***ed up*** 성장(盛裝)하다, 한껏 차려입다. — ***n.*** ① Ⓒ (원피스형의) 여성복, 드레스. ② Ⓤ 의복, 의상. ③ Ⓤ (남자의) 예복, 정장.

dréss círcle (극장의) 특등석.

dréss cóat 예복, 연미복.

:dress·er[drésər] ***n.*** Ⓒ ① 옷 입히는 사람; 의상 담당자; 장식하는 사람. ② 옷을 잘 입는 사람(*a smart* ~ 멋쟁이). ③ 《英》 (외과의) 조수. ④ 요리인〔대〕. ⑤ 찬장. ⑥ 《美》 경대.

dréss góods 《때로 단수 취급》 옷감, 양복감.

***dress·ing**[drésiŋ] *n.* ① U,C 마무리(재료), 장식. ② U (몸)치장. ③ C 치료용품《붕대 따위》. ④ U 비료 (fertilizer).
dréssing càse (여행용) 화장품 주머니〔가방〕.
dréssing gòwn 화장옷, 실내복.
dréssing ròom (극장의) 분장실; (흔히, 침실 곁의) 화장실. 「소.
dréssing stàtion 〖軍〗 전방 치료
dréssing tàble 《英》화장대, 경대.
***dréss·màker** *n., a.* C 양재사, 양장점; 여성복다운, 장식이 많은.
***dréss·màking** *n.* U 양재(업).
dréss paràde 사열식, 열병식.
dréss rehéarsal 〖劇〗 (의상을 입고 하는) 마지막 총연습.
dréss shìeld (여성의 겨드랑 밑에 대는) 땀받이.
dréss súit (남자용) 야회복.
dréss úniform 〖美軍〗 예복.
dress·y[drési] *a.* 《口》 옷차림에 마음을 쓰는; (옷이) 맵시 있는, 멋진 (cf. sporty). 「(분사).
drest[drest] *v.* 《古》 dress의 과거
†**drew**[druː] *v.* draw의 과거.
drib·ble[dríbəl] *vi., vt.* 뚝뚝 떨어지다〔뜨리다〕; 군침을 흘리다(drivel); 〖球技〗 드리블하다. ― *n.* C 물방울; 가랑비; 드리블; 뚝뚝 떨어짐.
drib·(b)let[dríblit] *n.* C 조금, 소량. ***by*** 〔***in***〕 ***~s*** 찔끔찔끔.
dríbs and drábs[dríbz-] 《口》 적은 양.
:dried[draid] *v.* dry의 과거(분사). ― *a.* 건조한. ***a ~ fish*** 건어물.
***dri·er**[dráiər] *n.* C 말리는 사람; 건조기〔제(劑)〕. ― *a.* dry의 비교급.
:drift[drift] *n.* ① U,C 흐름, 조류; 표류. ② C 표류물, 휘몰아쳐 쌓인 것. ③ U 취지, 요지. ④ U,C 동향, 경향; U 추세에 맡기기. ⑤ U,C 〖空〗 편류(偏流). ― *vt., vi.* 표류시키다〔하다〕; 휘몰아쳐〔날리어〕 쌓(이)다; (*vt.*) (악습 따위에) 부지중에 빠져들다. **~·age**[ˊidʒ] *n.* U 표류; 표류〔퇴적〕물; (배의) 편류 거리; (탄알의) 편차. **ˊ·er** *n.* C 표류자〔물〕; 유망(流網) 어선.
drift àngle 〖空〗 편류각; 〖海〗(배가) 침로를 벗어나는 편차.
drift ìce 성엣장, 유빙(流氷).
drift nèt 유망(流網).
drift·wòod *n.* U 유목(流木), 부목(浮木); 부랑민.
:drill[1][dril] *n.* ① U,C 훈련, 교련. ② C 송곳, 천공기(穿孔機). ― *vt., vi.* ① 훈련하다〔받다〕. ② (송곳으로) 구멍을 뚫다, 꿰뚫다.
drill[2] *n.* C 고랑(small furrow); 조파기(條播機). ― *vt.* (씨를) 조파기로 뿌리다.
drill[3] *n.* U 능직 무명〔린네르〕.
drill[4] *n.* C 〖動〗 비비(狒狒)의 일종 《man-drill보다 작음》.
drill·er[ˊər] *n.* C 구멍 파는 사람; 천공기; 훈련 교관; 고랑 파는 사람.
dríll·màster *n.* C 훈련 교관.
dríll sèrgeant 〖軍〗 훈련 담당 하사관.
***dri·ly**[dráili] *ad.* =DRYLY.
†**drink**[driŋk] *vt.* (***drank; drunk***) ① 마시다. ② (…을 위해서) 축배를 들다(~ *a person's health*). ③ 빨아들이다, 흡수하다(*in, up*). ④ (돈·시간을) 술에 소비하다. ⑤ (경치 따위에) 도취되다(*in*). ― *vi.* ① 마시다, 술마시다. ② 축배를 들다. ③ 취하다. ④ 마시면 …한 맛이 나다 (*This beer ~s flat.* 이 맥주는 김이 빠졌다). ***~ away*** 술로 (재산을) 날리다, 마시며 (시간을) 보내다. ***~ deep*** 흠뻑 마시다. ***~ off*** 단숨에 들이켜다. ***~ oneself*** 술마시다. ***~ up*** 다 들이켜다; 빨아올리다. ― *n.* ① U,C 음료. ② U 술; 음주. ③ C 한 잔(*of*). ***in ~*** 취하여. **ˊ·a·ble** *a., n.* 마실 수 있는; (*pl.*) 음료. ***ˊ·er** *n.* C 마시는 사람; 술꾼.
:drink·ing[dríŋkiŋ] *a., n.* U 마시기; 음주(의), 음용(飮用)의(~ *water*).
drínking bòut 주연; 통음(痛飮).
drínking fòuntain 음료 분수 (bubbler).
drínking wàter 음료수.
drínk òffering 제주(祭酒).
:drip[drip] *n., vi., vt.* (**~*ped, dript; -pp-***) ① 뚝뚝 떨어지다〔뜨리다〕. ② (*sing.*) 물방울(의 뚝뚝 떨어짐).
***dríp·ping** *a., n.* 물방울이 떨어지는; U 뚝뚝 떨어짐, 적하(滴下); C (종종 *pl.*) 물방울; (《美》 *pl.*, 《英》 U) (불고기의) 떨어지는 국물.
dríp-drỳ *vi., vt.* (나일론 따위) 짜지 않고 그냥 마르다〔말리다〕. ― *a.* 〔ˊˊ〕 속건성의 (천으로 만든).
Drip·o·la·tor [drípəlèitər] *n.* 〖商標〗 드립식 커피 끓이개.
†**drive**[draiv] *vt.* (***drove; driven***) ① 쫓다, 몰다, (새·짐승을) 몰이하다 (chase[1]). ② 몰다, 부리다, 혹사하다; 운전〔조종〕하다. ③ 차로 나르다. ④ 영위하다, 하다. ⑤ (말뚝·못 등을) 쳐 박다; (굴·터널을) 파다. ⑥ 추진하다. ⑦ 강박〔강제〕하다, 억지로 …하게 하다(force)(*to, into*); …하게 하다(make). ⑧ 밀고 나아가다; (바람이 구름·비·눈을) 불어보내다. ⑨ 〖野〗 직구(直球)를 던지다; 〖테니스〗 드라이브를 걸다. ⑩ (시간적으로) 질질 끌다, 미루다. ― *vi.* ① 차를 몰다, 차로 가다, 드라이브하다. ② 공을 치다; 투구(投球)하다. ③ 목적으로 하다, 노리다(aim)(*at*). ④ 돌진하다, 부딪치다(*against*). ***~ at*** 의도〔뜻〕하다, 노리다. ***~ away*** 몰아〔쫓아〕내다; 차를 몰아 가버리다; 열심히 (일)하다(*at*). ***~ in*** 몰아넣다; 때려박다. ***~ out*** 추방하다; 드라이브나가다. ***let ~ at*** …을 향해 던지다; …을 꾸짖다. ― *n.* ① C 드라이브; 마차〔자동차〕 여행. ② C 몰이, 몰아대기〔내기〕. ③ C (저택내의) 차도; 진격, 공세, 공격. ④ U 추진력, 박력, 정력. ⑤ U,C (골프·테니스 따위에서) 장타(長打), 드라이브, 경향. ⑥ C (대규모의) 선전, 모

금 운동, 캠페인(campaign)(*a Red Cross* [*community chest*] ~ 적십자[공동] 모금 운동. ⑦ Ⓤ,Ⓒ (자동차의) 구동 장치; 〖컴〗 돌리개. ‡**dríver** *n.* Ⓒ 조종자, 마부, 운전수, 기관사; 치는 사람[것]; 〖컴〗 돌리개, 드라이버《장치를 제어하기 위한 프로그램》.

*__dríve-ìn__ *n.* Ⓒ 드라이브인《차 탄채로 들어갈 수 있는 상점·식당·영화관 등》. ── *a.* 드라이브인의.

driv·el[drívəl] *n.* Ⓤ 군침; 허튼 소리. ──((英) *-ll-*) *vi.* 군침을 흘리다[이 흐르다]; 철없는 소리를 하다. ── *vt.* (시간을) 허비하다(*away*). **~·(l)er** *n.* Ⓒ 침흘리개; 바보.

‡**driv·en**[drívən] *v.* drive 과거분사.

*__dríve·wày__ *n.* Ⓒ《美》 ① 드라이브길, 차도. ② (대문에서 현관까지의) 차도.

D

‡**driv·ing**[dráiviŋ] *a.* ① 추진하는, 동력 전달의. ② (남을) 혹사하는. ③ 정력적인. ── *n.* Ⓤ ① 운전. ② 몰기, 쫓기. ③ 두드려 박기.

dríving rànge 골프 연습장.

*__driz·zle__[drízl] *n., vi.* Ⓤ 이슬비(가 내리다)(*It ~s.*). **dríz·zly** *a.*

droll[droul] *a., n.* Ⓒ 익살스러운 (사람). **∠·er·y** *n.* Ⓤ,Ⓒ 익살맞은 짓[이야기].

「장.

drome[droum] *n.* Ⓒ《英口》 비행

drom·e·dar·y[drámidèri, drʌ́midəri] *n.* Ⓒ (아라비아의) 단봉(單峰)낙타.

*__drone__[droun] *n.* ① Ⓒ (꿀벌의) 수펄. ② Ⓒ 게으름뱅이(idler). ③ (*sing.*)(벌·비행기의) 윙윙(하는 소리). ④ Ⓒ (무선 조종의) 무인기. ── *vi.* ① 윙윙[붕붕]거리다(buzz). ② 단조로운 소리로 말하다. ③ 빈둥대다.

「VEL.

drool[dru:l] *n., vi.*《주로 美》 =DRI-

‡**droop**[dru:p] *vi.* ① 처지다. ② 수그러지다(hang down); 눈을 내리깔다; 풀이 죽다; (기력이) 쇠하다. ── *n.* (*sing.*) ① 수그러짐. ② 고개숙임, 풀이 죽음; (가지 따위의) 늘어짐.

†**drop**[drɑp/-ɔ-] *n.* ① Ⓒ 물방울; (*pl.*) 점적약(點滴藥); Ⓒ 소량(의 술); (a ~) 한방울, 소량(*of*). ② (보통 *sing.*) 낙하, 강하(fall). ③ Ⓒ 늘어뜨린 장식, 귀걸이. ④ Ⓒ 〖建〗 단대공(pendant). ⑤ Ⓒ 눈깔사탕, 드롭스. ⑥ (우체통의) 넣는 구멍. ── *vt., vi.* (*~ped, ~t; -pp-*) ① 듣(게 하)다; 뚝뚝 떨어지(게 하)다; 떨어지다[뜨리다]. ② 낮아지다, 낮추다. ③ 내려(놓)다. ④ 쓰러지다[뜨리다]. ⑤ 낙제하다[시키다]. ⑥ (동물이) 태어나다, 새끼를 낳다. ⑦ 그치다, 그만두다(~ *a case* 소송을 취하하다). ⑧ 〖美蹴〗 드롭킥하다. ⑨ 목숨을 잃다[뺏다]. ⑩ 《이하 *vi.*》 (바람이) 자다; 정지(靜止)하다; 사라지다. ⑪ (개가) 웅크리다. ⑫ 뒤처지다, 낙오하다(*behind*). ⑬ 《이하 *vt.*》 《俗》 (도박으로 돈을) 없애다. ⑭ 《美》 해고하다. ⑮ 무심코[얼결에] 말하다. ⑯ 버리다. ⑰ 제명하다. ⑱ 우체통에 넣다; 써서 부치다. **~ *across*** … 를 우연히 만나다; 꾸짖다. **~ *asleep*** 어느결에 잠들다; 죽다. **~ *away*** = ~ off. **~ *in*** (*on*) (잠깐) 들르다; 우연히 만나다. **~ *into*** 들르다; (습관에) 빠지다; (사람을) 꾸짖다. ***D- it!*** 그만둬! **~ *off*** 하나 둘 가버리다; 차차 줄어들다; 어느 결에 잠들다; (갑자기) 죽다. **~ *on to*** …을 꾸짖다. **~ *out*** 물러가다(withdraw); 은퇴하다; 없어지다; 쇠퇴하다. **~ *through*** 아주 못쓰게 되다.

dróp cùrtain 〖劇〗 말아서 오르내리는 막.

dróp-fòrge *vt.* 〖冶〗 드롭해머로 성형(成形)하다.

dróp frónt 젖히면 그대로 책상이 되는 서가 뚜껑.

dróp hàmmer 〖機·建〗(단조용(鍛造用)) 드롭해머, 말뚝박는 해머(ram).

dróp·ìn *n.* Ⓒ 훌쩍 들르는 사람[곳].

dróp kìck 〖美蹴〗 드롭킥.

drop·let[∠lit] *n.* Ⓒ 작은 물방울.

dróp lètter 《美》 같은 우체국 관할내에 보내는 우편물.

dróp-òff *n.* Ⓤ,Ⓒ 아주 가파른 내리받이, 벼랑; 감소, 쇠미, 하락.

dróp·òut *n.* Ⓒ 〖럭비〗 드롭아웃; 《口》 수업을 빼먹기, 또 그 학생; 낙제생, 중퇴생; 탈락자.

dróp·per *n.* Ⓒ (안약 따위의) 점적기(點滴器)[병].

drop·sy[drɑ́psi/-ɔ́-] *n.* Ⓤ 〖醫〗 수종(水腫). **dróp·si·cal** *a.*

dropt[drɑpt/-ɔ-] *v.*《古》 drop의 과거(분사).

drosh·ky[drɑ́ʃki/-ɔ́-], **dros·ki, -ky**[drɑ́s-/-ɔ́-] *n.* Ⓒ (러시아의) 무개(無蓋) 4륜 마차.

dro·soph·i·la[drousɑ́filə/-ɔ́-] *n.* (*pl.* *-lae*[-lìː]) Ⓒ 〖蟲〗 초파리.

dross[drɔ:s, drɑs/drɔs] *n.* Ⓤ (녹은 금속의) 쇠똥; 찌꺼기(refuse), 부스러기.

*__drought__[draut] (cf. dry) *n.* Ⓒ 가뭄, 한발. **∠·y** *a.*

†**drove**[1][drouv] *v.* drive 과거.

drove[2] *n.* Ⓒ (몰려가는) 가축 떼; (움직이는) 인파. **dró·ver** *n.* Ⓒ 가축떼를 시장까지 몰고 가는 사람; 가축상인.

dróve ròad 《Sc.》 가축 모는 길.

‡**drown**[draun] *vt.* ① 물에 빠뜨리다. ② 흠뻑 젖게 하다. ③ 들리지 않게 하다(~ *one's grief in wine* 슬픔을 술로 달래다). **~ *oneself*** 투신 자살하다. ── *vi.* ① 물에 빠지다; 익사하다. ② 달래다, 잊어버리다.

drowse[drauz] *n., vi., vt.* Ⓤ 꾸벅꾸벅 졺[졸다, 졸게 하다]; (*vt.*) 졸며 말며 (시간을) 보내다(*away*).

drow·si·head [dráuzihèd] *n.* Ⓤ 《古》 졸림.

*__drow·sy__[∠i] *a.* ① 졸린. ② 졸리게 하는. **dróẁ·si·ly** *ad.* **dróẁ·si-**

ness *n.*
drub[drʌb] *vt.* (**-bb-**) 몽둥이로 치다, 매질하다; (큰 차로) 패배시키다.
drudge[drʌdʒ] *vi., n.* Ⓒ (고되고 단조로운 일을) 꾸준히〔빠빠지게〕하다〔하는 사람〕. **drudg·er·y**[∠əri] *n.* Ⓤ 단조롭고 고된 일.
:drug[drʌg] *n.* Ⓒ 약, 약제, 약품; 마약. ~ ***in*** 〔***on***〕 ***the market*** 안팔리는 물건. — *vt.* (**-gg-**) ① (…에) (독)약을 넣다. ② 마취시키다. ③ 물리게 하다.
Drúg Enfórcement Adminis·tràtion 《美》 마약 단속국.
·drug·gist[drʌ́gist] *n.* Ⓒ《美·Sc.》약종상; 약제사(chemist).
drug·gy[drʌ́gi] *a.* 마약(상용)의.
:drug·store[drʌ́gstɔ̀ːr] *n.* Ⓒ《美》약방《담배·화장품 등도 팔고 커피 등도 팜》.
Dru·id, d-[drúːid] *n.* Ⓒ (옛 켈트족의) 드루이드교 단원.
:drum[drʌm] *n.* Ⓒ ① 북(소리). ② 〖機〗 고동(鼓胴); 드럼통; 〖解〗 고실(鼓室), 고막. ③ 〖컴〗 MAGNETIC DRUM. — *vt.* (**-mm-**) ① (곡을) 북으로 연주하다. ② (북을 쳐서) 불러모으다(*up*)〔몰아내다(*out of*)〕, 모집하다. ③ (학문·교훈을 머리에) 억지로 주입시키다. — *vi.* ① 북을 치다. ② 북을 치고 돌아다니다, 북을 치고 돌아다니며 모집하다(*for*). ~ ***down*** (…을) 침묵시키다. ~ ***out*** 선전하다. ~ ***up*** 불러 모으다.
drúm·bèat *n.* Ⓒ 북소리.
drúm·fìre *n.* (*sing.*) 맹렬한 연속 포화(砲火); (질문 등의) 연발.
drúm·hèad *n.* Ⓒ 북가죽.
drúmhead cóurt-martial (전선의) 임시 군법회의.
drúm màjor (악대의) 고수장(鼓手長), 군악대장, 악장.
drúm majorètte (행진의 선두에서) 지휘봉을 휘두르는 소녀, 배턴걸 (cf. baton twirler).
·drúm·mer *n.* Ⓒ 고수, 드러머; 《美》 외판원.
drúm·stìck *n.* Ⓒ 북채; (요리한) 닭다리.
drúm tàble 외다리의 (회전식) 둥근 탁자.
†drunk[drʌŋk] *v.* drink의 과거분사. — *a., n.* 술취한; Ⓒ 《口》 주정뱅이. ***get*** ~ 취하다.
·drunk·ard[∠ərd] *n.* Ⓒ 술고래.
·drunk·en[∠ən] *a.* 술취한; 술고래의. **·**~**·ness** *n.* Ⓤ 술취함, 명정(酩酊).
drunk·om·e·ter [drʌŋkɑ́mitər/-ɔ́mi-] *n.* Ⓒ 취도(醉度) 측정기.
drupe[druːp] *n.* Ⓒ 〖植〗 핵과(核果).
†dry[drai] *a.* ① 마른, 건조한; 바싹 마른. ② 비가 안 오는; 물이 말라 붙은; 젖이 안나오는. ③ 《美口》 금주법이 시행되는(*a* ~ *State* 금주주(禁酒州)). ④ 버터를 바르지 않는. ⑤ 울지 않는; 가래가 나오지 않는(*a* ~ *cough* 마른 기침). ⑥ 쌀쌀한, 냉담한. ⑦ 노골적인(plain). ⑧ 무미 건조한. ⑨ 무표정하게 말하는(*a* ~ *joker*). ⑩ 씁쓸한(~ *wine*)(opp. sweet). ⑪ 〖軍〗 실탄을 쓰지 않는, 연습의. ~ ***behind the ears*** 《口》 (완전히) 성인이 된. — *vt., vi.* ① 말리다, 마르다, 널다. ② 고갈시키다〔되다〕. ~ ***up*** 말리다, 널다; 바싹 마르다; 《口》 입 다물다. **∠·ly** *ad.* 냉담하게, 웃지도 않고, 무미 건조하게. **∠·ness** *n.*
dry·ad, D-[dráiəd, -æd] *n.* Ⓒ 〖그神〗 숲〔나무〕의 요정(妖精).
drý-as-dùst *a.* 무미 건조한.
drý bàttery (dry cell을 모은) 건전지.
drý brèad 버터 안 바른 빵.
drý cèll 건전지《1개》.
drý cléaner 드라이클리닝 업자〔약품〕.
drý cléaning 드라이클리닝(법).
drý·cúre *vt.* (어육 따위를) 절여서 말리다.
·Dry·den[dráidn], **John** (1631-1700) 영국의 극작가.
drý dòck 건선거(乾船渠).
drý-dòck *vt., vi.* 건선거에 들어가다〔넣다〕.
drý fárming 건지(乾地) 농법.
drý gòods 《美》 직물류; 《英》 곡류(穀類), 잡화.
drý·hòuse *n.* Ⓒ (공장의) 건조실.
drý húmo(u)r 천연스레 말하는 익살.
drý íce 드라이아이스.
drý lànd 건조 지역; 육지《바다에 대하여》.
drý làw 《美》 금주법.
drý lòdging 잠만 자는 하숙(cf. boarding house).
drý martíni ⇨MARTINI.
drý méasure 건량(乾量)《곡물·야채·과일 등의 계량 단위》.
drý mílk 분유.
drý nùrse 보모, 아이 보는 여자(cf. wet nurse).
drý-nùrse *vt.* 아이를 보다.
drý plàte 〖寫〗 건판.
drý·pòint *n.* Ⓒ 동판(銅版) 조각침; 그 동판화; Ⓤ 동판 조각법.
drý rót (목재의) 건식(乾蝕)(병).
drý rún 《俗》 예행 연습; 〖軍〗 공포 사격 연습; 시운전; 견본(見本).
drý-shòd *a., ad.* 신〔발〕을 적시지 않는〔않고〕.
drý wàll 《美》 건식 벽체(壁體)《회반죽을 쓰지 않은 벽》.
drý wàsh 빨아 말리기만 하고 다림질을 않은 세탁물.
D.S., D. Sc. Doctor of Science. **D.S.C.** Distinguished Service Cross. **D.S.M.** Distinguished Service Medal. **D.S.O.** Distinguished Service Order. **DSP** Digital Signal Processor. **DST, D.S.T.** Daylight Saving Time. **D.T.'s, d.t.** DELIRIUM tremens. **DTP** 〖컴〗 desktop publishing. **Du.** Duke; Dutch.
·du·al[djúːəl] *a.* 둘의, 이중의(twofold); 이원적인. ~ ***economy*** 이중 경제. ~ ***nationality*** 이중 국적. ~

personality 이중 인격. **~·ism** [-ìzəm] *n.* Ⓤ 이원론. **~·ist** *n.* **~·is·tic**[djù:əlístik] *a.* 이원(론)적인, 이원론상의.

du·al·i·ty[dju:ǽləti] *n.* Ⓤ 이원〔이중〕성(性).

dúal-púrpose *a.* 두 가지 목적〔용도〕의.

dub[1][dʌb] *vt.* (**-bb-**) (나이트 작위 수여식에서) 칼로 가볍게 어깨를 두드리다; …라고 칭하다〔부르다〕.

dub[2] *n.* Ⓒ《美俗》서투른 사람.

dub[3] (<double) *vt., n.* (**-bb-**) Ⓒ 〖映·放〗추가〔재〕녹음하다; 그 녹음.

dub[4] *vt., vi.* (**-bb-**) 찌르다; (북을) 둥둥치다. ― *n.* Ⓒ 찌르기; 북 치는 소리.

dub·bin [dʌ́bin] *n.* Ⓤ 보혁유(保革油)《가죽의 방수·경화 방지용》.

dub·bing [dʌ́biŋ] *n.* Ⓤ 추가〔재〕녹음, 더빙.

D

***du·bi·ous**[djú:biəs] *a.* ① 의심스러운, 수상한. ② 미정의, 불명한. ③ 불안한. **~·ly** *ad.* **~·ness** *n.* **du·bi·e·ty**[dju(:)báiəti] *n.*

***Dub·lin**[dʌ́blin] *n.* 더블린《아일랜드 공화국의 수도》.

du·cal[djú:kəl] *a.* 공작(duke)의.

du·ce[dú:tʃei/-tʃi] *n.* (It.) Ⓒ 수령(chief). ***il D-*** 총통《B. Mussolini의 칭호》.

duch·ess[dʌ́tʃis] *n.* Ⓒ 공작 부인; 여공작.

duch·y[dʌ́tʃi] *n.* Ⓒ 공작령〔영지〕.

:duck[1][dʌk] *n.* ① Ⓒ (집)오리(류의 암컷)(cf. drake). ② Ⓤ (집)오리의 고기. ③ Ⓒ《英口》귀여운 사람; 녀석, 놈. ***a wild ~*** 들오리. ***play ~s and drakes with money*** 돈을 물쓰듯하다.

duck[2] *vi., vt., n.* Ⓒ 물에 쑥 잠기게 하다〔잠김, 처박음〕; 홱 머리를 숙이다〔숙임〕; (타격·위험 등을) 피하다.

duck[3] *n.* Ⓤ 즈크; (*pl.*) 즈크 바지.

duck[4] *n.* Ⓒ 〖美軍〗(제 2 차 대전에 쓰던) 수륙양용 트럭.

dúck·bìll *n.* Ⓒ 〖動〗오리너구리.

dúck·ing *n.* Ⓤ 오리 사냥; Ⓤ,Ⓒ 물에 처넣기; Ⓤ 〖拳〗더킹《몸·머리를 홱 숙이는 것》.

duck·ling[⌐liŋ] *n.* Ⓒ 집오리 새끼, 새끼 오리.

duck·pins [dʌ́kpinz] *n. pl.*《단수 취급》tenpins 비슷한 유희.

dúck('s) ègg《英》〖크리켓〗영점.

dúck sóup《美俗》쉬운〔편한〕일.

dúck·tàil *n.* Ⓒ (10대 소년들이 가운데는 짧고 양 옆을 길게 하는) 머리 모양.

dúck·wèed *n.* Ⓤ 〖植〗좀개구리밥《오리 먹이》. 「〖解〗선(腺).

duct[dʌkt] *n.* Ⓒ 관, 도관(導管);

duc·tile[dʌ́ktil] *a.* (금속이) 연성(延性)이 있는; (진흙처럼) 마음대로 (모양이) 되는; 가르치기 쉬운, 고분고분한(docile). **-til·i·ty**[dʌktíləti] *n.* Ⓤ 유연성, 탄력성.

dúct·less *a.* 관〔선(腺)〕이 없는. *~ gland* 〖解〗내분비선.

dud[dʌd] *n.* Ⓒ《口》① (보통 *pl.*) 옷, 의류. ② 결딴난 일, 버린 사람; 〖軍〗불발탄.

dude[dju:d] *n.* Ⓒ 멋쟁이;《俗》(특히 미국 동부의) 도회지 사람;《美西部》(휴가로 서부 목장에 온) 동부인(人).

dúde rànch 관광 목장.

dudg·eon[dʌ́dʒən] *n.* Ⓤ 성냄, 분개. ***in high ~*** 크게 노하여.

:due[dju:] *a.* ① 응당 치러야 할; 지불 기일이 된, 만기의. ② 응당 …에 돌려야 할, …에 의한(*to*). ③ …할 예정인, 도착하게 되어 있는. ④ 당연한, 정당한(proper); 적당한. ***become***〔***fall***〕***~*** (어음 따위가) 만기가 되다. ***in ~ form*** 정식으로. ***in ~***(***course of***) ***time*** 때가 오면, 머지않아, 불원. ― *ad.* (방향이) 정확히, 정(正)…(*The wind is ~ north.* 바람은 정북풍이다). ― *n.* Ⓒ ① 마땅히 줄〔받을〕것, 당연한 몫, 정당한 권리. ② (보통 *pl.*) 세금, 조합비, 회비; 수수료. ***give a person his ~*** 아무를 공평히 다루다〔대우하다〕. ***give the*** DEVIL ***his ~.***

dúe bìll《美》차용 증서.

dúe dàte (어음의) 만기〔지급〕일.

du·el**[djú:əl] *n., vi.* (《英》**-ll-**) Ⓒ 결투(하다); (the ~) 결투의 규칙. ***~ of wits 재치 겨루기. **~·(l)ing** *n.* **~·(l)ist** *n.*

du·en·na[dju:énə] *n.* (Sp., Port.) =CHAPERON(E).

***du·et**[djuét] *n.* Ⓒ 2중창, 2중주(곡).

duff[1][dʌf] (cf. dough) *n.* Ⓤ,Ⓒ 푸딩의 일종.

duff[2] *vt.*《俗》속이다; 새것처럼 꾸미다.

duf·fel, -fle[dʌ́fəl] *n.* Ⓒ《美》캠프 용품; 나사(羅紗)의 일종.

dúffel bàg 〖軍〗즈크 자루.

duff·er[dʌ́fər] *n.* Ⓒ《口》바보, 병신;《俗》가짜.

:dug[1][dʌg] *v.* dig의 과거(분사).

dug[2] *n.* Ⓒ (짐승의) 젖꼭지.

du·gong[dú:gaŋ, -gɔ:ŋ] *n.* Ⓒ 듀공《돌고래 비슷함》.

***dúg·òut** *n.* Ⓒ ① 마상이, 통나무배. ② (태고의) 땅굴집. ③ 대피〔방공〕호. ④ 〖野〗더그아웃《야구장의 선수 대기소》.

***duke**[dju:k] *n.* Ⓒ ①《英》공작. ② (유럽의 공국(公國)·작은 나라의) 군주, …공(*the Grand D-* 대공). **∠·dom** *n.* Ⓒ 공령(公領), 공국.

dul·cet[dʌ́lsit] *a.* (음색이) 아름다운(sweet).

dul·ci·mer[dʌ́lsəmər] *n.* Ⓒ 금속현을 때려 소리내는 악기의 일종《피아노의 전신》.

Dul·cin[dʌ́lsin] *n.* Ⓒ 〖商標〗둘신《감미료》.

:dull[dʌl] *a.* ① 둔한, 무딘(opp. sharp)(*a ~ pain*〔*knife*〕). ② 둔감한. ③ (빛·색이) 또렷하지 않은.

④ 활기 없는, 지루한(boring). ⑤ (시황(市況)이) 침체한. — *vt.* ① 무디게 하다. ② 흐리게 하다. ③ (아픔을) 누그러뜨리다. **∠·ish** *a.* 좀 무딘; 약간 둔한; 침체한 듯한. ***∠·ness** *n.*

dull·ard[dʌ́lərd] *n.* Ⓒ 둔한 사람, 멍청이(dunce).

dulse[dʌls] *n.* Ⓤ 홍조(紅藻)류의 해초《아이슬란드 해안산; 식용》.

:du·ly[djúːli] *ad.* ① 정식으로, 바로; 당연히. ② 적당[충분]히. ③ 제시간에(punctually).

Du·ma[dúːmə] *n.* 제정 러시아의 국회.

Du·mas[djumɑ́ː/djúːmɑ], **Alexandre**(1802-70; 1824-95) 프랑스의 소설가 부자(父子).

:dumb[dʌm] *a.* ① 벙어리의(mute); 말못하는. ② 말이 없는; 무언의. ③ (놀라거나 부끄러워) 말문이 막힌. ④ 《美俗》 우둔한. ***strike a person ~*** 깜짝 놀라게 하다; 아연케 하다.

dúmb·bèll *n.* Ⓒ 아령; 《美俗》 얼간이.

dumb·found[dʌ̀mfáund] *vt.* 깜짝 놀라게 하다(amaze).

Dum·bo[dʌ́mbou] *n.* Ⓒ 《美海軍俗》 구명(비행)기; 《美俗》 귀가 큰 사람.

dúmb shòw 무언극(pantomime).

dúmb·strùck *a.* 놀라서 말도 못하는.

dúmb·wàiter *n.* Ⓒ 《美》 식품 전용 엘리베이터; 《英》 (식탁 위의) 회전 식품대.

dum·dum[dʌ́mdʌ̀m] *n.* Ⓒ 덤덤탄(彈); 《美俗》 멍텅구리.

dúmdum bùllet 덤덤탄(彈).

***dum·my**[dʌ́mi] *n.* Ⓒ ① (양복점의) 모델 인형; (표적의) 짚인형. ② 《美口》 얼뜨기. ③ (실물의 대신이 되는) 견본, 모형, 모조품. ④ 바꿔친 것[사람], 『映』 대역(代役) 인형; (어린이의) 고무젖꼭지. ⑤ 꼭두각시, 앞잡이. ⑥ 『製本』 가제본. ⑦ 『카드놀이』 (네 사람 놀이를 셋이 할 때의) 빈 자리. ⑧ 『컴』 가상(假想), 더미. — *a.* 가짜의.

***dump**[1][dʌmp] *vt.* ① (차에서 쓰레기 따위를) 털썩 부리다. ② (외국 시장에 쓰레기라도 버리듯이) 덤핑하다. ③ 『컴』 퍼붓다, 덤프하다. — *n.* Ⓒ ① 쓰레기 더미, 쓰레기 버리는 곳. ② 『컴』 퍼붓기, 덤프《기억장치의 내용을 출력장치에 전사(轉寫)하기》. **~·ing**[∠iŋ] *n.* Ⓤ (쓰레기 따위를) 내버림; 염가 수출, 덤핑.

dump[2] *n.* (*pl.*) 《口》 의기소침, 우울. (***down***) ***in the ~s*** 맥없이, 울적[우울]하여.

dúmp càr 덤프(화)차.

dúmp·càrt *n.* Ⓒ (경사식으로 된) 쓰레기 버리는 손수레.

dump·ling[dʌ́mpliŋ] *n.* Ⓤ,Ⓒ 고기[사과] 단자; Ⓒ 《口》 땅딸보.

dúmp trùck 덤프 트럭.

dump·y[1][dʌ́mpi] *a.* 땅딸막한.

dump·y[2] *a.* 울적한, 뚱한.

dun[1][dʌn] *vt.* (**-nn-**) *n.* Ⓒ (특히, 빚을) 성화같이 독촉하다[독촉하는 사람]; 독촉(장).

dun[2] *n., a., vt.* (**-nn-**) Ⓤ 암갈색(의, 으로 하다).

***dunce**[dʌns] *n.* Ⓒ 열등생, 저능아; 「바보.

dúnce('s) càp 게으르거나 공부 못하는 학생에게 벌로써 씌우던 깔대기 모양의 종이 모자.

dun·der·head[dʌ́ŋdərhèd] *n.* Ⓒ 멍청이. 「덕.

dune[djuːn] *n.* Ⓒ (해변의) 모래 언

dung[dʌŋ] *n., vt.* Ⓤ (동물의) 똥; 거름(을 주다)(manure).

dun·ga·ree[dʌ̀ŋgəríː] *n.* Ⓤ (인도산의) 거칠게 짠 무명; Ⓒ (*pl.*) (그 천의) 작업복, 노동복.

***dun·geon**[dʌ́ndʒən] *n.* Ⓒ 토굴 감옥; =DONJON.

dúng flỳ 똥파리.

dúng fòrk (거름 젓는) 쇠스랑.

dúng·hìll *n.* Ⓒ 똥[거름]더미.

dunk[dʌŋk] *vt., vi.* (먹으며) 적시다 (*~ bread into coffee, tea etc.*); 『籠』 덩크슛하다.

Dun·kirk[dʌ́nkəːrk] *n., vi., vt.* 덩케르크《북프랑스의 항구》; Ⓒ (폭격하의) 필사의 철수(를 하다, 시키다).

dúnk shòt 『籠』 덩크슛《높이 점프해서 바스켓 속에 메어꽂듯 하는 슛》.

dun·lin[dʌ́nlin] *n.* Ⓒ 『鳥』 민물도요.

dun·nage[dʌ́nidʒ] *n.* Ⓤ 『海』 파손을 막기 위해 뱃짐사이에 끼우는 멍석(따위); 소지품, 의류.

dun·no [dʌnóu] 《口》 =(I) don't know.

du·o [djúːou] *n.* (*pl.* **~s**) Ⓒ ① 『樂』 2중창, 2중주(곡). ② (연예인의) 2인조; 한 쌍.

du·o·dec·i·mal[djùːoudésəməl] *n.* Ⓒ 12분의 1; (*pl.*) 12진법.

du·o·dec·i·mo[-désəmòu] *n.* (*pl.* **~s**) Ⓤ 12절판《생략 12mo, 12°》; Ⓒ 12절판[4·6판]의 책.

dup. duplicate.

dupe[djuːp] *vt.* 속이다(deceive). — *n.* Ⓒ 잘 속는 사람.

du·ple[djúːpəl] *a.* 2배의, 이중(重)의(double). **~ *time*** 『樂』 2박자.

du·plet[djúːplit] *n.* Ⓒ 『化』 이중 전자; 『理』 이중 입자(粒子).

du·plex[djúːpleks] *a.* 2중의, 2배의; 『機』 (구조가) 복식으로 된. — *n.* Ⓒ 『樂』 2중 음표; 『컴』 양방(兩方).

dúplex apártment 복식 아파트《아래 위층의 방을 한 단위로 함》.

dúplex hóuse 《美》 연립 주택.

du·pli·cate**[djúːpləkit/djúːplə-] *a.* ① 이중의; 복제의; 한쌍의. ② 부(副)의, 복사의. — *n.* Ⓒ ① 등본, 부본, 사본(cf. triplicate); 복제물. ② 물표, 전당표. ***made [***done***] ***in ~*** (정부(正副)) 두 통으로 작성된. — [-kèit] *vt.* 이중으로 하다; 『컴』 복사하다; 정부 두 통으로 하다. ***-ca·tion**[⸗—kéiʃən] *n.* Ⓤ 이중, 중복; 복제, 복사; Ⓒ 복제물. **-ca·tor**[∠—kèitər] *n.* Ⓒ 복사기, 복제자.

D

dúplicàting machìne 복사기.
du·plic·i·ty[djuːplísəti] *n.* Ⓤ 이심(二心), 표리 부동; 불성실.
*__du·ra·ble__[djúərəbəl] *a.* 오래 견디는, 튼튼한; 지속〔지탱〕하는(lasting). ~ ***goods*** 〖經〗 (소비재 중의) 내구재(耐久財). ~·**ness** *n.* -**bly** *ad.* -**bil·i·ty**[∸—bíləti] *n.* Ⓤ 지속력, 내구성; 영속성.
du·ral·u·min[djuərǽljəmin] *n.* Ⓤ 두랄루민(알루미늄 합금).
du·ra·men [djuəréimin] *n.* Ⓤ 〖植〗 심재(心材), 적목질(赤木質), 나무의 심(opp. alburnum).
dur·ance[djúərəns] *n.* Ⓤ 감금. ***in ~ vile*** 부당하게 감금되어.
*__du·ra·tion__[djuəréiʃən] *n.* Ⓤ 지속(기간), 존속(기간)(~ ***of flight*** 〖空〗 체공〔항속〕 시간). ***for the ~*** 전쟁이 끝날 때까지, 전쟁 기간 중; (굉장히) 오랜 동안.
dur·bar[də́ːrbɑːr] *n.* Ⓒ 《印英》 (인도 제후(諸侯)의) 궁전; 공식 접견실.
Dü·rer[djúrər/djúər-], **Albrecht** (1471-1528) 독일의 화가·조각가.
du·ress(e)[djuərés, djúəris] *n.* Ⓤ 속박, 감금; 〖法〗 강박, 강제.
Du·rex[djúəreks] *n.* Ⓒ 〖商標〗 condom의 일종.
Dur·ham[də́ːrəm, dʌ́r-] *n.* 영국 북동부의 주(생략 Dur.).
du·ri·an, -on[dúəriən, -ɑːn] *n.* Ⓒ 두리안(의 열매)(동남아산(產); 독특한 향미가 있음).
†**dur·ing**[djúəriŋ] *prep.* …의 동안, …사이.
dur·ra[dúərə] *n.* Ⓤ 수수, 고량(高粱).
durst[dəːrst] *v.* dare의 과거.
du·rum[djúərəm] *n.* Ⓤ 밀의 일종(마카로니의 원료).
*__dusk__[dʌsk] *n.* Ⓤ ① 땅거미, 황혼. ② 그늘(shade). ***at ~*** 해질 녘에. — *a.* 《詩》 어스레한.
*__dusk·y__[∸i] *a.* ① 어스레한; 거무스름한(darkish). ② 음울한(gloomy). **dúsk·i·ly** *ad.* **dúsk·i·ness** *n.*
:**dust**[dʌst] *n.* Ⓤ ① 먼지, 티끌. ② 가루, 분말, 화분(花粉); 사금(砂金). ③ 《英》 쓰레기. ④ 유해(遺骸)(***honored ~*** 명예의 유해); 인체; 인간, 흙, 무덤. ⑤ 《俗》 현금. BITE ***the ~. humbled in to the ~*** 굴욕을 받고. ***in the ~*** 죽어서; 굴욕을 당해. ***kick up*** 〔***make, raise***〕 ***a ~*** 소동을 일으키다. ***shake the ~ off one's feet*** 분연히 떠나다. ***throw ~ in a person's eyes*** 속이다(cheat). — *vt., vi.* 가루를 뿌리다(sprinkle); 먼지를 떨다. *∠·**er** *n.* Ⓒ *n.* 먼지 터는 사람, 총채, 걸레; (후춧가루·소금을) 치는 기구; 《美》 DUST COAT; (여자의) 헐렁한 실내복. ∠·**less** *a.*
dúst-bàth *n.* Ⓒ (새의) 사욕(砂浴).
dúst bìn 《英》 쓰레기통(《美》 ash-can).
dúst bòwl 《美》 (모래 바람이 심한) 건조 지대.
dúst càrt 《英》 쓰레기차(《美》 ash-cart).
dúst chùte 더스트 슈트(건물의 위층에서 쓰레기를 떨어뜨려 밑에서 모으는 장치).
dúst còat 《英》 먼지 방지용 외투.
dúst còver ① (쓰지 않는 가구 따위를 덮는) 먼지 방지용 커버. ② = DUST JACKET.
dúst dèvil 흙먼지의 작은 회오리바람.
dúst disèase 《口》 =PNEUMOCONIOSIS.
dust·ing[∸iŋ] *n.* Ⓤ 청소; 《俗》 때리기; Ⓤ,Ⓒ 《海俗》 폭풍우(때의 배의 동요).
dúst jàcket 책 커버(book jacket).
dust·man[∸mən] *n.* Ⓒ 《英》 쓰레기 청소부(《美》 garbage collector); 〖海〗 화부; 《口》 졸음(의 요정)(***The ~ is coming.*** 졸린다).
dúst mòp (마루 훔치는) 자루 걸레.
dúst·pàn *n.* Ⓒ 쓰레받기.
dúst·pròof *a.* 먼지가 안 묻는; 방진(防塵)의.
dúst shèet《英》 =DUST COVER ①.
dúst stòrm 큰 모래바람, 황진.
dúst·ùp *n.* Ⓒ 《俗》 치고받기, 싸움.
dúst wràpper =DUST JACKET.
:**dust·y**[∸i] *a.* ① 먼지투성이의. ② 가루의. ③ 먼지 빛의(grayish). ***not so ~*** 《英口》 과히〔아주〕 나쁜 것도 아닌, 꽤 좋은. **dúst·i·ly** *ad.* **dúst·i·ness** *n.*
:**Dutch**[dʌtʃ] *a.* 네덜란드의; 네덜란드 사람〔말〕의. ***go ~*** 《口》 각자부담으로 하다. — *n.* ① Ⓤ 네덜란드 말. ② (the ~) 《집합적》 네덜란드 사람. ***beat the ~*** 《美口》 남을 깜짝 놀라게 하다. ***in ~*** 기분을 상하게 하여; 면목을 잃어, 곤란해서.
Dútch áuction 값을 조금씩 떨어뜨리며 하는 경매.
Dútch chéese 네덜란드 치즈(탈지유로 만드는 둥글고 연한 치즈).
Dútch cóurage 《口》 (술김에 내는) 용기, 객기.
Dútch dóor 상하 2단으로 된 문; (잡지의) 접혀진 광고(펴서 봄).
Dútch lúnch 〔**súpper, tréat**〕 비용 각자 부담의 점심〔저녁, 회식〕.
*__Dutch·man__[∸mən] *n.* Ⓒ 네덜란드 사람〔배〕; 《俗》 독일 사람.
Dútch óven 고기 구이용 오븐.
Dútch úncle 《口》 가차없이 비판〔비난〕하는 사람. ***talk like a ~*** 엄하게 꾸짖다〔타이르다〕.
Dútch wífe 죽부인(竹夫人).
du·te·ous[djúːtiəs] *a.* =DUTIFUL.
du·ti·a·ble[djúːtiəbəl] *a.* 관세를 물어야 할; 유세(有稅)의.
du·ti·ful[djúːtifəl] *a.* 충실한; 본분을 지키는; 효성스러운. ~·**ly** *ad.* ~·**ness** *n.*
:**du·ty**[djúːti] *n.* ① Ⓤ 의무, 본분, 책임. ② Ⓤ,Ⓒ (보통 *pl.*) 직무, 임무, 일. ③ Ⓤ 경의(respect). ④ 관세, 조세. ⑤ Ⓤ 〖機〗 효율. ⑥ Ⓤ 〖宗〗

종무(宗務). ***as in ~ bound*** 의무상. ***do ~ for*** …의 대용이 되다. ***off*** 〔***on***〕 ***~*** 비번〔당번〕으로. ***pay*** 〔***send***〕 ***one's ~ to*** …에 경의를 표하다.

dúty càll 의리상의 방문.

dúty-frée *a.* 면세(免稅)의.

dúty-páid *a.* 납세필의.

du·vet[dju:véi] *n.* (F.) Ⓒ (침구 대용)의 두꺼운 깃털 이불.

D.V. *Deo volente*(L.=God willing) 하느님께서 허락하신다면.

Dvo·řak[dvɔ́:rʒɑ:k, -ʒæk], **Anton** (1841-1904) 체코슬로바키아의 작곡가.

:dwarf[dwɔ:rf] *n., a.* ① Ⓒ 난쟁이. ② 왜소한, 작은. — *vt., vi.* ① 작게 하다〔보이다〕; 작아지다. ② 작게〔지지러지게〕하다. **∠·ish** *a.* 난쟁이 같은; 지지러진, 작은.

dwárf stár 〖天〗 왜성(矮星)《광도와 질량이 비교적 적은 항성》.

:dwell[dwel] *vi.* (***dwelt, ~ed***) ① 살다, 거주하다(*at, in, on*). ② 곰곰이 생각하다(ponder), 길게 논하다〔얘기하다, 쓰다〕(*on, upon*). ③ (음계·말 따위를) 천천히 발음하다. ***~ on*** 〔***upon***〕 …을 곰곰히 생각하다; …을 강조하다; 꾸물거리다. ***∠·er*** *n.* Ⓒ 거주자.

:dwell·ing[∠iŋ] *n.* Ⓒ 주거, 주소; Ⓤ 거주.

dwélling hóuse 주택.

dwélling plàce 주소.

:dwelt[dwelt] *v.* dwell의 과거(분사).

DWI driving while intoxicated 음주 운전.

***dwin·dle**[dwíndl] *vi.* ① 점점 작아지다〔줄어들다〕, 줄다. ② 야위다; 타락하다.

dwt. denarius weight(=pennyweight). **DX, D.X.**[dí:éks] 〖無電〗 distance; distant. **Dy** 〖化〗 dysprosium.

:dye[dai] *n.* Ⓤ,Ⓒ ① 물감. ② 염색, 색조(tint). — *vi., vt.* (***dyed; dyeing***) 물들(이)다. **∠·ing** *n.* Ⓤ 염색(법); 염색업.

dýed-in-the-wóol *a.* (사상 따위가) 철저한(thorough); (짜기 전에) 실을 물들인.

dy·er [∠ər] *n.* Ⓒ 염색하는 사람〔업자〕.

dýe·stùff *n.* Ⓤ,Ⓒ 염료, 물감.

dýe wòrks 염색 공장.

:dy·ing[dáiiŋ] *a.* ① 죽어 가는; 임종의. ② 꺼져〔망해〕가는; 《俗》 …하고 싶어 못견디는. — *n.* Ⓤ 죽음, 임종(death).

dyke[daik] *n., v.* =DIKE.

dyn. dynamics.

dy·nam·ic**[dainǽmik] *a.* ① 역학(상)의. ② 동력의, 동적인(opp. static). ③ 힘찬, 힘센. ④ 〖컴〗 동적인 (*~ memory* 동적 기억 장치). ***~ economics 동태 경제학. — *n.* (*sing.*) 원동력. **-i·cal** *a.* 역학적인. **-i·cal·ly** *ad.*

dy·nam·ics [dainǽmiks] *n.* Ⓤ 〖物〗 역학; 《복수 취급》 원동력, 활동력.

dy·nam·ism[dáinəmìzəm] *n.* Ⓤ 〖哲〗 역본설(力本說).

***dy·na·mite**[dáinəmàit] *n., vt.* Ⓤ 다이너마이트(로 폭발하다). **-mit·er** [-ər] *n.* Ⓒ 다이너마이트 사용자; 《美》 적극적인 야심가.

dy·na·mit·ism[dáinəmàitizəm] *n.* Ⓤ (다이너마이트를 사용하는) 급진적 (정치) 혁명주의.

dy·na·mize[dáinəmàiz] *vt.* 활성화하다, 보다 생산적이게 하다.

dy·na·mo[dáinəmòu] *n.* (*pl.* ***~s*** [-z]) Ⓒ 발전기; 《口》 정력가.

DYNAMO[dáinəmòu] *n.* Ⓒ 〖컴〗 다이너모《시뮬레이터의 일종》.

dy·na·mo·e·lec·tric [dàinəmouiléktrik] *a.* 역학 에너지와 전기 에너지의 변환에 관계하는.

dy·na·mom·e·ter [dàinəmámitər/-mɔ́mi-] *n.* Ⓒ 역량〔동력〕계; 악력계(握力計); 망원경 배율계.

dy·nast[dáinæst, -nəst/dínæst] *n.* Ⓒ 군주, (세습적) 주권자.

***dy·nas·ty**[dáinəsti/dín-] *n.* Ⓒ 왕조; 명가, 명문.

dy·nas·tic[dainǽstik/di-] *a.* 왕조의, 왕가의.

dy·na·tron[dáinətrὰn/-ɔ̀n] *n.* Ⓒ 〖電〗 4극(極)진공관의 일종; 〖理〗 = MESON.

dyne[dain] *n.* Ⓒ 〖理〗 다인《힘의 단위; 질량 1g의 물체에 매초 1cm의 가속도를 일으키는 힘》.

Dy·nel[dainél] *n.* Ⓤ 〖商標〗 합성 섬유의 일종.

dys·en·ter·y[dísəntèri] *n.* Ⓤ 이질. **-ter·ic**[dìsəntérik] *a.*

dys·func·tion [disfʌ́ŋkʃən] *n.* Ⓤ 〖醫〗 기능 장애; 〖社〗 역(逆)기능.

dys·gen·ic[disdʒénik] *a.* (유전적으로) 자손에 나쁜 영향을 끼치는, 비우생학적인. **~s** *n.* Ⓤ 〖生〗 열생학(劣生學).

dys·lex·i·a[disléksiə] *n.* Ⓤ 〖醫〗 실독증(失讀證).

dys·pep·si·a[dispépʃə, -siə/-siə] *n.* Ⓤ 〖醫〗 소화 불량(증), 위약(胃弱).

dys·pep·tic[dispéptik], **-ti·cal** [-əl] *a., n.* Ⓒ 소화불량의 (사람); 위병에 걸린; 기운 없는.

dys·pha·si·a[disféiʒiə] *n.* Ⓤ 〖醫〗 부전실어(不全失語), 실어증.

dys·pho·ni·a[disfóuniə] *n.* Ⓤ 발성 장애, 음성 장애.

dysp·n(o)e·a[díspni(:)ə] *n.* Ⓤ 〖醫〗 호흡 곤란. **dysp·n(o)e·ic**[dispní:ik] *a.* 호흡 곤란성의.

dys·pro·si·um[disprόusiəm, -ziəm, -ʃiəm] *n.* Ⓤ 〖化〗 디스프로슘《금속원소; 기호 Dy》.

dys·to·pi·a[distóupiə] *n.* Ⓤ 디스토피아《암흑 사회, 살기 어려운 곳》.

dys·tro·phy[dístrəfi] *n.* Ⓤ 〖醫〗 영양 실조.

dys·u·ri·a[disjúəriə] *n.* Ⓤ 〖醫〗 배뇨(排尿) 곤란.

dz. dozen(s).

E

E, e[iː] *n.* (*pl.* ***E's, e's***[-z]) Ⓤ 〖樂〗 마음, 마조(調); 제 2 등급《영국 Lloyd 선박 협회의 선박 등록부에 의한 등급》; Ⓒ E자 모양(의 것). COMPOUND ***E.***

E, E. east; eastern. **E.** Earl; Earth; English. **E.A., EA** educational age.

†**each**[iːtʃ] *pron., a.* 각각(의), 제각기(의). ～ ***and every*** 어느 것이나, 어느 누구도. ～ ***other*** 서로. — *ad.* 각각에 (대해서).

‡**ea·ger**[íːgər] *a.* 열심인(*in*); 열망하여(*for, about, after; to* do). ～ BEAVER[1]. ‡～**·ly** *ad.* ‡～**·ness** *n.*

‡**ea·gle**[íːgəl] *n.* Ⓒ 수리; 수리표(의 기·금화); (the E-) 〖天〗 독수리자리.

éagle-èyed *a.* 눈이 날카로운.

ea·glet[íːglit] *n.* Ⓒ 새끼수리.

ea·gre[íːgər, éi-] *n.* 《주로 英》 = BORE[3].

E. & O.E. 〖商〗 errors and omissions excepted. **E. and P.** Extraordinary and Plenipotentiary 특명 전권(特命全權).

†**ear**[1][iər] *n.* Ⓒ ① 귀. ② 귀꼴의 물건《손잡이 등》. ③ 청각; 경청. ***about one's ～s*** 주위에. ***be all ～s*** 열심히 듣다. ***by the ～s*** 사이가 나빠. ***catch*** 〔***fall on***〕 ***one's ～s*** 귀에 들어오다, 들리다. ***fall on deaf ～s*** 무시당하다. ***gain the ～ of*** …에게 듣게 하다; …의 주목을 끌다. ***give*** 〔***lend an***〕 ～ ***to*** …에 귀를 기울이다. ***have an ～ for*** (*music*) (음악을) 알다. ***have*** 〔***hold, keep***〕 ***an*** 〔***one's***〕 ～ ***to the ground*** 여론에 귀를 기울이다. ***over head and ～s,*** or ***up to the ～s*** (사랑 따위에) 깊이 빠져, 몰두하여; (빚 때문에) 꼼짝 못하게 되어. PRICK ***up one's ～s. turn a deaf ～*** 들으려 하지 않다(*to*). ***Were your ～s burning last night?*** 어젯밤에 귀가 가렵지 않던가《네 이야기를 하였는데》.

ear**[2] *n.* Ⓒ (보리 따위의) 이삭, (옥수수) 열매. ***in the ～ 이삭이 패어서.

éar·àche *n.* Ⓤ,Ⓒ 귀앓이.

éar·dròp *n.* Ⓒ 귀고리.

éar·drùm *n.* Ⓒ 고막, 귀청.

éar·flàp *n.* Ⓒ (방한모의) 귀덮개.

***earl**[əːrl] *n.* Ⓒ 《英》 백작(伯爵)《영국 이외의 외국의 count에 해당》. ∠**·dom** *n.* Ⓤ 백작의 신분.

ear·lap[íərlæ̀p] *n.* Ⓒ 귓불(earlobe); 외이(外耳); =EARFLAP.

éar·less *a.* 귀 없는.

†**ear·ly**[ə́ːrli] *a.* 이른; 초기의; (과일 따위) 올되는; 만물의; 어릴 때의; 가까운 장래의. ***at an ～ date*** 금명간에, 머지 않아. ***keep ～ hours*** 일찍 자고 일찍 일어나다. — *ad.* 일찍; 이른 때〔시기〕에, 초기에. ～ ***or late*** 조만간에(sooner or later).

éarly bìrd 《口》 일찍 일어나는 사람; 정한 시각보다 일찍 오는 사람.

éarly clósing 《英》 (일정한 요일의 오후에 실시하는) 조기 폐점(일).

éarly-wárning ràdar 〔**sỳstem**〕 〖軍〗 (핵공격에 대한) 조기 경보 레이더〔방식〕.

éar·màrk *n., vt.* Ⓒ (소유자를 표시하는) 양(羊)의 귀표(를 하다); 페이지 모서리의 접힘(dog's-ear); (자금의 용도를) 지정하다.

éar·mùff *n.* Ⓒ (보통 *pl.*) 《美》 (방한·방음용) 귀싸개.

‡**earn**[əːrn] *vt.* ① 벌다(～ ***one's living*** 생계비를 벌다), 일하여 얻다. ② 손에 넣다, (명예 따위를) 차지하다, 받다, 얻다(get). ③ (감사 따위를) 받을 만하다. *∠**·ing** *n.* Ⓤ 벌이; (*pl.*) 소득, 수입.

éarned íncome 근로 소득.

‡**ear·nest**[1][ə́ːrnist] *a.* ① 성실한, 진지한(serious); 열심인(ardent). ② 중대한, 엄숙한. — *n.* Ⓤ 성실, 진심, 진지, 정식. ***in ～*** 성실〔진지〕하게, 진심〔정식〕으로. ‡～**·ly** *ad.* *～**·ness** *n.*

ear·nest[2] *n.* (an ～) 보증(pledge); =∠ **mòney** 착수금.

***éar·phòne** *n.* Ⓒ 이어폰.

éar·pìck *n.* Ⓒ 귀이개.

éar·pìece *n.* =EARPHONE.

éar·plùg *n.* Ⓒ 귀마개.

éar·rèach *n.* =EARSHOT.

***ear·ring**[íərìŋ] *n.* Ⓒ이어링, 귀고리.

éar shèll 전복.

éar·shòt *n.* Ⓤ (소리가) 들리는 거리.

éar-splìtting *a.* 귀청이 터질 듯한.

†**earth**[əːrθ] *n.* ① Ⓤ (the ～, the E-) 지구. ② Ⓤ 이 세상, 사바, 현세. ③ Ⓤ 육지; 대지, 땅; 지면. ④ Ⓤ,Ⓒ 흙. ⑤ Ⓤ,Ⓒ 《英》 (여우 따위의) 굴. ⑥ Ⓤ 〖電〗 어드, 접지(接地). ⑦ Ⓒ 〖化〗 토류(土類). ***come back to ～*** (꿈에서) 현실로 돌아오다, 제정신이 들다. ***down to ～*** 실제적인, 현실적인; 《口》 아주, 철저하게. ***on ～*** 지구상의〔에〕, 이 세상의; 《what, why, who 따위와 함께》 도대체; 《부정구문》 도무지, 조금도(***It's no use on ～!*** 아무짝에도 쓸모 없다). ***run to ～*** (여우 따위) 굴 속으로 달아나다〔몰아넣다〕; 추궁하다; 규명해 내다. — *vt.* 흙 속에 파묻다; (뿌리 따위에) 흙을 덮다; 〖電〗 (…을) 접지(接地)하다.

éarth·bòrn *a.* 땅 위에〔이 세상에〕 태어난, 인간적인, 세속의.

éarth·bòund *a.* 땅에 고착한; 세속

적인; 지구로 향하는.
éarth cùrrent 지전류(地電流).
Éarth Dày 지구의 날《환경 보호의 날; 4월 22일》.
·**earth·en**[ˊən] *a.* 흙의, 흙으로 만든; 오지로 만든.
éarth·lìke *a.* 지구 같은; 지구상의 것을 닮은.
earth·ling[ə́:rθli:ŋ] *n.* Ⓒ 인간; 속인(俗人).
·**earth·ly**[ə́:rθli] *a.* ① 지구〔지상〕의; 이 세상의, 세속의(worldly). ② 《口》《부정·의문구문》 전혀(at all), 도대체(on earth).
earth·man [ə́:rθmæ̀n, -mən] *n.* Ⓒ 지구의 주민, 지구인.
éarth mòther 〖神話〗 땅의 요정; 관능적인 여자.
éarth·mòver *n.* Ⓒ 땅 고르는 기계, 토목 기계.
éarth·nùt *n.* Ⓒ 낙화생, 땅콩.
:**earth·quake**[ˊkwèik] *n.* Ⓒ 지진; 대변동.
éarth sàtellite 인공 위성.
éarth scìence 지구과학.
éarth·wòrk *n.* ① Ⓒ 〖軍〗 방어용 흙둑. ② Ⓤ 토목 공사. ③ (*pl.*) 대지(大地) 예술《흙·돌·모래·얼음 등 자연물을 소재로 함》.
éarth·wòrm *n.* Ⓒ 지렁이.
earth·y[ˊi] *a.* 흙의, 흙 같은; 세속의; 야비한.
éar trùmpet (나팔꼴) 보청기.
éar·wàx *n.* Ⓤ 귀지.
éar·wìg *n.* Ⓒ 집게벌레.
:**ease**[i:z] *n.* Ⓤ ① 편안, 안락. ② 쉬움. ③ 여유; 넉넉함. ***at*** (***one's***) ~ 편안히, 마음놓고. ***feel at*** ~ 안심하다. ***ill at*** ~ 불안하여, 마음놓이지 않아, 긴장하여. ***take one's*** ~ 편히 쉬다, 마음 푹 놓다. ***well at*** ~ 안심하여, 편히. ***with*** ~ 쉽게. — *vt., vi.* 마음을 편히 하다, 안심시키다, (고통을) 덜다(*off, up*); 쉽게 하다; (새끼·줄 따위를) 늦추다(loosen) (*off, up*). **ˊ·ment** *n.* ① Ⓤ,Ⓒ (고통 따위의) 완화. ② Ⓤ 〖法〗 지역권(地役權)《남의 땅을 통행하는 권리 등》.
ease·ful[ˊfəl] *a.* 마음편한, 안락한.
·**ea·sel**[í:zəl] *n.* Ⓒ 화가(畫架).
:**eas·i·ly**[í:zəli] *ad.* 쉽게, 쉽사리; 편안히.
eas·i·ness[í:zinis] *n.* Ⓤ 용이함, 쉬움; (문체의) 평이(平易)(plainness); 마음편함; 평정.
†**east**[i:st] *n.* ① (the ~) 동쪽, 동방, 동부(지방). ② (the E-) 동양(the Orient). ③ (the E-) 미국 동부의 여러 주. ***down E-*** 《美》 = NEW ENGLAND(의 동부). ~ ***by north*** 〔***south***〕 동미북〔남〕(東微北〔南〕). ***in*** 〔***on, to***〕 ***the*** ~ ***of*** …의 동부에〔동쪽에 접하여, 동쪽에 면하여〕. ***the Far E-*** 극동. ***the Middle E-*** 중동《근동과 극동의 사이》. ***the Near E-*** 근동《터키·이란·발칸 등지》. — *a., ad.* 동쪽의; 동부의; 동쪽으로〔에〕. :**ˊ·ward** *n., a., ad.* (the ~) 동쪽; 동쪽의〔으로〕. **ˊ·wards** *ad.* 동(쪽)으로.
Éast Berlín 동베를린《1990년 10월 독일 통일로 West Berlin과 함께 Berlin으로 통합》.
éast·bòund *a.* 동쪽으로 가는.
Éast Énd, the 이스트 엔드《London 동부의 하층민이 사는 상업 지구》.
†**East·er**[í:stər] *n.* Ⓤ 부활절《3월 21일 이후의 첫 만월 다음 일요일》.
Éaster ègg 부활절의 (선물용) 채색 달걀.
Éaster éve 부활절 전야.
Éaster Ísland 이스터 섬《남태평양의 외딴 섬; 칠레령》.
Éaster lìly (부활절 장식용) 백합.
east·er·ly[í:stərli] *a., ad., n.* 동쪽에 치우친〔치우쳐〕; 동쪽에서 부는; Ⓒ 동풍.
Éaster Mónday 부활절의 다음날.
:**east·ern**[í:stərn] *a.* ① 동(쪽)의. ② (E-) 미국 동부의; 동양의. **~·er** *n.* Ⓒ 《美》 (E-) 동부 지방 사람. **~·mòst** *a.* 가장 동쪽의.
Éastern Chúrch, the 동방 교회《그리스 정교회》.
Éastern Hémisphere, the 동반구(東半球).
Éastern Róman Émpire, the 동로마 제국.
Éastern Stándard Tìme 동부 표준시《캐나다 동부, 미국 동부, 오스트레일리아 동부》.
Éaster Súnday 부활 주일(=Easter Day).
Éaster·tìde *n.* Ⓤ 부활절부터 강림절까지의 50일간; =EASTER WEEK.
Éaster wéek 부활절로 시작되는 1주일.
Éast Síde, the New York시 Manhattan섬 동부의 하층 이민(移民) 지구.
†**eas·y**[í:zi] *a.* ① 쉬운. ② 안락한; 마음편한; 편안한. ③ 여유 있는; 넉넉한. ④ 안일(安逸)에 빠진, 게으른. ⑤ 부드러운, 관대한. ⑥ 다루기 쉬운, 말을 잘 듣는. ⑦ (문체가) 평이한(plain), 딱딱하지 않은. ⑧ 까다롭지 않은, 담박한. ⑨ (시장이) 한산한, (상품이) 수요가 적은, 놀고 있는. ***feel*** ~ 안심하다(***about***). ***in*** ~ ***circumstances,*** or 《美俗》 ***on*** ~ ***street*** 유복하게, 넉넉하게 지내어. — *ad.* 《口》 쉽게, 편안히, 태평스럽게. ***E- all!*** 〖海〗 노젓기 그만! ***Take it*** ~***!*** 천천히 하여라!; 걱정말라!; 침착하라!.
éasy chàir 안락 의자.
èasy-dóes-it *a.* 마음 편한, 느긋한.
·**éasy·gòing** *a.* 태평한; 단정치 못한; (말의) 느린 걸음의.
éasy márk 《美口》 호인.
éasy móney 수월하게 번 돈; 부정한 돈.
†**eat**[i:t] *vt.* (***ate, eat***[et, i:t]; ***eaten, eat***[et, i:t]) ① 먹다, (수프·

국 따위를 숟가락으로) 떠먹다. ② 먹어 들어가다; (산(酸)따위가) 침식하다; 파괴하다. — *vi.* ① 식사하다. ② 《美口》 (…처럼) 먹을 수 있다; 먹으면 (…의) 맛이 있다(*This cake* ~*s crisp.* 먹으면 바삭 바삭한다). **~ away** 먹어 없애다; 잠식[부식]하다. **~ crow** 《美》 굴욕을 참다; 잘못을 시인하다. **~ into** 먹어 들어가다, 부식하다. **~ one's heart out** 슬픔에 잠기다. **~ one's words** 앞에 한 말을 취소하다. **~ out** 다 먹어 버리다, 침식하다; 《美》 외식하다 (dine out); 《俗》 호되게 꾸짖다. **~ up** 다 먹어버리다; 모두 써버리다 (use up), 탕진하다; 열중케 하다. ***I'll ~ my hat*** [***hands, boots***] ***if…*** 《口》 만일 …이라면 내 목을 내놓겠다. **∠·a·ble** *a., n.* 먹을 수 있는; (*pl.*) 식료품. **∠·er** *n.*

†eat·en[í:tn] *v.* eat의 과거 분사.

eat·er·y[í:təri] *n.* Ⓒ 《口》 음식점.

:eat·ing[í:tiŋ] *n.* Ⓤ 먹기; 식품. — *a.* 부식성의; 식용의.

éating disòrder 섭식 장애《거식(拒食)증·과식증 따위》.

éating hòuse [**plàce**] 식당.

eau de Co·logne[òu də kəlóun] 《商標》 오드콜론《향수》. 「디.

eau de vie[òu də ví:] (F.) 브랜

***eaves**[i:vz] *n. pl.* 처마, 차양.

éaves·dròp *vi.* (*-pp-*) 엿듣다. **~per** *n.* **~ping** *n.*

ebb**[eb] *n.* ① (the ~) 간조; 썰물. ② Ⓤ 쇠퇴. **~ *and flow [***flood***] 썰물; 성쇠. — *vi.* (조수가) 써다; 기울다, 쇠해지다. **~ *back*** 소생하다, 되찾다.

ébb tìde 썰물; 쇠퇴(기).

EbN east by north.

eb·on[ébən] *n., a.* 《詩》 =EBONY.

eb·on·ite[ébənàit] *n.* Ⓤ 에보나이트, 경화 고무.

***eb·on·y**[ébəni] *n., a.* Ⓒ 흑단(黑檀)(의); Ⓤ 칠흑(의).

EBR Experimental Breeder Reactor 실험용 증식로(增殖爐).

EbS East by South.

e·bul·lient[ibʌ́ljənt] *a.* 펄펄 끓는; 넘쳐 흐르는; 열광적인. **-lience** *n.*

eb·ul·li·tion[èbəlíʃən] *n.* Ⓤ 비등(沸騰); (전쟁 따위의) 돌발; (감정의) 격발(outburst).

EC European Communities.

E.C. East Central (London의 동(東) 중앙 우편구(區)).

é·car·té[èika:rtéi/—∠] *n.* (F.) Ⓤ 에카르테《32장으로 두 사람이 하는 카드놀이》.

ec·ce ho·mo[éksi hóumou] (L. =behold the man) 가시 면류관을 쓴 그리스도의 초상.

***ec·cen·tric**[ikséntrik, ek-] *a.* ① 《數》 편[이]심(偏[離]心)의(opp. concentric); 《天》 (궤도가) 편심적인. ② 별난, 괴짜의(odd). — *n.* Ⓒ 괴짜, 별난 사람; 《機》 편심륜(輪). **-tri·cal·ly** *ad.* ***-tric·i·ty**[èksentrísəti] *n.* ① Ⓤ (복장·행동 등의) 별남. ② Ⓒ 괴벽.

Eccl(es). Ecclesiastes.

Ec·cle·si·as·tes[iklì:ziǽsti:z] *n.* 《聖》 전도서(구약 성서 중의 한 편).

ec·cle·si·as·tic[iklì:ziǽstik] *n., a.* Ⓒ 목사[성직자](의). **:-ti·cal** *a.* 교회의, 성직의.

ec·crine[ékrən, -ri:n] *a.* 《生理》 에크린《체온 조절에 관여하는 땀샘》의; 외분비의.

ECE Economic Commission for Europe. **ECG** electrocardiogram.

ech·e·lon[éʃəlàn/-lɔ̀n] *n., vi.* Ⓤ,Ⓒ 《軍》 사다리꼴 편대(가 되다).

e·chid·na[ikídnə, e-] *n.* (*pl.* ~*s*, ***-nae***[-ni:]) Ⓒ 《動》 바늘두더지.

e·chi·no·derm[ikáinədə̀:rm, ékinə-] *n.* Ⓒ 극피 동물《성게·불가사리·해삼 따위》.

:ech·o[ékou] *n.* (*pl.* **~*es***) Ⓒ ① 메아리. ② 반향. ③ 흉내내기; 모방. ④ (E-) 《그神》 숲의 요정(妖精)《Narcissus에 대한 사랑을 이루지 못하여 말라 죽어서 소리만 남았음》. ⑤《樂》 에코; 《無電》 반사 전파. ***find an ~ in a person's heart*** 아무의 공명을 얻다. — *vt., vi.* 메아리치다, 반향하다; 그대로 되풀이하여 대답하다; 모방하다.

ècho·locátion *n.* Ⓒ 《生》 반향 정위(定位)《박쥐 등이 초음파를 내어 그 반사로 물체의 위치를 아는 것》.

écho sòunder 《海》 음향 측심기(測深機).

écho·vìrus *n.* Ⓒ 《生》 에코바이러스《인체의 장내에 번식하며 수막염 등을 일으킴》.

ECLA Economic Commission for Latin America.

é·clair[eikléər/∠—] *n.* (F.) Ⓒ 에클레어《가늘고 길쭉한 슈크림》.

é·clat[eiklá:, ∠—] *n.* (F.) Ⓤ 대성공; 대갈채.

ec·lec·tic[ekléktik] *a., n.* 취사선택적인; Ⓒ 절충주의의 (사람). **-ti·cism**[-təsìzəm] *n.*

e·clipse**[iklíps] *n.* ① Ⓒ 《天》 (해·달의) 식(蝕). ② Ⓤ,Ⓒ (명성 따위의) 실추(失墜). ③ Ⓤ,Ⓒ 빛의 소멸. ***solar [***lunar***] ~ 일[월]식. — *vt.* (천체가 딴 천체를); 가리다; (…의) 명성을 빼앗다, 능가하다(outshine); 빛을 잃게 하다.

e·clip·tic[iklíptik] *a., n.* 《天》 식(蝕)의; (the ~) 황도(黃道)(의).

ec·logue[éklɔ:g/-ɔ-] *n.* Ⓒ (대화체의) 목가(牧歌); 전원시.

ECM European Common Market. **ECNR** European Council of Nuclear Research.

ec·o-[ékou, -kə, í:k-] '환경, 생태(학)'의 뜻의 결합사.

èco-áctivist *n.* Ⓒ 환경 운동가.

e·co·cide[í:kousàid] *n.* Ⓤ 환경파괴.

E

éco·frèak *n.* Ⓒ《俗·蔑》 열광적인 자연보호론자.
èco-frìendly *a.* (지구) 환경 친화적(親和的)인.
ec·o·log·i·cal[èkəlɑ́dʒikəl/-lɔ́dʒ-] *a.* 생태학의.
e·col·o·gist [i:kɑ́lədʒist/-ɔ́-] *n.* Ⓒ 생태학자; 환경 보전 운동가.
e·col·o·gy[i:kɑ́lədʒi/-ɔ́-] *n.* Ⓤ 생태학; (통속적으로) 환경; 사회형태학; (생체와의 관계에 있어서의) 환경.
econ. economic(s); economical; economy.
e·con·o·met·rics [i:kɑ̀nəmét-riks/-ɔ̀-] *n.* Ⓤ 계량(計量) 경제학.
:ec·o·nom·ic[ì:kənɑ́mik, èk-/-ɔ́-] *a.* ① 경제학상의. ② 경제〔재정〕상의. ③ 경제〔실리〕적인. ***E- and Social Council*** (국제 연합의) 경제사회 이사회. ~ ***blockade*** 경제 봉쇄. ~ ***man*** 〖經〗 (이념으로서의) 경제인. ***~s** *n.* Ⓤ 경제학; (한 나라의) 경제 상태.
***ec·o·nom·i·cal** [ì:kənɑ́mikəl, èkə-/-nɔ́m-] *a.* 절약하는, 검약한 (*of, in*); 실용〔경제〕적인; 경제상〔학〕의. **-i·cal·ly** *ad.*
***e·con·o·mist**[ikɑ́nəmist/-ɔ́-] *n.* Ⓒ ① 경제학자. ②《古》 검약가.
***e·con·o·mize**[-màiz] *vt., vi.* ① 경제적으로 사용하다. ② 절약하다.
:e·con·o·my[ikɑ́nəmi/-kɔ́n-] *n.* ① Ⓤ 경제. ② Ⓤ 검약, 절약. ③ Ⓒ 유기적 조직; 제도. ***practice*** 〔***use***〕 ~ 절약하다. ***vegetable*** ~ 식물(체)의 조직.
ecónomy clàss (열차·비행기의) 보통석, 일반석.
èco-pácifism *n.* Ⓤ 환경 평화주의.
ECOSOC (United Nations) Economic and Social Council.
éco·sỳstem *n.* Ⓒ 생태계.
èco·technólogy *n.* ① Ⓤ,Ⓒ 환경(보호) 기술. ② Ⓤ 환경공학.
ec·sta·size[ékstəsàiz] *vt., vi.* 황홀경에 이르게 하다, 황홀해지다.
:ec·sta·sy[ékstəsi] *n.* Ⓤ,Ⓒ ① 무아경, 황홀(trance); 법열(法悅). ② 의식 혼미 상태. **ec·stat·ic**[ekstǽt-ik, ik-] *a.* **-i·cal·ly** *ad.*
ec·to·derm [éktoudə̀:rm] *n.* Ⓒ 〖生〗 외배엽(外胚葉).
ec·to·plasm[-plæ̀zəm] *n.* Ⓤ (원생 동물의) 외질; 〖心靈術〗 영매체로부터의 발산 물질, 영기(靈氣).
ECU[eikú:, ì:sì:jú:] (<*E*uropean *C*urrency *U*nit) *n.* Ⓒ 유럽 통화 단위, 에큐.
E.C.U. English Church Union.
Ecua. Ecuador.
Ec·ua·dor[ékwədɔ̀:r/ᅳᅩ́] *n.* (Sp.=equator) (남아메리카의) 에콰도르 (공화국).
ec·u·men·i·cal [èkjuménikəl/ì:k-] *a.* 전반〔보편〕적인; 전기독교(회)의.
ecuménical pátriarch (동방 교회의) 총대주교.
ec·u·me·nop·o·lis[èkjumənɑ́pə-lis/-nɔ́p-] *n.* Ⓤ 세계 도시.
ec·ze·ma [éksəmə, igzí:-] *n.* Ⓤ 습진.
-ed[d, t, id] *suf.* 《형용사어미》 '…을 한' '…을 가진'의 뜻: curtain*ed*, greeney*ed*, shorttail*ed*.
Ed. Edward. **ed.** edited; edition; editor.
É·dam (chéese)[í:dæm(-)] *n.* Ⓒ (네덜란드 산의) 붉은 공 모양의 치즈.
Ed. B. Bachelor of Education.
EDC European Defence Community.
É/D cárd 출입국 카드.
Ed·da[édə] (Old Icel. =great-grand-mother) *n.* (the ~) 에더 《고대 아이슬란드의 신화·시집》.
***ed·dy**[édi] *n., vi.* Ⓒ (작은) 소용돌이(치다)(whirl).
e·del·weiss[éidlvàis] *n.* (G.) Ⓒ 〖植〗 에델바이스《알프스 산(産)》, 왜솜다리《고산 식물》.
e·de·ma [idí:mə] *n.* (*pl.* ~***ta*** [-mətə]) Ⓒ 〖醫〗 부종(浮腫), 수종(水腫).
***E·den**[1] [í:dn] *n.* 〖聖〗 에덴 동산; Ⓒ 낙원(paradise).
É·den[2], Sir **Robert Anthony** (1897-1977) 영국의 정치가·수상(1955-57).
edge**[edʒ] *n.* Ⓒ ① 날. ② 가장자리, 모. ③ 날카로움. ④《口》 거나하게 취함. ⑤《美口》 우세. ⑥〖컴〗 간선. ***give an ~ ***to*** …에 날을 세우다; (식욕 등을) 돋우다. ***have an*** ~ ***on*** …보다 우세하다; 얼근히 취하다. ***not to put too fine an*** ~ ***upon it*** 솔직히 말하면. ***set on*** ~ 세로 놓다; 짜증나게 하다. ***set the teeth on*** ~ 진저리나게 하다; 염증을 느끼게 하다. ***take the*** ~ ***off*** …의 기세를 꺾다; (날을) 무디게 하다. ― *vt.* (…에) 날을 붙이다, 날카롭게 하다; 가장자리를 〔가선을〕 달다; 천천히 나아가게 하다. ― *vi.* (배가) 비스듬히〔옆으로〕 나아가다; 천천히 움직이다(*along, away, off, out*). ~ ***up*** 한발 한발 다가가다. **~·wàys, ~·wìse** *ad.* (칼)날을 돌려 대고; 비스듬히; 옆에서; 언저리를 따라.
edg·ing[ᅩiŋ] *n.* Ⓤ 가선, 가(border); Ⓒ 가장자리 장식(trimming).
***ed·i·ble**[édəbəl] *a., n.* 먹을 수 있는; Ⓒ (보통 *pl.*) 식료품.
e·dict[í:dikt] *n.* Ⓒ (옛날의) 칙령, 법령, 포고; 명령.
ed·i·fi·ca·tion[èdəfikéiʃən] *n.* Ⓤ 교화.
***ed·i·fice**[édəfis] *n.* Ⓒ ① (대규모의) 건물. ② 조직, 체계.
ed·i·fy[édəfài] *vt.* 교화하다, 계발〔훈도〕하다. **~·ing** *a.* 교훈이 되는, 유익한.
:Ed·in·burgh [édinbə̀:rou, -bə̀:rə] *n.* 에든버러《스코틀랜드의 수도》.
:Ed·i·son[édəsən], **Thomas Alva** (1847-1931) 미국의 발명가.

E

:ed·it[édit] *vt.* ① 편집하다. ②《美》 삭제하다. ── *n.* Ⓒ《口》① 필름 편집. ② 사설(社說).

edit. edited; edition; editor.

:e·di·tion[idíʃən] *n.* Ⓒ (서적·신문의) 판(版)(*the first* ~ 초판).

édition de luxe[-dəlúks, -lʌ́ks] (F.) 호화판(版).

:ed·i·tor[édətər] *n.* Ⓒ ① 편집자〔장〕. ②〖컴〗편집기. ***chief*** 〔***managing***〕 ~ 편집주간, 주필. **~·ship** [-ʃìp] Ⓤ 편집자의 지위〔수완〕.

:ed·i·to·ri·al[èdətɔ́:riəl, èdi-] *n., a.* Ⓒ《美》 사설, 논설; 편집자〔주필〕의〔에 의한〕. ~ ***staff*** 편집진. **~·ize**[-àiz] *vt.*《美》(…을) 사설로 쓰다〔취급하다〕. **~·ly** *ad.* 사설로.

EDP electronic data processing. **EDPS**〖컴〗electronic data processing system. **EDT**《美》 Eastern Daylight Time.

ed·u·ca·ble[édʒukəbəl] *a.* 교육 가능한, 어느 정도의 학습능력이 있는.

·ed·u·cate[édʒukèit] *vt.* ① 교육〔교화〕하다; 양성〔양육〕하다. ② (동물을) 훈련하다. **:-cat·ed**[-id] *a.* **·-ca·tor** *n.*

:ed·u·ca·tion[èdʒukéiʃən] *n.* Ⓤ 교육, 훈도; 양육. **:~·al** *a.* **~·al·ly** *ad.* **~·al·ist** *n.* Ⓒ 교육가, 교육학자.

educátional-indústrial cómplex 산학(産學) 협동.

educátional pàrk 교육 공원〔단지〕, 학교 도시.

ed·u·ca·tive[édʒukèitiv/-kə-] *a.* 교육적인(instructive).

e·duce[idjú:s] *vt.* (잠재된 능력 등을) 빼어내다; 추론하다;〖化〗추출하다.

ed·u·tain·ment [èdʒutéinmənt] *n.* 에듀테인먼트《특히 초등 학생을 위한 교육과 오락을 겸한 TV 프로그램·영화·책 따위》.

Ed·ward[édwərd] *n.* 남자 이름. ~ Ⅵ(1537-53) 영국왕(재위 1547-53); Henry Ⅷ의 아들. ~ Ⅷ(1894-1972) 영국왕; 퇴위하여 미국 여자(Mrs. Simpson)와 결혼, 그 후 Duke of Windsor라 칭함. ~ ***the*** CONFERSOR. **~·i·an**[edwá:rdiən, -wɔ́:r-] *a., n.* Ⓒ (화려와 고상함을 뽐낸) 영국 에드워드(7세) 시대의 (사람).

-ee[í:, ì:] *suf.* '…당하는 사람'의 뜻(employ*ee*, examin*ee*);《稀》'…하는 사람'의 뜻(refug*ee*).

'ee [i:] *pron.*《俗》=YE(보기: *Thank'ee.*)

E.E. Electrical Engineer.

E.E. & M.P. Envoy Extraordinary and Minister Plenipotentiary. **EEC** European economic Community. **EEG** electroencephalogram.

eek[i:k] *int.* 이크!

:eel[i:l] *n.* Ⓒ〖魚〗뱀장어.

éel·gràss *n.* Ⓤ〖植〗거머리말《해초》.

e'en[i:n] *ad., n.*《詩》=EVEN².

EER energy efficiency ratio 에너지 효율비.

e'er[ɛər] *ad.*《詩》=EVER.

ee·rie, -ry[íəri] *a.* 무시무시한, 요기(妖氣) 있는(weird).

E.E.T.S. Early English Text Society《1864 창설》.

·ef·face[iféis] *vt.* 지우다; 삭제하다; 존재를 희미하게 만들다. ~ ***oneself*** 눈에 띄지 않게 하다, 표면에서 물러나다. **~·ment** *n.* Ⓤ 말소, 소멸.

:ef·fect[ifékt] *n.* ① Ⓤ,Ⓒ 결과; 영향. ② Ⓤ,Ⓒ 효과; 유효. ③ Ⓤ,Ⓒ 느낌, 인상;〖美術〗빛깔의 배합. ④ Ⓤ 취지, 대의, 의미. ⑤ Ⓤ,Ⓒ〖法〗실시, 효력. ⑥ Ⓤ 외관, 외양. ⑦ (*pl.*)〖劇〗효과《의음(擬音) 따위》. ⑧ (*pl.*) 동산, 재산. ***bring to*** 〔***carry into***〕 ~ 실행〔수행〕하다. ***come*** 〔***go***〕 ***into*** ~ 실시되다, 발효하다. ***for*** ~ 효과를 노려; 체재상. ***give*** ~ ***to*** …을 실시〔실행〕하다. ***in*** ~ 실제로; 요컨대; 실시되어. ***love of*** ~ 치레를〔겉치장을〕 좋아함. ***no*** ~***s*** 예금없음《은행에서 부도 수표에 N/E로 약기(略記)함》. ***of no*** ~ 무효의, 무익한. ***take*** ~ 효과가 있다; (법률이) 실시되다. ***to no*** ~ 보람없이. ***to the*** ~ ***that*** …라는 의미〔취지〕의. ── *vt.* (결과를) 가져오다, 낳다; (목적을) 이루다.

ef·fec·ti·vate[iféktəvèit] *vt.* (법률 따위를) 실시하다.

:ef·fec·tive[iféktiv] *a.* ① 유효한. ② 효과적인; 인상적인, 눈에 띄는. ③ 사실상의, 실제의. ④ (법률이) 효력 있는. ⑤ (군대가) 동원 가능한. ── *n.* Ⓒ (보통 *pl.*) (동원할 수 있는) 병력, 실병력(*an army of two million* ~*s* 병력 2백만의 육군). **·~·ly** *ad.* 유효하게; 실제상.

·ef·fec·tu·al[iféktʃuəl] *a.* 효과적인; 유효〔유력〕한. **·~·ly** *ad.*

ef·fec·tu·ate[iféktʃuèit] *vt.* 유효하게 하다; 이루다; 달성하다.

·ef·fem·i·nate[ifémənit] *a.* 연약한, 여자 같은. **~·ly** *ad.* **-na·cy** *n.*

ef·fen·di[iféndi/e-] *n.* Ⓒ 'Sir'에 해당하는 터키의 경칭; 그렇게 불리우는 사람《학자·의사·관리 등》.

ef·fer·ent[éfərənt] *a.* (신경이) 원심성(遠心性)의.

ef·fer·vesce[èfərvés] *vi.* 거품 일다(bubble), 비등(沸騰)하다; 들뜨다, 흥분하다. **-ves·cent** *a.* **-ves·cence** *n.*

ef·fete[efí:t, i-] *a.* 노쇠한; 생산력을 잃은(sterile); 무력해진.

ef·fi·ca·cious[èfəkéiʃəs] *a.* 유효한.

·ef·fi·ca·cy[éfəkəsi] *n.* Ⓤ 효력.

:ef·fi·cien·cy[ifíʃənsi] *n.* Ⓤ 능률; 능력; 효력; 효율. ~ ***wages*** 능률급.

effíciency apàrtment《美》간이아파트《부엌과 거실 겸 침실로 된》.

effíciency engineèr 〔**èxpert**〕《美》경영 능률 전문가.

:ef·fi·cient[ifíʃənt] *a.* ① 효과 있는. ② 유능한. ③ 능률적인. ***~·ly** *ad.*

ef·fi·gy[éfədʒi] *n.* Ⓒ 상(像), 초상(image). ***burn* 〔*hang*〕 (*a person*) *in* ~** (아무의) 인형을 만들어서 화형〔교수형〕에 처하다《악인 따위에 대한 저주로》(cf. guy[2]).

ef·flo·resce[èflərés/-lɔː-] *vi.* 꽃 피다; 번영하다; 〖化〗 풍화하다; (벽의) 표면에 (꽃과 같은) 염분이 뿜어 나오다. **-res·cence**[-ns] *n.* Ⓤ 개화기; 풍화(물); 〖醫〗 발진. **-cent** *a.*

ef·flu·ent[éfluənt] *a.* 유출(流出)하는. — *n.* =**éffluence** Ⓒ 유출물; Ⓤ (액체·광선·전기의) 유출, 방출.

ef·flu·vi·um [eflúːviəm] *n.* (*pl.* ***-via***[-viə]) Ⓒ 발산기(發散氣); 독기; 악취.

ef·flux[éflʌks] *n.* Ⓒ 유출물; Ⓤ 유출; 발산.

:ef·fort[éfərt] *n.* ① U,C 노력, 수고. ② Ⓒ《口》 노력의 성과, 역작(力作). ③ Ⓤ 〖機〗 작용력(作用力). ④ Ⓒ《주로 英》(모금 등의) 운동. **~·less** *a.*

ef·fron·ter·y[efrʌ́ntəri] *n.* U,C 뻔뻔스러움.

ef·ful·gent[ifʌ́ldʒənt, e-] *a.* 빛나는(radiant). **-gence** *n.* Ⓤ 광휘.

ef·fuse[ifjúːz, e-] *vt., vi.* 유출〔발산〕하다; (심정을) 토로하다. **ef·fu·sion**[-ʒən] *n.* Ⓤ (액체·빛·향기 따위의) 유출, 발산; (감정의) 토로, 발로. **ef·fu·sive**[-siv] *a.* 넘치는, 넘칠 듯한; (감정을) 거창하게 나타내는(*She was effusive in her gratitude.* 그녀는 거창하게 과장해서 감사의 뜻을 표하였다).

EFL English as a foreign language 외국어로서의 영어.

E-free *a.*《英》(식품) 첨가물이 없는, 무첨가의(cf. E number).

eft[eft] *n.* Ⓒ 〖動〗 영원(蠑螈)(small newt).

EFTA, Efta [éftə] European Free Trade Association (Area). **EFT(S)** electronic funds transfer (system) 전자식 대체 결제 (시스템).

eft·soon(s)[eftsúːn(z)] *ad.*《古》 다시; 얼마 안 있어; 가끔.

Eg. Egypt; Egyptian.

e. g. [íːdʒíː, fərigzǽmpəl/-záːm-] *exempli gratia*(L. =for example).

e·gal·i·tar·i·an[igæ̀lətέəriən] *a.* 평등주의의. — *n.* Ⓒ 평등주의자. **~·ism**[-ìzəm] *n.* Ⓤ 평등주의.

†egg[1][eg] *n.* Ⓒ ① 알; 달걀; 난(卵)세포. ② 둥근 물건. ③《俗》 폭탄. ④《俗》 놈, 사람;《英·蔑》 애송이. ***as sure as ~s is* 〔*are*〕 *~s***《英》 틀림없이. ***bad* ~** 썩은 알;《俗》 불량배. ***golden ~s*** 큰벌이, 횡재. ***have* 〔*put*〕 *all one's ~s in one basket*** 전 재산을 한 사업에 걸다. ***in the* ~** 미연에, 초기에. ***lay an* ~**《俗》(농담·흥행이) 들어맞지 않다, 실패하다;《軍俗》 폭탄을 던지다; 기뢰를 부설하다.

egg[2] *vt.* 격려하다, 부추기다(urge)(*on*).

égg·bèater *n.* Ⓒ 달걀 교반기(攪拌器);《美俗》 헬리콥터.

égg cèll 난세포, 난자.

égg·cùp *n.* Ⓒ 삶은 달걀 컵.

égg flìp =EGGNOG.

égg·hèad *n.* Ⓒ《美俗·蔑》 인텔리, 지성인; 대머리.

égg làyer《俗》 폭격기.

egg·nog[⌐nàg, -ɔ̀(ː)-] *n.* U,C 에그노그《달걀·우유·설탕에 포도주·브랜디를 탄 음료》.

égg·plànt *n.* Ⓒ 가지《열매》.

égg·shàped *a.* 달걀꼴의.

égg·shèll *n.* Ⓒ 알〔달걀〕껍질.

égg whìte (요리용의) 달걀 흰자위.

e·gis[íːdʒis] *n.* =AEGIS.

eg·lan·tine[égləntàin, -tìːn] *n.* Ⓒ 들장미.

e·go[íːgou, é-] *n.* (*pl.* **~s**) U,C 자아;《口》 자부심. **~·ism**[-ìzəm] *n.* Ⓤ 이기주의; 자부. **~·ist** *n.* **~·is·tic**[⌐–ístik], **-ti·cal**[-əl] *a.* **~·tism**[íːgoutìzəm/ég-] *n.* Ⓤ 자기중심벽(癖)《회화·문장 중에 I, my, me를 연발하는 버릇》; 제멋대로; =EGOISM. **~·tist**[íːgoutist/ég-] *n.* **~·tis·ti·cal**[ìːgoutístikəl/èg-] *a.*

ègo·céntric *a.* 자기 중심의.

ègo·mánia *n.* Ⓤ 극단적〔병적〕 자기 중심벽, 병적 자부심.

égo trìp《口》 이기적인 행위, 자기 본위의 행동.

e·gre·gious[igríːdʒəs] *a.* 터무니없는, 지독한(flagrant); 엄청난, 엉터리 없는.

e·gress[íːgres] *n.* Ⓤ 외출, 밖으로 나감; Ⓒ 출구, 배출구.

e·gret[íːgrit, ég-/-gret] *n.* Ⓒ 큰해오라기(의 깃털 장식).

:E·gypt[íːdʒipt] *n.* 이집트. **:E·gyp·tian**[idʒípʃən] *a., n.* 이집트 (사람)의; Ⓒ 이집트 사람; Ⓤ 이집트 말.

E·gyp·tol·o·gy[ìːdʒiptálədʒi/-ɔ́-] *n.* Ⓤ (고대) 이집트학.

***eh**[ei] *int.* 뭐!; 엣!; 그렇지!

EHF, Ehf extremely high frequency. **EHP, e.h.p.** electric horsepower; effective horsepower. **E.I.** East India(n); East Indies. **EIB(W)** Export-Import Bank (of Washington).

ei·der[áidər] *n.* Ⓒ 〖鳥〗 아이더오리(~ duck); Ⓤ 그 솜털.

éider·dòwn *n.* Ⓤ (아이더오리의) 솜털, Ⓒ 그 털로 만든 이불.

ei·det·ic[aidétik] *a., n.* Ⓒ 〖心〗 직관적인 (사람), 직관상(像)이 보이는 사람.

Éif·fel Tówer[áifəl-] (파리의) 에펠 탑.

ei·gen·val·ue[áigənvæ̀ljuː] *n.* Ⓒ 〖數·理〗 고유값.

†eight[eit] *n., a.* ① U,C 8(의). ②

Ⓒ (보트의) 에이트《노 젓는 8 명》. ~·fold[⊿fòuld] a., ad. 8배의[로].
éight bàll 《美》〖撞〗 8이라고 쓴 검은 공; 《口》 무지향식(無指向式) 구형 마이크; 《俗》 바보. ***behind the ~*** 《美俗》 어려운[불리한] 입장에서.
†**eight·een**[èitíːn] n., a. Ⓤ,Ⓒ 18, 18의. ***:~th*** n., a. Ⓤ 제18(의); Ⓒ 18분의 1(의).
:**eighth**[eitθ] n., a. Ⓤ 제8(의); Ⓒ 8분의 1(의). ~ ***note*** 〖樂〗 8분 음표.
éight-hóur a. 8시간제의(*the ~ day* 1일 8시간 노동제).
800 nùmber 《美》 800번 서비스 《국번 앞에 800번이 붙은 전화 번호는 요금 수신인 부담이 됨》.
eight·i·eth[éitiiθ] n., a. Ⓤ 제 80(의); Ⓒ 80분의 1(의).
†**eight·y**[éiti] n., a. Ⓤ,Ⓒ ① 80(의). ② (*pl.*) 80(세)대; 80년대《1780-89, 1980-89 따위》.
éighty-síx vt. 《美俗》 (바·식당 따위에서) 서비스를 하지 않다, 내쫓다, 배척하다.
Ein·stein[áinstain], **Albert** (1879-1955) 상대성 이론을 창설한 독일 태생의 미국 물리학자.
ein·stein·i·um[ainstáiniəm] n. Ⓤ 〖化〗 아인슈타이늄《방사성 원소; 기호 Es》.
Éinstein thèory 아인슈타인의 상대성 원리.
Eir·e[ɛ́ərə] n. 에이레《republic of IRELAND의 딴 이름·구칭》.
Ei·sen·how·er [áizənhàuər], **Dwight**(1890-1969) 미국 제 34대 대통령(1953-61)《애칭 **Ike**[aik]》.
eis·tedd·fod[eistéðvɑd/aistéðvɔd] n. Ⓒ 영국 Wales의 예술제.
†**ei·ther**[íːðər, áiðər] a., *pron.* (둘중) 어느 것인가, 어느 것이든지. ***on ~ side*** 어느 쪽에도. ── ad., *conj.* ① 《~ ... or ...의 꼴로》 …이든가 또는 …이든가. ② 《부정 구문으로》 …도 또한 (…하지 않다)(*I don't like it, ~.* 나도 또한 좋아하지 않는다)(cf. neither).
éither-ór a. 양자 택일의.
e·jac·u·late[idʒǽkjəlèit] vt., vi. 갑자기 소리지르다(exclaim); (액체를) 사출(射出)하다(eject). **-la·tion** [─⊿─léiʃən] n. Ⓤ,Ⓒ 절규; 사출; 사정(射精). **-la·to·ry**[─⊿─lətɔ̀ːri/-təri] a.
e·ject[idʒékt] vt. 분출[사출]하다 (discharge); 토해내다(emit); 쫓아내다(expel). **~·ment** n. **e·jéc·tion** n.
e·jec·ta[idʒéktə] n. *pl.* 《단·복수 취급》 (화산 등의) 분출물.
ejéction càpsule (로켓의) 방출(放出) 캡슐.
ejéction sèat 〖空〗 (긴급 탈출용) 사출 좌석.
e·jec·tor[idʒéktər] n. Ⓒ eject하는 사람[물건]; 배출기[관].
eke[1][iːk] vt. 보충하다(out); (생계를) 꾸려나가다.
eke[2] ad., *conj.* 《古》 …도 또한; 그리고 또.
EKG electrocardiogram 심전도.
e·kis·tics[ikístiks] n. Ⓤ 생활 도시 계획학.
el[el] n. Ⓒ L자; 《美口》 고가 철도 (< *el*evated railroad); =TELL[2].
:**e·lab·o·rate**[ilǽbərit] a. 공들인, 면밀[정교]한, 힘들인. ── [-rèit] vt. 애써서 만들[어내]다; 퇴고(推敲)하다. ***~·ly***[-ritli] ad. 정성들여, 면밀[정교]하게. **-ra·tion**[ilæ̀bəréiʃən] n. Ⓤ 면밀한 마무리; 퇴고; Ⓒ 역작. **-ra·tive**[-rèitiv, -rət-] a. 공들인.
é·lan[eilɑ́ːn, -lǽn] n. (F.) Ⓤ 열의(熱意); 예기(銳氣); 약진(dash). ~ ***vi·tal***[viːtɑ́l] 〖哲〗 생(生)의 약동 《Bergson의 용어》.
e·land[íːlənd] n. Ⓒ (아프리카의) 큰 영양(羚羊).
***e·lapse**[ilǽps] vi. (때가) 경과하다.
elápsed tíme 경과 시간《보트·자동차가 일정 코스를 주파하는 시간》.
***e·las·tic**[ilǽstik] a. ① 탄력 있는; 낭창한; (걸음걸이 따위가) 경쾌한. ② (기분이) 밝은, 쾌활한. ③ 융통성 있는. ── n. Ⓤ 고무줄. **~·i·ty**[ilæstísəti, ìːlæs-] n.
e·late[iléit] vt. 기운을 북돋우다, 의기 양양하게 만들다(exalt). **e·lat·ed**[-id] a. 의기 양양한(in high spirits); 신명이 난. **e·lá·tion** n.
É làyer E층《지상 80-150 킬로미터의 하층 전리층》.
El·be[élbə, elb] n. (the ~) 북해로 흐르는 독일의 강.
:**el·bow**[élbou] n. Ⓒ ① 팔꿈치; 팔꿈치 모양의 것. ② L자 모양의 굴곡, L자 모양의 파이프[이음새], 기역자관(管), (의자의) 팔걸이. ***out at ~s*** (의복의) 팔꿈치가 뚫어져; 가난하여. ***up to the ~s*** 몰두하여; 분주하여. ── vt., vi. 팔꿈치로 찌르다[밀다, 밀어 제치고 나아가다].
élbow grèase 《口》 힘든 육체 노동.
élbow·ròom n. Ⓤ 팔꿈치를 자유롭게 놀릴 수 있는 여유; 활동의 여지.
:**eld·er**[1][éldər] a. ① 손위의, 연장의. ② 고참의. ③ 이전의, 옛날의 (earlier). ~ ***brother*** [***sister***] 형[누이]. ── n. Ⓒ ① 연장자. ② 고참; 손윗사람. ③ 장로; 〖史〗 원로 《~ statesman이라고도 함》. ***~·ly** a. 나이 지긋한, 중년의, 초로의. **~·ship** n. Ⓤ 연장자의 신분; (장로 교회의) 장로직.
el·der[2] n. Ⓒ 양딱총나무. **~·ber·ry**[-bèri] n. Ⓒ 양딱총나무의 열매.
:**eld·est**[éldist] a. 가장 나이 많은, 맏….
El Do·ra·do, El·do-[èl dərɑ́ːdou] n. (Sp.) Ⓒ 황금의 나라, 보물산.
:**e·lect**[ilékt] vt. 뽑다(choose); 선거하다. ── a. 뽑힌, 당선된. ***bride ~*** 약혼자(*fiancée*). ***president ~*** (아직 취임하지 않은) 당선 대통령.
:**e·lec·tion**[ilékʃən] n. Ⓤ,Ⓒ ① 선택, 선정(choice). ② 선거, 선임.

~·eer[ilèkʃəníər] *vi., n.* 선거 운동을 하다; Ⓒ 선거 운동원.
Eléction Dày 《美》 정부통령 선거일《11월 첫째 일요일 다음의 화요일》; (e- d-) 선거일.
eléction dìstrict 선거구.
e·lec·tive[iléktiv] *a., n.* 선거하는; (관직 따위) 선거에 의한, 선임의 (opp. appointive); 《美》 (학과가) 선택의; Ⓒ 선택 과목. ~ ***affinity*** 〖化〗 (원소간의) (선택) 친화력.
e·lec·tor[iléktər] *n.* Ⓒ 선거인, 유권자; 《美》 정부통령 선거 위원; 〖獨史〗 선제후(選帝侯).
e·lec·tor·al[iléktərəl] *a.* 선거(인)의; 선제후의.
eléctoral cóllege 정부통령 선거인 위원회.
eléctoral dístrict 선거구.
eléctoral róll 〔**régister**〕 선거인 명부.
eléctoral vóte 〖美政〗 (각 주에서 선출된) 대통령 선거인단에 의한 정·부통령 선거(cf. popular vote).
e·lec·tor·ate[iléktərit] *n.* Ⓒ 《집합적》 유권자 (전체), 선거민; 선제후령(領).
E·lec·tra[iléktrə] *n.* 〖그神〗 Agamemnon과 Clytemnestra의 딸《동생 Orestes의 도움으로 부정한 어머니와 그 정부를 죽였음》.
Eléctra cὸmplex 〖精神分析〗 엘렉트라 콤플렉스(opp. Oedipus complex).
e·lec·tress[iléktris] *n.* Ⓒ 여성 유권자.
†**e·lec·tric**[iléktrik] *a.* ① 전기의, 전기 장치의. ② 두근거리는(thrilling). ~ ***brain*** = ELECTRONIC BRAIN. ~ ***discharge*** 방전. ~ ***fan*** 선풍기. ~ ***heater*** 전기 난로. ~ ***iron*** 전기 다리미. ~ ***lamp*** 전등〔구〕. ~ ***outlet*** 〖電〗 콘센트(power socket). ~ ***power*** 전력.
:**e·lec·tri·cal**[-əl] *a.* 전기의〔같은〕; 강렬한. ~**·ly** *ad.*
eléctrical transcríption 녹음 방송용 (레코드, 테이프); 녹음.
eléctric cháir (사형용) 전기 의자; (the ~) 전기 사형.
eléctric chárge 전하(電荷).
eléctric círcuit 전기 회로.
eléctric cúrrent 전류.
eléctric éel (남아메리카산) 전기뱀장어.
eléctric éye 광전지, 광전관(光電管); 〖라디오〗 =MAGIC EYE.
eléctric éye càmera 자동 노출 카메라.
eléctric fíeld 전계(電界).
eléctric fúrnace 전기로(爐).
eléctric guitár 전기 기타.
e·lec·tri·cian [ilèktríʃən, ì:lek-] *n.* Ⓒ 《美》 전기 기술자〔학자〕.
†**e·lec·tric·i·ty**[ilèktrísəti, ì:lek-] *n.* Ⓤ ① 전기. ② 전류. ③ 극도의 긴장.
eléctric líght 전광, 전등.
eléctric néedle 〖外〗 전기침(針).
eléctric néws tàpe 전광 뉴스.
eléctric órgan 전기 오르간; (전기 뱀장어 따위의) 발전기.
eléctric poténtial 전위(電位).
eléctric rày 〖魚〗 시끈가오리.
eléctric shóck 감전, 전격.
eléctric shóck thérapy 〖醫〗 (정신병의) 전기 충격 요법.
eléctric stórm 뇌우(雷雨).
eléctric tórch 《英》 회중 전등.
eléctric wáve 전파.
*__e·lec·tri·fy__[iléktrəfài] *vt.* ① 전기를 통하다, 감전시키다. ② 전화(電化)하다. ③ 놀라게 하다, 감동〔흥분〕시키다(thrill). **-fi·ca·tion**[–ᅩ–fikéiʃən] *n.*
e·lec·tro [iléktrou] *n.* (*pl.* **~s**) 《口》 =ELECTROTYPE; ELECTROPLATE.
e·lec·tro-[iléktrou, -rə] '전기의, 전기 같은'의 뜻의 결합사.
elèctro·ánalysis *n.* Ⓤ 전기 분해.
elèctro·cárdiogram *n.* Ⓒ 심전도(心電圖).
elèctro·cárdiograph *n.* Ⓒ 심전계.
elèctro·chémistry *n.* Ⓤ 전기 화학.
e·lec·tro·cute[iléktrəkjù:t] *vt.* 감전사시키다; 전기 사형에 처하다. **-cu·tion**[–ᅩ–kjú:ʃən] *n.* Ⓤ 감전사; 전기 사형.
e·lec·trode[iléktroud] *n.* Ⓒ 전극.
elèctro·dynámic *a.* 전기 역학의. **~s** *n.* Ⓤ 전기 역학.
elèctro·dynamómeter *n.* Ⓒ 전기 동력계.
elèctro·encéphalogram *n.* Ⓒ 뇌파도(腦波圖). **-encéphalograph** *n.* Ⓒ 뇌파 기록 장치.
eléctro·gràph *n.* Ⓒ 전위 기록 장치; 전위판 조각기; 사진 전송기.
e·lec·tro·jet[iléktrədʒèt] *n.* Ⓤ 고층 전류《상층 대기의 이온의 흐름》.
e·lec·tro·lier[ilèktrouliər] *n.* Ⓒ 꽃전등, 샹들리에.
elèctro·luminéscence *n.* Ⓤ 〖電〗 전자 발광.
e·lec·trol·y·sis[ilèktrάləsis/-ɔ́-] *n.* Ⓤ 전해(電解).
e·lec·tro·lyte[iléktroulàit] *n.* Ⓒ 전해액; 전해질. **-lyze**[-làiz] *vt.* 전해하다.
elèctro·mágnet *n.* Ⓒ 전자석. **~-ism** *n.* Ⓤ 전자기(학). **-magnétic** *a.* 〖理〗 전자기의.
e·lec·trom·e·ter [ilèktrάmitər/-ɔ́mi-] *n.* Ⓒ 전위계.
elèctro·mótive *a.* 전동의. — *n.* Ⓒ 전기 기관차.
electromótive fórce 동〔기〕전력(動〔起〕電力).
elèctro·móter *n.* Ⓒ 발전기; 전동기(electricmotor).
e·lec·tro·my·o·gram [ilèktroumáiəgræm] *n.* Ⓒ 〖醫〗 근전도《생략 EMG》.
*__e·lec·tron__[iléktran/-trɔn] *n.* Ⓒ 전자.
eléctron bòmb 일렉트론 소이탄.

elèctro·négative *a.* 〖電·化〗 음전기의, 음성의.
eléctron gùn 〖TV〗 전자총《브라운관의 전자류 집중관》.
***e·lec·tron·ic** [ilèktránik/-ɔ́-] *n.* 전자의. ***~s** *n.* Ⓤ 전자 공학.
electrónic bráin 전자 두뇌《전자 계산기 따위》.
electrónic cálculator 〔**compúter**〕 전자 계산기.
electrónic dáta pròcessing 전자 정보 처리.
electrónic engineéring 전자 「공학.
electrónic flàsh 〖寫〗 스트로보《발광 장치》.
electrónic máil 〖컴〗 전자 우편.
electrónic músic 전자 음악.
electrónic órgan 전자 오르간.
electrónic survéillance (방범·첩보 활동을 위한) 전자 기기를 이용한 정보 수집.
eléctron lèns 전자 렌즈. 「경.
eléctron mìcroscope 전자 현미
eléctron neutrìno 〖理〗 전자 뉴트리노.
eléctron òptics 전자 광학.
eléctron tùbe 전자관《진공관의 일종》.
eléctron-vòlt *n.* Ⓒ 〖理〗 전자 볼트《이온·소립자 에너지 단위; 생략 EV, ev》.
eléctro·phòne *n.* Ⓒ 전기 악기; 전자 보청기.
e·lec·tro·pho·re·sis [-fəríːsis] *n.* Ⓤ 〖理〗 전기 이동, 전기 영동법.
e·lec·tro·ph·o·rus [ilèktráfərəs/-ɔ́-] *n.* (*pl.* **-ri** [-rài]) Ⓒ 전기 쟁반, 기전반(起電盤).
elèctro·photógraphy *n.* Ⓤ 전자 사진술.
e·lec·tro·plate [iléktrouplèit] *vt., n.* (…에) 전기 도금을 하다; Ⓒ 전기 도금 제품. 「성의.
elèctro·pósitive *a.* 양전기의, 양
e·lec·tro·scope [iléktrəskòup] *n.* Ⓒ 검전기.
eléctro·shòck *n.* Ⓤ,Ⓒ (정신병의) 전격(電擊) 요법. 「學).
elèctro·státics *n.* Ⓤ 정전학(靜電
elèctro·téchnics *n.* Ⓤ 전기 공(예)학.
elèctro·thérapy *n.* Ⓤ 전기 요법.
eléctro·tỳpe *n., vt.* Ⓤ 전기판(版)(으로 만들다, 을 뜨다).
e·lec·trum [iléktrəm] *n.* Ⓤ 호박금(琥珀金)《금·은의 합금; 고대 그리스 화폐로 사용했음》.
el·ee·mos·y·nar·y [èlimásənèri/èliiːmɔ́sənəri] *a., n.* 베푸는, 자선의; Ⓒ 자선을 받는 (사람).
:el·e·gant [éligənt] *a.* ① 우미(優美)한, 우아한, 품위 있는. ② 《口》 훌륭한, 근사한. **~·ly** *ad.* ***-gance, -gan·cy** *n.* Ⓤ 우미, 우아, 단아(端雅), 고상함; (과학적인) 정밀성; Ⓒ 우아한 말씨〔태도〕.
el·e·gi·ac [èlədʒáiək, ilíːdʒiæ̀k] *a.* 만가(挽歌)의, 애가〔엘레지〕조(調)의, 슬픈(sad). — *n.* (*pl.*) 만가 형식의 시가(詩歌).
el·e·gize [élədʒàiz] *vt., vi.* 애가를 짓다; 애가로 애도하다(*upon*).
***el·e·gy** [élədʒi] *n.* Ⓒ 만가, 애가, 엘레지.
:el·e·ment [éləmənt] *n.* ① Ⓒ 요소, 성분; 분자(*discontented ~s* 불평 분자); 〖化〗 원소; 〖컴〗 요소. ② (*pl.*) 자연력, 풍우. ③ Ⓒ 고유의 환경; 활동 영역《물고기라면 물》; (사람의) 본령, 천성. ④ (*pl.*) 기본, 초보. ⑤ (the E-) 〖宗〗 (성체 성사의) 빵과 포도주. ***in*** 〔***out of***〕 ***one's ~*** 자기 실력을 충분히 발휘할 수 있는〔없는〕 처지에. ***strife*** 〔***war***〕 ***of the ~s*** 폭풍우. ***the four ~s*** 사대(四大)《흙·물·불·바람》.
***el·e·men·tal** [èləméntl] *a.* 원소〔요소〕의; 본질적인(essential); 원리의; 사대(四大)《흙·물·불·바람》의; 근원적인; 초보의.
:el·e·men·ta·ry [èləméntəri] *a.* 기본〔초보〕의; 본질의; 원소의.
eleméntary párticles 〖理〗 소립자.
eleméntary schòol 초등 학교.
:el·e·phant [éləfənt] *n.* (*pl.* **~s,** 《집합적》 ~) Ⓒ 코끼리《미국에서는 이것을 만화화하여 공화당을 상징함》. ***see the ~*** 《美俗》 세상을 보다〔알다〕; 구경하다. ***white ~*** 흰 코끼리; 주체스러운 물건.
el·e·phan·ti·a·sis [èləfəntáiəsis] *n.* Ⓤ 상피병(象皮病).
el·e·phan·tine [èləfǽntiːn, -tain] *a.* 코끼리의, 코끼리와 같은; 거대한; 볼품 없는; 느린; 거친, 대범한.
:el·e·vate [éləvèit] *vt.* ① 올리다, 높이다. ② 승진시키다. ③ 기운을 북돋아주다; 향상시키다. (희망·정신·자부심을) 앙양하다. ④ 기분을 들뜨게 하다. ***-vat·ed** [-id] *a., n.* 높인, 높은; 고상한(lofty); 쾌활한, 《口》 거나한; 《美》 =**∠d railway** (시내) 고가 철도.
***el·e·va·tion** [èləvéiʃən] *n.* ① Ⓤ 올리는〔높이는〕 일. ② Ⓤ 승진, 향상; 기품, 고상. ③ Ⓒ 높은 곳, 고지; (an ~) 고도(高度); 해발. ④ Ⓒ 입면〔정면〕도.
†el·e·va·tor [éləvèitər] *n.* Ⓒ ① 《美》 승강기(《英》 lift). ② 《美》 (큰) 곡물 창고. ③ 〖空〗 승강타(舵).
élevator shàft 〖建〗 승강기 통로.
†e·lev·en [ilévən] *n., a.* ① Ⓤ,Ⓒ 열하나(의); Ⓒ 열한 사람〔개〕. ② Ⓒ (크리켓·축구 따위의) 팀. ③ (the E-) (예수의 사도(使徒) 가운데 Judas를 제외한) 11사도. ④ (*pl.*) 《英口》 =ELEVENSES. **†~th** *n., a.* Ⓤ 열한째(의); Ⓒ 11분의 1(의). ***at the ~th hour*** 막판에.
eléven-plús (**examinátion**) *n.* (the ~) 《英》 (11-12세 학생에 대한) 진학 자격 인정 시험.
e·lev·ens·es [ilévənziz] *n. pl.* 《英口》 (오전 11시경의) 가벼운 점심.

elf**[elf] *n.* (*pl.* ***elves) Ⓒ ① 꼬마 요정(妖精). ② 난쟁이, 꼬마. ③ 개구쟁이. **∠·ish** *a.* **∠·like** *a.*

elf·in[élfin] *n., a.* Ⓒ 꼬마 요정(elf)(과 같은).

élf·lànd *n.* Ⓤ,Ⓒ 요정의 나라.

élf·lòck *n.* Ⓒ 엉킨 머리.

El Gre·co[el grékou] (1541-1614) (엘) 그레코《스페인의 화가·조각가》.

e·lic·it [ilísit] *vt.* (갈채·웃음·대답 따위를) 끌어내다(*from*). **-i·ta·tion** [ilìsətéiʃən] *n.*

e·lide[iláid] *vt.* (모음·음절을) 생략「하다.

***el·i·gi·ble**[élidʒəbəl] *a., n.* ① 택해도 좋은, 뽑힐 자격 있는. ② 적임의, 바람직한. ③ Ⓒ 적격자. **-bil·i·ty** [èlidʒəbíləti] *n.*

E·li·jah[iláidʒə] *n.* 〖聖〗 엘리야《헤브라이의 예언자》.

e·lim·i·na·ble[ilímənəbəl] *a.* 제거할 수 있는.

:**e·lim·i·nate**[ilímənèit] *vt.* ① 제거하다(remove), 삭제하다(*from*); 무시하다; 생략하다. ② 〖數〗 소거하다. ③ 〖生〗 배설하다. * **-na·tion** [ilìmənéiʃən] *n.* Ⓤ,Ⓒ 제거; 배출; 예선(豫選); 〖數〗 소거. **e·lím·i·nà·tor** *n.* Ⓒ 제거하는 물건; 일리미네이터《교류에서 직류를 얻는 장치》; 〖라디오〗 교류 수신기.

ELINT, el·int[élint] *n.* Ⓤ 전자 정보(<*el*ectronic *int*elligence).

El·i·ot[éliət, -jət] *n.* ① **George** (1819-80)(Mary Ann Evans의 필명) 영국의 여류 소설가. ② **Thomas Stearns** (1888-1965) 영국의 시인·비평가.

E·li·sha[iláiʃə] *n.* 〖聖〗 엘리샤《헤브라이의 예언자; Elijah의 후계자》.

e·li·sion[ilíʒən] *n.* Ⓤ,Ⓒ 〖音聲〗 모음[음절]의 생략(eliding).

e·lite, *é·lite*[eilí:t] *n.* (F.) Ⓒ 정예(精銳), 엘리트. ***the ~ of society*** 명사들.

e·lix·ir[ilíksər] *n.* Ⓒ (연금술의) 영액(靈液); 불로 장수의 영약; 만병 통치약(cureall); = ~ ***vi·tae***[váiti:] (L.) =***the ~ of life*** 불로 장생약.

Eliz. Elizabeth(an).

:**E·liz·a·beth**[ilízəbəθ] *n.* ① ~ Ⅰ (1533-1603) 영국 여왕(1558-1603) 《Henry Ⅷ와 Anne Boleyn의 딸》. ② ~ Ⅱ (1926-)현 영국 여왕 (1952-)《George Ⅵ의 장녀》.

***E·liz·a·be·than** [ilìzəbí:θən, -béθ-] *a., n.* Ⓒ 엘리자베스 1세 시대의 (문인·정치가).

Elizabéthan sónnet 엘리자베스조(朝)풍의 소네트《Shakespearian sonnet라고도 함; 압운(押韻) 형식은 *abab cdcd efef gg*》.

elk[elk] *n.* (*pl.* **~s,** 《집합적》 ~) Ⓒ 고라니, 큰사슴《아시아·북유럽산(産)》(cf. moose).

ell[1][el] *n.* Ⓒ 엘《45인치에 상당하는 옛날의 영국 척도》. ***Give him an inch and he'll take an ~.*** 《속담》 봉당을 빌려 주니 안방까지 달란다.

ell[2] *n.* Ⓒ L형의 물건; 〖建〗 L형, 기역자꼴; 증축 (부분).

el·lipse[ilíps] *n.* Ⓒ 타원, 장원(長圓)형. **el·lip·soid**[-ɔid] *n.* Ⓒ 타원체.

el·lip·sis**[ilípsis] *n.* (*pl.* ***-ses [-si:z]) ① Ⓤ,Ⓒ 〖文〗 생략. ② Ⓒ 〖印〗 생략 부호(—, ***, … 따위).

el·lip·tic[ilíptik], **-ti·cal**[-əl] *a.* 타원(ellipse)의; 생략의.

***elm**[elm] *n.* Ⓒ 느릅나무; Ⓤ 그 재목.

El Ni·ño (Cúrrent)[el ní:njou-] (Sp.) 엘니뇨《남아메리카 북서부 연안을 남하하는 난류》.

***el·o·cu·tion**[èləkjú:ʃən] *n.* Ⓤ 웅변술, 화술; 낭독[발성]법. **~·ary** [-èri/-əri] *a.* **~·ist** *n.* Ⓒ 웅변가.

él·oge[eilóuʒ] *n.* (F.) (고인에의) 찬사.

E·lo·him[elóuhim] *n.* 엘로힘《여호와의 별칭》.

E. long. east longitude.

e·lon·gate [i(:)lɔ́:ŋgeit/í:lɔŋgèit] *vt., vi.* 길게 하다, 길어지다, 연장하다. — *a.* 길어진, 가늘고 긴. **-ga·tion**[i(:)lɔ̀:ŋgéiʃən] *n.* Ⓒ 연장(선); Ⓤ 신장(伸張).

e·lope[ilóup] *vi.* (남녀가) 눈맞아 달아나다(*with*); 가출하다; 도망하다. **~·ment** *n.*

:**el·o·quent**[éləkwənt] *a.* ① 웅변의. ② 표정이 풍부한; (…을) 잘 나타내는(*of*). **~·ly** *ad.* **:-quence** *n.* Ⓤ 웅변(술).

El Sal·va·dor[el sǽlvədɔ̀:r] *n.* 엘살바도르《중앙 아메리카의 공화국》.

El·san[élsæn] *n.* Ⓒ 〖商標〗 (탈취 등에 화학 약품이 쓰이는) 휴대 변기.

†**else**[els] *ad.* 달리, 그 밖에. — *conj.* 《보통 ***or*** ~의 형식으로》 그렇지 않으면.

:**else·where**[∠hwὲər] *ad.* 어딘가 딴 곳에.

e·lu·ci·date[ilú:sədèit] *vt.* 밝히다, 명료하게 하다; 설명하다. **-da·tion**[-∸-déiʃən] *n.*

***e·lude**[ilú:d] *vt.* (살짝 몸을 돌려) 피하다; 벗어나다(evade). **e·lu·sion**[ilú:ʒən] *n.* Ⓤ 회피, 도피.

e·lu·sive[ilú:siv] *a.* 용하게 빠져나가는; 포착하기 어려운, 알기 어려운. **~·ly** *ad.* **~·ness** *n.*

e·lute[ilú:t] *vt.* 〖化〗 (…을) 용리(溶離)하다. **e·lú·tion** *n.* Ⓤ 용리.

***elves**[elvz] *n.* elf의 복수.

E·ly·sée[eili:zéi] *n.* 엘리제궁(宮) 《프랑스 대통령 관저》.

E·ly·si·um[ilíʒəm, -zi-] *n.* 〖그神〗 (영웅·미인이 죽은 후에 산다는) 극락; Ⓤ 낙토, 이상향. **-si·an**[-ʒiən] *a.*

em[em] *n.* Ⓒ M자; 〖印〗 전각(全角).

EM 〖軍〗 education manual; enlisted man [men]. **EM., eman.** emanation. **EMA** European Monetary Agreement.

'em [əm] (<ME *hem*) *pron.* 《口》 =THEM.

em- [im, em] *pref.* ⇨EN-.

e·ma·ci·ate [iméiʃièit] *vt.* 쇠약하게 하다, 여위게 하다. **-at·ed** *a.* **-a·tion** [–̀–éiʃən] *n.*

E-mail, e-mail, e·mail [í:mèil] (<*e*lectronic *mail*) *n.* 〖컴〗 전자 우편, 전자 메일.

em·a·nate [émənèit] *vi.* (빛·열·소리 따위가) 발산[방사]하다(*from*). **-na·tion** [–̀–néiʃən] *n.* Ⓤ 발산, 방사; Ⓒ 발산[방사]물; Ⓤ 〖化〗 에마나치온《방사성 기체》.

e·man·ci·pate [imǽnsəpèit] *vt.* 해방하다. ***-pa·tion** [–̀–péiʃən] *n.* Ⓤ 해방. **-pá·tion·ist** *n.* Ⓒ (노예) 해방론자. **e·mán·ci·pà·tor** *n.* Ⓒ 해방자.

e·mas·cu·late [imǽskjəlèit] *vt.* 불까다, 거세하다(castrate); 유약(柔弱)하게 하다. — [-lit] *a.* 불깐, 거세된; 유약한, 연약한(effeminate). **-la·tion** [imæ̀skjəléiʃən] *n.*

em·balm [imbá:m] *vt.* (시체에) 향유(balm)[방부제]를 발라서 보존하다; (이름을) 길이 기억에 남기다; 향기를 풍기다, 향료를 치다. **~·ment** *n.*

em·bank [imbǽŋk] *vt.* 둑으로 두르다, 둑을 쌓다. ***~·ment** *n.* Ⓒ 제방, 둑; 축제(築堤).

em·bar·go** [embá:rgou] *n.* (*pl.* **~*es) Ⓒ ① (선박의) 항내 출입 금지. ② 통상 금지. ③ (일반적으로) 금지. ***lay* (*lift*) *an* ~ *on*** 만내(灣內) 출입을 금지하다[금지를 해제하다]. — *vt.* (선박의) 출[입]항을 금지하다; (통상을) 금지하다; (배·상품을) 몰수하다.

em·bark** [embá:rk] *vi.* ① 배를 타다, 출범하다(*for*). ② (사업·생활을) 시작하다. **~ *on* (*in*) *matrimony 결혼 생활에 들어가다. — *vt.* ① 배에 태우다. ② 종사케 하다. ③ 투자하다. ***em·bar·ka·tion** [èmba:rkéiʃən] *n.*

:em·bar·rass [embǽrəs] *vt.* ① 곤란케 하다, 당혹게 하다(confuse). ② (문제를) 분규케 하다; (…의 자유로운) 행동을 방해하다; 재정을 곤란케 하다. ***be* (*feel*) ~*ed*** 거북하게[어색하게] 느끼다. **~·ing** *a.* 곤란한, 귀찮은. **:~·ment** *n.* Ⓤ 난처함, 당혹; Ⓒ 방해, 장애; (보통 *pl.*) (재정상의) 곤란.

em·bas·sa·dor [embǽsədər] *n.* =AMBASSADOR.

:em·bas·sy [émbəsi] *n.* Ⓒ 대사관; 사절(단); 대사의 임무.

em·bat·tle[1] [imbǽtl] *vt.* 진을 치다, 포진(布陣)하다. **~d** [-d] *a.*

em·bat·tle[2] *vt.* (성에) 총안(銃眼) 달린 흉장(胸墻)을 갖추다(cf. battlement).

em·bed [imbéd] *vt.* (***-dd-***) 묻다, 매장하다; (마음 속에) 깊이 간직하다.

em·bel·lish [imbéliʃ] *vt.* 장식하다 (adorn). **~·ment** *n.*

:em·ber[1] [émbər] *n.* Ⓒ (보통 *pl.*) 타다 남은 것, 여신(餘燼).

em·ber[2] *n.* 〖가톨릭〗 단식과 기도의 계재(季齋).

Émber dàys 사계재일(四季齋日).

em·bez·zle [embézl] *vt.* (위탁금 따위를) 써버리다. **~·ment** *n.* Ⓤ (위탁금 따위의) 유용(流用), 착복.

em·bit·ter [embítər] *vt.* 쓰게 하다; 고되게[비참하게] 하다; (…의) 감정을 상하게 하다; 심하게 하다. **~·ment** *n.*

em·bla·zon [embléizən] *vt.* (방패를) 문장으로 장식하다; (화려하게) 장식하다; 찬양하다. **~·ment** *n.* Ⓤ 문장 장식. **~·ry** *n.* Ⓤ 문장 화법(畫法); 《집합적》 문장; 장식.

***em·blem** [émbləm] *n., vt.* Ⓒ 상징(하다); 기장(으로 나타내다). **~·at·ic** [èmblimǽtik], **-i·cal** [-əl] *a.* 상징의[적인]; (…을) 상징하는(*of*).

***em·bod·y** [imbádi/-ɔ́-] *vt.* ① 형체를 부여하다; 형체 있는 것으로 만들다, 구체화하다, 구체적으로 표현하다. ② 일체화하다; 통합하다; 포함하다. **em·bód·i·ment** *n.* Ⓤ 구체화, 구현; 화신(化身).

em·bold·en [imbóuldən] *vt.* 대담하게 하다, 용기를 주다(encourage).

em·bo·lism [émbəlizəm] *n.* Ⓒ 〖醫〗 색전증(塞栓症).

em·bo·lis·mic [embəlízmik] *a.* (유대력으로) 윤년[달, 일]이 들어 있는.

em·bo·lus [émbələs] *n.* (*pl.* **-li** [-lài]) Ⓒ 〖醫〗 색전물(物).

em·bon·point [à:mbɔ(:)mpwǽŋ/ɔ̀(:)m-] *n.* (F.) Ⓤ (여인의) 비만(肥滿).

em·bos·om [imbú(:)zəm] *vt.* 품에 안다; 둘러싸다.

em·boss** [embás, -bɔ́:s/-bɔ́s] *vt.* 돋을새김(으로 장식)하다; (무늬를) 도드라지게[도도록하게] 하다. **~*ed printing (우표·고급 명함·초대장 등의) 돋을인쇄. **~·ment** *n.*

em·bou·chure [à:mbuʃúər/ɔ̀m-] *n.* (F.) Ⓒ 하구(河口); 골짜기의 어귀; (취주 악기의) 주둥이.

em·bow·er [embáuər] *vt.* 나뭇잎으로 가리다; 숨기다. — *vi.* 나무 그늘에서 쉬다[묵다].

:em·brace [embréis] *vt.* ① 포옹하다, 껴안다(hug). ② 〖法〗 (배심원 등을) 매수[포섭]하다. ③ 포함하다, 둘러싸다, 에워싸다. ④ (의견·종교 등을) 받아들이다; 채용하다, (기회를) 붙잡다. ⑤ 깨닫다, 간파하다(take in). — *vi.* 서로 껴안다. — *n.* Ⓒ 포옹. **~·a·ble** *a.* **~·ment** *n.* **em·brác·er·y** *n.* Ⓤ 〖法〗 매수.

em·bra·sure [embréiʒər] *n.* Ⓒ 〖築城〗 (밖을 향하여 쐐기 모양으로 열린) 총안.

em·bro·cate [émbrəkèit] *vt.* 〖醫〗 (…에) 약을 바르다; (…에) 찜질하다(*with*). **-ca·tion** [–̀–kéiʃən] *n.*

***em·broi·der**[embrɔ́idər] *vt.* 자수하다, 수놓다; 윤색(潤色)하다; 과장하다. ***~·y** *n.* Ⓤ 자수, 수(놓기); Ⓒ 자수품; Ⓤ 윤색, 과장.

em·broil[embrɔ́il] *vt.* 분규(紛糾)〔혼란〕시키다; (분쟁에) 휩쓸어 넣다 (*in*). **~·ment** *n.*

***em·bry·o**[émbriòu] *n.* (*pl.* **~s**) Ⓒ 배(아)(胚芽); 태아; 움, 싹. ***in* ~** 미발달의; 생각중에 있는. — *a.* 배(아)의, 태아의; 미발달의; 초기의. **-on·ic**[èmbriánik/-ɔ́-] *a.* 배(胚)의, 태아의; 미달발〔초기〕의.

em·bry·ol·o·gy[èmbriálədʒi/-ɔ́-] *n.* Ⓤ 발생〔태생〕학.

em·bus·qué[ɑ̃:mbúskei] *n.* (F.) Ⓒ 정부의 일을 하며〔관직에 있으면서〕 병역을 기피하는 자.

em·cee[émsí:] (<M.C.) *n.* Ⓒ《美口》 사회자(master of ceremonies). — *vt., vi.* 사회하다.

e·meer[emíər] *n.* =EMIR.

e·mend[iménd] *vt.* (문서 따위를) 교정하다(correct). **e·men·da·tion**[ì:mendéiʃən, èmən-] *n.* Ⓤ 교정.

***em·er·ald**[émərəld] *n.* Ⓒ 녹옥(綠玉), 에메랄드; Ⓤ 에메랄드 빛깔. — *a.* 선녹색(鮮綠色)의.

Émerald Ísle, the 아일랜드의 미칭.

:e·merge[imə́:rdʒ] *vi.* 나타나다; (문제가) 일어나다; (곤궁에서) 빠져나오다. **e·mer·gence**[-əns] *n.* Ⓤ 출현; 탈출.

:e·mer·gen·cy[-ənsi] *n.* Ⓤ,Ⓒ 비상 사태, 긴급(한 때), 위급 사태.

emérgency bràke (열차 따위의) 비상 브레이크.

emérgency càll 비상 소집.

emérgency càse 구급 상자.

emérgency dòor〔**èxit**〕 비상구.

emérgency mèasures 응급 조처.

emérgency pòwer (전시·재해시의) 비상 지휘권〔통치권〕.

emérgency ròom《美》(병원의) 응급실《생략 ER》.

emérgency stàircase 비상 계단.

e·mer·gent[imə́:rdʒənt] *a.* 불시에 나타나는, 뜻밖의; 긴급한.

e·mer·i·tus[imérətəs] *a.* 명예 퇴직의. **~ *professor* =*professor* ~** 명예 교수.

e·mer·sion[imə́:rʃən, -ʒən] *n.* =EMERGENCE; 〖天〗 (식(蝕) 또는 엄폐 후 일월의) 재현.

***Em·er·son**[émərsn], **Ralph Waldo**(1803-82) 미국의 시인·철인.

em·er·y[éməri] *n.* Ⓤ 금강사(金剛砂).

émery bòard 손톱줄.

émery pàper (금강사로 만든) 사포(砂布), 속새.

e·met·ic[imétik] *a., n.* 토하게 하는; Ⓒ 토제(吐劑).

E.M.F., e.m.f., emf electromotive force. **EMI** European Monetary Institute 유럽 통화 기구.

***em·i·grant**[éməgrənt] *a., n.* Ⓒ (타국에) 이주하는 (사람), 이민(의) (cf. immigrant).

em·i·grate**[éməgrèit] *vi., vt.* (타국에) 이주하다〔시키다〕(from***)(cf. immigrate). **-gra·tion**[⌐-gréiʃən] *n.* Ⓤ,Ⓒ 이주.

é·mi·gré[émigrèi] *n.* (F.) Ⓒ 이민; 〖프史〗 망명한 왕당원(王黨員).

***em·i·nence**[émənəns] *n.* ① Ⓒ 높은 곳, 언덕. ② Ⓤ (지위·신분 따위의) 고위, 고귀; 탁월; 저명; 현직(顯職). ③ (E-) 〖가톨릭〗 전하(殿下)《cardinal의 존칭》. **:-nent** *a.* 우수한; 유명한; 현저한. **-nent·ly** *ad.*

e·mir[əmíər] *n.* Ⓒ (이슬람교국의) 토후(土侯), 수장(首長).

e·mir·ate[əmíərit] *n.* Ⓒ (이슬람교국의) 토후의 지위〔신분·칭호〕; 토후국.

em·is·sar·y[éməsèri/-səri] *n.* Ⓒ 사자(使者); 밀사, 간첩.

***e·mis·sion**[imíʃən] *n.* Ⓤ,Ⓒ 방사, 배출; Ⓒ 방사물, 배출물(질).

***e·mit**[imít] *vt.* (**-tt-**) ① 내다, 발하다. ② (지폐를) 발행하다.

Em·my[émi] *n.* 에미상《미국의 TV 예술상》.

e·mol·li·ent[imáljənt/-ɔ́-] *a.* (피부·점막을) 부드럽게 하는; 완화하는. — *n.* Ⓤ,Ⓒ 연화제(軟化劑).

e·mol·u·ment[imáljəmənt/-ɔ́-] *n.* Ⓒ (보통 *pl.*) 급료; 보수.

e·mote[imóut] *vi.*《美口》 과장된 행동을 하다; 정서를 보이다, 감정을 내다. **e·mó·tive** *a.*

:e·mo·tion[imóuʃən] *n.* Ⓤ,Ⓒ 정서, 감동. ***~·al**[-ʃənəl] *a.* 감정의, 감정적인; 감동하기 쉬운, 정에 무른; 감동시키는. **~·al·ism**[-əlìzəm] *n.* Ⓤ 감격성; 감정에 호소함; 감정 노출 경향. ***~·al·ly** *ad.*

em·pan·el[impǽnəl] *v.* (《英》 **-ll-**) =IMPANEL.

em·pa·thet·ic[èmpəθétik] *a.* 감정 이입(移入)의.

em·pa·thy[émpəθi] *n.* Ⓤ 〖心〗 감정 이입(感情移入)《상대방의 감정의 완전한 이해》.

:em·per·or[émpərər] *n.* Ⓒ 황제 (cf. empire).

:em·pha·sis[émfəsis] *n.* (*pl.* **-ses**[-sì:z]) Ⓤ,Ⓒ ① 강조, 강세. ② 어세(語勢), 문세(文勢).

:em·pha·size[émfəsàiz] *vt.* 강조〔역설〕하다.

***em·phat·ic**[imfǽtik] *a.* ① 어세가 강한, 강조한. ② 단호한, 절대적인. ③ 두드러진. ***-i·cal·ly** *ad.*

em·phy·se·ma[èmfəsí:mə] *n.* Ⓤ 〖醫〗 기종(氣腫).

:em·pire[émpaiər] *n.* Ⓒ 제국(帝國)(cf. emperor); Ⓤ 절대 지배권.

Émpire City〔**Státe**〕 뉴욕시〔주〕.

Émpire Dày ⇨COMMONWEALTH DAY.

em·pir·ic[empírik] *n.* Ⓒ 경험에만 의존하는 사람; 경험주의자; 《古》 돌팔이 의사(quack). — *a.* 경험의, 경

험적인; 돌팔이 의사 같은. **-i·cal** *a.* =EMPIRIC. ***-ical philosophy*** 경험 철학. **-i·cism**[-rəsìzəm] *n.* Ⓤ 경험 주의.

em·place·ment[empléismənt] *n.* Ⓤ 설치, 고정; 위치 (고정); Ⓒ 〖軍〗 포상(砲床).

em·plane[empléin] *vi., vt.* 비행기에 타다[태우다].

:em·ploy[emplɔ́i] *vt.* 고용하다, 쓰다; (시간·정력 따위를) 소비하다. ***~ oneself*** (…에) 종사하다(*in*). ── *n.* Ⓤ 사용, 고용. ***in the ~ of*** …에 고용되어서. ***out of ~*** 실직하여. **:~·er** *n.* Ⓒ 고용주. **:~·ment** *n.* Ⓤ 고용, 직(職), 일(*~ment agency* [*office*] 직업 소개소).

:em·ploy·ee[implɔ̀iːˊ, èmplɔiíː], ***em·ploy·é***[emplɔ́iiː/ɔmplɔ́iei] *n.* Ⓒ 고용인, 종업원.

em·po·ri·um[empɔ́ːriəm] *n.* (*pl.* *~s, -ria*[-riə]) Ⓒ 상업 중심지, 큰 시장; 큰 상점.

***em·pow·er**[impáuər] *vt.* (…에게) 권한[권력]을 주다; …할 수 있도록 하다(enable).

:em·press[émpris] *n.* Ⓒ 여제(女帝); 황후.

†emp·ty[émpti] *a.* 빈, 비어 있는; 공허한, 무의미한; 《口》 배고픈; (…이) 없는, 결여된(*of*). ── *vt., vi.* 비우다, 비다(*~ a glass* 잔을 비우다). **-ti·ness** *n.*

émpty-hánded *a.* 빈 손의, 맨손의.

émpty-héaded *a.* 머리가 텅 빈; 무식한.

émpty nésters 《口》 자식이 없는 부부, (자식들이 자라서 집을 떠나) 둘만 남은 허전한 부부.

em·pur·ple[empə́ːrpl] *vt.* 자줏빛으로 하다[물들이다].

em·py·e·ma[èmpaiíːmə] *n.* Ⓒ 축농(증).

em·pyr·e·al[èmpairíːəl, empíriəl] *a.* 최고천(最高天)의, 하늘의, 정화(淨火)로 이루어진.

em·py·re·an[èmpairíːən] *n.* (the ~) 화천(火天)《고대 천문학의 오천(五天) 중의 최고천》; 천공. ── *a.* =⇧.

EMS European Monetary System 유럽 통화 제도; emergency medical service.

e·mu[íːmjuː] *n.* Ⓒ 에뮤《타조 비슷한 큰 새; 날지 못함》.

EMU extravehicular mobility unit. **e.m.u.** electromagnetic unit(s).

em·u·late[émjəlèit] *vt.* ① (…와 우열을) 다투다(strive to equal or excel). ② 〖컴〗 대리 실행[대행]하다. **-la·tion**[ˌ–ˈléiʃən] *n.* Ⓤ 〖컴〗 대리 실행, 대행《다른 컴퓨터의 기계어 명령어로 실행 가능》. **-la·tive**[-lə-, -lèi-] *a.* **-la·tor** *n.* Ⓒ 경쟁자; 〖컴〗 대행기.

em·u·lous[émjələs] *a.* 경쟁심이 강한(*She is ~ of him.* 그녀는 그에게 지지 않으려고 한다); (명성·성공을) 열망하는(desirous)(*of*); 경쟁심에서 나온. **~·ly** *ad.*

e·mul·si·fi·ca·tion[imʌ̀lsəfikéiʃən] *n.* Ⓤ 유제화(乳劑化).

e·mul·si·fy[imʌ́lsəfài] *vt.* 젖같이 만들다.

e·mul·sion[imʌ́lʃən] *n.* Ⓤ,Ⓒ 유제「(乳劑).

en-[in, en] *pref.* 《b, m, p 앞에서는 em-》 ① 명사에 붙여 '…속에 넣다, 위에 놓다'의 뜻을 만듦: *en*gulf. ② 명사·형용사에 붙여 '…로 하다'의 뜻을 만듦: *en*slave. ③ 동사에 붙여 '안에, 속에'의 뜻을 더함: *en*fold.

:en·a·ble[enéibəl] *vt.* …할 수 있게 하다(make able); (…의) 권능[가능성]을 주다; 〖컴〗 (…을) 가능하게 하다.

***en·act**[enǽkt] *vt.* 법률화하다; (법을) 제정하다; (…의) 역(役)을 하다(play). **~·ment** *n.* Ⓤ 제정, 설정; Ⓒ 법령(law).

***e·nam·el**[inǽməl] *n., vt.* (《英》 *-ll-*) Ⓤ 에나멜(을 칠하다); (오지그릇의) 유약(釉藥)(을 입히다); 법랑(琺瑯); (이(齒)의) 법랑질, 사기질(cf. dentine).

e·nam·el·ware[-wὲər] *n.* Ⓤ 법랑철기.

en·am·or, 《英》 **-our**[inǽmər] *vt.* 매혹하다. ***be ~ed of*** [***with***] …에 매혹되다[반하다].

en·an·ti·o·morph[inǽntiou-mɔ̀ːrf] *n.* Ⓒ 〖化〗 경상체(鏡像體).

en bloc[ɑn blɑ́k, en-/-blɔ́k] (F.) 일괄하여, 총괄적으로(all together). ***resign ~*** 총사직하다.

en·cae·ni·a[ensíːniə, -njə] *n.* Ⓤ (도시·교회의) 창립 기념제; (E-) 《英》 옥스퍼드 대학 창립 기념제.

en·cage[enkéidʒ] *vt.* 새장[우리]에 넣다; 가두다.

***en·camp**[enkǽmp] *vt., vi* 진을 치(게 하)다; 야영(케)하다. **~·ment** *n.*

en·cap·sule[inkǽpsəl/-sjuːl] *vt., vi.* 캡슐에 넣다[넣어지다]; 소중히 보호하다.

en·case[enkéis] *vt.* (상자·칼집에) 넣다; 싸다, 둘러싸다.

en·cash[enkǽʃ] *vt.* 《英》 (증권·어음 등을) 현금화하다; 현금으로 받다.

en·caus·tic[enkɔ́ːstik] *a., n.* Ⓤ 납화(법)(蠟畫)(法)(의); Ⓒ 낙화(烙畫)(의).

en·ceinte[enséint/ɑ̃ːŋsɛ́ːnt] *a.* (F.) 임신하여.

en·ceph·a·li·tis[ensèfəláitis] *n.* 「Ⓤ 뇌염.

en·ceph·a·lo·gram[enséfələgræ̀m] *n.* Ⓒ 뇌조영[촬영]도.

en·ceph·a·lo·my·e·li·tis[ensèfəloumàiəláitis] *n.* Ⓤ 〖醫〗 뇌척수염.

en·ceph·a·lon[inséfəlɑ̀n, en-/enkéfəlɔ̀n] *n.* (*pl.* *-la*[-lə]) Ⓒ 뇌, 대뇌.

en·chain[entʃéin] *vt.* 사슬로 매다, 속박하다; 강하게 끌다.

:en·chant[entʃǽnt, -ɑ́ː-] *vt.* ① …에게 마술을 걸다. ② 매혹[뇌쇄]하

다. **~·er** *n.* ***~·ing** *a.* 매혹적인. ***~·ment** *n.* **~·ress** *n.* Ⓒ 여자 마법사; 매혹적인 여자.
en·chase [intʃéis] *vt.* (아로)새기다; 박아 넣다, 상감(象嵌)하다.
en·chi·la·da [èntʃəlɑ́:də] *n.* (Sp.) Ⓤ 얇은 옥수수 빵에 기계로 저민 고기를 끼워 기름에 튀겨 chili 소스를 친 멕시코 요리.
***en·cir·cle** [ensə́:rkl] *vt.* 둘러[에워]싸다(surround); 일주하다. **~·ment** *n.* Ⓤ 일주; 포위; 〖政〗 고립화 《적성 국가군(群)에 의한 포위》.
en·clave [énkleiv] *n.* (F.) Ⓒ (타국 내의) 고립된 영토.
en·clit·ic [enklítik] *a., n.* Ⓒ 〖文〗 전접어(前接語)(의), 전접(의).
:en·close [enklóuz] *vt.* ① 울타리를 두르다; 에워싸다. ② (그릇에) 넣다; (편지에) 동봉하다(*I ~ a check herewith. /Enclosed please find the invoice.* 〖商〗 송장(送狀)을 동봉하오니 받아주시오).
***en·clo·sure** [enklóuʒər] *n.* ① Ⓤ,Ⓒ 울(두르기), 담, 울타리. ② Ⓤ 〖英史〗 (15-18세기에 대지주가 교환분합(交換分合)에 의하여 한 곳에 모은) 종획지(綜劃地). ③ Ⓒ 울안, 구내. ④ Ⓒ 동봉한 물건.
en·code [enkóud] *vt., vi.* ① (보통 글을) 암호로 고쳐 쓰다; 암호화하다. ② 〖컴〗 부호 매기다. **en·cód·er** *n.* Ⓒ 〖컴〗 부호기.
en·co·mi·um [enkóumiəm] *n.* (*pl.* *~s, -mia* [-miə]) Ⓒ 찬사, 찬미(eulogy). **-mi·ast** [-æ̀st] *n.* Ⓒ 예찬자.
en·com·pass [enkʌ́mpəs] *vt.* 둘러싸다; 포함하다.
en·core [ɑ́ŋkɔ:r/ɔŋkɔ́:r] *int., n., vt.* Ⓒ 앙코르[재청](하다).
:en·coun·ter [enkáuntər] *n., vi., vt.* Ⓒ 우연히 만남(만나다); 회전(會戰)(하다).
***en·cour·age** [enkə́:ridʒ, -kʌ́r-] *vt.* ① (…의) 기운을 북돋아 주다, 격려하다. ② 조장[지원]하다(opp. discourage). ***~·ment** *n.* **-ag·ing** *a.*
en·croach [enkróutʃ] *vt.* 침입[침해]하다(intrude)(*on, upon*). **~·ment** *n.*
en·crust [enkrʌ́st] *vt.* 껍질로 덮다; (보석을 …에) 박아 넣다.
en·cryp·tion [enkrípʃən] *n.* 〖컴〗 부호 매김.
***en·cum·ber** [enkʌ́mbər] *vt.* ① 거치적거리게 하다, 방해하다; (…으로 장소를) 막다(*with*); 번거롭게 하다. ② (빚을) 지게 하다.
en·cum·brance [-brəns] *n.* Ⓒ 방해, 장애(물); 골칫거리, (특히) 자식; 〖法〗 저당권 (따위).
ency(c). encyclop(a)edia.
:en·cy·clo·pae·di·a, -pe- [ensàikləpí:diə] *n.* Ⓒ 백과 사전; (E-) (프랑스의 Diderot, d'Alembert 등이 공동 편집한) 백과 전서. ***E- Americana*** [əmèrikɑ́:nə] 미국 백과 사전. ***E- Britannica*** [britǽnikə] 대영 백과 사전. **-dic** *a.* **-dist** *n.* Ⓒ 백과 사전 편집자.
†end [end] *n.* Ⓒ ① 끝, 마지막, 종말; 가, 말단; 최후, 죽음; 행위의 종말. ② 목적. ③ 결과. ④ 조각, 끄트러기, 파편(fragment). ⑤ 《美》 부분, 부문, 방편. ⑥ 〖美式蹴〗 전위(前衛) 양끝의 선수. ***at a loose ~*** 《口》 빈둥빈둥; 미해결로; 어찌할 바를 모르고, 무직으로. ***at loose ~s*** 산란하여. ***~ for ~*** 거꾸로. ***~ to ~*** 끝과 끝을 접하여. ***in the ~*** 마침내. ***make an ~ of*** …을 끝내다. ***make both ~s meet*** 수지를 맞추다. ***no ~*** 《口》 몹시. ***no ~ of*** 《口》 …을 한 없이, 얼마든지. ***on ~*** 세로, 똑바로; 계속하여. ***put an ~ to*** …을 그만두다; 죽이다. ***to the (bitter) ~*** 마지막까지, 어디까지나. — *vt., vi.* 끝마치다; 끝나다; 그만두다, 그치다; 죽이다. ***~ in*** …(의 결과)로 끝나다. ***~ off* [*up*]** 끝나다. **:∠·ing** *n.* Ⓒ 결말, 종결; 말미; 어미; 사망.
énd-àll *n.* Ⓒ 종결, 대단원; 만사의 결말.
***en·dan·ger** [endéindʒər] *vt.* 위태롭게 하다.
énd consùmer 최종 소비자.
***en·dear** [endíər] *vt.* 사랑스럽게 여기게 하다, 그리워지게 하다. **~·ing** [endíəriŋ] *a.* 사랑스러운. **~·ing·ly** *ad.* 귀엽게. **~·ment** *n.* Ⓤ 친애; Ⓒ 애무.
:en·deav·or, 《英》 **-our** [endévər] *n., vt., vi.* Ⓤ,Ⓒ 노력(하다)(*after; to do*), 시도(하다).
en·dem·ic [endémik] *a.* 한 지방 특유의, 풍토(병)의. — *n.* Ⓒ 풍토[지방]병. **-i·cal·ly** *ad.*
énd gàme (체스 따위의) 종반전; (전쟁 등의) 막판.
en·dive [éndaiv/-div] *n.* Ⓤ 〖植〗 꽃상추《샐러드용》.
:end·less [éndlis] *a.* 끝없는; 무한한, 영원한; 〖機〗 순환의. **~·ly** *ad.* **~·ness** *n.*
énd màn 열 끝의 사람; 쇼의 무대 양끝에 있는 흑인 광대(cf. middleman, interlocutor).
end·most [éndmòust] *a.* 말단의.
en·do·bi·ot·ic [èndəbaiɑ́tik/-ɔ́t-] *a.* 〖生〗 생물체내에 사는《숙주에 기생하는》.
en·do·carp [éndoukɑ̀:rp] *n.* Ⓒ 〖植〗 내과피(內果皮).
en·do·crine [-krin, -kràin] *a., n.* 내분비의; Ⓒ 내분비물, 호르몬; 내분비선(같은).
en·dog·a·my [endɑ́gəmi/-ɔ́-] *n.* Ⓤ 동족 결혼(cf. exogamy).
en·dog·e·nous [endɑ́dʒənəs/-dɔ́dʒ-] *a.* 〖生〗 내부로부터 발생하는, 내생(內生)의; 〖生·生化〗 내인성(內因性)의.
en·do·plasm [éndouplæ̀zəm] *n.* Ⓤ 〖生〗 내질(內質).
***en·dorse, in-** [endɔ́:rs] *vt.* 배서

(背書)하다; 보증하다. **~·ment** *n.* **en·dórs·er** *n.* Ⓒ 배서인. **en·dor·see**[endɔ̀ːrsíː, ⌐–⌐] *n.* Ⓒ 피(被)배서인, 양수인(讓受人).
en·do·scope [éndəskòup] *n.* Ⓒ 〖醫〗(직장·요도 등의) 내시경(內視鏡).
en·do·sperm[éndouspə̀ːrm] *n.* Ⓒ 〖植〗 배유(胚乳).
en·do·therm[éndəθə̀ːrm] *n.* 〖生〗 온혈 동물.
en·do·ther·mal [èndəθə́ːrməl], **-mic**[-mik] *a.* 〖化〗 흡열성의, 흡열 반응의.
:en·dow[endáu] *vt.* ① (공공 단체에) 기금을 기부하다. ② (자질·능력 따위를) 부여하다(furnish)(*with*). ***~·ment** *n.* Ⓤ 기부; Ⓒ 기금(基金); (보통 *pl.*) (천부의) 재능.
endówment insùrance [《英》 **assùrance**] 양로 보험.
énd pàper (책의) 면지.
énd pòint 종료점(終了點), 종점; 〖化〗 (적정(滴定)의) 종말점.
énd pròduct (연속 변화의) 최종 결과; 〖理〗 최종 생성물.
énd stòp 문미(文尾) 기호《마침표, 물음표 따위》.
énd-stópped *a.* 〖韻〗 행말 종지(行末終止)의(cf. run-on).
en·due[endjúː] *vt.* (재능 따위를) 부여하다(endow)(*with*); (옷을) 입다, 입히다.
:en·dur·ance[endjúərəns] *n.* Ⓤ 인내; 내구성〔력〕.
:en·dure[endjúər] *vt.* 견디다, 참다; 겪다, 받다. — *vi.* 인내하다; 지속하다, 지탱하다. **en·dúr·a·ble** *a.* ***en·dur·ing**[-djúəriŋ] *a.* 참는; 영속적인.
en·du·ro[indjúərou] *n.* Ⓒ (자동차 등의) 내구(耐久) 레이스.
énd úse 〖經〗 최종 용도.
énd úser 〖컴〗 최종 사용자.
end·ways [éndwèiz], **-wise** [-wàiz] *ad.* 끝을 위로〔앞쪽으로〕 하고, 세로로(on end).
en·e·ma[énəmə] *n.* (*pl.* **~s, ene·mata**[enémətə]) Ⓒ 관장; 관장(灌腸)기〔제(劑)〕.
†en·e·my [énəmi] *n.* Ⓒ 적, 원수; 적군, 적함.
***en·er·get·ic**[ènərdʒétik] *a.* 정력적인, 원기 왕성한(vigorous). **-i·cal·ly** *ad.*
en·er·gize[énərdʒàiz] *vt.* 활기 띠게 하다, 격려하다.
en·er·gu·men[ènərgjúːmən] *n.* Ⓒ 귀신 들린 사람; 광신자.
:en·er·gy[énərdʒi] *n.* Ⓤ ① 정력, 활기, 원기(vigor). ② 에너지.
énergy crìsis (특히 석유 등의 공급 부족으로 인한) 에너지 위기.
en·er·vate[énərvèit] *vt.* 약하게〔쇠하게〕 하다(weaken). **en·er·va·tion**[⌐–véiʃən] *n.*
en·fant ter·ri·ble [ɑ̃ŋfɑ́ːŋ teríːbəl] (F.) (어른 빰칠) 깜찍한 아이.
en·fee·ble[enfíːbəl] *vt.* 약〔쇠〕하게 하다. **~·ment** *n.*
en·fet·ter[infétər] *vt.* (…에게) 차꼬를 채우다; 속박하다.
en·fi·lade[ènfəléid, ⌐–⌐] *n., vt.* Ⓒ 종사(縱射)(하다).
en·fold[enfóuld] *vt.* =INFOLD.
:en·force[enfɔ́ːrs] *vt.* ① (법률 따위를) 실시〔시행〕하다. ② (…에게) 강요하다, 떠맡기다(*on*). **~·a·ble** *a.* ***~·ment** *n.* Ⓤ 실시, 시행.
en·frame[enfréim] *vt.* (그림 등을) 액자에 끼우다.
en·fran·chise[enfrǽntʃaiz] *vt.* 해방〔석방〕하다(set free); (…에게) 공민권〔선거권〕을 부여하다. **~·ment** [-tʃizmənt, -tʃaiz-] *n.*
Eng. England; English. **eng.** engine; engineer(ing).
:en·gage[engéidʒ] *vt.* ① 종사시키다. ② 당기다; (주의·흥미를) 끌다. ③ 속박〔약속〕하다; 보증하다; 약혼시키다(*to*). ④ (방 따위를) 예약하다(reserve); (사람을) 고용하다, (탈것을) 세내다. ⑤ (군대를) 교전시키다, (…와) 교전하다. ⑥ 〖機〗 걸다, (톱니바퀴를) 맞물리다(*with*). **~ *oneself to*** (do)(…하겠다)고 서약하다. — *vi.* ① 약속하다, 보증하다(*for; to* do; *that*). ② 종사〔관계〕하다(*in*). ③ 교전하다(*with*). ④ 〖機〗 (톱니바퀴 따위가) 걸리다, 맞물다. **~ *oneself in*** …에 종사하다.
·en·gaged[engéidʒd] *a.* 약속〔계약·예약〕된; 약혼 중인, 용무 중인, 바쁜, 고용된, (전화가) 통화 중인; 교전 중인.
en·ga·gé [ɑ̃ːŋgɑːʒéi] *a.* (F. =engaged) 관계된; (문학 작품이) 정치에 관계된.
:en·gage·ment[engéidʒmənt] *n.* ① Ⓒ 약속, 계약; 약혼. ② Ⓤ 용무, 볼일; 고용, 초빙, 직업. ③ (*pl.*) 채무; Ⓒ 교전; Ⓤ 〖機〗 (맞)물림. ***enter into*** [***make***] ***an ~ with*** … 와 약속〔계약〕하다.
engágement rìng 약혼 반지.
en·gag·ing[engéidʒiŋ] *a.* 마음을 끄는, 매력 있는; 애교 있는. **~·ly** *ad.* **~·ness** *n.*
En·gel[éŋgəl], **Ernst**(1821-96) 독일의 통계학자.
En·gels[éŋgəls], **Friedrich**(1820-95) 독일의 사회주의자, Marx의 협력자.
Éngel's coefficient 엥겔 계수.
Éngel's láw 〖經〗 엥겔의 법칙.
en·gen·der [endʒéndər] *vt., vi.* (상태 등을) 야기하다; 발생하다.
†en·gine[éndʒin] *n.* Ⓒ ① 기관, 엔진. ② 기관차. ③ 기계(장치), 기구. ④ 병기(~s of war).
éngine drìver 《英》 (철도의) 기관사(《美》 (locomotive) engineer).
†en·gi·neer [èndʒiníər] *n.* Ⓒ ① 공학가, 기술자, 기사; (기계 따위의) 설계〔제작〕자. ② 《美》 (철도의) 기관사(《英》 engine driver). ③ (육군

의) 공병; (해군의) 기관 장교. — *vt.* 설계〔감독〕하다; 능란하게 처리〔타개〕하다(manage cleverly). **:~·ing**[-níəriŋ] *n.* Ⓤ 공학, 기술; 기관술〔학〕; (토목) 공사.

éngine hòuse 《美》(전차·소방차 등의) 차고.

éngine ròom (배 따위의) 기관실.

en·gine·ry[éndʒənri] *n.* Ⓤ 기관, 기계류; 병기; 계략.

†Eng·land [íŋglənd] *n.* 잉글랜드 《Great Britain에서 Scotland와 Wales를 제외함》; 영국. **~·er** *n.*

†Eng·lish[íŋgliʃ] *a.* 잉글랜드의; 영국(인)의; 영어의. — *n.* ① Ⓤ (넓은 뜻으로) 영어; (스코틀랜드 방언 따위와 구별하여) 잉글랜드의 말. ② (the ~) 《집합적》 영국 사람. ③ (*or* e-) 《美》〖撞〗 틀어치기. ***in plain*** **~** 분명히〔쉽게〕 말하자면. ***Middle*** **~** 중세 영어《1100-1500년경; 생략 ME》. ***Modern*** **~** 근대 영어《1500년 경 이후; 생략 ModE》. ***Old*** **~** 고대 영어《700-1100년 경; 생략 OE》. ***the King's*** 〔***Queen's***〕 **~** 표준 영어. — *vt.* (*or* e-) 영어로 번역하다; 《美》〖撞〗 틀어치다. 「협.

Énglish Chánnel, the 영국 해

Énglish Énglish 영국 영어.

Énglish hórn 잉글리시 호른《oboe 류의 목관 악기》.

Eng·lish·ize[íŋgliʃàiz] *vi.* 영국식〔풍〕으로 하다.

:Eng·lish·man[-mən] *n.* Ⓒ 잉글랜드 사람; 영국 사람.

***Énglish·wòman** *n.* 영국 여자; 잉글랜드 여자.

en·gorge[engɔ́:rdʒ] *vt.* 게걸스레 먹다; 〖醫〗 충혈시키다.

en·graft[engrǽft, -á:-] *vt.* 접붙이다, 접목하다; (사상을) 주입하다(implant).

en·grain [engréin] *vt., a.* =INGRAIN.

***en·grave**[engréiv] *vt.* 새기다(나무·돌 따위에), 조각하다(carve); (마음속에) 새겨넣다. **en·gráv·er** *n.* ***en·gráv·ing** *n.* Ⓤ 조각, 조판(彫版); Ⓒ 판화.

:en·gross[engróus] *vt.* ① 큰 글자로 쓰다; 정식으로 쓰다〔말하다〕, 정서하다. ② 독점하다; (마음을) 빼앗다, 몰두시키다, 열중케 하다(*in*). **~·ing** *a.* 마음을 빼앗는, 몰두시키는. **~·ment** *n.* Ⓤ 열중, 몰두; 큰 글자로 쓰기; Ⓒ 정서한 것; Ⓤ 독점.

en·gulf[engʌ́lf] *vt.* 휘말아 들이다, 삼키다.

***en·hance**[enhǽns, -á:-] *vt.* 높이다; 늘리다, 강화하다. **~·ment** *n.*

en·har·mon·ic [ènha:rmánik/-mɔ́-] *a.* 〖樂〗 사분음의; (평균율에서는) 이명 동음(異名同音)의《올림 라음과 내림 마음 따위》.

ENIAC, en·i·ac[éniæk] (< *E*lectronic *N*umerical *I*ntegrator *a*nd *C*omputer) *n.* 〖商標〗 (미 육군의) 에니악 전자 계산기.

e·nig·ma [inígmə] *n.* Ⓒ 수수께끼 (riddle); 수수께끼의 인물; 불가해한 사물. **en·ig·mat·ic**[ènigmǽtik], **-i·cal**[əl] *a.*

En·i·we·tok [èniwí:tɑk/-tɔk] *n.* (Marshall 군도 중의) 에니웨톡 환초(環礁)《미국의 원폭 실험지》.

***en·join**[endʒɔ́in] *vt.* (…에게) 명령하다; 과(課)하다(*on*); 〖法〗 (…을) 금지하다(~ *a person from* do*ing*).

†en·joy[endʒɔ́i] *vt.* ① 즐기다, 향락하다. ② (이익·특권 따위를) 누리다, 향유하다. ③ (건강·재산 따위를) 가지고 있다. **~ *oneself*** 즐기다, 즐겁게 지내다〔시간을 보내다〕. **~·a·ble** *a.* 향유할〔누릴〕 수 있는; 즐거운. ***~·ment** *n.* ① Ⓤ,Ⓒ 즐거움, 쾌락. ② Ⓤ 향락; 향유.

en·kin·dle[enkíndl] *vt.* (불·감정을) 타오르게 하다.

:en·large[enlá:rdʒ] *vt.* 확대하다; 증보하다; 〖寫〗 확대하다. — *vi.* 넓어지다, 퍼지다; 부연〔상술〕하다(*on*). ***~·ment** *n.* Ⓤ 확대; Ⓒ 증축. **en·lárg·er** *n.* Ⓒ 확대기.

:en·light·en[enláitn] *vt.* 교화하다, 계몽하다; (의미를) 명백하게 하다. **~ed**[-d] *a.* **~·ing** *a.* 계몽적인. ***~·ment** *n.*

***en·list**[enlíst] *vt.* ① 병적에 넣다(enrol); (사병을) 징모(徵募)하다. ② (…의) 지지〔원조〕를 얻다. — *vi.* 입대〔참가〕하다, 협력하다. **~·ment** *n.* Ⓒ 병적 편입(기간). ② Ⓤ 입대, 징모, 응모.

enlísted màn 《美》 사병; 지원〔응모〕병《생략 EM》.

***en·liv·en**[enláivən] *vt.* 활기를 띠게 하다, 기운을 돋게 하다.

en masse[en mǽs] *ad.* (F.) 함께, 한꺼번에, 통틀어서.

en·mesh[enméʃ] *vt.* (그물에) 얽히게〔걸리게〕 하다; 빠뜨리다(*in*).

en·mi·ty**[énməti] *n.* Ⓤ,Ⓒ 적의; 증오. ***at **~** ***with*** …와 반목하여.

***en·no·ble**[enóubl] *vt.* 고귀〔고상〕하게 하다; 귀족으로 만들다.

en·nui[ɑ:nwí:, ⌐–] *n.* (F.) Ⓤ (cf. annoy) 권태, 앙뉘.

e·nol·o·gy[i:nálədʒi/-ɔ́-] *n.* 《美》 =OENOLOGY.

e·nor·mi·ty[inɔ́:rməti] *n.* Ⓤ 극악(*of*); Ⓒ 범죄 행위.

:e·nor·mous[inɔ́:rməs] *a.* 거대한(huge), 막대한(immense); 흉악한. ***~·ly** *ad.* 터무니 없이, 매우, 막대하게. **~·ness** *n.*

†e·nough[inʌ́f] *a.* 충분한; (…에) 족한(*for; to* do). — *n., ad.* Ⓤ 충분(히), 많이, 참으로. ***be kind*** **~** ***to*** (do) 친절하게도 …하다. ***cannot*** (do) **~** 아무리 …하여도 부족하다. **~ *and to spare*** 남을 만큼. ***sure*** **~** 과연. ***well*** **~** 상당히; 웬만하게; 충분히.

en passant[ɑ:n pǽsɑ:ŋ] (F.) … 하는 김에. 「다.

en·plane[enpléin] *vi.* 비행기에 타

*__en·quire__[enkwáiər], **&c.** =INQUIRE, &c.
*__en·rage__[enréidʒ] *vt.* 격노하게 하다. ***be ~d at*** (***by, with***) …에 몹시 화내다.
en rap·port[ɑ̃:n rɑpɔ́:r] (F.) 동정(공명)하여.
en·rap·ture[enrǽptʃər] *vt.* 미칠 듯이 기쁘게 하다; 황홀하게 하다(entrance). ***be ~d with*** (***over***) …으로 기뻐서 어쩔 줄 모른다.
:**en·rich**[enrítʃ] *vt.* ① 부유(풍부)하게 하다, (땅을) 기름지게 하다. ② (색·맛 따위를) 짙게 하다, 농축하다(*~ed uranium* 농축 우라늄); (음식물의) 영양가를 높이다. ③ 꾸미다, 장식하다. **~·ment** *n.*
*__en·rol(l)__[enróul] *vt.* (**-ll-**) 등록하다, 명부에 올리다, 입회(입대)시키다. ***~·ment*** *n.*
en route[ɑ̃:n rú:t] (F.) 도중(에) (*to, for*).
ENSA, En·sa[énsə] Entertainment National Service Association 《英》 위문 봉사회.
en·sconce[enskɑ́ns/-ɔ́-] *vt.* 몸을 편히 앉히다, 안치하다; 숨기다(hide). ***~ oneself in*** (좌석 따위에) 자리잡고 앉다, 안정하다.
*__*en·sem·ble*__[ɑ̃:nsɑ̃́:mbl] *n.* (F.) Ⓒ ① 총체; 전체적 효과(general effect). ② 전(全)합창(주), 합창(합주)단. ③ 앙상블《잘 조화된 한 벌의 여성복》. ④ 〖劇〗 공연자 (전원), 총출연.
en·shrine[enʃráin] *vt.* (…을) 사당에 모시다(안치하다); (마음 속에) 간직하다(cherish). **~·ment** *n.*
en·shroud[enʃráud] *vt.* 수의(壽衣)를 입히다; 덮어가리다.
*__en·sign__[énsain] *n.* Ⓒ ① (관위(官位)따위의) 표장(標章)(badge); 기, 군기, 국기(flag, banner). ② 《英》 기수. ③ [énsn] 《美》 해군 소위. ***national ~*** 국기. ***red ~*** 영국 상선기. ***white ~*** 영국 군함기.
en·si·lage[énsəlidʒ] *vt., n.* Ⓤ 건초실(silo)에 저장하다(하기); (저장한) 생(生)목초(*~d green fodder*) (cf. hay).
en·sile[ensáil] *vt.* (생목초를) 사일로에 저장하다.
*__en·slave__[ensléiv] *vt.* 노예로 만들다. **~·ment** *n.* Ⓤ 노예 상태.
en·snare[ensnέər] *vt.* 올가미에 걸어 넣다; 유혹하다.
*__en·sue__[ensú:] *vi.* 계속해서(결과로서) 일어나다(follow)(*from, on*). ***the ensuing year*** 그 이듬해.
en suite[ɑ̃:n swí:t] (F.) 연달아.
*__en·sure__[enʃúər] *vt.* ① 안전하게 하다(*against, from*). ② 책임지다, 확실하게 하다; 확보하다(secure); 보증하다.
ENT[ent] ear, nose, and throat 이비인후과.
en·tab·la·ture[entǽblətʃər] *n.* Ⓒ 〖建〗 돌림띠《처마에서 기둥머리까지의 부분으로 cornice, frieze, architrave의 세 층》.
*__en·tail__[entéil] *vt.* ① (부동산의) 상속권을 한정하다. ② (결과를) 남기다, 수반하다. ③ 필요로 하다; 과(課)하다. — *n.* Ⓤ 〖法〗 한정 상속; Ⓒ 세습 재산.
*__en·tan·gle__[entǽŋgl] *vt.* ① 얽히게 하다(tangle); 휩쓸려(말려)들게 하다(involve)(*in*). ② 혼란시키다, 곤란케 하다(perplex). ***be*** (***get***) ***~d in*** …에 말려들다, 빠지다. **~·ment** *n.*
en·ta·sis[éntəsis] *n.* Ⓤ,Ⓒ 〖建〗 엔터시스《원주(圓柱)의 불룩함》, 흘림.
en·tente[ɑ̃:ntɑ̃́:nt] *n.*(F.) Ⓒ (정부 간의) 협정, 협상; 《집합적》 협상국.
enténte cor·di·ale [-kɔ:rdjɑ́:l] 협정, 협상.
†**en·ter**[éntər] *vt.* ① (…에) 들어가다. ② (…에) 들다(가입하다); 참가하다; 가입(입회)시키다. ③ 기입하다. ④ (항의를) 제기하다. ⑤ 시작하다, (직업에) 들어서다. ⑥ 〖컴〗 (정보·기록·자료를) 넣다, 입력하다. — *vi.* ① 들다, 들어가다. ② 참가(입회)하다. ③ 등장하다. ***~ for*** …에 참가(를 신청)하다. ***~ into*** …에 들어가다, 들어서다; (담화·교섭을) 시작하다; (관계·협정을) 맺다; (계획에) 참가하다; 논급하다; 헤아리다. ***~ on*** (***upon***) 소유권을 얻다; 시작하다; 논급하다. ***~ up*** (정식으로) 기장(記帳)하다.
en·ter·ic[entérik] *a.* 장(腸)의(intestinal).
en·ter·i·tis[èntəráitis] *n.* Ⓤ 〖醫〗 장염, 장카타르.
en·ter·o·cri·nin[èntəroukráinin] *n.* Ⓤ〖生化〗 엔테로크리닌《소화 촉진 호르몬》.
en·ter·o·gas·trone [-gǽstroun] *n.* Ⓤ〖生化〗 엔테로가스트론《위액 분비 억제 호르몬》.
en·ter·o·ki·nase[-káineis, -kí-] *n.* Ⓤ 〖生化〗 엔테로키나아제《장내 효소의 일종》.
en·ter·on [éntərɑ̀n/-rɔ̀n] *n.* Ⓒ 《諧》 소화관.
en·ter·o·tox·in [èntəroutɑ́ksin/-tɔ́k-] *n.* Ⓒ 〖醫〗 엔테로톡신, 장독소(腸毒素).
:**en·ter·prise** [éntərpràiz] *n.* ① Ⓒ 사업, 기업. ② Ⓒ 기획, (모험적인) 기도. ③ Ⓤ 기업(모험)심. ***man of ~*** 진취성 있는 사람. ***-pris·ing*** *a.* 기업심이 왕성한; 모험적인.
:**en·ter·tain**[èntərtéin] *vt.* ① 즐겁게 하다(amuse). ② 대접(환대)하다, 접대하다. ③ (마음에) 품다(cherish); 고려하다. ***~·er*** *n.* Ⓒ 접대하는 사람; 연예인, 요술사. **~·ing** *a.* 유쾌한, 재미있는.
:**en·ter·tain·ment** [èntərtéinmənt] *n.* Ⓤ,Ⓒ 대접; Ⓒ 연회; 연예, 여흥; Ⓤ 오락; 마음에 품음. ***give ~s to*** …을 대접(환대)하다. 「산업.
entertáinment búsiness 유락

en·thral(l)[enθrɔ́:l] *vt.* (*-ll-*) 매혹하다; 노예로 만들다(enslave). **~·ment** *n.*
*__en·throne__[enθróun] *vt.* 왕위에 앉히다. **~·ment** *n.* U,C 즉위(식).
en·thuse[enθjú:z/-θjú:z] (<⇩) *vt., vt.* 《口》 열광〔감격〕하다〔시키다〕.
:**en·thu·si·asm**[enθjú:ziæ̀zəm] *n.* U 열심, 열중; 열광, 열의(熱意)(*for, about*). **-ast**[-æ̀st] *n.* C 열심〔열성〕가, …광(狂)(*for*). **:-as·tic**[-ˌ-ˊ-æ̀stik] *a.* ***-ti·cal·ly** *ad.*
*__en·tice__[entáis] *vt.* 유혹하다, 꾀다(allure)(*into, out of*). **~·ment** *n.* U 유혹; C 유혹물, 미끼. **en·tíc·ing** *a.* 유혹적인.
:**en·tire**[entáiər] *a.* ① 전체의, 완전한, 온전한. ② (소·말 따위) 불까지 않은(not gelded). **:~·ly** *ad.* 전혀, 완전히, 전적으로. **~·ty** *n.*
:**en·ti·tle**[entáitl] *vt.* ① (…에) 칭호를 주다; 제목을 붙이다. ② (…에게) 권리를〔자격을〕 주다. ***be ~d to*** …에 대한 권리가〔자격이〕 있다.
en·ti·ty[éntiti] *n.* U 실재, 존재; C 실체, 본체; 실제물; 존재자.
en·tomb [entú:m] *vt.* 매장하다(bury). **~·ment** *n.* U 매장.
en·to·mol·o·gy[èntəmɑ́lədʒi/-ɔ́-] *n.* U 곤충학. **-gist** *n.* **en·to·mo·lo·gic**[èntəməlɑ́dʒik/-ɔ́-], **-i·cal** [-əl] *a.* 곤충학상의.
en·to·moph·i·lous[-mɑ́fələs] *a.* 〖植〗 충매(蟲媒)의(cf. anemophilous).
en·tou·rage[ɑ̀:nturɑ́:ʒ/ɔ̀n-] *n.* (F.) C 《집합적》 주위 사람들, 측근.
en·to·zo·on[èntozóuɑn/-ɔn] C (*pl.* ***-zoa***[-zóuə]) *n.* 〖動〗 체내 기생충. 「내장; 창자.
en·trails[éntreilz, -trəlz] *n. pl.*
en·train¹[entréin] *vt.* 잡아당기다, 운반해 가다.
en·train² *vt., vi.* (군대를) 기차에 태우다; 열차에 올라타다. 「기.
en·train[ɑ̃:ŋtræ̃:ŋ] *n.* (F.) 열의, 활
:**en·trance**¹[éntrəns] *n.* ① U,C 들어감, 입장, 등장; 입회, 입학, 입사. ② C 입구. ③ U,C 취업, 취임. ④ U,C 입장료〔권〕. ⑤ 〖컴〗 어귀, 입구. ***~ examination*** 입학 시험. ***~ fee*** 입장료, 입학〔입회〕금. ***~ free*** 무료입장. ***force an ~ into*** 밀고 들어가다. ***No ~.*** 입장 사절, 출입 금지.
en·trance²[entrǽns, -ɑ́:-] *vt.* 황홀하게 하다, 도취시키다(*with*); 실신시키다(put into a trance). **~·ment** *n.*
en·tranc·ing[entrǽnsiŋ, -ɑ́:-] *a.* 황홀케 하는, 넋〔정신〕을 빼앗는.
en·trant[éntrənt] *n.* C 신입자, 신규 가입자.
en·trap[entrǽp] *vt.* (*-pp-*) 올가미에 걸다; (함정에) 빠지게 하다.
:**en·treat**[entrí:t] *vt.* 간절히 부탁하다, 탄원하다(implore). **~·ing·ly** *ad.* **:~·y** *n.* U,C 간원(懇願).
en·tre·chat[ɑ̀:ntrəʃɑ́:] *n.* (F.) C 〖발레〗 앙트르샤《도약중에 양다리 교차나 두 발끝치를 여러 번 치기》.
en·trée[ɑ́:ntrei, -ˊ] *n.* (F.) U,C 입장(권(權)); C 《英》 앙트레《생선과 고기 사이에 나오는 요리》; 《美》 (정찬의) 주요한 요리.
en·trench[entréntʃ] *vt.* 참호를 두르다〔로 지키다〕; 견고하게 지키다. ***~ oneself*** 자기의 입장을 지키다. — *vi.* 침해하다(trespass) (*on, upon*). **~·ment** *n.*
en·tre nous[ɑ̀:ntrə nú:] (F.) 우리끼리만의 (비밀) 얘깁니다만(between ourselves).
en·tre·pre·neur [ɑ̀:ntrəprənə́:r] *n.* (F.) C 기업가; 흥행주. 「트로피.
en·tro·py[éntrəpi] *n.* U 〖理〗 엔
*__en·trust__[entrʌ́st] *vt.* 맡기다, 위임하다(charge)(*~ him with my goods; ~ my goods to him*).
:**en·try**[éntri] *n.* ① U,C 들어감, 입장, 참가; C 입구(entrance). ② U,C 기입, 등록(registry); C (사전의) 표제어; 기입 사항. ③ U,C 〖法〗 점거, 토지 점유, 가택 침입. ④ 〖컴〗 어귀, 입구.
éntry·wày *n.* C (건물 안으로의) 입구, 통로.
en·twine[entwáin] *vt., vi.* 휘감기(게 하)다.
É nùmber 《英》 E 넘버《EU에서 인가된 식품 첨가물을 나타내는 코드 번호》(<*E*uropean *number*).
*__e·nu·mer·ate__[injú:mərèit] *vt.* 일일이 헤아리다, 열거하다; 세다. **-a·tive**[-rətiv, -rèi-] *a.* **-a·tion**[-ˌ-ˊ-éiʃən] *n.*
e·nun·ci·ate[inʌ́nsièit, -ʃi-] *vt., vi.* 언명〔선언〕하다(announce); 발음하다. **-a·tion**[-ˌ-ˊ-éiʃən] *n.* U 발음(법); U,C 언명, 선언.
en·u·re·sis[ènjurí:sis] *n.* U 〖醫〗 야뇨(夜尿)(증).
*__en·vel·op__[envéləp] *vt.* 싸다, 봉하다; 〖軍〗 포위하다. **~·ment** *n.* U 쌈, 포위; C 싸개, 포장지.
†**en·ve·lope**[énvəlòup] *n.* C ① 봉투; 포장 재료. ② (기구·비행선의) 기낭(氣囊). ③ 〖컴〗 덧붙임.
en·ven·om[envénəm] *vt.* (…에) 독을 넣다〔바르다〕(poison); (…에) 악의를 갖게 하다.
Env. Extr. Envoy Extraordinary.
en·vi·a·ble[énviəbəl] *a.* 부러운; 바람직한(desirable). **-bly** *ad.*
:**en·vi·ous**[énviəs] *a.* 부러워하는, 시기하는(*of*); 샘내는 듯한. **~·ly** *ad.*
*__en·vi·ron__[inváiərən] *vt.* 둘러〔에워〕싸다.
:**en·vi·ron·ment** [inváiərənmənt] *n.* ① U,C 둘러〔에워〕쌈. ② U 환경, 주위, 둘레; 〖컴〗 환경《하드웨어나 소프트웨어의 구성·조작법》.
*__en·vi·ron·men·tal__[invàiərənméntl] *a.* 환경의, 주위의; 환경 예술의. ***~ pollution*** 환경 오염. ***~ resistance*** (인간·생물의 증가에 미치는)

E

환경 저항《가뭄·자원 결핍·경쟁 등》. ~·**ist** *n.* Ⓒ 환경 보호론자.

envíronment-fríendly *a.* 환경 보전을 배려한, 환경 친화적인.

en·vi·rons[inváiərənz] *n. pl.* 부근, 근교.

en·vis·age[invízidʒ] *vt.* (…을) 마음 속에 그리다(visualize), 상상하다; 착상하다; 꾀하다.

en·voi, -voy[1][énvɔi] *n.* Ⓒ (시의) 결구(結句); 발문(跋文).

˙**en·voy**[2] *n.* Ⓒ 사절; 전권 공사. ~ ***extraordinary*** (***and minister plenipotentiary***) 특명 (전권) 공사.

:**en·vy**[énvi] *vt.* 시기하다, 부러워하다. —*n.* Ⓤ 부러움, 질투; (the ~) 선망(의 대상).

en·wrap[enrǽp] *vt.* (*-pp-*) 휩싸다, 싸다; 열중시키다.

en·zyme[énzaim] *n.* Ⓒ 〖生化〗 효소.

EO Engineering Office.

e·o·lith·ic[ìːəlíθik] *a.* 원시 석기 시대의.

E.O.M. end of the month.

e·on[íːən] *n.* =AEON.

E·os[íːɑs/-ɔs] *n.* 〖그神〗 새벽의 여신《로마 신화의 Aurora에 해당함》.

EP Extended Play (record).

E.P. electroplate. **EPA** 《美》 Environmental Protection Agency.

ep·au·let(**te**)[épəlèt, -lit] *n.* Ⓒ (장교의) 견장(肩章).

E.P.B. Economic Planning Board. **E.P.D.** Excess Profits Duty.

é·pée[eipéi, épei] *n.* (F.) Ⓒ 〖펜싱〗 에페《끝이 뾰족한 경기용 칼》.

Eph. Ephesians.

e·phed·rine[ifédrin, éfidrìːn] *n.* Ⓤ 에페드린《감기·천식의 약》.

e·phem·er·a[ifémərə] *n.* (*pl.* ~*s*, *-rae*[-rìː]) Ⓒ 〖蟲〗 하루살이(May fly). ~**l** *a.* 하루밖에 못 사는〔안가는〕; 단명한, 덧없는. **e·phém·er·id** *n.* =EPHEMERA.

Ephe·sian[ifíːʒən] *a.*, *n.* Ephesus의 (주민); (*pl.*) 〖聖〗 에베소서(書).

Eph·e·sus[éfisəs] *n.* 에베소《소아시아의 옛 도읍》.

E·phra·im[íːfriəm, íːfrəm] *n.* 〖聖〗 에브라임《요셉의 차남》; (그 자손인) 이스라엘 민족; 이스라엘 왕국.

˙**ep·ic**[épik] *n.*, *a.* Ⓒ 서사시(의)(cf. lyric)

ep·i·carp[épəkɑ̀ːrp] *n.* Ⓒ 〖植〗 외과피(外果皮).

ep·i·cen·ter, 《英》 **-tre**[épisèntər] *n.* Ⓒ 〖地〗 진앙(震央).

ep·i·cure[épikjùər] *n.* Ⓒ 미식가(美食家)(gourmet); 쾌락주의자. **ep·i·cur·ism**[-ìzəm] *n.* Ⓤ 향락주의; 미식주의, 식도락.

ep·i·cu·re·an [èpikjuríːən, -kjú(ː)ri-] *a.*, *n.* Ⓒ 향락주의〔식도락〕의 (사람); (E-) Epicurus의 (철학자). ~·**ism**[-ìzəm] *n.* Ⓤ 쾌락주의; (E-) Epicurus 주의.

Ep·i·cu·rus[èpikjúərəs] *n.* (342?-270 B.C.)에피쿠로스《쾌락을 인생의 최고선으로 여긴 그리스의 철인》.

ep·i·cy·cloid[èpəsáiklɔid] *n.* Ⓒ 〖幾〗 외(外)사이클로이드.

˙**ep·i·dem·ic**[èpədémik] *n.*, *a.* Ⓒ (질병·사상의) 유행; 유행병; 유행성의.

ep·i·der·mis[èpədə́ːrmis] *n.* Ⓤ,Ⓒ (몸의) 표피(表皮). **-mal** *a.*

ep·i·di·a·scope[èpədáiəskòup] *n.* Ⓒ 실물 환등기《투명체·불투명체 양용의》.

ep·i·glot·tis[èpəglátis/-glɔ́t-] *n.* Ⓒ 〖解〗 회염(會厭) (연골), 후두개.

˙**ep·i·gram**[épigræ̀m] *n.* Ⓒ 경구(警句); 경구적 표현; (짤막한) 풍자시. ~·**mat·ic**[èpigrəmǽtik] *a.* 경구의, 풍자적인; 경구투의. ~·**ma·tize**[èpigrǽmətàiz] *vt.*, *vi.* 경구〔풍자시〕로 만들다.

ep·i·graph[épigræ̀f, -grɑ̀ːf] *n.* Ⓒ 제명(題銘), 제사(題詞), 비문.

e·pig·ra·phy[epígrəfi] *n.* Ⓤ 비문 연구;《집합적》 비문, 비명.

ep·i·lep·sy[épəlèpsi] *n.* Ⓤ 〖醫〗 지랄병, 간질. **ep·i·lep·tic**[èpəléptik] *a.*, *n.* Ⓒ 간질병의 (환자).

˙**ep·i·log, -logue**[épəlɔ̀ːg, -lɑ̀g/-lɔ̀g] *n.* Ⓒ ① (책의) 발문(跋文), 맺음말; 후기, 발시(跋詩). ② 〖劇〗 끝맺음말(cf. prologue).

ep·i·neph·rine [èpənéfri(ː)n] *n.* Ⓒ 〖化〗 =ADRENALIN(E).

E·piph·a·ny[ipífəni] *n.* 〖基〗 주현절(主顯節)《1월 6일》.

ep·i·phyte[épəfàit] *n.* Ⓒ 〖植〗 착생(着生) 식물《이끼 따위》.

e·pis·co·pa·cy[ipískəpəsi] *n.* Ⓤ (교회의) 감독(bishop) 제도.

˙**e·pis·co·pal**[ipískəpəl] *a.* 감독(제도)의; (E-) 감독(파)의. **E·pis·co·pa·li·an**[ipìskəpéiliən, -jən] *a.*, *n.* Ⓒ 감독파의 (사람).

:**ep·i·sod**[épəsòud, -zòud] *n.* Ⓒ ① 삽화, 에피소드. ② (사람의 일생·경험 중의) 사건. ~·**ic**[èpəsɑ́dik/-ɔ́-], **-i·cal**[-əl] *a.*

ep·i·some[épəsòum] *n.* Ⓤ 〖生〗 유전자 부체(副體).

Epis(**t**). Epistle(s).

e·pis·te·mol·o·gy[ipìstəmɑ́lədʒi/-ɔ́-] *n.* Ⓤ 〖哲〗 인식론.

˙**e·pis·tle**[ipísl] *n.* Ⓒ 서간(書簡). ***the Epistles*** 〖新約〗 사도의 서간.

e·pis·to·lar·y[ipístəlèri/-ləri] *a.* 서간(체)의.

˙**ep·i·taph**[épətæ̀f, -tɑ̀ːf] *n.* Ⓒ (묘) 「비명(碑銘).

ep·i·tha·la·mi·um [èpəθəléimiəm] *n.* (*pl.* ~*s*, *-mia*[-miə]) Ⓒ 결혼 축하의 시〔노래〕.

˙**ep·i·thet**[épəθèt] *n.* Ⓒ 형용사(辭); 별명, 통칭. TRANSFER***red*** ~.

e·pit·o·me[ipítəmi] *n.* Ⓒ 대요(summary); 발췌; 대표적인 것. **-mize** [-màiz] *vt.* 요약하다.

ep·i·zo·on[èpəzóuɑn, -ən/-ɔn] *n.* (*pl.* *-zoa*[-zóuə]) Ⓒ 체외 기생충.

e plu·ri·bus u·num[íː plúː(ː)ribəs jú:nəm] (L.) 다수로 이루어진 하나(one out of many)《미국의 표어》.

EPN [ì:pì:én] (<*e*thyl *p*ara*n*itrophenyl) *n.* 이피엔《살충제의 일종》.

E.P.N.S. electroplated nickel silver 전기도금 양은.

:ep·och[épək/í:pɔk] *n.* Ⓒ 신기원, 신시대; (중대 사건이 있던) 시대. **~·al** *a.*

***époch-màking** *a.* 획기적인.

ep·ode[époud] *n.* Ⓒ 길고 짧은 행이 번갈아 있는 서정시.

ep·o·nym[épounìm] *n.* Ⓒ 이름의 시조《인종·토지·시대 따위의 이름의 유래가 된 인물》.

ep·si·lon[épsəlàn, -lən/-lɔn] *n.* Ⓤ,Ⓒ 그리스어 알파벳의 다섯째 글자(*Ε, ε*; 로마자의 E, e에 해당; cf. eta).

Ep·som[épsəm] *n.* 영국 Surrey주의 도시; =**ˊ Dòwns** 엡섬 경마장(⇨DERBY).

Épsom sàlt(s) 〖化〗 사리염(瀉利鹽)《황산마그네슘》.

E.P.T. Excess Profits Tax.

EPU European Payment Union. **EQ, E.Q.** educational quotient 〖心〗 교육 지수. **eq.** equal; equation; equivalent.

eq·ua·ble[ékwəbəl, í:k-] *a.* 한결같은, 균등한(uniform); 마음이 고요한. **-bil·i·ty**[ˌ-ˊbíləti] *n.*

:e·qual[í:kwəl] *a.* ① 같은; 한결같은(equable). ② …에 지지 않는; 필적하는. ③ …에 견디어 낼 수 있는(*to*); 마음이 평온한. **~ *mark* [*sign*]** 등호(等號)《=》. **~ *to the occasion*** 일을 당하여 동하지 않는, 훌륭하게 처리할 수 있는. **—** *n.* Ⓒ 대등한 물건, 필적하는 자; 같은 또래. ***without* (*an*) ~** 필적할 사람이 없는. **—** *vt.* (《英》 **-*ll*-**) (…에) 필적하다, (…과) 똑같다(be ~ to). **:~·ly** *ad.*

e·qual·i·tar·i·an [ikwàlitέəriən/ikwɔ̀l-] *n., a.* =EQALITARIAN.

***e·qual·i·ty**[i(ː)kwáliti/-ɔ́-] *n.* Ⓤ 동등, 평등; 대등.

Equálity Státe 《美》 Wyoming주의 속칭《여성 참정권을 최초로 인정》.

e·qual·ize[í:kwəlàiz] *vt.* 똑같게 하다, 평등하게 하다. **—** *vi.* 같아지다, 평등해지다; (경기에서) 동점이 되다. **-za·tion** [ì:kwəlizéiʃən/-laiz-] *n.* Ⓤ 평등화(化). **-iz·er** *n.* Ⓒ 등화기(等化器); 평형 장치; 〖電〗 균압선(均壓線).

e·qua·nim·i·ty[ì:kwəníməti, èk-] *n.* Ⓤ (마음의) 평정(平靜), 침착, 냉정(composure).

e·quate[i(ː)kwéit] *vt.* (다른 수치와) 같다고 표시하다; 방정식을 세우다.

***e·qua·tion**[i(ː)kwéiʒən, -ʃən] *n.* ① Ⓤ,Ⓒ 같게 함, 균분(법). ② Ⓒ 방정식.

:e·qua·tor[i(ː)kwéitər] *n.* (the ~) 적도(赤道).

***e·qua·to·ri·al** [ì:kwətɔ́:riəl, èk-] *a., n.* Ⓒ 적도(부근)의; 적도의(儀).

Equatórial Guínea 적도 기니《적도 아프리카 서단(西端)의 공화국》.

eq·uer·ry[ékwəri] *n.* Ⓒ (왕가·귀족의) 말 관리인, 주마관(主馬官); (영국 왕실의) 시종 무관.

e·ques·tri·an [ikwéstriən] *a., n.* 기마의, 말 탄; Ⓒ 승마자.

e·qui·dis·tant[ì:kwidístənt] *a.* 같은 거리의.

e·qui·lat·er·al[-lǽtərəl] *a., n.* 등변(等邊)의; Ⓒ 등변형.

e·quil·i·brate[ikwíləbrèit, ì:kwəláibreit] *vi., vt.* 평형되다〔시키다〕.

***e·qui·lib·ri·um**[ì:kwəlíbriəm] *n.* Ⓤ ① 평형, 균형. ② (마음의) 평정(mental poise).

e·quine[í:kwain] *a.* 말의, 말과 같은.

e·qui·noc·tial[ì:kwənákʃəl/-ɔ́-] *a.* 주야 평분(晝夜平分)의; 춘분·추분(께)의. **—** *n.* =**ˊ líne** 〖天〗 주야 평분선(線); (*pl.*) =**ˊ gáles** 춘분·추분 무렵의 폭풍.

***e·qui·nox**[í:kwənàks/-ɔ̀-] *n.* Ⓒ 주야 평분시, 낮과 밤이 똑같은 때. ***autumnal* 〔*vernal*〕 ~** 추〔춘〕분.

:e·quip[ikwíp] *vt.* (**-*pp*-**) ① 갖추다, 준비하다(*for*). ② 꾸미다; 장비하다(*with*).

:e·quip·ment[ikwípmənt] *n.* ① (종종 *pl.*) 《집합적》 장비. ② Ⓤ 채비, 준비; 〖컴〗 장비, 설비. ③ Ⓤ (일에 필요한) 능력, 기술.

eq·ui·page[ékwəpidʒ] *n.* Ⓒ 마차·마부 따위의 한 갖춤, 마차 장비 일체, 용구(用具) 일습.

e·qui·poise[ékwəpɔ̀iz, í:k-] *n.* Ⓤ 균형, 평형 (상태)(equilibrium).

eq·ui·se·tum[èkwəsí:təm] *n.* (*pl.* **~*s*, -*ta***[-tə]) Ⓒ 〖植〗 속새류(類).

eq·ui·ta·ble[ékwətəbəl] *a.* 공평한(fair), 공정한(just); 〖法〗 형평법(衡平法)(equity)상의. **-bly** *ad.*

éq·ui·time póint [ékwətàim-] 〖空〗 행동〔진출〕 한계점.

***eq·ui·ty**[ékwəti] *n.* Ⓤ 공평, 공정; 형평법.

***e·quiv·a·lent**[ikwívələnt] *a.* 동등의, (…에) 상당하는(*to*); 동등한 가치의; 등량(等量)의; 동의(同義)의(*to*). **—** *n.* Ⓒ 동등한 (가치의) 물건; 대등한 물건; 동의어. **-lence** *n.*

e·quiv·o·cal [ikwívəkəl] *a.* 두 가지 뜻으로 해석될 수 있는, 모호한; 의심스러운(questionable); 미결정의; 명백하지 않은. **~·ly** *ad.*

e·quiv·o·cate[ikwívəkèit] *vi.* 모호한 말을 쓰다; 속이다. **-ca·tion** [-ˌ-ˊkéiʃən] *n.*

***er**[ə:r] *int.* 에에, 저어《망설이거나 말이 막혔을 때 내는 소리》.

-er[ər] *suf.* ① '…을 하는 사람〔물건〕' '…에 사는 사람' : creep*er*, farm*er*, hunt*er*, London*er*. ② 원말에 관계 있는 일〔물건〕: read*er* (독본), sleep*er*(=sleepingcar), fiv*er* (5달러지폐), teenag*er*. ③ 비교급을 만듦: fre*er*, hott*er*, long*er*. ④ 속

E

어를 만듦: rugg*er*, socc*er*. ⑤ 반복 동사를 만듦 : chatt*er*, glitt*er*, wand*er* (cf. -le).
E.R. East Riding (of Yorkshire); *Eduardus Rex* (L.=King Edward); *Elizabeth Regina*(L.= Queen Elizabeth). **Er** erbium.
ERA, E.R.A. equal rights amendment《美》미국 헌법 남녀 동권 수정 조항; earned run average 〖野〗(투수의) 방어율; Emergency Relief Administration; Educational Research administration.
:e·ra[íərə, érə] *n.* Ⓒ 기원, 연대, 시대; 〖地〗 대(代), 기(紀).
e·ra·di·ate[i(ː)réidièit] *vt.* (빛·열을) 방사하다. 「절할 수 있는.
e·rad·i·ca·ble[irǽdəkəbəl] *a.* 근
***e·rad·i·cate**[irǽdəkèit] *vt.* 근절하다. **-ca·tion**[—⌒—kéiʃən] *n.* **-ca·tor** *n.* Ⓒ 제초기; Ⓤ 얼룩빼는 약; 잉크 지우개.
***e·rase**[iréis/iréiz] *vt.* ① 지워버리다, 말살하다(blot out). ② (마음에서) 없애다, 잊어버리다. ③《俗》죽이다; 패배시키다. ④ 〖컴〗(컴퓨터 기억 정보 등을) 지우다. **:e·rás·er** *n.* Ⓒ 칠판 지우개(duster); 고무지우개; 잉크지우개. **e·ra·sure**[-ʃər/-ʒə] *n.* Ⓤ 말살; Ⓒ 말살 부분.
Eras·mus[irǽzməs], **Desiderius**(1466?-1536) 네덜란드의 인문학자, 문예 부흥의 선구자의 한 사람.
er·bi·um[ə́ːrbiəm] *n.* Ⓤ 〖化〗 에르븀.
ere[εər] *prep.*《詩·古》…의 전(前)에(before). — *conj.* …이전에; …보다 차라리.
Er·e·bus[érəbəs] *n.* 〖그神〗 (이승과 저승(Hades) 사이의) 암흑계.
:e·rect[irékt] *a.* 꼿꼿이 선(upright). — *vt.* 꼿꼿이 세우다; 건립하다. **~·ly** *ad.* **~·ness** *n.*
e·rec·tile[iréktil, -tail] *a.* 꼿꼿이 설〔발기(勃起)할〕 수 있는.
***e·rec·tion**[irékʃən] *n.* ① Ⓤ 직립, 건립, 설립; 〖生〗 발기. ② Ⓒ 건물.
ere·long[εərlɔ́ːŋ/-lɔ́ŋ] *ad.*《古》머지 않아.
er·e·mite[érəmàit] *n.* Ⓒ 은자(隱者)(hermit). 「금 전에.
ere·while[εərhwáil] *ad.*《古》조
erg[əːrg] *n.* Ⓒ 〖理〗 에르그《1 dyne의 힘이 물체를 1cm 만큼 움직이는 일의 양》. 「THEREFORE.
er·go[ə́ːrgou] *ad., conj.* (L.) =
er·gol·a·try[əːrgάlətri/-ɔ́-] *n.* Ⓤ 노동 숭배.
er·gom·e·ter[əːrgάmitər/-gɔ́m-] *n.* Ⓒ 측력계(測力計), 에르그 측정기.
er·go·nom·ics[əːrgənάmiks/-ɔ́-] *n.* Ⓤ 생물 공학; 인간 공학.
er·gos·ter·ol[əːrgάstəròul/-ɔ́-] *n.* Ⓤ 에르고스테롤《자외선 조사(照射)로 비타민 D로 변화함》.
er·got[ə́ːrgət] *n.* Ⓤ (호밀의) 맥각병(麥角病); 〖藥〗 맥각《지혈제·자궁수축제》. 「의 하나.
E·rie[íəri] *n.* 미국 북동부의 오대호
Er·in[érin, íːr-, έər-] *n.*《詩》= IRELAND. 「불화의 여신.
E·ris[í(ː)ris, ér-] *n.* 〖그神〗 다툼과
erk[əːrk] *n.* Ⓒ《英空軍俗》신병, 지상 근무원;《俗》얼간이.
er·mine[ə́ːrmin] *n.* (*pl.* **~s,**《집합적》**~**) Ⓒ 〖動〗 흰담비(cf. stoat); Ⓤ 그 모피《옛날 법관이나 귀족의 가운용》.
e·rode[iróud] *vt.* 부식〔침식〕하다.
E·ros[érαs, íər-/érɔs, íər-] *n.* 〖그神〗 에로스《사랑의 신, 로마 신화의 Cupid에 해당함》.
***e·ro·sion**[iróuʒən] *n.* Ⓤ 부식, 침식. **-sive**[-siv] *a.* 부〔침〕식성의.
***e·rot·ic** [irάtik/-ɔ́-] *a.* 성애의, 애욕의. **-i·cism**[-təsìzəm] *n.* Ⓤ 색정적 경향, 호색; 〖精神分析〗 성적흥분.
e·rot·i·ca[irάtikə/irɔ́t-] *n. pl.* 성애를 다룬 문학〔예술 작품〕.
e·ro·to·ma·ni·a[iròutəméiniə] *n.* Ⓤ 색정광. 「gram.
ERP European Recovery Pro-
:err[əːr] (cf. error) *vi.* ① 잘못하다, 그르치다. ② 죄를 범하다(sin). ***To ~ is human, to forgive*** DIVINE.
:er·rand [érənd] *n.* Ⓒ 심부름(다니기); 볼일; 사명. ***go* 〔*run*〕 *~s*** 심부름 다니다. ***go on a fool's*** 〔***a gawk's***〕 ***~*** 헛걸음하다, 헛수고하다. ***go on an ~*** 심부름 가다.
érrand bòy 심부름꾼 소년.
er·rant[érənt] *a.* (모험을 찾아) 편력(遍歷)하는(*a* KNIGHT-ERRANT); 잘못된. **~·ry** *n.* Ⓤ,Ⓒ 무사 수련(武士修鍊), 편력. 「의 복수.
er·ra·ta[erάːtə, iréi-] *n.* erratum
er·rat·ic[irǽtik] *a.* 변덕스러운, 일정치 않은, 불규칙한; 별난, 상궤(常軌)를 벗어난. **-i·cal·ly** *ad.*
er·ra·tum[erάːtəm, iréi-] *n.* (*pl.* ***-ta***[-tə]) Ⓒ 오자, 오식; 잘못; (*pl.*) 정오표.
***er·ro·ne·ous**[iróuniəs] *a.* 잘못된, 틀린(mistaken).
:er·ror[érər] *n.* ① Ⓒ 잘못, 틀림(mistake). ② Ⓤ 잘못 생각. ③ Ⓒ 과실, 실책(fault), 죄(sin); 〖野〗 에러; 〖數·理〗 오차; 〖法〗 오심. ④ Ⓒ 〖컴〗 오류《프로그램〔하드웨어〕상의 오류》. ***and no ~*** 틀림없이. ***catch*** (***a person***) ***in ~*** (아무의) 잘못을 찾아내다.
érror mèssage 〖컴〗 오류 메시지《프로그램에 오류가 있을 때 출력되는 메세지》.
er·satz[érzaːts, -saːts] *a., n.* (G.) 대용의; Ⓒ 대용품.
Erse [əːrs] *n., a.* Ⓤ 어스 말《스코틀랜드의 게일 말, 또는 아일랜드의 켈트어(語)》(의).
erst[əːrst] *ad.*《古》이전에, 옛날에.
erst·while[⌒hwàil] *ad.*《古》=⇧. — *a.* 이전의, 옛날의(former).
ERTS[əːrts] Earth Resources Technology Satellites.

e·ruct[irʌ́kt], **e·ruc·tate**[-eit] *vi., vt.* 트림하다(belch); 분출하다.
er·u·dite[érjudàit] *a., n.* Ⓒ 박식한 (사람). **~·ly** *ad.*
er·u·di·tion[èrjudíʃən] *n.* Ⓤ 박식, 해박(該博).
e·rupt[irʌ́pt] *vi., vt.* 분출하다[시키다]; 분화하다, 발진(發疹)하다. ***e·rúp·tion** *n.* Ⓤ,Ⓒ 폭발, 분출, 분화; 돌발; 발진. **e·rúp·tive** *a.* 폭발[돌발]적인, 발진성의.
-er·y[əri] *suf.* 《명사 어미》 '…업, 제조소' 따위의 뜻: brew*ery*, confection*ery*, hatch*ery*.
er·y·sip·e·las[èrəsípələs] *n.* Ⓤ 〖醫〗 단독(丹毒).
e·ryth·ro·cyte [iríθrəsàit] *n.* Ⓒ 〖解〗 적혈구(red blood cell).
e·ryth·ro·my·cin [irìθrəmáisin] *n.* Ⓤ 〖藥〗 에리스로마이신《항생물질》.
Es 〖化〗 einsteinium.
ESA European Space Agency 유럽 우주(개발) 기구.
E·sau[í:sɔ:] *n.* 〖聖〗에서《이삭의 큰 아들, 야곱의 형》.
ESC (United Nations) Economic and Social Council.
es·ca·lade[éskəlèid, ⌐—⌐/⌐—⌐] *vt., n.* Ⓤ 사닥다리로 오르다[오름]; 성벽을 기어오르다[오름].
***es·ca·late**[éskəlèit] *vt., vi.* (군사 행동 따위를) 단계적으로 확대[강화]하다, 점증하다(opp. de-escalate).
es·ca·la·tion[èskəléiʃən] *n.* Ⓤ,Ⓒ (가격·임금·운임 등의) 에스컬레이터식 수정(cf. escalator clause).
:es·ca·la·tor[éskəlèitər] *n.* Ⓒ 에스컬레이터, 자동 계단. — *a.* 〖經〗 에스컬레이터(방)식의.
éscalator clàuse (런던 해군 조약(1930)의) 신축(伸縮) 조항; (임금 계약의) 에스컬레이터 조항《물가 변동에 따라 임금을 증감하는 규정》.
es·cal·(l)op[iskáləp, es-, -kǽl-/-iskɔ́l-] *n., v.* =SCALLOP.
ESCAP[éskæ̀p] Economic and Social Commission for Asia and the Pacific (유엔) 아시아·태평양 경제 사회 위원회.
es·ca·pade[éskəpèid, ⌐—⌐/⌐—⌐] *n.* Ⓒ 멋대로 구는[엉뚱한] 짓, 탈선(행위); 장난(prank).
†es·cape[iskéip] *vi., vt.* ① (…에서) 달아나다, 탈출하다; 면하다. ② (기억에) 남지 않다(*His name ~s me.* 그의 이름은 곧 잊어버린다). ③ (가스 따위가) 새다; (말·한숨 등이) 무심결에 나오다(*A sigh of relief ~d his lips.* 안도의 한숨이 나왔다). **~ *one's memory*** 잊다, 생각해 내지 못하다. — *n.* Ⓤ,Ⓒ 탈출, 도망; (현실) 도피; Ⓒ 누출; 〖컴〗 나옴, 탈출《명령을 중단하거나 프로그램의 어떤 부분에서 변경 기능에 사용》. ***make one's ~*** 달아나다. ***narrow ~*** 구사일생. — *a.* (현실) 도피의; 면책의. **~·ment** *n.* Ⓒ 도피구(口); (시계 톱니바퀴의) 탈진(脫盡) 장치.
escápe clàuse 면제[면책] 조항.
es·cap·ee[iskèipí:, èskei-] *n.* Ⓒ 도피자; 탈옥자.
escápe hàtch (비행기 따위의) 피난용 비상구; (어려운 사태 등에서의) 도피구.
escápe lìterature 도피 문학.
escápe ràmp [**ròad, ròute**] 피난 도로.
escápe vàlve 배기 밸브. 「속도.
escápe velòcity (로켓의) 탈출
es·cap·ism[iskéipizəm] *n.* Ⓤ 현실도피(주의). **-ist** *n., a.*
es·car·got[èskɑ:rgóu] *n.* (F.) Ⓒ 식용 달팽이.
es·carp·ment[iskɑ́:rpmənt] *n.* Ⓒ 급사면(急斜面); 벼랑(cliff).
es·cha·tol·o·gy[èskətɑ́lədʒi/-ɔ́-] *n.* Ⓤ 〖神〗 (세계) 종말론, 내세관.
es·cheat[istʃí:t, es-] *vi., vt.* (토지 따위가 국왕·영주에게) 귀속하다; 귀속시키다, 몰수하다. — *n.* Ⓤ 토지의 복귀[몰수]; Ⓒ 몰수지.
Esch·e·rich·ia col·i[èʃərí:kiə kóuli] 대장균.
es·chew[istʃú:, es-] *vt.* 피하다 (shun). **~·al** *n.*
:es·cort[éskɔ:rt] *n.* ① Ⓒ 호위자 [병·대]. ② Ⓤ 호위, 호송. — [iskɔ́:rt] *vt.* 호위[호송]하다.
es·cri·toire [èskritwɑ́:r] *n.* (F.) Ⓒ (서랍 달린) 책상(writing desk).
es·cu·do[eskú:dou] *n.* (*pl.* **~s**) Ⓒ 포르투갈[칠레]의 화폐 단위; 에스쿠도 금[은]화.
es·cu·lent[éskjələnt] *a., n.* 식용에 알맞은; Ⓒ 식용품, (특히) 야채.
es·cutch·eon[iskʌ́tʃən] *n.* Ⓒ 방패 모양의 문장(紋章) 바탕; 방패 모양의 물건. ***a blot on one's ~*** 가문(家門)의 오점(汚點), 불명예.
ESE east-southeast.
-ese[i:z] *suf.* '…의 국민(의), …의 주민(의), …어[말]'의 뜻: Chin*ese*, Milan*ese*.
:Es·ki·mo, -mau[éskəmòu] *n.* (*pl.* **~s, ~**), *a.* Ⓒ 에스키모 사람(의); Ⓤ 에스키모 말(의).
Éskimo ròll 〖카누〗 에스키모식 전도복원(轉倒復元).
e·so·pha·ge·al[ì:səfədʒí:əl] *a.* 식도(食道)의. **~ *cancer*** 식도암.
e·soph·a·gus[isɑ́fəgəs/-sɔ́f-] *n.* (*pl.* **-gi**[-dʒài/-gài]) Ⓒ 식도(食道) (gullet).
es·o·ter·ic[èsoutérik] *a.* 소수의 고제(高弟)[학자]에게만 전수되는, 비전(秘傳)의, 비교(秘敎)의(opp. exoteric); 비밀의(secret).
E.S.P. extrasensory perception. **esp., espec.** especially.
es·pal·ier[ispǽljər, es-] *n.* Ⓒ 과수[나무]를 받치는 시렁(trellis).
Es·pa·ña [espɑ́:njɑ:] *n.* 에스파냐 《스페인식 명칭》.
:es·pe·cial[ispéʃəl, es-] *a.* 특별[각별]한(exceptional).
†es·pe·cial·ly[ispéʃəli] *ad.* 특히,

각별히, 특별히(*Be* ~ *watchful*.).

Es·pe·ran·to[èspərǽntou, -ɑ́:-] *n.* Ⓤ 에스페란토《폴란드의 Dr. L. L. Zamenhof가 인류의 평화를 위하여 창안한 배우기 쉬운 국제 보조어》. ~·**tist** *n.*

es·pi·al[ispáiəl] (<espy) *n.* Ⓤ 정찰; 감시; 탐정 행위; 발견.

es·pi·o·nage [éspiənɑ̀:ʒ, -nidʒ/èspiənɑ́:ʒ] *n.* (F.) Ⓤ 탐색, 간첩 행위; 간첩을 씀.

es·pla·nade[èsplənéid] *n.* Ⓒ (특히 바닷가·호숫가 따위의) 산책길(promenade); (요새와 시내 민가 사이를 격리하는) 공터.

es·pouse[ispáuz] *vt.* (…와) 결혼하다; 시집보내다(marry); 채용하다(adopt), (의견·학설 등을) 지지하다. **es·póus·al** *n.* Ⓒ 약혼, (*pl.*) 혼례; Ⓤ,Ⓒ 채용, 지지, 옹호.

es·prit[esprí:/ㅅ—] *n.* (F.=spirit) Ⓤ 정신; 에스프리, 재치(lively wit).

esprit de corps[-də kɔ́:r] (F.) 단체 정신, 단결심《애교심 따위》.

esprit d'es·ca·lier[-deskəljéi] (F. =wit on the staircase) 사후(事後)의 명안(名案).

˙**es·py**[ispái] *vt.* (숨은 물건, 작은 물건 등을) 찾아내다(detect, spy); 발견하다, 알아채다.

Esq., Esqr. Esquire.

˙**es·quire**[iskwáiər] *n.* (E-) 《英》 (성명 다음에 붙여서) 님, 귀하(*John Smith, Esq.*); 《古》 =SQUIRE.

ESRO[ésrou] European Space Research Organization.

-ess[is] *suf.* 여성 명사를 만듦(actr*ess*, empr*ess*, tigr*ess*, waitr*ess*).

Ess. Essex.

ESSA[ésə] Environmental Science Services Administration.

:**es·say**[ései] *n.* Ⓒ ① 수필, (문예상의) 소론(小論), 시론(試論); 평론. ② [eséi] 시도(*at*). — [eséi] *vt., vi.* 시도하다; 시험하다. ˙~·**ist** *n.* Ⓒ 수필가. 「필(short essay).

es·say·ette[èseiét] *n.* Ⓒ 짧은 수

:**es·sence**[ésəns] *n.* ① Ⓤ 본질, 정수; 〖哲〗 실체. ② Ⓤ,Ⓒ 에센스, 엑스(extract), 정(精); 향수.

:**es·sen·tial**[isénʃəl] *a.* ① 본질적인, 실질의. ② 필수의(necessary). ③ 정수의, 에센스의, 기본의. ~ ***oil*** 정유. ~ ***proposition*** 〖論〗 본질적 명제. — *n.* Ⓒ 본질; 요점, 요소. ~***s of life*** 생활 필수품.

˙**es·sen·tial·ly**[isénʃəli] *ad.* 본질적으로, 본질상, 본래.

Es·sex[ésiks] *n.* 영국 남동부의 주.

EST, E.S.T. Eastern Standard Time. **est.** established; estate; estimate(d); estuary.

-est[ist] *suf.* 최상급을 만듦(great*est*, hott*est*, seren*est*).

:**es·tab·lish**[istǽbliʃ, es-] *vt.* ① 설립〔확립〕하다, 제정하다. ② (사람의) 기반을 잡게 하다, (지위에) 앉히다; 개업시키다, 안정된 지위에 놓이게 하다. ③ 정하다; 인정하다; 입증〔확증〕하다; (교회를) 국교회로 만들다. ~ ***oneself*** 자리잡다, 정착〔정주〕하다, 취업(就業)하다, 개업하다. ~**ed**[-t] *a.*

Estáblished Chúrch, the (영국) 국교(회).

:**es·tab·lish·ment** [istǽbliʃmənt] *n.* ① Ⓤ 설립, 설정, 설치; 확립. ② Ⓒ 설립물, (사회적) 시설; 세대, 가정. ③ Ⓤ (군대·관청 따위의) 상비 편성〔인원〕. ***Church E-,*** or ***the E-*** (영국) 국교(회).

es·tab·lish·men·tar·i·an[istæ̀bliʃməntέəriən] *n., a.* Ⓒ 영국 국교회의 (신봉자); 체제파의 (사람).

:**es·tate**[istéit, es-] *n.* ① Ⓤ 재산, 유산; 소유〔재산〕권. ② Ⓒ 토지, 소유지. ③ Ⓒ (정치·사회적) 계급. ***personal*** 〔***real***〕 ~ 동〔부동〕산. ***the fourth*** ~ 《諧》 신문(기자들), 언론계(the press). ***the third*** ~ 평민; (프랑스 혁명 전의) 중산 계급. ***the Three Estates*** (***of the Realm***) 〖史〗 귀족과 성직자와 평민; 《英》 성직자 상원 의원과 귀족 상원 의원 및 하원 의원. 「〔중개업자〕.

estáte àgent 《英》 부동산 관리인

éstate càr 〔**wàg(g)on**〕 《英》 = STATION WAG(G)ON.

estáte tàx 상속세(death duties).

:**es·teem** [istí:m, es-] *vt.* ① 존경〔존중〕하다, 귀중히 여기다. ② (…이라고) 생각〔간주〕하다(consider). — *n.* Ⓤ 존경, 존중(regard). ***hold in*** ~ 존경〔존중〕하다.

es·ter[éstər] *n.* Ⓤ 〖化〗 에스테르.

Esth. Esther. 「에스더서(書).

Es·ther[éstər] *n.* 여자 이름; 〖舊約〗

es·thete [ésθi:t/í:s-] *n.* =AESTHETE. **es·thet·ic**[esθétik/i:s-], **-i·cal**[-əl] *a.* **es·thét·ics** *n.* =AESTHETICS.

es·ti·ma·ble [éstəməbəl] *a.* (<esteem) 존경할 만한; (<estimate) 평가〔어림〕할 수 있는.

:**es·ti·mate**[éstəmèit, -ti-] *vt., vi.* 평가〔어림, 개산, 견적〕하다; 견적서를 작성하다. — [-mit] *n.* Ⓒ 평가, 견적(서), 개산; 판단. ***the*** ~***s*** 《英》 (정부의) 예산.

:**es·ti·ma·tion**[èstəméiʃən, -ti-] *n.* Ⓤ ① 의견, 판단, 평가. ② 존중(esteem).

Es·to·ni·a [estóuniə] *n.* 에스토니아《발트해에 면한 공화국》.

es·trade[estrɑ́:d] *n.* Ⓒ 단, 교단(教壇).

es·trange[estréindʒ] *vt.* 소원하게 하다, 멀리하다. ~·**ment** *n.*

es·tri·ol[éstriɔ̀:l] *n.* Ⓤ 〖生化〗 에스트리올《여성 호르몬의 일종》.

es·tro·gen[éstrədʒən] *n.* Ⓤ 〖生化〗 발정 호르몬.

es·trone[éstroun] *n.* Ⓤ 〖生化〗 에스트론《여성 호르몬의 일종》.

es·trus[éstrəs] *n.* Ⓤ 발정(기). ~ ***cycle*** 성주기(性週期).

E

es·tu·ar·y[éstʃuèri/-əri] *n.* Ⓒ 강어귀, 내포(內浦).
ESV experimental safety vehicle. **ET.** Eastern Time; Easter term. **Et.** ethyle.
-et[it] *suf.* '작은, 소형의'의 뜻: bull*et*, coron*et*, isl*et*.
e·ta[íːtə, éi-] *n.* Ⓤ,Ⓒ 그리스어(語) 알파벳의 일곱째 글자《*H, η*; 영어의 long 'e'에 해당함; cf. epsilon》.
ETA, e.t.a. estimated time of arrival 도착 예정 시각.
et al. *et alibi*(L.=and elsewhere); *et alii*(L.=and others).
:etc.[ənsóufɔ̀ːrθ, etsétərə/itsétrə] *et cetera*(⇩).
·et cet·er·a[et sétərə/it sétrə] (L. =and the rest) 따위《생략 etc., &c.》.
etch[etʃ] *vt.* (…에) 에칭하다, (…을) 식각(蝕刻)하다. — *vi.* 식각법을 행하다. **∠·er** *n.* **∠·ing** *n.* Ⓤ 식각법, 에칭; Ⓒ 부식 동판(화).
ETD, e.t.d. estimated time of departure 출발 예정 시각.
:e·ter·nal[itə́ːrnəl] *a.* ① 영원[영구]한(perpetual); 불멸의; 끝없는. ② 변함 없는, 평상시의, 예(例)의 (*Enough of your ~ joke!* 네 농담은 이제 그만). ***the E-*** 신(神). ***the ~ triangle*** (남녀의) 삼각 관계. **~·ize**[-àiz] *vt.* =ETERNIZE. **:~·ly** *ad.* 영원히, 언제나; 끊임없이.
Etérnal Cíty, the 불멸의 도읍《로마》.
·e·ter·ni·ty [itə́ːrnəti] *n.* Ⓤ ① 영원, 영구. ② 내세. ***the eternities*** (영구) 불변의 사물[사실, 진리].
e·ter·nize[itə́ːrnaiz] *vt.* 불멸하게 하다; 영원히 전하다.
eth[eð] *n.* =EDH.
Eth. Ethiopia. **eth.** ethical; ethics.
-eth *suf.* ⇨-TH.
eth·ane[éθein] *n.* Ⓤ 〖化〗 에탄《석유에서 나는 가스》.
eth·a·nol[éθənɔ̀ːl] *n.* Ⓤ 〖化〗 에탄올《(에틸)알코올을 말함》.
·e·ther[íːθər] *n.* Ⓤ 〖理·化〗 에테르; 정기(精氣); 하늘.
e·the·re·al, -ri·al[iθíːriəl] *a.* 공기 같은, 가벼운, 영기(靈氣)[같은], 영묘(靈妙)한; 천상의, 상공의; 〖化〗 에테르 같은. **~·ize**[-àiz] *vt.* 영화(靈化)하다; 에테르화[기화]하다.
e·ther·ize[íːθəràiz] *vt.* 〖醫〗 에테르 마취를 시행하다; 〖化〗 에테르화하다.
eth·ic[éθik] *a.* =ETHICAL. — *n.* 《稀》 =ETHICS.
·eth·i·cal[-əl] *a.* 도덕(상)의, 윤리적인. ***~ drug*** 처방약《의사의 처방전 없이는 시판을 허용치 않는 약제》. **~·ly** *ad.* 「(원리).
·eth·ics [-s] *n.* Ⓤ 윤리학; *pl.* 도덕
·E·thi·o·pi·a[iːθióupiə] *n.* 에티오피아. **~n**[-n], **E·thi·op(e)**[íːθiɑ̀p/-ɔ̀p] *a., n.* Ⓒ 에티오피아의 (사람); =NEGRO.
eth·nic[éθnik], **-ni·cal**[-əl] *a.* 인종의, 민족의; 인종학의; 이교의 (neither Christian nor jewish; pagan). ***~ group*** 인종, 민족. **-cal·ly** *ad.*
éthnic púrity 《美》 인종[민족]적 동일성; 인종적 순수성.
eth·no·cen·tric[èθnouséntrik] *a.* 자민족 중심주의의.
eth·nog·ra·phy [eθnɑ́grəfi/-ɔ́-] *n.* Ⓤ 민족지(民族誌); (특히 기술적) 민족지학. **eth·no·graph·ic**[èθnəgrǽfik], **-i·cal**[-əl] *a.*
eth·nol·o·gy[eθnɑ́lədʒi/-ɔ́-] *n.* Ⓤ 인종학. **eth·no·log·ic**[èθnəlɑ́dʒik/-ɔ́-], **eth·no·log·i·cal**[-əl] *a.* **eth·no·lóg·i·cal·ly** *ad.* **eth·nól·o·gist** *n.*
e·thol·o·gy [eθɑ́lədʒi, iː-/i(ː)θɔ́l-] *n.* Ⓤ 인성학(人性學); 동물 행동학.
e·thos[íːθɑs/-θɔs] *n.* Ⓤ (시대·민족·사회·종교 단체 따위의, 독특한) 기풍; 민족 정신; (예술 작품의) 기품, 에토스(cf. pathos).
eth·yl[éθəl] *n.* Ⓤ 〖化〗 에틸.
éthyl álcohol 에틸 알코올, 주정.
eth·yl·ene[éθəlìːn] *n.* Ⓤ 〖化〗 에틸렌.
e·ti·ol·o·gy[ìːtiɑ́lədʒi/-ɔ́-] *n.* Ⓤ 병인(病因)(학); 원인학.
:et·i·quette[étikit, -kèt] *n.* Ⓤ 에티켓, 예의, 예법; 관례. ***medical ~*** 의사들(사이)의 불문율.
Et·na [étnə] *n.* Sicily 섬의 화산; (e-) Ⓒ 알코올로 물 끓이는 기구.
·E·ton[íːtn] *n.* 런던 서쪽의 도시; = **∠ Cóllege** 이튼교(校)《이 시(市)에 있는 public shcool; Henry Ⅵ의 창립(1440)》. **E·to·ni·an**[iːtóuniən] *a., n.* Eton의; Ⓒ Eton교(校) 학생[출신자].
é·tran·ger[etrɑ̃ʒe] *n.* (F.) Ⓒ 이방[외국]인, 낯선 사람; (É-) Albert Camus 작의 소설(1942).
ETS expiration term of service 복무 완료 기간; 《美》 Educational Testing Service.
et seq. *et sequens*(L. =and the following); *et sequentes* [*sequentia*](L. =and those that follow).
-ette[et] *suf.* ① '작은'의 뜻: ciga*rette*, statu*ette*. ② '…여성'의 뜻: coqu*ette*, suffrag*ette*.
E.T.U. Electrical Trades Union.
é·tude[éitjuːd] *n.* (F.=study) Ⓒ (회화·조각 따위의) 습작(習作); 연습곡, 에튀드.
ETV Educational Television.
etym. etymological; etymology.
·et·y·mol·o·gy[ètəmɑ́lədʒi/-mɔ́l-] *n.* Ⓤ 어원학; Ⓒ 어원. **-gist** *n.*
et·y·mo·log·i·cal(·ly) [ètəməlɑ́dʒikəl(i)/-ɔ́-] *a.* (*ad.*)
et·y·mon[étəmɑ̀n/-ɔ̀-] *n.* (*pl.* ***-ma*** [-mə]) Ⓒ 〖言〗 어근; 말의 원형.
Eu 〖化〗 europium.
eu·ca·lyp·tus[jùːkəlíptəs] *n.* (*pl.* ***~es, -ti***[-tai]) Ⓒ 〖植〗 유칼립투

스, 유칼리《높이 90 m, 오스트레일리아 원산의 교목》.

Eu·cha·rist[júːkərist] *n.* (the ~) 성체성사(Holy Communion); 성체용의 빵과 포도주; (e-) 감사(의 기도).

eu·chre[júːkər] *n.* Ⓤ 《美》 유커《카드놀이의 일종》. — *vt.* 유커에서 지게 하다; 《美口》 책략으로 이기다, (속임수로) 앞지르다(*out*).

***Eu·clid**[júːklid] *n.* 그리스의 수학자(fl. c. 300 B.C.); Ⓤ 유클리드 기하학.

eu·di·om·e·ter [jùːdiɑ́mitər/-ɔ́mi-] *n.* Ⓒ 〖化〗 유디오미터《주로 공기 중의 산소량을 측정함》.

eu·gen·ic [ju(ː)dʒénik], **-i·cal** [-əl] *a.* 우생(학)적인. **-i·cal·ly** *ad.*

eu·gén·ics *n.* Ⓤ 우생학.

eu·lo·gi·um[juːlóudʒiəm] *n.* (*pl.* **~s, -gia**[-dʒiə]) =EULOGY. **-gist** *n.* Ⓒ 찬미자. **-gis·tic**[jùːlədʒístik], **-gis·ti·cal**[-əl] *a.* **-gìs·ti·cal·ly** *ad.*

eu·lo·gize [júːlədʒàiz] *vt.* 칭찬하「다.

eu·lo·gy[júːlədʒi] *n.* Ⓤ 칭찬, 찬양; Ⓒ 찬사.

eu·nuch [júːnək] *n.* Ⓒ 거세된 남자; 환관, 내시; 〖聖〗 독신자.

eu·pep·si·a[ju(ː)pépsiə, -ʃə] *n.* Ⓤ 〖醫〗 소화 양호(opp. dyspepsia).

eu·pep·tic[ju(ː)péptik] *a.* 소화 양호의; 소화를 돕는.

eu·phe·mism[júːfəmìzəm] *n.* Ⓤ 〖修〗 완곡 어법(婉曲語法)《*pass away* (=die) 따위》. **-mis·tic**[ˌ--místik] *a.* 완곡어법의, 완곡한.

eu·phon·ic[juːfɑ́nik/-ɔ́-] *a.* 음편(音便)의, 발음 편의상의; =EUPHONIOUS.

eu·pho·ni·ous[juːfóuniəs] *a.* 음조가 좋은, 듣기 좋은.

eu·pho·ny[júːfəni] *n.* Ⓤ,Ⓒ 듣기 좋은 음조; 어조가 좋음; 음편(音便).

eu·pho·ri·a [juːfɔ́ːriə] *n.* Ⓤ 〖心〗 행복감; 〖醫〗 건강; 《俗》 (마약에 의한) 도취감. **-phor·ic**[-rik] *a.*

***Eu·phra·tes** [juːfréitiːz] *n.* (the ~) Mesopotamia 지방의 강.

Eu·phros·y·ne[juːfrɑ́sənìː/-frɔ́-] *n.* 〖그神〗 기쁨의 여신.

eu·phu·ism[júːfjuːìzəm] *n.* Ⓤ 〖修〗 과식체(誇飾體), 미문체(美文體)《두운(頭韻)·대구(對句) 따위를 많이 사용한 J. Lyly의 *Euphues* 식의 문체》. **-ist** *n.* Ⓒ 미문체를 좋아하는 작가[사람]. **-is·tic**[ˌ--ístik] *a.* 미문(조)(美文(調))의, 화려한.

Eur. Europe; European.

Eur·af·ri·can[jùərǽfrikən] *a.* 유라프리카(혼혈)의.

Eur·a·mer·i·can[jurəmérikən] *a.* 구미(歐美)(공통)의.

***Eur·a·sia**[juəréiʒə, -ʃə] *n.* 유라시아, 구아(歐亞).

Eur·a·sian[-n] *a., n.* 유라시아(혼혈)의; Ⓒ 유라시아 혼혈아.

Eur·at·om[juərǽtəm] *n.* 유라톰《유럽 원자력 공동체》(< *Eur*opean *Atom*ic Energy Community).

eu·re·ka[juəríː(ː)kə] *int.* (Gr.) 알았다!(I have found it!)《California 주의 표어》.

eu·rhyth·mics[juːríðmiks] *n.* Ⓤ 리듬 체조.

Eu·rip·i·des[juərípədìːz] *n.* 그리스의 비극 시인(480?-406? B.C.).

Eu·ro-[júərou, -rə] '유럽의' 의 뜻의 결합사.

Éuro·bònd *n.* Ⓒ 유러채(債).

Eu·ro·crat[júərəkræ̀t] *n.* Ⓒ 유럽 공동체의 행정관.

Éuro·cùrrency *n.* Ⓤ 유러머니《유럽 시장에서 쓰이는 각국의 통화》.

Éuro·dòllar *n.* Ⓤ 유로달러《유럽에서 국제 결제에 쓰이는 US dollar》.

Éuro·màrket *n.* =COMMON MARKET.

Eu·ro·pa[juəróupə] *n.* ① 〖그神〗 유러파《Phoenicia의 왕녀》. ② 〖天〗 유러파《목성 위성의 하나》.

†**Eu·rope**[júərəp] *n.* 유럽(주).

‡**Eu·ro·pe·an**[jùərəpíːən] *a., n.* 유럽의; Ⓒ 유럽 사람(의). **~·ism** [-ìzəm] *n.* Ⓤ 유럽주의[정신], 유럽풍[식]. **~·ize**[-àiz] *vt.* 유럽풍[식]으로 하다. **~·i·za·tion**[-pìːənizéiʃən/-nai-] *n.*

Européan Atómic Énergy Commùnity =EURATOM.

Européan Cómmon Márket 유럽 공동 시장《European Economic Community의 속칭》.

Européan Commúnity 유럽 공동체《생략 EC》.

Européan Defénse Commúnity 유럽 방위 공동체《생략 E. D. C.》.

Européan Económic Commúnity 유럽 경제 공동체《속칭 European Common Market》.

Européan Frée Tráde Associátion 유럽 자유 무역 연합체《유럽 공동 시장에 대항하여 조직된 무역 블록》.

Européan plàn 《美》 유럽식《호텔에서 방값과 식사 대금을 따로 계산하는 것》(cf. American plan).

Européan Polítical Commúnity 유럽 정치 공동체.

Européan Recóvery Prògram (미국 국무장관 Marshall 제안의) 유럽 부흥 계획《생략 E. R. P.》.

eu·ro·pi·um [juəróupiəm] *n.* Ⓤ 〖化〗 유러퓸《희토류 원소》.

Éuro·pòrt *n.* 유러포트《유럽 공동체의 수출입항》.

Éuro·sàt *n.* 유러샛《유럽 통신 위성 회사》.

Éuro·spàce *n.* 유러스페이스《유럽 우주 산업 연합회》.

Eu·ro·vi·sion[-vìʒən] *n.* Ⓤ 〖TV〗 유러비전《서유럽 텔레비전 방송망》.

EUSA Eighth U.S. Army.

EUSAPC Eighth U.S. Army Personnel Center.

Eu·stá·chi·an tùbe [juːstéiʃiən-, -kiən-] 〖解〗 유스타키오관, 구씨관(歐氏管)《중이(中耳)에서 목으로 통하는 관》.

Eu·ter·pe[ju:tə́:rpi] *n.* 〖그神〗 음악의 여신《Nine Muses의 하나》.

eu·tha·na·si·a[jù:θənéiʒiə, -ziə] *n.* Ⓤ (편안한) 죽음; (불치의 병고로부터 구원하는) 안락사(술(術))(mercy killing).

eu·then·ics[ju:θéniks] *n.* Ⓤ 환경개선학, 생활 개선학.

eu·tro·phic [ju:tráfik/-trɔ́f-] *a.* (하천 등의) 부(富)영양화의.

e.v. electron volt(s). **EVA** extravehicular activity (우주)선외 활동.

***e·vac·u·ate**[ivǽkjuèit] *vt.* ① 비우다; 배설하다; 명도하다. ② 철퇴〔철병〕하다; 퇴거시키다. ③ (공습·전재로부터) 피난〔소개〕시키다. ── *vi.* 피난〔소개〕하다. **:-a·tion**[─ㅅ─éiʃən] *n.* Ⓤ,Ⓒ 비움, 배출; 배설(물), 피난, 소개, 철수.

e·vac·u·ee[ivæ̀kjuí:] *n.* Ⓒ 피난자, 소개자(疏開者).

***e·vade**[ivéid] *vt.* ① 면하다, (…으로부터) 교묘하게 빠져 나가다(~ *a tax* 탈세하다). ② 둘러대어 모면하다.

***e·val·u·ate**[ivǽljuèit] *vt.* 평가하다(appraise); 〖數〗 (…의) 값을 구하다. **:-a·tion**[─ㅅ─éiʃən] *n.* Ⓤ,Ⓒ 평가(액), 값을 구함.

ev·a·nesce[èvənés] *vi.* (점차로) 사라지다. **-nes·cent** *a.* 사라지는; 덧없는. **-nes·cence** *n.*

e·van·gel[ivǽndʒəl/-dʒel, -dʒəl] *n.* Ⓒ 복음; (E-)(성서의) 복음서《마태 복음 이하 4 복음서의 하나》; 길보(吉報); =EVANGELIST.

e·van·gel·ic[ì:vændʒélik], **-i·cal** [-əl] *a., n.* 복음(전도)의; Ⓒ 복음주의자.

e·van·ge·lism[ivǽndʒəlìzəm] *n.* Ⓤ 복음전도〔주의〕. **-list** *n.* Ⓒ (복음) 전도자; (E-) 신약 복음서의 저자.

e·van·ge·lis·tic [ivæ̀ndʒəlístik] *a.* 복음서 저자의; 복음 전도자의.

e·van·ge·lize [ivǽndʒəlàiz] *vt., vi.* 복음을 전하다, 전도하다.

***e·vap·o·rate**[ivǽpərèit] *vi.* 증발하다; 김을 내다; 사라지다. ── *vt.* 증발시키다. **-ra·tor** *n.* ***-ra·tion** [─ㅅ─réiʃən] *n.* Ⓤ 증발 (작용), (수분의) 발산.

e·váp·o·rat·ed mílk[-id-] 무당연유, 농축 우유.

e·va·sion[ivéiʒən] *n.* Ⓤ,Ⓒ 도피, 회피, 둘러댐(evading).

e·va·sive[ivéisiv] *a.* 포착하기 어려운, 회피적인; 둘러대(기 잘 하)는 (elusive). **~·ly** *ad.*

Eve**[i:v] *n.* 이브, 하와《Adam의 아내; 하느님이 창조한 최초의 여자》. ***daughter of ~ 여자(라는 것).

:eve[i:v] *n.* Ⓒ (종종 E-) 전야(제), 명절의 전날밤; (사건 등의) 직전; Ⓤ 《詩》 저녁, 밤.

†e·ven¹[í:vən] *a.* ① 평평한(flat¹), (…와) 수평의(*with*). ② 한결같은, 규칙적인, 평등한, 호각(互角)의; 우수리 없는, 정확한(*an* ~ *mile* 꼭 1마일); 공평한. ③ 침착한, 평정한. ④ 빚 없는, (모욕 따위에 대하여) 앙갚음이 끝나(*I will be* ~ *with you for this scorn.* 이 모욕의 앙갚음은 꼭 하겠다). ⑤ (수가) 2등분할 수 있는; 우수〔짝수〕의(cf. odd). ***break*** ~ 《口》 득실이 없게 되다. ~ CHANCE. ***get*** ~ ***with*** 앙갚음하다. ***of*** ~ ***date*** 같은 날짜의. ── ***ad.*** ① …조차, …라도. ② 한층, 더욱. ③ 평등하게, 호각으로. ④ 《古》 꼭, 바로. ~ ***if*** 〔***though***〕 비록 …일지라도. ~ ***now*** 지금이라도; 《古》 바로 지금. ── ***vt.*** 평평하게 하다, 고르게 하다; 평등하게 되다〔다루다〕. ~ ***up*** 평등하게 하다; 《美》 보복하다(*on*). *~·ly *ad.*

e·ven² *n.* Ⓒ 《詩》 저녁때, 땅거미 질 「무렵, 밤.

éven·fàll *n.* Ⓤ 《詩》 황혼.

éven·hánded *a.* 공평한.

†eve·ning[í:vniŋ] *n.* Ⓤ,Ⓒ ① 저녁, 해질녘, 밤. ② 만년; 쇠퇴기.

évening drèss 야회복, 이브닝드레스.

évening glòw 저녁 놀.

évening gòwn 여성용 야회복.

évening pàper 석간(지).

évening pàrty 야회(夜會).

évening prímrose (금)달맞이꽃.

eve·nings[-z] *ad.* 《美》 매일 저녁.

évening schòol = NIGHT SCHOOL.

évening stár 개밥바라기, 금성, 태백성(太白星).

éven móney 대등하게 태우는 돈.

éven·sòng *n.* Ⓤ (종종 E-) (영국국교회의) 만도(晩禱); 〖가톨릭〗 저녁기도.

:e·vent[ivént] *n.* Ⓒ ① 사건, 큰 사건. ② 경과(development), 결과. ③ 경우(case). ④ 〖競〗 종목, 시합. ⑤ 〖컴〗 사건. ***at all*** ~***s*** 좌우간, 하여튼. ***in any*** ~ 무슨 일이 있어도, 하여튼. ***in the*** ~ ***of*** …의 경우에는. **~·ful** *a.* 다사다난한, 파란 많은; 중대한. **~·ful·ly** *ad.*

éven·témpered *a.* 마음이 평정한, 냉정한.

éven·tìde *n.* Ⓤ 《詩》 땅거미질 때.

:e·ven·tu·al[ivéntʃuəl] *a.* ① 종국의(final). ② (경우에 따라서는) 일어날 수도 있는, 있을 수 있는(possible). **:~·ly** *ad.* 결국(은), 필경(에는).

e·ven·tu·al·i·ty[─ㅅ─ǽləti] *n.* Ⓒ 예측 못할 사건, 만일의 경우; Ⓤ 우발성(possibility).

e·ven·tu·ate[ivéntʃuèit] *vi.* 결국 (…이) 되다(result)(*in*); 일어나다, 생기다.

†ev·er[évər] *ad.* ① 언젠가, 일찍이. ② 언제나(always). ③ 《강조》 도대체, 적어도. ***as … as*** ~ 여전히. (***better***) ***than*** ~ 지금까지보다 점점 더(잘). ~ ***and*** ANON. ~ ***since*** 그 후 줄곧. ~ ***so*** 아무리 …(해도);

=VERY. ~ **such** 대단히. **for ~ and ~**) 영구[영원]히. **hardly** [**scarcely**] ~ 좀처럼 …않다. **seldom, if** ~ (설사 있다 하더라도) 극히 드물게. **yours ~** 언제나 그대의 벗《편지의 끝맺음말》.

:Ev·er·est[évərist], **Mount** 히말라야 산맥 중의 세계 최고봉《8,848m》.

ev·er·glade[évərglèid] *n.* Ⓒ《美》 습지대; (the E-s) Florida 남부의 소택지.

***ev·er·green**[évərgrì:n] *a., n.* ① 상록의(opp. deciduous). ② Ⓒ 상록수.

Évergreen Státe 미국 Washington주의 속칭.

:ev·er·last·ing [èvərlǽstiŋ/-ɑ́:-] *a.* ① 영구[영원]한; 끝없는. ② 변함없는, 지루한(tiresome). — *n.* ① Ⓤ 영원, 영겁(eternity). ② (the E-) 신(神). ~·**ly** *ad.*

ev·er·more [èvərmɔ́:r] *ad.* 언제나, 항상; 《古·詩》 영구[영원]히. **for ~** 영구[영원]히.

e·vert[ivə́:rt] *vt.* (눈꺼풀 따위를) 뒤집다, 외번(外飜)시키다. **e·ver·sion**[-ʃən, -ʒən] *n.*

†eve·ry[évri:] *a.* ① 모든, 일체의, 어느 …이나 다, 각 …마다(~ *man, day, &c*). ②《수사와 함께 써서》… 마다(~ *five days,* or ~ *fifth day* 닷새마다, 나흘 걸러 / *E- third man has a car.* 세 사람에 한 사람 꼴로 자동차를 가지고 있다). ~ **bit** 어느 모로 보나, 아주. ~ **moment** [**minute**] 시시 각각(으로). ~ **now and then,** or ~ **once in a while** 때때로, 가끔. ~ **one** 누구나 모두, 각자. ~ **other** [**second**] **day** 하루 걸러. ~ **time** 매번, …할 때마다.

†eve·ry·bod·y [-bɑ̀di/-ɔ̀-] *pron.* 누구나, 각 사람 (모두).

:eve·ry·day[-dèi] *a.* 매일의, 일상의. ~ **clothes** 평상복.

Eve·ry·man[-mæ̀n] *n.* (*sing.*) 보통 사람《15세기의 영국의 권선 징악극 *Everyman*의 주인공에서》.

†eve·ry·one[-wʌ̀n, -wən] *pron.* = EVERYBODY.

:eve·ry·thing[-θìŋ] *pron.* 무엇이든지 모두, 만사; 가장 소중한 것(*to*).

eve·ry·way[-wèi] *ad.* 어느 점으로 보아도.

†eve·ry·where[-*h*wɛ̀ər] *ad.* 어디에나, 도처에.

e·vict[ivíkt] *vt.* 퇴거시키다, 쫓아내다(expel); 되찾다. **e·víc·tion** *n.*

:ev·i·dence[évidəns] *n.* Ⓤ 증거(proof); 증언(testimony); Ⓤ,Ⓒ 징후, 형적(sign). **bear** [**give, show**] ~ **of** …의 형적을 보이다. **give ~** 증언하다. **in ~** 눈에 띄게. **turn the King's** [**Queen's, State's**] ~ (공범자가) 한패에게 불리한 증언하다. — *vt.* 증명[증언]하다.

:ev·i·dent[évidənt] *a.* 뚜렷한, 명백한(plain). **:~·ly** *ad.*

ev·i·den·tial[èvədénʃəl] *a.* 증거(상)의, 증거가 되는(*of*). ~·**ly** *ad.*

:e·vil[í:vəl] *a.* (**worse; worst**) ① 나쁜, 사악한. ② 해로운; 불운한; 불길한. ~ **eye** 재난의 눈, 흉안(凶眼)《재난을 준다는》. ~ **tongue** 독설. **the E- One** 악마(Devil). — *n.* ① Ⓤ 악; 악행(sin). ② Ⓒ 해악; 폐해. **king's ~** 연주창(scrofula)《왕의 손이 닿으면 낫는다는 미신이 있음》. **the social ~** 사회악; 매춘(賣春). **wish a person ~** 아무의 불행을 기원하다. — *ad.*《稀》 나쁘게, 사악하게, 해롭게(ill); 불행하게. **speak ~ of** …의 험담을 하다.

évil·dispósed *a.* 질이 나쁜.

évil·dóer *n.* Ⓒ 악인.

évil·dóing *n.* Ⓤ 나쁜 짓, 악행.

évil-mínded *a.* 흑심이 있는, 사악한.

e·vince[ivíns] *vt.* (명백히) 나타내다(show).

e·vis·cer·ate[ivísərèit] *vt.* 창자를 끄집어 내다; 골자를 빼버리다.

ev·i·ta·ble[évətəbəl] *a.* 피할 수 있는.

***e·voke**[ivóuk] *vt.* (영·기억·감정 따위를) 불러일으키다, 환기하다(call forth). **ev·o·ca·tion**[èvəkéiʃən, ì:vou-] *n.*

:ev·o·lu·tion[èvəlú:ʃən/ì:və-] *n.* ① Ⓤ (생물의) 진화(evolving); (사건·의론 따위의) 전개, 발전. ② Ⓤ (빛·열 따위의) 발생, 방출(releasing). ③ Ⓤ 〖數〗 개방(開方). ④ Ⓒ (댄스·스케이트 따위의) 선회(旋回); 〖軍〗 기동 연습. ~·**al,** *~·**ar·y**[-èri/-əri] *a.* 발달의, 진화의, 진화(론)적인. ~·**ism**[-ìzəm] *n.* Ⓤ 진화론(theory of ~). ~·**ist** *n.*

***e·volve**[ivɑ́lv/-ɔ́-] *vi., vt.* ① 전개하다; 진화하다[시키다]; 발달[발전]하다[시키다]. ② (*vt.*)(빛·열 따위를) 발생[방출]하다.

EVR electronic video recorder.

e·vul·sion[ivʌ́lʃən] *n.* Ⓤ 뽑아냄, 빼냄.

ewe[ju:] *n.* Ⓒ 암양(cf. ram).

ew·er[jú:ər] *n.* Ⓒ (주둥이가 넓은) 물병.

ex[eks] *prep.* (L.) …으로부터 (*ex ship* 〖商〗 본선 인도(引渡)); …때문에《성구는 각항 참조》.

EX. Exodus. **ex.** examination; examined; example; exception; exchange; executive.

ex-[eks] *pref.* '앞의'의 뜻: *ex*convict 전과자 / *ex*premier 전수상 / *ex*-husband 전남편.

ex·ac·er·bate [igzǽsərbèit, iksǽs-] *vt.* (고통 따위를) 악화시키다(aggravate); 분격시키다(exasperate). **-ba·tion**[-⌒-béiʃən] *n.*

:ex·act[igzǽkt] *a.* ① 정확한; 엄밀한, 정밀한. ② 꼼꼼한, 엄격한, 까다로운. **to be ~** 자세히 말하면. — *vt.* (금전·노력·복종을) 엄하게 요구하다; 강요하다(demand)(*from, of*). ~·**ing** *a.* 엄한, 가혹한, 힘드는, 쓰라린. **ex·ác·tion** *n.* Ⓤ 강요, 강제

징수; Ⓒ 강제 징수금, 중세. **:~·ly** *ad.* 정확하게, 엄밀히; 정확히 말해서; 틀림없이.
ex·act·i·tude[igzǽktətjùːd/-tjùːd] *n.* Ⓤ 정확, 정밀; 엄격함, 꼼꼼함.
exáct scíence 정밀 과학《수학·물리학 따위》.
:ex·ag·ger·ate[igzǽdʒərèit] *vt.* 과장하다, 허풍떨다. ***-at·ed**[-id] *a.* 과장된; 비대한. ***-a·tion**[--́-éiʃən] *n.* Ⓤ 과장; Ⓒ 과장적 표현. **-a·tor** *n.*
ex·alt[igzɔ́ːlt] *vt.* (신분·관직·품위·명예 따위를) 높이다; 의기 양양하게 만들다(elate), 치살리다(extol); (빛깔을) 짙게 하다. **~ *a person to the skies*** 아무를 극구 칭찬하다. **ex·al·ta·tion**[ègzɔːltéiʃən] *n.* Ⓤ 높임; 승진; 찬양, 고귀(nobility); 우쭐함, 의기 양양; 〖冶〗 정련(精鍊). ***~·ed**[-id] *a.* 고귀〔존귀〕한, (신분이) 높은; 고원〔고상〕한; 우쭐한, 의기 양양한, 신바람난.
ex·am[igzǽm] *n.* 《口》 =⇩.
:ex·am·i·na·tion [igzæ̀mənéiʃən, -mi-] *n.* Ⓒ 시험(*in*); Ⓤ,Ⓒ 검사; 조사, 심사(*of, into*); 〖法〗 심문, 심리. ***medical*** **~** 진찰. ***on*** **~** 조사해 보니; 조사한 뒤에. ***physical*** **~** 신체 검사. ***sit for an*** **~** 시험치르다. ***under*** **~** 조사〔검사〕중인.
examinátion pàper 시험 용지; 시험 문제〔답안〕.
:ex·am·ine[igzǽmin] *vt.* ① 조사하다, 검사〔음미〕하다; 검정〔심사〕하다; 시험하다(*in*). ② 〖法〗 심문하다. ③ 진찰하다. **~ *oneself*** 내〔반〕성하다. — *vi.* 조사하다(*into*). ***-in·er** *n.* Ⓒ 시험관; 검사원, 심사관.
ex·am·i·nee[igzæ̀məníː] *n.* Ⓒ 수험자.
†ex·am·ple[igzǽmpl/-áː-] *n.* ① Ⓒ 실례, 보기. ② 견본, 표본(sample). ③ 모범, 본보기(model). ④ 본때, 훈계(warning). ***beyond*** **~** 전례 없는. ***for*** **~** 예를 들면. ***make an*** **~ *of*** …을 본보기로 (징계)하다. ***set*** 〔***give***〕 ***an*** **~ *to*** …에게 모범을 보이다. ***take*** **~ *by a person*** 아무를 본보기로 하다. ***to cite an*** **~** 일례를 들면. ***without*** **~** 전례 없는.
***ex·as·per·ate** [igzǽspərèit, -rit] *vt.* ① 격노케 하다; 감정을 자극하다. ② 악화시키다, 더하게 하다(intensify). **-at·ing** *a.* 화나는, 짜증나게 하는; 악화시키는. **-a·tion**[--́-éiʃən] *n.* Ⓤ 격노; (병의) 악화.
Exc. Excellency.
Ex·cal·i·bur[ekskǽləbər] *n.* Arthur 왕의 마법의 검(劍).
ex ca·the·dra[èks kəθíːdrə] (L. =from the chair) 권위를 가지고 (with authority); 권위 있는.
ex·ca·vate[ékskəvèit] *vt.* 파다; 도려내다; 발굴하다. **-va·tor** *n.* **:-va·tion**[--́véiʃən] *n.* Ⓤ 팜, 굴착; Ⓒ 구멍, 구덩이; 발굴물, 출토품.
:ex·ceed[iksíːd] *vt., vi.* (한도를) 넘다, 초과하다; (…보다) 낫다, 능가하다(excel). ***~·ing** *a.* 대단한, 지나친, 굉장한. **:~·ing·ly** *ad.* 대단히, 매우, 몹시.
:ex·cel[iksél] *vt., vi.* (**-ll-**) 능가하다(surpass)(*in*); 뛰어나다(*in*).
***ex·cel·lence**[éksələns] *n.* ① Ⓤ 탁월, 우수. ② Ⓒ 장점, 미점(美點).
***Ex·cel·len·cy** [-i] *n.* Ⓒ 각하《장관·대사 등에 대한 존칭》(*Good morning, your ~!* 각하, 안녕하십니까/*Do you know where His ~ is?* 각하께서 어디 계신지 아십니까).
:ex·cel·lent[éksələnt] *a.* 우수한, 탁월한(exceedingly good). **~·ly** *ad.*
ex·cel·si·or [iksélsiər, ek-] *int.* (L.=higher) 더 한층 높이!, 오직 향상!《New York 주의 표어》. — *n.* =WOOD WOOL.
ex·cen·tric[ikséntrik] *a.* = ECCENTRIC.
†ex·cept [iksépt] *vt.* 제외하다(*from*). — *vi.* 반대하다, 기피하다(object)(*against*). — *prep.* …을 제외하고(는), …이외에는(save). **~ *for*** …이 없으면(but for); …이외에는. — *conj.* 《古》 =UNLESS. **:~·ing** *prep.* =EXCEPT.
:ex·cep·tion[iksépʃən] *n.* ① Ⓤ 예외로 함, 제외; Ⓒ 예외. ② Ⓤ 이의(異議)(objection). ***take*** **~ *to*** 〔***against***〕 …에 반대하다. ***with the*** **~ *of*** …을 제외하고는(except). **~·a·ble** *a.* 비난할 만한. ***~·al** *a.* 예외적인, 특별한, 보통이 아닌. **~*al child*** (심신장애로 인한) 비정상아. ***~·al·ly** *ad.*
:ex·cerpt[éksəːrpt] *n.* (*pl.* **~s, -ta** [-tə]) Ⓒ 발췌, 인용(구); 초록(抄錄); 발췌 인쇄(물). — [eksə́ːrpt] *vt.* 발췌하다(extract), 인용하다.
:ex·cess[iksés, ékses] *n.* ① Ⓤ 과다, 과잉; 과도; 초과; 초과량〔액〕. ② Ⓤ 부절제(*in*); Ⓒ (보통 *pl.*) 지나친 행위, 난폭, 폭음 폭식. **~ *of imports over exports*** 수입 초과. **~ *profits tax*** (전시) 초과 이득세. ***go*** 〔***run***〕 ***to*** **~** 지나치다, 극단으로 흐르다. ***in*** 〔***to***〕 **~** 너무나, 과도하게. ***in*** **~ *of*** …을 초과하여, …이상으로.
excéss-demánd inflàtion 수요 인플레.
éxcess fàre (철도의) 거리 초과 요금, 초과 요금.
:ex·ces·sive[-iv] *a.* 과도한, 극단적인, 터무니없는(too much). **~·ly** *ad.* **~·ness** *n.*
:ex·change[ikstʃéindʒ] *vt.* ① 교환하다(*for* a thing; *with* a person); 주고받다. ② 환전하다. **~ *greetings*** 인사를 나누다. — *vi.* 환전할 수 있다(*for*); 교환하다. — *n.* ① Ⓤ,Ⓒ 교환; 주고받음. ② Ⓤ 환전, 환; (*pl.*) 어음 교환고(高). ③ Ⓒ 거래소, 전화 교환국. ***bill of*** **~** 환어음. **~ *bank*** 외환은행. ***E-*** (***is***) ***no robbery.*** 교환은 강탈이 아니다《불공평한 교환을 강요할 때의 상투 문구》.

E

～ ***quotation*** 외환 시세표. ～ ***reaction*** 〖理〗 교환 반응. ***in*** ～ ***for*** …와 상환으로. ***make an*** ～ 교환하다. ***rate of*** ～ (외국)환 시세, 환율. ***stock*** ～ 증권 거래소. **～·a·ble** *a.* 교환할 수 있는.
exchánge contròl 환(換) 관리.
exchánge ràte 환율.
exchánge stùdent 교환 학생.
exchánge tìcket 상품권.
ex·cheq·uer[ikstʃékər, éks-] *n.* Ⓤ 국고(國庫); Ⓒ《口》(개인·회사 등) 재원, 재력; (the E-) Ⓒ《英》재무성.
exchéquer bìll《英》재무성 증권.
exchéquer bònd《英》국고 채권.
ex·cise[1][éksaiz] *n.* Ⓒ 물품세, 소비세. ― [iksáiz] *vt.* 물품세를 부과하다; 엄청나게 받다〔청구하다〕.
ex·cise[2][iksáiz] *vt.* 잘라내다(cut out). **ex·ci·sion**[eksíʒən] *n.* Ⓤ 삭제, 절제.
:ex·cit·a·ble[iksáitəbəl] *a.* 흥분하기 쉬운; 흥분성의.
ex·cit·ant[iksáitənt, éksə-] *a., n.* 자극성의; Ⓒ 자극물, 흥분제.
ex·ci·ta·tion[èksaitéiʃən/-si-] *n.* Ⓤ 자극; 흥분. 「적인.
ex·cit·a·tive [iksáitətiv] *a.* 자극
:ex·cite[iksáit] *vt.* ① 자극하다, 자극하여 일으키다; 흥분시키다. ② 격려하다; 설레게 하다; 선동하다(stir up).
:ex·cit·ed[iksáitid] *a.* 흥분한; 〖理〗 들뜬 상태의(～ ***atoms*** 들뜬 원자); 활발한. **:～·ly**[-idli] *ad.*
:ex·cite·ment[-mənt] *n.* Ⓤ 자극, 격앙; 흥분; U,C 법석; 동요; Ⓒ 자극하는 것.
:ex·cit·ing[-iŋ] *a.* 자극적인, 흥분시키는, 가슴 죄게 하는(thrilling); 재미있는.
:ex·claim[ikskléim] *vi., vt.* ① (감탄적으로) 외치다; 큰 소리로 말하다. ② 비난하다(*against*).
:ex·cla·ma·tion[èkskləméiʃən] *n.* ① Ⓤ 외침, 절규, 감탄. ② Ⓒ 〖文〗 감탄사, 감탄 부호(～ mark)《!》.
***ex·clam·a·to·ry** [iksklǽmətɔ̀:ri/-təri] *a.* 절규의; 감탄의.
:ex·clude[iksklú:d] *vt.* 몰아내다; 배척하다(reject); 제외하다; 추방하다(expel).
ex·clu·sion**[iksklú:ʒən] *n.* Ⓤ 몰아냄, 제외, 배척(excluding). ***to the ～ ***of*** …을 제외하고. **～·ism** [-ìzəm] *n.* Ⓤ 배타주의. **～·ist** *n.*
:ex·clu·sive[-klúsiv] *a.* ① 배타〔배제〕적인. ② 독점적인; 독특한, 유일의. ③ 고급의, 일류의. ～ ***of*** …을 제외하고. ***～·ly** *ad* 독점적으로, 오로지. **～·ness** *n.* **-siv·ism**[-ìzəm] *n.* Ⓤ 배타〔쇄국, 독점〕주의.
ex·cog·i·tate [ekskɑ́dʒətèit/-kɔ́dʒ-] *vt.* 생각해내다; 숙고하다. **-ta·tion**[―⌄―téiʃən] *n.*
ex·com·mu·ni·cate[èkskəmjú:nəkèit] *vt.* 〖宗〗 파문하다; 제명하다. **-ca·tion**[⌄―⌄―kéiʃən] *n.*
éx-cón, éx-cónvict *n.* Ⓒ 전과자.
ex·co·ri·ate[ikskɔ́:rièit] *vt.* (…의) 가죽을 벗기다, 껍질을 까다; 혹평하다; 심한 욕을 퍼붓다. **-a·tion** [―⌄―éiʃən] *n.* 「배설물.
ex·cre·ment [ékskrəmənt] *n.* Ⓤ
ex·cres·cence[ikskrésəns, eks-] *n.* Ⓒ 자연 발생물《손톱·발톱·머리털 따위》; 이상 발생물《혹·사마귀 따위》; 무용지물. **-cent**[-sənt] *a.* 군, 가외의(superfluous); 혹 같은.
ex·cre·ta[ikskrí:tə] *n. pl.* 배설〔분비〕물; 대변.
ex·crete [ikskrí:t] *vt.* 배설하다(discharge). **ex·cre·tion** *n.* Ⓤ 배설; U,C 배설물. **ex·cre·tive, ex·cre·to·ry** [ékskritɔ̀:ri/ekskrí:təri] *a.* 배설의.
ex·cru·ci·ate[ikskrú:ʃièit] *vt.* (…을) 고문하다(torture); 심한 고통을 주다, 몹시 괴롭히다(distress). **-at·ing** *a.* **-at·ing·ly** *ad.*
ex·cul·pate [ékskʌlpèit] *vt.* 무죄로 하다; (…의) 무죄를 증명하다. ～ ***oneself*** 자기의 무죄를 입증하다 (*from*). **-pa·tion**[―⌄―péiʃən] *n.*
:ex·cur·sion[ikskə́:rʒən, -ʃən] *n.* Ⓒ ① 소풍, 수학〔유람〕 여행, 단체 여행. ② 관광단. ③ 일탈. ④《廢》습격. ***go on for an*** ～ 소풍가다.
excúrsion tìcket 〔**tráin**〕 할인 유람권.
excúrsion tràin 유람 열차.
ex·cur·sive[ikskə́:rsiv] *a.* 배회하는; 산만한; 지엽적인.
ex·cus·a·ble[ikskjú:zəbəl] *a.* 용서할 수 있는, 변명이 서는.
†ex·cuse[ikskjú:z] *vt.* ① 변명하다. ② 용서하다, 너그러이 봐주다. ③ (의무 따위를) 면제하다(exempt). ***E-me!*** 실례합니다, 미안합니다. ～ ***oneself*** 변명하다. ～ ***oneself from*** 사퇴하다, 그만두고 싶다고 말하다(beg to be ～d). ― [-s] *n.* U,C ① 변명, 사과. ② 발뺌, 구실, 핑계. ***thin*** ～ 빤한 변명〔핑계〕.
ex *div·i·dend* [èks dívədènd] (L.) 〖商〗 배당락(配當落)《생략 ex div., x. d.》.
exec. executive; executor.
ex·e·cra·ble[éksikrəbəl] *a.* 밉살스러운, 귀찮은, 몹시 싫은(detestable).
ex·e·crate[éksikrèit] *vt.* 저주하다(curse), 몹시 싫어하다, 혐오하다(abhor). **-cra·tion**[―⌄―kréiʃən] *n.*
ex·ec·u·tant[igzékjutənt] *n.* Ⓒ 연주자, 실행자.
:ex·e·cute[éksikjù:t] *vt.* ① 실행〔수행〕하다; 실시하다(enforce). ② (미술품을) 제작하다; (곡을) 연주하다(perform); ③ (유언을) 집행하다; (증서 따위에) 서명 날인하다. ④ (사형을) 집행하다. ⑤ 〖컴〗 실행하다. **-cut·a·ble** *a.* **-cut·er** *n.* = EXECUTOR.

ex·e·cu·tion** [èksikjúːʃən] *n.* ① U 실행, 수행, 이행(achievement). ② U,C 사형 집행, 처형. ③ U (증서의) 작성, 서명 날인. ④ U (미술품의) 제작; 연주(하는 품). ⑤ U 솜씨; 효과. ⑥ 〖컴〗 실행. ***carry [***put***] ***into*** ~ 실행하다, 실시하다. ***do*** ~ 주효하다, 위력을 발휘하다; (탄알이) 명중하다. ***writ of*** ~ 집행 영장. ~**·er** *n.* C 실행〔집행〕자; 사형 집행인; 암살자.

:ex·ec·u·tive [igzékjətiv] *a.* ① 실행의; 실행력이 있는. ② 행정(상)의. — *n.* ① C 행정부〔관〕. ② C 간부, 간사; 지배인. ③ (the E-, *or* the Chief E-) 대통령, 주(州)지사.

exécutive commìttee 집행〔실행〕위원(회).

Exécutive Mánsion 《美》 대통령〔주지사〕 관저.

exécutive ófficer 행정관.

exécutive órder 《美》 (군(軍)·각주에 대한) 대통령 명령, 행정 명령.

exécutive séssion (수뇌부 등의) 비밀회.

ex·ec·u·tor [éksikjùːtər] *n.* C ① 집행인. ② [igzékjətər] 〖法〗 지정 유언 집행자.

ex·ec·u·trix [igzékjətriks] *n.* (*pl.* ~***es*** [-iːz], ***-trices*** [-ˊ-trάisiːz]) executor의 여성형.

ex·e·ge·sis [èksədʒíːsis] *n.* (*pl.* ***-ses*** [-siːz]) U,C (성서·경전의) 주석, 해석. **ex·e·get·ic** [-dʒétik], **-i·cal** [-əl] *a.* 주석(상)의.

ex·em·plar [igzémplər] *n.* C 모범, 본보기(model), 견본.

ex·em·pla·ry [igzémpləri] *a.* 모범적인; 전형적인; 징계적인; 칭찬할 만한, 훌륭한.

***ex·em·pli·fy** [igzémpləfài] *vt.* ① 예증〔예시〕하다; (…의) 실례〔보기〕가 되다〔이다〕. ② 〖法〗 인증 등본을 만들다. **-fi·ca·tion** [-ˌ--kéiʃən] *n.* U 예증, 예시; C 〖法〗 인증 등본.

ex·em·pli gra·ti·a [igzémplai gréiʃiə] (L.) 예를 들면《생략 e. g.》.

***ex·empt** [igzémpt] *vt.* 면제하다 (*from*). — *a., n.* C 면제된 (사람), 면세자. ***ex·émp·tion** *n.*

†ex·er·cise [éksərsàiz] *n.* ① U (신체의) 운동; C 체조. ② C 연습. ③ U (정신·신체를) 작용시킴; 실천. ④ C 학과; 연습 문제. ⑤ (*pl.*) 의식, 예배; 교련. ***graduation ~s*** 졸업식. ***take*** ~ 운동하다. — *vt.* ① 훈련하다; 운동시키다. ② (정신·능력을) 활동시키다. ③ (권리를) 행사하다; (소임을) 다하다(perform). ④ 괴롭히다, 번거롭게 하다. — *vi.* 연습〔운동, 체조〕하다. ***be ~d in*** … 에 숙달되어 있다. ~ ***oneself*** 운동을 하다, 몸을 움직이다. ~ ***oneself in*** …의 연습을 하다.

:ex·ert [igzə́ːrt] *vt.* ① (힘·능력을) 발휘하다, 활동시키다(use actively). ② (영향을) 미치다, 끼치다(*on, upon*). ~ ***oneself*** 노력하다. **:ex·ér·tion** *n.* U,C 노력; 진력; U (위력의) 발휘.

ex·e·unt [éksiənt, -ʌnt] *vi.* (L.= They go out.) 〖劇〗 퇴장하다(cf. exit). ~ ***om·nes*** [άmniːz/ɔ́-] 일동 퇴장.

ex·ha·la·tion [èks*h*əléiʃən, ègzəl-] *n.* ① U 발산; 호기(呼氣), 날숨; 증기. ② C 발산물.

***ex·hale** [eks*h*éil, igzéil] *vt., vi.* ① (공기 따위를) 내뿜다(opp. inhale). ② (냄새 따위를) 발산하다(emit); 증발하다(evaporate); 소산(消散)하다.

:ex·haust [igzɔ́ːst] *vt.* ① (그릇 따위를) 비우다. ② 다 써 버리다, 없애다(use up). ③ 샅샅이 연구하다, 남김없이 논하다. ④ (체력을) 소모하다, 지쳐버리게〔피폐케〕 하다. ***be ~ed*** 다하다, 없어지다; 지쳐버리다. — *vi.* 유출〔배출〕하다(discharge). — *n.* U,C 배출; 배기(排氣)(장치).

***ex·haust·ed** [igzɔ́ːstid] *a.* 다 써버린; 써서 다 낡은; 고갈된; 지쳐버린.

exháust fàn 환풍기.

exháust fùmes 배기 가스.

ex·haust·i·ble [igzɔ́ːstəbl] *a.* 다 써버릴 수 있는.

ex·haust·ing [igzɔ́ːstiŋ] *a.* 소모적인; 심신을 피로케 할〔하는〕(정도의).

:ex·haus·tion [igzɔ́ːstʃən] *n.* U ① 소모; 고갈. ② 배출. ③ (극심한) 피로. ④ (문제의) 철저한 연구. **:-tive** [-tiv] *a.* 전부를 다 하는.

exháust pìpe 배기관.

exháust vàlve 배기판(瓣).

:ex·hib·it [igzíbit] *vt.* ① 출품〔진열·공개〕하다. ② 보이다, 나타내다. ③ 〖法〗 (문서를) 제시하다. ④ 〖醫〗 투약하다. — *n.* C 전시, 출품(물); 〖法〗 증거물〔서류〕. ***on*** ~ 전시〔공개〕 중이어서〔중의〕. ~**·er, -i·tor** *n.* C 출품자; 영화 흥행주.

:ex·hi·bi·tion [èksəbíʃən] *n.* ① U 공개, 전시, 과시. ② C 출품물. ③ C 전람회, 박람회. ④ U,C (증거 서류의) 제시. ⑤ C 《英》 장학금(scholarship). ⑥ U 시약(施藥). ~ ***match*** 시범 경기〔시합〕. ***make an*** ~ ***of oneself*** 웃음거리가 되다, 창피를 당하다. ***put something on*** ~ 물건을 전람시키다. ~**·er** [-ər, -si-] *n.* C 《英》 장학생. ~**·ism** [-ìzəm] *n.* U 과시벽; 노출증. ~**·ist** *n.*

ex·hil·a·rate [igzílərèit] *vt.* 기운을 북돋우다(enliven); 명랑하게 만들다. **-rat·ed** *a.* 기분이 들뜬, 명랑한(merry). **-rat·ing** *a.* 유쾌하게 만드는; 유쾌한. **-ra·tion** [-ˌ-réiʃən] *n.* U 유쾌(하게 만듦).

***ex·hort** [igzɔ́ːrt] *vt., vi.* (…에게) 열심히 권하다〔타이르다〕(urge strongly); 권고〔훈계〕하다(warn). **ex·hor·ta·tive** [-tətiv] *a.* **ex·hor·ta·tor·y** [-tɔ̀ːri/-təri] *a.*

:ex·hor·ta·tion [ègzɔːrtéiʃən,

E

èksɔ:r-] *n.* U,C 권고(의 말), 훈계.
ex·hume[igzjú:m, iks-/ekshjú:m, igz-] *vt.* 발굴하다(dig out). **ex·hu·ma·tion**[èkshju:méiʃən] *n.*
ex·i·gent [éksədʒənt] *a.* 긴급한; (…을) 요하는(*of*); 살아가기 힘든. **-gence, -gen·cy**[-dʒənsi] *n.* U 긴급, 위급; C (*pl.*) 위급한 사정, 급무.
ex·ig·u·ous[igzígjuəs] *a.* 미소한, 작은; 부족한. **ex·i·gu·i·ty**[èksəgjú:əti] *n.*
:ex·ile[égzail, éks-] *n.* ① U 망명; 유형; 국외 추방. ② C 망명[유랑]자; 유형자; 추방인. — *vt.* 추방하다, 유형에 처하다. ~ *oneself* 망명하다.
:ex·ist[igzíst] *vi.* 존재하다, 실재[실존]하다; 생존하다(live). **~·ing** *a.* 현존하는.
:ex·ist·ence[-əns] *n.* ① U 존재, 실재; 생존, 생활. ② U,C 실재물. ***bring*** [***call***] ***into*** ~ 생기게 하다, 낳다; 성립시키다. ***come into*** ~ 생기다, 나다; 성립하다[되다]. ***go out of*** ~ 소멸하다, 없어지다. ***in*** ~ 존재[실재]하여, 실재의. **:-ent** *a.*
ex·is·ten·tial·ism [ègzisténʃəlìzəm] *n.* U 〖哲〗 실존주의. **-ist** *n.*
:ex·it[égzit, éks-] *n.* C ① 출구, 퇴출구. ② 나감, 퇴거; 〖劇〗 퇴장. — *vt.* (L.) 〖劇〗 퇴장하다(He [She] goes out.) (cf. *exeunt*). — *vi.* 〖컴〗 (시스템·프로그램에서) 나가다.
éxit pèrmit 출국허가(증).
ex li·bris[eks láibris, -líb-] (L. =from the library) 장서표(藏書票)(bookplate).
ex ni·hi·lo[eks náihilòu] (L.) 무(無)에서(out of nothing).
ex·o·at·mos·phere [èksouǽtməsfiər] *n.* (the ~) 외기권.
ex·o·bi·ol·o·gy [èksoubaiáləd3i/-ɔ́-] *n.* U 우주 생물학.
ex·o·cen·tric [èksouséntrik] *a.* 〖文〗 외심(外心)적인.
ex·o·crine[éksəkrin, -kràin] *a.* 〖生理〗 외분비의. ***the*** ~ ***gland*** 외분비선.
Exod. Exodus.
ex·o·dus[éksədəs] *n.* ① C (많은 사람의) 출발, 출국. ② (the E-) 이스라엘인의 이집트 출국; (E-) 〖舊約〗 출애굽기.
ex of·fi·ci·o[èks əfíʃiòu] (L.) 직권에 의한[의하여].
ex·og·a·my[ekságəmi/-ɔ́-] *n.* U 족외혼(族外婚)(cf. endogamy).
ex·on·er·ate[igzánərèit/-ɔ́-] *vt.* (비난 따위로부터) 구하다(free from blame), (혐의를) 벗다, 풀다. **-er·a·tion** [-ˌ-ˌ-éiʃən] *n.*
ex·or·bi·tant [igzɔ́:rbətənt] *a.* (욕망·요구 따위가) 터무니없는, 엄청난. **-tance, -tan·cy** *n.*
ex·or·cise, -cize[éksɔ:rsàiz] *vt.* (악마를) 내쫓다; 액막이하다(*of*). **-cism**[-sízəm] *n.* U,C 액막이(기도, 굿).
ex·o·sphere[éksousfìər] *n.* (the ~) 외기권《대기권의 최고층》.
ex·o·ter·ic[èksətérik] *a.* 공교(公敎)적인(opp. esoteric); 공개적인, 통속적인; 이해할 수 있는. **-i·cal·ly** *ad.*
ex·o·ther·mic[èksouθə́:rmik] *a.* 〖化〗 발열(성)의.
:ex·ot·ic [igzátik/-ɔ́-] *a.* ① 외국의, 외래의(foreign); 이국풍[식]의. ② 《口》 색다른, 희한한(rare). **-i·cism**[-əsìzəm] *n.*
exótic dáncer 《美》 스트리퍼.
exp. expenses; expired; exponential; export(er); express.
:ex·pand[ikspǽnd] *vt., vi.* ① 넓히다, 넓어지다, 펴다, 퍼지다(spread out). ② 팽창시키다[하다](swell); 확장시키다[하다](extend). ③ 발전시키다[하다]. ④ 〖數〗 전개하다. ***~·ing bullet*** 산탄(散彈).
:ex·pand·ed[ikspǽndid] *a.* 확대한; 〖印〗 (영문 활자가) 평체인.
expánded métal 망상 금속판《얽은 그물 모양의 금속판; 모르타르벽의 바탕용》.
:ex·panse[ikspǽns] *n.* C 넓음, 넓은 장소; 확장; 팽창. **ex·pán·si·ble** *a.* 팽창[전개]할 수 있는.
:ex·pan·sion[ikspǽnʃən] *n.* U 확장, 확대; (사업의) 발전; C 팽창(량·부). **~·ism**[-ìzəm] *n.* U 팽창론; 영토 확장론. **~·ist** *n.* **-sive** *a.* 팽창력[발전력]있는; 광활한; 마음이 넓은; 〖醫〗 과대망상적인. **-sive·ly** *ad.*
ex·pa·ti·ate [ekspéiʃièit] *vi.* 상세히 설명하다, 부연하다(*on, upon*). **-a·tion**[-ˌ-ˌ-éiʃən] *n.*
ex·pa·tri·ate[ekspéitrièit/-pǽt-, -péi-] *vt., n.* (국외로) 추방하다(exile); C 추방자, 이주자. — [-trit, -trièit] *a.* 추방된(exiled).
ex·pat·ri·a·tion[-ˌ-ˌ-éiʃən] *n.*
†ex·pect[ikspékt] *vt.* ① 기대[예기]하다; 예상하다, 당연한 일로 여기다; 바라다. ② 《口》 …라고 생각하다. ***as might have been*** ***~ed*** 생각한 대로.
:ex·pect·ance[-əns], **:-an·cy** [-si] *n.* ① U 예기, 기대. ② C 기대 되는 것, 가망. ***life expectancy*** =EXPECTATION of life.
:ex·pect·ant[ikspéktənt] *a.* 예기하는, 기다리고 있는(expecting); 임신 중인; 〖法〗 추정(상속)의. ~ ***attitude*** 방관적인 태도. ***an*** ~ ***mother*** 임신부. — *n.* C 기대하는 사람; 지망자. **~·ly** *ad.*
:ex·pec·ta·tion[èkspektéiʃən] *n.* ① U 기대; 예기, 예상(anticipation); 가망성(prospect). ② (*pl.*) 유산 상속의 가망성. ***according to*** ~ 예상대로. ***beyond*** (***all***) ~(***s***) 예상 이상으로. ~ ***of life*** 〖保險〗 평균 여명.
ex·pec·to·rant[ikspéktərənt] *a., n.* 〖藥〗 가래 제거를 돕는; C 거담제.
ex·pec·to·rate[ikspéktərèit] *vt., vi.* 기침하여 뱉다; 가래를[침을] 뱉

다. **-ra·tion**[–ˌ–réiʃən] *n.*
ex·pe·di·ence [ikspí:diəns], **-en·cy**[-si] *n.* ① Ⓤ 편의; 형편(좋음); 사리추구. ② Ⓒ 방편, 편법.
***ex·pe·di·ent**[ikspí:diənt] *a.* ① 형편 좋은, 편리한, 편의한, 상책의, 시의를 얻은. ② 편의주의의; (자기에게) 유리한, 정략적인(politic); 공리적인. — *n.* Ⓒ 수단, 방편, 편법; 임기 응변의 조처. ~·**ly** *ad.* 편의상; 형편 좋게, 마침.
ex·pe·di·en·tial[ikspì:diénʃəl] *a.* 편의주의적인; 편의상의.
ex·pe·dite[ékspədàit] *vt.* 촉진〔재촉〕하다, 재빨리 해치우다. **-dit·er** *n.* Ⓒ 원료(공급)계; 공보 (발표) 담당자; (공사) 촉진계.
:**ex·pe·di·tion**[èkspədíʃən] *n.* ① Ⓒ 원정(대); 탐험(대). ② Ⓤ 신속, 급속. ~·**ar·y**[-èri/-əri] *a.*
ex·pe·di·tious[èkspədíʃəs] *a.* 신속한, 날쌘. ~·**ly** *ad.* 척척, 신속히.
***ex·pel**[ikspél] *vt.* (*-ll-*) 쫓아내다, 추방하다; 제명하다; 방출〔발사〕하다.
ex·pel·lant, -lent[-ənt] *a.* 내쫓는 힘〔구제력〕이 있는.
ex·pel·lee[èkspelí:] *n.* Ⓒ 국외 추방자; 추방당한 사람.
:**ex·pend** [ikspénd] *vt.* 소비하다; (시간·노력을) 들이다(use) (*on*). :~·**i·ture** *n.* Ⓤ,Ⓒ 지출, 소비, 경비(*annual expenditure* 세출/ *current expenditure* 경상비/ *extraordinary expenditure* 임시비).
ex·pend·a·ble [ikspéndəbəl] *a.* 소비해도 좋은; 〖軍〗 소모용의, 버릴 수 있는, 희생시켜도 좋은. — *n.* (보통 *pl.*) 소모품; (작전상의) 희생물.
:**ex·pense**[ikspéns] *n.* ① Ⓤ 비용, 지출. ② (보통 *pl.*) 지출금. ③ Ⓤ,Ⓒ 손실, 희생(sacrifice). ***at the ~ of*** …을 희생시키고; …에게 폐를 끼치고. ***go to the ~ of*** 큰 돈을 들이다. ***put*** (*a person*) ***to ~*** 돈을 쓰게 하다.
expénse accòunt 〖簿〗 비용계정; 교제비.
:**ex·pen·sive** [ikspénsiv] *a.* 비싼; 사치스런(costly). ~·**ly** *ad.* 비싸게 들여, 비싸게. ~·**ness** *n.*
†**ex·pe·ri·ence**[ikspíəriəns] *n.* ① Ⓤ 경험, 체험; 경력. ② Ⓒ 경험담. — *vt.* 경험하다, 경험으로 알다. ***-enced**[-t] *a.* 경험이 풍부한, 노련한(expert).
:**ex·per·i·ment** [ikspérəmənt] *n.* Ⓒ 실험, 시험(*of*). — [-mènt] *vi.* 실험하다(*on, in, with*). ***-men·ta·tion**[–ˌ–mentéiʃən] *n.* Ⓤ 실험〔법〕, 시험.
:**ex·per·i·men·tal** [ikspèrəméntl, -ri-] *a.* 실험적인, 실험상의; 경험상의. ~·**ism**[-təlìzəm] *n.* Ⓤ 실험주의. ~·**ly** *ad.*
:**ex·pert**[ékspə:rt] *n.* Ⓒ 숙련자, 노련가, 전문가(veteran)(*in, at*); 기사; 감정인. — [ikspə́:rt] *a.* 숙달된, 노련한(*in, at, with*). ~·**ly** *ad.*
ex·per·tise[èkspərtí:z] *n.* Ⓤ 전문적 의견〔기술, 지식〕.
ex·pi·ate [ékspièit] *vt.* 속죄하다(atone for). **-a·tion**[ˌ–éiʃən] *n.*
ex·pi·a·to·ry[ékspiətɔ̀:ri/-təri] *a.* 속죄의, 보상(補償)의.
ex·pi·ra·tion [èkspəréiʃən] *n.* Ⓤ 종결, 만료, 만기; 날숨; 《古》 죽음.
ex·pir·a·to·ry[ikspáirətɔ̀:ri/-təri] *a.* 날숨의.
***ex·pire**[ikspáiər] *vi.* ① 끝나다, 만기가 되다. ② 숨을 내쉬다, 죽다. — *vt.* (숨을) 내쉬다, 뿜어 내다.
ex·pi·ry[ikspáiəri, ékspəri] *n.* Ⓤ 소멸; 종료, 만기.
†**ex·plain**[ikspléin] *vt., vi.* 설명하다, 해석하다(interpret); 변명하다(account for). ~ ***away*** (용하게) 발뺌하다, 잘 해명하다. ~ ***oneself*** 변명하다; 심중을 털어놓다. :**ex·pla·na·tion**[èksplənéiʃən] *n.* :**ex·plan·a·to·ry**[iksplǽnətɔ̀:ri/-təri] *a.*
ex·ple·tive [éksplətiv] *a.* 부가적인, 가외의. — *n.* Ⓒ 군더더기, 덧붙이기; (거의 무의미한) 감탄사《*My word* nice! 근사하다!》; 욕설《This *bloody* dog! 이 개새끼! 따위》; 〖文〗 허사(虛辭)《one *fine* morning (어느날 아침)의 fine 따위》.
ex·pli·ca·ble[éksplikəbəl, iksplík-] *a.* 설명〔납득〕할 수 있는.
ex·pli·cate[éksplәkèit] *vt.* (원리 따위를) 차례로 풀이하다(unfold); 설명하다(explain). **-ca·tion**[èksplәkéiʃən] *n.* **-ca·tive**[éksplikèitiv, iksplíkə-], **-ca·to·ry**[éksplikətɔ̀:ri, iksplíkətəri] *a.*
***ex·plic·it**[iksplísit] *a.* 명백히 말한; 명백한(clear); 노골적인, 숨김없는(outspoken)(opp. implicit). ~·**ly** *a.* ~·**ness** *n.*
:**ex·plode**[iksplóud] *vt.* ① 폭발시키다. ② 타파〔논파〕하다. — *vi.* ① 폭발하다. ② (감정이) 격발하다. ~ ***with laughter*** 웃음을 터뜨리다.
***ex·ploit**[iksplɔ́it] *vt.* ① 개척〔개발〕하다, 채굴하다. ② 이용하다, 미끼삼다, 착취하다. — [éksplɔit] *n.* Ⓒ 위업(偉業), 공훈. :**ex·ploi·ta·tion**[èksplɔitéiʃən] *n.* Ⓤ,Ⓒ 개발; 이용; 착취.
:**ex·plo·ra·tion** [èkspləréiʃən] *n.* Ⓤ,Ⓒ 탐험; 탐구.
:**ex·plore** [iksplɔ́:r] *vt., vi.* 탐험〔탐구〕하다.
:**ex·plor·er**[iksplɔ́:rər] *n.* Ⓒ ① 탐험가; 탐구자. ② (E-) 익스플로러《미국의 인공 위성》(cf. Sputnik).
:**ex·plo·sion** [iksplóuʒən] *n.* Ⓤ,Ⓒ 폭발; 파열; 급증.
***ex·plo·sive** [iksplóusiv] *a.* ① 폭발성의. ② 격정적인. ③ 〖音聲〗 파열음의. — *n.* Ⓒ 폭약; 〖音聲〗 파열음.
explósive bòlt 폭발 볼트《우주선의 분리 부분 등에 쓰임》.
Ex·po[ékspou] *n.* Ⓒ 박람회(<*exposition*).

E

ex·po·nent[ikspóunənt] *n.* Ⓒ 대표적 인물, 대표물; 형(型); 설명자; 〖數〗 지수(指數); 〖컴〗 지수.

ex·po·nen·tial [èkspounénʃəl] *a.* 〖數〗 지수(指數)의. **~·ly** *ad.* 《통속적》 기하급수적으로《붙다》.

:ex·port[ikspɔ́:rt, ⌐–] *vt.* 수출하다. — [íkspɔ:rt] *n.* Ⓤ 수출; Ⓒ (보통 *pl.*) 수출품〔액〕; 〖컴〗 보내기. **~·er** *n.* **-por·ta·tion** [ìkspɔ:rtéiʃən] *n.*

:ex·pose[ikspóuz] *vt.* ① (일광·비·바람 따위에) 씌다. ② 〖寫〗 노출하다. ③ 폭로〔적발〕하다. ④ 진열하다(display). ⑤ (아이를) 집 밖에 내버리다. ***~d**[-d] *a.*

ex·po·sé[èkspouzéi] *n.* (F.) Ⓒ 들추어냄, 폭로.

***ex·po·si·tion** [èkspəzíʃən] *n.* ① Ⓤ,Ⓒ 설명, 해설. ② Ⓒ 전람회; Ⓤ 제시. ③ Ⓤ (아이의) 유기(遺棄). ④ Ⓒ 〖樂〗 (소나타·푸가 등의) 제시부.

ex·pos·i·tive[ikspázətiv/-ɔ́-], **-to·ry**[-zitɔ̀:ri/-zitəri] *a.* 해설적인.

ex·pos·i·tor[ikspázətər/-ɔ́-] *n.* Ⓒ 설명〔해설〕자.

ex post fac·to [éks pòust fǽktou] (L.) 사후(事後)의; 소급하는.

ex·pos·tu·late [ikspástʃulèit/-pɔ́s-] *vi.* 간(諫)하다(*with*). **-la·tor** *n.* **-la·to·ry**[-lətɔ̀:ri/-təri] *a.* 충고의. **-la·tion**[–⌐–léiʃən] *n.* Ⓤ,Ⓒ 간(諫), 충고.

:ex·po·sure[ikspóuʒər] *n.* ① Ⓤ,Ⓒ (일광·바람·비·위험에) 버려 둠(exposing). ② Ⓤ (a ~) (집·방의) 향(*a southern* ~ 남향). ③ Ⓤ 〖寫〗 노출. ④ Ⓤ 진열(display). ⑤ Ⓤ 폭로, 적발(reveal). ⑥ Ⓤ (어린애의) 유기.

expósure ìndex 〖寫〗 노광 지수.

expósure mèter 〖寫〗 노출계.

***ex·pound**[ikspáund] *vt.* 설명하다; 상술하다.

†ex·press[iksprés] *vt.* ① 표현하다, 나타내다. ② (기호 따위로) 표시하다. ③ (과즙 따위를) 짜내다(squeeze out). ④ 《美》 지급편으로 보내다. ~ ***oneself*** 생각하는 바를 말하다, 의중을 털어놓다(*on*). ~ ***one's sympathy*** 〔***regret***〕 동정〔유감〕의 뜻을 나타내다. — *a.* ① 명시된; 명백한, 정확한(exact). ② 특별한(special). ③ 급행의; 지급(편)의; 《美》 운송편의. ~ ***mail*** 속달 우편. ~ ***train*** 급행 열차. — *ad.* 특별히; 급행(열차편)으로; 속달로. — *n.* ① Ⓤ 지급〔속달〕편; 특별편. ② Ⓒ 급행열차〔전차〕. ③ Ⓒ 《美》 운송 회사. ***by*** ~ 속달〔급행 열차〕로. **~·i·ble** *a.* 표현할 수 있는. **~·ly** *ad.* 명백히; 특(별)히.

ex·press·age[-idʒ] *n.* Ⓤ 《美》 속달 운송업; 그 운임.

expréss còmpany 〔**àgency**〕 《美》 통운 회사.

expréss delívery 《英》 속달편 (《美》 special delivery).

expréss hìghway =EXPRESSWAY.

:ex·pres·sion[ikspréʃən] *n.* ① Ⓤ,Ⓒ 표현(법); 말투; 표정. ② 〖컴〗 (수)식. ***beyond*** ~ 표현할 수 없는. **~·al** *a.* 표현상의; 표정의. **~·ism** [-ìzəm] *n.* Ⓤ 《美》 표현주의, 표현파. **~·less** *a.* 무표정한.

***ex·pres·sive**[iksprésiv] *a.* 표현하는; 의미 심장한, 표정이 풍부한; 표현의〔에 관한〕. **~·ly** *ad.* **~·ness** *n.*

ex·press·man [iksprésmæ̀n, -mən] *n.* Ⓒ 《美》 운송업자; 급행 트럭 운전사.

expréss rìfle 속사 엽총. 「왜건.

expréss wàg(g)on 지급 수송용

ex·press·way [ikspréswèi] *n.* Ⓒ 《美》 고속 도로.

ex·pro·pri·ate[ekspróuprièit] *vt.* (토지·재산 따위를) 몰수하다, 빼앗다 (~ *him from the land*). **-a·tion** [–⌐–éiʃən] *n.*

ex·pul·sion[ikspʌ́lʃən] *n.* Ⓤ,Ⓒ 추방, 제명(*from*). **-sive** *a.*

ex·punc·tion [ikspʌ́ŋkʃən] *n.* Ⓤ 말소, 삭제.

ex·punge[ikspʌ́ndʒ] *vt.* 지우다 (erase), 말살하다(*from*).

ex·pur·gate[ékspərgèit] *vt.* (책의 불온한 대목을) 삭제〔정정〕하다. ***~d edition*** 삭제판(版). **-ga·tion**[⌐–géiʃən] *n.*

ex·pur·ga·to·ry [ekspə́:rgətɔ̀:ri/-təri] *a.* 삭제의. ***E- Index*** 〖가톨릭〗 금서(禁書)목록.

:ex·qui·site[ékskwizit, ikskwí-] *a.* ① 절묘한, 우미한, 더할나위 없는. ② (즐거움이) 깊은. ③ 예민한(sensitive). ④ 정교한. ⑤ (취미·태도의) 우아한. — *n.* Ⓒ 멋쟁이 남자 (dandy); 취미가 까다로운 사람. **~·ly** *ad.* **~·ness** *n.*

ex·san·guine[ekssǽŋgwin] *a.* 핏기 없는, 빈혈의. 「게 하다.

ex·sert[eksə́:rt] *vt.* 내밀다, 돌출하

èx-sérvice *a.* 《英》 전에 군에 속해 있던, 퇴역의.

èx-sérviceman *n.* Ⓒ 《英》 퇴역 군인(《美》 veteran).

éx shíp 〖商〗 선측(船側) 인도(의).

ex·sic·cate[éksikèit] *vt., vi.* 건조시키다〔하다〕.

éx stóre 〖商〗 점두 인도(의).

ex·tant[ekstǽnt, ékstənt] *a.* (기록 따위) 현존하는.

ex·tem·po·ra·ne·ous [ikstèmpəréiniəs], **ex·tem·po·rar·y** [ikstémpərèri/-rəri] *a.* 즉석의; 임시(변통)의.

ex·tem·po·re[ikstémpəri] *a., ad.* 즉석의〔에서〕(offhand); 즉흥적(으로).

ex·tem·po·rize [ikstémpəràiz] *vt., vi.* 즉석에서 만들다〔연설하다, 노래하다, 연주하다〕.

:ex·tend[iksténd] *vt.* ① 뻗다, 늘이다; 넓히다; 확장〔연장〕하다. ② (동정·호의를) 베풀다; (구조의 손길을) 뻗치다. ③ (밧줄을) 건너 치다.

④ (속기를) 보통 글자로 옮겨 쓰다; 〖法〗 평가하다; (토지를) 압류하다. ⑤ 〖컴〗 확장하다. **ex·tén·si·ble** *a.* 뻗을 수 있는, 신장성(伸張性)의. **ex·ten·sile**[-səl/-sail] *a.* 〖動·解〗 넓어지는, 연장되는〔될 수 있는〕.

:ex·tend·ed[iksténdid] *a.* ① 뻗친; 장기간에 걸친. ② 광범위한, 확장된; 증대한. ③ 〖印〗 평체인.

exténded fámily 확대 가족《핵가족과 근친으로 된》.

exténded pláy EP판《1분간 45회전 레코드; 생략 EP》.

:ex·ten·sion[ikstén∫ən] *n.* ① Ⓤ 신장(伸張), 연장; 확장, 증축. ② Ⓒ (철도의) 연장선(線); (전화의) 내선(內線); 〖컴〗 확장. ③ Ⓤ (어구의) 부연. ④ Ⓤ 〖論〗 외연(外延) (opp. intension). **～ *lecture*** (대학의) 공개 강의. ***university* ～** 대학 공개 강좌. 「리.

exténsion làdder 신축식 사닥다

exténsion tàble 신축 테이블.

:ex·ten·sive[iksténsiv] *a.* ① 넓은; 광범위에 걸친(opp. intensive); 대규모의. ② 〖農〗 조방(粗放)의(～ *agriculture* 조방 농법). **～ *reading*** 다독(多讀). ***～·ly** *ad.*

ex·ten·sor[iksténsər] *n.* Ⓒ 〖解〗 신축근(cf. flexor).

:ex·tent [ikstént] *n.* ① Ⓤ 넓이 (space), 크기(size), 범위(range); 정도. ② Ⓒ 넓은 장소.

ex·ten·u·ate[iksténjuèit] *vt.* (죄 따위를) 경감하다. **-a·tion**[–⌐–éi∫ən] *n.*

:ex·te·ri·or[ikstíəriər] *a.* 외부의 (outer), 외면의(outward). ── *n.* Ⓤ,Ⓒ 외부; 외면, 외관(opp. interior).

extérior ángle 〖幾〗 외각(外角).

ex·ter·mi·nate[ikstə́:rmənèit] *vt.* 근절하다. **-na·tion**[–⌐–néi∫ən] *n.*

:ex·ter·nal[ikstə́:rnəl] *a.* ① 외부〔외면〕의(cf. internal); 외계의. ② 외면적인, 피상적인. ③ 대외적인. ── *n.* Ⓤ 외부; 외면; (보통 *pl.*) 외관. **～·ism**[-ìzəm] *n.* Ⓤ 형식주의; 현상론(現象論). **～·ist** *n.* **～·ly** *ad.*

ex·ter·ri·to·ri·al[èksteritɔ́:riəl] *a.* 치외 법권의. **～·i·ty**[–⌐–⌐–ǽləti] *n.* Ⓤ 치외 법권.

***ex·tinct**[ikstíŋkt] *a.* ① 꺼진; 끊어진, 사멸한. ② 폐지된. ***-tínc·tion** *n.*

:ex·tin·guish[ikstíŋgwi∫] *vt.* ① 끄다(put out); (희망을) 잃게 하다, 꺾다. ② 절멸시키다. ③ (상대를) 침묵시키다(silence); 무색하게 하다 (eclipse). ④ 〖法〗 (부채를) 상각하다. **～·a·ble** *a.* 끌 수 있는; 절멸〔멸종〕시킬 수 있는. **～·er** *n.* Ⓒ 소화기.

ex·tir·pate[ékstərpèit] *vt.* 근절〔박멸〕하다 (eradicate). **-pa·tion** [⌐–péi∫ən] *n.*

:ex·tol(l)[ikstóul] *vt.* (*-ll-*) 절찬〔격찬〕하다. **～·ment** *n.*

ex·tort[ikstɔ́:rt] *vt.* (약속·돈을) 강요하다, 갈취하다(*from*); (뜻을) 억지로 갖다붙이다.

ex·tor·tion[ikstɔ́:r∫ən] *n.* Ⓤ 빼앗음, 강요, 강탈; Ⓒ 강탈한 것; 강요〔강탈〕행위. **～·ar·y**[-èri/-əri], **～·ate**[-it] *a.* 강요적인, 착취적인. **～·er** *n.* Ⓒ 강탈자; 강요자; 착취자.

:ex·tra[ékstrə] *a., ad* 가외의〔로〕; 특별한〔히〕, 임시의〔로〕. ── *n.* Ⓒ 가외〔특별한〕 물건; 경품(景品); 호외; 〖映〗 엑스트라.

ex·tra-[ékstrə] *pref.* '…외의(outside)' 의 뜻.

éxtra-báse hít 〖野〗 장타(長打).

:ex·tract[ikstrǽkt] *vt.* ① 끌어〔뽑아, 빼어〕내다(～ *a tooth* 이를 뽑다); 알아내다. ② 달여내다; 짜내다; (용매 사용 등으로 정(精)을) 추출하다. ③ 발췌하다(select). ④ (쾌락을) 얻다. ── [ékstrækt] *n.* ① Ⓤ,Ⓒ 추출물, 진액. ② Ⓒ 인용구.

:ex·trác·tion *n.* Ⓤ,Ⓒ 뽑아냄, 추출; 발췌, 인용; 추출물, 정(수)(精(髓))(essence), 진액; Ⓤ 혈통, 태생(descent). **-tor** *n.*

extráctor fàn 환풍기.

éxtra·currícular *a.* 과외의.

ex·tra·dite [ékstrədàit] *vt.* (당국·상대국에 도망 범인을) 인도하다(deliver); (…의) 인도(引渡)를 받다. **-di·tion**[⌐–dí∫ən] *n.*

èxtra·galáctic *a.* 〖天〗 은하계 밖의.

èxtra·judícial *a.* 법정〔재판〕외의; 법적으로 인정되지 않는, 위법의.

èxtra·légal *a.* 법률의 지배를 받지 않는. **～ly** *ad.*

èxtra·márital *a.* 혼외 성교의, 간통〔불륜〕의.

èxtra·múndane *a.* 지구 이외의, 물질 세계 밖의.

ex·tra·mur·al[èkstrəmjúərəl] *a.* 성(벽) 밖의, 교외(郊外)의; 대학 밖의, 교외(校外)의.

ex·tra·ne·ous[ekstréiniəs] *a.* 외부로부터의, 외래의, 질이 다른; 관계없는. **～·ly** *ad.* **～·ness** *n.*

:ex·traor·di·nar·y[ikstrɔ́:rdənèri/-nəri] *a.* 보통이 아닌, 비범한(exceptional); 엄청난; 특명의. ***ambassador ～ and plenipotentiary*** 특명 전권 대사. **:-nar·i·ly** *ad.*

extraórdinary rày 〖光·結晶〗 이상 광선.

ex·trap·o·late [ikstrǽpəlèit] *vt., vi.* 〖統計〗 외삽하다; (기지의 사실에서) 추정하다; 추정의 기초로 삼다. **-la·tion**[–⌐–léi∫ən] *n.*

èxtra·sénsory *a.* 초감각적인; 영감적인, 영감의. **～ *perception*** 〖心〗 영감.

èxtra·terréstrial *a.* 지구 밖의, 대기권외의.

èxtra·territórial *a.* 치외법권의. **-territoriálity** *n.* Ⓤ 치외법권.

èxtra·úterine *a.* 자궁외의. **～ *pregnancy*** 자궁외 임신.

***ex·trav·a·gant**[ikstrǽvəgənt] *a.*

① 낭비하는. ② 터무니 없는, 엄청난. **~·ly** *ad.* ***-gance** *n.* Ⓤ,Ⓒ 낭비; 방종; 터무니 없음.
ex·trav·a·gan·za [ikstræ̀vəgǽnzə] *n.* Ⓒ (문학·악극 등의) 광상적 작품; 광태(狂態).
ex·trav·a·sate [ikstrǽvəsèit] *vt., vi.* (혈액 따위가) 맥관에서 넘쳐나(게 하)다, 내출혈하다.
èxtra·vehícular *a.* 우주선 밖의. ~ ***activity*** 우주선외 활동.
:ex·treme [ikstríːm] *a.* ① 극도의; 극단의, 과격한. ② 맨끝의; 최후의. — *n.* Ⓒ 극단, 극도; (*pl.*) 양극단, 극단적인 수단. ***go to ~s*** 극단으로 흐르다. ***in the ~*** 극도로. **:~·ly** *ad.* 극도로.
extréme únction 〖가톨릭〗 병자성사(病者聖事). 「론자, 과격파.
ex·trem·ist [ikstríːmist] *n.* Ⓒ 극단
***ex·trem·i·ty** [ikstréməti] *n.* ① Ⓒ 끝(end), 말단, 선단; Ⓤ 극단, 극한. ② (*sing.*) 곤경. ③ Ⓒ (보통 *pl.*) 비상 수단. ④ (*pl.*) 수족(手足).
ex·tri·cate [ékstrəkèit] *vt.* 구해내다(set free) (*from*). **-ca·ble** [-kəbəl] *a.* **-ca·tion** [ㅗ-kéiʃən] *n.*
ex·trin·sic [ekstrínsik] *a.* 외부의, 외래적인; 비본질적인(opp. intrinsic). **-si·cal·ly** *ad.*
ex·tro·ver·sion [èkstrouvə́ːrʒən, -ʃən] *n.* Ⓤ 〖病〗 (눈꺼풀·방광 등의) 외전(外轉); 〖心〗 외향성.
ex·tro·vert [ékstrouvə̀ːrt] *n., a.* Ⓒ 〖心〗 외향성의 (사람)(opp. introvert).
***ex·trude** [ikstrúːd] *vt.* 내밀다, 밀어내다. — *vi.* 돌출하다. **ex·tru·sion** [-ʒən] *n.*
ex·u·ber·ant [igzúːbərənt] *a.* 무성한; 풍부한; 원기 왕성한; (문체 따위) 화려한(florid). **~·ly** *ad.* **-ance, -an·cy** *n.*
ex·u·ber·ate [-bərèit] *vi.* 풍부[충일]하다; 탐닉하다(*in*).
ex·ude [igzúːd, iksúːd] *vi., vt.* 배어나오(게 하)다, 발산하다[시키다].
ex·u·da·tion [èksədéiʃən, èksju-, ègzə-] *n.*
***ex·ult** [igzʌ́lt] *vi.* 무척 기뻐하다(rejoice greatly). **~·ant** *a.* ***ex·ul·ta·tion** [ègzʌltéiʃən, èks-] *n.*
ex·urb [éksəːrb, égz-] *n.* Ⓒ 《美》 준(準)교외.
ex·ur·ban·ite [eksə́ːrbənàit] *n.* Ⓒ 준교외 지역 거주자.
ex·u·vi·ate [igzúːvièit] *vi., vt.* (짐승이 허물을) 벗다. 「헌]물.
ex vo·to [eks vóutou] (L.) 봉납[봉
Eyck [aik], **Hubert van** (1366?-1426); **Jan van** (1385?-1440) 플랑드르의 화가 형제.
†eye [ai] *n.* Ⓒ ① 눈. ② 눈매; 시력(eye-sight). ③ 주목. ④ 안식(眼識); 보는 눈, 견해(view). ⑤ 눈 모양의 것《바늘 구멍·감자싹 따위》. ⑥ 《美俗》 탐정; 레이더 수상기(受像機). ***an ~ for an ~*** (***and a tooth for a tooth***) 눈에는 눈 (이에는 이) 《동등한 보복》. ***be all ~s*** 정신차려 주시하다. ***catch a person's ~s*** 눈에 띄다. ***do a person in the ~*** 《俗》 속이다. ***have an ~ for*** …의 잘잘못을 알다, …을 보는 눈이 있다. ***have an ~ to,*** or ***have ... in one's ~*** 꾀하고 있다. ***in my ~s*** 내가 보는 바로는, 내 소견에는. ***in the ~ of the wind,*** or ***in the wind's ~*** 바람을 안고. ***make ~s at*** …에게 추파를 던지다. ***open a person's ~s*** 아무를 깨우치다(*to*). ***see ~ to ~ with ...*** …을 정면으로 마주 보다, …와 의견이 일치하다. ***shut one's ~s to*** …을 못 본 체하다. ***up to the ~s*** (일에) 몰두하여(*in*); (빚에) 빠져서(*in*). ***with an ~ to*** …을 목적으로 [노리고]. ***with half an ~*** 언뜻 보아, 쉽게. — *vt.* 잘[자세히] 보다.
éye appèal 《口》 사람 눈을 끎, 매
éye·bàll *n.* Ⓒ 눈알, 안구. 「력.
éye bànk 안구(眼球) 은행.
***éye·bròw** *n.* Ⓒ 눈썹.
éye-càtcher *n.* Ⓒ 《美口》 미인, 사람 눈을 끄는 것.
éye chàrt 〖醫〗 시력 검사표(cf. test type).
éye còntact 시선이 마주침.
éye dìalect 시각 와어(訛語) 《발음대로 낱말을 쓴 것》.
éye·dròpper *n.* Ⓒ 점안기.
eye·ful [áifùl] *n.* Ⓒ 한껏 보고 싶은 것; 《俗》 미인.
éye·glàss *n.* Ⓒ 안경알; (*pl.*) 안경.
éye·hòle *n.* Ⓒ 안와(眼窩); 작은 구멍(eyelet).
éye·làsh *n.* Ⓒ 속눈썹.
eye·less [ㅗlis] *a.* 눈[구멍] 없는; 맹목적인.
eye·let [ㅗlit] *n.* Ⓒ 작은 구멍, 끈 꿰는 구멍, (구두·서류 따위의 끈 꿰는 구멍에 달린) 작은 쇠고리.
***eye·lid** [ㅗlìd] *n.* Ⓒ 눈꺼풀, 눈두덩.
éye lìner 아이라이너《속눈썹을 그리는 화장품》. 「型)의.
éye-mínded *a.* 〖心〗 시각형(視覺
éye-òpener *n.* Ⓒ 깜짝 놀랄 만한 일[사건]; 《美口》 아침 술.
éye pàtch 안대.
éye·pìece *n.* Ⓒ 접안(接眼) 렌즈.
éye-pòpping *a.* 《美俗》 (눈이 튀어나올 정도로) 대단한, 굉장한, 놀라운.
éye·rèach *n.* Ⓤ 안계(眼界).
éye rhỳme 시각운(視覺韻)《*love*와 *move* 따위》.
éye·shàde *n.* Ⓒ 보안용 챙.
éye shàdow 아이 섀도.
éye·shòt *n.* Ⓤ 안계(眼界).
eye·sight [ㅗsàit] *n.* Ⓤ 시각, 시력.
éye sòcket 안와(眼窩), 눈구멍.
éye·sòre *n.* Ⓒ 눈에 거슬리는 것.
éye·stràin *n.* Ⓤ 눈의 피로.
Eye·tie [ㅗtai] *n., a.* Ⓒ 《俗·蔑》 이탈리아 사람(의).
éye·tòoth *n.* (*pl.* ***-teeth***) Ⓒ 견치(犬齒), 송곳니.

éye·wàsh *n.* ① U,C 안약. ② C 속임, 사기.
éye·wìtness *n.* C 목격자.
ey·rie, ey·ry[ɛ́əri, íə-] *n.* = AERIE.
Ez., Ezr. Ezra. **Ezek.** Ezekiel.
E·ze·ki·el[izíːkiəl, -kjəl] *n.* 〖聖〗 에스겔《유대의 예언자》; 에스겔서.
Ez·ra[ézrə] *n.* 〖聖〗 에스라《유대의 예언자》; 〖舊約〗 에스라서(書).

F

F, f[ef] *n.* (*pl.* ***F's, f's***[-z]) C F자 모양(의 것); U 〖樂〗 바음, 바조(調). ***F number*** 〖寫〗 F수(數).
F Fahrenheit; farad; fighter; 〖化〗 fluorine. ***F.** February; Fellow; franc; France; French; Friday. ***f*** *forte.* **f.** farad; farthing; fathom; feet; female; feminine; folio; following; foot; franc(s); 〖數〗 function.
fa[fɑː] *n.* U,C 〖樂〗 파《장음계의 넷째 음》.
FA, F.A. field artillery; Football Association. **FAA** Federal Aviation Agency; free of all average. **F.A.A.A.S.** Fellow of the Amer. Assoc. for the Advancement of Science.
fab[fæb] *a.* 《口》 아주 훌륭한《fabulous의 단축형》.
Fa·bi·an[féibiən] *a.* (Hannibal을 괴롭힌 옛로마의 장군) Fabius식(전법)의; 지구전적인; (영국) 페이비언 협회의. **～·ism**[-ìzəm] *n.* U 페이비언주의.
Fábian Socíety, the 페이비언 협회《영국의 점진적 사회주의 단체; Webb, Shaw 등이 창설(1884)》.
:fa·ble[féibəl] *n., vt., vi.* ① C 우화(寓話)(를 이야기하다); 꾸민 이야기(를 하다), 거짓말(하다). ② U,C 《집합적》 전설, 신화. **～d**[-d] *a.* 우화로 유명한; 전설적인; 가공(架空)의.
fab·li·au[fæbliòu] *n.* (*pl.* **～*x***[-z]) C (중세 프랑스의) 우화시(寓話詩).
:fab·ric[fæbrik] *n.* ① C,U 직물, 천바탕. ② (*sing.*) 조직, 구조; 《집합적》 (교회 따위의) 건물 외부《지붕·벽 따위》.
fab·ri·cate [fæbrikèit] *vt.* 제작하다; 조립하다; (거짓말, 옛 이야기 등을) 꾸미다; 날조하다; (문서를) 위조하다. **-ca·tor** *n.* **-ca·tion**[fæbrikéiʃən] *n.*
fab·u·list[fæbjəlist] *n.* C 우화 작가; 거짓말쟁이.
***fab·u·lous** [fæbjələs] *a.* ① 우화〔전설〕적인. ② 믿기 어려운. ③ 매우 훌륭한. **～·ly** *ad.* **～·ness** *n.*
FAC Federal Atomic Commission. **fac.** facsimile; factor; factory.
fa·çade[fəsɑ́ːd] *n.* (F.) C (건물의) 정면; (사물의) 외관.
†face[feis] *n.* ① C 낯, 얼굴 (표정). ② U 면목, 체면(dignity). ③ U 《口》 넉살좋음, 뻔뻔스러움. ④ C 외관; 겉치레; 표면, 정면; (기구 등의) 사용면, (활자의) 자면(字面). ⑤ C 찡그린 얼굴. ⑥ C 액면. ***～ to ～ (with)*** …와 마주 보고. ***fly in the ～ of*** …에 정면으로 반대〔도전〕하다. ***have the ～ to*** (do) 뻔뻔스럽게도 …하다. ***have two ～s*** 표리가 부동하다. ***in the ～ of*** …의 면전에서; …에도 불구하고. ***look*** (*a person*) ***in the ～*** (아무의) 얼굴을 (거리낌없이 빤히) 보다, 바로 보다. ***lose ～*** 면목〔체면〕을 잃다. ***make*** 〔***pull***〕 ***～s*** 〔***a ～***〕 얼굴을 찡그려 보이다. ***on the ～ of it*** 언뜻보아. ***pull*** 〔***wear***〕 ***a long ～*** 음울한〔지르퉁한〕 얼굴을 하다. ***put*** 〔***set***〕 ***one's ～ against*** …에 반대하다. SAVE[1] ***one's ～.*** ***to a person's ～*** 아무와 얼굴을 맞대고. ── *vt.* ① (…에) 면하다; 대항하다; 마주 대하다. ② 가장자리를 대다; (돌의) 면을 곱게 다듬다; (카드의) 겉쪽을 까놓다. ── *vi.* 면하다; 〖軍〗 방향 전환하다. ***About ～!*** 뒤로 돌아! ***～ away*** 외면하다. ***～ up*** 맞서다, 대항하다(*to*).
fáce-àche *n.* U 안면 신경통; C 슬픈 표정을 하고 있는 사람.
fáce càrd 《美》 (카드의) 그림 패.
fáce crèam 화장용 크림.
fáce guàrd (펜싱의) 얼굴 가리개.
face·less[∠lis] *a.* 얼굴〔문자반 등〕이 없는; 익명〔무명〕의; 개성이 없는.
fáce lìfting 주름살 없애는 성형 수술; 신식화(化); 개장(改裝).
fáce màsk (야구의 캐처·아이스하키의 골키퍼 따위가 쓰는) 마스크.
fáce-òff *n.* C 〖아이스하키〗 경기 개시; 대결.
fáce-pàck *n.* C 화장용 팩.
fáce pòwder (화장)분.
fáce-sàver *n.* C 체면〔면목〕을 세우는 것. 「는 (행위).
fáce-sàving *a., n.* U 면목을 세우
fac·et[fæsit] *n.* C (보석의) 작은 면; (사물의) 면. ── *vt.* (《英》 *-tt-*) (보석에) 작은 면을 내다〔깎다〕.
fa·ce·tious[fəsíːʃəs] *a.* 익살맞은, 우스운(waggish); 농담의. **～·ly** *ad.* **～·ness** *n.*
fáce-to-fáce *a.* (얼굴을) 서로 마주보는; 직접의; 맞부딪치는.
fáce tòwel 소형 타월.
fáce válue 액면 가격.
***fa·cial**[féiʃəl] *a., n.* 얼굴의; 얼굴에 사용하는; U,C 안면 마사지; 미안술.

fácial àngle 안면각.
fácial índex 안면 계수.
fácial nèrve 〖解〗 안면 신경.
fácial neurálgia 안면 신경통.
fácial tíssue 고급 화장지.
fac·ile[fǽsil/-sail] *a.* 용이한, 쉬운; 경쾌하게 움직이는; 고분고분한, 붙임성 있는.
***fa·cil·i·tate**[fəsílətèit] *vt.* 쉽게 하다; 촉진하다. **-ta·tor** *n.* **-ta·tion** [-ˌ-ˊ-téiʃən] *n.* Ⓤ 촉진, 조장; 〖生〗 소통.
:fa·cil·i·ty[fəsíləti] *n.* Ⓤ,Ⓒ 용이함; 숙련; 재능; 온순; (*pl.*) 편의, 설비; 〖컴〗 설비.
***fac·ing**[féisiŋ] *n.* ① Ⓤ (건물의) 겉단장, 마무리 치장. ② Ⓤ (의복의) 가선두르기. ③ (*pl.*) 〖軍〗 방향 전환.
fac·sim·i·le[fæksíməli] *n., vt., vi.* Ⓒ 복사(하다); Ⓤ,Ⓒ 사진 전송〔팩시밀리〕(로 보내다)(fax). ***in* ~** 복사로, 원본대로. — *a.* 복사의. 「기.
facsímile tèlegraph 복사 전송
†fact[fækt] *n.* Ⓒ 사실; Ⓤ 진상. ***after*** 〔***before***〕 ***the* ~** 사후〔사전〕에. ***as a matter of* ~,** or ***in*** (***point of***) **~** 사실상. ***from the* ~ *that* ...** …라는 점에서.
fáct fìnder 진상 조사원.
fáct-fìnding *n., a.* Ⓤ 진상〔현지〕 조사(의).
***fac·tion**[fǽkʃən] *n.* Ⓒ 당내의 파, 파당; Ⓤ 당파심; 내분. **~·al, fác·tious** *a.* 당파적인, 당파심이 강한.
fac·ti·tious[fæktíʃəs] *a.* 인위적인, 부자연한. **~·ly** *ad.* **~·ness** *n.*
fac·ti·tive [fǽktətiv] *a.* 〖文〗 작위적인. **~ *verb*** 작위 동사《They *call* him chief./ He *made* his son a lawyer.》.
:fac·tor[fǽktər] *n.* Ⓒ ① 요소, 요인. ② 〖數〗 인수. ③ 〖生〗 (유전) 인자. ④ 대리인; 중매인. **~ *cost*** 생산비. ***prime* ~** 소인수(素因數). ***principal* ~** 주인(主因). — *vt.* (…을) 인수로 분해하다. **~·age** [-ridʒ] *n.* Ⓤ 대리업; 중개 수수료.
fac·to·ri·al[fæktɔ́ːriəl] *a., n.* 대리점의; 〖數〗 인수〔계승(階乘)〕의; (수금) 대리업의; Ⓒ 계승.
fáctor VIII 〖生化〗 항(抗)혈우병 인자《혈액 응고 인자로, 혈우병 환자의 혈액에는 없음》.
fac·tor·i·za·tion[fæ̀ktərizéiʃən] *n.* Ⓤ 〖數〗 인수분해.
:fac·to·ry [fǽktəri] *n.* Ⓒ ① 공장, 제작소. ② 대리점, 재외 지점. ③ =FACTORY SHIP.
fáctory fàrm 공장식 농장《공장처럼 기계 기술을 도입한 가축 사육장》.
fáctory automàtion 〖컴〗 공장 자동화《생략 FA》.
fáctory shìp 공작선, 공모선(工母船)《수산물을 가공 처리하는》.
fáctory sýstem (산업 혁명 이후의) 공장 제도. 「부.
fac·to·tum[fæktóutəm] *n.* Ⓒ 잡역
:fac·tu·al [fǽktʃuəl] *a.* 사실상의, 실제의(autual). **~·ly** *ad.*
:fac·ul·ty[fǽkəlti] *n.* Ⓒ ① (기관·정신의) 능력, 재능. ② (신체적·정신적) 기능. ③ 《美》《집합적》 교수단〔회〕; (대학) 학부.
:fad[fæd] *n.* Ⓒ 일시적인 열(craze)〔유행〕; 변덕. **ˊ·dish, ˊ·dy** *a.* 일시적으로 유행〔열중〕하는. **ˊ·dism** *n.* Ⓤ 일시적인 열중. **ˊ·dist** *n.*
:fade[feid] *vi.* 시들다; (색이) 바래다; 지다. — *vt.* 색을 바래게 하다. **~ *in*** 〔***out***〕 〖映·TV〗 용명(溶明)〔용암(溶暗)〕하다. **fad·ed**[ˊid] *a.* 시든; 색이 바랜. **fad·er**[ˊər] *n.* Ⓒ 〖放送·錄音〗 음량 조절기. **ˊ·less** *a.* 시들지〔바래지〕 않는.
fáde-ìn〔**-òut**〕 *n.* Ⓤ 〖映·TV〗 용명(溶明)〔용암(溶暗)〕.
fad·ing[féidiŋ] *n.* Ⓤ 〖無電〗 페이딩《전파 강도가 시간적으로 변하는 현상》.
fae·ces[fíːsiːz] *n. pl.* =FECES.
fa·er·ie, fa·er·y[féiəri, fέəri] *n., a.* Ⓒ 요정의 나라; 《집합적》 선녀들(의), 매혹.
fag[fæg] *vi.* 《英口》 (***-gg-***) 열심히 일하다(*at*); (public school에서) 상급생의 잔심부름을 하다. — *vt.* (일이) 지치게 하다(*out*); 《英口》 (하급생을) 부리다. — *n.* Ⓒ 노역자; Ⓤ 노역; Ⓒ 《英口》 상급생의 시중드는 하급생.
fág énd (피륙의) 토끝; (밧줄 따위의) 풀어진 끝; (물건의) 말단; 남는 것.
fag·got ⇨FAGOT.
fággot vòte 〖英史〗 긁어 모으기 투표《재산의 일시적 양여로 투표권을 얻게 하여 표를 모음》.
fag·ot, (英) fag·got[fǽgət] *n.* Ⓒ 나뭇단. — *vt., vi.* 다발짓다.
Fah., Fahr. Fahrenheit.
***Fahr·en·heit** [fǽrənhàit, fɑ́ːr-] *n., a* Ⓤ 화씨(의); Ⓒ 화씨 온도계(의)《생략 F》.
fai·ence[faiɑ́ːns, fei-] *n.* (F.) Ⓤ 파양스 도자기《광택이 나는 고급 채색의》.
†fail[feil] *vi.* ① 실패하다(*in, of*); 낙제하다. ② 부족하다, 동나다. ③ (건강·기력 따위가) 쇠약해지다, 다하다. ④ 그르치다, …하지 않다(*to* do); 파산하다. — *vt.* ① (…을) 실망시키다, 저버리다(~ *a friend in need* 곤궁한 친구를 저버리다). ② (…의) 소용에 닿지 않다(*My tongue* ~*ed me.* 말을 못 했다). ③ (약속 따위를) 태만히 하다(~ *to come* 오지 않다). ④ 낙제시키다. ***not* ~ *to*** (do) 반드시 …하다. — *n.* =FAILURE《다음 구에만 쓰임》. ***without* ~** 반드시, 틀림없이, 꼭. ***ˊ·ing** *n., prep* Ⓤ,Ⓒ 실패; 결점; …이 없는 경우에는; …이 없어서.
fáil sáfe (만일의 고장·잘못된 조작에 의한 사고 방지를 위한) 자동 안전〔제어〕 장치《원자로·핵탄재기 등의》.
fáil-sàfe *a.* 자동 안전〔제어〕 장치의 (*a* ~ *system*).
:fail·ure[féiljər] *n.* ① Ⓤ 실패; Ⓒ

실패자; Ⓤ 낙제; Ⓒ 낙제자; 낙제점. ② Ⓤ,Ⓒ 태만, 불이행. ③ Ⓤ,Ⓒ 부족; 쇠약; 파산.

fain[1] [fein] *pred. a.* 기꺼이 (하는) (willing); 부득이 (하는); …하고 싶은, …이고 싶은. — *ad.* 《古》《***would*** ~ 의 형식으로》 기꺼이.

fain[2], **fains** [-z] *vt.* 《英俗》 ***F- I ...*** (유희에서) …(의 역 같은 건) 나는 안 할래; 나는 싫어!

:**faint** [feint] *a.* ① 희미한; 연약한. ② 마음이 약한. ③ 현기증 나는, 어질어질한. — *n., vi.* Ⓒ 기절(하다) (swoon) (*away*). :**∠·ly** *ad.* **∠·ness** *n.*

fáint-héarted *a.* 마음이 약한.

faint·ing [féintiŋ] *n.* Ⓒ 실신, 기절, 졸도.

†**fair**[1] [fεər] *a.* ① 아름다운; 흰; 금발의. ② 깨끗한; 맑은, 갠. ③ 순조로운; 정중한; 《古》 장애 없는. ④ 정당한; 공평한. ⑤ 평평한; 꽤 좋은. ⑥ 치레말의. ⑦ 여성의(*a ~ read-er*). ***be in a ~ way to*** (do) …할 가망이 있다. ***by ~ means or foul*** 수단이 옳고 그름을 가리지 않고(cf. by HOOK or by crook). ***~ and softly*** 그렇게 (결론을) 서두르지 말고. ***~ words*** 치레말, 입에 발린 말. — *ad.* ① 공정히; 정통으로. ② 순조롭게; 깨끗이. ③ 정중히. BID ***~ to. ~ and square*** 《口》 공정히. — *n.* Ⓒ 《古》 여성; 애인. **∠·ish** *a.* 상당한, 어지간한. :**∠·ly** *ad.* 바르게, 공평하게; 바로; 상당히; 꽤; 똑똑히; 충분히; 완전히, 아주. ***∠·ness** *n.* Ⓤ 공평함.

:**fair**[2] *n.* Ⓒ ① 정기시〔장〕; 자선시(慈善市). ② 박람회, 공진회. ③ 설명회. ***a day after the ~*** 사후 약방문, 행차후 나팔.

fáir báll 『野』 페어볼(cf. foul ball).

Fáir Déal ⇨DEAL[1].

fáir emplóyment (종교·인종·성별 등의 차별 없는) 평등 고용.

fáir-fáced *a.* 살갗이 흰, 미모의; 《英》 (벽돌벽이) 회를 안 바른.

fáir·gròund *n.* Ⓒ (종종 *pl.*) 박람회 등이 열리는 장소.

fáir-háired *a.* 금발의.

fáir-mínded *a.* 공정한. **~ness** *n.*

***fáir pláy** 정정당당한 (경기) 태도.

fáir séx, the 《집합적》 여성.

fáir-spóken *a.* 정중한; 구변 좋은.

fáir-to-míddling *a.* 보통보다 좀 나은.

fáir tráde 공정 거래〔무역〕.

fáir-tráde *vt., vi.* 공정 거래〔호혜 무역, 공정 무역〕협정에 따라 거래하다.

fáir-tráde agrèement 《美》 공정 거래〔공정 무역, 호혜 무역〕 협정, 최혜국 약관(最惠國約款).

fáir·wày *n.* Ⓒ 항로; 『골프』 tee와 putting green 사이의 잔디밭.

fáir-wèather *a.* 순조로운〔날씨가 좋은〕 때만의. ***~ friendship*** 믿지 못할 우정.

:**fair·y** [fέəri] *n., a.* Ⓒ ① 요정(의, 같은); 아름다운. ② 《口》 동성애의 남자, '호모'.

fáiry làmp 〔**lìght**〕 (옥외 장식용의) 꼬마 램프.

:**fáiry·lànd** *n.* Ⓒ 요정〔동화〕의 나라.

fáiry rìng 요정의 동그라미〔춤터〕《균 때문에 잔디가 둥그렇게 검푸르게 된 부분》.

fáiry tàle 〔**stòry**〕 동화; 지어낸 이야기, 거짓말.

fait ac·com·pli [féit əkɔ́mpli:] (F.) 기정 사실.

:**faith** [feiθ] *n.* ① Ⓤ 신뢰; 신념. ② Ⓤ 신앙; Ⓒ 교리. ③ Ⓤ 신의; 서약. ***bad ~*** 배신, 불신. ***by my ~*** 맹세코. ***give*** 〔***pledge, plight***〕 ***one's ~*** 맹세하다. ***good ~*** 성실. ***in ~*** 실로, 참으로. ***on the ~ of*** …을 믿고; …의 보증으로.

fáith cùre 〔**hèaling**〕 신앙 요법.

:**faith·ful** [∠fəl] *a.* 성실한; 신뢰할 수 있는; 정확한. — *n.* (the ~) 신자들. :**~·ly** *ad.* ***Yours ~ly*** 여불비례(餘不備禮). **~·ness** *n.*

***fáith·less** *a.* 불성실한, 믿을 수 없는; 신심 없는. **~·ly** *ad.*

***fake** [feik] *vt., vi.* 날조하다(*up*); …인 체하다. — *n., a.* Ⓒ 위조의 (물건); 가짜(의); 사기꾼. **fák·er** *n.* Ⓒ 협잡꾼, 사기꾼(fraud); 노점 상인.

fa·kir [fəkíər, féikər], **-keer** [fəkíər] *n.* Ⓒ (이슬람교·브라만교의) 행자(行者).

fal·cate [fǽlkeit] *a.* 낫〔갈고리〕 모양의.

fal·chion [fɔ́:ltʃən, fɔ́:lʃən] *n.* Ⓒ 언월도(偃月刀); 《詩》 칼.

***fal·con** [fǽlkən, fɔ́:l-, fɔ́:k-] *n.* Ⓒ 송골매; (매사냥에 쓰는) 매. **~·er** *n.* Ⓒ 매부리. **~·ry** *n.* Ⓤ 매사냥.

fal·de·ral [fǽldəræ̀l], **-rol** [-rɑ̀l/-ɔ̀-] *n.* Ⓒ 하찮은 것; Ⓤ 허튼 수작.

†**fall** [fɔ:l] *vi.* (***fell; fallen***) ① 떨어지다; 강하하다; (온도·값 따위가) 내리다. ② (머리털이) 늘어지다; (털이) 빠지다. ③ (눈이) 아래로 향하다. ④ 넘어지다; 함락하다; 쇠하다; 기울다. ⑤ (조수(潮水)가) 빠다; (기분이) 침울해지다; 타락하다. ⑥ …이 되다; 우연히 오다. ⑦ (악센트가 …에) 오다, 있다(*on*); (제비에서) 뽑히다. ⑧ 분류되다. ***~ across*** 우연히 마주치다. ***~ away*** 버리다; 쇠하다. ***~ back*** 물러나다; 위약하다; 퇴각하다. ***~ behind*** 늦어지다. ***~ down*** 넘어지다; 엎드리다; 《口》 실패하다. ***~ in*** 내려〔주저〕앉다; 정렬하다, 마주치다. ***~ into*** (위치에) 서다; …에 빠지다; 시작하다. ***~ in with*** 우연히 마주치다; 의견이 일치하다; 조화되다. ***~ off*** (따로) 떨어지다; 줄다, 쇠하다. ***~ on*** 〔***upon***〕 넘어지다; 마주치다; 공격하다; 몸에 닥치다. ***~ out*** 사이가 틀어지다; 일어나다, 생기다; 『軍』 열을 벗어나다, 낙오되다. ***~ over*** (담 따위가) 무너지다. ***~ through*** 실패하다. ***~ to*** (먹기) 시작하다; 싸움을 시작하다. ***~ under*** (부류 따위에) 들다.
— *n.* ① Ⓒ 낙하; 강우〔강설〕량. ② (the ~) 도피; 쇠미, 함락. ③ Ⓒ 강하 (거리); 하락; 내리막. ④ (보

F

통 *pl.*) 폭포. ⑤ Ⓒ 〖레슬링〗 '폴'; 한 경기, 한판 승부. ⑥ U,C 《美》 가을. **the F-** 인간의 타락《아담과 이브의 원죄》.

fal·la·cious[fəléiʃəs] *a.* 그릇된; 허위의, 속이는. **~·ly** *ad.* **~·ness** *n.* 「린 생각; 사기성.

fal·la·cy[fǽləsi] *n.* U,C 오류; 틀

fal·lal[fællǽl/ㅡ́ㅡ] *n.* Ⓒ 싸고 야한 장신구, 겉만 번드르한 것.

†**fall·en**[fɔ́:lən] *v.* fall의 과거 분사. ── *a.* ① 떨어진, 쓰러진. ② 쓰러진, 죽은(*the* ~ 전사자들). ③ 파멸한, 타락한. ~ **angel** (천국에서 쫓겨난) 타락한 천사.

fáll gùy 《美俗》 남의 죄를 뒤집어쓰는 사람; 어수룩한 사람.

fal·li·ble[fǽləbəl] *a.* 속아 넘어가기 쉬운; 틀리기 쉬운; 오류가 있는. **-bil·ity**[ㅡ̀ㅡbíləti] *n.*

fall·ing[fɔ́:liŋ] *n., a.* (the ~) 낙하(하는), 함락(하는); 타락(하는). ~ **off** 쇠미; 감소. **the ~ tide** 썰물.

fálling-óut *n.* Ⓒ 불화, 다툼.

fálling sìckness 《古》 간질(epilepsy).

fálling stár 별똥별, 유성.

Fal·ló·pi·an tùbe [fəlóupiən-] =OVIDUCT.

fáll·òut *n.* Ⓤ 방사성 낙진, 원자재(~ **shelter** 방사성 낙진 대피소).

***fal·low**[1][fǽlou] *a., n., vt.* Ⓤ 묵히고 있는 (밭 따위); 유휴(遊休)(지); 유휴하다, 놀리다. **lie ~** (밭 따위) 묵히고 있다.

fal·low[2] *a.* 담황색의.

fállow déer (유럽산의) 노랑사슴.

:**false**[fɔ:ls] *a.* ① 틀린; 거짓의; 가짜의; 부정의. ② 가(假)의. ③ 〖樂〗 가락이 맞지 않는. ~ **charge** 무고. ~ **colors** 외국기; 가장. ── *ad.* 잘못하여; 거짓으로; 불실(不實)하게. **play** (*a person*) ~ 《古·廢》 배신하다, 속이다. ***~·hood**[ㅡ́hùd] *n.* Ⓤ 잘못; 허위. **ㅡ́·ly** *ad.* **ㅡ́·ness** *n.*

fálse acácia 아카시아.

fálse arrést 〖法〗 불법 체포.

fálse bóttom (상자·트렁크 따위의) 이중 바닥《특히 숨기게 된 것》.

fálse éye 의안(義眼), 해박은 눈.

fálse fáce 가면.

fálse-héarted *a.* 불(성)실한, 사기적인. 「감금.

fálse imprísonment 〖法〗 불법

fálse kéy (도둑용의) 결쇠(pick lock).

fálse posítion 궁지.

fálse preténses 〖法〗 사기(죄).

fálse stép 곱드러짐; 실책.

fálse tóoth 의치(義齒), 틀니.

fal·set·to[fɔ:lsétou] *n.* (*pl.* **~s**), *a., ad.* U,C 〖樂〗 가성(假聲)(의, 으로). 「설물.

fálse·wòrk *n.* Ⓒ 〖土木〗 비계; 가

fals·ie[fɔ́:lsi] *n.* Ⓒ (보통 *pl.*) 《口》 여성용 가슴받이《유방을 풍만하게 보이기 위한》.

fal·si·fy[fɔ́:lsəfài] *vt.* 속이다; (서류를) 위조하다; (…이) 거짓임〔틀림〕을 증명하다; (기대 따위를) 저버리다. **-fi·ca·tion**[ㅡ̀fəkéiʃən] *n.* U,C 허위; 위조; 곡해; 반증.

fal·si·ty[fɔ́:lsəti] *n.* U,C 허위; 거짓말; 틀림.

Fal·staff[fɔ́:lstæf, -ɑ:f] *n.* Shakespeare 사극에 나오는 명랑하고 겁많은 허풍쟁이 뚱뚱보 기사. **~·i·an** [ㅡ́iən] *a.* 「트.

falt·boat[fɑ́:ltbòut] *n.* Ⓒ 접이 보

***fal·ter**[fɔ́:ltər] *vi.* ① 비틀거리다. ② 말을 더듬다. ③ 머뭇거리다. ── *vt.* 우물우물〔더듬더듬〕 말하다. ── *n.* Ⓒ 비틀거림; 머뭇거림; 더듬음〔는 말〕. **~·ing·ly** *ad.* 비틀거리며, 머뭇거리며, 말을 더듬으며. 「sons.

F.A.M. Free and Accepted Ma-

:**fame**[feim] *n.* Ⓤ 명성, 평판. **earn ~** 명성을 얻다. ── *vt.* 유명하게 만들다. ***~d**[-d] *a.* 유명한(*for*).

:**fa·mil·iar**[fəmíljər] *a.* ① 잘 알려져 있는, 흔한. ② 잘 알고 있는, 친한(*with*); 무람없는; 스스럼없는, 탁터 놓은. ③ 뻔뻔스러운. ④ (짐승이) 길들여진. **~·ly** *ad.* ***-i·ar·i·ty** [fəmìljǽrəti, -liǽr-/-liǽr-] *n.*

fa·mil·iar·ize[fəmíljəràiz] *vt.* 친〔익숙〕해지게 하다(*with*); 통속화하다. **-i·za·tion**[-ㅡ̀rizéiʃən] *n.*

:**fam·i·ly**[fǽməli] *n.* ① Ⓒ 《집합적》 가족, 식구. ② Ⓤ (한 집안의) 아이들. ③ Ⓒ 일족(clan). ④ Ⓒ 〖生〗 과(科)《order의 아래, genus의 위》. **in the ~ way** 임신하여.

fámily allówance 가족 수당; 《英》 (정부에서 지급하는) 아동 수당 (child benefit). 「석.

fámily círcle 일가 사람들; 가족

fámily cóurt 가정 법원.

fámily dóctor 가정의.

fámily mán 가정을 가진 남자; 가정적인 남자.

:**fámily náme** 성(姓).

fámily plánning 가족 계획.

fámily relátions cóurt =FAMILY COURT.

fámily skéleton 집안 내의 비밀.

fámily stỳle (각자가 떠먹게) 큰 그릇에 담음〔담은〕.

fámily thérapy 가족 요법《환자 치료에 가족도 참가하는 집단 심리 요법》.

fámily trée 가계도(家系圖); 족보.

:**fam·ine**[fǽmin] *n.* U,C 기근; 대부족. **house ~** 주택난. 「하)다.

***fam·ish**[fǽmiʃ] *vi., vt.* 굶주리(게

†**fa·mous** [féiməs] *a.* 유명한(*for*); 《口》 근사한(first-rate).

:**fan**[1][fæn] *n.* Ⓒ ① 부채, 선풍기; 부채 모양의 것. ② 키. ── *vt., vi.* (**-nn-**) ① 부채질하다; 키질하다; (부채 따위로) 쫓다. ② 부추기다. ③ 〖野〗 삼진하다〔시키다〕. ④ 부채꼴로 펼치(어지)다.

:**fan**[2] *n.* Ⓒ 《口》 팬, 열광자(*fan*atic devotee)(*a baseball* ~ 야구 팬).

***fa·nat·ic**[fənǽtik] *a., n.* 열광적인; Ⓒ 열광〔광신〕자. **-i·cal** *a.* =FANAT-

IC. **-i·cism**[-təsìzəm] *n.*
:fan·cied[fǽnsid] *a.* 공상[가공]의.
fan·ci·er[fǽnsiər] *n.* Ⓒ (꽃·개 등의) 애호가; 재배자, 사육자(*a tulip* ~ 튤립 재배가).
***fan·ci·ful** [fǽnsifəl] *a.* 변덕스런; 기발한; 공상의. **~·ly** *ad.* 공상적으로, 기발하게. **~·ness** *n.*
:fan·cy[fǽnsi] *n.* ① Ⓤ,Ⓒ 공상(력); 공상(의 산물). ② Ⓤ 취미, 도락. ③ (the ~)《집합적》(동식물 등의) 애호[사육·재배]가들. ***catch the ~ of*** …의 마음에 들다. ***have a ~ for*** …을 좋아하다, …을 갖고 싶다. ***take a ~ for*** [***to***] …을 좋아하다. ***to one's ~*** 마음에 드는, 뜻에 맞는. — *a.* ① 공상의. ② 장식적인. ③ 극상품의. ④ 곡예의(~ *flying* 곡예 비행). ⑤ 변종의. ⑥ 터무니 없는. ***at a ~ price*** 터무니 없는 값으로. — *vt.* 공상하다; (어쩐지) …라고 생각하다; 좋아하다.
fáncy báll 가장 무도회.
fáncy dán《美俗》허세 부리는 사람.
fáncy dréss 가장복.
fáncy fáir《英》(방물) 자선시.
fáncy-frée *a.* 연애를 모르는.
fáncy góods 방물; 장신구; 특선품.
fáncy màn (매춘부의) 정부.
fáncy wòman [**gìrl, làdy**] 정부(情婦); 매춘부.
fáncy·wòrk *n.* Ⓤ 수예품(手藝品).
fán dànce 큰 부채를 사용하는 선정적인 누드 댄스.
fan·dan·go [fændǽŋgou] *n.* (*pl.* **~s**) Ⓒ (스페인의) 3박자의 활발한 춤; 그 무곡.
F and F furniture and fixtures.
fan·fare[fǽnfɛ̀ər] *n.* Ⓒ 팡파르; Ⓤ 과시.
fan·fa·ron·ade[fæ̀nfərənéid/-fæ-rənɑ́:d] *n.* Ⓤ,Ⓒ 호언장담, 허세.
fang[fæŋ] *n.* Ⓒ 엄니; (뱀의) 독아(毒牙); (끌이나 찬칼 따위의) 슴베.
fán jèt 팬제트기; 제트엔진의 일종.
fán lètter [**màil**] 팬레터.
fán·lìght *n.* Ⓒ (문이나 창 위 따위의) 부채꼴 창(窓).
fán màrker 부채꼴 위치 표지《공항 부근에 배치되어 전파로 비행기를 유도함》.
fan·ner [fǽnər] *n.* Ⓒ 부채질하는 사람; 선[송]풍기.
fan·ny[fǽni] *n.* Ⓒ《英口·婉曲》궁둥이; 여성의 성기.
fan·tab·u·lous [fæntǽbjələs] *a.* 《俗》믿을 수 없을 만큼 굉장한.
fán·tàil *n.* Ⓒ 부채꼴의 꼬리; 공작비둘기; 농어과의 담수어;《美》〖海〗고물의 돌출부.
fan·ta·sia[fæntéiʒiə, -téiziə] *n.* Ⓒ 〖樂〗환상곡; (명곡 멜로디를 이어 만든) 혼성곡(potpourri).
:fan·tas·tic[fæntǽstik], **-ti·cal** [-əl] *a.* ① 공상적인; 변덕스러운. ② 기묘한. ③ 상상상의. **~·ly** *ad.*
***fan·ta·sy** [fǽntəsi, -zi] *n.* ① Ⓤ,Ⓒ 공상; 기상(奇想); 변덕; 백일몽. ② =FANTASIA.
F.A.N.Y. First Aid Nursing Yeomanry 응급 간호 봉사반. **FAO, F.A.O.** Food and Agriculture Organization 유엔 식량 농업 기구.
†far[fɑ:r] *a.* (***farther, further; farthest, furthest***) 먼; 저쪽의. ***a ~ cry*** 원거리(*from*). ***F- East***(***ern***) 극동(의). — *ad.* (시간·공간적으로) 멀리; 크게. ***as*** [***so***] ***~ as*** …까지, 하는 한. ***~ and away*** 훨씬. ***~ and near*** [***wide***] 도처에. ***~ be it from me to*** (do) 단연코 …않다. ***~ from*** …커녕. ***go ~*** 크게 효력이 있다. ***how ~*** 어디까지. ***in so ~ as*** …하는 한. ***so ~*** 이제까지. SO ***~ as. So ~ so good.*** 지금까지는 잘 돼 가고 있다. — *n.* Ⓤ 먼 곳; 높은 정도. ***by ~*** 훨씬, 단연코. ***from ~ and near*** 원근에서, 도처에서.
far·ad[fǽrəd] *n.* Ⓒ 패럿《전기 용량의 단위》(<⇩).
Far·a·day[fǽrədèi, -di], **Michael** (1791-1867) 영국의 물리학자.
far·a·day[fǽrədèi, -di] *n.* Ⓒ 〖電〗패러데이《전기 분해에 쓰이는 전기량의 단위》.
far·a·dize[fǽrədàiz] *vt.* (…에) 감응 전류로 자극·치료하다.
***far·a·way**[fɑ́:rəwèi] *a.* (시간·거리·연고 등이) 먼; (눈이) 꿈꾸는 듯한.
***farce**[fɑ:rs] *n.* Ⓤ,Ⓒ 소극(笑劇), 익살극. — *vt.* (문장·담화에) 익살미(味)를 가하다. **far·ci·cal**[⌐ikəl] *a.* 우스운, 익살맞은.
:fare[fɛər] *n.* ① Ⓒ (탈것의) 요금; 승객. ② Ⓤ 음식물. — *vi.* 지내다; 일어나다(happen); 먹다, 대접받다; 《詩》가다, 여행하다.
Fár Éast, the ⇨FAR (*a.*).
:fare·well[fɛ̀ərwél] *int., a., n.* Ⓤ,Ⓒ 안녕!; 작별의 (인사); 고별.
fare-you-well [fɛ́ərju:wél] *n.* Ⓒ 《다음의 구로》《美口》***to a ~*** 끝까지; 최후를 장식하여, 완벽하게.
fár-fámed *a.* 이름이 널리 알려진.
fár-fétched *a.* 견강부회의, 억지로 갖다대는.
fár-flúng *a.* 광범위에 걸친, 널리 퍼진.
fár-góne *a.* 먼; (병 따위가) 훨씬 악화된; 피로에 지친.
fa·ri·na[fəri:nə] *n.* Ⓤ 곡분(穀粉), 전분. **far·i·na·ceous** [fæ̀rənéiʃəs] *a.* 전분(질)의.
far·kle·ber·ry [fɑ́:rkəlbèri] *n.* Ⓒ 월귤나무의 일종.
†farm[fɑ́:rm] *n.* Ⓒ ① 농장, 농가; 사육장(*an oyster ~* 굴 양식장). ② 〖野〗(대(大)리그 소속의) 선수 양성팀. — *vt.* ① (토지를) 대차(貸借)하다; (땅을) 경작하다. ② (세금 징수 따위를) 도급맡다; (일정한 요금을 받고 어린아이 등을) 맡다. — *vi.* 경작하다; 농장을 경영하다. ***~ out*** 도급맡기다; (어린애를) 맡기다; 〖野〗양성팀에 맡기다. **†⌐·er** *n.* Ⓒ (농지를 가진) 농부[농가](cf. peasant); 유아를 맡는 사람; (세금 등의) 징수도급인. **⌐·ing** *n.* Ⓤ 농업, 농사; 탁아

F

소 경영; (세금의) 징수 도급.
fárm hànd 농장 노동자.
***farm·house**[ˊhàus] *n.* Ⓒ 농가.
***fárm·lànd** *n.* Ⓤ 농지.
fárm·stèad *n.* Ⓒ (건물을 포함한) 농장.
fárm·yàrd *n.* Ⓒ 농가의 안뜰.
far·o[fέərou] *n.* Ⓤ 은행놀이《카드놀이의 일종》.
***fár-óff** *a.* 아득히 먼.
fár-óut *a.* 훨씬 앞선; 《美俗》 참신한.
far·ra·go [fəréigou, -áː-] *n.* (*pl.* ~*es*) Ⓒ 뒤범벅.
***fár-réaching** *a.* 멀리까지 미치는, 광범위한; 원대한.
far·ri·er [fǽriər] *n.* Ⓒ 《주로 英》 편자공; 말 의사, 수의(獸醫). **~·y** *n.* Ⓤ 제철술(蹄鐵術); Ⓒ 제철 공장.
far·row[fǽrou] *n.* Ⓒ 한 배의 돼지 새끼. — *vi.* (돼지가) 새끼를 낳다. — *vt.* (새끼 돼지를) 낳다.
fár-séeing *a.* 먼눈이 밝은; 선견지명이 있는.
fár-síghted *a.* 원시(遠視)의; = ⇧. **~ness** *n.*
:**far·ther** [fáːrðər] 《far의 비교급》 *a., ad.* ① 더 먼〔멀리〕. ② 그 위에〔의〕, 더욱더, 좀 더《이런 의미로는 보통 further》. ***I'll see you ~*** (=FURTHER) ***first. wish*** (*a person, thing*) *~* 그 곳에 없으면 좋겠다고 생각하다. **~·most**[-mòust] *ad.* 가장 먼(farthest).
:**far·thest**[fáːrðist] 《far의 최상급》 *a., ad.* 가장 먼〔멀리〕. ***at*** (***the***) *~* 멀어도; 늦어도, 고작(at most).
:**far·thing**[fáːrðiŋ] *n.* Ⓒ 영국의 동전《1/4 penny》.
far·thin·gale[fáːrðiŋgèil] *n.* Ⓒ (16-17세기 고래 뼈 등으로 만든) 둥근 속버팀 스커트.
Fár Wést, the 극서부 지방《미국 로키 산맥 지방에서 태평양안 일대》.
F.A.S., f.a.s. free alongside ship (화물의) 선측 인도.
fas·ces[fǽsiːz] *n. pl.* (*sing.* ***-cis*** [-sis]) 〖古로〗 속간표(束桿標)《집정관 권위의 표지》.
fas·ci·a, fa·ci·a[fǽʃiə, féiʃə] *n.* Ⓒ (머리 매는) 끈, 띠; 〖外科〗 붕대; 〖解〗 근막(筋膜).
fas·ci·ate [fǽʃièit], **-at·ed** [-èitid] *a.* 띠로 묶은; 〖植〗 띠 모양의; 〖動〗 무늬 있는.
fas·ci·cle[fǽsikəl] *n.* Ⓒ 작은 다발(small bundle); 〖植〗 밀산화서(密散花序); 분책(分冊).
fas·cic·u·lar [fəsíkjələr] *a.* 〖植〗 총생(叢生)의.
:**fas·ci·nate**[fǽsənèit] *vt.* ① 매혹하다. ② (공포로) 움츠러지게 하다, 눈독들이다. ***-nat·ing** *a.* 매혹적인. **-na·tor** *n.*
***fas·ci·na·tion**[fæ̀sənéiʃən] *n.* ① Ⓤ 매혹; 매력. ② Ⓒ 매력 있는 것. ③ Ⓤ (뱀 따위가) 노려봄.
Fas·cism[fǽʃizəm] *n.* Ⓤ (Mussolini 치하 이탈리아의) 파시즘; (f-) 《一般》 국가 사회주의. **Fás·cist, f-** *n.*
:**fash·ion**[fǽʃən] *n.* ① Ⓤ,Ⓒ 유행 (~ *book* 유행 복장 견본집/~ *show* 〔*parade*〕 패션 쇼); (보통 the ~) 상류 사회(의 풍습·사람들). ② Ⓤ 방법. ③ Ⓒ 형, 양식. ④ (the ~) 유행인〔물〕. ***after*** 〔***in***〕 ***a ~*** 이럭저럭. ***be in*** (***the***) ***~*** 유행되고 있다. ***come into ~*** 유행되다. ***go out of ~*** 한물가다. ***in this ~*** 이렇게, 이런 식으로. — *vt.* 형성하다. :**~·a·ble** *a.* 유행의; 상류 사회의. **~·mon·ger**[-mʌ̀ŋgər] *n.* Ⓒ 유행 연구가; 유행을 좇는 사람.
fáshion plàte (원색 인쇄한) 유행 복장도(圖).
†**fast**[1][fæst/fɑːst] *a.* ① 빠른, 재빠른. ② 단단한; 고정된. ③ (색이) 바래지 않는. ④ (잠이) 깊은. ⑤ (시계가) 더가는. ⑥ 충실한. ⑦ 방탕한. ⑧ 빈틈 없는. ⑨ 피할 수 없는. ⑩ (필름이) 고감도의. ⑪ (특히 미생물이 약품 따위에) 저항력이 있는. ***make ~*** 죄다, 잇다. ***pull a ~ one on*** 《美俗》 …를 속임수로 이기다. — *ad.* 굳게; (잠 따위를) 푹; 빨리; 착착; 방탕하여. ***live ~*** 방탕하다. ***play ~ and loose*** 태도가 (흔들려) 믿을 수 없다. **ˊ·ish** *a.* 꽤 빠른; 방탕적인. **ˊ·ness** *n.* Ⓤ 견고; 고착; 신속; Ⓒ 요새.
fast**[2] *vi., n.* 단식하다; Ⓒ 단식(기간·일). ***break one's ~ 단식을 그만두다; 아침을 먹다. **ˊ·ing** *n.* Ⓤ 단식.
fást·bàck *n.* Ⓒ 패스트백《유선형 지붕(의 자동차)》.
fást bréeder 〖理〗 고속 증식로.
fast·buck[ˊbʌ̀k] *n.* Ⓤ 《美俗》 쉽게 번 돈(easy money).
fást dày 단식일.
:**fas·ten**[fǽsn/-áː-] *vt.* ① 단단히 고정시키다〔죄다〕(*on*); 붙들어 매다(*to*). ② (눈을) 멈추다(*upon*). ③ (열쇠 따위로 문을) 잠그다. — *vi.* 고착하다, (문 등이) 잠기다; 꽉 달라붙다(*on*). *~* ***down*** (못으로) 박다. *~* ***up*** 단단히 고착시키다; 붙박아놓다. **~·er** *n.* Ⓒ 죄는 사람〔도구〕; 지퍼. **~·ing** *n.* Ⓤ 죔; Ⓒ 죄는 것.
fást fóod 즉석 또는 가져가서 먹게 만든 요리《햄버거나 닭튀김 등》.
fas·tid·i·ous [fæstídiəs, fəs-] *a.* 꽤 까다로운, 가리는.
fást láne (도로의) 추월 차선, 고속 차선. ***life in the ~*** 경쟁의 사회, 먹느냐 먹히느냐의 사회.
fást-tálk *vt.* (유창하게) 말하다〔말로 구워 삶다〕. 「이 좋은 사람.
fást tálker 《美口》 사기꾼, 말주변
†**fat**[fæt] *a.* (***-tt-***) ① 살찐, 지방이 많은. ② 비옥한; 유복한; 풍부한. ③ 둔감한. ***a ~ chance*** 《俗》 많은 기회, 《反語》 가망이 희박함. ***a ~ lot*** 《俗》 많이, 듬뿍; 《反語》 조금도. ***cut it*** (***too***) ***~*** 드러내어 자랑하다. ***cut up ~*** 많은 돈을 남기고 죽다. *~* ***year*** 풍년. — *n.* ① Ⓤ,Ⓒ 지방; 기름기; 고기의 기름기가 많은 부분. ②

(the ~) 제일 좋은 부분. ***chew the ~*** 《英俗》 불평하다, 구짓다; 《美俗》 지껄이다. (말을) 늘어놓다. ***eat*** 〔***live on***〕 ***the ~ of the land*** 사치스런 생활을 하다. — *vi., vt.* (-**tt**-) 살찌(게 하)다. **∠·tish** *a.* 좀 살이 찐. **∠·ty** *a.* 기름기의〔많은〕.

:**fa·tal**[féitl] *a.* ① 치명〔파멸〕적인. ② 숙명적인; 결정적인. **~·ism** [-təlìzəm] *n.* Ⓤ 숙명론. **~·ist** [-təlist] *n.* **~·is·tic**[fèitəlístik] *a.* ***~·i·ty**[feitǽləti, fə-] *n.* Ⓤ,Ⓒ 숙명; 재난; 죽음, 변사. ***~·ly**[-təli] *ad.* 치명적으로.

fát cát 《美俗》 다액의 정치 헌금을 하는 부자; 특권을 가지는 부호.

:**fate**[feit] *n.* ① Ⓤ,Ⓒ 운명, 숙명; 운(運); 인연, 인과. ② Ⓒ 죽음; 파멸. ③ (the F-s) 〖그·로神〗 운명의 세 여신(女神). ***meet one's ~*** 비명에 죽다. **fat·ed**[∠id] *a.* 운명의; 운이 다한. **∠·ful** *a.* 숙명적인; 치명〔파멸〕적인; 중대한.

fát fàrm 《美俗》 살 빼는 도장.

fát·frée *a.* 지방이 없는, 무지방의.

fát·hèad *n.* Ⓒ 《口》 얼간이, 바보.

†**fa·ther**[fá:ðər] *n.* ① Ⓒ 아버지; 창시자, 시조; (보통 *pl.*) 선조. ② 〖宗〗 Ⓒ 신부. ③ Ⓒ (옛로마의) 원로원 의원. ④ (the F-) 하느님. ***be a ~ to*** …에 대해서 아버지처럼 행동하다. ***be gathered to one's ~s*** 죽다. SPIRITUAL **~**. ***the Holy F-*** 로마 교황. ***The wish is ~ to the thought.*** 《속담》 바라고 있으면 정말인 것처럼 여기게 된다. — *vt.* (…의) 아버지이다; 아버지처럼 행동하다; 창시하다; (…의) 말이라고 일컫다(*The saying is ~ed on Pascal.* 그것은 파스칼의 말이라고 일컬어진다). **~·hood**[-hùd] *n.* Ⓤ 아버지임. **~·less** *a.* **~·ly** *a.* 아버지의〔다운〕; 자비깊은.

Fáther Chrístmas 《英》 =SANTA CLAUS.

fáther conféssor 〖가톨릭〗 고해 신부.

fáther-in-làw *n.* (*pl.* **-s-in-law**) Ⓒ 시아버지; 장인.

fáther·lànd *n.* Ⓒ 조국.

Fáther's Dày 《美》 아버지 날《6월 셋째 일요일》.

***fath·om**[fǽðəm] *n.* Ⓒ 〖海〗 길《6 feet, 약 1.8m》. — *vt.* (수심을) 재다; 헤아리다, 추측하다. **~·a·ble** *a.* 잴 수 있는; 추측할 수 있는. **~·less** *a.* 헤아릴 수 없는.

Fa·thom·e·ter [fæðɑ́mitər/-ðɔ́m-] *n.* Ⓒ 〖商標〗 음향 측심기.

fa·tid·ic [feitídik, fə-], **-i·cal** [-əl] *a.* 예언의, 예언적인.

:**fa·tigue** [fətí:g] *n.* ① Ⓤ 피로. ② Ⓒ 노고; 〖軍〗 사역(使役); (*pl.*) 작업복. ③ Ⓤ (금속의) 약화. — *vt.* 지치게 하다; (금속 등을) 약화시키다.

fatígue dùty 〖軍〗 사역(使役).

fatígue pàrty 〖軍〗 사역반.

fat·ling [fǽtliŋ] *n.* Ⓒ 살찌운 가축《식육용》.

***fat·ten**[fǽtn] *vt., vi.* 살찌우다, (땅을) 기름지게 하다; 살찌다.

fat·u·ous [fǽtʃuəs] *a.* 얼빠진; 분별없는; 철없는; 실체(實體)가 없는. **~ *fire*** 도깨비불. **fa·tu·i·ty**[fətjú:əti/-tjú:-] *n.*

fat·wa(h)[fǽtwɑ:] *n.* 〖이슬람〗 파트와《종교상의 문제에 대해 유자격 법관이 내린 재단(裁斷)》.

fau·ces[fɔ́:si:z] *n. pl.* 〖解〗 인두(咽頭).

fau·cet [fɔ́:sit] *n.* Ⓒ 수도꼭지, 고동.

faugh[fɔ:] *int.* 피이!; 쳇!; 흥!

Faulk·ner[fɔ́:knər], **William** (1897-1962) 미국의 소설가.

:**fault**[fɔ:lt] *n.* ① Ⓒ 과실. ② Ⓒ 결점. ③ Ⓤ 책임. ④ Ⓒ 〖테니스〗 폴트《서브 실패》. ⑤ Ⓒ 〖地〗 단층(斷層). ⑥ Ⓒ 〖컴〗 장애. ***at ~*** 잘못하여; 당황하여. ***find ~ with*** …의 흠을 잡다; …을 비난하다. ***in ~*** 잘못된, 나쁜. ***to a ~*** 과도히, 극단적으로. ***∠·less** *a.* 더할 나위없는. ***∠·y** *a.* 결점 있는, 불완전한.

fáult·finder *n.* Ⓒ 트집쟁이, 까다로운 사람, 잔소리꾼.

fáult·finding *n.* Ⓤ 흠잡기.

faun[fɔ:n] *n.* Ⓒ 〖로神〗 목축·농업을 맡은 반인(半人) 반염소의 신.

fau·na[fɔ́:nə] *n.* Ⓤ,Ⓒ (한 시대·한 지역의) 동물상(相), 동물군; Ⓒ 동물지(誌)(cf. flora).

Faust[faust] *n.* 지상에서의 쾌락과 맞바꾸어 혼을 악마에게 팔아 넘긴 남자; Goethe작의 극의 이름.

Fau·vism [fóuvizəm] *n.* Ⓤ 〖美術〗 야수파주의, 포비즘《Matisse, Braque, Segonzac, Rouault 등》.

faux pas [fóu pá:] (F.) (*pl.* **~** [-pá:z]) 실례되는 말〔행위〕; 품행이 좋지 못함; (여성의) 문란한 행위.

†**fa·vor,** 《英》 **-vour**[féivər] *n.* ① Ⓤ 호의, 친절. ② Ⓤ 애고(愛顧); 총애; 편애. ③ Ⓒ 선물. ④ Ⓒ (여자가 몸을 허락하는) 동의(同意). ***ask a ~ of a person*** 아무에게 (무엇을) 부탁하다. ***by your ~*** 실례입니다만. ***do a person a ~*** 아무를 위해 힘쓰다. ***find ~ with a person*** 아무의 눈에 들다. ***in ~ of*** …에 찬성하여; …을 위해; …에게 지급될. ***out of ~ with*** …의 눈밖에 나서.

:**fa·vo(u)r·a·ble**[féivərəbəl] *a.* 호의를 보이는; 형편〔계제〕 좋은; 유리한; 유망한(promising). **-bly** *ad.*

:**fa·vo(u)r·ite**[féivərit] *n.* Ⓒ 마음에 드는 것; 인기 있는 사람; (경기·경마 따위의) 우승 후보. — *a.* 맘에 드는, 좋아하는. **-it·ism**[-ìzəm] *n.* Ⓤ 편애; 정실, 편파.

fawn[1][fɔ:n] *n., a.* Ⓒ (한살 이하의) 새끼 사슴; Ⓤ 엷은 황갈색(의).

fawn[2] *vi.* 아첨하다, 해롱거리다(*on, upon*); (개가) 재롱떨다(*on, upon*).

fax[fæks] *n., vt.* Ⓤ,Ⓒ 전송 사진〔팩스〕(으로〔로〕 보내다)《facsimile의 생략형》. — *a.* 팩시밀리의, 복사의.

fay[fei] *n.* 《詩》 =FAIRY.

F

faze[feiz] *vt.* 《美口》 방해하다, (…의) 마음을 혼란케 하다.

f.b. 〖蹴〗 fullback; freight bill(운임청구서). **F.B.A.** Fellow of the British Academy. **F.B.E.** foreign bills of exchange. **FBI, F.B.I.** 《美》 Federal Bureau of Investigation. **F.C.** Football Club; Free Church. **fcap, fcp.** foolscap. **FCC** Federal Communications Commission; Firstclass Certificate; Food Control Committee. **F.C.S.** Fellow of the Chemical Society. **F.D.** Fidei Defensor (L.) (=Defender of the Faith); Fire Department. **FDA** Food and Drug Administration. **FDIC** Federal Deposit Insurance Corporation. **FDR, F.D.R.** Franklin Delano Roosevelt. **Fe** 〖化〗 ferrum (L.=iron). **fe.** =FEC.

fe·al·ty[fíːəlti] *n.* Ⓤ (영주에 대한 신하의) 충성; 《一般》 성실.

†**fear**[fiər] *n.* Ⓤ ① 두려움, 공포, 걱정. ② (신에 대한) 경외(awe). ***for ~ of*** …을 두려워하여; …이 없도록. ***in ~ of*** …이 무서워서. ***without ~ or favo(u)r*** 공평하게. — *vt., vi.* 무서워하다; 걱정하다; 경외하다. **:∠·less** *a.*

:fear·ful[∠fəl] *a.* 무서운; 두려워하여; 걱정하여(afraid)(*of*); 지독한. ***~·ly** *ad.* **~·ness** *n.*

fear·some[∠səm] *a.* 무서운, 무시무시한; 겁많은.

***fea·si·ble**[fíːzəbəl] *a.* 실행할 수 있는, 가능한; 있을 법한; 적당한. **-bil·i·ty**[⌐–bíləti] *n.*

:feast[fiːst] *n.* Ⓒ 축제(일); 축연, 대접; 즐거움. ***~ of reason*** 명론탁설(名論卓說). — *vt., vi.* 잔치를 베풀다, 대접을 받다; 즐기(게 하)다.

***feat**[fiːt] *n.* Ⓒ 위업(偉業); 공적; 묘기(妙技).

†**feath·er**[féðər] *n.* Ⓒ 깃털(같이 가벼운 것). ***a ~ in one's cap*** 〔***hat***〕 자랑거리, 명예. ***Birds of a ~ flock together.*** 《속담》 유유상종(類類相從). ***crop*** (*a person's*) ***~s*** (아무의) 콧대를 꺾어 주다. ***Fine ~s make fine birds.*** 《속담》 옷이 날개. ***in fine*** 〔***good, high***〕 ***~*** 의기양양하게, 힘차게. ***make the ~s fly*** 《口》 (상대를) 혼내주다; 큰 소동을 일으키다. ***not care a ~*** 조금도 개의치 않다. ***show the white ~*** 겁내다, 꽁무니를 빼다. — *vt.* 깃으로 장식하다. — *vi.* 깃털이 나다; 날개처럼 움직이다. ***~ one's nest*** 사복(私腹)을 채우다. **~ed**[-d] *a.* 깃이 있는; 깃으로 장식한; 깃 모양을 한. **~·y** *a.* 깃이 난, 깃으로 덮인; 깃털 같은; 가벼운.

féather·bèdding *n.* Ⓤ 페더베딩《노동 조합의 실업 대책의 하나; 고의적 제한 생산으로 정원외 고용을 꾀하는 일》.

féather·bràin *n.* Ⓒ 얼간이.

féather mèrchant 《美俗》 병역 기피자; 책임 회피자, 게으름뱅이.

féather·stìtch *n., vt.* Ⓤ 갈짓자수(로 꾸미다).

féather·wèight *n.* Ⓒ 〖拳〗 페더급 선수《체중 118-126 파운드》.

:fea·ture[fíːtʃər] *n.* Ⓒ ① 얼굴의 일부《이마·눈·코·입 따위》; (*pl.*) 용모. ② 특징. ③ 〖映〗 장편(물); (라디오·신문의) 특집 기사, 특종; 〖컴〗 특징. — *vt.* (…의) 특징을 이루다; 인기 거리로 내세우다. **~d**[-d] *a.* 인기 있는; (…의) 얼굴(모양)을 한. **~·less** *a.* 특징〔특색〕 없는.

fea·tur·ette[fìːtʃərét] *n.* Ⓒ 단편 특작 영화.

Feb. February. 「제.

feb·ri·fuge[fébrifjùːdʒ] *n.* Ⓒ 해열

fe·brile[fíːbrəl, féb-/fíːbrail] *a.* 열병의(feverish); 발열의〔로 생기는〕.

†**Feb·ru·ar·y** [fébruèri, fébrju-/fébruəri] *n.* 2월.

fec. *fecit* (L.=He 〔She〕 made (it)).

fe·ces[fíːsiːz] *n. pl.* 배설물; 찌끼.

feck·less[féklis] (<effectless) *a.* 쓸모없는; 약하디 약한.

fec·u·lence [fékjələns] *n.* Ⓤ 불결; 오물; 찌꺼기.

fe·cund[fíːkənd, fé-] *a.* 다산(多產)의, 비옥한.

fe·cun·di·ty [fikʌ́ndəti] *n.* Ⓤ 다산; 풍요; 생산력.

:fed[1][fed] *v.* feed의 과거(분사).

fed[2], **Fed**[fed] *n.* Ⓒ 《美俗》 연방정부 직원; FBI의 수사관. 「게릴라.

fe·da·yeen [fèdajíːn] *n. pl.* 아랍

:fed·er·al[fédərəl] *a.* 동맹의; 연방(정부)의; (F-) 《美》 중앙 정부의; 〖美史〗 (남북 전쟁 당시의) 북부 연맹의(*the F- States*)(opp. Confederate). ***the F- Government*** 미국 연방 정부〔중앙 정부〕. **~·ism**[-ìzəm] *n.* Ⓤ 연방주의. **~·ist** *n.* **~·ize** [-àiz] *vt.* 연방으로 하다.

Féderal Búreau of Investigàtion, the 《美》 연방 수사국《생략 FBI》.

Féderal Repúblic of Gérmany, the 독일 연방 공화국《수도 Berlin》.

Féderal Resérve Bànk 《美》 연방 준비 은행. 「연방 준비국.

Féderal Resérve Bòard 《美》

Féderal Resérve Sýstem 《美》 연방 준비 제도《중앙 은행 제도》.

fed·er·ate[fédərèit] *vt., vi.* 연합시키다〔하다〕. — [-rit] *a.* 연합한. ***-a·tion**[⌐–éiʃən] *n.* Ⓤ 연합; Ⓒ 연방 정부; 연맹. **-a·tive**[fédərèitiv, -rə-] *a.* 연합의.

fe·do·ra[fidɔ́ːrə] *n.* Ⓒ (챙이 잦혀진) 중절모의 일종.

Fed. Res. Bd. Federal Reserve Board. **Fed. Res. Bk.** Federal Reserve Bank.

:fee[fiː] *n.* Ⓒ 보수; 요금; 수수료;

Ⓤ (봉건 시대에 군주로부터 받은) 영지; 〖法〗 상속지〔권〕, 상속 재산. ***hold in*** ~ 토지를 무조건으로 영유하다. — *vt.* (***feed, fee'd***) 요금〔입회금(등)〕을 치르다.
feeb[fi:b] *n.* Ⓒ《美俗》 겁많은 사람, 바보, 등신.
:fee·ble[fí:bəl] *a.* 약한. ***fee·bly** *ad.* ~**·ness** *n.*
féeble-mínded *a.* 의지가 약한; 저능한. ~**ness** *n.* Ⓤ 정신 박약.
:feed[1][fi:d] *vt.* (***fed***) ① (…에게) 음식물을 주다. ② (원료를) 공급하다. ③ 만족시키다. ④ 기르다. ⑤ 〖劇〗 (연기자에) 대사의 실마리를 주다. — *vi.* (가축이) 먹이를 먹다. ***be fed up*** 《口》 체하다, 물리다(*with, on*). ~ ***a cold*** 감기 들렸을 때 많이 먹다 《치료법》. ~ ***up*** (영양 불량아 등에게) 맛있는 것을 많이 먹이다; 살찌게 하다. — *n.* Ⓤ 사료; Ⓒ (1회분의) 식사; (원료의) 공급(장치); Ⓤ 공급 재료; Ⓒ 〖劇〗 (연기자에) 대사 실마리를 주는 사람. * **∠·er** *n., a.* Ⓒ 사육자(飼育者); 먹는 사람〔짐승〕; 수유병(授乳瓶); 지류(支流); 원료 공급 장치; 부차적; 하청(下請)의. **∠·ing** *n.* Ⓤ 급식(給食); 수유(授乳).
feed[2] *v.* fee의 과거(분사).
***féed·bàck** *n.* Ⓤ 〖電子·컴〗 피드백, 되먹임; 종합 작용, 반향. — *a.* 피드백의, 재생의.
féeding bòttle 젖병.
feed·lot [fí:dlɑ̀t/-lɔ̀t] *n.* Ⓒ (가축의) 사육장.
féed pìpe 급수관.
†feel[fi:l] *vt.* (***felt***) 만지다, 만져 보다〔알아채다〕; 느끼다, 생각하다. — *vi.* 느끼다; (…이라는) 느낌이 들다(*This cloth* ~*s rough.* 이 천은 꺼칠꺼칠하다); 동정하다(*for, with*). ~ ***for*** 더듬어 찾다; …에 동정하다. ~ ***like*** do*ing* …하고 싶은 마음이 들다. ~ ***one's way*** 더듬어 나아가다. — *n.* (*sing.*) 느낌, 촉감. ***to the*** ~ 손으로 만져서. **∠·er** *n.* Ⓒ 만져 보는 사람; (상대방 의향을) 떠봄; 〖動〗 촉각(antenna).
:feel·ing[fí:liŋ] *n.* ① Ⓤ 감각, 촉감; 지각. ② (*sing.*) 느낌. ③ Ⓤ,Ⓒ 감정; (보통 *pl.*) 기분. ④ Ⓤ 흥분; 감수성. — *a.* 느끼는, 감각이 있는, 다감한. ~**·ly** *ad.* 감정을 넣어.
fée símple 무조건 토지 상속권, 단순 봉토권.
†feet[fi:t] *n.* Ⓤ foot의 복수.
fee-TV [fí:tì:ví:] *n.* Ⓤ 유료 TV (subscription television).
feign**[fein] *vt.* 겉으로 꾸미다; (구실 따위를) 만들어 내다. ~ ***illness = ~ ***to be ill*** 꾀병부리다. — *vi.* 짐짓 …인 체하다.
feint[feint] *n., vt.* Ⓒ 거짓 꾸밈, 가장(假裝)(하다); (권투·배구 등에서) 치는 시늉〔페인트〕(하다); 〖軍〗 양동 작전(을 하다).
feist·y[fáisti] *a.*《美口》 원기 왕성한; 공격적인; 성마른. **féist·i·ly** *ad.* **féist·i·ness** *n.*
feld·spar[féldspɑ̀:*r*] *n.* Ⓤ 〖鑛〗 장석(長石).
fe·lic·i·tate[filísətèit] *vt.* 축하하다. **-ta·tion**[–⌐–téiʃən] *n.* Ⓒ (보통 *pl.*) 축하; 축사.
fe·lic·i·tous[filísətəs] *a.* (행동·표현 등이) 적절한; 표현이 교묘한.
***fe·lic·i·ty**[filísəti] *n.* Ⓒ 경사; Ⓤ (더없는) 행복, 지복; (표현의) 교묘함; Ⓒ 적절한 표현.
fe·line[fí:lain] *a., n.* Ⓒ 고양잇과(科)의 (동물); 고양이의〔같은〕.
†fell[1][fel] *v.* fall의 과거.
fell[2] *n., vt.* Ⓒ 벌채(하다); (사람을) 쳐서 넘어뜨리다; (바느질에서) 공그리기(하다).
fell[3] *a.* 잔인한; 무서운; 치명적인.
fell[4] *n.* Ⓒ 짐승의 가죽; 털가죽.
fell[5] *n.* 《Sc. 北英》 Ⓒ 고원 지대, 구릉지대(down[2]); (지명에서) …산(山).
fel·la·ti·o[fəlɑ́:tiòu, -léiʃiòu, fe-] *n.* Ⓤ 펠라티오《구강으로 음경 자극》.
fel·loe[félou] *n.* Ⓒ (수레바퀴의) 테.
†fel·low[félou] *n.* Ⓒ ① 동무, 동지, 동료. ② 일원; (한 쌍의) 한 쪽. ③ 《口》 사람, 남자(man, boy); 《蔑》 놈, 자식. ④ 《口》 정부(情夫), 애인. ⑤ (대학의) 평의원, 특별 연구원; (F-) (학회의) 특별 회원. — *a.* 동지의, 동무의.
féllow créature 같은 인간, 동포.
féllow féeling 동정(同情); 공감.
***féllow·mán** *n.* Ⓒ 동포.
***fel·low·ship**[-ʃìp] *n.* ① Ⓤ 친구〔동지〕임; 우정, 친교, 교우. ② Ⓤ 공동(共同). ③ Ⓒ (뜻이 같은 사람들의) 단체; (동업) 조합. ④ Ⓒ (대학의) 특별연구원의 지위〔급여〕.
féllow trável(l)er 길동무; (정당의) 후원자; (특히 공산당의) 동조자.
fel·ly[féli] *n.* =FELLOE.
fel·on[1][félən] *n., a.* Ⓒ 〖法〗 중죄인; 《古》 극악〔잔인〕한.
fel·on[2] *n.* Ⓤ 〖醫〗 표저(瘭疽).
fel·o·ny[féləni] *n.* Ⓤ,Ⓒ 〖法〗 중죄. **-ni·ous**[filóuniəs] *a.* 중죄의; 흉악한, 극악한.
†felt[1][felt] *v.* feel의 과거(분사).
felt**[2] *n., a.* Ⓤ 펠트(의). ~ ***hat 펠트모자, 중절모.
fem. feminine.
FEMA 《美》 Federal Emergency Management Agency 연방 긴급 사태 관리청.
:fe·male [fí:meil] *n., a.* (opp. male) Ⓒ 여성(의); 〖動·植〗 암(의).
fém·cée[fémsí:] *n.* Ⓒ 〖라디오·TV〗 여성 사회자.
feme[fem, fi:m] *n.* Ⓒ 〖法〗 여성; 《특히》 처(baron and ~ 부부).
féme cóvert 〖法〗 기혼 부인.
féme sóle 〖法〗 독신 여성; 독립 부인《법률상 남편과 독립된 재산이 있는 부인》.
***fem·i·nine**[fémənin, -mi-] *a.* 여성〔여자〕의, 여자다운; 〖文〗 여성의. **-nin·i·ty**[⌐–nínəti] *n.* Ⓤ 여자다움;

F

계집애 같음; 《집합적》 여성.
féminine rhýme 〖韻〗 여성운(韻) 《보기: *motion, nation*》 (cf. masculine rhyme).
fem·i·nism[fémənìzəm] *n.* Ⓤ 여권 신장론; 남녀 동권주의. **-nist** *n.*
fem·i·nize[fémənàiz] *vt.* (남자를) 여성화하다; 여성적으로 하다, 유약하게 하다; 〖生〗 암컷화하다.
femme[fem] *n.* (F.) Ⓒ 여자, 아내; 동성애의 여자역.
fe·mur[fí:mər] *n.* (*pl.* **~s, femora**[fémərə]) Ⓒ 〖解〗 대퇴골.
fen[fen] *n.* Ⓒ 《英》 소택지, 늪지대.
F.E.N. Far East Network.
:fence[fens] *n.* ① Ⓤ 검술, 펜싱. ② Ⓒ 울타리, 담. ③ Ⓒ 장물 취득인(소). ***come down on the right side of the ~*** 이길듯한〔우세한〕 쪽에 붙다. ***mend*** 〔***look after***〕 ***one's ~s*** 화해하다; 《美》 선거구 지반 굳히기를 하다. ***on the other side of the ~*** 반대당에 가담하여. ***sit*** 〔***stand***〕 ***on the ~*** 기회주의적인 태도를 취하다, 형세를 관망하다. ── *vi., vt.* (…에) 울타리를 하다; 방어하다; 검술을 하다; (질문을) 받아넘기다(*with*); (말이) 담을 뛰어넘다. **~ *about*** 〔***up***〕 울타리를 두르다. **fénc·er** *n.* Ⓒ 검객. **:fénc·ing** *n.* Ⓤ 펜싱, 검술; 담(의 재료).
fend[fend] *vt., vi.* 막다; 저항하다. **~ *for oneself*** 자활(自活)하다, 혼자 꾸려 나가다. **~ *off*** 피하다, 받아넘기다.
fend·er[féndər] *n.* Ⓒ (각종의) 완충물(緩衝物)《난로울·배의 방현재(防舷材)·전차의 완충기 따위》.
fen·nec[fénik] *n.* Ⓒ (아프리카산의) 귀가 긴 여우의 일종.
fennel[fénəl] *n.* Ⓒ 〖植〗 회향풀.
fen·ny[féni] *a.* 소택성의; 소택지에 나는, 늪이 많은.
feoff[fef, fi:f] *n.* =FIEF.
FEPC, F.E.P.C. Fair Employment Practices Committee.
fe·ral[fíərəl] *a.* 야성의; 흉포한.
fer·e·to·ry [férətɔ̀:ri/-təri] *n.* Ⓒ 〖宗〗 사리(舍利) 용기.
***fer·ment**[fə́:rment] *n.* Ⓤ 효소; 발효; 흥분; 동란. ── [fərmént] *vt., vi.* 발효시키다〔하다〕; 대소동을 벌이(게 하)다. ***fer·men·ta·tion**[∽─téiʃən, -mən-] *n.* Ⓤ 발효 (작용); 흥분; 동란.
fer·mi[fέərmi] *n.* Ⓒ 〖理〗 페르미 《10조분의 1인치》.
fer·mi·um[fέərmiəm, fə́:r-] *n.* Ⓤ 〖化〗 페르뮴《방사성 원소; 기호 Fm》.
***fern**[fə:rn] *n.* Ⓒ,Ⓤ 〖植〗 양치(羊齒)(류). **∠·er·y** *n.* Ⓒ 양치 식물의 재배지〔원〕.
***fe·ro·cious** [fəróuʃəs] *a.* 사나운; 잔인〔흉악〕한.
***fe·roc·i·ty** [fərásəti/-ɔ́-] *n.* Ⓤ 잔인(성); Ⓒ 광포한 행동.
fer·rate[féreit] *n.* Ⓤ,Ⓒ 〖化〗 철산염(鐵酸鹽).
fer·ret [férit] *n.* Ⓒ 흰족제비《쥐잡기·토끼 사냥용》. ── *vt., vi.* 흰족제비로 사냥을 하다; 찾아내다(*out*).
fer·ric [férik] *a.* 철의〔을 포함한〕; 〖化〗 제2철의(cf. ferrous).
Fér·ris whèel[féris-] 페리스식 회전 관람차.
fer·rite[férait] *n.* Ⓤ 〖化〗 페라이트.
fer·ro-[férou, -rə] '철의, 철을 포함한' 의 뜻의 결합사.
fèrro·cóncrete *n., a.* Ⓤ 철근 콘크리트(제(製)의).
fèrro·mágnetism *n.* Ⓤ 〖理〗 강자성(强磁性).
fer·ro·type[féroutàip] *n.* Ⓤ 〖寫〗 페로타이프《광택 인화법》; Ⓒ 광택 사진. ── *vt.* 페로타이프에 걸다.
fer·rous[férəs] *a.* 철의〔을 포함한〕; 〖化〗 제1철의(cf. ferric).
fer·ru·gi·nous[fərú:dʒənəs] *a.* 철의〔같은〕; 철을 포함한; 쇠녹빛의.
fer·rule[férəl, -ru:l] *n.* Ⓒ (지팡이 따위의) 물미.
:fer·ry[féri] *n.* Ⓒ 나루터; 나룻배; 도선업(渡船業); 항공 수송(로), (신조 비행기의) 자력 현지 수송. ── *vt.* 도선(渡船)〔공수〕하다.
***férry·bòat** *n.* Ⓒ 나룻배, 연락선.
fer·ry·man[-mən] *n.* Ⓒ 나룻배 사공; 도선업자.
:fer·tile[fə́:rtl/-tail] *a.* 비옥한; 다산하는, 풍부한; 〖生〗 번식력이 있는(opp. sterile).
***fer·til·i·ty** [fə:rtíləti] *n.* Ⓤ 비옥; 다산; 풍요.
fertílity drùg 임신 촉진제.
***fer·ti·lize**[fə́:rtəlàiz/-ti-] *vt.* 비옥〔풍부〕하게 하다; 〖生〗 수정시키다. **-li·za·tion**[∽─lizéiʃən/-lai-] *n.* Ⓤ 비옥화(化); 수정(현상). ***fér·ti·lìz·er** *n.* Ⓤ,Ⓒ 비료.
fur·ule[1] [férəl, -ru:l] *n.* Ⓒ (벌로 어린이의 손바닥을 때리기 위한) 매. ── *vt.* 손 때리는 매로 때리다.
fer·ule[2] *n.* =FERRULE.
***fer·vent**[fə́:rvənt] *a.* 뜨거운; 타는 듯한; 강렬한; 열렬한. **~·ly** *ad.* **-ven·cy** *n.* Ⓤ 열렬.
fer·vid[fə́:rvid] *a.* =FERVENT. **~-ly** *ad.*
fer·vid·i·ty[fə:rvídəti] *n.* =⇩.
***fer·vor,** 《英》 **-vour**[fə́:rvər] *n.* Ⓤ 열렬, 열정; 백열.
fess(**e**) [fes] *n.* Ⓒ 〖紋〗 중대(中帶)《가로띠무늬》.
fes·tal[féstl] *a.* 축제의; 명랑한.
fes·ter[féstər] *vi., vt.* 곪다, 곪게 하다; 짓무르(게 하)다; 괴로워하다, 괴롭히다. ── *n.* Ⓒ 화농 상태.
:fes·ti·val[féstəvəl] *n.* Ⓒ 축제(일); 축제 소동; (정기적인) 행사. ── *a.* 축제의; 즐거운.
***fes·tive**[féstiv] *a.* 경축의; 축제의; 즐거운; 명랑한. ***fes·tív·i·ty** *n.* Ⓤ 축제; Ⓒ (보통 *pl.*) 축제 소동, 법석; 축하 행사.
fes·toon [festú:n] *n., vt.* Ⓒ 꽃줄(로 장식하다, 로 만들다).

Fest·schrift[féstʃrìft] *n.* (*pl.* **~·en**[-ən], **~s**) (G.) Ⓒ (종종 f-) 기념 논문집.

:fetch[fetʃ] *vt.* ① (가서) 가져[데려] 오다, 불러오다, 오게 하다. ② (눈물·피 등을) 자아내다; (탄식·신음 소리를) 내다. ③ (얼마)에 팔리다. ④ 《口》 (타격을) 가하다. ⑤ 《口》 매료하다, 호리다. ⑥ 〖海〗 《方》 닿다. ⑦ 〖컴〗 (명령을) 꺼내다. ── *vi.* 물건을 가져오다; 〖海〗 항진[도달]하다. **~ and carry** (소문을) 퍼뜨리고 다니다; 심부름 다니다. **~ down** 쏘아 떨어뜨리다; (시세를) 내리다. **~ up** 토하다; 생각해 내다; 회복시키다; …에 가 닿다; 기르다; (딱) 멈추다. **∠·ing** *a.* 《口》 매혹하는, 사람의 눈을 끄는.

fete, fête[feit] *n.* (F.) Ⓒ 축제(일); 축연. ── *vt.* 잔치를 베풀어 축하하다, 환대하다.

fe·ti·cide[fíːtəsàid] *n.* Ⓤ 태아 살해, 낙태(落胎).

fet·id[fétid] *a.* 악취를 풍기는.

fet·ish[fétiʃ, fíːtiʃ] *n.* Ⓒ 물신(物神) 《미개인이 숭배하는 나뭇 조각·돌 따위》. **~·ism**[-ìzəm] *n.* Ⓤ 물신 숭배; 〖心〗 페티시즘《이성의 몸의 일부나 의복 등에서 성적 만족을 얻는 변태 심리》.

fet·lock[fétlàk/-lɔ̀k] *n.* Ⓒ 거모(距毛)《말굽 뒤쪽 위의 텁수룩한 털》; 구절(球節)《말굽 뒤의 털이 난 곳》.

fe·tos·co·pe [fíːtəskòup] *n.* Ⓒ 〖醫〗 태아 검사경.

***fet·ter**[fétər] *n., vt.* Ⓒ (보통 *pl.*) 차꼬(를 채우다); (*pl.*) 속박(하다). ***in* ~s** 잡혀 있는 몸으로.

fet·tle[fétl] *n.* Ⓤ (심신의) 상태. ***in fine* [*good*] ~** 원기 왕성하여.

fe·tus[fíːtəs] *n.* Ⓒ 태아(胎兒).

feud**[1][fjuːd] *n.* Ⓤ,Ⓒ (집안·종족간의) 불화, 반목; 싸움. ***be at* ~ *with …와 반목하고 있다.

feud[2] *n.* Ⓒ 영지(cf. feudalism).

:feu·dal[fjúːdl] *a.* 영지(feud²)의; 봉건 제도의. **~ *system*** 봉건 제도. **~ *times*** [***age, days***] 봉건 시대. ***~·ism**[-ìzəm] *n.* Ⓤ 봉건 제도.

féudal lòrd 영주.

feu·da·to·ry [fjúːdətɔ̀ːri/-təri] *a.* 봉건의; 가신(家臣)의. ── *n.* Ⓒ 가신; 영지.

:fe·ver[fíːvər] *n.* Ⓤ 열; 열병; 열광. ── *vt.* 발열시키다. **:~·ish, ~·ous** *a.* 열이 있는; 열병의; 열광적인. **~·ish·ly, ~·ous·ly** *ad.*

féver blìster 〖醫〗 (코감기·열병 따위로) 입가에 나는 발진.

féver hèat (37°C를 넘는) 신열; 열광적 흥분.

féver thèrapy 〖醫〗 발열 요법.

†few[fjuː] *n., a.* 《a를 붙이지 않는 경우》 적은, 별로 없는(He has ~ [very ~] books. 그는 책이 별로[거의] 없다); 《a를 붙이는 경우》 Ⓒ 다소(의). ***a* ~ *days*** 이삼 일. ***a good* ~; *quite a* ~** 《口》 상당한. **~ *and far between*** 아주 드물게. ***no* ~*er than*** …만큼(이나)(as many as). ***not a* ~** 적지 않은. ***the* ~** 소수.

fez[fez] *n.* (*pl.* **~(*z*)*es***) Ⓒ 터키 모자.

ff. and the following (pages, verses, etc.); and what following; folio; fortissimo(It.= very loud). **F.F.A.** free from alongside (ship). **FFC** Foreign Funds Control. **F.G.** Foot Guards. **f.g.** fully good. **FGM** field guided missile. **F.G.S.** Fellow of the Geological Society. **F.H.** fire hydrant. **FHA** Federal Housing administration. **f.i.** for instance. **FIA** *Fédération Internationale de l'Automobile.*

fi·an·cé [fìːɑːnséi, fiɑ́ːnsei] *n.* (*fem.* ***-cée***) (F.) Ⓒ 약혼자.

fi·as·co[fiǽskou] *n.* (*pl.* **~(*e*)*s***) (It.) Ⓤ,Ⓒ 대실패.

Fi·at[fíət, fíːæt] *n.* 피아트 회사《이탈리아 최대 자동차 생산업체》; 그 회사제 자동차.

fi·at[fáiət, -æt] *n.* Ⓒ 명령, 인가.

fíat mòney 《美》 법정 불환 지폐.

fib[1][fib] *n., vi.* (**-*bb*-**) Ⓒ (사소한) 거짓말(을 하다).

fib[2] *n., vt.* (**-*bb*-**) Ⓤ 《英》 (복싱 따위에서) 타격(을 주다).

:fi·ber, 《英》 **-bre**[fáibər] *n.* Ⓤ 섬유(질); 단섬유; 성격; Ⓒ 〖植〗 수염뿌리.

fíber·bòard *n.* Ⓒ 섬유판(板)《건재(建材)》.

fíber·fill *n.* Ⓤ (쿠션 등의) 속에 넣는 합성 섬유.

Fíber·glàss *n.* Ⓒ 〖商標〗 섬유 유리《절연체·직물용》.

fíber óptics 《단수 취급》 섬유 광학《유리나 플라스틱 섬유관을 통하여 광상을 굴절시켜 전달하는 기술》.

fíber·scòpe *n.* Ⓒ 〖光〗 파이버스코프《유리 섬유에 의한 내시경》.

fi·bril[fáibril] *n.* Ⓒ 가는 섬유.

fi·brin [fáibrin] *n.* Ⓤ (혈액 응고 때 생기는) 섬유소; 〖植〗 부질(麩質) (gluten).

fi·broid [fáibrɔid] *a.* 섬유질의; 섬유 모양의. ── *n.* Ⓒ 〖醫〗 (유(類))섬유종(腫).

fi·bro·in [fáibrouin] *n.* Ⓤ 〖生化〗 피브로인《경단백질의 일종》.

fi·brous[fáibrəs] *a.* 섬유(질)의.

fib·u·la[fíbjulə] *n.* (*pl.* **~s, *-lae*** [-lìː]) Ⓒ 〖解〗 비골(腓骨).

F.I.C. Fellow of the Institute of Chemistry (of Great Britain and Ireland); French Indo-China.

fiche[fiːʃ] *n.* Ⓤ,Ⓒ (마이크로) 피시 《정보 정리용의 마이크로카드나 필름》.

fich·u[fíʃuː, fíː-] *n.* (F.) Ⓒ (삼각형의) 숄.

***fick·le** [fíkəl] *a.* (기후·기분 등이) 변덕스러운.

F

:fic·tion[fíkʃən] *n.* ① Ⓤ 소설(novel). ② Ⓒ 꾸며낸 일, 허구. ③ Ⓒ 〖法〗 의제(擬制). **~·al** *a.*
fic·ti·tious[fiktíʃəs] *a.* 가공의, 거짓의; 〖法〗 의제의. **~ *capital*** 의제 자본. **~ *person*** 법인. **~·ly** *ad.*
fid·dle**[fídl] *n.* Ⓒ 《口》 바이올린; 사기, 사취. ***as FIT[1] ***as a ~.*** ***hang up one's ~ when one comes home*** 밖에서는 명랑하고 집에서는 침울하다. ***have a face as long as a ~*** 우울한 얼굴을 하고 있다. ***play first*** 〔***second***〕 **~** 주역〔단역〕을 맡다. **—** *vi., vt.* 바이올린을 켜다; 농락하다(toy)(*with*); (시간)을 헛되이 보내다. (*vi.*) 빈들빈들 보내다; 《俗》 속이다.
fíddle bòw 바이올린의 활(fiddlestick).
fid·dle-fad·dle[fídlfædl] *n.* Ⓒ 부질없는 일. **—** *vi.* 하찮은 일을 하다. **—** *int.* 시시하다, 어이〔부질〕없다.
fíd·dler *n.* Ⓒ 바이올린 켜는 사람《특히 고용된》.
Fíddler's Gréen (여자와 술과 노래가 있는) 뱃사람의 낙원《뱃사람·기병이 죽은 후에 간다고 생각된》.
fíddle·stìck *n.* Ⓒ 바이올린의 활; 하찮은 일. 「시시하다.
fíddle·stìcks *int.* 어처구니 없다;
fid·dling[fídliŋ] *a.* 하찮은; 헛된; 사소한; 《口》 다루기 곤란한, 귀찮은.
:fi·del·i·ty[fidéləti, -li-, fai-] *n.* Ⓤ 충실; (약속의) 엄수; (묘사의) 정확함; 〖電子〗 (원음에의) 충실도. ***high ~*** 고충실도(cf. hi-fi). ***with ~*** 충실히; 원물(原物) 그대로.
fidg·et[fídʒit] *vi., vt.* 싱숭생숭하(게 하)다; 마음졸이(게 하)다. **—** *n.* Ⓒ 싱숭생숭함〔하는 사람〕. ***have the ~s*** 싱숭생숭하다. **~·y** *a.*
FIDO[fáidou] *n.* Fog Investigation and Dispersal Operation 〖空〗 (비행장의) 농무(濃霧) 제거 작업.
fi·du·ci·ar·y [fidjúːʃièri/-ʃiəri] *a.* 신용〔신탁〕의; 수탁자의; (지폐가) 신용 발행의. **—** *n.* Ⓒ 수탁자.
fie[fai] *int.* 체; 에잇《경멸·불쾌 따위를 나타냄》.
fief[fiːf] *n.* Ⓒ 영지, 봉토.
†field[fiːld] *n.* Ⓒ ① (보통 *pl.*) 들, 벌판; 밭. ② 광장; (너른) 표면. ③ (보통 *pl.*) 산지(産地). ④ 싸움터; 싸움. ⑤ (보통 *pl.*)(트랙 안의) 경기장; 구장; 〖野〗 내〔외〕야; (the ~) 《집합적》 (야외) 경기. ⑥ (활동의) 분야. ⑦ 〖理〗 장(場), 계(界). ⑧ (기·화폐·문장·그림 따위의) 바탕. ⑨ 〖TV〗 영상면. ⑩ 〖컴〗 기록란, 필드. ***coal ~*** 탄전. ***fair ~ and no favor*** 공명정대한 (승부). **~ *of fire*** 〖軍〗(유효) 사계(射界). ***hold the ~*** 진지를 지키다, 한발도 물러서지 않다. ***in the ~*** 전쟁터에서. ***play the ~*** 인기말이 아닌 말에 걸다; 《口》 차례로 상대로 바꾸어 교제하다. ***take the ~*** 전투〔경기〕를 개시하다. ***∠·er** *n.* 〖野〗 =OUTFIELDER; 〖크리켓〗 = FIELDSMAN.
fíeld àmbulance 〖軍〗 이동 야전 병원.
fíeld àrmy 〖軍〗 야전군.
fíeld artìllery 〖軍〗 야포(부대), 야전 포병.
fíeld bàttery 〖軍〗 야포대, 야전 포병 중대.
fíeld bòok (측량자의) 야외 수첩; 채집 메모장(帳).
fíeld còil 〖電〗 계자(界磁) 코일.
fíeld còrn 《美》 (사료용) 옥수수.
fíeld dày 야외 연구〔연습〕일, 채집일; 특별한 행사가 있는 날.
fíeld evènt 필드 경기.
fíeld glàsses 쌍안경.
fíeld gòal (야구에서) 필드에서의 득점.
fíeld gràde 〖軍〗 영관급.
fíeld gùn 야포.
fíeld hòckey 필드 하키.
fíeld hòspital 야전 병원.
fíeld hòuse 《美》 경기장의 부속 건물; 실내 경기장.
fíeld màrshal 육군 원수.
fíeld mòuse 들쥐.
fíeld mùsic 〖軍〗 군악대, (군악 대용) 행진곡.
fíeld òfficer (육군의) 영관급 장교.
fíeld·pìece *n.* =FIELD GUN.
fíeld ràtion 〖美陸軍〗 야전 양식.
fíeld sèrvice 〖軍〗 야전 근무.
fields·man [∠zmən] *n.* Ⓒ 〖크리켓〗 야수(野手).
fíeld spòrts 야외 운동《사냥·낚시 등》; 필드 경기.
fíeld tèst 실지 시험. 「시험하다.
fíeld-tèst *vt.* (신제품 따위를) 실지
fíeld trìp 야외 수업, 실지 견학 (연구) 여행.
fíeld·wòrk *n.* Ⓤ 〖軍〗 (임시의) 야전 진지; 야외 작업〔연구〕. **~er** *n.* Ⓒ 야외 연구가; 실지 시찰원.
***fiend**[fiːnd] *n.* Ⓒ 악마; 악령; 잔인한 사람; 《口》 …중독자, …광(狂), 팬; (the F-) =SATAN. **∠·ish** *a.*
:fierce[fiərs] *a.* ① 흉포한, 사나운. ② 맹렬〔열렬〕한. ③ 《口》 싫은, 지독한. **:∠·ly** *ad.* 맹렬히, 지독히. ***∠·ness** *n.*
***fi·er·y**[fáiəri] *a.* ① 불의, 불 같은; 불빛의; 불타고 있는 (듯한); 작열하는. ② 열렬한; 격하기 쉬운. ③ 염증을 일으킨.
fi·es·ta [fiéstə] *n.* (Sp.) Ⓒ 축제(일); 휴일.
fife[faif] *n., vi., vt.* Ⓒ 저(를 불다).
FIFO, fi·fo [fáifou] (<*f*irst *i*n, *f*irst *o*ut) *n.* Ⓤ 〖會計〗 선입 선출법(先入先出法)《재고자산의 원가 배분의 한 방법》; 〖컴〗 처음 먼저내기.
†fif·teen[fíftíːn] *n., a.* Ⓤ,Ⓒ 15(의); (15인의) 럭비 팀; Ⓤ 〖테니스〗 15점. ***~th** *n., a.* Ⓤ (the ~) 열다섯째(의); Ⓒ 15분의 1(의).
†fifth[fifθ] *n., a.* Ⓤ (the ~) 제5(의); Ⓒ 5분의 1(의). **∠·ly** *ad.* 다섯 번째로.
Fífth Ávenue 5번가《미국 New

York의 번화가》.
fifth cólumn (적을 이롭게 하는) 제5열. **~ist** 제5열 대원.
†**fif·ty**[fífti] *n., a.* U,C 50(의). *__fif·ti·eth__[-iθ] *a., n.* U (보통 the ~) 50번째(의); C 50분의 1(의).
fífty-fífty *ad., a.*《口》절반식(의), 반반으로.
fífth generátion compúter, the 〖컴〗제5세대 컴퓨터.
fífth whéel (4륜차의) 예비바퀴; 무용지물.
*__fig__[fig] *n.* C 무화과《나무·열매》; 조금, 하찮은 것. ***A ~ for** (you, etc.)!* 시시하다!; (네)까짓 게 뭐야!
fig. figurative(ly); figure(s).
†**fight**[fait] *n.* C 전투; 다툼; U 전투력; 투지. ***give* 〔*make*〕 *a ~*** 일전을 벌이다. ***show ~*** 투지를 보이다, 저항하다. — *vi.* (***fought***) 싸우다. — *vt.* ① (…와) 싸우다; (싸움을) 벌이다(~ ***a battle***). ② 싸워 언다. ③ (투견 등을) 싸우게 하다. ④ 〖軍〗지휘하다, 움직이다. ***~ one's way*** 혈로를 트다. ***~ (it) out*** 끝까지 싸우다. ***~ shy of*** (…을) 피하다.
*__fight·er__[fáitər] *n.* C 싸우는 사람, 투사; 권투 선수; 전투기.
fíghter-bómber *n.* C 〖軍〗전투 폭격기.
‡**fight·ing**[fáitiŋ] *n.* U 싸움, 전투.
fíghting chánce 크게 노력해야만 얻어질 성공의 가능성〔기회〕, 희박한 가능성.
fíghting cóck 투계, 싸움닭;《口》싸움을 좋아하는 사람.
fíg lèaf 무화과 잎; (조각 따위에서 국부를 가리는) 무화과 잎 모양의 것; 흉한 것을 감추는 것.
fig·ment[fígmənt] *n.* C 꾸며낸 일〔이야기〕.
fig·ur·a·tion[fìgjəréiʃən] *n.* U,C 성형(成形); 모양; 장식.
*__fig·ur·a·tive__[fígjərətiv] *a.* 비유적인; (문장이) 수식적인; 상징적인; 조형의. ***~ arts*** 조형미술. **~·ly** *ad.* **~·ness** *n.*
†**fig·ure**[fígjər/-gər] *n.* C ① 모양, 모습. ② 초상. ③ 외관; 풍채. ④ 인물. ⑤ 상징. ⑥ 도면; 도안; 도해. ⑦ (아라비아) 숫자; 자릿 수(*three ~s* 세 자릿수); 합계액〔량〕; 값; (*pl.*) 산수, 셈. ⑧ 〖스케이트〗 피겨《빙상에 지쳐서 그리는 동형》. ⑨ 〖幾〗도형. ⑩ 〖修〗말의 멋. ⑪ 〖樂〗선율 음형(音型). ⑫ 〖댄스〗1선회, 1회전. ***cut* 〔*make*〕 *a* (*brilliant*) *~*** 이채를 띠다. ***cut a poor* 〔*sorry*〕 *~*** 초라하게 보이다. ***cut no ~*** 《美》문제가 안 되다. ***~ of fun*** 우습게 생긴 사람. ***~ of speech*** 수사, 말의 표현;《諧》거짓말. ***go the whole ~*** 《美口》철저히 하다. ***miss a ~*** 《美口》그르치다, 틀리다. — *vt.* 본을 뜨다; 도시〔표상·상상·계산〕하다; 무늬를 넣다; 비유로 나타내다;《美口》(…라고) 생각하다. — *vi.* (…으로서) 나타나다; 두드러지다; 계산하다. ***~ on***《美》(…을) 기대하다〔계산에 넣다〕. ***~ out*** 계산〔해결·양해〕하다. ***~ up*** 합계하다. ***~d**[-d] *a.* 모양으로 나타낸; 무늬 있는.
fígure·hèad *n.* C 〖海〗이물장식; 표면상의 명목, 명목상의 우두머리;《諧》(사람의) 얼굴. 「기.
fígure skàting 피겨 스케이트 타
fig·ur·ine[fìgjuríːn] *n.* C 작은 조상(彫像), 주상(鑄像)(statuette).
Fí·ji Íslands [fíːdʒiː-] 피지 군도 《태평양 남부의 322개의 작은 섬으로 된》.
*__fil·a·ment__[fíləmənt] *n.* C 섬유; 〖植〗(수술의) 꽃실; 〖電〗필라멘트.
fi·lar·i·a [filέəriə] *n.* (*pl.* ***-ae*** [-riìː]) C 필라리아, 사상(絲狀)충.
fil·a·ture[fílətʃər] *n.* U (누에 고치에서) 실뽑기; 물레; C 제사 공장.
fil·bert [fílbərt] *n.* C (유럽풍의) 개암나무(cf. hazel)(의 열매).
filch[filtʃ] *vt., vi.* 좀도둑질하다. **∠-er** *n.*
‡**file**[1][fail] *n.* C ① 서류철, (서류·신문 따위의) 철하기, 파일; 정리 카드. ② 〖軍〗대오, 종렬(cf. rank[1]). ③ 목록, 명부. ④ 〖컴〗파일《정보기록철》. ***on ~*** 철해져; 정리 보관되어. — *vt.* 철하다; (서류·신청서 따위를) 제출하다, 종렬 행진시키다.
file[2] C *n., vt.* 줄(질하다); 퇴고(하다). 「름.
fíle náme 〖컴〗(기록)철〔파일〕이
fi·let[filéi, ∠–] *n.* (F.) C 등심〔필레〕살(fillet); U 망사 레이스.
*__fil·i·al__[fíliəl, -ljəl] *a.* 자식(으로서)의. ***~ duty* 〔*piety*〕** 효도.
fil·i·bus·ter[fíləbʌ̀stər] *n.* C (외국땅을 침입하는) 약탈병; 해적; U,C 《美》의사(議事) 방해(자). — *vi., vt.* 약탈〔침공〕하다; 해적 행위를 하다; 의사를 방해하다. **~·er** *n.*
fil·i·cide[fíləsàid] *n.* U 자식 살해; C 자식 살해범.
fi·lic·i·form [filísəfɔ̀ːrm] *a.* 양치(羊齒)꼴의.
fil·i·gree[fíləgrìː] *n.* U (금은의) 가는 줄 세공; 섬세한 물건.
fil·ing[1][fáiliŋ] *n.* U 철하기, 서류정리. 「(보통 *pl.*) 줄밥.
fil·ing[2] *n.* U,C 줄로 다듬기, 줄질;
Fil·i·pine[fíləpìːn] *a.* = PHILIPPINE.
Fil·i·pi·no[fìləpíːnou] *n.* (Sp.)(*pl.* ***~s***) C 필리핀 사람.
‡**fill**[fil] *vt.* 채우다; (지위를) 차지하다; 보충하다. — *vi.* 가득 차다. ***~ in*** 채우다; 적어넣다. ***~ out*** 부풀(게 하)다; 둥글게 하다〔되다〕; (문서의) 여백을 채우다. ***~ up*** 가득 채우다; (여백을) 메우다; 만원이 되다. — *n.* C 충분, 가득참. **∠·er** *n.* C 채우는 사람〔것〕; 충전물〔재(材)〕.
fill·er[fílər] *n.* C 채우는 사람〔것〕; 〖컴〗채움 문자.
*__fil·let__[fílit] *n.* C ①(머리털을 매는) 리본; 가는 띠. ②[filei] 등심살, (생선의) 저민 고기. — *vt.* 리본으로

매다〔장식하다〕; [fílei] 등심살〔필레〕 고기를 떼다, (생선을) 저미다.
***fill·ing** [fíliŋ] *n.* Ⓤ 충전; Ⓒ 충전물; Ⓤ 〖컴〗 채움, 채우기.
fílling stàtion (자동차의) 주유소.
fil·lip [fíləp] *vt., n.* Ⓒ 손가락으로 튀기다〔튀기기〕; 자극(을 주다), 원기를 북돋우다. 「량이.
fil·ly [fíli] *n.* Ⓒ 암망아지; 《口》 말괄
‡film [film] *n.* ① Ⓤ 얇은 껍질〔막〕. ② Ⓤ,Ⓒ 필름. ③ Ⓒ 영화. ④ Ⓒ (거미줄 같은) 가는 실; 엷은 안개; (눈의) 흐림. — *vt., vi.* 얇은 껍질로 덮(이)다; 촬영하다; 영화화하다〔에 알맞다〕. **∠·y** *a.* 얇은 껍질의〔같은〕; 아주 얇은; 얇은 막으로 덮인.
film·dom [∠dəm] *n.* Ⓤ 영화계.
film·ize [∠aiz] *vt.* 영화화하다.
fílm tèst (영화 배우 지망자의) 카메라 테스트.
fil·o·vi·rus [fílouvàiərəs, fílə-] *n.* Ⓒ 필로 바이러스《사상(絲狀) 바이러스의 일종》.
***fil·ter** [fíltər] *n.* Ⓒ 여과기; 여과재(材)《모래·종이·필터 따위》; 〖寫〗 필터; 〖컴〗 거르개. — *vt., vi.* 거르다, 여과하다(strain); (*vi.*) 스미다, 배다(*into*); (소문 따위가) 새다(*out, through*).
fílter cènter 〖軍〗 대공(對空) 정보 본부, 정보 심사소.
fílter pàper 여과지.
fílter tìp 필터 (담배).
***filth** [filθ] *n.* Ⓤ ① 오물. ② 외설; 추잡(한 말). ***∠·y** *a.* 더러운, 추잡한. **∠·i·ly** *ad.*
fil·trate [fíltreit] *vt., vi., n.* 여과하다; [-trit] Ⓤ 여과액. **fil·trá·tion** *n.* Ⓤ 여과 (작용).
FIM field intercepter missile.
***fin** [fin] *n.* Ⓒ 지느러미 (모양의 물건); 《俗》 팔, 손; 〖空〗 수직 안정판; 〖海〗 수평타(舵); (보통 *pl.*) (잠수부의) 발갈퀴.
Fin. Finland; Finnish. **fin.** finance; financial; finis; finished.
‡fi·nal [fáinəl] *a.* 최종의; 결정적인; 목적의〔에 의한〕. — *n.* Ⓒ 최후의 것; (*pl.*) 결승(전), (대학 따위의) 최종 시험. **~·ist** *n.* Ⓒ 결승전 출장 선수. **†~·ly** *ad.* 최후로, 마침내.
***fi·na·le** [finá:li, -nǽli] *n.* (It.) Ⓒ 〖樂〗 종악곡; 종막, 피날레; 종국.
fi·nal·i·ty [fainǽləti, fi-] *n.* Ⓤ 종국; 최종적〔결정적〕인 것; Ⓒ 최후의 것〔언행〕. ***an air of ~*** 결정적 태도. ***with ~*** 딱 잘라서.
fi·nal·ize [fáinəlàiz] *vt.* 결말을 짓다; 끝마치다.
‡fi·nance [finǽns, fáinæns/fainǽns, fi-] *n.* Ⓤ 재정; (*pl.*) 재원. ***Minister* 〔*ministry*〕 *of F-*** 재무부장관〔재무부〕. — *vt., vi.* 자금을 공급하다, 융자하다; 재정을 처리〔관리〕하다.
‡fi·nan·cial [finǽnʃəl, fai-] *a.* 재정(상)의; 재계의; 금융상의. ***~·ly** *ad.* 재정적으로, 재정상(의 견지에서).
***fin·an·cier** [fìnənsíər, fài-] *n.* Ⓒ 재정가; 금융업자; 자본가.
fín·bàck *n.* Ⓒ 큰고래.
finch [fintʃ] *n.* Ⓒ 〖鳥〗 피리새류.
†find [faind] *vt.* (***found***) ① 찾아내다, 발견하다; 우연히 만나다. ② 알다; 깨닫다; 알아차리다. ③ 확인하다. ④ 쓰이게 하다; 이르다, 닿다. ⑤ 판결〔판정〕을 내리다. ⑥ 공급하다. — *vi.* 판결〔판정〕을 내리다. ***~ fault with*** …을 비난하다, 흠〔트집〕잡다. ***~ oneself*** 자기 천분〔능력〕을 깨닫다〔알다〕; 의식(衣食)을 자변(自辨)하다; 기분이 …하다(*How do you ~ yourself today?* 오늘은 기분이 어떠십니까). ***~ out*** 발견하다; 문제를 풀다; 간파하다. — *n.* Ⓒ 발견(물). **∠·a·ble** [-əbəl] *a.* 발견할 수 있는, 찾아낼 수 있는. ***∠·ing** *n.* Ⓤ,Ⓒ 발견(물); (재판소·심판관 등의) 판정, (배심의) 평결; (*pl.*) 《美》 (직업에 따르는) 연장·재료 따위; 〖컴〗 찾기.
find·er [∠ər] *n.* Ⓒ 발견자; (카메라의) 파인더; 〖天〗 (대망원경 부속의) 조정 망원경. ***Finders, keepers.*** 《口》 먼저 발견한 사람의 차지, 빠른 놈이 장땡.
fin de siè·cle [fæ̃ŋ də sjékl] (F.) (19)세기 말의, 데카당〔퇴폐〕파의.
†fine[1] [fain] *a.* ① 아름다운. ② 훌륭한. ③ 맑게 갠. ④ 품위 있는, 고상한. ⑤ 가는, 섬세한; (날이) 예리한. ⑥ 고운, 미세한. ⑦ (금·은이) 순도가 높은(*gold 24 carats ~*, 24금, 순금). ⑧ (얼굴이) 아리따운; 화려한. ***~ gold*** 순금. ***~ paper* 〔*bill*〕** 일류 어음. ***~ rain*** 보슬비, 이슬비. ***not to put too ~ a point upon it*** 까놓고 말하면. ***one ~ day* 〔*morning*〕** 어느 날〔아침〕《'fine'은 허사》. ***one of these ~ days*** 조만간. ***rain or ~*** 비가 오건 개건. — *ad.* 훌륭히, 멋지게. ***cut* 〔*run*〕 *it* (*too*) *~*** 바싹 줄이다. ***say ~ things*** 발림말을 하다. ***talk ~*** 멋진 말을 하다. ***∠·ly** *ad.*
‡fine[2] *n., vt.* Ⓒ 벌금(을 과하다). ***in ~*** 결국; 요컨대.
fíne árts 미술.
fíne-dràwn *a.* 곱게 꿰맨; 가늘게 늘인; (논의 따위가) 정밀한.
fíne-gràined *a.* 결이 고운.
fin·er·y [fáinəri] *n.* Ⓤ 《집합적》 화려한 옷〔장식〕, 장신구.
fíne·spùn *a.* 섬세하게 자은; (논의 등이) 너무 정밀한.
fi·nesse [finés] *n.* Ⓤ 수완; 술책.
fíne-tòothed cómb 가늘고 촘촘한 빗. ***go over with a ~*** 세밀하게 음미〔조사〕하다.
fíne·tùne *vt.* 미(微)조정하다.
†fin·ger [fíŋgər] *n.* Ⓒ 손가락(cf. toe); (장갑의) 손가락; 손가락 모양의 물건. ***burn one's ~s*** (섣불리 참견하여) 혼〔신물〕나다. ***have a ~***

in the pie (사건에) 관여하다; 쓸데없이 간섭하다. ***have ... at one's ~(s') ends*** …에 정통하고 있다. ***His ~s are all thumbs.*** 그는 손재주가 없다. ***lay*** [***put***] ***a ~ upon*** 손을 대다. ***put one's ~ on*** 딱 지적하다. ***twist*** [***turn***] ***a person round one's*** (***little***) ***~*** 아무를 마음대로 주무르다. — *vt., vi.* 손가락을 대다, 만지다; 〖樂〗 탄주, 〔지주(指奏)〕하다; 켜다. **~·ing** *n.* Ⓤ 손가락으로 만짐; 〖樂〗 운지법(運指法)〔기호〕.

fínger àlphabet (농아자용의) 지문자(指文字).

fínger·bòard *n.* Ⓒ 〖樂〗 건반; (바이올린·기타 등의) 지판(指板).

fínger bòwl 〔**glàss**〕 (식탁의) 손가락 씻는 물그릇.

fínger màn 《美俗》 밀고자.

fínger·màrk *n.* Ⓒ (더럽혀진) 손가락 자국; 지문.

fínger·nàil *n.* Ⓒ 손톱.

fínger pòst (손가락 꼴의) 도표(道標), 방향 표시 말뚝; 안내서, 지침.

fínger·prìnt *n.* Ⓒ 지문

fínger rèading 점자(點字) 독법.

fínger rìng 반지.

fínger·stàll *n.* Ⓒ 손가락 싸개, 손가락 색(sack).

fínger·tìp *n.* Ⓒ 손끝.

fínger wàve 손가락 웨이브《기름 바른 머리를 손가락으로 눌러 만듦》.

fin·i·cal [fínikəl] *a.* 찌까다로운; 지나치게 공들인〔정교한〕.

fi·nis [fínis, fái-] *n.* (L.) Ⓤ 끝.

†**fin·ish** [fíniʃ] *vt.* ① 끝내다, 완성하다, 마무리하다. ② 마무리칠을 하다. ③ 해치우다; 죽이다. ④ (음식물을) 먹어치우다. — *vi.* 끝나다. **~ *off*** 마무리하다; 죽이다. **~ *up*** 마무르다; 먹어치우다(eat up). **~ *with*** 끝맞음하다; 절교하다. — *n.* Ⓒ 끝; Ⓤ 끝손질 (재료). ***be in at the ~*** 끝판에 참가하다. ***put a fine ~*** 끝손질하다, 다듬다(*on*). ***to a ~*** 끝까지. **~·er** *n.* Ⓒ 끝손질하는 직공, 마무리 기계; 결정적인 일격.

fínishing schòol (여성의) 교양 완성 학교《일종의 신부 학교》.

fínish lìne 결승선.

***fi·nite** [fáinait] *a.* 유한의(opp. infinite); 〖文〗 정형(定形)의.

fínite vérb 정동사(定動詞).

fink [fiŋk] *n.* Ⓒ 《美俗》 파업 파괴꾼; 밀고자.

***Fin·land** [fínlənd] *n.* 핀란드.

Finn [fin] *n.* Ⓒ 핀란드 사람. **∠·ish** *a., n.* 핀란드(인·어)의; Ⓤ 핀란드어.

fin·ny [fíni] *a.* (<fin) 지느러미 있는〔같은〕.

fiord [fjɔːrd] *n.* Ⓒ (노르웨이 등의) 협만(峽灣), 피오르드.

***fir** [fəːr] *n.* Ⓒ 전나무; Ⓤ 그 재목.

†**fire** [faiər] *n.* ① Ⓤ 불. ② Ⓒ 화롯불, 모닥불. ③ Ⓤ,Ⓒ 화재. ④ (보석의) 광채. ⑤ Ⓤ 정열(*a kiss of ~*). ⑥ Ⓤ 열병, 염증. ⑦ Ⓒ 시련. ⑧ Ⓤ 발사, 점화; 포화. ***between two ~s*** 앞뒤로 포화를 받아. ***catch*** 〔***take***〕 ***~*** 불이 붙다. ***go through ~ and water*** 물불을 가리지 않다, 온갖 위험을 무릅쓰다. HANG ***~. lay a ~*** (불을 피우기 위해서) 장작을 쌓다. ***miss ~*** 불발로 끝나다; 실패하다. ***on ~*** 불타서; 열중하여. ***open ~*** 포문을 열다. ***set ~ to ...*** or ***set ... on ~*** 불을 지르다; …을 흥분시키다, 북돋우다. ***set the Thames on ~*** 세상을 놀라게 하다. ***under ~*** 포화를 〔비난·공격을〕 받아. — *vt.* ① 불붙이다, 불태우다. ② 불지르다, 자극하다, 흥분시키다. ③ (벽돌을) 굽다. ④ 발포하다; 폭파하다. ⑤ 《口》 (돌 등을) 던지다. ⑥ 《美俗》 해고시키다. — *vi.* 불이 붙다; 빛나다; 발포하다; 흥분하다. ***~ away*** 《口》 시작하다; 《명령형으로》 척척 해라; (탄알을) 다 쏘아버리다. ***~ off*** 발포하다; 쏘다, 띄우다. ***~ out*** 《美俗》 해고하다. ***~ up*** 불을 지피다; 불끈하다.

fíre alàrm 화재 경보(기).

***fíre·àrm** *n.* Ⓒ (보통 *pl.*) 화기, (특히 소총·단총 등의) 소화기.

fíre·bàll *n.* Ⓒ 수류탄; 대유성(大流星); 《美口》 정력가.

fíre·bàse *n.* Ⓒ 발사 기지, 포격 진지.

fíre·bòat *n.* Ⓒ 소방선.

fíre bòmb 소이탄.

fíre·bòx *n.* Ⓒ (보일러 등의) 화실(火室).

fíre·brànd *n.* Ⓒ 횃불; 선동자; 열렬한 정력가.

fíre·brèathing *a.* (말투나 태도가) 공격〔공갈〕적인.

fíre·brìck *n.* Ⓒ 내화(耐化) 벽돌.

fíre brigàde 소방대; 《英》 소방서; 《美軍俗》 긴급 출동 부대.

fíre·bug [∠bʌ̀g] *n.* Ⓒ 《美》 개똥벌레 (firefly); 《口》 방화광(狂).

fíre clày 내화 점토(粘土).

fíre còmpany 소방대; 《英》 화재 보험 회사.

fíre contról 〖軍〗 사격 지휘.

fíre·cràcker *n.* Ⓒ 폭죽, 딱총.

fíre·dàmp *n.* Ⓤ (탄갱의) 폭발성 가스.

fíre depàrtment 소방서.

fíre·dòg *n.* =ANDIRON.

fíre drìll 소방 연습.

‡**fíre èngine** 소방 펌프; 소방차.

fíre escàpe 비상구〔계단〕, 피난 사다리(따위).

fíre extìnguisher 소화기.

fíre fighter 의용 소방사(cf. fireman).

***fíre·flỳ** *n.* Ⓒ 개똥벌레.

fíre·guàrd *n.* Ⓒ 난로 울; 《英》 화재 감시인.

fíre hòok (소방용) 갈고랑 장대.

fíre·hòuse *n.* Ⓒ 소방서.

fíre insùrance 화재 보험.

fíre·lìght *n.* Ⓤ (난로의) 불빛.

fíre·lòck *n.* =FLINTLOCK.

‡**fíre·man** [fáiərmən] *n.* Ⓒ (직업적) 소방관; 화부, 보일러공; 《野俗》 구원 투수.

‡**fíre·plàce** *n.* Ⓒ 벽(난로).

F

fíre·plùg *n.* Ⓒ 소화전.
fíre·pòwer *n.* Ⓤ 〖軍〗 화력.
*****fíre·pròof*** *a.* 내화(耐火)의.
fíre-ràising *n.* Ⓤ《英》방화.
fíre-resìstant *a.* 내화(구조)의, 내화 규격에 맞은.
fíre-retàrdant *a.* (건물·도료 등이) 방화성의.
fíre sàle 타다 남은 물품 특매.
fíre scrèen (난로용) 화열 방지 칸막이.
*****fíre·sìde** *n.* ① Ⓒ 난로가(의 모임). ② 가정(생활). **~ chat** 노변담화《F. D. Roosevelt의, 친근감을 주는 정견 발표 형식》.
fíre stàtion 소방서.
fíre·tràp *n.* Ⓒ 화재 때 피할 길이 없는 위험한 건물.
fíre wàll 〖建〗 방화벽.
fíre·wàter *n.* Ⓤ《口》화주(火酒)《위스키·브랜디 등의 독한 술》.
fíre·wèed *n.* Ⓒ 불탄 자리에 나는 잡초; 분홍 바늘 꽃.
*****fíre·wòod** *n.* Ⓤ 장작.
*****fíre·wórks** *n. pl.* 불꽃; 분노의 폭발; 기지 등의 번득임.
fíre wòrship 〖宗〗 배화(교). **~(p)er** 배화교도.
*****fir·ing**[fáiəriŋ] *n.* Ⓤ 발포; 점화; 불때기; 장작, 땔감.
fíring squàd 〖軍〗 (장례식의) 조총대(弔銃隊); 총살 집행대.

F

fir·kin[fə́ːrkin] *n.* Ⓒ 1/4배럴(barrel) 상당의 영국의 용량 단위; 버터를 넣는 작은 나무 통.
:firm[1][fəːrm] *a.* ① 굳은, 견고한. ② 고정된. ③ 강경한. ④ (가격이) 변동 없는. ***be ~ on one's legs*** 확고히 서 있다. **— *ad.*** 단단히, 굳게. **— *vt., vi.*** 굳게 하다, 굳어지다. ***∠·ly** *ad.* ***∠·ness** *n.*
:firm[2] *n.* Ⓒ 합자 회사, 상사.
fir·ma·ment[fə́ːrməmənt] *n.* (보통 the ~)《詩》하늘, 창공.
fírm·wàre *n.* Ⓤ 〖컴〗 펌웨어, 굳힌모《hardware도 software도 아닌 데이터 보존 부분 따위》.
FIRREA 《美》 Financial Institutions Reform, Recovery and Enforcement Act 금융 기관 개혁 부흥 시행법.
†first[fəːrst] *a.* 첫(번)째의, 제1의, 주요한; 〖樂〗 수위의. ***at ~ hand*** 직접으로. ***at ~ sight*** 한눈에, 언뜻 보아서는. ***~ thing***《口》우선 무엇보다도, 첫째로. ***for the ~ time*** 처음으로. ***in the ~ place*** 우선 첫째로. ***(on) the ~ fine day*** 날씨가 드는 대로. **— *n.*** Ⓤ 제일; 일등, 일위; 최초; 초하루; 〖野〗 1루. ***at ~*** 처음에는. ***from ~ to last*** 처음부터 끝까지, 시종. **— *ad.*** 첫째로; 최초로; 처음으로; 차라리, 오히려. ***~ and foremost*** 맨먼저. ***~ and last*** 전후를 통하여, 통틀어. ***First come, ~ served.*** 빠른 놈이 장땡. ***~ of all*** 우선 첫째로. ***∠·ly ad.*** 첫째로.
first áid 응급 치료.
first báse 〖野〗 일루(一壘)(수).
first-bórn *a., n.* Ⓒ 최초로 태어난 (자식).
*****first·clàss** *a., ad.* 일류의; (기차 따위) 일등의[으로].
First dày (Quaker교도 사이에서) 일요일.
first-degrée *a.* (선·악 양면에서 정도가) 제1급인.
first fámily (어떤 지역에서) 명문; 《美》 대통령[주지사] 일가.
first fínger 집게 손가락.
first frúits 만물, 햇것; 첫 수확; 최초의 성과.
*****first-hánd** *a., ad.* 직접의[으로].
first lády 대통령 부인.
first lieuténant (미육·공군) 중위.
first·ling *n.* Ⓒ (보통 *pl.*) 만물, 첫 수확; (가축의) 맏배.
*****first nàme** =CHRISTIAN NAME.
first·níghter *n.* Ⓒ (극·오페라 따위의) 첫날에 꼭 보러 가는 사람.
first ófficer 〖海〗 (상선의) 1등 항해사; 부조종사.
first pápers 《美》 제1차 서류《외국인이 미국에 귀화할 때 최초로 제출하는 서류》.
first pérson 〖文〗 제1인칭.
first quárter 〖天〗 (달의) 상현(上弦); 상현의 기간.
first-ráte *a., ad.* 일류의; 훌륭한; 《口》 굉장히.
First Repúblic, the (프랑스의) 제1공화국.
first-rún *a.* 〖映〗 개봉 흥행의. **~ner** *n.* Ⓒ 〖映〗 개봉관.
first sérgent 《美陸·海兵》 상사.
first-stríke *a.* (핵무기에 의한) 선제공격의; 제1격의.
first-stríng *a.* 《美》 (팀 등) 일군(一軍)의; 일류의, 우수한.
firth[fəːrθ] *n.* Ⓒ 후미, 강 어귀.
*****fis·cal**[fískəl] *a.* 국고의; 재정상의, 회계의.
fiscal stámp 수입 인지.
fiscal yéar 《美》 회계 연도, (기업의) 사업 연도(《英》 financial year).
†fish[fiʃ] *n.* (*pl.* **~es,** 《집합적》 **~**) Ⓒ 물고기; 생선, 어육; 《口》 (별난) 사람, 놈. ***feed the ~es*** 익사하다; 배멀미하여 토하다. ***make ~ of one and flesh of another*** 차별 대우하다. ***neither ~, flesh, nor fowl [good red herring]*** 정체를 알 수 없는. ***the Fishes*** 〖天〗 물고기자리; 쌍어궁(雙魚宮). **— *vt., vi.*** 물고기를 잡다, 낚다; 찾다(*for*); (속에서) 끄집어내다; (*vt.*) (바다·강 등에서) 낚시질하다(***~ a stream***). ***~ for*** 찾다; 낚아내다, 캐어내다. ***~ in troubled waters*** 혼란을 틈타서 이득을 취하다. ***~ out [up]*** 물고기를 몽땅 잡아 내다.
fish cùlture 양어, 양어법.
*****fish·er**[fíʃər] *n.* Ⓒ ① 물고기를 잡는 동물《특히 담비(weasel)》. ② 어부.
:fisher·man [-mən] *n.* Ⓒ 어부; 어선.

fisher·woman [-wùmən] *n.* Ⓒ 여자 낚시꾼.

***fish·er·y**[´əri] *n.* Ⓤ 어업(권); 어장.

físh-èye lénse 어안(魚眼) 렌즈.

físh flòur 식용 정제 어분.

físh hàwk 〖鳥〗 물수리(osprey).

físh·hòok *n.* Ⓤ 낚시.

:**fish·ing**[´iŋ] *n.* Ⓤ 낚시질, 어업; Ⓒ 어장, 낚시터. 「장.

físhing bànks [**gròund(s)**] 어

físhing bòundary 어업 전관 수역.

físhing lìne [**ròd**] 낚싯줄[대].

físh(ing) stòry 허풍.

físhing tàckle 낚시 도구.

físh·mònger *n.* Ⓒ 《英》 생선 장수.

físh òil 어유(魚油).

físh·wìfe *n.* Ⓒ 여자 생선 장수; 입이 건 여자.

fish·y[´i] *a.* 물고기의[같은, 많은]; 비린; 《口》 의심스런; (눈이) 흐리멍텅한. 「운; 분열성의.

fis·sile[físəl/-sail] *a.* 갈라지기 쉬

fis·sion[fíʃən] *n.* Ⓤ 열개(裂開); 〖生〗 분열; 〖理〗 (원자의) 핵분열(cf. fusion). **~·a·ble** *a.* 핵분열하는.

físsion bòmb 원자 폭탄.

fis·sip·a·rous[fisípərəs] *a.* 〖生〗 분열생식의.

fis·sure[fíʃər] *n.* Ⓒ 금, 틈; 분할; 〖地〗 열하(裂罅)《암석 중의 갈라진 틈》. — *vt., vi.* 틈이 생기게 하다; 갈라지다.

:**fist**[fist] *n., vt.* Ⓒ 주먹(으로 치다); 《口》 손; 필적; 《印》 손가락표(☞). **´·ic** *a.* 권투[주먹질]의.

fist·i·cuff[fístikʌ̀f] *n.* (*pl.*) 주먹다짐, 난투.

fis·tu·la[fístʃulə/-tju-] *n.* (*pl.* **~s, -lae**[-lìː]) Ⓒ 〖醫〗 누(瘻). ***anal* ~** 치루(痔瘻).

:**fit**[1] [fit] *a.* (**-tt-**) (꼭)맞는, 적당[지당]한; 당장 …할 듯한; 《口》 건강한. ***as ~ as a fiddle*** [***flea***] 극히 건강하여. ***fighting* ~** 더없이 컨디션이 좋은. ***think*** [***see***] **~ *to*** (do) (하는 것이) 적당하다고 여기다; …하기로 작정하다. — *vt., vi.* (**-tt-**) (…에) 적합하다[시키다]; (사이즈 따위) 꼭 맞다; 준비시키다; 조달하다. **~ *in*** 적합하(게 하)다; 조화하다. **~ *like a glove*** 꼭 맞다. **~ *on*** …에 맞는지 입어보다; 잘 끼(우)다. **~ *out*** 장비[채비]하다. **~ *up*** 준비[설비]하다. — *n.* Ⓤ,Ⓒ 적합; (의복 따위의) 만듦새; Ⓒ 몸에 맞는 옷. **´·ly** *ad.* 적당히; 꼭; 알맞게. ***´·ness** *n.* Ⓤ 적당, 적합; 건강.

:**fit**[2] *n.* Ⓒ (병의) 발작; 경련, 경풍; 일시적인 기분[흥분], 변덕; (감정의) 격발. ***beat a person into ~s*** 아무를 여지없이 혼내주다. ***by ~s*** (***and starts***) 발작적으로, 이따금 생각난듯이. ***give a person a* ~** 《口》 깜짝 놀라게 하다; 노발대발하게 만들다. ***give a person ~s*** 여지없이 혼내주다; 호되게 꾸짖다; 성나게 만들다. ***when the ~ is on one*** 마음이 내키면. **´·ful** *a.* 발작적인; 단속적인; 변덕스러운. **´·ter** *n.* Ⓒ (기계·비품 따위의) 설비[정비]공, (가봉한 것을) 입혀 맞추는 사람; 조립공.

fitch[fitʃ] *n.* ① Ⓒ (유럽산) 족제비의 일종. ② Ⓤ 그 모피.

***fit·ting**[fítiŋ] *a.* 적당한, 어울리는. — *n.* Ⓒ 가봉; (가봉한 것을) 입혀 보기; 설치; (*pl.*) 가구, 비품; 부속품. **~·ly** *ad.*

†**five**[faiv] *n., a.* Ⓤ,Ⓒ 다섯(의), 5(의), Ⓒ 5개(의); 5살(의). **fív·er** *n.* Ⓒ 《俗》 5달러[파운드] 지폐.

fíve-and-tén(-cènt stòre) *n.* Ⓒ 《美》 싸구려 잡화점.

fíve·fòld *a., ad.* 5배의[로]; 5겹의[으로], 5중의[으로].

fíve percénter 《美》 (정부 상대의 사업 계약을) 5푼 수수료를 받고 알선하는 사람.

fíve-star géneral[´stɑ̀ːr-] 《美口》 육군[해군]원수.

Fíve-Yèar Plán 5개년 계획.

:**fix**[fiks] *vt.* ① 고정시키다. ② (의견 따위를) 고정[결정]하다. ③ (눈·주의 따위를) 집중시키다[끌다]. ④ (책임을) 지우다. ⑤ 염착(染着)시키다. ⑥ 〖寫〗 정착시키다. ⑦ (기계 등을) 수리[조정]하다. ⑧ 《美》 조리[준비]하다. ⑨ 매수하다. ⑩ 《口》 대갚음하(여 청산하)다, 대차를 청산하다. ⑪ 응고시키다. — *vi.* ① 고정하다. ② 응고하다. ③ 결정하다. ④ (눈이 …에) 머물다. ⑤ 《美口·方》 준비하다, (…할) 작정이다. **~ *on*** [***upon***] … 으로 결정하다, …을 고르다. **~ *out*** 《美口》 의장(艤裝)하다. **~ *over*** 《美口》 (의복 따위를) 다시 고쳐짓다, 고치다. **~ *up*** 《美口》 준비하다; 수리[정돈]하다; 결정하다; 해결하다. — *n.* ① Ⓒ (보통 a ~) 곤경. ② Ⓒ (선박의) 위치(측정). ***be in a* ~** 곤란하여, 곤경에 빠져. ***get*** [***give***] ***a person a* ~** 《俗》 아무에게 마약 주사를 놓다. ***out of* ~** (기계가) 고장나, 상태가 나빠.

fix·a·tion[fikséiʃən] *n.* Ⓤ,Ⓒ 고정; 〖化〗 응고; 〖寫〗 정착, 색고착(色固着); 〖精神分析〗 병적 집착(에 의한 성숙의 조기(早期) 정지).

fix·a·tive [fíksətiv] *a., n.* 정착력 있는; Ⓤ,Ⓒ 정착제, 염착제(染着劑).

:**fixed**[fikst] *v.* fix의 과거(분사). — *a.* ① 고정된. ② 부동[불변]의. ③ 정돈된. ④ 《美俗》 부정하게 결정된, 짬짜미의. ⑤ 〖化〗 응고된. ***with a ~ look*** 뚫어지게 바라보며. **fix·ed·ly**[fíksidli] *ad.*

fíxed idéa 〖心〗 고정 관념(F. *idée fixe*)《강박 관념의 일종》. 「의.

fíxed-póint *a.* 〖컴〗 붙박이 소수점

fíxed stár 〖天〗 항성(cf. planet).

fix·ing[fíksiŋ] *n.* ① Ⓤ 고정; 〖寫〗 정착. ② (*pl.*) 《美口》 (실내의) 설비, 비품.

fíxing solútion 정착액.

fix·i·ty [fíksəti] *n.* Ⓤ 고정(정착); 영구[불변]성.

***fix·ture**[fíkstʃər] *n.* Ⓒ ① 정착물;

F

비품. ② (어떤 직책·자리 따위에) 오래 앉아 있는 사람. ③ 〖機〗 공작물 고정 장치. ④ 《英》 (경기의) 예정일.

fizz, fiz[fiz] *vi., n.* 부글부글(하다); Ⓤ 발포성 음료. **fízz·y** *a.* 부글부글하는, 거품 이는.

fiz·zle[fízl] *vi., n.* (a ~) 희미하게 '쉬잇' 하는 소리(를 내다).

fjord[fjɔːrd] *n.* =FIORD.

Fl 〖化〗 fluorine. **Fl.** Flanders; Flemish. **fl.** floor; florin(s); fluid. **Fla., Flor.** Florida.

flab·ber·gast[flǽbərgæ̀st/-ɑ̀ː-] *vt.* 《口》 깜짝 놀라게 하다(*at, by*).

flab·by[flǽbi] *a.* 흐늘흐늘하는; 기력 없는. **-bi·ly** *ad.* **-bi·ness** *n.*

flac·cid [flǽksid] *a.* (근육 등이) 흐늘흐늘한(limp); 맥없는. **~·ly** *ad.* **~·ness** *n.*

flac·on[flǽkən] *n.* (F.) Ⓒ (향수 따위의) 작은 병.

†**flag**[1][flæg] *n.* Ⓒ 기; (*pl.*) (매·올빼미 따위의) 발의 긴 털; (새 날개의) 둘쨋줄 칼깃; 〖컴〗 깃발, 표시 문자. ── *vt.* (**-gg-**) 기를 올리다; 기로 꾸미다[신호하다].

flag[2] *n., vt.* (**-gg-**) Ⓒ 판석(板石)[포석(鋪石)](을 깔다); (*pl.*) 판석 포장 도로.

flag[3] *vi.* (**-gg-**) 시들다(droop), 약해지다, 축 늘어지다.

flag[4] *n.* Ⓒ 〖植〗 창포(菖蒲), 황창포, 창포 꽃(잎).

flág cáptain 〖海軍〗 기함의 함장.

Flág Dày 《美》 국기 제정 기념일《6월 14일》.

flag·el·lant [flǽdʒələnt] *a., n.* Ⓒ 채찍질하는 (사람); (F-, f-)(13-14세기의 광신적인) 채찍질 고행자.

flag·el·late[flǽdʒəlèit] *vt.* 채찍질하다. ── *a.* 〖生〗 편모(鞭毛)가 있는; 〔植〕 포복경이 있는. **-la·tion**[∸–léiʃən] *n.* Ⓤ (특히 종교적·성적인) 채찍질.

fla·gel·lum [flədʒéləm] *n.* (*pl.* **~s, -la**[-lə]) Ⓒ 〖生〗 편모; 〖植〗 포복경(匍匐莖); 매, 채찍.

flag·eo·let[flæ̀dʒəlét] *n.* Ⓒ (여섯 구멍의) 피리.

fla·gi·tious[flədʒíʃəs] *a.* 극악무도한.

flág lieuténant 〖海軍〗 장성(將星)의 부관[참모].

flag·man[flǽgmən] *n.* Ⓒ 신호기수.

flág òfficer 해군 장성.

flag·on[flǽgən] *n.* Ⓒ (손잡이·주둥이·뚜껑이 달린) 술병; 큰 병《약 2쿼터들이》.

flág·pòle, -stàff *n.* Ⓒ 깃대.

fla·grant[fléigrənt] *a.* 극악한, 악명 높은. **-grance, -gran·cy** *n.*

flág·ship *n.* Ⓒ 기함(旗艦).

flág stàtion (신호가 있을 때만 정거하는) 신호 정거장.

flág·stòne *n.* Ⓒ 판석, 포석.

flág·wàgging *n.* Ⓒ 수기 신호.

flág-wàver *n.* Ⓒ 선동자(agitator); 열광적 애국주의자.

flail[fleil] *n., vt., vi.* Ⓒ 도리깨(질하다).

flair[flɛər] *n.* Ⓤ 예리한 안식(眼識), 육감(*for*), 천부의 재능(*for*).

flak[flæk] *n.* (G.) Ⓤ 〖軍〗 고사포(화).

:**flake**[fleik] *n., vi., vt.* Ⓒ 얇은 조각, 박편(薄片)(이 되(게 하)다, …이 되어 펄펄 날리다, …으로 덮이다). ***corn ~s*** 콘플레이크.

flák jàcket 〔**vèst**〕 《美》 방탄 조끼.

flak·y[fléiki] *a.* 박편의; 벗겨져 떨어지기 쉬운; 조각조각의.

flam·beau[flǽmbou] *n.* (F.) (*pl.* **~s, ~x**[-z]) Ⓒ 횃불.

flam·boy·ance[flæmbɔ́iəns] *n.* Ⓤ 현란함, 화려함.

flam·boy·ant[flæmbɔ́iənt] *a.* 타는 듯한; (사람·행동 등이) 화려한.

:**flame**[fleim] *n.* ① Ⓤ,Ⓒ 불길, 화염; 광휘, 정열. ② Ⓒ 《俗》 애인. ③ Ⓤ 불같은 색채. ***go up in ~s*** 타오르다; 꺼져 없어지다. ── *vi.* 훨훨 타다; 빛나다; 정열을 드러내다; 발끈하다(*up, out*). **~ *out*** 갑자기 타오르다. ***flám·ing** *a.*

fla·men·co[flɑːméŋkou] *n.* Ⓤ 플라멩코《스페인의 집시의 춤》; 그 기악(곡).

fláme-òut *n.* Ⓤ 비행 중 또는 이륙시의 제트엔진의 돌연한 정지.

fláme projèctor 〖軍〗 화염 방사기.

fláme·thròwer *n.* =⇧.

fla·min·go [fləmíŋgou] *n.* (*pl.* **~(*e*)*s***) Ⓒ 〖鳥〗 홍학(紅鶴).

flam·ma·ble [flǽməbəl] *a.* = INFLAMMABLE.

Flan·ders[flǽndərz/-ɑ́ː-] *n.* 플랑드르《유럽의 옛나라; 벨기에 서부·북프랑스·네덜란드 남서부 등 포함》.

flange[flændʒ] *n., vt.* Ⓒ (수레바퀴 따위의) 테[턱진 테](를 씌우다).

:**flank**[flæŋk] *n.* Ⓒ ① 옆구리(살); 측면. ② 〖軍〗 부대의 측면, 익(翼). ── *vt.* (…의) 측면에 서다[을 우회하다]; 측면을 지키다[공격하다].

***flan·nel** [flǽnl] *n.* ① Ⓤ 플란넬, 융의 일종. ② (*pl.*) 플란넬제 의류, 모직 속옷. **-nel·et(te)** [∸–ét] *n.* Ⓤ 목 플란넬, 융.

flánnel·mòuth *n.* Ⓒ 《蔑》 아첨꾼; 자기 자랑하는 사람.

:**flap**[flæp] *vi., vt.* (**-gg-**) 펄럭거리(게 하)다; 날개를 퍼덕이다; 찰싹 때리다; 축 늘어지(게 하)다. ── *n.* ① Ⓤ 펄럭임; 날개침; 찰싹. ② Ⓒ 늘어진 것, 〖空〗 보조익(翼). ③ (a ~) 《俗》 흥분, 설레임. **∠·per** *n.* Ⓒ 펄럭이는[늘어지는] 것; 말팔량이.

fláp·dòodle *n.* Ⓤ 《口》 허튼[실없는] 소리.

fláp·jàck *n.* Ⓒ 핫케이크(griddle-cake); 《英》 (화장용) 콤팩트.

***flare**[flɛər] *vi.* 너울너울 타오르다(*up*); 번쩍번쩍 빛나다; 발끈하다(*out, up*); (스커트가) 플레어가 되다. ── *vt.* 너울너울 타오르게 하다; (스커트를) 플레어로 하다. ── *n.* ① (*sing.*) 너울거리는 화염, 불길의 너울거림. ② Ⓒ 화염신호. ③ (a ~)

(감정의) 격발. ④ U,C (스커트의) 플레어.
fláre bòmb 조명탄.
fláre pàth (비행장의) 조명 활주로.
fláre stàck 배출 가스 연소탑.
fláre-ùp *n.* C 확 타오름; 격노.
flar·ing[⊿iŋ] *a.* 타오르는; 현란한; 벌어진, 나팔꽃 모양의. **~·ly** *ad.*
:flash[flæʃ] *n.* ① C 섬광; (재치 등의) 번득임; (번쩍이는) 순간. ② U,C 〖映〗 플래시《순간 장면》; (신문의) 짧은 속보. ③ U 허식. ④ U (둑의) 방류수(放流水). ***in a ~*** 곧. ― *vi.* 번쩍 빛나다; (기지가) 번득이다; 휙 지나가다〔스치다〕; 확 나오다; 퍼뜩 생각나다. ― *vt.* (빛을) 번쩍이다; 번개같이 전달하다; (전보·라디오로) 통신하다.
flásh·bàck *n.* U,C 플래시백《과거를 회상하는 장면 전환》; (소설 등의) 회고법적 묘사.
flásh bùlb〔**làmp**〕〖寫〗 섬광 전구.
flásh bùrn (원자탄 따위에 의한) 섬광 화상(火傷).
flásh càrd 플래시카드《시청각 교육에서 단어·숫자 등을 잠깐 보여 외게 하는 카드》.
flásh·er *n.* C 자동 점멸 장치; (교통 신호·자동차 등의) 점멸광.
flásh fòrward 〖映〗 미래 장면의 사전 삽입.
flásh gùn 〖寫〗 섬광 발화 장치.
***flash·light**[⊿làit] *n.* C ①《美》 회중 전등. ② 〖寫〗 플래시. ③ (등대의) 명멸광; 회전〔섬광〕등.
flash·y[⊿i] *a.* 야한, 번쩍거리는.
***flask**[flæsk, -ɑ:-] *n.* C 플라스크; (호주머니용의) 작은 술병.
:flat[1][flæt] *a.* (**-tt-**) ① 편평한; 납작한; 납죽 엎드린. ② 공기가 빠진, 납작해진. ③ (맥주 등) 김빠진, (음식이) 맛없는; 불경기의. ④ 광택 없는; (색채·소리 등이) 단조로운. ⑤ 노골적인, (거절이) 단호한. ⑥ 〖樂〗 내림음의, 반음 낮은(opp. sharp). ⑦ 〖音聲〗 평설(平舌)의《æ, ə따위》; 유성의; 〖文〗 접사(接辭)없는. ***~ adverb*** 무접사 부사《보기: She breathed *deep.*》. ***~ infinitive.*** 'to' 없는 부정사. ***That's ~.*** 바로 맞았어. ― *ad.* 편평하게; 꼭(*ten seconds ~*, 10초 플랫); 아주; 단호히; 〖樂〗 반음 낮게. ***fall ~*** 푹 쓰러지다; 납죽 엎드리다; 실패하다, 효과 없다. ― *n.* C 평면; 평평한 부분; 평지; 여울; 〖樂〗 내림표《♭》; 《口》 바람 빠진 타이어. ― *vt., vi.* (**-tt-**) 평평하게 하다〔되다〕. ***~ out***《美口》 용두사미로 끝나다. ***⊿·ly** *ad.* **⊿·ness** *n.*
***flat**[2] C ①《英》 플랫식(같은 층의 여러 방을 한 가구가 전용하는 아파트 《美》 apartment). ② (*pl.*) 아파트식 공동주택.
flát·bòat *n.* C (큰) 너벅선(船).
flát-bóttomed *a.* (배의) 바닥이 편평한.
flát·càr *n.* C《美》 무개 화차, 목판차《지붕도 측면도 없는》.
flát·fish *n.* C 가자미·넙치류.
flát·fòot *n.* (*pl.* ***-feet***) C 편평족; 《俗》 순경(巡警).
flát·fóoted *a.* 편평족의; 《俗》 단호한(*a ~ refusal*).
flat·i·ron[⊿àiərn] *n.* C 다리미, 인두.
flát-nósed *a.* 코가 납작한.
flát-óut *a.*《口》 ① 솔직한; 전적인 (*~ lie* 새빨간 거짓말). ②《英》 최고 속도의.
flát sìlver 식탁용 은제 식기류《칼·포크 따위》.
flat·ten**[flǽtn] *vt., vi.* 평평〔납작〕하게 하다〔되다〕; 단조롭게 하다〔되다〕; 김이 빠지다, 맛없게〔싱겁게〕 하다〔되다〕; 반음 내리다. ***~ out 평평하게 하다; 〖空〗 수평 비행 자세로 돌아가(게 하)다.
:flat·ter[flǽtər] *vt.* ① (…에게) 아첨하다; 알랑거리다. ② 우쭐케 하다. ③ (사진·초상화 따위를) 실물보다 좋게 그리다〔찍다〕. ④ 기쁘게 하다. ***~ oneself that ...*** 우쭐하여 …이라고 생각하다. ***⊿·er** *n.* C 알랑쇠. ***~·ing** *a.* 빌붙기 잘하는. **:~·y** *n.* U,C 아첨(하는 말), 치레말.
flát tíre 바람 빠진 타이어.
flát·tòp *n.* C《美口》 항공 모함.
flat·u·lence[flǽtʃuləns/-tju-] *n.* U 뱃속에 가스가 참, 고창(鼓脹); 공허, 허세. **-lent** *a.* 고창(鼓脹)의; 젠체하는.
flát·wòrm *n.* C 편충.
Flau·bert[floubέər], **Gustave** (1821-80) 플로베르《프랑스의 소설가》.
flaunt [flɔ:nt] *vt.* (…에게) 과시하다, 자랑해 보이다. ― *vi.* 허세부리다, 옷치장하다; (기가) 휘날리다. ― *n.* U 과시.
flau·tist[flɔ́:tist] *n.* =FLUTIST.
:fla·vor,《英》 **-vour** [fléivər] *n.* U,C 풍미(를 더하는 것); 풍취, 맛; 향기. ― *vt.* (…에) 맛을 내다; 풍미를 곁들이다. **~·ing** *n.* U,C 조미(료).
flávor enháncer 화학조미료《monosodium glutamate의 통칭》.
***flaw**[1][flɔ:] *n.* C 금, 흠; 결점. ― *vt., vi.* (…에) 금가(게 하)다, 흠집을 내다. **⊿·less** *a.* 흠없는; 흠잡을 데 없는.
flaw[2] *n.* C 돌풍(gust); 한차례의 폭풍.
***flax**[flæks] *n.* U 아마(亞麻), 아마실, 린네르. **~·en**[flǽsən] *a.* 아마(제)의; 아마색의, 엷은 황갈색의.
flay[flei] *vt.* (…의) 가죽〔껍질〕을 벗기다; 심하게 매질하다; 혹평하다.
F làyer 〖無電〗 F층《최상층의 전리층; F_1 layer와 F_2 layer로 나뉨》.
fld. field; fluid.
:flea[fli:] *n.* C 벼룩. ***~ in one's ear*** 빈정거림, (듣기) 싫은 소리.
fléa·bàg *n.* C 《俗》 침대, 침낭; 싸구려 하숙.
flea·bane[⊿bèin] *n.* C 개망초속(屬)의 식물, (특히) 봄망초.
fléa·bìte *n.* C 벼룩에 물린 데; 물림; 약간의 상처; 사소한 일.

F

fléa màrket 〔**fàir**〕 고물〔벼룩·도떼기〕 시장.

fleck[flek] *n., vt.* Ⓒ (색·빛의) 반점(을 내다); 작은 조각(을 흩뿌리다).

flec·tion[flékʃən] *n.* Ⓤ 굴곡, 만곡; Ⓤ,Ⓒ 〖文〗 어미 변화.

:fled[fled] *v.* flee의 과거(분사).

fledge[fledʒ] *vt.* (날기까지) 새끼를 기르다; 깃털로 덮다. — *vi.* 깃털이 나다. **flédg·ling,** 《英》 **flédge·ling** *n.* Ⓒ 날기 시작한 새 새끼, 열쭝이; 풋내기(cf. greenhorn).

:flee[fli:] *vi.* (***fled***) 도망하다; 질주하다; 사라지다(vanish). — *vt.* (…에서) 도망하다. **flé·er**[1] *n.* Ⓒ 도망자.

***fleece**[fli:s] *n.* Ⓤ,Ⓒ ① 양털; 한 마리에서 한번 깎는 양털. ② 양털 모양의 것. ③ 보풀이 부드러운 피륙. — *vt.* (양의) 털을 깎다; (속여서 혹은 을러 메어) 빼앗다. ***fléec·y** *a.* 양털 모양〔제품〕의; 푹신푹신한.

fleer[2][fliər] *vi., vt., n.* Ⓒ 조소(하다)(*at*).

:fleet[1][fli:t] *n.* Ⓒ 함대, 선대(船隊); (항공기의) 기단(氣團); (트럭 등의) 차량대열; (the ~)(한 나라의) 해군(력).

***fleet**[2] *a., vi.* 《詩》 빠른; 빨리 지나가 버리다. **∠·ing** *a.* 순식간의; (세월이) 덧없이 지나가 버리는.

fleet[3] *n.* Ⓒ 《英方》 후미; (the F-) 《英》 옛적 런던 Fleet 강가에 있던 감옥(the F- Prison).

fléet àdmiral 〖美海軍〗 해군 원수.

***fleet·ing**[∠iŋ] *a.* 빨리 지나가는; 덧없는, 무상한.

Fléet Strèet 플리트가(街)《런던의 신문사 거리》;《비유》(영국의) 신문계.

Flem·ing[flémiŋ] *n.* Ⓒ 플랑드르인; (플랑드르 말을 쓰는) 벨기에 사람.

Flem·ish[flémiʃ] *a., n.* Ⓒ 플랑드르(사람·말)의; Ⓒ 플랑드르인; Ⓤ 플랑드르어.

†flesh[fleʃ] *n.* Ⓤ 살; 살집; 식육, 고기; 과육; 살색; (the ~) 육체; 육욕; 인류; 생물; 친척. ***~ and blood*** (피가 통하는) 육체; 인간성; 육친. ***~ and fell*** 살도 가죽도, 전신; 《부사적》 전혀, 죄다. ***go the way of all ~*** 죽다. ***in the ~*** 이승의 몸이 되어; 살아서. ***lose*** 〔***gain, put on***〕 ***~*** 살이 빠지다〔찌다〕. ***make a person's ~ creep*** 오싹하게 하다. **∠·ly** *a.* 육체의; 육감적인; 인간적인. **∠·y** *a.* 살〔고기〕의〔같은〕; 살집이 좋은; 〖植〗 다육질의.

flésh-còlored, 《英》 **-cóloured** *a.* 살색의.

flésh èater 육식자, 육식 동물.

flésh flý 쉬파리.

flesh·ings[∠iŋz] *n. pl.* (무대용의) 살색 타이츠. 「*pl.*) 향락지, 환락가.

flésh·pòt *n.* Ⓒ 고기 냄비; (흔히

flésh wòund 얕은 상처, 경상.

fleur-de-lis[flə̀:rdəlí:] *n.* Ⓒ 붓꽃; (프랑스 왕가의) 붓꽃 문장.

†flew[flu:] *v.* fly[2]의 과거.

flex[fleks] *vt.* 〖解〗 (관절·근육을) 구부리다.

***flex·i·ble** [fléksəbəl] *a.* 구부리기 쉬운; 어거하기 쉬운; 융통성 있는. ***-bil·i·ty**[∸–bíləti] *n.*

flex·ion[flékʃən] *n.* 《英》 =FLECTION.

flex·i·time[fléksətàim] *n.* Ⓤ 자유근무 시간제. 「筋).

flex·or[fléksər] *n.* Ⓒ 〖解〗 굴근(屈

flex·ure[flékʃər] *n.* Ⓤ,Ⓒ 굴곡(부); 〖地〗 습곡(褶曲).

flib·ber·ti·gib·bet[flìbərtidʒíbit] *n.* Ⓒ 수다스럽고 경박한 사람.

***flick**[1][flik] *n.* Ⓒ 가볍게 침; 탁(하는 소리); 튕. — *vt.* 가볍게 때리다〔털어 버리다〕; (총채 따위로) 떨다. — *vi.* 퍼덕이다; (뱀의 혀·꼬리가) 날름거리다, 파닥거리다.

flick[2] *n.* (<⇩) Ⓒ 《俗》 영화 필름; (*pl.*) 영화. ***go to the ~s*** 영화보러 가다.

***flick·er**[1][flikər] *vi.* (빛이) 가물거리다; 흔들거리다; 펄럭이다; 얼른거리다; 언뜻 보이다. — *n.* (*sing.*) ① 깜박이는 빛; 반짝임; 번득임. ② 〖컴〗 (표시 화면의) 흔들림.

flick·er[2] *n.* Ⓒ (북미산의) 딱따구리.

flíck knìfe 《英》 날이 자동적으로 튀어나오게 된 칼.

fli·er[fláiər] *n.* Ⓒ 나는 사람〔것〕; 비행가; 급행열차〔버스〕, 쾌속정; 《美俗》 투기(投機); 《美》 전단; 삐라.

:flight[1][flait] *n.* ① Ⓤ,Ⓒ 날기, 비행. ② Ⓒ (나는 새의) 떼; Ⓒ 〖軍〗 비행편대〔소대〕. ③ Ⓤ (시간의) 경과. ④ Ⓒ 항공 여행, (로켓 등에 의한) 우주 여행. ⑤ Ⓒ (상상·야심의) 고양(高揚), 분방(奔放)(*of*). ⑥ Ⓤ 비행술〔법〕. ⑦ Ⓤ,Ⓒ 한번 나는 거리. ⑧ Ⓒ (계단의, 꺾이지 않은) 한 연속 (*two ~s of steps* 두 번 오르는 꺾인 계단). **∠·less** *a.* 날지 못하는.

flight**[2] [flait] *n.* Ⓤ,Ⓒ 도주, 패주. ***put to ~ 패주시키다. ***take*** (***to***) ***~*** 도주하다. 「(소).

flíght contròl (이착륙의) 관제

flíght dèck (항공 모함의) 비행 갑판; (항공기의) 조종실.

flíght fèather (새의) 칼깃.

flíght-nùmber *n.* Ⓒ 비행편(飛行便) 번호.

flíght òfficer 《美》 공군 준위.

flíght recòrder 〖空〗(사고 해명에 필요한) 비행 기록 장치.

flíght sìmulator 〖컴·空〗 모의 비행 장치.

flíght strìp 활주로.

flight·y[∠i] *a.* 들뜬; 머리가 좀 돈.

flim·sy[flímzi] *a.* 무른, 취약한; (이유 등이) 천박한, 박약한. — *n.* Ⓒ 얇은 종이; (신문 기자의) 얇은 원고지.

flinch[flintʃ] *n., vi.* Ⓒ 주춤함〔하다〕, 꽁무니 뺌〔빼다〕.

flin·der[flíndər] *n.* (*pl.*) 파편, 단편. ***break*** 〔***fly***〕 ***into*** 〔***in***〕 ***~*** 산산 조각이 나다〔으로 흩어지다〕.

F

:fling[fliŋ] *vt.* (**flung**[flʌŋ]) ① (내) 던지다; (두 팔을) 갑자기 내뻗다, 태질치다, 메어치다(*off*). ② (돈을) 뿌리다. ③ (옥에) 처넣다. ― *vi.* 돌진하다. ~ **away** 떨쳐버리다. ~ **off** 따버리다. ~ **oneself into** (사업 따위) 본격적으로 시작하다. ~ **oneself on** 〔**upon**〕 (*a person's mercy*) (아무의 인정에) 기대다. ~ **out** 내던지다; (말이) 날뛰다; 욕설을 퍼붓다. ― *n.* Ⓒ (내)던짐; (말의) 발길; 방종; 욕; 스코틀랜드의 활발한 춤; 《口》 시험, 시도. **at one** ~ 단숨에. **have a** ~ **at** 해보다; 욕하다; 조롱하다. **have one's** ~ 하고 싶은 대로 하다, 멋대로 놀아나다.

***flint**[flint] *n.* ① Ⓤ,Ⓒ 부싯돌, 라이터 돌. ② Ⓒ 《비유》 아주 단단한 물건. **∠·y** *a.* 부싯돌 같은; 냉혹한; 아주 단단한; 고집 센.

flínt glàss 납유리, 플린트 유리.

flínt-hèarted *a.* 냉혹한.

flínt·lòck *n.* Ⓒ 부싯돌식 발화 장치; 화승총(火繩銃).

flip[1] [flip] *vt., vi.* (**-pp-**), *n.* Ⓒ 손톱으로 튀기다〔튀김〕; 홈칫 움직이(게 하)다, 홱 움직임; 톡 치다〔침〕; 《口》 (비행기의) 한 번 날기.

flip[2] *n.* Ⓤ,Ⓒ 맥주 등에 설탕·향료·달걀 따위를 섞은 따뜻한 음료.

flip[3] *a., n.* Ⓒ 《口》 건방진 (녀석).

flíp-flòp *n.* Ⓒ 공중제비; (의견 따위의) 급변; 〖電〗 플립플롭 회로《진공관 회로의 일종》.

flip·pant[flípənt] *a.* 주제넘은; 경박한. **-pan·cy** *n.*

:flip·per[flípər] *n.* Ⓒ (바다표범 따위의) 물갈퀴; (잠수용) 고무 물갈퀴.

flíp sìde 《美口》 레코드의 B면.

:flirt[flə:rt] *vt.* (활발히) 흔들어대다; 던지다. ― *vi.* 깡충깡충〔홈칫홈칫〕 움직이다; (남녀가) 새롱거리다, 농탕치다(*with*); 가지고 놀다(*with*). ― *n.* Ⓒ 바람둥이; 급속한 움직임; 휙 던짐. **flir·tá·tion** *n.* Ⓤ 농탕치기, 무분별한 연애. **flir·tá·tious** *a.*

***flit**[flit] *vi.* (**-tt-**), *n.* Ⓒ 훌쩍 날다〔날기〕; 이리저리 날아다니다〔다니기〕; (시간이) 지나가다〔감〕.

flitch[flitʃ] *n.* Ⓒ 소금에 절여 훈제(燻製)한 돼지의 옆구리 살.

flit·ter[flítər] *vi., n.* Ⓒ 훨훨 날다〔나는 것〕.

fliv·ver[flívər] *n.* Ⓒ 《美俗》 (특히) 값싼 고물 자동차.

:float[flout] *vi., vt.* 뜨다, 띄우다, 표류하다〔시키다〕; (소문이) 퍼지다; 떨어져가다; (회사가) 서다〔세워지다〕; (어음이) 유통되다; (물에) 잠기게 하다; (*vi.*) (공채를) 발행하다; (미장이가) 흙손으로 고르다. ~ **between** …의 사이를 헤매다《마음·기분 등》. ― *n.* Ⓒ 부낭(浮囊), 뗏목; (낚시의) 찌; (무대를 높이 띄운) 산디; (수상기의) 플로트, 부주(浮舟); (미장이의) 마무리흙손. **~·á·tion** *n.* 《英》 =FLOTATION. **∠·er** *n.* Ⓒ 뜨는 사람〔것〕; 《美口》 집〔직장〕을 자꾸 옮기는 사람; 《美》 (여러 곳에서 투표하는) 부정 투표자.

***float·ing**[∠iŋ] *a.* 떠 있는; 부동〔유통〕하는; 유동하는.

flóating brídge 부교, 배다리.

flóating cápital 유동 자본.

flóating dóck 부선거(浮船渠).

flóating móney 유휴 자금.

flóating-pòint *a.* 〖컴〗 부동(浮動) 소수점식의.

flóating ríbs 〖解〗 유리 늑골(遊離肋骨).

flóating vòte 부동표(票).

floc·cu·lent[flákjələnt/-ɔ́-] *a.* 부드러운〔수북한〕 털 같은〔로 된〕.

:flock[1] [flak/-ɔ-] *n.* Ⓒ 《집합적》 ① (양·새의) 떼. ② 군중, 무리. ③ (같은 교회의) 신도. ― *vi.* 떼〔무리〕짓다, 모이다; 떼지어 오다〔가다〕.

flock[2] *n.* Ⓒ (양)털 뭉치; (침대 따위에 채워 넣는) 털솜 부스러기.

floe[flou] *n.* Ⓒ 큰 성엣장; 부빙원(浮氷原).

flog[flag, -ɔ:-/-ɔ-] *vt.* (**-gg-**) 세게 때리다; 매질〔채찍질〕하다.

:flood[flʌd] *n.* Ⓒ 홍수; 만조; (물건의) 범람, 쇄도; (the F-) 노아의 홍수; 《古·詩》 대해, 호수, 강. ― *vt.* (…에) 넘쳐 흐르다; 관개하다; 다량의 물을 쏟다; (홍수처럼) 밀어닥치다. ― *vi.* 범람하다; (조수가) 들어오다; 쇄도하다.

flóod contròl 치수(治水).

flóod·gàte *n.* Ⓒ 수문.

flood·ing[∠iŋ] *n.* Ⓤ,Ⓒ 범람; 큰물.

flóod·lìght *n., vt.* Ⓤ (조명 기구를 나타낼 때는 Ⓒ) 플러드라이트(를 비추다)《무대·건축물 따위에》.

flóod·plàin *n.* Ⓒ 〖地質〗 범람원.

flóod tìde 밀물.

†floor[flɔ:r] *n.* Ⓒ 마루; 층; (the ~) 의원석; (의원의) 발언권; Ⓒ (거래소의) 입회장; 바닥; 《美俗》 최저 가격. **first** 〔**second**〕 ~ 《美》 1〔2〕층; 《英》 2〔3〕층. **get** 〔**have**〕 **the** ~ 발언권을 얻다〔갖다〕. **ground** ~ 《英》 1층. **take the** ~ (발언하려고) 일어서다. ― *vt.* (…에) 마루를 깔다; 마루에 때려 눕히다; (벌로 학생을) 마루(바닥)에 앉히다; 《口》 쳐부셔 이기다, 질리게 하다. ~ **a paper** 〔**question**〕 《英大學俗》 시험 문제를 전부 해 치우다.

flóor·bòard *n.* Ⓒ 마루청.

flóor·clòth *n.* Ⓒ 마룻걸레; 마루깔개《리놀륨 따위》.

floor·ing[∠iŋ] *n.* Ⓤ 마루, 바닥, 바닥깔기; 마루까는 재료.

flóor làmp 마루에 놓는 램프.

flóor lèader 《美》 (정당의) 원내 총무; 특정 의안을 심의하는 의원.

flóor mànager 《美》 (정당 대회 등의) 지휘자; (텔레비전의) 무대 감독.

flóor plàn 건물의 평면도.

flóor sàmple 견본 전시품.

flóor shòw (나이트클럽의) 플로어 쇼.

flóor·wàlker *n.* Ⓒ 《美》 (백화점 따위의) 매장(賣場) 감독(《英》 shop-

F

walker).

floo·zy, -zie[flú:zi] *n.* Ⓒ《美俗》 품행이 나쁜 여자; 매춘부.

***flop**[flɑp/-ɔ-] *vi.* (**-pp-**) 털썩 떨어지다[넘어지다, 앉다]; 퍼덕거리다; 싹 변하다;《口》실패하다. ── *vt.* 쿵 떨어뜨리다; 펄떡거리다. ── *n.* Ⓒ 털썩 떨어짐[쓰러짐, 앉음]; 그 소리; 실패;《美俗》여인숙. **∠·py** *a.*《口》 펄럭거리는, 퍼덕이는; 흘게 늦은.

flóp·hòuse *n.* Ⓒ《美俗》여인숙, 간이 숙박소.

flóp·òver *n.* Ⓒ 〚TV〛 플롭오버《영상이 상하로 흔들리기》.

flop·per[flɑ́pər/-ɔ́-] *n.* Ⓒ《美俗》 (정치 등의) 변절자; 룸펜.

flóppy dísk 〚컴〛 무른[연성](저장)판《플라스틱제의 자기 원판; 컴퓨터의 외부 기억용》.

flóppy dísk drìve 〚컴〛 무른[연성](저장)판 돌리개.

flo·ra[flɔ́:rə] *n.* (*pl.* **~e**[-ri:]) ① Ⓤ《집합적》(한 시대·한 지역의) 식물상(相), 식물군(群). ② Ⓒ 식물지(誌)(cf. fauna). 「한.

***flo·ral**[flɔ́:rəl] *a.* 꽃의[에 관한, 비슷

***Flor·ence** [flɔ́:rəns, -ɑ́-/-ɔ́-] *n.* 피렌체, 플로렌스《이탈리아 중부의 도시》. **-en·tine**[-tì:n/-tàin] *a., n.* Ⓒ 플로렌스의 (사람).

flo·res·cence [flɔ:résəns] *n.* Ⓤ 개화(기); 전성(기). **-cent** *a.*

flo·ret[flɔ́:rit] *n.* Ⓒ 작은 꽃; (엉거시과 식물의) 작은 통상화(筒狀花).

flo·ri·cul·ture[flɔ́:rəkʌ̀ltʃər] *n.* Ⓤ 화초 재배. **-tur·al**[⌐-kʌ́ltʃərəl] *a.* **-cúl·tur·ist** *n.* Ⓒ 화초 재배자.

flor·id[flɔ́:rid, -ɑ́-/-ɔ́-] *a.* 불그레한, 혈색이 좋은; 화려한, 현란한.

***Flor·i·da**[flɔ́:rədə, -ɑ́-/-ɔ́-] *n.* 미국 동남쪽 끝의 주[반도]《생략 Fla.》.

Flórida wóod (상감(象嵌) 세공용의) 단단한 나무의 일종.

flor·in[flɔ́:rin, -ɑ́-/-ɔ́-] *n.* Ⓒ 영국의 2실링 은화.

flo·rist [flɔ́:rist, -ɑ́-/-ɔ́-] *n.* Ⓒ 화초 재배자; 꽃집.

floss[flɔ:s, -ɑ-/-ɔ-] *n.* Ⓤ (누에 고치의) 괴깔; 풀솜; 삶은 명주실. **∠·y** *a.* 풀솜 같은; 폭신폭신한.

flóss sílk 명주실; 풀솜.

flo·ta·tion[floutéiʃən] *n.* Ⓤ 뜸; (회사) 설립; (공채) 발행. **~ *of loan*** 기채(起債). 「대(艇隊).

flo·til·la[floutílə] *n.* Ⓒ 소함대, 정

flot·sam[flɑ́tsəm/-ɔ́-] *n.* Ⓤ (난파선의) 부하(浮荷), 표류 화물; 표류물;《집합적》부랑자. **~ *and jetsam*** 표류 화물; 잡동사니; 부랑자.

flounce[1][flauns] *n., vt.* Ⓒ (스커트의) 자락 주름 장식(을 달다).

flounce[2] *vt.* (물·진탕 따위 속에서) 허위적거리다; (몸이나 팔을 흔들며) 뛰어나가다. ── *n.* Ⓒ 몸부림.

***floun·der**[1][fláundər] *vi., n.* Ⓒ 버둥[허위적]거리다[거림], 갈팡대다[거림].

floun·der[2] *n.* Ⓒ《집합적》〚魚〛 넙치류.

:flour[fláuər] *n.* Ⓤ 밀가루; 가루. ── *vt.*《美》(…에) 가루를 뿌리다; 가루로 만들다. **~·y**[fláuri/fláuəri] *a.* 가루(모양)의; 가루투성이의.

:flour·ish[flə́:riʃ, -ʌ́-] *vi.* ① 무성하다; 번영하다; (사람이) 활약하다. ② (칼·팔 따위를) 휘두르다, (낚싯대 등을) 휘두르다. ③ 자랑해 보이다. ④ 장식 문자로 쓰다; 화려하게 쓰다[말하다, 연주하다]. ── *vt.* 휘두르다; 자랑해 보이다; 장식 문자를 쓰다. ── *n.* Ⓒ ① 세찬 휘두름. ② (서명 등의) 장식 문자. ③ 〚樂〛 장식 악구(樂句); (나팔의) 화려한 취주, '팡파르'. ***in full ~*** 융성하여, 한창인. ***with a ~*** 화려하게.

flóur mìll 제분기[소].

flout[flaut] *n., vt., vi.* Ⓒ 경멸(하다); 조롱(하다).

†flow[flou] *vi.* ① 흐르(듯이 나오)다. ② (머리칼이) 늘어지다; (바람에) 쏠리다. ③ (조수가) 밀다. ④ 많이 있다(*with*). ── *vt.* 흐르게 하다; 범람시키다. ── *n.* (*sing.*) 흐름; 유출(량); Ⓤ 밀물; 냇물. **~ *of soul*** 격의 없는 담화, 환담(cf. FEAST of reason).

flow·age[flóuidʒ] *n.* Ⓤ 유동; 유출(물); 〚理〛 (점성 물질의) 유동.

flów chàrt ① 생산 공정도(工程圖). ② 〚컴〛 흐름도, 순서도.

flów díagram 〚컴〛 문제 처리를 위한 순위표.

†flow·er[fláuər] *n.* ① Ⓒ 꽃, 화초 (cf. blossom). ② Ⓤ 만개, 개화. ③ (the ~) 정화(精華)(*of*); 전성기; (*pl.*)《단수 취급》〚化〛 화(華). **~s *of sulfur*** 유황화. ***in ~*** 개화하여. ── *vi.* 꽃이 피다; 번영하다. ── *vt.* 꽃으로 꾸미다. **~ed**[-d] *a.* 꽃을 단, 꽃으로 꾸민.

flówer bèd 꽃밭, 화단.

flówer bùd 꽃망울.

flówer chìldren《美俗》히피족.

flówer cùp 꽃받침.

flow·er·et[-it] *n.* Ⓒ 작은 꽃.

flówer gìrl《英》꽃 파는 아가씨.

flow·er·ing[-iŋ] *a.* 꽃이 피는.

flówer pìece 꽃 그림.

flówer·pòt *n.* Ⓒ 화분.

flówer pòwer《美俗》 히피족(의 세력).

flówer shòp 꽃집.

flówer shów 화초 품평회.

***flow·er·y**[-i] *a.* 꽃이 많은; 꽃 같은; (문체가) 화려한(florid).

***flow·ing**[flóuiŋ] *a.* 흐르는 (듯한); (말이) 유창한; (멋지게) 늘어진.

***flown**[floun] *v.* fly[2]의 과거분사.

flów shèet =FLOW DIAGRAM.

FLQ Front for the Liberation of Quebec. **F.L.S.** Fellow of the Linnaean Society.

***flu**[flu:] *n.*《口》=INFLUENZA.

fluc·tu·ate [flʌ́ktʃuèit] *vi.* 변동하다, 파동하다, 오르내리다. ***-a·tion** [⌐-éiʃən] *n.*

flue[1][flu:] *n.* Ⓒ (연통의) 연기 구멍; 송기관; =⊿ **pìpe** (파이프 오르간의) 순관(唇管).
flue[2] *n.* 《口》 =FLU.
:**flu·ent**[flú:ənt] *a.* 유창한; 능변의; 흐르는(듯한). **:~·ly** *ad.* ***-en·cy** *n.* Ⓤ 유창함.
fluff[flʌf] *n.* Ⓤ 괴깔, 솜털. — *vt., vi.* 괴깔이 일게 하다; 푸해지다. **⊿·y** *a.* 괴깔의〔로 덮인〕; 푸한.
:**flu·id** [flú:id] *n.* Ⓤ,Ⓒ 유체, 유동체 《액체·기체의 총칭》. — *a.* 유동성의; 변하기 쉬운. **flu·íd·i·ty** *n.* Ⓤ 유동성.
flu·id·ics[flu:ídiks] *n.* Ⓤ 〖理〗 응용 유체역학. **-ic** *a.*
flu·id·ize[flú:idàiz] *vt.* 유동〔체〕화하다.
flúid mechánics 유체 역학.
flúid pówer 유체 동력.
fluke[1][flu:k] *n.* Ⓒ 닻혀; (창·작살 등의) 미늘.
fluke[2] *n.* Ⓒ 요행수; 〖撞〗 플루크《요행으로 맞는 일》. **flúk·y** *a.* 《口》 요행수로 맞힌.
fluke[3] *n.* Ⓒ 가자미류.
fluke[4] *n.* Ⓒ (가축의) 간(肝)디스토마, 흡충(吸蟲).
flume[flu:m] *n.* Ⓒ 《美》 용수로(用水路); 홈통, 물받이; 좁은 계류(溪流).
flum·mer·y[flʌ́məri] *n.* ① Ⓤ,Ⓒ 오트밀〔밀가루〕 죽. ② Ⓤ 허튼소리.
:**flung**[flʌŋ] *v.* fling의 과거(분사).
flunk[flʌŋk] *vi., vt.* 《美口》 (시험 따위에) 실패하다〔시키다〕; 낙제점을 매기다; (*vi.*) 단념하다(give up). — *n.* Ⓒ 실패, 낙제.
flun·k(e)y[flʌ́ŋki] *n.* Ⓒ 《蔑》 (제복 입은) 하인; (하인처럼 구는) 아첨꾼.
flun·ky·ism[flʌ́ŋkiìzəm] *n.* Ⓤ 하인 근성, 추종주의, 사대 사상.
flu·o·resce[flù:ərés] *vi.* 형광을 내다. **-res·cence**[-əns] *n.* Ⓤ 형광(성). **-rés·cent** *a.* 형광(성)의.
fluoréscent lámp 형광등.
fluor·i·date[flúəridèit, flɔ́:ri-] *vi.* (충치 예방으로) 음료수에 불소(弗素)를 넣다. **-da·tion**[⌒—déiʃən] *n.* Ⓤ 불화물 첨가(법).
fluor·ide [flúəràid, flɔ́:r-] *n.* Ⓤ 〖化〗 불화물(弗化物).
fluor·ine[flúəri(:)n, flɔ́:r-], **-rin** [-rin] *n.* Ⓒ 〖化〗 불소《기호 F》.
fluo·rite[flúəràit, flɔ́:r-] *n.* Ⓤ 형석(螢石).
fluor·o·scope [flúərəskòup, flɔ́:r-] *n.* Ⓒ (X선의) 형광 투시경.
fluo·ros·co·py[flùərɑ́skəpi/-ɔ́-] *n.* Ⓤ 형광 투시법〔검사〕.
flur·ry[flə́:ri/-ʌ́-] *n., vt.* Ⓒ 휘몰아치는 비〔눈〕; 소동, 당황(케 하다). ***in a ~*** 당황하여, 허둥지둥.
:**flush**[1][flʌʃ] *vt.* (물을) 왈칵 흐르게 하다; (물을) 흘려서 씻다; (얼굴을) 붉히다; 득의 양양하게 하다. — *vi.* (물이) 왈칵 흐르다; (얼굴이) 붉어지다. — *n.* ① Ⓒ 왈칵 흐름. ② Ⓒ (얼굴의) 홍조; Ⓤ 흥분, 득의 양양. ③ Ⓤ (새 풀이 온통) 싹터 나옴. ④ Ⓤ 원기 발랄, 신선함. ⑤ Ⓤ (열의) 발작. — *a.* (물이) 넘칠 듯한; 풍부한; 원기 왕성한; (뺨이) 불그레한; 같은 평면〔높이〕의. — *ad.* 평평하게; 바로, 정통으로.
flush[2] *vt., vi.* 〖獵〗 (새를) 날아가게 하다; (새가) 푸드득 날다. — *n.* Ⓒ 날아오른 새(의 떼).
flush[3] *n.* Ⓒ 〖카드〗 짝모으기.
flúsh tòilet 수세식 변소.
flus·ter[flʌ́stər] *n., vi., vt.* Ⓒ 당황(하다, 하게 하다).
:**flute** [flu:t] *n., vi., vt.* Ⓒ 플루트, 피리(를 불다, 같은 소리를 내다); (옷감·기둥 따위의) 세로골(을 내다, 파다). **flút·ist** *n.* 《美》 피리 부는 사람; 플루트 주자. **flút·y** *a.* 피리〔플루트〕 같은; (목소리·소리가) 맑은.
:**flut·ter**[flʌ́tər] *vi.* ① 퍼덕거리다; 홰치다, 훨훨 날다; 나부끼다. ② (가슴이) 두근거리다, (맥박이) 빠르고 불규칙하게 뛰다; 동요하다. — *vt.* 날개치다; 펄럭이게 하다; 당황케 하다. — *n.* Ⓒ 홰치기, 펄럭임; (마음의) 동요; 큰 소동.
flútter kìck 〖水泳〗 (크롤 영법에서) 물장구질.
***flux**[flʌks] *n.* ① Ⓒ 흐름; 유동(을). ② Ⓤ 밀물. ③ Ⓤ 연속적인 변화. ④ Ⓤ,Ⓒ 〖醫〗 이상(異常) 배출《출혈·설사 등》. ⑤ Ⓤ 용제(溶劑).
†**fly**[1] *vi.* (***flew; flown;*** '달아나다'의 뜻으로는 p. & p.p. ***fled***) 비행하다; 날다; (나는 듯이) 달리다; 달아나다; (시간·돈이) 순식간에 없어지다; 펄럭이다; 〖野〗 플라이를 치다《p. & p.p. ***flied***》. — *vt.* 날리다; (기 따위를) 올리다; 나부끼게 하다; (비행기를) 조종하다; (…에서) 도망하다. ***be ~ing high*** 《俗》 굉장히 기뻐하다. ***~ about*** 날아다니다; 흩어지다. ***~ blind*** 계기비행을 하다. ***~ high*** 높이 날다; 대망을 품다. ***~ into*** (공항 등에) 착륙시키다〔하다〕. ***~ in the face of*** …에 반항하다. ***~ light*** 《美俗》 식사를 거르다. ***~ low*** 《口》 남의 눈을 기이다. ***~ off*** 날아가 버리다, 달아나다; 증발하다; 위약하다. ***let ~*** 쏘다, 날리다, 욕하다(*at*). ***make the money ~*** 돈을 낭비하다. ***send*** (*a person*) ***~ing*** 내쫓다, 해고하다. ***with flags ~ing*** 의기양양하여. — *n.* Ⓒ 비행; (양복의) 단추 가리개; (텐트 입구의) 자락 막; 〖野〗 플라이; (*pl.* ***~s***) 경장(輕裝) 유람 마차. ***on the ~*** 비행중. **⊿·er** *n.* =FLIER.
:**fly**[2][flai] *n.* Ⓒ 파리; 〖낚시〗 제물낚시. ***a ~ in amber*** 호박(琥珀)속의 파리 화석; (고스란히 남아 있는) 보물. ***a ~ in the ointment*** 옥에 티. ***a ~ on the wheel*** 자만하는 사람. ***a ~ on the wall*** 몰래 사람을 감시하는 자. ***die like flies*** 픽픽 쓰러지다. ***Don't let flies stick to your heels.*** 꾸물대지 마라.
flý báll 〖野〗 플라이.
flý·blòw *vt.* (파리가) 쉬를 슬다; 부

패시키다.
flý·blòwn *a.* 파리가 쉬를 슨; 더러워진. 「항공대원.
flý·bòy *n.* Ⓒ 《美俗》 항공기 승무원,
flý·bỳ *n.* Ⓒ 의례〔분열〕 비행; (우주선의 천체에의) 근접 통과.
flý-by-nìght *a.* (금전적으로) 믿을 수 없는.
flý·càtcher *n.* Ⓒ 파리통; 〖鳥〗 딱새.
flý-fìsh *vi.* 제물낚시로〔파리를 미끼로〕 낚시질하다. 「ter).
flý·flàp *n.* Ⓒ 파리채(《美》 fly swat-
:fly·ing[fláiiŋ] *n.* Ⓤ 비행; 질주. — *a.* 나는, 급히 서두르는; 공중에 뜨는〔휘날리는〕; 나는 듯이 빠른. ~ *colors* 승리, 성공(*come off with* ~ COLORS.).
flýing bòat 비행정.
flýing bòmb (무인 비행기가 적재한) 비행 폭탄(cf. robot bomb).
flýing búttress 〖建〗 부연 벽받이, 벽날개《조붓한 연결 아치》.
flýing còlumn 〔**párty**〕 유격대.
flýing dèck (항공 모함의) 비행 갑판.
flýing dóctor 《濠》 먼 곳의 환자에 비행기로 왕진하는 의사.
Flýing Dútchman, the 유령선.
flýing fìeld 작은 비행장.
flýing fìsh 날치.
Flýing Fórtress 《美》 '하늘의 요새'《2차 대전시의 B17 중폭격기(機)》.
flýing fóx 큰박쥐.
flýing machìne 항공기.
flýing máre 〖레슬링〗 업어치기.
flýing òfficer 공군 장교; 《英》 공군 중위.
flýing sáucer 〔**dísk**〕 비행 접시.
flýing schòol 항공〔비행〕 학교.
flýing spót 〖TV〗 비점(飛點).
flýing squàd 기동 경찰대.
flýing squírrel 〖動〗 날다람쥐.
flý·lèaf *n.* Ⓒ (책의 앞뒤 표지 뒷면에 붙어 있는) 백지.
flý nèt 방충망.
flý·pàper *n.* Ⓤ 파리잡이 끈끈이.
flý·pàst *n.* 《英》 =FLYBY.
flý shèet 광고지, 전단; 안내〔사용 설명〕서.
flý·spèck *n.* Ⓒ 파리똥 자국.
flý·tràp *n.* Ⓒ 파리통; 〖植〗 파리풀.
flý·wày *n.* Ⓒ 철새의 통로.
flý·wèight *n.* Ⓒ 〖拳〗 플라이급(선수)《체중 112파운드 이하》.
flý·whèel *n.* Ⓒ 〖機〗 플라이휠, 조속륜(調速輪).
FM, F.M. frequency modulation. **F.M.** Field Marshal; Foreign Mission. **F.M.S.** Federated Malay States《⇨Federation of MALAYSIA》. **fn.** footnote. **F.O.** field 〔flying〕 officer; Foreign Office. **FOA, F.O.A.** Foreign Operation Administration (미국) 해외 활동 본부. 「귀 새끼〕(를 낳다).
foal[foul] *n., vt., vi.* Ⓒ 망아지〔당나
:foam[foum] *n., vi., vt.* Ⓤ 거품(일다, 일게 하다); (말이) 거품을 내뿜다; 《詩》 바다. **∠·y** *a.* 거품의〔같은〕; 거품이 이는; 거품투성이의.
fóam rúbber 스폰지 고무.
fob[1][fɑb/-ɔ-] *n.* Ⓒ 바지의 시계 주머니; 《美》 fob에서 늘어진 시곗줄; 그 끝의 장식.
fob[2] *vt.* (**-bb-**) 《古》 속이다. ~ *something off on a person* 아무에게 (가짜 따위를) 안기다. ~ *a person off with* (*empty promises*) (빈 약속)으로 아무를 속이다.
F.O.B., f.o.b. 〖商〗 free on board. **FOBS** Fractional Orbital Bombardment System 부분 궤도 폭격 체계. **FOC** free of charge.
˙fo·cal[fóukəl] *a.* 초점의.
fócal dìstance 〔**lèngth**〕 초점 거리. 「巢感染).
fócal infèction 〖醫〗 병소감염(病
fócal plàne (**shùtter**) 〖寫〗 촛점면(개폐식 셔터).
:fo·cus[fóukəs] *n.* (*pl.* ~*es, foci* [fóusai]) ① Ⓒ 초점, Ⓤ 초점 맞춤. ② Ⓤ (보통 the ~) 중심; 집중점; 〖地〗 진원(震源). *in* 〔*out of*〕 ~ 초점이 맞아〔벗어나〕, 뚜렷〔흐릿〕하여. — *vt., vi.* (《英》 **-ss-**) 초점에 모으다〔모이다〕; 초점을 맞추다; 집중시키다〔하다〕.
fod·der[fádər/-ɔ́-] *n., vt.* Ⓤ 마초〔꼴〕(를 주다).
:foe[fou] *n.* Ⓒ 적, 원수; 적군; (경기 등의) 상대. **∠·man** *n.* Ⓒ 《詩》 적병.
foe·tus[fí:təs] *n.* =FETUS.
:fog[fɔ:g, -ɑ-/-ɔ-] *n.* Ⓤ,Ⓒ 안개; 혼미; 당혹(當惑); 〖寫〗 (인화·원판의) 흐림. — *vt.* (**-gg-**) 안개로 덮다〔싸다〕; 당황케 하다; 〖寫〗 흐리게 하다. ***∠·gy** *a.* 안개가 낀, 안개가 짙은; 흐릿한; 당황한; 〖寫〗 흐린, (빛이 새어) 흐려진.
fóg bànk 무봉(霧峰).
fóg·bòund *a.* 농무로 항행〔이륙〕이 불가능한.
fo·g(e)y[fóugi] *n.* Ⓒ 시대에 뒤진 사람, 구식 사람.
Fóggy Bóttom 미국무성의 통칭.
fóg·hòrn *n.* Ⓒ 무적(霧笛).
föhn[fein] *n.* Ⓒ 〖氣〗 푄《고산에서 불어내리는 건조한 열풍》.
foi·ble[fɔ́ibəl] *n.* Ⓒ 약점, 결점.
˙foil[1][fɔil] *n.* ① Ⓤ (금속의) 박(箔); (요리용) 알루미늄 박; (보석의 밑에 까는) 금속 조각; (거울 뒤의) 아말감. ② Ⓒ (다른 사람이나 물건을) 돋보이게 하는 것. ③ Ⓒ 〖建〗 판(瓣)《꽃잎 모양으로 파낸 무늬》. ***serve as a*** ~ 돋보이게 하는 역할을 하다. — *vt.* (…에) 박을 입히다〔대다〕.
foil[2] *n.* Ⓒ (끝을 가죽으로 싼) 연습용 펜싱 칼. 「시키다.
foil[3] *vt.* (계략의) 허를 찌르다, 좌절
foist[fɔist] *vt.* (가짜를) 안기다(*off, on, upon*); (부정한 문구를) 슬그머니 삽입하다(*in, into*).
fol. folio; following.
:fold[1][fould] *vt.* ① 접다, 개키다. ② (팔을) 끼다, (발을) 꼬다. ③ 안다;

F

끌어 안다. ④ 싸다. — *vi.* 접히다, 개켜지다. ~ ***up*** 접(히)다; 무너지다, (장사에) 실패하다. — *n.* Ⓒ 접음; 주름, 켜, 주름살, 접은 금〔자리〕; 〖地〗 습곡(褶曲).

fold² *n.* Ⓒ 양 우리; (the ~) (우리 안의) 양떼; 한 교회의 신자들; 같은 신앙〔가치관〕을 가진 집단.

-fold[fòuld] *suf.* '…배, …겹〔중(重)〕'의 뜻 : six*fold*.

fold·er[fóuldər] *n.* Ⓒ 접는 사람〔기계〕; 접지기; 접책, 접이 팸플릿; 종이 끼우개.

fol·de·rol [fáldəràl/fɔ́ldərɔ̀l] *n.* Ⓤ,Ⓒ 겉꾸민 싸구려; 하찮은 장신구; 객적은 수다.

fold·ing[fóuldiŋ] *a.* 접는, 접을 수 있는.

fólding dóor(s) 접게 된 문.

fólding móney 《美口》 지폐.

fo·li·a·ceous[fòuliéiʃəs] *a.* 잎 같은〔이 많은〕; 얇은 조각으로 이루어진.

***fo·li·age**[fóuliidʒ] *n.* Ⓤ ① 《집합적》 (한 초목의) 잎. ② 잎 장식.

fo·li·ate[fóuliit, -èit] *a.* 잎이 있는〔으로 덮인〕. — [-èit] *vi.* 잎이 나다. **-a·tion**[⌐—éiʃən] *n.* Ⓤ 잎이 남; 잎 장식; 책의 장수 매기기.

fó·lic ácid[fóulik-] 〖生化〗 엽산(葉酸)《빈혈의 특효제》.

fo·li·o**[fóuliòu] *n.* (*pl.* ~*s*) Ⓒ 이절지(二折紙)〔판(判)〕《최대의 판》. (cf. quarto); 높이 11인치 이상의 책; (책의) 페이지 수; (원고 등 겉에만 페이지를 매긴) 한 장. ***in ~ 이절(二折)의.

:folk[fouk] *n.* ① 《집합적; 복수 취급; 《美》에서는 흔히 *pl.*을 씀》 사람들; 민족. ② (*pl.*) 《口》 가족.

***fólk dànce** 민속 무용(곡).

fólk etymólogy 통속 어원(설).

***fólk·lòre** *n.* Ⓤ 민간 전승; 민속학.

fólk mùsic 민속 음악.

fólk-ròck *n.* Ⓤ 《美》 포크록《포크송에 록의 리듬을 가미한 것》.

***fólk sòng** 민요.

fólk tàle 〔**stòry**〕 민간 설화, 전설.

fólk·wày *n.* Ⓒ (보통 *pl.*) 습속, 민속, 사회적 관행(慣行).

†fol·low[fálou/-ɔ́-] *vt.* ① (…을) 따라가다, (…에) 계속하다. ② (…을) 좇다; (…에) 따르다. ③ (…의) 결과로 일어나다. ④ 뒤쫓다, 추적하다. ⑤ (…에) 종사하다. ⑥ 주목하다. ⑦ 이해하다. — *vi.* 뒤따르다; 잇따라 일어나다; 당연히 …이 되다. ***as ~s*** 다음과 같이. ~ ***out*** 끝까지 해내다. ~ ***suit*** (카드놀이에서) 앞 사람과 같은 종류의 패를 내다; 선례에 따르다. ~ ***the*** SEA. ~ ***through*** 〖테니스·골프〗 공을 친 후 채를 충분히 휘두르다. ~ ***up*** 끝까지 추구〔추적〕하다; 끝까지 해내다; 속행하여 효과를 올리다. **:⌐·er** *n.* Ⓒ 수행자, 종자(從者), 부하; 추적자; 신봉자; 애인.

†fol·low·ing[fálouiŋ/-ɔ́-] *a., n.* Ⓒ 다음(의); 〖海〗 순풍의; 《집합적》 종자, 문하; (the ~) 다음에 말하는 것〔일〕.

***fóllow-ùp** *n., a.* Ⓤ 추적; 〖商〗 연속적인 (권유 편지).

:fol·ly[fáli/-ɔ́-] *n.* ① Ⓤ 어리석음. ② Ⓒ 어리석은 짓, 우론(愚論); 어리석게 돈만 많이 들인 물건〔사업·건물〕.

fo·ment[foumént] *vt.* (환부에) 찜질하다; (반란 따위를) 조장〔선동〕하다. **fo·men·ta·tion**[⌐məntéiʃən] *n.* Ⓤ 선동; 찜질; Ⓒ 찜질약.

†fond[fand/-ɔ-] *a.* (…이) 좋아서 (*of*); 애정 있는, 다정한; 정에 무른, 사랑에 빠진; 실없는; 《주로 方》 어리석은. ***⌐·ly** *ad.* ***⌐·ness** *n.*

fon·dant [fándənt/-ɔ́-] *n.* (F.) Ⓒ,Ⓤ 퐁당《과자의 재료〔장식〕용으로 쓰이는 크림 모양의 당과》.

fon·dle[fándl/-ɔ́-] *vt., vi.* 귀여워「하다.

F₁ làyer[éfwʌ́n-] 〖通信〗 F₁층《지상 200-300km 상층의 전리층; 단파를 반사》.

font¹[fant/-ɔ-] *n.* Ⓒ 세례〔성수(聖水)〕반(盤); 《古》 원천, 샘.

font² *n.* Ⓒ 〖印〗 동일형 활자의 한 벌; 〖컴〗 글자체, 폰트. ***a wrong*** ~ 고르지 않은 활자《생략 w.f.》.

†food[fu:d] *n.* Ⓤ,Ⓒ 식품, 식량; 자양분; Ⓤ (마음의) 양식.

fóod chàin 〖生態〗 먹이사슬; 식료품 연쇄점.

fóod cýcle 〖生態〗 먹이 순환.

***fóod·stùff** *n.* Ⓒ (종종 *pl.*) 식료품; 식량; 영양소.

†fool[fu:l] *n.* Ⓒ 바보(취급받는 사람); 〖史〗 (왕후 귀족에게 고용된) 어릿광대. ***be a ~ to*** …와는 비교가 안 되다, 훨씬 못하다. ***make a ~ of*** 우롱하다. ***play the*** ~ 어리석은 짓을 하다. — *vt.* 우롱하다, 속이다. — *vi.* 어리석은 짓을 하다; 농담〔희롱〕하다. ~ ***about*** 〔***along,*** 《美》 ***around***〕 빈들빈들 지내다. ~ ***away*** 낭비하다. ~ ***with*** 농락하다. 「짓.

fool·er·y [⌐əri] *n.* Ⓤ,Ⓒ 어리석은

fool·har·dy[⌐hà:rdi] *a.* 무모한.

†fool·ish[⌐iʃ] *a.* 바보 같은, 미련한; 하찮은. ***~·ly** *ad.* ***~·ness** *n.*

fóol·pròof *a.* 바보라도 할 수 있을 (만큼 수월한).

fools·cap[⌐zkæ̀p] *n.* Ⓒ 대판 양지 《13×17인치》.

fóol's càp 어릿광대의 방울 달린 깔때기 모자; =DUNCE CAP.

fóol's góld 황철〔황동〕광.

fóol's páradise 가공의 행복; 헛된 기대.

†foot[fut] *n.* (*pl.* ***feet***) ① Ⓒ 발, 발부분(cf. leg). ② Ⓤ 《英》《집합적》 보병. ③ Ⓤ (산)기슭; (페이지) 아랫부분; (물건의) (최)하부; 말석, 꼴찌. ④ Ⓒ 〖韻〗 운각(韻脚). ⑤ Ⓒ 피트(=12인치). ***carry a person off his feet*** (파도 등이) 아무의 발을 쓸어 가다; 아무를 열중케 하다. ***have one ~ in the grave*** 한 발을 관(棺)에 들여놓고 있다, 죽음이 임박

F

해 있다. ***jump*** 〔***spring***〕 ***to one's feet*** 벌떡 일어서다. ***keep one's*** ~ 〔***feet***〕 쓰러지지 않다. *Pretty* 〔*Rich*〕 ***my*** ~***!*** 《口》 (저것이 미인이 〔부자〕라고?) 농담 좀 작작해! ***on*** ~ 도보로; 진행중, 착수되어. ***on one's feet*** 일어서서; 기운을 회복하여; 독립하여. ***put one's*** ~ ***in***(***to***) ***it*** 곤경에 빠지다, 실패하다. ***set*** ~ ***on*** 발을 들여 놓다. ***set*** 〔***put, have***〕 ***one's*** ~ ***on the neck of*** …을 완전히 정복하다. SHAKE ***a*** ~. ***with one's feet foremost*** 두 발을 앞으로 내뻗고; 시체가 되어. ― *vt.* 걷다; 딛다; (양말에) 족부(足部)를 대다; 《口》 (셈을) 치르다. ― *vi.* 걷다; 춤추다; 합계 …가 되다. ~ ***it*** 걷다, 걸어가다; 춤추다.

foot·age[fútidʒ] *n.* Ⓤ 피트 수.

†**foot·ball**[∠bɔ̀:l] *n.* Ⓤ 축구; Ⓒ 축구공.

fóotball hóoligan (영국의) 폭력적 축구광.

fóot·bòard *n.* Ⓒ 발판; 디딤판.

fóot·bòy *n.* Ⓒ 사환.

fóot bràke (자동차 따위의) 밟는 브레이크.

fóot·brìdge *n.* Ⓒ 인도교.

fóot·clòth *n.* Ⓒ 깔개.

foot·er [∠ər] *n.* ① Ⓒ 보행자; Ⓤ 《英俗》 축구; Ⓒ 신장 …피트의 사람 (*a six-*~). ② Ⓒ 〖컴〗 꼬리말.

fóot·fàll *n.* Ⓒ 발걸음, 발소리.

fóot fàult 〖테니스〗 서브할 때 라인을 밟는 반칙.

fóot·gèar *n.* Ⓤ 《집합적》 발에 신는 것《구두·슬리퍼 따위》.

fóot·hìll *n.* Ⓒ (흔히 *pl.*) 산기슭의 작은 언덕.

***fóot·hòld** *n.* Ⓒ 발판; 거점.

‡**foot·ing**[∠iŋ] *n.* Ⓤ 발밑, 발판; 입장; 확고한 지반; 지위; 관계; 합계; 〖舞〗 스텝 밟기; 〖軍〗 편제, 정원.

fóot-in-móuth *a.* 《口》 실언의, 걸핏하면 실언하는.

foo·tle[fú:tl] 《俗》 *n.* Ⓤ 바보 같은 일. ― *vi.* 바보 같은 소리하다, 바보 같은 짓을 하다(*about, around*); 일을 적당히 하다.

foot·less[fútlis] *a.* ① 발이 없는; 근거가 없는. ② 《口》 맵시 없는.

***fóot·lìghts** *n. pl.* 풋라이트, 각광; 무대; 배우 직업.

foot·ling[∠liŋ] *a.* 《口》 바보 같은, 시시한.

fóot·lòcker *n.* Ⓒ 《美》 (침대 곁에 두는 군인의) 사물함.

fóot-lòose *a.* 가고 싶은 곳에 갈 수 있는, 자유로운.

***foot·man**[-mən] *n.* Ⓒ (제복 입은) 종복.

***fóot·màrk** *n.* Ⓒ 발자국(footprint).

fóot·mùff *n.* Ⓒ (보온용) 발싸개.

***fóot·nòte** *n.* Ⓒ 각주(脚註).

fóot·pàce *n.* Ⓒ ① 보통 걸음(속도). ② 연단; (층계의) 층계참.

fóot·pàd *n.* Ⓒ (도보의) 노상 강도; (우주선의) 연착륙용 각부.

fóot pàssenger 보행자, 통행인.

fóot·pàth *n.* Ⓒ 작은 길.

fóot-póund *n.* Ⓒ 〖理〗 피트파운드 《일의 양의 단위》.

***fóot·prìnt** *n.* Ⓒ 발자국.

fóot ràil (의자·책상의) 발걸이.

fóot·rèst *n.* Ⓒ (이발소 의자 등의) 발판.

fóot rùle 피트 자.

fóot·scràper *n.* Ⓒ (현관 따위의) 신발 흙털개.

fóot sòldier 보병.

fóot·sòre *a.* 발병 난.

fóot·stàll *n.* Ⓒ 주춧돌.

fóot stàmping 제자리 걸음.

‡**fóot·stèp** *n.* Ⓒ 걸음걸이; 발소리; 보폭(步幅); 발자국.

fóot·stòol *n.* Ⓒ 발판, 발받침.

fóot·wèar *n.* Ⓤ 신는 것《양말·신발·슬리퍼 따위》.

***fóot·wòrk** *n.* Ⓤ 발놀림; (기자 등의) 걸어다니는 취재.

foo·zle[fú:zəl] *n., vt., vi.* Ⓒ 실책(을 하다); 〖골프〗 잘못침〔치다〕.

fop[fap/-ɔ-] *n.* Ⓒ 멋쟁이 (남자). ∠**·per·y** *n.* Ⓤ,Ⓒ 멋(부림). ∠**·pish** *a.* 멋부린.

†**for**[強 fɔ:r, 弱 fər] *prep.* ① …대신, …을 대표하여; …을 향하여 (*start* ~ *London*). ② 《이익·목적》 …을 위해(*go* ~ *a walk*). ③ 《이유·원인》 …때문에, …로 인하여(*dance* ~ *joy*). ④ 《의도·용도》 …을 위한 (*books* ~ *children*). ⑤ 《시간·거리》 …동안, 사이(~ *a long time*). ⑥ 《관련》 …의 점에서, …에 비해서 (*clever* ~ *his age*). ⑦ …을 지지하여, …을 위해서(*vote* ~ *him*); …로서(*choose him* ~ *a leader*). ⑧ …에도 불구하고(~ *all his wealth*). ⑨ 매(每) …에(*ten dollars* ~ *a day*). ⑩ …을 추구하여(*desire* ~ *fame*). ⑪ …에 대해서, …의 분(分)으로서(*another plan* ~ *tomorrow*). ***as*** ~ ***me*** 나로서는. ~ ***all*** …에도 불구하고. ~ ***all I care*** 내가 알 바 아니다. ~ ***all I know*** 아마 …일 것이다. ~ ***good*** (***and all***) 영원히. ~ ***my part*** 나로서는. ~ ***once*** 이번만은. ~ ***oneself*** 자기를 위해서; 혼자 힘으로; 독립해서. ~ ***one thing*** 하나는; 일례를 들면. ***I,*** ~ ***one*** 나(같은 사람)도. ― *conj.* 까닭인즉〔왜냐하면〕 …이니까.

F.O.R., f.o.r. free on rails 〖商〗 철도〔화차〕 인도(引度).

***for·age**[fɔ́:ridʒ, -á-/-ɔ́-] *n.* Ⓤ 꼴; 마초 징발; 식량을 찾아 헤맴. ― *vt., vi.* 식량을〔마초를〕 주다〔찾아다니다〕; 찾아다니다; 약탈하다.

for·as·much [fɔ̀:rəzmʌ́tʃ/fərəz-] *conj.* 《雅·古》 ~ ***as*** …인 까닭에.

for·ay[fɔ́:rei/fɔ́r-] *n., vt., vi.* Ⓒ 침략〔약탈〕(하다).

***for·bade**[fərbéid], **-bad**[-bǽd] *v.* forbid의 과거.

‡**for·bear**[1][fɔ:rbέər] *vt., vi.* (***-bore; -borne***) (감정을) 억누르다; 참다.

*~·**ance**[-bέərəns] *n.* Ⓤ 자제, 인내; 〖法〗(권리 행사의) 보류.
for·bear²[fɔ́ːrbὲər] *n.* = FOREBEAR.
:**for·bid**[fərbíd] *vt.* (***-bad(e); -bidden; -dd-***) 금하다; (사용을) 금지하다; (들어가는 것을) 허락하지 않다; 방해하다. ***God*** 〔***Heaven***〕 ***~!*** 당치도 않다, 단연코 아니다. ~·**ding** *a.* 싫은; (장소·가격 등) 가까이하기 어려운; (인상 등이) 험상궂은.
:**for·bid·den**[-n] *v.* forbid의 과거분사. — *a.* 금지된, 금단의.
Forbídden Cíty, the 금단의 도시 《북경의 자금성(紫禁城)》.
forbídden degrée 〖法〗 금혼 촌「수.
forbídden frúit 금단의 열매《아담과 이브가 따 먹고 에덴 동산에서 쫓겨남》; 불의(不義)의 쾌락.
forbídden gróund 금역(禁域), 성역; 금물인 화제(話題).
***for·bore**[fɔːrbɔ́ːr] *v.* forbear¹의 과거. 「분사.
***for·borne**[-n] *v.* forbear¹의 과거
†**force**[fɔːrs] *n.* ① Ⓤ 힘. ② Ⓤ 완력, 폭력; 무력. ③ Ⓒ (종종 *pl.*) 경찰대; 군대. ④ Ⓤ 지배력; 압력; 효력. ⑤ Ⓤ (어구의) 참뜻. ⑥ Ⓒ (어떤) 그룹, 집단. ⑦ Ⓤ (법률·협정 등의) 실시, 시행. ⑧ Ⓤ 〖理〗 힘, 에너지(*centrifugal* ~ 원심력). ***by ~ of*** …에 의해서. ***come into ~*** (법률이) 시행되다. ***in ~*** 시행중; 대거(大擧). — *vt.* 폭력을 가하다; 억지로 …시키다; 강제로 내게 하다; 강탈하다; 무리로 열다〔통과하다〕; (미소 따위를) 억지로 짓다; 〖카드〗 으뜸패를 내게 하다, (어떤 패를) 떼어 놓게 하다; 촉성 재배하다. ~·**ful** [∠fəl] *a.* 힘 있는, 힘찬, 세찬. ∠·**ful·ly** *ad.*
forced**[fɔːrst] *a.* 강제의; 억지로 지은〔만든〕; 억지의. ~ ***smile 억지웃음. **forc·ed·ly**[fɔ́ːrsidli] *ad.*
fórced lánding 불시착.
fórced márch 강행군.
fórce ma·jéure[-məʒə́ːr] (강국의 약소국에 대한) 압력; 〖法〗 불가항력 《계약 불이행이 허용되는》.
fórce·mèat *n.* Ⓤ (소로 쓰이는) 양념한 다진 고기.
fórce of hábit 습관의 힘, 타성.
fórce-òut *n.* Ⓒ 〖野球〗 봉살(封殺).
for·ceps[fɔ́ːrsəps, -seps] *n. sing. & pl.* 핀셋(pinsette), 겸자(鉗子).
fórce pùmp 밀펌프, 무자위.
***for·ci·ble**[fɔ́ːrsəbəl] *a.* 강제적인; 강력한; 유효한; 설득력 있는. *-**bly** *ad.*
fórcing bèd 〔**hòuse**〕 (촉성 재배용) 온상〔온실〕.
***Ford**[fɔːrd], **Gerald R.**(1913-) 미국 38대 대통령(재직 1974-77); **Henry**(1863-1947) 미국의 자동차 제작자.
ford[fɔːrd] *n., vt.* Ⓒ 여울(을 걸어서 건너다).
fore**[fɔːr] *a., ad.* 전방〔앞쪽〕의〔에〕. — *n.* (the ~) 전방, 앞쪽, 전면. ***to the ~ 전면에; 눈에 띄는 곳에; 곧 도움되어〔이용할 수 있는〕; 살아 있어.
fore-[fɔːr] *pref.* before의 뜻: *fore*arm, *fore*father.
fóre·àrm¹ *n.* Ⓒ 팔뚝.
fòre·árm² *vt.* 미리 무장〔준비〕하다.
fóre·bèar *n.* Ⓒ (보통 *pl.*) 조상.
fore·bode[fɔːrbóud] *vt.* 전조를 보이다; 예감이 들다. **-bód·ing** *n.* Ⓤ,Ⓒ 전조; 예감.
fóre·bràin *n.* Ⓒ 〖解〗 전뇌(前腦).
:**fore·cast**[fɔ́ːrkæ̀st/-ɑ̀ː-] *n., vt.* (~, ***~ed***) Ⓒ 예상〔예보·예정〕(하다).
fore·cas·tle[fóuksəl] *n.* Ⓒ (군함의) 앞갑판; (상선의) 선수루(船首樓) (안의 선원실); 선수루 갑판.
fore·close[fɔːrklóuz] *vt.* 못들어오게 하다, 방해하다; (저당권 설정자를) 배제하다. — *vi.* 유전(流典) 처분하다. **fore·clo·sure**[-klóuʒər] *n.* Ⓤ,Ⓒ 저당물 환수권 상실, 유전.
fòre·dóom *vt.* 미리 운명을 정하다.
:**fóre·fàther** *n.* Ⓒ (보통 *pl.*) 조상.
Fórefathers' Dày 《美》 청교도 상륙 기념일《12월 21일》.
***fóre·finger** *n.* Ⓒ 집게손가락.
fóre·fòot *n.* (*pl.* ***-feet***) Ⓒ 앞발; 〖海〗 용골(龍骨)의 앞부분.
fóre·frònt *n.* (the ~) 맨 앞, 최전부(最前部); 최전방〔선〕.
fòre·gáther *vi.* =FORGATHER.
fòre·gó¹ *vt., vi.* (***-went; -gone***) 선행하다. *~**ing** *a.* 앞의; 전술한.
fóre·gò² *vt.* =FORGO.
fóre·gòne *v.* forego의 과거분사. — *a.* 기왕의.
fóregone conclúsion 처음부터 알고 있는 결론; 필연의〔불가피한〕 결과.
***fóre·gròund** *n.* (the ~) 전경(前景); 가장 두드러진 지위〔위치〕.
fóre·hànd *a., n.* Ⓒ 〖테니스〗 정타(正打)(의); 최전부의; 선두의. ~-**ed** *a.* 〖테니스〗 정타의; 장래에 대비한; 검약한; 유복한.
:**fore·head**[fɔ́ːrid, fɔ́ːrhèd/fɔ́rid, -red] *n.* Ⓒ 이마; 앞부분, 전부(前部).
†**for·eign**[fɔ́(ː)rin, -ɑ́-] *a.* 외국의; 외래의; 이질의; 관계 없는. :~·**er** *n.* Ⓒ 외국인.
fóreign affáirs 외무; 국제 관계.
Fóreign Affáirs Commíttee, the 《美》 하원 외교 위원회.
fóreign áid 해외 원조.
fóreign-bòrn *a.* 외국 태생의.
fóreign exchánge 외국환.
fóreign légion 외인 부대.
fóreign mínister 외무장관, 외상.
Fóreign Òffice 《英》 외무성.
fóreign resérve 〖經〗 외화 준비(금).
fóreign tráde bàlance 해외 무역 수지.
fóreign tráde zòne 《美》 외국 무역 지대(free port).
fòre·júdge *vt.* 미리 판단하다.
fòre·knów *vt.* (***-knew; -known***)

미리 알다.
fòre·knówledge *n.* Ⓤ 예지(豫知).
fóre·lànd *n.* Ⓒ 곶(cape); 전면의 토지.
fóre·lèg *n.* Ⓒ 앞다리.
fóre·lòck *n.* Ⓒ 앞머리. ***take time* 〔*opportunity*〕 *by the* ~** 기회를 잡다.
***fore·man**[∠mən] *n.* Ⓒ (노동자의) 십장, 직공장; 배심장(陪審長).
fóre·màst *n.* Ⓒ 앞돛대.
:**fóre·mòst** *a., ad.* 맨앞의〔에〕; 일류의.
***fóre·nòon** *n.* Ⓒ 오전.
fo·ren·sic[fərénsik] *a.* 법정의; 토론의.
forénsic médicine 법의학.
fòre·ordáin *vt.* (…의) 운명을 미리 정하다.
fóre·pàrt *n.* Ⓒ 앞 부분.
fóre·pàw *n.* Ⓒ 앞발.
fòre·rán *v.* forerun의 과거.
fòre·rún *vt.* (***-ran; -run; -nn-***) 앞장서다; 앞지르다; 예고하다. ***~·ner** *n.* Ⓒ 선구자; 전조; 선인; 선조.
fore·said[fɔ́:rsed] *a.* 전술한.
fore·sail[fɔ́:rsèil, (海)-sl] *n.* Ⓒ (가로 돛배의) 앞돛대 (맨밑의) 큰 돛; (스쿠너의) 앞돛대의 세로돛.
fore·saw[fɔ:rsɔ́:] *v.* foresee의 과거.
:**fore·see** [-sí:] *vt., vi.* (***-saw; -seen***) 예견하다, 미리 알다. **~·ing** *a.* 선견지명이 있는. **~·ing·ly** *ad.*
***fore·seen**[-sí:n] *v.* foresee의 과거분사.
fòre·shádow *vt.* 예시하다.
fóre·shòre *n.* (the ~) 물가《간조선과 만조선과의 사이》.
fòre·shórten *vt.* 원근법에 따라 그리다; (…을) 단축하다.
fòre·shów *vt.* (***-showed; -shown***) 예시하다.
***fóre·sìght** *n.* Ⓤ 선견(지명); 심려(深慮); 전망. **~ed** *a.* 선견지명이 있는.
fóre·skìn *n.* Ⓒ 『解』 포피(包皮)(prepuce).
†**for·est**[fɔ́(:)rist, -á-] *n.* Ⓤ,Ⓒ 숲, 삼림(의 수목). ── *vt.* 식림(植林)하다, 숲으로 만들다. **~·er** *n.* Ⓒ 산림 관리자, 산감독; 삼림 거주자. **~·ry** *n.* Ⓤ 임학; 임업; 산림 관리(법); 산림(지).
fòre·stáll *vt.* 앞지르다, 선수 쓰다; 매점(買占)하다.
for·est·a·tion[fɔ̀(:)ristéiʃən, -à-] *n.* Ⓤ 식림(植林).
fórest fìre 산불.
fórest presèrve 〔**resèrve**〕 보호림.
fórest ránger 《美》 산림 경비원.
fóre·tàste *n.* (a ~) 시식(試食); 기대, 예상. ── [-∠] *vt.* 시식하다; 미리 맛보다; 예기하다.
:**fore·tell**[fɔ:rtél] *vt., vi.* (***-told***) 예고〔예언〕하다.
fóre·thòught *n.* Ⓤ 사전의 고려, 심려(深慮).
fore·time[fɔ́:rtàim] *n.* Ⓤ 이전, 왕년, 과거.
fóre·tòken *n.* Ⓒ 전조, 조짐. ── [⌐∠] *vt.* (…의) 전조가 되다.
***fore·told**[fɔ:rtóuld] *v.* foretell의 과거(분사).
fóre·tòp *n.* Ⓒ 『海』 앞돛대의 장루(檣樓).
†**for·ev·er**[fərévər] *ad.* 영원히, 언제나. **~·more**[-⌐-mɔ́:r] *ad.* 앞으로 영원히.
fòre·wárn *vt.* 미리 경계〔경고〕하다.
fòre·wént *v.* forego의 과거.
fóre·wòman *n.* Ⓒ 여성 직공장; 여성 배심원장.
fóre·wòrd *n.* Ⓒ 머리말, 서문.
***for·feit**[fɔ́:rfit] *n.* ① Ⓒ 벌금; 몰수물. ② (*pl.*) 벌금놀이. ── *vt., a.* 상실하다; 몰수되다〔된〕. **for·fei·ture**[-fətʃər/-fi-] *n.* Ⓤ 상실; 몰수; Ⓒ 몰수물, 벌금.
for·fend[fɔ:rfénd] *vt.* 지키다, 방호하다; 《古》 피하다.
for·gat[fərgǽt] *v.* 《古》 forget의 과거.
for·gath·er[fɔ:rgǽðər] *vt.* 모이다; (우연히) 만나다; 교제하다.
***for·gave**[fərgéiv] *v.* forgive의 과거.
***forge**[1][fɔ:rdʒ] *n.* Ⓒ 용광로; 제철소, 대장간. ── *vt.* (쇠를) 불리다; (계획·허위 따위를 짜서) 꾸며내다; (문서·남의 서명을) 위조하다; (사기를 목적으로) 남의 이름을 서명하다. **fórg·er** *n.* Ⓒ 위조자. **fór·ger·y** *n.* Ⓤ 위조; 문서 위조죄; Ⓒ 위조물.
forge[2] *vt.* 서서히 나아가다.
†**for·get** [fərgét] *vt.* (***-got,*** 《古》 ***-gat; -got(ten); -tt-***) (두고) 잊어버리다; 게을리하다. ***~ oneself*** 몰두하다; 제분수를 잊다; 부주의한 짓〔말〕을 하다. ***~·ful** *a.* 잘 잊는; 잊고(*of*). **~·ful·ly** *ad.* ***~·ful·ness** *n.*
fórget-me-nòt *n.* Ⓒ 물망초《Alaska의 주화(州花)》.
:**for·give**[fərgív] *vt.* (***-gave; -given***) 용서하다; (빚을) 탕감하다, 삭치다. ***~·ness** *n.* Ⓤ 용서, 면제, 관대(함). **for·gív·ing** *a.*
for·giv·en[-ən] *v.* forgive의 과거분사.
for·go[fɔ:rgóu] *vt.* (***-went; -gone***) 없이 때우다(do without); 절제하다; 삼가다; 끊다.
†**for·got**[fərgát/-ɔ́-] *v.* forget의 과거분사.
†**for·got·ten**[fərgátn/-ɔ́-] *v.* forget의 과거분사.
:**fork**[fɔ:rk] *n.* Ⓒ 포크; 쇠스랑; (나무의) 아귀, 갈래; (도로·강의) 분기점. ── *vt.* 갈라지게 하다; (마른 풀 따위를) 쇠스랑으로 던지다〔떠 올리다〕. **~ed**[-t] *a.* 갈라진, 아귀진, 아귀 모양의.
fórked tòngue 일구 이언.
fórk·lìft *n.* Ⓒ 포크리프트《짐을 들어

올리는 크레인》. ~ ***truck*** 포크리프트 차.

***for·lorn**[fərlɔ́:rn] *a.* 버림받은, 고독한; 비참한, 절망적인.

forlórn hópe 허망한 기대; 절망적 기도, 결사적 행동.

†**form**[fɔ:rm] *n.* ① [C,U] 모양; 외형; [C] (사람의) 모습; (사람의) 몸매; (경기자 등의) 폼. ② [C,U] (일정한) 형식, 방식, 형; 〖컴〗 틀, 형식; [C] 서식; (기입) 용지; 종류. ③ [U] (문예작품 등의) 표현 형식, 형식; 예식, 예절. ④ [U] 〖哲〗 (내용에 대한) 형식. ⑤ [U] 심신의 상태. ⑥ [C] 〖文〗 형태, 어형; 《英》 (public school 따위의) 학급; 〖印〗 조판; 《英》 (등널 없는) 긴의자. ***for ~'s sake*** 형식상. ***good*** 〔***bad***〕 ~ 예의〔무례〕. ***in due*** ~ 정식으로. — *vt.* 형성하다, 만들다; 설립〔조직〕하다; 생기게 하다; (습관을) 붙이다; 〖文〗 꾸미다; 〖軍〗 (대열을) 짓다(~ *a line,* 1줄로 서다/ ~ *fours,* 4열을 짓다). — *vi.* 형성되다; 생기다; 대형이 되다. **∠-less** *a.* 모양이 없는, 무정형의.

:**for·mal**[fɔ́:rməl] *a.* 모양의, 형식〔외형〕상의; 정식의; 의례적인; 딱딱한; 규칙 바른; 형식적인; 형식을 갖춘〔뿐인〕; 〖論〗 형식의; 〖哲〗 본질적인. ~ ***object*** 〔***subject***〕 〖文〗 형식 목적어〔주어〕. **~·ism**[-ìzəm] *n.* [U] 형식주의. **~·ist** *n.* **~·ize** *vt.* 정식〔형식적〕으로 하다; 형식화하다. ***~·ly** *ad.*

form·al·de·hyde [fɔ:rmǽldəhàid] *n.* [U] 〖化〗 포름알데히드.

For·ma·lin[fɔ́:rməlin] *n.* [C] 〖商標〗 포르말린《살균·방부제》.

***for·mal·i·ty**[fɔ:rmǽləti/-li-] *n.* [U] 형식 존중; 딱딱함; [C] 형식적 행위; (*pl.*) 정식의 절차; 의식.

for·mat[fɔ́:rmæt] *n.* [C] (책의) 체재, 형, 판; (방송 프로의) 구성; 〖컴〗 틀잡기, 형식, 포맷. — *vt.* (***-tt-***) 〖컴〗 포맷에 넣다.

:**for·ma·tion**[fɔ:rméiʃən] *n.* ① [U] 형성; 조직; 구조, 배치. ② [U,C] 〖軍〗 대형. ③ [C] 형성물; 〖地〗 층.

form·a·tive[fɔ́:rmətiv] *a.* 형성하는; 구성하는, 발달의; 〖文〗 말을 구성하는. — *n.* [C] (말의) 구성 요소 《접두〔접미〕사 따위》.

†**for·mer**[fɔ́:rmər] *a.* 앞의, 이전의. ***the*** ~ 전자(opp. the latter). **:~·ly** *ad.*

fórm·fitting *a.* 《美》 몸에 꼭 끼는 「《옷》.

for·mic[fɔ́:rmik] *a.* 개미의; 〖化〗 개미산(酸)의.

For·mi·ca [fɔ:rmáikə] *n.* [U] 〖商標〗 포마이커《가구 따위의 표면에 바르는 강화 합성 수지》.

fórmic ácid 개미산(酸).

***for·mi·da·ble**[fɔ́:rmidəbəl] *a.* 만만찮은, 무서운. **-bly** *ad.*

fórm lètter 같은 글의 편지《인쇄·복사된》.

For·mo·sa [fɔ:rmóusə] *n.* 대만. **-san** *a., n.* 대만의; [C] 대만 사람(의); [U] 대만어(의).

:**for·mu·la**[fɔ́:rmjələ] *n.* (*pl.* ***~s, -lae***[-lì:]) [C] 일정한 형식; 〖數·化〗 식, 공식; 법식; 처방; 상투어.

for·mu·lar·y[-lèri/-ləri] *a.* 방식의. — *n.* [C] 제문집(祭文集); (약제의) 처방집; 상투어; 처방(서).

***for·mu·late**[fɔ́:rmjəlèit] *vt.* 공식으로 나타내다, 공식화하다. ***-la·tion** [∠–éiʃən] *n.*

fórm wòrd 〖文〗 =FUNCTION WORD.

for·ni·cate[fɔ́:rnəkèit] *vi.* (미혼자와) 간통하다(*with*). **-ca·tion**[∠–kéiʃən] *n.*

for-prófit *a.* 영리 목적의, 이익 추구의.

:**for·sake** [fərséik] *vt.* (***-sook; -saken***) (친구를) 저버리다; (습관·신앙을) 버리다.

***for·sak·en**[-ən] *v.* forsake의 과거분사. — *a.* 버림받은; 고독한.

***for·sook**[fərsúk] *v.* forsake의 과거.

for·sooth[-sú:θ] *ad.* 《비꼬아》 참말이지, 정말.

for·swear, fore-[fɔ:rswέər] *vt.* (***-swore; -sworn***) 맹세코 끊다〔부인하다〕. ~ ***oneself*** 거짓 맹세하다. — *vi.* 거짓 맹세하다.

for·sworn[-swɔ́:rn] *v.* forswear의 과거분사. — *a.* 거짓 맹세의.

for·syth·i·a [fərsíθiə, fɔ:r-, -sáiθiə] *n.* [U] 〖植〗 개나리.

:**fort**[fɔ:rt] *n.* [C] 보루(堡壘), 성채.

forte[fɔ:rt] *n.* [C] 장점, 장기(長技).

for·te [fɔ́:rtei, -ti] *a., ad.* (It.) 〖樂〗 강음의; 세게.

†**forth**[fɔ:rθ] *ad.* 앞으로; 보이는 곳에, 밖으로; …이후. ***and so*** ~ … 등등. ***come*** ~ 나타나다. ***from this day*** ~ 오늘 이후. ***right*** ~ 즉시. ***so far*** ~ 거기까지는, 그만큼은.

***forth·com·ing**[fɔ̀:rθkʌ́miŋ] *a.* 곧 나오려고〔나타나려고〕 하는; 준비돼 있는.

***fórth·rìght** *ad.* 솔직히; 똑바로.

forth·with[-wíθ, -wíð] *ad.* 당장, 즉시.

***for·ti·eth**[fɔ́:rtiiθ] *n., a.* [U] 제 40(의); [C] 40분의 1(의).

***for·ti·fi·ca·tion** [fɔ̀:rtəfikéiʃən/ -ti-] *n.* ① [U] 방비; 축성(築城)(학). ② [C] (보통 *pl.*) 방비 시설, 요새. ③ [U] (음식 영양가의) 강화.

for·ti·fy**[fɔ́:rtəfài/-ti-] *vt.* 강〔견고〕하게 하다; 방어 공사를 하다; (영양가·알코올 성분을) 높이다(enrich); (설(說)을) 뒷받침하다. ~ ***oneself 몸을 지키다, 기운을 북돋다. **-fied** *a.* 방비된. ***fortified zone*** 요새 지대.

for·tis·si·mo[fɔ:rtísəmòu] *a., ad.* (It.) 〖樂〗 매우 센〔세게〕.

***for·ti·tude**[fɔ́:rtətjù:d] *n.* [U] 용기, 불굴의 정신.

***fort·night** [fɔ́:rtnàit] *n.* [C] 《주로

英》 2주간, 14일. **~·ly** *a., ad., n.* 2주간마다(의); Ⓒ 격주 간행물.
FORTRAN, For·tran[fɔ́ːrtræn] *n.* Ⓤ 〖컴〗 포트란《과학 기술 계산 프로그램 용어》(<*for*mula *tran*slation).
:for·tress[fɔ́ːrtris] *n.* Ⓒ (대규모의) 요새(要塞); 《一般》 안전 지대.
for·tu·i·tous[fɔːrtjúːətəs] *a.* 우연(발생)의. **~·ly** *ad.* **-ty** *n.* Ⓤ 우연(성); Ⓒ 우발 사건.
:for·tu·nate[fɔ́ːrtʃənit] *a.* 행운의〔을 갖다 주는〕. **:~·ly** *ad.*
:for·tune[fɔ́ːrtʃən] *n.* Ⓤ 운(명); 행운; 부, 재산; Ⓒ (재산으로 인한) 사회적 지위; (F-) 운명의 여신. ***have ~ on one's side*** 운이 트이다. ***seek one's ~*** 입신 출세의 길을 찾다. ***spend a small ~ on*** 《俗》 …에 큰돈을 들이다.
fórtune hùnter 재산을 노리고 결혼하려는 사람.
fórtune·tèller *n.* Ⓒ 점쟁이.
fórtune·tèlling *n.* Ⓤ 점.
†for·ty[fɔ́ːrti] *n., a.* Ⓤ,Ⓒ 40(의).
fòrty-fíve *n.* Ⓤ,Ⓒ 45; Ⓒ 《美俗》 45구경 권총《보통 .45라고 씀》; Ⓒ 45회전 레코드《EP판》.
for·ty-nin·er[ㅗnáinər] *n.* Ⓒ 〖美史〗 1849년 California로 금광을 찾아간 사람.
fórty wínks 《口》 낮잠.
·fo·rum [fɔ́ːrəm] *n.* (*pl.* **~s, -ra** [-rə]) Ⓒ ① (고대 로마의) 공회(公會)의 광장. ② 법정. ③ (공개·TV 등의) 토론회.
†for·ward [fɔ́ːrwərd] *ad.* 앞으로; 앞에. ***from this day ~*** 오늘 이후. — *a.* 전방의; 급진적인; 진보적인; 올된, 조숙한; 자진하여 …하는; 주제넘은; 〖商〗 선물(先物)의. — *n.* Ⓤ,Ⓒ (축구 따위의) 전위, 포워드; =ㅗ **páss** 〖蹴〗 포워드 패스. — *vt.* 촉진하다; (우편물을) 회송하다; 발송하다. **~s**[-z] *ad.* =FORWARD. **~·er** *n.* Ⓒ 운송업자. **~·ing** *n.* Ⓤ,Ⓒ 추진; 회송. ***~ing agent*** 운송업자.
fórward-lòoking *a.* 앞을 향한; 적극〔진보〕적인.
for·went[fɔːrwént] *v.* forgo의 과거.
fos·sa[fásə/-ɔ́-] *n.* (*pl.* **-sae**[-siː]) Ⓒ 〖解〗 와(窩). 「도랑; 운하.
foss(e)[fɔːs, fas/fɔs] *n.* Ⓒ 해자;
·fos·sil[fásl/-ɔ́-] *n., a.* Ⓒ 화석(의); 《口》 시대에 뒤진 (사람). **~·ize** [-səlàiz] *vt., vi.* 화석이 되(게 하)다; (*vt.*) 시대에 뒤지게 하다; (*vi.*) 화석 채집을 하다. **~·i·za·tion**[fàsəlizéiʃən/fɔ̀silai-] *n.* Ⓤ 화석화.
:fos·ter[fɔ́ːstər, -á-/-ɔ́-] *vt.* 기르다, 양육하다; 돌보다, (생장·발달 따위를) 촉진하다; (희망·사상·증오 따위를) 마음속에 키우다〔품다〕. — *a.* (혈연이 아닌) 양육 관계의.
·Fos·ter, Stephen Collins(1825-64) 미국의 작곡가.
fóster bróther 〔**síster**〕 젖형제〔자매〕.
fóster chíld 〔**párents**〕 양자〔양부모〕. 「자〕.
fóster dáughter 〔**són**〕 양녀〔양
fóster fáther 〔**móther**〕 양부〔양모〕.
fos·ter·ling[fɔ́ːstərliŋ] *n.* Ⓒ 양자.
:fought[fɔːt] *v.* fight의 과거(분사).
:foul [faul] *a.* 더러운; 악취 있는; 〖海〗 (닻줄이) 엉클어진; (검댕 따위가) 꽉 막힌; (날씨가) 나쁜, 궂은; 역풍의; 상스런, 야비한; 심히 불쾌한; (경기에서) 반칙의; 사악한; (배가 암석·다른 배 따위에) 부딪친; 〖野〗 파울의. — *ad.* 부정하게. ***fall*** 〔***go, run***〕 ***~ of*** …와 충돌하다, 부딪다; 싸우다. — *n.* Ⓒ 〖海〗 가벼운 충돌; (경기의) 반칙; 〖野〗 파울. — *vt., vi.* 더럽히다, 더러워지다; 엉키(게 하)다; (…에) 충돌하다; 반칙하다. **ㅗ·ly** *ad.* **ㅗ·ness** *n.*
fóul báll 〖野〗 파울볼.
fóuled-ùp *a.* 《口》 잘못 다룬; 혼란된, 엉망진창인.
fóul líne 〖野〗 파울선(線)〔라인〕.
fóul-móuthed *a.* 입이 건.
fóul pláy (경기의) 반칙; 부정 행위.
fóul-spóken *a.* =FOUL-MOUTHED.
fóul típ 〖野〗 파울팁. 「사).
†found[1] [faund] *v.* find의 과거(분
:found[2] *vt.* (…의) 기초를 두다; 창설하다; 근거로〔의거〕 하다(*on, upon*). **:ㅗ·er** *n.* Ⓒ 창설자; 시조.
found[3] *vt.* 주조(鑄造)하다(cast). **ㅗ·er** *n.*
:foun·da·tion[faundéiʃən] *n.* ① Ⓒ 토대. ② Ⓒ,Ⓤ 기초; 근거. ③ Ⓤ 창설. ④ Ⓒ 기금; (기금에 의한) 설립물, 재단. ⑤ Ⓒ 코르셋류(類). ⑥ Ⓤ 기초 화장, 파운데이션. **~·er** [-ər] *n.* Ⓒ 《英》 장학생. 「교.
foundátion schòol 재단 설립 학
foundátion stòne 주춧돌, 초석.
:found·er[1][fáundər] *n.* ⇨FOUND[1,2].
found·er[2] *vi.* (둑·건물 따위가) 무너지다; 넘어지다; (배가) 침수되어 침몰하다; (말이) 쓰러지다, 절름발이가 되다; 실패하다. — *vt.* 침몰시키다; (말을) 쓰러뜨리다.
found·ling[fáundliŋ] *n.* Ⓒ 기아(棄兒); 주운 아이. ***~ hospital*** 기아 보호소, 고아원.
found·ress [fáundris] *n.* Ⓒ 여성 창립자.
found·ry[fáundri] *n.* Ⓒ 주조장(鑄造場); Ⓤ 주조법.
fóundry ìron 주철(鑄鐵).
fóundry pròof (정판(整版) 전의) 최종 교정쇄.
fount[1][faunt] *n.* Ⓒ 《雅》 샘(fountain); 원천.
fount[2] *n.* 《英》 =FONT[2].
:foun·tain[fáunt*i*n] *n.* Ⓒ 샘; (음용) 분수; 원천; 〖機〗 기름통; 〖印〗 잉크 통.
fóuntain·hèad *n.* Ⓒ 수원; 근원.
:fóuntain pèn 만년필.
†four[fɔːr] *n., a.* Ⓤ,Ⓒ 4(의). ***on all***

F

~s 네 발로 기어; 꼭 들어 맞아 (*with*). 「(homer).
fóur-bágger *n.* Ⓒ 《野俗》 홈런
fóur-diménsional *a.* 4차원의.
fóur-èyed *a.* 네 눈의; 안경을 쓴.
fóur·flùsher *n.* Ⓒ 《口》 허세를 부리는 사람.
fóur·fòld *a., ad.* 4중〔배〕의〔(으)로〕.
fóur-fóoted *a.* 네발 달린.
fóur fréedoms, the 4개의 자유 《1941년 미국 대통령 F.D. Roosevelt가 선언한 인류의 기본적 자유》.
fóur·hánd(ed) *a.* 4사람이 하는; (피아노에서) 연탄(連彈)의.
Fóur-H clùb 4H 클럽《'head, hand, heart, health'를 모토로 하는 농촌 청년 교육 기관》.
Fóur Húndred, f- h-, the 《美》 지역 사회의 엘리트, 상류 사회(사람들)《400이라고도 씀》.
fóur-in-hànd *n.* Ⓒ 4두 마차; 매듭 넥타이. 「로버.
fóur-lèaf clóver[-lìːf-] 네 잎 클
fóur-lètter wórd 4글자 말《비속한 말》.
fóur-o'clòck *n.* Ⓒ ① 〖植〗 분꽃. ② 〖鳥〗 (오스트레일리아산의) 밀식조(蜜食鳥).
fóur-pàrt *a.* 4부(합창)의.
fóur·pènny *a.* 4펜스의.
fóur·póster *n.* Ⓒ (커튼 달린) 4기둥의 대형 침대.
fóur·scóre *n.* Ⓤ 80; Ⓒ 80개; 80살. ~ ***and ten,*** 90.
fóur-séater *n.* Ⓒ 4인승.
four·some[∠səm] *n.* Ⓒ 〖골프〗 포섬《4인이 2조로 나뉨》; 그것을 하는 4사람; 4인조. 「한.
fóur·squáre *a.* 4각의; 솔직〔견고〕
fóur-stár(red) *a.* 4성(星)의.
†**four·teen**[fɔ́ːrtíːn] *n., a.* Ⓤ,Ⓒ 14(의), Ⓤ 14세(의), 14명. ***-téenth*** *n., a.* Ⓤ 제14(의), 열넷째(의); Ⓒ 14분의 1(의).
†**fourth**[fɔːrθ] *n., a.* Ⓤ 제4〔넷째〕(의); Ⓒ 4분의 1(의). ***the F- of July*** 미국 독립 기념일《7월 4일》. **∠·ly** *ad.* 넷째로.
fóurth-cláss *a., ad.* 《美》 4종 우편물의〔로〕.
fóurth diménsion, the 제4차원.
fóurth estáte, the 신문계, 언론계(the press), 저널리즘.
fóurth márket 《美》 〖證〗 장외(場外) 시장.
4WD four-wheeled drive 4륜 구동 방식. 「구동의.
fóur-whéeled *a.* 4륜(식)의; 4륜
fóur-whéeler *n.* Ⓒ 4륜 마차.
:**fowl**[faul] *n.* (*pl.* ~*s,* 《집합적》 ~) Ⓒ 닭; 가금(家禽); Ⓤ 닭〔새〕고기; Ⓒ 《古》 새. ***barn-door*** ~ 닭. — *vi.* 들새를 잡다. **∠·er** *n.* Ⓒ 들새 사냥꾼. **~·ing**[∠iŋ] *n.* Ⓤ 들새 사냥, 새사냥.
fówling pìece 새총.
:**fox**[fɑks/-ɔ-] *n.* (*pl.* ~*es,* 《집합적》 ~) Ⓒ 여우; Ⓤ 여우 모피; Ⓒ 교활한 사람. — *vt., vi.* 속이다; 변색시키다〔하다〕. **∠·y** *a.* 여우같은; 교활한; 여우털빛의; 변색한. 「용》.
fóx·glòve *n.* Ⓒ 〖植〗 디기탈리스《약
fóx·hòle *n.* Ⓒ 〖軍〗 (1인 내지 3인용의 작은) 참호.
fóx·hòund *n.* Ⓒ 여우 사냥개.
fóx·hùnt *n., vi.* Ⓒ 여우 사냥(을 하다).
fóx·tàil *n.* Ⓒ 여우의 꼬리; 〖植〗 금강아지풀, 뚝새풀.
fóx térrier 폭스테리어《애완견》.
fóx tròt 폭스트롯; 말의 걸음걸이의 일종《walk와 trot의 중간》.
fóx-tròt *vi.* (*-tt-*) 폭스트롯을 추다〔으로 (말이) 달리다〕.
foy·er[fɔ́iei, fɔ́iər] *n.* (F.) Ⓒ (극장·호텔 따위의) 휴게실; 현관의 홀.
fp *forte piano* 〖樂〗 세게 그리고 (다음 음을) 여리게. **F.P.** fireplug.
FPC 《美》 Federal Power Commission. **fpm, f.p.m.** feet per minute. **FPO** Fleet Post Officer. **F.P.S.** Fellow of the Philological 〔Philosophical, Philharmonic〕 Society. **fps, f.p.s.** feet per second; footpound-second (system). **Fr** 〖化〗 francium. **Fr.** Father; France; Francis; *Frater* (L.=Brother); French; Friday. **fr.** fragment; franc; from.
Fra[frɑː] *n.* (It.) 수사(修士)의 칭호《이름 앞에 붙임》.
fra·cas[fréikəs, frǽkɑː] *n.* Ⓒ 싸움, 소동.
:**frac·tion**[frǽkʃən] *n.* Ⓒ 단편; 부분; 분수. ***complex*** 〔***common, vulgar***〕 ~ 번(繁)〔보통〕분수. **~·al** *a.* **~·al·ly** *ad.*
frac·tious[frǽkʃəs] *a.* 성마른; 다루기 힘든.
***frac·ture**[frǽktʃər] *n.* ① Ⓤ 부숨, 파손. ② Ⓒ 갈라진 틈, 금; 〖鑛〗 단구(斷口). ③ Ⓒ 골절(骨折). — *vt., vi.* 부수다; 부러뜨리다; 골절하다.
***frag·ile** [frǽdʒəl/-dʒail] *a.* (cf. frail) 부서지기 쉬운; (몸이) 약한. **fra·gil·i·ty** [frədʒíləti] *n.*
:**frag·ment**[frǽgmənt] *n.* Ⓒ 파편; 단편; 미완성 유고(遺稿). ***-men·tar·y**[-èri/-əri] *a.* 파편의; 단편적인, 조각조각난; 미완성의.
frag·men·tal [frægméntl] *a.* = FRAGMENTARY; 〖地〗 쇄설질(碎屑質)의.
frag·men·ta·tion[frǽgməntéiʃən] *n.* Ⓤ (폭탄·암석 등의) 파쇄; 분열, 붕괴; 〖컴〗 분편화(分片化). ~ ***bomb*** 파쇄 폭탄〔수류탄〕.
:**fra·grant**[fréigrənt] *a.* 냄새가 좋은; 상쾌한. **~·ly** *ad.* * **frá·grance, -gran·cy** *n.* Ⓤ 방향.
:**frail**[freil] *a.* (cf. fragile) (체질이) 허약한; 무른; (성격이) 약한, 유혹에 빠지기 쉬운. **∠·ty** *n.* Ⓤ,Ⓒ 무름, 허약; (성격·의지의) 박약(에서 오는 과실).

F

F.R.A.M. Fellow of the Royal Academy of Music.

:frame[freim] *n.* ① Ⓒ 구조; 조직; 기구; 뼈대. ② Ⓤ 모양; 체격. ③ Ⓒ 액자; 테, (온상의) 틀, 프레임. ④ Ⓒ 〖映〗(필름의) 한 화면. ⑤ Ⓒ 〖撞〗(공을 놓는) 삼각형틀; 〖野·볼링〗 게임의 1회. ⑥ 〖컴〗 짜임, 프레임《스크린 등에 수시로 일정 시간 표시되는 정보〔화상〕; 컴퓨터 구성 단위》. ~ ***of mind*** 기분. — *vt.* ① 조립하다; (…의) 형태〔뼈대〕를 만들다. ② 고안하다. ③ 틀에 맞추다; (…의) 틀이 되다. ④ 《口》 없는 죄를 씌우다, (죄를) 조작하다(*up*).

fráme hóuse 목조 가옥.

fráme-ùp *n.* Ⓒ 《口》(아무를 죄에 빠뜨리는) 계략, 음모; 조작된 죄.

***fráme·wòrk** *n.* Ⓒ 틀, 뼈대; Ⓤ 구성, 구조, 체제.

franc[fræŋk] *n.* Ⓒ 프랑《프랑스·벨기에·스위스의 화폐 단위》; 1프랑 화폐.

†France[fræns, -ɑ:-] *n.* 프랑스.

***fran·chise**[frǽntʃaiz] *n.* Ⓤ 선거권; Ⓒ 특권; 총판(總販)권.

Fran·cis·can [frænsískən] *a., n.* (the ~) 프란체스코회(會)의 (수사).

fran·ci·um[frǽnsiəm] *n.* Ⓤ 〖化〗 프란슘.

Franck[frɑ̃:ŋk], **César**(1822-90) 벨기에 태생의 프랑스 작곡가.

Fran·co[frǽŋkou, frɑ́:ŋ-], **Francisco**(1892-1975) 스페인의 군인·총통.

fran·co·phone[frǽŋkoufòun] *n., a.* Ⓒ 프랑스어를 하는 (사람).

fran·gi·ble[frǽndʒəbəl] *a.* 부서지기 쉬운.

Fran·glais[frɑ:ŋgléi] *n.* Ⓤ 프랑스어화한 영어.

Frank[fræŋk] *n.* Ⓒ 프랑크족의 사람; (서)유럽인. **∠·ish** *a., n.* Ⓤ 프랑크족의(언어).

:frank[1][fræŋk] *a.* 솔직한; 숨김없는. ***to be ~ with you*** 솔직히 말하면, 사실은. — *vt.* (우편물을) 무료로 송달하다. — *n.* Ⓒ 〖英史〗 무료 배달의 서명〔특전·우편물〕. **:∠·ly** *ad.* ***∠·ness** *n.*

frank[2] *n.* 《美口》 =FRANKFURT(ER).

Frank·en·stein[frǽŋkənstàin] *n.* Ⓒ 자기를 파멸시키는 괴물이나 파괴력을 창조하는 사람《Mary Shelley의 소설 속의 주인공 이름에서》; =∠ **mònster** 저를 만든 사람을 죽이는 괴물.

***frank·furt(·er)**[frǽŋkfərt(ər)] *n.* Ⓒ 프랑크푸르트 소시지《쇠고기·돼지고기를 혼합한 것》.

frank·in·cense[frǽŋkinsèns] *n.* Ⓤ 유향(乳香).

fránking machìne 《英》 =POSTAGE METER.

***Frank·lin**[frǽŋklin], **Benjamin** (1706-90) 미국의 정치가·과학자.

frank·lin [frǽŋklin] *n.* Ⓒ 〖英史〗(14-15세기의) 소(小)지주.

***fran·tic**[frǽntik] *a.* 심히 흥분한; 《古》 미친. ***fran·ti·cal·ly, fran·tic·ly** *ad.*

frap·pé[fræpéi] *a.* (F. =iced) 얼음으로 냉각한. — *n.* Ⓤ 냉동 과즙〔식품·음료〕.

F.R.A.S. Fellow of the Royal Astronomical Society.

frat[fræt] *n.* 《美學生俗》 =FRATERNITY ③.

***fra·ter·nal** [frətə́:rnəl] *a.* 형제의; 「우애의.

fratérnal órder 〔**socíety**〕 《美》 우애 조합.

fratérnal twíns 이란성 쌍생아(cf. identical twins).

***fra·ter·ni·ty**[frətə́:rnəti] *n.* ① Ⓤ 형제간(의 우애). ② Ⓒ 우애 조합; (the ~) 동업〔동호〕자들. ③ Ⓒ 《집합적》《美》(남자 대학생의) 친목회(cf. sorority).

frat·er·nize[frǽtərnàiz] *vi.* 형제로 사귀다; (적국민과) 친하게 사귀다. **-ni·za·tion**[⌒-nizéiʃən] *n.*

frat·ri·cide[frǽtrəsàid, fréi-] *n.* ① Ⓤ 형제 살해. ② Ⓒ 그 사람.

Frau[frau] *n.* (*pl.* **~s,** (G.) **~en** [-ən]) (G.=Mrs.) 부인; 처.

***fraud**[frɔ:d] *n.* ① Ⓤ 사기, 협잡. ② Ⓒ 부정 수단; 사기꾼; 가짜.

fraud·u·lent[frɔ́:dʒulənt] *a.* 사기의; 사기적인; 속여서 손에 넣은. **~·ly** *ad.* **-lence, -len·cy** *n.*

***fraught**[frɔ:t] *a.* (cf. freight) …을 내포한, …으로 가득 차 있는; 《詩》 …을 가득 실은(*with*).

Fräu·lein[frɔ́ilain] *n.* (*pl.* **~s,** (G.) ~) (cf. *Frau*) (G.=Miss) 양, 아가씨; 미혼 여성.

fray[1][frei] *n.* (the ~) 떠들썩한 싸움, 다툼.

***fray**[2] *vt., vi.* 문지르다; 닳아 빠지(게 하)다; 풀(리)다; 해지(게 하)다.

fraz·zle[frǽzəl] *vt., vi.* 닳아 빠지(게 하)다; 지치(게 하)다. — *n.* Ⓒ 너덜너덜〔휘주근〕한 상태.

FRB, F.R.B. 《美》 Federal Reserve Bank. **F.R.B.S.** Fellow of the Royal Botanic Society (of London). **FRC, F.R.C.** Federal Radio Commission. Foreign Relations Committee. **F.R.C.P.** Fellow of the Royal College of Physicians. **F.R.C.S.** Fellow of the Royal College of Surgeons.

***freak**[fri:k] *n.* Ⓤ,Ⓒ 변덕; Ⓒ 기형, 괴물. **∠·ish** *a.*

fréak-òut *n.* Ⓒ 《俗》 마약사용(에 의한 황홀상태); 히피화(化).

***freck·le**[frékl] *n., vt., vi.* Ⓒ 주근깨; 얼룩(이 생기(게 하)다). **fréck·ly** *a.* 주근깨투성이의.

†free[fri:] *a.* ① 자유로운; 자주적인. ② 분방한; 솔직한. ③ 규칙에 구애되지 않는; 문자에 얽매이지 않는; 딱딱하지 않은. ④ 풍부한. ⑤ 한가한; (방 따위가) 비어 있는; 장애가 없는; 무료의; 세 없는; 개방된; 자유로 드

나들 수 있는. ⑥ 참가 자유의. ⑦ 무조건의. ⑧ 고정되어 있지 않은. ⑨ 손이 큰; 아끼지 않는. ⑩ (…이) 없는, (…이) 면제된(*from*). ⑪ 〖化〗 유리된. ***for*** ~ 《口》 무료로. ~ ***fight*** 난투(亂鬪). ~ ***on board*** 본선 인도(本船引渡). ***get*** ~ 자유의 몸이 되다. ***make a person*** ~ ***of*** 아무에게 …을 마음대로 쓰게 하다. ***make*** ~ ***with*** 허물없이 굴다. ***set*** ~ 해방하다. — ***ad.*** 자유로; 무료로. — ***vt.*** (**freed**) 자유롭게 하다, 해방하다; 면제하다(*of, from*).

free·bee, -bie[fríːbiː] ***n.*** Ⓒ 《美俗》 공짜의 것《무료 입장권 등》.

frée·bòard ***n.*** Ⓤ,Ⓒ 〖海〗 건현(乾舷)《흘수선과 상갑판과의 사이》.

frée·bòoter ***n.*** Ⓒ 해적.

frée·bòoting ***n.*** Ⓤ 해적 행위.

frée·bórn ***a.*** 자유민으로 태어난, 자유민다운.

frée cíty 자유시《독립 국가로 된》.

freed[friːd] ***v.*** free의 과거(분사).

freed·man[´mən] ***n.*** (*fem.* **-woman**) Ⓒ (노예 신분에서 해방된) 자유민.

:free·dom[fríːdəm] ***n.*** Ⓤ,Ⓒ 자유; Ⓤ 자유 독립; (the ~)(시민·회원 등의) 특권; Ⓤ 해방; 면제; (the ~) 자유 사용권; Ⓤ 허물〔스스럼〕없음, 무람없음; Ⓤ (동작의) 자유 자재. ~ ***from care*** 속편함, 태평. ~ ***of the press*** 출판〔언론〕의 자유.

frée énterprise (정부의 간섭을 받지 않는) 자유 기업.

frée-fíre zòne 〖軍〗 무차별 포격 지대《움직이는 것은 빠짐없이 사격당하는 지대》.

frée flíght (로켓의 동력 정지 후의) 타력(惰力) 비행.

frée-for-àll ***n.*** Ⓒ 누구나 참가할 수 있는 경기; 난투.

frée fórm 〖言〗 자유 형식〔형태〕.

frée góods 비과세품; 자유재.

frée grátis 무료로.

frée·hànd ***a.*** (기구를 쓰지 않고) 손으로 그린. ~ ***drawing*** 자재화(自在畫).

frée-hánded ***a.*** 통이 큰; 한가한.

frée-héarted ***a.*** 쾌활한; 자발적인; 솔직한. **~ly** ***ad.***

frée·hòld ***n.*** ① Ⓤ (토지의) 자유 보유권. ② Ⓒ 자유 보유 부동산.

free hòuse 《英》 (여러 가지 상표의 주류를 파는) 술집.

frée kíck 〖蹴〗 프리킥.

frée lánce (중세의) 용병(傭兵); 무소속의 작가〔기자·출연자〕.

frée-lánce ***vi.*** 자유 계약으로〔프리랜서로〕 일하다.

frée-láncer ***n.*** Ⓒ 자유 계약자, 프리랜서.

frée líver 미식가(美食家); 쾌락주의자.

frée líving 미식; 쾌락적 생활.

:free·ly[fríːli] ***ad.*** 자유로이; 거리낌없이; 아낌없이; 무료료.

·free·man[´mən] ***n.*** Ⓒ (노예가 아닌) 자유민; (시민권 등이 있는) 공민.

Free·ma·son[fríːmèisn] ***n.*** Ⓒ 프리메이슨단(團)《비밀 결사》의 회원.

Free·ma·son·ry[´mèisnri] ***n.*** Ⓤ 프리메이슨단의 주의·강령; (f-) 자연적인 우정〔공감〕.

frée pórt 자유항.

free·si·a[fríːziə, -ʒiə] ***n.*** Ⓒ 〖植〗 프리지어.

frée sóil 〖美史〗 (남북 전쟁 전부터 노예 제도를 인정하지 않은) 자유 지역.

frée-sóil ***a.*** 〖美史〗 자유 지역의.

frée-spóken ***a.*** 마음먹은 대로 말하는, 솔직한.

frée·stòne ***a., n.*** Ⓤ,Ⓒ 어느 쪽으로나 쪼개지는 (돌); Ⓒ 씨가 잘 빠지는 (과일)《복숭아 따위》; =´ **wáter** 단물, 연수(軟水).

frée·stỳle ***n.*** Ⓤ 〖水泳〗 자유형.

frée·thínker ***n.*** Ⓒ 자유 사상가.

frée thóught 자유 사상.

frée tráde 자유 무역.

frée vérse 〖韻〗 자유시.

free·ware[fríːwὲər] ***n.*** Ⓤ 〖컴〗 프리웨어《컴퓨터 통신망 따위에서 무료로 쓸 수 있는 소프트웨어》.

frée·wày ***n.*** Ⓒ (무료) 고속 도로.

frée wíll 자유 의사.

frée·wíll ***a.*** 자유 의사의.

Frée Wórld, the 자유 세계〔진영〕.

:freeze[friːz] ***vi., vt.*** (**froze; frozen**) 얼다(*It ~s.*); 얼게 하다; 얼(리)다; (추위로) 곱(게 하)다; 섬뜩〔오싹〕하(게 하)다; (자산을) 동결시키다. ~ ***out*** 《口》(냉대하여) 못 배기게 하다. ~ 〔***be frozen***〕 ***to death*** 얼어 죽다. **·fréez·er** ***n.*** Ⓒ 냉동기, 냉장고. **·fréez·ing** ***a., n.*** 어는, 얼어 붙는; 몹시 추운; 냉동용의; (태도가) 쌀쌀한; Ⓤ,Ⓒ 냉동; 동결.

fréezing mìxture 〖化〗 한제(寒劑)《얼음과 소금의 혼합물 따위》.

fréezing pòint 빙점.

:freight[freit] ***n.*** ① Ⓤ 화물 수송, 《英》 수상(水上)화물 수송. ② Ⓤ 운송 화물; 적하(積荷). ③ Ⓤ 운임. ④ Ⓒ《美》=´ **tràin** 화물 열차. — ***vt.*** (화물을) 싣다; 운송하다; 출하(出荷)하다. **´·age** ***n.*** Ⓤ 화물 운송; 운임; 운송 화물. **´·er** ***n.*** Ⓒ 화물선.

fréight càr 《美》 화차.

:French[frentʃ] ***a.*** 프랑스(인·어)의. ***take ~ leave*** 인사 없이 슬쩍 나가다. — ***n.*** ① Ⓤ 프랑스어. ② Ⓒ 《집합적》 프랑스인〔국민〕.

Frénch bèan 《주로 英》 강낭콩.

Frénch Canádian 프랑스계 캐나다인; 그 프랑스어.

Frénch chálk 〖裁縫〗 초크.

Frénch Commúnity, the 프랑스 공동체《프랑스와 그 옛 식민지로 구성》.

Frénch frìed potátoes 프랑스식 감자 튀김《잘게 채친》.

Frénch hórn 프렌치 호른《소리가 부드러운 금관 악기》.

:French·man[´mən] ***n.*** (*pl.* **-men** [-mən]) Ⓒ 프랑스인.

Frénch Revolútion, the 프랑스

F

(대)혁명《1789-99》.
Frénch Únion, the 프랑스 연합《본국 및 영토의 연맹; 1958년 the French Community로 개칭》.
Frénch wíndow 프랑스식 창《도어겸용의 좌우로 열게 된 큰 유리창》.
French·wom·an[∠wùmən] *n.* (*pl.* ***-women***[-wìmin]) Ⓒ 프랑스 여자.
fre·net·ic [frinétik] *a.* 열광적인. **-i·cal·ly** [-ikəli] *ad.*
*__fren·zy__[frénzi] *vt.* 격앙(激昂)〔광란〕시키다. — *n.* Ⓤ,Ⓒ 격앙, 열광, 광란. **-zied** *a.*
Fre·on[fríːɑn/-ɔn] *n.* Ⓤ 〖商標〗 프레온(가스)《냉장고 등의 냉동제》.
freq. frequent(ly); frequentative.
*__fre·quen·cy__ [fríːkwənsi] *n.* Ⓤ,Ⓒ 자주 일어남, 빈발; 빈번; Ⓒ 빈도(수); Ⓒ 〖理〗 횟수(回數), 진동수, 주파수.
fréquency bànd 〖電〗 주파수대.
fréquency chànger 〔**convèrter**〕 〖電〗 주파수 변환기
fréquency distribùtion 〖統〗 도수 분포.
fréquency modulátion 〖電〗 주파(수) 변조《생략 FM; opp. amplitude modulation (AM)》.
:**fre·quent**[fríːkwənt] *a.* 빈번한, 자주 일어나는; 상습적인; 수많은. — [fri(ː)kwént] *vt.* (…에) 자주 가다〔출입하다〕; 늘 모이다. **~·er** *n.* Ⓒ 자주 가는 사람, 단골 손님. :**~·ly** *ad.* 종종, 때때로, 빈번히.
fre·quen·ta·tive[fri(ː)kwéntətiv] *a., n.* 〖文〗 반복의; Ⓒ 반복동사.
fres·co[fréskou] *n.* (*pl.* ~(*e*)*s* [-z]), *vt.* Ⓒ,Ⓤ 프레스코화(풍)(으로 그리다). ***in*** ~ 프레스코 화법으로.
†**fresh**[freʃ] *a.* 새로운; 신선한; 원기〔안색〕좋은, 젊디젊은; 상쾌한; 선명한; 갓 나온; 경험이 없는; 소금기 없는; (바람이) 센; 《美》 뻔뻔스러운, 건방진. — *ad.* 새로이, 새롭게. *__∠·ly__ *ad.* 새로이; 신선하게. *__∠·ness__ *n.*
frésh áir (공기가 신선한) 야외의.
frésh-cáught *a.* 갓잡은.
fresh·en[∠ən] *vt., vi.* 새롭게 하다〔되다〕; 염분을 없애다〔이 없어지다〕. ~ ***up*** 기운 나다, 기운을 돋우다; (외출전 따위에) 몸치장하다.
fresh·er[∠ər] *n.* 《英俗》 =FRESHMAN.
fresh·et[fréʃit] *n.* Ⓒ (폭우나 눈녹은 뒤의) 큰물; (바다로 흘러드는) 민물의 분류(奔流).
*__fresh·man__[∠mən] *n.* Ⓒ (대학의) 신입생, 1년생.
frésh wàter 민물, 담수.
frésh-wàter *a.* 담수(산)의.
frésh wàter còllege 시골 대학.
:**fret**[1][fret] *vt., vi.* (**-tt-**) 초조하(게 하)다; 먹어 들어가다, 개개다; 부식〔침식〕하다; 물결치(게 하)다. ~ ***oneself*** 속태우다. — *n.* Ⓤ 속태움, 조바심, 고뇌. *__∠·ful__ *a.* **∠·ful·ly** *ad.*
fret[2] *n., vt.* (**-tt-**) Ⓒ 뇌문(雷紋)〔격자모양〕(으로 장식하다).
fret[3] *n.* Ⓒ (현악기의) 기러기발.
frét sàw 실톱.
frét·wòrk *n.* Ⓒ 뇌문(雷紋)장식; Ⓤ 그 장식 세공.
Freud[frɔid], **Sigmund** (1856-1939) 오스트리아의 정신 분석학자. **∠·i·an** *a., n.* Ⓒ 프로이드(설)의 (학도).
F.R.G.S. Fellow of the Royal Geographical Society.
***Fri.** Friday.
fri·a·ble [fráiəbəl] *a.* 부서지기 쉬운; 가루가 되기 쉬운, 무른.
fri·ar[fráiər] *n.* Ⓒ 수사, 탁발승. **~·y** *n.* Ⓒ 수도원, 수도회.
fríar's bálsam 〖藥〗 안식향(安息香)팅크.
fríar's lántern 도깨비불.
F.R.I.B.A. Fellow of the Royal Institute of British Architects.
frib·ble[fríbəl] *a., n.* Ⓒ 쓸데없는 (짓을 하는 사람); Ⓤ 부질없는 (일, 생각). — *vi., vt.* 쓸데없는 짓을 하다; (시간을) 허비하다.
fric·a·tive[fríkətiv] *a., n.* 〖音聲〗 마찰로 생기는; Ⓒ 마찰음《f, v, ʃ, ʒ 등》.
*__fric·tion__[fríkʃən] *n.* Ⓤ 마찰; 불화. **~·al** *a.* **~·al·ly** *ad.*
fríction lòss 〖機〗 마찰 손실.
fríction màtch 마찰 성냥.
†**Fri·day**[fráidei, -di] *n.* Ⓒ 《보통 무관사》 금요일.
fri(d)ge[fridʒ] *n.* 《英口》 =REFRIGERATOR.
*__fried__[fraid] *v.* fly[1]의 과거(분사). — *a.* 기름에 튀긴; 《俗》 술취한.
fríed·càke *n.* Ⓤ,Ⓒ 도넛.
†**friend**[frend] *n.* Ⓒ 친구, 벗; 자기편, 지지자; 동지; (*pl.*) 근친; 《呼稱》 자네; (F-) 프렌드파의 사람, 퀘이커교도(Quaker). ***a*** ~ ***at*** 〔***in***〕 ***court*** 좋은 지위에 있는 친구, 좋은 연줄. ***keep*** 〔***make***〕 ~***s with*** …와 친하다, 친하게 하다, 화해하다. ***the Society of Friends*** 프렌드파(Quakers). *__∠·less__ *a.* †**~·ship**[∠ʃìp] *n.* Ⓤ,Ⓒ 우정; 친교.
†**friend·ly**[féndli] *a.* 친구의〔다운〕; 우정이 있는; 친한; 친절한, 붙임성 있는; 호의를 보이는; 형편 좋은. *__-li·ness__ *n.*
Fríendly Socíety 《英》 공제 조합.
fri·er[fráiər] *n.* =FRYER.
frieze[1][friːz] *n.* Ⓒ 〖建〗 프리즈, 띠 모양의 장식(벽).
frieze[2] *n.* Ⓒ 프리즈《한쪽에만 괴깔이 있고 바탕이 거친 두꺼운 나사천》. — *vt.* 괴깔 일게 하다.
frig[frig] *vi.* (**-gg-**) 《卑》 수음하다; 성교하다.
frig·ate[frígit] *n.* Ⓒ (옛날의 빠른) 세대박이 군함; (현대의) 프리깃함(艦).
frígate bìrd 군함새.
:**fright**[frait] *n.* ① Ⓤ,Ⓒ 돌연한 공포. ② Ⓒ (몹시) 추악한〔우스운〕 사람〔물건〕. ***in a*** ~ 흠칫〔섬뜩〕하여. ***take*** ~ ***at*** …에 놀라다. — *vt.* 《詩》 =⇩.

:fright·en[ˊn] *vt.* 놀라게 하다; 을러대어 …시키다. ── *vi.* 겁내다. ***be ~ed at*** …에 놀라다, 섬뜩하다. **~·ing** *a.* 무서운, 놀라운. **~ed** *a.*

·fright·ful[ˊfəl] *a.* 무서운; 추악한; 《口》 불쾌한; 대단한. **·~·ly** *ad.* **~·ness** *n.*

:frig·id[frídʒid] *a.* 극한(極寒)의; 쌀쌀한; 형식적인, 딱딱한; (여성이) 불감증의. **~·ly** *ad.* **fri·gíd·i·ty** *n.* Ⓤ 냉담; 딱딱함; (여성의) 불감증.

Frig·i·daire[frìdʒədέər] *n.* Ⓒ 〖商標〗 전기 냉장고.

Frígid Zòne, the 한대(寒帶).

·frill[fril] *n.* Ⓒ (가두리의) 주름 장식; (새나 짐승의) 목털; 필요없는 장식품; (*pl.*) 허식. ── *vt.* (…에) 주름 장식을 달다. **ˊ·ing** *n.* Ⓒ 가장자리 주름 장식.

·fringe[frindʒ] *n.* Ⓒ 술장식; 가장자리, 가두리. ── *vt.* (술을) 달다; (가를) 두르다.

frínge àrea 프린지 에어리어《라디오·텔레비전의 시청 불량 지역》.

frínge bènefit 부가 급부(給付), 특별 급여《노동자가 받는 연금·유급 휴가·의료 보험 따위》.

frip·per·y[frípəri] *n.* Ⓒ 싸고 야한 옷; Ⓤ 그 장식품; Ⓤ 허식; 과시.

Fris·bee[frízbiː] *n.* Ⓒ 〖商標〗 (원반던지기 놀이의) 플라스틱 원반.

Fris·co[frískou] *n.* 《美口》 =SAN FRANCISCO.

Fri·sian [frí(ː)ʒən/-ziən] *a., n.* Friesland《네덜란드 북부 지방》의; Ⓒ 프리슬란트 사람(의); Ⓤ 그 말(의).

frisk[frisk] *vi.* 깡충깡충 뛰어 돌아다니다, 까불다. ── *vt.* 《俗》 (옷위를 더듬어 흉기·장물 따위를) 찾다; (옷위를 더듬어) 훔치다. **ˊ·y** *a.* 뛰어 돌아다니는, 장난치는, 쾌활한.

frith[friθ] *n.* 《주로 Sc.》 =FIRTH.

frit·ter[1][frítər] *vt.* 찔끔찔끔 낭비하다; 잘게 자르다〔부수다〕. ── *n.* Ⓒ 잔 조각.

frit·ter[2] *n.* Ⓒ (과일을 넣은) 튀김.

fritz[frits] *n.* Ⓒ (F-) 《俗》 독일 사람. ***go on the ~*** 고장나다.

:friv·o·lous[frívələs] *a.* 하찮은, 시시한; 경박한. **~·ly** *ad.* **~·ness** *n.* **fri·vol·i·ty**[friválәti/-ɔ́-] *n.* Ⓤ 천박, 경박; Ⓒ 경박한 언동.

friz(**z**)[1][friz] *vt., vi.* 지지다; (직물의 표면을) 보풀보풀하게 만들다. ── *n.* Ⓒ 고수머리.

frizz[2] *vi.* (튀김이) 지글지글하다.

friz·zle[1][frízl] *vt., vi., n.* 곱슬곱슬해지다〔하게 하다〕; Ⓒ 고수머리. **-zly** *a.*

friz·zle[2] *vi.* =FRIZZ[2].

Frl. *Fräulein* (G.=Miss).

:fro[frou] *ad.* 저쪽에〔으로〕《다음 성구로만 쓰임》. ***to and ~*** 이리저리, 앞뒤로.

:frock[frak/-ɔ-] *n.* Ⓒ (내리닫이) 부인〔여아〕복; 작업복; 성직자의 옷; =**ˊ còat** 프록코트.

†frog[1][frɔːg, -a-/-ɔ-] *n.* Ⓒ 개구리; 〖鐵〗 철차(轍叉). ***~ in the throat*** (목) 쉰 소리.

frog[2] *n.* Ⓒ 말굽 중앙의 연한 부분.

frog[3] *n.* Ⓒ (트럼프의 클로버 모양으로 맨) 가슴팍의 끈목 단추; (군복 가슴팍의) 늑골 모양의 장식.

fróg kìck 〖水泳〗 개구리차기.

frog·man[ˊmæ̀n, -mən] *n.* Ⓒ 잠수 공작원〔병〕.

fróg-màrch *vt., n.* Ⓤ (날뛰는 죄수 등을 엎어 놓고) 넷이 팔다리를 붙들고 나르다〔나르는 일〕.

·frol·ic[frálik/-ɔ́-] *n.* Ⓒ 장난, 까붊, 법석; Ⓤ 들떠 떠듬. ── *vi.* (**-ck-**) 장난치다, 까불다. **~·some** *a.* 장난치는, 까부는.

†from[frʌm, -a-, 弱 -ə-/-ɔ-, 弱 -ə-] *prep.* ① 《동작의 기점》 …에서(*rise ~ a sofa*). ② 《시간·순서의 기점》 …부터(*~ childhood*). ③ 《거리》 …에서(*ten miles ~ Seoul*). ④ 《원인·이유》 …때문에, …으로, 인해서(*die ~ fatigue*/ *suffer ~ cold*). ⑤ 《원료》 …에서, …으로(*make wine ~ grapes*). ⑥ 《차이》 …과 달라, 구별하여(*know a Ford ~ a Renault* 포드와 르노를 판별할 줄 알다). ⑦ 《분리·제거》 …에서(*take six ~ ten*). ⑧ 《출처·유래》 …에서(의)(*quote ~ Milton*).

frond[frand/-ɔ-] *n.* Ⓒ (양치 식물의) 잎; 엽상체(葉狀體).

†front[frʌnt] *n.* ① Ⓒ 앞쪽, 전면; 표면; (건물의) 정면; 앞부분에 붙이는 것《와이셔츠의 가슴판, 붙인 앞머리 등》. ② (the ~) (해안의) 산책길. ③ (the ~) 전선(前線), 싸움터(*at the ~* 출정 중의); 전선(戰線). ④ Ⓒ 〖氣〗 전선(前線). ⑤ Ⓤ 용모, 태도; 뻔뻔스러움; (지위·재산 따위) 있는 티. ⑥ Ⓒ 《口》 간판(으로 내세운 명사)(front man). ***cold*** 〔***warm***〕 ***~*** 한랭〔온난〕전선. ***come to the ~*** 전면에 나서다〔나타나다〕, 유명해지다. ***in ~ of*** …의 앞에. ***the people's*** 〔***popular***〕 ***~*** 인민 전선. ── *a.* 전면〔정면〕의; 〖音聲〗 앞혀의. ── *vt., vi.* 면하다, 향하다, 맞서다.

front·age[ˊidʒ] *n.* Ⓒ (건물의) 정면(의 방위); 가옥·토지의 정면의 폭; (길·강 따위에 면한) 빈터; 건물과 도로 사이의 공지.

fróntage ròad 《美》 측면도로《고속도로 등과 평행하게 만든 연락 도로》.

fron·tal[frʌ́ntəl] *a., n.* Ⓒ 정〔전〕면(의); 〖解〗 앞이마의 (뼈).

frónt bénch, the 《英》 (의회의) 정면석《의장석에 가까운 장관 및 야당 간부의 자리》.

frónt béncher 《英》 (front bench에 앉는) 장관, 야당 간부.

frónt dóor 정면 현관.

:fron·tier [frʌntíər, -a-/frʌ́ntiər, frɔn-] *n.* Ⓒ 국경 지방; 《美》 변경; 미지의 영역. ── *a.* 국경 지방의; 《美》 변경의. ***new ~*** 《美》 '뉴프런티어' 《Kennedy 대통령의 정책인 외교상·내정상의 신개척면》.

F

fron·tiers·man[-zmən] *n.* [C] 《美》 변경의 주민; 변경 개척자.
frontíer spírit 개척자 정신.
***fron·tis·piece**[frʌ́ntispi:s] *n.* [C] 권두(卷頭) 삽화; 〖建〗 정면; 입구 위쪽의 합각머리.
frónt·làsh *n.* [C] 《美》 정치적인 반동에 대항하는 반작용.
front·let[frʌ́ntlit] *n.* [C] (동물의) 이마; 이마 장식.
frónt líne 최전선; 최첨단.
frónt màn (부정 단체 따위의) 간판(으로 내세운 명사).
frónt óffice (회사 따위의) 본사; 수뇌부.
frónt pàge (책의) 속 표지; (신문의) 제 1 면.
frónt-pàge *a.* (신문의) 제 1면에 적합한; 중요한. ── *vt.* 제 1 면에 싣다〔게재하다〕.
frónt róom 건물의 앞 부분에 있는 방, 거실.
frónt-rúnner *n.* [C] 선두를 달리는 선수; 남을 앞선 사람.
frónt vówel 앞모음《i, e, ɛ, æ, a》.
frosh[frɑʃ/frɔʃ] *n.* (*pl.* ~) [C] 《美口》 대학 1년생(freshman).
:**frost**[frɔ:st/-ɔ-] *n.* ① [U] 서리. ② [U,C] 빙결(氷結), 결상(結霜). ③ [U] 빙점 이하의 온도; 추운 날씨. ④ [U] 냉담. ⑤ [C] 《口》 (출판물·행사·연극 등의) 실패. ── *vt.* 서리로 덮다; 서리를 맞아 시들게 하다, 서리 (피)해를 주다; (유리·금속의) 광택을 없애다; 설탕을 뿌리다. **∠·ing** *n.* [U] 당의(糖衣); (유리·금속의) 광택을 지움. ***∠·y** *a.* 서리가 내리는〔내린〕; 혹한의; 냉담한; (머리가) 반백인.
fróst·bìte *n., vt.* (***-bit; -bitten***) [U] 동상(에 걸리게 하다). **-bìtten** *a.*
fróst·bòund *a.* (지면 따위가) 얼어붙은.
fróst·wòrk *n.* [U] (유리창 따위에 생기는) 성에; (은그릇·유리 표면 따위의) 성에 무늬 장식.
***froth**[frɔ:θ/-ɔ-] *n.* [U] 거품; 시시한 것; 쓸데 없는 얘기. ── *vt., vi.* 거품을 일으키다; 거품으로 덮다; 거품을 뿜다. **∠·y** *a.* 거품의〔같은〕; 공허한.
frou-frou[frú:frù:] *n.* [C] (여성 옷의) 비단 스치는 소리.
fro·ward[fróuərd, -wərd] *a.* 빙퉁그러진, 완고한, 고집 센. **~·ly** *ad.*
:**frown**[fraun] *vt., vi., n.* [C] 눈살을 찌푸리다〔찌푸림〕; 상을 찡그리다〔찡그림〕, 언짢은 얼굴(을 하다)(*on, upon*). **~ *down*** 무서운 얼굴을 하여 위압하다.
frown·ing [∠iŋ] *a.* 언짢은, 찌푸린 얼굴의; 험한. **~·ly** *ad.*
frow·z·y, frow·s·y[fráuzi] *a.* 추레한; 악취가 나는. **-zi·ly** *ad.*
***froze**[frouz] *v.* freeze의 과거.
:**fro·zen**[fróuzn] *v.* freeze의 과거분사. ── *a.* 언; 냉동의; 극한(極寒)의; 동상에 걸린; 동사한; 얼음으로 덮인; 냉담한; (자산이) 동결된. ***a ~ man*** 미석방 포로. ***the ~ limit*** 인내의 한계. **~·ly** *ad.*
frózen fóod 냉동 식품.
F.R.S. Fellow of the Royal Society. **frs.** francs. **frt.** freight.
fruc·ti·fy[frʌ́ktəfài] *vi., vt.* 열매를 맺(게 하)다; 비옥하게 하다.
fruc·tose[frʌ́ktous] *n.* [U] 〖化〗 과당(果糖).
***fru·gal**[frú:gəl] *a.* 검소한, 알뜰한. **~·i·ty**[fru:gǽləti] *n.*
†**fruit**[fru:t] *n.* ① [U,C] 과실, 과일. ② (*pl.*) 생산물; [C] 소산, 결과. ③ [C] 《美俗》 동성연애하는 남자. ***bear ~*** 열매 맺다. ── *vi., vt.* 열매를 맺(게 하)다. **~·age**[∠idʒ] *n.* [U] 결실; 《집합적》 과실; 결과. ***∠·less** *a.* 열매를 맺지 않는; 효과가 없는. **∠·y** *a.* 과일의 풍미가 있는.
frúit·càke *n.* [U,C] 프루트 케이크.
frúit cócktail 과일 샐러드의 일종.
fruit·er·er [∠ərər] *n.* [C] 과일상(商).
frúit flỳ 〖蟲〗 과실파리《과실·채소의 해충》.
:**fruit·ful**[∠fəl] *a.* 열매가 잘 열리는; 다산(多産)인; (토지가) 비옥한; 이익이 많은. **~·ly** *ad.* **~·ness** *n.*
fru·i·tion[fru:íʃən] *n.* [U] 결실; (목적의) 달성; 성과; 소유(의 기쁨).
frúit knìfe 과도.
frúit sálad 프루트〔과일〕 샐러드.
frúit sùgar 과당(果糖).
frúit trèe 과수.
frump[frʌmp] *n.* [C] 추레한 여자. **∠·ish, ∠·y** *a.*
***frus·trate**[frʌ́streit] *vt.* (계획·노력 등을) 좌절시키다; 사람을 실망시키다. ***-tra·tion**[frʌstréiʃən] *n.* [U,C] 타파; 좌절, 실패; 〖心〗 욕구 불만.
†**fry**[1] [frai] *vt., vi., n.* 기름에 튀기다〔튀겨지다〕; [C] 프라이(하다), 프라이로 되다; [C] 《美》 (옥외의) 프라이 회식. **~ *the fat out of …*** (실업가 등)에게 헌금시키다, 돈을 짜내다. ***have other fish to ~*** 다른 더 중요한 일이 있다. **∠·er** *n.* [C] 프라이 요리사, 프라이용 식품.
fry[2] *n.* (*pl.* ~) [C] 치어(稚魚); 작은 물고기 떼; 동물의 새끼; 아이들. ***small*** 〔***lesser, young***〕 **~** 잡어(雜魚); 아이들; 시시한 녀석들.
frýing pàn 프라이팬. ***jump*** 〔***leap***〕 ***out of the ~ into the fire*** 소난(小難)을 면하여 대난에 빠지다.
FSA, F.S.A. Federal Security Agency; Fellow of the Society of Antiquaries. **FSCC, F.S.C.C.** Federal Surplus Commodities Corporation. **FSIC** Financial System Investigation Council.
F-16[éfsikstí:n] *n.* [C] 미공군 신예 전투기《애칭 Fighting Falcon》.
ft. feet; foot; fort. **FTC** 《美》 Federal Trade Commission.
ft-lb. foot-pound.
F_2 làyer [éftú:-] 〖通信〗 F_2층《지상 약 250-500 km의 범위 안에 존재하여 전파를 반사하는 전리층 F층 중의

하나》.
FTX field training exercise.
fuch·sia[fjúːʃə] *n.* Ⓒ 〖植〗 퓨셔《바늘꽃과의 관상용 관목》.
fuck[fʌk] *vt., vi.* 《卑》 성교하다; 가혹한 취급을 하다; 실수하다. ── *n.* (the ~) hell 따위 대신에 쓰이는 강의어(強意語).
fud·dle[fʌ́dl] *vt.* 취하게 하다; 혼란시키다.
fudge[fʌdʒ] *n.* Ⓤ,Ⓒ (설탕·밀크·버터를 넣은) 캔디의 일종; Ⓒ 허튼 소리. ── *int.* 당치 않은. ── *vi.* 허튼 소리를 하다; 꾸며내다; 속이다.
Fueh·rer[fjúərər] *n.* =FÜHRER.
‡**fu·el**[fjúːəl] *n.* ① Ⓤ,Ⓒ 연료. ② Ⓤ 감정을 불태우는 것. ~ ***capacity*** 연료 적재력; 연료 저장량. ~***(l)ing station*** 연료 보급소. ── *vt., vi.* (《英》 ***-ll-***) 연료를 얻다〔공급하다, 적재하다〕.
fúel cèll 연료 전지.
fúel òil 연료유; 중유.
fu·gal[fjúːgəl] *a.* 〖樂〗 푸가(fugue)의.
***fu·gi·tive**[fjúːdʒətiv] *a., n.* 도망친; Ⓒ 도망자; 일시적인; 덧없는; (작품이) 일시적인 주제를 다룬.
fugue[fjuːg] *n.* Ⓒ 〖樂〗 푸가, 둔주곡(遁走曲).
Füh·rer[fjúərər] *n.* (G.) Ⓒ 지도자. ***der*** ~ (히틀러) 총통.
-ful *suf.* ① [fəl] '…이 가득 찬, …이 많은, …한 성질이 있는'의 뜻의 형용사를 만듦: beauti*ful*, forget*ful*. ② [ful] '…에 하나 가득'의 뜻의 명사를 만듦: hand*ful*, spoon*ful*.
Ful·bright[fúlbràit] *a.* 풀브라이트 장학 기금의(~ ***professors***). ── *n.* Ⓒ 풀브라이트 장학금(=~ scholarship).
ful·crum[fúlkrəm, fʌ́l-] *n.* (*pl.* ***~s, -cra***[-krə]) Ⓒ (지레의) 받침점; 지주.
‡**ful·fill,** 《英》 **-fil**[fulfíl] *vt.* (***-ll-***) (약속·의무 따위를) 수행하다; (명령에) 따르다; (목적을) 달성하다; 완성하다; (조건을) 만족시키다. * **~·ment** *n.* Ⓤ,Ⓒ 수행, 실행, 달성.
†**full**[1][ful] *a.* 찬, 가득한, 충분한; 풍부한; 완전한; 최대한의; 불룩〔통통〕한; (의복이) 낙낙한; (성량이) 풍부한. ── *ad.* 충분히; 꼬박; 《詩》 완전히, 몹시. ── *n.* Ⓤ 전부; 충분; 한창. ***at*** 〔***to***〕 ***the*** ~ 한창때에, 충분히. ***in*** ~ 상세하게; 전액. * **∠·ness** *n.* Ⓤ 충분, 풍족, 충만, 비만; (음색의) 풍부함.
full[2] *vt., vi.* (천을) 축융(縮絨)하다; (빨거나 삶아서) 천의 올을 배게 하다.
fúll áge 성년.
fúll·bàck *n.* Ⓒ,Ⓤ 〖蹴〗 풀백, 후위.
fúll blòod 순종(純種)의 사람〔동물〕.
fúll-blóoded *a.* 순종의; 혈기 왕성한.
fúll-blówn *a.* 만발한, 만개한.
fúll-bódied *a.* 내용이 충실한; (술 따위가) 진한 맛이 있는; (사람이) 살찐.
fúll bróther 〔**síster**〕 부모가 같은 형제〔자매〕.
fúll-crèam *a.* (탈지하지) 않은 전유(全乳)의.
fúll dréss 정장(正裝).
fúll-dréss *a.* 정장(正裝)의.
fúll emplóyment 완전 고용.
fúll·er *n.* Ⓒ (직물의) 축융공(縮絨工).
fúller's éarth 백토, 표토.
fúll·fáce *n.* Ⓒ 〖印〗 굵은 활자. **-fáced** *a.* 둥근 얼굴의; 정면을 향한; 〖印〗 (활자가) 굵은.
fúll-fáshioned *a.* (스타킹·스웨터를) 몸에 꼭 맞게 짠.
fúll-flédged *a.* 깃털이 다 난; 충분히 자격 있는.
fúll-grówn *a.* 충분히 자란.
fúll hánd 〖포커〗 동점의 패 두 장과 석 장을 갖춤.
fúll-héarted *a.* 용기〔자신〕에 찬.
fúll hóuse (극장 따위의) 만원; =FULL HAND.
fúll-léngth *a.* 등신대(等身大)의.
fúll móon 만월(滿月).
fúll náme ⇨NAME.
fúll nélson 〖레슬링〗 풀넬슨《목누르기의 일종》.
fúll-òut *a.* 전면적인, 본격적인.
fúll proféssor 정교수.
fúll-rígged *a.* (돛배가) 전(全)장비를 갖춘.
fúll-scále *a.* 실물대(實物大)의; 본격적인, 전면적인.
fúll stóp 종지부.
fúll tíme (일정 기간 내의) 기준 노동 시간; 풀 타임《시합 종료시》.
fúll-tíme *a.* 전(全)시간(제)의.
fúll-tímer *n.* Ⓒ 전(全)수업시간 출석 학생(cf. part-timer).
‡**ful·ly**[∠i] *ad.* 충분히, 완전히, 아주.
fúlly-fáshioned *a.* =FULL-FASHIONED.
ful·mi·nate [fʌ́lmənèit] *vi., vt.* 번쩍하다, 천둥치다; 호통치다 (***against***); 폭발하다〔시키다〕, 맹렬한 비난을 받다〔퍼붓다〕. **-na·tion** [∸―néiʃən] *n.*
ful·ness[fúlnis] *n.* =FULLness.
ful·some[fúlsəm, fʌ́l-] *a.* 몹시 역겨운, 억척스런, 집요한. **~·ly** *ad.*
fu·ma·role[fjúːmərðul] *n.* Ⓒ (화산의) 분기공(噴氣孔).
***fum·ble** [fʌ́mbəl] *vi., vt.* 더듬다; 만지작〔주물럭〕거리다; 〖野〗 (공을) 펌블하다. ── *n.* Ⓒ 더듬질; 펌블《공을 잡았다 놓침》.
‡**fume**[fjuːm] *n.* (*pl.*) 연기, 증기; 향기; 훗훗한 기; (a ~) 노기, 흥분. ── *vi., vt.* 연기가 나(게 하)다; 증발하다〔시키다〕; 불뚱이 내다.
fu·mi·gate[fjúːməgèit] *vt.* 그을리다; 훈증 소독하다; (향을) 피우다. **-ga·tor**[-gèitər] *n.* Ⓒ 훈증(소독)기〔자〕. **-ga·tion**[∸―géiʃən] *n.*
fum·y[fjúːmi] *a.* 연기〔증기〕로 가득찬〔를 내는〕; 증기 모양의.
†**fun**[fʌn] *n.* Ⓤ 장난; 재미. ***for*** 〔***in***〕

~ 농담으로. ***make ~ of,*** or ***poke ~ at*** …을 놀리다. ― *vi.* (***-nn-***) 《口》 장난하다, 까불다. 「의 별칭」.
Fún Cíty 환락의 도시《New York
:func·tion[fʌ́ŋkʃən] *n.* Ⓒ ① 기능, 작용. ② 임무; 직무. ③ 의식. ④ 〖數〗 함수. ⑤ 〖컴〗 기능《컴퓨터의 기본적 조작[명령]》. ― *vi.* 작용하다; 직분을 다하다. **~·al**[-ʃənəl] *a.* 기능의(*a ~al disease* 기능적 질환) (opp. organic); 직무상의; 여러 모로 유용한. **~·ar·y** *n., a.* Ⓒ 직원, 관리; 기능[직무]의.
fúnctional illíterate 읽기·쓰기의 능력 부족으로 사회 생활에 지장이 있는 사람.
func·tion·al·ism[fʌ́ŋkʃənəlìzəm] *n.* Ⓤ (건축 등의) 기능주의《일종의 실용주의》.
fúnction wòrd 〖文〗 기능어《전치사·접속사·조동사 등》.
:fund[fʌnd] *n.* Ⓒ 기금; 적립금; (지식·기능의) 온축(蘊蓄); (*pl.*) 소지금, 돈; (국가의) 재원, 《英》 공채. ***in*** [***out of***] ***~s*** 돈을 가지고[돈이 떨어져서]. ― *vt.* (단기 차입금을) 장기 공채로 바꾸다; (이자 지급을 위해) 자금을 준비하다.
:fun·da·men·tal [fʌ̀ndəméntl] *a.* 근본적인; 중요한; 〖樂〗 바탕음의. ― *n.* (종종 *pl.*) 근본, 원리; 〖樂〗 바탕음; 〖理〗 기본파(波). **~·ism** [-ìzəm] *n.* Ⓤ 〖宗〗 기본주의《성서를 문자대로 믿고 진화론을 배격함》. **~·ist** *n.* ***~·ly** *ad.* 본질적[근본적]으로.
fúnd·ràiser *n.* Ⓒ 기금 조성자; 기금 조달을 위한 모임.
:fu·ner·al[fjú:nərəl] *n., a.* Ⓒ 장례식(의); 장례 행렬(의).
fúneral màrch 장송 행진곡.
fu·ner·ar·y[fjú:nərèri/-rəri], **fu·ne·re·al**[fju:níəriəl] *a.* 장례식의, 장례식 같은; 음울한.
fún fàir 《주로 英》 =AMUSEMENT park.
fún fùr 싼 모조 모피 옷.
fun·gi[fʌ́ndʒai, fʌ́ŋgai] *n.* fungus 의 복수.
fun·gi·cide [fʌ́ndʒəsàid] *n.* Ⓤ,Ⓒ 살균제.
fun·go[fʌ́ŋgou] *n.* Ⓒ 〖野〗 연습 플라이; = **∠ bàt** 녹[연습]배트.
fun·goid[fʌ́ŋgɔid] *a.* 균 비슷한; 균성[질]의.
fun·gous[fʌ́ŋgəs] *a.* 균의[같은]; 균에 의한; 일시적인.
fun·gus**[fʌ́ŋgəs] *n.* (*pl.* ***~es, -gi) Ⓤ,Ⓒ 진균류(眞菌類)《곰팡이·버섯 따위》; 〖醫〗 균상종(菌狀腫).
fu·nic·u·lar [fju(:)níkjulər] *a.* 케이블의[로 움직이는].
funícular ráilway 케이블카.
funk[fʌŋk] *n.* (a ~) 《口》 공포; 공황; Ⓒ 겁쟁이. ***be in a ~*** 겁내고 있다. ― *vt.* (…을) 겁내게 하다; 두려워하게 하다. ― *vi.* 겁을 집어먹다, 움츠리다.
fun·ky[1][fʌ́ŋki] *a.* 《口》 겁먹은; 겁많은.
fun·ky[2] *a.* 《俗》 ① 몹시 구린. ② 관능적인. ③ 〖재즈〗 펑키한《소박하고 정열적》.
:fun·nel[fʌ́nl] *n.* Ⓒ 깔때기; (깔때기 모양의) 통풍통(筒), 채광 구멍; (기관차·기선의) 굴뚝. ― *vt., vi.* (《英》 ***-ll-***) 깔때기로 흐르게 하다; 깔때기 꼴이 되(게 하)다; 집중하다.
†fun·ny[fʌ́ni] *a.* 우스운; 《口》 이상한; 《口》 (몸의) 상태가 나쁜; 《口》 술취한; 《美》 (신문의) 만화(란)의. ***~ column*** [***strips***] 만화란. ― *n.* Ⓒ 《口》 농담; (*pl.*) 《美口》 연재 만화(란) (cf. comic strip). **fún·ni·ly** *ad.*
fúnny bòne (팔꿈치의) 척골(尺骨)의 끝《치면 짜릿한 곳》.
fúnny-hà-há *a.* 《口》 재미있는, 우스운.
fun·ny·man[-mən] *n.* Ⓒ 《美口》 익살꾼; 어릿광대.
fúnny pàper 《美口》 신문의 만화 부록.
fúnny-pecúliar *a.* 이상한.
†fur[fə:r] *n.* ① Ⓤ 모피; 부드러운 털; (*pl.*) 모피 제품. ② Ⓤ 《집합적》 모피 동물. ③ Ⓤ 설태(舌苔); 물때. ***~ and feather*** 사냥 짐승과 사냥새. ― *vt.* (***-rr-***) 모피로 덮다[안을 대다]; 설태[물때]를 끼게 하다.
fur. furlong; furnished.
fur·be·low[fə́:rbəlòu] *n., vt.* Ⓒ (보통 *pl.*) 옷 가두리[옷자락] 장식(으로 꾸미다).
fur·bish[fə́:rbiʃ] *vt.* 갈다, 닦다; (어학 따위 실력을) 다듬어 연마하다; 새롭게 하다, 부활시키다(*up*).
fur·cate[fə́:rkit] *a.* (끝이) 갈라진, 두갈래진. ― [-keit] *vi.* 갈라지다, 두갈래지다.
Fu·ries[fjúəriz] *n. pl.* 〖그·로神〗 (the ~) 복수의 세 여신.
:fu·ri·ous[fjúəriəs] *a.* 격노한; 미쳐 날뛰는; 맹렬한. ***~·ly** *ad.*
furl[fə:rl] *vt., vi.* (기·돛 따위를) 감다, 접다, 접히다. ― *n.* (a ~) 감기; 접은 것.
fur·long[fə́:rlɔ:ŋ/-ɔ-] *n.* Ⓒ 펄롱《거리의 단위; 1/8마일》.
fur·lough[fə́:rlou] *n., vt.* Ⓤ,Ⓒ 말미[휴가](를 주다). ***on ~*** 휴가 중에.
:fur·nace[fə́:rnis] *n.* Ⓒ 화덕; 용광로; 난방로; 작열하는 곳.
:fur·nish[fə́:rniʃ] *vt.* 공급하다; (가구 따위를) 설비하다. ***~ed**[-t] *a.* 가구 달린. **~·er** *n.* Ⓒ 가구상. ***~·ing** *n.* Ⓤ (가구의) 설비; (*pl.*) 비치된 가구; 《美》 복식품.
:fur·ni·ture[fə́:rnitʃər] *n.* Ⓤ 《집합적》 가구; 비품; 내용. ***the ~ of one's pocket*** 포켓 안에 든 것, 돈.
fu·ror[fjúrɔ:r, fjúrər] *n.* (a ~) 노도(怒濤)와 같은 감격[흥분]; 열광.
fu·rore[fjúrɔ:r/fjuərɔ́:ri] *n.* =⇧.
furred[fə:rd] *a.* 털가죽(제품)을 붙인, 모피로[모피 제품으로] 덮인, 모피제의; 설태[물때]가 낀.

F

fur·ri·er [fə́ːriər/fʌ́r-] *n.* Ⓒ 모피상; 모피 장색(匠色). **~·y** *n.* Ⓤ,Ⓒ 모피류; 모피업.

·fur·row [fə́ːrou/-ʌ́-] *n.* Ⓒ ① 고랑; 보습자리. ② 항적(航跡). ③ 주름살. — *vt.* (쟁기로) 갈다; 두둑[고랑]을 짓다; 주름살이 생기게 하다.

fur·ry [fə́ːri] *a.* 모피의, 모피 같은; 모피로 덮인; 설태(舌苔)[물때]가 낀.

fúr sèal 물개.

†fur·ther [fə́ːrðər] 《far의 비교급》 *a.* 더 먼; 그 이상의. — *ad.* 더 멀리; 더욱. ***I'll see you ~ first.*** 《口》 딱 질색이다. — *vt.* 나아가게 하다, 조장하다. **~·ance** *n.* Ⓤ 조장, 촉진. **:~·more** [-mɔ̀ːr] *ad.* 더욱 더, 그 위에 더. **~·most** [-mòust] *a.* 가장 먼.

:fur·thest [fə́ːrðist] 《far의 최상급》 *a., ad.* =FARTHEST.

fur·tive [fə́ːrtiv] *a.* 은밀한, 남몰래 하는, (아무가) 남의 눈을 속이는. ***a ~ glance*** 슬쩍 엿봄. **~·ly** *ad.*

:fu·ry [fjúəri] *n.* ① Ⓤ 격노, 분격. ② Ⓤ 광포; 격렬. ③ Ⓒ 표독한 여자(virago). ④ (F-) Ⓒ FURIES의 하나. ***like ~*** 《口》 맹렬하게.

furze [fəːrz] *n.* Ⓤ 〖植〗 (유럽산(産)) 바늘금작화(gorse).

fu·sain [fjuːzéin, ∸-] *n.* Ⓤ (데생용) 목탄; Ⓒ 목탄화.

·fuse[1] [fjuːz] *vt., vi.* 녹(이)다; 융합시키다[하다].

·fuse[2] *n.* Ⓒ 신관(信管), 도화선; 〖電〗 퓨즈.

fu·see [fjuːzíː] *n.* Ⓒ 내풍(耐風) 성냥; 적색 섬광 신호.

fu·se·lage [fjúːsəlɑ̀ːʒ, -lidʒ, -zə-/-zi-] *n.* Ⓒ (비행기의) 동체(胴體).

fú·sel òil [fjúːzəl-] 퓨젤유(油).

fu·si·bil·i·ty [fjùːzəbíləti] *n.* Ⓤ 가용성; 용해도.

fu·si·ble [fjúːzəbəl] *a.* 녹기 쉬운.

fu·sil·ier, -sil·eer [fjùːzəlíər] *n.* Ⓒ 수발총병(兵).

fu·sil·lade [fjúːsəlèid, -zə-] *n.* Ⓒ (총포·질문 따위의) 일제 사격.

·fu·sion [fjúːʒən] *n.* ① Ⓤ 융해; 〖理〗 핵융합(cf. fission). ② Ⓒ 융해물. ③ Ⓤ,Ⓒ (정당의) 합동. ***nuclear ~*** 핵융합. **~·ist** *n.* Ⓒ 합동론자.

fúsion bòmb 수소 폭탄.

fúsion pòint 녹는점.

:fuss [fʌs] *n.* ① Ⓤ (하찮은 일에 대한) 야단법석; 흥분, 안달복달. ② Ⓒ (하찮은 일에) 떠들어대는 사람. ③ (a ~) 싸움; 말다툼. ***get into a ~*** 마음 졸이다, 흥분하다. ***make a ~*** 야단법석하다. — *vt., vi.* (하찮은 일로) 법석떨(게 하)다, 속타(게 하)다. **·∠·y** *a.* (사소한 일에) 법석떠는; 성가신; (의복·문체 따위) 몹시 신경을 쓰는[꼼꼼한](finical); 세밀한.

fúss·bùdget *n.* Ⓒ 《口》 하찮은 일에 떠들어대는 사람, 떠벌이.

fus·tian [fʌ́stʃən] *n., a.* Ⓤ 퍼스티언(제(製))의 《면·마직의 거친 천, 코르덴식의 능직 무명》; 과장된 (말).

fus·ty [fʌ́sti] *a.* 곰팡내 나는; 낡아빠진; 완고한.

:fu·tile [fjúːtl, -tail] *a.* 쓸데 없는; 하찮은(trifling). **·fu·til·i·ty** [fjuːtíləti] *n.* Ⓤ 무용; Ⓒ 무익한 것.

†fu·ture [fjúːtʃər] *n., a.* Ⓤ 미래(의) (*the ~ life* 내세); 장래; Ⓒ 전도; 〖文〗 미래 시제(의); (보통 *pl.*) 〖商〗 선물(先物). ***for the ~,*** or ***in (the) ~*** 장래엔, 금후는. ***in the near ~,*** or ***in no distant ~*** 머지 않아. **~·less** *a.* 미래가 없는, 장래성 없는.

fu·tur·ism [-rìzəm] *n.* Ⓤ (종종 F-) 미래파《전통의 포기를 주장하고 1910년경 이탈리아에서 일어난 예술상의 일파》. **-ist** *n.* Ⓒ 미래파 화가[문학자·음악가](따위).

fu·tu·ri·ty [fjuːtjúərəti] *n.* Ⓤ 미래(성); 후세; Ⓒ (종종 *pl.*) 미래의 상태[일].

fu·tu·rol·o·gy [fjùːtʃərɑ́lədʒi/-rɔ́l-] *n.* Ⓤ 미래학.

fuze [fjuːz] *n.* =FUSE[2].

fu·zee [fjuːzíː] *n.* =FUSEE.

fuzz[1] [fʌz] *n.* Ⓤ 보풀, 잔털, 솜털. — *vi., vt.* 보풀이 일다; 보풀을 일으키다; 훌훌 흩어져 날다. **~·y** [fʌ́zi] *a.* 보풀의, 보풀[괴깔] 같은; 보풀이 일어난; 희미한.

fuzz[2] *n.* 《俗》 Ⓤ 《집합적》 경찰; Ⓒ 경찰관; 형사.

fúzz stàtion 《美俗》 경찰서.

fuzz·word [fʌ́zwəːrd] *n.* Ⓒ 《美俗》 애매한[복잡한] 말.

fúzzy mátching 〖컴〗 퍼지 매칭 《둘을 비교할 때 엄밀히 동일한지가 아니라 비슷한지 어떤지로 판단하는 수법》.

FVC forced vital capacity 강제 폐활량. **FW** 〖럭비〗 forward. **FWPA** 《美》 Federal Water Pollution Control Administration 연방 수질 오탁 방지국. **FY** fiscal year. **FYI** for your information (메모 등에서) 참고로. **FZDZ** 〖氣〗 freezing drizzle. **F.Z.S.** Fellow of the Zoological Society.

G

G, g [dʒiː] *n.* (*pl.* ***G's, g's*** [-z]) Ⓤ 〖樂〗 사음(音), 사조(調); (로마수의) 400; Ⓒ 〖理〗 중력의 상수(常數); 《美俗》 천, 천 달러(grand).

G, G. German; gravity. **g** gram(me). **g.** guinea. **Ga** 〖化〗

gallium. **Ga.** Gallic; Georgia. **GA, G.A.** General Agent; General Assembly (유엔) 총회; General of the Army. **G.A., g.a.** general average 〖保險〗 공동 해손(共同海損). **GAB** General Agreement to Borrow 국제 통화 기금(IMF)의 일반 차입 협정.
gab[gæb] *n., vi.* (**-bb-**) Ⓤ 《口》 수다 (떨다). ***gift of the ～*** 능변.
gab·ar·dine, gab·er-[gǽbərdìːn, ⌐─⌐] *n.* Ⓤ 개버딘《레인코트감》.
˙**gab·ble**[gǽbəl] *vi., vt., n.* (…을) 지껄이다; Ⓤ 지껄여대기. **-bler** *n.*
gab·bro[gǽbrou] *n.* Ⓤ,Ⓒ 〖鑛〗 반려암《화성암의 일종》.
gab·by[gǽbi] *a.* 수다스러운.
ga·bi·on[géibiən] *n.* Ⓒ (둑·보루용) 돌담은 통.
˙**ga·ble**[géibəl] *n.* Ⓒ 〖建〗 박공.
gáble ròof 박공 지붕.
Ga·bon[gæbɔ́ːŋ] *n.* 가봉《아프리카 남서부의 공화국; 수도 Libreville》.
Ga·bri·el[géibriəl] *n.* 〖聖〗 가브리엘《위안·회소식을 가져오는 천사》.
ga·by[géibi] *n.* Ⓒ 《英俗》 바보.
gad[1][gæd] *vi.* (**-dd-**) 어슬렁거리다, 돌아다니다. ── *n.* Ⓤ 나돌아다니기.
gad[2] *n.* =GOAD.
gad[3] *int.* (*or* G-) 《口》 아이구!, 맙소사! ***by ～*** =by GOD.
gád·abòut *a., n.* Ⓒ 빈둥빈둥 돌아다니는 (사람).
gád·flỳ *n.* Ⓒ 등에, 말파리, 쇠파리; 성가신 사람.
˙**gadg·et**[gǽdʒit] *n.* Ⓒ (기계의) 부속품, 간단〔편리〕한 장치; 묘안.
gad·o·lin·i·um[gæ̀dəlíniəm] *n.* Ⓤ 〖化〗 가돌리늄《희토류 원소; 기호 Gd》.
Gael[geil] *n.* Ⓒ 게일 사람《스코틀랜드 고지·아일랜드 등지의 켈트 사람》. **∠·ic**[∠ik] *a., n.* 게일족〔어〕의; Ⓤ 게일어.
Gael. Gaelic.
gaff[1][gæf] *n., vt.* Ⓒ 작살(로 찌르다); (물고기를) 갈고리(로 끌어 올리다); 〖海〗 사형(斜桁); Ⓤ,Ⓒ 《英俗》 (객적은) 수다, 엉터리; Ⓒ 《美俗》 괴로운 일. ***blow the ～*** 《俗》 계획〔비밀〕을 누설하다. ***stand the ～*** 《美俗》 싫은 일을 하다; 벌을 달게 받다.
gaff[2] *n.* Ⓒ 《英俗》 싸구려 〔삼류〕극장《보통 penny ～ 라고 함》.
gaffe[gæf] *n.* Ⓒ 실수, 실책.
gaf·fer[gǽfər] *n.* Ⓒ 노인, 영감.
gag[1][gæg] *n.* Ⓒ 재갈; 언론 탄압; 〖英議會〗 토론 종결; 〖外〗 개구기(開口器). ── *vt., vi.* (**-gg-**) (…에게) 재갈을 물리다; 언론을 탄압하다; 게우게 하다; 웩웩거리다.
˙**gag**[2] *n.* Ⓒ ① 〖劇〗 개그《배우가 임기응변으로 하는 익살·농담》. ② 사기, 거짓말. ── *vt., vi.* (**-gg-**) (…에게) 개그를 넣다; 속이다. **∠·màn** *n.* Ⓒ 개그 작가; 희극 배우.
ga·ga[gáːgàː] *a., n.* Ⓒ 《俗》 어수룩한 (영화팬)(*the* ～*s* 무비판한 족속들); 늙은, 망령들린; 열중한.
gage[1][geidʒ] *n.* Ⓒ 저당물; 도전(의 표시로 던지는 물건)《장갑 따위》.
gage[2] *n.* =GAUGE.
gag·gle[gǽgəl] *n., vi.* Ⓒ 거위떼(가 꽥꽥 울다); (여자들의) 무리; (시끄러운) 집단.
gág làw 〔**rùle**〕《美》토론 금지(령).
˙**gai·e·ty**[géiəti] *n.* ① Ⓤ 유쾌, 쾌활. ② Ⓤ (의복 등의) 호사, 화려. ③ (*pl.*) 환락, 법석.
˙**gai·ly**[géili] *ad.* 유쾌〔화려〕하게.
†**gain**[gein] *vt.* ① 얻다; 이기다. ② 획득하다. ③ (무게·힘 등이) 늘다; (시계가) 더 가다. ── *vi.* ① 이익을 얻다. ② 나아지다; 잘 되다. ***～ up***(***on***) …에 접근하다; (아무에게) 빌붙다; …에 침식하다. ***～ over*** 설복시키다; (자기 편으로) 끌어들이다. ***～ the*** EAR[1] ***of.*** ～ TIME. ── *n.* Ⓤ 이익; Ⓒ 증가; 진보; (*pl.*) 이득, 벌이. **∠·er** *n.* Ⓒ 이득자; 승리자. **∠·ful** *a.* 유리한. **∠·ing** *n.* (*pl.*) 이득, 소득, 벌이.
gain·said[gèinséid] *vt.* gainsay 의 과거(분사).
gain·say[⌐séi] *vt.* (**-said**) 부정〔반박〕하다.
(**'**)**gainst**[genst/gein-] *prep.* 《詩》 =AGAINST.
˙**gait**[geit] *n.* (*sing.*) 걸음걸이; (말의) 보조(步調).
gait·er[géitər] *n.* Ⓒ 각반.
gal[1][gæl] *n.* 《俗》 =GIRL.
gal[2] *n.* Ⓒ 가속도 단위《1 ～ =1cm/sec^2》.
Gal. Galatians. **gal.** gallon(s).
ga·la[géilə, gáː-, gǽlə] *n., a.* Ⓒ 축제(의), 제례(의). ***～ dress*** 나들이옷.
ga·lac·tic[gəlǽktik] *a.* 〖天〗 은하의; 젖의, 젖에서 얻은.
Gal·a·had [gǽləhæ̀d] *n.* Arthur 왕의 원탁 기사의 한 사람; (a ～) 고결한 사람.
gal·an·tine[gǽləntìːn] *n.* Ⓤ 냉육(冷肉) 요리의 일종.
ga·lán·ty shòw[gəlǽnti-] 그림자 그림 연극; 겉만 화려한 구경거리.
Ga·la·tians[gəléiʃiənz] *n. pl.* 〖聖〗 갈라디아서(書).
˙**gal·ax·y**[gǽləksi-] *n.* ① (G-) 은하, 은하수; 〖天〗 은하계 (우주). ② Ⓒ (미인·재사 등의) 화려한 무리, 기라성처럼 늘어선 사람.
˸**gale**[1][geil] *n.* Ⓒ ① 〖氣〗 강풍, 큰바람; 〖海〗 폭풍. ② 《詩》 실바람. ③ 《美》 폭소; 환희; 흥분 상태.
gale[2] *n.* Ⓒ 버드소귀나무의 일종《늪지대에 남》.
ga·le·na[gəlíːnə] *n.* Ⓤ 방연석(方鉛石).
Gal·i·le·an[gæ̀ləlíːən] *a., n.* Ⓒ Galilee의 (사람); (the ～) =JESUS; Galileo의.
Gal·i·lee[gǽləlìː] *n.* 〖聖〗 갈릴리《Palestine 북부의 옛 로마의 주》.
˙**Gal·i·le·i**[gæ̀ləléiiː], **Galileo** ～ (1564-1642) 이탈리아의 물리학자·천문학자.

gal·i·ot[gǽliət] *n.* Ⓒ 〖史〗(옛날 지중해에서 쓰던) 작은 돛배; 네덜란드의 작은 어선〔상선〕.

*__gall__[1][gɔːl] *n.* ① Ⓤ 담즙(bile). ② Ⓒ 담낭, 쓸개. ③ Ⓤ 쓴 것, 진절머리, 증오. ④ Ⓤ《美俗》뻔뻔스러움. ***dip one's pen in*** ~ 독필(毒筆)을 휘두르다《비평 따위에서》.

gall[2] *vt.* 스쳐 벗어지게 하다; 노하게 하다, 애태우다. ── *n.* Ⓒ 찰과상, (특히 말의 등의) 스쳐서 벗겨진 상처; 걱정거리.

gall[3] *n.* Ⓒ 오배자, 몰식자(沒食子)《균·벌레 등이 잎·줄기에 만든 충영(蟲癭)》.

gall. gallon(s).

:**gal·lant**[gǽlənt] *a.* ① 훌륭한, 당당한. ② 화려한. ③ 용감한, 기사적인. ④ [gəlǽnt] 여성에게 친절한; 연애의. ~ ***adventures*** 정사(情事). ── [gǽlənt, gəlǽnt] *n.* Ⓒ 용감한 사람; 여성에게 친절한 남자, 상냥한 남자. *~·**ly** *ad.* *~·**ry**[gǽləntri] *n.* Ⓤ 용감, 용기.

gáll blàdder 담낭, 쓸개.

gal·le·on[gǽliən] *n.* Ⓒ 〖史〗스페인의 큰 돛배《상선·군함》.

:**gal·ler·y**[gǽləri] *n.* Ⓒ ① 화랑. ② (교회의) 특별석(의 사람들); 〖劇〗맨위층 보통 관람석(의 관객), 맨 뒤의 입석. ③ 회랑, 진열장; 긴 방. ④ 〖鑛〗갱도. ***play to the*** ~ 일반 관중의 취미에 맞춰 연기하다; 저속 취미에 영합하다. **gál·ler·ied** *a.* ~가 있는.

*__gal·ley__[gǽli] *n.* Ⓒ ① 〖史〗갤리배《노예가 노를 젓는 돛배》. ② (고대 그리스·로마의) 군함; 대형 보트. ③ (선내의) 취사실. ④ 〖印〗게라《스틱(composing stick)으로부터 옮긴 활자를 담는 목판》; =⇩.

gálley pròof 게라쇄(刷), 교정쇄.

gálley slàve 갤리배를 젓는 노예.

gáll·flỳ *n.* Ⓒ 몰식자(沒食子)벌.

Gal·lic [gǽlik] *a.* 골(사람)의(cf. Gaul); 프랑스의.

gal·lic[1] *a.* 〖化〗갈륨의.

gal·lic[2] *a.* 오배자의; 몰식자성(沒食子性)의.

gállic ácid 갈산(酸).

gal·li·cism, G-[gǽləsìzəm] *n.* Ⓤ,Ⓒ (독특한) 프랑스어법(語法); 프랑스어풍(風).

gall·ing[gɔ́ːliŋ] *a.* 울화치미는, 속타게 하는(cf. gall[2]).

gal·li·nule[gǽlənjùːl] *n.* Ⓒ 〖鳥〗쇠물닭류(類)의 물새.

gal·li·um[gǽliəm] *n.* Ⓤ 〖化〗갈륨《희금속 원소; 기호 Ga》.

gal·li·vant[gǽləvæ̀nt/⌐─⌐] *vi.* 여성의 꽁무니를 쫓아다니다; 건들건들 놀러 다니다.

gáll·nùt *n.* Ⓒ 몰식자, 오배자(gall[3]).

*__gal·lon__ [gǽlən] *n.* Ⓒ 갤런《=4 quarts; 영국에서는 약 4.5리터, 미국에서는 약 3.8리터》.

:**gal·lop**[gǽləp] *n.* 갤럽《말의 전속력 구보》; Ⓒ 급속도. ── *vi., vt.* (…에게) 갤럽으로 달리(게 하)다; 급속도로 나아가다.

*__gal·lows__[gǽlouz] *n.* (*pl.* ~(*es*)) Ⓒ 교수대; 교수형; (*pl.*)《美俗》바지멜빵.

gállows bìrd 《口》극악한 사람.

gáll·stòne *n.* Ⓒ 〖病〗담석(膽石).

Gál·lup pòll[gǽləp-] 《美》(통계학자 G. H. Gallup 지도의) 갤럽 여론조사.

ga·loot[gəlúːt] *n.* Ⓒ《美俗》얼빠진 사람, 어리보기.

gal·op[gǽləp] *n.* Ⓒ 갤럽《경쾌한 춤》; Ⓤ 그 곡. ── *vi.* 갤럽을 추다.

ga·lore[gəlɔ́ːr] *ad.* 풍부하게.

*__ga·losh__[gəlɑ́ʃ/-ɔ́-] *n.* =OVERSHOE.

gals. gallons.

Gals·wor·thy[gɔ́ːlzwə̀ːrði, gǽl-], **John**(1867-1933) 영국의 소설가·극작가《1932년 노벨 문학상》.

ga·lumph[gəlʌ́mf] *vi.* 《口》의기양양하게 걷다.

Gal·va·ni[gælvɑ́ːni], **Luigi**(1737-98) 이탈리아의 생물학자·물리학자.

gal·van·ic[gælvǽnik] *a.* 동(動)전기의; (웃음 따위가) 경련적인; 깜짝 놀라게 하는. **-i·cal·ly** *ad.*

gal·va·nism[gǽlvənìzəm] *n.* Ⓤ 동전기; 〖醫〗전기 요법.

gal·va·nize[gǽlvənàiz] *vt.* 동전기를 통하다; 활기 띠게 하다; 전기 도금하다. ~***d iron*** 함석. **-ni·za·tion** [⌐─nizéiʃən] *n.*

gal·va·nom·e·ter [gæ̀lvənɑ́mitər/-nɔ́mi-] *n.* Ⓒ 검류계(檢流計). **-no·met·ric**[⌐─noumétrik] *a.* 검류계의, 검류계로 잰.

gal·va·no·scope [gǽlvənouskòup] *n.* Ⓒ 검류기.

Gam·bi·a[gǽmbiə] *n.* 아프리카 서북의 공화국. ~**n** *n., a.* Ⓒ 감비아의 (사람).

gam·bit[gǽmbit] *n.* Ⓒ 〖체스〗(졸 따위를 희생하고 두는) 첫 수; (거래 등의) 시작.

:**gam·ble**[gǽmbəl] *vi.* 도박〔모험〕하다. ~ ***in stocks*** 투기하다. ── *vt.* 도박으로 잃다(*away*). *-**bler** *n.* *-**bling** *n.*

gam·boge[gæmbúːʒ, -bóudʒ] *n.* Ⓤ 자황(雌黃)《열대 수지에서 뽑는 치잣빛 그림 물감, 하제(下劑)》; 치자색(yellow orange).

gam·bol[gǽmbəl] *vi.* (《英》 *-ll-*), *n.* Ⓒ 깡충깡충 뛰놀다〔뛰놀기〕.

gam·brel[gǽmbrəl] *n.* Ⓒ (말 따위의) 과(踝) 관절(hock); =⌐ **ròof** 〖建〗(물매가 2단으로 굽은) 지붕.

†**game**[1][geim] *n.* ① Ⓒ 유희, 오락. ② Ⓤ 농담. ③ Ⓒ 경기, 한판. ④ Ⓒ 승부의 점수. ⑤ (*pl.*) 경기회(*the Olympic* ~*s*). ⑥ (종종 *pl.*) 책략(trick). ⑦ Ⓤ《집합적》엽수(獵獸)〔조(鳥), 어(魚)〕, 잡은 사냥감(의 고기); (백조의) 무리; 목적물. ***be on*** 〔***off***〕 ***one's*** ~ (경기자의) 컨디션이 좋다〔나쁘다〕. ***big*** ~ 〖獵〗큰 짐승《범·곰 따위》. ***fair*** 〔***forbidden***〕 ~

(수렵법에서) 허가된〔금지된〕 사냥감. ***fly at high*** ~ 큰 짐승을 노리다; 대망(大望)을 품다. ~ ***and*** (***set***) 〖테니스〗 게임세트. ~ ***and*** ~ 1대 1(의 득점). ~ ***of chance*** 운에 맡기는 승부. ***have a*** ~ ***with*** …(의 눈)을 속이다. ***make*** ~ ***of*** (…을) 놀리다. ***play a person's*** ~, or ***play the*** ~ ***of a person*** 무의식적으로 아무의 이익이 될 일을 하다. ***play the*** ~ 《口》 (당당하게) 규칙에 따라 경기를 하다; 훌륭히 행동하다. ***The*** ~ ***is up.*** 짐승은 도망쳤다; 이제〔만사〕 다 틀렸다. ***The same old*** ~***!*** 또 그 수법이군. ***Two can play at that*** ~. = ***That's a*** ~ ***two people can play.*** 그 수법〔수〕에는 안 넘어간다; 이쪽도 수가 있다. — ***a.*** 투지에 찬; 용감한; 자진해서 …하는(*for; to* do). ***die*** ~ 용감히 싸우고 죽다, 끝까지 버티다. — ***vt., vi.*** (…와) 내기하다; 내기에서 잃다(*away*).

game[2] ***a.*** =LAME.

gáme bàg 사냥감 넣는 주머니.

gáme bìrd 엽조(獵鳥).

gáme-brèaker 〖美蹴〗 승패를 결정하는 플레이〔선수〕.

gáme·còck ***n.*** Ⓒ 싸움닭.

gáme fish (낚시의 대상이 되는) 물고기.

gáme fòwl 싸움닭.

gáme·kèeper ***n.*** Ⓒ 《英》 사냥터지기.

gáme làws 수렵법.

gáme lìcense 수렵 면허.

game·ly[géimli] ***ad.*** 용감히.

gáme presèrve 금렵구.

gáme ròom 오락실.

game·some[´-səm] ***a.*** 장난 좋아하는; 쾌활한.

game·ster[´-stər] ***n.*** Ⓒ 도박꾼.

gam·ete[gǽmiːt] ***n.*** Ⓒ 〖生〗 배우자.

gáme thèory 〖經〗 게임의 이론《불확정한 요소 중에서 최대의 효과를 올리는 수학적 이론》.

ga·me·to·phyte [gəmíːtəfàit] ***n.*** Ⓒ 〖植〗 배우체(配偶體).

gáme wàrden 수렵 감시관.

gam·in[gǽmin] ***n.*** (F.) Ⓒ 부랑아.

gam·ing[géimiŋ] ***n.*** Ⓤ 도박, 내기.

gáming hòuse 도박장.

gáming tàble 도박대.

gam·ma[gǽmə] ***n.*** Ⓤ,Ⓒ 그리스어 알파벳의 셋째 글자《Γ, γ; 영어의 G, g에 해당》.

gámma càmera 감마선 카메라《체내에 주입된 방사성 트레이서를 검파(檢波)하는 카메라》.

gam·ma·di·on [gəméidiən/gæ-] ***n.*** (*pl.* ***-dia***[-diə]) (Gk.) Ⓒ 그리스 만자, 갈고리 십자(형).

gámma glóbulin 〖生化〗 감마글로불린《혈장에 포함된 단백질의 성분》.

gámma ràу 〖理〗 감마선.

gam·mon[1][gǽmən] ***n.*** Ⓤ 《英口》 허튼소리; 사기. — ***vt., vi.*** 속이다.

gam·mon[2] ***n.*** Ⓤ 베이컨의 허벅지 고기; 훈제(燻製)햄.

gamp[gæmp] ***n.*** Ⓒ 《英》 큰 박쥐우산.

gam·ut[gǽmət] ***n.*** (*pl.*) 〖樂〗 온음정(音程); 전범위, 전역. ***run the*** ~ ***of*** (*expressions*) 온갖 (표현)을 해보다.

gam·y[géimi] ***a.*** 엽조〔엽수〕의 냄새가 나는; (고기가) 약간 상한(cf. high).

gan·der[gǽndər] ***n.*** Ⓒ goose의 수컷; 얼간이.

Gan·dhi[gǽndi, gɑ̀ːn-], **Mohandas Karamchand**(1869-1948) 간디《무저항주의의 인도 지도자》.

ga·nef[gɑ́ːnəf] ***n.*** Ⓒ 《俗》 좀도둑; 비열한 기회주의자.

:gang[gæŋ] ***n.*** Ⓒ ① (노예·노동자 등의) 일단(一團), 패; (악한의) 일당. ② 《俗》 놀이 친구, 한 동아리. ③ (조립식 도구의) 한 벌. — ***vi.*** 《美》 집단을 이루다(*up*).

gáng·bùster ***n.*** Ⓒ 《美口》 갱 소탕 경관.

gange[gændʒ] ***n.*** Ⓒ 《美》 흑인, 검둥이.

Gan·ges[gǽndʒìːz] ***n.*** (the ~) 갠지스 강《인도의》.

gáng·lànd ***n.*** Ⓤ,Ⓒ 《美》 암흑가.

gan·gling[gǽŋgliŋ] ***a.*** (몸이) 후리후리한; 껑충한.

gan·gli·on[gǽŋgliən] ***n.*** (*pl.* ~***s,*** ***-glia***) Ⓒ 신경절(神經節)《특히, 뇌·척수의》; (활동의) 중심.

gáng·plànk ***n.*** Ⓒ (배와 선창 사이에 걸쳐 놓는) 널판.

gáng plòw 연동식 보습.

gan·grene[gǽŋgriːn, —´] ***n., vi., vt.*** Ⓤ 〖醫〗 괴저(壞疽)(가 되다, 되게 하다). **-gre·nous**[gǽŋgrənəs] ***a.***

gáng·sta ràp[gǽŋstə-] 갱스터 랩《과격한 가사의 랩 음악》.

gang·ster[gǽŋstər] ***n.*** Ⓒ 《口》 갱의 한 사람, 악한. ~**·ism**[-ìzəm] ***n.***

gangue[gæŋ] ***n.*** Ⓤ 맥석(脈石).

gáng·wày ***n., int.*** Ⓒ 현문(舷門); =GANGPLANK; 〖劇〗 좌석의 통로; (G-!) (방해다) 비켜라!

gan·net[gǽnit] ***n.*** Ⓒ 북양가마우지《갈매기과의 바다새》.

gant·let [gɔ́ːntlit, gǽnt-] ***n.*** = GAUNTLET[1, 2].

gan·try[gǽntri] ***n.*** Ⓒ (이동 기중기의) 구대(構臺); 〖鐵〗 (신호기를 받치는) 구름다리.

gántry cràne 고가 이동 기중기.

Gan·y·mede[gǽnəmìːd] ***n.*** 〖그神〗 Olympus 신들의 술 시중을 드는 미소년; (젊은) 술 시중꾼; 〖天〗 가니메데성(星)《목성의 제3위성》.

GAO General Accounting Office 회계 감사원.

gaol**[dʒeil] ***n., vt. 《英》 =JAIL. *´**-er** ***n.*** 《英》 =JAILER.

:gap[gæp] ***n., vt.*** (***-pp-***) Ⓒ ① 갈라진 틈(을 내다). ② 산이 끊어진 데; 협곡. ③ 결함; 간격; 차이.

GAPA, ga·pa[gǽpə] ground-to-air pilotless aircraft 무선 유도 비행기.

:gape[geip] *n., vi.* Ⓒ ① 하품(하다), 딱 벌린 입; 입을 크게 벌리다. ② 입을 벌리고 (멍하니) 바라보다〔보기〕; (지각 등의) 갈라진 틈(이 생기다). ③ (the ~s) 《諧》 하품(의 연발); (닭 따위의) 부리를 헤벌리는 병.

gar[gɑ:r] *n.* (*pl.* **~s,** 《집합적》 ~) Ⓒ 〖魚〗 동갈치.

G.A.R. 《美》 Grand Army of the Republic 남북 전쟁 종군 군인회.

:ga·rage[gərɑ́:ʒ/gǽrɑ:ʒ, -ridʒ] *n.* Ⓒ (자동차의) 차고; (비행기의) 격납고.

gárage sàle 《美》 (자기 집에서 하는 중고 가구·의류 등의) 투매.

Gár·and rífle[gǽrənd-] 〖美軍〗 반자동식 소총.

·garb[gɑ:rb] *n.* Ⓤ ① (직업·직위 등을 알 수 있는) 복장. ② (한 벌의) 옷. ③ 외관, 모양. — *vt.* (…에게) 복장을 입히다. ~ ***oneself*** (***as***) (…의) 복장을 하다.

·gar·bage[gɑ́:rbidʒ] *n.* Ⓤ ① (부엌의) 쓰레기. ② 고기찌끼; 찌꺼기. ③ 〖컴〗 가비지《기억 장치 속에 있는 불필요하게 된 데이터》.

gárbage càn (부엌의) 쓰레기통.

gárbage collèctor 《美》 쓰레기 수거인; 〖컴〗 가비지 수집.

gárbage dùmp 쓰레기 버리는 곳, 쓰레기 더미.

gárbage trùck 쓰레기차.

gar·ble[gɑ́:rbəl] *vt.* (자료·원고 등을) 멋대로 고치다; (고의로) 오전(誤傳)하다. 「이.

gar·çon[gɑ:rsɔ̃:] *n.* (F.) Ⓒ 급사, 보

†gar·den[gɑ́:rdn] *n.* Ⓒ ① 정원, 뜰; 채원(菜園). ② (*pl.*) 유원(지). ③ 비옥한 땅. **:~·er** *n.* Ⓒ 정원사. **:~·ing** *n.* Ⓤ 뜰〔밭〕 가꾸기, 원예.

gárden apàrtments 정원에 둘러싸인 저층(低層) 아파트.

gárden bálsam 〖植〗 봉선화.

gárden cíty (종종 G- C-)(19세기 영국의) 전원 도시 (운동).

gárden fràme 촉성 재배용 온상.

gar·de·ni·a[gɑ:rdí:niə, -njə] *n.* Ⓒ 〖植〗 치자(꽃).

gárden pàrty 원유회, 가든 파티.

gárden plànt 원예〔재배〕 식물.

gárden plòt 정원〔채원〕 부지.

gárden séat 정원 벤치.

Gárden Státe 미국 New Jersey 주의 별칭.

gárden stùff (집안의 채마밭에서 가꾼) 야채.

gárden súburb 《英》 전원 주택지.

gárden trúck 《美》 야채류, 《특히》 시판용 야채.

gar·fish[gɑ́:rfìʃ] *n.* (*pl.* **~es;** 《집합적》 ~) =GAR.

gar·gle[gɑ́:rgəl] *vt., vi., n.* (a ~) 양치질(하다); Ⓤ,Ⓒ 양치약.

gar·goyle[gɑ́:rgɔil] *n.* Ⓒ 〖建〗 (괴물 모양으로 만든) 홈통주둥이, 낙수홈.

GARIOA[gæ̀riouə] Government Appropriation for Relief In Occupied Areas (미국) 점령지 구제기금. 「한.

gar·ish[gέəriʃ] *a.* 번쩍번쩍하는; 야

·gar·land[gɑ́:rlənd] *n., vt.* Ⓒ 화환〔화관〕(으로 꾸미다).

gar·lic[gɑ́:rlik] *n.* Ⓤ 〖植〗 마늘.

:gar·ment[gɑ́:rmənt] *n.* Ⓒ 옷(한 가지)《skirt, coat, cloak 등》; (*pl.*) 의복.

garn[gɑ:rn] *int.* 허어《불신, 모멸》.

gar·ner[gɑ́:rnər] *n., vt.* Ⓒ 곡창, 저장소; 축적(하다)(store).

gar·net[gɑ́:rnit] *n.* Ⓤ,Ⓒ 석류석(石榴石); Ⓤ 심홍색.

·gar·nish[gɑ́:rniʃ] *n., vt.* Ⓒ 장식(을 달다); 문식(文飾)(하다); (음식에) 고명(을 얹다). **~·ment** *n.* Ⓤ,Ⓒ 장식; 〖法〗 압류 통고; 출정(出廷) 명령.

gar·nish·ee[gɑ̀:rniʃí:] *n.* Ⓒ 〖法〗 garnishment를 받은 사람. — *vt.* (채권을) 압류하다; 압류를 통고하다.

gar·ni·ture[gɑ́:rnitʃər] *n.* Ⓤ,Ⓒ 장식(품), 요리에 곁들인 것, 고명.

GARP Global Atmospheric Research Program 〔Project〕.

·gar·ret[gǽrət] *n.* Ⓒ 고미다락.

:gar·ri·son[gǽrəsən] *n., vt.* Ⓒ 수비대(를 두다), 요새지(로서 수비하다).

gárrison decrée 위수령(衛戍令).

gárrison státe 군국(軍國).

gárrison tówn 위수 도시, 수비대 주둔 도시.

gar·rote[gərɑ́t, -róut/-rɔ́t], **gar·rotte**[gərɑ́t/-rɔ́t] *n., vt.* (Sp.) Ⓒ 교수형(구); 교수형에 처하다; 교살하고 소지품을 빼앗다.

gar·ru·lous[gǽrjələs] *a.* 잘 지껄이는. **~·ly** *ad.* **-li·ty**[gərú:ləti] *n.*

:gar·ter[gɑ́:rtər] *n., vt.* Ⓒ ① 양말대님(으로 동이다). ② (the G-) 《英》 가터 훈장〔훈위(勳位)〕.

†gas[gæs] *n.* ① Ⓤ,Ⓒ 기체; 가스. ② Ⓤ 웃음 가스(laughing gas). ③ Ⓤ 독가스. ④ Ⓤ 《美口》 가솔린. ⑤ Ⓤ 《俗》 허풍, 객적은 소리. ***step on the ~*** 엑셀러레이터를 밟다, 가속하다; 서두르다. — *vt.* (**-ss-**) 가스를〔가솔린을〕 공급하다; 가스로 중독시키다; 독가스를 뿌리다. — *vi.* 가스를 내다; 《俗》 허풍떨다; 객담하다.

gás·bàg *n.* Ⓒ 가스 주머니; 《俗》 허풍선이, 수다쟁이.

gás bòmb 〖軍〗 독가스탄.

gás bùrner 가스 버너.

gás chàmber 가스 처형실.

gás còal 가스용석탄, 역청탄.

Gas·con[gǽskən] *n.* Ⓒ (프랑스 남서부의) Gascony 사람; (g-) 자랑꾼.

gas·con·ade[gæ̀skənéid] *n., vt.* Ⓤ 자랑(하다).

gás èngine 가스 내연 기관.

·gas·e·ous[gǽsiəs, -sjəs] *a.* 가스 모양의, 기체의; 공허한.

gás fìeld 천연 가스 발생지.

gás fìre 가스불; 가스 난로.

gás fìtter 가스공; 가스 기구 설치업자.

G

gás fìttings 가스 기구, 가스 배관.
***gash**[gæʃ] *n.*, *vt.* Ⓒ 깊은 상처(를 주다); 깊이 갈라진 틈(을 내다).
gás hèlmet =GAS MASK.
gás hèater 가스 난방기, 가스 난로.
gás·hòlder *n.* Ⓒ 가스 탱크.
gas·i·fy[gǽsəfài] *vt.* 기화(氣化)시키다. **-fi·ca·tion**[ˌ-fikéiʃən] *n.*
gás jèt 가스 버너; 가스의 불꽃.
gas·ket[gǽskit] *n.* Ⓒ 〖船〗 괄범삭(括帆索); 〖機〗(고무·코르크 따위의) 틈메우개, 개스킷.
gás làmp 가스등.
gás·lìght *n.* Ⓤ 가스불; Ⓒ 가스등.
gás lìghter 가스의 점화구; 가스라이터.
gás màin 가스(공급용) 본관(本管).
gás·màn *n.* Ⓒ 가스공(工); 가스 검침원; 〖鑛〗 가스 폭발 경계〔방지〕원.
gás màsk 방독면.
gás mìleage 연비(燃比)《휘발유 1 갤런으로 차가 달릴 수 있는 거리》.
gas·o·hol[gǽsəhɔ̀:l] *n.* Ⓤ 가소홀《가솔린과 에틸알코올의 혼합 연료》; (G-)《商標名》.
gás òil 경유(輕油).
:gas·o·line, -lene[gǽsəli:n, ˌ-ˊ] *n.* Ⓤ 《美》 가솔린(《英》 petrol).
gásoline èngine 《美》 가솔린 기관〔엔진〕.
gas·o·mat[gǽsəmæ̀t] *n.* Ⓒ 자동 주유소.
gas·om·e·ter[gæsɑ́mitər/-ɔ́m-] *n.* Ⓒ 가스 계량기; 가스 탱크.
:gasp[gæsp, -ɑ:-] *vi.* 헐떡거리다; (놀라) 숨이 막히다. ~ ***for*** 〔***after***〕 간절히 바라다. — *vt.* 헐떡거리며 말하다(*out*). — *n.* Ⓒ 헐떡임, 숨참. ***at the last*** ~ 임종시에.
gas·per[gǽspər, -ɑ́:-] *n.* Ⓒ 헐떡거리는 사람; 《英俗》 싸구려 궐련.
gás pìpe 가스관.
gás pòisoning 가스 중독.
gás rànge (요리용) 가스 레인지.
gás rìng 가스 풍로.
gassed[gæst] *a.* 《美俗》 술취한; 마약으로 멍해진.
gás shèll 독가스탄.
gás stàtion 《美》 주유소.
gás stòve 가스 스토브.
gas·sy[gǽsi] *a.* 가스가 찬; 가스(모양)의; 기체(모양)의; 《口》 공허한; 허풍떠는.
gás tànk 가스 탱크, 가스 통(gasometer).
gas·tric [gǽstrik] *a.* 위(胃)의 (근처)의.
gástric cáncer 위암.
gástric júice 위액(胃液).
gástric úlcer 위궤양.
gas·tri·tis[gæstráitis] *n.* Ⓤ 〖醫〗 위염(胃炎).
gas·tr(o)-[gǽstrou, -trə] '위(胃)'의 뜻의 결합사.
gàstro·enterítis *n.* Ⓤ 위장염.
gas·tron·o·my[gæstrɑ́nəmi/-ɔ́-] *n.* Ⓤ 미식(美食)(학); 요리법.
gas·tro·pod[gǽstrəpɑ̀d/-ɔ́-] *n.* Ⓒ 복족(腹足) 동물《달팽이·괄태충 등》.
gástro·scòpe *n.* Ⓒ 〖醫〗 위경(胃鏡).
gás wàrfàre 독가스전.
gás·wòrks *n. pl.* 가스 제조〔공급〕소; 《英俗》 하원(下院).
gat[1][gæt] *v.* 《古》 get의 과거.
gat[2] *n.* Ⓒ 《美俗》 권총.
†gate[geit] *n.* Ⓒ ① 문, 문짝; 수문; 출입구. ② (전람회·경기회 등의) 입장자 수, 입장권 매상 총액. ③ 〖컴〗 게이트《하나의 논리 기능》. ***get the*** ~ 《美俗》 내쫓기다, 해고되다. — *vt.* 《英》(학생에게) 금족을 〔외출 금지를〕 명하다.
ga·teau [gɑtóu/gǽtou] *n.* (*pl.* ***-teaus, -teax***[-z]) (F.) Ⓤ,Ⓒ 대형 장식 케이크.
gáte-cràsher *n.* Ⓒ 《俗》(연회 등의) 불청객; 입장권 없이 입장한 자.
gáte·hòuse *n.* Ⓒ 수위실.
gáte·kèeper *n.* Ⓒ 문지기; 건널목지기.
gáte-leg(ged) táble 접테이블 (cf. Pembroke table).
gáte mòney 입장료 (수입).
gáte·pòst *n.* Ⓒ 문 기둥. ***between you and me and the*** ~ 이것은 비밀이지만.
:gáte·wày *n.* ① Ⓒ 출입구. ② (the ~) (…에 이르는) 길, 수단(*to*).
†gath·er[gǽðər] *vt.* ① 모으다; 채집하다. ② 증가〔증대〕하다; 점차 늘리다. ③ (눈살을) 찌푸리다; 〖裁縫〗 (…에) 주름을〔개더를〕 잡다. ④ 추측하다(*that*). ⑤ (힘·용기를) 내다, (지혜를) 짜내다; (몸을) 긴장시키다. — *vi.* ① 모이다; 증대하다, 점점 더해지다; 수축하다, 주름이 잡히다. ② (종기가) 곪다. ***be ~ed to one's fathers*** 죽다. ~ ***flesh*** 살찌다; 뚱뚱해지다. ~ ***head*** (종기가) 곪다; (폭풍 등의) 세력이 커지다. ~ ***oneself up*** 〔***together***〕 긴장하고 전신에 힘을 모으다《도약(跳躍)의 직전 따위》. ~ ***up*** 그러모으다; 한데 마무르다; (손발을) 움츠리다; 힘을 주다. ~ WAY[1]. — *n.* (*pl.*) 〖裁縫〗 개더, 주름. **:~·ing** *n.* Ⓒ 집합, 집회; Ⓤ 수금(收金); 거두어 들이기; 화농; Ⓒ (곪은) 종기; Ⓒ 개더, 주름. ***~ing ground*** 수원(水源)지대.
Gát·ling (gùn)[gǽtliŋ-] *n.* Ⓒ 개틀링기관총《초기의 기관총》.
GATT[gæt] General Agreement on Tariffs and Trade 관세 무역 일반 협정.
gauche[gouʃ] *a.* (F.) 재치 없는; 서투른.
gau·cho[gáutʃou] *n.* (*pl.* **~s**) (Sp.) Ⓒ 남아메리카의 목동《스페인 사람과 인디언의 혼혈》.
gaud[gɔ:d] *n.* Ⓒ 값싸고 번지르르한 물건.
***gaud·y**[1][ˊi] *a.* 번쩍번쩍 빛나는, 야한, 값싸고 번지르르한. **gáud·i·ly** *ad.* **gáud·i·ness** *n.*

G

gaud·y[2] *n.* Ⓒ《英》(대학 따위의) 교우대회.

*__gauge, gage__[geidʒ] *n.* Ⓒ ① 표준 치수〔규격〕. ② 자; 계기, 게이지. ③ (레일의) 궤간(軌間). ④ (평가·검사의) 표준, 방법. ⑤《영국에서는 보통 gage》〖海〗 흘수 범위; (바람과 딴 배에 대한) 위치 관계. ***broad*** 〔***narrow***〕 ~ 광궤(廣軌)〔협궤〕. ***take the ~ of*** …을 계측〔평가〕하다. ― *vt.* 측정하다; 평가하다. ~**·a·ble** *a.*

gáug·er *n.* Ⓒ 계량하는 사람; 계기(計器); 《Sc.》(술통의) 검사관, 수세리(收稅吏).

gáuge glàss (보일러의) 험수관「(驗水管).

Gau·guin[gougǽŋ], **Paul**(1848-1903) 프랑스의 후기 인상파의 화가.

*__Gaul__[gɔːl] *n.* 갈리아《유럽 서부의 옛 나라》; Ⓒ 갈리아인; 프랑스인.

Gaull·ist[góːlist] *n.* =DE GAULLIST.

*__gaunt__[gɔːnt] *a.* ① 수척한, 여윈. ② 무시무시한. ~**·ly** *ad.*

gaunt·let[1][gɔ́ːntlit] *n.* Ⓒ (기사·골키퍼 등의) 손가리개; 긴 장갑. ***fling*** 〔***throw***〕 ***down the ~*** 도전하다. ***take*** 〔***pick***〕 ***up the ~*** 도전에 응하다.

gaunt·let[2] *n.* (the ~) 〖史〗(병사의) 태형(笞刑). ***run the ~*** (두 줄로 선 사람들 사이를 걸으며) 태형을 받다; 혹평(酷評)을 받다.

gaun·try[gɔ́ːntri] *n.* =GANTRY.

gauss[gaus] *n.* Ⓒ 〖理〗 가우스《전자(電磁) 단위》.

Gau·ta·ma[gáutəmə, gɔ́-] *n.* 석가모니의 처음 이름(Buddha).

*__gauze__[gɔːz] *n.* Ⓤ ① 성기고 얇은 천, 사(紗); 거즈. ② (가는) 철망. ③ 엷은 안개. **gáuz·y** *a.*

†**gave**[geiv] *v.* give의 과거.

gav·el[gǽvəl] *n.* Ⓒ《美》(의장 등이 쓰는) 의사봉《작은 망치》.

ga·vi·al[géiviəl] *n.* Ⓒ 인도악어.

ga·vot(te)[gəvát/-ɔ́-] *n.* Ⓒ 가보트《minuet식의 경쾌한 댄스(곡)》.

gawk[gɔːk] *n.* Ⓒ 아둔한〔열등적은〕 사람; 멍청이. ― *vi.* 열등적은〔얼빠진〕 행동을 하다; 멍하니 쳐다보다 (*at*). ~**·y** *a.*

‡**gay**[gei] *a.* ① 쾌활한. ② 화려한. ③ 방탕한. ~ ***quarters*** 화류계. *~**ly** *ad.* =GAILY.

gay·e·ty[géiəti] *n.* = GAIETY.

Gay-Pay-Oo[géipèiúː] *n.* 게페우(G.P.U.)《소련의 비밀 경찰; 1934년 폐지》.

gaz. gazette; gazetteer.

‡**gaze**[geiz] *n., vi.* 응시(하다)(*at, on, upon*). ***stand at ~*** 응시하고 있다. **gáz·er** *n.* Ⓒ 응시하는 사람.

ga·zelle[gəzél] *n.* Ⓒ 가젤《아프리카·아시아산 영양(羚羊)의 일종》.

‡**ga·zette**[gəzét] *n., vt.* Ⓒ 신문; 《英》 관보(로 공시하다).

gaz·et·teer[gæ̀zətíər] *n.* Ⓒ 지명(地名) 사전; 《古》 관보〔신문〕 기자.

gaz·o·gene[gǽzədʒìːn] *n.* Ⓒ 가스 발생 장치; 탄산수 제조기《휴대형》.

G.B. Great Britain; 〖野〗 Games Behind 승차(勝差). **G.B.E.** Knight (*or* Dame) Grand Cross of the British Empire. **G.B.S.** George Bernard Shaw. **G.C.** George Cross. **GCA** 〖空〗 ground control(led) approach. **g-cal.** gram calorie(s). **G.C.B.** (Knight) Grand Cross of the Bath. **G.C.D.**〔**F.**〕 greatest common divisor 〔factor〕. **G.C.E.** 《英》General Certificate of Education 보통 학력 증명서. **G.C.L.H.** Grand Cross of the Legion of Hono(u)r. **G.C.M., g.c.m., gcm** greatest common measure. **g.c.m.** general court martial 〖軍〗 보통 군법 회의. **G.C.M.G.** Grand Cross of the Order of St. Michael and St. George. **GCT, G.C.T.** Greenwich civil time 그리니치 상용시. **G.C.V.O.** (Knight) Grand Cross of the (Royal) Victorian Order. **Gd** 〖化〗 gadolinium. **G.D.** Grand Duke 〔Duchess〕. **gds.** goods. **GE** General Electric (Company). **Ge** 〖化〗 germanium.

‡**gear**[giər] *n.* ① Ⓒ 전동 장치(傳動裝置), 기어, 톱니바퀴. ② Ⓒ 장치; Ⓤ 장비, 도구(*a steering ~* 조타기(操舵機)). ③ Ⓤ (기계의) 상태. ④ Ⓤ《英口》 의복. ***be in*** 〔***out of***〕 ***~*** 기어가 잘〔안〕 듣다, 컨디션이 좋다〔나쁘다〕. ― *vt.* (…의) 운전 준비를 하다, (기계를) 걸〔틀, 돌리〕다; 마구를 달다(*up*); 준비하다; 적응시키다 (*to*); (노력을) 기울이다. ― *vi.* (톱니바퀴가) 맞물리다(*into*), (기계가) 걸리다(*with*), 돌아가다. ~**·ing** [gíəriŋ/gíər-] *n.* Ⓤ《집합적》 전동장치.

géar·hèad *n.* Ⓒ 바보.

géar·shìft *n.* Ⓒ《美》 변속(變速) 장치.

géar whèel 톱니바퀴.

geck·o[gékou] *n.* (*pl.* ~(*e*)*s*) Ⓒ 도마뱀붙이.

gee[dʒiː] *int.* 이러!, 어디여!《마소 부리는 소리》;《口》 에이 참!《실패·실망·화날 때의 소리》.

‡**geese**[giːs] *n.* goose의 복수.

gee-whiz(z)[dʒíːhwíz] *int.*《美俗》 아이고!, 깜짝이야!

Ge·hen·na[gihénə] *n.* ① 〖聖〗 게헤나《힌놈(hinnom)의 계곡》. ② Ⓤ 지옥; Ⓒ 고난의 땅.

Géi·ger(-Mül·ler) cònter[gáigər(mjúːlər)-] 가이거 계수관(計數管)《방사능 측정기》. 「자.

Gei·gers[gàigərz] *n. pl.* 방사성 입

Géiss·ler tùbe[gáislər-] 가이슬러관《진공 방전의 실험 진공관》.

gel[dʒəl] *n.* Ⓤ,Ⓒ 〖理·化〗 교화체(膠化體), 겔. ― *vi.* (*-ll-*) 교화(膠化)하다; 굳어지다.

G

***gel·a·tin**[dʒélətən], **-tine**[-tin/ ∸-tíːn] *n.* Ⓤ 젤라틴, 갖풀. **ge·lat·i·nous**[dʒəlǽtənəs] *a.*

geld[geld] *vt.* (*~ed, gelt*) 거세(去勢)하다. **∠·ing** *n.* Ⓒ 불깐 말.

gel·id[dʒélid] *a.* 얼음같이 차가운.

gel·ig·nite[dʒélignàit] *n.* Ⓤ 젤리그나이트《폭파용 폭약의 일종》.

gelt[gelt] *v.* geld의 과거(분사).

:gem[dʒem] *n., vt.* (*-mm-*) Ⓒ 보석(을 박다); 소중한〔아름다운〕 것〔사람〕.

gem·i·nate[dʒémənèit] *vt., vi.* 쌍〔두 겹〕으로 하다〔되다〕. — [-nit] *a.* 쌍〔두 겹〕의.

Gem·i·ni[dʒémənài, -nì] *n. pl.* 〖天〗 쌍둥이자리; 쌍자궁(雙子宮); (미국의) 2인승 우주선.

gem·ma[dʒémə] *n.* (*pl.* ***-mae*** [-miː]) Ⓒ 〖植〗 싹; 무성아(無性芽); 〖動〗 아체(芽體). **-mate**[-meit] *vi.* 발아하다, 싹트다; 아체에 의해 번식하다.

gem·(m)ol·o·gy [dʒemɑ́lədʒi/-ɔ́-] *n.* Ⓤ 보석학.

gem·my[dʒémi] *a.* 보석을 함유하는; 보석 같은.

Gém Státe 미국 Idaho주의 속칭.

gen[dʒen] *n.* (the ~) 《英俗》 정보(*on*).

Gen. General; Genesis; Geneva(n). **gen.** general(ly); genitive; genus.

gen·darme[ʒɑ́ːndɑːrm] *n.* (F.) Ⓒ 헌병; 〖登山〗 (산릉 위의) 뾰족한 바위 봉우리.

gen·der[dʒéndər] *n.* Ⓤ,Ⓒ 〖文〗 성(性); 《口》 =SEX. **~·less** *a.* 〖文〗 성이 없는, 무성의.

gene[dʒiːn] *n.* Ⓒ 〖生〗 유전(인)자.

ge·ne·a·log·i·cal [dʒìːniəlɑ́dʒikəl, dʒèn-/-ɔ́-] *a.* 계도(系圖)의.

genealógical trée (생물) 계통〔가계(家計)〕수(樹).

ge·ne·al·o·gy[dʒìːniǽlədʒi, -ɑ́l-, dʒèn-] *n.* Ⓒ 계도; 가계(家系)(lineage); Ⓤ 계통학. **-gist** *n.*

gen·er·a[dʒénərə] *n.* genus의 복수.

†gen·er·al[dʒénərəl] *a.* ① 전반〔보편〕적인; 광범위에 걸친; 일반적인, 보통의; 개괄〔총칭〕적인. ② 최고위의, 주된. ***as a ~ rule*** 대체로. ***in a ~ way*** 일반적으로, 대체로. — *n.* ① (the ~) 일반, 총체. ② Ⓒ (육군) 대장, 장군; 전술가, 병법가. ③ Ⓒ 〖宗〗 (수도회의) 총회장. ***G- of the Army*** 《美》 육군 원수. ***in ~*** 전반적으로; 일반적으로(*people in ~* 일반 대중). ***in the ~*** 개괄적으로; 대체로. **~·ship**[-ʃip] *n.* Ⓤ 대장의 직〔신분·수완〕.

géneral accóunt 일반 회계.

Géneral Accóunting Óffice 《美》 회계 감사원.

géneral ágent 총대리인.

Géneral Américan 일반 미국 영어《동부 New England 지방과 남부를 제외한 전역에서 사용되는 전형적인 미어》.

Géneral Assémbly (유엔) 총회; 《美》 주(州)의회.

géneral attáck 총공격.

géneral cárgo 일반 화물《적재에 특별한 주의를 요하지 않는 화물》.

géneral cónsul 총영사.

géneral déaler 잡화상(인).

géneral delívery 《美》 유치(留置) 우편.

géneral eléction 총선거.

Géneral Eléction Dày 《美》 총선거일.

géneral héadquarters 총사령부《생략 G.H.Q., GHQ.》.

géneral hóspital 종합 병원; 육군 병원.

gen·er·al·is·si·mo [dʒènərəlísəmòu] *n.* (*pl.* *~s*) Ⓒ (영·미 이외 나라의) 대원수; 총통.

gen·er·al·ist[dʒénərəlist] *n.* Ⓒ 만능형 인간(opp. specialist).

gen·er·al·i·ty[dʒènərǽləti] *n.* Ⓤ 일반성, 보편성; Ⓒ 통칙(通則); (구체적이 아닌) 일반적 진술, 개설; (the ~) 대부분, 대다수.

***gen·er·al·ize**[dʒénərəlàiz] *vt., vi.* 일반화하다; 개괄〔종합〕하다, 개괄적으로 말하다. ***-i·za·tion**[∸—lizéiʃən/-lai-] *n.* Ⓤ 일반화; 개괄, 종합.

†gen·er·al·ly[dʒénərəli] *ad.* 일반적으로, 보통. ***~ speaking*** 대체로 말하자면, 일반적으로.

géneral mánager 총지배인.

géneral párdon 일반 사면.

géneral póst (오전) 첫번째 배달 우편; 실내 유희의 일종.

Géneral Póst Òffice 런던 중앙「우체국.

géneral practítioner (전문의가 아닌) 일반의(一般醫).

géneral públic 일반 대중.

géneral sérvant 잡역부(雜役夫〔婦〕).

géneral stáff ⇨STAFF.

Géneral Stáff Òffice 참모 본부.

géneral stóre 잡화점.

géneral stríke 총파업.

géneral wélfare 공공의 복지.

***gen·er·ate**[dʒénərèit] *vt.* ① 낳다, 산출하다. ② 일으키다, 생기게 하다. ③ 〖數〗 (점·선·면이 움직여 선·면·입체를) 이루다. ***-a·tor** *n.* Ⓒ (가스 등의) 발생기; 발전기; 낳는 것; 〖컴〗 생성기, 발생기.

génerating stàtion 〔plànt〕 발전소.

:gen·er·a·tion[dʒènəréiʃən] *n.* ① Ⓤ 출생; 생식; 산출; 발생. ② Ⓒ (일)대(代)《약 30년전》; 시대, 세대. ③ Ⓒ 《집합적》 동시대의 사람들. ④ Ⓒ 세대《같은 시기에 같은 형으로 만들어진 기구의 총칭》(*the fourth ~ of computers*). ALTERNATION ***of ~s, from ~ to ~,*** or ***~ after ~*** 대대로 계속해서. ***rising ~*** 청년(층), 젊은이들.

generátion gáp 세대차, 세대간의 단절.

Generátion X́ X세대(X Genera-

tion)《1961-71년에 태어난 세대; 1980년대에 번영에서 소외된, 실업과 불황에 시달린 세대》.
gen·er·a·tive[dʒénərèitiv, -rə-] *a.* 생산〔생식〕의〔하는〕.
génerative grámmar 생성 문법.
ge·ner·ic[dʒənérik] *a.* 〖生〗 속(屬)(genus)의; 일반적인; 〖文〗 총칭적인. ～ *name* 속명. **-i·cal·ly** *ad.*
˙**gen·er·os·i·ty**[dʒènərásəti/-ɔ́s-] *n.* Ⓤ 관대; 도량이 큼, 활수함.
:gen·er·ous[dʒénərəs] *a.* ① 관대한, 마음이 넓은; 도량이 큰; 활수한. ② 풍부한. ③ (토지가) 비옥한, (술이) 감칠맛이 있는. ˙～**·ly** *ad.*
˙**gen·e·sis**[dʒénəsis, -ni-] *n.* (*pl.* **-ses**) Ⓒ 발단, 기원; (G-) 〖舊約〗 창세기.
gen·et[dʒénit] *n.* Ⓒ 사향고양이; Ⓤ 그 모피; =JENNET.
ge·net·ic[dʒinétik] *a.* 기원의; 발생(학)〔유전학〕적인. **～s** *n.* Ⓤ 발생〔유전〕학.
genétic códe 〖生〗 유전 코드 《DNA 분자 중의 화학적 기초 물질의 배열》. 「유전학자.
ge·net·i·cist[dʒinétəsist] *n.* Ⓒ
˙**Ge·ne·va**[dʒəní:və] *n.* 제네바《스위스의 도시》.
Genéva Convéntion 제네바 협정《1864-65년 조인된 적십자 조약》.
Genéva cróss 적십자.
Ge·ne·van[dʒəní:vən], **Gen·e·vese**[dʒènəví:z/-ni-] *a., n.* Ⓒ 제네바의 (사람); 칼뱅파(派)의 (교도).
Gen·ghis Khan[dʒéŋgis ká:n, dʒén-](1162-1227) 칭기스칸.
˙**gen·ial**[dʒí:njəl, -niəl] *a.* ① 온화한; 쾌적한, 온난한. ② 친절한; 다정한. ～**·ly** *ad.*
ge·ni·al·i·ty[dʒì:niǽləti] *n.* Ⓤ 온화; 쾌적(快適); 친절.
gen·ic [dʒénik] *a.* 〖生〗 유전자(gene)의; 발생의. 「귀신.
ge·nie[dʒí:ni] *n.* (*pl.* **-nii, ～s**) Ⓒ
ge·ni·i[dʒí:niài] *n.* genie, genius의 복수.
gen·i·tal[dʒénətəl] *a., n.* 생식의; (*pl.*) 생식기.
gen·i·tive[dʒénətiv] 〖文〗 *a.* 속(屬)〔소유〕격의. ── *n.* (the ～) 속격, 소유격.
:gen·ius[dʒí:njəs, -niəs] *n.* (*pl.* **～es**) ① Ⓤ,Ⓒ 천재《능력·사람》. ② Ⓤ 천성, (타고난) 자질. ③ Ⓤ 특질; 진수(眞髓); 사조, 경향; (고장의) 기풍(⇨ GENIUS LOCI). ④ Ⓒ (*pl.* **genii**)(날 때부터 사람에 붙어 다니는) 수호신, 귀신(genie).
ge·ni·us lo·ci[dʒí:niəs lóusai] (L. =genius of the place) 고장의 수호신; 고장의 기풍(氣風).
Gen·o·a[dʒénouə] *n.* 이탈리아 북서부의 주; 그 주도.
gen·o·cide[dʒénəsàid] *n.* Ⓤ《美》 (인종·국민의 계획적) 몰살, 민족 섬멸.
Gen·o·ese[dʒènouí:z] *a., n.* (*pl.* ～) Ⓒ Genoa의 (사람).
gen·o·type[dʒénətàip] *n.* Ⓒ 〖生〗 유전형, 인자형; 공통 유전형을 갖는 개체군.
gen·re [ʒɑ́:nrə] *n.* (F. =kind; manner) Ⓒ 유형, 양식, 장르; 《美》 풍속화.
gens[dʒenz] *n.* (*pl.* ***gentes***[dʒénti:z]) Ⓒ (고대 로마의) 씨족, 일족.
gent[dʒent] *n.* Ⓒ 《口》 신사, 사이비 신사. 「tlemen.
Gent., gent. gentleman; gen-
˙**gen·teel**[dʒentí:l] *a.* ① 지체 높은, 품위 있는, 우아한; 예의바른. ② 멋진, 현대적인. ③ 점잖은 체하는. **～·ism**[-izəm] *n.* Ⓒ 고상한〔점잖은〕 말. ～**·ly** *ad.*
gen·tian[dʒénʃiən] *n.* Ⓤ 〖植〗 용담속(屬)의 식물.
˙**gen·tile, G-**[dʒéntail] *n., a.* Ⓒ 〖聖〗 (유대인측에서 본) 이방인(의), 이교도(의).
gen·til·i·ty[dʒentíləti] *n.* Ⓤ 지체 높음; 품위, 예절바름; 점잔 빼기; 《집합적》 상류층 사람들.
†gen·tle[dʒéntl] *a.* ① 상냥한, 온화한, 얌전한. ② 지체 높은. ③ 품위 있는. ～ ***and simple*** (상하) 귀천. ***the ～ sex*** 여성. ── *n.* Ⓒ 《古》 양갓집 사람; (낚싯밥의) 구더기. ── *vt.* (말 따위를) 길들이다. **:gén·tly** *ad.* ˙～**·ness** *n.*
géntle bréeze 〖氣〗 산들바람.
géntle·fòlk *n.* 《집합적; 복수 취급》 양가의〔신분이 높은〕 사람들.
†gen·tle·man[-mən] *n.* Ⓒ ① 신사; 지체 높은〔점잖은〕 사람. ② 남자, 남자분. ③ 종복(從僕). ④ 수입은 있지만 직업이 없는 남자, 유한 계급. ⑤ (*pl.*) 《단수 취급》 남자용 변소. ***～ at large*** 무직자. ***～ of fortune*** 해적; 모험가; 협잡꾼. ***my ～*** (지금 말한) 그치, 그 남자. **～·like, ～·ly** *a.* 신사적인.
gentleman's 〔**gentlemen's**〕 **agreement** 신사 협정〔협약〕.
géntleman-at-árms *n.* Ⓒ 《英》 (국왕의) 호위관.
géntleman fármer (*pl.* ***-men farmers***) 《英》 (지방의) 호농(豪農); 취미로 농업을 하는 신사.
géntleman's〔**-men's**〕 **agréement** 신사 협정.
géntleman's géntleman 종복(從僕).
géntle·wòman *n.* Ⓒ 귀부인, 숙녀; 귀부인의 시녀.
˙**gen·try**[dʒéntri] *n.* (보통 the ～) 《복수 취급》 (영국에서는 귀족 다음 가는) 상류 계급; 《蔑》 패거리. ***the light-fingered ～*** 소매치기들.
gen·u·flect[dʒénjuflèkt] *vi.* (특히 예배볼 때) 무릎을 굽히다; 무릎 꿇고 절하다. **-flec·tion,** 《英》 **-flex·ion** [⌐-flékʃən] *n.*
:gen·u·ine[dʒénjuin] *a.* 순수한; 진실의, 진짜의; 성실한. ˙～**·ly** *ad.*
˙**ge·nus**[dʒí:nəs] *n.* (*pl.* ***genera***

[dʒénərə], ~es) Ⓒ ① 〖生〗 속(屬) 《보기: 고양이의 학명 *Felis catus*의 *Felis*》. ② 종류. ③ 〖論〗 유(類), 유개념.

Geo. George.

ge·o-[dʒíːou, -dʒíə] '지구, 토지'의 뜻의 결합사.

gèo·botány *n.* Ⓤ 식물 지리학.

gèo·céntric *a.* 〖天〗 지구를 중심으로 하는〔하여 측정한〕.

gèo·chémistry *n.* Ⓤ 지구 화학.

ge·od·e·sy[dʒiːádəsi/-ɔ́d-], **ge·o·det·ics**[dʒìːoudétiks] *n.* Ⓤ 측지학(測地學). **ge·o·des·ic**[dʒìːoudésik], **ge·o·det·ic**[dʒìːoudétik] *a.*

ge·og·ra·phy[dʒiːágrəfi/dʒiɔ́g-] *n.* ① Ⓤ 지리학. ② (the ~) 지리; 지세(地勢) 지형. ③ Ⓒ 지지(地誌), 지리학 책. ***-pher** *n.* ***ge·o·graph·ic**[dʒìːəgrǽfik/dʒiə-], **-i·cal**[əl] *a.* **-i·cal·ly** *ad.*

geol. geologic(al); geology.

ge·ol·o·gy[dʒiːálədʒi/dʒiɔ́l-] *n.* Ⓤ 지질학; 지질. ***-gist** *n.* ***ge·o·log·ic**[dʒìːəládʒik/dʒiəlɔ́-], **-i·cal** [-əl] *a.* **-i·cal·ly** *ad.*

geom. geometric(al); geometry.

gèo·magnétic *a.* 지자기(地磁氣)의. **-mágnetism** *n.* Ⓤ 〖理〗 지자기; 지자기학.

gèo·médicine *n.* Ⓤ 환경 의학, 지리적 의학.

ge·om·e·ter[dʒiːámitər/dʒiɔ́mi-] *n.* Ⓒ 기하학자; 〖蟲〗 자벌레.

***ge·o·met·ric**[dʒìːəmétrik/dʒiə-], **-ri·cal**[-əl] *a.* 기하(학)적인. **-ri·cal·ly** *ad.*

geométric(al) progréssion 〔**séries**〕 〖數〗 기하〔등비〕 급수.

ge·om·e·tri·cian [dʒiːàmitríʃən, dʒìːə-/dʒìə-] *n.* Ⓒ 기하학자.

ge·om·e·try [dʒiːámətri/dʒiɔ́m-] *n.* Ⓤ 기하학; Ⓒ 기하학 책. ***analytic*** ~ 해석 기하학. ***Euclidean*** ~ 유클리드 기하학. ***plane*** 〔***solid, spherical***〕 ~ 평면〔입체, 구면〕 기하학.

Ge·o·phone[dʒíːəfòun] *n.* Ⓒ 〖商標〗 지중 청음기.

ge·o·phys·ics[dʒìːoufíziks] *n.* Ⓤ 지구 물리학. **-i·cal**[-kəl] *a.* 지구 물리학(상)의. **-i·cist** *n.*

gèo·pólitics (<G.) *n.* Ⓤ 지정학(地政學).

ge·o·ram·a[dʒìːərǽmə/-ráːm-] *n.* Ⓒ 지오라마《돔식 파노라마》.

George[dʒɔːrdʒ] *n.* 《英》 (가터 훈장에 딸린) St. George 보석상(像) 《용을 퇴치하는 모습의》; 《口》 〖空〗 자동 조종 장치. ***by*** ~ 정말; 저런 《맹세 또는 감탄》. ***St.*** ~ 잉글랜드의 수호(守護) 성인.

Géorge Cròss 《英》 조지 훈장 《George Ⅵ 때 제정(1940)》.

Geor·gétte (crèpe) [dʒɔːrdʒét(-)] *n.* Ⓤ 〖商標〗 조젯《얇은 본견 크레이프》.

***Geor·gia**[dʒɔ́ːrdʒə/-dʒjə] *n.* (미국 남부의) 조지아주; 그루지야《소련 남부의 한 지방》. **~n** *a., n.* Ⓒ Georgia 의 (사람); Ⓤ 그루지야어(語); (영국의) 조지(왕조) 시대(조지 Ⅰ-Ⅳ)의; 조지 5세 시대의.

gèo·státionary *a.* (인공 위성이) 지구에서 보아 정지하고 있는.

geostátionary òrbit (인공 위성의) 정지 궤도.

ge·o·ther·mal[dʒìːouθə́ːrməl] *a.* 지열의.

ge·o·ther·mic[-θə́ːrmik] *a.* =⇧.

ge·ot·ro·pism [dʒiːátrəpìzəm/dʒiɔ́-] *n.* Ⓤ 〖生〗 굴지성(屈地性).

Ger. German(y). **ger.** gerund.

ge·ra·ni·um[dʒəréiniəm, -njəm] *n.* Ⓒ 〖植〗 제라늄, 양아욱; Ⓤ 선홍색.

ger·fal·con[dʒə́ːrfɔ̀ːlkən, -fæ̀l-] *n.* Ⓒ (아이슬란드·북극 부근의) 송골매의 일종.

ger·i·at·ric[dʒèriǽtrik] *a.* 노인병의; 고연령(층)의, 노인의.

ger·i·a·tri·cian[dʒèriətríʃən] *n.* Ⓒ 노인병 학자〔전문의〕.

ger·i·at·rics[dʒèriǽtriks] *n.* Ⓤ 노인병학.

germ**[dʒəːrm] *n.* ① Ⓒ 배종(胚種), 어린 싹. ② Ⓒ 병원균, 세균. ③ (the ~) 싹틈, 근원. ***in ~ 미발달(상태)로. — *vi.* 발아하다.

†**Ger·man**[dʒə́ːrmən] *a., n.* 독일(사람·어)의; Ⓒ 독일 사람; Ⓤ 독일어. ***High*** ~ 고지 독일어《독일 표준어》. ***Low*** ~ 저지 독일어《네덜란드어 등을 포함한 북부 독일 방언》. ***Old High*** ~ 고대 고지 독일어《800-1100년 경의》.

ger·man [dʒə́ːrmən] *a.* 같은 (조)부모의〔에서 나온〕.

Gérman Democrátic Repúblic 구 동독(East Germany).

ger·mane[dʒəːrméin] *a.* 밀접한 관계가 있는; 적절한(pertinent) (*to*).

Ger·man·ic[dʒəːrmǽnik] *a.* 독일(민족)의; 게르만〔튜턴〕(어)족의. — *n.* Ⓤ 게르만〔튜턴〕어. ***East*** ~ 동(東)게르만어《코트어(Gothic) 등》. ***North*** ~ 북게르만어《Scandinavia의 여러 말》. ***West*** ~ 서(西)게르만어《영·독·네덜란드·프리지아어 등》.

ger·ma·ni·um[dʒəːrméiniəm] *n.* Ⓤ 〖化〗 게르마늄《희금속 원소, 트랜지스터의 재료; 기호 Ge》.

Gérman méasles 〖醫〗 풍진.

Gérman shépherd (dòg) 독일종 셰퍼드《경찰견》.

Gérman sílver 양은(洋銀).

Gérman téxt 게르만체〔장식〕 문자(文字)《Hitler는 이를 장려했음》.

†**Ger·ma·ny**[dʒə́ːrməni] *n.* 독일《공식 명칭은 the Federal Republic of Germany》.

gérm cèll 〖生〗 생식 세포.

ger·mi·cide[dʒə́ːrməsàid] *n., a.* Ⓤ,Ⓒ 살균제; 살균력이 있는. **-cid·al** [⌐-sáidl] *a.*

ger·mi·cul·ture[-kʌ̀ltʃər] *n.* Ⓤ 세균 배양.

ger·mi·nal[dʒə́ːrmənəl] *a.* 어린

싹〔배종(胚種)〕의; 초기〔원시〕의.

*__ger·mi·nate__[-nèit] *vi., vt.* 싹트다, 싹트게 하다, 발아하다〔시키다〕. **-nant** *a.* **-na·tion**[ㅗ-néiʃən] *n.*

gérm wárfare 세균전.

ger·on·tol·o·gy [dʒèrəntάlədʒi/-ɔntɔ́l-] *n.* Ⓤ 노인병학, 장수학(長壽學). **-gist** *n.*

ger·ry·man·der[dʒérimæ̀ndər, gér-] *vt., n.* Ⓒ《美》(선거구를) 자당(自黨)에 유리하게 고치다〔고치기〕; 부정하게 손을 대어 고치다〔고치기〕.

Gersh·win[gə́:rʃwin], **George** (1898-1937) 미국의 작곡가.

⁑**ger·und**[dʒérənd] *n.* Ⓒ〖文〗동명사. **ge·run·di·al**[dʒərʌ́ndiəl] *a.*

Ge·stalt[gəʃtά:lt] *n.* (G.) Ⓒ〖心〗형태.

Gestált psychólogy 형태 심리학.

Ge·sta·po[gəstά:pou/ge-] *n.* (G.) (the ~)《단·복수 취급》(나치스의) 비밀 경찰. 「(기간).

ges·ta·tion[dʒestéiʃən] *n.* Ⓤ 임신

ges·tic·u·late[dʒestíkjəlèit] *vi., vt.* 손〔몸〕짓으로 나타내다. **-la·tion**[-ㅗ-léiʃən] *n.*

⁑**ges·ture**[dʒéstʃər] *n.* ① Ⓤ,Ⓒ 몸짓, 손짓. ② Ⓒ 태도, 거동《암시적 의사 표시가 포함된》; 선전적 행위, 제스처.

†**get**[get] *vt.* (**got,**《古》**gat; got,**《美·古》**gotten; -tt-**) ① 얻다, 취하다; 잡다; (전화에) 불러 내다; 달하다; 손에 넣다, 사다; (병에) 걸리다. ② 가져오다〔가다〕; (식사의) 준비를 하다. ③ (동물이 새끼를) 낳다. ④ 때리다; 곤란케 하다; 해치우다,《美口》죽이다. ⑤《口》이해하다. ⑥《口》먹다. ⑦ (어떤 상태로) 만들다. ⑧《~ +O+p.p.의 형으로》…시키다, …하게 하다, …하여지다. — *vi.* ① 도착하다. ② 벌다, 이익을 얻다. ③《~ +*a.*〔p.p.〕의 형으로》…이 되다, …당하다. ④ …하기 시작하다;《美》그럭저럭 …하다. **~ *about*** 돌아다니다; (완쾌되어) 기동하다; (소문이) 퍼지다. **~ *across*** 건너다; 성공하다;《口》상대방에게 통하다〔이해되다〕. **~ *ahead*** 나아가다, 진보하다; 출세하다. **~ *along*** 지내다; 사이좋게 해나가다; 나아가다, 성공하다; 가다, 떠나다. ***G- along with you!***《口》가버려라; 바보 소리 작작 해! **~ *around*** 돌아다니다; (소문이) 퍼지다; 회피하다; 압도하다, (…에) 이기다; 속이다. **~ *at*** 도달하다; 찾아내다;《口》매수하다;《俗》공격하다;《口》놀리다; 속이다; 양해하다. **~ *away*** 떠나다, 나가다; (…을) 갖고 도망가다(*with*); 처치하다, 죽이다(*with*). **~ *away with it*** (벌받지 않고) 잘 해내다. **~ *back*** 되돌아오다; 되찾다;《俗》대갚음하다(*at, on*). **~ *behind*** 남에게 뒤지다; 회피하다; …의 내막을 꿰뚫어 보다; 지지〔후원〕하다. **~ *better*** (병 따위가) 나아가다. **~ *by*** 통과하다;《口》무사히 빠져나가다. **~ *down*** 내리다; 내려놓다; 마셔버리다;《美》점점 싫어지다(*on*). ~ EVEN[1] **with. ~ *in*** 들어가다, 타다; 도착하다; 거둬들이다; 징수하다; (씨를) 뿌리다; 당선하다;《口》(…와) 친해지다(*with*). **~ *into*** …의 속에 들어가다〔넣다〕; …을 입다, 신다; (습관 따위)에 빠지다; (술이) 오르다; …을 연구하다; …을 조사하다. **~ *it***《口》벌을 받다, 꾸지람 듣다;《口》이해하다. ~ NOWHERE. **~ *off*** (우편물을) 내다; 면하다; 구해내다; (말에서) 내리다; (농담 따위를) 하다; 외다; 출발하다; 벗다;《주로 英》연애 관계를 맺다(*with*). **~ *on*** …에 타다; 나아가다(*with*); 성공하다; 지내다; 친하게 하다; 입다, 신다. **~ *on in the*** WORLD. **~ *out*** 내리다; 뽑아내다; 새다; 알려지다; 찾아내다; 도망치다; 구해내다; (…에서) 나오다, 나가다(*of*). **~ *over*** 넘다; 이겨내다; (병자가) 회복하다; 용서하다; 잘 알아듣게 말하다;《俗》꼭 뒤지르다;《美俗》성공하다. ~ READY. **~ *round*** 속이다, (용케) 면하다; 완쾌하다. ***G- set!*** (경주에서) 준비《신호총을 안 쓸 경우: *G- set, go!*라고 구령함》. **~ *there*** 목적을 이루다. **~ *through*** 끝내다, (…을) 해내다, 완성하다(*with*); 통과하다; 목적지에 달하다; (시험에) 합격하다. **~ *to*** …에 닿다, …에 착수하다; …에 영향을 주다. **~ *together*** 모으다, 모이다; 타결하다. **~ *under*** 이겨내다, 누르다; 가라앉히다; 불을 잡다. **~ *up*** 일어나다; 일어서다; (불·바람·바다가) 거세어지다, 거칠어지다; 날아가다; 준비하다, 계획〔기초〕하다; 갖추다, 꾸미다(*~ oneself up*);《명령형으로》앞으로!《말에게》. ~ WELL[2]. ***have got***《口》갖고 있다. ***have got to*** (*go*) (가지) 않으면 안되다. — *n.* Ⓒ (동물의) 새끼; (테니스 따위에서) 치기 어려운 공을 잘 받아 넘김.

get·at·a·ble[getǽtəbəl] *a.* 도달할〔손에 넣을〕수 있는, 접근하기 쉬운.

gét·awày *n.* (*sing.*) 도망; 스타트, (경주의) 출발.

Geth·sem·a·ne[geθséməni] *n.* 겟세마네《예루살렘 동쪽의 동산; 예수 수난의 땅》. 「의.

gèt-rìch-quíck *a.*《美》일확 천금

gét-togèther *n.* Ⓒ《美口》친목회, (비공식의) 회합.

Get·tys·burg [gétizbə̀:rg] *n.* Pennsylvania주의 시《남북 전쟁의 싸움터; Lincoln의 '~ *Address*'로 유명》.

gét·ùp *n.* Ⓒ《口》몸차림; (책의) 장정; Ⓤ《美》창의; 정력.

gét-ùp-and-gó *n.* Ⓤ《口》패기, 열의, 적극성.

gew·gaw[gjú:gɔ:] *a., n.* Ⓒ 값싸고 번지르르한 (물건); 장난감.

gey·ser[gάizər, -s-] *n.* Ⓒ 간헐천(間歇泉), 분천(噴泉); [gí:zər]《英》자동 온수 장치.

g. gr. great gross, 12그로스(=

G

1728개). **GHA** 〖海〗 Greenwich hour angle.
Gha·na[gá:nə] *n.* 서아프리카의 공화국《수도 Accra》. **~·ian**[gɑ:néiən], **-ni·an**[gá:niən] *a., n.* 가나의; Ⓒ 가나 사람(의).
*__ghast·ly__[gǽstli, -á:-] *a., ad.* ① 핼쑥한[하게], 송장[유령] 같은[같이]; 파랗게 질린[질려]; 무시무시한[하게]. ② 지독한. **-li·ness** *n.*
gher·kin[gə́:rkin] *n.* Ⓒ 작은 오이.
ghet·to[gétou] *n.* (*pl.* **~s, -ti**[géti:])(It.) Ⓒ 유대인 거리; (특정 사회 집단) 거주지; 《美》 빈민가.
ghétto blàster 《俗》 대형 휴대용 라디오, (스테레오) 라디오.
:__ghost__[goust] *n.* Ⓒ ① 유령; 망령. ② 환영, 환상. ③ 〖TV〗 =GHOST IMAGE. ④ 근소한 가능성. ⑤ 《美口》 =GHOSTWRITER. ***give up the ~*** 죽다. ***have not the ~ of*** (*chance*) 조금(의 가망)도 없다. ***Holy G-*** 성령. ***The ~ walks.*** 유령이 나온다; 《劇場俗》 급료(給料)가 나온다[나왔다]. ── *vt., vi.* (…을) 따라 다니다; 《美口》 =GHOSTWRITE. **∠·like** *a.* 유령 같은, 무시무시한. * **∠·ly** *a.* 유령의[같은]; 영(靈)[종교]적인(*a ~ly father* 목사).
ghóst ìmage 〖TV〗 다중상(多重像).
ghóst stòry 괴담; 꾸며낸 이야기.
ghóst sùrgery (환자에게 알리지 않고 행하는) 대리 외과 의사의 수술.
ghóst tòwn 유령 도시《전쟁·기근·불경기 따위로 주민이 떠난 도시》.
ghóst·wrìte *vt., vi.* (**-wrote; -written**) 《美口》 대작(代作)을 하다. **-wrìter** *n.* Ⓒ 대작자.
ghoul[gu:l] *n.* Ⓒ (무덤 속의 시체를 먹는) 악귀.
G.H.Q. General Headquarters.
GHz gigahertz.
GI, G.I. [dʒí:ái] (<Government Issue, or General Issue) *a.* 관급의; 《口》 규정[표준형]의(*a ~ dress*); 군대식의(*the ~ cut* 군대식 이발). ── *n.* (*pl.* **G.I.'s, GI's**) Ⓒ 《美口》 병(사). **~ *Jane*** [***Joan***] 《美俗》 여군 병사. **~ *Joe*** 《美俗》 미군 병사.
gi. gill(s).
:__gi·ant__[dʒáiənt] *n., a.* Ⓒ 거인; 위인; 거대한.
gíant·pówder *n.* 다이너마이트의 일종.
gíant sequóia =BIG TREE.
gíant('s) strìde 회전 그네.
gíant stár 〖天〗 거성(巨星)《직경과 광도가 현저하게 큰 항성》.
giaour[dʒauər] *n.* Ⓒ 이단자《기독교도에 대한 이슬람교도의 멸칭(蔑稱)》.
Gib. Gibraltar.
gib·ber[dʒíbər, gíb-] *vi., n.* Ⓤ 횡설수설(하다).
gib·ber·ish[dʒíbəriʃ, gíb-] *n.* Ⓤ 횡설수설, 뭔지 알 수 없는 말.
gib·bet[dʒíbit] *n., vt.* Ⓒ (사형수의) 교수대; 교수형에 처하다; (공공연히) 망신 주다.
gib·bon[gíbən] *n.* Ⓒ 〖動〗 (인도의) 긴팔원숭이.
gib·bous[gíbəs] *a.* 철면(凸面)의 (convex); (달이) 반달보다 큰; 꼽추의. **gib·bos·i·ty**[gibásəti/gibɔ́-] *n.* Ⓒ 볼록하게 솟음; Ⓤ 볼록 모양.
gibe[dʒaib] *n., vt., vi.* Ⓒ 조롱(하다)(*at*). **gib·er**[∠ər] *n.*
gib·let[dʒíblit] *n.* (*pl.*) (닭·거위 등의) 내장; 찌꺼기.
Gi·bral·tar[dʒibrɔ́:ltər] *n.* 지브롤터《스페인 남단의 항구 도시》.
*__gid·dy__[gídi] *a.* 현기증 나는; 들뜬. ── *vt.* 현기증 나게 하다. **-di·ly** *ad.* **-di·ness** *n.*
Gide[ʒi:d], **André** (**Paul Guillaume**)(1869-1951) 프랑스의 소설가·평론가《Nobel상 수상(1947)》.
Gid·e·on [gídiən] *n.* 〖聖〗 유대의 용사. ***the ~s*** 《美》 국제 기드온 협회《1899년 설립된 성서 기증 협회》.
:__gift__[gift] *n.* Ⓒ ① 선물, 기증품. ② 천분, 재능. ── *vt.* ① 선사하다. ② (재능을) 부여하다(*with*). * **~·ed** [∠id] *a.* 천부의 재주가 있는; 수재의.
gíft·bòok *n.* Ⓒ 증정본, 기증본.
gíft certìficate [**còupon**] 《美》 상품[경품]권.
gíft hòrse 선물로 주는 말. ***Don't*** [***Never***] ***look a ~ in the mouth.*** 선물 받은 물건을 흠잡지 마라《말은 이를 보면 나이를 알 수 있는 데서》.
gíft tàx 증여세.
gíft-wràp *vt.* (리본 따위로) 예쁘게 포장하다.
gig[gig] *n.* Ⓒ (한 필이 끄는) 2륜 마차; (돛이나 노를 쓰는) 가벼운 보트; (배에 실은) 소형 보트.
gig·a-[dʒígə, gígə] '10억, 무수'의 뜻의 결합사.
gíga·bìt *n.* Ⓒ 〖컴〗 기가비트《10억 비트 상당의 정보 단위》.
gíga·bỳte *n.* Ⓒ 〖컴〗 기가바이트, 10억 바이트.
gíga·hèrtz *n.* Ⓒ 〖電〗 기가헤르츠, 10억 헤르츠.
*__gi·gan·tic__[dʒaigǽntik] *a.* 거인 같은; 거대한.
gíga·tòn *n.* Ⓒ 기가톤《10억 톤 TNT의 폭발력에 상당》.
*__gig·gle__[gígəl] *vi., n.* Ⓒ 낄낄거리다[거림], 킥킥 웃다[웃음].
gíg làmps 《俗》 안경.
gig·o·lo[dʒígəlòu, ʒíg-] *n.* (*pl.* **~s**) Ⓒ 남자 직업 댄서; 기둥 서방, (매춘부의) 정부(情夫).
Gí·la mónster[hí:lə-] (미국 남부산) 독도마뱀《약 45cm》.
Gil·ber·ti·an[gilbə́:rtiən] *a.* (영국의 희가극 작가) Gibert식의; 우스운, 앞뒤가 닿지 않고 익살맞은.
*__gild__[1][gild] *vt.* (**~ed, gilt**) ① (…에) 금(박)을 입히다, 금도금하다; 금빛으로 물들이다. ② 실물보다 아름답게 꾸미다; 장식하다. ***~ the pill*** 환약을 금빛으로 칠하다; 싫은 것을 보기 좋게 만들다. **∠·ed** *a.* 금도금한; 부자의. ***~ed youth*** 귀공자. ***the Gilded Chamber*** 《英》 상원. **∠·ing** *n.* Ⓤ 금도금 (재료); 장식.

gild²[gild] *n.* =GUILD.
Gílded Áge, the (미국 남북 전쟁 후의) 대호황 시대.
Gil·de·roy[gíldərɔ̀i] *n.* 《다음 성구로》 ***higher than ~'s kite*** 《美口》 터무니없이 높은.
*__gill¹__[gil] *n.* Ⓒ (보통 *pl.*) (물고기의) 아가미.
gill²[dʒil] *n.* Ⓒ 질《액량 단위 : 1/4 파인트》.
gil·lie[gíli] *n.* Ⓒ 《Sc.》 시종; 하인.
gil·ly·flow·er[dʒíliflàuər] *n.* Ⓒ 비단향꽃무《4·5월경 자줏빛꽃이 핌》.
*__gilt__[gilt] *v.* gild¹의 과거(분사). — *a., n.* 금도금한; Ⓤ 금박, 금분, 금니(金泥).
gílt-èdged *a.* 금테의; (어음·증권 따위) 확실한.
gim·bals[dʒímbəlz, gím-] *n. pl.* 수평 유지 장치; 〖海〗 (나침반의) 칭평환(稱平環).
gim·crack[dʒímkræ̀k] *a., n.* Ⓒ 싸고 허울만 좋은 (물건).
gim·let[gímlit] *n., vt.* Ⓒ T자형 나사송곳(으로 구멍을 뚫다).
gímlet-èyed *a.* 눈이 날카로운.
gim·me[gími] 《口》 =GIVE me. — *n.* (the ~s) 《俗》 탐욕; 물욕.
gim·mick[gímik] *n.* Ⓒ 《美俗》 (요술장이의) 비밀 장치, 트릭.
gimp[gimp] *n.* Ⓒ 레이스로 꾸민 옷단; (철사 넣은) 장식 끈; 가선.
*__gin¹__[dʒin] *n.* Ⓤ,Ⓒ 진《증류주》.
gin² *n., vt.* (*-nn-*) Ⓒ 기중기; 씨아(로 씨를 빼다); 덫(으로 잡다).
gin³[gin] *v.* (*-nn-*) 《古》 =BEGIN.
gín fízz[dʒín-] 진피즈《진에 탄산수·레몬을 탄 음료》.
*__gin·ger__[dʒíndʒər] *n.* Ⓤ ① 생강. ② 《口》 원기; 활력. ③ 고동색.
gínger ále [**bèer**] 생강을 넣은 청량 음료의 일종.
gínger·brèad *n., a.* Ⓤ,Ⓒ 생강이 든 빵; Ⓤ 싸구려, 값싼 (장식).
gínger gròup 《英》 (정당 따위 조직 내부의) 혁신파.
gin·ger·ly[-li] *a., ad.* 주의 깊은〔깊게〕.
gínger·snàp *n.* Ⓤ,Ⓒ (얇고 바삭바삭한) 생강이 든 쿠키.
gin·ger·y[-ri] *a.* 생강의; 생강 같은; 얼얼한, 매운; 성마른.
ging·ham[gíŋəm] *n.* Ⓤ 깅엄《줄무늬 따위가 있는 무명》; Ⓒ 《英口》 = UMBRELLA.
gink[giŋk] *n.* Ⓒ 《美俗》 놈, 사내; 기인(奇人).
gink·go, ging·ko[gíŋkou] *n.* (*pl.* ~*es*) Ⓒ 〖植〗 은행나무.
gínkgo nùt 은행.
gín mìll[dʒín-] 《美俗》 싸구려 술집.
gín rúmmy[dʒín-] 둘이서 하는 카드 놀이의 일종.
gin·seng[dʒínseŋ] *n.* Ⓒ 인삼.
Gio·con·da[dʒoukɑ́ndə/-ɔ́-], **La** 모나리자(Mona Lisa)의 초상화.
Giot·to[dʒɑ́tou/-ɔ́-] (1266?-1337) 르네상스 이전의 이탈리아 최대의 화가·건축가.
gíp·py túmmy[dʒípi-] 《英口》 열대 지방 여행자가 걸리는 설사.
*__Gip·sy, g-__[dʒípsi] *n.* =GYPSY.
:__gi·raffe__[dʒəræ̀f/dʒirɑ́:f] *n.* Ⓒ 〖動〗 기린, 지라프.
*__gird__[gə:rd] *vt.* (*~ed, girt*) ① 허리띠로 졸라매다. ② (…을) 허리에 두르다, 몸에 붙이다, 허리에 차다. ③ (권력 따위를) 부여하다(*with*). ④ 둘러싸다. ~ ***oneself,*** or ~ (***up***) ***one's loins*** 단단히 허리띠를 죄다〔태세를 갖추다, 긴장하다, 준비하다〕.
gird·er[gə́:rdər] *n.* Ⓒ 〖建〗 도리; 대들보; 거더.
*__gir·dle__[gə́:rdl] *n., vt.* ① Ⓒ 띠(로 두르다, 감다); 거들《고무가 든 단단한 코르셋의 일종》; 두르는〔싸는〕 것. ② 둘러싸다; (…의) 나무껍질을 고리 모양으로 벗기다.
†__girl__[gə:rl] *n.* Ⓒ ① 계집아이. ② 소녀, (미혼의) 젊은 여자, 숫처녀. ③ 하녀. ④ 《口》 =SWEETHEART; 《口》 《一般》 여자. **∠·ish** *a.*
gírl Fríday (무엇이든 잘 처리해주는) 여사무원, 여비서.
:__gírl frìend__ 걸프렌드, 여자 친구.
*__girl·hood__[∠hùd] *n.* Ⓤ 소녀임, 소녀 시절; 《집합적》 소녀들.
girl·ie[∠i] *n.* Ⓒ 소녀, 아가씨.
gírl scòut [《英》 **gúide**] 소녀단원.
Gírl Scòuts [《英》 **Gùides**], **the** 소녀단.
Gi·ro[dʒáirou/dʒáiər-] *n.* Ⓒ 《英》 은행〔우편〕 대체(對替) 제도.
Gi·ronde[dʒərɑ́nd/-ɔ́-] *n.* (F.)(the ~) (혁명 당시의) 지롱드당, 온건파 (cf. Jacobin). **Gi·rón·dist** *n., a.*
*__girt__[gə:rt] *v.* gird의 과거(분사).
girth[gə:rθ] *n.* Ⓒ (말의) 뱃대끈; 띠; Ⓤ,Ⓒ 둘레의 치수《가슴둘레 따위》. — *vt., vi.* 뱃대끈을〔으로〕 졸라매다; 치수가 …이다.
Gis·card d'Es·taing [ʒi:skɑr dɛstɛ̃], **Valéry**(1926-) 프랑스 대통령(1974-81).
gis·mo[gízmou] *n.* =GIZMO.
Gis·sing[gísiŋ], **George Robert** (1857-1903) 영국의 소설가.
*__gist__[dʒist] *n.* (the ~) 요점, 본질, 골자; 〖法〗 주요 소인(訴因).
†__give__[giv] *vt.* (***gave; given***) ① 주다; 선사하다; 공급하다; 건네다, 맡기다; 치르다; 바치다, 몰두시키다. ② (말을) 전하다; (병을) 옮기다; 양보하다. ③ 산출하다, 내다, 발하다; ((목)소리를) 내다, 말하다. ④ (회를) 열다; (강연을) 하다; 진술하다; 묘사하다; (이유·예 따위를) 들다. ⑤ (손을) 내밀다. — *vi.* ① 자선〔기부〕하다; 굴복〔양보〕하다. ② (빛이) 바래다, 날다; 약해지다, 무너지다; (얼음이) 녹다. ③ (창·복도가) …쪽을 향〔면〕하다(*upon*), 통하다(*into, on*). ~ ***about*** 배포하다, (소문 따위를) 퍼뜨리다. ~ ***again*** 갚다, 돌려주다. ~ ***and take*** 서로 양보〔타협〕하다. ~ ***away*** 선사하다; (결혼식에서 신부를) 신랑에게 넘겨주다;

G

《俗》 (무심히) 비밀을 누설하다; 폭로하다(~ *oneself away* 정체를 보이다). ~ **back** 돌려주다, 돌려 보내다; 반향(反響)하다, 움츠리다. ~ **forth** (소리·냄새)를 내다; 퍼뜨리다. ~ **in** 건네어 주다, (서류를) 제출하다; 양보[굴복]하다(*to*). ~ **it** (*a person*) (**hot**) (아무를) 벌하다. ~ JOY. **Give me...** 내게는 차라리 …을 다오; …에게 연결 부탁합니다. ~ **off** 발(산)하다. ~ **oneself up to** …에게 바치다; 몰두[열중]하다. ~ **out** 발표하다; 퍼뜨리다; 분배하다; 할당하다; 발(산)하다; 부족하다, 다 되다; 끝나다. ~ **over** 그만두다, 중지하다, 버리다; 인도하다. ~ (*a person*) **to know** [**understand**] 알게 하다. ~ **up** 내놓다, 포기하다; (죄인을) 인도하다; 그만두다, 단념하다; 헌신하다. ~ WAY[1]. ~ (*a person*) **what for** (아무를) 벌하다, 나무라다. — *n.* Ⓤ 패임; 탄력성; (정신·성격의) 순응성, 유연성.

gíve-and-táke *n.* Ⓤ 공평한 교환; 상호 양보, 타협; 담화[농담]의 응수.

gíve·awày *n.* (a ~) 무심코 지껄여 버림; =∠ **shòw** [**prògram**] (라디오 따위의) 청취자 참가 프로《상품 따위가 붙어 있는》. — *a.* 손해를 각오하고 싸게 파는.

†**giv·en**[gívən] *v.* give의 과거분사. **be ~ to** …에 열중하다. — *a.* 주어진; 이미 알고 있는, 일정[특정]한; 경향을 띠어, 탐닉하여. 「름.

*__gíven náme__ (성(姓)에 대한) 이

giv·er[∠ər] *n.* Ⓒ 주는 사람.

giz·mo[gízmou] *n.* (*pl.* ~**s**) Ⓒ《美口》 뭐라던가 하는 것, 이름도 없는 것; 설비, 장치(gadget).

giz·zard[gízərd] *n.* Ⓒ (새의) 모래주머니; 《口》 (사람의) 위(胃).

Gk. Greek. **Gl** 〖化〗 glucinum.

gla·brous[gléibrəs] *a.* 털 없는, 반들반들한.

gla·cé[glæséi/∠–] *a.* (F.) (천·가죽 따위를) 반들반들하게 만든; 설탕(등)을 입힌[바른](iced).

gla·cial[gléiʃəl/-sjəl] *a.* 얼음(모양)의; 빙하(기)의; 차가운.

glácial èpoch [**pèriod**], **the** 〖地〗 빙하기[시대].

gla·ci·ate[gléiʃièit/glǽsi-, gléisi-] *vt.* 얼리다; 빙하로 덮다. 「하.

gla·cier[gléiʃər, glǽsjər] *n.* Ⓒ 빙

†**glad**[glæd] *a.* (**-dd-**) ① 기쁜. ② (표정·소리 따위가) 기쁜 듯한; 유쾌한, (듣기만 해도) 기쁜. (**give**) **the ~ eye** 《俗》 추파(를 던지다). ⁑∠**·ly** *ad.* *∠**·ness** *n.* 「다; 기뻐하다.

glad·den[glǽdn] *vt., vi.* 기쁘게 하

glade[gleid] *n.* Ⓒ 숲속의 빈 터.

glád hànd 《口》 환영(의 손).

glad·i·a·tor[glǽdièitər] *n.* Ⓒ (옛 로마의) (직업적) 검투사(劍鬪士); 논객. **-to·ri·al**[∸iətɔ́:riəl] *a.*

glad·i·o·lus [glæ̀dióuləs] *n.* (*pl.* ~**es, -li**[-lai]) Ⓒ 〖植〗 글라디올러스.

glád ràgs 《俗》 나들이옷; 야회복.

glad·some[glǽdsəm] *a.* 《詩》 기쁜, 즐거운.

Glad·stone[glǽdstòun, -stən], **William E.**(1809-98) 영국의 정치가; =∠ **bàg** 소형 여행 가방의 일종.

glair[glɛər] *n., vt.* Ⓤ 알의 흰자위(를 바르다).

glam·or·ize[glǽməràiz] *vt.* 매력을 갖추게 하다, 돋보이게 하다.

*__glam·o(u)r__[glǽmər] *n.* Ⓤ 마법, 마술; 마력; 매력. — *vt.* 매혹하다.

glám·or·ous *a.* 「는 청년[여자].

glámour bòy [**gìrl**] 성적 매력 있

⁑**glance**[glæns, -ɑ:-] *n.* Ⓒ ① 흘긋 봄, 별견(瞥見), 일견(*at, into, over*). ② 흘긋《눈짓》, 번쩍임, 번득임; 스침. **at a** [**the first**] ~ 일견하여, 잠깐 보아서. **cast** [**throw**] **a** ~ 흘긋 보다(*at*). — *vi.* ① 흘긋 보다, 일견하다, 훑어보다(*at, over*). ② 번쩍 빛나다. ③ (이야기가) 잠깐 언급[시사]되다; (이야기가) 옆길로 새다(*off, from*). ④ (탄환·창 따위가) 스치고 지나가다, 빗나가다(*aside, off*). — *vt.* 잠깐' (훑어)보다; 흘긋 돌리다; 슬쩍 비꼬다.

*__gland__[glænd] *n.* Ⓒ 〖解〗 선(腺).

glan·du·lar[glǽndʒələr], **glan·du·lous**[-ləs] *a.*

glan·ders[glǽndərz] *n. pl.* 비저병《말의 전염병》.

⁑**glare**[glɛər] *n.* ① Ⓤ 번쩍이는 빛, 눈부신 빛. ② Ⓤ 야함, 현란함. ③ Ⓒ 날카로운 눈씨. — *vi., vt.* ① 번쩍번쩍[눈부시게] 빛나다[비추다]; 눈에 띄다. ② 노려[흘겨]보다.

*__glar·ing__[glɛ́əriŋ] *a.* ① 번쩍번쩍 빛나는; 눈부신. ② 야한; 눈에 띄는. ③ 명백한. ④ 흘겨보는.

glar·y[∠i] *a.* =GLARING.

*__Glas·gow__[glǽsgou, -kou] *n.* 스코틀랜드 남서부의 항구 도시.

†**glass**[glæs, -ɑ:-] *n.* ① Ⓤ 유리. ② Ⓤ,Ⓒ 유리 모양[질]의 물질. ③ Ⓒ 컵, 글라스; 한 컵의 양; 술. ④ Ⓒ 거울, 창유리. (시계의) 유리면(面); 렌즈; 망원경; 현미경; 온도계, 청우계; 모래 시계. ⑤ (*pl.*) 안경, 쌍안경. ⑥ Ⓤ 《집합적》 유리 제품. **under ~** 온실에서 (재배한); 유리장에 (진열된). — *vt.* ① (…에) 유리를 끼우다[로 덮다]. ② 거울에 비추다. ∠**·ful** *n.* Ⓒ 한 컵[잔] 가득.

gláss blòwer [**blòwing**] 유리 부는 직공[기술·작업].

gláss càse 유리를 넣은 상자; [∠∠] 유리 그릇[진열장].

gláss cùlture 온실 재배.

gláss cùtter 유리칼, 유리 절단공.

gláss éye 의안(義眼), 사기눈; (말의) 흑내장(黑內障).

gláss fìber [**fibre**] 유리 섬유.

gláss·hòuse *n.* Ⓒ 유리 공장, 유리 가게; 《英》 온실.

glass·ine[glæsí:n] *n.* Ⓤ 유리 박엽지《책 커버 등에 씀》.

gláss pàper 사포(砂布).

gláss snàke (북아메리카의) 유리뱀, 무족(無足) 도마뱀.
gláss·wàre n. Ⓤ《집합적》유리 그릇〔제품〕, 유리 기구류.
gláss wóol 유리솜, 글라스울《산의 여과, 단열, 방음 따위에 씀》.
gláss·wòrk n. Ⓤ 유리 제조(업); 《집합적》유리 제품; (*pl.*) 유리 공장.
***glass·y**[ˊi] a. 유리질〔모양〕의; 매끄러운; (눈이) 흐린. **gláss·i·ly** *ad.* **gláss·i·ness** *n.*
Glas·we·gi·an[glæswíːdʒiən] *a., n.* Ⓒ Glasgow의 (시민).
glau·co·ma[glɔːkóumə] *n.* Ⓤ〖醫〗녹내장(綠內障).
glau·cous[glɔ́ːkəs] *a.* 녹회색의; 〖植〗(포도처럼) 시설(柿雪)이 덮인.
***glaze**[gleiz] *vt.* ① (…에) 판유리를 끼우다. ② (질그릇에) 유약을 칠하다; (종이·가죽에) 윤을 내다. ③〖料理〗설탕 시럽 따위를 입히다. ── *vi.* 매끄럽게 되다, 윤이 나다; (눈이) 흐려지다. ── *n.* Ⓤ,Ⓒ ① 윤내는 약; (질그릇의) 유약. ②〖料理〗설탕시럽 입히기. ③《美》〖氣〗우빙(雨氷)《빗물이 땅 위에 얼어 붙는 현상》. **~d** *a.* 유약을 바른; 유리를 낀.
gla·zier[gléiʒər/-zjə] *n.* Ⓒ 유리 장수. ***Is your father a ~?***《諧》앞이 보이지 않으니 비켜 주시오(너는 유리로 된 사람이냐).
glaz·ing[gléiziŋ] *n.* Ⓤ 유리 끼우기〔세공〕; 유약 바르기; Ⓒ 유약.
GLC Greater London Council 대런던 시의회.
*__*gleam__[gliːm] *n.* Ⓒ ① 어렴풋한 빛, (새벽 등의) 미광; 번쩍임. ② 희미한 징조. ── *vi.* ① 희미하게 번쩍이다. ② (생각이) 번득이다.
gleam·y[glíːmi] *a.* (미광이) 번득이는; 희미한; 볕나고 비가 오는.
***glean**[gliːn] *vt., vi.* (이삭을) 줍다; (사실 따위를) 조금씩 모으다. **ˊ·er** *n.* Ⓒ 이삭 줍는 사람; (끈기 있는) 수집가. **ˊ·ing** *n.* Ⓤ 이삭 줍기; Ⓒ (주워 모은) 이삭; (보통 *pl.*) 습유(拾遺), 집록(集錄).
glebe[gliːb] *n.* Ⓒ《英》교회 부속지, 성직 영지; Ⓤ《古》땅, 들, 밭.
***glee**[gliː] *n.* Ⓤ 환희, 유쾌; Ⓒ (무반주) 합창곡. **ˊ·ful, ˊ·some** *a.* 유쾌한; 명랑한.
glée clùb 합창단.
glee·man[glíːmən] *n.* Ⓒ《古》음유(吟遊) 시인.
***glen**[glen] *n.* Ⓒ 작은 골짜기; 협곡.
Glen·gar·ry, g-[glengǽri] *n.* Ⓒ 스코틀랜드 사람의 챙 없는 모자.
glib[glib] *a.* (*-bb-*) 유창한; 입담 좋은, 말솜씨가 훌륭한; 행동이 스마트한. **ˊ·ly** *ad.*
*__*glide__[glaid] *vi.* ① 미끄러지(듯 나아가)다; 활주〔활공〕하다. ② (시간이) 나는 듯이 지나다(*by*). ── *vt.* 미끄러지게 하다. ── *n.* Ⓒ 미끄러짐, 활주(면); 활공;《美》=SLUR;〖音聲〗경과음. ***glíd·er** *n.* Ⓒ 미끄러지는 사람〔물건〕; 글라이더, 활공기. **glíd·ing** *n., a.* Ⓤ 활주(하는).
glíde pàth〖空〗활강 진로《지상 레이더가 표시하는 착륙 코스》.
***glim·mer**[glímər] *vi.* 희미하게〔반짝〕빛나다; 어렴풋이 보이다. ── *n.* Ⓒ 미광; 어렴풋함; 어렴풋한 인식, 막연한 생각. ***~·ing** *n., a.* Ⓒ 미광; 희미하게 빛나는; (어렴풋이) 알아차림, 생각나는 일.
*__*glimpse__[glimps] *n.* Ⓒ 흘긋 봄〔보임〕, 일견(一見). ***by ~s*** 흘긋흘긋. ***catch*** 〔***get, have***〕 ***a ~ of*** …을 흘긋 보다. ── *vt., vi.* 흘긋 보(이)다;《古》희미하게 보이다.
***glint**[glint] *vi., vt., n.* 반짝 빛나다〔빛나게 하다〕; Ⓒ 반짝임, 섬광.
glis·sade[glisɑ́ːd, -séid] *n.* Ⓒ ①〖登山〗글리사드, 제동활강《피켈로 평형을 잡으면서 미끄러져내림》. ②〖발레〗글리사드《미끄러지듯 발을 옮김》.
glis·san·do[glisɑ́ːndou] *n., a., ad.* (*pl.* *-di*[-diː])〖樂〗글리산도〔활주법〕의; Ⓒ 활주부.
***glis·ten**[glísn] *vi., n.* (부드럽게) 반짝 빛나다; Ⓒ 빛남, 섬광.
glitch[glitʃ] *n.* Ⓒ《口》(기계 등의) 결함, 고장; 전력의 돌연한 이상.
*__*glit·ter__[glítər] *vi., n.* 반짝반짝 빛나다; Ⓤ 반짝임; 광채; 화려. ***All is not gold that ~s.***《속담》빛나는 것이 다 금은 아니다. ***~·ing** *a.*
glit·te·ra·ti[glìtərɑ́ːti] *n. pl.* (보통 the ~) 부유한 사교계의 사람들.
gloam·ing[glóumiŋ] *n.* (the ~)《詩》땅거미, 황혼.
gloat[glout] *vi.* 황홀한 듯이〔만족한 듯이, 빤히〕 바라보다(*over, on*).
***glob·al**[glóubəl] *a.* (지)구상(球狀)의; 전세계의;〖컴〗전역의. **~·ism** [-ìzəm] *n.* Ⓤ 세계적 관여주의.
glob·al·ize[glóubəlàiz] *vt.* (산업 따위를) 세계적으로 확대하다, 세계화하다. **-i·za·tion**[ˋ-izéiʃən] *n.*
glóbal víllage, the 지구촌《통신 수단 따위의 발달로 좁아진 세계》.
glo·bate[glóubeit] *a.* 공 모양의.
*__*globe__[gloub] *n.* ① Ⓒ 공, 구체(球體). ② (the ~) 지구, 지구〔천체〕의(儀). ③ Ⓒ 공 모양의 물건《눈알·어항·유성(遊星) 따위》. ── *vt., vi.* 공 모양으로 하다〔되다〕.
glóbe·fìsh *n.* (*pl.* *~es,*《집합적》~) Ⓒ 복어.
glóbe-tròtter *n.* Ⓒ 세계 관광 여행자.
glo·bose [glóubous, ˋˊ] *a.* 공 모양의.
glob·u·lar[glɑ́bjələr/-ɔ́-] *a.* 공 모양의; 작은 알로 된.
glob·ule [glɑ́bjuːl/-ɔ́-] *n.* Ⓒ 소구(小球), 알.
glob·u·lin[glɑ́bjəlin/-ɔ́-] *n.* Ⓤ〖生化〗글로불린, 혈구소.
glock·en·spiel[glɑ́kənspìːl/-ɔ́-] *n.* Ⓒ〖樂〗철금(鐵琴); (한 벌의) 음계종(音階鐘).
glom·er·ate[glɑ́mərit/-ɔ́-] *a.* (빈틈없이) 꼭 뭉친.
*__*gloom__[gluːm] *n.* Ⓤ ① 어둠, 암흑; 암영(暗影). ② 우울, 음울; 음울한

표정. — *vi., vt.* 어두워〔음울해〕지(게 하)다; 어두운 얼굴을 하다.

:gloom·y [´-i] *a.* 어두운, 어둑어둑한; 우울한. ***glóom·i·ly** *ad.*

glo·ri·a [glɔ́:riə] *n.* Ⓒ 영광의 찬가; 송영곡(頌榮曲); 후광; Ⓤ 견모(絹毛)〔견면〕 교직물의 일종.

***glo·ri·fy** [glɔ́:rəfài] *vt.* ① (신을) 찬미〔찬송〕하다; (사람을) 칭찬하다; 영광을 더하다. ② 꾸미다, 장식하다. **-fi·ca·tion** [´-fikéiʃən] *n.*

glo·ri·ole [glɔ́:riòul] *n.* Ⓒ 후광, 원광, 광륜(光輪).

:glo·ri·ous [glɔ́:riəs] *a.* ① 영광스러운, 빛나는, 장려한; 현란한. ② 유쾌한, 기분 좋은. ***~·ly** *ad.*

:glo·ry [glɔ́:ri] *n.* Ⓤ ① 영광, 명예; 찬미, 송영(頌榮); 하늘의 영광; 천국. ② 장관; 번영, 융성. ③ 득의 양양함; 큰 기쁨. ***go to ~*** 승천하다, 죽다. ***Old G-*** 《口》 미국 국기, 성조기. — *vi.* 기뻐하다; 뽐내다(*in*); 《廢》 자랑하다.

gloss**[1] [glɑs, -ɔ:-/-ɔ-] *n.* ① Ⓤ 윤, 광택; Ⓒ 광택면. ② Ⓤ 허식, 겉치레. — *vt.* (…에) 윤〔광택〕을 내다; 겉치레하다. ***~ over 용케 숨기다, 속이다. ***∠·y** *a.*

gloss[2] *n.* Ⓒ (여백에 적는) 주석, 주해; 해석; 어휘; 그럴듯한 설명. — *vi., vt.* 주석〔해석〕하다; 그럴듯하게 해설하다.

***glos·sa·ry** [glásəri, -ɔ́:-/-ɔ́-] *n.* Ⓒ 어휘; (특수) 용어 해설; (주석서 권말의) 주요 용어집. **glos·sar·i·al** [-sέəriəl] *a.* 어휘의, 용어풀이의.

glot·tal [glátl/-ɔ́-] *a.* 성문(聲門)의.

glot·tis [glátis/-ɔ́-] *n.* (*pl.* ***~es, -tides***) Ⓒ 〖解〗 성문(聲門).

Glouces·ter [glástər, -ɔ́:-/-ɔ́-] *n.* (Gloucestershire)(⇩)의 주도; Ⓤ 글로스터 치즈.

Glouces·ter·shire [-ʃìər, -ʃər] *n.* 영국 남서부의 주.

†glove [glʌv] *n.* Ⓒ 장갑; (야구·권투용) 글러브. ***fit like a ~*** 꼭 맞다. ***handle with ~s*** 친절히 다루다. ***take off the ~s*** 본격적으로 덤벼들다. ***throw down*** 〔***take up***〕 ***the ~*** 도전하다〔도전에 응하다〕. **glóv·er** *n.* Ⓒ 장갑 제조인; 장갑 장수.

:glow [glou] *vi.* ① 백열(白熱)빛을 내다; (개똥벌레 등이) 빛을 발하다. ② (눈이) 빛나다, (몸이) 달다; 열중하다, (감정이) 불붙다. — *n.* (*sing.*) ① 백열, 작열, 빛. ② (몸이) 닮; 만족감, 기쁨; 열중, 열정; 빛남, 붉어짐; 선명함. ***∠·ing** *a.* 백열의; 새빨간, 홍조된; 열렬한, 열심인.

glow·er [gláuər] *vi., n.* 노려보다, 주시하다; Ⓒ 노려봄; 무서운〔찡그린〕 얼굴(을 하다).

glów·wòrm *n.* Ⓒ 개똥벌레의 유충.

glox·in·i·a [glɑksíniə/-ɔ-] *n.* Ⓒ 〖植〗 글록시니아《관상 식물의 하나》.

gloze [glouz] *vt., vi.* 그럴듯하게 설명하다, 말을 꾸며대다(*over*); (…에게) 아첨하다.

glu·ci·num [glu:sáinəm] *n.* =BERYLLIUM.

glu·cose [glú:kous, -z] *n.* Ⓤ 포도당.

***glue** [glu:] *n., vt.* Ⓤ 아교(로 붙이다)(*to*). **∠·y** *a.* 아교의〔같은〕.

glum [glʌm] *a.* (*-mm-*) 음울한; 무뚝뚝한, 뚱한.

glut [glʌt] *n., vt.* (*-tt-*) Ⓒ 포식(시키다), 식상(食傷)(하게 하다); 공급 과잉(되게 하다).

glu·tám·ic ácid [glu:tǽmik-] 〖化〗 글루타민산.

glu·ta·mine [glú:təmì:n] *n.* Ⓤ 〖化〗 글루타민《아미노산의 일종》.

glu·ta·thi·one [glù:təθáioun] *n.* Ⓤ 〖化〗 글루타티온《생물 세포 속에 들어 있는 글루타민산》.

glu·ten [glú:tən] *n.* Ⓤ 〖化〗 글루텐, 부질(麩質). **glú·te·nous** *a.*

glu·ti·nous [glú:tənəs] *a.* 점착성의. ***~ rice*** 찹쌀.

glut·ton [glʌ́tn] *n.* Ⓒ 대식가; 지칠 줄 모르는 사람; 악착꾸러기, 끈덕진 사람. **~·ous** *a.* 많이 먹는. **~·y** *n.* Ⓤ 대식(大食).

***glyc·er·in** [glísərin], **-ine** [-rin, -rì:n], **glyc·er·ol** [glísəròul, -ɔ̀:-/-ɔ̀-] *n.* Ⓤ 〖化〗 글리세린.

gly·co·gen [gláikədʒən, -dʒèn] *n.* Ⓤ 〖生化〗 글리코겐.

gly·co·su·ria [glàikousjúəriə, glìk-] *n.* Ⓤ 〖醫〗 당뇨.

GM Geiger-Müller counter. **gm** guided missile. **gm.** gram(s).

G.M. 《英》 George Medal.

G-man [dʒí:mæ̀n] (< *Government man*) *n.* Ⓒ 《美俗》 연방 수사국원.

G.M.C. General Medical Council. **G.M.T.** Greenwich mean time.

gnarl [nɑ:rl] *n.* Ⓒ (나무의) 마디, 옹이, 혹. — *vt.* (…에) 마디를〔혹을〕 만들다; 비틀다. — *vi.* (개 따위가) 으르렁거리다. **~ed** [-d], **∠·y** *a.* 마디〔옹이〕가 많은(knotty); 울퉁불퉁한; 비뚤어진, 비꼬인.

gnash [næʃ] *vi., vt.* 이를 악물다. ***~ one's teeth*** (노여워) 이를 갈다.

gnat** [næt] *n.* Ⓒ 각다귀; 《英》 모기. ***strain at a ~ and swallow a camel 작은 일에 구애되어 큰 일을 모르고 지나다.

gnaw** [nɔ:] *vt., vi.* (~ed; ~ed, gnawn***) ① 물다, 쏠다; 부식하다. ② 괴롭히다, 애먹이다. **∠·er** *n.* Ⓒ 무는 사람; 부식시키는 것; 설치 동물.

gneiss [nais] *n.* Ⓤ 〖地〗 편마암.

GNI gross national income.

gnome[1] [noum] *n.* Ⓒ 땅속의 요정《탄갱 등의 수호신》.

gnome[2] *n.* Ⓒ 격언. **gnó·mic** *a.* 격언의, 격언적인.

gno·mon [nóumɑn/-mɔn] *n.* Ⓒ (해시계의) 바늘.

gno·sis [nóusis] *n.* Ⓤ 영적(靈的) 인식; 영지(靈知).

Gnos·tic [nástik/-ɔ́-] *n., a.* Ⓒ 그노시스교도(의); (g-) 영지(靈知)의

〔있는〕; 《諧》 똑똑한. **-ti·cism**[-təsìzəm] *n.* Ⓤ 영지〔그노시스〕설《초기 기독교 시대의 신비 철학》.

GNP gross national product.

gnu[nju:] *n.* (*pl.* **~s,** 《집합적》 **~**) Ⓒ (남아프리카산) 암소 비슷한 영양.

†**go**[gou] *vi.* (**went; gone**) ① 가다, 나아가다; 지나가다; 떠나다; 죽다; 없어지다; 망치다; 못쓰게 되다; (불이) 꺼지다; 꺾이다, 항복하다. ② (…의 상태에) 있다(*go hungry* 늘 배를 곯고 있다); …라고(씌어) 있다(*Thus goes the Bible.*); (…의 상태)가 되다(*go mad* 정신이 돌다/*go bad* 나빠지다, 썩다). ③ 움직이다, 운동하다, 일하다; (일이) 진전하다. ④ 놓이다, 들다, 속하다. ⑤ (종·총성이) 울리다; (시계가) 시간을 치다(*The clock went six.* 6시를 쳤다). ⑥ (화폐 따위가) 통용되다, (소문 따위가) 퍼지다; …의 손에 돌아가다; 뻗다, …에 달하다, …으로 되다. ⑦ 소비되다, 팔리다(*His house went cheap.* 싼 값으로 팔렸다). ⑧ …하기 쉽다(tend); 《口》 권위가 있다, (그대로) 통하다. — *vt.* 《口》 (내기를) 걸다(*I will go you a dollar.* 1달러를 걸겠다); 《口》 견디다, 참다. ***as* [*so*] *far as it goes*** 그것에 관한 한. ***as people things go,*** or ***as the world goes*** 세상 풍습으로는, 일반적으로는. ***as the saying goes*** 속담에도 있듯이. ***be going on*** …에 가까워지고 있다; 일어나고 있다. ***be going to*** do… (막, 바야흐로) …하려 하고 있다. ***go about*** 돌아다니다, 퍼지다; 침로를 바꾸다; …에 진력하다, 착수하다. ***go across*** 건너다, 넘다. ***go after*** 《口》 쫓다; 추구하다, 찾다. ***go against*** 반항하다; …에 불리하게 되다. ***go along*** 나아가다. ***go a long way*** 매우 쓸만하다(*toward*); 여러 가지를 살 수 있다; 크게 도움이 되다. ***go and*** do …하러 가다; 어리석게도 …하다(*I have gone and done it.*); 《명령형》 멋대로 …해라(*Go and be miserable!* 멋대로 골탕 먹어봐라). ***go around*** 돌아다니다, 골고루 미치다. ***go at*** 《口》 공격〔착수〕하다. ***go away*** 떠나다; 갖고 도망가다(*with*). ***go back*** 되돌아가다; 거슬러 올라가다; 회고하다; 내리받이가 되다. ***go behind*** (사실의) 이면〔진상〕을 조사하다; 손해를 보다. ***go between*** 중재〔매개〕하다. ***go by*** (때가) 지나다; (표준)에 의하다; …에 지배되다; 《美》 방문하다, 들르다. ***go down*** 내려가다, 떨어지다; 가라앉다; 이해가 가다, 납득되다; 굴복하다(*before*); (후세에) 전해지다; 기억〔기록〕되다. ***go for*** 가지러〔부르러〕 가다; 지지〔찬성〕하다; 《口》 맹렬히 덤벼들다. ***go forth*** 발행〔발포〕되다. ***go in*** 들어가다; 참가하다, 관계하다. ***go in for*** 《口》 …에 찬성하다; …을 얻으려 노력하다, …하려고 마음먹다; …을 특히 좋아하다; …에 열중하다; 시험을 치다, (후보)로 나서다. ***go into*** …에 들다, 포함되다; 조사하다; 논하다. ***go it*** 《口》 급히 〔부리나케〕 가다; 척척 하다; 난봉부리다. ***go off*** 떠나가다; 죽다; (빛이) 날다; 잠자다; 발사되다, 폭발하다; 일어나다(happen); 팔리다; (일이) 진척되다(*well, badly*). ***go on*** 계속되다〔하다〕, 계속해 나가다(*Go on!* 계속해라; 《反語》 어리석은 소리 마라); 지내다; 거동하다; 《口》 욕설하다(*at*); 교대하다; (배우가) 무대에 나오다; (옷·신발이) 맞다; …에 접근하다(*for*). ***go out*** 나가다, 외출하다; (여자가 취직해서) 일하러 나가다; 물러가다; (불이) 꺼지다, 소멸하다〔시키다〕; 《俗》 죽다; 쇠퇴하다; 〖野〗 아웃되다; 출판되다; 파업을 하다; 동정하다(*to*). ***go over*** 건너다, 넘다; 다른 (종)파로 전향하다; 반복하(여 읽)다, 복습하다; 검사하다; 《口》 성공하다. ***go round*** 순력하다; 한 바퀴 돌다; (음식이) 모든 사람에게 돌아갈 만큼 있다; 《口》 잠깐 들르다. ***go through*** 통과〔경험〕하다; (끝까지) 해내다(*with*); 다 써버리다; 조사하다; (판을) 거듭하다. ***go together*** 같이 가다; 어울리다, 조화되다; 《口》 (애인끼리) 사이가 좋다, 마음이 변치 않다. ***go under*** 가라앉다; 굴복하다; 《美口》 파산하다; 《美口》 죽다. ***go up*** 오르다, 올라가다; 늘다; 등귀하다; 폭발하다. ***go with*** …와 함께 가다, …와 행동을 같이 하다; …에 동의하다; …와 조화하다. ***go without*** …없이 지내다〔견디다〕. ***It goes without saying that….*** …은 말할 것도 없다. ***let go*** 도망치게 하다, 놓아주다; 단념하다, 상태를 〔컨디션을〕 나쁘게 하다. ***let oneself go*** 자기의 감정〔욕망〕에 지다; (몸 따위의) 상태가 나빠지다. — *n.* (*pl.* ***goes***) ① Ⓤ 가기, 진행. ② Ⓤ 기력, 정력. ③ Ⓒ 《口》 사태, (특수한) 상태; 난처〔곤란〕한 일(*Here's a go!* or *What a go!* 난처한데). ④ Ⓒ 《口》 유행(*all the go* 대유행); 시도(試圖), 기회; 《口》 성공(한 것), 호조(好調). ⑤ Ⓒ 한 잔(의 술); (음식의) 한 입. ***near go*** 《英口》 위기일발, 아슬아슬한 순간. ***no go*** 《口》 실패, 틀림(*It's no go.* 그것은 틀렸다). ***on the go*** 쉴새없이 활동하여, 내처 일하여; 《俗》 거나해서.

Go·a[góuə] *n.* 고아《인도 남서안의 옛 포르투갈 영토》.

goad[goud] *n., vt.* Ⓒ (가축을 몰기 위한) 뾰족한 막대기(로 찌르다); 자극(을 주다), 격려(하다).

gó-ahèad *a., n.* 전진하는; Ⓒ 진취적인 (사람); Ⓤ 정력, 기력.

:**goal**[goul] *n.* Ⓒ 골, 결승점; 목적(지), 목표.

goal·ie[ˊi] *n.* 《口》 =⇩.

***góal·kèeper** *n.* Ⓒ 골키퍼.

góal lìne 골 라인.

góal·pòst *n.* Ⓒ 골대.

góal·tènder *n.* Ⓒ 〖蹴·하키〗 골키

G

퍼(goalkeeper).

:goat[gout] *n.* ① Ⓒ 염소; (the G-) 『天』 염소자리. ② Ⓒ 색골; 악인. ③ Ⓒ《口》놀림감, (남의) 희생, 제물. ***get a peson's*** ~ 《美口》아무를 노하게 하다[괴롭히다].

goat·ee[goutí:] *n.* Ⓒ (사람의 턱에 난) 염소 수염.

góat·hèrd *n.* Ⓒ 염소지기.

góat·skìn *n.* Ⓤ 염소 가죽.

góat·sùcker *n.* Ⓒ 『鳥』 쏙독새.

gob[1][gɑb/gɔb] *n.* Ⓒ《俗》(미국의) 수병(水兵).

gob[2], **gob·bet**[∠it] *n.* Ⓒ 덩어리; (*pl.*) 많음.

gob·ble[1][gɑ́bəl/-ɔ́-] *vt., vi.* 게걸스레 먹다; 통째로 삼키다.

gob·ble[2] *vi., n.* Ⓒ (칠면조가) 골골 울다[우는 소리]. **gób·bler** *n.* Ⓒ 칠면조의 수컷.

gob·ble·de·gook, -dy·gook [gɑ́bəldigùk/-ɔ́-] *n.* Ⓤ《美口》(공문서 따위의) 딱딱하고 째까다로운 표현 [말투].

Gob·e·lin[gɑ́bəlin, góub-] *a.* (프랑스의 Gobelin 공장에서 만든) 고블랭천의[같은]. ~ ***tapestry*** 고블랭천《정교한 무늬 있는 직물》.

gó-betwèen *n.* Ⓒ 매개인, 주선인; 중매쟁이.

Go·bi[góubi] *n.* (the ~) 고비 사막.

***gob·let**[gɑ́blit/-ɔ́-] *n.* Ⓒ 발침 달린 컵[잔].

***gob·lin**[gɑ́blin/-ɔ́-] *n.* Ⓒ 악귀, 도깨비.

go·bo[góubou] *n.* (*pl.* ~***(e)s***) Ⓒ 《美》TV 카메라용 차광막(遮光幕).

go·by[góubi] *n.* (*pl.* ***-bies,*** 《집합적》~) Ⓒ『魚』문절망둑.

gó-bý *n.* (the ~) 지나쳐 감, 못 본 체함. ***give*** [***get***] ***the*** ~ 무시하다[당하다], 못 본 체하다.

gó-càrt *n.* Ⓒ 유모차; (유아용) 보행기; 《俗》소형 자동차.

†God[gɑd/gɔd] *n.* ① Ⓤ 『基』 신; 하느님, 조물주(the Creator). ② Ⓒ (g-)(초자연적인) 신, 우상, 중요한 사람. ③ (the gods) 삼등석의 관객. ***by*** (***my***) ~ 하느님께 맹세코, 꼭. ***for*** ~***'s sake*** 제발. ~ ***bless ...!*** …에게 행복이 있기를! ~ ***bless me*** [***my life, my soul***]***!*** 하느님의 축복이 있기를! ~ ***damn you!*** 이 죽일 놈! ~ ***grant ...!*** 신이여 …하게 하소서! ~ ***knows*** 맹세코, 하느님만이 알고 있다, 아무도 모른다(*He went away ~ know where.* 어디론가 가버렸다). ~***'s acre*** (교회의) 묘지. ~***'s book*** 성서(聖書). ~***'s image*** 인체. ~ ***speed you!*** 《古》성공[안전]을 빈다; 안녕히《인사말》. ~ ***willing*** 사정이 허락하면. ***Good*** [***my***] ~***!*** 야단났는데, 큰일인데; 한심하군! ***sight for the ~s*** 장관. ***Thank*** ~***!*** 고마워라, 됐다 됐어! ── *vt.* (***-dd-***) (g-) 신격화하다, 숭배하다.

gód-áwful, G- *a.* 《俗》정말 싫은; 지독한, 굉장한, 심한.

gód·chìld *n.* (*pl.* ***-children***) Ⓒ 대자(代子)(cf. godfather).

gód·dàughter *n.* Ⓒ 대녀(代女).

:god·dess[gɑ́dis/-ɔ́-] *n.* Ⓒ 여신; (절세) 미인; 동경하는 여성.

go·det[goudét] *n.* Ⓒ (스커트 따위를 부풀리는) 바대.

***gód·fàther** *n., vt.* Ⓒ 대부(代父)(가 되다); 후원 육성하다.

Gòd-féaring *a.* 신을 두려워하는; (g-) 믿음이 깊은.

gód·forsàken *a.* 신에게 버림받은; 타락한; 황량한, 쓸쓸한.

gód-gìven *a.* 하늘이 준, 하늘에서 부여받은; 고마운; 절호의.

gód·hèad *n.* Ⓤ (때로 G-) 신성, 신격; (the -) 신, 하느님.

gód·hòod *n.* Ⓤ 신(神)임, 신격, 신성(神性).

gód-kìng *n.* Ⓒ 신격화된 군주.

gód·less *a.* 신이 없는; 무신론자의; 믿음이 없는. ~**·ly** *ad.* ~**·ness** *n.*

***gód·lìke** *a.* 신과 같은, 거룩한; 신에게 합당한.

god·ly[∠li] *a.* 신을 공경하는, 독실한, 경건한. **-li·ness** *n.* Ⓒ 신을 공경함, 믿음.

Gód-màn *n.* =CHRIST.

***gód·mòther** *n.* Ⓒ 대모(代母).

go·down[goudáun/∠-] *n.* Ⓒ (동남 아시아의) 창고.

gód·pàrent *n.* Ⓒ 대부, 대모.

Gód's cóuntry 이상적인 나라[땅], 낙원; 고향, 고국.

gód·sènd *n.* Ⓒ 하늘이 준 것, 뜻밖의 행운.

gód·sòn *n.* Ⓒ 대자(代子).

Gód·spèed *n.* Ⓤ 행운, 성공[안전](의 기원).

go·er[góuər] *n.* Ⓒ 가는 사람[것].

:Goe·the[gə́:tə], **Johann Wolfgang van**(1749-1832) 괴테《독일의 문호》.

「름꾼.

go·fer[góufər] *n.* Ⓒ《美俗》잔심부

gó-gétter *n.* Ⓒ《美口》(사업 따위의) 활동가, 수완가.

gog·gle[gɑ́gəl/-ɔ́-] *vi., vt., n.* Ⓒ (눈알을) 희번덕거리다[거리기], 눈알을 굴리다[굴리기]; 눈을 부릅뜨고 보다[보기], 부릅뜬 눈; (*pl.*) 방진용[잠수용] 보안경. ── *a.* 퉁방울눈의, 희번덕거리는.

góggle-èyed *a.* 퉁방울눈의; 눈을 희번덕거리는.

Gogh[gou, gɔk, (Du.)gɔx], **Vincent van**(1853-90) 고흐《네덜란드의 후기 인상파의 화가》.

go-go[góugòu] *a.* 고고댄스(곡)의; 《俗》활발한, 현대적인, 생기가 넘치는.

Go·gol[góugəl], **Nikolai Vasilievich**(1809-52) 러시아의 소설가.

:go·ing[góuiŋ] *n.* Ⓤ 가기, 보행; 진행(속도), 출발; (도로의) 상태. ── *a.* 진행[운전·활동] 중의(*She is ~ (on) ten.* 곧 10살이 된다); 현행의. ***in ~ order*** 고장 없이; 건전하게. ***keep ~*** …을 계속하다; 유지하다.

góing-awày *a.* 《美》(신부의) 신혼

여행용의(*a* ~ *dress*).
góing-òver *n.* Ⓒ 철저한 조사〔심문〕; 《俗》 호통; 때리기.
góings-ón *n. pl.* 《口》 행위, 행실.
goi·ter, 《英》 **-tre**[gɔ́itər] *n.* Ⓤ 〖醫〗 갑상선종(甲狀腺腫); 종기.
†**gold**[gould] *n.* ① Ⓤ 금, 황금; 금빛; 금화; 부; 금도금. ② Ⓒ (과녁의) 정곡(bull's-eye). ***as*** GOOD ***as*** **~.** ***heart of*** **~** 아름다운 마음(의 소유자). ***make a*** **~** 과녁의 복판을 쏴 맞히다. ***old*** **~** 낡은 금빛. ***worth one's weight in*** **~** 천금의 가치가 있는, 매우 귀중한. **—** *a.* 금(빛)의, 금으로 만든.
góld·bèater *n.* Ⓒ 금박사(金箔師).
góld·brìck *n.* Ⓒ 모조품, 정체가 곧 드러날 가짜; 《軍俗》 농땡이 사병; 꾀부리는 사람. **—** *vi.* 꾀부리다, 태만하다. **~·er**[-ər] *n.* 《軍俗》 =GOLDBRICK.
góld bùg 풍뎅이; 《美俗》 갑부.
Góld Còast, the 황금 해안《현 Ghana 공화국의 일부》.
góld·cùp *n.* =BUTTERCUP.
góld dìgger 금광부(夫); 황금광(狂); 《俗》 남의 돈을 우려내는 여자.
góld dùst 사금(砂金).
góld embàrgo 금 수출 금지.
†**gold·en**[ˊ-ən] *a.* ① 금빛의; 《古》 금의. ② 귀중한, 굉장한, 절호의. ③ (시대 따위가) 융성한.
gólden áge, the 황금시대, 융성기.
gólden áger 《美》 (65세 이상의 은퇴한) 초로의 사람, 노인.
gólden bálls 전당포 간판《금빛 공이 세 개임》.
Gólden Delícious 골든 딜리셔스《미국산 황색 사과의 품종》.
gólden dísc 골든 디스크.
gólden éagle 〖鳥〗 검둥수리.
Gólden Fléece, the 〖그神〗 금양모(金羊毛)《Jason이 용(龍)으로부터 빼앗아 갖고 온》(cf. Argo).
Gólden Gáte, the 금문해협《샌프란시스코의 입구》.
gólden góose 황금알을 낳는 거위《동화 속의》.
Gólden Hórn, the Istanbul의 내항.
gólden kéy 뇌물, 코아래 진상.
gólden méan 중용, 중도(中道).
gólden-mòuthed *a.* 웅변의.
gólden númber 황금수《서력 연수에 1을 더하여 19로 나눈 나머지 수; 부활절의 날짜를 산출하는 데 씀》.
gólden·ròd *n.* Ⓒ 〖植〗 메역취.
gólden rúle 황금률《마태복음의 산상수훈 중의 말; '무엇이든지 남에게 대접을 받고자 하는 대로 너희도 남을 대접하라'》.
gólden séction, the 〖數〗 황금분할.
Gólden Státe, the 미국 California주의 속칭.
gólden wédding (결혼 후 50년을 축하하는) 금혼식(cf. jubilee).
góld fèver 금광열(金鑛熱).
góld·fìeld *n.* Ⓒ 채금지(採金地), 금광지.
góld-fílled *a.* 금을 입힌.
góld·fìnch *n.* Ⓒ 〖鳥〗 검은방울새의 일종; 《英俗》 1파운드 금화.
‡**góld·fìsh** *n.* (*pl.* **~es,** 《집합적》 ~) Ⓒ 금붕어.
góld fòil 금박(金箔).
góld làce 금(金)몰.
góld lèaf 금박《gold foil보다 얇은》.
góld médal 금메달.
góld mìne 금광; 보고(寶庫).
góld nòte 《美》 금태환(兌換) 지폐.
góld pláte 금으로 된 식기류; (전기) 금도금(하기).
góld-plàte *vt.* (…에) 금을 입히다.
góld resèrve 정화 준비(正貨準備).
góld rùsh 금광열(金鑛熱).
Gold·smith [góuldsmìθ], **Oliver** (1730?-74) 아일랜드 태생의 영국의 시인·극작가·소설가.
góld·smìth *n.* Ⓒ 금 세공인.
góld stàndard 〖經〗 금본위제.
Góld Stíck 《英》 (국가적 행사 때에 근위 기병 연대 대령 및 호위대 대장이 가지는) 금색의 막대; 그것을 잡는 사람.
‡**golf**[galf, -ɔː-/-ɔ-] *n., vi.* Ⓤ 골프(를 하다). **ˊ~·er** *n.*
gólf bàll 골프공.
gólf clùb 골프채, 골프 클럽.
gólf còurse 〔**lìnks**〕 골프장, 골프코스.
gólf wìdow 《口·諧》 골프광(狂)의 아내.
Gol·go·tha[gálgəθə/-ɔ́-] *n.* 〖聖〗 골고다《예수가 십자가에 못박힌 곳》; 예수의 십자가상(像); (g-) Ⓒ 묘지.
Go·li·ath [gəláiəθ] *n.* 〖聖〗 골리앗《다윗(David)에게 살해된 거인》; (g-) Ⓒ 이동 기중기.
gol·li·wog[gáliwàg/gɔ́liwɔ̀g] *n.* Ⓒ 기괴한 얼굴의 인형.
gol·ly[gáli/-ɔ́-] *int.* 《口》 저런, 어머나, 맹세코《놀람·맹세 등을 나타냄》.
go·losh[gəláʃ/-ɔ́-] *n.* =OVERSHOE.
Go·mor·rah, -rha[gəmɔ́ːrə, -á-/-ɔ́-] *n.* 〖聖〗 고모라《천벌로 이웃 도시 Sodom과 함께 멸망됨; 창세기 18, 19, 24》; Ⓒ 죄악의 도시.
-gon[gan/gən] *suf.* '…각형(角形)' 이란 뜻의 명사를 만듦 : hexa***gon***, penta***gon***.
go·nad[góunæd, -á-/-ɔ́-] *n.* Ⓒ 생식선(生殖腺).
Gon·court[gɔ̃kúːr], **Edmond de**(1822-96), **Jules de**(1830-70) 프랑스의 소설가 형제.
Góncourt Príze 공쿠르상《매년 우수 문학 작품에 수여》.
*__gon·do·la__[gándələ/-ɔ́-] *n.* Ⓒ 곤돌라; 《美》 너벅선; (기구(氣球) 따위의) 조롱(吊籠).
gon·do·lier[gàndəlíər/-ɔ̀-] *n.* Ⓒ 곤돌라의 사공.
†**gone**[gɔːn, -a-/-ɔ-] *v.* go의 과거분사. **—** *a.* ① 지나간. ② 가망 없는; 영락한. ③ 희미한. ④《美俗》 훌륭한, 일류의. ***far*** **~** (훨씬) 앞선, 깊이 들어간〔개입된〕. **~** ***on*** 《口》 …

G

와 사랑하여. **gón·er** *n.* Ⓒ《口》죽은 사람, 가망 없는 사람.
gon·fa·lon [gánfələn/-ɔ́-] *n.* Ⓒ 〖史〗(횡목에 매는 끝이 여러 가닥으로 갈라진) 기(旗).
gong** [gaŋ, -ɔː-/-ɔ-] *n.* Ⓒ 징, 그 소리; 접시 모양의 종. — *vt.* (…에게) 징을 울려 신호하다. ***be ~ed (교통 위반으로) 정지 명령을 받다.
gon·na [góunə, gɔ́ː-/gɔ́-] 《美俗》 …할 예정인(going to).
gon·or·rhe·a, 《英》 **-rhoe·a** [gàn-ərí:ə/-ɔ̀-] *n.* Ⓤ 〖醫〗 임질. **-al** *a.*
goo [gu:] *n.* Ⓤ 《美口》 찐득거리는 것; 지나친 감상(感傷).
goo·ber [gú:bər] *n.* Ⓒ《美南部》 땅콩(~ pea).
†**good** [gud] *a.* (***better; best***) ① 좋은, 잘된, 훌륭한; 아름다운. ② 행복한, 유쾌한, 즐거운. ③ 선량한, 예의바른; 현명한, 친절한, 관대한. ④ 능숙한(*be ~ at counting*); 유능한. ⑤ 참된, 거짓없는; 완전한; 깨끗한; 건전한; 틀림없는. ⑥ 유효한; 유익한; 적당한(*This is ~ to eat.* 먹을 수 있다); 충분한, 상당한. ***a ~*** MANY. ***a ~' un*** 그럴듯한〔솔깃한〕 이야기, 거짓말, 농담. ***as ~ as*** (*dead, &c*) (죽은 것)과 같은. ***as ~ as gold*** (어린이가) 매우 착한, 얌전한. ***be as ~ as one's word*** 약속을 지키다. ***Be ~ enough to ...,*** or ***Be so ~ as to...*** 아무쪼록 …해 주십시오. ***G- day*** 〔***morning, afternoon, evening***〕***!*** 안녕하십니까《낮〔아침, 오후, 저녁〕 인사》; 《'Good'에 stress를 붙이고, 끝을 올려 발음하여》 안녕. ***~ for*** …에 유효〔유익〕한; …동안 유효; …의 지불이 가능한; …에 착수 가능한. ***G- for you!*** 《美》 잘한다!; 됐어! ***G- man!*** 잘한다!; 됐어! ***G- night*** 안녕!; 안녕히 주무십시오!; 《美卑》 기가 막히는군; 제기랄! ***~ old*** 옛날의《good은 아주 가벼운 뜻》. ***G- show!*** 《俗》 훌륭하다!; 잘 했다! ***hold ~*** 유효하다, …에도 해당되다. ***keep ~*** 보존하다. ***make ~*** 보상하다; 달성하다; (약속을) 이행하다; 실증하다; 수복(修復)하다; 확보하다. ***no ~*** 틀렸다. ***Not so ~!*** 《俗》 어처구니 없는 실수〔실패〕다! ***the ~ people*** 요정(妖精)들. — *n.* ① Ⓤ 선, 선량함; 이익; 행복. ② (the ~) 선량한 사람들. ③ (*pl.*) 《英》 (철도)화물, 상품. ④ (*pl.*) 동산, 재산. ⑤ (*pl.*) 《美》 천. ***come to ~*** 좋은 열매를 맺다. ***come to no ~*** 아무짝에도 쓸모 없다, 실패로 끝나다. DELIVER ***the ~s. do ~ to*** …에 친절을 다하다; …을 이롭게 하다; …에 유효하다. ***for ~*** (***and all***) 영구히. ***get the ~s on*** (*the pickpocket*) 《英俗》 (소매치기의) 확실한 증거를 발견하다, …의 꼬리를 잡다. ***~s agent*** 운송업자. ***the ~s*** 《俗》 진짜; 필요한 물건〔자격〕. ***to the ~*** 〖簿〗 대변(貸邊)에; 순이익으로. ***up to no ~*** 장난에 팔려서.
†**good-by,** 《英》 **good-bye** [gùd-bái] *int., n.* 안녕히; Ⓒ 고별, 작별.
góod fáith 성실, 성의.
góod-for-nòthing *n., a.* Ⓒ 쓸모없는 (사람).
Góod Fríday 성(聖) 금요일《부활절 전의 금요일, 예수 수난을 기념함》.
góod-héarted *a.* 친절한, 마음씨가 고운, 관대한.
góod-húmo(u)red *a.* 기분 좋은, 명랑한; 싹싹한.
good·ish [ˊiʃ] *a.* 꽤 좋은; 《英》 상당히 큰, 상당한.
góod lífe 〖保險〗 평균 수명까지 살 가망이 있는 사람.
góod-lóoker *n.* Ⓒ 미인, 잘 생긴 사람〔동물〕.
⁑**góod-lóoking** *a.* 잘 생긴, 핸섬한.
⁑**góod lúck** 행운.
***good·ly** [ˊli] *a.* 훌륭한, 고급의; 잘생긴; 상당한, 꽤 많은.
good·man [ˊmən] *n.* Ⓒ 《古·方》 주인; 남편(husband); (G-) 'Gentleman'보다 아랫격의 사람의 경칭 (*G- Smith* 스미스 씨).
góod móney 양화(良貨); 《英俗》 많은 급료.
⁑**góod-nátured** *a.* (마음씨가) 착한, 사람이 좋은, 온후한.
⁑**good·ness** [ˊnis] *n.* Ⓤ 좋음; 선량함; 미덕; 친절; 신(God). ***for ~' sake*** 제발, 부디. ***G-*** (***gracious***)***!*** 앗 저런!; (자) 큰일 났군!; 제기랄!
⁑**goods** [-z] *n.* ⇨GOOD (*n.*).
góod sénce 상식, 양식, 분별.
góods tràin 《英》 화물 열차(《美》 freight train).
góod-tèmpered *a.* 상냥한, 온순한.
góod thìng 행운; 돈벌이; 명예; (*pl.*) 진미(珍味).
⁑**góod·will** *n.* Ⓤ ① 호의, 동정. ② (상점의) 영업권, 단골.
good·y[1] [ˊi] *n.* Ⓒ 《口》 맛있는 것, 과자, 봉봉. — *a.* =GOODY-GOODY. — *int.* 《兒》 좋아 좋아!
good·y[2] *n.* Ⓒ 《古》 아주머니《신분이 낮은 여자에 대하여 씀》; 신분이 낮은 여자.
góody-gòody *a., n.* Ⓒ 《口》 독실한 체하는 (사람), 유달리 잘난 체하는 (사람).
goof [gu:f] *n.* Ⓒ 《美俗》 바보. — *vi.* 바보 짓을 하다; 빈둥거리다. — *vt.* 실수하다; (마취약 따위로) 멍청하게 만들다. **ˊ·y** *a.*
góof·bàll *n.* Ⓒ 《美俗》 정신 안정제, 수면제; 바보, 등신.
gó-òff *n.* (*sing.*) 《口》 착수, 개시.
góo-góo èyes 《美俗》 추파.
gook [guk] *n.* Ⓤ 《俗》 진득거리는 것; 짙은 화장; 점액; 바보; Ⓒ 《美俗·蔑》 동양인.
goon [gu:n] *n.* Ⓒ 《美》 (고용된) 폭력단원; 《俗》 얼간이.
⁑**goose** [gu:s] *n.* (*pl.* ***geese***) ① Ⓒ 거위(의 암컷)(cf. gander). ② Ⓤ 거위고기. ③ (*pl.* ***~s***) Ⓒ 대형 다리

미《손잡이가 거위목 비슷함》. ④ Ⓒ 바보, 얼간이. ***All his geese are swans.*** 저 사람은 자기의 거위가 모두 백조로 보인다; 제 자랑만 한다. ***sound on the ~*** 《美》(생각·방침이) 온건하여; (주의 등에) 충실하여. ***The ~ hangs high.*** 《美口》 일이 잘 될 것 같다; 만사 호조(萬事好調).

goose·ber·ry [gú:sbèri, gú:z-, gúzbəri] *n.* Ⓒ 〚植〛 구즈베리.

góose ègg 거위알; 《俗》(경기의) 영점; (맞아서 생긴) 머리의 혹.

góose flèsh (추위·공포에 의한) 소름, 소름 돋은 피부.

góose·hérd *n.* Ⓒ 거위 치는 사람.

góose·nèck *n.* Ⓒ 거위목, S[U]자꼴의 관(管).

góoseneck làmp 거위목 전기 스탠드《자유로이 굽음》.

góose pìmples =GOOSE FLESH.

góose-stèp *n., vi.* (*sing.*) 〚軍〛 무릎을 굽히지 않고 발을 높이 들어 걷는 보조(로 행진하다).

GOP, G.O.P. Grand Old Party 《美》 공화당.

go·pher [góufər] *n.* Ⓒ 《美》 뒤쥐(류)(類)《북아메리카산》.

Gór·di·an knót [gɔ́:rdiən-] (the ~) 아주 어려운 일, 어려운 문제. ***cut the ~*** 용단으로 어려운 일을 해결하다《Alexander 대왕이 단단한 매듭을 풀지 않고 칼로 끊어버렸다는 이야기에서》.

***gore**[1] [gɔ:r] *n.* Ⓤ (상처에서 나온) 「응혈(凝血).

gore[2] *n.* Ⓒ 삼각형의 헝겊 조각, (옷의) 깃, 섶; 삼각형의 땅. — *vt.* (…에) 옷깃을 달다.

gore[3] *vt.* (창·뿔 따위로) 찌르다, 꽂다.

:gorge [gɔ:rdʒ] *n.* Ⓒ ① 골짜기. ② 식도, 목구멍. ③ 좁은 통로[시내]를 막는 물건. ***make a person's ~ rise*** …에게 구역질이 나게 하다, 혐오를 느끼게 하다. — *vt.* 게걸스레 먹다; 가득 채우다[틀어넣다]. ***~ oneself*** 게걸스레 먹다(*with*).

:gor·geous [gɔ́:rdʒəs] *a.* 호화스러운; 《口》 멋진. **~·ly** *ad.*

gor·get [gɔ́:rdʒit] *n.* Ⓒ (갑옷의) 목가리개.

Gor·gon [gɔ́:rgən] *n.* 〚그神〛 고르곤《보는 사람을 돌로 변하게 했다는 세 자매의 괴물: cf. Medusa》; (g-) Ⓒ 지독한 추녀(醜女), 무서운 여자.

***go·ril·la** [gəríla] *n.* Ⓒ 〚動〛 고릴라; 《俗》 폭한, 갱.

Gor·ki, -ky [gɔ́:rki], **Maxim** (1868-1936) 러시아의 극작가·소설가.

gor·mand [gɔ́:rmənd] *n.* =GOURMAND. **~·ize** [-àiz] *vt., vi.* 많이[게걸스레] 먹(이)다. **~·iz·er** *n.* Ⓒ 대식가.

gorse [gɔ:rs] *n.* Ⓤ 〚植〛 가시금작화 (furze)(덤불).

gor·y [gɔ́:ri] (<gore[1]) *a.* 피투성이의.

***gosh** [gɑʃ/-ɔ-] *int.* 아이쿠; 큰일 났군; 기필코.

gos·hawk [gáshɔ̀:k/-ɔ́-] *n.* Ⓒ 참매 《옛날 매 사냥에 쓴》.

Go·shen [góuʃən] *n.* 〚聖〛 고센 땅; Ⓒ 기름진 땅, 낙토(樂土).

gos·ling [gázliŋ/-ɔ́-] *n.* Ⓒ 새끼 거위; 풋내기.

gó-slów *n.* Ⓒ 《英》 태업 전술, 사보타주(《美》 slowdown).

***gos·pel** [gáspəl/-ɔ́-] *n.* ① (the ~) (예수의) 복음; (기독교의) 교리; U,C 교의(敎義), 신조, 진리, 주의. ② Ⓒ (G-) 복음서.

góspel trúth 복음서의 진리; 절대적인 진리.

gos·port [gáspɔ̀:rt/-ɔ́-] *n.* Ⓒ 〚空〛 (비행기의) 기내 통화관.

gos·sa·mer [gásəmər/-ɔ́-] *n.* Ⓤ 작은 거미의 집[줄]; 섬세한 물건, 얇은 천; 《美》 얇은 방수포. — *a.* 섬세한, 가냘픈.

:gos·sip [gásip/-ɔ́-] *n.* U,C 잡담; 수다쟁이; Ⓤ 소문, 험담. — *vi.* 잡담[세상 이야기, 한담](을 하다); (남의 일을) 수군거리다.

góssip·mònger *n.* Ⓒ 소문을 퍼뜨리는 사람.

gos·soon [gɑsú:n/-ɔ-] *n.* (Ir.) Ⓒ 소년, 심부름하는 아이.

†got [gɑt/-ɔ-] *v.* get의 과거(분사).

Goth [gɑθ/-ɔ-] *n.* (the ~s) 〚史〛 고트족《3-5세기경 로마 제국에 침입한 튜턴계 민족》; Ⓒ (g-) 야만인.

Goth·am [gátəm, góu-/gɔ́-] *n.* ① (영국의) 고텀 마을; 바보의 마을. ② [gáθəm, góu-/gɔ́-] New York시의 속칭. ***wise man of ~*** 바보.

***Goth·ic** [gáθik/-ɔ́-] *a.* 고딕 건축(양식)의; 고트족[말]의; 중세의; 야만적인. — *n.* Ⓤ 고딕 건축 양식; 고트말; 《美》 〚印〛 고딕 활자.

gó-to-mèeting *a.* 외출용의.

got·ta [gátə/-ɔ́-] 《口》=(have) got to; =(have) got a. ⇨GET.

***got·ten** [gátn/-ɔ́-] *v.* 《美》 get의 과거 분사.

gou·ache [gwá:ʃ, guá:ʃ] *n.* (F.) ① Ⓤ 구아슈; 구아슈 수채화법. ② Ⓒ 구아슈 수채화.

Gou·da [gáudə] *n.* U,C 고다 치즈 《네덜란드 원산》.

gouge [gaudʒ] *n., vi.* Ⓒ 둥근 끌(로 파다); 후벼 내다(*out*); 《美口》 사기(꾼); 속이다.

gou·lash [gú:lɑ:ʃ, -læʃ] *n.* U,C (송아지) 고기와 야채의 (매운) 스튜요리.

Gou·nod [gú:nou], **Charles François** (1818-93) 프랑스의 작곡가.

gourd [gɔ:rd, guərd] *n.* Ⓒ 호리병박(으로 만든 용기).

gour·mand [gúərmənd] *n.* Ⓒ 대식가; 미식가.

gour·met [gúərmei] *n.* (F.) Ⓒ 미식가, 식통(食通).

gout [gaut] *n.* ① Ⓤ 〚醫〛 통풍(痛風). ② Ⓒ 《古·詩》 (특히, 피의) 방울, 응혈. **∠·y** *a.* 통풍의[에 걸린].

Gov., gov. government; governor.

:gov·ern [gʌ́vərn] *vt.* ① 통치[지배]하다; 관리하다. ② 제어[억제]하다.

③ 〖文〗 지배〔요구〕하다《격(case), 법(mood) 등을》. **~·a·ble** *a.*

gov·ern·ance[gʌ́vərnəns] *n.* Ⓤ 지배, 제어, 통치(법).

***gov·ern·ess**[gʌ́vərnis] *n.* Ⓒ ① 여자 가정 교사. ② 여성 지사. ③ 《古》 지사〔총독〕 부인.

†**gov·ern·ment**[gʌ́vərnmənt] *n.* ① Ⓤ 통치, 지배, 정치; 정체(政體). ② Ⓒ (*or* G-) 정부, 내각. ③ Ⓤ 〖文〗 지배. ***-men·tal**[ˋ–méntl] *a.*

góvernment màn 관리, 국가 공무원; 정부 지지자.

góvernment pàper 〖商〗 공채 증권, 정부 증권.

***gov·er·nor**[gʌ́vərnər] *n.* Ⓒ ① 통치〔지배〕자. ② 지사, 장관, 사령관. ③ 《英》 (은행·협회 등의) 회장, 총재. ④ 《英口》 두목, 주인어른(sir). ⑤ 〖機〗 (배기·속도 등의) 조절기. **~·ship**[-ʃip] *n.* Ⓤ governor의 직〔지위·임기〕.

góvernor-géneral *n.* Ⓒ 총독.

Govt., govt. government.

gown**[gaun] *n.* ① Ⓒ 가운, (여자의) 긴 겉옷, 야회복. ② Ⓒ 잠옷, 화장복. ③ Ⓒ 가운《법관·성직자·대학 교수·학생 등의 제복》. ④ Ⓤ 《집합적》 대학생. ***in wig and ~ 법관의 정장으로. ***take the ~*** 성직자〔교수·변호사〕가 되다. TOWN ***and ~***. — *vt.* 가운을 입히다(*be ~ed*). **~ed**[-d] *a.* 가운을 입은.

gowns·man[ˊzmən] *n.* Ⓒ 법관, 변호사; 성직자; 교수, 학생.

Go·ya[gɔ́iə], **Francisco**(1746-1828) 스페인의 화가.

G.P. general practitioner; *Gloria Patri*(L. =Glory to the Father); Graduate in Pharmacy; *Grand Prix*(F.). **G.P.A.** Grade Point Average 《美》 학업 성적 평균점. **G.P.I.** general paralysis of the insane 〖醫〗 뇌(腦)매독. **GPO** Government Printing Office. **G.P.O.** General Post Office. **GPU** General Postal Union. **G.P.U.** (Russ.) Gay-Pay-Oo. **Gr.** Grecian; Greece; Greek. **gr.** grade; grain(s); grammar; gram(s); grand; great; gross; group. **G.R.** 〖軍〗 General Reserve.

grab**[græb] *vt., vi.* (-bb-***) 움켜잡〔쥐〕다(*at*); 잡아채다, 빼앗다. — *n.* Ⓒ ① 움켜잡〔쥐〕기, 잡아채기; 횡령. ② 〖機〗 집(어 올리)는 기계. ***have the ~ on*** 《俗》 …보다 유리한 입장을 차지하다, …보다 낫다.

gráb bàg 《美口》 =LUCKY BAG.

grace**[greis] *n.* ① Ⓤ 우미, 우아, 얌전함; 고상함. ② Ⓤ 은혜, 은고, 편들기, 친절(*good ~s* 호의). ③ Ⓤ 천혜(天惠), (신의) 은총. ④ U,C (보통 *pl.*) 장점, 미덕; 애교; 매력. ⑤ Ⓤ 특사(特赦); 〖法〗 (지급) 유예, 연기. ⑥ U,C 식전〔식후〕의 감사 기도(*say ~*). ⑦ Ⓤ (G-) (archbishop, duke, duchess에 대하여) 각하 (부인). ACT ***of ~. a fall from ~ 총애의 상실, 도덕적 타락. ***be in a person's good ~s*** 아무의 마음에 들다(cf. good BOOKS). ***by the ~ of God*** 신의 은총에 의하여《왕의 이름 밑에 기록하는 공문서 형식》. ***days of ~*** (어음 만기 후의) 지급 유예 기간. ***fall from ~*** 신의 은총을 잃다; 타락하다. ***fall out of ~ with a person*** 아무의 호의를 잃다. ***have the ~ to*** (do) …할 정도의 분별〔아량〕은 있다. ***the*** (***three***) ***Graces*** 〖그神〗 미의 세 여신. ***the year of ~*** (*1998*), 서력 기원(1998년). ***with a good*** 〔***bad, ill***〕 ***~*** 선뜻〔마지 못해〕. — *vt.* 아름답게〔우아하게〕 하다, 꾸미다; (…에게) 영광을〔품위를〕 더하다. **ˊ·ful**(**·ly**) *a.* (*ad.*) 우미〔우아〕한〔하게〕. **ˊ·ful·ness** *n.* Ⓤ 우미, 단아(端雅)함. **ˊ·less**(**·ly**) *a.* (*ad.*) 무례한〔하게〕, 상스러운〔스럽게〕. **ˊ·less·ness** *n.*

gráce nòte 〖樂〗 꾸밈음, 장식음.

gra·cious**[gréiʃəs] *a.* ① 우아〔고상〕한, 우미한, 기품 있는. ② 친절〔정중〕한. ③ 자비로운, 관대한; 존귀한. ***Good 〔***My***〕 ***G-!,*** or ***G- me!,*** or ***G- goodness!*** 저런 어쩌면!; (이거) 큰 일이군! ***~·ly** *ad.* **~·ness** *n.*

grack·le[grǽkəl] *n.* Ⓒ 〖鳥〗 찌르레기류.

grad [græd] *n.* Ⓒ 《美口》 졸업생(graduate).

gra·date[gréideit/grədéit] *vi., vt.* 단계적으로 변하(게 하)다; (…에) 단계를〔등급을〕 매기다.

***gra·da·tion**[greidéiʃən, grə-/grə-] *n.* ① Ⓤ 등급 매기기. ② Ⓒ (보통 *pl.*) 순위, 단계, 순서. ③ U,C (단계적인) 변화. ④ Ⓤ (빛깔의) 바림, 농담법(濃淡法). ⑤ Ⓤ 〖言〗 모음 전환.

†**grade**[greid] *n.* ① Ⓒ 계급, 단계, 품등; 정도; 도수. ② Ⓒ 《美》 (초등·중학교의) 학년; (the ~s) 초등학교. ③ Ⓒ 《美》 물매, 경사. ④ Ⓒ 〖牧畜〗 개량 잡종. ***at ~*** 《美》 (교차점이) 동일 평면에서. ***make the ~*** 가파른 언덕을 올라가다; 어려움을 이겨내다. ***on the down*** 〔***up***〕 ***~*** 《美》 내리〔치〕받이에서, 쇠〔성〕하여. — *vt.* 등급을 정하다〔매기다〕; 《美》 경사를 완만하게 하다. — *vi.* (…의) 등급이다; 서서히 변화하다. **grád·er** *n.* Ⓒ 등급 매기는 사람; …학년생; 땅고르는 기계, 그레이더. **grád·ing** *n.* Ⓤ 등급 매기기; 정지(整地).

gráde cròssing 《美》 건널목.

gráde pòint àverage 《美》 성적 평가점 평균.

gráde schòol 《美》 =ELEMENTARY SCHOOL.

gráde separàtion 입체 교차.

gráde tèacher 《美》 초등학교 교사.

***gra·di·ent**[gréidiənt] *n.* Ⓒ ① 《英》 (통로 등의) 물매. ② 언덕, 경사진 곳. ③ (온도·기압 따위의) 변화율.

*grad·u·al [grǽdʒuəl] a. 점차〔점진, 순차〕적인, 서서히 하는. *~·ly ad. ~·ism [-ìzəm] n. Ⓤ 점진주의〔정책〕.

*grad·u·ate [grǽdʒuèit, -it] vt. ① 등급(grade)〔눈금〕을 매기다. ② 학위(degree)를 수여하다; (대학을) 졸업시키다(*He was ~d at Oxford.* 옥스퍼드 대학을 졸업했다). ③ 〖化〗 농축(濃縮)하다. ── vi. ① 《英》 학위를 받다, (대학을) 졸업하다(*at, from*); 《美》 (학교 종류에 관계 없이) 졸업하다. ② 자격을 얻다(*as, in*). ③ 점차로 변한다〔옮기다〕(*into, away*). ── [-it] n. Ⓒ 《英》 학사; 《美》 졸업생. ── [-it] a. 졸업한. -a·tor n. Ⓒ 눈금이 표시된 그릇; 각도기.

grad·u·at·ed [∠-èitid] a. 눈금을 매긴; 등급별로 구분한; (세금이) 누진적인. ~ **glass** 액량계, 미터글라스.

gráduate núrse 《美》 (양성소 졸업의) 유자격 간호사.

gráduate schòol 대학원.

*grad·u·a·tion [grӕ̀dʒuéiʃən] n. ① Ⓤ 《美》 졸업; 《英》 학위 수여; Ⓒ 졸업식. ② Ⓒ 눈금; Ⓤ 등급 매기기.

Gráeco-Róman a., n. =GRECO-ROMAN.

graf·fi·to [grəfí:tou] n. (*pl.* -ti [-ti]) Ⓒ 〖考〗 (벽·기둥에 긁어 그린) 그림〔글〕; (보통 *pl.*) (변소 등의) 낙서.

graft [grӕft, -ɑ:-] n., vt., vi. Ⓒ 접목(하다), 눈접 (붙이다); 〖外〗 식피(植皮)〔식육(植肉)〕(하다); Ⓤ 《口》 독직(瀆職)(하다). ∠·er n. Ⓒ 《口》 수회자; 접붙이는 사람.

gra·ham [gréiəm] a. 정맥(精麥)하지 않은, 현맥(玄麥) 가루로 만든.

Grail [greil] n. (the ~) 성배(=Holy ~)《예수가 최후의 만찬 때 쓴 잔; Arthur 왕의 원탁 기사들이 이것을 찾아 다녔음》.

*grain [grein] n. ① Ⓒ 낟알. ② Ⓤ 《집합적》 곡물, 곡식(《英》 corn). ③ Ⓒ (모래·사금 따위의) 알. ④ Ⓒ 미량(微量). ⑤ Ⓒ 그레인《형량 단위 = 0.0648g》. ⑥ Ⓤ 나뭇결, 돌결; (가죽의 털을 뽑은) 껄껄한 면. ⑦ Ⓤ (나뭇결에 비유한) 특성, 성미, 성질. ***against the ~*** 비위에 거슬려, 마음이 없이. ***dye in ~*** (짜기 전) 실에 물들이다. ***in ~*** 타고난, 본질적인. ***rub a person against the ~*** 아무를 화나게 하다. ***(take) with a ~ of salt*** 에누리하여 (듣다). ***without a ~ of*** …은 조금도 없이. ── vt. (낟)알로 만들다; 나뭇결 모양으로 하다.

gráin àlcohol 에틸알코올, 주정(酒精).

gráin bèlt 곡창 지대.

gráin èlevator 《美》 곡물 창고.

gráin·fìeld n. Ⓒ 곡물밭.

gráin sìde (짐승 가죽의) 털 있는 쪽.

*gram [grӕm] n. Ⓒ 그램.

*gram·mar [grǽmər] n. ① Ⓤ 문법. ② Ⓒ 문법책, 문전(文典). ③ Ⓤ 초보, 원리. ④ 〖컴〗 문법. ***comparative (descriptive) ~*** 비교〔기술〕 문법. *~·i·an [grəmέəriən] n. Ⓒ 문법가; 문법 교사.

grámmar schòol 《美》 (공립) 초급 중학; 《英》 대학 진학 예비 과정으로 public school에 준하는 중등 학교; 〖史〗 고전 문법 학교.

*gram·mat·i·cal [grəmǽtikəl] a. 문법(상)의. ~·ly [-kəli] ad.

gramme [grӕm] n. 《英》 =GRAM.

grám mòlecule 〖化〗 그램 분자, 몰(mol).

*gram·o·phone [grǽməfòun] n. 《英》 축음기.

gram·pus [grǽmpəs] n. Ⓒ 〖魚〗 범고래; 돌고랫과의 일종; 《口》 코고는 사람, 숨결이 거친 사람.

Grám's méthod [grǽmz-] 〖病〗 그람 염색법.

*gra·na·ry [grǽnəri, gréi-] n. Ⓒ 곡창(지대).

*grand [grӕnd] a. ① 웅대〔장려〕한, 장엄한. ② 위대〔훌륭〕한, 거룩한, 풍채가 당당한(*the ~ manner* (노인 등의) 관록이 있는 태도). ③ 거만한; 중대한, 큰, 주되는. ④ 전부의. ⑤ 《口》 굉장한, 멋진. ***do the ~*** 젠체하다. ***live in ~ style*** 호화롭게 살다. ── n. = GRAND PIANO; Ⓒ 《美俗》 천 달러. ∠·ly ad. ∠·ness n.

gran·dad [grǽndӕ̀d] n. 《口》 = GRANDDAD.

gran·dam [grǽndæm], -dame [-deim] n. Ⓒ 조모; 노파.

gránd·àunt n. Ⓒ 대고모《조부모의 자매》.

Gránd Cányon, the 그랜드 캐니언《Arizona 주의 대협곡》.

*gránd·chìld n. Ⓒ 손자, 손녀.

gránd·dàd n. Ⓒ 《口》 할아버지.

grand·daugh·ter [∠dɔ̀:tər] n. Ⓒ 손녀.

Gránd Dúchy 대공국(大公國).

gránd dúke 대공; (제정 러시아의) 황태자.

gran·dee [grӕndí:] n. Ⓒ 대공(大公)《스페인·포르투갈의 최고 귀족》; 귀인, 고관.

*gran·deur [grǽndʒər] n. Ⓤ 웅대, 장엄, 화려, 성대; 장관; 위대; 고귀.

†grand·fa·ther [grǽndfɑ̀:ðər] n. Ⓒ 조부; 조상. ~·ly a.

grándfather('s) clóck 큰 괘종 시계《진자식》.

gránd finále 대단원(大團圓).

gran·dil·o·quence [grӕndíləkwəns] n. Ⓤ 호언 장담. -quent a. 과장의, 과대한.

gran·di·ose [grǽndiòus] a. 장대〔웅대〕한; 과장한, 어마어마한. -os·i·ty [∠diάsəti/-ɔ́-] n.

gránd júry ⇨JURY[1].

Gránd Láma, the =DALAI LAMA.

gránd lárceny 〖法〗 중절도(죄).

*grand·ma [grǽndmɑ:], -ma(m)-

ma[-mɑ́:mə, -məmɑ́:] *n.* Ⓒ《口》 할머니.

†**grand·moth·er**[grǽndmʌ̀ðər] *n., vt.* Ⓒ 조모; 어하다. **~·ly** *a.* 할머니 다운, 친절한, 지나치게 친절한.

Gránd Óld Párty, the 미국 공화당《생략 G.O.P.》.

gránd ópera 대가극《회화의 부분이 모두 가곡으로 꾸며진》.

‡**grand·pa** [grǽndpɑ̀:, grǽm-], **-pa·pa**[-pɑ̀:pə/-pəpɑ́:] *n.* Ⓒ《口·兒》 할아버지.

‡**grand·par·ent**[grǽndpɛ̀ərənt] *n.* Ⓒ 조부〔모〕.

gránd piáno 그랜드 피아노.

grand prix[grɑ̃:ŋ prí:] (F.=great prize) 그랑프리, 대상(大賞); (파리의) 대경마; 장거리 자동차 경주.

gránd-scàle *a.* 대형의; 대규모의; (노력 따위가) 굉장한.

grand·sire [grǽndsàiər] *n.* Ⓒ 《古》 조부.

‡**grand·son**[grǽndsʌ̀n] *n.* Ⓒ 손자.

gránd stáircase (현관의) 큰 계단.

gránd·stànd *n.* Ⓒ (경마장·경기장 따위의) 정면 관람석.

gránd stýle 장엄체《Milton 등의 시풍(詩風)》.

gránd tótal 총계.

gránd tóur 대여행《영국 청년 귀족들이 하던 유럽 수학 여행》.

gránd·ùncle *n.* Ⓒ 종조부《조부모의 형제》.

gránd vizíer (이슬람교 국가의) 수「상.

grange[greindʒ] *n.* Ⓒ (건물과) 농장, 《英》 농장의 집《헛간 등을 포함》; 호농의 저택; (G-) 《美》 (소비자와 직결하는) 농민 공제 조합(의 지부).

gráng·er *n.* Ⓒ 농민; (G-) 《美》 농민 공제 조합(지부)원.

‡**gran·ite**[grǽnit] *n.* Ⓤ 쑥돌, 화강암. ***as hard as ~*** 몹시 단단한; 완고한. ***bite on ~*** 헛수고를 하다.

gran·ny, -nie[grǽni] *n.* 《口》 = GRANDMOTHER; =OLD WOMAN.

†**grant**[grænt, -ɑ:-] *vt.* ① 승낙〔청허〕하다, 허가하다. ② 수여하다. ③ 양도하다. ④ 하사(下賜)하다, 내리다; 인정하다; …라고 하다(admit). ***~ed*** 〔***~ing***〕 ***that ...*** 설사 …이라고 하더라도. ***take ... for ~ed*** …을 당연한 것으로 여기다. ― *n.* ① Ⓤ 허가, 인가. ② Ⓤ 양도. ③ Ⓤ 하사, 교부. ④ Ⓒ 교부금. **gran·tée** *n.* Ⓒ 〖法〗 양수인. **gran·tor**[grǽntər, grɑ:ntɔ́:r] *n.* Ⓒ 〖法〗 양도인.

Grant[grænt, -ɑ:-], **Ulysses Simpson**(1822-85) 미국의 군인·정치가《남북 전쟁의 북군 총사령관; 제 18대 대통령(1869-77)》.

gran·u·late[grǽnjəlèit] *vt., vi.* 모양으로 만들다〔되다〕, (표면 따위) 깔깔하게 되다〔만들다〕; (*vi.*) (상처에) 새살이 나오다. **-la·tion**[⌒-léiʃən] *n.*

gran·ule[grǽnju:l] *n.* Ⓒ 미립(微粒), 고운 알. **-u·lar** *a.* 알(모양)의.

‡**grape**[greip] *n.* Ⓤ,Ⓒ 포도; Ⓒ 포도나무. ***belt the ~*** 《美俗》 잔뜩 (퍼) 마시다. ***sour ~s*** 오기(傲氣).

grápe·frùit *n.* Ⓤ,Ⓒ 그레이프프루트; Ⓒ 그 나무.

grápe jùice 포도 주스.

grápe·shòt *n.* Ⓤ《古》 포도탄(彈).

grápe sùgar 포도당(糖).

grápe·vìne *n.* Ⓒ 포도 덩굴〔나무〕; (the ~) 《美口》 비밀 등을 전달하는 특수 경로, 정보망; 데마, 소문.

***graph**[græf, -ɑ:-] *n., vt.* Ⓒ 그래프〔도표〕(로 나타내다).

***graph·ic**[grǽfik], **-i·cal**[-əl] *a.* 필사(筆寫)의, 문자〔그림〕의; 도표〔그래프〕로 나타낸; 생생한. **-i·cal·ly**

gráphical úser ìnterface 〖컴〗 그래픽 사용자 인터페이스《그림 인쇄(graphics)를 활용한 사용자 사이틀; 생략 GUI.》.

gráphic fórmula 도식; 〖化〗 구조식(structural formula).

graph·ics[grǽfiks] *n.* Ⓤ 제도학; 〖컴〗그래픽스.

graph·ite[grǽfait] *n.* Ⓤ 〖鑛〗 석묵(石墨); 흑연.

graph·ol·o·gy[græfɑ́lədʒi/-ɔ́-] *n.* Ⓤ 필적학(筆跡學), 필적 관상법.

gráph pàper 방안지, 모눈종이, 그래프 용지(《英》 section paper).

grap·nel[grǽpnəl] *n.* Ⓒ (네 갈고리의) 소형 닻; (닻 모양의) 갈고리.

grap·ple**[grǽpəl] *vt.* 꽉 쥐다〔잡다〕, 붙잡다. ― *vi.* (갈고리로) 고정하다; 맞붙어 싸우다(with***); 접전하다(***with***). ― *n.* Ⓒ 드잡이, 격투; =GRAPNEL.

grap·pling[⌐iŋ] *n.* Ⓤ,Ⓒ 걸어 잡는 도구, 갈고랑쇠; 드잡이; =GRAPNEL.

GRAS[græs] generally recognized as safe 미국 식품 의약국의 합격증.

‡**grasp**[græsp, -ɑ:-] *vt.* ① 잡다, 쥐다. ② 이해하다. ***~ at*** 덤벼들다, 잡으려 하다, 달려들다. ― *n.* (*sing.*) 쥠; 지배(력); 이해(력); 손잡이, 자루. **⌐·ing** *a.* 탐욕스러운; 잡는, 쥐는; 구두쇠의.

†**grass**[græs, -ɑ:-] *n.* ① Ⓤ,Ⓒ 풀, 목초, 잔디; 목초지. ② Ⓒ 〖植〗《집합적》 볏과의 식물; (*pl.*) 풀잎. ③ 《美俗》 =MARIJUANA. ④ Ⓒ 《美俗》 밀고자. ***at ~*** 방목되어; 일을 쉬고. ***be between ~ and hay*** 《美》 아직 어른이 못 되다. ***be in the ~*** 《美》 잡초에 파묻히다. ***go to ~*** (소·말이) 목장으로 가다; 《美口》 일을 쉬다; 《美俗》 얻어맞아 쓰러지다. ***Go to ~!*** 《美俗》 허튼 소리 마라. ***lay down in ~*** 잔디를 심다. ***let the ~ grow under one's feet*** 꾸물거리다가 기회를 놓치다. ***put*** 〔***send, turn***〕 ***out to ~*** 방목하다; 《口》 해고하다; 은퇴시키다; 《美口》 때려 눕히다. ― *vt.* (…에) 풀로 덮다; 목초를 먹이다; 풀〔지면〕 위에 펴다; 《口》 때려 눕히다.

gráss hànd (한자의) 초서(草書); 《英》 〖印〗 임시 식자공.

‡**grass·hop·per** [⌐hɑ̀pər/-ɔ̀-] *n.*

Ⓒ ① 메뚜기, 여치, 황충 (따위). ② 《口》〖軍〗(비무장의) 소형 정찰기.
gráss·lànd *n.* Ⓤ 목초지.
grass·plot[ˊplɑ̀t/-ɔ̀-] *n.* Ⓤ 잔디.
gráss róots (보통 the ~) 일반 대중; 기초, 근원. ***get down to the ~*** 문제의 근본에 대해 논급하다.
gráss-róots *a.* 일반 대중의, 유권자들의.
gráss wídow 이혼한 여자; 별거 중인 아내.
gráss wídower 이혼한 남자; 별거 중인 남편.
***grass·y**[grǽsi/grɑ́:si] *a.* 풀이 무성한, 풀 같은, 풀의.
***grate**[1] [greit] *n.* Ⓒ (난로의) 쇠살판, 화상(化床); =GRATING[1].
***grate**[2] *vt.* ① (치즈 따위를 강판으로) 갈다; 으깨어 빻다. ② 삐걱거리게 하다. — *vi.* ① 서로 갈리다; 삐걱거리다(*against, on, upon*). ② 불쾌감을 주다. **grát·er** *n.* Ⓒ 문지르는〔가는〕 사람; 강판.
:grate·ful[ˊfəl] *a.* 감사히 여기는; 고마운, 기쁜, 즐거운. * **~·ly** *ad.*
***grat·i·fi·ca·tion**[grӕ̀təfikéiʃən] *n.* ① Ⓤ 만족(감), 기쁨. ② Ⓒ 만족시키는 것.
:grat·i·fy[grǽtəfài] *vt.* 만족시키다; 기쁘게 하다. **~·ing** *a.* 만족시키는, 기쁜.
grat·in[grǽtn, -ɑ́:-] *n.* (F.) Ⓤ,Ⓒ 그라탱《빵가루를 입혀 구운 요리》.
grat·ing[1][gréitiŋ] *n.* Ⓒ 격자(문).
grat·ing[2] *a.* 삐걱거리는; 서로 갈리는; 귀에 거슬리는. **~·ly** *ad.*
gra·tis[gréitis, -ǽ-] *ad., a.* 무료로〔의〕.
:grat·i·tude[grǽtətjù:d] *n.* Ⓤ 감사(하는 마음).
gra·tu·i·tous[grətjú:ətəs] *a.* 무료의; 공짜의; 필요 없는, 이유〔까닭〕 없는; 무상(無償)의. **~·ly** *ad.*
gra·tu·i·ty[grətjú:əti] *n.* Ⓒ 사례금, 팁(tip); 《英》(제대하는 군인에의) 하사금.
grat·u·la·tion [grӕ̀tʃəléiʃən] *n.* 《古》=CONGRATULATION.
gra·va·men[grəvéimən/-men] *n.* (*pl.* ***-vamina***[-vǽmənə]) Ⓒ 불평, 불만; 〖法〗 소송의 요점.
†**grave**[1][greiv] *n.* Ⓒ 무덤; (the ~) 죽음. ***(as) secret* 〔*silent*〕 *as the ~*** 절대 비밀의〔쥐죽은 듯 고요한〕. ***beyond the ~*** 저승에서. ***in one's ~*** 죽어서. ***make (a person) turn in his ~*** (아무로 하여금) 죽어서도 눈을 못 감게 하다. ***on this side of the ~*** 이승에서. ***Someone is walking over my ~.*** 찬바람이 돈다《공연히 몸이 떨릴 때 하는 말》.
:grave[2] *a.* 중대한, 예사롭지 않은; 장중한, 진지한; 충충한, 수수한. **:ˊ·ly** *ad.*
grave[3] *vi.* (***~d; ~d, ~n***) 새기다, 파다; 명심하다.
gráve clòthes 시체에 입히는 옷, 수의.
gráve·dìgger *n.* Ⓒ 무덤 파는 일꾼.
:grav·el[grǽvəl] *n., vt.* (《英》 ***-ll-***) Ⓤ ① 《집합적》 자갈(을 깔다). ② 〖醫〗 결사(結砂). ③ 《口》 난처하게 하다, 괴롭히다. ***eat ~*** 땅에 쓰러지다. **~·ly** *a.* 자갈이 많은.
grável-blìnd *a.* 반소경의.
grável pìt 자갈 채취장.
grável wàlk 자갈길.
grav·en[gréivən] *v.* grave[3]의 과거분사. — *a.* 조각된; 감명 깊은.
gráven ímage 조상(彫像); 우상 (idol).
gráve·stòne *n.* Ⓒ 묘석.
***gráve·yàrd** *n.* Ⓒ 묘지.
gra·vim·e·ter[grəvímitər] *n.* Ⓒ 중력계.
grav·i·tate[grǽvətèit] *vt.* 인력에 끌리다; 침강〔하강〕하다; 끌리다(*to, toward*). ***-ta·tion**[ˋ—téiʃən] *n.* Ⓤ 인력 (작용), 중력.
:grav·i·ty[grǽvəti] *n.* Ⓤ ① 중력, 지구 인력. ② 중량. ③ 진심, 엄숙; 중대. ④ 〖樂〗 저음.
gra·vure[grəvjúər, gréivjər] *n.* =PHOTOGRAVURE.
***gra·vy**[gréivi] *n.* ① Ⓤ,Ⓒ 고깃국물(소스). ② Ⓤ 《美俗》 부정 이득.
grávy tràin 《美俗》 놀고 먹을 수 있는 지위〔수입〕.
†**gray,** 《英》 **grey**[grei] *n., a.* ① Ⓤ,Ⓒ 회색(의). ② (the ~) 박명(薄明), 황혼. ③ (얼굴이) 창백한. ④ 백발의. ⑤ 음침한. ⑥ 늙은; 원숙한. **ˊ·ish** *a.* 회색빛이 나〔도〕는.
Gray, Thomas (1716-71) 영국의 시인.
gráy·bèard *n.* Ⓒ 노인.
gráy éminence 흑막(적인 인물).
gráy-háired *a.* 백발의; 노년의.
gráy hàirs 노년.
gray·hound[ˊhàund] *n.* =GREYHOUND.
gray·lag[ˊlӕ̀g] *n.* Ⓒ 기러기의 일종.
gray·ling[ˊliŋ] *n.* Ⓒ 〖魚〗 사루기; 〖蟲〗 뱀눈나빗과의 나비.
gráy máre 내주장(內主張)하는 아내.
gráy márket 어느 정도 합법적인 암시장.
gráy màtter 〖解〗 (뇌의) 회백질(灰白質); 《口》 지력(知力).
gray·wacke[gréiwӕ̀kə] *n.* Ⓤ 〖地〗 경사암(硬砂岩).
:graze[1][greiz] (<grass) *vi., vt.* 풀을 먹(이)다.
graze[2] *vt., vi., n.* 스치다; Ⓤ 스치기, (지나가면서) 약간 닿다〔닿음〕; 스쳐벗기다〔벗어지다〕; Ⓒ 찰과상(擦過傷).
gra·zier[gréiʒər] (<graze[1]) *n.* Ⓒ 《英》 목축업자. **~·y** *n.* Ⓤ 목축업.
graz·ing[gréiziŋ] *n.* Ⓤ 방목, 목축; 목장, 목초지.
Gr. Br., Gr. Brit. Great Britain.
GRBM Global Range Ballistic Missile. **Grc.** Greece.
:grease[gri:s] *n.* Ⓤ ① (짐승의) 기

름, 그리스. ② 《俗》 뇌물; 영향력. ── [gri:z, -s] *vt.* (…에) 기름을 바르다[으로 더럽히다]; 《俗》 (…에게) 뇌물을 주다. *~ a person's palm* 뇌물을 안기다.

gréase pàint 그리스 페인트, 도란 《배우의 메이크업용》.

***greas·y**[grí:si, -zi] *a.* ① 기름을 바른[으로 더럽힌]; 기름기 많은. ② 미끈미끈한; 진창의. ③ 알랑거리는.

gréasy spóon 《美俗》 싸구려 식당, 변두리의 스낵.

†great[greit] *a.* ① 큰. ② 훌륭한, 위대한. ③ 대단한(*my ~ friend* 아주 친한 사이). ④ 중대한. ⑤ 주된. ⑥ 고귀한, 마음이 넓은. ⑦ 《口》 근사한, 즐거운. ⑧ 《口》 잘 하는(*at*), 열심인(*on*). ⑨ 큼직한, 어마어마한. ⑩ 《古·方》 임신한. ***G- God [Scott]!*** 저런!; 아이 깜짝이야. ***the ~er [~est] part of*** …의 대부분. ── *n.* Ⓒ 위대한 사람[것]; (the ~) 《집합적》 훌륭한 사람들. **:∠·ly** *ad.* 크게, 대단히. **:∠·ness** *n.*

gréat-àunt *n.* Ⓒ 대고모.

Gréat Béar, the 〖天〗 큰곰자리.

:Gréat Brítain 대브리튼(England, Scotland, Wales의 총칭). 「圈).

gréat círcle (구면(球面)의) 대권(大

gréat·còat *n.* Ⓒ 《英》 무거운 외투.

Gréat Dáne 덴마크종의 큰 개.

Gréat Divíde 《美》 로키 산맥.

Gréat Dóg, the 〖天〗 큰개자리.

:great·er[gréitər] *a.* (보통 G-) 대(大) … 《대도시를 그 교외를 포함시키어 부를 때》.

Gréater Mánchester 영국 서부의 주《1974년 신설》.

gréatest cómmon divísor 〖數〗 최대 공약수.

gréat·grándchild [-father, -mother] *n.* Ⓒ 증손[증조부, 증조모]. 「용감한.

gréat-héarted *a.* 고결한, 관대한;

Gréat Lákes, the 《美》 5대호.

Gréat Pláins, the (로키 산맥 동쪽의) 대평원.

Gréat Pówer 강국, 열강, 대국.

gréat séal 국새(國璽).

Gréat Wáll 〖天〗 (인력에 의하여 결합된 수천의) 거대한 성운(星雲) 무리.

Gréat Wáll (of Chína), the (중국의) 만리장성.

Gréat Wár, the (제1차) 세계 대전.

Gréat White Wáy 《美》 뉴욕 시 Broadway의 극장 거리.

greave[gri:v] *n.* Ⓒ (보통 *pl.*)(갑옷의) 정강이받이.

grebe[gri:b] *n.* Ⓒ 농병아리.

***Gre·cian**[grí:ʃən] *a., n.* (건축·얼굴 모습 따위가) 그리스식의; Ⓒ 그리스 사람[학자].

Gre·co-[grí:kou] '그리스'의 뜻의 결합사.

Gréco-Ròman *a., n.* 그리스와 로마의; Ⓤ 〖레슬링〗 그레코로만형(型)(의).

:Greece[gri:s] *n.* 그리스.

***greed**[gri:d] *n.* Ⓤ 탐욕, 욕심. **:∠·y** *a.* 탐욕스러운; 열망하는(*of, for*); 걸신들린, 게걸스러운. ***∠·i·ly** *ad.* **∠·i·ness** *n.*

:Greek[gri:k] *a., n.* ① 그리스의; Ⓒ 그리스 사람(의); Ⓤ 그리스어(의). ② Ⓒ 《俗》 사기꾼. ***It is (all) ~ to me.*** 도무지 알 수 없다. ***When ~ meets ~, then comes the tug of war.*** 《속담》 두 영웅이 만나면 격렬한 싸움은 피할 수 없다.

Gréek Chúrch ⇨GREEK ORTHODOX CHURCH.

Gréek-lètter fratérnity 《美》 그리스 문자 클럽《그리스 문자로 이름을 붙인 학생 사교 단체》.

Gréek Órthodox Chúrch 그리스 정(正)교회.

†green[gri:n] *a.* ① 초록색의, 푸릇한. ② 안색이 나쁜(pale); (질투·공포 등으로) 얼굴이 창백한. ③ 푸른 풀[잎으]로 덮인. ④ (과실 등이) 익지 않은. ⑤ 풋내기의, 숫된; 속기 쉬운. ⑥ 신선한, 날것의. ⑦ 원기 있는. ── *n.* ① Ⓤ,Ⓒ 녹색; Ⓤ 녹색 안료. ② Ⓒ 초원; 공유의 풀밭(*a village ~*). ③ Ⓤ 녹색의 물건[옷]. ④ (*pl.*) 야채; (*pl.*) 푸른 잎[가지]. ⑤ Ⓤ 청춘, 젊음, 원기; =PUTTING GREEN. ⑥ 골프장. ***in the ~*** 혈기 왕성하여. ── *vt., vi.* 녹색으로 하다[되다]; (*vt.*) 속이다. **∠·ness** *n.*

gréen·bàck *n.* Ⓒ (뒷면이 녹색인) 미국 지폐. 「지대.

gréen·bèlt *n.* Ⓒ (도시 주변의) 녹

Gréen Bérets 그린베레《영·미국 군대의 전격 특공대》.

gréen-blìnd *a.* 녹색맹(綠色盲)의.

gréen còrn 《美》 설 여문 옥수수 《요리용》.

Greene[gri:n], **Graham** (1904-91) 영국의 소설가.

green·er·y [∠əri] *n.* Ⓤ 《집합적》 푸른 잎; 푸른 나무.

gréen-éyed *a.* 초록빛 눈의; 질투에 불타는(*the ~ monster* 질투).

gréen flỳ =APHIS.

gréen·gàge *n.* Ⓒ 양자두의 일종.

gréen·gròcer[gròcery] *n.* Ⓒ 《英》 청과물상인[상점].

gréen·hòrn *n.* Ⓒ 《俗》 풋내기.

***gréen·hòuse** *n.* Ⓒ 온실.

gréenhouse gàs 온실 효과 기체[가스]《지구 온난화의 원인이 되는 이산화탄소, 메탄, 이산화질소 따위》.

***green·ish**[∠iʃ] *a.* 초록빛이 도는.

:Green·land[grí:nlənd] *n.* 북미 북동쪽의 세계 최대의 섬《덴마크령》.

gréen líght 청[전진]신호; 《口》 (정식) 허가.

gréen màn 골프장 관리인.

gréen manúre 녹비(綠肥).

Gréen Móuntain Státe, the 《美》 Vermont주의 속칭.

Gréen Páper 《英》 녹서(錄書)《정부의 심의용 시안 문서》. 「료》.

gréen pépper 양고추, 피망《조미

gréen revolútion 품종 개량에 의

한 식량 증산.
gréen·ròom *n.* Ⓒ (극장의) 배우 휴게실. ***talk*** ~ 내막 이야기를 하다.
gréen(s)·kèeper *n.* Ⓒ 골프장 관리인.
gréen·stùff *n.* Ⓤ 푸성귀, 야채.
gréen·swàrd *n.* Ⓤ 잔디.
gréen téa 녹차(綠茶).
*__Green·wich__[grínidʒ, -tʃ, grén-] *n.* 그리니치《런던 남동부 교외; 원래 왕립 천문대가 있었으나 1948년 Hurstmonceux로 옮김》.
Gréenwich (méan) tìme 그리니치 표준시.
gréen·wòod *n.* (the ~)(한여름의) 푸른 숲, 녹림(綠林).
:**greet**[gri:t] *vt.* ① 인사하다, 맞이하다. ② (눈·귀 따위에) 들어오다, 보이다, 들리다.
:**greet·ing**[grí:tiŋ] *n.* ① Ⓒ 인사. ② (보통 *pl.*) 인사말; 인사장.
gréeting càrd (크리스마스 따위의) 인사장, 축하 카드.
gre·gar·i·ous[grigέəriəs] *a.* 〖動·植〗 군거〔집단〕성(性)의; 사교적인. ~·**ly** *ad.* ~·**ness** *n.*
Gre·gó·ri·an cálendar [grigɔ́:riən-] 그레고리력(曆), 신력(新曆)《로마 교황 Gregory XIII 제정(1582)》.
grem·lin[grémlin] *n.* Ⓒ (비행기에 장난을 한다는) 작은 마귀.
grem·mie[grémi] *n.* Ⓒ《美》 파도타기의 신출내기.
gre·nade[grənéid] *n.* Ⓒ 수류탄; 소화탄; 최루탄.
gren·a·dier[grènədíər] *n.* Ⓒ 척탄병(擲彈兵); 키가 큰 (당당한) 보병; 《英》 근위(近衛) 보병 제1연대의 병사.
gren·a·dine[grènədí:n, ⌐-⌐] *n.* Ⓤ 얇은 사(紗)의 일종; 석류 시럽.
Grésh·am's láw[gréʃəms-] 그레셤의 법칙《악화는 양화를 구축한다》.
Grét·na Gréen[grétnə-] 스코틀랜드 남부의 촌《잉글랜드에서 사랑의 도피를 한 남녀가 결혼하던 곳》(cf. Reno).
†**grew**[gru:] *v.* grow의 과거.
grew·some[grú:səm] *a.* =GRUESOME.
†**grey**[grei] *n., a.* 《英》 =GRAY.
*__gréy·hòund__ *n.* Ⓒ 그레이하운드《몸·다리가 길고 빠른 사냥개》.
grid[grid] *n.* Ⓒ (쇠)격자; 석쇠(gridiron); 〖電·컴〗 그리드, 격자《다극(多極) 진공관내의 격자판》.
grid·dle[grídl] *n.* Ⓒ 과자 굽는 번철.
gríddle·càke *n.* Ⓤ,Ⓒ 핫케이크.
grid·i·ron[grídàiərn] *n.* Ⓒ (고기 등을 굽는) 석쇠; 격자 모양의 것; 도로망; 〖劇〗 무대 천장의 창살 모양의 대들보; 미식 축구장.
gríd lèak 〖電子〗 그리드 리크《고저항기의 하나》.
grid·lock[grídlɑ̀k/-lɔ̀k] *n.* Ⓒ《美》 (교차점 등의) 전면적 교통정체《어느 방향으로도 움직이지 못하는》.
:**grief**[gri:f] *n.* Ⓤ 비탄; Ⓒ 슬픔의 씨앗; Ⓤ《古》 재난, 불운. ***come to*** ~ 재난을 당하다, 실패하다.
Grieg[gri:g], **Edvard**(1843-1907) 노르웨이의 작곡가.
:**griev·ance**[grí:vəns] *n.* Ⓒ 불만, 불평의 씨, 불평(거리).
:**grieve**[gri:v] *vt., vi.* 슬퍼(하게)하다; 괴로워하다; 괴롭히다.
*__griev·ous__[grí:vəs] *a.* ① 괴로운, 쓰라린; 심한. ② 슬픈, 비통한, 애처로운.
grif·fin[grífin], **-fon**[-fən] *n.* Ⓒ 〖그神〗 독수리 머리와 날개에 사자 몸을 한 괴물. 「귀뚜라미; 여치.
grig[grig] *n.* Ⓒ《方》 작은 뱀장어;
*__grill__[gril] *n.* Ⓒ 석쇠(gridiron); 고기〔생선〕구이 요리; 그릴; 쇠격자. — *vt.* (…에) 굽다, 찌다; 뜨거운 열로 괴롭히다;《美口》 엄하게 심문하다. — *vi.* 구워지다, 쬐어지다.
grille[gril] *n.* Ⓒ (창 따위의) 쇠격자, 쇠창살. 「식당》.
gríll·ròom *n.* Ⓒ 그릴《즉석 불고기
grilse[grils] *n. sing. & pl.* Ⓒ (바다에서 강으로 올라온) 연어 새끼.
:**grim**[grim] *a.* (*-mm-*) ① 엄한, 불굴의. ② (얼굴이) 무서운, 험상궂은. ③ 잔인한. ***hold on like ~ death*** 단단히 달라붙어서 떨어지지 않다.
*__grim·ace__[gríməs, griméis] *n., vi.* Ⓒ 찡그린 얼굴(을 하다); 짐짓 (점잔을 빼며) 찌푸린 상을 하다.
gri·mal·kin[grimǽlkin, -mɔ́:l-] *n.* Ⓒ 고양이; 늙은 고양이〔암코양이〕; 심술궂은 할멈.
grime[graim] *n., vt.* Ⓤ 때, 그을음, 검댕; 더럽히다, 때묻히다.
:**Grimm**[grim], **Jakob** (1785-1863) 독일의 언어학자; **Wilhelm** (1786-1859) Jakob의 동생, 동화작가.
Grímm's láw 〖言〗 그림의 법칙《Jakob이 발견한 게르만어에서의 인도유럽어의 자음 전환의 법칙》.
grim·y[gráimi] *a.* 때묻은.
:**grin**[grin] *vi.* (*-nn-*), *n.* Ⓒ ① 씩〔싱긋〕웃다〔웃음〕. ② (고통·노여움·웃음 따위로) 이빨을 드러내다〔드러냄〕. ***~ and bear it*** 억지로 웃으며 참다. ***~ like a*** CHESHIRE ***cat.***
:**grind** [graind] *vt.* (***ground,*** 《稀》 ***~ed***) ① (맷돌로) 타다; 가루로 만들다; 분쇄하다. ② (맷돌·핸들 따위를) 돌리다. ③ 닦다, 갈다; 갈아서 닳게 하다. ④ 문지르다. ⑤ 착취하다, 학대하다. ⑥《口》 주입시키다. ⑦ 바드득거리다. — *vi.* 맷돌질하다; 가루를 타다; (가루로) 갈리다, 가루가 되다; 닦아〔갈아〕지다; 삐걱거리다;《口》 부지런히 일하다, 끈기 있게 공부하다(*away, at*). — *n.* ① Ⓤ (맷돌로) 타기, 빻기, 으깨기. ② (*sing.*) 《口》 힘드는 일〔공부〕; Ⓒ 억척스럽게 공부하는 사람.
:**grind·er**[⌐ər] *n.* Ⓒ ①(맷돌을) 가는 사람; (칼 따위를) 가는 사람. ② 어금니, 구치(臼齒). ③ 연마기, 그라인더. ***take a ~*** =cut a SNOOK.

G

***grind·ing**[∠iŋ] *a.* ① (맷돌로) 타는, 가는; 삐걱거리는. ② 힘드는, 지루한. ③ 압제의; 매우 아픈. — *n.* Ⓤ ① 제분, 타기, 갈기. ②《美口》주입식 교수. ~·**ly** *ad.* 부지런히.

grínding whèel 회전 숫돌; 연마공장.

:grínd·stòne *n.* Ⓒ 회전숫돌. ***have*** 〔***keep, put***〕 ***one's nose to the*** ~ 꾸준히 일하다.

grin·ga[gríŋgə] *n.* Ⓒ《보통 蔑》(중남 아메리카·스페인에서) 외국 여성, (특히) 영미 여성.

:grip[grip] *n.* ① Ⓒ (보통 *sing.*) 잡기; 악력(握力). ② Ⓒ 쥐는〔잡는〕 기계, 손잡이, 핸들. ③ (*sing.*) 통솔〔지배〕력. ④《美》소형 여행 가방, 핸드백; =GRIPPE. ***come to*** ~***s*** 드잡이하다. — *vt.* (**-pp-**) 잡다; (…의) 마음을 사로잡다; 이해하다. — *vi.* 고착하다.

gripe[graip] *vt.* 잡다; 쥐어짜다; 《흔히 수동태로》가슴 아프게 하다; 배를 아프게 하다; 괴롭히다. — *vi.* 잡다; 배앓이로 고생하다;《美口》우는 소리〔불평〕하다. — *n.* (*pl.*) 심한 배앓이(colic); Ⓒ 불평.

grippe[grip] *n.* (F.)=INFLUENZA.

gríp·sàck *n.* Ⓒ《美》여행 가방.

gris·ly[grízli] *a.* 무서운, 무시무시한.

grist [grist] *n.* Ⓤ 제분용 곡식. ***bring*** ~ ***to one's*** 〔***the***〕 ***mill*** 돈벌이가 되다, 수지가 맞다.

gris·tle[grísl] *n.* Ⓤ 연골(軟骨) (cartilage).

gríst·mill *n.* Ⓒ 제분소.

grit[grit] *n.* Ⓤ (기계에 장애가 되는) 잔 모래;《美》용기. — *vi.* (**-tt-**) 중얼거리다, 이를 갈다. ∠·**ty** *a.* 잔모래가 들어 있는;《美口》용감한.

grits[grits] *n. pl.* 거칠게 탄 곡식; 《美南部》탄 옥수수 (가루).

griz·zle[grízəl] *vi.*《英》(어린이가) 칭얼거리다.

griz·zled[grízld] *a.* =GRIZZLY.

griz·zly[grízli] *a.* 회색의.

grízzly bèar (북미의) 큰 곰.

:groan[groun] *vi., n.* ① 으르렁거리다. ② 신음하다, Ⓒ 그 소리; 괴로워하다(*under*). ③ 열망하다(*for*). ~ ***inwardly*** 남몰래 번민하다.

groat[grout] *n.* Ⓒ 옛 영국의 4펜스 은화. ***not care a*** ~ 조금도 개의치 않다. 「알곡.

groats[-s] *n. pl.* 탄〔간〕밀; 귀리의

:gro·cer[gróusər] *n.* Ⓒ 식료품상. **:**~·**y**[-ri] *n.* Ⓒ《美》식료품점; (*pl.*) 식료품류.

gro·ce·te·ri·a[gròusətíəriə] *n.* Ⓒ 《美》셀프서비스 식품점.

grog[grɑg, -ɔ-] *n.* Ⓤ,Ⓒ 물 탄 화주(火酒); 독한 술.

grog·gy[∠i] *a.*《口》비틀〔휘청〕거리는, 그로기가 된;《古》곤드레만드레 취한.

groin[grɔin] *n.* 〖解〗 Ⓒ 샅, 고간(股間); 〖建〗 그로인, 궁룽(穹稜)《아치형 선》.

Gro·li·er[gróuliər] *a.* 〖製本〗 그롤리어식〔호화〕 장정의.

grom·met[grɑ́mit/-ɔ́-] *n.* Ⓒ〖機〗 (꿰는 구멍 가장자리의) 덧테쇠;〖海〗 밧줄고리.

***groom**[gru(ː)m] *n.* Ⓒ 마부; 신랑. — *vt.* (말에) 손질을 하다; 몸차림시키다;《美》(…에게) 입후보의 준비를 해주다.

grooms·man[∠zmən] *n.* Ⓒ (결혼식의) 신랑 들러리.

groove**[gruːv] *n.* Ⓒ ① (나무·금속에 판) 가는 홈; (레코드의) 홈. ② 정해진 순서〔자리〕, 상궤(常軌). ***in the ~ 〖재즈〗 신나는 연주로; 호조로, 최고조로.

groov·y[grúːvi] *a.* 홈이 있는; 틀에 박힌;《美俗》(연주 따위가) 멋진.

grope**[group] *vi., vt.* 더듬(어서 찾아)다, 암중모색하다, 찾다(*after, for*). ~ ***one's way 손으로 더듬어 나아가다.

gros·grain[gróugrèin] *n.* Ⓤ 그로그레인《비단·인견 등의 골진 천》; Ⓒ 그 리본.

:gross[grous] *a.* ① 조악〔조잡〕한. ② (지나치게) 뚱뚱한. ③ 투박한, 거친. ④ 울창한; 짙은(dense). ⑤ 굉장한(~ *mistakes*). ⑥ 총량의(cf. net[2]); 전체의. ~ ***proceeds*** 총매상고. — *n. sing.* & *pl.* 그로스《12다스》; 총체. ***in the*** ~ 총체적으로. ∠·**ly** *ad.*

gróss doméstic próduct 국내총생산《생략 GDP》.

gróss nátional próduct 국민총생산《생략 GNP》.

gróss tón 영국 톤(=2,240lbs.).

***gro·tesque**[groutésk] (<grotto) *a.* 그로테스크 무늬의; 기괴한; 터무니없는, 우스운. — *n.* (the ~) (그림·조각 따위의) 괴기미(怪奇美); Ⓒ 그로테스크풍. ~·**ly** *ad.* ~·**ness** *n.*

grot·to[grɑ́tou/-ɔ́-] *n.* (*pl.* ~(*e*)**s**) Ⓒ 동굴, 암굴.

grouch[grautʃ] *n.* Ⓒ《口》(보통 *sing.*) 불평; 까다로운 사람. — *vi.* 《口》토라지다, 불평을 말하다. ∠·**y** *a.*

†**ground**[1][graund] *n.* ① Ⓤ 지면, 토지, 땅. ② Ⓤ 흙. ③ (종종 *pl.*) 지역, …장(場); 운동장. ④ (*pl.*) 마당, 정원; 구내(構內). ⑤ Ⓤ 물 밑, 바다 밑; 얕은 바다. ⑥ (*pl.*) (커피 따위의) 앙금, 찌끼. ⑦ (*pl.*) 기초, 근거; (그림의) 바탕(칠하기); (피륙의) 바탕빛. ⑧ Ⓤ〖電〗 어스, 접지(接地). ⑨ Ⓤ 이유, 동기. ⑩ Ⓤ 입장, 의견. ***above*** ~ 지상에; 살아서. ***below*** ~ 지하에; 죽어서. ***break*** ~ 땅을 일구다; 땅을 갈다; 건축〔일〕을 시작하다. ***break fresh*** ~ 새로이 땅을 개간〔간척〕하다; 신국면을 개척하다, 신기축을 내다. ***come*** 〔***go***〕 ***to the*** ~ 지다; 멸망하다. ***down to the*** ~ 《口》모든 점에서; 남김없이. ***gain*** ~ 전진하다, 진보하다; 세력을 더하다. ***give*** 〔***lose***〕 ~ 후퇴하다; 세력을 잃다. ***shift one's*** ~

주장〔입장〕을 바꾸다. **stand one's ~** 주장〔입장〕을 지키다. **take ~** 좌초하다. **touch ~** 물 밑바닥에 닿다; (이야기가) 구체적으로 되다. — *vt.* ① 세우다, 수립하다(establish); (주의(主義) 등을) 입각시키다, (…의) 기초를 두다(*on*). ② 초보〔기초〕를 가르치다. ③ (무기를) 땅에 놓다. ④ 〚電〛 접지〔어스〕하다. ⑤ 〚海〛 좌초시키다; 〚英空〛 비행을 허락지 않다. — *vi.* 좌초하다. **be well** 〔**ill**〕 **~ed on** …의 지식이 충분〔불충분〕하다.

ground² *v.* grind의 과거(분사). — *a.* 가루로 만든; 닦은, 간.

gróund contròl 〚空〛 (비행장의) 지상 관제(관).

gróund-contròl(led) appròach 〚空〛 (무전에 의한) 지상 유도 착륙 방식《생략 GCA》.

gróund-contròlled intercéption 〚軍〛 지상 조작 (적기) 요격.

gróund crèw 〚軍〛 (비행장의) 지상 근무원〔정비원〕.

gróund effèct machìne 〚空〛 지면 효과기, 호버크라프트.

ground·er[⌐ər] *n.* (야구 따위의) 땅볼.

gróund flóor 《英》 일층; 《美口》 유리한 입장.

gróund gláss 젖빛 유리.

gróund hòg (북미산) 마못(woodchuck); 《美俗》 철도의 제동수.

gróund·kèeper *n.* Ⓒ 《美》 운동장〔경기장·공원·묘지〕 관리인.

ground·less[⌐lis] *a.* 근거 없는.

ground·ling[⌐liŋ] *n.* Ⓒ 지면을 기는 동물; 물밑바닥에 사는 물고기; 저속한 관객〔독자〕; 《廢》 (Elizabeth 왕조 때의) 입석 관람객.

gróund lòop 〚空〛 (이착륙 때 일어나는 급격한) 이상 선회.

gróund·nùt *n.* Ⓒ 땅콩.

gróund pìne 〚植〛 석송(石松)《크리스마스 장식용》.

gróund plàn (건물의) 평면도; 기초계획, 원안.

gróund rènt 지대(地代).

gróund rùle 〚野〛 야구장에 따른 규칙; (사회 등의) 기본적인 규칙.

ground·sel[gráundsəl] *n.* Ⓒ 개쑥갓《약용》.

gróund spèed (비행기의) 대지(對地) 속도(opp. airspeed).

gróund squìrrel (북미산(産)의) 얼룩다람쥐(chipmunk).

gróund stàff 《英》 =GROUND CREW.

gróund swèll (지진·폭풍우 따위로 인한) 큰 파도, 여파.

gróund-to-áir *a.* 〚軍〛 지대공(地對空)의.

gróund-to-gróund *a.* 〚軍〛 지대지의.

gróund wàter 지하수.

gróund wìre 〚電〛 어스(선), 접지「(선).

gróund·wòrk *n.* Ⓤ 기초, 토대; (자수·그림 등의) 바탕(색).

gróund zéro 〚軍〛 (정확한) 폭격 지점; (원폭의) 폭발 직하 지점.

†**group**[gru:p] *n.* Ⓒ ① 무리, 그룹. ② 〚空〛 《美》 비행 대대, 《英》 비행 연대. ③ 〚컴〛 집단, 그룹. — *vt., vi.* 모으〔이〕다; (*vt.*) 분류하다(*into*). **⌐·er** *n.* Ⓒ (따뜻한 해안의) 농성어과(科)의 물고기. *__⌐·ing__ *n.* (*sing.*) 모으는〔모이는〕 일; 배치; 그룹.

gróup càptain 《英》 공군 대령.

gróup márriage (미개 인종의) 집단 결혼, 잡혼.

gróup mínd 군중 심리.

Gróup of Séven, the 선진 공업 7개국 그룹《생략 G-7》.

Gróup of 77, the 77개국 그룹 《UN의 무역개발 회의(UNCTAD)의 회원인 개발 도상국 그룹》.

gróup thérapy 〚心〛 집단 요법.

gróup-thìnk *n.* Ⓤ 집단 사고《전문가들에 의한 합동 토의》.

group·ware[⌐wɛ̀ər] *n.* Ⓒ 〚컴〛 그룹웨어《local area network를 사용하여 그룹으로 작업하는 사람들에게 효율적인 작업환경을 제공하는 소프트웨어》.

grouse¹[graus] *n. sing. & pl.* 뇌조(雷鳥)(류).

grouse² *n., vi.* Ⓒ 《口》 불평(하다).

grout[graut] *n., vt.* Ⓤ 묽은 모르타르〔시멘트〕(를 부어 넣다).

:**grove**[grouv] *n.* Ⓒ 작은 숲.

grov·el[grávəl, -ʌ́-/-ɔ́-] *vi.* (《英》 *-ll-*) 기다, 엎드리다. **~ in the dust** 〔**dirt**〕 땅에 머리를 대다, 아첨하다. **~·ler** *n.* Ⓒ 넓죽 엎드리는 사람, 비굴한 사람. **~·(l)ing** *a.* 넙죽 엎드리는; 비굴한, 천박한.

†**grow**[grou] *vi.* (***grew; grown***) ① 성장하다, 자라다, 나다; 크다, 늘다(*in*), 강해지다. ② 점점 더해지다; 점차로 …하게 되다. — *vt.* 생장〔성장〕시키다, 자라게 하다, 재배하다. **~ on** 〔**upon**〕 점점 증대하다; 더해지다; 감당하기 어렵게 되다; 점점 알게 되다. **~ out of** (성장해서) …을 버리다, …에서 탈피하다; (자라서) 옷이 입을 수 없게 되다. **~ together** 하나로 되다, 아물다. **~ up** 성장하다, 어른이 되다; 발생하다. **⌐·er** *n.* Ⓒ 재배자; 성장하는 것.

:**grow·ing**[⌐iŋ] *a.* 성장하는; 증대하는. — *n.* Ⓤ 성장, 발육; 생성.

grówing pàins 성장기 신경통《청소년의 급격한 성장에 의한 수족 신경통》; (신계획·사업 등의) 발전도상의 곤란.

:**growl**[graul] *vi., n.* (맹수가) 짖다, 으르렁거리다, (천둥이) 울리다; 불평을 터뜨리다; Ⓒ 으르렁거리는〔짖는〕 소리; (천둥 따위의) 우르르 소리.

†**grown**[groun] *v.* grow의 과거분사.

:**grown-up**[⌐ʌ̀p] *n., a.* Ⓒ 어른(이 된).

:**growth**[grouθ] *n.* ① Ⓤ 성장, 생장, 발육, 발달; 증대. ② Ⓤ 재배. ③ Ⓒ 생장〔발생〕물, 산물.

grówth cùrve 성장〔생장〕 곡선《생

물 개체의 생장·증대의 시간적 변화의 그래프 표시》.
grówth hòrmone 성장 호르몬.
grówth stòck 성장주.
***grub**[grʌb] *vt.* (**-bb-**) 파 일으키다; (그루터기를) 파내다; 애써서 찾아내다. — *n.* Ⓒ 구더기, 굼벵이; Ⓤ《俗》음식. 「는.
grub·by[´-i] *a.* 더러운; 벌레가 끓
grub·stake[´-stèik] *vt., n.* Ⓒ《美俗》(탐광자에게) 이익 분배를 조건으로 금품을 주다; 그 금품.
Grúb Strèet《집합적》(옛 런던의) 가난뱅이 문인 거리; 삼류 문인들.
grudge**[grʌdʒ] *vt.* ① 아까워하다, 주기 싫어하다. ② 샘내다, 싫어하다. — *n.* Ⓒ 원한, 유한. ***bear a ~ against …에 대해 원한을 품다.
grudg·ing[´-iŋ] *a.* 인색한, 마지못해서 하는. **~·ly** *ad.*
gru·el[grú:əl] *n.* Ⓤ 묽은 죽. ***get one's ~***《俗》호된 벌을 받다.
grue·some[grú:səm] *a.* 무시무시한, 무서운, 소름이 끼치는 듯한.
***gruff**[grʌf] *a.* ① 쉰 목소리의. ② 거친, 난폭한. **´·ly** *ad.*
:**grum·ble**[grʌ́mbəl] *vi., vt.* ① 불평하다, 투덜거리다. ② (천둥이) 우르르 울리다. — *n.* Ⓒ 불평, 넋두리; (*sing.*; 보통 the ~)(우레 따위의) 울림.
grump·y[grʌ́mpi] *a.* 부루퉁한; 무뚝뚝한.
Grun·dy[grʌ́ndi], **Mrs.** 세상(의 귀찮은 소문). ***What will Mrs. ~ say?*** 세상에선 무어라고들 할까.
grunge[drʌndʒ] *n.* Ⓒ 추한〔지저분한〕 것〔사람〕.
grúnge ròck 그런지 록《연주가 치졸하고 음악적인 세련미는 없으나 공격적이며 역동적이고 열광적인 록 음악》.
grungy[grʌ́ndʒi] *a.* 추한, 지저분한, 더러운.
***grunt**[grʌnt] *vi., n.* Ⓒ (돼지처럼) 꿀꿀거리다〔거리는 소리〕, 불평의 소리.
grun·tled[grʌ́ntld] *a.*《口》만족하고 있는, 기쁜《disgruntled의 역성어》.
Gru·yère[gru:jέər, gri:-] *n.* (F.) Ⓤ,Ⓒ (스위스산의) 그뤼에르 치즈.
gr. wt. gross weight.
gryph·on[grífən] *n.* =GRIFFIN.
G.S. General Secretary; General Service; General Staff; Girl Scouts; ground speed. **gs.** guineas; grandson. **G.S.A.** Girl Scouts of America; General Service Administration.
G.S.C. General Staff Corps.
GSO General Staff Officer.
G-string[dʒí:strìŋ] *n.* Ⓒ ① 들보; (스트리퍼의) 버터플라이. ②〖樂〗(현악기의) G선.
GT glass tube; grand touring.
G.T. gross ton. **gt.** gilt; great; *gutta* (L.= drop). **g.t.**〖製本〗gilt top 윗둘레 금박. **Gt. Br., Gt. Brit.** Great Britain. **G.T.C., g.t.c.** good till canceled〔countermanded〕 취소할 때가지 유효.
gtd. guaranteed.
Guam[gwɑ:m] *n.* 괌섬《남태평양 북서 마리아나 제도 남단의 미국령》.
gua·no[gwɑ́:nou] *n.* (*pl.* **~s**) Ⓤ 구아노《바다새의 똥; 비료》.
:**guar·an·tee**[gæ̀rəntí:] *n.* Ⓒ ① 보증; 보장(guaranty); 담보. ② 보증인;〖法〗피보증인. — *vt.* 보증하다.
guar·an·tor[gǽrəntɔ̀:r, -tər] *n.* Ⓒ〖法〗보증인.
***guar·an·ty**[gǽrənti] *n.* Ⓒ〖法〗보증; 담보.
†**guard**[gɑ:rd] *n.* ① Ⓤ 경계. ② Ⓒ 망꾼, 파수병, 보호〔호위〕자; 수위(대); (*pl.*) 근위대. ③ Ⓒ 방위물〔용구〕; 보호물, (칼의) 날밑; (차의) 흙받기; 난로의 불어리, (총의) 방아쇠울. ④ Ⓒ (권투 등의) 방어 자세. ⑤ Ⓒ《英》차장. ***be on*** 〔***keep, mount***〕 ***~*** 파수보다, 보초를 서다(*over*). ***~ of honor*** 의장병. ***be on*** 〔***off***〕 ***one's ~*** 조심〔방심〕하다(*against*). — *vt.* ① 망보다, 감시하다. ② 지키다, 방위하다(*from, against*); 경계하다(*against*). ③ (언어 따위에) 주의〔조심〕하다.
guárd bòat 순회 경비정, 감시선.
guárd chàin (시계 따위의) 사슬줄.
guárd dùty〖軍〗보초〔위병〕 근무.
guard·ed[´-id] *a.* 조심성 있는, 신중한. 「유치장.
guárd·hòuse *n.* Ⓒ 위병소; 영창,
:**guard·i·an**[gɑ́:rdiən] *n.* Ⓒ ① 보호자, 수호자, 관리인. ② 후견인. — *a.* 보호〔수호〕하는. **~·ship**[-ʃip] *n.* Ⓤ 보호, 후견역.
guárdian ángel 수호 천사; (the G- A-s)(미국 등의 범죄 다발 도시의 민간자경(自警) 조직.
guárd·ràil *n.* Ⓒ 난간.
guárd·ròom *n.* =GUARD-HOUSE.
Gua·te·ma·la[gwɑ̀:təmɑ́:lə, -te-] *n.* 중미의 공화국.
gua·va[gwɑ́:və] *n.* Ⓒ〖植〗물레나물과의 과수(果樹)《열대 아메리카산》.
gu·ber·na·to·ri·al [gjù:bərnətɔ́:riəl] *a.*《美》지사〔장관·총독 등〕의.
gudg·eon[gʌ́dʒən] *n.* Ⓒ (유럽산(産)) 담수어의 일종《쉽게 잡히므로, 낚싯밥으로 쓰임》; 잘 속는 사람.
Guern·sey[gə́:rnzi] *n.* 영국 해협상의 영국령 섬; Ⓒ Jersey 종(種) 비슷한 큰 젖소; (g-) Ⓒ 청색 털실의 (어린이용) 스웨터.
***gue(r)·ril·la**[gəríla] *n., a.* Ⓒ 게릴라병〔전〕(의), 비정규병(의).
†**guess**[ges] *n., vi.* Ⓒ 추측(하다), 알아맞히다;《美口》생각하다.
***guéss·wòrk** *n.* Ⓤ 어림 짐작.
†**guest**[gest] *n.* Ⓒ ① 손님, 빈객, 내방자. ② 숙박인. ***the ~ of honor*** 주빈. ***paying ~*** 하숙인.
guést·hòuse *n.* Ⓒ 영빈관; 고급 하숙집.

guf·faw[gʌfɔ́:] *n., vt.* Ⓒ 너털웃음(을 웃다).
GUI 〖컴〗 graphical user interface.
Gui·an·a [giǽnə, gai-] *n.* 기아나 《남아메리카 북동부의 가이아나 공화국·수리남 공화국·프랑스령 기아나의 세 나라를 합친 해안 지방》.
:guid·ance[gáidns] *n.* Ⓤ 안내, 지도; 지휘; (우주선·미사일 등의) 유도.
†guide[gaid] *n.* Ⓒ ① 안내자, 가이드; 지도자, 지휘자. ② (보통 G-) 소녀단. ③ 길잡이, 안내, 도표(道標). — *vt.* ① 안내하다. ② 이끌다, 지도[지배]하다. ③ 움직이다, 재촉하다.
:guíde·bòok *n.* Ⓒ 여행 안내서.
guíded míssile 유도탄.
guíde dòg 맹도견(盲導犬).
guíded tóur 안내인이 딸린 여행.
***guíde·pòst** *n.* Ⓒ 이정표; 지도 기준.
guíde·wày *n.* Ⓒ 〖機〗 미끄럼 홈.
gui·don[gáidn] *n.* Ⓒ 삼각기(의 기수); (신호용의) 작은 기; 《美》 부[중·연]대기.
***guild**[gild] *n.* Ⓒ 길드《중세의 동업조합》, (오늘날의) 조합, 협회. 「은화.
guil·der [gíldər] *n.* Ⓒ 네덜란드의
guíld·hàll *n.* Ⓒ (보통 *sing.*) 《英》 길드회의소; 시청.
***guile**[gail] *n.* Ⓤ 교활, 간지(奸智); 배신; 간교한 책략. **∠·ful** *a.* 간사한, 교활한. **∠·less** *a.* 교활하지 않은, 정직한.
guil·le·mot[gíləmàt/-mɔ̀t] *n.* Ⓒ 바다오리류《auk의 무리》.
guil·lo·tine[gílətì:n, gí:jə-] *n.* (the ~) 길로틴, 단두대; (the ~) 〖英議會〗 토론 종결(gag). — *vt.* 길로틴으로 목을 자르다.
:guilt[gilt] *n.* Ⓤ 죄, 비행.
guilt·less**[∠lis] *a.* 죄 없는; 모르는, 경험 없는(*of*); 갖지 않은. ***be ~ of (*wit*)(위트)가 없다.
:guilt·y[gílti] *a.* ① 죄가 있는, 죄를 범한(*of*). ② 죄에 해당하는; 죄가 있는 듯한. ③ 죄에 대한 가책[의식]을 느끼는. ***~ conscience*** 꺼림칙한 마음. ***plead ~*** 복죄(服罪)하다. ***plead not ~*** 무죄를 주장하다. **guílt·i·ly** *ad.* **guílt·i·ness** *n.*
Guin·ea[gíni] *n.* 기니《아프리카 서해안 지방》; 기니 공화국.
***guin·ea** [gíni] *n.* Ⓒ 기니 금화(=21s).
guínea fówl 뿔닭.
guínea hèn 뿔닭의 암컷.
guínea pìg 기니피그, 모르모트《속칭》; 실험 재료, 실험대.
Guin·e·vere [gwínəvìər], **-ver** [-vər] *n.* Arthur왕의 비(妃).
guise**[gaiz] *n.* Ⓒ ① 외관; 태도, 모습. ② 가면, 구실. ③ 《古》 옷차림, 복장. ***in 〔***under***〕 ***the ~ of*** … 으로 모습을 바꿔서, …을 가장하여, …을 구실 삼아.
†gui·tar[gitɑ́:r] *n.* Ⓒ 기타. **~·ist** *n.*
gu·lag[gú:læg, -lɑ:g] *n.* Ⓒ 강제 노동 수용소.
gulch[gʌltʃ] *n.* Ⓒ 《美》 협곡(峽谷).
gules[gju:lz] *n., a.* Ⓤ 〖紋〗 붉은 빛(의).
:gulf[gʌlf] *n.* Ⓒ ① 만(灣). ② 심연(深淵), 깊은 구멍, 소용돌이. ③ 큰 간격(*between*).
Gúlf Stàtes, the 《美》 멕시코 만 연안의 다섯 주《Florida, Alabama, Mississippi, Louisiana, Texas》.
Gúlf Strèam 멕시코 만류.
***gull**[1][gʌl] *n.* Ⓒ 갈매기.
gull[2] *vt., n.* 속이다; Ⓒ 속기 쉬운 사람. **gúl·li·ble** *a.* 속기 쉬운.
Gul·lah[gʌ́lə] *n.* Ⓒ 《美》 (South Carolina, Georgia 두 주의 연안 지방에 사는) 걸라족의 토인; Ⓤ 걸라족이 쓰는 영어 방언.
gul·let[gʌ́lit] *n.* Ⓒ 식도(食道), 목구멍. 「랑, 배수구(溝).
gul·ly[gʌ́li] *n.* Ⓒ 작은 골짜기, 도
***gulp**[gʌlp] *vt., vi.* ① 꿀떡꿀떡 마시다, 꿀꺽 삼켜 버리다. ② 억제하다, 참다. — *n.* Ⓒ 꿀꺽 삼킴, 그 소리.
:gum[1][gʌm] *n.* ① Ⓤ 고무, 생고무; 탄성(彈性) 고무. ② Ⓒ 고무나무, 유칼리나무. ③ (*pl.*) 덧신, 고무 장화. ④ Ⓤ 고무풀, 《美》 껌. — *vt.* (**-mm-**) 고무를 바르다[로 굳히다]; 《美俗》 속이다. — *vi.* 고무를 분비하다; 고무질(質)이 되다; 달라붙다.
gum[2] *n.* Ⓒ (보통 *pl.*) 잇몸.
gúm árabic 아라비아 고무.
gum·bo[gʌ́mbou] *n.* (*pl.* **~s**) 오크라(okra)《나무·열매》; Ⓒ,Ⓤ 오크라 열매를 넣은 수프.
gúm bòots 《美》 고무 장화.
gum·my[gʌ́mi] *a.* 고무질의, 고무 같은; (나무가) 고무 수지를 내는.
gump·tion[gʌ́mpʃən] *n.* Ⓤ《口》 진취의 기상, 적극성; 양식, 판단력, 빈틈 없음.
gúm·shòes *n. pl.* =OVERSHOES.
gúm trèe 고무나무, 유칼리나무.
:gun[gʌn] *n.* Ⓒ ① 대포, 소총; 평사포(平射砲); 《美口》 피스톨. ② 발포, 호포(號砲). ③ 직업적 살인자. ***blow great ~s*** (바람이) 세차게 불다.
gún·bòat *n.* Ⓒ 포함.
gúnboat diplómacy 포함 외교《약소국에 대한 무력 외교》.
gún·còtton *n.* Ⓤ 면(綿)화약.
gún·fire *n.* Ⓤ (대포의) 발사, 포화, 포격. 「열렬한.
gung-ho[gʌ́ŋhóu] *a.* 《美俗》 열심인,
***gun·man**[gʌ́nmən] *n.* Ⓒ 《美》 총잡이, 권총 가진 악한.
gún mètal 포금(砲金).
gun·nel[gʌ́nl] *n.* =GUNWALE.
***gun·ner**[gʌ́nər] *n.* Ⓒ 포수; 포술 장교; 총사냥꾼. **~·y** *n.* Ⓤ 포술.
gun·ny[gʌ́ni] *n.* Ⓤ 굵은 삼베; Ⓒ 즈크 자루.
gún·pòint *n.* Ⓒ 총부리. ***at ~*** 《美》 권총을 들이대고.
***gún·pòwder** *n.* Ⓤ 화약; 중국산 녹차(~ tea).
gún ròom (군함의) 하급 사관실; 총기(보존)실.

G

gún·shòt *n.* Ⓒ 포격; Ⓤ 착탄 거리.
gún·stòck *n.* Ⓒ 개머리, 총상(銃床).
gun·wale[gʌ́nl] *n.* Ⓒ 〖海〗(갑판의) 현연(舷緣); (보트 등의) 뱃전.
***gur·gle**[gə́:rgəl] *vi., n.* (*sing.*) ① 콸콸 흘러나오다; 그 소리. ② (새나 사람이) 까르륵 목을 울리다; 그 소리.
Gur·kha[gə́:rkə, gúər-] *n.* Ⓒ 구르카 사람《인도 Nepal에 사는 용맹한 종족》.
gu·ru[gu(:)rú:, ⌐—] *n.* Ⓒ 힌두교의 도사(導師); 정신적 지도자.
***gush**[gʌʃ] *vi., vt., n.* (*sing.*) ① 용솟음(치다); 분출하다〔시키다〕. ② (감정 따위의) 복받침. **∠·er** *n.* Ⓒ 분출하는 유정(油井); 감정가. **∠·ing, ∠·y** *a.* 분출하는; 감상적인.
gus·set[gʌ́sit] *n.* Ⓒ (옷의) 덧붙이는 천, 바대, 섶.
gus·sy[gʌ́si] *vt.* 모양내다, 차리다「(*up*).
***gust**[gʌst] *n.* Ⓒ ① 일진(一陣)의 바람, 돌풍. ② (소리·불·감정 따위의) 돌발. **∠·y** *a.* 바람이 거센, 사납게 불어대는 바람의.
gus·ta·to·ry [gʌ́stətɔ̀:ri/-təri] *a.* 미각(味覺)의.
gus·to[gʌ́stou] *n.* Ⓤ 취미, 좋아함; 기호(嗜好); 마음으로부터의 기쁨.
gut[gʌt] *n.* Ⓒ,Ⓤ 장, 창자; (*pl.*) 내장, 내용; (*pl.*) 용기, 인내; Ⓤ (바이올린·라켓 따위의) 장선(腸線), 거트. — *vt.* (*-tt-*) (…의) 내장을〔창자를〕 끄집어내다; (집 따위) 안의 물건을 약탈하다.
***Gu·ten·berg** [gú:tənbə̀:rg], **Johannes**(1400?–68) 독일의 활판 인쇄 발명가.
gut·ta-per·cha[gʌ̀təpə́:rtʃə] *n.* Ⓤ 구타페르카《고무의 일종》.
gut·tate[gʌ́teit] *a.* 물방울 모양의; 〖植·動〗 반점(斑點)이 있는.
:gut·ter[gʌ́tər] *n.* ① Ⓒ 홈통; (인도·차도 사이의) 얕은 도랑〔배수구〕, 수로. ② (the ~) 빈민가. — *vt., vi.* 도랑을 만들다〔이 되다〕; (자국을 남기며) 흐르다; 촛농이 흘러내리다.
gútter préss (선정적인) 저급 신문.
gútter·snìpe *n.* Ⓒ 최하층 계급의 사람, 부랑아.
gut·ter·al[gʌ́tərəl] *a., n.* Ⓒ 목구멍의; 〖音聲〗 후음(喉音)(의)《k, g 따위》.
guy[1][gai] *n., vt.* Ⓒ 〖海〗 버팀 밧줄(로 안정시키다).
:guy[2] *n.* ①《英》(화약 사건(Gunpowder Plot)의 주모자) Guy Fawkes의 기괴한 상(像)《11월 5일 이 상을 태우는 풍습이 있음》. ② Ⓒ《英》 괴상한 옷차림을 한 사람. ③ Ⓒ《口》 놈, 녀석, 친구. — *vt.* 놀리다, 괴롭히다.
Guy·a·na[gaiǽnə, -á:nə] *n.* 남미의 독립국《수도 Georgetown》.
gúy ròpe 친 줄, 당김 밧줄.
guz·zle[gʌ́zəl] *vt., vi.* 폭음하다.
GW guided weapon 〖軍〗 유도 병기.
:gym[dʒim] *n.* =⇩.
:gym·na·si·um [dʒimnéiziəm] *n.* (*pl.* **~s, -sia**[-ziə]) Ⓒ ① 체육관, 체조장. ② (G-) (독일의) 고등 학교.
gym·nast[dʒímnæst] *n.* Ⓒ 체조〔체육〕 교사.
:gym·nas·tic[dʒimnǽstik] *a.* 체조의, 체육의. **:~s** *n.* Ⓤ (학과로서의) 체육; 《단·복수 취급》 체조; 훈련.
gym·no·sperm [dʒímnəspə̀:rm] *n.* Ⓒ 나자(裸子) 식물(cf. angiosperm).
gým shòe 운동화.
gy·n(a)e·col·o·gy [gàinəkɑ́lədʒ, dʒìn-, dʒài-/-ɔ́-] *n.* Ⓤ 부인병학. **-gist** *n.*
gyp[dʒip] *vi., vt.* (*-pp-*)《美口》 속이다, 속여서 빼앗다. — *n.* Ⓒ 사기꾼; 사기.
gyps[dʒips], **gyp·sum** [dʒípsəm] *n.* Ⓤ 석고; 깁스.
gyp·soph·i·la[dʒipsɑ́filə/-ɔ́-] *n.* Ⓒ 〖植〗 광대나물.
***Gyp·sy**[dʒípsi] *n.* ① Ⓒ 집시《유랑 민족》. ② Ⓤ 집시어. ③ (g-) Ⓒ 집시 같은 사람, 방랑벽이 있는 사람, 바람끼 있는 여자.
gýpsy mòth 매미나방《해충》.
Gýpsy's wàrning 불길한 경고〔예고〕, 수수께끼 같은 예고〔조짐〕.
gýpsy tàble (세 다리의) 작은 원탁.
gy·rate[dʒàiəréit] *vi.* 회전〔선회〕하다. **gy·rá·tion** *n.* **gy·ra·to·ry**[dʒáiərətɔ̀:ri/-təri] *a.*
gy·ro[dʒáiərou] *n.* (*pl.* **~s**)《口》= GYROSCOPE; 《口》 = GYROCOMPASS; (G-) (국제 봉사 단체의) 회원.
gy·ro·com·pass[-kʌ̀mpəs] *n.* Ⓒ 자이로컴퍼스, 회전 나침의.
gy·ro·scope[dʒáiərəskòup] *n.* Ⓒ 회전의(回轉儀). **-scop·ic**[⌐—skɑ́pik/-ɔ́-] *a.*
gy·ro·sta·bi·liz·er [dʒàiəroustéibəlàizər] *n.* Ⓒ (선박·비행기의) 자이로식 동요 방지 장치.
gyve[dʒaiv] *n., vt.* (*pl.*) 차꼬(를 채우다).

H

H[1], **h**[eitʃ] *n.* (*pl.* **H's, h's**[⌐iz]) Ⓒ H 모양의 것.
H[2] hard (of pencil); 〖電〗 henry; 《俗》 heroin; 〖化〗 hydrogen. **H.,**
h. harbo(u)r; hard, hardness; height; high; 〖野〗 hit(s); hour(s); hundred; husband.
:ha[hɑ:] *int.* 하아!; 허어!《놀람·기

뽐·의심》.

ha. hectare(s). **H.A.** heavy artillery; Hockey Association; Horse Artillery. **h.a.** *hoc anno* (L. =in this year). **HAA** heavy anti-aircraft. **Hab.** 〖舊約〗 Habakkuk.

Ha·bak·kuk[hǽbəkʌ̀k, -kùk, həbǽkək] *n.* 헤브라이의 예언자; 〖舊約〗 하박국서(書).

ha·ba·ne·ra[hɑ̀:bənέərə] *n.* (Sp.) Ⓒ 하바네라《2/4박자의 댄스(곡)》.

ha·be·as cor·pus[héibiəs kɔ́:rpəs] (L.) 〖法〗 인신 보호 영장. ***H- C- Act*** 〖英史〗인신 보호법《1679년 Charles Ⅱ 가 발포》.

hab·er·dash·er[hǽbərdæ̀ʃər] *n.* Ⓒ《주로 英》 방물 장수; 《美》 남자용 장신구 상인. **~·y** *n.* ① Ⓤ《주로 英》 방물; Ⓒ 방물 가게. ② Ⓤ《美》 남자용 장신구류; Ⓒ 그 가게.

ha·bil·i·ment[həbíləmənt] *n.* Ⓒ (보통 *pl.*) 복장; 의복.

†**ha·bit**[hǽbit] *n.* ① Ⓤ,Ⓒ 습관, 버릇. ② Ⓒ (동·식물의) 습성. ③ Ⓤ,Ⓒ 체질; 기질. ④ Ⓒ 복장; 여성 승마복. ***be in the*** 〔***a***〕 ***~ of*** (do*ing*) (…하는) 버릇이 있다. ***fall*** 〔***get***〕 ***into a ~ of doing*** …하는 버릇이 들다. ***~ of body*** 〔***mind***〕 체질〔성질〕. — *vt.* ① (…에) 옷을 입히다. ② 《古》 (…에) 살다. **~·a·ble** *a.* 살기에 알맞은, 살 수 있는.

hab·i·tat[hǽbətæ̀t] *n.* Ⓒ (동식물의) 생육지(生育地), (원)산지; 주소; (해저 실험용) 수중 거주실.

***hab·i·ta·tion**[hæ̀bətéiʃən] *n.* ① Ⓤ 거주. ② Ⓒ 주소, 주택.

***ha·bit·u·al**[həbítʃuəl] *a.* 습관〔상습〕적인, 평소의; 습관상의. ***~·ly** [-əli] *ad.* 습관〔상습〕적으로.

ha·bit·u·ate [həbítʃuèit] *vt.* 익히다, 익숙하게 하다(*to*). **-a·tion**[-⌐-⌐-èiʃən] *n.*

hab·i·tude[hǽbətjù:d] *n.* Ⓤ,Ⓒ 습관, 습성; Ⓤ 체질, 기질.

ha·bit·u·é[həbítʃuèi] *n.* (F.) Ⓒ 늘 오는〔다니는〕 손님, 단골 손님; 마약 상습자.

ha·ci·en·da[hɑ̀:siéndə/hæ̀s-] *n.* (Sp.) Ⓒ (라틴 아메리카의) 농장, 큰 목장; (시골의) 공장, 광업소.

hack**[1][hæk] *vt., vi.* 자르다. 쳐서 자르다, 난도질하다; 잘게 썰다; 파서 헤치다〔부수다〕; (짤막한) 마른 기침을 하다; 〖컴〗 (프로그램을) 교묘히 개변(改變)하다. ***~ around 《美口》 빈둥거리며 시간을 보내다. ***How's ~ing?*** 어떻게 지내? — *n.* Ⓒ ① 벤〔칼〕 자국, 새긴 자국. ② (발로) 걷어찬〔깐〕 상처. ③ 도끼. ④ 마른 기침.

hack[2] *n.* Ⓒ《英》 삯말; 《美》 전세 마차; 《口》 택시(운전사); (보통의) 승용 말; 늙은〔여윈〕 말; 짐말; (저술가의) 일 거드는 사람; 3류 작가; (돈을 위해) 무엇이든 하는 사람. — *vt.* (말을) 승용으로 빌려 주다; 써서 낡게 하다. — *vi.* 삯말을 타다; 말 타고 가다(*along*); 남의 밑에서 고된 일을 하다. — *a.* 고용된; 써서 낡게 한.

hack·a·more[hǽkəmɔ̀:r] *n.* Ⓒ《美西部》 (말의) 고삐(halter).

háck·bèrry *n.* Ⓒ 〖植〗 (미국산) 팽나무(류).

hack·er[hǽkər] *n.* Ⓒ 〖컴〗 컴퓨터 마니아〔침해자〕, 해커.

hack·le[1][hǽkəl] *n.* ① Ⓒ 빗. ② (*pl.*) (닭 등의) 목털. — *vt.* (삼 따위를) 빗으로 훑다.

hack·le[2] *vt.* 잘게 저미다〔베다〕, 동강치다, 찢어 발기다(hack[1]).

hack·ney[hǽkni] *n.* Ⓒ (보통의) 승용말, 전세 마차(hack[2]). — *vt.* (말·마차를) 빌려 주다; 써서 낡게 하다. **~ed**[-d] *a.* 낡아 빠진, 진부한. ***~ed phrase*** (케케 묵은) 상투구.

háckney còach 〔**càb, càrriage**〕 전세 마차.

háck·sàw *n.* Ⓒ (금속 절단용) 띠톱.

háck wrìter 삼문문사; 2류 작가.

†**had**[hæd, 弱 həd, əd] *v.* have의 과거(분사). ***had*** BETTER[1]. ***had*** LIKE[2] ***to. had*** RATHER.

had·dock[hǽdək] *n.* Ⓒ 〖魚〗 (북대서양의) 대구.

Ha·des[héidi:z] *n.* 〖그神〗 황천, 명부(冥府); 저승; (h-) Ⓤ《口》 지옥.

Ha·dith[hɑ:dí:θ] *n.* 〖이슬람교〗 Muhammad 및 그 교우들의 언행을 기록한 성전(聖傳).

hadj[hædʒ] ⇨HAJJ.

†**had·n't**[hǽdnt] had not의 단축.

had·ron[hǽdrɑn/-ɔn] *n.* Ⓒ 〖理〗 하드론《강한 상호 작용을 하는 소입자족(素粒子族)》.

hadst[hædst, 弱 *h*ədst] *v.* 《古》《주어가 thou일 때》 have의 2인칭 단수·과거.

haem·a·tite *n.* =HEMATITE.

hae·mo·glo·bin *n.* =HEMOGLOBIN.

hae·mo·phil·i·a *n.*=HEMOPHILIA.

haem·or·rhage *n.* =HEMORRHAGE.

haem·or·rhoids *n.* =HEMORRHOIDS.

haf·ni·um[hǽfniəm] *n.* Ⓤ 〖化〗 하프늄《금속 원소; 기호 Hf》.

haft[hæft/-ɑ:-] *n., vt.* Ⓒ (칼) 자루(를 달다).

hag[hæg] *n.* Ⓒ 버커리; 마귀 할멈, 마녀(witch).

Hag. Haggai.

hag·fish[hǽgfìʃ] *n.* Ⓒ 〖魚〗 먹장어.

Hag·ga·i[hǽgiài, -geiài] *n.* 헤브라이의 예언자; 〖舊約〗 학개서(書).

***hag·gard**[hǽgərd] *a., n.* 여윈, 바싹 마른; (눈매가) 사나운; 독살스러운; Ⓒ 야생의 (매). **~·ly** *ad.*

hag·gis[hǽgis] *n.* Ⓒ,Ⓤ《Sc.》 양의 내장과 오트밀을 섞어 끓인 요리.

hag·gle[hǽgəl] *vi., vt.* (끈덕지게) 값을 깎다; 입씨름하다(*over, about*); 토막쳐 자르다(hack[1]). — *n.* Ⓒ 값을 깎기; 말다툼.

H

hag·i·oc·ra·cy[hæ̀giákrəsi] *n.* Ⓤ 성직 정치〔지배〕.
hag·i·ol·o·gy[hæ̀giálədʒi/-ɔ́-] *n.* Ⓤ,Ⓒ 성인〔성도〕전, 성도록(錄).
hag·rid·den[hǽgrìdn] *a.* (악몽에) 시달린, 가위 눌린; (공포에) 시달린.
:Hague [heig] *n.* (The ~) 헤이그《네덜란드의 행정 수도; 정식 수도는 Amsterdam》.
Hágue Tribúnal 국제 사법 재판소《공식명은 Parmanent Court of Arbitration》.
ha·ha[1][hà:há:] *int.* Ⓒ 하하!《즐거움·비웃음을 나타냄》. ― *n.* Ⓒ 웃음소리; 농담.
ha·ha[2][há:hà:] *n.* Ⓒ (전망을 가리지 않는) 나지막한 담, 은장(隱墻).
:hail[1][heil] *n., vi., vt.* ① Ⓤ 싸락눈〔우박〕(이 오다)(*It ~s.*). ② (…에) 빗발치듯 쏟아지다, 퍼붓다.
:hail[2] *vt., vi.* ① 큰 소리로 부르다. ② (…을) …이라 부르며 (환호로) 맞이하다(*They ~ed him (as) king*). ③ 인사하다. ~ ***from*** (배가) …에서 오다; (아무가) …의 출신이다. ― *n.* Ⓒ,Ⓤ 환호; 인사. ***within*** 〔***out of***〕 ~ 소리가 미치는〔미치지 않는〕 곳에. ― *int.* 《詩》 어서 오십시오. ***All ~!,*** or ***H- to you!*** 어서 오십시오!; 만세!
Háil Colúmbia 최초의 미국 국가《현재는 폐지》.
háil-fèllow-(wèll-mét) *n.* (*pl.* ***-fellows-***), *a.* Ⓒ 친한 친구; 친밀한.
háil·stòne *n.* Ⓒ 우박.
háil·stòrm *n.* Ⓒ 마구 쏟아지는 우박.
†hair[hɛər] *n.* ① Ⓤ 털, 머리털; Ⓒ (낱개의) 털(*She has gray ~*〔*~s*〕. 머리가 하얗다〔희끗희끗하다〕). ② Ⓒ 털 모양의 것; (a ~) 극히 약간의 물건〔거리·정도〕. ***against the ~*** = against the GRAIN. ***a ~ of the dog that bit*** (*a person*) 제독약(制毒藥), (숙취(宿醉)를 풀기 위한) 해장술《문 미친개의 털이 특효약이 된다고 생각한 데서》. ***blow a person's ~*** 《美俗》 두렵게〔오싹하게〕 하다. ***both of a ~*** 같은 정도. ***by the turn of a ~*** 위기 일발의 아슬아슬한 고비에서, 간신히. ***do one's ~*** 머리 치장을 하다. ***get a person by the short ~s*** 아무를 지배하다. ***get in*** 〔***out of***〕 ***a person's ~*** 아무의 방해가 되다〔되지 않다〕; 속상하게 하다〔하지 않다〕. ***hang by a ~*** 위기에 직면하다. ***keep one's ~ on*** 《俗》 (머리칼 하나 까딱하지 않고) 태연히 있다. ***let*** 〔***put***〕 ***down one's ~*** 머리를 풀다. ***let one's ~ down*** 《俗》 터놓고〔스스럼 없이〕 이야기하다. ***make a person's ~ stand on end*** 머리끝을 쭈뼛하게 하다. ***not turn a ~*** 까딱도 안 하다, 아주 태연하다. ***not worth a ~*** 한 푼의 값어치도 없는. ***put*** 〔***turn***〕 ***up one's ~*** (소녀가 어른이 되어서) 머리를 얹다. SPLIT ***~s. to*** (***the turn of***) ***a ~*** 조금도 틀림없이, 아주 꼭. ***without moving*** 〔***turning***〕 ***a ~*** 《俗》 냉정하게. **∠·less** *a.* 털〔머리칼〕이 없는. ***∠·y** *a.* 털〔머리칼〕의〔같은〕; 털이 많은.
háir·brèadth *n., a.* (a ~) 좁은 틈; 위기 일발(의), 아슬아슬한.
háir·brùsh *n.* Ⓒ 머리솔.
háir·clòth *n.* Ⓤ 마미단(馬尾緞).
háir·cùt *n.* Ⓒ 이발; 머리형.
háir·cùtter *n.* Ⓒ 이발사.
háir·dò *n.* Ⓒ 머리형.
háir·drèsser *n.* Ⓒ 미용사; 《주로 英》 이발사.
háir drìer 〔**drỳer**〕 헤어드라이어.
háir·lìke *a.* (머리)털 같은, 가느다란.
háir·lìne *n.* Ⓒ 가는 선; 타락줄; (이마의) 머리털 난 언저리, 두발선.
háir·nèt *n.* Ⓒ 헤어네트.
háir òil 《英》 머릿 기름.
háir·pìn *n.* Ⓒ 헤어핀, 머리 핀.
háir-ràising *a.* 머리 끝이 쭈뼛해지는; 소름이 끼치는.
háir's-brèadth *n., a.* =HAIR-BREADTH.
háir shírt (고행자가 알몸에 걸치는) 거친 모직 셔츠.
háir·splìtting *a., n.* Ⓤ 사소한 일에 구애되는〔됨〕.
háir·sprìng *n.* Ⓒ (시계의) 유사.
háir trìgger (권총의) 촉발 방아쇠.
háir-trìgger *a.* 촉발적인, 반응이 빠른; 무너지기 쉬운.
háir·twèezers *n. pl.* 족집게.
***hair·y**[hɛ́əri] *a.* 털 많은; 《口》 곤란한; 섬뜩한; 불가해한.
Hai·ti[héiti] *n.* 서인도 제도 중의 한 공화국《수도 Port-au-Prince》.
hajj, hadj, haj[hædʒ] *n.* (*pl.* ***~es***) Ⓒ (이슬람교도의) 메카 순례.
hake[heik] *n.* (*pl.* ***~s,*** 《집합적》 ~) Ⓒ 〖魚〗 대구류.
Ha·ken·kreuz[há:kənkrɔ̀its] *n.* (G.) Ⓒ 나치스 독일의 기장(記章)《卐》.
ha·kim[hɑkí:m] *n.* Ⓒ (이슬람 국가의) 현자, 학자; 의사.
ha·la·tion[heiléiʃən, hæ-/hə-] *n.* Ⓤ 〖寫〗 헐레이션《역광선 등에 의한 뿌연 흐림》.
hal·berd[hǽlbərd], **-bert**[-bərt] *n.* Ⓒ 미늘창. **~·ier**[∸-íər] *n.* Ⓒ 미늘창을 가진 무사.
hal·cy·on[hǽlsiən] *n.* Ⓒ 《古·詩》 파도를 가라앉히는 새《물총새(kingfisher)의 이름; ⇩》. ― *a.* 잔잔한, 평온한, 평화스러운.
hálcyon dáys (물총새가 파도를 가라앉히고 집을 짓는다는) 동지 무렵의 2주간; 평온 무사한 날〔시대〕.
hale**[1][heil] *a.* (노인이) 정정한; 근력이 좋은. ~ ***and hearty 원기 왕성한, 정정한.
hale[2] *vt.* (거칠게) 잡아당기다, 잡아끌다, 끌어내다.
†half[hæf, hɑ:f] *n.* (*pl.* ***halves***) Ⓒ,Ⓤ (절)반; 중간, 중도. ***... and a ~*** 《俗》 특별한, 아주 훌륭한(*That was*

a game and a ~.). **by** ~ 반쯤; 대단히(*She is too alert by* ~. 지나치게 영리하다). **by halves** 불완전하게, 중도에; 얼마간, 아무렇게나, 적당히. **cry halves** 절반의 분배를 요구하다. **go halves with** …와 반분하다. **to the halves** 절반까지, 불충분하게; 《美》(이익 따위) 반분하여. — *a., ad.* (절)반(의) (*a* ~ *mile;* 《口》 ~ *a mile*); 불충분한[하게]; 어지간히, 거의. ~ **as many** [**much**] (**again**) **as** …의 (한 배) 반. **I ~ wish** …하고 싶은 듯한 생각도 있다. **not** ~ 《口》 그다지[조금도] …않다(*Not* ~ *bad.* 꽤 좋다); 《卑》 몹시(*She didn't* ~ *cry.* 어지간히 울어댔다).

hálf àdder 〖컴〗 반(半)덧셈기.

hálf-and-hálf *a., n., ad.* Ⓤ,Ⓒ 반반씩의 (혼합물); 이도 저도 아닌, 얼치기의; (백·흑인의) 트기; 반반으로.

hálf·bàck *n.* Ⓒ 〖蹴〗 중위(中衛).

hálf-báked *a.* 설구워진; 불완전한, (경험이) 미숙한.

hálf blòod 이복(異腹), 배[씨]다른 관계(*a brother of the* ~ 배[씨]다른 형[동생]).

hálf·blòod *a., n.* Ⓒ 배[씨]다른(형제·자매); =HALF-BREED.

hálf-bòiled *a.* 설익은, 반숙의.

hálf bòot 반장화.

hálf-brèd *a.* 혼혈의; 잡종의.

hálf-brèed *n., a.* Ⓒ 혼혈아, 튀기(의); 〖生〗 잡종(의).

hálf bròther 배[씨]다른 형제.

hálf-càste *n.* Ⓒ (특히, 유럽인 아버지와 인도인 어머니와의) 튀기; 신분이 다른 양친에서 난 아이.

hálf cóck (총의) 안전 장치; 마음가짐이 덜 된 상태. **go off** (**at**) ~ 설불리 발사하다; (조급히) 서두르다.

hálf-cóck *vt.* (총의 공이치기를) 안전 위치에 놓다.

hálf crówn 《英》 반 크라운 은화(銀貨)《1970년 폐지》. 「친.

hálf-déad *a.* 초주검이 된, 아주 지

hálf dóllar 《美·캐나다》 50센트 은화. 「익은.

hálf-dóne *a.* 불완전한, 설구운, 설

hálf dúplex 〖컴〗 반이중《두 방향으로 통신은 가능하나, 동시에는 한 방향밖에 통신할 수 없는 전송 방식; 생략 HDX》.

hálf éagle 〖美史〗 5달러 금화.

hálf-fáced *a.* 옆 모습의; 불완전한, 불충분한.

hálf-hárdy *a.* 〖植〗 반내한성의.

hálf-héarted *a.* 마음이 내키지 않는. ~**ly** *ad.*

hálf hítch 〖海〗 (밧줄의) 외가닥 매

***hálf hóliday** 반공일. 「듭.

***hálf-hóur** *n., a.* Ⓒ 반 시간, 30분(의). 「상(像).

hálf-lèngth *a., n.* 반신의; Ⓒ 반신

hálf lìfe 〖理〗 (방사능) 반감기(半減期); 《比》 쇠하기 시작 전의 번영기.

hálf-mást *n., vt.* Ⓤ 반기(半旗)의 위치(에 걸다).

hálf méasure 미봉책, 임시 변통.

hálf móon 반달(형의 것).

hálf nélson 〖레슬링〗 목덜미 죄기.

hálf nòte 〖樂〗 2분 음표.

half·pence [héipəns] halfpenny의 복수.

half·pen·ny [héipəni] *n., a.* Ⓒ 반페니(동전); 《英口》 잔돈; 하찮은(of little value); (신문이) 선정적인.

half·pen·ny·worth [héipəniwə̀ːrθ] *n.* (a ~) 반 페니어치; 극히 소량.

hálf pínt 반 파인트; 《口》 좀팽이; 《美俗》 보잘 것 없는 인간.

half-read [hǽfréd, fɑ́ːf-] *a.* 대강 아는, 겉핥기로 배운. 「한.

hálf-sèas-óver 《英俗》 얼근히 취

hálf-shót *a.* 《俗》 얼근히 취한.

hálf sìster 배[씨]다른 자매.

hálf sòle (구두의) 앞창.

hálf-sòle *vt.* (구두에) 앞창을 대다.

hálf-stáff *n.* 《美》 =HALF-MAST.

hálf stèp 〖樂〗 반음; 〖美軍〗 반걸음.

hálf-tímbered *a.* 〖建〗 뼈대를 목조로 한.

hálf tìme 반일(半日) 노동, 반일급; 〖競〗 중간 휴식.

hálf tínt 간색(間色); (수채화의) 엷게 하는 칠.

hálf-tòne *n., a.* Ⓒ 〖印·寫〗 망판(網版)(화(畫))(의); 〖美術〗 간색(間色)(의); 〖樂〗 반음.

hálf-tràck *n.* Ⓒ 후부(後部) 무한궤도(자동)차.

hálf-trùth *n.* Ⓤ,Ⓒ (속이거나 비난회피를 위한) 일부의 진실.

***half·way** [⌐wéi] *a., ad.* ① 중도의[에], 어중된[되게]. ② 《口》 반쯤, 어느 정도. **meet** *a person* ~ 타협하다.

hálfway hòuse 두 마을 중간의 여인숙; 타협점.

hálf-wìt *n.* Ⓒ 반편이, 얼뜨기.

hálf-wórld *n.* Ⓒ 반구(半球); 화류계; 암흑가(underworld).

hálf yéar 반년; (2학기제의) 학기.

hal·i·but [hǽləbət] *n.* (*pl.* ~**s,** 《집합적》 ~) Ⓒ 〖魚〗 핼리벗《큰 넙치》.

hal·ite [hǽlait, héi-] *n.* Ⓤ 〖鑛〗 암염(岩鹽).

hal·i·to·sis [hæ̀lətóusis] *n.* Ⓤ 구취(口臭).

†**hall** [hɔːl] *n.* Ⓒ ① 현관; 복도. ② 넓은 방, 홀; (공)회당. ③ 《美》 (대학의) 교사(校舍). ④ 조합 본부; 사무소. ⑤ 《英》 (지주의) 저택. ⑥ 《英》 (대학의) 대식당. **H- of Fame** 명예의 전당(殿堂)《뉴욕 대학에 있는 위인·국가 유공자를 위한 기념관》. **Students' H-** 학생 회관[집회소].

hal·le·lu·jah, -iah [hæ̀ləlúːjə] *int., n.* (Heb.) 할렐루야《'하느님을 찬송하라(Praise ye the Lord!)'의 뜻》; Ⓒ 찬송가. 「리 혜성.

Hál·ley's cómet [hǽliz-] 〖天〗 핼

hal·liard [hǽljərd] *n.* =HALYARD.

háll·màrk *n., vt.* Ⓒ (금·은의) 순분 인증 각인(純分認證刻印)(을 찍다);

H

보증 딱지(를 붙이다).

***hal·lo(a)** [həlóu] *int., n.* Ⓒ 여보세요〔여보, 이봐, 이런〕(하는 소리).

***hal·loo** [həlúː] *int., vt., vi.* 어이〔이봐〕(하고 큰 소리로 말하다, 부르다) 《사냥개를 추기거나 사람의 주의를 끌 때》. — *n.* (*pl.* **~s**) Ⓒ 어이〔이봐〕하는 소리.

***hal·low**[1] [hǽlou] *vt.* ① 신성하게〔깨끗하게〕 하다; 하느님께 바치다. ② 숭배하다. **~ed ground** 영역(靈域).

hallow[2] *int., v., n.* =HALLOO.

:Hal·low·een, -e'en [hæ̀louíːn] *n.* 모든 성인 대축일(All Saints' Day)의 전야《10월 31일 밤》.

Hal·low·mas [hǽloumæ̀s, -məs] *n.* 《古》 =ALL SAINTS' DAY.

háll trèe (현관 따위의) 모자〔외투〕걸이.

hal·lu·ci·nate [həlúːsənèit] *vt.* 환각(증상)을 일으키게 하다.

hal·lu·ci·na·tion [həlùːsənéiʃən] *n.* Ⓤ,Ⓒ 환각(幻覺), 환시(幻視), 환청(幻聽); 환상(幻想).

hal·lu·ci·no·gen [həljúːsənədʒən] *n.* Ⓒ 환각제.

háll·wày *n.* Ⓒ 《美》 현관; 복도.

ha·lo [héilou] *n.* (*pl.* **~(e)s**), *vt.* Ⓒ (해·달의) 무리(를 씌우다); 후광(後光)(으로 두르다). 「할로겐.

hal·o·gen [hǽlədʒən] *n.* Ⓤ 〖化〗

:halt[1] [hɔːlt] *vi., vt.* 정지〔휴식〕하다〔시키다〕. — *n.* ① (a ~)(멈추어) 섬; 〖컴〗 멈춤. ② Ⓒ 《주로 英》 정류소. **call a ~** 정지를 명하다, 정지시키다.

halt[2] *vi.* 망설이다; 《古》 다리를 절다.

hal·ter [hɔ́ːltər] *n.* Ⓒ (소·말을 끌거나 매어 두는) 고삐; 교수(絞首)(용 밧줄); (팔과 등이 드러나는) 여자용 운동 셔츠. 「감하다.

halve [hæv/hɑːv] *vt.* 등분하다; 반

***halves** [hævz/-ɑː-] *n.* half의 복수.

hal·yard [hǽljərd] *n.* Ⓒ (돛·기의) 고팻줄.

:ham [hæm] *n.* ① Ⓤ,Ⓒ 햄《소금에 절여 훈제(燻製)한 돼지의 허벅다리 고기》. ② Ⓒ 오금; (종종 *pl.*) 허벅다리와 궁둥이. ③ Ⓒ 《俗》 (몸짓을 과장하는) 서투른 배우; Ⓤ 과장된 연기. ④ Ⓒ 《口》 햄《아마추어 무선 통신자》.

Ham *n.* 〖聖〗 Noah의 둘째 아들.

ham·a·dry·ad [hæ̀mədráiəd, -æd] *n.* Ⓒ 〖그神〗 나무의 요정. 「크.

Ham·burg [hǽmbəːrg] *n.* 함부르

***ham·burg·er** [⌐⌐ər] *n.* =**Hám-burg stèak** Ⓒ,Ⓤ 햄버거스테이크.

hám-físted, -hánded *a.* 《英俗》 솜씨 없는, 뒤틈바리의.

Ham·it·ic [hæmítik, hə-] *a.* (Noah의 둘째 아들) Ham의 (자손의); 햄(어)족의.

***Ham·let** [hǽmlit] *n.* Shak. 작의 비극; 그 주인공.

ham·let *n.* Ⓒ 작은 마을.

Ham·mar·skjöld [hɑ́ːmərʃòuld, hǽm-], **Dag Hjalmar** ~ (1905-61) 스웨덴의 정치가·전 UN사무총장 《Nobel 평화상 수상(1961)》.

:ham·mer [hǽmər] *n.* Ⓒ ① (쇠·나무) 망치, 해머. ② 〖競〗 (투)해머. ③ (경매자의) 나무망치. ④ (총(銃)의) 공이치기. ***bring* 〔*send*〕 *to the* ~** 경매에 부치다. ***come under* 〔*go to*〕 *the* ~** 경매되다. ***drop the* ~** 《CB俗》 액셀러레이터를 밟다. **~ *and tongs*** 《口》 열심히, 맹렬히. — *vt.* ① 망치로 두드리다; 두들겨〔쳐박아, 주입해〕 넣다. ② 연달아 때리다〔포격하다〕. ③ 《口》 (상대방을) 호되게 해치우다. ④ 두드려서 만들다. ⑤ 생각해 내다. — *vi.* ① 망치로 두드리다. ② 부지런히 일하다. **~ *away*** 마구 두드리다; 부지런히 일하다(*at*). **~ *out*** 두드려서 …으로 만들다; 애써서 생각해 내다.

hámmer·hèad *n.* Ⓒ 망치의 대가리; 멍텅구리; 〖魚〗 귀상어.

hámmer·lòck *n.* Ⓒ 〖레슬링〗 팔꺾기《한팔을 등 뒤로 틀어 젖히는 공격》.

***ham·mock** [hǽmək] *n.* Ⓒ 해먹.

Hám·mond órgan [hǽmənd-] 〖商標〗 해먼드 오르간《전기 오르간》.

ham·my [hǽmi] *a.* (맛·외양이) 햄같은; 《口》 (연극·배우가) 멜로드라마식의, 과잉 연극의.

***ham·per**[1] [hǽmpər] *vt.* 방해하다.

ham·per[2] *n.* Ⓒ (뚜껑 달린) 손바구니; 바스켓.

Hamp·shire [hǽmpʃiər] *n.* 영국 남해안의 주; (미국산, 검은 바탕에 흰 얼룩이 있는) 돼지의 일종; =**∠ Dówn** (영국산, 뿔 없는) 양의 일종.

ham·ster [hǽmstər] *n.* Ⓒ 〖動〗 일종의 큰 쥐《동유럽·아시아산》.

ham·string [hǽmstrìŋ] *n., vt.* (**~ed, -strung**) Ⓒ (사람·말의) 오금의 힘줄(을 잘라 절름발이로 만들다); 좌절시키다.

†hand [hænd] *n.* ① Ⓒ 손; (동물의) 앞발; (시계의) 바늘; 손 모양의 것 《바나나 송이 따위》; 핸드《손바닥 폭을 기준으로 한 척도; 4 인치》 (*a horse 14 ~s high* 어깨높이 14 핸드의 말). ② Ⓒ (종종 *pl.*) 소유; 지배. ③ Ⓒ 직공, 일꾼; 승무원(*all ~s* 전원). ④ Ⓒ 솜씨; 수완; (a ~) 필적, 필치(*write a good ~* 글씨를 잘 쓰다); (*one's ~*) 서명. ⑤ Ⓒ 쪽, 측(*the right ~* 오른쪽), 방면. ⑥ Ⓒ 〖카드〗 가진 패; 경기자; 한 판. ⑦ (*sing.*) (남자에게 손을 주어) 약혼(함). ⑧ (a ~) 박수 갈채. ***at first* 〔*second*〕 ~** 직접〔간접〕으로. (*close, near*) ***at* ~** 가까운 곳에, 가까운 장래에, 바짝 다가와. ***bear a* ~ *in*** …에 관계하다; …을 거들어 주다. ***by* ~** 손으로; 손수. ***change* ~*s*** 임자〔소유주〕가 바뀌다. ***come to* ~** 손에 들어오다; 발견되다. ***eat out of a person's* ~** 지도〔지휘〕에 따르다, 온순하다. ***fight* ~ *to* ~** 접전하다; 드잡이하다. ***from* ~ *to mouth*** 하루 벌어 하루 먹는, 그날 그날 간신히 지내어; (저축심 없이) 버

는 족족 써버리어. ***give one's ~*** (계약 따위의) 실행을 다짐하다(*on*); (남자에게 손을 주어) 약혼하다(*to*). ***~ and foot*** 손발을 모두, 완전히; 부지런히. ***~ and*** 〔***in***〕 ***glove with*** …와 친밀하여. ***~ in ~*** 손에 손을 잡고; 제휴하여(*with*). ***~ over ~*** 두 손을 번갈아 당겨서; 척척 (돼나가다, 따위). ***~s down*** 손쉽게 (이기다, 따위). ***Hands off!*** 손대지 말 것; 손을 떼라, 관여 마라. ***Hands up!*** 손들어라《항복 또는 찬성하여》. ***have one's ~s full*** 바쁘다. ***heavy on*** 〔***in***〕 ***~*** 힘에 겨워, 다루기 곤란하여, 주체 못하여. ***in ~*** 손에 들고, 제어하여; 진행〔연구〕 중의. ***keep one's ~ in*** …에 종사하고 있다〔익숙하다〕, 끊임없이 연습하다. ***lay ~s on*** 〔***upon***〕 …에 손을 대다, …을 (붙)잡다; 폭행하다(*He laid ~s on himself.* 자살했다); 〖宗〗 (사람의 머리 위에 손을 얹고) 축복하다. ***make a ~*** 이득을 보다, 성공하다. ***off ~*** 즉석에서, 즉각. ***on*** 〔***off*** 〕 *a person's* ***~s*** (아무의) 책임〔부담〕으로〔없이〕. ***on ~*** 가지고 〔준비돼〕 있는; 가까이; 《美》 출석하여. ***on one's ~s and knees*** 기어서. ***on the one ~*** 한편으로는. ***on the other ~*** 또 (다른) 한편으로는, 이에 반(反)하여. ***out of ~*** 즉석에서, 즉석에; 끝나서; 힘에 겨워, 다루기 어려워. ***pass into other ~s*** 남의 손으로 넘어가다. ***sit on one's ~s*** 좀처럼 박수〔칭찬〕하지 않다. ***take in ~*** 처리하다; 떠맡다, 돌보다. ***to one's ~s*** 힘 안들이고 (아무가) 얻을 수 있도록(*be ready to his ~s* 즉시 쓸 수 있다). ***turn one's ~ to*** …에 착수하다. ***wash one's ~s of*** …와 손을 끊다. ***with a high*** 〔***heavy***〕 ***~*** 고압적으로. — ***vt.*** ① 넘겨〔건네〕 주다; 전하다(*to*). ② 손으로 이끌다〔돕다〕. ③ 〖海〗 (돛을) 접다. ***~ down to*** (자손에게) 전하다. ***~ in*** 건네다, 제출하다. ***~ on*** 전하다; 다음으로 건네주다. ***~ out*** 건네 주다; 분배하다; 《俗》 돈을 내다〔쓰다〕. ***~ over*** 넘겨주다; 양도하다. ***~ round*** (차례로) 돌리다, 도르다. ***~ up*** (높은 곳에) 손으로 건네 주다, 주다. **:~·ful** [hǽndfùl] *n.* Ⓒ 손에 그득, 한 줌; 소량; 《口》 다루기 힘든 사람〔것〕.

hánd àx(e) 손도끼(cf. hatchet).

hánd·bàg *n.* Ⓒ 핸드백.

hánd·bàll *n.* Ⓤ 벽에 던져 튀는 공을 상대가 받게 하는 공놀이; 〖競〗 핸드볼; Ⓒ 그 공.

hánd·bàrrow *n.* Ⓒ (들것식의) 운반대(臺); =HANDCART.

hánd·bèll *n.* Ⓒ 〖樂〗 요령.

hánd·bìll *n.* Ⓒ 삐라, 광고지.

***hánd·bòok** *n.* Ⓒ 편람(便覽), 안내서, 교본.

hánd bràke (자동차 따위의) 수동〔핸드〕 브레이크.

hánd·brèadth *n.* Ⓒ 한 손 폭《2.5-4인치》.

hánd·càrt *n.* Ⓒ 손수레.

hánd·clàp *n.* Ⓒ 박수 갈채.

hánd·clàsp *n.* Ⓒ 악수.

hánd·cràft *n.* =HANDICRAFT.

hánd·cùff *n., vt.* Ⓒ (보통 *pl.*) 수갑, 쇠고랑(을 채우다).

hand·ed [hǽndid] *a.* 손(잡)이 있는; 《보통 복합어로》 손이 …한(*heavy-~* 손재주가 없는).

Han·del [hǽndl], **George Frederick** (1685-1759) 헨델《독일 태생의 영국 작곡가; (G.) Händel》.

hánd glàss 손거울; 돋보기, 확대경.

hánd grenàde 수류탄; 소화탄.

hánd·grìp *n.* Ⓒ 악수; (*pl.*) 드잡이, 백병전; 손잡이, 핸들.

hánd·hòld *n.* Ⓒ 파악; 손잡을 〔(붙)잡을〕 데.

:hand·i·cap [hǽndikæ̀p] *n., vt.* (**-pp-**) Ⓒ ① 핸디캡(을 주다), 불리한 조건(을 붙이다). ② 핸디캡이 붙은 경주〔경마〕. ***the ~ped*** 신체〔정신〕 장애자.

hand·i·craft [hǽndikræ̀ft/-krɑ̀:ft] *n.* ① Ⓒ (보통 *pl.*) 수세공(手細工), 수예(手藝). ② Ⓤ 손끝의 숙련.

Hand·ie-Talk·ie [hǽnditɔ́:ki] *n.* 〖商標〗 휴대용 소형 무선 송수신기.

hand·i·work [hǽndiwə̀:rk] *n.* ① Ⓤ 수세공. ② Ⓒ 수공품. ③ Ⓤ (특정인의) 짓, 소행.

:hand·ker·chief [hǽŋkərtʃif, -tʃì:f] *n.* (*pl.* **~s**) Ⓒ ① 손수건. ② =NECKERCHIEF.

hánd-knít(ted) *a.* 손으로 짠〔뜬〕.

:han·dle [hǽndl] *n.* Ⓒ ① 자루, 손잡이, 핸들. ② 구실; 기회. ③ 〖컴〗 다룸, 다루기, 핸들. ***fly off*** 〔***at***〕 ***the ~*** 《口》 욱하다. ***up to the ~*** 《美口》 극단으로; 철저히. — ***vt.*** ① (…에) 손으로 다루다, 조종하다, 손대다. ② 처리하다, 논하다. ③ 대우하다; (군대를) 지휘하다. ④ 장사하다. **hán·dler** *n.* Ⓒ 취급하는 사람; 〖拳〗 트레이너, 매니저, 세컨드.

hándle bàrs (자전거의) 핸들; 팔자(八字) 수염.

hand·ling [hǽndliŋ] *n.* Ⓤ 손에 대기〔잡기〕; 취급, 조종, 운용; 수법.

hánd·máde *a.* (기계가 아닌) 손으로 만든.

hánd·màid(en) *n.* Ⓒ 시녀; 하녀.

hánd-me-dòwn *a., n.* 《美》 만들어 놓은, 기성의; Ⓒ 기성복.

hánd mìll 맷돌.

hánd mòney 계약금, 착수금.

hánd òrgan 손으로 핸들을 돌려 타는 오르간.

hánd·òut *n.* Ⓒ 《美俗》 거지에게 주는 음식〔돈·의류〕; (신문사에 돌리는) 공식 성명(서); 유인물.

hánd-pícked *a.* 정선(精選)된; (과일 따위) 손으로 딴.

hánd·pòst *n.* Ⓒ 길표, 도표(道標).

hánd·ràil *n.* Ⓒ 난간.

hánd·sàw *n.* Ⓒ (한 손으로 켜는) 작은 톱.

H

hand·sel [hǽnsəl] *n., vt.* (《英》 *-ll-*) Ⓒ 새해〔축하〕 선물(을 주다); (신부에 대한) 예물(을 주다); 착수금(earnest)(을 내다), 첫 불입금.
hánd·sèt *n.* Ⓒ (탁상 전화의) 송수화기.
hánd·sèwn *a.* 손으로 꿰맨.
***hánd·shàke** *n.* Ⓒ 악수. **-shàk·ing** *n.* Ⓤ 〖컴〗 주고받기.
hánds-óff *a.* 무간섭(주의)의.
hánds-ón *a.* 실제로 참가하는; 실제적인; 수동의.
:**hand·some** [hǽnsəm] *a.* ① (남자가) 단정하게 잘 생긴. ② (선물 따위) 활수(滑手)한; 상당한.
hánd·spìke *n.* Ⓒ 지레.
hánd·sprìng *n.* Ⓒ《美》 공중 제비.
hánd·stànd *n.* Ⓒ 물구나무서기.
hánd-to-hánd *a.* 주먹다짐〔드잡이〕의, 접전의.
hánd-to-móuth *a.* 그날그날 살아가는; 불안한; 앞일을 생각 않는.
hánd trùck 손수레.
hánd·wórk *n.* Ⓤ 손으로 하는 일, 수세공.
:**hand·writ·ing** [ˊ-ràitiŋ] *n.* ① Ⓤ 육필(肉筆). ② Ⓤ,Ⓒ 필적. ③ Ⓒ 필사본. ***the ~ on the wall*** 흉조(凶兆).
:**hand·y** [hǽndi] *a.* ① 가까이 있는, 알맞은, 편리한. ② 솜씨좋은. COME *in ~.*
hándy·màn *n.* Ⓒ 허드렛일꾼; 잔재주 있는 사람; 선원.
Han·ford [hǽnfərd] *n.* 미국 Washington주의 마을《플루토늄 생산 공장인 Hanford Engineer Works의 소재지》.
†**hang** [hæŋ] *vt., vi.* (***hung, ~ed***) ① 걸(리)다, 매달(리)다; 늘어뜨리다, 늘어지다. ② (벽지를) 벽에 바르다. ③ 교살(絞殺)하다(*Be ~ed!, H- it!, H- you!* 뒈질 놈아, 제기랄!), 목을 매달아 죽다. ***~ about*** 어슬렁거리다; 붙어다니다. ***~ back*** 주춤거리다. ***~ fire*** (총이) 즉시 발사되지 않다; (일이) 시간이 걸리다. ***~ in the balance*** 결정하지〔되지〕 않다. ***~ on*** 〔***upon***〕 …에 달라붙다, 붙잡고 늘어지다; …나름이다; 속행하다, 인내하다; 미결이다; (병이) 낫지 않다. ***~ oneself*** 목매어 죽다. ***~ onto*** 〔***on to***〕 …을 움켜잡다, …에 매달리다; 계속 보관하다. ***~ out*** 몸을 내밀다; 《俗》 거주하다; (기 따위를) 내걸다; 《俗》 드나들다. ***~ over*** 위에 쑥 나오다〔걸리다〕; 닥쳐 오다. ***~ together*** 협력〔단결〕하다; 조리가 서다. ***~ up*** 걸다, 매달다; 중지하다; 지체시키다, 연기하다; 전화를 끊다; 《俗》 전당 잡히다. ── *n.* Ⓤ (보통 the ~) ① 걸림새, 늘어진 모양. ② 《口》 사용법, 방식, 요령; 취지(idea). ③ 《口》 조금(도)(*I don't care a ~.*). ***ˊ·er** *n.* Ⓒ 거는〔매다는〕 사람〔것〕, 옷걸이; 갈고리, 매단 광고; 단검《혁대에 차는》; =HANGMAN.

hang·ar [hǽŋər] *n.* Ⓒ 격납고, 곳집.
háng·bìrd *n.* Ⓒ《美》 둥지를 나뭇가지에 매다는 새.
háng·dòg *a., n.* Ⓒ 비굴〔비열〕한 「(사내).
hánger-ón *n.* (*pl.* ***-ers-on***) Ⓒ 식객, 추종자; 엽관 운동자.
háng glìder 행글라이더.
***hang·ing** [ˊ-iŋ] *n.* ① Ⓤ,Ⓒ 교살, 교수형. ② (*pl.*) 걸린 것, 커튼. ③ Ⓒ,Ⓤ 내리막, 급경사. ── *a.* ① 교수형에 처할. ② 매달린. ③ 급경사의. ④ 임박한.
hánging brìdge 조교(弔橋).
hánging commíttee (전람회의) 심사 위원회.
hánging júdge 교수형 내리기 좋아하는 판사. 「행인.
hang·man [ˊ-mən] *n.* Ⓒ 교수형 집
háng·nàil *n.* Ⓒ 손거스러미.
háng·òut *n.* Ⓒ《美口》(주로 악한의) 소굴.
háng·òver *n.* Ⓒ《美口》 잔존물; 유물, 남은 영향, 유습; 《美俗》 숙취(宿醉); (약의) 부작용.
háng·tàg *n.* Ⓒ (기구에 붙인) 설명서(쪽지).
háng-ùp *n.* Ⓒ《口》 ① 정신적 장애, 고민. ② 〖컴〗 단절.
hank [hæŋk] *n.* Ⓒ (실) 한 다발, 타래.
han·ker [hǽŋkər] *vi.* 갈망〔동경〕하다(*for, after*).
han·kie, -ky [hǽŋki] *n.* Ⓒ《口》 손수건(handkerchief).
han·ky-pan·ky [hǽŋkipǽŋki] *n.* Ⓤ《英口》 협잡, 사기; 요술; Ⓒ《美》 객쩍은 이야기〔것〕.
Ha·noi [hænɔ́i] *n.* 베트남의 수도.
Han·o·ver [hǽnouvər] *n.* 독일 북서부의 도시; (영국) 하노버 왕가《George I부터 Victoria 여왕까지》.
Hans [hæns, -z] *n.* 독일〔네덜란드〕 사람의 별명.
han·sa [hǽnsə, -zə], **hanse** [hæns] *n.* Ⓒ (중세 유럽의) 상인 조합(商人組合); 그 가입금.
Han·sard [hǽnsərd] *n.* Ⓒ 영국 국회 의사록.
Han·se·at·ic [hænsiǽtik, -zi-] *a.* 〖史〗 한자 동맹의.
Hanseátic Léague, the 한자 동맹《독일을 중축으로 하는 중세 여러 도시의 상업 동맹》.
han·sel [hǽnsəl] *n., v.* =HANDSEL.
Hán·sen's disèase [hǽnsənz-] 〖病〗 한센병, 문둥병.
hán·som (cáb) [hǽnsəm-] *n.* Ⓒ (2인승의) 말 한 필이 끄는 2륜 마차.
ha'nt, ha'n't [*h*eint] 《英方》 have 〔has〕 not의 단축. 「름).
Hants. Hampshire《영국의 주 이
hap [hæp] *n., vi.* (***-pp-***) 《古》 Ⓤ 우연, 행운; Ⓒ 우연한 일; (우연히) 일어나다. **ˊ·less** *a.* 불행한. **ˊ·ly** *ad.* 《古》 우연히; 《古》 =PERHAPS.
ha'·pen·ny [héipəni] *n.* 《英口》 = HALFPENNY.
hap·haz·ard [hæphǽzərd/ˊ-ˊ-] *n.*

Ⓤ 우연(한 일). **at** [**by**] ~ 우연히; 아무렇게나. — *a., ad.* 우연의[히]; 되는대로(의).
†**hap·pen**[hǽpən] *vi.* ① 일어나다, 생기다. ② 우연히[공교롭게도] …하다(*to* do, *that*). **as it ~s** 우연히(도). **~ on** 우연히[뜻밖에] …을 만나다[발견하다]. *~·**ing** *n.* Ⓒ 우발사(偶發事), 사건; 《美俗》 해프닝《즉흥적인 행위나 행사》.
háppen-sò *n.* Ⓤ 《美方》 우연한[뜻하지 않은] 일.
†**hap·pi·ness**[hǽpinis] *n.* Ⓤ ① 행복; 행운. ② 유쾌. ③ 교묘, (용어의) 적절.
†**hap·py**[hǽpi] *a.* ① 행복한, 행운의. ② 즐거운, 유쾌한. ③ (용어가) 적절한, 교묘한. ∶**-pi·ly** *ad.*
hàppy-gó-lùcky *a.* 낙천적인, 태평스러운; 되는 대로의.
ha·rangue[hərǽŋ] *n., vt., vi.* Ⓒ (장황한) 열변(을 토하다), 장광설(을 늘어놓다).
*__har·ass__[hǽrəs, hərǽs] *vt.* 괴롭히다.
har·bin·ger[hɑ́ːrbindʒər] *n., vi.* Ⓒ 예고(하다); 선구자(forerunner).
∶**har·bor,** 《英》 **-bour**[hɑ́ːrbər] *n.* Ⓒ,Ⓤ ① 항구. ② 피난처, 은신처. — *vt.* ① 피난처를 제공하다, 숨기다. ② (원한·악의를) 품다. — *vi.* ① 숨다. ② 정박하다.
har·bo(u)r·age[-ridʒ] *n.* Ⓤ 정박, 피난; Ⓤ,Ⓒ 정박[피난]소; Ⓤ 보호.
hárbo(u)r màster 항무관(港務官).
†**hard**[hɑːrd] *a.* ① 딱딱한, 굳은, 단단한, 견고한. ② (…하기) 어려운. ③ (몸이) 튼튼한. ④ (시세가) 강세의. ⑤ 엄격한, 까다로운, 무정한(*on*). ⑥ 격렬한; 심한, 모진. ⑦ 고된, 괴로운. ⑧ (음식이) 조악한. ⑨ 부지런한, 근면한, 열심히 일하는. ⑩ 《美》 알코올 함유량이 많은. ⑪ 〖化〗 경질(硬質)의; (소리가) 새된, 금속성의. ⑫ 〖音聲〗 무성 자음의《k, t, p 따위》, 경음(硬音)의《gum의 [g]따위》. ⑬ 〖理〗 (X선의) 투과 능력이 큰. **~ and fast** (규칙 따위) 엄중한; (배가) 좌초하여 움직이지 않는. **~ fact** 엄연한 사실. **~ of hearing** 귀가 잘 안들리는. **have a ~ time of it** 몹시 혼나다[고생하다]. — *ad.* ① 굳게, 단단[견고]하게. ② 열심히; 격렬히, 몹시. ③ 간신히; 애써서. ④ 가까이. ⑤ 《美俗》 매우. **be ~ at it** 《俗》 매우 분주하다, 열심히 일하고 있다. **be ~ put to it** 곤경에 빠지다. **go ~ with** …을 혼나게 하다. **~ by** 바로 곁에. **~ hit** 심한 타격을 받고. **~ on** [**upon**] …에 바싹 다가서서. **~ up** (돈에) 궁하여; (…에) 곤란을 당하여(*for*). **look ~ at** 가만히 응시하다. — *n.* ① Ⓒ 《주로 英》 상륙[양륙]장. ② Ⓤ 《英俗》 징역; 중노동. *∠·**ness** *n.* Ⓤ 견고함; 굳기, 경도(硬度).
hárd·bàck *n.* Ⓒ 두꺼운 표지의 책.
hárd-báked *a.* 딱딱하게 구운.
hárd·bàll *n.* Ⓤ 경식 야구; Ⓒ (야구의) 경구(硬球).
hárd-bìtten *a.* 만만치 않은; 완고한; 산전수전 겪은.
hárd-bóiled *a.* (달걀 따위) 단단하게 삶은; 《口》 (소설 따위) 비정(非情)한, 감상적이 아닌; 현실적인; 완고한.
hárd-bóiled schòol 비정파(非情派).
hárd bóp 하드 밥《공격적이며 격렬한 모던 재즈의 한 형식》.
hárd·càse *n.* Ⓒ (회복 가망이 없는) 환자; (개전의 가망이 없는) 죄인; 난국; 형편이 딱한 사람.
hárd cásh [**cúrrency**] 경화(硬貨).
hárd cóal 무연탄.
hárd cópy 〖컴〗 하드 카피.
hárd córe (단체·운동 등의) 핵심, 강경파.
hárd·cóver *n., a.* Ⓒ 두꺼운 표지의 (책).
hárd dísk 〖컴〗 하드 디스크.
hárd drúg 《美口》 습관성 마약.
hárd-éarned *a.* 고생하여 얻은[번].
∶**hard·en**[∠n] *vt., vi.* 굳어지다, 굳히다, 단단하게 하다[되다], 경화(硬化)하다; 단련[강화]하다; 무정하게 하다[되다].
hárd-fávo(u)red, -fea·tured [-fíːtʃərd] *a.* 감때 사나운 얼굴을 한; 험상궂게 생긴.
hárd-físted *a.* 인색한, 구두쇠의(close-fisted); 매정한, 강압적인.
hárd-fóught *a.* 격전(激戰)의 (결과 획득한).
hárd gòods 내구재(耐久財).
hárd-gráined *a.* (목재 등이) 결이 단단한; (성격이) 모진, 완고한.
hárd-hánded *a.* (일해서) 손이 거친; 엄한; 압제적인.
hárd hát (공사장의) 안전모.
hárd-héaded *a.* (성질이) 냉정한, 실제적인, 완고한.
hárd-héarted *a.* 무정한.
har·di·hood[hɑ́ːrdihùd] *n.* Ⓤ 대담; 뻔뻔스럼.
hárd lábo(u)r (형벌로서의) 중노동.
hárd lánding (우주선의) 경착륙.
hárd línes 강경 노선[방침].
hárd líquor 독한 술《증류주》.
†**hard·ly**[∠li] *ad.* 거의 …않다, 간신히, 겨우, 아마 …아니다; 애써서, 고생하여; 엄하게, 가혹하게. **~ ever** 좀처럼 없다. **~ ... when** [**before**] …하자마자, …하기가 무섭게.
hárd néws 정치·경제 관계의 뉴스 (cf. soft news).
hárd-of-héaring *a.* 난청(難聽)의, 잘 안 들리는.
hárd pálate 경구개(硬口蓋).
hárd·pàn *n.* Ⓒ 《주로 美》 경질(硬質) 지층, 암상(岩床); 확고한 기반; 현실의 바탕; 최저선[가격].
hárd-préssed *a.* (일·돈에) 쫓기는; 곤경에 처한.
hárd scíence 자연 과학.
hárd séll 강압적인 판매 (방법)(cf. soft sell).
∶**hard·ship**[∠ʃìp] *n.* Ⓤ,Ⓒ 고난, 고

H

생; 학대.
hárd-súrface *vt.* (도로를) 포장하다.
hárd·tàck *n.* Ⓤ 건빵.
hárd tímes 불경기.
hárd·tòp *n.* Ⓒ 덮개가 금속제이고 옆창에 중간 기둥이 없는 승용차.
:hard·ware[ˊwɛ̀ər] *n.* Ⓤ ① 철물, 철기류. ②《美俗》무기류. ③〖컴〗하드웨어《컴퓨터의 기계 설비》. ④(우주 로켓·미사일 등의) 본체. **~·man**[-mən] *n.* Ⓒ 철물상(商).
hárd wáter 센물, 경수(硬水).
hárd-wéaring *a.* (천 따위가) 오래 가는, 질긴.
hárd·wíred *a.*〖컴〗프로그램에 의하지 않고) 배선(配線)에 의한.
hárd·wòod *n.* Ⓤ 단단한 나무《떡갈나무·마호가니 등》.
hárd wòrds 어려운 말; 화내는 말.
·hárd-wórking *a.* 근면한, 열심히 일〔공부〕하는.
:har·dy[há:rdi] *a.* ① 내구력이 있는, 고난〔학대〕에 견디는. ② 대담〔용감〕한; 무모한. ③ (식물 따위) 내한성(耐寒性)의. **-di·ly** *ad.* 고난을 견뎌; 대담하게; 뻔뻔스레. **-di·ness** *n.* Ⓤ 강장(强壯); 내구력; 대담; 철면피, 뻔뻔스럼.
Har·dy[há:rdi], **Thomas**(1840-1928) 영국의 소설가·시인.
hárdy ànnual 일년생 내한(耐寒) 식물; 해마다 되풀이되는 문제.
:hare[hɛər] *n.* Ⓒ 산토끼《rabbit보다 큼》. ***as mad as a March ~*** (교미기의 산토끼처럼) 미쳐 날뛰는. ***~ and hounds*** 산지(散紙) 술래잡기《토끼가 된 아이가 종이 조각(scents)을 뿌리며 달아나는 것을 사냥개가 된 아이가 쫓아 집에 닿기 전에 잡으면 이김》. ***~ and tortoise*** 토끼와 거북이(의 경주). ***run with the ~ and hunt with the hounds*** 어느 편에나 좋게 굴다.
háre·bèll *n.* Ⓒ〖植〗초롱꽃(류); =BLUEBELL.
háre·bráined *a.* 경솔한.
háre·lìp *n.* Ⓒ 언청이. **-lìpped** *a.* 언청이의.
har·em[hέərəm] *n.* Ⓒ (이슬람교국의) 도장방; 후궁(의 처첩들).
har·i·cot[hǽrikòu] *n.* (F.) Ⓤ 강낭콩이 든 양고기 스튜; =ˊ **bèan** 강낭콩.
·hark[ha:rk] *vi.* 듣다; 경청하다《주로 명령문에》. ***Hark (ye)!*** 들어 보아라! ***~ back*** 되돌아 오다〔가다〕.
Har·lem[há:rləm] *n.* (New York 시의) 흑인 구역.
har·le·quin[há:rlikwin, -kin] *n.* Ⓒ (*or* H-)(pantomime의)(가면) 어릿광대역(役); 어릿광대.
Hár·ley Strèet[há:rli-] 할리가(街)《런던의 일류 의사들이 많이 사는 거리》.
har·lot[há:rlət] *n.* Ⓒ 매춘부. **~·ry** *n.* Ⓤ 매춘.
:harm[ha:rm] *n., vt.* Ⓤ 해(치다); 손해〔손상〕(을 주다). ***come to ~*** 괴로움을 당하다; 된서리 맞다. ***do ~ to*** …을 해치다. ***out of ~'s way*** 안전〔무사〕하게. **:ˊ·ful** *a.* 해로운. **ˊ·ful·ly** *ad.* **ˊ·ful·ness** *n.* **:ˊ·less** *a.* 해없는; 악의 없는. **ˊ·less·ly** *ad.* **ˊ·less·ness** *n.*
har·mon·ic[ha:rmánik/-ɔ́-] *n.* Ⓒ〖樂〗배음; (*pl.*)〖無電〗고조파(高調波). — *a.* 조화의〔된〕; 화성(和聲)의. **~s** *n.* Ⓤ〖樂〗화성학.
har·mon·i·ca[ha:rmánikə/-ɔ́-] *n.* Ⓒ 하모니카.
:har·mo·ni·ous[ha:rmóuniəs] *a.* 가락이 맞는; 조화된, 균형잡힌; 화목한, 의좋은. **~·ly** *ad.*
har·mo·ni·um[ha:rmóuniəm] *n.* Ⓒ 소형 오르간.
·har·mo·nize[há:rmənàiz] *vt., vi.* ① 조화〔화합〕시키다〔되다〕. ② (선율에) 화음을 가하다.
:har·mo·ny[há:rməni] *n.* Ⓤ 조화, 화합, 일치; Ⓤ,Ⓒ〖樂〗화성. **-nist** *n.* Ⓒ 화성 학자.
:har·ness[há:rnis] *n.* Ⓤ,Ⓒ ① (마차말·짐말의) 마구(馬具). ②《古》갑옷. ③ (작업용의) 설비. ***in ~*** 나날의 일에 종사하여, 집무 중에. ***work in double ~*** 맞벌이하다. — *vt.* ① 마구를 채우다. ② (폭포 등 자연력을) 이용하다.
:harp[ha:rp] *n.* ① Ⓒ 하프, 수금(竪琴). ② (H-)〖天〗거문고자리. — *vi.* ① 하프를 타다. ② (같은 이야기를) 몇번이고 되뇌다(*on, upon*). **ˊ·er, ˊ·ist** *n.* Ⓒ 하프 연주자.
har·poon[ha:rpú:n] *n., vt.* Ⓒ (고래잡이용) 작살(을 쳐〔쏴〕박다). **~·er** *n.*
harp·si·chord[há:rpsikɔ̀:rd] *n.* Ⓒ 하프시코드《16-18세기의 피아노 비슷한 악기》. **~·ist** *n.*
Har·py[há:rpi] *n.*〖그神〗여자 얼굴에 새의 몸을 가진 괴물; Ⓒ (h-) 탐욕스런 사람.
har·que·bus[há:rkwibəs] *n.* Ⓒ〖史〗화승총(火繩銃).
har·ri·dan[hǽridən] *n.* Ⓒ 추악한 노파, 마귀 할멈.
har·ri·er[hǽriər] *n.* Ⓒ 해리어 개《토끼 사냥용》; CROSS-COUNTRY race의 경주자;〖鳥〗개구리매; 약탈자; (H-) 해리어《영국이 개발한 V/STOL 공격기》.
Har·ro·vi·an[həróuviən] *a., n.* Ⓒ 영국 Harrow학교의 (학생, 출신자).
Har·row [hǽrou] *n.* Harrow 학교《영국 London 근교에 있는 public school; 1571년 창립》; 영국 London 근교의 Harrow-on-the-Hill 지구《Harrow 학교의 소재지》.
·har·row *n.* Ⓒ 써레. ***under the ~*** 괴로움〔어려움〕을 당하여. — *vt.* ① 써레질하다(*up*). ② 상하다; 괴롭히다. **~·ing** *a.* 마음아픈, 비참한.
·har·ry[hǽri] *vt.* ① 침략〔유린〕하다, 약탈〔노략〕하다. ② 괴롭히다.
:harsh[ha:rʃ] *a.* ① 거친, 껄껄한. ② 귀에 거슬리는. ③ (빛깔이) 야한.

④ 엄한, 호된, 가혹한. ***∠·ly** *ad.* **∠·ness** *n.*

hart[hɑːrt] *n.* Ⓒ (다섯 살 이상의) 고라니의 수컷.

har·te·beest[hɑ́ːrtəbìːst] *n.* Ⓒ (남아프리카산의) 큰 영양.

harts·horn[hɑ́ːrtshɔ̀ːrn] *n.* Ⓒ 수사슴뿔; Ⓤ 녹각정(鹿角精)《옛날에, 각성제로 쓰던 탄산 암모늄》.

har·um-scar·um[hɛ́ərəmskɛ́ərəm] *a.* 덤벙대는, 경솔한, 무모한. — *n.* Ⓤ 경솔, 덤벙댐; Ⓒ 그런 사람; Ⓤ 무모한 짓.

Har·vard[hɑ́ːrvərd] *n.* 미국에서 가장 오래된 대학《1636년, Massachusetts주에 설립》.

:har·vest[hɑ́ːrvist] (cf. G. *Herbst* =autumn) *n.* ① Ⓒ,Ⓤ 수확, 추수. ② Ⓤ,Ⓒ 수확기. ③ Ⓒ 결과, 보수, 소득. — *vt., vi.* 거두어 들이다, 수확〔추수〕하다. **~·er** *n.* Ⓒ 수확자〔기(機)〕. **~·ing** *n.* Ⓤ,Ⓒ 거두어 들임, 추수. **~·man**[-mən] *n.* Ⓒ 거두어들이는 사람; 긴발장님거미. 「완료.

hárvest hóme 수확 축제; 수확

hárvest móon 추분경의 만월.

†has[強 hæz, 弱 həz, əz] *v.* have의 3인칭·단수·직설법 현재.

hás-bèen *n.* Ⓒ《口》(인기·영향력이 없어진) 과거의 사람; 시대에 뒤진 사람〔것〕; (*pl.*)《美俗》옛날.

hash[hæʃ] *n.* Ⓤ 해시〔잘게 썬〕고기 요리;《美口》식사; Ⓤ,Ⓒ 주워 모은 것; 고쳐 만듦; 〖컴〗해시. ***make a ~ of***《口》…을 망쳐놓다, …을 요절내다. ***settle a person's ~***《口》(아무를) 찍소리 못하게 하다, 윽박지르다. — *vt.* 잘게 썰다(*up*); 엉망으로 만들다.

hash·er[∠ər] *n.* Ⓒ《俗》급사.

hásh hòuse《美俗》간이 식당.

hash·ish, hash·eesh[hǽʃiːʃ] *n.* Ⓤ 인도 대마(大麻)의 말린 잎(따위)《마취약용》.

†has·n't[hǽznt] has not의 단축.

hasp[hæsp/-ɑː-] *n.* Ⓒ 걸쇠, 고리(쇠); 실타래; 방추(紡錘).

Ha(s)·sid[hǽsid] *n.* 하시드교《유대교의 일파》. 「싸움.

has·sle[hǽsl] *n.* Ⓒ《美口》난투,

has·sock[hǽsək] *n.* Ⓒ (무릎 꿇고 예배하기 위한) 무릎 방석; 풀숲.

hast[強 hæst, 弱 həst, əst] *v.*《詩·古》《주어가 thou일 때의》have의 2인칭·단수·직설법 현재.

:haste[heist] *n.* Ⓤ 서두름, 급속; 성급. ***H- makes waste.***《격언》서두르면 일을 그르친다. ***make ~*** 서두르다. ***More ~, less speed.***《격언》급할수록 천천히. — *vi.*《雅》서두르다. — *vt.*《雅》재촉하다; 서두르게 하다.

:has·ten[héisn] *vt., vi.* 서두르〔게 하〕다, 재촉하다.

:hast·y[héisti] *a.* 급한; 성급한; 경솔한. ***~ conclusion*** 속단, 지레짐작. **:hast·i·ly** *ad.* **-i·ness** *n.*

†hat[hæt] *n., vt.* (*-tt-*) Ⓒ (테가 있는) 모자(를 씌우다). ***hang up one's ~*** 오래 머무르다, 푹 쉬다; 은퇴하다. ***~ in hand*** 공손히. ***lift one's ~*** 모자를 좀 들어 인사하다. ***My ~!***《俗》어마!; 저런! ***send*** 〔***pass***〕 ***round the ~*** (모자를 회중에게 돌려) 헌금을〔기부를〕모으다. ***talk through one's ~***《口》큰〔흰〕소리치다.

hát·bànd *n.* Ⓒ 모자(에 두른) 리본.

:hatch[1][hætʃ] *vt.* ① (알을) 까다. ② (음모를) 꾸미다(*~ a plot*). — *vi.* ① (알이) 깨다. ② (음모가) 꾸며지다. — *n.* Ⓒ 부화, 한 배(의 병아리); 한 배 새끼. ***~es, catches, matches and dispatches*** (신문의) 출생·약혼·결혼·사망란. **∠·er·y** *n.* Ⓒ (물고기·새의) 부화장.

:hatch[2] *n.* Ⓒ ① 〖海〗(배의) 승강구, 창구(艙口) (뚜껑), 해치. ② (내리닫이의) 아래짝 문. ③ 수문. ***Down the ~!***《口》건배! ***under ~es*** 갑판 밑에; 비번이어서; 영락하여; 매장되어, 죽어.

hatch[3] *n., vt.* Ⓒ 〖製圖·彫刻〗(사선(斜線) 따위의) 음영(陰影)(을 긋다).

hátch·bàck *n.* Ⓒ 해치백《뒷부분에 위로 열리는 문이 있는 차; 그 부분》.

hát·chèck *a.* 휴대품 보관(용)의(*a ~ room* 휴대품 보관소).

hatch·et**[hǽtʃit] *n.* Ⓒ 자귀. ***bury the ~ 휴전하다, 화해하다. ***dig*** 〔***take***〕 ***the ~*** 싸움을 시작하다.

hátchet fàce 마르고 뾰족한 얼굴.

hátchet jòb 중상(中傷), 욕.

hátchet màn《口》살인 청부업자; 두목의 심복(cf. henchman); 비평가, 독설 기자.

hatch·ment[hǽtʃmənt] *n.* Ⓒ《英》(묘앞·문앞 따위에 거는) 죽은이의 문표(紋標).

hátch·wày *n.* Ⓒ 〖海〗 창구(艙口).

:hate[heit] *vt.* ① 미워하다, 몹시 싫어하다. ② (가벼운 뜻으로) 좋아하지 않다, 유감으로 생각하다. ***~ out***《美》(미워서) 내쫓다, 따돌리다. ***I ~ to trouble you.*** 수고를〔번거로움을〕 끼쳐서 죄송합니다. — *n.* Ⓤ,Ⓒ 증오(의 대상). **:∠·ful** *a.* 가증한, 싫은. **∠·ful·ly** *ad.*

hath[hæθ, 弱 həθ] *v.*《古》=HAS.

hát·ràck *n.* Ⓒ 모자걸이.

:ha·tred[héitrid] *n.* Ⓤ 증오, 혐오.

hat·ter[hǽtər] *n.* Ⓒ 모자상(商).

hát trèe 모자걸이.

hau·berk[hɔ́ːbəːrk] *n.* Ⓒ 〖史〗사슬미늘 갑옷.

:haugh·ty[hɔ́ːti] *a.* 오만한, 거만한. ***-ti·ly** *ad.* **-ti·ness** *n.*

:haul[hɔːl] *vt.* 잡아 끌다, 잡아〔끌어〕당기다; 운반하다. — *vi.* ① 잡아당기다(*at, upon*). ② (배가 바람 불어오는 쪽으로) 침로를 바꾸다. ***~ down one's flag*** 항복하다. ***~ off*** 침로를 바꾸다; 물러서다;《美口》(때리려고) 팔을 뒤로 빼다. ***~ up*** 이물을 바람 불어 오는 쪽으로 돌리다. — *n.* Ⓒ

H

① 세게 당기기. ② 운반(물·거리). ③ (물고기의) 한 그물; 《口》 잡은〔번〕 것. **make a fine ~** 풍어(豊漁)다. **~·age**[´idʒ] *n.* Ⓤ haul하기; 견인(牽引)(력·량); 운임.

haunch[hɔːntʃ] *n.* Ⓒ 엉덩이(hip); (사슴·양 따위의) 다리와 허리의 고기.

:haunt[hɔːnt] *vt., vi.* ① 자주 가다〔다니다〕. ② (유령이) 나오다, 출몰하다. ③ 마음에 붙어 다니다. — *n.* Ⓒ 자주 가는〔모이는〕 장소, 소굴.

háunt·ed[-id] *a.* 도깨비가〔유령이〕 출몰하는; 고뇌에 시달린.

haut·boy[hóubɔi] *n.* 《古》 =OBOE.

haute cou·ture[ðut kuːtúər] *n.* (F.) 고급 복식(점); 최신 유행복(점).

hau·teur[houtə́ːr] *n.* (F.) Ⓤ 오만.

Ha·van·a[həvǽnə] *n.* 아바나《쿠바의 수도》; Ⓒ 아바나 여송연.

†have[hæv, 弱 həv, əv] *vt.* (p. & pp. ***had;*** 부록의 동사 변화표 참조) ① 가지다, 소유하다. ② 취하다, 얻다, 받다. ③ 마음속에 먹다, 품다 (*~ a hope*). ④ 먹다, 마시다. ⑤ (자식을) 낳다, 얻다. ⑥ 하다, 경험하다(*~ a talk with her*). ⑦ 용납하다, 참다(*He won't ~ anyone whispering while giving a lecture.* 강의중에는 사담(私談)을 용서치 않는다). ⑧ 《부정사 또는 과거분사와 함께》 …시키다, 하게 하다, …당하다(*I had him do it.* 그에게 그것을 시켰다 / *I had my hair cut* 〔*pocket picked*〕. 머리를 깎았다〔지갑을 소매치기 당했다〕). ⑨ 알고 있다, 알다(*He has no English.*). ⑩ 주장하다, …이라고 하다(*The rumor has it that ...* …이라는 소문이다). ⑪ …이라는 용례(用例)가 있다(*Shakespeare has 'shoon' for 'shoes'.*). ⑫ 《俗》 속이다(*You've been had.* 자넨 속아 넘어 갔단 말야). ⑬ 《口》 이기다, 낫다(*You ~ him there.* 그 점은 네가 낫다). ***be had up*** 고소 당하다. ***~ and hold*** 〖法〗 보유하다. ***~ at*** 덤벼들다, 공격하다. ***H- done!*** ⇨DO[1]. ***~ got*** ⇨GET. ***~ had it*** 《口》 이제 틀렸다, 끝장이다《문맥에 따라 '죽다·지다·실패하다·지쳤다·질리다' 등의 나쁜 뜻을 나타냄》. ***~ got to...*** ⇨GET. ***~*** (*a person*) ***in*** 《口》 (아무를) 맞아들이다. ***~ it*** 이기다, 지우다; 《口》 꾸중 듣다; 《俗》 죽이다. ***~ it in for*** 《口》 …을 원망하다; …을 벼르다. ***~ it on*** 《美口》 …보다 낫다〔우세하다〕. ***~ it out*** 《口》 (논쟁·결투의) 결말을 맺다〔짓다〕 (*with*); (이를) 뽑게 하다. ***H- it your own way!*** 마음대로 해라. ***~ not to*** =NEED not. ***~ nothing on*** (*a person*) 《美》 (아무)보다 나은 것이 없다; 약속이 없다. ***~ on*** 입고〔신고, 쓰고〕 있다; 《英口》 골탕먹이다, 속이다. ***~ one's eye on*** …에 주의〔주시〕하다. ***~*** ONLY ***to*** (do). ***~ to*** [(자음 앞) hǽftəː (모음 앞) -tu, -tə] = MUST. ***~ to do with*** …와 관계가 있다. ***~*** (*a thing*) ***to oneself*** 독점하다. ***~*** (*a person*) ***up*** (아무를) 고소하다; 자극하다.

— *aux. v.* 《p.p.를 수반하여 (현재·과거·미래) 완료형을 만듦》.

— [hæv] *n.* ① (*pl.* 보통 the ~) 《口》 유산자(有産者); (부(富)·자원·핵무기를) 가진 나라(*the ~s and ~-nots* 가진 자와 못 가진 자). ② Ⓒ 《英俗》 사기.

ha·ven[héivən] *n.* Ⓒ 항구; 피난처 (refuge).

háve-nòt *n.* Ⓒ (보통 *pl.*) 《口》 무산자, (부(富)·자원·핵무기를) 갖지 못한 나라.

†have·n't[hǽvənt] have not의 단축.

hav·er·sack[hǽvərsæ̀k] *n.* Ⓒ (군인·여행자의) 잡낭.

hav·ing[hǽviŋ] *n.* Ⓤ 소유; (*pl.*) 소유 물품; 재산.

hav·oc**[hǽvək] *n.* Ⓤ 파괴, 황폐. ***make ~ of, or ***play*** 〔***work***〕 ***~ with*** 〔***among***〕 …을 크게 망쳐 놓다〔파괴시키다〕.

haw[1][hɔː] *n.* Ⓒ 〖植〗 산사나무(hawthorn) (의 열매).

haw[2] *int., vi.* 에에, 저어(하다)《더듬을 때》; 저라(하다)《말·소를 왼쪽으로 돌릴 때》.

:Ha·wai·i[həwáːiː, -wáːjə, -wáiiː] *n.* 하와이. **:~an**[-wáːjən, -wáiən] *a., n.* 하와이(사람)의; Ⓒ 하와이 사람; Ⓤ 하와이 말.

:hawk[1][hɔːk] *n.* Ⓒ ① 매. ② 탐욕한 사람. ③ 매파(派), 강경론자《국제관계에 대하여》. — *vi., vt.* 매를 부리다; 매사냥을 하다. **∠·er**[1] *n.* Ⓒ 매사냥꾼, 매부리.

hawk[2] *n., vt., vi.* Ⓒ 기침(하다).

hawk[3] *vt., vi.* 돌아다니며〔외치며〕 팔다; (뉴스를) 알리며 다니다. **∠·er**[2] *n.* Ⓒ 행상인.

háwk-èyed *a.* 눈이 날카로운, 방심 않는.

Háwk·eye Státe[hɔ́ːkài-] 《美》 Iowa주의 딴 이름.

háwk mòth 〖蟲〗 박각시나방 종류.

hawse[hɔːz] *n.* Ⓤ,Ⓒ (이물의) 닻줄 구멍이 있는 부근; =**∠·hòle** 닻줄 구멍. **háw·ser**[∠ər] *n.* Ⓒ 닻줄, 굵은 밧줄.

:haw·thorn[hɔ́ːθɔːrn] *n.* Ⓒ 〖植〗 산사 나무.

Haw·thorne[hɔ́ːθɔːrn], **Nathaniel** (1804-64) 미국의 소설가.

:hay[hei] *n.* Ⓤ 건초, 마초. ***Make ~ while the sun shines.*** 《속담》 좋은 기회를 놓치지 마라. ***make ~ of*** …을 뒤죽박죽 해 놓다. — *vt., vi.* 건초를 만들다〔주다〕.

háy·còck *n.* Ⓒ 건초 더미〔가리〕.

háy fèver 건초열《꽃가루에 의한 코·목 따위의 알레르기성 질환》.

háy·field *n.* Ⓒ 건초(용 풀)밭.

háy·fòrk *n.* Ⓒ 건초용 쇠스랑.

háy knìfe 건초 베는 칼.

háy·lòft *n.* Ⓒ (헛간 윗 부분의) 건

초간(間), 건초 보관장.
háy·màker *n.* Ⓒ 건초 만드는 사람, 건초기(機); 《美口》〖拳〗 녹아웃 펀치, 강타.
háy·màking *n.* Ⓤ 건초 만들기.
hay·mow [´-màu] *n.* =HAYLOFT (의 건초).
háy·rìck *n.* 《英》 =HAYSTACK.
háy·rìde *n.* Ⓒ 《美》 건초를 깐 마차를 타고 가는 소풍.
háy·sèed *n.* Ⓤ,Ⓒ 건초에서 떨어진 풀 씨; Ⓒ 《美口》 촌뜨기, 농사꾼.
háy·stàck *n.* Ⓒ (커다란) 건초더미.
háy·wìre *n., a.* Ⓤ 건초 다발을 동여매는 철사; 《口》 뒤엉킨, 난장판의, 혼란된, 미친.
haz·ard** [hǽzərd] *n.* ① Ⓒ 위험, 모험. ② Ⓤ 우연, 운. ③ Ⓤ 주사위 놀이의 일종. ***at all ~s 만난을 무릅쓰고, 무슨 일이 있어도 꼭. ***at ~*** 운에 맡기고, 아무렇게나. — *vt.* ① 위태롭게 하다, 걸다. ② (운을 하늘에 맡기고) 해보다.
haz·ard·ous [-əs] *a.* 위험한, 모험적인; 운에 맡기는. **~·ly** *ad.*
***haze**[1] [heiz] *n.* ① Ⓤ 아지랑이, 이내, 안개. ② (a ~) 흐림, 탁함; (정신의) 몽롱(상태).
haze[2] *vi.* (선원을) 혹사하다; 《美》 (신입생을) 못살게 굴다, 곯리다.
***ha·zel** [héizəl] *n., a.* Ⓒ 개암(나무); Ⓤ 담갈색(의).
házel·nùt *n.* Ⓒ 개암.
***ha·zy** [héizi] *a.* 안개 낀, 안개 짙은; 흐릿한, 몽롱한. **há·zi·ly** *ad.* **há·zi·ness** *n.*
HB hard black (of pencils). **Hb** hemoglobin. **H.B.M.** His [Her] Britannic Majesty.
H-bòmb *n.* Ⓒ 수소 폭탄.
H.C. House of Commons.
H.C.F., h.c.f. highest common factor 최대 공약수. **h.c.l.** high cost of living. **hd.** head.
HDTV 〖電〗 high-definition television 고화질 TV. **He** 〖化〗 helium.
†**he** [強 hiː, 弱 *hi*, iː] *pron.* (*pl.* ***they***) 그(는, 가); 사람, 자(者)(anyone)(*He who talks much errs much.* 《속담》 말이 헤프면 실언(失言)도 많은 법). — *n.* Ⓒ 남자, 수컷.
H.E. high explosive; His Eminence; His [Her] Excellency.
head** [hed] *n.* Ⓒ ① 머리, 대가리. ② 두뇌, 지력. ③ 우두머리, 장(長), 주인; 장관; 교장. ④ 한 사람, 한 마리. ⑤ (*sing.*) (the ~) 정상부, 윗 부분. ⑥ (못·쇠망치 따위의) 대가리; (통의) 뚜껑; (북의) 가죽. ⑦ (맥주 등의 표면에 뜨는) 거품. ⑧ 선두, 수석; 상석(上席)(자)(cf. foot). ⑨ 이물; 곶. ⑩ 머리털; (보리 따위의) 이삭. ⑪ (*sing.*)(the ~) (강물의) 원천, 수원; (호수의) 물목《강물이 흘러 들어오는 곳》; 낙차(落差). ⑫ (종기의 터질 듯한) 뿌다구니. ⑬ 절정, 극점. ⑭ 위기, 결말. ⑮ (보통 *pl.*) (화폐의) 앞면(opp. tail[2]). ⑯ (신문의) 표제, 항목, 제목. ⑰《口》 (숙취의) 두통. ⑱《俗》 입. ***by the ~ and ears, or ***by ~ and shoulders*** 억지로. ***come*** [***draw, be brought***] ***to a ~*** (부스럼이) 곪다; (사건이) 위기에 직면하다. ***give a*** *horse* [*a person*] ***his ~*** 말의 고삐를 늦추어서 머리를 자유롭게 하다[아무의 행동의 자유를 주다]. ***go to one's ~*** 취기가 돌다, 현기증나게 [우쭐대게] 하다. ***~ and shoulders*** 출중하여. ***~ first*** [***foremost***] 곤두박이[거꾸]로; 무모하게. ***~ over heels*** 곤두박질쳐(*turn ~ over heels* 공중제비 하다); 허둥지둥; 완전히 깊이 빠져. ***in over*** [***above***] ***one's ~***《美俗》 어찌할 수 없이. ***keep one's ~*** 침착하다. ***keep one's ~ above water*** 물에 빠지지 않고 있다; 빚지지 않고 있다. ***lay ~s together*** 상의[의논]하다. ***lose one's ~*** 목 잘리다; 당황하다, …에 정신없다, 골몰[열중]하다. ***make neither ~ nor tail of ...*** (…의 정체를) 전혀 알 수 없다. ***off*** [***out of***] ***one's ~*** 《口》 정신이 돌아. ***old ~ on young shoulders*** (젊은) 나이에 어울리지 않는 지혜[분별]. ***on*** [***upon***] ***one's ~*** 물구나무서서; 책임이 있어. ***over one's ~*** 너무 어려운, 모르는; …을 앞질러; …에게 상의없이. ***over ~ and ears*** 쏙 빠져, 반하여; (빚으로) 옴쭉달싹 못하게 되어. ***put*** (*a thing*) ***into*** [***out of***] *a person's* ***~*** (아무에게) 생각나게[잊게] 하다. ***show one's ~*** 나타나다. ***talk*** *a person's* ***~ off*** 긴 이야기로 지루하게 하다. ***turn*** *a person's* ***~*** 흥분시키다, 현기증 나게 하다, 우쭐하게 하다. — *vt.* ① (…을) 거느리다, (…의) 선두에 서다. ② 방해하다. ③ (…에) 머리를 붙이다[향하다]. — *vi.* ① 향하다, 진행하다(*for*). ② 발생하다. ③ (양배추가) 결구(結球)하다. ④ (여드름이) 툭툭 비어지다. ***~ back*** [***off***] …의 앞으로 돌다, 가로막다, (싸움 따위를) 말리다.
‡**head·ache** [hédèik] *n.* Ⓒ 두통; 《美口》 두통[골칫]거리.
héad·bànd *n.* Ⓒ 헤어밴드, 머리띠.
héad·bòy *n.* Ⓒ 《英》 수석 학생.
héad·chèese *n.* Ⓤ,Ⓒ 돼지 머리나 족을 잘게 썰어 삶은 치즈 모양의 식품, 돼지 족편.
héad còld 코감기.
héad còunt 《口》 여론[국세] 조사.
héad dòctor 《俗》 정신과 의사, 심리 학자.
héad·drèss *n.* Ⓒ 머리 장식, 쓰개.
héad·er *n.* Ⓒ 머리[끝]을 잘라내는 사람[기계], 이삭 베는 기계; 《口》 (수영의) 거꾸로 뛰어들기, 다이빙; 우두머리, 수령; 〖컴〗 헤더, 머리말《각 데이터의 머리 표제 정보》.
héad·fírst, -fóremost *ad.* 거꾸로, 곤두박이로; 황급히.

H

héad·gèar *n.* Ⓤ 모자, 머리 장식.
héad·hùnt *n., vt., vi.* Ⓤ《美俗》간부 스카우트(를 하다).
héad·hunting fìrm《美》인재 스카우트〔소개〕회사.
*__head·ing__[ˊiŋ] *n.* ① Ⓒ 제목, 표제; 연제(演題). ② 〖鑛〗수평갱. ③ Ⓤ,Ⓒ 〖蹴〗헤딩. ④ Ⓤ,Ⓒ (초목의) 순치기. ⑤ 〖空·海〗비행〔항행〕방향. ⑥ =HEADER.
héad·lànd *n.* Ⓒ 곶, 갑(岬).
héad·less *a.* 머리 없는; 지도자 없는; 어리석은.
*__héad·lìght__ *n.* Ⓒ 헤드라이트.
*__head·line__[ˊlàin] *n., vt.* Ⓒ (신문의) 표제(를 붙이다); (*pl.*) 〖放〗(뉴스의) 주요한 제목.
héad·lìner *n.* Ⓒ《俗》주연자, 스타, 저명인사.
héad·lòck *n.* Ⓒ 〖레슬링〗헤드록《머리조이기》.
:**head·long**[ˊlɔ̀ːŋ/-lɔ̀ŋ] *ad., a.* ① 거꾸로(의); 곧바로; 성급한. ② 무모하게〔한〕.
héad·màn *n.* Ⓒ 수령; 직공장(長).
*__héad·máster__ *n.* (*fem.* **-mistress**) Ⓒ《英》(초등 학교·중학교) 교장;《美》(사립학교) 교장.
héad mòney 인두세(人頭稅); (포로·범인을 체포한 수에 따른) 상금.
héad·mòst *a.* 맨 앞의.
héad òffice 본사, 본점.
héad-ón *a.* 정면의.
héad·phòne *n.* Ⓒ (보통 *pl.*) 헤드폰.
héad·pìece *n.* Ⓒ 투구, 머리 쓰개, 모자; 두뇌, 지능; =HEADPHONE.
:**head·quar·ters** [ˊkwɔ̀ːrtərz, ˊˊ-] *n. pl.*《종종 단수 취급》본부, 사령부; 본사.
héad·sèt *n.* =HEADPHONE.
héad·shìp *n.* Ⓒ 수령〔지도자〕의 지위〔권위〕.
heads·man[ˊzmən] *n.* Ⓒ 목베는 사람, 망나니.
héad·stàll *n.* Ⓒ 굴레 장식 띠《마구》.
héad·stànd *n.* Ⓒ 물구나무서기.
héad·stòne *n.* Ⓒ (무덤의) 주석(主石), 묘석; 〖建〗초석(礎石), (토대의) 귀돌.
héad·strèam *n.* Ⓒ 원류(源流).
héad·stròng *a.* 완고한.
héads-úp *a.*《口》기민한, 민첩한, 빈틈없는.
héad tàx《美》=POLL TAX.
héad vòice 〖樂〗두성(頭聲)《가장 높은 음역》; 새된 음성.
héad·wáiter *n.* Ⓒ 급사장.
héad·wàters *n. pl.* (강의) 원류(源流), 상류.
héad·wày *n.* Ⓤ 전진; 진척, 배의 속도; (아치·터널 따위의) 천정 높이.
héad·wìnd *n.* Ⓒ 〖海·空〗맞바람.
héad·wòrk *n.* Ⓤ 머리 쓰는 일, 정신 노동, 사색.
head·y[ˊi] *a.* 무모한, 성급한; 머리에 오르는《술》; 분별있는, 기민한.
:**heal**[hiːl] *vt.* (병·상처를) 낫게 하다. 고치다. — *vi.* 낫다, 회복되다. ~ ***over*** 〔***up***〕(상처가) 아물다, 낫다. **ˊ·er** *n.* Ⓒ 치료하는 사람, 약.
héal-àll *n.* Ⓒ 만병 통치약.
†**health**[helθ] *n.* ① Ⓤ 건강; (정신의) 건전; 건강 상태(*in good* 〔*poor*〕 ~). ② Ⓤ,Ⓒ 건강을 축복하는 축배. ~ RESORT. *__ˊ·ful__ *a.* 건강에 좋은; 건강〔건전〕한. **ˊ·ful·ness** *n.*
héalth cèntre《英》보건소.
héalth clùb 헬스 클럽.
héalth fòod 건강 식품.
héalth-gìving *a.* 건강 증진의.
héalth insùrance 건강 보험.
héalth phýsics《단수 취급》보건 물리학.
héalth sèrvice (국민) 건강 보험.
héalth vìsitor《英》(노인·환자를 정기적으로 회진하는) 보건관〔원〕.
héalth·wìse *ad.*《口》건강을 위해, 건강 유지를 위해.
:**health·y**[hélθi] *a.* ① 건강한, 건전한. ② 건강에 좋은. **héalth·i·ly** *ad.* **héalth·i·ness** *n.*
:**heap**[hiːp] *n.* Ⓒ ① 더미, 퇴적, 쌓아 올린 것. ② (*pl.*)《俗》《부사적》많이, 퍽(*This is ~s better.*). ***all of a*** ~《口》깜짝 놀라; 느닷없이. ***be struck all of a*** ~《口》압도되다, 기가 푹 꺾이다. — *vt.* 쌓다, 쌓아 올리다(*up, together*).
:**hear**[hiər] *vt.* (**heard**) ① 듣다; …이 들리다, (…을) 듣다. ② 들어 알다. ③ 방청하다; 청취하다. ④ 들어주다. ⑤ 재판〔심문〕하다. — *vi.* ① 들리다. ② 소문으로 듣다, …에 관해 들어 알고 있다(*of, about; that*). ③《美口》승낙하다(*of*)《보통 부정구문》(*He will not ~ of it.* 듣지 않을 걸). ~ ***from*** …한테서 소식이 있다. ***H-! H-!*** 옳소!; 찬성! ~ ***a person out*** 끝까지 듣다. ~ ***tell*** 〔***say***〕 ***of***《口》…의 소문을 듣다. ~ ***the grass grow*** 귀신같이 육감이 빠르다. ***I*** ~ (***that ...***) …이라는 이야기다. ***You will ~ of this.*** 이 일에 관해서 어느 때건 말이 있을 것이다〔혼날 줄 알아라〕. *__ˊ·er__ *n.* :**ˊ·ing** [hí(ː)riŋ/híər-] *n.* Ⓤ 청취; 청력(*be hard of ~ing* 귀가 먹었다); Ⓤ 가청(可聽)거리(*in* 〔*out of*〕 *their ~ing.* 그들이 들을 수 있는〔못 듣는〕곳에서); Ⓒ 심문(審問), 공청회; Ⓤ,Ⓒ 들어줌(*Give us a fair ~ing.* 이쪽 말도 좀 들어 주기 바란다).
†**heard**[həːrd] *v.* hear의 과거(분사).
héaring àid 보청기(補聽器).
heark·en[hɑ́ːrkən] *vi.* 귀를 기울이다, 경청하다(*to*).
héar·sày *n.* Ⓤ 소문.
héarsay èvidence 〖法〗전문(傳聞) 증거.
hearse[həːrs] *n.* Ⓒ 영구차;《古》관가(棺架), 무덤; 〖가톨릭〗대형 촉대.
†**heart**[hɑːrt] *n.* ① Ⓒ 심장. ② Ⓒ 가슴(속), 마음(cf. mind). ③ Ⓤ 마음속, 본심. ④ Ⓤ 애정. ⑤ Ⓤ 용기, 기력, 원기. ⑥ Ⓒ《좋은 뜻의 형용사

와 함께》 사람(*my sweet* ~ 애인/*a brave* ~ 용사). ⑦ Ⓒ (the ~) 중심, 중앙; 핵심, 진수; 급소. ⑧ Ⓒ (카드의) 하트; (*pl.*) 카드놀이의 일종《하트 패가 적은 사람이 이김》. ***after one's (own)*** ~ 마음에 드는〔맞는〕. ***at*** ~ 내심은. ***be of good*** ~ 건강하다. ***break a person's*** ~ 아무를 극도로 슬프게 하다. ***cross one's*** ~ 성호를 긋다, 진실을 맹세하다. EAT ***one's*** ~ ***out. find it in one's*** ~ ***to*** (do)... …할 마음이 나다, …하고자 하다. ***give one's*** ~ ***to*** …을 사랑하다. ***go to one's*** ~ 가슴을 찌르다. ***have*** (*a thing*) ***at*** ~ 깊이 마음 속에 두다. ***have one's*** ~ ***in one's mouth*** 간이 콩알만 해지다. ***have one's*** ~ ***in the right place*** 악의가 없다. ***H-alive!*** 어럽쇼!; 쳇! ~ ***and soul*** 열심히, 몸과 마음을 다하여; 아주. ~***'s of oak*** 용기; 용감한 사람. ~***'s blood*** 생피; 생명. ***in one's*** ~ (***of*** ~***s***) 마음 속으로는, 본심은. ***lay*** (*a thing*) ***to*** ~ 마음에 (새겨)두다, …을 깊이 생각하다. ***learn*** 〔***say***〕 ***by*** ~ 암기하다, 외다. ***lose*** ~ 낙담하다. ***lose one's*** ~ ***to*** 〔***over***〕 …에 마음을 뺏기다, 사랑하다. ***near one's*** ~ 그리운, 소중한. ***out of*** ~ 기운없이; (땅이) 메말라서. ***set one's*** ~ ***on*** …에 희망을 걸다. ***take*** ~ 용기를 내다. ***take*** (*a thing*) ***to*** ~ 걱정하다; 슬퍼하다. ***wear one's*** ~ ***on one's sleeve*** 감정을 노골적으로 나타내다. ***with all one's*** ~, or ***with one's whole*** ~ 진심으로 기뻐하여. ***with half a*** ~ 마지 못해.

héart·àche *n.* Ⓤ 마음 아픔, 비탄.

héart attàck =HEART FAILURE.

héart·bèat *n.* Ⓤ,Ⓒ 고동; 정서.

héart·brèak *n.* Ⓤ 애끊는 마음. ~**er** *n.* ~**ing** *a.*

héart·bròken *n.* Ⓤ 비탄에 젖은.

héart·bùrn *n.* Ⓤ 가슴앓이; =~·**ing** 질투, 시기.

héart disèase 심장병.

heart·en[´n] *vt.* 용기를 북돋우다, 격려하다(*up*).

héart fàilure 심장 마비; 죽음.

héart·fèlt *a.* 마음으로부터의.

héart-frèe *a.* 사랑을 않는, 정에 매이지 않는, 미련이 없는.

ːhearth**[hɑːrθ] *n.* Ⓒ ① 노(爐), 난로, 노변(爐邊). ② 〖冶〗 화상(化床). ③ 가정.

héarth·rùg *n.* Ⓒ 벽난로 앞의 깔개.

héarth·sìde *n.* Ⓒ 노변; 가정.

héarth·stòne *n.* Ⓒ (벽난로 바닥의) 재받이 돌; 노변; 가정.

ːheart·i·ly**[hɑ́ːrtili] *a.* 마음으로부터, 진심으로, 정중히; 열의를 갖고; 매우; 배불리.

héart·lànd *n.* Ⓒ 심장지대《경제적·군사적으로 자급 자족하며, 공격에 대해 안전한 중핵(中核) 지구》.

heart·less[´lis] *a.* 무정한. ~·**ly** *ad.* ~·**ness** *n.*

héart-lúng machìne 〖醫〗 인공 심폐《심장 수술시 심장 기능을 대행시키는》.

héart-rènding *a.* 가슴이 터질 듯한; 비통한.

heart-shaped[´ʃèipt] *a.* 심장〔하트〕형의.

héart·sìck *a.* 심뇌(心惱)하는, 비탄에 젖은; 불행한.

héart·sòre *a.* 근심〔시름〕에 잠긴.

héart-strìcken *a.* 비탄에 잠긴.

héart·strìngs *n. pl.* 심금, 깊은 감정〔애정〕.

héart·thròb *n.* Ⓒ (심장의) 고동; (*pl.*) 《俗》 정열, 감상(感傷); 《口》 애인, 멋진 사람.

héart-to-héart *a.* 숨김 없는, 솔직한, 흉금을 터놓는.

héart transplánt 〖醫〗 심장 이식.

héart-whòle *a.* (아직) 연정(戀情)을 모르는; 진심으로의.

héart·wòod *n.* Ⓤ 심재(心材), 적목질(赤木質).

ːheart·y**[´i] *a.* ① 마음으로부터의, 친절한; 열심인. ② 튼튼〔건강〕한. ③ 배부른. ④ 풍부한, 충분한. HALE[1] ***and*** ~. ―― *n.* Ⓒ 원기왕성한 사람; 친구. **héart·i·ness** *n.*

†heat[hiːt] *n.* ① Ⓤ 열, 더위, 열기; 〖理〗 열. ② Ⓤ 달아 오름, 상기(上氣). ③ Ⓤ 열심; 가열; 한창 …하는 중, 한창, 클라이맥스; 격렬, 격노, 흥분. ④ Ⓒ (1회의) 노력, 단숨, 단번, (경기의) 1회. ⑤ Ⓤ (짐승의) 발정(기). ⑥ (후추의) 매운 맛. ***at a*** ~ 단숨에. ***final*** ~ 결승. ***trial*** ~***s*** 예선. ―― *vt., vi.* ① 뜨겁게 하다, 뜨거워지다, 따뜻이 하다, 따뜻해지다. ② 격하게 하다, 격해지다.

héat àpoplexy =SUNSTROKE.

héat bàrrier (항공기의) 속도 한계점《공기와의 마찰열의 한도》.

heat·ed[´id] *a.* 뜨거워진; 격한, 흥분한. ~·**ly** *ad.*

héat exhàustion 〖醫〗 열사병.

***heat·er**[´ər] *n.* Ⓒ ① 난방 장치, 히터. ② 《美俗》 권총.

heath**[hiːθ] *n.* Ⓤ,Ⓒ 히스《황야에 저절로 나는 소관목》; 《英》 히스가 무성한 들. ***one's native ~ 고향.

hea·then**[híːðən] *n.* Ⓒ ① 이교도《기독교도·유대교도·이슬람교도 이외》. ② 불신자; 미개인. ―― *a.* 이교(도)의(pagan); 미개한. ***the ~ 이교도. ~·**dom** *n.* Ⓤ 이교의 신앙; Ⓤ,Ⓒ 《집합적》 이교국; 이교도. ~·**ish** *a.* ~·**ìsm** *n.* Ⓤ 이교.

***heath·er** [héðər] *n.* Ⓤ 히스(heath) 속(屬)의 소관목.

héating càbinet 온장고.

héating pàd 전기 담요〔방석〕.

héat làmp 적외선등, 태양등.

héat lìghtning (천둥 없는) 먼곳의 번개.

héat pollùtion 열공해.

héat pùmp 열이동 펌프《냉·난방 장치 등의》.

héat ràsh 땀띠.
héat ràys 〖理〗열선(熱線), 적외선.
héat sìnk 히트싱크《열을 흡수하고, 소산시키는 장치》.
héat spòt ① 여드름. ② 온점(溫點)《피부상의 열을 느끼는 감각점》.
héat·stròke *n.* Ⓤ 일사병; 열사병.
héat-trèat *vt.* 열처리하다.
héat ùnit 열단위, 칼로리.
héat wàve 열파(熱波).
heave**[hiːv] *vt.* (~*d*, ***hove) ① (무거운 것을) 들어 올리다. ② (닻 따위를) 들어서 던져 넣다. ③ (가슴을) 펴다, 부풀리다, (바람이 파도를) 높이다. ④ (한숨을) 쉬다. — *vi.* ① 오르다, 들리다. ② 높아지다, 부풀다, 기복하다, 굽이치다. ③ 허덕이다. ④ 토하다. ⑤ 〖海〗끌다, 감다 (*at*), (배가) 움직이다, 나아가다. ***H- ho!*** 영차(닻감아라)! ***~ in sight*** (배가) 보이기 시작하다. ***~ to*** (배를) 멈추다; 정선(停船)하다. — *n.* Ⓒ ① (들어) 올림. ② 융기; (파도의) 기복, 굽이침. ③ 〖地〗수평 전위. ④ (*pl.*) 《단수 취급》 (말의) 천식.
†heav·en[hévən] *n.* Ⓤ ① 천국. ② (H-) 하느님. ③ (the ~s) 상공, 하늘. ***by H-*** 맹세코. ***Good* 〔*Gracious, Great*〕 *~s!*** 뭐라고!; 가엾어라!; 저런!; (그것) 큰 일〔야단〕났군! ***go to ~*** 죽다. ***move ~ and earth*** 온갖 수단을 다하다. ***Thank H-!*** 고마워라! ***the seventh ~*** 제 7 천국, 최고천(最高天). **~·ward** *ad., a.* 천국〔하늘〕을 향해서(의). **~·wards** *ad.* =HEAVENWARD (*ad.*)
***heav·en·ly**[-li] *a.* ① 하늘의. ② 천국 같은, 거룩한. ③ 천부의, 타고난. ④ 《俗》 근사한, 훌륭한. **-li·ness** *n.* Ⓒ 거룩함; 《俗》 근사〔훌륭〕함.
héavenly bódy 천체.
Héavenly Cíty, the 〖聖〗거룩한 성(城); =NEW JERUSALEM.
Héav·i·side láyer[hévisàid-] 헤비사이드층《단파 통신을 가능케 하는 지상 약 100킬로미터 높이의 대기층》.
†heav·y[hévi] *a.* ① 무거운; 묵직한 (~ *silk*). ② 대량의; 다액의. ③ 격렬한, 도가 강한. ④ 심한, 고된, 모진. ⑤ 질척거리는, 찐득찐득한. ⑥ (음식이) 소화되지 않는, (음료가) 진한; (빵이) 부풀지 않는. ⑦ 굵은. ⑧ (동작 따위가) 느린, 둔한, 서투른; 단조로운. ⑨ (날씨가) 흐린, 음울한. ⑩ 느른한. ⑪ 슬픈; 모진, 괴로운. ⑫ (포성 따위가) 크게 울리는, 진동하는. ⑬ 〖軍〗중장비의. ⑭ 중대한; 〖劇〗장중한. ⑮ 임신한. ***lie* 〔*sit, weigh*〕 *~ on* 〔*upon, at*〕** (*a person*)(아무를) 괴롭히다. ***time hangs ~*** (***on one's hands***) 시간이 남아 주체 못하다. — *n.* Ⓒ 무거운 사람〔물건〕; 〖劇〗악인역(役). ***héav·i·ly** *a.* ***héav·i·ness** *n.*
héavy-ármed *a.* 중장비의.
héavy artíllery 중포대〔병〕.
héavy-búying *a.* 대량 구매의.
héavy bómber 중폭격기.
héavy cróp 풍작.
héavy-fóoted *a.* 동작이 둔하고 느린; 《方》 임신한.
héavy gún 중포.
héavy-hánded *a.* 서투른; 압제적인; 비정한.
héavy-héarted *a.* 우울한, 슬픈.
héavy hítter 유력자, 중요 인물.
héavy hýdrogen 〖化〗중수소.
héavy índustries 중공업.
héavy-láden *a.* 무거운 짐을 진〔실은〕; 압박된, 짓눌린.
héavy métal 중금속; 훌륭〔유력〕한 사람; 《俗》 강적.
héavy óil 중유.
héavy óxygen 〖化〗중산소.
héavy párt 〖劇〗악인역(惡人役).
héavy séa 격랑(激浪).
héavy ský 흐린 하늘.
héavy wáter 중수(重水).
héavy·wèight *n.* Ⓒ 보통보다 체중이 무거운 사람; 〖拳·레슬링〗헤비급 선수; 《美口》 유력자, 중진.
Heb., Hebr. Hebrew; 〖新約〗 Hebrews.
「*a.* =WEEKLY.
heb·dom·a·dal [hebdɑ́mədl/-ɔ́-]
He·be[híːbiː] *n.* 〖그神〗청춘의 여신 《제신(諸神)에게 술을 따르는 여신》.
heb·e·tate[hébətèit] *vt., vi.* 둔하게 하다, 우둔하게 하다.
He·bra·ic[hiːbréiik] *a.* 헤브라이 사람〔말·문화의〕의.
He·bra·ism[híːbriìzəm, -brei-] *n.* Ⓤ 헤브라이어풍(語風); 헤브라이주의〔사상·기질〕. **-ist** *n.* Ⓒ 헤브라이(어) 학자.
***He·brew**[híːbruː] *n., a.* ① Ⓒ 헤브라이〔유대〕사람(의). ② Ⓤ (고대의) 헤브라이말, (현대의) 이스라엘말; 이해 못할 말.
Heb·ri·des[hébrədìːz] *n. pl.* 스코틀랜드 북서부의 열도(列島).
Hec·a·te[hékətiː] *n.* 〖그神〗달·대지·하계를 주관하는 여신; Ⓒ 마녀.
hec·a·tomb[hékətòum] *n.* Ⓒ 〖古그〗큰 희생《소 백마리의 제물》; 다수의 희생; 대학살.
heck[hek] *n.* Ⓤ 《俗》 지옥《hell의 완곡한 말》. ***a ~ of a ...*** 《口》 대단한. — *int.* 《口》 염병할, 빌어먹을.
heck·le[hékəl] *vt.* 괴롭히다; 질문 공세를 취하다.
***hec·tare**[héktɛər] *n.* Ⓒ 헥타르《=100아르 =1만 평방 미터》.
hec·tic[héktik] *a.* 소모열의, (열이) 소모성인, (병적으로) 얼굴이 불그레한; 몹시 흥분한, 열광적인. — *n.* Ⓒ 결핵 환자; Ⓤ 소모열, 홍조.
hec·to-[héktou, -tə] '백'의 뜻의 결합사.
hécto·gràm(me) *n.* =100g.
hécto·gràph *n.* Ⓒ 젤라틴 판(版).
hectol. hectoliter(s).
hécto·lìter, 《英》 **-tre** *n.* =100 liter.
「100m.
hécto·mèter, 《英》 **-mètre** *n.* =
hec·tor[héktər] *vt., vi., n.* Ⓒ 허세를 부리다〔부리는 사람〕, 약한 자를

괴롭히다, 그런 사람; (H-) Homer의 *Iliad*에 나오는 용사.

†**he'd**[hiːd, 弱 iːd, *h*id] he had 〔would〕의 단축.

⁑**hedge**[hedʒ] *n.* Ⓒ ① (산)울타리; 장벽. ② 양다리 걸치기, 기회보기. ***be on the ~*** 애매한 태도를 취하다. ***dead ~*** 마른 나무 울타리, 바자울. ***quickset ~*** 산울타리. ── *vt.* ① (산)울타리로 두르다. ② (…에) 장벽을 만들다; 막다. ③ 방해하다. ── *vi.* ① (산)울타리를 만들다. ② (내기에서) 양쪽에 걸다. ③ 확언을 피하다. ***~ in*** 둘러싸다, 속박하다 (*with*). ***~ off*** 가로막다, 방해하다.

hédge fùnd 《美》 헤지 펀드《투자 신탁의 일종》.

***hedge·hog**[hédʒhɑ̀g, -hɔ̀ːg/-hɔ̀g] *n.* Ⓒ 고슴도치; 《美》 호저(豪猪); 성잘내는 심술쟁이; 〖軍〗 견고한 요새.

hédge·hòp *vt., vi.* (*-pp-*) 초(超)저공 비행을 하다.

***hédge·ròw** *n.* Ⓒ (산울타리의) 관목의 줄.

hédge spàrrow 바위종다리의 일종.

he·don·ism[híːdənìzəm] *n.* Ⓤ 〖倫〗 쾌락주의; 향락주의. **-ist** *n.* **he·do·nis·tic**[≻–nístik] *a.*

⁑**heed**[hiːd] *n.* Ⓤ 조심, 주의. ***give pay ~ to*** …에 주의하다. ***take ~ to*** 〔***of***〕 …에 조심하다. ── *vt., vi.* (…에) 조심〔주의〕하다. ***∠·ful** *a.* ***∠·less** *a.* 부주의한, 경솔한.

hee-haw[híːhɔ̀ː/∠∠] *n.* (a ~) 나귀의 울음소리; 바보 웃음.

⁑**heel**[1][hiːl] *n.* Ⓒ ① 뒤꿈치; (말 따위의) 뒷발, (뒷)굽. ② 《美口》 비열한 놈〔자식〕. ***at*** 〔***on***〕 ***a person's ~s*** 아무의 바로 뒤에 바싹 따라. ***come to ~*** 따르다, 추종하다. ***down at ~(s)*** 뒤축이 닳은 신을 신고; 초라〔꾀죄죄〕한 모습으로, 단정치 못한〔못하게〕. ***have the ~s of*** …을 앞지르다, …을 이기다. HEAD ***over ~s. kick*** 〔***cool***〕 ***one's ~s*** 오래 기다리게 되다. ***lay*** 〔***clap***〕 ***a person by the ~s*** 투옥하다. ***out at ~s*** (터져서) 발뒤꿈치가 보이는 신을 신고, 영락하여. ***show a clean pair of ~s,*** or ***take to one's ~s*** 부리나케 뺑소니치다. ***to ~*** (개가) 바로 뒤따라서. ***turn on one's ~s*** 홱 돌아서다. ***with the ~s foremost*** 시체가 되어. ── *vt.* ① (신발에) 뒤축을 대다. ② …의 바로 뒤를 따르다. ── *vi.* ① (개가) 바로 뒤따르다. ② 뒤꿈치로 춤추다.

heel[2] *n., vi., vt.* Ⓒ (배의) 경사; 기울어지다, 기울이다(*over*).

heel·ed[-d] *a.* 《口》 부자인, 유복한; 《俗》 권총을 갖고 있는. ***be well ~*** 담뿍 갖고 있다.

héel·tàp *n.* Ⓒ 구두의 뒤축 가죽; 잔에 남은 술(*No ~s!* 죽 들이키자!).

heft[heft] *n.* Ⓤ 《英方》 무게, 중량; 영향, 대부분. ── *vt.* 들(어서 무게를 달)다. **∠·y** *a.* 무거운; 근골(筋骨)이 늠름한.

He·gel[héigəl], **Georg Wilhelm Friedrich**(1770-1831) 독일의 철학자.

he·gem·o·ny[hidʒéməni, hédʒəmòuni] *n.* Ⓤ 패권, 지배권.

He·gi·ra[hidʒáirə, hédʒərə/hédʒirə, hidʒáiərə] *n.* (the ~) 〖史〗 Mohammed의 도주(逃走)(622); 이슬람교 기원; Ⓒ (h-) 도피(flight).

hé·góat *n.* Ⓒ 숫염소.

Hei·del·berg[háidəlbə̀ːrg] *n.* 독일 서남부의 도시; Heidelberg 대학 소재지; 대학과 성이름으로 유명.

heif·er[héfər] *n.* Ⓒ (아직 새끼를 낳지 않은 3살 미만의) 암소.

Hei·fetz[háifits], **Jascha**(1901-1987) 러시아 태생의 미국 바이올리니스트.

heigh[hei, hai] *int.* 여보, 어어, 야아《주의·격려·기쁨 따위의 외침》.

héigh-hó[-hóu] *int.* 음, 아아《기쁨·지루함·낙담 따위의 외침》.

†**height**[hait] *n.* ① Ⓤ,Ⓒ 높이, 고도. ② Ⓒ (종종 *pl.*) 고지, 둔덕. ③ (the ~) 절정, 극치; 한창. ***at its ~*** …의 절정에, …이 한창이어서. ***in the ~*** (***of summer***) 한(여름)에. ***~·en**[∠n] *vt., vi.* 높이다, 높아지다; 증가〔증대〕하다.

Hei·ne[háinə], **Heinrich** (1797-1856) 독일의 시인.

hei·nous[héinəs] *a.* 가증스런, 극악무도한, 악질의.

⁑**heir**[ɛər] *n.* Ⓒ ① 상속인, 법적 상속인, 사자(嗣子)(*to*). ② (특질·전통 등의) 계승자, 후계자. **~·dom** [∠dəm] *n.* Ⓤ 상속인임.

héir appárent 법정 추정 상속인.

héir at láw 법적 상속인.

***heir·ess**[ɛ́əris] *n.* Ⓒ 여자 상속인.

heir·loom[ɛ́ərlùːm] *n.* Ⓒ 조상 전래의 가보(家寶); 〖法〗 법정 상속 동산(動産).

heir presúmptive 추정 상속인.

He·ji·ra *n.* =HEGIRA.

†**held**[held] *v.* hold[1]의 과거(분사).

Hel·en[hélin] *n.* 여자 이름; 〖그神〗 Sparta의 왕 Menelaus의 미비(美妃)《Paris의 유괴로 트로이 전쟁이 일어 났음》.

hel·i·borne[héləbɔ̀ːrn] *a.* 헬리콥터로 운반되는.

hel·i·cal[hélikəl] *a.* 나선 모양의.

hel·i·ces[héləsìːz] *n.* helix의 복수.

hel·i·cline[hélәklàin] *n.* Ⓒ (완만한 경사의) 나선상 도로.

hel·i·coid[hélәkɔ̀id] *a.* 나선 모양의. ── *n.* Ⓒ 나선체〔면〕; 〖機〗 헬리코이드식《카메라의 경동(鏡胴) 따위》.

Hel·i·con[hélikɑ̀n, -kən/-kɔ̀n] *n.* 〖그神〗 헬리콘산(山)《Muses가 살던 곳》; 시상(詩想)의 원천; Ⓒ (h-) 저음 튜바《취주악기의 일종》.

†**hel·i·cop·ter**[hélikɑ̀ptər/-kɔ̀p-] *n., vi., vt.* Ⓒ 헬리콥터(로 가다〔나르다〕).

hel·i·drome[hélidròum] *n.* Ⓒ 헬

리콥터용 공항.

he·li·o-[híːliou, -liə] '태양, 태양 에너지'의 뜻의 결합사.

he·li·o·cen·tric[hìːliouséntrik] *a.* 태양 중심의, 태양 중심으로부터 측정한. ～ ***theory*** 태양 중심설.

he·li·o·graph[híːliougræ̀f, -grɑ̀ːf] *n., vt.* Ⓒ (초기의) 사진 제판; 회광(回光) 신호기(로 통신하다).

he·li·o·scope[híːliəskòup] *n.* Ⓒ 태양경(鏡).

he·li·o·trope[híːliətròup/héljə-] *n.* Ⓒ 〖植〗 헬리오트로프, 쥐오줌풀; Ⓤ 그 향기, 엷은 자줏빛; 혈석(血石).

he·li·ot·ro·pism[hìːliɑ́trəpìzəm/-ɔ́-] *n.* Ⓤ 〖植〗 굴광성.

hel·i·ox[héliɑks/-ɔks] *n.* Ⓤ (잠수용의) 헬륨과 산소의 혼합 기계.

hel·i·pad[héləpæ̀d] *n.* Ⓒ 헬리콥터 발착장.

hel·i·port[héləpɔ̀ːrt] *n.* =⇧.

***he·li·um**[híːliəm] *n.* Ⓤ 〖化〗 헬륨 《희(稀)가스 원소의 하나》.

he·lix[híːliks] *n.* (*pl.* ～***es, helices***) Ⓒ 나선(spiral), 소용돌이 (장식); 〖解〗 귓바퀴.

⁑**hell**[hel] *n.* ① Ⓤ 지옥. ② Ⓒ,Ⓤ 지옥과 같은 상태〔장소〕, 마굴. ***a*** ～ ***of a*** 《美俗》 대단한. ***be*** ～ ***on*** 《美俗》 …에 해롭다. ***be the*** ～ ***for*** 《俗》 …에 열중하고 있다. ***give a person*** ～ 아무를 흠씬 욕보이다〔혼내주다〕. ***Go to*** ～***!*** 이 새끼!, 뒈져라! ～ ***of*** 지옥 같은(*the* ～ *of a life* 생지옥). ***Hell's bells!*** (아아) 속탄다!, 제기랄! ***like*** ～ 미친 듯이, 지독히. ***make one's life a*** ～ 지옥과 같은 생활을 하다. ***to*** ～ ***and gone*** 《俗》 굉장히 멀리에. ***What*** 〔***Who***〕 ***the*** ～ ***…?*** 도대체 뭐냐〔누구냐〕. ***You can go to*** ～***!*** (너 같은 건) 뒈져버려라!

†**he'll**[hiːl] he will 〔shall〕의 단축.

Hel·las[héləs/-læs] *n.* 그리스의 옛 이름.

héll·bènder *n.* Ⓒ 미국도롱뇽《미국 동부산》.

héll-bènt *a.* 《美口》 꼭 하고야 말 기세의, 필사의.

héll bòmb 수소 폭탄.

héll·càt *n.* Ⓒ 못된 계집; 마녀.

hel·le·bore[héləbɔ̀ːr] *n.* Ⓒ 〖植〗 크리스마스로즈, 박새.

Hel·lene[héliːn] *n.* Ⓒ 그리스 사람.

Hel·len·ic[helénik/-líː-] *a.* 그리스(사람·말)의.

Hel·len·ism[hélənìzəm] *n.* Ⓒ 그리스어풍; Ⓤ 그리스주의〔문화·국민성〕. **-ist**[-ist] *n.* Ⓒ 그리스(어)학자〔심취자〕. **-is·tic**[ˊ–ístik] *a.*

Hel·len·ize[hélənàiz] *vt., vi.* 그리스화(化)하다; 그리스 말을 사용하다.

hel·ler[hélər] *n.* Ⓒ 《美俗》 난폭자.

héll·fire *n.* Ⓤ 지옥의 불; 지옥의 형벌, 지옥의 괴로움.

héll·hòund *n.* Ⓒ 지옥의 개; 악귀.

hel·lion[héljən] *n.* Ⓒ 《口》 난폭자, 무법자.

hell·ish[héliʃ] *a.* 지옥 같은; 《口》 가증한; 소름끼치는.

†**hel·lo**[helóu, hə-, hélou] *int., n.* Ⓒ 어이, 여보, 어머(라고 외침); (전화로) 여보세요. — *vi.* 'hello!'라고 하다.

Héll's Ángels 오토바이 폭주족 「(族).

Héll's kítchen 《美》 우범 지역.

⁑**helm**[1][helm] *n., vt.* ① Ⓒ 키(자루), 키(를 잡다). ② (the ～) 지도(하다).

helms·man[ˊzmən] *n.* Ⓒ 키잡이.

helm[2] *n.* 《古》 =HELMET.

⁑**hel·met**[hélmit] *n.* Ⓒ 투구; 헬멧.

hel·o[hélou, híːl-] *n.* Ⓒ 《口》 헬리콥터.

hélo-pàd *n.* Ⓒ 《口》 헬리콥터 발착「장.

Hel·ot[hélət, híː-] *n.* Ⓒ 〖史〗 (Sparta의) 농노(農奴)(serf); (h-) 《一般》 노예. ～**·ry** *n.*

†**help**[help] *vt.* ① 돕다, 거들다. ② (음식을) 담다, 권하다. ③ 구(救)하다. ④ 고치다. ⑤ 《can, cannot과 더불어》 피하다, 억누르다, …을 안하다(*I can't* ～ *it.*, *It cannot be* ～*ed.* 어쩔 도리가 없다/*Don't tell him more than you can* ～. 공연한 말은 하지 마라). — *vi.* ① 돕다; 도움이 되다, 유용하다. ② (식사) 시중을 들다. ***cannot*** ～ (do)***ing*** =***cannot but*** (do) 《주로 美口》 …하지 않을 수 없다. ***God*** ～ ***him!*** 가엾어라! ～ ***forward*** 조성하다. ～ ***off*** 거들어서 벗겨주다〔차에서 내려주다〕. ～ ***on*** 거들어서 입히다〔차에 태우다〕(*with*); 진척시키다, 조성하다. ～ ***oneself to*** …을 마음대로 집어먹다. ～ ***out*** 구해내다; 도와서 완성시키다. ～ ***up*** 도와 일으키다. ***So*** ～ ***me*** (***God***)***!*** 신에게 맹세코, 정말. — *n.* ① Ⓤ 도움, 구조. ② Ⓒ 거드는 사람, 고용인, 하인(*a lady* ～ 가정부). ③ Ⓤ 구제책, 피할 길(*for*). ④ Ⓒ 《方》 (음식물의) 한 그릇. ⑤ 〖컴〗 도움말. ⁑**ˊ·er** *n.* Ⓒ 조력자; 조수; 구조자; 위안자. **ˊ·ing** *n.* Ⓤ 구조, 조력; Ⓒ 한 그릇.

⁑**help·ful**[ˊfəl] *a.* 도움이 되는, 유용한(*to*). ～**·ly** *ad.* ～**·ness** *n.*

⁑**help·less**[ˊlis] *a.* 어찌할 도리 없는, 무력한, 의지할 데 없는. *～**·ly** *ad.* *～**·ness** *n.* Ⓤ 무력, 무능.

help·mate[ˊmèit], **-meet**[-mìːt] *n.* Ⓒ 협력자; 배우자.

Hel·sin·ki[hélsiŋki] *n.* 핀란드의 수도.

hel·ter-skel·ter [héltərskéltər] *n., ad., a.* Ⓒ 당황(하여, 한).

helve[helv] *n.* Ⓒ (도끼 따위의) 자루. — *vt.* (…에) 자루를 달다.

Hel·ve·tia[helvíːʃə] *n.* 《詩》 스위스의 라틴어 이름. ～**n** *a., n.* Ⓒ (스위스에 살았던) 고대 헬베티아족의 (사람); 스위스의; 스위스 사람(의).

hem**[1][hem] *n.* Ⓒ ① (옷·손수건 따위의) 가선; 감침질. ② 경계. — *vt.* (**-mm-**) ① (…을) 감치다. ② 두르다, 에워싸다(*in, about, round*). ～ ***out 쫓아내다.

hem[2][m̩m, hm] *int.* 에헴!, 헴!《헛기침 소리》. — [hem] *n., vi.*

(*-mm-*) Ⓒ 에헴, 헴(하다).
hé·màn *n.* Ⓒ 남자다운 남자.
hem·a·tite [hémətàit, hí:m-] *n.* Ⓤ 적철광(赤鐵鑛).
hem·a·tol·o·gy [hèmətɑ́lədʒi, hì:m-/-ɔ́-] *n.* Ⓤ 〖醫〗 혈액학.
hem·i- [hémi] *pref.* '반(半)'의 뜻.
hèmi·céllulose *n.* Ⓤ 헤미셀룰로스《식물체 속의 고무상·다당류 탄수화물의 총칭》.
Hem·ing·way [hémiŋwèi], **Ernest** (1899-1961) 미국의 소설가.
hem·i·ple·gi·a [hèmiplí:dʒiə] *n.* Ⓤ 〖醫〗 편마비, 반측마비.
he·mip·ter·ous [himíptərəs] *a.* 반시류(半翅類)의《진디·매미·이 등》.
:hem·i·sphere [hémisfìər] *n.* Ⓒ 반구(*the Eastern* ~ 동반구). **-spher·ic** [ㅗ—sférik], **-spher·i·cal** *a.*
hem·i·stich [hémistìk] *n.* Ⓒ (시의) 반행(半行); 미완구(未完句).
***hem·lock** [hémlɑk/-lɔk] *n.* Ⓒ 《英》 독당근; Ⓤ 거기서 뽑은 독약; Ⓒ (북아메리카산의) 솔송나무(~ spruce).
he·mo- [hí:mou, hém-, -mə] '피'의 뜻의 결합사.
he·mo·glo·bin [hí:məglòubin, hèm-] *n.* Ⓤ 〖生化〗 헤모글로빈, 혈색소.
he·mo·phil·i·a [hì:məfíliə, hèm-] *n.* Ⓤ 〖醫〗 혈우병.
hem·or·rhage [hémərid3] *n.* Ⓤ 출혈(cerebral ~ 뇌출혈).
hem·or·rhoids [hémərɔ̀idz] *n. pl.* 치질, 치핵.
he·mo·stat·ic [hì:məstǽtik, hèm-] *a.* 지혈의. — *n.* Ⓒ 지혈제.
***hemp** [hemp] *n.* Ⓤ ① 삼, 대마(大麻). ② 《諧》 교수형용의 밧줄. **~·en** [ㅗən] *a.* 대마의, 대마로 만든.
hém·stìtch *n., vt.* Ⓤ 휘갑장식, 헴스티치(하다), 가장자리 올을 뽑아 몇 가닥씩 묶다.
†hen [hen] *n.* Ⓒ ① 암탉. ② 암컷(*a pea* ~ 공작의 암컷). ***like a ~ with one chicken*** 작은 일에 마음 졸여.
Hen. Henry.
hén·bàne *n.* Ⓒ 〖植〗 사리풀; Ⓤ 그 풀에서 뽑은 독약.
:hence [hens] *ad.* ① 그러므로, 그 결과. ② 이제부터 …후에(*a week* ~ 이제부터 일주일 후에). ③ 《古》 여기서부터, 사라져(*H- with him!* 끌어내라; (*Go*) *~!* 나가라!/*go* ~ 죽다). **:~·fórth, ~·fórward** *ad.* 이제부터는, 이후, 차후.
hench·man [héntʃmən] *n.* Ⓒ 믿을 수 있는 부하; (갱 등의) 졸개.
hén·còop *n.* Ⓒ 닭장, 닭 둥우리.
hen·di·a·dys [hendáiədis] *n.* Ⓤ 〖修〗 중언법(重言法)《보기: *death and honor* =honorable death》.
***hén·hòuse** *n.* Ⓒ 닭장, 계사.
Hèn·ley-on-Thámes [hènli-] *n.* 영국 Oxfordshire에 있는 도시《보트 레이스로 유명》.
hen·na [hénə] *n.* Ⓤ 헤너《관목》; 헤너 머리 염색제《적갈색》.
hen·ner·y [hénəri] *n.* Ⓒ 양계장.
hén pàrty 《口》 여자들만의 모임(cf. stag party).
hen·peck [hénpèk] *vt., n.* (남편을) 깔고 뭉개다; Ⓒ 공처가. **~ed** [-t] *a.* 여편네 손에 쥐인.
Hen·ry [hénri] *n.* 남자 이름; **O. Henry** (1862-1910) 미국의 단편 작가《본명 William Sidney Porter》; Ⓒ (h-) 〖電〗 헨리《전자(電磁) 유도 계수의 실용 단위; 생략 H》.
hep [hep] *a.* 《美俗》 (…에) 자세한 〔밝은〕(*to*), (최근 유행·사정에) 환한, …통(通)인; 재즈에 미친(cf. hepster, hipster). — ***int.*** 〖재즈〗 으윽《열연 중에 장단 맞추는 소리》; 하나 둘《행진의 보조를 맞추는 구령》.
hep·a·rin [hépərin] *n.* Ⓤ 〖生化〗 헤파린《간장이나 폐의 혈액 응고를 막는 물질》.
he·pat·ic [hipǽtik] *a.* 간(肝)(빛)의.
he·pat·i·ca [hipǽtikə] *n.* Ⓒ 〖植〗 노루귀.
hep·a·ti·tis [hèpətáitis] *n.* Ⓤ 간염.
hep·cat [hépkæ̀t] *n.* Ⓒ 《俗》 스윙 연주가; 소식〔유행〕통(通).
hep·ster [hépstər] *n.* Ⓒ 재즈광(狂); =HIPSTER.
hep·ta·gon [héptəgɑ̀n/-gən] *n.* Ⓒ 7각형. **-tag·o·nal** [-tǽg-] *a.*
hep·tam·e·ter [heptǽmitər] *n.* Ⓒ 〖韻〗 칠보격(七步格).
hep·tar·chy [héptɑ:rki] *n.* Ⓒ 칠두(七頭) 정치; (the H-) (5-9세기의 앵글로 색슨 민족의) 7왕국.
†her [強 hə:r, 弱 ə:r, hər] *pron.* 그 여자의〔에게, 를〕.
her. heir; heraldic; heraldry.
He·ra [hírə, hérə] *n.* 〖그神〗 Zeus 신의 아내《로마 신화에서는 Juno》.
:her·ald [hérəld] *n.* Ⓒ ① 전령관, 사자(使者). ② 문장관(紋章官), 의전관. ③ 고지자, 보도자; (H-) 신문의 이름. — *vt.* 전달〔보고·예고〕하다.
he·ral·dic [herǽldik] *a.* 전령(관)의; 문장(학)의.
her·ald·ry [hérəldri] *n.* Ⓤ 문장학; 으리으리함; herald의 직〔임무〕; Ⓒ 문장(blazonry).
***herb** [*h*ə:rb] *n.* Ⓒ (뿌리와 구별하여) 풀잎; 풀; 초본(草本)《작약·상치·양배추 따위를 포함하며, 식용·약용이 많음》(cf. grass).
her·ba·ceous [*h*ə:rbéiʃəs] *a.* 초본의, 줄기가 연한; 잎 모양의, 초록색의.
herb·age [*h*ɔ́:rbidʒ] *n.* Ⓤ 초본(草本)류; 목초; 〖英法〗 방목권(權).
herb·al [ㅗəl] *a., n.* 초본의; Ⓒ 본초서(本草書), 식물지(植物誌). **~·ist** [-bəlist] *n.* Ⓒ 본초학자; 약초상.
her·bar·i·um [*h*ə:rbέəriəm] *n.* (*pl.* *~s, -ia*) Ⓒ 식물 표본집〔실, 관〕.
hérb bènnet 뱀무.
hérb dòctor 한의사.
herb·i·cide [*h*ɔ́:rbəsàid] *n.* Ⓤ,Ⓒ 제초제.
her·biv·o·rous [*h*ə:rbívərəs] *a.* 초식(草食)의(cf. carnivorous, omnivorous).

Her·cu·le·an [hə̀ːrkjəlíːən, həːrkjúːliən] *a.* Hercules와 같은; (h-) 큰 힘의〔을 요하는〕, 지난(至難)한 (*a ~ task* 극히 어려운 일).

***Her·cu·les** [hə́ːrkjəlìːz] *n.* ①〖그神〗 헤르쿨레스《괴력(怪力)의 영웅》. ② Ⓒ 초인적인 힘을 가진 사람. ③〖天〗 헤르쿨레스 자리.

:**herd** [həːrd] *n.* ① Ⓒ (소·말 따위의) 무리. ② (the ~)《蔑》 하층민, 민중; Ⓒ 군집, 대세. ③《보통 복합어로》 목자(cow*herd*, shep*herd*). — *vt.* (소·말을) 몰아 모으다, 지키다. — *vi.* 떼지어 모이다(*with, together*).

***herds·man** [´-zmən] *n.* Ⓒ《주로 英》 목자; (H-)〖天〗 목동자리.

†**here** [hiər] *ad.* ① 여기에(서), 이리로. ② 이 점에서, 이 때에. ③ 이 세상에서. ***H-!*** 예!《호명의 대답》. ***~ and now*** 지금 바로, 곧. ***~ and there*** 여기저기에. ***~ below*** 이 세상에서는. ***H- goes!***《口》 자 시작한다!; 자! ***H- I am!*** 다녀왔습니다!, 자 다 왔다. ***H- it is.*** 옜다, 자 여기 있다. ***Here's to you*** 〔***your health***〕***!*** 건강을 축하합니다. ***H- you are!***《口》(원하는 물건·돈 따위를 내놓으면서) 자 받아라. ***neither ~ nor there*** 요점을 벗어나, 무관계한. — *n.* Ⓤ 여기(*from ~*); 이 세상.

hére·abòut(s) *ad.* 이 근처에.

:**hère·áfter** *ad.* 앞으로, 금후, 내세(來世)에서.

hére-and-nòw *a.* 즉결을 요하는.

***here·by** [hìərbái] *ad.* 이에 의하여, 이로 말미암아.

he·red·i·ta·ble [hirédətəbəl] *a.* =HERITABLE.

***he·red·i·tar·y** [hirédətèri/-təri] *a.* 유전의; 세습의, 대대의.

he·red·i·ty [hirédəti] *n.* Ⓤ 유전; 유전형질.

Her·e·ford [hérəfərd, hə́ːr-] *n.* Ⓒ 헤리퍼드종(種)의 소《식육용》.

Héreford and Wórcester 잉글랜드 서부의 주《1974년 신설》.

***hère·ín** *ad.* 이 속에, 여기에; 이런 까닭으로, 이 점에서.

hère·in·áfter *ad.* (서류 등에서) 아래에 서는, 이하에.

hère·in·befóre *ad.* (서류 등에서) 위에, 윗 글에.

hère·óf *ad.* 이것의, 이에 관해서.

hère·ón *ad.* =HEREUPON.

†**here's** [hiərz] here is의 단축.

***her·e·sy** [hérəsi] *n.* Ⓤ,Ⓒ 이교, 이단.

***her·e·tic** [hérətik] *n., a.* Ⓒ 이교도; 이단의. **he·ret·i·cal** [hərétikəl] *a.* 이교의, 이단의.

hère·tó *ad.* 여기까지; 이에 관하여.

***hére·to·fòre** *ad.* 지금까지, 이제까지.

hère·únder *ad.* 아래에, 이에 의거하여.

hère·untó *ad.* 여기〔지금〕까지.

hére·upòn *ad.* 여기에 있어서.

:**hère·wíth** *ad.* 이와 함께; 이에 의하여, 여기에 (동봉하여); 이 기회에.

her·it·a·ble [héritəbəl] *a.* 상속할 수 있는; 유전하는.

her·it·age** [héritidʒ] *n.* Ⓤ ① 세습〔상속〕 재산. ② 유산(遺産); 전승(傳承); 유전. ***God's ~ 하느님의 선민; 이스라엘 사람; 그리스도 교도.

her·maph·ro·dite [həːrmǽfrədàit] *n.* Ⓒ 양성(兩性) 동물, 어지자지; 양성화(花); 두 상반된 성질의 소유자〔물〕. — *a.* 양성(구유(具有))의, 자웅 동체의. **-dit·ic** [-´-dítik] *a.* 양성의, 자웅 동체의.

Her·mes [hə́ːrmiːz] *n.*〖그神〗 학예·상업·변론의 신《신들의 사자로, 로마 신화의 Mercury에 해당》.

her·met·ic [həːrmétik], **-i·cal** [-əl] *a.* 밀봉한(airtight); 연금술(鍊金術)의. **-i·cal·ly** *ad.*

:**her·mit** [hə́ːrmit] *n.* Ⓒ 은자(隱者).

her·mit·age [-idʒ] *n.* Ⓒ 은자의 집.

hérmit cràb〖動〗 소라게.

Hérmit Kìngdom 중국 이외의 나라와 접촉을 않던 근세 조선 왕조.

hern [həːrn] *n.*《英方》 =HERON.

her·ni·a [hə́ːrniə] *n.* Ⓤ,Ⓒ 탈장(脫腸), 헤르니아.

:**he·ro** [híərou] *n.* (*pl.* ***~es; fem. heroine***) Ⓒ ① 영웅, 용사. ② (이야기 따위의) 주인공.

「헤롯.

Her·od [hérəd] *n.*〖聖〗(잔학한 왕)

He·rod·o·tus [hirádətəs/-rɔ́d-] *n.* (484?-425? B.C.) 그리스의 역사가.

:**he·ro·ic** [hiróuik] *a.* ① 영웅적인, 용감한, 장렬한. ② (문제가) 웅대한. ③〖韻〗 영웅시(격)의. ④〖美術〗(조상(彫像) 따위가) 실물보다 큰(*~ size*). — *n.* ① Ⓒ 영웅시(격). ② (*pl.*) 과장된 표현〔감정·행위〕.

heróic áge, the 신인(神人)의 시대《Hesiod가 주장한 인간 역사의 5기 중의 한 시대》.

heróic cóuplet 약강 오보격(弱強五步格)의 압운 대구(押韻對句).

heróic póetry 영웅시.

heróic vérse 역웅시(격)《영시에서는 약강 5보격; 그리스·라틴·프랑스시에서는 6보격》.

「정)제.

her·o·in [hérouin] *n.* Ⓤ 모르핀(진

:**her·o·ine** [hérouin] *n.* Ⓒ ① 여장부, 여걸, 열부(烈婦). ② (이야기의) 여주인공.

***her·o·ism** [hérouìzəm] *n.* Ⓤ 영웅적 자질, 장렬; 영웅적 행위.

her·on** [hérən] *n.* (*pl.* ***~s,《집합적》 *~*) Ⓒ〖鳥〗 왜가리.

héro sándwich《美》 고기를 듬뿍 넣은 샌드위치.

héro wòrship 영웅 숭배.

her·pes [hə́ːrpiːz] *n.* Ⓤ〖醫〗 포진(疱疹), 헤르페스.

her·pe·tol·o·gy [hə̀ːrpətálədʒi/-pətɔ́l-] *n.* Ⓤ 파충류학.

Herr [hɛər] *n.* (G-) (*pl.* ***Herren*** [hérən]) 군, 씨《Mr.에 해당함》; Ⓒ 독일 신사.

Her·rick [hérik], **Robert** (1591-1674) 영국의 서정시인.

her·ring** [hériŋ] *n.* Ⓒ 청어. ***kip-

pered (*red*) ~ =KIPPER.
hér·ring·bòne *n., a.* Ⓒ (피륙 등의) 오늬무늬(의), '헤링본'(의). ── *vt.* 헤링본으로 꿰매다[짜다]. ── *vi.* 〖스키〗 다리를 벌리고 비탈을 오르다.
†**hers**[hə:rz] *pron.* 그 여자의 것.
†**her·self**[hə:rsélf, 弱 hərsélf] *pron.* (*pl.* ***themselves***) 그 여자 자신.
hertz[hə:rts] *n.* Ⓒ 〖電〗 헤르츠《생략 Hz》.
Hértz·i·an telégraphy[hə́:rtsiən-] 무선 전신.
†**he's**[hi:z] he is (he has)의 단축.
hes·i·tant[hézətənt] *a.* 망설이는, 주춤거리는. **-tance, -tan·cy** *n.*
‡**hes·i·tate**[hézətèit] *vi.* 망설이다, 주저하다, …할 마음이 나[내키]지 않다; (도중에서) 제자리 걸음하다, 멈춰 서다. **-tat·ing** *a.* **-tat·ing·ly** *ad.* ‡**-ta·tion**[╧─téiʃən] *n.* Ⓤ 망설임, 주저. **-ta·tive** *a.*
Hes·per[héspər] *n.* =HESPERUS.
Hes·per·i·des[hespérədì:z] *n. pl.* 〖그神〗 Hera의 금(金)사과를 지키는 4명의 님프.
Hes·per·us[héspərəs] *n.* 개밥바라기, 태백성, 금성.
Hes·se[hésə], **Hermann**(1877-1962) 독일의 시인·소설가.
Hes·sian[héʃən] *a., n.* Ⓒ (독일 남서부의) Hesse의 (사람); 《美》 용병(傭兵); 돈만 주면 일하는 사람.
Hes·ti·a[héstiə] *n.* 〖그神〗 화로·화덕의 여신《로마 신화의 Vesta》.
het[het] *a.* 흥분하여(~ *up* 흥분한).
he·tae·ra [hitíərə] *n.* 〖古그〗 첩, 고급 창녀, 매춘부.
het·er·o-[hétərou, -rə] '다른, 딴…'의 뜻의 결합사.
het·er·o·dox[hétərədɑ̀ks/-ɔ̀-] *a.* 이단의, 이설(異說)의(opp. orthodox). **~·y** *n.* Ⓤ,Ⓒ 이단, 이설(異說).
het·er·o·dyne[hétərədàin] *n., a.* Ⓤ 〖無電〗 헤테로다인(의)《진공관이 맥놀이를 내는》; Ⓒ 헤테로다인 수신기.
het·er·o·ge·ne·ous [hètərədʒí:niəs] *a.* 이종(異種)의, 이질의, 잡다한(opp. homogeneous). **-ne·i·ty** [-dʒəní:əti] *n.*
het·er·o·nym[hétərənìm] *n.* Ⓒ 같은 철자의 이음이의(異音異義)의 말《*gill*[gil]과 *gill* [dʒil] 따위》.
het·er·o·struc·ture [hètəroustrʌ́ktʃər] *n.* Ⓒ 〖電子〗 헤테로 구조체《복합 반도체 장치》.
*__hew__[hju:] *vt., vi.* (***~ed; hewn, ~ed***) ① (도끼 따위로) 자르다(*at, off*), 마구 베다, 토막 내다; 찍어 넘기다(*down*). ② (석재(石材) 따위를) 잘라서[깎아서, 새겨서] 만들다, 깎아 새기다. **~ *one's way*** 길을 개척하여 나아가다. **~·er**[╯ər] *n.* Ⓒ 자르는 사람, 채탄부.
HEW 《美》 (Department of) Health, Education, and Welfare.
hewn[hju:n] *v.* hew의 과거분사.
he-wolf[hí:wùlf] *n.* Ⓒ 수늑대.
hex[heks] *n.* Ⓒ 마녀; 마술. ── *vt.* 마법을 걸다, 호리다, 매혹하다.
hex(·a)-[héks(ə)] '6'의 뜻의 결합사《모음 앞에서는 hex-》.
hex·ad[héksæd] *n.* Ⓒ 여섯; 6개로 된 한 조; 〖化〗 6가 원소[원자, 기].
hex·a·dec·i·mal[hèksədésiməl] *a.* 〖컴〗 16진법(進法)의. ── *n.* (the ~) 16진(법), 16진 기수법(記數法); 16진수(~ ***number*** 십육진수).
hex·a·gon[héksəgɑ̀n/-gən] *n.* Ⓒ 6각형. **hex·ag·o·nal**[-ǽgənl] *a.*
hex·a·gram[héksəgræ̀m] *n.* Ⓒ 육각 성형《✡》.
hex·a·he·dron[hèksəhí:drən] *n.* (*pl.* ***~s, -dra***) Ⓒ 6면체.
hex·am·e·ter[heksǽmitər] *n.* Ⓒ 〖韻〗 육보격(六步格)(의 시).
hex·ane[héksein] *n.* Ⓤ 〖化〗 헥산《파라핀 탄화 수소에 속하는 5종 이성체의 총칭으로 용제·중간물 등에 쓰임》.
*__hey__[hei] *int.* 야아!; 어어; 이봐, 어이!《호칭·놀람·기쁨·주의·환기 따위의 외침》. ***H- for …!*** …잘한다!; …만세! ~ PRESTO.
héy·dày[1] *int.* 이런!, 야아!
héy·dày[2](<high day) *n.* Ⓒ (*sing.*) 전성기.
Hf 〖化〗 hafnium. **hf.** half. **HF., H.F., hf, h.f.** high frequency. **HG** higher grade; High German; Home Guard; Horse Guards. **Hg** 〖化〗 *hydrargyrum* (L.=mercury). **hg** hectogram(s); heliogram. **H.G.** His (Her) Grace. **HGH** human growth hormone. **hgt.** hight. **HH** double hard. **hh** heavy hydrogen. **H.H.** His (*or* Her) Highness; His Holiness. **hhd.** hogshead. **hhf** household furniture. **HHFA** Housing and Home Finance Agency. **HHG** household goods. **HHH** treble hard (of pencil).
*__hi__[hai] *int.* 야아(How are you?), 어이(Hello!).
H.I. Hawaiian Islands; 《美》 human interest.
hi·a·tus[haiéitəs] *n.* (*pl.* ~(***es***)) Ⓒ 중절(中絶), 틈; 〖音〗 모음 접속《보기: ide*a of*》.
hi·ber·nal[haibə́:rnl] *a.* 겨울의, 겨울 같은.
hi·ber·nate[háibərnèit] *vi.* 겨울잠 자다, 동면하다. **-na·tion**[╧─néiʃən] *n.*
Hi·ber·ni·a[haibə́:rniə] *n.* 《詩》 = IRELAND.
hi·bis·cus[hibískəs, hai-] *n.* Ⓒ 목부용속의 식물《목부용·무궁화 등》.
hic[hik] *int.* 딸국《딸꾹질 의성음》.
hic·cup, hic·cough[híkʌp] *n., vi., vt.* Ⓒ 딸꾹질(하다, 하며 말하다).
hic ja·cet[hik dʒéisit] (L.=here lies) 여기에 (길이) 잠드시다《생략 H. J.》; 묘비명.

H

hick[hik] *n., a.* Ⓒ《口》농부(다운), 순박한 (사람).

hick·o·ry[híkəri] *n.* Ⓒ 호두과(科)의 나무; Ⓤ 그 재목《스키 용재(用材)》.

***hid**[hid] *v.* hide¹의 과거(분사).

hi·dal·go[hidǽlgou] *n.* (*pl.* **~s**) Ⓒ 스페인의 하급 귀족《grandee의 다음》.

:hid·den[hídn] *v.* hide¹의 과거분사. — *a.* 숨은, 숨겨진.

†hide¹[haid] *vt., vi.* (*hid; hidden, hid*) 숨(기)다; 덮어 가리다. **~ oneself** 숨다.

***hide²** *n., vt.* Ⓤ,Ⓒ 짐승의 가죽(을 벗기다), 피혁; 《口》 때리다(beat).

híde-and-séek, híde-and-gò-séek *n.* Ⓤ 숨바꼭질.

híde·awày *n.* Ⓒ 은신처; 으슥한 음식점[오락장].

híde·bòund *a.* (가축이) 여윈; 완고[완미]한; (마음이) 편협한, 편벽된; (식물이) 껍질이 말라붙은.

***hid·e·ous**[hídiəs] *a.* 끔찍한, 섬뜩한, 오싹해지는, 무서운. **~·ly** *ad.* 소름 끼칠 만큼. **~·ness** *n.*

híde-òut *n.* Ⓒ (범인의) 은신처.

hid·ing¹[⌐iŋ] *n.* Ⓤ 은닉; Ⓒ 은신[은닉]처(~ place).

hid·ing² *n.* Ⓒ《口》매질, 후려갈김.

hie[hai] *vt., vi.* 서두르다, 급히 가다(*H- thee!* 서둘러라 / *He ~d him* [*himself*] *home.*).

hi·er·arch[háiərὰːrk] *n.* Ⓒ 〖宗〗 교주; 고위 성직자; 권력자.

***hi·er·ar·chy**[-i] *n.* ① Ⓤ,Ⓒ 위계(位階) 제도[조직]; 성직 정치; Ⓒ 성직자의 계급; (the ~)《집합적》 성직자단. ② Ⓒ 천사의 계급; (the ~)《집합적》 천사들. **-chic**[hàiərάːrkik], **-chi·cal**[-əl] *a.*

hi·er·at·ic[hàiərǽtik], **-i·cal**[-əl] *a.* 성직자의; 신성한 (용도의).

hi·er·o·glyph[háiərəglìf] *n.* Ⓒ 상형 문자.

hi·er·o·glyph·ic[hàiərəglífik] *a.* 상형 문자의. — *n.* (*pl.*) 상형 문자(표기법); 비밀 문자.

hi-fi[háifái] (< *high-fi*delity) *a., n.* Ⓤ 〖電子〗 고충실도(高忠實度) 음향; Ⓒ 그러한 음향 재생 장치; 하이파이의.

hig·gle(**-hag·gle**) [hígəl(hǽgəl)] *vi.* 값을 깎다, 흥정하다(*with*).

hig·gle·dy-pig·gle·dy[hígəldi-pígəldi] *n., a., ad.* Ⓤ 엉망진창(인, 으로).

hig·gler[híglər] *n.* Ⓒ 행상인; 에누리하는 사람.

†high[hai] *a.* ① 높은(cf. tall), …높이의. ② 높은 곳(으로부터)의; 고지의; 고귀[고상·숭고]한; 고원한; 고위의. ③ 고급의; 값비싼. ④ 격렬한, 극도의(~ *folly* 지극히 어리석은 짓); 과격한(*a ~ anarchist*). ⑤ 짙은(~ *crimson*); (소리가) 날카로운. ⑥ 거만한(*a ~ manner*). ⑦ (때가) 된, 한창인(*It is ~ time to go.* 이제 떠날 시간이다). ⑧ 〖料理〗 (새나 짐승의 고기가 막 상하기 시작하여) 먹기에 알맞은(cf. gamy). ⑨《口》 거나하게 취한. **~ and dry** (배가) 물가에 얹혀; 시대에 뒤져. **~ and low** 상하 귀천을 막론하고(cf. high *ad.*). **~ and mighty**《古》 고위의; 거만한. **How is that for ~?**《俗》 (그런데) 어때(놀랍지, 굉장하지). — *n.* ① Ⓤ 높은 곳; 천상(天上). ② Ⓒ 비싼 값. ③ Ⓤ (자동차의) 고속 기어. ④ Ⓒ《口》 고등 학교. ⑤ Ⓒ 고기압권. ⑥ Ⓒ《美俗》 마약·술로 기분 좋은 상태. **from on ~** 천상으로부터. **on ~** 공중 높이, 하늘에, 천상에. **the H-** =HIGH TABLE; 《英口》 =HIGH STREET. **the Most H-** 천주(God). — *ad.* 높이; 크게, 현저하게, 강하게. **bid ~** 비싸게 부르다. **fly ~** 희망에 가슴이 부풀어 있다. **~ and low** 도처에. **live ~** 호화롭게 살다. **play ~** 큰 도박을 하다. **run ~** (바다의) 물살이 거칠어지다; 흥분하다; (값이) 오르다. **stand ~** 높은 위치를 차지하다.

hígh-àngle *a.* 〖軍〗 (보통 30° 이상의) 고각도의, 고각 사격의.

hígh·bàll *n.* Ⓤ,Ⓒ《美》 하이볼《위스키에 소다수 따위를 섞은 음료》.

hígh béam 하이 빔《자동차 헤드라이트의 원거리용 상향 광선》(cf. low beam).

hígh·bìnder *n.* Ⓒ《美口》 불량배; 사기꾼, 살인 청부업자.

hígh-bòrn *a.* 집안이 좋은, 명문 출신의.

hígh·bòy *n.* Ⓒ《美》(높은 발이 달린) 옷장(《英》 tallboy).

hígh·brèd *a.* 순종의; 본데 있는, 예의바른, 교양 있는.

hígh·brow *n., a.* Ⓒ 인텔리; 인텔리인 체하는 사람; 인텔리를 위한[에 적합한].

hígh·chàir *n.* Ⓒ (식당·식탁의 다리가 높은) 어린이 의자.

Hígh Chúrch 고교회파《영국 교회파 중, 교회의 교의 및 의식을 존중하는 한 파》(cf. Low Church).

hígh-clàss *a.* 고급의; 일류의.

hígh-cólo(u)red *a.* 혈색이 좋은.

hígh cómedy (연기의 익살 따위에 중점을 두지 않는) 고급 희극.

hígh commánd 최고 사령부.

hígh commíssioner (식민지의) 고등 판무관.

Hígh Cóurt (of Jústice)《英》 고등 법원.

hígh dày 축제일.

hígh-definítion télevision 고화질[고품위] 텔레비전《생략 HDTV》.

hígh énergy phýsics 고(高)에너지[소립자] 물리학.

hígher-úp *n.* Ⓒ (보통 *pl.*)《美口》 상사(上司); 높은 양반.

hígh explósive 고성능 폭약.

high·fa·lu·tin [⌐fəlúːtin], **-ting** [-tiŋ] *a., n.* Ⓤ《口》 과장된 (말).

hígh fárming 집약 농업.

hígh fáshion 최신[하이]패션(high style); (상류 사회의) 유행 스타일.

hígh féeding 미식(美食).

hígh-fidélity *a.* 〖電子〗 고충실도의, 하이파이의(hi-fi).
hígh·flìer, -flỳer *n.* Ⓒ 높이 나는 새〔비행가〕; 야심가, 높은 소망을 가진 사람.
hígh-flòwn *a.* 엄청나게 희망이 큰; 과대한.
hígh-fréquency *a.* 〖電〗 고주파의.
hígh géar (자동차의) 고속 기어 (cf. low gear).
Hígh Gérman ⇨GERMAN.
hígh-gráde *a.* 고급의.
hígh-hánded *a.* 고압적인.
hígh hát 실크 해트.
hígh-hát *n., vi., vt.* (*-tt-*) Ⓒ 뽐내는 사람; 업신여기다, 뽐내다.
hígh-héarted *a.* 고결한, 용감한.
hígh-héeled *a.* 굽 높은, 하이힐의.
hígh·jàck *vt., vi.* =HIJACK. **~·er** *n.*
hígh júmp (the ~) 높이뛰기.
***high·land**[⌐lənd] *n.* ① Ⓒ (종종 *pl.*) 고지, 산지. ② (H-) 스코틀랜드 고지. **~·er** *n.* Ⓒ 고지인, (H-) 스코틀랜드 고지 사람.
hígh-lével *a.* 고관에 의한, 고관의; 높은 곳으로부터의.
hígh-lével lánguage 〖컴〗 고급 언어《용어·문법 등이 일상어에 가까운 프로그램 언어》.
hígh lìfe 상류 생활.
***hígh·lìght** *n., vt.* (*~ed*) Ⓒ (종종 *pl.*) ① 〖美術〗 (화면의) 하이라이트. ② 중요 부분; (뉴스 중의) 중요 사건, 화제거리. ③ 두드러지게 하다; 강조하다; 돋보이게 하다.
hígh lìving 호화스러운 생활.
⁑**high·ly**[⌐li] *ad.* 높이, 크게(*speak ~ of* …을 격찬하다).
Hígh Máss 〖가톨릭〗 장엄 미사.
hígh-mínded *a.* 고결한; 《稀》 거만한. **~ly** *ad.* **~ness** *n.*
high-muck-a-muck[⌐mʌ́kə-mʌ́k] *n.* Ⓒ 《美俗》 높은 사람; 젠체하는 사람.
***hígh·ness** *n.* ① Ⓤ 높음, 높이; 고위(高位), 고가(高價). ② (H-) 전하(殿下).
hígh nóon 한낮, 정오.
hígh-óctane *a.* 고옥탄가(價)의.
hígh-pítched *a.* 가락이 높은; 급경사의; 고상한; 몹시 긴장된.
hígh pòlymer 〖化〗 고분자〔거대한 분자〕 물질.
hígh-pówered *a.* 정력적인; 고성능의; 강력한.
hígh-préssure *a., vt.* 고압의; 고압적인; 강요하는; (…에게) 고압적으로 나오다.
hígh-príced *a.* 값 비싼.
hígh príest 고위 성직자; (옛 유대의) 제사장.
hígh-próof *a.* 알코올 도수가 높은.
hígh-ránker *n.* Ⓒ 고관; 고급 장교.
hígh-ránking *a.* 고급〔고관〕의.
hígh-resolútion *a.* 〖電子〗 고해상(도)의.
hígh ríse 고층 건물.
hígh-ríse *a., n.* Ⓒ 고층 건물(의); 높이 올린.
hígh-rísk *a.* 위험성이 높은.
hígh·ròad *n.* Ⓒ 큰길, 대로; 쉬운 길.
hígh róller 《美俗》 낭비자; 난봉꾼; 노름꾼.
⁑**hígh schòol** 고등 학교; 중등 학교.
hígh séa 높은 파도; (보통 the ~s) 공해(公海).
hígh sìgn 《口》 (표정·몸짓으로 하는) 은밀한 신호.
hígh socíety 상류 사회.
hígh-sóunding *a.* 과장된.
hígh-spéed *a.* 고속도의.
hígh-spéed stéel 고속도강(鋼).
hígh spírit 용기.
hígh-spírited *a.* 기개 있는; 용감한; 기운찬; 기세 좋은.
hígh spírits 아주 기분이 좋음, 기력 왕성.
hígh spót 두드러진 특색〔부분〕(*hit the ~s* 요점만 건드리다, 대강 말하다). 「〔번화〕가(街).
Hígh Strèet 《英》 큰 거리, 중심
hígh-strúng *a.* 과민한, 흥분하기 쉬운; 줄을 팽팽하게 한.
hígh táble 《英》 대학 학료(學寮)의 fellows·학장·교수 등의 식탁(the High). 「〔달아나다〕.
hígh-tàil *vi.* 《口》 황급히 떠나가다
hígh téa 《英》 오후 4-5시경의 고기 요리가 따르는 간단한 식사.
hígh-tèch *n., a.* Ⓤ (고도의) 첨단 기술(high technology)(의).
hígh·téen *a., n.* Ⓒ 《俗》 18·9세의 (소년·소녀), 하이틴(의).
hígh-ténsion *a.* 〖電〗 고압의.
hígh-tést *a.* 엄격한 시험에 패스하는; 비등점이 낮은《가솔린 등》.
hígh tíde 고조(高潮); 한창때.
hígh tíme 좋은 때〔시기〕, 호기; 《俗》 흥겨울〔유쾌한〕 때.
hígh-tóned *a.* 가락이 높은, 새된; 고상한; 《美口》 (옷차림이) 멋진, 스마트한.
hígh tréason 대역(大逆), 대역죄.
hígh-úp *a., n.* Ⓒ 《口》 현직(顯職)의 (사람); 높은 지위의 (사람).
hígh wáter 고조(高潮), 만조, 사리.
hígh-wáter màrk 고조표(標), 최고 수위점(水位點); 최고 수준.
⁑**high·way**[háiwèi] *n.* Ⓒ ① 공도(公道); 간선 도로. ② 상도(常道).
high·way·man[-mən] *n.* Ⓒ 노상 강도.
hígh wórds 격론, 시비조.
H.I.H. His (*or* Her) Imperial Highness.
hi·jack[háidʒæ̀k] *vt.* (배·비행기 등을) 약탈하다, 공중〔해상〕 납치하다; (수송 중인 물품 등을) 강탈하다. **~·er** *n.*
⁑**hike**[haik] *n., vi., vt.* Ⓒ ① 도보 여행〔하이킹〕(을 하다). ② 인상(하다). ***hík·er** *n.* ***hík·ing** *n.* Ⓤ 하이킹, 도보 여행.
hi·lar·i·ous[hilέəriəs, hai-] *a.* 매우 명랑한(very merry). **-i·ty**

H

[hilǽrəti, hai-] *n.*
Híl·a·ry tèrm[híləri-] 《英》 대학의 1월부터 시작되는 학기.
†**hill**[hil] *n.* Ⓒ ① 언덕, 작은 산, 야산. ② 흙무더기, 흙더미(*a mole* ~). ***go over the*** ~ 《美俗》 탈옥하다, 무단 이탈하다. ***over the*** ~ 위기를 벗어나서; 절정기를 지나서. ***the gentlemen on the*** ~ 《美》 국회의원들. — *vt.* 쌓아 올리다; 북주다.
hill·bil·ly[∠bìli] *n.* Ⓒ《美口》 (미국 남부의) 산지〔두메〕 사람; 시골뜨기.
hill mý·na[-máinə] 구관조.
hill·ock[∠ək] *n.* Ⓒ 작은 언덕; 봉토, 둑.
:**híll·sìde** *n.* Ⓒ 산중턱, 산허리.
***híll·tòp** *n.* Ⓒ 언덕〔야산〕의 꼭대기.
hill·y[híli] *a.* 언덕이 많은.
hilt**[hilt] *n.* Ⓒ (칼)자루. ***(up) to the ~ 충분히, 완전히; 철저히.
hi·lum[háiləm] *n.* (*pl.* **-la**) Ⓒ 〖植〗 (종자의) 배꼽.
†**him**[him, 弱 im] *pron.* 그를〔에게〕.
H. I. M. His (*or* Her) Imperial Majesty.
***Him·a·la·yas**[hìməléiəz, himá:ləjəz] (<Skt. =snow house) *n. pl.* 히말라야 산맥. **-lá·yan** *a.*
†**him·self**[himsélf, 弱 im-] *pron.* (*pl.* ***themselves***) 그 자신(*He did it* ~. 그 스스로가 했다). ***beside*** ~ 제정신을 잃고, 미쳐서. ***by*** ~ 혼자서, 혼자 힘으로. ***for*** ~ 자기용으로, 자기를 위해(*He bought it for* ~.); 자기 스스로, 혼자 힘으로.
:**hind**¹[haind] *a.* 뒤의, 뒤쪽의(rear).
hind² *n.* (*pl.* ~(***s***)) Ⓒ 암사슴.
:**hin·der**¹[híndər] *vt.* 방해하다 (from). — *vi.* 방해가 되다.
hind·er²[háindər] *a.* 뒤의, 뒤쪽의 (rear).
Hin·di[híndi:] *a., n.* 북(北)인도의; Ⓤ 힌디어.
hínd lèg (네발짐승의) 뒷다리.
hínd·quàrter *n.* Ⓒ (쇠고기·양고기 등의) 뒷다리 및 볼기.
***hin·drance**[híndrəns] *n.* ① Ⓤ 방해, 장애. ② Ⓒ 방해물.
hínd·sìght *n.* ① Ⓤ 때 늦은 지혜 (opp. foresight). ② Ⓒ (총의) 후부가늠자.
***Hin·du, -doo**[híndu:] *n.* Ⓒ 힌두사람〔교도〕, (아리안계) 인도인. — *a.* 힌두(교·말)의. **~·ism**[-ìzəm] *n.* Ⓤ 힌두교.
Hin·du·sta·ni, -doo-[hìndustǽni, -á:-] *n., a.* Ⓤ 힌두스탄어; 힌두스탄의; 힌두스타인〔어〕의.
hinge**[hindʒ] *n.* Ⓒ 경첩; 요점. ***off the ~s 탈〔고장〕이 나서; (질서가) 어지러워. — *vt., vi.* 경첩을 달다〔으로 움직이다〕; (…에) 달려 있다.
hin·ny[híni] *n.* Ⓒ 수말과 암나귀의 잡종; 버새.
:**hint**[hint] *n., vt., vi.* Ⓒ 힌트, 암시(하다); 변죽울리기〔울리다〕(*at*). ***by ~s*** 넌지시. ***drop a*** ~ 넌지시 비추다, 힌트〔암시〕를 주다. ***take a*** ~ 깨닫다, 알아차리다.
hin·ter·land[híntərlæ̀nd] *n.* Ⓤ (해안·강안 등의) 배후지; 오지(奧地); 시골.
:**hip**¹[hip] *n.* Ⓒ 엉덩이; 허리. ***fall on one's ~s*** 엉덩방아를 찧다. ***on the*** ~ 불리한 조건〔입장〕에. — *vt.* (**-pp-**) (…의) 허리를 삐게 하다.
hip² *n.* Ⓒ (들)장미의 열매.
hip³ *n., vt.* (**-pp-**) Ⓤ《古》 우울(하게 하다).
hip⁴ *a.* 《美俗》 최신 유행의, 정보통의; 「히피의.
hip⁵ *int.* 갈채의 첫소리(*H-, ~, hurrah!*).
híp bàth 뒷물.
híp·bòne *n.* Ⓒ 무명골, 좌골(座骨).
hipe[haip] *n., vt.* Ⓒ 〖레슬링〗 안아치기(로 던지다). 「구경 권총.
híp flàsk 포켓 위스키병; 《俗》 45
hipped[hipt] *a.* 《英》 우울한; 《美口》 (…에) 열중한(*on*).
hip·pie[hípi] *n.* Ⓒ 히피(족)(일체의 기성 제도·가치관을 부인, 야릇한 몸차림을 하고 다니는 젊은이).
híppie·dom *n.* Ⓒ 히피족의 세계〔생활 태도〕. 「HIPPOPOTAMUS.
hip·po[hípou] *n.* (*pl.* ~***s***) 《口》 =
híp-pòcket *n.* Ⓒ (바지) 뒷주머니.
Hip·poc·ra·tes[hipákrəti:z/-ɔ́-] *n.* (460? - 377? B.C.) 히포크라테스 《그리스의 명의(名醫)》.
Híp·po·crat·ic óath[hipoukrǽtik-] Hippocrates가 지었다는 의사의 윤리 강령.
Hip·po·crene[hípəkrì:n, hìpəkrí:ni:] *n.* 〖그神〗 (시신(詩神) Muses에게 봉헌된) 영천(靈泉); Ⓤ 시적 영감(의 원천).
hip·po·drome[hípədròum] *n.* Ⓒ 〖古그·로〗 마차 경주장, 경마장; 곡마장; 《美俗》 짬짜미 (경기); 연예장.
hip·po·pot·a·mus**[hìpəpátəməs/-ɔ́-] *n.* (*pl.* ***~es, -mi[-mài]) Ⓒ 〖動〗 하마.
hip·ster[hípstər] *n.* Ⓒ《美俗》 재즈 팬; 비트족(beatnik). 「〔같은〕.
hir·cine[hə́:rsain, -sin] *a.* 염소의
:**hire**[haiər] *vt.* 고용하다; (물건을) 세내다; 세놓다. ~ ***on*** (***as***) (…로서) 고용되다. ~ ***oneself out*** 고용되다. ~ ***out*** 대출(貸出)하다. — *n.* Ⓤ 임대(료), 임차(료)(賃借(料)); 고용. ***for*** ~ 세를 받고서. ***on*** ~ 임대(賃貸)의〔로〕.
hire·ling[∠liŋ] *a., n.* Ⓒ 고용되어 일하는 (사람); 삯 말; 《蔑》 돈이면 무엇이나 하는 (사람).
híre-púrchase *n., a.* Ⓤ《英》 분할불〔월부〕 구입(의).
hir·sute[hə́:rsu:t, ─∠] *a.* 털 많은.
†**his**[hiz, 弱 iz] *pron.* 그의; 그의 것.
His·pan·io·la[hìspənjóulə] *n.* 히스파니올라 섬《서인도 제도 중 Haiti, Dominica 양공화국을 포함하는 섬; 옛 이름은 Haiti섬》.
hiss**[his] *vi., vt.* 쉿〔쉬이〕 소리를 내다(~ *his poor acting* 서투른 연극을 야유하다). ~ ***off 〔***away***〕 '쉬이' 소리를 내어 (무대에서) 물러나게 하다. — *n.* Ⓒ 쉿하는 소리; 〖電子〗

고음역의 잡음.
hist[s:t, hist] *int.* 쉬잇(조용히)!
hist. historology; historian; historical; history.
his·ta·mine[hístəmi:n, -min] *n.* Ⓤ 〖生化〗 히스타민《혈압 강하·위액 촉진제》.
his·tol·o·gy[histálədʒi/-ɔ́-] *n.* Ⓤ 「〖生〗 조직학.
his·tone[hístoun] *n.* Ⓤ 〖生化〗 히스톤《단순 단백질의 일종》. 「가.
***his·to·ri·an**[histɔ́:riən] *n.* Ⓒ 역사
***his·tor·ic**[histɔ́:rik, -á-/-ɔ́-] *a.* 역사상 유명한, 역사에 남은(*the ~ scenes* 사적(史跡)).
***his·tor·i·cal**[histɔ́:rikəl, -á-/-ɔ́-] *a.* 역사(상)의, 사적(史的)인. **~·ly** *ad.*
histórical matérialism 사적(史的) 유물론.
históric(al) présent 〖文〗 역사적 현재. 「파.
histórical schòol 〖經·法〗 역사학
his·tor·i·cism[histɔ́:rəsìzəm, -á-/-ɔ́-] *n.* Ⓤ 역사주의《역사는 현대적 각도에서 볼 것이 아니라는 학설》; 역사 필연주의《역사의 발전은 인간의 의지에 의한 것은 아니라는 학설》.
his·to·ri·ette[histɔ̀:riét] *n.* (F.) Ⓒ 소사(小史); 사화(史話); 단편 소설.
his·to·ri·og·ra·pher[histɔ̀:riágrəfər/-ɔ́g-] *n.* Ⓒ 역사 편찬자, 사료(史料) 편찬관. **-ra·phy** *n.*
†**his·to·ry**[hístəri] *n.* ① Ⓤ 역사, 사학; Ⓒ 사서(史書). ② Ⓒ 연혁, 경력. ③ Ⓒ 사극(史劇).
his·tri·on·ic[hìstriánik/-ɔ́-] *a.* 배우의, 연극의, 연극 같은. **~s** Ⓤ 연극; 《복수 취급》 연극 같은 짓.
hit**[hit] *vt.* (*hit; -tt-*) ① 때리다, 치다, 맞히다, 적중하다. ② (…에) 공교롭게 부닥치다; 생각이 미치다. ③ 감정을 상하게 하다. ④ 꼭 맞다. ⑤ 의뢰〔요구〕하다. ⑥ 《美俗》 (마약을) 주사하다; 벌떡벌떡 들이켜다(*~ the bottle*). ── *vi.* ① 치다, 치고 덤비다(*at*). ② 부딪다(*against, on, upon*). ③ 우연히 발견하다〔생각해 내다〕(*on, upon*). ***~ a LIKENESS. ***~ at*** …에게 치고 덤비다; …을 비평〔조소〕하다. ***~ it*** 잘 알아맞히다. ***~ it off*** 《口》 용케 (뜻이) 맞다(*with, together*). ***~ it up*** 버티다; 황급히 나아가다. ***~ off*** 즉석에서 잘 표현하다, 잘 묘사하다〔(시를) 짓다〕. ***~ on*** 〔***upon***〕 …에 부딪치다, 만나다; 생각이 미치다. ***~ or miss*** 맞든 안 맞든. ***~ out*** 세게 치다〔찌르다〕. ***~ up*** 재촉하다, 박차를 가하게 하다. ── *n.* Ⓒ ① 타격; 명중(탄). ② 히트, 성공. ③ 명언(名言); 빗댐(*at*). ④ 〖野〗 안타, 히트(*a sacrifice ~* 희생타(打)). ⑤ 〖컴〗 적중. ***make a ~*** 히트치다, 호평을 받다, 성공하다.
hít-and rún 〖野〗 히트앤드런; 사람을 치고 뺑소니치기.
hít-and-rún *a.* 〖野〗 히트앤드런의; 치어놓고 뺑소니치는(*a ~ driver*); (공격이) 전격전인.
hitch**[hitʃ] *vt.* ① (소·말을) 매다; (밧줄·갈고리 따위로) 걸다. ② 와락 잡아당기다〔끌어 당기다, 움직이다〕. ③ (이야기 속에) 끌어 넣다(*into*). ── *vi.* ① 와락 움직이다. ② 다리를 절다. ③ 걸리다(*on; on to*). ***~ horses 일치〔협조〕하다. ***~ one's wag(g)on to a star*** 자기의 힘 이상의 힘을 이용하려고 하다; 높은 뜻을 품다. ── *n.* Ⓒ ① 와락 움직임〔끎〕; 급히 멈춤. ② 걸림, 뒤얽힘. ③ 고장, 지장. ④ 〖海〗 결삭(結索)(법)(cf. knot).
***hitch·hike**[´hàik] *n., vi., vt.* Ⓒ 《美口》 히치하이크《지나가는 자동차에 편승해서 하는 무전 여행》(을 하다).
***hith·er**[híðər] *ad.* 여기로, 이리로 《지금은 보통 here》. ── *a.* 이쪽의. **~·most**[-mòust] *a.* 가장 이쪽의.
***hith·er·to**[hìðərtú:] *ad.* 지금까지(는).
Hit·ler[hítlər], **Adolf**(1889-1945) 독일(Nazi당) 수상·독재자. **~·ism** [-ìzəm] *n.* Ⓤ (독일) 국가 사회주의. **~·ite**[-àit] *n.* Ⓒ 그 주의자.
hít paràde 히트퍼레이드《히트곡·베스트셀러 소설 등의 (순위) 공개》.
hít-rún *a.* 치고 뺑소니치는(hit-and-run).
HIV human immunodeficiency virus 인류 면역 결핍 바이러스; AIDS 바이러스.
***hive**[haiv] *n.* Ⓒ ① 꿀벌통; 벌집(모양의 것). ② (한 통의) 꿀벌 떼. ③ 와글와글하는 군중〔장소〕. ── *vt.* 벌통에 넣다, 축적하다. ── *vi.* 벌통에 들어가다; 군거(群居)하다.
hives [haivz] *n.* 《단·복수 취급》 〖醫〗 발진, 두드러기.
H.J.(S.) *hic jacet supultus.* **hl., hl** hectoliter. **H.L.** House of Lords; **hm, hm.** hectometer.
h'm[mm, hm] *int.* =HEM[2]; HUM.
H.M. His (*or* Her) Majesty; **H.M.S.** His (*or* Her) Majesty's Service (*or* Ship). **Ho** 〖化〗 holmium. **H.O.** head office; 《英》 Home Office.
***ho, hoa**[hou] *int.* 호; 어이; 저런; 허허!, 홍!; (말에게) 와!; 서!
hoar[hɔ:r] *a.* 흰, 회색의; 백발의. ── *n.* Ⓤ 회백(색); 흰 서리.
***hoard**[hɔ:rd] *n.* Ⓒ ① 저장(물), 비장(秘藏). ② 축적. ── *vt., vi.* 저장하다, 사 모으다(*up*). **´·er** *n.*
hoard·ing[1][´iŋ] *n.* ① Ⓤ 저장, 사재기. ② Ⓒ 저장물.
hoard·ing[2] *n.* Ⓒ 《英》 판장; 게시판.
hóar·fròst *n.* Ⓤ 흰서리.
***hoarse**[hɔ:rs] *a.* 목이 쉰, 목쉰 소리의(cf. husky[1]). ***´·ly** *ad.*
hóar·stòne *n.* Ⓒ 《英》 (고대부터 있던) 경계석; 기념석.
***hoar·y**[hɔ́:ri] *a.* ① 회백색의, 백발의. ② 고색이 창연한, 나이 들어 점잖은; 오래된.
hoax[houks] *vt., n.* Ⓒ (장난으로) 속이다〔속임〕, 골탕 먹이다〔먹임〕; 장난.

H

hob[1] [hab/-ɔ-] *n.* [C] (난로 속의 안쪽 또는 측면의) 시렁; 톱니 내는 기계; (고리던지기 놀이(quoits)의) 표적 기둥.

hob[2] *n.* [C] 요괴(妖怪). ***play* 〔*raise*〕 ～** 《口》 장난치다, 귀찮게 굴다.

Hobbes [habz/-ɔ-], **Thomas** (1588-1679) 영국의 철학자《*Leviathan*》.

***hob·ble** [hábəl/-ɔ́-] *vi., n.* [C] ① 다리를 절다〔절뚝거림〕. ② 쉬엄쉬엄 이야기하다; (시의) 운율이 고르지 않다. ③《稀》곤경, 곤란. ── *vt.* 절뚝거리게 하다; (말의) 다리를 묶다.

Hob·ble·de·hoy [-dihɔ̀i] *n.* [C] 덩치 크고 미욱한 젊은이.

:hob·by [hábi/-ɔ́-] *n.* [C] ① 취미; 자랑삼는 것, 장기(長技). ② 목마(木馬). ***mount* 〔*ride*〕 *one's* ～** (듣기 싫을 정도로) 자랑을 늘어놓다.

hóbby·hòrse *n.* [C] 목마; (말머리가 달린) 죽마《아이들이 타고 놂》.

hob·gob·lin [hábgàblin/hɔ́bgɔ̀b-] *n.* [C] 도깨비; 작은 요괴.

hób·nàil *n.* [C] (구둣바닥의) 징.

hob·nob [hábnàb/hɔ́bnɔ̀b] *vi.* (***-bb-***) 사이 좋게〔허물없이〕 지내다; 권커니 잣거니 하다. ── *n.* [U,C] 환담.

ho·bo [hóubou] *n.* (*pl.* **～(*e*)*s***) [C] 《美》 부랑자; 뜨내기 노동자.

Hób·son's chóice [hábsnz-/-ɔ́-] ⇨ CHOICE.

Hó Chì Mính Cíty [hóutʃì:mín-] 호치민 시《베트남 남부의 도시; 구칭 Saigon》.

hock[1] [hak/-ɔ-] *n., vt.* [C] (네 발 짐승의 뒷발의) 과(踝)관절(의 건(腱)을 끊어 불구로 만들다).

hock[2] *n.* [U] 《英》 흰 포도주의 일종.

hock[3] *n., vt.* [U] 《俗》 전당(잡히다).

***hock·ey** [háki/-ɔ́-] *n.* [U] 하키; [C] 그 타구봉(～ stick).

hóck·shòp *n.* [C] 《美俗》 전당포.

ho·cus [hóukəs] *vt.* (《英》 ***-ss-***) 속이다; 마취제를 타다; 마취시키다.

ho·cus-po·cus [-póukəs] *n.* [U] 요술; 마술사의 상투적 문구; 야바위. ── *vi., vt.* (《英》 ***-ss-***) 요술을 부리다; 감쪽같이 속이다.

hod [had/-ɔ-] *n.* [C] 호드《벽돌·회반죽 나르는 그릇》; 《美》 석탄통. **～·man** [´-mən] *n.* [C] 《英》 hod 운반인.

hodge·podge [hádʒpàdʒ/hɔ́dʒpɔ̀dʒ] *n.* [U] 엉망진창, 뒤죽박죽.

***hoe** [hou] *n., vt.* [C] 괭이(로 파다, 갈다).

hóe·càke *n.* [U,C] 《美》 옥수수빵《전에 괭이 날 위에 놓고 구웠음》.

:hog [hag, -ɔ:-/-ɔ-] *n.* [C] ① 돼지, (식용의) 불깐 수퇘지. ②《口》욕심쟁이, 더러운 사람. ***go the whole* ～** 《俗》 철저히 하다. ── *vt.* (***-gg-***) 《美俗》 탐내어 제몫 이상으로 갖다. **´·gish** *a.* 돼지 같은; 주접스러운.

hóg chòlera 《주로 美》 돼지콜레라.

hóg·nose snàke [´-nòuz-] (북미산의) 독없는 뱀의 일종.

hóg·pèn *n.* 《美》 =PIGSTY.

hogs·head [´-zhèd] *n.* [C] 액량 단위《미국 63갤런; 영국 52.5갤런》; 큰 통.

hóg·tìe *vt.* (…의) 네 발을 한 데 묶다; (…의) 자유를 빼앗다.

hóg·wàsh *n.* [U] 돼지먹이《부엌 찌꺼기》; 너절한 것.

ho-ho [houhóu] *int.* 오오《놀람·승리·조소의 소리》.

hoi·den [hɔ́idn] *n.* =HOYDEN.

hoi pol·loi [hɔ́i pəlɔ́i] (Gk.) (the ～) 민중.

***hoist**[1] [hɔist] *vt.* (기 따위를) 내걸다, 올리다; 들어 올리다. ── *n.* [C] 끌어〔감아〕 올리기; 기중기.

hoist[2] 폐어(廢語) hoise(=HOIST[1])의 과거분사. ***～ with one's own petard*** 제가 놓은 덫에 제가 걸려.

hoi·ty-toi·ty [hɔ́itití ɔ́iti] *int.* 거참!, 아니 이거!; 어이없군!《놀람·분노·경멸 등의 탄성》. ── *a.* 거만한; 《주로 英》 경박한, 까불어대는.

ho·key-po·key [hóukipóuki] *n.* [U] 값싼 아이스크림; 요술, 속임수.

ho·kum [hóukəm] *n.* [U] (영화·연극·연설 따위에서) 되는 대로의 저속한 대사〔연기〕.

†**hold**[1] [hould] *vt.* (***held***) ① (손에) 갖고 있다, 쥐다, 잡다(grasp); 안다, 품다. ② 소유〔보유〕하다; 차지하다. ③ (붙잡고) 놓지 않다; 보전〔유지〕하다, 보류하다. ④ (주의를) 끌다. ⑤ 수용하다. ⑥ (분노 따위를) 억누르다, 억제하다. ⑦ 〖레슬링〗 상대방을 꽉 붙잡다. ⑧ (약속을) 지키게 하다, (의무·책임을) 지우다. ⑨ …이라고 생각하다〔여기다〕. ⑩ 주장하다. ⑪ 거행하다, 개최하다, 열다. ── *vi.* ① 쥐고 있다. ② 유지〔보존〕하다, 지탱하다, 견디다. ③ 버티다. ④ 나아가다. ⑤ 효력이 있다. ⑥ (토지·재산·권리를) 보유하다(*of, from*). ***H-!*** 멈춰!; 기다려! ***～ back*** (*vt.*) 제지하다; 억제하다; (*vi.*) 삼가다, 망설이다(*from*). ***～ by*** 굳게 지키다. ***～ (a person) cheap*** (아무를) 깔보다. ***～ down*** 억누르다; 《美口》 (지위·직(職)을) 유지하다. ***～ forth*** 내밀다, 제공하다; 말하다, 설교하다. ***～ good* 〔*true*〕** 유효하다; 적용되다. ***～ in*** 억제하다, 참다. ***～ off*** (*vt.*) 멀리하다, 가까이 못 오게 하다; (*vi.*) 떨어져 있다, 지체하다. ***～ on*** …을 계속해 나가다; 지속하다, 붙잡고 늘어지다(*to*); 지탱하다; 《명령형으로》 멈춰!; 기다려! ***～ one's hand*** 보류하다. ***～ one's own* 〔*ground*〕** 자기의 위치를 〔입장을〕 지키다; 뒤지지 않다. ***～ on one's way*** 발을 옮기다. ***～ out*** (*vt.*) 제출〔제공〕하다; (손을) 내밀다; 주장하다; (*vi.*) 지탱하다, 견디다. ***～ over*** 연기하다; 사임 후에도 그 자리에 머물러 있다. ***～ to*** 굳게 지키다. ***～ together*** 결합하다, 통일을 유지하다. ***～ up*** 들다, 받치다; 지지하다; 명시〔제시〕하다; (아무를 모범으로서) 보이다; (본때로서)

H

여러 사람에게 보이다; 막다, 방해하다; 《美口》(사람·은행 따위를) 권총으로 위협하여 돈을 강탈하다[정지를 명하다]; 지탱하다; (좋은 날씨가) 계속되다, 오래가다; (속도를 늦추지 않고) 빨리 가다. ~ WATER. ~ ***with*** …에 편들다, …에 찬성하다.
— ***n.*** ① Ⓤ,Ⓒ 파악, 파지(把持), 유지, 버팀. ② Ⓒ 지지, 손[발]붙일 곳, 잡을 데; 자루, 손잡이. ③ Ⓒ 〖레슬링〗 꽉 붙잡는 수; Ⓤ 누름, 제압, 지배(*on*). ④ 〖樂〗 늘임표(⌒). ⑤ Ⓒ 형무소; 《古》 요새(要塞). ***catch*** [***get, lay, take***] ~ ***of*** …을 움켜 잡다[쥐다], 잡다. ***have a*** ~ ***on*** …의 급소를 쥐고 있다, …을 제압하는 위세가 있다. ***lose*** ~ ***of*** 손[발] 붙일 곳을 잃다.

hold² ***n.*** Ⓒ 〖海〗 선창; 화물실.

hóld·àll ***n.*** Ⓒ 여행용 옷가방[자루]; 잡낭.

hóld·bàck ***n.*** Ⓒ 장애(물).

*****hold·er**[´-ər] ***n.*** Ⓒ 소유자; hold하는 물건(*a pen* ~).

hóld·fàst ***n.*** Ⓒ 고정시켜 두는 기구.

hold·ing**[´-iŋ] ***n. ① Ⓤ 보유, 유지, 소유. ② Ⓤ 토지. ③ (*pl.*) 소유주, 지주(持株). ④ Ⓤ 〖競〗(축구 등의) 홀딩.

hólding còmpany 〖經〗 지주 회사, 모회사(母會社).

hóld·òver ***n.*** Ⓒ 이월(移越)(carryover); 잔존물; 잔류[유임]자; 낙제자, 재수생.

hóld·ùp ***n.*** Ⓒ 《美口》(노상) 강도(짓); (교통 기관 등의) 정체.

†**hole**[houl] ***n.*** Ⓒ ① 구멍; (짐승의) 소굴; 틈; 토굴 감옥(과 같은 장소). ② 결점. ③ 궁지(窮地). ④ 〖골프〗 구멍, 홀; tee에서 putting green까지의 구역; 득점. ***a*** ~ ***in the wall*** 지저분한[비좁은] 장소. ***burn a*** ~ ***in one's pocket*** (돈이) 몸에 붙지 않다. ***every*** ~ ***and corner*** 구석구석, 샅샅이. ***in*** (***no end of***) ***a*** ~ 《口》(밑빠진) 구멍에 빠져, 궁지에 빠져. ***make a*** ~ ***in*** …에 큰 구멍을 뚫다, 크게 축내다. ***pick*** ~***s in*** …의 흠을 잡다. — ***vt., vi.*** 구멍을 뚫다[에 들어가다]. ~ ***up*** 동면하다; 《俗》 숨다, 몸을 숨기다.

hóle-and-córner ***a.*** 비밀의; 하찮은.

†**hol·i·day**[hálədèi/hɔ́lədèi] ***n.*** Ⓒ ① (공)휴일, 축일(祝日). ② (보통 *pl.*) 《英》 휴가. ~ ***clothes*** [***attire***] 나들이 옷.

hóliday·màker ***n.*** Ⓒ 휴일을 즐기는 사람; 시끄럽고 저속한 유람객.

ho·li·er-than-thou [hóuliər*ð*ənðáu] ***a., n.*** 《美》 짐짓 체하는; Ⓒ 독선적인 (사람); 군자연하는 (자식).

ho·li·ness**[hóulinis] ***n. Ⓤ 신성. ***His*** [***Your***] ***H-*** 성하(聖下)《교황의 존칭》.

hol·la, hol·loa[hálə, həlɑ́:/hɔ́-], **hol·lo**[hálou, həlóu/hɔ́-] ***int., vi.*** 어어이!(하고 외치다). — ***n.*** Ⓒ 어어이하고 외치는 소리.

*****Hol·land**[hálənd/-ɔ́-] ***n.*** ① 네덜란드(the Netherlands). ② (*pl.*) =~ **gin** 네덜란드산의 진 술. ~**·er** ***n.*** Ⓒ 네덜란드 사람[배].

hol·ler[hálər/-ɔ́-] ***vi., vt.*** 《口》 큰 소리로 부르다, 외치다.

*****hol·low**[hálou/-ɔ́-] ***n.*** Ⓒ ① 구멍; 움푹 들어간 곳, 우묵한 곳. ② 골짜기. — ***vi., vt.*** 우묵 들어가(게 하)다; 도려[후벼]내다(*out*). — ***a.*** ① 우묵 들어간; 속이 텅 빈. ② 굴 속에서 울리는 (듯한), (목소리가) 힘없는. ③ 거짓의; 공허한; 실속 없는, 싱거운. ~ ***praise*** 입에 발린 말. ~ ***race*** [***victory***] 싱거운 경주[승리]. — ***ad.*** 《口》 완전히. ***beat*** (*a person*) ~ (아무를) 여지없이 해내다. ~**·ly** ***ad.*** ~**·ness** ***n.***

hóllow-èyed ***a.*** 눈이 우묵한.

hol·ly**[háli/-ɔ́-] ***n. Ⓒ 호랑가시나무; Ⓤ 그 가지《크리스마스 장식용》.

hólly·hòck ***n.*** Ⓒ 〖植〗 접시꽃.

*****Hol·ly·wood** [hálіwùd/-ɔ́-] ***n.*** Los Angeles 시의 한 지구, 영화의 도시.

holm¹**, holme**[houm] ***n.*** Ⓒ 《英方》 강 가운데 있는 섬, 강섬.

hólm² (**òak**) ***n.*** Ⓒ 〖植〗 너도밤나무 무리의 일종.

Holmes[houmz], **Sherlock** 영국 소설가 Arthur Conan Doyle의 작품 중의 명탐정.

hol·mi·um[hóu*l*miəm] ***n.*** Ⓤ 〖化〗 홀뮴《희유 금속 원소; 기호 Ho》.

Hol·o·caine[hálәkèin, hóul-/-ɔ́-] ***n.*** Ⓤ 〖藥·商標〗 홀로카인《안과용 국소 마취제》(phenacaine).

hol·o·caust[háləkɔ̀:st/hɔ́l-] ***n.*** Ⓒ (유대인 등이 짐승을 통째로 구워서 신에게 바치는) 희생; 대희생, 대학살.

hol·o·graph [háləgræ̀f/hɔ́ləgrɑ̀:f] ***n.*** Ⓒ 자필의 문서.

ho·log·ra·phy [həlágrəfi/-lɔ́g-] ***n.*** Ⓤ 홀로그래피《레이저 광선에 의한 입체 사진술》; 〖컴〗 입체 영상.

Hol·stein(**-Frie·si·an**) [hóulstain (frí:ziən), -sti:n-/-ɔ́-] ***n.*** Ⓒ 홀스타인《젖소》.

hol·ster[hóulstər] ***n.*** Ⓒ (가죽제) 권총 케이스.

*****ho·ly**[hóuli] ***a.*** ① 신성한, 거룩한. ② 성인 같은. — ***n.*** Ⓒ 신성한 장소[것]. ~ ***of holies*** (유대 신전의) 지성소(至聖所).

Hóly Allíance, the 〖史〗 신성 동맹(同盟)《1815년》.

Hóly Bíble, the 성서.

Hóly Cíty, the 성도(聖都)《Jerusalem, Mecca 따위》.

Hóly Commúnion 성찬식; 〖가톨릭〗 영성체(領聖體).

hóly dày 종교상의 축제일.

Hóly Fámily, the 성가족(聖家族)《성모 마리아의 팔에 안긴 어린 예수, 요셉, 어린 성(聖)요한 등을 표현한 그림·조각》.

Hóly Fáther, the 〖가톨릭〗 로마

교황《존칭》.
Hóly Ghóst, the 성령《Trinity의 제3위》(Holy Spirit).
Hóly Gráil, the ⇨GRAIL.
Hóly Lànd, the 성지(聖地)《Palestine》; (비(非)기독권의) 성지.
Hóly Òne, the 예수 그리스도; 구세주; 천주.
hóly órders 성직(聖職).
Hóly Róman Émpire, the 신성 로마 제국《962-1806》.
Hóly Scríptures, the 성서.
Hóly Sée, the ⇨SEE[2].
Hóly Spírit =HOLY GHOST.
hóly·stòne *n., vt., vi.* Ⓒ 〖海〗 닦음돌(로 갑판을 닦다).
Hóly Thúrsday 승천 축일; 〖가톨릭〗 성목요일《부활절 전주의 목요일》.
Hóly Wèek 부활절의 전주(前週).
Hóly Wíl·lie [-wíli] 가짜 신앙가 ⌊[종교가].
Hóly Writ, the 성서.
hom·age** [*h*ámidʒ/*h*ɔ́m-] *n.* Ⓤ 존경; 복종; 신종(臣從)의 예(禮). ***do* [*pay*] ~ *to …에게 경의를 표하다; 신하로서의 예를 다하다.
hom·bre [ámbrei/ɔ́m-] *n.* (Sp.) Ⓒ 사나이, 놈.
hom·burg, H- [hámbəːrg/-ɔ́-] *n.* Ⓒ 테가 좁은 중절모자의 일종.
†**home** [houm] *n.* ① Ⓤ,Ⓒ 집, 가정, 자택; 주거. ② Ⓤ 본국, 고향. ③ (the ~) 원산지, 본고장; 발상지. ④ Ⓤ,Ⓒ 안식처. ⑤ Ⓒ 수용소, 요양소. ⑥ Ⓤ 결승점; 〖野〗 본루(本壘). ***at ~*** 집에 있어; 면회일이어서; 고향[본국]에; 편히; 정통하여, 환하여, 숙달하여(*in, with*). (***a***) **~** ((《美》) ***away***) ***from ~*** 제 집과 같은 안식처《가정적인 하숙》. ***from ~*** 부재하여, 본국을 떠나. ***~, sweet home*** 그리운 내 집. ***last* [*long*] ~** 무덤. (***Please***) ***make yourself at ~.*** (부디) 스스럼 없이 편하게 하십시오. — *a.* ① 가정의, 자택(부근)의. ② 자기 나라의, 본토의, 국내의. ③ 중심을[급소를] 찌르는, 통렬한. — *ad.* ① 내[우리] 집으로, 고향[본국]으로. ② 급소를 찔러서, 따끔하게. ***be on one's* [*the*] *way ~*** 귀로에 있다. ***bring ~ to*** 통절[절실]히 느끼게 하다. ***come* [*go*] ~** 귀가[귀국]하다; 가슴에 찔리다(*to*). ***get ~*** 집으로 돌아가다[오다]; 회복하다. ***see a person ~*** 집까지 바래다 주다. — *vi., vt.* ① 귀가하다[시키다]; (비둘기가) 보금자리로 돌아오다[가다]. ② (비행기·미사일 따위가) 유도되다, (미사일 따위를) 자동 제어로 유도하다. ③ 가정을 갖다, 집을 주다.
hóme bànking 홈 뱅킹.
hóme báse 〖野〗 본루(本壘).
hóme·bréd *a.* 제 집에서 자란; 조잡한; 순진한; 국산의.
hóme·bréw *n.* Ⓤ,Ⓒ 자가 양조 음료. **~ed** *a.*
hóme-còming *n.* Ⓒ 귀가; 귀향; 《美》 (대학 등에서 1년에 한 번 여는) 동창회.
hóme compúter 〖컴〗 가정용 (소형) 컴퓨터.
Hóme Depártment [**Óffice**] 《英》 내무부.
hóme económics 가정학.
hóme ecónomist 가정학자.
hóme fòlks 고향 사람들《특히 일가 친척》.
hóme gròund 홈그라운드《팀 소재지의 경기장》; 본거지.
hóme-grówn *a.* 본토[본국]산의.
Hóme Guárd 《美》 국방 의용병; 《英》 향토 방위대원. 「혀 있는.
hóme·kèeping *a.* 집안에만 틀어박
hóme·lànd *n.* Ⓒ 고국, 본국.
***home·less** [ˊ-lis] *a.* 집 없는.
hóme·lìke *a.* 마음 편한.
:**home·ly** [ˊ-li] *a.* ① 가정의, 가정적인. ② 검소한, 수수한, 꾸밈 없는, 평범한. ③ 《美》 (얼굴이) 못생긴. **-li·ness** *n.*
:**hóme·máde** *a.* ① 손으로 만든; 집에서 만든. ② 국산의.
hóme·màker *n.* Ⓒ 《美》 주부.
ho·me·op·a·thy [hòumiápəθi/-ɔ́-] *n.* Ⓤ 동종 요법(同種療法)(opp. allopathy). **ho·me·o·path·ic** [ˋ--əpǽθik] *a.*
hóme·pàge *n.* 〖컴〗 홈페이지.
hóme pláte =HOME BASE. 「문.
hóme quéstion 급소를 찌르는 질
Ho·mer [hóumər] *n.* 호머, 호메로스《기원 전 10세기경의 그리스 서사시인; *Iliad, Odyssey*의 작자》.
:**hom·er** [hóumər] *n.* Ⓒ ① 〖野〗 홈런. ② 전서(傳書) 비둘기. 「(풍)의.
:**Ho·mer·ic** [houmérik] *a.* Homer
Homéric láughter 참을 수 없는 홍소, 가가대소.
:**hóme ròom, hóme·ròom** *n.* Ⓒ 《美》〖教育〗 홈룸; Ⓤ 홈룸의 수업[시 ⌊간].
hóme rúle 지방 자치.
:**hóme rún** 〖野〗 홈런.
Hóme Sécretàry, the 《英》 내상.
hóme shòpping 홈 쇼핑.
:**hóme·sìck** *a.* 회향병의, 홈식에 걸린. **~ness** *n.* Ⓒ 향수.
hóme·sìte *n.* Ⓤ (집의) 대지.
***hóme·spùn** *a., n.* ① 손으로 짠. ② 평범한, 조야한. ③ Ⓤ 손으로 짠 직물, 홈스펀.
***hóme·stèad** *n.* Ⓒ ① (농가의) 집과 부속지《밭을 포함해》. ②《美·캐나다》(이민에게 분양되는) 자작 농장.
hóme·strétch *n.* Ⓒ (결승점 앞의) 직선 코스; 마지막 부분.
hóme stúdy 통신 교육.
hóme·tòwn *n., a.* Ⓒ 고향의 도시(의), 살아서 정든 도시(의).
hóme trúth 결점, 약점.
***home·ward** [ˊ-wərd] *a., ad.* 귀로의; 집[본국]으로(향해서)의. **~s** *ad.* =HOMEWARD.
†**hóme·wòrk** *n.* Ⓤ ① 숙제, (집에서 하는) 예습, 복습. ② 집안 일, 가내 공업. ③ (회의 등을 위한) 사전 조사. ***do one's ~*** 《口》 사전 조사를

하다.
home·y[⌐i] *a.* 가정적인, 아늑한.
hom·i·cide[háməsàid/-ɔ́-] *n.* Ⓤ 살인; Ⓒ 살인자. **-cid·al**[⌐⌐sáidl] *a.*
hom·i·let·ic[hàməlétik/hɔ̀m-] *a.* 설교의. **~s** *n.* Ⓤ 설교술.
hom·i·ly[háməli/hɔ́m-] *n.* Ⓒ 설교; 훈계, 장황한 꾸지람.
hom·ing[hóumiŋ] *a.* 귀소성(歸巢性)의; 집에 돌아오〔가〕는. — *n.* Ⓤ 귀환, 회귀; 귀소성.
hóming ìnstinct 귀가〔귀소〕 본능.
hóming pìgeon 전서(傳書) 비둘기(carrier pigeon).
hóming torpèdo 자동 유도 어뢰.
hom·i·ny[hámәni/-ɔ́-] *n.* Ⓤ《美》 묽게 탄 옥수수(죽).
Ho·mo[hóumou] *n.* (L.) Ⓤ 사람속(屬)《학명》.
ho·mo[hóumou] *n., a.* 《俗》 =HOMOSEXUAL.
ho·mo-[hóumou, -mə] '같은, 동일'의 뜻의 결합사.
ho·moe·op·a·thy [hòumiápəθi/-ɔ́-] *n.* =HOMEOPATHY.
ho·mo·ge·ne·ous [hòumədʒíːniəs/hɔ̀m-] *a.* 동종〔동질·동성〕의 (opp. heterogeneous). **-ne·i·ty** [-dʒəníːəti] *n.*
ho·mog·e·nize [həmádʒənàiz/həmɔ́dʒ-] *vt.* 균질화(均質化)하다. ***~d milk*** 균질 우유.
hom·o·graph [hámәgræ̀f/hɔ́məgràːf] *n.* Ⓒ 동형 이의어(同形異義語) 《보기 : seal[1,2]》.
ho·mol·o·gous[houmáləgəs/həmɔ́l-] *a.* (위치 따위가) 상응〔대응〕하는, 일치하는.
ho·mol·o·gy[houmálədʒi, hə-/həmɔ́l-] *n.* Ⓤ 상동(相同), 상응.
hom·o·nym[hámənìm/-ɔ́-] *n.* Ⓒ 동음 이의어(同音異義語) 《*here*와 *hear; pen*[1]과 *pen*[2](울타리) 따위》(cf. ⇩).
hom·o·phone[háməfòun/-ɔ́-] *n.* Ⓒ 동음 이자(同音異字)《*s*ince의 *s, c* 나 *c*a*k*e의 *c, k*》; 동음 이철어(同音異綴語)《*here*와 *hear* 따위》(cf. ⇧).
Ho·mo sa·pi·ens[hóumou séipiənz] (L. =wise man) 인류.
ho·mo·sex·u·al[hòuməsékʃuəl] *a., n.* Ⓒ 동성애(同性愛)의 (사람). **-i·ty**[⌐⌐⌐⌐ǽləti] *n.*
hom·y[hóumi] *a.* =HOMEY.
Hon., hon. Hono(u)r; Hono(u)rable; Honorary.
Hon·du·ras [handjúərəs / həndјúər-] *n.* 중앙 아메리카의 공화국. **-ran**[-rən] *n., a.* Ⓒ ~의 (사람).
hone[houn] *n., vt.* Ⓒ (면도 따위의) 숫돌(로 갈다).
†**hon·est**[ánist/ɔ́n-] *a.* ① 정직한, 성실한. ② (술·우유 따위) 진짜의, 섞지 않은. ③ (돈 따위) 떳떳이 번. ***be ~ with*** …에게 정직하게 말하다; …와 올바르게 교제하다. ***earn*** 〔***turn***〕 ***an ~ penny*** 정당한 수단으로 돈을 벌다. ***make an ~ woman of*** 《口》 …을 정식 아내로 삼다. ***to be ~ with you*** (너에게) 정직하게 말하면. ***:~·ly*** *ad.*
Hónest Ínjun 〔**Índian**〕 《口》 정직하게 말해서, 정말로.
Hónest Jóhn 원자 로켓포의 일종.
:**hon·es·ty**[ánisti/ɔ́n-] *n.* Ⓤ 정직, 성실, 솔직.
:**hon·ey**[hʌ́ni] *n.* ① Ⓤ (벌)꿀; 화밀(花蜜). ② =DARLING. — *a.* 감미로운; 귀여운. — *vi.* 정다운〔달콤한〕 말을 하다; 《口》 발림말하다.
hóney·bèe *n.* Ⓒ 꿀벌.
***hóney·còmb** *n., vt., vi.* ① Ⓒ 꿀벌의 집. ② 벌집 모양으로 만들다; 구멍 투성이로 만들다. ③ (악폐가) 침식하다, 위태롭게 하다.
hóney·dèw *n.* Ⓤ (나무 껍질, 진디 따위의) 분비물, 감로(甘露); =∠ **mèlon** 감로 멜론.
hon·eyed[hʌ́nid] *a.* 달콤한; 간살스러운; 꿀로 달게 한. 「엄나무.
hóney lòcust 〖植〗 (북미산의) 쥐
***hon·ey·moon**[-mùːn] *n., vi.* Ⓒ ① 밀월《결혼 후의 1개월》(을 보내다); 신혼 여행(을 하다). ② 이상하게 친밀한 기간; 협조 관계.
***hon·ey·suck·le**[hʌ́nisʌ̀kl] *n.* Ⓤ,Ⓒ 〖植〗 인동덩굴(의 무리).
***Hóng Kóng, Hong·kong**[háŋkáŋ/hɔ́ŋkɔ́ŋ] *n.* 홍콩.
honk[hɔːŋk, haŋk/-ɔ-] *vi.* (기러기가) 울다; 경적을 울리다. — *n.* Ⓒ 기러기의 우는 소리; 경적을 울리는 소리.
honk·y-tonk[háŋkitàŋk, hɔ́ːŋkitɔ̀ːŋk/hɔ́ŋkitɔ̀ŋk] *n., a.* ① Ⓒ 《美口》 저속한 카바레〔댄스홀, 나이트클럽〕. ② Ⓤ 저속한 (음악).
:**Hon·o·lu·lu**[hànəlúːluː/hɔ̀n-] *n.* 하와이 주의 주도.
†**hon·or,** 《英》 **-our**[ánər/ɔ́-] *n.* ① Ⓤ 명예; 명성; 면목, 체면. ② Ⓤ 자존심, 염치심, 정절. ③ Ⓤ 경의. ④ (an ~) 명예〔자랑〕스러운 것〔사람〕 (*to*); (H-) 각하(*His* 〔*Her, Your*〕 *H-*). ⑤ Ⓒ (보통 *pl.*) 예우(禮遇), 작위(爵位); 훈장; 서훈; 의례(儀禮). ⑥ Ⓤ 영광, 특권. ⑦ (*pl.*) (대학의) 우등(*graduate with ~s* 우등으로 졸업하다). ⑧ (*pl.*) (카드놀이의) 주요(主要) 패《에이스 및 그림패》. ***be on one's ~ to*** (do), or ***be*** (***in***) ***~ bound to*** (do) 명예를 위해서도 …하지 않으면 안 되다. ***do ~ to*** …을 존경하다; …의 명예가 되다. ***do the ~s*** 주인 노릇을 하다(*of*). ***do*** 〔***render***〕 ***the last ~s*** 장례식을 행하다. ***give one's*** (***word of***) ***~*** 맹세하다. ***~ bright*** 《口》 맹세코, 기어코, 확실히. ***~s of war*** (투항군(投降軍)에 대한) 무인(武人)의 예(禮)《무장을 허용하는 따위》. ***in ~ of*** …에게 경의〔축의〕를 표하여, …을 기념하여. ***military ~s*** 군장(軍葬)의 예. ***point of ~*** 체면 문제. ***upon my ~*** 명예를 걸고〔위해서〕,

H

맹세코. —— *vt.* ① 존경하다. ② (…에게) 명예[영예]를 주다, (관위(官位)에) 서(敍)하다(*with*). ③ 〖商〗 (어음을) 인수하고 지불하다(cf. dishonor).

:hon·or·a·ble, 《英》 **-our-** [ánərəbl/ɔ́n-] *a.* ① 존경할 만한, 명예로운; 수치를 아는, 훌륭한. ② 고귀한; (H-) (영국에서는 각료·재판관 등, 미국에서는 의원(議員) 등의) 인명에 붙이는 존칭. ***Most H-*** 후작(侯爵) (Marquis)의 존칭. ***Right H-*** 백작 이하의 귀족·런던 시장·추밀 고문관의 존칭. ***-bly** *ad.*

hon·o·rar·i·um [ὰnərέəriəm/ɔ̀nərέər-] *n.* Ⓒ 사례금.

hon·or·ar·y [ánərèri/ɔ́nərəri] *a.* 명예상(上)의, 명예직의. ~ ***degree*** [***member, secretary***] 명예 학위[회원, 간사].

hon·or·if·ic [ὰnərífik/ɔ̀n-] *a.* 존경[경칭]의. —— *n.* Ⓒ 경칭《Dr., Prof., Hon. 따위》; (한국 말 등의) 경어.

hónor sýstem 《美》 (학교의) 무감독 (시험) 제도, (형무소의) 무감시 제도.

†hon·our, :hon·our·a·ble, &c. =HONOR, HONORABLE, &c.

hons. hono(u)rs. **Hon. Sec.** Honorary Secretary.

hooch [hu:tʃ] *n.* ① Ⓤ,Ⓒ 《美俗》 주류, 밀주(密酒). ② Ⓒ (오두막) 집.

:hood [hud] *n., vt.* Ⓒ ① 두건(으로 가리다). ② 덮개[포장](을 씌우다); 뚜껑(을 하다); 〖寫〗 (렌즈의) 후드. **~·ed** [⌐id] *a.* 두건을 쓴; 포장을 씌운; 두건 모양의.

Hood [hud], **Robin** 전설적인 영국의 의적(義賊), 활의 명수《12세기경》.

-hood [hud] *suf.* 《명사 어미》 상태·인격 따위를 나타냄: child*hood*, likeli*hood*, man*hood*.

hood·lum [hú:dləm] *n.* Ⓒ 불량자, 「갱.

hoo·doo [hú:du:] *n.* (*pl.* **~s**) Ⓒ 불운(不運); 불길한 물건[사람]; = VOODOO.

hóod·wìnk *vt.* (말·사람의) 눈을 가리다; 속이다.

hoo·ey [hú:i] *n., int.* Ⓤ 《美口》 허튼 소리[짓]; 바보 같은!

:hoof [hu:f, huf] *n.* (*pl.* **~s, *hooves***) Ⓒ (발)굽. ***get the*** ~ 《俗》 쫓겨나다, 해고되다. ***on the*** ~ (소·말이) 살아서. ***under the*** ~ 짓밟혀. —— *vt.* 발굽으로 차다; (걸어) 차다; 내쫓다. **~ed** [-t] *a.* 발굽 있는.

hóof·bèat *n.* Ⓒ 발굽 소리.

hoo-ha [hú:hὰ:] *n.* Ⓤ 《英口》 흥분, 소란, 시끄러움. —— *int.* 와아《떠드는 소리》.

:hook [huk] *n.* Ⓒ ① 갈고리, 훅; 걸쇠. ② 낚시, 코바늘. ③ 갈고리 모양의 곳, (하천의) 굴곡부. ④ 〖拳〗 훅; 〖野〗 곡구(曲球). ⑤ 〖樂〗 음표 꼬리《8분 음표 따위의 대에 붙은 것》. ***by*** ~ ***or by crook*** 무슨 수를 써서라도, 수단을 가리지 않고. ***drop off the ~s*** 《英俗》 죽다. ***get one's ~s into*** [***on***] 《口》 (남자)의 마음을 끌다. ***get the*** ~ 《俗》 해고되다. ~ ***and eye*** 훅단추. ***on one's own*** ~ 《口》 독립하여, 혼자 힘으로. —— *vt.* ① (갈고리처럼) 구부리다. ② 갈고리로 걸다(*on, up*); 훅으로 채우다. ③ 〖拳〗 훅을 먹이다. ④ 낚다, (아무를) 올가미로 호리다. ⑤ 《俗》 훔치다. —— *vi.* 갈고리에 걸리다; 갈고리처럼 휘다. ~ ***in*** 갈고리로 당기다; 갈고리로 고정시키다. ~ ***it*** 도망치다. ~ ***up*** 갈고리로 걸다, 훅으로 채우다[고정시키다]; 〖라디오·電話〗 중계[접속]하다; 관계하다(*with*); 〖野〗 대항 경기를 하다(*with*).

hook·a(h) [húkə] *n.* Ⓒ 수연통《물을 통해 담배를 빨게 된 장치》.

***hooked** [hukt] *a.* ① 갈고리 모양의; 훅이 달린. ② 《俗》 마약 중독의.

hóoked rúg 황마천 등에 털실이나 천조각으로 자수한 융단.

hook·er[1] [húkər] *n.* Ⓒ 네덜란드의 두대박이 어선; 영국의 외대박이 어선; 《海俗》 구식의[볼품 없는] 배.

hook·er[2] *n.* Ⓒ 《俗》 도둑, 사기꾼; 독한 술; 매춘부; 〖럭비〗 후커.

hóok·nòse *n.* Ⓒ 매부리코; 《美俗·蔑》 유대인.

hóok órder 소의 사회 서열《소의 사회에서 약자를 뿔로 받고 강자에게 받히는 일정한 순위》.

hóok·ùp *n.* Ⓒ 배선[접속](도); (방송) 중계; 《口》 제휴, 친선.

hóok·wòrm *n.* Ⓒ 십이지장충.

hook·y [húki] *a.* 갈고리의, 갈고리 같은[많은]. —— *n.* Ⓤ 《美》 학교를 빼먹음. ***play*** ~ 학교를 빼먹다.

hoo·li·gan [hú:ligən] *n.* Ⓒ 깡패, 불량자.

hoop** [hu:p] *n.* Ⓒ ① 테, 굴렁쇠. ② (스커트 폭을 벌어지게 하는) 버팀테. ③ (체조용의) 후프. ④ (croquet의) 기둥문. ⑤ (농구에서 망을 드리우는) 쇠테. ***go through the ~(***s***) 《口》 고생하다. —— *vt.* (…에) 테를 메다[두르다]; 둘러싸다. **⌐·er** *n.* Ⓒ 통(메)장이.

Hoop·e·rat·ing [hú:pərèitiŋ], **Hóoper ràting** 《美》 〖放〗 청취율[시청율] 순위.

hoop·la [hú:plɑ:] *n.* Ⓤ 고리던지기 놀이; 《口》 대소동; 과대 선전.

hoop·man [hú:pmən] *n.* (*pl.* **-men** [-mən]) Ⓒ 《俗》 농구 선수.

hoo·poe [hú:pu:] *n.* Ⓒ 〖鳥〗 후투티.

hóop skìrt 버팀살대로 퍼지게 한 스커트.

hoop·ster [hú:pstər] *n.* Ⓒ 《俗》 농구 선수; 훌라후프를 돌리는 사람.

hoo·ray [hu(:)réi] *int., n., v.* = HURRAH.

hoos(e)·gow [hú:sgau] *n.* Ⓒ 《美俗》 교도소.

Hoo·sier [hú:ʒər] *n.* Ⓒ Indiana주의 사람; 《俗》 촌놈.

***hoot** [hu:t] *vt., vi.* ① 야유하다. ② (올빼미가) 부엉부엉 울다. ③ 《주로

英》 (기적·나팔 따위가) 울리다. — *n.* Ⓒ ① 야유하는 소리. ② 올빼미가 우는 소리. ③ (기적·나팔 등이) 울리는 소리. ④《口》《부정문에서》 조금. **∠·er** *n.*

hoot·en·an·ny [húːtənæ̀ni] *n.* Ⓒ 《美》 청중이 참가하는 포크송 집회; 《주로 方》 거시키, 아무 것《기계 장치 등의 정확한 명칭을 모를 때 쓰임》.

Hoo·ver [húːvər] *n., vt.* Ⓒ《英口》 진공 청소기《상표명》; (h-) 진공 청소기(로 청소하다).

Hoo·ver, Herbert Clark (1874-1964) 미국의 31대 대통령(1923-33).

:hop[1] [hɑp/-ɔ-] *vi.* (**-pp-**) ① 뛰다 (*about, along*). ② 《口》 춤추다. ③ 이륙하다(*off*). — *n.* Ⓒ ① 앙감질. ② 도약. ③ 《口》 무도(회). **~, *step* [*skip*] *and jump*** 세단뛰기.

hop[2] *n.* ① Ⓒ 【植】 홉. ② (*pl.*) 그 열매《맥주에 쓴 맛을 냄》. ③ Ⓤ《俗》 마약, 아편. — *vt., vi.* (**-pp-**) 홉 열매를 따다; 홉으로 맛을 내다.

†hope [houp] *n.* ① Ⓤ,Ⓒ 희망, 기대. ② Ⓒ 유망한 사람〔것〕, 호프. — *vt., vi.* 희망〔기대〕하다. **~ *against* ~** 요행을 바라다. **~ *for the best*** 낙관하다. ***I* ~ *not.*** 아니라고 생각한다.

hópe chèst 《美》 처녀의 혼수감 함.

:hope·ful [∠fəl] *a.* 유망한, 희망찬. ***young* ~** 장래가 촉망되는 청년;《反語》 싹수가 노란 젊은이. ***~·ly** *ad.* **~·ness** *n.*

:hope·less [∠lis] *a.* 희망〔가망〕 없는; 절망의. ***~·ly** *ad.* **~·ness** *n.*

hóp·hèad *n.* Ⓒ《美俗》 마약 중독자.

hop-o'-my-thumb [hɑ́pəmaiθʌ́m/hɔ́pəmi-] *n.* Ⓒ 난쟁이.

hop·per[1] [hɑ́pər/-ɔ́-] *n.* Ⓒ (껑충) 뛰는 사람〔벌레〕; (제분기 따위의) 큰 깔대기 모양의 투입구;《濠》 캥거루.

hop·per[2] *n.* Ⓒ 홉(hop[2])을 따는 사람; 홉 즙을 내는 통.

hóp·scòtch *n.* Ⓤ 오랏말놀이.

Hor·ace [hɔ́ːris/hɔ́ris] *n.* (65-8 B. C.) 호라티우스《로마의 서정 시인》.

***horde** [hɔːrd] *n.* Ⓒ ① 유목민의 무리. ② 군중, 큰 무리〔떼〕.

hore·hound [hɔ́ːrhàund] *n.* Ⓤ (유럽산의) 쓴 박하(에서 얻는 기침약).

:ho·ri·zon [həráizən] *n.* Ⓒ ① 수평선, 지평선. ② 한계, 범위, 시계(視界), 시야. ***enlarge one's* ~** 안목〔식견〕을 넓히다. ***on the* ~** 수평선 위에; (사건 등이) 임박한; 분명해지고 있는.

:hor·i·zon·tal [hɔ̀ːrəzɑ́ntl/hɔ̀rəzɔ́n-] *a.* 지평선의; 수평의; 가로의 (opp. vertical); 평면의; 평평한. — *n.* Ⓒ 지평선, 수평선, 수평 위치. **~·ly** *ad.*

hòrizóntal bár (체조의) 철봉.

hórizòntal éngine 수평 엔진.

hórizòntal únion 직업별 조합(cf. vertical union).

:hor·mone [hɔ́ːrmoun] *n.* Ⓒ 【生化】 호르몬.

hórmone replácement thèrapy 【醫】 호르몬 치환 요법《estrogen을 써서 폐경에 수반되는 증상을 치료하며 골다공증을 예방함; 생략 HRT》.

:horn [hɔːrn] *n.* ① Ⓒ 뿔(모양의 것); Ⓤ (물질로서의) 뿔. ② Ⓒ 【動】 촉각, 촉수. ③ Ⓒ 뿔제품; 각적(角笛); 호른, 경적. ④ (the H-) ＝**Càpe Hórn** 남아메리카의 남단. ***draw* 〔*pull*〕 *in one's* ~s** 움츠리다, (으쓱거리던 사람이) 슬그머니 기죽은 소리를 하다, 조심하다. **~ *of plenty*** ＝CORNUCOPIA. ***on the* ~s *of dilemma*** 딜레마〔진퇴유곡〕에 빠져서. — *vt., vi.* ① 뿔로 받다. ② 뿔이 나다〔돋치다〕. ③《美口》 주제넘게 나서다(*in*).

hórn·bèam *n.* Ⓒ 【植】 서나무.

hórn·bìll *n.* Ⓒ 코뿔새.

hórn·blènde *n.* Ⓤ 각섬석(角閃石).

hórn·bòok *n.* Ⓒ (어린이에게 글을 가르치던 예전의) 글자판(板).

horned [hɔːrnd, (詩) hɔ́ːrnid] *a.* 뿔이 있는.

hórned ówl 부엉이.

hórned póut 메기.

hor·net [hɔ́ːrnit] *n.* Ⓒ 【蟲】 말벌의 일종; 귀찮은 사람. ***bring a* ~s' *nest about one's ears*** 큰 소동을 일으키다; 많은 원수를 만들다.

Hórn of África, the 아프리카 북동부의 돌출부에 대한 속칭.

horn·swog·gle [∠swɑ̀gəl/-ɔ̀-] *vt.* 《美俗》 속이다.

horn·y [hɔ́ːrni] *a.* 뿔의, 뿔 있는, 각질(角質)의, 단단〔딱딱〕한; 《俗》 호색(好色)의.

hórny hánd (막일로) 피부가 두꺼워진 손.

hor·o·loge [hɔ́ːrəlòudʒ, -lɑ̀dʒ/hɔ́rəlɔ̀dʒ] *n.* Ⓒ 시계(timepiece).

ho·rol·o·gy [hourɑ́lədʒi/hɔrɔ́l-] *n.* Ⓤ 시계학, 시계 제조술. **-ger** *n.* Ⓒ 시계 연구가, 시계공.

hor·o·scope [hɔ́ːrəskòup/hɔ́r-] *n.* Ⓒ 점성(占星); (점성용) 천궁도(天宮圖), 12궁도.

hor·ren·dous [hɔːréndəs/hɔr-] *a.* 무서운.

:hor·ri·ble [hɔ́ːrəbəl, -ɑ́-/-ɔ́-] *a.* ① 무서운. ② 심한, 지겨운. ***-bly** *ad.*

***hor·rid** [hɔ́ːrid, -ɑ́-/-ɔ́-] *a.* ＝⇧.

***hor·ri·fy** [hɔ́ːrəfài, -ɑ́-/-ɔ́-] *vt.* 무섭게 하다, 소름 끼치게 하다. **-fi·ca·tion** [hɔ̀ːrəfikéiʃən/-ɔ̀-] *n.* **~·ing** *a.* 소름 끼치는; 어이없는.

:hor·ror [hɔ́ːrər, -ɑ́-/-ɔ́-] *n.* ① Ⓤ 공포. ② (a ~) 혐오. ③ Ⓒ 무서운 것〔사람·사건〕; 형편 없는 것, 열등품. — *a.* (소설·영화 등) 소름끼치게 하는; 전율적인.

hórror stòry (살육·초자연력 등을 다룬) 공포물〔소설, 영화〕; 《口》 비참한 경험.

hórror-strìcken, -strùck *a.* 공포에 질린.

hors d'oeu·vre [ɔːr dɔ́ːrv] (F.) 【料理】 오르되브르, 전채(前菜).

†horse [hɔːrs] *n.* ① Ⓒ 말; 수말(cf. mare), 씨말. ② Ⓤ 《집합적》 기병 (cf. foot). ③ Ⓒ 【體操】 목마, 안마; (보통 *pl.*) 다리가 있는 물건걸이, 발

H

판. ④ Ⓒ《美俗》 자습서(crib). ***entire ~*** 씨말. ***light ~*** 경기병(輕騎兵). ***look a gift ~ in the mouth*** 받은 선물의 트집을 잡다《말은 그 이로 나이를 판단하는 데서》. ***mount* 〔*ride*〕 *the high ~*** 으스대다. ***play ~*** (아이가) 말로 알고 타다(*with*). ***play ~ with*** …을 무례하게 대하다, 무시하다. ***pull the dead ~*** 선불받은 임금 때문에 일하다. (***straight***) ***from the ~'s mouth*** 《俗》 (뉴스·속보(速報)가) 확실한〔믿을 만한〕 소식통에서 (직접). ***take ~*** 말을 타다, 말을 빌리다; (암말이) 교미하다. ***talk ~*** 허풍떨다. ***To ~!*** 《구령》 승마! ── *vt.* (수레에) 말을 달다; 말에 태우다; 혹사하다. ── *vi.* 승마하다; (말이) 암내내다.

hórse-and-búggy *a.* 케케 묵은.

***hórse·bàck** *n.* Ⓤ 말의 등(*on ~* 말을 타고).

hórse blòck 승마용 디딤대.

hórse bòx 말 운반용 화차.

hórse·brèaker *n.* Ⓒ 말의 조련사(調練師).

hórse·càr *n.* Ⓒ《美》(객차를 말이 끄는) 철도 마차; 말 운반차.

hórse chéstnut 〖植〗 마로니에.

hórse·fèathers *n.* Ⓤ《俗》 넌센스, 허튼 소리.

hórse·flèsh *n.* Ⓤ 말고기; 《집합적》 「말.

hórse flý 〖蟲〗 등에, 말파리.

Hórse Guàrds, the 근위 기병.

hórse·hàir *n.* Ⓤ 말총《갈기 및 꼬리》; 마소직(馬巢織).

hórse·hìde *n.* Ⓤ 말가죽.

hórse látitudes (대서양의) 무풍대(無風帶).

hórse·làugh Ⓒ (특히 조소적인) 너털웃음. 「필요 없는.

horse·less[^ˊlis] *a.* 말 없는, 말이

***horse·man**[ˊmən] *n.* Ⓒ ① 승마자, 기수. ② 기병. ③ 마술가(馬術家). **~·ship**[-ʃìp] *n.* Ⓤ 마술.

hórse marìne (상상의) 말 탄 해군; 부적격자. ***Tell that to the ~!*** 그 바보 같은 소리 좀 그만둬!

hórse òpera 《美》 서부 영화〔극〕.

hórse pìstol 마상용(馬上用) 대형 피스톨.

hórse·plày *n.* Ⓤ 야단법석. **~er** *n.* Ⓒ 경마광.

***hórse·pòwer** *n. sing. & pl.* 마력(馬力)《1초에 75kg을 1m 올리는 일률의 단위》.

***hórse ràce** 경마. 「냉이.

hórse·ràdish *n.* Ⓒ,Ⓤ 〖植〗 양고추

hórse sènse 《口》 (어설픈) 상식.

***hórse·shòe** *n., vt.* Ⓒ 편자(를 박다); 〖動〗 = ˊ **cráb** 참게.

hórseshoe màgnet 말굽 자석.

hórse·tàil *n.* Ⓒ 말 꼬리; 〖植〗 속새.

hórse-tràding *n.* Ⓤ 사기.

hórse tràiler 마필 운송용 트레일러.

hórse·whìp *n., vt.* (***-pp-***) Ⓒ 말채찍(으로 치다); 징계하다.

hórse·wòman *n.* Ⓒ 여기수.

hors·(e)y[ˊi] *a.* 말의, 말 같은; 말을〔경마를〕 좋아하는; 기수 같은.

hort. horticultural; horticulture.

hor·ta·tive[hɔ́ːrtətiv], **-ta·to·ry**[-tətɔ̀ːri/-təri] *a.* 권고〔충고〕의.

hor·ti·cul·ture [hɔ́ːrtəkʌ̀ltʃər/-ti-] *n.* Ⓤ 원예(술). **-tur·al**[ˋ-ˊ-tʃərəl] *a.* 원예(상)의. **-tur·ist**[ˋ-ˊ-tʃərist] *n.* Ⓒ 원예가.

Hos. Hosea.

ho·san·na[houzǽnə] *int., n.* Ⓒ 호산나《하느님 또는 예수를 찬미하는 말》.

hose**[houz] *n.* (*pl.* **~,** 《古》 **~*n) ① 《집합적》 긴 양말. ② Ⓤ,Ⓒ (*pl.* **~, ~*s***) 호스. ── *vt.* 긴 양말을 신기다; 호스로 물을 끼얹다.

Ho·se·a[houzíːə, -zéiə] *n.* 〖舊約〗 호세아서(書)(의 저자)《기원 전 8세기의 헤브라이의 선지자》.

hóse càrt (소방용) 호스 운반차.

hose·man[hóuzmən] *n.* Ⓒ 소방차의 호스 담당원.

hóse·pìpe *n.* Ⓒ 호스.

ho·sier[hóuʒər] *n.* Ⓒ (메리야스·양말 등의) 양품상(商)《사람》. **~·y** [-ri] *n.* Ⓤ 《집합적》 양품류; 양품업.

hos·pice[háspis/-5-] *n.* Ⓒ (종교 단체 등이 경영하는) 숙박소.

***hos·pi·ta·ble**[háspitəbəl/-5-] *a.* ① 극진한, 따뜻하게 대접하는. ② (새로운 사상 따위를) 기꺼이 받아들이는(*to*). **-bly** *ad.*

†**hos·pi·tal**[háspitl/-5-] *n.* Ⓒ 병원. ***be in*** (***the***) ***~*** 입원해 있다. ***be out of the ~*** 퇴원해 있다. ***go into ~*** 입원하다. ***leave ~*** 퇴원하다. **~·ize**[-àiz] *vt.* 입원시키다.

hóspital féver 병원 티푸스.

‡**hos·pi·tal·i·ty** [hàspətǽləti/hɔ̀s-pi-] *n.* Ⓤ 친절한 대접, 환대, 후대.

‡**host**[1] [houst] *n.* Ⓒ ① (손님에 대하여) 주인; (여관의) (남자) 주인. ② 〖生〗 (기생 생물의) 숙주(宿主). ***reckon* 〔*count*〕 *without one's ~*** 제멋대로 치부〔판단〕하다.

‡**host**[2] *n.* Ⓒ ① 많은 떼, 많은 사람, 다수. ② 《古》 군세(軍勢). ***heavenly ~s,*** or **~(*s*) *of heaven*** 하늘의 별; 천사의 떼.

host[3], **H-** *n.* (the ~) 〖宗〗 (미사용의) 성체, 제병(祭餠).

hos·tage**[hástidʒ/-5-] *n.* Ⓒ 볼모; 저당. ***~ to fortune 언제 잃을지 모르는 (덧없는) 것《처자·재산 따위》.

hóst compùter 〖컴〗 주(主)컴퓨터《대형 컴퓨터의 주연산 장치인 CPU가 있는 부분》.

‡**hos·tel**[hástəl/-5-] *n.* Ⓒ ① 호스텔《여행하는 청년들을 위한 숙박소》; 《英》 (대학의) 기숙사. ② 《古》 여관.

hos·tel·ler[hástələr/hɔ́s-] *n.* Ⓒ 여관 주인, 호스텔 이용〔경영〕자.

hos·tel·ry[hástəlri/hɔ́s-] *n.* 《古·雅》 Ⓒ 여관.

‡**host·ess**[hóustis] *n.* Ⓒ ① 여주인, (연회석 따위의) 주부역《host[1]의 여

성》. ② 스튜어디스; 여급. ③ (여관의) 여주인.
:hos·tile[hástil/hɔ́stail] *a.* ① 적의. ② 적의 있는, 적대하는.
:hos·til·i·ty[hastíləti/hɔs-] *n.* ① Ⓤ 적의, 적대, 저항; 전쟁 상태. ② (*pl.*) 전쟁 행위(*open* 〔*suspend*〕 *hostilities* 전쟁을 시작하다〔휴전하다〕).
hos·tler[háslər/ɔ́s-] *n.* Ⓒ (여관의) 마부(ostler).
†hot[hat/-ɔ-] *a.* (*-tt-*) ① 뜨거운; 더운. ② 매운; (빛깔이) 강렬한. ③ 열렬한, 열심인(*on*); 격한; 격렬한. ④ 호색적인; 스릴에 찬, 흥분시키는. ⑤ (뉴스 따위) 최신의, 아주 새로운. ⑥ (요리가) 갓 만든. ⑦ 《美俗》 (연기·경기가) 훌륭한. ⑧ 《俗》 갓 훔친(~ *goods* 갓 훔친 물건). ⑨ 〖재즈〗 열광적인《즉흥적으로 변주한》. ⑩ (고압) 전류의〔가 통하는〕; 방사능을 띤 (~ *wire* 고압선). BLOW[1] **~ *and cold.*** ***get it* ~** 호되게 야단 맞다. ***give it* ~** 몹시 꾸짖다. **~ *and heavy*** 〔***strong***〕 몹시, 호되게. **~ *and* ~** 갓 만든, 따끈따끈한. **~ *under the collar*** 《俗》 노하여. ***in* ~ *blood*** (열화같이) 노하여. **~ *with anger*** 격하여, 몹시 노하여. ***make it too* ~ *for*** (*a person*) = ***make a place too* ~ *for a person*** (아무를 방해하거나 지분거려) 못견디게 만들다. — *vt., vi.* (*-tt-*) 《英口》 (식은 음식물을) 데우다(*up*); 격화하다; (배·자동차의) 속도를 더 내다(*up*). ***∠.ly** *ad.* **∠.ness** *n.*
hót áir 《俗》 잡담; 허풍.
hót átom 방사성 원자.
hót·bèd *n.* Ⓒ 온상(溫床).
hót-blóoded *a.* 노하기〔흥분하기〕 쉬운; 앞뒤를 돌보지 않는, 무모한; 정열적인; (가축이) 혈통이 좋은.
hót-bràined *a.* 《古》 = HOTHEADED.
hót càke 핫케이크. ***sell*** 〔***go***〕 ***off like* ~*s*** 날개 돋치듯 팔리다.
hót céll 방사성 물질 처리용 차폐실.
hot·cha[hátʃə/-ɔ́-] *n., a.* 《俗》 핫차(차)《핫 재즈》; 매력적인.
hotch·pot[hátʃpàt/hɔ́tʃpɔ̀t] *n.* Ⓤ 〖法〗 재산 병합《유언이 없는 경우 유산의 균등 분배를 위해 모든 재산을 그러모으는 일》.
hotch·potch[hátʃpàtʃ/hɔ́tʃpɔ̀tʃ] *n.* Ⓤ 잡탕찜; 《英》 뒤범벅.
hót cròss bún 십자가가 그려 있는 빵《Good Friday에 먹음》.
hót dàrk mátter 〖宇宙〗 뜨거운 암흑 물질《암흑 물질(dark matter)로 생각되는 것 중 광속에 가까운 속도로 운동하는 것; 생략 HDM》.
hót dòg 핫 도그《뜨거운 소시지를 끼운 빵》.
:ho·tel[houtél] *n.* Ⓒ 호텔, 여관.
hotél·kèeper *n.* Ⓒ 호텔 경영자.
hotél·kèeping *n.* Ⓤ 호텔 경영.
hotél règister 숙박자 명부.
hót·fòot *ad., vi.* 《口》 부리나케 (가다).
hót·hèad *n.* Ⓒ 성급한 사람.
hót·hèaded *a.* 성급한, 격하기 쉬운. **~ly** *ad.* **~ness** *n.*
hót·hòuse *n.* Ⓒ 온실; 온상.
hót láb(oratory) (방사성 물질을 다루는) 원자핵 연구소.
hót lìne 긴급 직통 전화선; (the ~) 미소 수뇌간의 직통 전용 텔레타이프선.
hót móney 《俗》 핫 머니《국제 금융 시장에서 고리를 위해 이동하는 단기 자금》; 부정한 돈.
hót pànts (여성용) 핫 팬츠; 《美俗》 색정.
hót párticle 〖理〗 고방사능 입자《원자로의 사고 등으로 대기중에 방출되는 높은 방사능을 지닌 미립자》.
hót plàte 요리용 철판; 전기〔가스〕 풍로; 음식용 보온기; 전열기.
hót pòt 《주로 英》 쇠고기·양고기와 감자를 찐 요리.
hót potáto 《英》 껍질채 구운 감자; 《美口》 난처〔불쾌〕한 상태〔문제〕.
hót-prèss *n., vt.* Ⓒ 가열 압착기; 가열 압착하다.
hót ròd 《美俗》 (개조) 쾌속차.
hót sèat 《美俗》 전기 의자; 곤란한 입장.
hót-shòrt *a.* 열에 약한.
hót·shòt *n.* Ⓒ 《俗·反語》 수완가; 소방사; 급행 화물 열차.
hót spòt 분쟁 지역; 환락가.
***hót spríng** 온천.
hót·spùr *n.* Ⓒ 성급한〔격하기 쉬운〕 사람.
hót stúff 《俗》 정열가, 정력가; 대단한 것〔사람〕.
hót-témpered *a.* 성미급한, 성마른.
Hot·ten·tot[hátntàt/hɔ́tntɔ̀t] *n.* Ⓒ (남아프리카의) 호텐토트 사람; Ⓤ 호텐토트 말.
hót wár 무력전, 열전(cf. cold war).
hót wáter 더운 물, 뜨거운 물; 《口》 곤경.
hót-wáter bàg 〔**bòttle**〕 탕파(湯婆).
hót-wáter hèating 온수 난방.
hót-wáter sýstem 스팀용 배관.
hót wèll = HOT SPRING; 탕조(湯槽)《보일러에 되돌리기 전의 응축 증기를 모으는 곳》.
hou·dah[háudə] *n.* = HOWDAH.
hough[hak/-ɔ-] *n., v.* = HOCK[1].
:hound[haund] *n.* Ⓒ ① 사냥개; 개. ② 비열한 자. ③ 《口》 (무엇인가에) 열중하는 사람. ***follow the* ~*s,*** or ***ride to* ~*s*** 사냥개를 앞세워 말 타고 사냥하다. — *vt.* ① 사냥개로 사냥하다. ② 맹렬히 쫓다. ③ (부)추기다, 격려하다(*on*).
hóund·tòoth 하운드 투스(무늬).
†hour[auər] *n.* Ⓒ ① 한 시간(의 노정·거리). ② 시각, 시. ③ (*pl.*) 영업〔집무·기도〕 시간(*after* ~*s*). ***after* ~*s*** 정규 업무시간 후에. ***at all* ~*s*** 언제든지. ***by the* ~** 시간제로. ***every* ~ *on the* ~** 매 정시《1시, 2시, 3시…》. ***in an evil* ~** 나쁜 때에. ***in the* ~ *of need*** 정말 필요할 때에. ***keep bad*** 〔***late***〕 ***~s***

H

밤샘하고 늦잠 자다. ***keep good* [*early*] ~** 일찍 자고 일찍 일어나다. ***of the* ~** 목하[현재]의(*a man of the* ~ 당대의 인물). ***out of* ~*s*** 근무 시간 외에. ***take* ~*s over*** (…에) 몇 시간이나 걸리다. ***the small* ~*s*** 자정부터 오전 3·4시경까지, 야밤중. ***till* [*to*] *all* ~*s*** 밤늦게까지. ***to an* ~** 제 시각에. ***What is the* ~?** =What time is it? *∠·**ly** *a., ad.* 한 시간마다(의); 빈번한[히].

hóur·glàss *n.* Ⓒ 각루(刻漏)《모래[물]시계 따위》.

hóur hànd 시침(時針).

hou·ri[húəri, háu-] *n.* Ⓒ 〖이슬람〗 천녀(天女); 미인.

†**house**[haus] *n.* (*pl.* ***houses***[háuziz]) Ⓒ ① 집, 가옥; 집안, …가(家)(*the H- of Windsor* 윈저가(家)《지금의 영국 왕가》). ② 건물, 상점, 회사. ③ 회관; 극장;《집합적》 관객, 청중. ④ 의사당, (H-) 의회. ⑤ (the H-)《英口》 증권 거래소. ⑥ 〖天〗 궁(宮), 성수(星宿). ⑦《英》= HOUSEY-HOUSEY. ***a* ~ *of call*** 단골집. ***bring down the* (*whole*) ~** 《口》 만장의 대갈채를 받다. ***clean* ~** 집을 정리하다; 숙청하다. ***empty* ~** (극장의) 입장자가 적음. ***from* ~ *to* ~** 집집이. ***full* ~** 대만원. **~ *and home*** 가정. **~ *of cards*** (어린이가) 카드로 지은 집; 위태로운 계획. **~ *of correction*** (경범) 교정원. **~ *of God*** 교회, 예배당. **~ *of ill fame*** 청루(青樓), 갈봇집. ***Houses of Parliament***《英》 의사당. ***keep a good* ~** 호화로운 생활을 하다. ***keep* ~** 가정을 갖다, 살림살이를 맡다. ***keep the* ~** 집에 들어박히다. ***like a* ~ *on fire***《俗》 맹렬히, 빨리. ***on the* ~** 사업주가 부담하는, 무료의. ***play at* ~(*s*)** 소꿉장난하다. ***the H- of* C**OMMON**s** [L**ORD*s*,** R**EPRESENTATIVE*s***]. — [hauz] *vt.* ① 집에 들이다, 숙박시키다, 수용하다. ② 덮다. ③ 〖建〗 끼우다, 박다. — *vi.* ① 안전한 곳에 들다. ② 묵다, 살다.

hóuse àgent《英》 부동산중개업자.

hóuse arrèst 자택 감금, 연금.

hóuse·bòat *n.* Ⓒ (살림하는) 집배, (숙박 설비가 된) 요트.

hóuse·bòy *n.* Ⓒ (집·호텔 등에서 잡일을 하는) 일꾼.

hóuse·brèak *vi.* (***-broke, -broken***) (대낮에) 침입 강도짓을 하다. **~er** *n.* Ⓒ (가택) 침입 강도. **~ing** *n.* Ⓤ 가택 침입, 침입 강도질[죄].

hóuse·bròken, -bròke *a.* 집안에서 길러 길이 든.

hóuse càll 왕진.

hóuse·clèan *vt., vi.* (집의) 대청소를 하다.

hóuse·clèaning *n.* Ⓤ 대청소; 숙청.

hóuse·còat *n.* Ⓒ 실내복《여성이 집에서 입는 헐렁한 옷》.

hóuse dìnner (클럽·학교 따위의 특별 만찬회).

hóuse dùty 가옥세.

hóuse flàg 〖海〗 (소속 회사의) 사기(社旗).

hóuse·flỳ *n.* Ⓒ 집파리.

hóuse·fùl *n.* Ⓒ 집안에 가득함.

hóuse fùrnishings 가정용품.

‡**hóuse·hòld** *n., a.* ① Ⓒ《집합적》 가족(의); (고용인도 포함한) 온 집안 사람. ② 가사의, 가정의. ③ (the H-)《英》 왕실.

hóusehold árts 가정(학).

hóuse·hòlder *n.* Ⓒ 호주, 세대주.

hóusehold góds (옛 로마의) 가정 수호신; 가보(家寶); 가정 필수품.

hóusehold stúff 가재(家財).

hóusehold wórd 흔히 잘 쓰이는 말[속담, 이름].

‡**hóuse·kèeper** *n.* Ⓒ 주부; 가정부; 하녀 우두머리.

***hóuse·kèeping** *n.* Ⓤ 가계.

hóuse·lìghts *n. pl.* (극장의) 객석 조명.

hóuse·màid *n.* Ⓒ 가정부.

hóuse·màster *n.* Ⓒ (남자 기숙사의) 사감.

hóuse·mìstress *n.* Ⓒ (여자 기숙사의) 사감; 여주인.

hóuse òrgan 사내보(社內報).

hóuse pàrty (별장 따위에서의, 수일에 걸친) 접대 연회; 그 체재객들.

hóuse·phòne *n.* Ⓒ (호텔·아파트 등의) 내선 전화.

hóuse physícian (병원·여관 등의) 입주 내과 의사.

hóuse·ròom *n.* Ⓤ 집[가옥]의 수용력; 숙박.

hóuse-to-hóuse *a.* 집집마다의, 호별의.

hóuse·tòp** *n.* Ⓒ 지붕. ***proclaim from the* ~*s 널리 알리다[선전하다].

hóuse tràiler 이동 주택차.

hóuse·wàres *n. pl.* 가정용품.

hóuse·wàrming *n.* Ⓒ 집들이.

‡**hóuse·wìfe** *n.* Ⓒ ① 주부. ② [hʌ́zif] (*pl.* ***~s, -wives***[-ivz]) 반짇고리. **~ly** *a.* 주부다운; 알뜰한.

hóuse·wìfery *n.* Ⓤ 가정(家政), 가사.

***hóuse·wòrk** *n.* Ⓤ 가사, 집안일.

house·y-house·y[háusiháusi] *n.* Ⓤ bingo 비슷한 카드놀이.

***hous·ing**[1][háuziŋ] *n.* ① Ⓤ 주택 공급(계획). ② Ⓤ《집합적》 집, 주택. ③ Ⓒ 〖機〗 가구(架構).

hous·ing[2] *n.* Ⓒ (종종 *pl.*) 마의(馬衣), 말의 장식.

hóusing devèlopment [《英》 **estàte**] 집단 주택(용지), 단지(團地), 계획 주택[아파트]군(群).

hóusing pròblem 주택 문제.

hóusing pròject《美》 주택 계획; (저소득자용) 공영 단지.

hóusing shòrtage 주택난.

Hous·ton[hjúːstən] *n.* 미국 Texas 주의 도시《우주선 비행 관제 센터가 있음》.

Hou·yhn·hnm[huːínəm, hwí-, húihnəm, huínəm] *n.* Ⓒ 이성을 갖춘 말《*Gulliver's Travels*》.

hove[houv] *v.* heave의 과거(분사).

hov·el[hʌ́vəl, hάv-] *n.* Ⓒ 오두막집, 광, 헛간. ― *vt.* (**-ll-**)《廢》오두막집에 넣다.

:hov·er[hʌ́vər, hάv-] *vi.* ① 하늘을 날다(*about, over*). ② 배회[방황]하다, 어정거리다; 주저하다.

Hov·er·craft[-kræ̀ft, -krὰ:ft] *n.* Ⓒ【商標】호버크라프트《고압 공기를 분출하여 기체를 띄워 달리는 탈것》(ground effect machine).

hóver·plàne *n.*《英》=HELICOPTER.

†how[hau] *ad.* ①《수단·방법》어떤 식[모양]으로, 어떻게 하여, 어떻게. ②《정도》얼마만큼; 얼마나. ③《감탄문으로》참으로(*H- hot it is!*). ④《상태》(건강·날씨 따위가) 어떤 상태로(*H- is she the* [*weather*]*?*). ⑤ …하다는 것(that)(*I taught the boy ~ it was wrong to tell a lie.*《주의》이것은 'that'보다도 impressive 한 용법; 그러나 howclause 중에 *a., ad.* 를 포함하고 있지 않은 때에는 옛날 용법; *She told me ~ she had read about it in the papers.*). ⑥《관계 부사로서》…만큼, …정도로. ***and ~***《口》대단히. ***H-!***《美》뭐라고요? 한번만 더 말씀해 주세요(《英》What?). ***H- about ...?*** …에 관해서 어떻습니까. ***H- are you?*** 안녕하십니까《인사말》. ***H- do you do?*** 안녕하십니까;《초면의 인사로서》처음 뵙겠습니다. ***H- do*** [***did***] ***you like it?*** 감상은 어떠하십니까, 느끼신 감상은? ***H- much is it?*** (값은) 얼마입니까. ***H- now*** [***then***]***?*** 이는 어찌된 일일까. ***H- say you?*** 자네의 의견은? ***H- so?*** 어째서 그런가. ― *n.* (the ~) 방법. ***the ~ and the why of it*** 그 방법과 그 이유.

how·bé·it *conj., ad.*《古》…라고는 하지만, 그렇지만.

how·dah[háudə] *n.* Ⓒ 상교(象轎)《코끼리 등의 닫집 가마》.

how-do-you-do [háudəjədú:], **how-d'ye-do** [háudidú:] *n.* Ⓒ《口》곤란한 일[입장].

how·dy[háudi] *int.*《方·口》여어, 안녕하세요.

how·e'er [hauέər]《雅》=HOWEVER.

†how·ev·er[hauévər] *ad.* ① 아무리 …일지라도. ② 도대체 어떻게 해서(*H- did you do it?*). ― *conj.* 그렇지만.

how·itz·er[háuitsər] *n.* Ⓒ【軍】곡사포.

:howl[haul] *vi.* ① Ⓒ (개·늑대 따위가 소리를 길게 배어) 짖다, 멀리서 짖다. ② (사람이) 크게 울부짖다, 큰 소리를 내다. ③ (바람이) 윙윙 휘몰아치다. ― *vt.* ① 울부짖으며 말하다(*out, away*). ② 호통쳐서 침묵시키다(*down*). ― *n.* Ⓒ (개·늑대 따위가) 짖는 소리; 신음소리; 불평, 반대. **∠·er** *n.* Ⓒ 짖는 짐승;【動】짖는 원숭이; 큰 소리를 내는 것《사람·라디오 따위》; 큰 실수. **∠·ing** *a.* 울부짖는; 쓸쓸한;《口》터무니 없는, 대단한.

hów·so·éver *ad.* 아무리 …일지라도(however).

hoy·den[hɔ́idn] *n.* Ⓒ 말괄량이. **~·ish** *a.*

Hoyle[hɔil] *n.* Ⓒ 카드놀이 규칙(의 책). ***according to ~*** 규칙대로(의); 올바른.

H.P. 《俗》hire-purchase. **H.P., HP, hp, h.p.** high pressure; horsepower. **HQ, H.Q., hq., h.q.** headquarters. **hr.** hour(s). **H.R.** Home Rule; House of REPRESENTATIVES. **H.R.H.** His [*or* Her] Royal Highness. **hrs.** hours. **HRT**【醫】hormone replacement therapy. **H.S.E.** *hic sepultus est*(L.=here is buried). **H.S.H.** His [*or* Her] Serene Highness. **HST** hypersonic transport. **ht.** height; heat. **h.t.** high tension.

hub[hʌb] *n.* Ⓒ 바퀴통《수레바퀴의 중심》; 중심(부);【컴】허브《몇 개의 장치가 접속된 장치》; (the H-) Boston 시의 별칭.

hub·ba-hub·ba[hʌ́bəhʌ́bə] *int.*《美俗》좋아좋아!; 빨리빨리!

hub·ble [hʌ́bəl] *n.* Ⓒ 작은 혹. **-bly** *a.* 혹투성이의, 우툴두툴한.

hub·bub[hʌ́bʌb] *n.* (보통 a ~) 왁자지껄, 소란.

hub·by[hʌ́bi] *n.*《口》= HUSBAND.

huck·a·back[hʌ́kəbæ̀k] *n.* Ⓤ 타월천의 일종.

huck·le·ber·ry[hʌ́kəlbèri] *n.* Ⓒ (미국산(産)의) 월귤(나무).

huck·ster[hʌ́kstər] *n.* Ⓒ 소상인, 행상인; (돈에 다라운) 상인;《美口》선전[광고]업자. ― *vi., vt.* 자그마하게 장사하다, 외치며 팔다, 도부치다; 값을 깎다. **~·ism**[-ìzəm] *n.* Ⓤ 판매 제1주의.

hud·dle**[hʌ́dl] *vt.* ① 뒤죽박죽 섞어 모으다[처넣다, 쌓아 올리다](*together, into*). ② 되는 대로 해치우다(*up, through*). ③ 급히 입다(*on*). ― *vi.* 붐비다, 떼지어 모이다(*together*). ***~ oneself up, or ***be ~d up*** 몸을 움츠리다[곱송그리다]. ― *n.* Ⓒ ① 혼잡, 난잡. ② 군중. ③ 밀담. ④【美式蹴】(다음 작전 지시를 위한) 선수의 집합. ***go into a ~*** 밀담하다.

***Hud·son**[hʌ́dsən] *n.* (the ~) New York 주를 흐르는 강.

Húdson Báy 캐나다 북동부의 만.

Húdson séal 모조 바다표범 가죽.

:hue[1][hju:] *n.* ① Ⓤ,Ⓒ 빛깔, 색채; 색조. ② Ⓒ 특색.

hue[2] *n.* Ⓒ 고함, 외침(소리)(outcry). ***a ~ and cry*** 추적[공격]의 함성; 비난[탄핵]의 소리.

huff[hʌf] *vt.* 못살게 굴다, 을러대다; 성나게 하다; (checker에서) 상대의 말을 잡다. ― *vi.* 성내다; 뽐내다. ― *n.* (*sing.*) 분개, 화. ***take***

H

~ 성내다. ∠·ish, ∠·y a. 성난; 삐기는; 성마른.
huff-duff[hʌ́fdʌ́f] n. Ⓒ《俗》고주파대(對) 잠수함 탐지기.
:hug[hʌg] vt. (**-gg-**) ① (꼭) 껴안다. ② (편견 따위를) 고집하다. ③ (…에) 접근하여 지나다. — n. Ⓒ 꼭 껴안음; 〖레슬링〗 끌어안기.
:huge[hju:dʒ] a. 거대한; 막대한. ∠·ly ad. 거대하게, 대단히.
hug·ger-mug·ger[hʌ́gərmʌ̀gər] n., a., ad. Ⓤ 혼란(한, 하여); 비밀(의, 히). — vt. 숨기다. — vi. 비밀〔내밀〕히 하다.
Hu·go[hjú:gou], **Victor**(1802-85) 프랑스의 작가·시인·극작가.
Hu·gue·not[hjú:gənɑ̀t/-nɔ̀t] n. Ⓒ 위그노《16-17세기 프랑스의 신교도》.
huh[hʌ] int. 하아, 흥, 허어, 뭐라고《놀람·경멸·의문 따위를 나타냄》.
hu·i[hú:i:] n. ① Ⓤ (하와이의) 공동 영업(partnership). ② Ⓒ 클럽, 협회; 회합.
hu·la[hú:lə] n. Ⓒ (하와이의) 훌라댄스《hula-hula라고도 함》.
húla hòop 훌라 후프.
húla skìrt (긴 풀로 엮은) 훌라댄스용 스커트.
hulk[hʌlk] n. Ⓒ 노후선, 폐함《창고·옥사(獄舍)로 쓰던》; 멋없이 큰 배〔거인·하물〕. ∠·ing a. 부피 큰; 멋없는, 볼품 없는.
***hull**[1][hʌl] n., vt. Ⓒ ① 껍데기〔껍질·깍지〕(를 제거하다). ② 덮개(를 벗기다).
hull[2] n. Ⓒ 선체《마스트나 돛은 포함하지 않음》; (비행정의) 정체(艇體). ~ **down** (돛대만 보이고) 선체가 수평선 밑에 보이지 않을 정도로 멀리. — vt. (탄알로) 선체를 꿰뚫다.
hul·la·ba·loo[hʌ́ləbəlù:, ⌐−−⌐] n. Ⓒ 왁자지껄함, 떠들썩함, 시끄러움; 큰 소란.
hul·lo(a)[həlóu, hʌ́lóu] int., n. 《주로 英》= HELLO.
:hum[hʌm] vi. (**-mm-**) ① (벌·팽이가) 윙윙하다, 윙 울리다. ② 우물우물 말하다. ③ 콧노래를 부르다, 허밍으로 노래하다. ④ (불만스런 듯이) 흥하다. ⑤ (사업이) 경기가 좋다. ~ **(a baby) to sleep** 콧노래를 불러(아기를) 잠들게 하다. ~ **and ha**〔**haw**〕(대답에 궁하여) 말을 우물쭈물하다; 머뭇거리다. **make things** ~ 경기〔활기〕를 띠게 하다. — n. ① (sing.) 붕, 윙윙; 멀리서 들려오는 소음. ② Ⓒ (라디오의) 험; 음(하는 소리)《망설일 때의》. — [m:, m m:] int. 흥, 흠《당혹·놀람·의혹의 기분으로》.
†hu·man[hjú:mən] a. ① 사람의, 인간적인. ② 인간에게 있기 쉬운(*To err is ~, to forgive* DIVINE.). ~ **affairs** 인간사. ~ **being** 인간. **less than** ~ 인도를 벗어나서. **more than** ~ 초인적이어서. — n. Ⓒ 사람.
húman dócument 인간 기록.
:hu·mane[hju(:)méin] a. ① 인정 있는, 친절한. ② 사람을 고상하게 만드는; 우아한. ~ **studies** 인문 과학. ~·ly ad. ~·ness n.
húman engineéring 인간 공학.
Humáne Socìety 동물 애호 협회; 《英》 수난(水難) 구조회.
húman geógraphy 인문 지리(학).
hu·man·ics [hju:mǽniks] n. Ⓤ 인간학.
***hu·man·ism**[hjú:mənìzəm] n. Ⓤ ① 인문〔인본〕주의. ② 인문학《14-16세기의 그리스·로마의 고전 연구》. ③ 인도주의. ***-ist** n. **-is·tic**[⌐−ístik] a. 인문〔인도〕주의적인.
hu·man·i·tar·i·an [hju:mæ̀nətέəriən] a. 인도주의의, 박애의. — n. Ⓒ 인도〔박애〕주의자. ~·**ism** [-ìzəm] n.
:hu·man·i·ty[hju:mǽnəti] n. ① Ⓤ 인간성. ② Ⓤ《집합적》인류, 인간. ③ (pl.) 사람의 속성. ④ Ⓤ 인간애, 자비. ⑤ Ⓒ 자선 행위. **the humanities** 그리스·라틴 문학; 인문 과학《어학·문학·철학·예술 따위》.
hu·man·ize[hjú:mənàiz] vt., vi. 인간답게 하다〔되다〕; 교화하다〔되다〕, 인정 있게 만들다〔되다〕.
húman·kìnd n. Ⓤ《집합적》인류.
hu·man·ly[hjú:mənli] ad. 인간답게; 인력으로써; 인간의 판단으로. **be ~ possible** 인간의 힘으로 할 수 있다.
hu·man·oid[hjú:mənɔ̀id] a. 인간에 근사한. — n. Ⓒ 원인(原人); (SF 소설에서) 인간에 유사한 우주인.
húman relátions 인간〔대인〕 관계.
húman torpédo 인간 어뢰《목표 가까이까지 인간이 유도함》.
:hum·ble[hʌ́mbl] a. ① (신분이) 비천한; (스스로를) 낮추는, 겸손한. ② (식사 따위) 검소한. **eat ~ pie** 굴욕을 참다. — vt. (품위·지위 따위를) 천하게〔떨어지게〕 하다, 욕을 보이다, 창피를 주다. ~ **oneself** 스스로를 낮추다. ***-bly** ad. (스스로를) 낮추고, 겸손히. ~·**ness** n.
hum·ble·bee [-bì:] n. 《주로 英》 =BUMBLEBEE.
hum·bug[hʌ́mbʌ̀g] n. ① Ⓤ 협잡, 속임수; 야바위. ② Ⓒ 사기꾼, 협잡꾼. — vt. (**-gg-**) 속이다, 협잡하다. — vi. 속임수를 쓰다. — int. 엉터리!; 시시하다! ∠·**ger·y** n. Ⓤ 속임(수), 협잡, 사기.
hum·drum[hʌ́mdrʌ̀m] n., a. ① Ⓤ 평범(한), 단조(로운). ② Ⓒ 지루한 (이야기·일 따위).
Hume[hju:m], **David**(1711-76) 스코틀랜드의 철학자·역사가.
hu·mer·us [hjú:mərəs] n. (pl. **-meri**[-meràì]) Ⓒ 〖解·動〗 상완골.
hu·mid**[hjú:mid] a. 습기 있는, 눅눅한. ~·**i·fy**[−⌐əfài] vt. (실내 따위에 적당한) 습도를 주다. **~·**i·ty** [−⌐əti] n. Ⓤ 습기, 습도.
hu·mid·i·stat[hju:mídəstæ̀t] n. Ⓒ 습도 자동 조절 장치.

***hu·mil·i·ate**[*h*juːmílièit] *vt.* 욕보이다, 굴욕을〔창피를〕 주다. **-at·ing** *a.* 굴욕적인. ***-a·tion**[-ˌ-éiʃən] *n.* Ⓤ,Ⓒ 부끄러움(을 줌), 창피(를 줌), 굴욕.

:hu·mil·i·ty[*h*juːmíləti] *n.* Ⓤ 겸손, 「겸허.

***hum·ming**[hʌ́miŋ] *a., n.* ① Ⓤ 붕붕〔윙윙〕하는 (소리), 콧노래(를 부르는). ② 활발한, 씽씽한, (장사가) 번성하는, (맥주가) 거품 이는.

húmming·bìrd *n.* Ⓒ 〖鳥〗 벌새.

húmming tòp 윙윙 소리 나는 팽이.

hum·mock[hʌ́mək] *n.* Ⓒ 작은 언 「덕.

:humor, 《英》 **-mour**[*h*júːmər] *n.* ① Ⓤ 유머, 해학, 우스개. ② Ⓤ 기질. ③ Ⓤ 일시적인 기분, 심기; 변덕. ④ Ⓒ (옛 생리학에서) 체액《blood, phlegm, choler, melancholy의 4 종류》. ***in good*** 〔***ill***〕 ~ 기분이 좋아〔언짢아〕. ***out of*** ~ 기분이 나빠서, 성이 나서. — *vt.* ① 만족시키다; (…의) 비위를 맞추다, 어르다. ② 양보하다. **~·ist** *n.* Ⓒ 해학가, 익살꾼; 유머 작가. **~·less** *a.*

hu·mor·esque[*h*jùːmərésk] *n.* Ⓒ 〖樂〗 유머레스크, 표일곡(飄逸曲).

:hu·mor·ous, 《英》 **-mour-**[*h*júːmərəs] *a.* 해학적인, 익살맞은, 유머러스한, 우스운, 희롱하는. **~·ly** *ad.* **~·ness** *n.*

hu·mor·some, -mour-[*h*júːmərsəm] *a.* 변덕스러운.

hump**[hʌmp] *n., vt.* ① Ⓒ (등의) 혹, 육봉(肉峰). ② (the ~) 《英俗》 우울, 화가 남. ③ (등을) 등그렇게 하다(*up*). ***get the ~ 화를 내다. ~ ***oneself*** 《美口》 노력하다, 열심히 하다. **ˊ-·y** *a.* 혹 모양의, 혹이 있는.

húmp·bàck(ed) *n., a.* Ⓒ 곱사등〔곱추〕(의); 새우등(의).

humph[mm, mmm, hə̃h, hʌmf] *int.* 흥《불신·불만·경멸 등을 나타냄》.

Hump·ty-Dump·ty [hʌ́mptidʌ́mpti] *n.* Ⓒ 땅딸막한 사람; 넘어지면 못 일어나는 사람《Mother Goose에 나오는 달걀의 의인》; 어떤 기분이라도 말로 나타낼 수 있는 사람《L. Carroll의 작품에서》. 「토.

hu·mus[hjúːməs] *n.* (L.) Ⓤ 부식

Hun[hʌn] *n.* (the ~s) 훈 족, 흉노《4-5세기경 유럽을 휩쓴 아시아의 유목민》; (종종 h-)(예술 따위의) 파괴자; 야만인; Ⓒ 《蔑》 독일 사람〔병사〕.

***hunch**[hʌntʃ] *n.* Ⓒ ① 육봉(肉峰), 혹. ② 두꺼운 조각, 덩어리. ③ 《美口》 예감, 육감. — *vt.* (등 따위를) 구부리다(*out, up*).

húnch·bàck *n.* Ⓒ 곱사등(이).

†hun·dred[hʌ́ndrəd] *a.* 백(사람·개)의, 많은. ***a*** ~ ***and one*** 많은. — *n.* ① Ⓒ 백, 백 사람〔개〕; (~s) 다수, 많음. ② (the ~) 백야드 경주; Ⓒ 《美口》 백 달러; 《英口》 백 파운드. ***by*** ~***s*** 몇 백이고, 많이. ***a great*** 〔***long***〕 ~ 백 이십. ~***s and thousands*** 몇 십만, 무수; 굵은 설탕. ***like a*** ~ ***of bricks*** 《口》 대단한 무게〔기세〕로. **~·fold**[-fòuld] *a., ad.* 백 배의〔로〕. ***~th** *n., a.* Ⓒ (보통 the ~) 제(第) 100(의), 100 번째의; Ⓒ 100분의 1(의).

Húndred Dáys 〖史〗 (나폴레옹의) 백일 천하《1815년 3월 20일-6월 28일》.

húndred hòurs 《방송 용어》 …시 (*twelve* 〔*twenty*〕 ~, 12〔20〕시).

húndred-próof *a.* (위스키가) 알코올 농도 50도인; 《美俗》 순수한, 진짜의.

húndred·wèight *n.* Ⓒ 무게의 단위《美=110 lb., 英=112 lb.; 생략 cwt》.

Húndred Yéars' Wár 백년 전쟁《1337-1453의 영불 전쟁》.

:hung[hʌŋ] *v.* hang의 과거(분사).

Hung. Hungarian; Hungary.

Hun·ga·ry[hʌ́ŋgəri] *n.* 헝가리.

Hun·gar·i·an[hʌŋgέəriən] *a., n.* 헝가리의; Ⓒ 헝가리 사람(의); Ⓤ 헝가리 말(의).

:hun·ger[hʌ́ŋgər] *n.* ① Ⓒ 굶주림, 공복. ② (a ~) 갈망(*for, after*). ***die of*** ~ 굶어 죽다. — *vi., vt.* ① 굶주리(게 하)다. ② 갈망하다(*for, after*).

húnger cùre 절식〔단식〕 요법.

húnger màrch 《英》 기아 행진《실업자의 데모 행진》.

húnger strìke 단식 투쟁.

húng júry 《美》 불일치 배심, 의견이 엇갈려 판결을 못 내리는 배심(단).

†hun·gry[hʌ́ŋgri] *a.* ① 굶주린, 공복의, 배고픈. ② 갈망하는(*after, for*). ③ (토지가) 메마른. **hún·gri·ly** *ad.* 굶주린 듯이, 게걸스럽게.

hunk[hʌŋk] *n.* Ⓒ 《口》 (빵 따위의) 두꺼운 조각; 《美俗》 훌륭한 사람.

hunk·y-do·ry[hʌ́ŋkidɔ́ːri] *a.* 《美俗》 만족스러운, 최상〔최고〕의.

:hunt[hʌnt] *vt.* ① 사냥하다; (개·말을) 사냥에 쓰다. ② 몰이하다, 찾다 (*up, out*). ③ 추적하다; 쫓아 버리다(*out, away*). ④ 괴롭히다, 박해하다. — *vi.* ① 사냥을 하다. ② 찾다(*after, for*). ~ ***down*** (궁지 따위에) 몰아넣다. ~ ***up*** 찾아내다. — *n.* Ⓒ 사냥; 수렵대(隊)〔회·지(地)〕; 탐색.

:hunt·er[hʌ́ntər] *n.* Ⓒ ① 사냥꾼, 사냥개. ② 탐구자(*a fortune* ~ 재산을 노리고 구혼하는 사람). ③ 양(兩)딱지 회중 시계.

húnter-gátherer *n.* Ⓒ 〖人類〗 수렵 채집인.

Húnt·er-Rús·sel sýndrome [hʌ́ntərrʌ́sl-] 헌터 러셀 증후군《유기 수은 중독》.

húnter's móon 사냥 달《harvest moon 다음 달로, 사냥 계절의 시작》.

:hunt·ing[hʌ́ntiŋ] *n.* Ⓤ ① 사냥. ② 탐색, 추구.

húnting bòx 〔**lòdge**〕 《주로 英》 사냥 산막.

húnting càp 헌팅캡, 사냥 모자.

H

húnting cròp 사냥용 채찍.
húnting dòg 사냥개.
húnting fìeld 사냥터.
húnting gròund 사냥터.
húnting hòrn 수렵용 나팔.
húnting sèason 사냥철.
hunt·ress[⌐ris] *n.* Ⓒ 여자 사냥꾼.
húnts·man[-smən] *n.* (*pl.* **-men**) Ⓒ 사냥꾼; 사냥개지기.
húnt-the-slípper *n.* Ⓤ 슬리퍼 찾기《놀이》.
***hur·dle**[hə́:rdl] *n.* Ⓒ ① (울타리 대용의) 바자. ② (장애물 경주의) 허들; (the ~s) 장애물 경주. ③ 장애. *high* 〔*low*〕 *~s* 고〔저〕장애물 경주. ── *vt.* (장애·곤란을) 뛰어 넘다. **hur·dler** *n.* Ⓒ 허들 선수.
húrdle ràce 허들〔장애물〕 경주.
hur·dy-gur·dy [hə́:rdigə̀:rdi] *n.* Ⓒ 손잡이를 돌려서 타는 오르간.
:hurl[hə:rl] *vt., n.* Ⓒ ① (…에게)(내) 던지다, 내던짐. ② (욕을) 퍼붓다〔퍼부음〕. **⌐·ing** *n.* Ⓤ 던짐; 헐링《아일랜드식 하키》.
hur·ly-bur·ly[hə́:rlibə̀:rli] *n.* Ⓤ 혼란, 혼잡, 소동.
:hur·rah[hərɑ́:, -rɔ́:/hurɑ́:], **hur·ray**[huréi] *int., vi., n.* Ⓒ 만세!(하고 외치다〔외치는 소리〕). ── *vt.* 환호하여〔환호성으로〕 맞이하다.
***hur·ri·cane**[hə́:rəkèin/hʌ́rikən] *n.* Ⓒ ① 폭풍, 허리케인; (열대의) 구풍(颶風). ② (감정의) 폭발. ③ (H-)《英》〖軍〗 허리케인 전투기.
húrricane dèck 상갑판.
húrricane glòbe 램프의 등피.
húrricane làmp 〔**làntern**〕 강풍용 램프.
húrricane wàrning 〔**wàtch**〕 폭풍 경보〔주의보〕.
:hur·ried[hə́:rid, hʌ́rid] *a.* 매우 급한; 재촉 받은; 허둥대는. **:⌐·ly** *ad.* 매우 급히.
†hur·ry[hə́:ri, hʌ́ri] *n.* Ⓤ (매우) 급함〔서두름〕. *in a ~* 급히, 서둘러서, 허둥대어; 《부정문에서》 쉽사리; 《부정문에서》 자진하여, 기꺼이. ── *vi., vt.* (…에게) 서두르(게 하)다. *H- up!* 서둘러라!; 꾸물거리지 마라!
húrry càll 비상 호출.
húrry-scúrry, -skúrry[-skə́:ri/-skʌ́ri] *ad., a., vi., n.* 황급히, 황급한, Ⓒ 허둥지둥(하는), 허둥대다.
húrry-ùp *a.* 《口》 ① 급히 서두르는. ② 긴급(용)의.
†hurt[hə:rt] *n., vt.* (*hurt*) Ⓤ,Ⓒ ① (…에게) 상처(를 입히다), 부상(을 입히다), 다치다. ② (…에게) 고통(을 주다). ── *vi.* 아프다. *feel ~* 불쾌하게 생각하다, 감정을 상하다. *~ oneself* 다치다. **⌐·ful** *a.* 해로운. **⌐·ful·ly** *ad.* **⌐·ful·ness** *n.*
hur·tle[hə́:rtl] *vi.* (돌·화살 따위가) 부딪치다.
†hus·band [hʌ́zbənd] *n.* Ⓒ 남편; 《古》 절약가. *good ~* 검약가. ── *vt.* ① 절약하다. ② 《古》 …의 남편이 되다. **~·man** *n.* Ⓒ 농부. ***~·ry** *n.* Ⓤ 농업; 절약(*bad ~ry* 규모 없는 살림살이).
:hush[hʌʃ] *n., vi., vt.* Ⓤ,Ⓒ 침묵(하다, 시키다), 고요(해지다, 하게 하다). *~ up* 입다물게 하다, (소문을) 쉬쉬해버리다; (*vi.*) 입 밖에 내지 않다. ── *int.* 쉿!
húsh·a·bỳ(e)[hʌ́ʃəbài] *int.* 자장 자장《아기를 잠 재울 때》.
húsh-húsh *a.* 내밀(의), 극비(의).
húsh mòney 입막음 돈.
húsh pùppy 《美南部》 허시퍼피《옥수수 가루의 둥근 튀김 빵》.
***husk**[hʌsk] *n., vt.* Ⓒ ① (과실·옥수수 따위의) 껍질(을 벗기다). ② (일반적으로) 쓸 데 없는 외피.
húsking bèe 《美》 옥수수 껍질을 까기 위한 (친한 사람끼리의) 모임.
***husk·y**[1][hʌ́ski] *a.* ① 깍지의〔와 같은, 가 많은〕. ② 쉰 목소리의; (재즈 싱어의 목소리가) 허스키(husky voice)인. ③《美口》 억센, 실팍진. ── *n.* Ⓒ《美口》 실팍한 사람. **húsk·i·ly** *ad.* 쉰 목소리로; 허스키(보이스)로. **húsk·i·ness** *n.*
husk·y[2] *n.* Ⓒ 에스키모 개; (H-) 에스키모 사람.
Huss[hʌs], **John**(1369?-1415) 보헤미아의 종교 개혁자.
hus·sar[huzɑ́:r] *n.* Ⓒ 경기병(輕騎兵).
hus·sy[hʌ́si, -z-] *n.* Ⓒ 말괄량이.
hus·tings[hʌ́stiŋz] *n. sing. & pl.* 《英》 (국회의원 선거의) 연단(演壇).
***hus·tle**[hʌ́səl] *vi., vt.* ① 힘차게 밀다〔서로 떠밀다〕. ② 서두르다. ③ (*vi.*)《美口》 맹렬히〔정력적으로〕 일하다. ── *n.* Ⓤ,Ⓒ 서로 떠밀기; 서두름; 《口》 정력. **hús·tler** *n.* Ⓒ 세게 미는 사람; Ⓒ《美口》 적극적인 활동가; (H-)《美》〖로켓〗 추진 엔진.
:hut[hʌt] *n., vt., vi.* (*-tt-*) Ⓒ ① 오두막(집)(에 살(게 하)다). ② 임시 병사(兵舍)(에 머무르(게 하)다).
hutch[hʌtʃ] *n.* Ⓒ (작은 동물용) 우릿간, 우리; 오두막(hut).
hüt·te[hýtə] *n.* (G.) 휘테.
hut·ting[hʌ́tiŋ] *n.* Ⓤ (병사 따위의) 건재(建材).
Hux·ley[hʌ́ksli], **Aldous**(1894-1963) 영국의 소설가.
huz·za(h)[həzɑ́:] *int., n., vi.* 만세!(의 외침); 환호(하다).
Hwang Ho[hwǽŋ hóu] (중국의) 황허.
Hy. Henry.
:hy·a·cinth[háiəsìnθ] *n.* ① Ⓒ〖植〗 히아신스. ② Ⓤ 보라색. ③ Ⓤ,Ⓒ〖鑛〗 풍신자석(風信子石).
hy·ae·na[haií:nə] *n.* =HYENA.
hy·a·line[háiəlin, -làin, -lì:n] *n., a.* 유리 같은, 수정 같은, 투명한; Ⓤ〖生化〗 히알린.
hy·a·lu·rón·ic ácid[hàiəlurɑ́nik-/-ɔ́-]〖生化〗 히알루론산(酸)《산성 다당류(多糖類)》.
:hy·brid[háibrid] *n., a.* Ⓒ ① 잡종(의); 혼성(混成)(의). ② 혼성어〔물〕.

H

~·ism[-ìzəm] *n.* Ⓤ 잡종성(hybridity); 교배, 혼성. **~·ize**[-àiz] *vt., vi.* (…와) 교배시키다; (…의) 잡종을 낳다; 혼성어를 만들다. **~·i·za·tion**[ˌ--izéiʃən] *n.*
hýbrid compúter 〖컴〗 하이브리드 컴퓨터《analogue와 digital 양쪽의 하드웨어를 갖는 컴퓨터》.
hyd. hydraulics; hydrostatics.
Hyde[haid] *n.* **Mr.** ~ ⇨JEKYLL.
Hýde Pàrk, the 하이드 파크《런던의 유명한 공원》.
hydr-[haidr] =HYDRO-《모음 또는 h로 시작되는 말 앞에서》.
hy·dra[háidrə] *n.* (H-) 〖그神〗 (머리를 베면 다시 또 나는) 아홉머리의 괴이한 뱀; Ⓒ 근절하기 어려운 것; 〖動〗 히드라; (H-) 〖天〗 바닷뱀자리.
hy·dran·gea[haidréindʒiə] *n.* Ⓒ 〖植〗 수국(속(屬)).
hy·drant[háidrənt] *n.* Ⓒ 급수전(給水栓), 소화전(消化栓).
hy·drar·gy·rum[haidrá:rdʒərəm] *n.* Ⓤ 〖化〗 수은《기호 Hg》.
hy·drate[háidreit] *n.* Ⓤ,Ⓒ 〖化〗 수화물(水化物). **hy·dra·tion**[haidréiʃən] *n.* Ⓤ 수화(水化)(작용).
hy·drau·lic[haidrɔ́:lik] *a.* 수력〔수압〕의; 유체(流體)의〔에 관한〕. **~s** *n.* Ⓤ 수력학(水力學).
hydráulic engineéring 수력공학, 수공(水工)학.
hy·dra·zide [háidrəzàid] *n.* Ⓤ 〖化〗 하이드라지드《결핵 치료제》.
hy·dra·zine[háidrəzì:n, -zin] *n.* Ⓤ 〖化〗 히드라진《환원제·로켓 연료용》.
hy·dric[háidrik] *a.* 〖化〗 수소의〔를 함유한〕.
hy·dri·od·ic[hàidriádik] *a.* 옥화(沃化) 수소산의.
hy·dro[háidrou] *n.* (*pl.* **~s**) Ⓤ,Ⓒ 수력 전기; 수력 발전소; Ⓒ 수상 비행기.
hy·dro-[háidrou, -drə] '물·수소'의 뜻의 결합사.
hỳdro·áirplane, 《英》 **-áero-** *n.* Ⓒ 수상비행기.
hỳdro·biólogy *n.* Ⓤ 수생(水生) 생물학; 호소(湖沼) 생물학.
hýdro·bòmb *n.* Ⓒ (뇌격기에서 발사하는) 공중 어뢰.
hỳdro·brómic *a.* 〖化〗 브롬화수소의. 「소.
hỳdro·cárbon *n.* Ⓒ 〖化〗 탄화수
hỳdro·céphalus *n.* Ⓤ 〖病〗 뇌수종(腦水腫).
hy·dro·chló·ric ácid [hàidrouklɔ́:rik-/-klɔ́(:)-] 염산.
hy·dro·cy·án·ic ácid[-saiǽnik-] 시안화수소산(酸), 청산.
hỳdro·dynámics *n.* Ⓤ 유체 역학; 유체 동역학.
***hỳdro·eléctric** *a.* 수력 전기의. ***-electrícity** *n.* Ⓤ 수력 전기.
hy·dro·foil[háidroufɔ̀il] *n.* =HYDROVANE.
:hy·dro·gen [háidrədʒən] *n.* Ⓤ 〖化〗 수소《기호 H》.
hy·dro·gen·ate [háidrədʒənèit/haidrɔ́dʒ-], **-gen·ize**[-dʒənàiz] *vt.* 〖化〗 수소와 화합시키다.
hýdrogen bòmb 수소 폭탄.
hýdrogen cýanide 시안화 수소.
hýdrogen ìon 〖化〗 수소 이온.
hy·drog·e·nous [haidrádʒənəs/-ɔ́-] *a.* 수소의, 수소를 함유하는.
hýdrogen peróxide 과산화수소.
hýdrogen súlfide 〔**súlphide**〕 황화(黃化)수소. 「(水爆彈頭).
hýdrogen wárhead 수폭 탄두
hy·drog·ra·phy[haidrágrəfi/-ɔ́-] *n.* Ⓤ 수로학(水路學)《하천학 따위》; 수로 측량(학).
hy·droid[háidrɔid] *a., n.* Ⓒ 〖動〗 히드로충(의).
hỳdro·kinétics *n.* Ⓤ 유체 동역학.
hy·drol·y·sis[haidrálәsis/-ɔ́-] *n.* Ⓤ,Ⓒ 〖化〗 가수분해.
hy·dro·lyze [háidroulàiz] *vt., vi.* 〖化〗 (…와) 가수분해하다.
hỳdro·mechánics *n.* Ⓤ 〖理〗 유체(流體) 역학.
hy·drom·e·ter [haidrámitər/-ɔ́mi-] *n.* Ⓒ 액체 비중계.
hy·drop·a·thy[haidrápəθi/-ɔ́-] *n.* Ⓤ (광천(鑛泉)에 의한) 수(水)치료법.
hy·dro·pho·bi·a[hàidroufóubiə] *n.* Ⓤ 공수병, 광견병. **-pho·bic** *a.*
hýdro·phòne *n.* Ⓒ 수관검루기(水管檢漏器); 수중 청음기《잠수함 탐색 등에 씀》.
hy·dro·phyte[háidroufàit] *n.* Ⓒ 수생식물(水生植物).
hýdro·plàne *n.* Ⓒ 수상(비행)기.
hy·dro·pon·ic[hàidrəpánik/-ɔ́-] *a.* 수경법(水耕法)의. **~s** *n.* Ⓤ 수경법, 물재배(栽培).
hýdro·pòwer *n.* Ⓤ 수력 전기.
hy·drops[háidraps/-ɔ-] *n.* Ⓤ 수종병(水腫病).
hy·dro·qui·none [hàidroukwinóun] *n.* Ⓤ 하이드로퀴논《사진 현상액·의약·페인트 연료용》.
hýdro·scòpe *n.* Ⓒ 수중 안경.
hy·dro·sphere[háidrəsfìər] *n.* Ⓒ (대기중의) 물기; (지구면의) 수권(水圈), 수계(水界).
hy·dro·stat[háidrəstæ̀t] *n.* Ⓒ 누수(漏水) 검출기; (보일러의) 폭발 방지 장치.
hy·dro·stat·ic[hàidrəstǽtik] *a.* 유체 정역학의. **~s** *n.* Ⓤ 유체 정역학.
hydrostátic prèss 수압기.
hy·dro·ther·a·peu·tics[hàidrouθèrəpjú:tiks], **-ther·a·py**[-θérəpi] *n.* Ⓤ 물요법(療法).
hy·drot·ro·pism[haidrátrəpìzəm/-ɔ́-] *n.* Ⓤ 〖植〗 굴수성(屈水性).
hy·drous[háidrəs] *a.* 수소를〔물을〕 함유하는, 함수의.
hýdro·vàne *n.* Ⓒ (잠수함·비행정 등의) 수중익(水中翼); 수중익선(船).
hy·drox·ide[haidráksaid/-ɔ́-] *n.* Ⓒ 〖化〗 수산화물.
hy·dróx·yl[haidráksil-/-ɔ́-] 〖化〗 수산기(水酸基).

H

hy·dro·zo·an[hàidrəzóuən] *n.* Ⓒ 〖動〗 히드로충(蟲).
hy·e·na[haiíːnə] *n.* Ⓒ 〖動〗 하이에나; 욕심꾸러기.
Hy·ge·ia[haidʒíːə] *n.* 〖그神〗 건강의 여신.
***hy·giene**[háidʒiːn] *n.* Ⓤ 위생학, 섭생법. **hý·gi·en·ist** *n.*
hy·gi·en·ic [hàidʒiénik, haidʒíːn-], **-i·cal**[-əl] *a.* 위생(학)의. **~s** *n.* Ⓤ 위생학.
hy·gro-[háigrou, -grə] '습기, 액체'의 뜻의 결합사.
hy·gro·graph[háigrəgræ̀f, -grɑ̀ːf] *n.* Ⓒ 자기(自記) 습도계.
hy·grom·e·ter[haigrámitər/-ɔ́-mi-] *n.* Ⓒ 습도계.
hýgro·scòpe *n.* Ⓒ 습도계, 검습계.
hy·ing[háiiŋ] *v.* hie의 현재분사.
Hyk·sos[híksous] *n.* 힉소스《B.C. 18-16세기경의 이집트 왕조》.
Hy·men[háimən/-men] *n.* 〖그神〗 결혼의 신; (h-) Ⓒ 〖解〗 처녀막. **hy·me·ne·al**[hàimənίːəl/-me-] *a., n.* Ⓒ 결혼의 (노래).
:hymn[him] *n.* Ⓒ 찬송가. ― *vt.* 찬송〔찬미〕하다. **hym·nal**[hímnəl] *a., n.* 찬송가의; Ⓒ 찬송가집(集).
hy·os·cine[háiəsìːn] *n.* Ⓤ 〖藥〗 = SCOPOLAMINE.
hy·os·cy·a·mine[hàiəsáiəmìːn, -min] *n.* Ⓤ 〖藥〗 히오시아민《진정제·동공 확산제》.
hy·pal·la·ge[haipǽlədʒi, hi-] *n.* Ⓤ 〖修〗 대환(법)(代換(法))《'*Fish swarm* in this lake.' 대신 '*This lake swarms* with fish.'로 하는 등》; =TRANSFERred epithet.
hype[haip] *n.* 《美俗》 = HYPODERMIC; Ⓒ 마약 중독(자); Ⓤ 사기, 과대 광고. ― *vt.* 《美俗》 (마약을 주사하여) 흥분시키다, 자극하다; 속이다, 과대 선전하다.
hy·per-[háipər] *pref.* '과도·초(超)…'의 뜻.
hỳper·acídity *n.* Ⓤ 위산 과다증.
hy·per·aes·the·sia[hàipərəsθíːʒiə, -riːsθíːziə] *n.* Ⓤ 〖醫〗 지각 과민, 과민증.
hy·per·bar·ic [hàipərbǽrik] *a.* 〖醫〗 고압산소 요법의.
hy·per·bo·la[haipə́ːrbələ] *n.* Ⓒ 〖幾〗 쌍곡선.
hy·per·bo·le[-bəli] *n.* Ⓤ,Ⓒ 〖修〗 과장(법). **-bol·ic**[hàipəːrbálik/-ɔ́-], **-i·cal**[-əl] *a.* 과장(법)의; 쌍곡선의.
hy·per·bo·loid[haipə́ːrbəlɔ̀id] *n.* Ⓒ 〖數〗 쌍곡면.
Hy·per·bo·re·an[hàipərbɔ́ːriən/-bɔːríː(ː)ən] *n., a.* Ⓒ 〖그神〗 (북풍 저쪽의) 상춘(常春)의 나라의 주민(의); (h-) 극북〔극한(極寒)〕의.
hy·per·cho·les·ter·ol·e·mia [hàipərkəlèstrəlíːmiə] *n.* Ⓤ 〖醫〗 과〔고〕콜레스테롤 혈증.
hỳper·crítical *a.* 혹평의, 혹평적인.
hỳper·críticism *n.* Ⓤ 혹평.
hy·per·es·the·sia [hàipərisθíːʒiə/-riːsθíːziə] *n.* 《美》 = HYPERAESTHESIA.
hy·per·gly·ce·mi·a[hàipərglaisíːmiə] *n.* Ⓤ 〖醫〗 과혈당증.
hỳper·inflátion *n.* Ⓒ 초(超)인플레이션.
hy·per·met·ric[hàipərmétrik], **-i·cal**[-əl] *a.* 〖韻〗 음절 과잉의.
hy·per·on [háipərɑ̀n/-ɔ̀n] *n.* Ⓒ 〖理〗 중핵자(重核子).
hy·per·o·pi·a[hàipəróupiə] *n.* Ⓤ 〖醫〗 원시(遠視).
hỳper·sénsitive *a.* 과민증의.
hỳper·sónic *a.* 〖理〗 극초음속(極超音速)의(cf. supersonic).
hypersónic tránsport 극초음속 수송기.
hỳper·ténsion *n.* Ⓤ 고혈압. **-tén·sive** *a., n.* Ⓒ 고혈압의 (환자).
hy·per·ther·mi·a[-θə́ːrmiə] *n.* Ⓤ 〖醫〗 (체온의) 이상 고열 (상태).
hy·per·tro·phy[haipə́ːrtrəfi] *n., vi., vt.* Ⓤ 〖醫·植〗 비대(肥大)(해지다, 하게 하다).
hy·pha[háifə] *n.* (*pl.* **-phae**[-fiː]) Ⓒ 〖植〗 균사(菌絲).
:hy·phen[háifən] *n., vt.* Ⓒ 하이픈(으로 연결하다, 끊다). **~·ate**[háifənèit] *vt.* =HYPHEN.
hy·phen·at·ed[háifənèitid] *a.* 하이픈으로 연결한. ~ ***Americans*** 외국계(系)미국인《Korean-Americans 등》.
hyp·nol·o·gy[hipnɑ́lədʒi/-ɔ́-] *n.* Ⓤ 수면〔최면〕학.
hyp·no·sis[hipnóusis] *n.* Ⓤ 최면(술); 최면 상태. **hyp·not·ic**[-nátik/-ɔ́-] *a., n.* 최면(술)의; Ⓤ 최면제; Ⓒ 최면술에 걸린〔걸리기 쉬운〕 사람.
hyp·no·ther·a·py[hìpnouθérəpi] *n.* Ⓤ 최면(술) 요법.
hyp·no·tism[hípnətìzəm] *n.* Ⓤ 최면(술), 최면 상태. **-tist** *n.* **-tize** [-tàiz] *vt.* (…에게) 최면술을 걸다; 매혹(魅惑)하다(charm).
hy·po[háipou] *n.* (*pl.* **~s**) Ⓤ 〖化〗 하이포《현상(現像) 정착액》; 《美口》= HYPODERMIC.
hy·po-[háipou, -pə] *pref.* '밑에, 밑의, 이하, 가벼운'의 뜻.
hy·po·blast[háipoublæ̀st, -ɑ̀ː-] *n.* Ⓤ 〖發生〗 내배엽(內胚葉).
hýpo·cènter *n.* Ⓒ (핵폭발의) 폭심(爆心)(지).
hy·po·chon·dri·a[hàipəkɑ́ndriə/-ɔ́-] *n.* Ⓤ 우울증, 히포콘드리. **-dri·ac**[-driæ̀k] *a., n.* Ⓒ 우울증의 (환자).
:hy·poc·ri·sy[hipɑ́krəsi/-ɔ́-] *n.* Ⓤ 위선; Ⓒ 위선적 행위.
***hyp·o·crite**[hípəkrit] *n.* Ⓒ 위선자. **-crit·i·cal**[∸―krítikəl] *a.*
hy·po·der·mic[hàipədə́ːrmik] *a., n.* 피하의; Ⓒ 피하 주사(액).
hy·po·phos·phate[-fɑ́sfeit/-ɔ́-] *n.* Ⓤ 〖化〗 아인산염.
hy·po·phos·phite[-fɑ́sfait/-ɔ́-]

n. Ⓤ 〘化〙 하이포아인산염(亞燐酸鹽).
hy·poph·y·sis [haipáfəsis/-ɔ́-] *n.* Ⓒ 〘解〙 뇌하수체.
hýpo·sprày *n.* Ⓒ 〘醫〙 피하 분사기《바늘을 쓰지 않고 고압으로 피하에 주사함》.
hy·pos·ta·sis [haipástəsis/-ɔ́-] *n.* (*pl.* ***-ses*** [-sìːz]) Ⓒ 실체, 본질; 삼위일체의 (어느) 1위.
hy·po·sul·fite, -sul·phite [hàipəsʌ́lfait] *n.* Ⓤ 〘化〙 하이포아황산염(亞黃酸鹽); 하이포아황산나트륨, 하이포(sodium hyposulfite).
hy·po·tax·is [-tǽksis] *n.* Ⓤ 〘文〙 종속(cf. parataxis).
hỳpo·ténsion *n.* Ⓤ 〘病〙 저혈압(증).
hy·pot·e·nuse [haipátən*j*ùːs/-pɔ́tənjùːs] *n.* Ⓒ 〘數〙 (직각 삼각형의) 빗변.
hy·po·thal·a·mus [hàipəθǽləməs] *n.* (*pl.* ***-mi*** [-mài]) Ⓒ 〘生〙 시상(視床) 하부.
hy·poth·ec [haipáθik/-ɔ́-] *n.* Ⓤ 담보권.
hy·poth·e·cate [haipáθikèit/-ɔ́-] *vt.* 저당잡히다, 담보로 넣다.
hy·po·ther·mi·a [hàipəθə́ː*r*miə] *n.* Ⓤ 〘醫〙 (심장 수술을 용이하게 하기 위한) 인공적 체온 저하(법).
hy·poth·e·sis** [haipáθəsis/-ɔ́-] *n.* (*pl.* ***-ses [-sìːz]) Ⓒ 가설; 가정. **-size** [-sàiz] *vi., vt.* (…의) 가설을 세우다; 가정하다. **hy·po·thet·ic** [hàipəθétik], **-i·cal** [-əl] *a.* 가설〔가정〕의. **-i·cal·ly** *ad.*
hyp·som·e·try [hipsámitri/-ɔ́-] *n.* Ⓤ 고도 측정(술).
hys·sop [hísəp] *n.* Ⓤ 〘植〙 히숍, 버들박하《유럽산 박하의 일종》; 〘聖〙 우슬초(牛膝草)《고대 유대인들이 발제(祓除) 의식에 그 가지를 사용했음》.
hys·ter·ec·to·my [hìstəréktəmi] *n.* Ⓤ,Ⓒ 〘醫〙 자궁 절제(술).
hys·ter·e·sis [hìstəríːsəs] *n.* Ⓤ 〘理〙 (자기·전기 등의) 이력 현상.
hys·te·ri·a [histíəriə] *n.* Ⓤ 〘醫〙 히스테리(증); 병적 흥분.
hys·ter·ic [histérik] *a.* =HYSTERICAL. — *n.* Ⓒ (보통 *pl.*) 히스테리의 발작. ***-i·cal** *a.* 히스테리의〔적인〕; 병적으로 흥분한. **-i·cal·ly** *ad.*
hys·ter·on prot·er·on [hístəràn próutəràn/-rɔ̀n prɔ́tərɔ̀n] (Gk.) 〘修〙 전후 도치(倒置)《보기: *bred and born*》; 〘論〙 도역 논법(倒逆論法) (BEGging the question).
hys·ter·ot·o·my [hìstərátəmi/-ɔ́-] *n.* Ⓤ,Ⓒ 〘醫〙 자궁 절개(술).
hy·zone [háizoun] *n.* Ⓤ 〘化〙 3원자 수소, 히존(H_3).
Hz, hz hertz.

I

I, i [ai] *n.* (*pl.* ***I's, i's*** [-z]) Ⓤ 로마 숫자의 1; Ⓒ I자형의 것.
†**I** [ai] *pron.* (*pl.* ***we***) 나는, 내가.
I 〘化〙 iodine. **I.** Island(s); Isle(s). **Ia.** Iowa. **I.A.A.F.** International Amateur Athletic Federation. **IAC** International Apprentices Competition. **IADB** Inter-American Development Bank. **I.A.E.A., IAEA** International Atomic Energy Agency.
i·amb [áiæm*b*] *n., a.* Ⓒ 〘韻〙 약강격(의).
i·am·bic [aiǽmbik] *n.* Ⓒ 〘韻〙 약강격; (보통 *pl.*) 약강격의 시.
i·am·bus [aiǽmbəs] *n.* =IAMB.
IARU International Amateur Radio Union. **IAS** 〘空〙 indicated airspeed 지시 대기(對氣) 속도. **IATA** International Air Transport Association. **IAUP** International Association of University Presidents. **ib., ibid.** ibidem.
I·be·ri·a [aibíəriə] *n.* 이베리아 반도《스페인과 포르투갈을 포함》. **-ri·an** *a., n.*
i·bex [áibeks] *n.* (*pl.* ***~es, ibi·ces*** [íbəsìːz, ái-], 《집합적》 ~) Ⓒ (알프스 산중의) 야생 염소.
***ibid.** ibidem.
i·bi·dem [ibáidəm] *ad.* (L.) 같은 장소〔책·장·페이지〕에《생략 ib., 또는 ibid.》.
i·bis [áibis] *n.* Ⓒ 〘鳥〙 따오기.
-i·ble [əbl] *suf.* '…할〔될〕 수 있는' 의 뜻의 형용사를 만듦: permiss*ible,* sens*ible.*
I.B.M., IBM Intercontinental Ballistic Missile; International Business Machines《미국 컴퓨터 제작 회사명》. **I.B.R.D.** International Bank for Reconstruction and Development.
Ib·sen [íbsən], **Henrik** (1828-1906) 노르웨이의 극작가·시인.
IC immediate constituent 〘文〙 직접 구성소; integrated circuit 〘電·컴〙 집적(集積)회로. **I.C.A., ICA** International Cooperation Administration.
-ic(al) [ik(əl)] *suf.* '…의, …의 성질' 등의 형용사를 만듦: hero*ic,* chem*ical,* econom*ic(al).*
ICAO International Civil Aviation Organization. **ICBM** Intercontinental Ballistic Missile. **ICC, I.C.C.** International Chamber of Commerce; Interstate Commerce Commission.

†**ice**[ais] *n.* ① Ⓤ 얼음; 얼음판의 얼음. ② Ⓒ 얼음 과자, 아이스크림. ③ Ⓤ 당의(糖依). ④ Ⓤ,Ⓒ 《美俗》 다이아몬드. ***break the*** ~ 착수하다; 말을 꺼내다; 터놓고 대하다. ***cut no*** ~ 《美口》 효과가 없다. ***on*** ~ 《美俗》 장차에 대비하여; 옥에 갇혀. ***on thin*** ~ 위험한 상태로. ― *vt.* ① 얼리다; 얼음으로 채우다〔덮다〕. ② (과자에) 당의를 입히다.
Ice. Iceland(ic).
íce àge 빙하 시대.
íce àx(e) (등산용의) 얼음 깨는 도끼, 등산용 피켈.
íce bàg 얼음 주머니.
***ice·berg**[´bə̀:rg] *n.* Ⓒ 빙산(cf. calf[1]); 냉담한 사람; 빙산의 일각.
íce·bòat *n.* Ⓒ 빙상선(氷上船); 쇄빙선(碎氷船).
íce·bòund *a.* 얼음에 갇힌.
íce·bòx *n.* Ⓒ 냉장고.
íce·brèaker *n.* Ⓒ 쇄빙선〔기〕.
íce·càp *n.* Ⓒ (높은 산의) 만년설.
íce-cóld *a.* 얼음처럼 찬; 냉담한.
:**íce créam** 아이스크림.
íce-cream còne 아이스크림콘.
íce-cream frèezer 아이스크림 제조기.
íce cùbe (냉장고에서 만들어지는) 각빙(角氷). 「입힌(*glacé*).
iced[aist] *a.* 얼음에 채운; 당의를
íce-fàll *n.* Ⓒ 얼어붙은 폭포; 빙하의 붕락(崩落).
íce field (극지방의) 빙원.
íce-frée *a.* 얼지 않는(*an* ~ *port* 부동항(不凍港)).
íce hòckey 아이스하키.
íce·hòuse *n.* Ⓒ 얼음 창고, 빙실(氷室); (에스키모의) 얼음집.
Icel. Iceland(ic).
***Ice·land**[áislənd] *n.* 아이슬란드《공화국》. **~·er** *n.* Ⓒ 아이슬란드 사람. **Ice·lán·dic** *a., n.* 아이슬란드(사람·말)의; Ⓤ 아이슬란드 말.
Íceland móss 〔**líchen**〕 아이슬란드 이끼《식용·약용》.
Íceland spár 빙주석(氷州石)《무색 투명한 방해석》.
íce·lólly *n.* Ⓒ 《英》 아이스캔디.
ice·man[´mæ̀n, -mən] *n.* Ⓒ 얼음 장수. 「머니.
íce pàck 부빙군(浮氷群); 얼음 주
íce pìck 얼음 깨는 송곳.
íce pòint 빙점(氷點)《물의 응고점》.
íce rìnk (옥내) 스케이트장.
íce shèet 빙상(氷床).
íce shòw 아이스 쇼.
íce-skàte *vi.* 스케이트 타다.
íce skàtes 스케이트 (구두).
íce skàting *n.* Ⓤ 빙상 스케이트.
íce stòrm 진눈깨비.
íce tòngs 얼음 집게.
íce wàter 《美》 얼음으로 차게 한 물; 얼음이 녹은 찬 물.
ICFTU International Confederation of Free Trade Unions.
ich·neu·mon[iknjú:mən] *n.* Ⓒ 〖動〗 몽구스의 일종; =**´ flỳ** 맵시벌.
ich·thy·ol·o·gy [ìkθiálədʒi/-ɔ́-] *n.* Ⓤ 어류학(魚類學).
ich·thy·o·saur[íkθiəsɔ̀:r] *n.* Ⓒ 〖古生〗 어룡(魚龍).
ich·thy·o·sau·rus [ìkθiəsɔ́:rəs] *n.* (*pl.* **-ri**[-rai], **~es**) = ICHTHYOSAUR.
i·ci·cle[áisikəl] *n.* Ⓒ 고드름.
i·ci·ness[áisinis] *n.* Ⓤ 얼음 같은 차가움; 냉담.
ic·ing[áisiŋ] *n.* Ⓤ (과자에) 입힌 설탕, 당의(糖依); 〖空〗 비행기 날개에 생기는 착빙(着氷).
ICJ International Court of Justice 국제 사법 재판소.
ick·y[íki] *a.* 《美俗》 싫은, 불쾌한; 취미가 나쁜; 세련되지 않은.
i·con[áikɑn/-ɔ-] *n.* (*pl.* **~s, -nes**[-nì:z]) Ⓒ 〖그正敎〗 성상(聖像), 화상; 초상; 〖컴〗 아이콘《컴퓨터의 각종 기능·메시지를 나타내는 그림문자》.
i·con·o·clasm [aikánəklæ̀zəm/-ɔ́-] *n.* Ⓤ 성상(聖像) 파괴, 우상 파괴; 인습 타파. **-clast**[-klæ̀st] *n.* Ⓒ 우상 파괴자; 인습 타파주의자. **-clas·tic**[–`–klǽstik] *a.*
i·co·nog·ra·phy [àikənágrəfi/-kɔnɔ́grə-] *n.* Ⓤ 《美》 도상학(圖像學).
i·con·o·scope [aikánəskoup/-kɔ́n-] *n.* Ⓒ 송상관.
ICPO =INTERPOL. **ICRC** International Committee of Red Cross. **ICSU** International Council of Scientific Unions.
ic·tus[íktəs] *n.* (*pl.* ~(**es**)) Ⓒ 〖韻〗 강음; 〖醫〗 발작.
ICU intensive care unit.
:**i·cy**[áisi] *a.* ① 얼음의, 얼음 같은; 얼음이 많은; 얼음으로 덮인. ② 얼음같이 찬; 냉담한. **í·ci·ly** *ad.* **í·ci·ness** *n.*
id[id] *n.* (the ~) 〖精神分析〗 이드《본능적 충동의 근원》.
Id., Ida. Idaho. **id.** idem.
†**I'd**[aid] I had 〔would, should, had〕의 단축. 「Association.
IDA International Development
***I·da·ho**[áidəhòu] *n.* 미국 북서부의 주《생략 Ida., Id.》.
ID càrd[áidí:-] 신분 증명서(identity card).
†**i·de·a**[aidí:ə] *n.* Ⓒ ① 개념, 관념; 생각, 사상. ② 견해, 신념. ③ 계획; 상상. ④ 〖哲〗 개념, 이념. ***The ~!*** 이런 지독하군〔어이없군〕.
***i·de·al**[aidí:əl] *a.* ① 이상적인, 완전한. ② 상상의; 관념적인, 가공적인. ― *n.* Ⓒ 이상, 전형(典型). ***~·ism**[-ìzəm] *n.* Ⓤ 이상주의; 〖哲〗 관념론, 유심론; 〖藝〗 관념주의. **~·ist** *n.* Ⓒ 이상주의자; 공상가; 관념론자, 관념주의자. **~·is·tic**[–`–ístik] *a.* 이상주의의; 몽상가의; 관념론의. **~·ly** *ad.*
i·de·al·ize[aidí:əlàiz] *vt., vi.* 이상화하다; (…의) 이상을 그리다. **-i·za-**

tion[ㅡㅗㅡizéiʃən] *n.*

i·dée fixe[iːdei fíːks] (F.) (=fixed idea) 고정 관념.

i·dem[áidem] *n., a.* (L.) 위와 같음〔같은〕, 동서(同書)(의) 《생략 id.》.

i·den·tic[aidéntik] *a.* =IDENTICAL; 〖外交〗 동문(同文)의. ~ ***note*** 동문 통첩.

:i·den·ti·cal[aidéntikəl] *a.* 동일한; 같은(*with*).

idéntical twín 일란성 쌍생아(cf. fraternal twin).

***i·den·ti·fi·ca·tion**[aidèntəfikéiʃən] *n.* [U,C] ① 동일하다는〔동일인·동일물이라는〕 증명. ② 신분 증명(이 되는 것).

identificátion 〔**idèntity**〕 **càrd** 신분 증명서.

identificátion dìsk 〔**tàg**〕 (군인의) 인식표(認識票).

identificátion paràde 범인 확인을 위해 늘어세운 피의자들(의 줄).

:i·den·ti·fy[aidéntəfài] *vi.* ① 동일하다고〔동일인·동일물임을〕 인정하다. ② 동일시하다. ③ …이 무엇이〔누구〕라는 것을 확인하다. ~ ***oneself with*** …와 제휴하다. **-fi·a·ble**[-fàiəbəl] *a.* 동일함을 증명할 수 있는.

I·den·ti·kit[aidéntəkìt] *n.* [C] 〖商標〗 몽타주식 얼굴 사진 합성 장치; (i-) 몽타주 사진.

***i·den·ti·ty**[aidéntəti] *n.* ① [U] 동일한 사람〔것〕임, 동일성. ② [U,C] 자기 자신〔그것 자체〕임; 신원.

id·e·o·gram[ídiəgræ̀m, áidiə-], **-graph**[-græ̀f, -grɑ̀ːf] *n.* [C] 표의(表意) 문자.

***i·de·ol·o·gy**[àidiɑ́lədʒi, ìd-/-ɔ́-] *n.* ① [U,C] 이데올로기, 관념 형태. ② [U] 관념학; 공리 공론(空理空論). **-o·log·i·cal**[ㅡㅗəlɑ́dʒikəl/-ɔ́-] *a.*

ides[aidz] *n. pl.* (the ~) 〖古로마曆〗 (3,5,7,10월의) 15일; (그 밖의 달의) 13일.

id·i·o·cy[ídiəsi] *n.* ① [U] 백치. ② [C] 백치 같은 언동.

:id·i·om[ídiəm] *n.* ① [C] 이디엄, 관용구, 숙어. ② [U,C] (어떤 언어의 정해진) 어법; (어떤 민족의) 언어; 방언. ③ [U] (화가·음악가 등의) 독특한 맛, 특색, 특징.

***id·i·o·mat·ic**[ìdiəmǽtik], **-i·cal** [-əl] *a.* 관용구적인, 관용어법적인. **-i·cal·ly** *ad.*

id·i·o·syn·cra·sy, -cy[ìdiəsíŋkrəsi] *n.* [C] 특질, 특이성; (특이한) 성벽(eccentricity); 〖醫〗 (알레르기 따위의) 특이 체질.

***id·i·ot**[ídiət] *n.* [C] 바보; 〖心〗 백치 《지능 지수 0-25 (최저도)의 정신 박약자; imbecile, moron》. ~**·ic** [ìdiɑ́tik/-ɔ́-] *a.*

ídiot bòard 〔**càrd**〕 텔레비전 출연자용 문자판《대사를 잊었을 때 보이는》.

ídiot bòx 《英俗》 텔레비전.

:i·dle[áidl] *a.* ① 태만한, 게으름뱅이의. ② 일이 없는, 한가한. ③ 활용되지 않고 있는; 무용의; 쓸모 없는. ④ (공포·근심 따위) 까닭〔근거〕 없는. ***money lying*** ~ 유휴금. — *vi.* ① 게으름피우다; 빈둥거리다, 빈둥빈둥 놀고 지내다. ② 〖機〗 헛돌다, 공전(空轉)하다. — *vt.* 빈둥거리며 지내다, 낭비하다. ⁑~**·ness** *n.* [U] 태만; 무위. **í·dler** *n.* [C] 게으름뱅이. ***í·dly** *ad.*

ídle pùlley 〔**whèel**〕 〖機〗 유동 바퀴《두 톱니바퀴 사이에 쓰이는 톱니바퀴》.

IDLS International Digital Leased-Line Service 국제 디지털 전용회선. **IDO** International Disarmament Organization.

I·do[íːdou] *n.* [U] 이도어(語) 《Esperanto를 기초로 한 국제 보조 언어》.

:i·dol[áidl] *n.* [C] ① 우상. ② 〖聖〗 사신(邪神). ③ 숭배받는 것〔사람〕, 인기 있는 사람. ④ 선입적 유견(謬見) (fallacy). ~**·ize**[áidəlàiz] *vt.* 우상화〔숭배〕하다. ~**·i·za·tion** [àidəlizéiʃən/-lai-] *n.*

i·dol·a·ter[aidɑ́lətər/-ɔ́-] *n.* [C] 우상 숭배자.

***i·dol·a·try**[-ətri] *n.* [U] 우상 숭배; 맹목적 숭배. **-a·trous** *a.* 우상 숭배의, 우상 숭배적인.

i·do·lum[aidóuləm] *n.* (*pl.* ***-la***) (*pl.*) 〖論〗 (Francis Bacon의) 선입적 유견(謬見); 개념, 관념, 표상.

i·dyl(l)[áidl] *n.* [C] 목가(牧歌), 전원시; (한가한) 전원 풍경. **i·dyl·lic** [aidílik] *a.* 목가적인.

IE, I.E. Indo-European; Industrial Engineer.

-ie[iː] *suf.* aunt*ie*, bird*ie*. ⇨-Y.

***i.e.**[áiíː, ðǽtíz] *id est* (L.=that is) 즉, 이를테면.

†if[if] *conj.* ① 만약…이라면. ② 비록 …일지라도(even if). ③ …인지 어떤지(whether)(*Let me know if he will come.* 올 것인지 안 올 것인지 알려 주십시오). ***if only*** …이〔하〕기만 하다면(*If only I knew!* or *If I only knew!* 알기만 한다면 좋으련만!). ***if it were not*** 〔***had not been***〕 ***for*** 만약…이 없(었)〔아니었〕다면. — *n.* [C] 가정.

IF, I.F., i.f. intermediate frequency. **I.F.C.** International Finance Corporation. **IFF** identification, friend or foe 적·아군 판별 전자 장치. 「운.

if·fy[ífi] *a.* 《口》 불확실한; 의심스러

IFR instrument flight rules 계기(計器) 비행 규칙. **IFRB** International Frequency Registration Board 국제 주파수 등록 위원회. **I.F.S.** Irish Free State.

IFTU International Federation of Trade Unions.

-i·fy[əfài] *suf.* ⇨-FY.

ig·loo[íglu:] *n.* [C] (에스키모 사람의) 눈으로 만든 작은 집.

I

Ig·na·tius Loy·o·la [ignéiʃəs lɔióulə], **Saint**(1491-1556) 스페인의 성직자, Jesuit 교단의 창설자.
ig·ne·ous[ígniəs] *a.* 불의, 불 같은, 〖地〗 화성(火成)의.
ig·nes·cent[ignésənt] *a.* (돌 따위) 치면 불꽃이 나는.
ig·nis fat·u·us[ígnəs fǽtʃuəs] (*pl.* ***ignes fatui***[ígni:z fǽtʃuài]) (L.) 도깨비불; 헛된 기대.
ig·nite[ignáit] *vt.* (…에) 점화하다; 〖化〗 높은 온도로 가열하다. — *vi.* 발화하다. **ig·nit·er, -ni·tor**[-ər] *n.* Ⓒ 점화자〔장치〕; 〖電子〗 점고자(點孤子).
ig·ni·tion[igníʃən] *n.* ① Ⓤ 점화, 발화. ② Ⓒ (내연 기관의) 점화 장치 (*an* ~ *plug* 점화 플러그/*an* ~ *point* 발화점).
ig·no·ble[ignóubl] *a.* 천한; 시시한; 불명예스러운; 《古》 (태생이) 비천한(opp. noble).
ig·no·min·i·ous[ìgnəmíniəs] *a.* 수치〔불명예〕스런; 비열한. **~·ly** *ad.*
ig·no·min·y[ígnəmìni] *n.* ① Ⓤ 치욕, 불명예. ② Ⓒ 수치스러운 행위, 추행.
ig·no·ra·mus[ìgnəréiməs] *n.* Ⓒ 무지몽매〔무식〕한 사람.
:ig·no·rance[ígnərəns] *n.* Ⓤ ① 무지, 무식. ② 모르고 있음. ***in ~ of*** …을 알지 못하고. ***I- is bliss.*** 《속담》 모르는 것이 약이다.
:ig·no·rant[ígnərənt] *a.* ① 무지몽매〔무식〕한. ② …을 모르는(*of*). **~·ly** *ad.*
:ig·nore[ignɔ́:r] *vt.* 무시하다; 〖法〗 기각하다.
Ig·o·rot[ìgəróut, ì:g-], **Ig·or·ro·te**[-róuti] *n.* (*pl.* **~(s)**) Ⓒ 이고로트 사람《필리핀 군도의 Luzon 섬에 삶》; Ⓤ 이고로트 말.
i·gua·na[igwá:nə] *n.* Ⓒ 〖動〗 이구아나《열대 아메리카의 큰 도마뱀》.
i·guan·o·don[igwá:nədàn/-dɔ̀n] *n.* Ⓒ 이구아노돈, 금룡(禽龍)《초식 공룡의 하나》.
IGY, I.G.Y. International Geophysical Year 국제 지구 관측년.
IHP, i.h.p. indicated horsepower. **IHS, I.H.S.** 그리스어 *IHΣOΥΣ*(=Jesus)의 생략형. **IIC** International Institute of Communications.
ike[aik] *n.* =ICONOSCOPE.
i·kon[áikɑn/-ɔ-] *n.* =ICON.
il-[il] *pref.* ⇨ IN.
-ile[əl, il, ail/ail] *suf.* '…에 관한, 할 수 있는, …에 적합한'의 뜻의 형용사를 만듦: doc*ile*, infant*ile*, juven*ile*, volat*ile*.
il·e·i·tis[ìliáitis] *n.* Ⓤ 〖醫〗 회장염(回腸炎).
il·e·um[íliəm] *n.* Ⓒ 〖解〗 회장.
i·lex[áileks] *n.* Ⓒ 〖植〗 너도밤나무의 일종(cf. holm[2]); 호랑가시나무.
il·i·ac[íliæ̀k] *a.* 장골(腸骨)의.
Il·i·ad[íliəd] *n.* Homer작으로 전하여지는 Ilium (=Troy) 전쟁의 서사시; 길게 계속되는 것.
il·i·um[íliəm] *n.* (*pl.* ***ilia***[íliə]) Ⓒ 〖解〗 장골.
ilk[ilk] *a.* (Sc.) 같은. — *n.* (*pl.*) 가족; 같은 종류. ***of that ~*** 같은 곳〔이름·무리〕의.
†ill[il] *a.* (***worse; worst***) ① 건강이 나쁜; 병든. ② 나쁜; 해로운. ③ 형편이 나쁜; 불길한. ④ 불친절한; 서투른. ***fall*** 〔***be taken***〕 ~ 병에 걸리다. ***I- news runs apace.*** 《속담》 악사천리(惡事千里). ***It is an ~ wind*** (***that***) ***blows nobody good.*** 《속담》 갑의 손해는 을의 이득. ***meet with ~ success*** 실패로 끝나다. — *n.* ① Ⓤ 악(惡), 해(害). ② Ⓒ (종종 *pl.*) 불행, 고난, 병. — *ad.* ① 나쁘게, 서투르게. ② 운〔형편〕나쁘게. ③ 불친절하게. ④ 간신히, 거의 …않게(scarcely) (*We can ~ afford of waste time.* 시간을 낭비할 수 없다). ***be ~ at*** (counting) (계산이) 서투르다. ***be ~ at ease*** 마음이 놓이지 않다, 불안하다. ***I-got, ~ spent.*** 《속담》 나쁜 짓 하여 번 돈 오래 가지 않는다(cf. illspent). ***take ...*** ~ …을 나쁘게 여기다, 성내다.
Ill. Illinois. **ill., illus(t).** illustrated; illustration.
†I'll[ail] I will, I shall의 단축.
íll-advísed *a.* 무분별한.
íll-affécted *a.* 《古》 호의를 갖지 않은; 불만을 가진.
il·la·tive[ílətiv, ilé-] *a.* 추리의; 〖文〗 추론적인. ~ ***conjunction*** 〖文〗 추론 접속사《*so, therefore* 등》.
íll blóod 악의, 원한.
íll-bréd *a.* 가정 교육이 나쁜, 버릇없는, 본데 없는.
íll bréeding 버릇〔본데〕 없음.
íll-condítioned *a.* 성질이 못된, 심술궂은; 건강이 좋지 않은.
íll-cónsidered *a.* 생각을 잘못한.
íll-dispósed *a.* 악의를 품은, 불친절한, 비우호적인.
:il·le·gal[ilí:gəl] *a.* 불법의. **~·ly** *ad.* **~·i·ty**[ìligǽləti] *n.* Ⓤ 비합법, 불법; Ⓒ 불법 행위, 부정.
il·leg·i·ble[ilédʒəbəl] *a.* 읽기 어려운. **-bil·i·ty**[—̀—bílə-] *n.*
·il·le·git·i·mate[ìlədʒítəmit] *a.* ① 불법의. ② 사생〔서출〕의. ③ 비논리적인. **~·ly** *ad.* **-ma·cy** *n.*
íll fáme 악평, 악명.
íll-fáted *a.* 불운한.
íll-fávo(u)red *a.* (얼굴이) 못생긴; 불쾌한.
íll-fóunded *a.* 근거가 박약한.
íll-gótten *a.* 부정 수단으로 얻은.
íll hèalth 건강이 좋지 않음.
íll hùmo(u)r 기분이 언짢음.
íll-húmo(u)red *a.* 기분이 언짢은.
il·lib·er·al[ilíbərəl] *a.* 인색한; 옹졸한; 교양 없는. **~·ness** *n.* **~·i·ty**[—̀əræ̀ləti] *n.*
·il·lic·it[ilísit] *a.* 불법의(illegal).

~·ly *ad.*
il·lim·it·a·ble[ilímitəbəl] *a.* 무한한, 광대한, 끝없는.
il·lin·i·um[ilíniəm] *n.* Ⓤ 〖化〗 일리늄《promethium의 본래 이름》.
***Il·li·nois**[ìlənɔ́i, -z] *n.* 미국 중부의 주《생략 Ill.》.
íll-júdged *a.* 무분별한.
il·liq·uid[ilíkwid] *a.* 현금으로 바꾸기 어려운.
il·lit·er·a·cy[ilítərəsi] *n.* ① Ⓤ 문맹, 무식. ② Ⓒ (무식해서) 틀리게 씀.
***il·lit·er·ate**[ilítərit] *a., n.* Ⓒ 무식한 (사람), 문맹인 (사람).
íll-mánnered *a.* 버릇〔교양〕 없는.
íll náture 심술.
***íll-nátured** *a.* 심술궂은.
:ill·ness[ílnis] *n.* Ⓤ,Ⓒ 병.
il·log·i·cal[iládʒikəl/-ɔ́-] *a.* 비논리적인, 불합리한. ~·**ly** *ad.* ~·**ness** *n.* Ⓤ 불합리.
il·log·i·cal·i·ty[--∸-kǽləti] *n.* ① Ⓤ 불합리. ② Ⓒ 불합리한 것.
íll-ómened *a.* 불길한, 재수 없는.
íll-spént *a.* 낭비된.
íll-stárred *a.* 불운한.
íll-súited *a.* 부적당한.
íll-témpered *a.* 심술궂은, 성마른, 꾀까다로운.
íll-tímed *a.* 기회가 나쁜.
íll-tréat *vt.* 학대〔냉대〕하다. ~·**ment** *n.* Ⓤ 학대.
il·lume[ilú:m] *vt.* 《古·詩》 비추다; 계몽하다.
il·lu·mi·nant[-inənt] *a.* 빛을 내는. — *n.* Ⓒ 발광체.
:il·lu·mi·nate[-ənèit] *vt.* ① 비추다. ② 《주로 英》 전식(電飾)을 달다. ③ 분명히 하다. ④ 계몽하다 (enlighten). ⑤ (사본 따위를) 색무늬나 금박 문자로 장식하다. ⑥ 명성을 높이다. **-na·tive**[-nèitiv] *a.* **-na·tor** *n.*
:il·lu·mi·na·tion[ilù:mənéiʃən] *n.* ① Ⓤ 조명; 조명도. ② Ⓒ 전식(電飾). ③ Ⓤ 해명, 계몽. ④ Ⓒ (보통 *pl.*) (사본의) 채색.
il·lu·mine[ilú:min] *vt., vi.* 비추다, 밝게 하다〔되다〕.
íll-úsage *n.* =⇩.
ill-use[ilú:z] *vt.* 학대하다. — [-jú:s] *n.* Ⓤ 학대, 혹사.
:il·lu·sion[ilú:ʒən] *n.* ① Ⓤ,Ⓒ 환영; 환상. ② Ⓒ 착각. **il·lu·sive**[-siv], ***-so·ry**[-səri] *a.* 환영적인; 사람을 속이는.
illus(t). illustrated; illustration.
:il·lus·trate[íləstrèit, ilʌ́streit] *vt.* ① (실례 따위로) 설명하다. ② (설명·장식을 위한) 삽화를 넣다. ***-tra·tor** *n.* Ⓒ 삽화가.
:il·lus·tra·tion[ìləstréiʃən] *n.* ① Ⓒ 실례, 삽화; 도해. ② Ⓤ (실례·그림 따위에 의한) 설명. ***by way of ~*** 실례로서. ***in ~ of*** …의 예증으로서.
***il·lus·tra·tive**[íləstrèitiv, ilʌ́strə-] *a.* 실례가 되는, 설명적인(*of*). ~·**ly** *ad.*
il·lus·tri·ous[ilʌ́striəs] *a.* 유명한; 현저한, (공훈 따위) 찬란한. ~·**ly** *ad.*
íll wíll 악의, 나쁜 감정.
íll-wìsher *n.* Ⓒ 남의 불행을 원하는 사람.
ILO, I.L.O. International Labor Organization (Office).
ILS instrument landing system.
im-[im] *pref.* ⇨ IN.
†I'm[aim] I am의 단축.
:im·age[ímidʒ] *n.* Ⓒ ① 상(像), 초상, 화상, 조상(彫像). ② 영상; 형상. ③ 꼭 닮음. ④ 전형. ⑤ 〖理〗 영상(映像); 〖心〗 심상(心像); 〖修〗 비유. ⑥ 〖컴〗 영상, 이미지. — *vt.* ① (…의) 상을 만들다. ② 그림자를 비추다. ③ 상상하다; 상징하다.
ímage órthicon 〖TV〗 촬상관(撮像管)의 일종.
ímage procèssing 〖컴〗 영상(影像)처리.
im·age·ry[ímidʒəri] *n.* Ⓤ 《집합적》 상, 초상, 화상, 조상; 심상; 〖文學〗 심상(心像), 사상(寫像); 비유.
***im·ag·i·na·ble**[imǽdʒənəbəl] *a.* 상상할 수 있는 (한의).
:im·ag·i·nar·y[imǽdʒənèri/-dʒənə-] *a.* 상상의; 허(虛)의. ***~ number*** 〖數〗 허수.
†im·ag·i·na·tion[imæ̀dʒənéiʃən] *n.* ① Ⓤ,Ⓒ 상상력; 창작력. ② Ⓤ 상상(의 소산), 공상.
***im·ag·i·na·tive**[imǽdʒənèitiv, -nə-] *a.* ① 상상의; 상상〔공상〕적인. ② 상상력이 풍부한, 공상에 잠기는.
†im·ag·ine[imǽdʒin] *vt., vi.* ① 상상〔추상〕하다. ② 생각하다.
im·ag·ism[ímədʒìzəm] *n.* Ⓤ 사상(寫像)주의《영국의 비평가 T.E. Hulme[hju:m]의 영향하에, 미국시인 Ezra Pound가 주창한 자유시 운동》. **ím·ag·ist** *n.*
i·ma·go[iméigou] *n.* (*pl.* **~s,** ***imagines***[-méidʒənì:z]) Ⓒ 〖蟲〗 성충.
i·ma(u)m[imá:m] *n.* Ⓒ 이맘《이슬람의 도사(導師)》; (종종 I-) 종교적〔정치적〕 지도자.
im·bal·ance[imbǽləns] *n.* = UNBALANCE.
im·be·cile[ímbəsil, -sàil/-sì:l] *n., a.* 저능한; 우둔한; Ⓒ 저능자, 〖心〗 치우(癡愚)《지능지수 25-50》 (cf. idiot). **-cil·i·ty**[ìmbəsíləti] *n.* ① Ⓤ 저능. ② Ⓒ 어리석은 언동.
im·bed[imbéd] *vt.* (*-dd-*) =EMBED.
im·bibe[imbáib] *vt.* (술 등을) 마시다; (공기·연기 등을) 흡수하다; (사상 따위를) 받아들이다.
im·bri·cate[ímbrəkèit] *vt., vi.* (기왓장 모양으로) 겹치다〔겹쳐지다〕. — [-kít] *a.* 겹쳐진. **-ca·tion**[∸-kéiʃən] *n.* Ⓤ,Ⓒ 비늘 모양(의 배열).
im·bro·glio[imbróuljou] *n.* (*pl.*

I

~s) Ⓒ 분규; 분쟁.
im·brue[imbrúː] *vt.* (피로) 더럽히다; 적시다.
im·bue[imbjúː] *vt.* (…에게) 침투시키다, 배게 하다; (사상·양심 따위를) 불어 넣다, 고취하다(inspire) (*with*).
IMCO Inter-Governmental Maritime Consultative Organization. **IMF** International Monetary Fund.
:im·i·tate[ímitèit] *vt.* ① 모방하다, 흉내내다. ② 모조하다; 위조하다. ③ 모범으로 삼다. **im·i·ta·ble**[ímətəbəl] *a.* 모방할 수 있는. **-ta·tive**[ímətèitiv, -tə-] *a.* 모방의; 흉내 잘 내는; 모조의. ***be imitative of*** …의 모방이다. **-ta·tor**[ímətèitər] *n.* Ⓒ 모방자.
:im·i·ta·tion[ìmitéiʃən] *n.* ① Ⓤ 모방. ② Ⓒ 모조품.
***im·mac·u·late**[imǽkjəlit] *a.* 때묻지 않은; 죄없는; 깨끗한; 결점없는.
Immáculate Concéption 〖가톨릭〗 (성모의) 원죄 없으신 잉태(《'virgin birth' 와는 다른 개념》).
im·ma·nent[ímənənt] *a.* 내재하는 (inherent); 〖神〗 (신이 우주에) 편재하는. **-nence, -nen·cy**[-nəns], [-si] *n.* Ⓤ 내재성; 〖神〗 (신의, 우주에서의) 내재(성).
Im·man·u·el [imǽnjuəl] *n.* = CHRIST.
im·ma·te·ri·al[ìmətíəriəl] *a.* 비물질적인; 영적인; 중요하지 않은.
***im·ma·ture**[ìmətjúər] *a.* 미숙한; 미성년의, 미완성의; 침식이 초기인. **-tu·ri·ty**[-tjúərəti] *n.*
***im·meas·ur·a·ble** [iméʒərəbəl] *a.* 측정할 수 없는, 끝없는. **-bly** *ad.*
im·me·di·a·cy[imíːdiəsi] *n.* Ⓤ 직접성; (보통 *pl.*) 밀접한 것.
:im·me·di·ate[imíːdiit] *a.* ① 직접의, 바로 옆의. ② 즉시의; 당면한; 가까운.
***im·me·di·ate·ly**[imíːdiitli] *ad.* 즉시; 직접; 가까이에. — *conj.* …하자마자. 「불치의.
im·med·i·ca·ble [imédikəbəl] *a.*
im·me·mo·ri·al** [ìmimɔ́ːriəl] *a.* 기억에 없는, 옛적의, 태고의. ***from time ~ 아득한 옛날부터.
***im·mense**[iméns] *a.* ① 거대한 (huge). ② 〖俗〗 훌륭한. *** ~·ly** *ad.*
im·men·si·ty[iménsəti] *n.* Ⓤ 광대; 무한한 공간〔존재〕; 《복수형》 막대한 양.
***im·merse**[imə́ːrs] *vt.* ① 잠그다, 담그다. ② 〖宗〗 침례를 베풀다. ③ 몰두하게〔빠지게〕하다(*in*). **im·mer·sion**[-ʃən] *n.* Ⓤ 침수.
immérsion hèater 침수식 물끓이개《코드 끝의 발열체를 속에 넣어 우유·홍차 등을 데움》.
***im·mi·grant**[ímigrənt] *n., a.* Ⓒ (외국으로부터의) 이민(cf. emigrant); 이주하여 오는.
***im·mi·grate**[íməgrèit] *vi., vt.* (…로부터) 이주하다〔시키다〕 (cf. emigrate).
***im·mi·gra·tion**[∸–gréiʃən] *n.* Ⓤ,Ⓒ (외국으로부터의) 이주; 이민; 《집합적》 이민자.
***im·mi·nent** [ímənənt] *a.* 절박한 (impending); 《古》 툭 튀어나와 있는. **~·ly** *ad.* **-nence, -nen·cy** *n.* Ⓤ 절박; Ⓒ 촉박한 위험〔사정〕.
im·mis·ci·ble [imísəbəl] *a.* 혼합할 수 없는.
im·mit·i·ga·ble[imítigəbəl] *a.* 완화할 수 없는. **-bly** *ad.*
im·mix[imíks] *vt.* 혼합하다. **~·ture**[-tʃər] *n.* Ⓤ 혼합, 혼화.
im·mo·bile[imóubəl, -biːl] *a.* 움직일 수 없는, 고정된; 움직이지 않는; 부동의. **-bi·lize**[-bəlàiz] *vt.* 고정하다, 움직이지 않게 하다. **-bil·i·ty**[∸–bíləti] *n.*
im·mod·er·ate[imɑ́dərit/-ɔ́-] *a.* 절도 없는; 극단적인. **~·ly** *ad.*
im·mod·est[imɑ́dist/-ɔ́-] *a.* 조심성 없는; 거리낌 없는, 주제넘은(forward). **~·ly** *ad.* **-es·ty** *n.*
im·mo·late[íməlèit] *vt.* 신에게 바치기 위하여 죽이다; 희생하다(*to*). **-la·tion**[∸–léiʃən] *n.*
***im·mor·al**[imɔ́ːrəl/imɔ́r-] *a.* 부도덕한, 품행이 나쁜. **~·ly** *ad.*
im·mo·ral·i·ty[ìmərǽləti] *n.* Ⓤ 부도덕, 품행 나쁨; Ⓒ 부도덕 행위, 추행.
:im·mor·tal[imɔ́ːrtl] *a.* ① 불사의; 영원한; 불후의. ② 신의. — *n.* Ⓒ 죽지 않는 사람; 불후의 명성이 있는 사람; (*pl.*) 〖그·로神〗 신화의 신들. **~·ize**[-təlàiz] *vt.* 불멸〔불후〕하게 하다. *** ~·i·ty**[∸–tǽləti] *n.* Ⓤ 불후(의 명성).
***im·mov·a·ble**[imúːvəbəl] *a.* ① 움직일 수 없는; 움직이지 않는. ② 확고한; 감정에 좌우되지 않는. — *n.* (*pl.*) 〖法〗 부동산. **-bil·i·ty**[–∸–bíləti] *n.* Ⓤ 부동〔고정〕성.
im·mune[imjúːn] *a.* 면제된(*from*); 면역이 된(*from, against*). ***im·mú·ni·ty** *n.* Ⓤ 면역(성); 면제.
im·mu·nize[ímjənàiz] *vt.* 면역되게 하다, 면역성을 주다. **-ni·za·tion** [∸–nizéiʃən] *n.*
im·mu·no·bi·ol·o·gy [ìmjənəbaiɑ́lədʒi/-ɔ́-] *n.* Ⓤ 면역 생물학.
im·mu·no·chem·is·try[-kémәstri] *n.* Ⓤ 면역 화학.
im·mu·nol·o·gy[ìmjənɑ́lədʒi/-ɔ́-] *n.* Ⓤ 면역학.
im·mu·no·sup·press·ive[imjùːnəsəprésiv] *n., a.* Ⓤ,Ⓒ 거부 반응 억제의 (약).
im·mure[imjúər] *vt.* 가두다, 유폐하다. **~·ment** *n.*
im·mu·ta·ble[imjúːtəbəl] *a.* 불변의. **-bil·i·ty**[–∸–bíləti] *n.* Ⓤ 불변성.
***imp**[imp] *n.* Ⓒ ① 악마의 새끼; 꼬마 악마. ② 개구쟁이. **∠·ish** *a.* 장

난스런, 개구쟁이의.

*__im·pact__[ímpækt] *n.* ① Ⓤ 충돌 (*on, upon*). ② Ⓒ 영향, 효과. — [–⌐] *vt.* ① (…에) 밀어넣다. ② (…에) 충격을 가하다; (…와) 충돌하다. ③ (…에) 몰려들다, (…에) 밀어닥치다. — *vi.* 충돌하다, 접촉하다.

__ímpact cràter__ 운석 낙하로 인한 크레이터.

__ímpact prìnter__ 〖컴〗 충격식 프린터.

*__im·pair__[impέər] *vt., vi.* 해치다; (가치 등을) 감하다. __~·ment__ *n.* Ⓤ 손상.

__im·pale__[impéil] *vt.* (찔러) 꽂다; 꿰찌르는 형에 처하다. __~·ment__ *n.*

__im·pal·pa·ble__[impǽlpəbəl] *a.* 만져도 모르는; 이해할 수 없는.

__im·pan·el__[impǽnəl] *vt.* (《英》 __*-ll-*__) 배심 명부에 올리다; (배심원을) 배심 명부에서 선임하다.

__im·par·i·ty__[impǽrəti] *n.* Ⓤ,Ⓒ 부동(不同), 차이.

*__im·part__[impɑ́ːrt] *vt.* ① (나눠) 주다; 곁들이다. ② (소식을) 전하다, 말해버리다. __im·par·ta·tion__[⌐–téiʃən] *n.* Ⓤ,Ⓒ 나누어 줌; 통지.

*__im·par·tial__[impɑ́ːrʃəl] *a.* 치우치지 않는; 공평한. __-ti·al·i·ty__[–⌐ʃiǽləti] *n.* Ⓤ 공평.

__im·pass·a·ble__[impǽsəbəl, -pɑ́ː-] *a.* 통행할〔지나갈〕 수 없는.

__im·passe__[ímpæs, –⌐] *n.* (F.) Ⓒ 막다른 골목(*cul-de-sac*); 난국.

__im·pas·si·ble__[impǽsəbəl] *a.* 아픔을 느끼지 않는; 무신경한, 태연한.

__im·pas·sioned__[impǽʃənd] *a.* 감격한; 열렬한.

__im·pas·sive__[impǽsiv] *a.* 둔감한, 태연한; 냉정한. __-siv·i·ty__[⌐–sívəti] *n.*

:__im·pa·tience__[impéiʃəns] *n.* Ⓤ ① 성급. ② 조바심, 초조. ③ (고통·냉대·기다림 등에) 견딜 수 없음.

:__im·pa·tient__[impéiʃənt] *a.* ① 성마른. ② 참을 수 없는(*of*). ③ (…하고 싶어) 못 견디는, 안절부절 못 하는 (*for, to* do). __*be ~ for*__ …이 탐나서 못 견디다; …을 안타깝게 기다리다. __*be ~ of*__ …을 못견디다. * __~·ly__ *ad.*

*__im·peach__[impíːtʃ] *vt.* ① 문제삼다. ② (…의 허물로) 책하다, 비난하다(*of, with*). ③ (공무원을) 탄핵하다. __~·a·ble__ *a.* __~·ment__ *n.*

__im·pearl__[impə́ːrl] *vt.* (…을) 진주같이 하다; 《雅》 진주(같은 것으)로 꾸미다.

__im·pec·ca·ble__[impékəbəl] *a.* 죄를 범하지 않는; 결점 없는. __-bly__ *ad.* __-bil·i·ty__[–⌐–bíləti] *n.*

__im·pe·cu·ni·ous__ [ìmpikjúːniəs] *a.* 돈없는, 가난한. __-os·i·ty__[ìmpikjùːniɑ́səti/-ɔ́-] *n.*

__im·ped·ance__[impíːdəns] *n.* Ⓤ 〖電〗 임피던스《교류에서 전압의 전류에 대한 비》.

*__im·pede__[impíːd] *vt.* 방해하다.

*__im·ped·i·ment__[impédəmənt] *n.* Ⓒ ① 고장, 장애(물). ② 언어 장애, 말더듬이.

__im·ped·i·men·ta__[impèdəméntə] *n. pl.* (여행용) 수하물; 〖軍〗 병참, 보급품.

*__im·pel__[impél] *vt.* (__*-ll-*__) 추진하다; 재촉하다, 억지로 …시키다(force) (*to*). __~·lent__ *a., n.* Ⓒ 추진하는 (힘).

__im·pend__[impénd] *vi.* 《古》 (위에) 걸리다(*over*); 임박하다. * __~·ing__ *a.* 절박한, 곧 일어날 것 같은.

__im·pen·e·tra·ble__[impénətrəbəl] *a.* 꿰뚫을〔뚫고 들어갈〕 수 없는; 헤아릴 수 없는, 불가해한; (새 사상에) 동요되지 않는, 물들지 않는, 둔한. __-bly__ *ad.* __-bil·i·ty__[–⌐––bíləti] *n.*

__im·pen·i·tent__[impénətənt] *a.* 회개하지 않는. __-tence, -ten·cy__ *n.*

__im·per., imperat.__ imperative.

*__im·per·a·tive__[impérətiv] *a.* 명령적인, 엄연한; 피할 수 없는, 긴급한; 〖文〗 명령법의. — *n.* Ⓒ 명령; 〖文〗 명령법(의 동사)(cf. indicative, subjunctive). __~ *mood*__ 〖文〗 명령법. __~·ly__ *ad.*

__im·per·cep·ti·ble__[ìmpərséptəbəl] *a.* 관찰〔감지(感知)〕할 수 없는; 근소한; 점차적인(gradual). __-bly__ *ad.*

:__im·per·fect__[impə́ːrfikt] *a.* 불완전한, 미완성의; 미완료의. *ad.* __-fec·tion__[⌐–fékʃən] *n.* Ⓤ 불완전 (상태); Ⓒ 결점.

__im·per·fo·rate__ [impə́ːrfərit], __-rat·ed__[-rèitid] *a.* 구멍 없는.

:__im·pe·ri·al__[impíəriəl] *a.* ① 제국의; 대영 제국의. ② 황제〔황후〕의; 제권(帝權)의; 지상의; 당당한; 오만한(imperious). ③ (상품이) 특대〔고급〕의; (도량형이) 영국 법정 규준의. __~ *gallon*__ 영국 갤런《4.546리터, 미국 갤런의 약 1.2배》. __*I- Household*__ 황실, 왕실. — *n.* Ⓒ 황제 수염《아랫 입술 밑에 기른 뾰족한 수염》; (종이의) 임페리얼판(判)(《美》 23×31 인치, 《英》 22×30 인치). __~·ism__ [-ìzəm] *n.* Ⓤ 제국주의; 제정. __~·ist__ *n.* Ⓒ 제국〔제정〕주의자. __~·is·tic__ [–⌐––ístik] *a.* 제국주의적인.

__im·per·il__[impéril] *vt.* (《英》 __*-ll-*__) (생명·재산 따위를) 위태롭게 하다.

*__im·pe·ri·ous__[impíəriəs] *a.* 전제적인, 건방진; 긴급한. __~·ness__ *n.*

__im·per·ish·a·ble__[impériʃəbəl] *a.* 불멸의, 영원한.

__im·per·ma·nent__ [impə́ːrmənənt] *a.* 일시적인.

__im·per·me·a·ble__[impə́ːrmiəbəl] *a.* 스며들지 않는.

__impers.__ impersonal.

*__im·per·son·al__[impə́ːrsənəl] *a.* (특정한) 개인에 관계 없는, 비개인적인; 비인격적인; 〖文〗 비인칭의. __~·ly__ *ad.* __-al·i·ty__[–⌐–ǽləti] *n.*

__im·per·son·ate__ [impə́ːrsənèit] *vt.* 《稀》 인격화〔체현(體現)〕하다; 대표하다; 흉내내다; …의 역(役)을 맡아하다. __-a·tion__[–⌐–éiʃən] *n.* __-a·tor__

I

n. Ⓒ 배우, 분장자; 성대 모사자.
*__im·per·ti·nent__[impə́ːrtənənt] *a.* 건방진, 무례한; 부적당한, 당치 않은. ~·ly *ad.* **-nence, -nen·cy** *n.*
im·per·turb·a·ble [ìmpərtə́ːrbəbəl] *a.* 침착한, 동요하지 않는; 냉정한.
im·per·vi·ous[impə́ːrviəs] *a.* (공기·물·광선 등을) 통하지 않는; (마음이 …을) 받아들이지 않는(*to*).
*__im·pet·u·ous__[impétʃuəs] *a.* (기세·속도가) 격렬한, 맹렬한; 성급한, 충동적인. ~·ly *ad.* **-u·os·i·ty**[-ˌ-ɑ́səti/-ɔ́-] *n.*
*__im·pe·tus__[ímpətəs] *n.* ① Ⓤ (움직이고 있는 물체의) 힘, 운동량, 관성. ② Ⓒ (정신적인) 기동력, 자극.
imp. gal. imperial gallon.
im·pi·e·ty[impáiəti] *n.* ① Ⓤ 불경, 불신. ② Ⓒ 신앙심이 없는 행위.
im·pinge[impíndʒ] *vi.* 치다(hit), 충돌하다(*on, upon, against*); 침범하다(encroach) (*on, upon*). ~·**ment** *n.*
im·pi·ous[ímpiəs] *a.* 신앙심이 없는; 경건치 않은, 불경〔불효〕한(opp. pious); 사악한; 불효한.
imp·ish[ímpiʃ] *a.* ⇨IMP.
im·plac·a·ble [implǽkəbəl, -pléi-] *a.* 달랠 수 없는; 집요한 (inexorable).
im·plant[implǽnt, -ɑ́ː-] *vt.* (마음에) 뿌리 박히게 하다; 심다; 〖醫〗 (조직을) 이식하다. — *n.* Ⓒ 〖醫〗 이식된 조직; (암의 환부에 꽂아 넣는) 라듐판. **im·plan·ta·tion**[ˌ--téiʃən] *n.*
⁑**im·ple·ment**[ímpləmənt] *n.* Ⓒ (끝마무리를 위한) 도구, 용구. — [-mènt] *vt.* (끝마무리하기 위해) 도구를 공급하다; 수행하다, (복수 따위를) 실행하다; (법률·조약 따위를) 실시〔이행〕하다. **-men·ta·tion**[ìmpləməntéiʃən] *n.* Ⓤ 수행, 이행, 실시; 〖컴〗 임플러먼테이션《어떤 컴퓨터 언어를 특정 기종의 컴퓨터에 적합게 함》.
im·pli·cate[ímpləkèit] *vt.* 얽히게 하다(entangle); 관계시키다, 휩쓸려 들게 하다; 함축하다.
*__im·pli·ca·tion__[ìmpləkéiʃən] *n.* Ⓒ 연루(連累); Ⓤ,Ⓒ 내포, 함축, 언외의 의미; 암시(*by* ~ 은연 중에); (흔히 ~s) (…에 대한) 밀접한 관계.
*__im·plic·it__[implísit] *a.* ① 암암리의, 묵계적인(implied) (opp. explicit). ② 절대의; 필연적으로 포함되어 있는. ***give* ~ *consent*** 묵낙(默諾)을 하다. ~ ***obedience*** 절대복종. ~·ly *ad.*
im·plied[impláid] *a.* 함축된, 은연중의. **im·pli·ed·ly**[impláiidli] *ad.*
⁑**im·plore**[implɔ́ːr] *vt.* 간청〔애원〕하다. **im·plór·ing** *a.* 애원하는. **im·plór·ing·ly** *ad.* 애원적으로.
⁑**im·ply**[implái] *vt.* 함축하다; (…의) 뜻을 포함하다; 뜻〔암시〕하다.
*__im·po·lite__[ìmpəláit] *a.* 무례한, 버릇 없는. ~·ly *ad.* ~·**ness** *n.*
im·pol·i·tic[impɑ́litik/-ɔ́-] *a.* 생각 없는, 어리석은, 졸렬한.
im·pon·der·a·ble[impɑ́ndərəbəl/-ɔ́-] *a.* 무게가 없는; 아주 가벼운; 평가할 수 없는. — *n.* Ⓒ 불가량물(不可量物)《열·빛 따위》.
⁑**im·port**[impɔ́ːrt] *vt.* ① 수입하다; 끌어들이다. ② 《古》 의미하다. ③ (…에) 크게 영향하다. ***It ~s us*** (*to know*...)(…을 아는 것)은 중요하다. — *vi.* 중요하다. ***It ~s little.*** 그다지 중요치 않다. — [ˊ-] *n.* ① Ⓤ 수입; (보통 *pl.*) 수입품. ② Ⓤ 의미, 중요성. ③ 〖컴〗 가져오기. ~·**er** *n.*
im·por·ta·tion[ˌ-téiʃən] *n.* Ⓤ 수입; Ⓒ 수입품.
⁑**im·por·tance**[impɔ́ːrtəns] *n.* Ⓤ 중요(성); 중요한 지위; 오만(한 태도).
†**im·por·tant**[-tənt] *a.* ① 중요한; 유력한. ② 거만한. ***assume an ~ air*** 젠체하다. ***a very ~ person*** 중요인물《생략 VIP》. ~·ly *ad.*
im·por·tu·nate[impɔ́ːrtʃənit] *a.* 끈덕진, 귀찮은.
im·por·tune[ìmpɔːrtjúːn, impɔ́ːrtʃən] *vt., vi.* 조르다. **-tu·ni·ty**[ˌ-tjúːnəti] *n.* ① Ⓤ,Ⓒ 끈질기게 조름. ② (*pl.*) 끈덕진 재촉.
⁑**im·pose**[impóuz] *vt.* ① (의무·세금 따위를) 과하다. ② 강요하다; 떠맡기다. ③ (가짜 등을) 안기다(*on, upon*); 〖印〗 정판하다. — *vi.* (남의 약점 따위에) 편승하다, 속이다(*on, upon*). ***im·pós·ing** *a.* 당당한, 위압하는.
im·po·si·tion[ìmpəzíʃən] *n.* ① Ⓤ 부과. ② Ⓒ 세금; 부담; 사람좋음을 기화로 이용하기; 사기.
⁑**im·pos·si·ble** [impɑ́səbəl/-ɔ́-] *a.* ① 불가능한, 있을 수 없는; 어림도 없는(***I-!*** 설마!). ② 어려운; 참을〔견딜〕 수 없는, 지독한. **-bly** *ad.* ***-bil·i·ty**[-ˌ-bíləti] *n.* ① Ⓤ 불가능(성). ② Ⓒ 불가능한 일.
im·post[ímpoust] *n.* Ⓒ 세금; 관세; 〖建〗 (기둥 꼭대기의) 대륜(臺輪). — *vi.* (수입품목별로) 관세를〔관세액을〕 결정하다.
im·pos·tor[impɑ́stər/-ɔ́-] *n.* Ⓒ 남의 이름을 사칭하는 자; 사기꾼.
im·po·tent[ímpətənt] *a.* 무(기)력한, 노쇠한; 음위(陰萎)의(cf. frigid). **-tence, -ten·cy** *n.* Ⓤ 무(기)력; 〖醫〗 음위.
im·pound[impáund] *vt.* (가축을) 울 안에 넣다; (물건을) 거두어 넣다; (아무를) 가두다, 구치하다; 〖法〗 압류〔몰수〕하다.
*__im·pov·er·ish__[impɑ́vəriʃ/-ɔ́-] *vt.* ① 가난하게 만들다. ② (토지를) 메마르게 하다. ~·**ment** *n.*
*__im·prac·ti·ca·ble__[impræ̋tikəbəl] *a.* ① 실행 불가능한; 《稀》 처치 곤란한, 다루기 힘든. ② (도로가) 통행할 수 없는. **-bil·i·ty**[-ˌ--bíləti] *n.*

I

***im·prac·ti·cal** [impræ̀ktikəl] *a.* 실제적인 아닌, 실행할 수 없는; 비실용적인.
im·pre·cate[ímprikèit] *vt.* (재앙 있기를) 빌다(call down)(*on, upon*). **-ca·tion**[ㅗ–kéiʃən] *n.* Ⓒ 저주; Ⓤ 방자.
im·preg·na·ble[imprégnəbəl] *a.* 난공 불락의; 확고한; 굴치않는. **-bil·i·ty**[–ㅗ–bíləti] *n.*
im·preg·nate[imprégnèit, ㅗ–ㅗ] *vt.* (…에게) 임신시키다; 수정시키다; 충만시키다(*with*); (마음에) 심어넣다; 불어넣다(imbue)(*with*). — [-nit] *a.* 임신하고 있는; 스며든; 포화한. **-na·tion**[ㅗ–néiʃən] *n.*
im·pre·sa·ri·o[ìmprəsɑ́:riòu] *n.* (*pl.* **~s, -sari**[-sɑ́:ri:]) (It.) Ⓒ (가극·음악회 따위의) 흥행주.
im·pre·scrip·ti·ble[ìmpriskríptəbəl] *a.* 〖法〗 (권리 따위가) 시효로 소멸되지 않는; 불가침의.
:im·press[1][imprés] *vt.* ① (도장을) 찍다(imprint). ② (…에게) 인상을 주다(*on, upon*); 감동시키다(*with*). ***be favorably* 〔*unfavorably*〕 *~ed*** 좋은〔나쁜〕 인상을 받다. — [ㅗ–] *n.* Ⓒ 날인; 흔적; 특징. **~·i·ble** *a.* 감수성이 강한.
im·press[2] *vt.* 징발하다; (해군 등에) (강제) 징집하다; (의론에 실례 등을) 인용하다. **~·ment** *n.* Ⓤ 징발; 징용.
:im·pres·sion[impréʃən] *n.* Ⓒ ① 인상; 느낌, 생각. ② 흔적; 날인; (책의) 쇄(刷)(*the third ~ of the fifth edition* 제 5판의 제 3쇄). ***make an ~ on*** …에게 인상을 주다, …을 감동시키다. ***~·a·ble** *a.* 감수성이 강한. **~·ism**[-ìzəm] *n.* Ⓤ 〖美術·樂〗 인상주의. **~·ist** *n.* Ⓒ 인상주의자; 인상파의 예술가《Manet, Monet, Pissarro, Sisley, Degas, Renoir; Rodin; Debussy 등》. **~·is·tic**[–ㅗ–ístik] *a.* 「인.
:im·pres·sive[imprésiv] *a.* 인상적
im·pri·ma·tur [ìmprimέitər, -mɑ́:-] *n.* (L.) Ⓒ 〖가톨릭〗 출판 인가; 《一般》 인가.
***im·print**[imprínt] *vt.* (도장을) 찍다; 명기(銘記)하다(*on, in*). — [ㅗ–] *n.* Ⓒ ① 날인; 흔적. ② (책의 안표지나 판권장에 인쇄한) 발행자의 주소·성명·출판 연월일 (따위).
:im·pris·on[imprízən] *vt.* 투옥하다; 감금〔구속〕하다. ***~·ment** *n.* Ⓤ 투옥; 감금, 구금.
***im·prob·a·ble**[imprɑ́bəbəl/-ɔ́-] *a.* 일어날〔있을〕 법하지 않은; 참말같지 않은(unlikely). **-bly** *ad.* **-bil·i·ty**[–ㅗ–bíləti] *n.*
im·promp·tu [imprɑ́mptju:/-ɔ́-] *ad., a.* 즉석에서〔의〕; 즉흥적으로〔인〕. — *n.* Ⓒ 즉흥곡〔시〕; 즉석의 연설 (따위).
***im·prop·er**[imprɑ́pər/-ɔ́-] *a.* 부적당한; 그른; 온당치 못한, 버릇없는. **~·ly** *ad.*
impróper fráction 〖數〗 가분수.
im·pro·pri·e·ty[ìmprəpráiəti] *n.* Ⓤ,Ⓒ 부적당; 버릇 없음; 행실 나쁨.
:im·prove[imprú:v] *vt.* ① 개선〔개량〕하다; 진보시키다. ② 이용하다. ③ (토지·부동산의) 가치를 올리다. — *vi.* 좋아지다. **~ *on* 〔*upon*〕** …을 개선하다. **~ *oneself*** 진보하다.
im·próv·a·ble *a.* 개선할 수 있는.
:im·prove·ment[imprú:vmənt] *n.* ① Ⓤ,Ⓒ 개선〔개량〕; 진보, 향상; Ⓤ 이용. ② Ⓒ 개량 공사; 개선점; 개량된 것.
im·prov·i·dent[imprɑ́vədənt/-ɔ́-] *a.* 선견지명 없는, 준비성 없는; 절약심 없는(not thrifty). **-dence** *n.*
im·prov·i·sa·tor[imprɑ́vəzèitər/-prɔ́-] *n.* Ⓒ 즉흥시인〔연주가〕.
im·prov·i·sa·to·re [ìmprɑ̀vizətɔ́:ri/-ɔ́-] *n.* (*pl.* **-ri**[-ri]) (L.) = ⇧.
***im·pro·vise** [ímprəvàiz] *vt., vi.* (시·음악을) 즉석에서 만들다(extemporize); 임시변통으로 만들다. **im·prov·i·sa·tion** [imprɑ̀vəzéiʃən/ ìmprəvə-] *n.* ① Ⓤ 즉석에서 하기. ② Ⓒ 즉흥적 작품.
***im·pru·dent**[imprú:dənt] *a.* 경솔한, 무분별한. ***-dence** *n.*
:im·pu·dent[ímpjədənt] *a.* 뻔뻔스러운; 건방진. ***-dence** *n.*
im·pugn[ìmpjú:n] *vt.* 논박하다.
:im·pulse[ímpʌls] *n.* ① Ⓒ 추진(력), 충격; 자극. ② Ⓤ,Ⓒ (마음의) 충동, 순간적 기분. ***on the ~*** 일시적 기분으로. ***on the ~ of the moment*** 그 때의 순간적 기분으로.
ímpulse bùying 충동 구매(衝動購買). 「동; 자극; 추진.
im·pul·sion[impʌ́lʃən] *n.* Ⓤ,Ⓒ 충
im·pul·sive[impʌ́lsiv] *a.* 충동적인; 추진적인; 감정에 흐른. **~·ly** *ad.* 감정에 끌려.
im·pu·ni·ty**[impjú:nəti] *n.* Ⓤ 처벌되지 않음. ***with ~ 벌받지 않고, 무사〔무난〕히.
***im·pure**[impjúər] *a.* 더러운; 불순한; 섞인 것이 있는; 부도덕한; 다른 색이 섞인. ***im·pu·ri·ty**[impjúərəti] *n.* ① Ⓤ 불결; 불순; 음란. ② (*pl.*) 불순물.
***im·pute**[impjú:t] *vt.* (주로 나쁜 뜻으로) (…의) 탓으로 하다(*to*). **im·pút·a·ble** *a.* 돌릴 수 있는. **im·pu·ta·tion**[ㅗ–téiʃən] *n.* ① Ⓤ 돌아감. ② Ⓒ 비난.
†in[in] *prep.* ① 《장소·위치·방향》 …의 속에〔에서, 의〕. ② 《시간》 …의 안에, …의 동안, …중; …뒤에, …이 경과하여(*in a week* 일주일 후에). ③ 《상태》 …한 상태로〔의〕(*in good health*). ④ 《착용》 …을 입고, …을 착용하고(*a woman in white* 백의의 여자/*in spectacles* 안경을 쓰고). ⑤ 《소속》 …에 속하는. ⑥ 《범위》 …의 점에서(는)(*blind in one eye*). ⑦ 《재료·방법》 …으로(써)(of, made of)(*a dress in silk/write*

in ink/in this way). ⑧《전체와의 관계》…가운데서 …에 대하여(out of)(*one in a hundred*). ⑨《목적》…을 위하여(for) (*speak in reply*). ⑩《동작의 방향》…의 속으로(into). ***in that***《古》…한 이유로. — *ad.* 속으로[에]; 집에 있어; 도착하여; 정권을 잡아; 유행하여. ***be in for*** 피할 수 없다; (시험을) 치르기로 되어 있다; 곱도젖도 할 수 없다. ***be in with*** …와 친하다; …와 한패이다. ***in and out*** 들락날락; 출몰(出沒)하여; 안팎 모두; 완전히. ***In for a penny, in for a pound.***《속담》1페니 지불하니 곧 1파운드 또 쓰게 된다; 사물은 갈 때까지 가게 마련; 시작했으면 끝까지 하라. — *a.* 내부의. — *n.* (*pl.*)(정부) 여당. ***ins and outs*** 여당과 야당; (강의) 굴곡; 구석 구석; 자세한 내용.

In 『化』 indium. **in.** inch(es).

in-[in] *pref.* 《l앞에서는 il-로, b, m, p앞에서는 im-으로, r앞에서는 ir-로 바뀜》'in, into, not, without, un-' 따위의 뜻: *im*brute, *in*close, *ir*rational.

***in·a·bil·i·ty**[ìnəbíləti] *n.* Ⓤ 무능, 무력; …할 수 없음.

***in·ac·ces·si·ble**[ìnəksésəbəl] *a.* 접근[도달]하기 어려운, 얻기 힘든. **-bil·i·ty**[ㅡㅡ̀ㅡbíləti] *n.*

in·ac·cu·rate[inǽkjərit] *a.* 부정확한; 잘못이 있는. **~·ly** *ad.* **-ra·cy** *n.*

in·ac·tion[inǽkʃən] *n.* Ⓤ 불활동; 「나태.

***in·ac·tive**[inǽktiv] *a.* 불활동의, 활발치 않은; 나태한; 『軍』 현역이 아닌; 『理』 비선광성(非旋光性)의. **~·ly** *ad.* **-ti·vate** *vt.* 불활발하게 하다. **-tiv·i·ty**[ㅡ̀ㅡtívəti] *n.*

:in·ad·e·quate[inǽdikwit] *a.* 부적당한, 불충분한. **~·ly** *ad.* **-qua·cy** *n.*

in·ad·mis·si·ble [ìnədmísəbəl] *a.* 허용할 수 없는, 승인하기 어려운.

in·ad·vert·ent[ìnədvə́ːrtənt] *a.* 부주의한; 나태한; (행위가) 부주의에 의한; 무심결에 한. **~·ly** *ad.* **-ence, -en·cy** *n.* Ⓤ 부주의; Ⓒ 실수.

in·ad·vis·a·ble[ìnədváizəbəl] *a.* 권할 수 없는; 어리석은.

in·al·ien·a·ble[inéiljənəbəl] *a.* 양도[탈취]할 수 없는.

in·am·o·ra·ta[inæ̀mərάːtə] *n.* (*pl.* **~*s***) Ⓒ 애인, 정부(情婦).

in-and-in[ínəndín] *a., ad.* 동종 교배의[로](~ *breeding* 동종 교배).

in·ane[inéin] *a.* 공허한; 어리석은. ***the*** ~ 허공, 공간.

***in·an·i·mate**[inǽnəmit] *a.* 생명[활기] 없는.

in·a·ni·tion[ìnəníʃən] *n.* Ⓤ 공허; 영양 실조; 기아.

in·an·i·ty[inǽnəti] *n.* ① Ⓤ 공허; 어리석음. ② Ⓒ 시시한 것[짓·말].

in·ap·pli·ca·ble[inǽplikəbəl] *a.* 응용[적용]할 수 없는; 부적당한. **-bil·i·ty**[ㅡ̀ㅡㅡbíləti] *n.*

in·ap·po·site[inǽpəzit] *a.* 부적당한, 동떨지 않는.

in·ap·pre·ci·a·ble[ìnəpríːʃiəbəl] *a.* 근소한; 하찮은. **-bly** *ad.*

in·ap·pre·hen·si·ble[ìnæprihénsəbəl] *a.* 이해할 수 없는, 불가해한.

in·ap·proach·a·ble [ìnəpróutʃəbəl] *a.* 가까이 할 수 없는; 비길 데 없는.

in·ap·pro·pri·ate[ìnəpróupriit] *a.* 부적당한. **~·ly** *ad.*

in·apt[inǽpt] *a.* 부적당한; 서투른. **~·ly** *ad.* **in·ap·ti·tude**[-tətjùːd] *n.*

in·ar·tic·u·late[ìnɑːrtíkjəlit] *a.* 발음이 분명치 않은; 혀가 잘 돌지 않는, 말 못하는; 모호한; 『解·動』 관절 없는.

in·ar·ti·fi·cial[ìnɑːrtəfíʃəl] *a.* 인공을 가하지 않은, 기교 없는; 자연 그대로의.

in·ar·tis·tic[ìnɑːrtístik], **-ti·cal** [-əl] *a.* 비예술적인; 몰취미한.

in·as·much[ìnəzmʌ́tʃ] *ad.* ~ ***as*** …이므로, …때문에; 《稀》…인 한은 (insofar as).

in·at·ten·tion[ìnəténʃən] *n.* Ⓤ 부주의; 태만(negligence); 무뚝뚝함, 실례. **-tive(·ly)** *a.* (*ad.*)

in·au·di·ble[inɔ́ːdəbəl] *a.* 알아들을 수 없는, 들리지 않는. **-bly** *ad.* **~·ness, -bil·i·ty**[ㅡ̀ㅡbíləti] *n.*

***in·au·gu·ral**[inɔ́ːgjərəl] *a.* 취임(식)의, 개회의. — *n.* Ⓒ 취임식; 《美》=ㅅ **àddress** 취임 연설.

***in·au·gu·rate**[-rèit] *vt.* 취임식을 올리다, 취임시키다(install); (공동물의) 개시식(開始式)을 행하다; 시작[개시]하다. ***-ra·tion**[ㅡ̀ㅡréi-] *n.* Ⓤ,Ⓒ 취임(식); 개시(식).

Inaugurátion Dày 《美》 대통령 취임식 날《선거 다음 해 1월 20일》.

in·aus·pi·cious[ìnɔːspíʃəs] *a.* 불길[불운]한.

in·board[ínbɔ̀ːrd] *a., ad.* 『海·空』 선내(船內)의[에], 기내(機內)의[에].

***in·born**[ínbɔ̀ːrn] *a.* 타고난.

in·bound[ínbáund] *a.* 본국행의.

in·bred[ínbréd] *a.* 타고난, 생래의; 동계(同系)[근친] 번식의.

in·breed[ínbríːd] *vt.* 동계(同系) 번식시키다; 《稀》 (…을) 내부에 발생시키다. **~·ing** *n.* Ⓤ 동계 번식.

***Inc.** Incorporated. **inc.** inclosure; including; inclusive; income; increase.

In·ca[íŋkə] *n.* (*pl.* ~, **~s**) Ⓒ 잉카 사람《스페인 정복 이전에 페루를 지배하던 원주민》.

in·cal·cu·la·ble [inkǽlkjələbəl] *a.* 셀 수 없는; 예상할 수 없는; 기대할 수 없는. **-bly** *ad.* 무수히.

in·can·desce[ìnkəndés] *vi., vt.* 백열화하(게 하)다. **-des·cent** [ìnkəndésənt] *a.* 백열(광)의; 번쩍이는. **-dés·cence** *n.*

in·can·ta·tion[ìnkæntéiʃən] *n.*

[U,C] 주문(呪文)(을 욈); 마법, 요술.

:in·ca·pa·ble[inkéipəbəl] *a.* ① 무능한; (…을) 못 하는(*of* do*ing*). ② (…에) 견딜 수 없는(*of*); 자격 없는(*of*).

in·ca·pac·i·tate [ìnkəpǽsətèit] *vt.* 무능력하게 하다; 감당 못 하게 하다; 〖法〗 자격을 박탈하다. **-ty** *n.*

in·car·cer·ate[inkɑ́:rsərèit] *vt.* 감금하다. **-a·tion**[–⌐–éiʃən] *n.*

in·car·na·dine [inkɑ́:rnədàin, -din, -dì:n] *a., vt., n.* 붉은(pale red); [U] 살빛(의); 붉게 물들이다.

in·car·nate[inkɑ́:rnit] *a.* 육체를 갖춘; 사람 모습을 한, 화신의. —— [-neit] *vt.* 육체를 부여하다, 구체화하다(embody); 실현하다; (…의) 화신이〔권화가〕 되다. **-na·tion**[⌐–néiʃən] *n.* [U,C] 화신, 권화, 구체화. ***the Incarnation*** 강생《신이 예수로서 지상에 태어남》.

in·case[inkéis] *vt.* (상자에) 넣다, 싸다(encase). 「한; 무모한.

in·cau·tious[inkɔ́:ʃəs] *a.* 부주의

in·cen·di·ar·y[inséndièri] *a.* 방화의; 불을 붙이는; 선동적인. —— *n.* [C] 방화 범인; 선동자; 소이탄. **~ *bomb*** 소이탄. **-a·rism**[-ərìzəm] *n.* [U] 방화; 선동, 교사(敎唆).

***in·cense**[1][ínsens] *n.* [U] 향(연기·냄새). —— *vt., vi.* (…에) 향을 피우다, 분향하다. 「게 하다.

in·cense[2][inséns] *vt.* (몹시) 노하

íncense bùrner[ínsens-] 향로 (cf. censer).

in·cen·tive**[inséntiv] *a., n.* 자극적인, 유발적인; 장려적인; [U,C] 자극; 유인. **~ *pay 〔***wage***〕 장려급(給)〔임금〕.

in·cep·tion[insépʃən] *n.* [U] 개시(beginning). **-tive** *a.* 개시의, 처음의.

in·cer·ti·tude[insə́:rtətjù:d] *n.* [U] 불확실; 의혹.

:in·ces·sant[insésənt] *a.* 끊임없는 (unceasing). *** ~·ly** *ad.*

in·cest[ínsest] *n.* [U] 근친 상간(죄). **in·ces·tu·ous**[-séstʃuəs] *a.*

†inch[intʃ] *n.* [C] 인치《1/12 피트》; 강우〔강설〕량 단위; 소량; (*pl.*) 신장, 키. ***by ~es,*** or **~ *by* ~** 조금씩, 점차. ***every* ~** 어디까지나, 완전히. ***within an ~ of*** 거의 …할 정도까지. —— *vt., vi.* 조금씩 움직이다.

inch·meal[⌐mì:l] *ad.* 조금씩. ***by* ~** 조금씩.

in·cho·ate[inkóuit/ínkouèit] *a.* 막 시작한; 불완전한. **-a·tive** *a.* 발단의; 〖文〗 기동상(起動相)의.

ínch·wòrm *n.* [C] 자벌레.

in·ci·dence[ínsidəns] *n.* [U,C] (보통 *sing.*) 낙하; 떨어지는 모양; 세력 또는 영향이 미치는 범위; 발생률; (세금 따위의) 궁극의 부담; [U] 〖理〗 입사(入射), 투사(投射).

:in·ci·dent[-dənt] *a.* ① 일어나기 쉬운(liable to happen)(*to*). ② 부수하는(*to*). ③ 투사하는(*upon*). —— *n.* [C] ① 부대 사건; 사건; 사변. ② (소설·극·시 속의) 삽화(揷話).

in·ci·den·tal**[ìnsidéntl] *a.* ① 곧잘 일어나는; 부수하는(*to*). ② 주요하지 않은. ③ 우연의. **~ *expenses 임시비, 잡비. **~ *music*** (극·영화 따위의) 반주 음악. —— *n.* [C] 부수적 사건. *** ~·ly**[-təli] *ad.* 하는 김에, 부수적으로; 우연히.

in·cin·er·ate[insínərèit] *vt.* 태워서 재가 되게 하다. **-a·tion**[–⌐–éiʃən] *n.* [U] 소각. **-a·tor** *n.* [C] (쓰레기 등의) 소각로.

in·cip·i·ent[insípiənt] *a.* 시작의, 초기의. **-ence, -en·cy** *n.*

in·cise[insáiz] *vt.* 베다; 새기다, 조각하다. **in·ci·sion**[insíʒən] *n.* [U] 벰; [C] 벤 자리; [U,C] 〖醫〗 절개.

in·ci·sive[insáisiv] *a.* 예민한; 통렬한. **~·ly** *ad.*

in·ci·sor[insáizər] *n.* [C] 〖解〗 앞니, 문치(門齒).

***in·cite**[insáit] *vt.* 자극하다; 격려하다; 선동하다(*to* an action, *to* do). **~·ment, in·ci·ta·tion**[⌐–téiʃən] *n.* [U] 자극; 격려; 선동; [C] 자극물; 유인(誘因).

in·ci·vil·i·ty[ìnsivíləti] *n.* [U] 버릇 없음, 무례; [C] 무례한 짓〔말〕.

incl. inclosure; including; inclusive(ly).

in·clem·ent[inklémənt] *a.* (기후가) 혹독한; (날씨가) 험악한; (성격이) 냉혹한. **-en·cy** *n.*

:in·cli·na·tion [ìnklənéiʃən] *n.* [U,C] 경향(*to*); 기호(preference)(*for*); (*sing.*) 경사, 기울; [C] 사면(斜面).

:in·cline[inkláin] *vt.* 기울이다; 굽히다; (마음을) 내키게 하다(*to*). —— *vi.* 기울다; 마음이 내키다(*to*). ***be* ~*d to*** …의 경향이 있다. —— [⌐–] *n.* [C] 경사(면). **: ~d**[-d] *a.* (…에) 마음이 내키는, (…의) 경향이 있는; 경사진; 경각을 이루는.

in·cli·nom·e·ter [ìnklənɑ́mitər/-nɔ́mi-] *n.* [C] 경사계(傾斜計).

***in·close**[inklóuz] *vt.* =ENCLOSE.

in·clo·sure[inklóuʒər] *n.* = ENCLOSURE.

:in·clude[inklú:d] *vt.* 포함하다; 셈에 넣다, 포함시키다.

in·clud·ing[-iŋ] *prep.* …을 포함하여, …을 넣어서.

***in·clu·sion**[inklú:ʒən] *n.* [U] 포함, 함유, 산입; [C] 함유물.

***in·clu·sive**[inklú:siv] *a.* (…을) 포함하여(*of*)(opp. exclusive); 일체를 포함한. **~·ly** *ad.*

in·cog[inkɑ́g/-ɔ́-] *a., ad., n.* 《口》 =⇩.

in·cog·ni·to[-nitòu] *a., ad.* 변명(變名)의〔으로〕, 미복잠행(微服潛行)의〔으로〕, 신분을 숨기고. —— *n.* (*pl.* **~*s***) [C] 익명(자); 미행자.

in·co·her·ent[ìnkouhíərənt] *a.* 조리가 맞지 않는; 지리 멸렬의; (분노·슬픔으로) 자제를 잃은; 결합력 없

는. ～·ly *ad.* -ence, -en·cy *n.*
in·com·bus·ti·ble [ìnkəmbʌ́stəbəl] *a., n.* Ⓒ 불연성(不燃性)의 (물질).
:in·come [ínkʌm] *n.* Ⓤ,Ⓒ 수입, 소득.
in·com·er [ínkʌ̀mər] *n.* Ⓒ 들어오는 사람; 신참자; 후계자.
íncome tàx 소득세.
in·com·ing [ínkʌ̀miŋ] *n.* Ⓤ 들어옴; (*pl.*) 수입. —*a.* 들어오는; 후임의.
in·com·men·su·ra·ble [ìnkəménʃərəbəl] *a.* 같은 표준으로 잴 수 없는, 비교할 수 없는; 《數》 약분할 수 없는(*with*).
in·com·men·su·rate [ìnkəménʃərit] *a.* 어울리지 않는, 걸맞지 않는 (*with, to*); =⇧.
in·com·mode [ìnkəmóud] *vt.* 난처하게 하다; 방해하다.
in·com·mo·di·ous [ìnkəmóudiəs] *a.* 불편한; (방 따위) 옹색한.
in·com·mu·ni·ca·ble [ìnkəmjúːnəkəbəl] *a.* 전달〔이야기〕할 수 없는.
in·com·mu·ni·ca·do [ìnkəmjùːnəkáːdou] *a.* (Sp.) 《美》 (포로 등이) 외부와의 연락이 끊어진.
***in·com·pa·ra·ble** [inkɑ́mpərəbəl/-ɔ́-] *a.* 견줄 나위 없는; 비교할 수 없는(*with, to*). -bly *ad.*
***in·com·pat·i·ble** [ìnkəmpǽtəbəl] *a.* 상반되는, 사이가 나쁜; 양립하지 않는; 조화되지 않는; 모순되는 (*with*); (컴퓨터 등이) 호환성이 없는. -bil·i·ty [ㅡㅡㅡbíləti] *n.*
***in·com·pe·tent** [inkɑ́mpətənt/-kɔ́m-] *a.* 무능한; 〖法〗 무능력〔무자격〕의. -tence, -ten·cy *n.*
***in·com·plete** [ìnkəmplíːt] *a.* 불완전한, 미완성의. ～·ly *ad.* ～·ness *n.*
in·com·pre·hen·si·ble** [inkɑmprihénsəbəl, inkàm-/-kɔ̀m-] *a., n.* 불가해한; Ⓒ《古》 무한한 (것). ***the three* ～*s 성부와 성자와 성령. -bil·i·ty [-hènsəbíləti] *n.*
in·com·press·i·ble [ìnkəmprésəbəl] *a.* 압축할 수 없는.
in·com·put·a·ble [ìnkəmpjúːtəbəl] *a.* 계산할〔셀〕 수 없는.
***in·con·ceiv·a·ble** [ìnkənsíːvəbəl] *a.* 상상도 할 수 없는; 믿어지지 않는. -bly *ad.*
in·con·clu·sive [ìnkənklúːsiv] *a.* 결론이 나지 않는, 결정적이 아닌.
in·con·den·sa·ble [ìnkəndénsəbəl] *a.* 응축〔압축〕할 수 없는.
in·con·form·i·ty [ìnkənfɔ́ːrməti] *n.* Ⓤ 불일치, 불복종; 국교(國教) 반대.
in·con·gru·ous [inkɑ́ŋgruəs/-ɔ́-] *a.* 조화되지 않는(*with*); 부적당한. -gru·i·ty [ㅡㅡgrúːəti] *n.* Ⓤ 부적당; 불일치; Ⓒ 부적당한 것; 불일치점.
in·con·se·quent [inkɑ́nsikwènt/-kɔ́nsikwənt] *a.* 조리가 맞지 않는; 당치 않은. -quence *n.*
in·con·se·quen·tial [inkɑ̀nsikwénʃəl/-ɔ̀-] *a.* 하찮은, 논리에 맞지 않는.
in·con·sid·er·a·ble [ìnkənsídərəbəl] *a.* 사소한, 중요치 않은.
in·con·sid·er·ate [ìnkənsídərit] *a.* 동정심 없는(*of*); 무분별한. ～·ly *ad.* ～·ness *n.*
***in·con·sist·ent** [ìnkənsístənt] *a.* 조화되지 않는; 양립하지 않는(*with*); 주견이 없는. ～·ly *ad.* *-en·cy *n.* Ⓤ 불일치; 모순; 무정견(無定見); Ⓒ 모순된 것〔언행〕.
in·con·sol·a·ble [ìnkənsóuləbəl] *a.* 위로할〔달랠〕 길 없는. -bly *ad.*
in·con·so·nant [inkɑ́nsənənt/-ɔ́-] *a.* 조화되지 않는. -nance *n.*
in·con·spic·u·ous [ìnkənspíkjuəs] *a.* 두드러지지 않은.
in·con·stant [inkɑ́nstənt/-ɔ́-] *a.* 변덕스러운(fickle). -stan·cy *n.*
in·con·test·a·ble [ìnkəntéstəbəl] *a.* 논쟁의 여지가 없는. -bly *ad.*
in·con·ti·nent [inkɑ́ntənənt/-kɔ́n-] *a.* 자제심이 없는; 절제(節制) 없는; 음란한. ～·ly *ad.* -nence *n.*
in·con·tro·vert·i·ble [ìnkɑntrəvə́ːrtəbəl/-kɔn-] *a.* 논쟁〔다툼〕의 여지가 없는. -bly *ad.*
:in·con·ven·ience [ìnkənvíːnjəns] *n.* Ⓤ 불편, 부자유; 폐; Ⓒ 불편한 것; 폐가 되는 것. —*vt.* 불편을 주다, 폐를 끼치다. **:-ient** *a.* 불편〔부자유〕한; 형편이 나쁜, 폐가 되는. -ient·ly *ad.*
in·con·vert·i·ble [ìnkənvə́ːrtəbəl] *a.* 바꿀 수 없는; (지폐가) 불환(不換)의. -bil·i·ty [ㅡㅡㅡbíləti] *n.*
in·con·vin·ci·ble [ìnkənvínsəbəl] *a.* 이해〔납득〕시킬 수 없는.
:in·cor·po·rate [inkɔ́ːrpərèit] *vt.* ① 합동시키다, 합병하다(combine). ② 법인 조직으로 하다; 《美》 주식 회사로 하다, 유한 책임 회사로 만들다. ③ 채용하다; 구체화하다. —*vi.* 합동하다. — [-rit] *a.* 합동한; 법인 조직의. *-rat·ed [-rèitid] *a.* 법인 조직의; 합동한; 《美》 주식 회사의, 유한 책임의《생략 Inc.》. -ra·tion [ㅡㅡㅡréiʃən] *n.* Ⓤ 합동; Ⓒ 법인 조직, (주식) 회사.
in·cor·po·re·al [ìnkɔːrpɔ́ːriəl] *a.* 무형의; 영적인. ～·ly *ad.*
:in·cor·rect [ìnkərékt] *a.* 부정확한, 틀린; 타당치 않은. ～·ly *ad.* ～·ness *n.*
in·cor·ri·gi·ble [inkɔ́ːridʒəbəl] *a.* 교정할 수 없는; 어거하기 어려운; 완고한. -bly *ad.*
in·cor·rupt·i·ble [ìnkərʌ́ptəbəl] *a.* 썩지 않는; 매수되지 않는. -bil·i·ty [ㅡㅡㅡbíləti] *n.*
†in·crease [ínkriːs, ㅡㅅ] (opp. decrease) *n.* Ⓤ,Ⓒ 증가; 증대, 증식; Ⓒ 증가액〔량〕. ***on the* ～** 증가 일로의. — [ㅡㅅ] *vt., vi.* 늘(리)다, 확대하다, 증강시키다〔하다〕. **in·créas·ing** *a.* 증가하는. * **in·créas-**

I

ing·ly *ad.* 점점.
:**in·cred·i·ble**[inkrédəbəl] *a.* 믿기 어려운; 거짓말 같은. **-bly** *ad.* 믿을 수 없을 만큼. **-bil·i·ty**[–⁀–bíləti] *n.*
*__in·cred·u·lous__[inkrédʒələs] *a.* 쉽게 믿지 않는, 의심 많은. **-cre·du·li·ty**[ìnkridjú:ləti] *n.*
in·cre·ment[ínkrəmənt] *n.* Ⓤ 증가; Ⓒ 증가량.
in·crim·i·nate[inkrímənèit] *vt.* 죄를 씌우다(accuse of a crime).
in·crust[inkrʌ́st] *vt.* 외피〔껍데기〕로 덮다; (보석 따위를) 박다. — *vi.* 외피〔껍데기〕가 생기다.
in·crus·ta·tion[ìnkrʌstéiʃən] *n.* Ⓤ 외피로 덮(이)기; Ⓒ 외피; Ⓤ 상감(象嵌).
in·cu·bate[íŋkjəbèit, ínk-] *vt.* (새가 알을) 품다, 까다; 꾀하다. — *vi.* 알을 품다, (알이) 깨다; 숙고하다. **-ba·tor** *n.* Ⓒ 부화기; 조산아 보육기; 세균 배양기. **-ba·tion**[⁀–béiʃən] *n.* Ⓤ 알을 품음, 부화; 〖醫〗 잠복(기).
in·cu·bus[íŋkjəbəs, ínk-] *n.* (*pl.* *~es, -bi*[-bài]) Ⓒ 가위(눌림), 몽마(夢魔); 압박하는 것, (마음의) 부담.
in·cul·cate[inkʌ́lkeit, ⁀–⁀] *vt.* 가르쳐 주입시키다(instil)(*on, upon*). **-ca·tion**[⁀–kéiʃən] *n.*
in·cul·pate [inkʌ́lpeit, ⁀–⁀] *vt.* 죄를 씌우다; 비난하다; 유죄로 하다.
in·cum·bent[inkʌ́mbənt] *a.* 기대는, 의무로서 지워지는, 의무인(*on, upon*). — *n.* Ⓒ (영국 교회의) 재직 목사; 재직자. **-ben·cy** *n.* Ⓒ 재직 목사의 지위〔임기〕.
in·cum·ber [inkʌ́mbər] *v.* = ENCUMBER.
in·cum·brance [-brəns] *n.* = ENCUMBRANCE.
in·cu·nab·u·la[ìnkjunǽbjələ] *n. pl.* (*sing.* *-lum*[-ləm]) Ⓒ 초기; 고판본(古版本)《1500년 이전에 인쇄된》.
:**in·cur**[inkə́:r] *vt.* (*-rr-*) ① (…에) 부딪치다, (…에) 빠지다. ② (손해 등을) 초래하다. *~ debts* 빚지다.
in·cur·a·ble[inkjúərəbəl] *a., n.* Ⓒ 불치의 (병자). **-bly** *ad.* 나을〔고칠〕 수 없을 만큼.
in·cu·ri·ous[inkúəriəs] *a.* 호기심 없는, 알려고 하지 않는; 흥미 없는.
in·cur·sion[inkə́:rʒən, -ʃən] *n.* Ⓒ 침입; 습격. **-sive**[-siv] *a.*
in·curve[ínkə̀:rv] *n.* Ⓒ 〖野〗 인커브.
in·cus[íŋkəs] *n.* (*pl.* *incudes* [inkjú:di:z]) Ⓒ 〖解〗 (중이(中耳)의) 침골(砧骨).
Ind. India; Indian; Indiana; Indies. **I.N.D.** *in nomine Dei* (= in the name of God) 하느님의 이름으로.
*__in·debt·ed__[indétid] *a.* ① 빚이 있는(*to*). ② 은혜를 입은(*to*). *~*·**ness** *n.* Ⓤ 부채(액); 은혜.
in·de·cent[indí:snt] *a.* 꼴사나운; 천한, 상스러운, 외설한. **-cen·cy** *n.* Ⓤ 예절 없음, 꼴사나움; 외설; Ⓒ 추잡한 행위〔말〕.
indécent assáult 강제 추행죄.
indécent expósure 공연(公然) 음란죄.
in·de·ci·pher·a·ble[ìndisáifərəbəl] *a.* 판독(判讀)할 수 없는.
in·de·ci·sion[ìndisíʒən] *n.* Ⓤ 우유 부단.
in·de·ci·sive [indisáisiv] *a.* 결정적이 아닌; 우유 부단한. *~*·**ly** *ad.*
in·de·clin·a·ble[indikláinəbəl] *a.* 〖文〗 어미 변화를 하지 않는.
in·dec·o·rous [indékərəs] *a.* 버릇 없는.
in·de·co·rum [ìndikɔ́:rəm] *n.* Ⓤ 무례; Ⓒ 무례한 행위.
†**in·deed**[indí:d] *ad.* ① 실로, 참으로; 과연. ②《양보》 과연, 하긴(*He is clever ~, but...*). ③《상대의 질문을 되받아 동의 또는 빈정거려》 정말로, …하다니 어이없군 (*'Who wrote this?' 'Who wrote this, ~!'* 이것은 누가 썼을까? 정말 누가 썼을까? 《비꼬아》 새삼스레 누가 썼느냐고 묻다니 기가 막히는군!). ④《접속사적》 더구나, 그리고 또한; 그렇기는커녕(*He is not honest. I-, he is a great liar.*). — [⁀⁀] *int.* 홍, 설마! (*She is a singer, ~!* 저것이 가수라고, 홍!).
indef. indefinite.
in·de·fat·i·ga·ble[ìndifǽtigəbəl] *a.* 지칠 줄 모르는, 끈기 있는. **-bly** *ad.*
in·de·fea·si·ble[ìndifí:zəbəl] *a.* 무효로 할 수 없는.
in·de·fen·si·ble[ìndifénsəbəl] *a.* 방어〔변호〕할 수 없는.
in·de·fin·a·ble[ìndifáinəbəl] *a.* 정의(定義)〔설명〕할 수 없는.
:**in·def·i·nite**[indéfənit] *a.* 불명료한; 한계 없는; 일정하지 않은; 〖文〗 부정(不定)의. * *~*·**ly** *ad.*
:**indéfinite árticle** 〖文〗 부정관사 《a, an》.
in·del·i·ble[indéləbəl] (cf. dele) *a.* 지울〔잊을〕 수 없는. **-bly** *ad.*
in·del·i·cate[indélikit] *a.* 상스러운; 외설한. **-ca·cy** *n.* Ⓤ 상스러움; 외설; Ⓒ 상스러운 언행.
in·dem·ni·fy[indémnəfài] *vt.* (손해 없도록) 보장하다(*from, against*); 변상하다(*for*). **-fi·ca·tion**[–⁀–fikéiʃən] *n.*
in·dem·ni·ty[indémnəti] *n.* Ⓤ 손해 배상; 형벌의 면제; Ⓒ 배상금.
*__in·dent__[1][indént] *vi.* ① (가장자리에) 톱니 자국을 내다; (증서를 지그재그 선에 따라 떼어) 정부(正副) 2통으로 만들다. ② 만입시키다, 움푹 들어가게 하다; (원고의 새로 시작되는 행의 처음을) 한 칸 들이켜 시작하다. — [⁀–, –⁀] *n.* Ⓒ 톱니 모양의 자국; 두장 잇달린 계약서. *~*·**ed**[-id]

a. 톱니 자국이 있는, 들쭉날쭉한.
in·dén·tion *n.* Ⓤ 〖印〗 (새 행의) 한 칸 들이킴; Ⓒ (한 칸 들이킨) 빈 곳; =INDENTATION.
in·dent[2] *vt.* 홈을 만들다; (도장을) 「찍다.
in·den·ta·tion[ìndentéiʃən] *n.* Ⓤ 톱니 자국을 냄; Ⓒ 톱니 자국; (해안선의) 만입(灣入); 〖印〗 =INDENTION; 〖컴〗 들여쓰기.
in·den·ture[indéntʃər] *n.* Ⓒ (정부 2통의) 계약서; (종종 *pl.*) 기한부 고용살이 계약서. — *vt.* (계약서를 내고) 기한부 고용살이로 보내다.
:in·de·pend·ence [ìndipéndəns] *n.* Ⓤ 독립, 자립. **-en·cy** *n.* Ⓤ 독립(심); Ⓒ 독립국.
Independénce Dày (미국) 독립 기념일《7월 4일》.
:in·de·pend·ent[-dənt] *a.* ① 독립〔자립〕의; 남의 영향을 받지 않는, 독자의(*of*); (재산이) 일하지 않아도 살아갈 수 있는; 독립심이 있는. ② 무소속의; 멋대로의. ③ (I-) 〖宗〗 조합 교회파의(Congregational). — *n.* Ⓒ 독립자; 무소속 의원; (I-) 〖宗〗 조합 교회파의 사람. * **~·ly** *ad.*
indepéndent schóol 《英》 사립 학교《정부의 보조를 받지 않음》.
***in·de·scrib·a·ble**[ìndiskráibəbəl] *a.* 형언할 수 없는, 막연한.
in·de·struct·i·ble[ìndistrʌ́ktəbəl] *a.* 파괴할 수 없는, 불멸의.
in·de·ter·mi·na·ble[ìnditə́ːrmənəbəl] *a.* 결정하기 어려운; 확인할 수 없는.
in·de·ter·mi·nate[ìnditə́ːrmənit] *a.* 불확정의; 막연한(vague). **-na·tion**[ㅗㅡㅡnéiʃən] *n.* Ⓤ 불확정; 결단력이 없음.
:in·dex[índeks] *n.* (*pl.* **~es, -di·ces**) Ⓒ ① 색인; 〖컴〗 찾아보기, 색인; 지표; 지침; 집게손가락; 지수; 손(가락)표 (☞). ② (the I-) 〖가톨릭〗 금서(禁書) 목록. — *vt.* (책에) 색인을 붙이다; 색인에 넣다.
Índex Ex·pur·ga·tó·ri·us[-ikspə̀ːrgətɔ́ːriəs] 〖가톨릭〗 (서적의) 삭제 부분 지정 목록.
índex fìnger 집게손가락.
índex nùmber 지수(指數).
†In·di·a[índiə] *n.* 인도.
Índia ínk 먹.
†In·di·an[índiən] *a.* 인도(사람)의; (아메리카) 인디언의. — *n.* Ⓒ 인도 사람; (아메리카) 인디언; Ⓤ 인디언의 언어. ***Red*** **~** 아메리카 토인.
***In·di·an·a**[ìndiǽnə] *n.* 미국 중서부의 주《생략 Ind.》.
In·di·a·náp·o·lis 500[ìndiənǽpəlis-] 미국 인디애나폴리스 시에서 매해 열리는 500 마일 자동차 경주.
Índian clùb 체조용 곤봉.
Índian córn 옥수수.
Índian élephant 인도 코끼리.
Índian file 일렬 종대.
Índian gìft 《美口》 답례〔대가〕를 바라고 주는 선물.
Índian gìver 《美口》 보낸 선물을 나중에 되찾는 사람; 답례를 바라고 선물하는 사람.
Índian hémp 개정향풀의 일종.
In·di·an·ize[índiənàiz] *vt.* 인디언화(化)하다; (영국인 관리를) 인도인으로 바꾸다.
Índian méal 옥수수 가루.
Índian Ócean, the 인도양.
Índian pípe 《美》 〖植〗 수정란풀(의 무리). 「만든 푸딩.
Índian púdding 옥수수 가루로
Índian súmmer 《본디 美》 늦가을의 맑고 따뜻한 날씨가 계속되는 시 ⌊기.
Índian wéed 담배.
Índian wréstling 팔씨름; 밀치기 씨름; 엎치락뒤치락하는 씨름.
Índia pàper 인도지《얇은 인쇄용지》.
Índia rúbber 탄성 고무; 지우개.
:in·di·cate[índikèit] *vt.* ① 지적하다; 보이다; 나타내다; 암시하다; 말하다. ② (증상이 어떤 요법의) 필요성을 나타내다. * **-ca·tion**[ㅗーkéiʃən] *n.* Ⓤ,Ⓒ 지시; 징후; Ⓒ (계기의) 시도(示度), 지시 도수. ***ín·di·ca·tor** *n.* Ⓒ 지시하는 사람〔것〕; 표시기; (계기의) 지침; 〖化〗 지시약.
índicated hórsepower 지시 마력, 실(實)마력.
***in·dic·a·tive** [indíkətiv] *a.* ① 〖文〗 직설법의. ② 표시하는(*of*). — *n.* Ⓒ 직설법(동사) 《I *am* a student.의 *am*; if it *rains*...의 *rains*... 따위》(cf. imperative, subjunctive).
in·di·ca·to·ry[índikətɔ̀ːri/indíkətəri] *a.* 지시하는. 「수.
in·di·ces[índisìːz] *n.* index의 복
in·dict[indáit] *vt.* 〖法〗 기소〔고발〕하다. **~·a·ble** *a.* * **~·ment** *n.* Ⓤ 기소; Ⓒ 기소장.
***In·dies**[índiz] *n. pl.* ① 인도 제국(諸國)《인도·인도차이나·동인도 제도》. ② 동〔서〕인도 제도.
:in·dif·fer·ent[indífərənt] *a.* ① 무관심한; 냉담한. ② 공평한; 좋지도 나쁘지도 않은; 대수롭지 않은, 아무래도 좋은. ③ 시원치 않은(rather bad). ④ 〖理〗 중성의. ***be* ~ *to*** …에 무관심하다; …에게는 아무래도 좋다(*She was* ~ *to him.* 그 여자는 그에게 무관심했다; 그 여자 따위는 그에게는 아무래도 좋았다). * **~·ly** *ad.* 무관심하게; 좋지도 나쁘지도 않게, 중 정도로; 상당히; 시원치 않게, 서투르게. **:-ence, -en·cy** *n.*
in·dig·e·nous[indídʒənəs] *a.* 토착의(*to*); 타고난(*to*).
in·di·gent[índidʒənt] *a.* 가난한. **-gence** *n.*
***in·di·gest·i·ble** [ìndidʒéstəbəl, -dai-] *a.* 소화 안 되는; 이해하기 힘든. **-ges·tive**[-tiv] *a.*
***in·dig·nant**[indígnənt] *a.* (부정 따위에 대해) 분개한(*at* it; *with* him). * **~·ly** *ad.* 분연히.
:in·dig·na·tion[ìndignéiʃən] *n.* Ⓤ

(불의 따위에 대한) 분개, 의분.
indignátion mèeting 항의[궐기] 집회.
*__in·dig·ni·ty__[indígnəti] *n.* Ⓤ 모욕, 경멸; Ⓒ 모욕적인 언동.
*__in·di·go__[índigòu] *n.* (*pl.* ~(*e*)*s*), *a.* Ⓤ 쪽, 인디고《물감》; 남[쪽]빛(의); Ⓒ 〖植〗 인도쪽.
índigo blúe 남빛.
:__in·di·rect__[ìndirékt, -dai-] *a.* 간접의; 2차적인(secondary); 우회하는; 에두르는; 부정한. *~·**ly** *ad.* **-rec·tion** *n.* Ⓤ 에두름, 우회; 부정직.
índirect discóurse [**narrátion, spéech**] 〖文〗 간접 화법(cf. represented SPEECH).
índirect líghting 간접 조명.
índirect óbject 〖文〗 간접 목적어.
índirect táx 간접세.
In·dis·cern·i·ble[ìndisə́:rnəbəl, -zə́:r-] *a.* 식별할 수 없는.
*__in·dis·creet__[ìndiskrí:t] *a.* 분별[지각] 없는, 경솔한. ~·**ly** *ad.* *-**cre·tion**[-kréʃən] *n.* Ⓤ 무분별; Ⓒ 무분별한 행위.
in·dis·crim·i·nate[ìndiskrímənit] *a.* 무차별의; 난잡한. ~·**ly** *ad.* **-na·tion**[ㅗ-ㅗ-néiʃən] *n.*
in·dis·pen·sa·ble[ìndispénsəbəl] *a., n.* Ⓒ 절대 필요한 (것); (의무 따위가) 피할 수 없는. **-bil·i·ty**[ㅗ-ㅗ-bíləti] *n.*
in·dis·pose[ìndispóuz] *vt.* 싫증나게 하다(*to*); 부적당[불능]하게 하다(*for*); (가벼운) 병에 걸리게 하다. ~**d**[-d] *a.* 기분이 나쁜; …할 마음이 내키지 않는(*to* do).
in·dis·po·si·tion[ìndispəzíʃən] *n.* Ⓤ,Ⓒ 기분이 언짢음; (가벼운) 병; Ⓤ 마음이 내키지 않음, 싫증.
in·dis·pu·ta·ble[ìndispjú:təbəl, indíspju-] *a.* 논의의 여지가 없는; 명백한.
in·dis·sol·u·ble[ìndisáljəbəl/-ɔ́-] *a.* 분해[분리]할 수 없는; 확고한; 영구적인.
in·dis·tinct[ìndistíŋkt] *a.* 불명료한. ~·**ly** *ad.*
in·dis·tinc·tive[-tiv] *a.* 눈에 띄지 않는, 특색[차별]이 없는.
in·dis·tin·guish·a·ble[-tíŋgwiʃəbəl] *a.* 구별할 수 없는. **-bly** *ad.*
in·dite[indáit] *vt.* (시·글 따위를) 짓다, 쓰다. ~·**ment** *n.*
in·di·um[índiəm] *n.* Ⓤ 〖化〗 인듐《금속 원소의 하나》.
:__in·di·vid·u·al__[ìndəvídʒuəl] *a.* (opp. universal) 개인의, 개개의, 단일한; 독특한. — *n.* Ⓒ 개인, 개체; 사람. *~·**ism** [-ìzəm] *n.* Ⓤ 개인주의; 개성; =EGOISM. *~·**ist** *n.* Ⓒ 개인주의자; =EGOIST. ~·**is·tic** [ㅗ-ㅗ--ístik] *a.* 개인주의적인; =EGOISTIC. *~·**ly** *ad.* 하나하나, 개별적으로; 개인적으로.
indivídual retírement accòunt 《美》 개인 퇴직 (적립) 계정, 개인 연금 퇴직금 계정《생략 IRA》.
*__in·di·vid·u·al·i·ty__[ìndəvìdʒuǽləti] *n.* Ⓤ 개성; Ⓒ 개체, 개인; (*pl.*) 개인적 특징.
in·di·vid·u·al·ize[ìndəvídʒuəlàiz] *vt.* 낱낱이 구별하다; 개성을 부여[개성화]하다; 특기하다(specify).
in·di·vis·i·ble[ìndivízəbəl] *a.* 분할할 수 없는; 〖數〗 나뉘어 떨어지지 않는. **-bil·i·ty**[ㅗ-ㅗ-bíləti] *n.*
In·do-[índou, -də] '인도 (사람)'의 뜻의 결합사. ㅅ-**Chína** *n.* 인도차이나《넓은 뜻으로 Burma, Thailand, Malay를 포함하는 경우와, 옛 프랑스령 인도차이나를 가리키는 경우가 있음》. ㅅ-**Chinése** *a., n.* Ⓒ 인도차이나의 (사람). ㅅ-**Européan** [-**Germánic**] *n., a.* 〖言〗 Ⓤ 인도 유럽[게르만]어족(의), 인구(印歐) 어족(의).
in·doc·ile[indásil/-dɔ́sil] *a.* 가르치기 힘드는, 고분고분하지 않은. **in·do·cil·i·ty**[ㅗ-síləti] *n.*
in·doc·tri·nate[indáktrənèit/-ɔ́-] *vt.* (교의 따위를) 주입하다; 가르치다. **-na·tion**[-ㅗ-néiʃən] *n.*
in·dole·a·cé·tic ácid [ìndouləsétik-] 〖生化〗 인돌 초산《식물의 성장 호르몬》.
*__in·do·lent__ [índələnt] *a.* 게으른; 〖醫〗 무통(성)의. ~·**ly** *ad.* **-lence** *n.*
*__in·dom·i·ta·ble__[indámətəbəl/-ɔ́-] *a.* 굴복하지 않는. **-bly** *ad.*
*__In·do·ne·sia__[ìndouní:ʒə, -ʃə] *n.* 인도네시아; 인도네시아 공화국. **-sian** *n., a.* Ⓒ 인도네시아 사람(의); Ⓤ 인도네시아의 말(의).
*__in·door__[índɔ̀:r] *a.* 옥내의, 실내의.
índoor báseball 실내 야구.
:__in·doors__[indɔ́:rz] *ad.* 옥내에(서).
in·dorse[indɔ́:rs], **&c.** =ENDORSE, &C.
ín·dràwn *a.* 마음을 터놓지 않는; 내성적인; 숨을 들이마신.
in·du·bi·ta·ble[indjú:bətəbəl] *a.* 의심할 여지 없는, 확실한.
:__in·duce__[indjú:s] *vt.* ① 설득하여 …시키다, 권유하다. ② 일으키다, 야기하다(cause); 귀납하다(opp. deduce); 〖電〗 유도하다. ~**d** ***current*** 유도 전류. *~·**ment** *n.* Ⓤ,Ⓒ 유인; 자극; 동기.
in·duct[indʌ́kt] *vt.* (자리에) 인도하다; 취임시키다; 초보를 가르치다(initiate); 《美》 군에 입대시키다. ~·**ance** *n.* Ⓤ,Ⓒ 〖電〗 자기(自己) 유도(계수).
in·duc·tee[indʌktí:, ㅗ-ㅅ] *n.* Ⓒ 《美》 징집병.
in·duc·tile[indʌ́ktil] *a.* 잡아늘일 수 없는; 고분고분하지 않은.
*__in·duc·tion__[indʌ́kʃən] *n.* ① Ⓤ 유도, 도입, Ⓤ,Ⓒ 귀납(법), 귀납 추리(opp. deduction). ② Ⓤ 〖電〗 유도, 감응. ③ Ⓤ,Ⓒ 취임식. **-tive** *a.* **-tiv·i·ty**[ㅗ-tívəti] *n.* Ⓤ 유도성. **-tor·i·ty** Ⓒ 〖電〗 유도자(誘導子).

indúction còil 유도〔감응〕 코일.
indúction còurse (신입 사원 등의) 연수.
indúction héating 유도 가열.
indúction mótor 유도 전동기.
in·due[indjú:] *v.* =ENDUE.
:in·dulge[indʌ́ldʒ] *vt.* ① 어하다, 멋대로 하게 하다(~ *a child*). ② (욕망 따위를) 만족시키다; 즐기게 하다. ― *vi.* 빠지다(*in*); 실컷 마시다. ~ ***oneself in*** …에 빠지다.
***in·dul·gence**[indʌ́ldʒəns], **-gen·cy**[-i] *n.* ① Ⓤ 멋대로 함; 탐닉(*in*); 응석을 받음, 관대; 은혜. ② Ⓤ 〖가톨릭〗 사면; Ⓒ 면죄부.
***in·dul·gent**[-dʒənt] *a.* 멋대로 하게 하는, 어하는, 관대한.
in·du·rate[índjurèit] *vt., vi.* 굳히다; 굳어지다; 무감각하게 하다; 무감각해지다.
In·dus[índəs] *n.* (the ~) (인도의) 인더스강.
:in·dus·tri·al[indʌ́striəl] *a.* ① 산업〔공업〕의. ② 산업에 종사하는; (산업) 노동자의. **~·ism**[-ìzəm] *n.* Ⓤ 산업주의. **~·ist** *n.* Ⓒ 산업 경영자; 공업가; 산업 노동자. **~·ly** *ad.*
indústrial áction 《英》 파업, 스트라이크.
indústrial archaeólogy 산업 고고학《초기의 공장·기계 따위를 연구함》.
indústrial árts 공예.
indústrial cómplex 공업 단지.
indústrial desígn 공업 디자인.
indústrial estáte 산업 지구.
***in·dus·tri·al·ize**[-àiz] *vt.* 산업〔공업〕화하다; 산업주의를 고취하다. **-i·za·tion**[-ˋ--izéiʃən] *n.*
indústrial microbiólogy 응용 생물학.
indústrial párk 공업 단지.
indústrial próperty (특허권·등록 상표 따위의 무형의) 산업 소유권.
indústrial psychólogy 산업 심리학.
indústrial relátions 노사 관계; 산업과 지역 사회와의 관계(의 조정).
Indústrial Revolútion, the 〖英史〗(18세기 말부터 19기 초에 걸친) 산업 혁명.
indústrial róbot 산업용 로봇.
Indústrial schóol 실업 학교; (불량아 선도를 위한) 직업 보도 학교.
indústrial únion 산업별 노동 조합.
:in·dus·tri·ous[indʌ́striəs] *a.* 부지런한.
†in·dus·try[índəstri] *n.* Ⓤ 근면; 노동; 산업, 공업; 공업 경영.
ìn·dwéll *vt., vi.* (**-dwelt**) (…에) 내재(內在)하다; (정신·주의 등이) 깃들다. **~·er** *n.* Ⓒ 내재자〔물〕. **~·ing** *a.* 내재하는.
in·dwelt[ìndwélt] *v.* indwell의 과거(분사).
-ine[i:n, ain, in] *suf.* ① 형용사를 만듦: serpent*ine.* ② 여성 명사를 만듦: hero*ine.*
in·e·bri·ate[iní:brièit] *vt.* (술·흥분에) 취하게 하다(*the cups that cheer but not* ~ 기분을 상쾌하게 하나 취하지 않는 음료《차를 일컬음; Cowper의 시에서》). ― [-briit] *a., n.* Ⓒ 취한 (사람), 고주망태. **-a·tion**[-ˋ-éiʃən] *n.*
in·e·bri·e·ty[ìnibráiəti] *n.* Ⓤ 명정(酩酊).
in·ed·i·ble[inédəbəl] *a.* 먹을 수 없는.
in·ef·fa·ble[inéfəbəl] *a.* 말로 표현할 수 없는; 말해서는 안 될.
in·ef·face·a·ble[iniféisəbəl] *a.* 지울 수 없는.
in·ef·fec·tive[ìniféktiv] *a.* 효과 없는; 효과적이 아닌; 쓸모 없는; 감명을 주지 않는. **~·ly** *ad.*
in·ef·fec·tu·al[ìniféktʃuəl] *a.* 효과 없는. **~·ly** *ad.*
in·ef·fi·ca·cious [ìnefəkéiʃəs] *a.* 효력 없는. **~·ly** *ad.* **-cy**[inéfəkəsi] *n.*
in·ef·fi·cient[ìnifíʃənt] *a.* 무능한; 쓸모 없는. **-cien·cy** *n.*
in·e·las·tic[ìnilǽstik] *a.* 탄력(성) 없는; 융통성 없는. **~·i·ty**[ˋ--tísəti] *n.*
in·el·e·gant[inéləgənt] *a.* 우아하지 않은, 조잡한. **-gance, -gan·cy** *n.* ① Ⓤ 무풍류(無風流); 아치 없음. ② Ⓒ 아치 없는 언행〔문체〕.
in·el·i·gi·ble[inélidʒəbəl] *a.* (뽑힐) 자격이 없는, 부적당한.
in·e·luc·ta·ble[ìnilʌ́ktəbəl] *a.* 불가항력의, 불가피한.
in·ept[inépt] *a.* 바보 같은; 부적당한. **~·i·tude**[-ətjù:d] *n.* Ⓤ 어리석음; 부적당; Ⓒ 바보 같은 짓〔말〕.
***in·e·qual·i·ty** [ìni(:)kwɑ́ləti/-ɔ́-] *n.* ① Ⓤ 부동(不同); 불평등. ② Ⓤ (표면의) 거침; (*pl.*) 기복(起伏). ③ Ⓒ 〖數〗 부등식; Ⓤ 부적당.
in·eq·ui·ta·ble[inékwətəbəl] *a.* 불공평한; 불공정한.
in·eq·ui·ty[inékwəti] *n.* Ⓤ 불공평; 불공정.
in·e·rad·i·ca·ble[ìnirǽdikəbəl] *a.* 근절할 수 없는. **-bly** *ad.*
in·ert**[inə́:rt] *a.* 활발치 못한, 둔한; 〖理〗 자동력이 없는; 〖化〗 활성이 없는, 화학 변화를 일으키지 않는. ~ ***gases 불활성 기체. **~·ly** *ad.* **~·ness** *n.*
in·er·tia[inə́:rʃiə] *n.* Ⓤ 활발치 못함; 둔함; 〖理〗 관성, 타력(惰力).
in·er·tial[inə́:rʃiəl] *a.* 활발치 못한; 타력의. ~ ***guidance*** 〔***navigation***〕 (유도탄 따위의) 타력 비행.
***in·es·cap·a·ble**[ìneskéipəbəl] *a.* 달아날 수 없는, 불가피한.
in·es·sen·tial [ìnisénʃəl] *a., n.* Ⓒ 긴요하지 않은 (것).
***in·es·ti·ma·ble**[inéstəməbəl] *a.* 평가할 수 없는; (가치 등) 측량할 수 없을 정도의. **-bly** *ad.*
:in·ev·i·ta·ble[inévitəbəl] *a.* 피할 수 없는, 필연적인. ***the*** ~ 필연적인 일. ***-bly** *ad.* **-bil·i·ty**[-ˋ--bíləti]

n. Ⓤ 불가피, 불가항력.
in·ex·act[ìnigzǽkt] *a.* 부정확한. **~·i·tude**[-itjù:d] *n.*
in·ex·cus·a·ble [ìnikskjú:zəbəl] *a.* 변명이 서지 않는; 용서할 수 없는. **-bly** *ad.*
***in·ex·haust·i·ble**[ìnigzɔ́:stəbəl] *a.* 다 쓸 수 없는, 무진장의; 피로를 모르는. **-bly** *ad.*
***in·ex·o·ra·ble**[inéksərəbəl] *a.* 무정한, 용서 없는, 냉혹한.
in·ex·pe·di·ent[ìnikspí:diənt] *a.* 불편한, 부적당한; 상책이 아닌. **-di·ence, -di·en·cy** *n.*
***in·ex·pen·sive**[ìnikspénsiv] *a.* 비용이 들지 않는, 싼. **~·ly** *ad.*
in·ex·pe·ri·ence[ìnikspíəriəns] *n.* Ⓤ 무경험, 미숙. ***~d**[-t] *a.* 경험이 없는; 숙련되지 않은; 세상 물정을 모르는.
in·ex·pert [inékspə:rt, ìnikspə́:rt] *a.* 서투른.
in·ex·pi·a·ble [inékspiəbəl] *a.* (죄 따위) 보상할 수 없는; 《古》 앙심 깊은.
***in·ex·pli·ca·ble**[ìniksplíkəbəl, inékspli-] *a.* 설명〔이해〕할 수 없는, 불가해한. **-bly** *ad.*
in·ex·plic·it[ìniksplísit] *a.* 명료하지 못한.
in·ex·press·i·ble[ìnikspresəbəl] *a.* 말로 표현할 수 없는. — *n.* (*pl.*) 《諧·古》 바지. **-bly** *ad.*
in·ex·pres·sive[ìnikspresiv] *a.* 무표정한.
in·ex·tin·guish·a·ble[ìnikstíŋgwiʃəbəl] *a.* (불 따위) 끌 수 없는; (감정 등) 억제할 수 없는.
in·ex·tri·ca·ble[inékstrikəbəl] *a.* 해결〔탈출〕할 수 없는.
inf. infantry; infinitive; infinity.
***in·fal·li·ble**[infǽləbəl] *a.* ① (판단 따위가) 전혀 잘못이 없는. ② 절대 확실한. ③ 〖가톨릭〗 (교황이) 오류가 없는. **-bly** *ad.* **-bil·i·ty**[-ㅡ-bíləti] *n.* Ⓤ 과오가 없음; (교황의) 무류성(無謬性).
***in·fa·mous**[ínfəməs] *a.* 악명 높은 (notorious); 수치스런, 파렴치한.
ínfamous críme 파렴치죄.
***in·fa·my**[ínfəmi] *n.* ① Ⓤ 악평, 오명; 불명예. ② Ⓒ 파렴치한 행위.
:in·fan·cy[ínfənsi] *n.* Ⓤ,Ⓒ 유년(시대); 〖法〗 미성년; 초기.
:in·fant[ínfənt] *n.* Ⓒ 유아《7세 미만》; 〖法〗 미성년자 《21세 미만》; 초심자. — *a.* 유아의; 유치한; 초기의.
in·fan·te[infǽntei] *n.* (*fem.* **-ta** [-tə]) Ⓒ (스페인·포르투갈의) 왕자.
in·fan·tile[ínfəntàil, -til] *a.* 유아의; 유아 같은(childlike); 유치한 (childish); 초기의.
ínfantile parálysis 소아마비.
in·fan·ti·lism[infǽntəlìzəm] *n.* Ⓤ 〖醫〗 (성인의) 유치증, 발육 부전.
in·fan·tine[ínfəntàin, -tì:n] *a.* 유아의; 유치한.
***in·fan·try**[ínfəntri] *n.* Ⓤ 《집합적》 보병(대). **~·man**[-mən] *n.* Ⓒ (개개의) 보병.
ínfant(s') schòol 《英》 유아 학교 《5-7세》.
in·fat·u·ate[infǽtʃuèit] *vt.* 얼빠지게 만들다; (어리석은 일·여자 등에) 열중케 하다. (*be*) ***~d with*** …에 열중하여 (있다). **-at·ed**[-id] *a.* (…에) 열중한, (여자 등에) 미친. **-a·tion**[-ㅡ-éiʃən] *n.* ① Ⓤ 홀림, (여자에) 미침. ② Ⓒ 열중케 하는 것.
in·fea·si·ble[infí:zəbəl] *a.* 실행 불가능한.
:in·fect[infékt] *vt.* ① (…에) 감염시키다; 병독으로 오염하다; (나쁜 풍조에) 물들게 하다. ② (…에) 영향을 미치다, 감화하다. ***be ~ed with*** …에 감염돼〔물들어〕 있다.
:in·fec·tion[infékʃən] *n.* ① Ⓤ 감염; (나쁜) 영향; 감화. ② Ⓒ 전염병.
***in·fec·tious**[infékʃəs] *a.* 전염하는; 접촉 감염성의; (영향이) 옮기 쉬운.
in·fec·tive[inféktiv] *a.* =⇧.
in·fe·lic·i·tous[ìnfəlísitəs] *a.* 불행한; (문체·말 따위가) 부적당한. **-i·ty**[-ㅡ-ㅡsəti] *n.* ① Ⓤ 불행. ② Ⓤ 부적당; Ⓒ 부적당한 것〔표현〕.
***in·fer**[infə́:r] *vt., vi.* (**-rr-**) 추론〔추리, 추단〕하다; (결론으로서) 의미하다. **~·a·ble**[infə́:rəbəl, ínfər-] *a.* 추론할 수 있는.
***in·fer·ence**[ínfərəns] *n.* Ⓤ 추론, 추리; 〖컴〗 추론. ② Ⓒ 추정, 결론. **-en·tial**[ìnfərénʃəl] *a.*
:in·fe·ri·or [infíəriər] *a.* 하위의, (…보다) 못한(*to*). — *n.* Ⓒ 하급자; 하급품.
***in·fe·ri·or·i·ty**[infìəriɔ́(:)rəti, -ár-] *n.* Ⓤ 열등; 하급.
inferióritv cómplex 〖精神分析〗 열등 복합, 《一般》 열등감.
***in·fer·nal**[infə́:rnl] *a.* 지옥의; 명부(冥府)의(of Hades); 악마 같은, 무도한(hellish); 《口》 지독한. **~·ly** *ad.*
inférnal machíne (암살 따위에 사용하는) 폭발 장치.
in·fer·no[infə́:rnou] *n.* (*pl.* **~s**) (the ~) 지옥; Ⓒ 지옥 같은 곳〔광경〕.
in·fer·tile[infə́:rtəl/-tail] *a.* 기름지지 않은, 불모의(sterile).
***in·fest**[infést] *vt.* (해충·해적 따위가) 들끓다, 엄습하다, 노략질하다; 해치다. **in·fes·ta·tion**[ˋ-téiʃən] *n.* Ⓤ,Ⓒ 떼지어 엄습함; 횡행.
in·fi·del[ínfədl] *n.* Ⓒ 믿음이 없는 사람; 이교도; 기독교를 믿지 않는 사람. — *a.* 신앙심이 없는; 이교도의.
in·fi·del·i·ty[ìnfədéləti] *n.* ① Ⓤ 신앙심이 없음《특히 기독교의》, 불신심. ② Ⓤ,Ⓒ (부부간의) 부정(행위), 불의.
***in·field**[ínfì:ld] *n.* Ⓒ (the ~) 〖野〗 내야; 《집합적》 내야진(陣). **~·er** *n.* Ⓒ 내야수.
in·fight·er[ínfàitər] *n.* Ⓒ 〖拳〗 접

근전에 능한 선수.
in·fight·ing[-iŋ] *n.* Ⓤ 〖拳〗 접근전; 대항 의식; 난투.
in·fil·ing[ínfìliŋ] *n.* Ⓤ 〖建〗 내부 건재《기둥·지붕 이외의 건재》.
in·fil·trate[infíltreit, ⌐—⌐] *vt., vi.* 침투〔침윤〕시키다〔하다〕; (…에) 침입시키다. ***be ~d with*** …이 침투해 있다. **-tra·tion**[⌐—tréiʃən] *n.* Ⓤ 침투; 〖醫〗 (폐)침윤; 〖軍〗 잠입.
:in·fi·nite[ínfənit] *a.* 무한의; 막대한. — *n.* 무한(한 것); (the I-) 신. * **~·ly** *ad.*
in·fin·i·tes·i·mal[infìnitésəməl] *a.* 극소의; 〖數〗 미분(微分)의.
infinitésimal cálculus 〖數〗 미적분학.
:in·fin·i·tive[infínətiv] *n., a.* 〖文〗 Ⓤ,Ⓒ 부정사(의). **-ti·val**[⌐——tái-vəl] *a.*
in·fin·i·tude[infínətjù:d] *n.* Ⓤ 무한; Ⓒ 무수, 무한량.
in·fin·i·ty[infínəti] *n.* Ⓤ,Ⓒ 무한(대); 무수.
in·firm[infə́:rm] *a.* 허약한; (의지 따위가) 약한; (이유 따위) 박약한.
in·fir·ma·ry[infə́:rməri] *n.* Ⓒ 병원; (학교·공장 따위의) 부속 진료소.
***in·fir·mi·ty**[infə́:rməti] *n.* ① Ⓤ 허약, 병약. ② Ⓒ 병; (도덕적) 결함, 약점.
in·fix[infíks] *vt.* 끼워〔박아〕 넣다; (마음에) 깊이 새겨 두다.
:in·flame[inflèim] *vt.* (…에) 불을 붙이다; 노하게 하다(*with*); 충혈시키다, 염증을 일으키게 하다. — *vi.* 불붙다; 노하다; 염증을 일으키다.
***in·flam·ma·ble** [inflǽməbəl] *a.* 불타기〔노하기〕 쉬운. **-bil·i·ty**[—⌐—bíl-] *n.*
in·flam·ma·tion[ìnfləméiʃən] *n.* Ⓤ 발화; 연소; Ⓤ,Ⓒ 염증.
in·flam·ma·to·ry [inflǽmətɔ̀:ri/-təri] *a.* 선동적인; 염증성의.
***in·flate**[infléit] *vt.* (공기·가스 따위로) 부풀리다; (통화를) 팽창시키다; 우쭐하게 만들다. **-flat·ed**[-id] *a.* 팽창된; 과장된, 우쭐한. **in·flát·er, -tor** *n.* Ⓒ (타이어의) 공기 펌프.
:in·fla·tion[infléiʃən] *n.* Ⓤ,Ⓒ 팽창; 통화 팽창, 인플레이션; (물가의) 폭등; 득의(得意). **~·ar·y**[-èri/-əri] *a.* 인플레이션의, 인플레이션을 초래하는. **~·ist** *n.* Ⓒ 인플레(정책)논자.
inflátionary gàp 〖經〗 구매력과 생산물과의 사이에 생기는 간격.
inflátionary spíral 〖經〗 악성〔급진성〕 인플레이션.
inflátion théory 〖天〗 (우주) 팽창설.
in·flect[inflékt] *vt.* 구부리다; 〖文〗 (어미를) 변화시키다; (음성을) 조절하다. — *vi.* 어미변화하다.
***in·flec·tion**[inflékʃən] *n.* ① Ⓤ 굴절. ② Ⓤ,Ⓒ 굴곡. ③ Ⓤ 〖文〗 어미변화; 음절의 조절, 억양. **~·al** *a.*
in·flex·i·ble[infléksəbəl] *a.* 구부리지 않는, 구부릴 수 없는; 불굴의; 확고한; 불변의. **-bil·i·ty**[⌐⌐—bíl-əti] *n.* **-bly** *ad.*
in·flex·ion[inflékʃən] *n.* 《英》 =INFLECTION.
:in·flict[inflíkt] *vi.* (고통 따위를) 주다(*on, upon*); (벌을) 과하다. **in·flíc·tion** *n.* ① Ⓤ (벌을) 과함. ② Ⓒ (과해진) 처벌.
in·flo·res·cence[ìnflɔ:résns] *n.* Ⓤ ① 개화(開花); 〖植〗 화서(花序). ② 《집합적》 꽃.
in·flow[ínflòu] *n.* Ⓤ 유입; Ⓒ 유입물.
:in·flu·ence[ínfluəns] *n.* ① Ⓤ,Ⓒ 영향; 감화력. ② Ⓤ 세력. ③ Ⓒ 영향을 미치는 사람〔것〕. ④ Ⓤ 〖電〗 감응. ***under the ~*** …의 영향으로. — *vt.* (…에) 영향을 미치다; 좌우하다; 매수하다. ~ ***peddler*** (직함 따위를 이용하여) 얼굴이 잘 통하는 사람.
***in·flu·en·tial**[ìnfluénʃəl] *a.* 영향을 미치는; 유력한.
:in·flu·en·za[-énzə] *n.* (It.=influence) Ⓤ 〖醫〗 인플루엔자, 유행성 감기, 독감.
in·flux[ínflʌ̀ks] *n.* Ⓤ 유입(流入); Ⓒ 강어귀.
in·fo[ínfou] *n.* 《口》 =INFORMATION.
in·fold[infóuld] *vt.* 싸다; 끌어안다.
:in·form[infɔ́:rm] *vt.* (…에게) 알리다(*of*); (감정 따위를) 불어넣다, 고무하다(*with*). — *vi.* 밀고하다 (*against*). **~ed**[-d] *a.* 지식이 있는; 사정에 밝은. ***~ed public*** 지식층. **~·er** *n.* Ⓒ 통지자; 밀고자.
:in·for·mal[infɔ́:rməl] *a.* ① 비공식의, 약식의; 격식을 차리지 않는. ② 구어의. **~·ly** *ad.* * **~·i·ty**[⌐—mǽl-əti] *n.* Ⓤ,Ⓒ 비공식 (처분).
***in·form·ant**[infɔ́:rmənt] *n.* Ⓒ 통지자; 밀고자; 〖言〗 (지역적 언어 조사의) 피(被)조사자, 자료 제공자.
†in·for·ma·tion[ìnfərméiʃən] *n.* Ⓤ ① 통지; 정보, 보도; 지식. ② (호텔·역 등의) 안내〔접수〕계. ③ 〖法〗 고발. ④ 〖컴〗 정보(량). ***ask for ~*** 문의〔조회〕하다. ***I-, please.*** 미국의 라디오 퀴즈 프로의 하나. **~·al** *a.*
informátion àgency 정보국.
informátion bànk 〖컴〗 정보 은행《정보 데이터 library의 집합체》.
informátion pròcessing 〖컴〗 정보 처리.
informátion sèrvices 정보 서비스 산업《컴퓨터·사무 자동화·전기 통신 분야의 산업》.
informátion thèory 정보 이론.
***in·form·a·tive**[infɔ́:rmətiv] *a.* 정보의, 지식을 주는; 유익한.
in·fra[ínfrə] *ad.* (L.) 아래(쪽)에.
in·frac·tion[infrǽkʃən] *n.* ① Ⓤ 위반, 반칙. ② Ⓒ 위반 행위.
in·fra dig[ínfrə díg] (<L. *infra dignitatem* =beneath one's dignity) 《口》 체면에 관계되는.
in·fra·red[ìnfrəréd] *a.* 적외(선)의 (cf. ultraviolet). — *n.* Ⓤ (스펙트럼의) 적외부.
infraréd cóoker 〔óven〕 적외선 오븐.
infraréd detéctor 적외선 검파기.
infraréd fílm 〔photógraphy〕

적외선 필름〔사진〕.
infraréd ráys 적외선.
in·fra·struc·ture[ínfrəstrʌ̀ktʃər] *n.* Ⓤ,Ⓒ 〖政〗 하부 조직〔구조〕, (경제) 기반; 영구 군사 시설.
in·fre·quent[infrí:kwənt] *a.* 드문, 좀처럼 일어나지 않는. **~·ly** *ad.* **-quence, -quen·cy** *n.*
***in·fringe**[infríndʒ] *vt., vi.* 어기다, 범하다; 침해하다(*on, upon*). **~·ment** *n.* Ⓤ (법규) 위반.
***in·fu·ri·ate**[infjúərièit] *vt.* 격노시키다. **-at·ed**[-id] *a.* 격노한.
***in·fuse**[infjú:z] *vt.* ① 붓다; 불어넣다, 고취하다(instil)(*with*). ② (뜨거운 물에 약초 따위를) 우려내다 (~ *tea* 차를 달이다). **in·fú·sion** [-ʒən] *n.* ① Ⓤ 주입, 고취. ② Ⓒ 주입물; 우려낸 즙, 달인 물.
in·fu·si·ble[1][-əbəl] *a.* 주입〔고취〕할 수 있는; 우려낼 수 있는.
in·fu·si·ble[2] *a.* 용해하지 않는(not fusible).
in·fu·so·ri·an[ìnfjuzɔ́:riən, -sɔ́:-] *n.* Ⓒ 〖動〗 적충(滴蟲).
-ing[iŋ] *suf.* ① 현재분사를 만듦 (charm*ing*, enchant*ing*). ② 동명사를 만듦(hunt*ing*, sing*ing*).
in·gath·er·ing[íngæ̀ðəriŋ] *n.* Ⓤ,Ⓒ 수확; 추수.
:in·gen·ious[indʒí:njəs] *a.* (발명의) 재주가 있는, 재간 있는; 교묘한. **~·ly** *ad.*
in·gé·nue[ǽndʒənjù:] *n.* (F.) (*pl.* **~s**) Ⓒ 〖劇〗 천진한 소녀(역의 여배우).
***in·ge·nu·i·ty**[ìndʒənjú:əti] *n.* Ⓤ 재주; 교묘; 발명의 재간.
***in·gen·u·ous**[indʒénju:əs] *a.* 솔직한, 정직한; 꾸밈없는; 순진한. **~·ly** *ad.*
in·gest[indʒést] *vt.* (음식을) 섭취하다.
in·gle[íŋgəl] *n.* Ⓒ 《英方》 화롯불; 화로; 구석.
in·gle·nook[íŋgəlnùk] *n.* =CHIMNEY CORNER.
in·glo·ri·ous[inglɔ́:riəs] *a.* 불명예스러운; 《古》 무명의.
in·go·ing[íngòuiŋ] *a.* 들어오는.
in·got[íŋgət] *n.* Ⓒ 〖治〗 주괴(鑄塊), '잉곳'. ~ ***steel*** 용제강(鎔製鋼).
in·graft[ingrǽft/-á:-] *vt.* =ENGRAFT.
in·grain[ingréin] *vt.* 짜기 전에 염색하다; 원료 염색해다; (습관 따위) 깊이 뿌리박히게 하다. — [스스] *a.* 짜기 전에 염색한, 원료 염색의; 깊이 배어든. — *n.* Ⓒ 짜기 전에 염색한 융단, 원료 염색한 털실. **~ed**[-d] *a.* =INGRAIN.
in·grate[íngreit/-스] *n.* Ⓒ 배은 망덕한 사람.
in·gra·ti·ate[ingréiʃièit] *vt.* 환심을 사다. ~ ***oneself with*** …에게 알랑거리다, …의 비위를 맞추다.
:in·grat·i·tude[ingrǽtətjù:d] *n.* Ⓤ 배은 망덕.
***in·gre·di·ent**[ingrí:diənt] *n.* Ⓒ (혼합물의) 성분, (요리의) 재료.
In·gres[ɛ̃:gr], **Jean Auguste Dominique**(1780-1867) 프랑스의 고전파 화가.
in·gress[íngres] *n.* ① Ⓤ 들어감, 입장. ② Ⓒ 입장권(權); 입구.
in·group[íngrù:p] *n.* Ⓒ 〖社〗 내집단(內集團)(we-group)(opp. out-group).
in·grow·ing[íngròuiŋ] *a.* 안쪽으로 성장하는; (손톱이) 살 속에 파고 드는. **ín·grown** *a.*
in·gulf[ingʌ́lf] *v.* =ENGULF.
:in·hab·it[inhǽbit] *vt.* (…에) 살다; (…에) 존재하다. ***~·ed**[-id] *a.* 사람이 살고 있는.
:in·hab·it·ant[-bətənt] *n.* Ⓒ 주민, 거주자; 서식 동물.
in·hal·ant[inhéilənt] *n.* Ⓒ 흡입제(吸入劑); 흡입기〔장치〕. — *a.* 빨아 들이는.
in·ha·la·tion[ìnhəléiʃən] *n.* Ⓤ 흡입; Ⓒ 흡입제.
***in·hale**[inhéil] *vt.* (공기 따위를) 흡입하다(opp. exhale); (담배 연기를) 빨다. **in·hál·er** *n.* Ⓒ 흡입자〔기〕.
in·har·mon·ic[ìnha:rmánik/-ɔ́-], **-i·cal**[-əl] *a.* 〖樂〗 불협화(음)의; 가락이 안 맞는. **-mo·ni·ous**[-móuniəs] *a.* 부조화의; 〖樂〗 불협화(음)의.
in·here[inhíər] *vi.* (성질 따위가) 존재하다; (권리 등이) 부여되어 있다.
:in·her·ent[inhíərənt] *a.* 고유의, 타고난. **~·ly** *ad.* **-ence, -en·cy** *n.*
:in·her·it[inhérit] *vt.* 상속하다; 유전하다. — *vi.* 상속하다; 《一般》 계승하다(*from*). **~·a·ble** *a.* 상속할〔상속시킬〕수 있는. **in·hér·i·tor** *n.* Ⓒ 상속인.
:in·her·it·ance[inhéritəns] *n.* ① Ⓤ 상속(권). ② Ⓒ 유산; 유전.
inhéritance tàx 《美》 상속세 (《英》 death duty).
***in·hib·it**[inhíbit] *vt.* 금하다(*from doing*); 제지하다.
***in·hi·bi·tion**[ìnhəbíʃən] *n.* Ⓤ,Ⓒ 금지; 억제. **in·hib·i·to·ry**[inhíbətɔ̀:ri/-təri] *a.*
***in·hos·pi·ta·ble** [inháspitəbəl/-ɔ́-] *a.* ① 대접이 나쁜, 불친절한. ② (토지가) 살기 어려운, 살풍경한; 불모의(barren).
in·hos·pi·tal·i·ty [ìnhaspitǽləti/inhɔ̀s-] *n.* Ⓤ 냉대, 푸대접.
***in·hu·man**[inhjú:mən] *a.* 몰인정한; 잔인한, 비인간적인. **~·i·ty**[스—mǽnəti] *n.* ① Ⓤ 몰인정; 냉혹; 잔학. ② Ⓒ 잔학 행위.
in·hu·mane[ìnhu(:)méin] *a.* 몰인정〔잔인〕한.
in·hume[inhjú:m] *vt.* 매장하다.
in·im·i·cal[inímikəl] *a.* 적의(敵意) 있는(hostile)(*to*); 해로운(*to*).
in·im·i·ta·ble[inímətəbəl] *a.* 흉내낼 수 없는; 다시 없는(unique).

in·iq·ui·tous[iníkwitəs] *a.* 부정〔악독〕한.
***in·iq·ui·ty**[iníkwəti] *n.* Ⓤ (대단한) 부정, 죄악; Ⓒ 부정〔불법〕 행위.
***in·i·tial**[iníʃəl] *a.* 최초의; 어두(語頭)의. — *n.* ① Ⓒ 첫글자, 어두의 문자. ② (*pl.*) (이름의) 첫자, 이니셜. — *vt.* (《英》 *-ll-*) (…에) 첫자로 서명하다; 가조인하다. **~·ly** *ad.* 처음에.
in·i·tial·ize [iníʃəlaiz] *vt.* 〖컴〗 (counter, address 등을) 초기화하다, 초기값으로 설정하다.
Inítial Téaching Álphabèt 초등 교육용 알파벳.
inítial wòrd =ACRONYM.
:in·i·ti·ate[iníʃièit] *vt.* ① 시작하다. ② 입문시키다, 초보를 가르치다; 비전(秘傳)을 전하다(*into*). ③ (정식으로) 가입시키다(*into*). — [iníʃiit] *a., n.* Ⓒ 비전을 전수 받은 (사람); (비밀 결사 따위에) 새로 입회한 (사람). **in·í·ti·a·tor** *n.* Ⓒ 창시〔전수(傳授)〕자.
***in·i·ti·a·tion**[inìʃiéiʃən] *n.* ① Ⓤ 개시; 초보풀이; 비전 전수; 입회, 입당, 입문, 가입. ② Ⓒ 입회〔입당·입문〕식.
initiátion fèe 《美》 입회금.
:in·i·ti·a·tive[iníʃiətiv] *a.* 처음의. — *n.* Ⓤ ① 발의; 솔선, 선도(先導). ② 창의, 진취의 기상; 독창력; 개시. ③ 솔선권; (the ~) 〖政〗 발의권, (일반 국민의) 의안 제출권. ***on one's own*** ~ 솔선하여. ***take the*** ~ 선수를 치다, 주도권을 잡다.
in·i·ti·a·to·ry[iníʃiətɔ̀ːri/-təri] *a.* 최초의; 초보의; 입회〔입당·입문〕의.
***in·ject**[indʒékt] *vt.* 주사하다; (의견 따위를) 삽입하다.
***in·jec·tion**[indʒékʃən] *n.* ① Ⓤ 주사; Ⓒ 주사액. ② Ⓤ 〖地·鑛〗 관입(貫入). ③ Ⓤ,Ⓒ 〖宇宙〗 투입, 인젝션.
in·jéc·tor *n.* Ⓒ 주사기.
in·ju·di·cious[ìndʒu(ː)díʃəs] *a.* 분별 없는. **~·ly** *ad.*
In·jun, In-[índʒən] *n.* 《方·俗》 = AMERICAN INDIAN.
***in·junc·tion**[indʒʌ́ŋkʃən] *n.* Ⓒ 명령; 〖法〗 금지 명령.
in·jur·ant[índʒərənt] *n.* Ⓒ (인체에) 해로운 것.
:in·jure[índʒər] *vt.* 상처를 입히다; (감정 따위를) 해치다, 손상하다. * **~d**[-d] *a.* 부상한(*the ~d* 부상자); 감정을 상한.
***in·ju·ri·ous**[indʒúəriəs] *a.* ① 해로운(*to*). ② (행위가) 부당한; (말이 아무를) 중상하는, 모욕적인. **~·ly** *ad.*
:in·ju·ry[índʒəri] *n.* Ⓤ,Ⓒ 손해; 상해; 모욕; 부당.
:in·jus·tice[indʒʌ́stis] *n.* ① Ⓤ 불공평; 부정. ② Ⓒ 부정 행위.
†ink[iŋk] *n.,* Ⓤ 잉크. ***(as) black as*** ~ 새까만. ***write in*** ~ 잉크로 쓰다. — *vt.* 잉크로 쓰다; (…에) 잉크를 칠하다; 잉크로 더럽히다. ~ ***in*** 〔***over***〕 (연필로 그린 밑그림 따위를) 잉크로 칠하다. ~ ***up*** (인쇄기에) 잉크를 넣다.
ínk bòttle 잉크 병.
ínk·hòrn *n.* Ⓒ (옛날의) 뿔로 만든 잉크통.
ínk-jet prínter 〖컴〗 잉크 분사〔제트〕 프린터.
ink·ling[íŋkliŋ] *n.* Ⓤ (어렴풋이) 눈치챔(vague notion); 암시. ***get*** 〔***give***〕 ***an*** ~ ***of*** …을 알아채다〔넌지시 알리다〕.
ínk·pòt *n.* Ⓒ 잉크 통.
ínk·stànd *n.* Ⓒ 잉크스탠드.
ínk·stòne *n.* Ⓒ (중국·한국의) 벼루. 「잉크병.
ínk·wèll *n.* Ⓒ (책상에 박혀 있는)
ink·y[íŋki] *a.* 잉크의, 잉크 같은; 잉크로 표를 한; 잉크 묻은; 새까만.
***in·laid**[inléid, ´–] *v.* inlay의 과거(분사). — *a.* 상감(象嵌)의.
:in·land[ínlənd] *n., a.* Ⓒ 내륙(의). 오지(奥地)(의); 국내(의). ~ ***revenue*** 《英》 내국세 수입. — [ínlæ̀nd, -lənd/inlǽnd] *ad.* 내륙으로, 오지로 향하여, 국내에.
ínland séa 내해(內海).
ín-làw *n.* Ⓒ (보통 *pl.*) 《口》 인척.
in·lay[ìnléi, ´–] *vt.* (*-laid*) 박아넣다, 상감하다(*with*). — [´–] *n.* Ⓤ,Ⓒ 상감 (세공).
***in·let**[ínlet] *n.* Ⓒ 후미, 내해; 입구; 삽입물, 상감(물).
ín-lìne *a.* 〖컴〗 인라인의, 그때그때 즉시 처리하는.
in·ly[ínli] *ad.* 《詩》 안에, 마음속에 (inwardly); 충심으로, 깊이.
INMARSAT [ínmərsæ̀t] International Marine Satellite Organization 국제 해사(海事) 위성 기구.
***in·mate**[ínmèit] *n.* Ⓒ 입원자; (양로원·감옥 따위의) 수용자; 《古》 동거인, 동숙인.
in me·di·as res[in míːdiæ̀s ríːz] (L.=into the midst of things) (발생 순서에 의하지 않고) 사건의 중심으로 부터〔중심부로〕.
in me·mo·ri·am[ìn mimɔ́ːriəm, -æ̀m] (L.) (고인의) 기념으로(서).
in-mi·grant[ínmàigrənt] *n.* Ⓒ (같은 나라의 딴 지역으로부터의) 이주자.
in-mi·grate[ínmáigreit] *vi.* (같은 나라의 딴 지역에서) 이주해오다. **-gra·tion**[ínmaigréiʃən] *n.*
in·most[ínmòust] *a.* 맨 안쪽의, 가장 깊은; 마음 깊이 간직한.
:inn[in] *n.* Ⓒ 여관, 여인숙, 선술집 (tavern). ***Inns of Court*** (영국의) 법학 협회〔회관〕.
***in·nate**[inéit, ´–] *a.* 타고난, 내재적인, 고유의.
in·ner**[ínər] *a.* 안의, 내부의(opp. outer); 정신의, 영적인; 비밀의. ***the ~ man 마음, 영혼; 《諧》 위, 밥통; 식욕. * **~·most**[-mòust] *a., n.* 맨 안쪽의; Ⓒ 가장 깊숙한 곳.
ínner cíty 《美》 대도시 중심의 저

소득층이 사는 지역.
ínner resérve 〖經理〗 내부 적립금.
ínner Síx EEC의 역내(域內) 6 개국. 「어 형식.
ínner spéech fòrm 〖言〗 내부 언
Ínner Témple (영국의) 네 법학협회(Inns of Court)의 하나.
***in·ning**[íniŋ] *n.* ① Ⓒ 〖野〗 이닝, …회; 칠 차례. ② 《英》《*pl.*로 단수 취급》 정권 장악 기간; (개인의) 활약기.
***ínn·kèeper** *n.* Ⓒ 여관 주인.
:**in·no·cence**[ínəsns], **-cen·cy** [-i] *n.* ① Ⓤ 무죄, 결백; 깨끗함; 천진난만; 숫됨. ② Ⓒ 천진난만[순진]한 사람.
:**in·no·cent**[-snt] *a.* 죄 없는, 결백한(*of*); 깨끗한; 순진[단순]한, 무식한; 무해한; 《口》 (…이) 없는(*of*). — *n.* Ⓒ 결백한 사람; 천진난만한 사람, 호인. * **~·ly** *ad.*
in·noc·u·ous [inákjuəs/-ɔ́-] *a.* 해가 없는.
in·no·vate[ínouvèit] *vi., vt.* 혁신[쇄신]하다(*in, on, upon*). ***in·no·va·tion**[⏤véi-] *n.* **ín·no·va·tor** *n.*
in·nox·ious [inákʃəs/-ɔ́-] *a.* 해 없는, 무해한.
in·nu·en·do[ìnjuéndou] *n.* (*pl.* **~es**) Ⓤ,Ⓒ 암시, 빗댐.
:**in·nu·mer·a·ble**[injú:mərəbəl] *a.* 이루 셀 수 없는, 무수한. **-bly** *ad.*
in·ob·serv·ance[ìnəbzə́:rvəns] *n.* Ⓤ 부주의; 태만; 위반, 무시.
in·oc·u·late [inákjəlèit/-ɔ́-] *vt.* 〖醫〗 (예방) 접종을 하다(*against*); (사상 따위를) 주입하다; (세균 등을) 접종하다. **-la·tion**[⏤⏤léiʃən] *n.*
in·of·fen·sive[ìnəfénsiv] *a.* 해롭지 않은; 불쾌감을 주지 않는.
in·op·er·a·ble [inápərəbəl/-ɔ́-] *a.* 수술할 수 없는; 실시할 수 없는.
in·op·er·a·tive [inápərətiv, -ápərèi-/-ɔ́pərə-] *a.* 무효의.
in·op·por·tune [inàpərtjú:n/-ɔ̀p-] *a.* 시기를 놓친, 형편이 나쁜.
in·or·di·nate[inɔ́:rdənət] *a.* 과도한, 지나친; 무절제한. **~·ly** *ad.*
***in·or·gan·ic**[ìnɔ:rgǽnik] *a.* 〖化〗 ① 생활 기능이 없는; 무생물의. ② 무기(無機)(물)의.
inorgánic chémistry 무기 화학.
in·o·sin·ic ácid[ìnəsínik-] 〖化〗 이노신산(酸)《화학 조미료용》.
in·o·si·tol[inóusətòul, -tɔ̀(:)l/-tàl] *n.* Ⓤ 〖生化〗 이노시톨, 근육당(糖).
in·pa·tient[ínpèiʃənt] *n.* Ⓒ 입원 환자(cf. outpatient).
***in·put**[ínpùt] *n.* Ⓤ,Ⓒ 〖經〗 투입(량); 〖機·電〗 입력(入力); 〖컴〗 입력(신호). — *vt., vi.* 〖컴〗 (정보 따위를) 입력하다.
ín·pùt/óut·pùt *n.* Ⓤ,Ⓒ 〖컴〗 입출력《생략 I/O》.
in·quest[ínkwest] *n.* Ⓒ 〖法〗 (배심원의) 심리; 검시(檢屍).
in·qui·e·tude[inkwáiətjù:d] *n.* Ⓤ 불안, (심신의) 산란.
:**in·quire**[inkwáiər] *vt., vi.* 묻다, 문의하다(*of*); 조사하다. **~ *after*** …의 안부를 묻다. **~ *into*** (사건 등을) 조사하다. * **in·quír·er** *n.* **in·quir·ing**[-kwáiəriŋ] *a.* 알고 싶은 듯이, 의심쩍은 듯이.
:**in·quir·y**[inkwáiəri, ínkwəri] *n.* Ⓒ,Ⓤ 문의, 질문, 조회; 조사; 연구; 〖컴〗 물어보기.
inquíry àgency 《英》 흥신소.
inquíry òffice 안내소.
***in·qui·si·tion**[ìnkwəzíʃən] *n.* ① Ⓤ 조사. ② Ⓤ 〖法〗 심문, 심리. ③ (the I-) 〖가톨릭〗 종교 재판(소).
***in·quis·i·tive**[inkwízətiv] *a.* 호기심이 많은, 물어보고 싶어하는, 알고자 하는, 캐묻기 좋아하는(prying).
in·quis·i·tor[inkwízətər] *n.* Ⓒ 조사[심문]관; (I-) 〖가톨릭〗 종교 재판관.
in·quis·i·to·ri·al[inkwìzətɔ́:riəl] *a.* 종교 재판관의[같은]; 엄하게 심문하는.
ín·ròad *n.* Ⓒ 침입, 침략; 침해; (시간·저축 등의) 먹어 들어감.
ín·rùsh *n.* Ⓒ 돌입, 침입, 쇄도.
INS 《美》 International News Service.
ins. inches; inspector; insulted; insulation; insulator; insurance.
:**in·sane**[inséin] *a.* 발광한; 미친 (사람 같은); 광폭한. **~ *asylum*** 정신병원.
in·san·i·tar·y[insǽnətèri/-təri] *a.* 비위생적인.
***in·san·i·ty**[insǽnəti] *n.* ① Ⓤ 광기, 정신 이상. ② Ⓒ 미친 짓.
in·sa·tia·ble[inséiʃiəbəl] *a.* 물릴 줄 모르는, 탐욕한.
in·sa·ti·ate[inséiʃiət] *a.* =⇧.
***in·scribe**[inskráib] *vt.* ① (종이·금속·돌 따위에 어구를) 쓰다, 새기다. ② (헌정사(獻呈辭)를 적어 정식으로 책을) 헌정하다. ③ 명기(銘記)하다; (공식 명부 따위에) 기입하다. ④ 〖幾〗 내접(內接)시키다.
:**in·scrip·tion**[inskrípʃən] *n.* Ⓒ 명(銘); (책의) 제명(題銘); 비문; (책의) 헌정사.
in·scru·ta·ble[inskrú:təbəl] *a.* 알 수 없는, 불가사의한. **-bil·i·ty** [⏤⏤bíləti] *n.*
:**in·sect**[ínsekt] (L. < *insectum* = divided (*in* three *sec*tions)의 뜻) *n.* Ⓒ 곤충, 벌레(cf. worm).
in·sec·ti·cide[inséktəsàid] *n.* Ⓤ,Ⓒ 살충제.
in·sec·tiv·o·rous[ìnsektívərəs] *a.* 벌레를 먹는, 식충의. **~ *plants*** 식충 식물.
in·se·cure[ìnsikjúər] *a.* 안전하지 않은; 위태로운. **in·se·cú·ri·ty** *n.* Ⓤ 불안전, 불안정; 근심; Ⓒ 걱정거리.
in·sem·i·nate[insémənèit] *vt.* (씨를) 뿌리다, 심다; 잉태시키다.
in·sem·i·na·tion [insèmənéiʃən] *n.* Ⓤ 파종; 수태, 수정. ***artificial***

I

～ 인공수정.
in·sen·sate[insénseit] *a.* 감각 없는; 무정한; 머리가 둔한, 어리석은.
*__in·sen·si·ble__[insénsəbəl] *a.* 무감각한; 무신경의(*of, to*); 인사 불성의; 알아채지 못할 정도로, 아주 적은. **-bly** *ad.* 알아차리지 못할 만큼. *__-bil·ity__[insènsəbíləti] *n.* Ⓤ 무감각; 태연.
in·sen·si·tive[insénsətiv] *a.* 무감각한, 둔감한(*to*).
in·sen·ti·ent[insénʃiənt] *a.* 무감각한; 생명 없는.
*__in·sep·a·ra·ble__[insépərəbəl] *a.* 분리할 수 없는(*from*). **-bly** *ad.*
:__in·sert__[insə́:rt] *vt.* 끼워넣다, 삽입하다(*in, into*). ── [ㄴㅡ] *n.* Ⓒ 삽입물; 삽입 페이지〔광고〕; 〖映·TV〗 삽입자막; 〖컴〗 끼워넣기, 삽입.
*__in·ser·tion__[insə́:rʃən] *n.* ① Ⓤ 삽입; Ⓒ 삽입물; 삽입어구; 게재 기사; (신문 따위에) 끼워넣은 광고. ② Ⓤ,Ⓒ (레이스 따위의) 바탕을 파서 꿰매 붙이기.
in·set[insét] *vt.* (～(*ted*); *-tt-*) 끼워넣다. ── [ㄴㅡ] *n.* Ⓒ 삽입물; 삽입페이지; (큰 지도〔도표〕 속의) 삽입지도〔도표〕; 유입(流入)(influx).
ín·shóre *a., ad.* 해안에 가까운〔가깝게〕; 해안으로 향하는〔여〕.
†__in·side__[ínsáid, ㄴㅡ] *n.* (보통 the ～) 안쪽, 내부; 내면; (보통 *pl.*) 《口》 속, 배; (the ～) 내정, 내막. ***on the ～*** 내막을 알 수 있는 입장에서; 마음속으로는. ***the ～ of a week*** 《英口》 주중(週中). ── *a.* 내부의, 안쪽의; 속사정을 잘 아는, 내부 사람이 한(*The theft was an ～ job.* 도둑질은 내부 사람이 한 짓이었다); 간첩질하는. ── *ad., prep.* (…의) 내부〔집안〕에. ***get ～*** 집안으로 들어가다; (조직) 내부로 들어가다. ***～ of*** …의 안에서, 이내에. ***～ out*** 뒤집어. **in·síd·er** *n.* Ⓒ 내부 사람; 《口》 내막을 알고 있는 사람.
ínside tráck 〖競走〗 (경주로의) 안쪽 트랙; 유리한 조건(*over*).
in·sid·i·ous[insídiəs] *a.* 교활한; 음흉한; 잠행성의, (병이) 모르는 사이에 진행하는. 「간파(하는 힘).
*__in·sight__[ínsàit] *n.* Ⓤ,Ⓒ 통찰(력);
in·sig·ni·a [insígniə] *n.* (*sing.* ***-signe***[-ni:]) *pl.* 기장, 훈장.
:__in·sig·nif·i·cant__[ìnsigníf̌ikənt] *a.* 대수롭지 않은, 하찮은, 무의미한. **～·ly** *ad.* **-cance, -can·cy** *n.*
*__in·sin·cere__[ìnsinsíər] *a.* 성의 없는. **-cer·i·ty**[ㄴ—sérəti] *n.*
****in·sin·u·ate***[insínjuèit] *vt.* 은근히 심어주다, 서서히 파고 들다; 교묘하게 환심사다(*oneself into*); 슬쩍 보이다〔내밀다〕; 넌지시 비추다(hint). **-at·ing**(**·ly**) *a.* (*ad.*) **-a·tion**[—ㄴ—éiʃən] *n.*
in·sip·id[insípid] *a.* 맛없는; 김빠진; 재미 없는(opp. sapid). **in·si·pid·i·ty**[ㄴ—pídəti] *n.*
:__in·sist__[insíst] *vi., vt.* 우기다; 강요하다, 억지로 하게 하다; 주장하다(*on, upon, that*). * **～·ent**[-ənt] *a.* 강요〔주장〕하는; 주의를 끄는. * **～·ence, ～·en·cy** *n.*
in·snare[insnέər] *v.* 《古》 =ENSNARE.
in·so·bri·e·ty[ìnsəbráiəti] *n.* Ⓤ 무절제; 폭음. 「다.
in·so·late[ínsoulèit] *vt.* 햇빛에 쬐
in·so·la·tion[ìnsouléiʃən] *n.* Ⓤ 햇빛에 쬠, 일광욕; 일사병; 〖氣〗 일사(日射)《어떤 물체 또는 어떤 지역에 대한 태양의 방사》.
ín·sòle *n.* Ⓒ (구두의) 속창; 안창.
*__in·so·lence__[ínsələns] *n.* Ⓤ 오만; Ⓒ 무례(한 언행).
*__in·so·lent__[ínsələnt] *a.* 거만한, 안하무인의, 무례한. **～·ly** *ad.*
*__in·sol·u·ble__[insáljubəl/-ɔ́-], **in·solv·a·ble**[insálvəbəl/-ɔ́-] *a.* 녹지않는; 해결할 수 없는.
in·sol·vent[insálvənt/-sɔ́l-] *a., n.* Ⓒ 〖法〗 지급 불능의〔파산한〕 (사람). **-ven·cy** *n.*
in·som·ni·a[insámniə/-ɔ́-] *n.* Ⓤ 불면(증). **-ac**[-niæ̀k] *a., n.* Ⓒ 불면증의 (환자).
in·so·much[ìnsoumʌ́tʃ] *ad.* …의 정도로, …만큼, …이므로(*as, that*).
in·sou·ci·ant[insú:siənt] *a.* (F.) 무심한; 태평한. ***-ance*** *n.*
:__in·spect__[inspékt] *vt.* 조사〔검사〕하다; (관권으로) 검열하다.
:__in·spec·tion__[inspékʃən] *n.* Ⓤ,Ⓒ 검사, 조사; (서류의) 열람, 시찰, 점검, 검열.
:__in·spec·tor__[inspéktər] *n.* Ⓒ 검사관, 감독; 경위(警衛). ***police ～*** 경위. ***school ～*** 장학사.
inspéctor géneral 감사원장; 《美》 감찰감.
:__in·spi·ra·tion__[ìnspəréiʃən] *n.* ① Ⓤ 숨 쉼(inhaling), 들숨; (인간에 대한 신의) 감화력; Ⓒ 영감에 의한 착상. ② Ⓤ 인스피레이션, 영감. ③ Ⓤ 고무, 감화; 시사(示唆).
in·spi·ra·tor[ínspərèitər] *n.* Ⓒ 흡입기; 주사기.
in·spir·a·to·ry [inspáiərətɔ̀:ri/-təri] *a.* 들숨의, 흡입의.
:__in·spire__[inspáiər] *vt.* 숨을 들이쉬다; 영감을 주다; (사상·감정을) 불어넣다(instil); 감격시키다; 고무하다(animate); 시사하다; (보도 따위의) 지시를 주다. **～d**[-d] *a.* 영감을 받은; (어떤 권력자·소식통의) 뜻을 받든, 견해를 반영한.
in·spir·it[inspírit] *vt.* 원기를 북돋우다, 격려하다.
in·spis·sate[inspíseit] *vt., vi.* (증발 따위의 의해서) 농후하게 하다, 진해지다(thicken).
Inst. Institute; Institution.
inst. instant (=of the present month); instrument; instrumental.
in·sta·bil·i·ty[ìnstəbíləti] *n.* Ⓤ 불안정; 변덕.

:in·stall[instɔ́:l] *vt.* 취임시키다; 자리에 앉히다(settle); (장치를) 설치하다. ***in·stal·la·tion**[ìnstəléiʃən] *n.* Ⓤ 취임; 임명; Ⓒ 설비, 장치.

:in·stal(l)·ment[instɔ́:lmənt] *n.* Ⓒ 분할 불입(금); (총서·전집 따위의) 일회분; =INSTALLATION.

instal(l)ment plàn 《美》 분할불 판매법.

:in·stance [ínstəns] *n.* (cf. instant) Ⓒ ① 요구; 권고; 시사. ② 〖法〗 소송(절차). ③ 실례. ④ 경우. ***at the ~ of*** …의 의뢰로. ***for ~*** 예컨대. ***in the first*** 〔***last***〕 ***~*** 제1심〔종심(終審)〕에서; 우선 첫째로〔마지막으로〕. — *vt.* 보기로 들다, 예증하다(exemplify).

:in·stant[ínstənt] *a.* 즉석의; 절박한; (날짜와 함께) 이 달의《생략 inst.》; (커피·코코아 따위) 즉석식의; 인스턴트의. — *n.* Ⓒ 즉각; 순간; Ⓤ 《口》 인스턴트 식품. ***in an*** 〔***on the***〕 ***~*** 즉시. ***the ~*** 하자마자. **:~·ly** *ad.* 즉시; 《古》 자꾸만.

***in·stan·ta·ne·ous**[ìnstəntéiniəs] *a.* 즉석의, 순간의; 동시에 일어나는. **~·ly** *ad.*

in·stan·ter[instǽntər] *ad.* 즉시.

in·stan·ti·ate[instǽnʃièit] *vt.* 〖哲〗 (학설·주장의) 실증을 들다.

ínstant réplay (스포츠 중계에서의) 슬로모션 즉시 재생.

in·state[instéit] *vt.* (지위에) 임명하다; 앉히다, 두다.

:in·stead[instéd] *ad.* (…의) 대신에. ***~ of*** …의 대신에.

ín·stèp *n.* Ⓒ ① 발등. ② 구두〔양말〕의 발등 부분.

in·sti·gate[ínstəgèit] *vt.* 선동하다. **-ga·tor** *n.* Ⓒ 선동자. **-ga·tion** [⌐–géiʃən] *n.*

in·stil(l)[instíl] *vt.* (한 방울씩) 떨어뜨리다; (감정 따위를) 스며들게 하다. **in·stil·la·tion**[⌐–léiʃən] *n.*

:in·stinct[ínstiŋkt] *n.* Ⓤ,Ⓒ 〖心〗 본능; 천성. — [–⌐] *a.* 차서 넘치는, 가득 찬(*with*).

***in·stinc·tive**[instíŋktiv] *a.* 본능적인; 천성의. ***~·ly** *ad.*

:in·sti·tute[ínstət*j*ù:t] *vt.* 설립〔제정〕하다; (조사·소송을) 시작하다; 〖宗〗 (성직에) 임명하다(install). — *n.* Ⓒ 협회, 학회; 회관; 원칙, 규칙, 습관.

:in·sti·tu·tion[ìnstət*j*ú:ʃən] *n.* ① Ⓤ 설립, 개시. ② Ⓒ 〖社〗 관례, 제도. ③ Ⓒ 공공 기관〔건축물〕《학교·교회·병원 등》; 협회, 학회; …단원, 소, 사. ④ Ⓒ 《口》 잘 알려진 사람, 명물. ***~·al** *a.* 제도(상)의; (공고가 회사·상점의) 명성을 올려 신용을 높이기 위한. **~·al·ize**[-əlàiz] *vt.* 공공 단체로 하다, 제도화하다; 《口》 (시설 등에) 수용하다.

:in·struct[instrʌ́kt] *vt.* 가르치다(*in*); 지시하다(*to* do); 알리다(*that*); 〖컴〗 명령하다. **:in·strúc·tive** *a.* 교육적인, 유익한. **:in·strúc·tor** *n.* Ⓒ 교사; 《美》 (전임) 강사.

:in·struc·tion[instrʌ́kʃən] *n.* ① Ⓤ 교수, 교육; (배운) 지식. ② Ⓒ (보통 *pl.*) 지시; 〖컴〗 명령어.

in·struc·tion·al[instrʌ́kʃənəl] *a.* 교육상의, 교육적인. **~ *film*** 교육〔과학〕 영화.

instrúctional télevision 《美》 교육용 폐회로 텔레비전〔비디오〕.

:in·stru·ment[ínstrəmənt] *n.* Ⓒ (주로 실험·정밀 작업용의) 기계, 기구; 악기; (남의) 앞잡이; 수단, 방편; 〖法〗 증서.

***in·stru·men·tal**[ìnstrəméntl] *a.* 기계의〔에 의한〕; 악기의, 악기를 위한, 악기에 의한; 수단이 되는, 쓸모 있는. **~·ist** *n.* Ⓒ 기악가. **~·i·ty** [⌐––tǽləti] *n.* Ⓤ 수단, 도움.

in·stru·men·ta·tion[ìnstrəmentéiʃən] *n.* Ⓤ 기계 사용; 〖樂〗 기악 편성법, 연주법.

ínstrument bòard 〔**pànel**〕 (자동차 따위의) 계기판.

ínstrument flỳing 계기 비행.

ínstrument lánding sỳstem 〖空〗 계기 착륙 장치.

in·sub·or·di·nate[ìnsəbɔ́:rdənit] *a.* 복종하지 않는, 반항적인. **-na·tion**[⌐–⌐dənéi-] *n.*

in·sub·stan·tial[ìnsəbstǽnʃəl] *a.* 미약한, 무른; 실체 없는, 공허한, 실질이 없는; 비현실적인.

in·suf·fer·a·ble[insʌ́fərəbəl] *a.* 참을 수 없는.

:in·suf·fi·cient[ìnsəfíʃənt] *a.* 불충분한. **~·ly** *ad.* **-cien·cy** *n.*

in·suf·flate[ínsəflèit, insʌ́fleit] *vt.* (공기·가스·분말 따위를) 불어넣다; (사람에게) 정기(精氣)를 불어넣다《종교적 의식》.

***in·su·lar**[ínsələr, -sjə-] *a.* 섬(나라)의; 섬 사람의; 섬 모양의; 섬나라 근성의, 편협한. **~·ism**[-ìzəm] *n.* Ⓤ 섬나라 근성, 편협. **~·i·ty** [⌐–lǽrəti] *n.* Ⓤ 섬(나라)임; 편협.

in·su·late[ínsjəlèit, -sə-] *vt.* 격리시키다, 고립시키다; 〖電〗 절연하다; 섬으로 만들다. **-la·tor** *n.* Ⓒ 〖電〗 절연체, 애자, 뚱딴지. **-la·tion** [⌐–léiʃən] *n.* Ⓤ 격리, 고립; 〖電〗 절연(물).

in·su·lin[ínsjəlin, -sə-] *n.* Ⓤ 인슐린《췌장 호르몬, 당뇨병의 약》.

ínsulin shòck 〖病〗 인슐린 쇼크《인슐린 대량 주사에 의한 쇼크》.

***in·sult**[insʌ́lt] *vt.* 모욕하다. — [⌐–] *n.* Ⓤ 모욕; Ⓒ 모욕적 언동. **~·ing** *a.* 모욕적인. **~·ing·ly** *a.*

in·su·per·a·ble[insú:pərəbəl] *a.* 이겨낼 수 없는. **-bly** *ad.* **-bil·i·ty** [–⌐––bíləti] *n.*

in·sup·port·a·ble[ìnsəpɔ́:rtəbəl] *a.* 견딜 수 없는(intolerable).

in·sur·a·ble[inʃúərəbəl] *a.* 보험에 걸 수 있는〔적합한〕.

:in·sur·ance[inʃúərəns] *n.* Ⓤ ① 보험; 보험 계약〔증서〕. ② 보험금(액); 보험료.

I

:in·sure[inʃúər] *vt.* (보험업자가) 보험을 맡다(*against*); 보험을 걸다(*for, against*); 보증하다; 확실하게 하다. — *vi.* 보험 증서를 발행하다. ***the ~d*** 피보험자. **in·sur·er**[-ʃúərər] *n.* Ⓒ 보험(업)자; 보증인.

in·sur·gent[insə́:rdʒənt] *a.* 폭동을 일으킨. — *n.* Ⓒ 폭도; 《美》(당 내의) 반대 분자. **-gence, -gen·cy** *n.* Ⓤ,Ⓒ 폭동, 반란.

in·sur·mount·a·ble[ìnsərmáuntəbəl] *a.* 극복할 수 없는.

·in·sur·rec·tion[ìnsərékʃən] *n.* Ⓤ,Ⓒ 폭동, 반란.

in·sus·cep·ti·ble[ìnsəséptəbəl] *a.* 무감각한(*of, to*); 영향을 받지 않는; 받아들이지 않는(*of*).

int. interest; interim; interior; interjection; internal; international; interpreter; intransitive.

in·tact[intǽkt] *a.* 본래대로의, 손대지 않은, 완전한.

in·tagl·io[intǽljou, -tá:l-] *n.* (It.) (*pl.* **~s**) ① Ⓤ 음각(陰刻), 요조(凹彫). ② Ⓒ 음각 무늬[보석].

ín·tàke *n.* ① Ⓒ (물·공기 등의) 끌어 들이는 입구. ② (*sing.*) 섭취(량). ③ Ⓒ 《英》 초년병, 신병.

·in·tan·gi·ble[intǽndʒəbəl] *a.* 만질 수 없는, 만져서 알 수 없는; 무형의; 막연한. **-bly** *ad.*

in·te·ger[íntidʒər] *n.* Ⓒ 〖數〗 정수(整數)(cf. fraction); 완전체.

·in·te·gral[íntigrəl] *a.* (전체를 이루는 데) 필수적인; 빠뜨릴 수 없는; 완전한; 〖數〗 정수의. — *n.* Ⓒ 천체; 〖數〗 정수, 적분.

íntegral cálculus 〖數〗 적분학.

in·te·grate[íntəgrèit] *vt.* (각 부분을) 전체에 통합하다; 완전하게 하다, 완성하다, (온도·면적 등의) 합계(평균치)를 나타내다; 〖數〗 적분하다; 통합하다(co-ordinate). **·-gra·tion** [ìntəgréiʃən] *n.* Ⓤ 통합; 완성; 집성(集成); 《美》 인종적 무차별 대우; 〖數〗 적분.

in·te·grat·ed[íntəgrèitid] *a.* 인종차별을 하지 않는; 통합된; 원만한.

íntegrated círcuit 〖電〗 집적 회로《생략 IC》.

in·te·gra·tion·ist[ìntəgréiʃənist] *n.* Ⓒ 인종 차별 철폐주의자.

·in·teg·ri·ty[intégrəti] *n.* Ⓤ 정직; 완전; 원상(대로의 상태). ***territorial ~*** 영토 보전.

in·teg·u·ment[intégjəmənt] *n.* Ⓒ 외피《피부·껍질 따위》.

:in·tel·lect[íntəlèkt] *n.* ① Ⓤ 지력; 이지, 예지, 지성(cf. intelligence). ② Ⓒ 식자, 지식인.

:in·tel·lec·tu·al[ìntəléktʃuəl] *a.* 지력의, 지력 있는, 지력을 요하는; 이지적인. — *n.* Ⓒ 지식인, 식자. **~·ist** *n.* **·~·ly** *ad.* 지적으로. **·~·i·ty**[⌐⌐⌐ǽləti] *n.* Ⓤ 지성, 지력.

:in·tel·li·gence[intélədʒəns] *n.* ① Ⓤ 지성, 지능, 지혜(*Dogs have ~, but they have not intellect.* 개는 지혜는 있으나 지성은 없다); 이해(력). ② Ⓤ 총명. ③ 정보; 《집합적》 정보 기관; 정보부원. ④ Ⓒ (종종 I-) 지성적 존재, 영(靈). **-genc·er** *n.* Ⓒ 통보자; 스파이.

intélligence bùreau [**depàrtment**] 정보부.

intélligence òffice 정보부; 《美》 직업 소개소.

intélligence quòtient 지능지수 《생략 I.Q.》.

intélligence shìp 정보 수집함.

intélligence tèst 〖心〗 지능 검사.

:in·tel·li·gent[intélədʒənt] *a.* 지적인; 영리한, 이해력이 좋은, 현명한; 〖컴〗 지적인, 정보 처리 기능이 있는. **·~·ly** *ad.*

in·tel·li·gent·si·a, -zi·a[intèlədʒéntsiə, -gén-] (Russ. <L.) *n.* Ⓤ (보통 the ~) 《집합적》 인텔리겐치아, 지식 계급.

intélligent términal 〖컴〗 지능 단말기.

·in·tel·li·gi·ble[intélədʒəbəl] *a.* 알기 쉬운, 명료한. **-bly** *ad.*

INTELSAT, In·tel·sat[intelsæ̀t] *n.* 인텔샛《국제 상업 위성 통신 기구》(<*In*ternational *Tel*ecommunications *Sat*ellite Consortium).

·in·tem·per·ate[intémpərit] *a.* 무절제한; 폭음하는; (추위·더위가) 혹독한. **-per·ance** *n.*

:in·tend[inténd] *vt.* …할 작정이다(*to* do); 꾀하다; 의도하다; 예정하다(*for*); 뜻하다.

in·tend·ant[inténdənt] *n.* Ⓒ 감독[관리]관; 지방 장관.

·in·tend·ed[inténdid] *a.* 계획된, 고의의; 미래의. — *n.* (one's ~) 《口》 미래의 남편[아내], 약혼자.

:in·tense[inténs] *a.* 격렬한, 열심인, 노력적인; 열정적인. **·~·ly** *ad.*

·in·ten·si·fy[inténsəfài] *vt., vi.* 격렬하게 하다; 격렬해지다; 강하게 하다; 강해지다. **-fi·ca·tion**[-⌐⌐fikéiʃən] *n.*

in·ten·sion[inténʃən] *n.* Ⓤ (정신적) 긴장; 〖論〗 내포(內包).

:in·ten·si·ty[inténsəti] *n.* Ⓤ (성질·감정 등의) 강렬함; 엄함; 강도.

·in·ten·sive[inténsiv] *a.* ① 강한, 격렬한. ② 집중적인. ③ 〖文〗 강조의; 〖農〗 집약적인. — *n.* Ⓒ 강하게 하는 것; 〖文〗 강의어(強意語). ***~ agriculture*** 집약 농업. ***~ reading*** 정독. **~·ly** *ad.*

:in·tent[intént] *n.* ① Ⓤ 의지, 목적(intention). ② Ⓤ,Ⓒ 《廢》 의미. ***to all ~s and purpose*** 실제상, 사실상. — *a.* 여념이 없는(*on, upon*), (눈·마음이) 집중되어 있는(eager); 진심의. **·~·ly** *ad.*

:in·ten·tion [inténʃən] *n.* (⇨ INTEND) ① Ⓤ,Ⓒ 의지, 목적; 의미, 취지. ② (*pl.*) 《口》 결혼할 의사. ***by ~*** 고의로. ***have no ~ of doing***

…하려고 하는 의지가 없다. **with good ~s** 선의로. **without ~** 무심히. ***~·al** *a.* 고의의, 계획적인. **~·al·ly** *ad.*

in·ter[intə́:r] *vt.* (*-rr-*) (시체를) 매장하다, 묻다.

in·ter-[íntər] *pref.* '중(간)에, … 사이의, 상호(의)' 등의 뜻: *inter-*collegiate.

in·ter·act[1][ìntərǽkt] *vi.* 상호 작용하다, 서로 영향을 주다. **-ác·tion** *n.* U,C 상호 작용.

in·ter·act[2][íntərӕkt] *n.* C 《英》 막간 (희극).

in·ter·ac·tive[intərǽtiv] *a.* 상호 작용하는; 〖컴〗 대화식의.

in·ter a·li·a[íntər éiliə] (L. = among others) 그 중에서도.

ìnter-Américan *a.* 남북 아메리카 국가간의.

ìnter·bréd *v.* interbreed의 과거 「(분사).

ìnter·bréed *vt., vi.* (*-bred*) 이종 교배시키다; 잡종을 낳다.

in·ter·ca·lar·y[intə́:rkəlèri/-ləri] *a.* 윤(일·달·년)의; 사이에 삽입한〔된〕. **~ day** 윤일《2월 29일》. **-ca·late**[-kəlèit] *vt.* (달력에) 윤(일·달·년)을 넣다; 사이에 넣다.

in·ter·cede[ìntərsí:d] *vi.* 중재하다, 조정하다(*with*). 「는.

ìnter·céllular *a.* 세포 사이의〔에 있

***in·ter·cept**[-sépt] *vt.* (편지 등을) 도중에서 가로채다〔빼앗다〕; (무전을) 방수(傍受)하다; (빛·물의 통로를) 가로 막다; 방해〔저지〕하다; 〖數〗 두 점〔선〕에 의해서 잘라내다; 〖競〗 (방어측이) 패스를 끊다. **-cép·tion** *n.* **-cép·tor** *n.* C 방해자, 방해물; (무전) 방수자; 〖軍〗 요격기.

in·ter·ces·sion[-séʃən] *n.* U 중재, 조정. **-cés·sor** *n.* C 중재자.

***in·ter·change**[-tʃéindʒ] *vt.* 교환하다; 교대시키다; 번갈아 일어나게 하다(alternate). ── *vi.* 갈마들다; 교대하다. ── [∠-∠/∠-∠] *n.* ① U,C 교환, 교체, 교대. ② C 《美》 (고속 도로의) 입체 교차점. **~·a·ble** [-əbəl] *a.* 교환〔교대〕할 수 있는.

ìnter·cláss *a.* 클래스〔학급〕 대항의; 계급간의.

ìnter·collégiate *a.* 대학간의, 대학 대항의(cf. intramural).

in·ter·co·lo·ni·al[-kəlóuniəl] *a.* 식민지간의.

in·ter·com[íntərkàm/-ɔ̀-] *n.* C 《口》 (비행기·전차 내의) 통화 장치 (cf. interphone).

ìnter·commúnicate *vi.* 서로 통신하다; 서로 왕래하다; (방 등이) 서로 통하다. **-communicátion** *n.* U 상호 교통, 연락, 교제.

ìnter·connéct *vt., vi.* 서로 연락〔연결〕시키다〔하다〕; (여러 대의 전화를) 한 선에 연결하다.

ìnter·continéntal *a.* 대륙간의. **~ ballistic missile** 대륙간 탄도 미사일《생략 ICBM》.

ìnter·cóstal *a.* 〖解〗 늑간의.

:in·ter·course[íntərkɔ̀:rs] *n.* U ① 교제; 교통; 의사〔감정〕의 교환. ② 영교(靈交). ③ 성교.

in·ter·crop[ìntərkráp/-ɔ́-] *vt., vi.* (*-pp-*) (농작물을) 간작하다.

in·ter·cut[ìntərkʌ́t] *vt., vi.* (*~; -tt-*) 화면에 대조적인 장면을 삽입하다. 「의.

ìnter·denominátional *a.* 종파간

ìnter·departméntal *a.* (대학의) 각 학부간의; 각부처〔성, 국〕간의.

ìnter·depénd *vi.* 상호 의존하다.

ìnter·depéndent *a.* 상호 의존의. **-depéndence, -depéndency** *n.*

in·ter·dict[-díkt] *vt.* 금지〔제지〕하다; 〖가톨릭〗 (장소·사람에 대하여 의식의 집행 또는 관여를) 금지하다; (계속 폭격으로) (적을) 괴롭히다. ── [∠-∠] *n.* C 금지(명령); 〖가톨릭〗 성사수여〔예배 따위〕의 금지. **-díc·tion** *n.* U,C 금지, 정지; 〖法〗 금치산 선고; 통상 금지; 계속 폭격.

†in·ter·est[íntərist] *n.* ① U,C 흥미, 관심, 호기심. ② C 관심사, 취미. ③ U 중요성, 간요(肝要). ④ C 소유권, 이권, 주. ⑤ C 이해 관계, 이익. ⑥ U 이자, 이율. ⑦ U 세력, 지배력. ⑧ U 사리, 사권. ***in the ~(s) of*** …을 위하여. ***take an ~ in*** …에 흥미를 가지다. ***with ~*** 흥미를 가지고; 이자를 붙여서. ── [íntərèst] *vt.* (…에) 흥미를 갖게하다; 관계시키다(*in*). ***be ~ed in*** …에 흥미가 있다. ***be ~ed to*** do …하고 싶다; …하여 재미있다.

:in·ter·est·ed[íntəristid, -rèstid] *a.* 흥미를 가진; 이해 관계 있는; 편견을 가진. **~ *parties*** 이해 관계자.

†in·ter·est·ing[íntəristiŋ, -rèst-] *a.* 재미있는. ***in an ~ condition*** 〔***situation***〕 임신하여.

ínter·fàce *n.* C 중간면〔층〕; 공유 영역; 〖컴〗 접속.

:in·ter·fere[ìntərfíər] *vt.* (이해 따위가) 충돌하다(clash)(*with*); 간섭하다(*in*); 방해하다(*with*); 조정하다; 《美》 〖球技〗 (불법) 방해하다.

***in·ter·fer·ence**[-fíərəns] *n.* U 충돌; 간섭; 방해; 〖野〗 방해; 〖無電〗 혼신 (전파); 《美》 〖球技〗 (불법) 방해.

in·ter·fer·on[-fíərən] *n.* U,C 〖生〗 인터페론《바이러스 증식 억제 물질》.

in·ter·fuse[-fjú:z] *vt., vi.* (…에) 스며들다; 혼입시키다〔하다〕.

ìnter·glácial *a.* 〖地〗 간빙기의.

in·ter·im**[íntərim] *n.* (the ~) 동안; 잠깐 동안; 가협정. ── *a.* 중간의; 임시의(temporary). **~ *report 중간 보고.

:in·te·ri·or[intíəriər] *a.* 내부의; 내륙의; 국내의; 비밀의. ── *n.* (the ~) 내부; 실내; 실내도〔사진〕; 실내 세트; 내륙; 내무. ***the Department*** 〔***Secretary***〕 ***of the I-*** 《美》 내무부〔장관〕.

intérior decorátion 실내 장식.

intérior mónolog(ue) 〖文學〗 내

I

적 독백(《'의식의 흐름'의 수법으로 [씀》.
interj. interjection.
in·ter·ja·cent [ìntərdʒéisənt] *a.* 개재하는, 사이에 있는, 중간에 일어나는.
in·ter·ject [ìntərdʒékt] *vt.* (말을) 불쑥 던지다, 사이에 끼워 넣다.
:in·ter·jec·tion [-dʒékʃən] *n.* ① U,C 불의의 투입[삽입]. ② C 〖文〗 감탄사. ③ U,C 감탄(의 소리).
in·ter·lace [-léis] *vt., vi.* 섞어 짜다; 섞이다; 짜 맞추다; 교착하다.
interláced scánning 〖TV〗 (우수선·기수선의) 교호 주사(交互走査)(방식).
in·ter·lard [-lá:rd] *vt.* (…에) 섞(어서 변화를 주)다.
in·ter·lay [-léi] *vt.* (**-laid**) 중간에 넣(어 변화시키)다.
ìnter·léave *vt.* (**~d**) (책 따위에 메모용의) 백지를 끼우다.
ínter·líbrary lóan 도서관 상호 대차 (제도).
ìnter·líne[1] *vt.* (글자 따위를) 행간(行間)에 써넣다[인쇄하다].
ìnter·líne[2] *vt.* (옷의 안과 거죽 사이에) 심을 넣다. **ínter·lìning** *n.* U (옷의) 심(감).
in·ter·lin·e·ar [ìntərlíniər] *a.* 행간의, 행간에 쓴; 원문과 번역을 번갈아 인쇄한.
In·ter·lin·gua [ìntərlíŋgwə] *n.* U 과학자용 인공 국제어.
ìnter·línk *vt.* 연결하다.
ìnter·lóck *vt., vi.* 맞물리(게 하)다; 연동되다[하다]. ── [⌐-⌐] *n.* C 맞물린 상태; 연동 장치; 〖映〗 촬영과 녹음을 연동시키는 장치; 〖컴〗 인터로크《진행준인 동작이 끝날 때까지 다음 동작을 보류시키는 일》.
in·ter·lo·cu·tion [-ləkjú:ʃən] *n.* U,C 대화, 회담.
in·ter·loc·u·tor [-lákjətər/-ɔ́-] *n.* C 대화자; 《美》 흑인의 MINSTREL show의 사회자《보통 MIDDLEMAN이 되며, END MAN을 상대로 만담을 함》. **-to·ry** [-tɔ̀:ri/-təri] *a.* 대화의; 〖法〗 중간의.
in·ter·lope [-lóup] *vi.* 남의 일에 간섭하다; 남의 인권을 침해하다; 무허가 영업을 하다.
ínter·lòper *n.* C 침입자; 남의 일에 참견하는 사람; 무허가 상인.
***in·ter·lude** [íntərlù:d] *n.* C 막간, 동안(interval); 막간의 주악; 막간극[연예]; 간주곡.
ìnter·márriage *n.* U 잡혼(雜婚); 혈족 결혼. **-márry** *vi.* 잡혼[혈족 결혼]하다. [*with*).
ìnter·méddle *vi.* 간섭하다(*in*,
ìnter·média *n.* intermedium의 복수형의 하나; U 인터미디어《음악·영화·무대·회화 등을 복합한 예술》.
in·ter·me·di·ar·y [ìntərmí:dièri] *a.* 중개의; 중간의. ── *n.* C 매개자[물]; 중간체.
***in·ter·me·di·ate** [ìntərmí:diit] *a.* 중간의. ── *n.* C 중간물; 중개자.
intermédiate rànge ballístic míssile 〖軍〗 중거리 탄도탄《생략 IRBM》.
in·ter·me·di·um [-mídiəm] *n.* C 중간물, 중개[매개]물. [매장.
in·ter·ment [intə́:rmənt] *n.* U,C
in·ter·mez·zo [ìntərmétsou, -médzou] *n.* (*pl.* **~s, -zi** [-tsi:, -dzi:]) C 막간(幕間) 희극; 〖樂〗 간주곡(間奏曲), 간주곡풍의 독립곡.
***in·ter·mi·na·ble** [intə́:rmənəbəl] *a.* 끝없는, 지루하게 긴. **-bly** *ad.*
ìnter·míngle *vt., vi.* 섞(이)다.
***in·ter·mis·sion** [ìntərmíʃən] *n.* U 중지, 중절; C 막간; 휴게 시간.
in·ter·mit [-mít] *vt., vi.* (**-tt-**) 중절[단절]하다. **~·tent** *a.* 단속[간헐]적인. **~·tent·ly** *ad.*
ìnter·míx *vt., vi.* 섞(이)다. **~·ture** *n.* U 혼합; C 혼합물.
in·tern[1] [intə́:rn] *vt., n.* (일정 구역 내에) 억류하다; C 피억류자.
in·tern[2] [íntə:rn] *n., vi.* C (의대 부속 병원의) 인턴(으로 근무하다).
:in·ter·nal [intə́:rnl] *a.* ① 내부의, 체내의. ② 내재적인. ③ 내정의, 국내의(domestic). ④ 마음의, 정신적인. ── *n.* (*pl.*) (사물의) 본질; (*pl.*) 내장. **~·ly** *ad.*
intérnal-combústion *a.* (엔진이) 내연(식)의. [입.
intérnal révenue 《美》 내국세 수
Intérnal Révenue Sèrvice, the 《美》 국세청《생략 IRS》.
†in·ter·na·tion·al [ìntərnǽʃənəl] *a.* 국제(간)의, 국제적인; 만국(萬國)의. ── *n.* C (I-) 인터내셔널, 국제 노동자 연맹. **~·ly** *ad.* 국제적으로.
Internátional Bánk for Reconstrúction and Devélopment, the 국제 부흥 개발 은행《생략 IBRD; 통칭 the World Bank》.
internátional cándle 국제 표준 촉광《1990년 프랑스·영국·미국에서 정한 광도의 단위》.
Internátional Códe, the 〖海〗 국제 기(旗)신호.
Internátional Cóurt of Jústice, the 국제 사법 재판소.
Internátional Dáte Lìne ⇨ DATE LINE.
in·ter·na·tion·al·ism [-ʃənəlìzəm] *n.* U 국제주의; 국제성.
in·ter·na·tion·al·ize [ìntərnǽʃənəlàiz] *vt.* 국제적으로 하다; (영토 따위를) 국제 관리하에 두다.
Internátional Lábor Organizàtion, the 국제 노동 기구《생략 ILO》.
Internátional Máritime Organizátion, the 국제 해사(海事) 기구《생략 IMO》.
Internátional Mónetary Fùnd 국제 통화 기금《생략 IMF》.
Internátional Phonétic Álphabet 국제 음표 문자《생략 IPA》.
in·terne [íntə:rn] *n.* =INTERN[2].
in·ter·ne·cine [ìntərní:sin,

-sain] *a.* 서로 죽이는; 서로 쓰러지는; 치명[파괴]적인.
in·tern·ee[ìntəːrníː] *n.* Ⓒ 피억류자, 피수용자.
In·ter·net[íntərnèt] *n.* 〖컴〗 인터넷. 「내과의사.
in·ter·nist[íntəːrnist, ─́─] *n.* Ⓒ
in·tern·ment[intə́ːrnmənt] *n.* Ⓤ 수용, 억류.
intérnment càmp 포로 수용소.
in·ter·pel·late [ìntərpéleit, intə́ːrpəlèit] *vt.* (의회에서 장관에게) 질문하다. **-la·tion**[ìntərpəléiʃən, intə̀ːr-] *n.* Ⓤ,Ⓒ (장관에의) 질문.
ìnter·pénetrate *vt. vi.* (…로) 스며들다; 서로 관통[침투]하다.
ínter·phòne *n.* Ⓒ (건물·비행기의) 내부 전화(cf. intercom), 인터폰.
ínter·plày *n.* Ⓤ,Ⓒ 상호 작용.
In·ter·pol[íntərpɑ̀l/-pɔ̀l] *n.* 인터폴, 국제 형사 경찰 기구(<*Inter*national *C*riminal *Pol*ice Organization).
In·ter·po·late [intə́ːrpəlèit] *vt.* (책·서류 등에 어구를) 써 넣(어 고치)다; 〖數〗 급수에 (중항(中項)을) 넣다. **-la·tion**[─̀─léiʃən] *n.*
*__in·ter·pose__[ìntərpóuz] *vt.* (…의) 사이에 끼우다(insert); (이의를) 제기하다. ── *vi.* 사이에 들어가다; 중재에 나서다; 말참견하다. **-po·si·tion** [─̀─pəzíʃən] *n.*
:**in·ter·pret**[intə́ːrprit] *vt.* ① (…의) 뜻을 설명하다, 해석하다. ② 통역하다. ③ (자기 해석에 따라) 연주[연출]하다. ④ 〖컴〗 (데이터 등을) 해석하다. ── *vi.* 통역하다.
:**in·ter·pre·ta·tion**[intə̀ːrprətéiʃən] *n.* Ⓤ,Ⓒ (말이나 곡의) 해석; 통역; (자기 해석에 의한) 연출, 연주.
in·ter·pre·ta·tive[intə́ːrprətèitiv/-tə-] *a.* 해석[통역]의[을 위한].
:**in·ter·pret·er**[intə́ːrprətər] *n.* Ⓒ 통역자; 해석[설명]자; 〖컴〗 해석기.
ìnter·rácial *a.* 인종간의.
in·ter·reg·num[ìntərégnəm] *n.* (*pl.* **~s, -na**[-nə]) Ⓒ (왕위의) 궐위 기간[시대]; 중절 기간.
ìnter·relàte *vt.* 상호 관계를 맺다. **-látion** *n.* Ⓤ,Ⓒ 상호 관계. 「ogative.
interrog. interrogation; interr-
in·ter·ro·gate[intérəgèit] *vt., vi.* (…에게) 질문[심문]하다. **-ga·tor** *n.*
:**in·ter·ro·ga·tion**[intèrəgéiʃən] *n.* Ⓤ,Ⓒ 질문; 심문. 「물음표(?).
:**interrogátion màrk** [**pòint**]
:**in·ter·rog·a·tive**[ìntərɑ́gətiv/-ɔ́-] *a.* 의문의; 미심쩍어 하는. ── *n.* Ⓒ 〖文〗 의문사; 의문문.
in·ter·rog·a·to·ry [-tɔ̀ːri/-təri] *a.* 의문[질문]의. ── *n.* Ⓒ 의문, 질문; 〖法〗 심문 (조서).
:**in·ter·rupt**[ìntərʌ́pt] *vt., vi.* 가로 막다; 방해하다; 중단하다(*May I ~ you?* 말씀하시는 데 실례입니다만); 〖컴〗 가로채기 하다. ── *n.* Ⓒ 〖컴〗 가로채기; 일시 정지. ***~·ed** *a.* 중단된, 가로막힌; 단속적인. **~·er** *n.* Ⓒ 방해자[물]; 〖電〗 단속기. **:-rúp·tion** *n.* Ⓤ,Ⓒ 가로 막음; 방해.
ìnter·scholástic *a.* (중등) 학교간의, 학교 대항의.
*__in·ter·sect__[ìntərsékt] *vt.* 가로지르다. ── *vi.* 교차하다. ***-séc·tion** *n.* Ⓤ 횡단, 교차; Ⓒ 〖數〗 교점(交點), 교선(交線). 「각군간의.
ìnter·sérvice *a.* (육·해·공군의)
ínter·sèx *n.* Ⓤ 〖生〗 간성(間性).
ìnter·séxual *a.* 남녀 양성 사이의; 이성간의; 〖生〗 간성(間性)의. ── *n.* Ⓒ 간성인 사람.
ínter·spàce *n.* Ⓤ (장소·시간 따위의) 공간, 틈, 사이. ── [─̀─́] *vt.* (…의) 사이에 공간을 두다.
in·ter·sperse[ìntərspə́ːrs] *vt.* 흩뿌리다, 산재(散在)시키다; 군데군데를 장식하다.
*__ìnter·státe__ *a.* 각 주(州) 사이의.
Interstate Cómmerce Com·mìssion, the 《美》 주간(州間) 통상 위원회《생략 ICC》.
ìnter·stéllar *a.* 별 사이의.
in·ter·stice[intə́ːrstis] *n.* Ⓒ 틈새기, 갈라진 틈. 「다.
ìnter·twíne *vt., vi.* 뒤얽히(게 하)
ìnter·twíst *vt., vi.* 비비 꼬(이)다.
ìnter·úrban *a., n.* 도시간의; Ⓒ 도시 연락 철도[전차·버스 등].
:**in·ter·val**[íntərvəl] *n.* Ⓒ ① (시간·장소의) 간격. ② (연극의) 휴게 시간. ③ 휴지(休止) 기간. ④ 〖樂〗 음정. ***at ~s*** 때때로; 여기저기.
:**in·ter·vene**[ìntərvíːn] *vi.* 사이에 들어가다; 사이에 일어나(서 방해하)다; 중재하다; 간섭하다(*in, between*). ***-vén·tion** *n.* **-vén·tion·ist** *n.* Ⓒ (타국 내정에 대한) 간섭주의자. ── *a.* (내정) 간섭주의의.
:**in·ter·view**[íntərvjùː] *n.* Ⓒ 회견; (공식) 회담; (신문 기자의) 회견(기). ── *vt.* (…와) 회견[회담]하다. **~·er** *n.* Ⓒ 회견(기)자. 「의.
ìnter·wár *a.* (제1·2차) 양대전간
in·ter·weave[ìntərwíːv] *vt., vi.* (**-wove, ~d; -woven, -wove, ~d**) 섞(어 짜)다, 섞이다.
in·ter·wove[-wóuv] *v.* interweave의 과거(분사).
in·ter·wo·ven[-wóuvən] *v.* interweave의 과거분사.
in·tes·tate[intésteit] *a., n.* Ⓒ 유언을 남기지 않은 (사망자). 「의.
in·tes·ti·nal[intéstənəl] *a.* 장(腸)
*__in·tes·tine__[intéstin] *n.* Ⓒ (보통 *pl.*) 장, 창자. ***large*** [***small***] **~** 대[소]장. ── *a.* 내부의; 국내의. **~ *strife*** 내분.
in·thral(l) [inθrɔ́ːl] *vt.* =ENTHRAL(L). 「THRONE.
in·throne[inθróun] *vt.* =EN-
*__in·ti·ma·cy__[íntəməsi] *n.* Ⓤ 친밀, 친교; 불의, 밀통(密通).
:**in·ti·mate**[1][íntəmit] *a.* 친밀한; (사정 등에) 상세한(close); 내심의; 사사로운, 개인적인; 불의의. ── *n.* Ⓒ 친구. ***~·ly** *ad.*

I

in·ti·mate[2][-mèit] *vt.* 암시하다; 넌지시 알리다. **-ma·tion**[⌐--méi-] *n.* U,C 암시.
in·tim·i·date[intímədèit] (cf. timid) *vt.* 위협하다, 협박하다. **-da·tion**[--⌐-déiʃən] *n.*
in·ti·tle[intáitl] *vt.* =ENTITLE.
intl. international.
†**in·to**[íntu, (문장 끝) -tu:, (자음 앞) -tə] *prep.* ① …의 속에[으로]. ② 《변화》 …에, …으로.
*****in·tol·er·a·ble**[intálərəbəl/-ɔ́-] *a.* 견딜 수 없는(unbearable); 《口》 애타는. **-bly** *ad.*
in·tol·er·ant[intálərənt/-ɔ́-] *a.* 편협한, 아량이 없는; (종교가가) 이설에 대하여 관용치 않는; 견딜 수 없는(*of*). **-ance** *n.*
in·tomb[intú:m] *vt.* =ENTOMB.
in·to·nate[íntənèit] *v.* =INTONE.
:**in·to·na·tion**[ìntənéiʃən, -tou-] *n.* U (찬송가·기도문을) 읊음, 영창(詠唱); U,C 〖音聲〗 인토네이션, 억양; U 〖樂〗 발성법.
in·tone[intóun] *vt., vi.* (찬송가·기도문을) 읊다, 영창하다; (목소리에) 억양을 붙이다.
in to·to[in tóutou] (L. =in the whole) 전체로서, 전부, 몽땅.
In·tour·ist[intúərist] *n.* 러시아의 외인 관광국《국영 여행사》.
in·tox·i·cant[intáksikənt/-ɔ́-] *a., n.* C 취하게 하는 (것), 술; 알코올 음료; 마취제.
*****in·tox·i·cate**[intáksikèit] *vt.* 취하게 하다; 흥분[도취]시키다. **-ca·tion**[--⌐-kéiʃən] *n.* U 취(하게)함; 흥분, 열중; 〖醫〗 중독.
in·tra-[íntrə] '안에, 내부의' 뜻의 결합사.
ìntra·céllular *a.* 세포내의.
in·trac·ta·ble[intrǽktəbəl] *a.* 고집센; 다루기 힘든.
in·tra·dos[intréidas/-dɔs] *n.* C 〖建〗 (아치의) 내만곡선(內彎曲線), 내호면(內弧面).
ìntra·molécular *a.* 분자내의[에서 일어나는].
ìntra·múral *a.* (성)벽내의; (경기 따위) 교내(대항)의(opp. intercollegiate). 「IM」. **~·ly** *ad.*
ìntra·múscular *a.* 근육내의《생략
in·tran·si·gent [intrǽnsədʒənt] *a., n.* C 타협하지 않는 (사람). **-gence, -gen·cy** *n.*
:**in·tran·si·tive** [intrǽnsətiv] *a.* 〖文〗 자동(사)의. ── *n.* C 〖文〗 자동사. **~·ly** *ad.*
:**intránsitive vérb** 〖文〗 자동사.
ìntra·státe *a.* 《美》 주(州)내의.
ìntra·úterine *a.* 자궁내의.
ìntra·váscular *a.* 혈관내의.
ìntra·vénous *a.* 정맥(靜脈)내의《생략 IV》.
ín-tray *n.* C 미결 서류함(cf. out-tray).
in·treat[intrí:t] *v.* =ENTREAT.
in·trench [intréntʃ] *v.* =ENTRENCH.
in·trep·id[intrépid] *a.* 무서움을 모르는; 대담한(dauntless), 용맹스러운. **ìn·tre·píd·i·ty** *n.*
*****in·tri·cate**[íntrəkit] *a.* 뒤섞인, 복잡한. **-ca·cy**[-kəsi] *n.*
in·tri·g(u)ant[íntrigənt] *n.* (F.) C 음모가; 밀통자.
*****in·trigue**[intrí:g] *vi.* 음모를 꾸미다(plot)(*against*); 밀통하다(*with*). ── *vt.* (…의) 흥미를[호기심을] 돋우다. ── [⌐-] *n.* U,C 음모; C 밀통.
*****in·trin·sic**[intrínsik], **-si·cal**[-əl] *a.* 본질적인, 내재하는; 실제의. **-si·cal·ly** *ad.*
in·tro[íntrou] *n.* 《口》 =INTRODUCTION.
intro(d). introduction; introductory.
†**in·tro·duce**[ìntrədjú:s] *vt.* ① 인도[안내]하다. ② 소개하다. ③ 처음으로 경험시키다. ④ 도입하다; 제출하다. ⑤ 끼워넣다.
:**in·tro·duc·tion**[ìntrədʌ́kʃən] *n.* ① U 받아들임, 전래, 수입; 도입. ② U,C 소개, 피로(披露). ③ C 서편(序編); 서곡(序曲). ④ C 입문(서). **-tive** *a.*
*****in·tro·duc·to·ry**[ìntrədʌ́ktəri] *a.* 소개의; 서두의; 예비의.
in·tro·ject[ìntrədʒékt] *vt., vi.* 〖精神分析〗 (자기) 투입하다. **-jéc·tion** *n.* U (자기) 투입 (작용).
in·tro·spec·tion[ìntrəspékʃən] *n.* U 내성, 자기 반성. **-tive** *a.*
in·tro·ver·sion [ìntrəvə́:rʒən, -ʃən] *n.* U 〖心〗 내향성.
in·tro·vert[íntrəvə̀:rt, ⌐-⌐] *vt.* (마음·생각을) 안으로 향하게 하다; 〖動〗 안으로 굽다. ── [⌐-⌐] *a., n.* C 내향[내성]적인 (사람)(opp. extrovert).
:**in·trude**[intrú:d] *vt.* 처넣다(*into*); 강제[강요]하다(*on, upon*); 〖地〗 관입(貫入)시키다. ── *vi.* 밀고 들어가다, 침입하다(*into*); 방해하다(*upon*). ***in·trúd·er** *n.* C 침입자; (적군의 기지를 공습하는) 비행기(의 조종사). ***in·tru·sion**[-ʒən] *n.* **in·tru·sive**[-siv] *a.* 침입하는; 방해하는.
in·trust[intrʌ́st] *v.* =ENTRUST.
in·tu·bate[íntju:bèit] *vt.* 〖醫〗 관을 삽입해두다《기관 따위에》.
*****in·tu·i·tion**[ìntjuíʃən/-tju(:)-] *n.* U,C 직각(적 지식), 직관(적 통찰). **~·al** *a.*
in·tu·i·tive[intjú:itiv] *a.* 직각[직관]의[에 의해 얻은], 직관력이 있는《사람》. **~·ly** *ad.*
in·un·date[ínəndèit, -nʌn-] *vt.* 침수[범람]시키다; (강물이) 침수하다; 그득하게 하다, 충만시키다. **-da·tion**[⌐-déiʃən] *n.* C 홍수.
in·ure[injúər] *vt.* 익히다(*to*); 공고히 하다. ── *vi.* 효력을 발생하다, 유효하게 쓰이다.
in·u·til·i·ty[ìnju:tíləti] *n.* ① U 무익, 무용. ② C 무용한 것[사람], 무익한 것[사람].
inv. invented; inventor; invoice.
:**in·vade**[invéid] *vt.* (…에) 침입[침

략]하다; (손님 등이) 밀어닥치다; 엄습하다; (권리 등을) 침해하다. **:in·vád·er** *n.*

:in·va·lid[1] [ínvəlid/-lì:d] *n.* Ⓒ 병자, 병약자. ── *a.* 병약한; 환자용의. ── [ínvəlid/ìnvəlí:d] *vt.* 병약하게 하다; 상병(傷病)으로 현역에서 제대시키다. **~·ism** [-ìzəm] *n.* Ⓤ 병약.

in·val·id[2] [invǽlid] *a.* 가치 없는; (법적으로) 무효의. **-i·date** [-vǽlədèit] *vt.* 무효로 하다. **in·va·lid·i·ty** [ìnvəlídəti] *n.*

***in·val·u·a·ble** [invǽljuəbəl] *a.* 귀중한; 값을 헤아릴 수 없는.

In·var [invá:r] *n.* 〖商標〗 불변강(不變鋼), 인바르.

in·var·i·a·ble [invέəriəbəl] *a.* 변화하지 않는. **:-bly** [-bli] *ad.* 변화 없이; 항상.

***in·va·sion** [invéiʒən] *n.* U,C 침입, 침략; (권리 등의) 침해. **-sive** [-siv] *a.* 침략적인.

in·vec·tive [invéktiv] *n., a.* Ⓤ 욕설(의), 독설(의).

in·veigh [invéi] *vi.* 통렬하게 비난하다, 독설을 퍼붓다(*against*).

in·vei·gle [invi:gəl, -véi-] *vt.* 꼬드기다(*into*).

†in·vent [invént] *vt.* 발명하다; (구실 따위를) 만들다, 날조하다.

:in·ven·tion [invénʃən] *n.* ① Ⓤ 발명; Ⓒ 발명품. ② Ⓤ 발명의 재능. ③ C,U 허구, 꾸며낸 이야기.

***in·ven·tive** [invéntiv] *a.* 발명의 (재능이 있는); 창의력이 풍부한.

:in·ven·tor [invéntər] *n.* Ⓒ 발명자, 창안자.

in·ven·to·ry [ínvəntɔ̀:ri/-təri] *n.* Ⓒ (상품의) 명세 목록; 재산 목록; 재고품; Ⓤ《美》 재고 조사. ── *vt.* (상품의) 목록을 만들다;《美》(…의) 재고 조사를 하다.

In·ver·ness [ìnvərnés] *n.* 스코틀랜드의 주의 이름; =**∠ càpe** (**clòak, còat**) 인버네스《남자용의 소매 없는 외투》.

in·verse [invə́:rs, ∠–] *n., a.* (the ~) 역(逆)(의), 반대(의); Ⓒ 반대의 것; 〖數〗 역함수. **~·ly** *ad.* 반대로, 거꾸로.

***in·ver·sion** [invə́:rʒən, -ʃən] *n.* U,C ① 반대, 역(으로 된 것). ② 〖文〗 도치법(倒置法).

***in·vert** [invə́:rt] *vt.* 역으로(거꾸로) 하다; 〖樂〗 전회(轉回)하다. ── *n.* Ⓒ 〖建〗 역아치; 〖컴〗 뒤바꿈. **~·ed** [-id] *a.* 역으로(거꾸로) 한.

in·ver·te·brate [invə́:rtəbrit, -brèit] *a., n.* Ⓒ 〖動〗 척추 없는; 무척추 동물(의).

invérted cómmas 《英》 인용부 「《' '》.

in·vert·er [invə́:rtər] *n.* Ⓒ 〖電〗 변환 장치《직류를 교류로 바꾸는》; 〖컴〗 인버터, 역변환기.

:in·vest [invést] *vt.* ① 투자하다. ② (…에게) 입히다, (훈장 등을) 달게 하다(*with, in*). ③ 수여하다; 서임하다. ④ 싸다. ⑤ 〖軍〗 포위하다. ⑥ (권력 등을) 주다(*with*). ── *vi.* 자본을 투입하다; 투자하다. **:~·ment** *n.* U,C 투자; 투입; Ⓒ 투자 대상; 투자 자본; 포위; 서임. ***in·vés·tor** *n.* Ⓒ 투자가.

:in·ves·ti·gate [invéstəgèit] *vt.* 조사(연구)하다. ***-ga·tor** *n.* **:-ga·tion** [–∸–géiʃən] *n.*

in·ves·ti·ture [invéstətʃər] *n.* Ⓤ 서임; Ⓒ 서임식.

invéstment còmpany (**trùst**) 투자 신탁 회사.

in·vet·er·ate [invétərit] *a.* 뿌리 깊은; 상습적인. **-a·cy** *n.*

in·vid·i·ous [invídiəs] *a.* 비위에 거슬리는; 불공평한.

in·vig·or·ate [invígərèit] *vt.* (…에게) 기운나게 하다. **-at·ing** *a.* 기운나게 하는; (공기가) 상쾌한.

in·vin·ci·ble** [invínsəbəl] *a.* 정복할 수 없는, 무적의. ***the I- Armada ⇨ARMADA.

in·vi·o·la·ble [inváiələbəl] *a.* 범할 수 없는; 신성한.

in·vi·o·late [inváiəlit] *a.* 침범되지 않은; 더럽혀지지 않은.

***in·vis·i·ble** [invízəbəl] *a.* 눈에 보이지 않는; 숨은. **-bly** *ad.* **-bil·i·ty** [–∸–bíləti] *n.* 「무형 수출품.

invísible éxports 무역외 수출,

invísible góvernment (은연 중에 세력을 가지는) 비밀 조직.

invísible ímports 무역외 수입, 무형 수입품.

invísible ínk 은현(隱顯) 잉크.

:in·vi·ta·tion [ìnvətéiʃən] *n.* Ⓤ 초대; Ⓒ 초대장; U,C 유혹, 유인.

:in·vite [inváit] *vt.* 초대(권유)하다; 간청하다; (일을) 야기시키다; 끌다. ── [∠–] *n.* Ⓒ《口》 초대(장). **in·vít·ing** *a.* 마음을 끄는, 유혹적인. **in·vít·ing·ly** *ad.*

in·vo·ca·tion [ìnvəkéiʃən] *n.* U,C (신의 구원을 비는) 기도, 기원.

***in·voice** [ínvɔis] *n., vt.* Ⓒ 〖商〗 (…의) 송장(送狀)(을 작성하다).

***in·voke** [invóuk] *vt.* ① (구원을 신에게) 빌다, 기원하다. ② (법률에) 호소하다; 간청하다. ③ (마법으로 영혼을) 불러내다.

in·vol·un·tar·y** [inválәntèri/-vɔ́ləntəri] *a.* 무의식적인; 의사에 반한, 본의 아닌; 〖生〗 불수의(不隨意)의. ***~ homicide 과실 치사. ***~ muscles*** 불수의근(筋). **-tar·i·ly** [-rili] *ad.* 저도 모르게; 본의 아니면서, 마지못해.

in·vo·lute [ínvəlù:t] *a.* 복잡한; 감아 오른; 나선 꼴의; 〖植〗 안쪽으로 말린; 〖動〗 소용돌이 꼴의. ***-lu·tion** [∸–lú:ʃən] *n.* Ⓤ 회선(回旋); Ⓒ 회선물; Ⓤ 복잡.

:in·volve [inválv/-ɔ́-] *vt.* ① (…을) 포함하다, 수반하다. ② 연좌(관련)시키다(*in*); 복잡하게 만들다. ③ 열중시키다; 싸다. ***~·ment** *n.*

***in·volved** [inválvd/-ɔ́-] *a.* 복잡한,

I

뒤얽힌, 혼란한; (재정이) 곤란한.
in·vul·ner·a·ble [invʌ́lnərəbəl] *a.* 상처를 입지 않는, 불사신의; 공격에 견디는, 반박할 수 없는.
:in·ward [ínwərd] *a.* 내부(로)의; 내륙 지방의; 내적인, 마음의. ── *ad.* 안으로, 내부에; 내심에. ── *n.* (*pl.*) 창자, 내장. *~·ly *ad.* 내부에, 안으로; 마음 속으로; 작은 소리로. ~·ness *n.* Ⓤ 내심; 진의; 열의; 본질. ~s *ad.* =INWARD.
in·weave [inwíːv] *vt.* (*-wove, ~d; -woven, -wove, ~d*) 짜넣다, 섞어 넣다(*with*).
in·wrap [inrǽp] *vt.* (*-pp-*) =EN-WRAP.
in·wrought [inrɔ́ːt] *a.* 짜넣은 무늬의; 뒤섞인.
Io 〖化〗 ionium. **Io.** Iowa. **I/O** input/output. **IOC** International Olympic Committee.
i·o·dide [áiədàid] *n.* Ⓤ,Ⓒ 〖化〗 요오드화물(化物).
i·o·dine [áiədàin, -dìːn], **-din** [-din] *n.* Ⓤ 〖化〗 요오드, 옥소.
i·o·do·form [aióudəfɔ̀ːrm, -ád-/-ɔ́d-] *n.* Ⓤ 〖化〗 요오드포름.
I.O.J. International Organ of Journalists.
i·on [áiən, -ɑn/-ɔn] *n.* Ⓒ 〖理·化〗 이온. ~·**ize** [-àiz] *vt.* 이온화하다.
íon èngine 이온 엔진《고속 이온을 가수 분해하여 추진력을 얻음》.
íon exchànge 〖化〗 이온 교환.
I·o·ni·a [aióuniə] *n.* 이오니아《소아시아 서부 지방, 고대 그리스의 식민지》. ~**n** *a.* 이오니아(사람)의.
I·on·ic [aiánik/-ɔ́-] *a., n.* 이오니아(사람)의; 〖建〗 이오니아식의; Ⓤ 이오니아 방언.
i·o·ni·um [aióuniəm] *n.* Ⓤ 〖化〗 이오늄.
i·on·o·sphere [aiánəsfìər/-ɔ́-] *n.* (the ~) 〖理〗 전리층.
IOOF Independent Order of Odd Fellows.
i·o·ta [aióutə] *n.* Ⓤ,Ⓒ 그리스어 알파벳의 아홉째 글자(I, ι; 영어의 I, i에 해당); (an ~) 근소.
IOU, I.O.U. I owe you. 차용증서.
***I·o·wa** [áiəwə, -wei] *n.* 미국 중부의 주《생략 Ia.》.
IPA International Phonetic Alphabet (Association); International Publishers Association.
IPBM interplanetary ballistic missile. **IPC** International Petroleum Commission. **IPCC** Intergovernmental Panel on Climate Change 기후 변동에 관한 정부간 패널.
Iph·i·ge·ni·a [ìfədʒənáiə] *n.* 〖그神〗 이피게니아《Agamemnon과 Clytemnestra의 딸》.
I.P.I. International Press Institute. **IPO** initial public offering 《美》 주식 공개. **IPR** Institute of Pacific Relations.
ip·se dix·it [ípsi díksit] (L. =he himself said) 독단(적인 말).
ip·so fac·to [ípsou fǽktou] (L. =by the fact itself) 바로 그 사실에 의하여; 사실상.
IPU Inter-Parliamentary Union.
IQ, I.Q. intelligence quotient.
i.q. *idem quod* (L.) (=the same as). **Ir** 〖化〗 iridium. **Ir.** Ireland; Irish.
ir- [i] *pref.* ⇨IN.
IRA Irish Republican Army.
I·ran [irǽn, ai-, iərɑ́ːn] *n.* 이란《구명 페르시아》. **I·ra·ni·an** [iréiniən] *n., a.* Ⓒ 이란 사람(의); Ⓤ 이란 말(의); 이란의.
I·ra·ni [inrɑ́ːni]' *a.* =IRANIAN; =PERSIAN.
I·raq, I·rak [irɑ́ːk] *n.* 이라크《아라비아 북부의 공화국》.
I·ra·qi [irɑ́ːki] *a., n.* 이라크의; Ⓒ 이라크 사람(의).
i·ras·ci·ble [irǽsəbəl, ai-] *a.* 성마른. **-bil·i·ty** [─ˌ─bíləti] *n.*
i·rate [áireit, ─ˊ] *a.* 성난, 노한.
IRBM Intermediate Range Ballistic Missile. **IRC** International Red Cross.
ire [aiər] *n.* Ⓤ 《詩》 분노. ˊ·**ful** *a.* 《詩》 분노한.
Ire. Ireland.
:Ire·land [áiərlənd] *n.* 아일랜드. ***Republic of ~*** 아일랜드 공화국《옛 이름은 Eire》.
ir·i·des·cence [ìrədésəns] *n.* Ⓤ 무지개 빛, 진주 광택. **-cent** *a.*
i·rid·i·um [airídiəm, ir-] *n.* Ⓤ 〖化〗 이리듐.
***i·ris** [áiris] *n.* (*pl. ~es, irides* [-rədìːz, írə-]) Ⓒ 〖解〗 (눈의) 홍채(虹彩); 〖植〗 붓꽃속의 식물; 무지개; (I-) 〖그神〗 무지개의 여신.
:I·rish [áiriʃ] *a.* 아일랜드(사람·말)의. ── *n.* Ⓒ 아일랜드 사람; Ⓤ 아일랜드말. ~·**man** [-mən] *n.* Ⓒ 아일랜드 사람. ~·**wom·an** [-wùmən] *n.*
Írish dáisy 민들레.
Írish Frée Stàte 아일랜드 자유국《아일랜드 공화국의 구명》.
Írish potáto 감자.
Írish Séa, the 아일랜드 해.
irk [əːrk] *vt.* (…에게) 지치게 하다; 지루하게〔난처하게〕 만들다.
irk·some [ə́ːrksəm] *a.* 지루한, 성가신, 진력나는, 넌더리나는. ˊ·**ly** *ad.* ˊ·**ness** *n.*
IRO International Refugee Organization.
:i·ron [áiərn] *n.* ① Ⓤ 쇠, 철. ② Ⓒ 철제 기구, 철기; Ⓒ 다리미, 아이론. ③ (*pl.*) 수갑, 차꼬. ④ Ⓒ 〖골프〗 쇠머리 골프채. ⑤ Ⓤ 굳기, 견고. ***have (too) many ~s in the fire*** 단번에 너무 많은 일에 손을 대다. ***in ~s*** 잡힌 몸이 되어. ***rule with a rod of ~*** 학정(虐政)을 행하다. ***Strike while the ~ is hot.*** 《속담》 쇠는 달았을 때 쳐라. ***will of ~*** 철석 같은 의지. ── *a.* 쇠의, 쇠 같은; 철제의; 견고한, 냉혹한. ── *vt.* (…에) 다림질하다; 수갑을〔차꼬를〕 채우다; 쇠로 덮어싸다; 장갑(裝

甲)하다.
íron àge, the 철기 시대.
íron·bóund *a.* 쇠로 감은〔싼〕; 굳은; 엄한; 바위가 많은.
Íron Chánсellor 철혈 재상《독일의 정치가 Bismarck의 이칭》.
íron·clád *a., n.* 장갑된; (조약·협정 따위) 엄한; Ⓒ 철갑함(鐵甲艦).
Íron Cróss 철십자(鐵十字) 훈장《프러시아·오스트리아의 무공 훈장》.
íron cúrtain, the 철의 장막.
íron fòunder 주철 제조(업)자.
íron fòundry 주철소, 제철소.
íron gráy〔**gréy**〕 철회색의.
íron·hánded *a.* 냉혹한.
íron·héarted *a.* 《口》 냉혹한.
íron hórse 《口》 (초기의) 기관차; 《美俗》 탱크.
íron hóuse 《美俗》 감방, 감옥.
*__i·ron·ic__[airánik/-ɔ́-], **-i·cal**[-əl] *a.* 비꼬는, 반어적인. **-i·cal·ly** *ad.*
íron·ing *n.* Ⓤ 다림질.
íroning bòard 다림질판.
íron lúng 철폐(鐵肺)《철제의 호흡 보조기》.
íron mán 뛰어난 힘을 가진 사람; 철완 투수; 《美俗》 1달러 지폐〔은화〕.
íron·màster *n.* Ⓒ 철기 제조 업자, 제철업자, 철공장 주인.
íron·mònger *n.* Ⓒ 《英》 철물상.
íron pýrites 황철광(黃鐵鑛).
íron ràtion(s) 비상 휴대 식량《통조림》.
íron·sìdes *n. pl.* 《단수 취급》 철갑함(鐵甲艦).
íron·smìth *n.* Ⓒ 철공; 대장장이.
íron·stòne *n.* Ⓤ 철광석.
íron tríangle 《美》 철의 삼각지대 《정부 정책에 영향을 주는 기업·민간단체를 대변하는 로비스트, 의원과 의회진용, 관료 기구》.
íron·wàre *n.* Ⓤ 철기(鐵器).
íron·wòod *n.* Ⓤ 경질재(硬質材); Ⓒ 그 수목.
íron·wòrk *n.* Ⓤ 철제품.
íron·wòrks *n. pl.* & *sing.* 철공소, 제철소.
⁑**i·ro·ny**[áirəni] *n.* Ⓤ 반어; 비꼼.
Ir·o·quois[írəkwɔ̀i] *n.* (*pl.* ~ [-z]) (북아메리카의) 이러쿼이 토인.
ir·ra·di·ate[iréidièit] *vt.* 비추다, 빛나다; (얼굴 따위를) 밝게 하다; (빛 따위를) 방사(放射)하다(radiate); (자외선 따위를) 쐬다. ── *vi.* 빛나다. **-a·tion**[-ˌ-éiʃən] *n.*
*__ir·ra·tion·al__[irǽʃənəl] *a.* 불합리한; 이성이 없는; 〖數〗 무리수(無理數)의. ── *n.* Ⓒ 〖數〗 무리수. ~**·ly** *ad.* ~**·i·ty**[-ˌ-ǽləti] *n.*
irrátional númber〔**róot**〕 무리수〔근〕.
ir·re·claim·a·ble[ìrikléiməbəl] *a.* 돌이킬 수 없는; 교정(矯正)할 수 없는; 개간할 수 없는.
ir·rec·on·cil·a·ble[irékənsàiləbəl] *a.* 화해할 수 없는; 조화되지 않는, 대립〔모순〕된(*to, with*). ── *n.* Ⓒ 비타협적인 사람.
ir·re·cov·er·a·ble[ìrikʌ́vərəbəl] *a.* 돌이킬〔회복할〕 수 없는. **-bly** *ad.*
ir·re·deem·a·ble[ìridí:məbəl] *a.* 되살 수 없는; (공채가) 무상환(無償還)의; (지폐가) 불환(不換)의; (병이) 불치의. **-bly** *ad.*
ir·re·duc·i·ble[ìridjú:səbəl] *a.* 줄일〔감할〕 수 없는.
ir·ref·ra·ga·ble[iréfrəgəbəl] *a.* 논박〔부정〕할 수 없는.
ir·ref·u·ta·ble [iréfjutəbəl, ìrifjú:-] *a.* 반박〔논파〕할 수 없는.
⁑**ir·reg·u·lar**[irégjələr] *a.* 불규칙한; 불법의; 규율 없는; 고르지 않은, 요철(凹凸)이 있는; 〖軍〗 부정규의; 〖文〗 불규칙 변화의. ~ ***verb*** 불규칙 동사. ── *n.* Ⓒ 불규칙한 사람〔것〕; (보통 *pl.*) 부정규병. ~**·ly** *ad.* * ~**·i·ty**[-ˌ-lǽrəti] *n.*
ir·rel·a·tive[irélətiv] *a.* 관계 없는; 대중〔짐작〕이 틀리는.
ir·rel·e·vant[iréləvənt] *a.* 부적절한; 무관계한. **-vance, -van·cy** *n.*
ir·re·li·gion[ìrilídʒən] *n.* Ⓤ 무종교; 불신앙. **-gious** *a.*
ir·re·me·di·a·ble[ìrimí:diəbəl] *a.* 치료할 수 없는; 돌이킬 수 없는.
ir·re·mov·a·ble[ìrimú:vəvəl] *a.* 옮길〔움직일〕 수 없는; 제거할〔면직시킬〕 수 없는.
ir·rep·a·ra·ble[irépərəbəl] *a.* 수선〔회복〕할 수 없는; 돌이킬 수 없는. **-bly**[-li] *ad.*
ir·re·pat·ri·a·ble[ìripéitriəbəl] *n.* Ⓒ (정치적 이유 따위로) 본국에 송환할 수 없는 사람.
ir·re·place·a·ble[ìripléisəbəl] *a.* 바꾸어 놓을〔대체할〕 수 없는.
ir·re·press·i·ble[ìriplésəbəl] *a.* 억제할 수 없는.
ir·re·proach·a·ble[ìripróutʃəbəl] *a.* 비난할 수 없는, 결점없는, 탓할 나위 없는.
*__ir·re·sist·i·ble__[ìrizístəbəl] *a.* 저항할 수 없는; 제어할 수 없는; 불문곡직의. **-bly**[-li] *ad.*
*__ir·res·o·lute__[irézəlù:t] *a.* 결단력 없는, 우유부단한. **-lu·tion**[-ˌ-lú:ʃən] *n.*
ir·re·solv·a·ble[ìrizálvəbəl/-ɔ́-] *a.* 분해〔분리, 해결〕할 수 없는.
ir·re·spec·tive[ìrispéktiv] *a.* …에 관계〔상관〕없는(*of*). ~**·ly** *ad.*
*__ir·re·spon·si·ble__ [ìrispánsəbəl/-ɔ́-] *a.* 책임을 지지 않는; 무책임한.
ir·re·spon·sive[ìrispánsiv/-ɔ́-] *a.* 반응〔반향〕이 없는(*to*).
ir·re·triev·a·ble[ìritrí:vəbəl] *a.* 돌이킬〔회복할〕 수 없는. **-bly** *ad.*
ir·rev·er·ent[irévərənt] *a.* 불경한, 비례(非禮)의. **-ence** *n.*
ir·re·vers·i·ble[ìrivə́:rsəbəl] *a.* 거꾸로 할 수 없는; 취소할 수 없는.
ir·rev·o·ca·ble[irévəkəbəl] *a.* 되부를 수 없는; 취소할 수 없는; 변경할 수 없는. **-bly** *ad.*
ir·ri·ga·ble[írigəbəl] *a.* 관개(灌漑)할 수 있는.

I

***ir·ri·gate**[írəgèit] *vt.* (…에) 관개하다; 〖醫〗 관주(灌注)하다. **-ga·tor**[-tər] *n.* Ⓒ 〖醫〗 관주기, 이리게이터. ***-ga·tion**[⌐–géiʃən] *n.*

***ir·ri·ta·ble**[írətəbəl] *a.* 성 잘 내는, 성마른; (자극에) 과민한; 〖病〗 염증(炎症)을 잘 일으키는; 〖生〗 자극 반응력이 있는. **-bly** *ad.* **-bil·i·ty**[⌐––bíləti] *n.* Ⓤ 성마름; 과민성; 〖生〗 자극 반응.

ir·ri·tant[írətənt] *a.* 자극하는. — *n.* Ⓒ 자극제〔물〕.

:ir·ri·tate[írətèit] *vt.* 초조하게 만들다; 노하게 하다; 염증을 일으키게 하다; 〖病·生〗 (기관·조직을) 자극하다; 〖法〗 무효로 하다. **-tat·ing** *a.* ***-ta·tion**[⌐–téiʃən] *n.* Ⓤ 성남, 성나게 함; Ⓒ 화냄; Ⓤ 자극.

ir·rup·tion[irʌ́pʃən] *n.* ⓊⒸ 침입, 침략.

I.R.S. 《美》 =INTERNAL REVENUE SERVICE.

Ir·ving[ə́:rviŋ], **Washington** (1783-1859) 미국의 작가.

†is[強 iz, 弱 z, s] *v.* be의 3인칭·단수·직설법 현재.

Is. Isaiah; Island. **is.** island; isle. **Isa.** Isaiah. **I.S.A.** International Sugar Agreement.

I·saac[áizək] *n.* 〖聖〗 이삭《abraham의 아들, Jacob의 아버지》.

I·sa·iah[aizéiə/-áiə] *n.* 〖聖〗 이사야《헤브라이의 대예언자》; 〖舊約〗 이사야서(書)《구약의 한 편》.

I.S.B.N. International Standard Book Number 국제 표준 도서 번호.

Is·car·i·ot[iskǽriət] *n.* 〖聖〗 이스가리욧《유다의 성(姓)》; Ⓒ 배반자.

ISDN integrated services digital network (종합 정보 통신망).

-ish[iʃ] *suf.* ① '…다운' '…한 성질의' '약간 …'의 뜻의 형용사를 만듦: book*ish*, child*ish*, whit*ish*. ② 지명의 형용사를 만듦: Brit*ish*, Engl*ish*, Pol*ish*, Swed*ish*.

Ish·ma·el·ite[íʃmiəlàit, -mei-] *n.* 〖聖〗 Ishmel[íʃmeiəl]의 자손; Ⓒ 무숙자(無宿者)(outcast).

i·sin·glass[áiziŋglæ̀s, -à:-] *n.* Ⓤ 부레풀; 〖鑛〗 운모.

I·sis[áisis] *n.* (이집트의) 풍요의 여신.

Isl(s)., **isl(s).** island(s); isle(s).

Is·lam[islá:m, íslem/ízla:m] *n.* Ⓤ 이슬람교, 마호메트교; Ⓒ 이슬람교도〔국〕. **~·ism**[ísləmìzəm, íz-] *n.* Ⓤ 이슬람교. **~·ite**[-àit] *n.* Ⓒ 이슬람교도. **~·ic**[islǽmik/iz-] *a.*

Islám Commúnity in the Wést, the 서유럽 이슬람 공동체 《Black Muslim의 정식 명칭》.

†is·land[áilənd] *n.* Ⓒ ① 섬; 섬 비슷한 것. ② (가로상의) 안전 지대. ③ (배의) 상부 구조. ④ (항공 모함 따위의) 사령탑, '아일란드'《굴뚝·기중기 따위가 있음》. ⑤ 〖解〗 (세포의) 섬. **~·er** *n.* Ⓒ 섬사람.

ísland plátform 〖鐵〗 (양측이 선로인) 고도식(孤島式) 플랫폼.

:isle[ail] *n.* Ⓒ 섬, 작은 섬.

***is·let**[áilit] *n.* Ⓒ 작은 섬.

ism[ízəm] *n.* Ⓒ 이즘, 주의, 학설.

†isn't[íznt] is not의 단축.

i·so[áisou] *n.* (*pl.* **~s**) 《美俗》 독방.

ISO International Standardization Organization. **I.S.O.** 《英》 Imperial Service Order.

i·so·ag·glu·ti·na·tion [àisou-əglù:tənéiʃən] *n.* Ⓤ 〖醫〗 (수혈에 의한) 동종(同種) 응집 (반응).

i·so·bar[áisəbà:r] *n.* Ⓒ 〖氣〗 등압선; 〖理·化〗 동중핵(同重核).

i·so·cheim[áisəkàim] *n.* Ⓒ 〖氣〗 (지도상의) 동계(冬季) 등온선, 등한선.

i·so·chro·mat·ic[àisəkrəmǽtik] *a.* 〖光〗 등색(等色)의; 〖寫〗 정색(整色)의.

i·soch·ro·nous[aisákrənəs/-ɔ́-] *a.* 등시(等時)(성)의.

i·so·gloss[áisəglɔ̀:s, -lɑ̀s/-lɔ̀s] *n.* Ⓒ 〖言〗 등어선(等語線).

i·so·gon·ic[àisəgánik/-ɔ́-] *a.*, *n.* 등각의; 등편각(等偏角)의; =∠ **líne** 등편각선.

:i·so·late[áisəlèit] *vt.* ① 고립시키다. ② 〖電〗 절연하다; 〖化〗 단리(單離)시키다; 〖醫〗 격리시키다. ***-lat·ed**[-id] *a.* 고립〔격리〕된.

:i·so·la·tion[àisəléiʃən] *n.* Ⓤ 고립; 절연; 유리; 격리. **~ *hospital*** 격리 병원. **~·ism**[-ìzəm] *n.* Ⓤ (특히 미국의) 고립주의. **~·ist** *n.*

i·so·mer[áisəmər] *n.* Ⓒ 〖化〗 이성체(異性體); 〖理〗 이성핵. **~·ic**[⌐–mérik] *a.*

i·so·met·ric[àisəmétrik], **-ri·cal**[-əl] *a.* 크기가 같은, 같은 용적의.

i·som·e·try[aisámətri/-sɔ́m-] *n.* Ⓤ 등대; 등적; 〖地〗 등고.

i·so·mor·phic [àisəmɔ́:rfik] *a.* 〖生〗 같은 모양의; 〖生·化〗 isomorphism의.

i·so·mor·phism[àisəmɔ́:rfizəm] *n.* Ⓒ 〖生·化〗 유질동상(類質同像); 〖數〗 동형(同型).

i·so·ni·a·zid[àisənáiəzid] *n.* Ⓤ 〖藥·化〗 이소니아지드《결핵 치료 예방제》.

i·so·pol·i·ty [àisəpáləti/-pɔ́l-] *n.* Ⓤ (다른 공통 사회에 있어서의) 평등한 시민권.

i·so·pro·pyl[àisəpróupil] *a.* 〖化〗 이소프로필기(基)를 함유하는.

i·sos·ce·les[aisásəlì:z/-ɔ́-] *a.* 이등변의《삼각형 따위》.

i·so·therm[áisəθə̀:rm] *n.* Ⓒ 〖氣·理〗 등온선(等溫線). **-ther·mal**[⌐–θə́:rməl] *a.* 등온(선)의.

i·so·tón·ic contráction[àisə-tánik-/-tɔ́n-] 등장성(等張性) 수축.

i·so·tope[áisətòup] *n.* Ⓒ 〖化〗 동위체.

i·so·tron[áisətràn/-ɔ̀n] *n.* Ⓒ 〖理〗 아이소트론《동위체 전자 분리기》.

i·so·trop·ic [àisətrápik/-ɔ́-] *a.*

I

〖理〗 등방성(等方性)의.
i·so·type[áisətàip] *n.* Ⓒ 〖統〗 (일정한 수를 나타내는) 동형상(同形像) 《같은 모양으로 그려진 사람·자동차·야채 따위의 그림》; 동형상(을 사용한) 통계도.
Isr. Israel.
***Is·ra·el**[ízriəl, -reiəl] *n.* ① 〖聖〗 야곱(Jacob)의 별명; 《집합적》 야곱의 자손; Ⓒ 이스라엘 사람, 유대 사람. ② (옛날의) 이스라엘; (지금의) 이스라엘 공화국(1948-). **Is·rae·li** [izréili] *a., n.* Ⓒ 이스라엘의 (사람). **~·ite**[ízriəlàit] *n.* Ⓒ 야곱의 자손, 이스라엘〔유대〕 사람.
is·su·ance[íʃu:əns] *n.* Ⓤ 발행, 발포(發布); 지급, 급여.
‡**is·sue**[íʃu:] *n.* ① Ⓤ 발행, 발포, 발간. ② Ⓒ 발행물〔부수〕; Ⓒ (출판물의) 제 …판〔호〕. ③ Ⓒ 출구, 강어귀. ④ Ⓤ 유출; Ⓒ 유출물. ⑤ Ⓒ 논쟁(점); (계쟁) 문제. ⑥ Ⓤ 자손. ⑦ Ⓤ,Ⓒ 〖軍〗 지급(품). ***at* ~** 논쟁중의; 미해결의. ***in the* ~** 결국은. ***join* ~ *with*** …와 논쟁하다. ***make an* ~ *of*** …을 문제삼다. ***take* ~ *with*** …에 반대하다. — *vi.* ① (흘러) 나오다, 나타나다. ② 유래하다; 태어나다; 생기다(*from*). ③ 《古》 결과가 …이 되다(*in*). — *vt.* ① (…에) 내다; 발포하다(send forth); 출판하다. ② (식량 따위를 군인·시민에게) 배급하다.
-ist[ist] *suf.* '사람'을 나타내는 명사를 만듦: chem*ist*, dramat*ist*.
Is·tan·bul[ìstænbú:l, -tɑ:n-] *n.* 터키의 도시《구명 Constantinople》.
isth·mi·an[ísmiən] *a.* 지협의; (I-) Corinth 〔Panama〕 지협의.
isth·mus**[ísməs] *n.* (*pl.* ***~es, -mi [-mai]) Ⓒ 지협(地峽); (the I-) Panama 지협.
ISU International Students Union; International Shooting 〔Skating〕 Union 국제사격〔스케이트〕연맹. **ISV** International Scientific Vocabulary.
†**it**[it] *pron.* (*pl.* ***they; them***) 그것(은, 이, 에, 을). CATCH ***it.*** FOOT ***it.*** LORD ***it over.*** — *n.* Ⓒ (술래잡기 따위의) 술래; Ⓤ 《俗》 성적 매력.
It., Ital. Italian; Italy. **ITA** 《英》 Independent Television Authority; International Tin Agreement; Initial Teaching Alphabet. **ital.** italic(s).
‡**I·tal·ian**[itǽljən] *a., n.* 이탈리아(사람·말)의; Ⓒ 이탈리아 사람; Ⓤ 이탈리아어.
i·tal·ic**[itǽlik] *a.* 〖印〗 이탤릭체〔사체〕의. — *n.* Ⓤ (보통 *pl.*) 이탤릭체. ***Author's ~s 원저자에 의한 사체《각주(脚注)의 일러두기》. ***The ~s are mine.*** 사체로 한 것은(원저자가 아니고) 필자.
i·tal·i·cize[itǽləsàiz] *vt., vi.* (…을) 이탤릭체로 인쇄하다〔를 사용하다〕; 이탤릭체를 표시하기 위하여 밑줄을 치다.
†**It·a·ly**[ítəli] *n.* 이탈리아.
ITC., I.T.C. International Trade Charter.
***itch**[itʃ] *n.* ① (an ~) 가려움. ② (the ~) 〖病〗 옴. ③ (*sing.*) 열망. — *vi.* 가렵다; …하고 싶어서 좀이 쑤시다. **∠·y** *a.* 가려운; 옴오른.
***i·tem**[áitəm, -tem] *n.* Ⓒ ① 조목, 세목. ② 신문 기사(의 한 항목). — [-tem] *ad.* (항목 처음에 써서) 마찬가지로, 또. **~·ize**[-àiz] *vt.* 《美》 조목별로 쓰다.
it·er·ate[ítərèit] *vt.* 되풀이하다. **-a·tion**[⌒-éiʃən] *n.* **-a·tive**[-ərèitiv, -rə-] *a.* 되풀이하는.
ITF International Trade Fair.
Ith·a·ca[íθəkə] *n.* 그리스 서방의 작은 섬《Odysseus의 출생지》.
***i·tin·er·ant**[aitínərənt, it-] *a., n.* 순회하는; Ⓒ 순회(설교)자; Ⓒ 행상인. **-an·cy** *n.*
i·tin·er·ar·y[aitínərèri, it-/-rəri] *n.* Ⓒ 여행 안내; 여행기; 여행 일정; 여정(旅程). — *a.* 순회하는; 여행의, 여정의.
i·tin·er·ate[aitínərèit, it-] *vi.* 순회하다.
-i·tis[àitis] *suf.* '염증'의 뜻을 만듦: appendic*itis*, tonsill*itis*.
ITO International Trade Organization. **ITP** intelligent terminal test program 〖컴〗 지적 단말 테스트 프로그램.
†**its**[its] *pron.* 그것의《it의 소유격》.
†**it's**[its] it is 〔has〕의 단축.
†**it·self**[itsélf] *pron.* (*pl.* ***themselves***) 그 자신, 그것 자체. ***by* ~** 자동적으로. ***for* ~** 단독으로, 혼자 힘으로. ***in* ~** 본래, 본질적으로. ***of* ~** 자연히, 저절로.
it·sy-bit·sy[ítsibítsi] *a.* 조그마한, 작고 귀여운.
I.T.T.F. International Table Tennis Federation.
it·ty-bit·ty[ítibíti] *a.* 《口》 =ITSY-BITSY.
I.T.U. International Telecommunication Union.
ITV industrial television. **IU** international unit 비타민의 국제단위. **IUCW** International Union for Child Welfare 국제아동 복지 연합. **IUD** intrauterine device.
IV[áiví:] *n.* Ⓒ 전해질·약제·영양을 점적하는 장치(*an* ~ *bottle*).
-ive[iv] *suf.* '경향·성질·기능' 따위를 나타내는 형용사·명사를 만듦: act*ive*, destruct*ive*, pass*ive*; executi*ve*.
†**I've**[aiv] I have의 단축.
i·vied[áivid] *a.* ivy로 덮인.
‡**i·vo·ry**[áivəri] *n.* ① Ⓤ 상아; 상아 유사품. ② (*pl.*) 상아 제품. ③ Ⓒ 《俗》 주사위, 피아노의 건(鍵). ④ Ⓤ 상아색.
ívory bláck 흑색 그림물감.

I

Ívory Cóast, the 코트디브와르 (Côte d'Ivoire)의 구칭.
ívory dóme 《美俗》 ① 바보, 얼간이. ② 지식인, 전문가.
ívory pàlm 상아 야자.
ívory tówer 상아탑《실사회를 떠난 사색의 세계》; 세상에서 격리된 장소.
***i·vy**[áivi] *n.* Ⓤ 〖植〗 담쟁이덩굴.
ívy còttage, ívy-covered cóttage 《口》 옥외 변소.
Ívy léague 《형용사 취급》 (Harvard, Yale, Columbia 등) 미국 동북부의 유서깊은 대학의〔에 속하는〕.
I.W. the Isle of Wight. **IWA(C)** International Whaling Agreement (Convention). **I.W.T.D.** 《英》 Inland Water Transport Department. **IWW, I.W.W.** Industrial Workers of the World. **IX, I.X.** Jesus Christ. **IYRU** International Yacht Racing Union 국제 요트 경기 연맹.
-ize[aiz] *suf.* '…으로 하다, …화하다, …이 되다, …화 하게 하다'의 뜻의 동사를 만듦: American*ize*, western*ize*.
Iz·ves·ti·a[izvéstiə] *n.* (Russ. =news) 이즈베스티야《러시아의 일간지》(cf. Pravda).
iz·zard[ízərd] *n.* Ⓤ,Ⓒ 《方》 z자. ***from A to ~*** 처음부터 끝까지, 모조리.

J

J, j[dʒei] *n.* (*pl.* ***J's, j's***[-z]) Ⓒ J자 모양(의 것).
J joule(s). **J.** Journal; Judge; Justice. **Ja.** James, January. **J.A.** Joint Agent; Judge Advocate. **J/A, j/a** joint account.
jab[dʒæb] *n., vt., vi.* (**-bb-**) Ⓒ 콱 찌르기〔찌르다〕(*into*); 〖拳〗 잽(을 먹이다).
jab·ber [dʒǽbər] *n., vi., vt.* Ⓤ 재잘거림; 재잘거리다.
ja·bot[dʒæbóu, ʒæbóu] *n.* Ⓒ (양장의) 깃에서 앞가슴의 주름 장식.
Jac. Jacob; *Jacobus* (L. = James). **J.A.C.** Junior Association of Commerce.
jack**[dʒæk] *n.* Ⓒ ① (*or* J-) 《口》 사나이, 젊은이, 소년; 놈. ② (*or* J-) 뱃사람, 선원. ③ (트럼프의) 잭. ④ 〖機〗 잭《밀어 올리는 기계》. ⑤ 〖海〗 (국적을 나타내는) 선수기(船首旗). ⑥ (당나귀나 토끼의) 수컷(cf. jenny). ⑦ 플러그 (꽂는) 구멍. ⑧ 〖海〗 제일 큰 마스트〔돛대〕 꼭대기의 가로쇠. ⑨ (*pl.*) 공기놀이; 공깃돌의 일종《돌·쇠》(jackstones). ***before you could 〔***can***〕 ***say J- Robinson*** 느닷없이, 갑자기. ***every man ~*** 《俗》 누구나다. ***J- and Gill*** 〔***Jill***〕 (한 쌍의) 젊은 남녀. — *vt.* (잭으로) 들어 올리다. **~ *up*** (잭으로) 밀어 올리다; (임금·값을) 올리다, (일·계획 등을) 포기하다.
jàck-a-dándy *n.* Ⓒ 멋쟁이, 맵시꾼.
jack·al[dʒǽkɔːl] *n., vi.* Ⓒ 〖動〗 자칼; 앞잡이 (노릇하다).
jack·a·napes [dʒǽkənèips] *n.* Ⓒ 건방진〔버릇 없는〕 녀석; 《古》 원숭이.
jáck·àss *n.* Ⓒ 수탕나귀; 멍텅구리, 바보.
jáck·bòot *n.* Ⓒ 긴 장화.
jáck·dàw *n.* Ⓒ 〖鳥〗 (영국 등의) 갈가마귀. ***a ~ with borrowed plumes*** 뱁새 황새 따라가기.
:jack·et[dʒǽkit] *n.* Ⓒ ① (양복) 상의, 재킷. ② (책의) 커버. ③ (감자) 껍질. ④ 모피, 외피.
jácket potáto 껍질을 벗기지 않은 채 구운 감자.
Jáck Fróst 《의인》 서리.
jáck·hàmmer *n.* Ⓒ 소형의 착암기.
jáck-in-a〔**the**〕**-bòx** *n.* Ⓒ 꽃불의 일종; 도깨비 상자; 〖機〗 차동 장치(差動裝置).
「관리.
jáck-in-òffice *n.* Ⓒ 거만한 하급
jáck-in-the-púlpit *n.* Ⓒ 〖植〗 천남성류(類)《북미산》.
Jáck Kétch[-kétʃ] 《英俗》 교수형 집행인.
jáck·knìfe *n.* Ⓒ 대형 접칼; 〖水泳〗 잭나이프《다이빙형의 하나》.
jàck-of-áll-trádes *n.* (때로 J-) Ⓒ 무엇이나 다 하는 사람. **~, (*and*) *master of none*** 《속담》 다재는 무능(無能).
jack-o'-lan·tern [dʒǽkəlæ̀ntərn] *n.* Ⓒ 도깨비불.
jáck·pòt *n.* Ⓒ (포커놀이의) 적립한 판돈; 《口》 (뜻밖의) 대성공, 히트. ***hit the ~*** 《俗》 크게 한몫 보다.
Jáck Róbinson 《다음 성구로》 ***before you can say ~*** 눈 깜짝할 사이에, 금새, 갑자기.
jáck·scréw *n.* Ⓒ 나사식 잭.
jáck·stòne *n.* Ⓒ 공깃돌《석재·금속제의》; (*pl.*) 《단수 취급》 공기놀이.
jáck·stràw *n.* Ⓒ 짚인형; 등신.
jáck-tár *n.* (종종 J- T-) Ⓒ 《口》 뱃사람, 수부(水夫), 수병.
***Ja·cob**[dʒéikəb] *n.* 〖聖〗 야곱《이삭(Isaac)의 둘째 아들》.
Jac·o·be·an [dʒæ̀kəbíːən] *a., n.* Ⓒ 〖英史〗 James I 세 시대(1603-25)의 (사람).
Jac·o·bin [dʒǽkəbin] *n.* Ⓒ 〖史〗 (프랑스 혁명 때) 자코뱅 당원; 《一般》

과격파의 사람.
Jac·o·bite[dʒǽkəbàit] *n.* Ⓒ 〖英史〗(폐립 후) James Ⅱ 세파의 사람.
Jácob's ládder 〖聖〗 야곱의 사다리《그가 꿈에 본, 하늘까지 닿는》; 〖海〗 줄사다리.
jac·ti·ta·tion [dʒæ̀ktətéiʃən] *n.* U,C 〖法〗 사칭(詐稱); 〖醫〗 (환자의) 전전반측(轉轉反側). 「(빛).
jade¹[dʒeid] *n.* Ⓤ 옥(玉), 비취
jade² *n.* Ⓒ 야윈〔못쓰게 된〕 말; 닳아빠진 계집. — *vt., vi.* 피로케 하다; 지치다. **jad·ed**[⌐id] *a.* 몹시 지친; 물린; (여자가) 닳아빠진.
jáde gréen 비취색. 「매기.
jae·ger[jéigər] *n.* Ⓒ 〖鳥〗 도둑갈
jag[dʒæg] *n., vt.* (**-gg-**) Ⓒ (바위의) 뾰다구니; (톱날 모양의) 깔쭉깔쭉함; 깔쭉깔쭉하게 하다. **~·ged**[⌐id] *a.*
JAG, J.A.G. Judge Advocate General.
jag·uar [dʒǽgwɑːr/-gjuər] *n.* Ⓒ 〖動〗 아메리카표범.
jai a·lai[hái əlài, hài əlái] (Sp.) 하이알라이《핸드볼 비슷한 실내 경기》.
‡**jail**[dʒeil] *n.* Ⓒ 구치소(cf. prison); 《一般》 교도소. — *vt.* (…에) 투옥하다. **⌐·er, ⌐·or** *n.* Ⓒ 간수.
jáil·bìrd *n.* Ⓒ 《口》 죄수; 전과자;
jáil·brèak *n.* Ⓒ 탈옥. ㄴ상습범.
jáil delìvery (재판을 위하여) 미결수를 교도소에서 내보냄; 강제 석방; 탈옥.
JAL Japan Air Lines.
ja·lop·y[dʒəlápi/-ɔ́-] *n.* Ⓒ 《口》 구식의 낡은 자동차〔비행기〕.
jal·ou·sie[dʒǽləsìː/ʒǽluːzìː] *n.* (F.) Ⓒ (미늘식의) 셔터, 발.
‡**jam**¹[dʒæm] *n.* Ⓤ ① 붐빔, 혼잡, 잔뜩 채움〔넣음〕. ② 《美口》 곤경(困境), 궁지. ③ 〖컴〗 엉킴, 잼. — *vt.* (**-mm-**) ① 으깨다; 쑤셔넣다. ② 막다; 〖無電〗 (비슷한 주파수의 전파로) 방해하다. — *vi.* (기계 따위가 걸려서) 움직이지 않게 되다; 〖재즈〗 즉흥적으로 연주하다.
‡**jam**² *n.* Ⓤ 잼.
Jam. Jamaica; James.
Ja·mai·ca[dʒəméikə] *n.* 자메이카《서인도 제도 중의 영연방 독립국》.
Jamáica rúm 자메이카산의 럼술.
jamb(**e**)[dʒæm] *n.* Ⓒ 〖建〗 문설주.
jam·bo·ree [dʒæ̀mbəríː] *n.* Ⓒ 《口》 흥겨운 잔치; 소년단의 대회, 잼버리.
James[dʒeimz] *n.* 남자 이름; 〖聖〗 야곱《예수의 두 제자 이름》; (신약성서의) 야고보서.
James, Henry (1843-1916) 미국의 소설가《뒤에, 영국으로 귀화》.
jám·ming sùgar[dʒǽmiŋ-] 잼 제조용 설탕.
jám-pácked *a.* 빈틈없이 꽉 채운.
jams[dʒæmz] *n. pl.* (무릎까지 오는 원색 무늬의) 수영 팬츠.
jám sèssion (친구들끼리 기분을 내기 위해 하는) 즉흥 재즈 연주회(cf. jam¹).

***Jan.** January.
jane[dʒein] *n.* Ⓒ 《美俗》 계집애, 여자.
jan·gle[dʒǽŋgəl] *n., vt., vi.* (*sing.*) 시끄러운 소리(를 내다); 짤랑짤랑(울리다, 울다); 싸움〔말다툼〕(하다).
‡**jan·i·tor**[dʒǽnətər] (<Janus) *n.* Ⓒ 수위, 문지기; (빌딩 등의) 관리인.
†**Jan·u·ar·y** [dʒǽnjuèri/-əri] (<⇩) *n.* 1월《생략 Jan.》.
Ja·nus[dʒéinəs] *n.* 〖로神〗 야누스《문을 지키는 쌍면신(雙面神)》.
Jánus-fàced *a.* (Janus처럼) 얼굴이 둘 있는; 위선의, 겉뿐인.
Jap[dʒæp] *a., n.* 《蔑》 =JAPANESE.
Jap. Japan(ese).
†**Ja·pan**[dʒəpǽn] *n.* 일본.
ja·pan *n., vt.* (**-nn-**) Ⓤ (…에) 옻칠(하다); 칠기(漆器).
†**Jap·a·nese**[dʒæ̀pəníːz] *a., n.* (*pl.* ~) 일본의; Ⓒ 일본 사람; Ⓤ 일본말.
Jápanese béetle 알풍뎅이《해충》. 「뇌염.
Jápanese encephalítis 일본
Jápanese ríver fèver 리케차병(病). 「장난(하다).
jape[dʒeip] *n., vi.* Ⓒ 농담(하다);
ja·pon·i·ca [dʒəpánikə/-ɔ́-] *n.* Ⓒ 〖植〗 동백나무; 모과나무.
‡**jar**¹[dʒɑːr] *n.* Ⓒ 단지, 아가리 넓은 병; 항아리, 독.
***jar**² *n.* (*sing.*) ① 삐걱거리는 소리; 신경에 거슬리는 것〔일〕. ② 충격, 충돌; 부조화; 싸움. — *vi., vt.* (**-rr-**) 삐걱삐걱하다, 갈리(게 하)다; (신경에) 거슬리(게 하)다(*upon*); 진동하다〔시키다〕; (의견 따위가) 맞지 않다. **⌐·ring** *n., a.* U,C 진동(하는), 삐걱거림〔거리는〕; 불화(한), 부조화(한), 귀에 거슬리는.
jar·gon[dʒɑ́ːrgən, -gɑn] *n., vi.* Ⓤ 뜻을 알 수 없는 말(을 쓰다), 횡설수설(하다); U,C (특수한 직업·집단의) 변말〔전문어〕(을 쓰다).
Jas. James.
jas·min(**e**)[dʒǽzmin, -s-] *n.* U,C 〖植〗 재스민; Ⓤ 재스민 향수.
jásmine téa 재스민 차《말린 재스민 꽃을 넣은 차》.
Ja·son [dʒéisən] *n.* 〖그神〗 Argonauts 함대를 거느리고 황금 양털(Golden Fleece)을 얻어 온 영웅.
jas·per[dʒǽspər] *n.* U,C 〖鑛〗 벽옥(碧玉). 「이륙.
ja·to[dʒéitou] *n.* U,C 〖空〗 분사식
játo ùnit 〖空〗 이륙 보조 로켓.
jaun·dice[dʒɔ́ːndis, -ɑ́ː-] *n.* Ⓤ 황달(黃疸); 편견, 빙퉁그러짐. **~d**[-t] *a.* 황달의; 빙퉁그러진, 질투에 불타는. ***~d view*** 편견, 비뚤어진 견해.
jaunt[dʒɔːnt, -ɑː-] *n., vi.* Ⓒ 소풍〔산책〕(가다). 「2륜 마차.
jáunting càr (아일랜드의) 4인용
jaun·ty[dʒɔ́ːnti, -ɑ́ː-] *a.* 쾌활〔명랑〕한; 젠체하는. **-ti·ly** *ad.*
Jav. Javanese.
***Ja·va**[dʒɑ́ːvə] *n.* ① 자바(섬). ② Ⓤ

J

자바 커피; (종종 j-) 《美俗》 커피.
Jáva màn 〖人類〗 자바인《1891년 자바에서 발굴된 화석 인류》.
Jav·a·nese[dʒæ̀vəníːz/-ɑ̀ː-] *a., n.* (*pl.* ~) 자바의; Ⓒ 자바 사람; Ⓤ 자바 말.
***jave·lin**[dʒǽvəlin] *n.* Ⓒ (던지는) 창; (the ~) 그 경기. 「槍).
jávelin thròw(ing) 〖競〗 투창(投
Ja·vél(le) wàter[ʒəvél-] 자벨수(水)《표백제·소독제의 일종》.
:jaw[dʒɔː] *n.* ① Ⓒ 턱(cf. chin). ② (*pl.*) 입 부분; (골짜기·산길 등의) 어귀. ③ Ⓤ,Ⓒ 《俗》 수다; 잔소리. ***Hold your ~s!*** (입) 닥쳐. ― *vt., vi.* 《俗》 (…에게) 잔소리하다, 군소리하다.
jáw·bòne *n.* Ⓒ 턱뼈, (특히) 아래 턱뼈; 《俗》 신용.
jáw·brèaker *n.* Ⓒ 딱딱한 과자(따위); 《口》 발음이 어려운 말.
***jay**[dʒei] *n.* Ⓒ 〖鳥〗 어치; 《口》 얼간이.
Jay·cee[dʒéisíː] *n.* Ⓒ 청년 상공회의소(Junior Chamber of Commerce)의 회원.
jay·gee[dʒéidʒíː] (<(Lieutenant) *j*unior *g*rade) *n.* Ⓒ 《美》 중위.
Jay·hawk·er[dʒéihɔ̀ːkər] *n.* Ⓒ Kansas 주 사람; (때로 j-) 약탈자.
jay·vee[dʒéiví:] *n.* 《美口》 =JUNIOR VARSITY; Ⓒ (보통 *pl.*) 그 선수.
jáy·wàlk *vi.* 《美口》 (교통 규칙을[신호를] 무시하고) 길을 횡단하다. **~·er** *n.*
:jazz[dʒæz] *n.* Ⓤ ① 재즈 (댄스). ② 《美俗》 활기; 열광, 소동. ③ 《美俗》 과장; 허튼소리. ― *a.* 재즈(조)의. ― *vi., vt.* 재즈를 연주하다, 재즈식으로 하다; 《美俗》 활발하게 하다; 법석떨다.
Jázz Àge, the 재즈에이지《재즈가 유행한 미국의 1920년대》.
J-bár lìft[dʒéibɑ́ːr-] 《美》 (J자형의) 스키 리프트.
JC Jesus Christ; Julius Caesar. **JCS** Joint Chiefs of Staff. **jct.** junction. **JD** 《口》 juvenile delinquency [delinquent]. **Je.** June.
:jeal·ous[dʒéləs] *a.* ① 질투 많은, 샘내는(*of*). ② (신이) 불신앙[불충성]을 용서치 않는. ③ 경계심이 강한; (잃지 않으려고) 조심하는, 소중히 지키는(*of*). **:~·ly** *ad.* **:~·y** *n.* Ⓤ,Ⓒ 질투, 샘; Ⓤ 경계심.
***jean**[dʒiːn/dʒein] *n.* Ⓤ 진《튼튼한 능직(綾織) 무명》; (*pl.*) 그 천의 작업복, 바지.
jeep[dʒiːp] *n.* Ⓒ 《美》 지프(차); (J-) 그 상표명. ― *vi., vt.* 지프로 가다[나르다].
***jeer**[dʒiər] *n., vi., vt.* Ⓒ 조소(하다), 조롱(하다)(*at*).
Jef·fer·son[dʒéfərsən], **Thomas** (1743-1826) 미국 제3대 대통령; 독립 선언의 기초자.
***Je·ho·vah**[dʒihóuvə] *n.* 〖聖〗 여호와《이스라엘 사람들의 신》.
je·hu[dʒíːhjuː] *n.* Ⓒ 《諧》 (난폭하게 모는) 마부[운전사].
je·june[dʒidʒúːn] *a.* 영양분이 없는; 무미건조한; (땅이) 메마른.
Je·kyll[dʒíːkəl, -é-] *n.* 지킬 박사 《R. L. Stevenson 작품 중의 의사》. (*Dr.*) ~ ***and*** (*Mr.*) ***Hyde*** 이중 인격자.
jell[dʒel] *n., vt., vi.* =JELLY; (계획 등이) 구체화하다[되다], 굳어지다.
Jell-O [dʒélou] *n.* Ⓤ 〖商標〗 (과일의 맛·빛깔을 넣은) 젤리.
:jel·ly[dʒéli] *n.* Ⓒ,Ⓤ 젤리; Ⓤ 젤리잼; 젤리 모양의 것. ***beat to*** [***into***] ***a ~*** 늘씬하게 두들겨패다. ― *vi., vt.* 젤리처럼 되(게 하)다.
***jélly·fish** *n.* Ⓒ 해파리; 《口》 의지가 약한 사람.
jem·my [dʒémi] *n.* =JIMMY; Ⓒ 《俗》 외투; 양(羊)의 머리《요리용》.
jen·net[dʒénit] *n.* Ⓒ 스페인산의 조랑말.
jen·ny[dʒéni] *n.* Ⓒ 이동 기중기; 방적기; (나귀·토끼·굴뚝새(wren) 따위의) 암컷(cf. jack).
jeop·ard [dʒépərd] *vt.* 《美·캐나다》 =⇩.
jeop·ard·ize[dʒépərdàiz] *vt.* 위험에 빠뜨리다, 위태롭게 하다.
jeop·ard·y[dʒépərdi] *n.* Ⓤ 위험 (cf. danger).
Jer. Jeremiah.
jer·bo·a[dʒərbóuə] *n.* Ⓒ 〖動〗 날쥐《북아프리카·아시아산》.
jer·e·mi·ad [dʒèrəmáiəd, -æd] (<⇩) *n.* Ⓒ 비탄, 우는 소리, 하소연.
Jer·e·mi·ah[dʒèrəmáiə] *n.* 〖聖〗 예레미야《헤브라이의 예언자》; 〖舊約〗 예레미야서(書).
Jer·i·cho[dʒérəkòu] *n.* 〖聖〗 여리고《Palestine의 읍》; 궁벽한 곳. ***Go to ~!*** 《俗》 꺼져라!; 뒈져라!
:jerk[1] [dʒəːrk] *vt., vi., n.* ① Ⓒ 홱 당기다[당김], 쿡 찌르다[찌름], 갑자기 밀다[밀기], 꽉 비틀다[비틀기], 휙 던지다[던지기]. ② 내뱉듯이 말하다. ③ Ⓒ 경련(을 일으키다); 《俗》 바보. ***the ~s*** (종교적 감동에 의한 손·발·안면의 발작적) 경련.
jerk[2] *n., vt.* Ⓤ 포육(脯肉)(으로 만들다).
jer·kin[dʒə́ːrkin] *n.* Ⓒ (16-17세기 남자의) 가죽 조끼; (여성용) 조끼.
jérk·wàter *n.* Ⓒ 《美口》 지선(支線)의 열차. ― *a.* 지선의; 시골의; 하찮은.
jerk·y[⊿i] *a.* 갑자기 움직이는, 움찔하는, 경련적인; 《俗》 바보 같은.
jer·ry[dʒéri] *n.* Ⓒ 《英俗》 실내 변기.
jérry-buìlder *n.* Ⓒ 서투른 목수. **-building** *n.* Ⓒ 날림 건축. **-built** *a.* 날림으로 지은.
Jer·sey[dʒə́ːrzi] *n.* 영국 해협의 섬; Ⓒ 저지종의 젖소; =NEW JERSEY; (j-) Ⓒ 자라목 스웨터, 여자용

메리야스 속옷; Ⓤ (j-) 저지《옷감》.
***Je·ru·sa·lem** [dʒərúːsələm] *n.* 예루살렘《Palestine의 옛 도읍, 기독교·이슬람교·유대교도의 성지; 현재 Israel의 수도》.
Jerúsalem ártichoke 〖植〗 뚱딴지.
Jerúsalem póny 나귀.
Jes·per·sen [jéspərsən], **Otto** (1860-1943) 덴마크의 언어·영어 학자.
jess [dʒes] *n., vt.* Ⓒ 〖獵〗 (매의) 발목끈, 젓갓(을 매다).
jes·sa·mine [dʒésəmin] *n.* =JASMIN.
‡**jest** [dʒest] *n.* Ⓒ 농담; 희롱; 웃음거리. ***in*** **~** 농담으로. — *vi.* 까불다(*with*), 농담을 하다; 우롱하다, 놀리다(*at*). **∠·er** *n.* Ⓒ 익살꾼; 조방꾸니.
jést·bòok *n.* Ⓒ 소화〔만담〕책.
Je·su [dʒíːzuː, -suː, jéi-] *n.* 《詩》 =JESUS.
Jes·u·it [dʒéʒuit, -zu-/-zju-] *n.* 〖가톨릭〗 (LOYOLA가 창설한) 예수회의 수사; (j-) 《蔑》 책략가; 궤변가.
‡**Jé·sus** (**Chríst**) [dʒíːzəs(-)] *n.* 예수(그리스도).
Jésus frèak 《蔑》 열광적인 기독교 신자.
jet[1] [dʒet] *n.* Ⓤ 〖寶石〗 흑옥(黑玉).
‡**jet**[2] *n., vi., vt.* (**-tt-**) Ⓒ 분출〔분사〕(하다, 시키다), 사출(射出); 분출구; 제트기; 제트 엔진.
jét-bláck *a.* 칠흑의, 새까만.
jét-bòrne *a.* 제트기로 운반되는.
jét éngine 제트 엔진.
jét fíghter 제트 전투기.
jét fréighter 〔**tránsport**〕 제트 수송기.
jét·lìner *n.* Ⓒ 제트 여객기.
jét pìlot 제트기 조종사.
‡**jét pláne** 제트기.
jét·pòrt *n.* Ⓒ 제트기용 공항.
jét-propélled *a.* 분사 추진식의.
jét propúlsion 분사 추진.
jet·sam [∠səm] *n.* Ⓤ 〖海保〗 (해난 때 배를 가볍게 하기 위한) 투하.
jét sèt 《口》《집합적》 제트족(族)《제트기 따위로 유람하는 부유층》.
jét strèam 제트 기류(氣流).
jet·ti·son [dʒétəsən] *n.* 〖海保〗 = JETSAM. — *vt.* (바다로 짐을) 던지다.
jet·ty[1] [dʒéti] *a.* 흑옥(jet[1]) 같은; 새까만.
jet·ty[2] *n.* Ⓒ 방파제, 둑; 잔교(棧橋).
‡**Jew** [dʒuː] *n.* Ⓒ 유대인. **∠·ess** *n.* Ⓒ 유대 여자. ***∠·ish** *a.*
‡**jew·el** [dʒúːəl] *n.* Ⓒ 보석(박은 장식품); (귀중한) 보배. **~(l)ed** [-d] *a.* 보석박은〔으로 꾸민〕. ***∠·(l)er** *n.* Ⓒ 보석 세공인; 보석상. * **~·ry,** 《英》 **~·ler·y** [-ri] *n.* Ⓤ 보석류(類).
jéw·fish *n.* Ⓒ 〖魚〗 농어과의 큰 물고기.
Jew·ry [dʒúəri] *n.* Ⓒ 《집합적》 유대인〔민족〕; 유대인 지구(ghetto).
Jéw's 〔**Jéws'**〕 **hàrp** 구금(口琴)《입에 물고 손가락으로 타는 악기》.
J.F.K. John Fitzgerald KENNEDY.
jg., j.g. 〖美海軍〗 junior grade.
jib[1] [dʒib] *n.* Ⓒ 뱃머리의 삼각돛. — *vi., vt.* (**-bb-**) (풍향에 따라) 돛이〔활대가〕 회전하다〔을 회전시키다〕. ***the cut of one's*** **~** 《口》 풍채, 몸차림.
jib[2] *vi.* (**-bb-**) 《英》 (말 따위가) 앞으로 나아가기 싫어하다, 갑자기 서다; (사람이) 망설이다, 주저하다.
jíb bòom 〖海〗 제 2 사장(斜墻).
jibe[1] [dʒaib] *v.* =JIB[1].
jibe[2] *v., n.* =GIBE.
jibe[3] *vi.* 《美口》 일치〔조화〕하다.
jiff [dʒif], **jif·fy** [dʒífi] *n.* 《口》 (a ~) 순간. ***in a*** **~** 바로, 곧.
jig[1] [dʒig] *n., vi., vt.* (**-gg-**) Ⓒ 지그《3박자의 경쾌한 댄스(곡)의 일종》(춤을 추다); 상하〔전후〕로 움직이다. ***The*** **~** ***is up.*** 《俗》 끝장이다.
jig[2] *n., vi.* (**-gg-**) Ⓒ 낚싯봉 달린 낚시(로 낚시질하다); 〖採〗 체(로 선광(選鑛)하다).
jig·ger [dʒígər] *n.* Ⓒ 지그(jig[1])를 추는 사람; 〖海〗 도르래 달린 삭구; 소형 어선; 낚싯봉 달린 낚시; 선광(選鑛)체.
jígger màst 〖海〗 고물 돛대.
jig·gle [dʒígəl] *vt.* 가볍게 흔들다〔당기다〕. — *n.* Ⓒ 가볍게 흔듦〔당김〕.
jíg·sàw *n.* Ⓒ 실톱(의 일종).
jígsaw pùzzle 조각 그림 맞추기.
ji·had [dʒihɑ́ːd] *n.* Ⓒ (회교 옹호의) 성전(聖戰); (주의·신앙의) 옹호〔박멸 등의〕 운동.
jilt [dʒilt] *vt., n.* Ⓒ (남자를) 차버리다〔차버리는 여자〕; 탕녀.
Jim Crow [dʒím króu] 《美俗》《蔑》 흑인; =JIM CROWISM. **~·ism** 《美俗》 흑인 차별주의.
jim·i·ny [dʒíməni] *int.* 저런, 어《놀람의 표시》.
jim·my [dʒími] *n., vt.* Ⓒ (강도가 쓰는) 쇠지렛대(로 비집어 열다).
jimp [dʒimp] *a.* 《Sc.·英方》 날씬한, 말쑥한; 부족한(scanty).
jím·son wèed [dʒímsən-] (때로 J-) 〖植〗 흰독말풀.
***jin·gle** [dʒíŋgəl] *n., vi., vt.* Ⓒ ① 짤랑짤랑, 따르릉(울리다). ② 방울·종 따위가 울리는 악곡. ③ 같은 음의 반복이 많은 시구(詩句).
jin·go [dʒíŋgou] *n.* (*pl.* **~es**), *a.* Ⓒ 주전론자〔적인〕; 강경 외교론자. ***By*** **~!** 천만의 말씀! **~·ism** [-ìzəm] *n.* Ⓤ 주전론. **~·ist** *n.* **~·is·tic** [∸-ístik] *a.*
jinks [dʒiŋks] *n. pl.* 소란. ***high*** **~** 야단법석.
jinn [dʒin] *n.* (*pl.* ~) Ⓒ (이슬람교 신화의) 영귀, 귀신.
jinx [dʒiŋks] *n.* Ⓒ 《美口》 재수 없는 것〔사람〕. ***break*** 〔***smash***〕 ***the*** **~** 징크스를 깨다; 연패 후에 승리하다. — *vt.* (…에게) 불행을 가져오다.
JIS Japanese Industrial Standard (cf. KS).
jit·ney [dʒítni] *n., vi., vt.* Ⓒ 《美俗》

5센트화(貨); 요금이 싼 소형 버스(로 가다, 에 태워서 가다).
jit·ter[dʒítər] *vi.* 《美俗》 조바심하다, 초조해하다. ── *n.* (*pl.*) 신경과민. **~·y** *a.*
jit·ter·bug[-bʌ̀g] *n., vi.* (**-gg-**) Ⓒ 스윙광(처럼 춤추다); 지르박《재즈춤》(을 추다); 《英》 신경질적인 사람.
jive[dʒaiv] *n., vi.* Ⓤ 스윙곡(曲)(을 연주하다); (재즈계·마약 상용자 등의) 은어, 변말.
Jnr., jnr. junior. **jnt.** joint.
Joan of Arc[dʒóun əv ɑ́:rk] (F. *Jeanne d'Arc*)(1412-31) 잔다르크.
Job[dʒoub] *n.* 〖聖〗 욥《구약 욥기(記)(the Book of Job)의 인내심 강한 주인공》.
†**job**[dʒɑb/-ɔ-] *n.* Ⓒ ① 일, 삯일. ② 일자리, 직업(*out of a* ~ 실직하여). ③《주로 英》 일, 사건; 문제; (공직을 이용한) 부정 행위, 독직 (*a bad* ~ 난처한 일). ④ 제품, 물건. ⑤《俗》 도둑질, 강도. ⑥〖컴〗 작업. ***by the*** **~** 품삯을 정하여, 도급으로. ***do a* ~ *on a person,*** or ***do a person* ~** 해치우다. ***odd* ~*s*** 허드렛일. ***on the* ~** 열심히 일하여; 일하는 중(에); 방심하지 않고. ── *vi.* (**-bb-**) 삯일을 하다; (주식·상품을) 거간하다; (공익 사업으로) 사복을 채우다. ── *vt.* (일을 몇사람에게) 청부케 하다; (말·마차를) 임대〔임차〕하다; 거간하다; 독직(瀆職)하다. **∠·less** *a.*
jób anàlysis 작업 분석.
job·ber [dʒɑ́bər/-ɔ́-] *n.* Ⓒ 삯일꾼; 《英》 (주식) 중매인; (공직을 이용해) 사복을 채우는 자. **~·y** *n.* Ⓤ 독직 행위.
Jób Còrps 《美》 직업 공단(公團)《Office of Opportunity가 주관하는 기술 교육 기관》.
jób·hòlder *n.* Ⓒ 일정한 직업이 있는 사람; 《美口》 공무원.
jób-hòpper *n.* Ⓒ (더 벌려고) 직업을 전전하는 사람.
jób lòt (다량구입하는) 염가품, 한 무더기 얼마로 파는 싸구려.
jób prìnter (명함·삐라(bill) 따위) 잡물 전문의 인쇄업자.
jock·ette [dʒɑkét/dʒɔk-] *n.* Ⓒ 《美》 여성 jockey.
***jock·ey**[dʒɑ́ki/-ɔ́-] *n., vt., vi.* ① Ⓒ 경마의 기수(로 일하다); 《口》 운전수, 조종사(로서 일하다). ② 속이다, 속여서 …하게 하다. ③ 유리한 위치를 얻으려 하다.
jo·cose[dʒoukóus] *a.* 익살맞은, 우스운(facetious). **~·ly** *ad.* **jo·cos·i·ty**[-kɑ́səti/-ɔ́-] *n.*
joc·u·lar[dʒɑ́kjələr/-ɔ́-] *a.* 우스운, 익살맞은. **~·i·ty**[∠-lǽrəti] *n.*
***joc·und**[dʒɑ́kənd/-ɔ́-] *a.* 쾌활〔명랑〕한; 즐거운. **jo·cun·di·ty**[dʒou-kʌ́ndəti] *n.*
jodh·purs[dʒɑ́dpərz/dʒɔ́dpuərz] *n. pl.* 승마 바지.
***jog**[1][dʒɑg/-ɔ-] *vt.* (**-gg-**), *n.* Ⓒ 살짝 밀다〔당기다〕, 콱 밀기〔찌르기〕, (살짝 찔러서) 알리다〔알리기〕; (기억을) 불러 일으키다〔일으키는 것〕. ── *vi.* 터벅터벅 걷다; 천천히 달리다.
jog[2] *n.* Ⓤ《美》 (표면·선의) 깔쭉깔쭉함, 울퉁불퉁함.
jog·ging[dʒɑ́giŋ/-ɔ́-] *n.* Ⓤ 조깅《천천히 달리기》.
jog·gle[dʒɑ́gəl/-ɔ́-] *vt., vi., n.* Ⓒ 가볍게 흔들(리)다〔흔들림, 흔듦〕.
jóg tròt 느린 걸음걸이; 완만한 구보; 단조로운 방식〔생활〕.
***John**[dʒɑn/-ɔ-] *n.* ① 남자 이름. ② 〖聖〗 세례 요한; 요한 복음. ③ Ⓒ (종종 j-) 《俗》 정부(情夫), 놈.
Jóhn Bárleycorn 《의인》 (맥주·위스키 등의) 맥아주류(麥芽酒類).
Jóhn Bírch Socìety (1958년 창설된) 미국의 반공 극우 단체.
Jóhn Búll 《집합적》 (전형적) 영국인.
Jóhn Cítizen 《口》 (보통의) 시민, 일반 사람.
Jóhn Dóe 〖英法〗 (소송에 있어서) 원고(原告)의 가상적 이름(cf. Richard Roe); 《一般》 이름 없는 사람; 아무개, 모씨, 무명 인사.
John·ny[dʒɑ́ni/-ɔ́-] *n.* John의 속칭; Ⓒ (때로 j-) 녀석; 맵시꾼.
jóhnny·càke *n.* Ⓤ,Ⓒ 《美》 옥수수빵의 일종.
Jóhnny·còme·látely *n.* Ⓒ 신출내기; 신참(新參)자.
John·son[dʒɑ́nsn/dʒɔ́n-], **Lyndon Baines** (1908-1973) 미국 제 36대 대통령(재직 1963-1969); **Samuel**(1709-84) 영국의 시인·평론가·사전 편찬가.
John·son·ese[dʒɑ̀nsəní:z] *n.* Ⓤ Samuel Johnson풍의 장중한 문체.
John·so·ni·an [dʒɑnsóuniən/dʒɔ-] *a.* 존슨(식)의; 장중한.
†**join**[dʒɔin] *vt.* ① 연결하다; 잇다. ② 합병하다; 협력하다〔시키다〕; 한패가 되다. ③ 입회〔입대〕하다. ④ (배에) 타다; (부대·배에) (되)돌아오다. ⑤ 함께 되다〔합치다〕. ── *vi.* ① 결합하다, 합하다, 만나다. ② 맺다; 한 패거리로 되다. ③ 인접하다. **~ *hands with*** …와 제휴하다. **~ *the colors*** 입대하다. ── *n.* Ⓒ 접합점〔선, 면〕; 솔기; 〖컴〗 골라잇기.
join·er[∠ər] *n.* Ⓒ 결합자〔물〕; 소목장이; 《美口》 여러 단체 모임에 관계하고 있는 사람. **~·y** *n.* Ⓤ 소목장이 일; 소목 세공, 가구류(類).
‡**joint**[dʒɔint] *a.* 공동〔합동, 연합〕의; 연대(連帶)의. **~ *communiqué*** 공동 코뮈니케. ── *n.* Ⓒ ① 마디, 관절; 이음매, 맞춘 자리. ② (마디마다 토막낸) 뼈 붙은 큰 살점. ③《美口》 비밀 술집; 마리화나 담배. ***out of* ~** 탈구(脫臼)되어; 문란해(져)서, 뒤죽박죽이 되어. **~ *resolution*** 《美》 (양원의) 공동결의. ── *vt.* 결합〔접합〕하다, 메지를 바르다. **∠·less** *a.* ***∠·ly** *ad.*

J

jóint accóunt 공동 예금 계좌.
Jóint Chíefs of Stáff, the 《美》 합동 참모 본부[회의]《생략 JCS》.
jóint commíttee (의회의) 양원 협의회; 합동 위원회.
jóint òffense 공범(共犯).
jóint-stóck *a.* 주식 조직의.
jóint-stóck còmpany 《英》 주식 회사(《美》 stock company).
join·ture[dʒɔ́intʃər] *n.* Ⓒ 〖法〗 과부 급여.
jóint vénture 합작 투자(업체).
joist[dʒɔist] *n.* Ⓒ 〖建〗 장선; 도리. — *vt.* (…에) 무엇을 달다.
†**joke**[dʒouk] *n., vi., vt.* Ⓒ 농담(하다), 익살(부리다); 장난(치다), 놀리다. ***for a*** ~ 농담 삼아서. ***in*** ~ 농담으로. ***joking apart*** 농담은 그만하고. ***practical*** ~ (행동도 따르는) 몹쓸 장난. ***take a*** ~ 놀려도 화내지 않다.
***jok·er**[⌐ər] *n.* Ⓒ ① 농담하는 사람, 익살꾼. ② 〖카드〗 조커. ③ 《美》 (정관·법안의 효력을 근본적으로 약화시키기 위해 슬쩍 삽입한) 사기 조항; 사기, 책략.
jok·ing[⌐iŋ] *a.* 농담하는, 장난치는. ~**·ly** *ad.*
jol·li·fi·ca·tion[dʒɑ̀ləfikéiʃən/-ɔ̀-] *n.* Ⓤ 흥겨워 떠들기; Ⓒ 잔치 소동.
jol·li·fy[dʒɑ́ləfài/-ɔ́-] *vi., vt.* 《口》 유쾌해지다, 즐겁게 하다.
jol·li·ty[dʒɑ́ləti/-ɔ́-] *n.* ① Ⓤ 즐거움, 명랑. ② Ⓒ (보통 *pl.*) 《英》 흥겨워 떠들기.
‡**jol·ly**[dʒɑ́li/-ɔ́-] *a.* ① 유쾌한, 즐거운; 얼근한 기분의. ② 《英口》 대단한, 엄청난. — *ad.* 《英口》 대단히. — *vt.* 《口》 치살려서 기쁘게 하다; 놀리다(kid).
jólly bòat (선박 부속의) 작은 보트.
Jólly Róg·er[-rádʒər/-ɔ́-] (해골을 그린) 해적기(旗)(black flag).
***jolt**[dʒoult] *vi., vt.* 덜컹거리(게 하)다; (마차 따위가) 덜컹거리며 나아가다, 흔들리다. — *n.* Ⓒ (정신적) 동요; 충격; 덜컹거림. ⌐**·y** *a.*
Jo·nah[dʒóunə] *n.* 〖聖〗 요나《헤브라이의 예언자》; 〖舊約〗 요나서(書); Ⓒ 불행을 가져오는 사람.
Jon·a·than[dʒɑ́nəθən/-ɔ́-] *n.* Ⓒ (전형적인) 미국인(cf. John Bull); 〖聖〗 요나단《Saul의 아들》.
Jones[dʒounz], **Daniel** (1881-1967) 영국의 음성학자.
jon·gleur[dʒɑ́ŋglər/ʒɔ:ŋglə́:r] *n.* (F.) Ⓒ (프랑스 중세의) 음유(吟遊) 시인(minstrel).
jon·quil[dʒɑ́ŋkwil/-ɔ́-] *n.* Ⓒ 〖植〗 노랑수선화(의 꽃).
Jon·son[dʒɑ́nsn/-ɔ́-], **Ben(jamin)** (1573?-1637) 영국의 극작가·시인.
Jor·dan[dʒɔ́:rdn] *n.* (팔레스타인의) 요르단 왕국《구칭 Transjordan》; (the ~) 요(르)단 강.
Jos. Joseph; Josiah《남자 이름》.
***Jo·seph**[dʒóuzəf] *n.* ① 남자 이름. ② (st. ~) 〖聖〗 요셉《야곱의 아들》. ③ Ⓒ 여자를 싫어하는 남자. ④ 〖聖〗 요셉《성모 마리아의 남편》.
josh[dʒɑʃ/-ɔ-] 《美口》 *n., vt., vi.* Ⓒ (악의 없는) 농담(을 하다), 놀리다.
Josh. 〖聖〗 Joshua.
Josh·u·a[dʒɑ́ʃuə/-ɔ́-] *n.* 〖聖〗 여호수아《Moses를 계승한 이스라엘의 지도자》; 〖舊約〗 여호수아서(書).
joss[dʒɑs/-ɔ-] *n.* Ⓒ (중국인이 예배하는) 우상.
jóss hòuse (중국의) 절.
jóss stìck (중국 사원의) 선향(線香).
***jos·tle**[dʒɑ́sl/-ɔ́-] *vt.* 밀다, 찌르다 (*away, from*). — *vi.* 서로 밀다; 부딪치다(*against*); 다투다. — *n.* Ⓒ 서로 밀치기; 충돌.
jot**[dʒɑt/-ɔ-] *n.* (a ~) 미소(微少), 소량. ***not a ~ 조금도 …않다. — *vt.* (**-tt-**) 대강 적어 두다(*down*). ⌐**.ting** *n.* Ⓒ (보통 *pl.*) 메모, 약기.
joule[dʒu:l, dʒaul] *n.* Ⓒ 〖理〗 줄《에너지의 절대 단위》.
jounce[dʒauns] *vi., vt., n.* 덜컹거리(게 하)다; Ⓒ 덜컹거림.
‡**jour·nal**[dʒə́:rnəl] *n.* Ⓒ ① 일지; 항해 일지. ② 〖簿〗 분개장. ③ (일간) 신문; (정기 간행) 잡지. ④ 〖機〗 굴대의 목. ***the Journals*** 《英》 국회 의사록. ~**·ese**[dʒə̀:rnəlí:z] *n.* Ⓤ 신문 용어, 신문의 문체〔말씨〕.
‡**jour·nal·ism**[-ìzəm] *n.* Ⓤ ① 저널리즘, 신문〔잡지〕(기자)업. ② 《집합적》 신문, 잡지. ③ 신문〔잡지〕기사투의 문체(文體). ‡**-ist** *n.* Ⓒ 저널리스트, 신문〔잡지〕업자〔기자·기고자〕. ***-is·tic**[⌐–ístik] *a.* 신문 잡지(업)의.
‡**jour·ney**[dʒə́:rni] *n.* Ⓒ (육상의) 여행; 여정. ***break one's*** ~ 여행을 중단하다; 도중하차 하다. ***make*** 〔***take***〕 ***a*** ~ 여행하다. — *vi.* 여행하다.
jour·ney·man[-mən] *n.* Ⓒ (숙달된) 직공; 《古》 날품팔이.
jour·ney·work[-wə̀:rk] *n.* Ⓤ (숙련공의) 치다꺼리〔날품팔이〕 일.
joust[dʒaust] *n., vi.* Ⓒ 마상 창시합(馬上槍試合)(을 하다).
Jove[dʒouv] *n.* =JUPITER. ***by ~!*** 맹세코; 천만에.
jo·vi·al[dʒóuviəl, -vjəl] *a.* 쾌활〔유쾌〕한, 즐거운. ~**·i·ty**[⌐–ǽləti] *n.*
jowl[1][dʒaul, dʒoul] *n.* Ⓒ (보통 *pl.*) (특히) 아래턱(jaw); 뺨(cheek). CHEEK ***by*** ~.
jowl[2] *n.* Ⓒ 물고기의 머리 부분.
†**joy**[dʒɔi] *n.* ① Ⓤ 기쁨. ② Ⓒ 기쁨거리, 즐거움. ***give*** ~ 축하〔치하〕하다. ***Give you ~!*** or ***I wish you ~!*** 축하합니다. — *vi., vt.* 기뻐하다; 기쁘게 하다. ‡⌐**·ful** *a.* *⌐**·ful·ly** *ad.* *⌐**·ful·ness** *n.* ⌐**·less** *a.* *⌐**·ous** *a.* =JOYFUL. ⌐**·ous·ly** *ad.*
Joyce[dʒɔis], **James**(1882-1941) 아일랜드 태생의 소설가.
jóy rìde 《美口》 (남의 차를 무단히 몰고 다니는) 드라이브.

J

jóy stìck 《俗》(비행기의) 조종간(桿); 음경; 〖컴〗(수동) 제어 장치.
JP jet propulsion (plane). **J.P.** Justice of the Peace. **Jr., jr.** junior. **J.R.C.** Junior Red Cross. **JSA** Joint Security Area (판문점의) 공동 경비 구역.
ju·bi·lant[dʒúːbələnt] *a.* 기쁨에 넘친; 환성을 울리는. **-lance** *n.* **-late** [∠–lèit] *vi.* 환희하다. **-la·tion**[∸–léiʃən] *n.* ① Ⓤ 환희. ② Ⓒ 축제.
ju·bi·lee**[dʒúːbəlìː] *n.* ① Ⓒ 50년제(祭); 축제. ② Ⓤ 환희. ***diamond 〔***silver***〕 ~ 60〔25〕년제.
júbilee sóng 《美》 노예 해방 축가, 흑인 영가.
Jud. 〖聖〗 Judges; Judith.
Ju·dah[dʒúːdə] *n.* 〖聖〗 유다《야곱(Jacob)의 넷째 아들, 유다 지파(支波)의 조상》; 유다 지파〔왕국〕.
Ju·da·ic[dʒu(ː)déiik] *a.* 유대인〔민족·문화〕의(Jewish).
Ju·da·ism[dʒúːdiìzəm, -dei-] *n.* Ⓤ 유대교〔주의〕; 유대풍(風).
Ju·das[dʒúːdəs] *n.* 〖聖〗 (은전 30냥으로 예수를 판)(가룟) 유다; Ⓒ 배반자; (j-) (문·벽의) 엿보는 구멍.
Júdas trèe 박태기나무속의 일종《이 나무에 유다가 목을 매었다고 함》.
Jude[dʒuːd] *n.* 남자 이름; 〖新約〗 유다서(書).
Ju·de·a[dʒuːdíːə] *n.* 유대《팔레스타인 남부의 고대 로마령(領)》. ~**n** *a., n.* 유대(민족)의; Ⓒ 유대인.
Judg. 〖聖〗 Judges.
†**judge**[dʒʌdʒ] *n.* ① Ⓒ 재판관, 판사; 심판〔감정〕자. ② Ⓒ 〖유대史〗 사사(士師)《왕의 통치 전 이스라엘의 지배자》. ③(Judges)《단수취급》〖舊約〗 사사기(士師記). — *vt., vi.* 판결을 내리다, 재판하다; 판단〔감정〕하다; 비판〔비난〕하다. ~**·ship**[∠ʃìp] *n.* Ⓤ judge의 지위〔임기·직(권)〕.
júdge ádvocate 〖軍〗 법무관
júdge ádvocate géneral 〖美軍〗 법무감.
júdge-màde *a.* 〖法〗 재판관이 만든. ~ ***law*** 판례법.
‡**judg·ment,** 《英》 **judge-**[∠mənt] *n.* ① Ⓤ 재판; Ⓤ,Ⓒ 판결; Ⓒ 천벌(*on*); Ⓤ 심판, 감정; 비판. ② Ⓤ 판단(력); 견식, 분별. ***sit in ~*** 재판〔비판〕하다. ***the Last J-*** 〖聖〗 최후의 심판.
Júdgment Dày, the 최후의 심판일.
Júdgment sèat 재판관석; 법정.
ju·di·ca·to·ry [dʒúːdikətɔ̀ːri/-təri] *a., n.* 재판의; Ⓒ 재판소.
ju·di·ca·ture[dʒúːdikèitʃər] *n.* Ⓤ 사법권; (the ~)《집합적》 사법 기관.
ju·di·cial**[dʒuːdíʃəl] *a.* ① 사법(상)의, 재판소의. ② 판단력이 있는; 공평한; 비판적인. ~ ***precedent 판례(判例).
ju·di·ci·ar·y[dʒuːdíʃièri, -ʃəri] *a.* 사법(상)의; 재판(소)의. — *n.* ① (the ~) 사법부(judicature). ② 《집합적》 재판관.
ju·di·cious[dʒuːdíʃəs] *a.* 사려〔분별〕 있는, 현명한. ~**·ly** *ad.* ~**·ness** *n.*
ju·do[dʒúːdou] *n.* Ⓤ 유도.
‡**jug**[dʒʌg] *n.* ① Ⓒ (손잡이가 달린) 항아리; (주둥이가 넓은) 주전자, 조끼(한 잔). ② Ⓤ 《俗》 교도소(jail). — *vt.* (***-gg-***) (고기를) 항아리에 넣고 삶다; 《俗》 감옥에 처넣다.
júg bànd (주전자·냄비의) 잡동사니 악대.
jug·ful[dʒʌ́gfùl] *n.* Ⓒ 한 주전자〔조끼〕의 하나 가득(한 양).
Jug·ger·naut[dʒʌ́gərnɔ̀ːt] *n.* 〖印度神話〗 Krishna 신의 우상《이 우상을 실은 차에 치어 죽으면 극락에 갈 수있다 했음》; Ⓒ (j-) 희생이 따르는 미신〔제도, 풍습〕; 불가항력.
***jug·gle**[dʒʌ́gəl] *n., vi.* Ⓒ 요술〔기술〕(을 부리다, 로 속이다); 사기(하다). — *vt.* 속이다, 속여서 빼앗다.
jug·gler[-ər] *n.* Ⓒ 요술쟁이; 사기꾼. ~**·y** *n.* Ⓤ 요술; 사기.
Ju·go·slav, -Slav[júːgouslɑ̀ːv] =YUGOSLAV.
jug·u·lar[dʒʌ́gjələr] *a., n.* Ⓒ 〖解〗 인후의, 목의; 경정맥(頸靜脈)(의); =∠ **véin** 경정맥; (the ~) 최대의 약점, 급소.
‡**juice**[dʒuːs] *n.* ① Ⓤ,Ⓒ 즙, 액(液), 주스. ② Ⓤ 《美俗》 전기; 가솔린. — *vt., vi.* (…의) 액을 짜내다; 《俗》 마약 주사를 놓다. ~ ***up*** 《美》 …을 가속(加速)하다. ~***ed up*** 《美俗》 술 취한. ***júic·y** *a.* 즙〔수분〕이 많은; 재미〔생기〕있는, 윤기 도는.
júice·hèad *n.* Ⓒ 알코올 중독(자).
ju·ju[dʒúːdʒuː] *n.* ① Ⓒ (서아프리카 토인의) 부적, 주물(呪物)(fetish). ② Ⓤ 마력.
ju·jube[dʒúːdʒuːb] *n.* Ⓒ 대추(나무).
juke[dʒuːk] *n.* 《美俗》 ①=JUKEBOX. ②=JUKE HOUSE.
júke·bòx *n.* Ⓒ 주크박스《동전 투입식 자동 전축》.
júke hòuse 《美》 싸구려 여인숙.
júke jòint 《美俗》 주크박스가 있는 간이 식당〔술집〕.
***Jul.** July.
ju·lep[dʒúːlip] *n.* Ⓤ,Ⓒ 줄렙《설탕·박하·얼음을 넣은 위스키 혹은 브랜디》.
Jul·ian[dʒúːljən] *n.* 남자 이름. — *a.* Julius Caesar의.
Júlian cálendar, the 율리우스력(曆)《Gregorian calendar 이전의 태양력》.
ju·li·enne[dʒùːlién] *n.* (F.) Ⓤ 채친 야채를 넣은 고기 수프. — *a.* 잘게 썬, 채친(~ ***potatoes***).
†**Ju·ly**[dʒuːlái] (<Julius) *n.* 7월.
***jum·ble**[dʒʌ́mbəl] *n., vi., vt.* ① (a ~) 뒤죽박죽(이 되다, 을 만들다) (*up, together*); 혼란; 동요. ② Ⓤ 쓸모없는 잡동사니.
júmble sàle 《주로 英》 (자선 바자 따위의) 잡화 특매〔염매〕.
jum·bo[dʒʌ́mbou] *a., n.* (*pl.* ~***s***) Ⓒ 《口》 엄청나게 큰 (것); 점보제트

기.

†**jump**[dʒʌmp] *vi.* ① 뛰다, 뛰〔튀〕어 오르다; 움찔하다; 뛰어 옮기다; 비약하다. ② 폭등하다. ③ 일치하다 (*together*). ***Great wits will ~.*** 《속담》 지자(知者)의 생각은 일치하는 것《간담상조(肝膽相照)》. ― *vt.* ① 뛰어 넘(게 하)다; 뛰어 오르게 하다. ② (물가를) 급등시키다. ③ (…에서) 벗어나다(~ *the track* 탈선하다). ④ 생략하다, 건너뛰다. ⑤ (어린애를) 달래〔어르〕다. ⑥ 흠칫하게 하다; (사냥감을) 날아오르게〔뛰어 나오게〕 하다. ⑦ (체커에서 상대의 말을) 건너 뛰어서 잡다. ⑧ 《美俗》 (…에서) 도망치다. ~ ***about*** 뛰어 돌아다니다; 조급해 있다. ~ ***a claim*** 토지·광업권(등)을 가로채다. ~ ***bail*** 보석 중에 도망치다. ~ ***down a person's throat*** 《口》 난폭한 말대꾸를 하다; (논쟁에서) 꼼짝 못하게 하다. ~ ***in*** 〔***into***〕 (…속에) 뛰어들다. ~ ***off*** 행동을 (개시)하다. ~ ***on*** 덤벼〔달려〕들다; 야단〔호통〕치다, 비난하다. ~ ***the queue*** 차례로 선 줄을 무시하고 앞으로 나가다. ~ ***to the eyes*** 곧 눈에 띄다. ~ ***up*** 급히 일어서다; (가격 등이) 급등하다. ― *n.* Ⓒ ① 도약(跳躍), 한번뛰기〔뛴 길이〕; 〖競〗 점프. ② 장애물. ③ (물가의) 폭등. ④ 흠칫(하기). ⑤ (체커에서의) 건너뛰(어 잡)기. ⑥ (의론의) 비약, 급전(急轉). ⑦ 낙하산 강하. ⑧ (the ~s) 《俗》 (알코올 중독에 의한) 경련 (D.T.). ⑨ 〖컴〗 건너뜀《프로그램 제어의 전환》. ***all of a*** ~ 《口》 흠칫흠칫하여. ***broad*** 〔***high***〕 ~ 넓이〔높이〕 뛰기. ***have the ~s*** 깜짝 놀라다. *∠·er[1] *n.*

júmp àrea 〖軍〗 (낙하산 부대의) 낙하 예정지《적진의 후방》.

júmp bàll 〖籠〗 점프볼.

*__jump·er__[2][∠ər] *n.* Ⓒ 점퍼, 잠바; 잠바 드레스《여자·어린이용의 소매 없는 원피스》; 《英》 (블라우스 겉에 입는) 헐거운 여자용 상의; (*pl.*) = ROMPERS.

jump·ing[∠iŋ] *n.* Ⓤ 도약, 뜀. ― *a.* 도약하는, 뛰는.

júmping bèan 뜀콩《멕시코산 등대풀의 씨, 속에 든 벌레의 움직임으로 씨가 뜀》.

júmping jàck (실로 놀리는) 꼭두각시, 뛰는 인형.

júmping·óff plàce 〔**pòint**〕 ① 문명 세계의 끝. ② 한계. ③ 출발점.

júmping ròpe 줄넘기 줄.

júmp jèt 《英口》 단거리 이착륙 제트기.

júmp sèat (자동차 따위의) 접의자.

júmp·sùit *n.* Ⓒ 《美》 낙하산 강하복; 그와 비슷한 상하가 붙은 작업복; 그 비슷한 여성복.

*__jump·y__[∠i] *a.* ① 튀어 오르는. ② 변동하는. ③ 실룩거리는, 신경질적인.

Jun. June. **jun.** junior.

*__junc·tion__[dʒʌ́ŋkʃən] *n.* ① Ⓤ 연합, 접합, 연접; 접착; 접속. ② Ⓒ 접합점, 접속역, (강의) 합류점. ③ Ⓤ,Ⓒ 〖文〗 수식관계《*the barking dog* 나 *a man who sings* 와 같은 수식·피수식 관계의 어군(語群)》(cf. nexus).

*__junc·ture__[dʒʌ́ŋktʃər] *n.* ① Ⓤ 경우; Ⓒ 위기. ② Ⓒ 이음매; Ⓤ 접합; 연결.

†**June**[dʒuːn] *n.* 6월.

Júne bùg 〔**bèetle**〕 〖蟲〗 풍뎅이.

Jung·frau[júŋfràu] *n.* (the ~) 융프라우《스위스 남부의 알프스 산맥의 높은 봉우리; 4,169m》.

‡**jun·gle**[dʒʌ́ŋgl] *n.* Ⓤ,Ⓒ ① 정글, 밀림(지대). ② 《美俗》 부랑자 소굴.

júngle bùnny 《美俗·蔑》 흑인.

júngle féver 정글열《악성 말라리아》.

júngle gỳm 정글짐《철골로 만든 놀이 시설》.

jun·gli[dʒʌ́ŋgli] *n.* Ⓒ (인도의) 정글 주민〔거주자〕.

†**jun·ior**[dʒúːnjər] (cf. senior) *a.* 손아래의; 후배의, 하위〔하급〕의; 동생〔자식〕(쪽)의《생략 jun., Jr.》(*John Jones, Jr.*)(cf. *fils*). ― *n.* (one's ~) 손아랫사람, 연소자; 후배; Ⓒ 〖美大學·高校〗 (4년제의) 3학년생, (3년제의) 2학년생.

júnior cóllege 《美》 2년제 대학.

júnior hígh schòol 《美》 중학교.

júnior míss 《美口》 (13-15, 16세의) 젊은 아가씨.

júnior schòol 《英》 (7-11세 아동의) 초등학교.

júnior várѕity 《美》 대학 운동부의 2군팀.

ju·ni·per[dʒúːnəpər] *n.* Ⓤ,Ⓒ 〖植〗 노간주나무(의 무리).

*__junk__[1][dʒʌŋk] *n.* Ⓤ ① 《口》 쓰레기, 고철, 헌신문. ② 낡은 밧줄. ③ 〖海〗 소금에 절인 고기. ④ 허튼말, 넌센스. ⑤ 《口》 마약. ― *vt.* 《口》 쓰레기〔폐물〕로 버리다. **~·man**[∠mæ̀n] *n.* Ⓒ 《美》 고물〔폐품〕장수.

junk[2] *n.* Ⓒ 정크《중국 연안의 너벅선 돛배》.

Jun·ker[júŋkər] *n.* (G.) Ⓒ 〖史〗 독일의 청년 귀족, 귀공자《보수적이고 오만한》.

junk·er[dʒʌ́ŋkər], **-ie**[-ki] *n.* Ⓒ 《口》 마약 중독자.

jun·ket[dʒʌ́ŋkit] *n., vi.* Ⓤ,Ⓒ 응유(凝乳) 식품의 일종; Ⓒ 연회(를 베풀다), 피크닉(가다); 《美》 관비 여행(官費旅行).

júnk fàx 쓰레기가 되는 무용지물의 잡동사니 통신문《광고 따위》.

júnk jèwelry 값싼 장신구.

júnk màil 잡동사니 우편물《쓰레기 취급받는 광고물·팸플릿 등》.

júnk·yàrd *n.* Ⓒ 고물 수집장.

Ju·no[dʒúːnou] *n.* 〖로神〗 Jupiter의 아내《〖그神〗의 Hera》; Ⓒ 기품있는 미녀; 〖天〗 제 3소(小) 유성.

jun·ta[dʒʌ́ntə, hú(ː)ntə] *n.* (*pl.* ~*s*) Ⓒ (쿠데타 직후의) 군사 정부; (스페인·남아메리카 등지의) 의회; = JUNTO.

jun·to[dʒʌ́ntou] *n.* (*pl.* ~*s*) Ⓒ

음모단; (정치적) 비밀 결사.

:Ju·pi·ter[dʒúːpətər] *n.* ① 〖로神〗 주피터《〖그神〗의 Zeus》. ② 〖天〗 목성.

Ju·ras·sic[dʒuərǽsik] *n., a.* 〖地〗 (the ~) 쥐라기(紀)〔계(系)〕(의).

ju·rid·i·cal[dʒuərídikəl] *a.* 재판〔사법·법률〕상의; 재판소의. **~ *days*** (재판) 개정일. **~ *person*** 법인.

***ju·ris·dic·tion**[dʒùərisdíkʃən] *n.* ① Ⓤ 재판〔사법〕권; 지배권. ② Ⓤ (사법상의) 관할권. ③ Ⓒ 관할 지역.

ju·ris·pru·dence [dʒùərisprúːdəns] *n.* Ⓤ 법(리)학; 법제, 법조직〔체계〕. ***medical*** **~** 법의학(法醫學). **-dent** *a., n.* 법률에 정통한; Ⓒ 법률〔법리〕학자.

***ju·rist**[dʒúərist] *n.* Ⓒ 법(리)학자; 《英》 법학도; 《美》 변호사. **ju·ris·tic** [dʒuərístik], **-ti·cal**[-əl] *a.*

jurístic áct 법률 행위.

jurístic pérson 법인(法人).

ju·ror[dʒúərər] *n.* Ⓒ (개개의) 배심원; (콩쿠르 등의) 심사원.

ju·ry**[1][dʒúəri] *n.* Ⓒ ① 〖法〗 배심. ② 《집합적》 배심원《보통 12명》(cf. verdict); (콩쿠르 대회 따위의) 심사원(들). ***grand **~** 대배심《12-13명으로 구성되며, 'trial jury'로 보내기 전에 기소장을 심리함》. ***trial*** 〔***petty, common***〕 **~** 소배심《12명》. **~·man** *n.* Ⓒ 배심원(juror).

ju·ry[2] *a.* 〖海〗 임시(변통)의.

júry bòx 배심원석(席).

júry màst 응급 마스트, 임시 돛대.

jus., just. justice.

†just[dʒʌst] *a.* ① 올바른, 공정한. ② 당연한, 정당한. ③ 무리 없는, 지당한. ④ 정확한. ⑤ 에누리 없는. — [dʒʌst, dʒəst] *ad.* ① 바르게, 에누리 없이, 꼭. ② 겨우, 간신히. ③ 방금. ④ 다만, 불과, 아주, 전혀. ⑤ 《명령법과 함께 쓰여서》 (자) 좀(*J- fancy!* 자 좀 생각해 보렴); 《반어로서》 (…이다뿐인가) 아주(*'Did he swear?' 'Didn't he, ~!'* 그 사람 노했던가—노했다뿐인가 (아주 대단한 기셀세)). **~ *now*** 바로 지금; 이제 막; 이윽고 (곧). *** ∠·ly** *ad.* 바르게, 공정하게, 정당하게. *** ∠·ness** *n.*

:jus·tice[dʒʌ́stis] *n.* ① Ⓤ 정의; 공정; 공평, 정당, 타당; 적법(성). ② Ⓤ 법의 시행(施行), 재판. ③ Ⓤ 당연한 응보, 처벌. ④ Ⓒ 재판관, 치안 판사. ⑤ (J-) 정의의 여신. ***bring a person to*** **~** 아무를 법대로 처벌하다. ***court of*** **~** 재판소. ***do*** **~** ***to*** (*a person* or *thing*), or ***do*** (*a person* or *thing*) **~** …을 공평〔정당〕하게 다루다; 정확히 처리하다. ***do oneself*** **~** 자기 능력을 충분히 발휘하다. **~ *of the peace*** 〖法〗 치안 판사. **~·ship**[-ʃìp] *n.* Ⓤ 재판관의 신분〔직분·임기〕.

jus·ti·fi·a·ble[dʒʌ́stəfàiəbəl] *a.* 정당한, 정당하다고 인정할 수 있는.

***jus·ti·fi·ca·tion** [dʒʌ̀stəfikéiʃən] *n.* Ⓤ ① 정당화, 옹호, 변호, 변명. ② 〖神〗 의롭다고 인정됨. ③ 〖印〗 정판(整版); 〖컴〗 조정.

:jus·ti·fy[dʒʌ́stəfài] *vt.* ① 정당화하다, 정당함을 나타내다. ② 비난에 대하여 변명하다; (…의) 이유가 되다〔서다〕. ③ 〖印〗 (행간을) 고르게 하다. ④ 〖컴〗 자리맞춤을 하다. **~ *oneself*** 자기의 주장을 변명하다.

Jus·tin·i·an[dʒʌstíniən] *n.* (~ the Great) 유스티니아누스(483-565, 재위 527-565)《동로마 제국 황제》.

Justínian Códe, the 유스티니아누스 법전.

jus·tle[dʒʌ́sl] *v., n.* =JOSTLE.

jut[dʒʌt] *n., vi.* (**-tt-**) Ⓒ 돌출부, 뿌다구니; 돌출(하다).

Jute[dʒuːt] *n.* Ⓒ 주트 사람; (the ~s) 주트족《5-6세기에 영국을 침입한 게르만 민족》. **Jút·ish** *a.*

jute[dʒuːt] *n.* Ⓤ (인도원산의) 황마(黃麻)《돛·밧줄 따위의 재료》.

Jut·land[dʒʌ́tlənd] *n.* 유틀란트 반도《덴마크 북부》.

ju·ve·nes·cent [dʒùːvənésnt] *a.* 청년기에 달한, 젊디 젊은; 다시 젊어지는. **-cence** *n.*

***ju·ve·nile**[dʒúːvənəl, -nàil] *a.* 젊은, 소년〔소녀〕(용)의; 어린애 같은. — *n.* Ⓒ 청소년; 어린이; 아동책〔읽을거리〕; 〖劇〗 어린이역의 소년〔소녀〕. **-nil·i·ty**[dʒùːvənílәti] *n.* Ⓤ 연소, 젊음; 《집합적》 소년 소녀.

júvenile cóurt 소년 재판소.

júvenile delínquency 소년 범죄.

júvenile delínquent 비행 소년.

ju·ve·nil·i·a[dʒùːvəníliə] *n. pl.* (어떤 작가)의 젊었을 때의 작품(집).

jux·ta·pose[dʒʌ̀kstəpóuz, ∠–∠] *vt.* (…을) 나란히 놓다. **-po·si·tion** [∸–pəzíʃən] *n.* Ⓤ,Ⓒ 병렬(竝列).

Jy, Jy. July.

K

K, k[kei] *n.* (*pl.* ***K's, k's***[-z]).

K 〖化〗 kalium (L. =potassium); kelvin; King. **K.** King; Knight. **k.** karat; kilogram(me)(s); 〖數〗 ***konstant*** (G. =constant) kopeck(s). **KA** Korean Army.

KAAA Korea Amateur Athletic Association.

Kaa·ba[káːbə] *n.* (the ~) Mecca에 있는 이슬람교 교당.

ka·di[káːdi, kéi-] *n.* =CADI.

KAF Korean Air Force. **KAFA**

Korean Air Force Academy.
Kaf·(f)ir[kǽfər] *n.* Ⓒ (남아프리카의) 카피르 사람; Ⓤ 카피르어; Ⓒ (k-) =∠ **còrn** 사탕옥수수의 일종.
Kaf·ka[kɑ́:fkɑ:, -kə], **Franz** (1883-1924) 독일의 초현실파 소설가.
kai·ak[káiæk] *n.* =KAYAK.
kail[keil] *n.* =KALE.
***Kai·ser, k-**[káizər] *n.* (G. = Caesar) 카이저《독일 황제·오스트리아 황제의 칭호》; 〖史〗 신성 로마제국 황제의 칭호.
KAIST Korea Advanced Institute of Science and Technology 한국 과학 기술원. **KAL** Korean Air Lines《Korean Air의 구칭》.
kale[keil] *n.* U,C 양배추의 일종《결구(結球)하지 않음》; 양배추 수프; Ⓤ 《美俗》 돈, 현금.
ka·lei·do·scope [kəláidəskòup] *n.* Ⓒ 만화경(萬華鏡). **-scop·ic**[-⌐-skɑ́p-/-ɔ́-] *a.* 만화경 같은, 변전(變轉) 무쌍한.
kal·ends[kǽləndz] *n.* =CALENDS.
Ka·le·va·la[kɑ̀:ləvɑ́:lə] *n.* 칼레발라《핀란드의 민족적 서사시》.
ka·li·um[kéiliəm] *n.* Ⓤ 〖化〗 칼륨《영어로는 보통 potassium이라 함》.
kal·pa[kʌ́lpə] *n.* 〖힌두敎〗 겁(劫)《43억 2천만 년》.
kal·so·mine[kǽlsəmàin, -min] *n.* =CALCIMINE.
ka·ma·graph[kɑ́:məgræ̀f, -grɑ̀:f] *n.* Ⓒ 카마그래프《인쇄식 원화 복제기, 또 그것에 의한 복제화》.
Kam·chat·ka[kæmtʃǽtkə] *n.* 캄차카 (반도).
Kan., Kans. Kansas.
***kan·ga·roo**[kæ̀ŋgərú:] *n.* (*pl.* **~s,** 《집합적》 **~**) Ⓒ 캥거루.
Kangaróo cóurt 인민 재판, 린치.
Kangaróo ràt 캥거루쥐《미국, 멕시코의 사막에서 삶》.
***Kan·sas**[kǽnzəs] *n.* 미국 중앙의 주《생략 Kan(s).》. **Kán·san** *a., n.*
Kant[kænt], **Immanuel** (1724-1804) 독일의 철학자. **∠·i·an** *a., n.* 칸트(철학)의; Ⓒ 칸트파의 사람.
ka·o·lin(e)[kéiəlin] *n.* Ⓤ 고령토.
ka·pok[kéipɑk/-pɔk] *n.* Ⓤ 케이폭《이불용 풀솜》.
kap·pa[kǽpə] *n.* U,C 그리스어 알파벳의 열째 글자《*K, k;* 영어의 K, k에 해당》.
Ka·ra·chi[kərɑ́:tʃi] *n.* 파키스탄의 전 수도.
kar·a·kul[kǽrəkəl] *n.* Ⓒ 〖動〗 카라쿨《우즈베크 산(産)의 양》; Ⓤ 그 (새끼의) 털가죽《아스트라칸 털가죽 중의 최상등품》.
kar·at[kǽrət] *n.* =CARAT.
kar·ma[kɑ́:rmə] *n.* (Skt. =action) Ⓤ 〖힌두敎·佛〗 갈마(羯魔), 업(業), 인연; 《一般》 운명.
karst[kɑ:rst] *n.* Ⓒ 〖地〗 카르스트 지형《침식된 석회암 대지》.
kar·y·o·plasm[kǽriəplæ̀zəm] *n.* Ⓤ 〖生〗 세포핵질(核質).
kar·y·o·tin[kæ̀rióutin] *n.* Ⓤ 〖生〗 카리오틴, 핵질(核質), 염색질.
kas·bah[kɑ́zbɑ:] *n.* (북아프리카의) 성채(城砦); (북아프리카 도시의) 토민(土民) 구역; Ⓒ 사창가, 술집 거리.
Kásch·in-Béck diséase [kǽʃinbèk-] 캐신벡병《음료수 중의 유기산에 의한 뼈의 변형》.
Ka·sha[kǽʃə] *n.* 〖商標〗 모직 복지의 일종.
Kash·mir[kæʃmíər] *n.* 인도 북부 지방.
KATUSA, Ka·tu·sa[kətúisə] Korean Augmentation Troops to U.S. Army 카투사《미육군에 파견된 한국군》.
ka·ty·did[kéitidìd] *n.* Ⓒ (미국산) 여치의 일종.
kau·ri, -ry[káuri] *n.* Ⓒ 〖植〗 (뉴질랜드산) 소나무의 일종; Ⓤ 그 재목 〔수지(樹脂)〕.
kay·ak[káiæk] *n.* Ⓒ 카약《에스키모인의 작은 가죽배》.
kay·o [kéióu] *n., vt.* Ⓒ 《美俗》 〖拳〗 녹아웃(시키다).
Ka·zak(h)·stan[kɑ̀:zɑ:kstɑ́:n] *n.* 카자흐스탄 공화국《서아시아에 있는 독립국 연합의 공화국의 하나》.
K.B. King's Bench 《英》 고등 법원.
K.B.E. Knight Commander of the British Empire. **KBS** Korean Broadcasting System. **kc, kc.** kilocycle(s). **K.C.** King's Counsel; Knights of Columbus. **K.C.B.** Knight Commander of the Bath. **K.C.I.E.** Knight Commander of the Indian Empire. **K.C.M.G.** Knight Commander of St. Michael and St. George. **K.C.S.I.** Knight Commander of (the Order of) the Star of India. **K.C.V.O.** Knight Commander of the (Royal) Victorian Order. **K.D.** knocked down 〖商〗 낙찰(落札). **KDI** Korea Development Institute 한국 개발원.
Keats[ki:ts], **John** (1795-1821) 영국의 시인.
kedge[kedʒ] *vt., vi.* (…을) 닻줄을 당겨서 배를 움직이다; (배가 그같이 하여) 움직이다. ── *n.* =∠ **ànchor** (배를 움직이기 위한) 작은 닻.
KEDO Korean Peninsula Energy Development Organization 한반도 에너지 개발 기구.
keek[ki:k] *vi., n.* 《Sc.》 엿보다; Ⓤ 엿보기, 훔쳐봄.
keel**[ki:l] *n.* Ⓒ (배·비행선의) 용골; 《詩》 배. ***on an even* ~** 수평으로 되어. ── *vt., vi.* 〖海〗 (…을) 전복시키다〔하다〕. **~ *over 전복하다; 졸도하다.
kéel·hàul *vt.* (벌로 선원을 줄에 묶어) 배 밑을 잠수시키다.
keel·son[kélsn, kí:l-] *n.* Ⓒ 〖海〗 내용골(內龍骨).
:keen[1][ki:n] *a.* ① 날카로운, 예리한; 예민한. ② 살을 에는 듯한, 모진; 신랄한; 강렬한. ③ 격렬한, 강

K

한. ④ 열심인(*on, to* do). ***∠·ly** *ad.* **∠·ness** *n.*

keen[2] *n., vi., vt.* 《Ir.》 Ⓒ (죽은이를 애도하는) 곡성(을 내다), 통곡(하다); 장례식 노래.

†**keep**[ki:p] *vt.* (*kept*) ① 간직하다, 갖고 있다; 보존하다; 맡다. ② 망보다, 지키다. ③ (약속·비밀을) 지키다. ④ (어떤 동작을) 계속하다. ⑤ (의식을) 올리다; 축하하다. ⑥ 부양하다, 기르다, 돌보다. ⑦ 고용해 두다; 경영하다. ⑧ (상품을) 갖춰놓다. ⑨ (일기·장부에) 써넣다. ⑩ (사람을) 붙들다[만류하다]; (집에) 가두다. ⑪ (어떤 위치·상태로) 하여 놓[두]다, (…을) 유지하다. ⑫ 알리지 않다; 허락지 않다; 방해하다(*from*). ***You may ~ it.*** 너에게 준다. — *vi.* ① (어떤 위치·상태에) 있다. ② (…을) 계속하다. ③ 머무르다. ④ (음식물이 썩지 않고) 견디다. ⑤ 《口》 (수업을) 하고 있다. ***~ away*** 가까이 못하게 하다; 가까이 하지 않다. ***~ back*** 삼가다; 억제하다; 감추다. ***~ down*** 진압하다; (감정을) 누르다. ***~ in*** 붙들어 두다; (감정을) 누르다; 가두다, 틀어 박히다. ***~ in with*** 《口》…와 사이좋게 지내다. ***~ off*** 막다; 가까이 못하게 하다; 떨어져 있다. ***~ on*** (…을) 입은 채로 있다; 계속해서 하다. ***~ out*** 배척하다; 억제하다; 참여하지[끼지] 않다. ***~ to*** (규칙 등을) 굳게 지키다(*K- to the right.* 우측 통행). ***~ to oneself*** (*vi.*) 교제하지 않다, 혼자 있다; (*vt.*) (사실을) 남에게 감추다. ***~ under*** 누르다; 복종시키다. ***~ up*** 버티다; 유지[계속]하다; (밤에) 잠을 못자게 하다; (곤란·병에) 굽히지 않다. ***~ up with*** (사람·시세에) 뒤지지 않다. — *n.* ① Ⓤ 보양; 음식물; 생활비. ② Ⓒ 아성(牙城). ③ Ⓤ 보존, 유지. ***for ~s*** 《口》 (내기에서) 딴 물건은 돌려주지 않는다는 약속으로; 영구히. **:∠·er** *n.* Ⓒ 지키는 사람, 파수꾼, …지기; 보호자; 관리인; 임자; 사육자; (경기의) 수비자.

:kéep·ing *n.* Ⓤ ① 보존; 보관, 관리; 유지. ② 부양. ③ 일치, 조화 (*with*). ④ 축하, (제전(祭典)의) 거행. ***in*** 〔***out of***〕 ***~ with*** …과 조화하여[되지 않아].

***kéep·sàke** *n.* Ⓒ 유품(遺品) (memento); 기념품.

kees·hond[kéishɔ̀:nd, -ɑ̃-] *n.* 케이스혼드《네덜란드산의 개》.

kef[keif] *n.* Ⓤ 《中東》 (마약에 의한) 몽환경; 흡연용 마약.

keg[keg] *n.* Ⓒ 작은 나무통《보통 10갤런 이하》; (못) 100파운드.

Kel·ler[kélər], **Helen Adams** (1880-1968) 미국의 여류 저술가.

Kells[kelz], **The Book of** 켈즈의 서(書)《9세기 초에 완성된 라틴어 복음서: cf. Lindisfarne Gospels.》.

ke·loid[kí:lɔid] *n.* Ⓤ 〖醫〗 켈로이드 《화상 뒤에 생기는 종양》.

kelp[kelp] *n.* Ⓤ 켈프《요오드를 함유하는 거대한 해초》; 해초회(灰).

kel·pie, -py[kélpi] *n.* 〖Sc. 傳說〗 사람을 익사케 하거나 익사를 예고 하는 말 모양의 물귀신.

kel·son[kélsn] *n.* =KEELSON.

Kelt, Kel·tic, &c. =CELT, CELTIC, &C.

kel·ter[kéltər] *n.* 《英方》 =KILTER.

kel·vin[kélvin] *n.* Ⓒ 〖理〗 켈빈《절대 온도 단위》. — *a.* 〖理〗 켈빈[절대] 온도의.

kempt[kempt] *a.* (머리를) 빗질한.

***ken**[ken] *n.* Ⓤ 시계(視界); 지식[인식] 범위.

Ken. Kentucky.

Ken·ne·dy[kénədi], **John F.** (1917-63) 미국 제35대 대통령(1961-63).

Kénnedy Róund 케네디 라운드 《관세의 일괄 인하 교섭》.

***ken·nel**[1][kénəl] *n., vt., vi.* (《英》 *-ll-*) Ⓒ 개집(에 넣다; 들어가다, 살다); (*pl.*) 개의 사육장; Ⓒ 사냥개의 떼; 오두막.

ken·nel[2] *n.* Ⓒ 도랑.

ken·ning[kéniŋ] *n.* Ⓤ 〖修〗 《詩》 대칭(代稱)《sea를 whale's way로 하는 따위》.

ke·no[kí:nou] *n.* Ⓤ 도박의 일종.

***Kent**[kent] *n.* 잉글랜드 남동쪽 끝의 주; 고대 잉글랜드의 한 왕국. **∠·ish** *a., n.* 켄트주(州)의; Ⓤ Kent 왕국의 고대 영어 방언.

***Ken·tuck·y**[kəntʌ́ki/ken-] *n.* 미국 남부의 주《생략 Ky., ken.》; 켄터키 강. **-tuck·i·an** *a., n.*

Ken·ya[kénjə, kí:n-] *n.* 케냐《아프리카 동부의 공화국》.

kep·i[képi, kéi-] *n.* (F.) Ⓒ 케피 모자《위가 납작한 프랑스 육군의 군모》.

Kep·ler[képlər], **Johann** (1571-1630) 독일의 천문학자.

†**kept**[kept] *v.* keep의 과거(분사).

ker·a·tin[kérətin] *n.* Ⓤ 〖化〗 케라틴, 각소(角素).

ker·a·ti·tis[kèrətáitis] *n.* Ⓤ 〖病〗 각막염(角膜炎).

kérb·stòne *n.* 《英》 =CURBSTONE.

ker·chief[kə́:rtʃif] *n.* Ⓒ 목도리 (neckerchief); 손수건.

kerf[kə:rf] *n.* Ⓒ (톱으로) 켠 자국 〔면〕; (도끼 따위로) 자른 면[자국].

ker·mes[kə́:rmi(:)z] *n.* Ⓤ 연지, 양홍(洋紅); Ⓒ 참나무의 일종.

ker·mis, -mess[kə́:rmis] *n.* (네덜란드·벨기에 등지의) 명절날의 장; 자선시(慈善市).

***ker·nel**[kə́:rnəl] *n.* Ⓒ (과실의) 인(仁); 낟알; 핵심, 골수; 〖컴〗 핵심, 알맹이.

***ker·o·sene**[kérəsi:n, ⌐-⌐] *n.* Ⓤ 「등유(燈油).

ker·sey[kə́:rzi] *n.* Ⓤ 커지 천《투박한 나사》.

kes·trel[késtrəl] *n.* Ⓒ 〖鳥〗 황조롱이《유럽산》. 「일종.

ketch[ketʃ] *n.* Ⓒ 두대박이 (범선)의

***ketch·up**[kétʃəp] *n.* Ⓤ 케첩.

ke·tone[kí:toun] *n.* Ⓤ 〖化〗 케톤.

:ket·tle[kétl] *n.* Ⓒ 솥; 주전자, 탕

관. ***a*** (***nice, fine, pretty***) **~ *of fish*** 대혼란, 곤란한 지경.
kéttle·drùm *n.* (*pl.*) =TIMPANI.
kev kiloelectron volt 〖理〗 1,000 전자 볼트.
:key[1] [ki:] *n.* Ⓒ ① 열쇠. ② (국면을 지배하는, 해결의) 실마리, 열쇠; 해답(서). ③ (기계 장치의) 핀, 볼트. ④ 중요 지점, 요충지, 중요한 사람〔물건〕. ⑤ (피아노·타이프라이터 등의) 키, 건(鍵). ⑥ 〖樂〗 조(調)(~ *of C sharp minor* 올림 다단조(短調)); (목소리 등의) 가락; 색조; (문체 따위의) 기조(基調). ⑦ 〖電〗 회로 개폐기; 전건(電鍵). ⑧ 〖廣告〗 (광고 효과를 알기 위한) 반응 측정 문구. ⑨ 〖컴〗 글쇠, 쇠. ***out of ~ with*** …와 조화를 이루지 못하고. ── ***a.*** 주요한(*the ~ industries* 기간 산업). ── ***vt.*** ① 열쇠를 채우다; 열쇠〔나사마개〕로 잠그다(*in, on*). ② 가락을 맞추다; 〖樂〗정조(整調)하다. **~ *up*** 가락을 올리다; 고무하다.
keyed [-d] *a.* 건(鍵)이 있는.
key[2] *n.* Ⓒ 모래톱, 산호초(礁).
***kéy·bòard** *n.* Ⓒ (피아노·타이프라이터 따위의) 건반; 〖컴〗 자판.
kéy chàin 열쇠 꾸러미.
kéy chìld 부모가 맞벌이하는 집 아이.
kéy·hòle *n.* Ⓒ 열쇠 구멍.
kéyhole repòrter 가십 기자.
kéy índustry 기간(基幹) 산업.
kéy·màn *n.* Ⓒ (기업 등의) 중심 인물.
kéy mòney 《英》 (세든 사람이 내는) 보증금, 권리금.
Keynes [keinz], **John Maynard** (1883-1946) 영국의 경제 학자. **~·i·an** *a., n.* 케인즈(학설)의; Ⓒ 케인즈 학파의 사람.
***kéy·nòte** *n.* Ⓒ 〖樂〗 주조음, 으뜸음; (정책 등의) 기조(基調).
kéynote addréss 〔**spéech**〕《美》 (정당의) 기조 연설.
kéy pàttern 卍자 무늬, 뇌문(雷紋).
kéy pòint 요충, 요점, 관건(關鍵).
kéy·pùnch *n., vi.* Ⓒ (컴퓨터 카드 따위에) 구멍 뚫는 기계(로 구멍을 뚫다). **~·er** *n.* Ⓒ 키펀치 조작인, 키펀처.
kéy rìng 열쇠 고리.
kéy sìgnature 〖樂〗 조호(調號).
kéy·smìth *n.* Ⓒ 열쇠 제조업자; 열쇠 복제 기능공.
kéy státion 주요국(局)《네트워크 프로그램 제작의 중심 방송국》.
kéy·stòne *n.* Ⓒ (아치의) 마룻돌; 중추, 요지(要旨).
kéy stòne efféct 〖TV〗 (화면의) 위가 퍼지는 현상.
Kéystone Státe, the 펜실베이니아 주의 딴 이름.
kéy·stròke *n.* Ⓒ (타이프나 워드프로세서의) 글쇠 누름.
kéy vísual 〖廣告〗 텔레비전 광고에서 가장 중요한 포인트가 되는 화면.
kéy wórd (암호 해독 등의) 열쇠가 되는 말; 주요어, 주요 단어; 〖컴〗 키단어, 키워드.
KFX Korean Foreign Exchange.
kg., kg keg(s); kilogram(s).
K.G. Knight of the Garter.
KGB (R.) *Komitet Gosudarstvennoi Bezopasnosti* 구 소련 국가 보안 위원회.
***khak·i** [ká:ki, kǽki] *n., a.* Ⓤ 카키색(의) (옷·옷감).
kha·lif [kéilif, kǽl-] *n.* =CALIPH.
khan[1] [kɑ:n, kæn] *n.* Ⓒ 칸, 한(汗) 《타타르·몽고 등의 군주(君主)나 이란·아프가니스탄 등의 고관의 칭호》.
khan[2] *n.* Ⓒ (터키 지방의) 대상(隊商)의 숙사.
Khmer [kmɛər] *n.* (the ~(s)) 크메르족; Ⓤ 크메르 언어.
Khrush·chev [krú:ʃtʃef, -tʃɔ:f], **Nikita Sergeyevich** (1894-1971) 구 소련의 전 수상(재직 1958-64).
KHz kilohertz.
kib·ble[1] [kíbl] *n.* Ⓒ《英》(광산용의) 두레박.
kib·ble[2] *vi.* 거칠게 갈다〔빻다〕.
kib·butz [kibú:ts] *n.* Ⓒ 키부츠《이스라엘의 집단 공장》.
kibe [kaib] *n.* Ⓒ (발뒤꿈치의) 동창(凍瘡), 추위에 손발이 트는 것.
kib·itz [kíbits] *vi.* 《口》 쓸데없는 참견을 하다. **~·er** *n.* Ⓒ 주제넘은 훈수꾼《특히 카드놀이 등에서》.
ki·bosh [káibɑʃ/-bɔʃ] *n.* Ⓤ《口》실없는 소리. ***put the ~ on*** 해치우다, 끝장짓다.
:kick [kik] *vt.* ① (걷어) 차다; (총이 사수의 어깨를) 반동으로 치다(등의). ②《美方》(구혼자 따위를) 퇴짜놓다; 〖蹴〗 골에 공을 차넣다. ── ***vi.*** ① 차다(*off*); 총이 반동으로 튀다. ② 《口》 반항하다, 불평을 말하다. **~ *back*** 《口》 갑자기 되튀다; (훔친 금품 따위를) 주인에게 되돌려주다; 《美俗》 수입 수수료로서 반환하다. **~ *in*** 《俗》 죽다; 헌금하다; 돈을 갚다. **~ *it*** 《美俗》 도망가다. **~ *off*** 〖蹴〗 킥오프하다; 《口》 시작하다; 《俗》 죽다. **~ *out*** 《口》 걷어차 쫓아내다; 해고하다. **~ *up*** (…을) 차올리다; (소동 따위를) 일으키다. ── ***n.*** ① Ⓒ 차기; 한번 차기; (총의) 반동. ② Ⓒ 《口》 반항, 거절, 불평. ③ (the ~) 해고. ④ Ⓒ 《口》 흥분, 스릴. ⑤ Ⓒ 〖蹴〗 킥; 차는 사람. ⑥ Ⓤ 《口》 (위스키 등의) 자극성. ⑦ (병 밑의) 불쑥 올라온 바닥. ***get* 〔*give*〕 *the ~*** 해고당하다〔시키다〕.
kíck·bàck *n.* Ⓤ,Ⓒ 《美口》 (급격한) 반동, 반발; 부당한 수입의 상납; (급료의 일부를) 떼어내기.
kíck bòxing 킥복싱.
kíck·òff *n.* Ⓒ 〖蹴〗 킥오프.
kíck·shàw (<F. *quelque chose*) *n.* Ⓒ 훌륭한 요리, 별미(別味); 시시한〔하찮은〕 것(trifle).
kíck·sòrter *n.* Ⓒ 〖電〗 박동선별(拍動選別) 기록계.
kíck·ùp *n.* Ⓤ 차올리기; 《口》 소동.
:kid[1] [kid] *n.* ① Ⓒ 새끼염소. ② Ⓤ

그 가죽〔고기〕, 키드 가죽. ③ (*pl.*) 키드 장갑〔구두〕. ④ Ⓒ《口》 어린애.
kid[2] *vt., vi.* (*-dd-*)《口》 놀리다; 속이다. ***No ~ding!***《美口》 농담 마라.
Kidd[kid], **William** (*'Captain Kidd'*)(1645?-1701) 영국의 해적.
kid·der[kídər] *n.* Ⓒ《口》 속이는〔놀리는〕 사람.
kid·die, -dy[kídi] *n.* Ⓒ《口》 어린애, 꼬마.
***kid·nap**[kídnæ̀p] *vt.* (《英》 *-pp-*) (어린애를) 채가다, 유괴하다. **~·er,** 《英》 **~·per** *n.* Ⓒ 유괴자. **~·ing,** 《英》 **~·ping** *n.* Ⓤ 유괴.
kid·ney**[kídni] *n.* ① Ⓒ 신장(腎臟), 콩팥. ② (*sing.*) 성질, 종류. ***contracted ~ 〖醫〗 위축신(萎縮腎).
kídney bèan 강낭콩.
kídney machìne 인공 신장.
kídney stòne 〖鑛〗 연옥(軟玉); 〖解〗 신장 결석(結石).
kíd('s) stùff 《俗》 하찮은 것〔일〕.
kier[kiər] *n.* Ⓒ (표백·염색용의) 큰 솥.
kike[kaik] *n.* Ⓒ《美俗·蔑》 유대인 「(Jew).
Kil·i·man·ja·ro [kìliməndʒάːrou] *n.* Tanganyika에 있는 아프리카의 최고봉.
†**kill**[kil] *vt.* ① 죽이다; 말라 죽게하다. ② (병·바람의) 기세를 꺾다. ③ (시간을) 보내다. ④ (소리를) 죽이다. ⑤ 엷게 하다; 약하게 하다. ⑥ (의안 따위를) 부결하다; 〖電〗 (회로를) 끊다. ⑦ 지치게하다; 뇌쇄(惱殺)하다. ***dressed*** 〔***got up***〕 ***to ~*** 홀딱 반할 몸차림으로. ***~ by inches*** 애태우며〔괴롭히며〕 천천히 죽이다. ***~ oneself*** 자살하다. ***~ or cure*** 운을 하늘에 걸고. ***~ with kindness*** 친절이 지나쳐 도리어 화가 미치게 하다. ── *n.* Ⓒ 살생; (사냥의) 잡은 것; Ⓤ 〖컴〗 없앰. ***⁀·er*** *n.* Ⓒ 죽이는 사람〔동물·것〕; 살인자; = **⁀·er whàle** 범고래. ***⁀·ing** *a., n.* 죽이는; 힘겨운; 뇌쇄적인; 《美》 우스워 죽을 지경인; Ⓤ,Ⓒ 죽이는 일, 도살; Ⓒ 사냥에서 잡은 것; (a ~) 《口》 큰 벌이〔수지〕.
kíll-and-rún wár[kílənrʌ́n-] 게릴라 전.
kíll-jòy *n.* Ⓒ 흥을 깨뜨리는 사람 (cf. wet blanket).
kíll ràte 〔**ràtio**〕 (전쟁·폭동 등에서 양측의) 살생률.
kíll-tìme *n.* Ⓒ 소일 (거리).
kiln[kiln] *n.* Ⓒ 가마(oven), 노(爐).
kil·o[kí(ː)lo/kíːlou] *n.* (*pl.* **~s**) Ⓒ 킬로(그램, 미터, 리터 따위).
ki·lo-[kílou, -lə] *pref.* '천'의 뜻. **⁀·càlorie** *n.* Ⓒ 킬로칼로리《천칼로리》. **⁀·cỳcle** *n.* =KILOHERTZ. **⁀·eléctron vólt** 〖電〗 킬로일렉트론 볼트《생략 kev》. ***⁀·gràm,** 《英》 **⁀·gràmme** *n.* Ⓒ 킬로그램《생략 kg》. **⁀·gràmmeter,** 《英》 **⁀·gràmmetre** *n.* Ⓒ 킬로그램미터《1kg의 물건을 1m 올리는 일의 양》. ***⁀·hèrtz** *n.* Ⓒ 킬로헤르츠《주파수의 단위》. ***⁀·lìter,** 《英》 **⁀·lìtre** *n.* Ⓒ 킬로리터. ***⁀·mèter,** 《英》 **⁀·mètre** *n.* Ⓒ 킬로미터. **⁀·tòn** *n.* Ⓒ 1000톤, (원·수폭의) TNT 1000톤 상당의 폭파력. ***⁀·wàtt** *n.* Ⓒ 킬로와트《전력 단위, 1000와트》. **⁀·watthóur** *n.* Ⓒ 킬로와트 시(時)《1시간 1킬로와트의 전력》.
kilt[kilt] *n.* Ⓒ 킬트《스코틀랜드 고지 지방의 남자용 짧은 치마》. ── *vt.* 접어〔걷어〕 올리다(tuck up); (…에) 주름을 잡다. **~·ed**[⁀id] *a.* 킬트를 입은; 세로 주름이 있는.
kil·ter[kíltər] *n.* Ⓤ《美口》 좋은 상태, 호조(好調)(*Our radio is in* 〔*out of*〕 *~.* 우리 라디오는 상태가 좋다〔나쁘다〕).
kim·chi[kímtʃi] *n.* (Korean) Ⓤ 김치.
ki·mo·no[kimóunə] *n.* (Jap.) Ⓒ 일본 옷; 여성용 느슨한 화장옷.
kin**[kin] *n.* Ⓤ 친척; 혈족 관계. ***near 〔***next***〕 ***of ~*** (최)근친인. ***of ~*** 친척인; 같은 종류인. **~·ship** [⁀ʃip] *n.* Ⓤ 혈족 관계; (a ~) 유사(類似).
†**kind**[1][kaind] *a.* 친절한; 상냥한. ‡**⁀·ness** *n.* Ⓤ,Ⓒ 친절(한 태도·행위), 상냥함; 우정.
†**kind**[2] *n.* ① Ⓒ 종류; 종족, 부류. ② Ⓤ 성질. ***in ~*** (돈 아닌) 물품으로(*payment in ~* 현물 급여〔지급〕); 같은 (종류의) 물건으로; 본질적으로. ***~ of*** 《口》 거의; 오히려; (…과) 같은. ***of a ~*** 같은 종류의; 이름〔명색〕뿐인, 엉터리의.
kind·a [⁀ə], **kind·er** [⁀ər] *ad.* 《俗》 =KIND[2] of.
***kin·der·gar·ten** [kíndərgὰːrtn] *n.* (G.) Ⓒ 유치원. **~·er, -gart·ner** *n.* Ⓒ (유치원의) 원아; 보모.
kínd·héarted *a.* 친절〔상냥〕한.
‡**kin·dle**[kíndl] *vt.* ① (…에) 불을 붙이다; 점화하다. ② 밝게 하다. ③ (정열 따위를) 타오르게 하다. ── *vi.* 불이 붙다; 빛나다; 흥분하다.
kin·dling[kíndliŋ] *n.* Ⓤ (보통 *pl.*) 불쏘시개.
‡**kind·ly**[káindli] *a.* ① 친절한, 상냥한. ② (기후가) 온화한. ── *ad.* ① 친절히, 상냥하게. ② 기꺼이, 쾌히. ***take*** (***it***) ***~*** (그것을) 선의로 해석하다; 쾌히 받아들이다. ***take ~ to*** …을 좋아하다. ***kínd·li·ness** *n.*
‡**kin·dred**[kíndrid] *n., a.* Ⓤ ① 혈족(의), 일가 권속(의). ② 친척 관계(의); 유사(類似)(한).
kine[kain] *n. pl.* 《古·方》 (암)소 (cows).
kin·e·ma[kínəmə] *n.* =CINEMA.
kin·e·mat·ic[kìnəmǽtik/kàin-, kìn-] *a.* 〖理〗 운동학(상)의. **~s** *n.* Ⓤ 운동학.
kin·e·mat·o·graph [kìnəmǽtəgræ̀f/kàinimǽtəgrὰːf, kìn-] *n.* = CINEMATOGRAPH.
kin·e·scope[kínəskòup] *n.* Ⓒ 《美》 키네스코프《텔레비전 수상용 브

라운관》; 키네스코프 영화.
ki·ne·sics[kiní:siks, kai-] *n.* Ⓤ (의사 전달 수단으로서의) 신체 동작 연구학.
kin·es·thet·ic[kìnəsθétik, kài-] *a.* 근육 운동 감각의.
ki·net·ic[kinétik, kai-] *a.* 〖理〗 운동의〔에 의한〕; 활동력이 있는. **~s** *n.* Ⓤ 동역학(動力學).
kinétic árt 움직이는 예술.
kinétic énergy 〖理〗 운동 에너지.
kin·folk(s)[kínfòuk(s)] *n. pl.* 《口》 =KINSFOLK.
†**king**[kiŋ] *n.* ① Ⓒ 임금, 왕, 국왕. ② (K-) 신, 그리스도. ③ Ⓒ 《口》 왕에 비기는 것; 최상급의 종류. ④ Ⓒ (카드의) 킹, (체스의) 왕. ⑤ (Kings) 〖舊約〗 열왕기(列王記)《상·하 2부》. **~ *of beasts*** 백수(百獸)의 왕(lion). **~ *of birds*** =EAGLE. ***K-of Kings*** 천제(天帝), 황제; 예수.
***king·ly**[kíŋli] *a., ad.* 왕의; 왕다운〔답게〕; 위엄 있는.
kíng·bìrd *n.* Ⓒ 〖鳥〗 (아메리카산) 딱새류(類).
kíng·bòlt *n.* Ⓒ 〖機〗 중심볼트.
kíng cóbra 킹코브라《동남아산의 큰 독사》.
kíng·cràft *n.* Ⓤ 왕정(王政), 왕도.
‡**king·dom**[ˊdəm] *n.* Ⓒ ① 왕국. ② 〖生〗 …계(界). ③ (연구의) 분야. ***the animal*** 〔***vegetable, mineral***〕 **~** 동물〔식물, 광물〕계.
kíngdom cóme 저승, 천국.
kíng·fish *n.* Ⓒ 북미 연안의 대형 식용어; 《美口》 거물, 거두.
kíng·fisher *n.* Ⓒ 〖鳥〗 물총새.
Kíng Jámes Vérsion =AUTHORIZED VERSION.
king·let[ˊlit] *n.* Ⓒ 소왕(小王); 작은 나라의 왕.
King-of-Arms[ˊəvá:rmz] *n.* (*pl.* ***Kings-of-Arms***) Ⓒ 《英》 문장국(紋章局) 장관.
kíng·pìn *n.* Ⓒ (볼링의) 전면〔중앙의〕 기둥; 《口》 중요 인물, 우두머리; =KINGBOLT.
kíng pòst 〖建〗 마룻대공.
kíng's Énglish, the ⇨ ENGLISH.
kíng's évil ⇨ EVIL.
kíng's híghwày (천하의) 공도(公道).
king·ship[kíŋʃìp] *n.* Ⓤ 왕의 신분〔자리·권리〕; 왕권, 왕위.
kíng-sìze(d) *a.* 《口》 특대형의.
kíng snàke (미국 남부의) 큰 뱀《무독》.
kíng's ránsom 거액의 돈.
Kíng Stórk 폭군.
kink[kiŋk] *n.* Ⓒ 엉클어짐, 꼬임; 비틀림(twist); 근육의 경련; 성질의 비뚤어짐; 괴팍한 성질; 옹고집, 변덕; 결함. — *vi., vt.* 엉클어지(게 하)다. **~·y**[kíŋki] *a.* 비꼬인; 꼬이기 쉬운.
kin·ka·jou[kíŋkədʒù:] *n.* Ⓒ 〖動〗 완웅(浣熊)《너구리의 일종》.
kínky bóot 검은 가죽의 여성용 긴 부츠.
Kin·sey[kínzi], **Alfred C.** (1894-1956) 미국의 동물학자·성(性) 연구가. **~'s *report*** 킨제이 보고.
kins·folk[kínzfòuk] *n. pl.* 친척.
***kins·man**[kínzmən] *n.* Ⓒ 남자 친척.
kíns-wòman *n.* Ⓒ 여자 친척.
ki·osk[kí:ɑsk/kí(:)ɔsk] *n.* Ⓒ (터키 등지의) 정자; (역의) 매점; (지하철의) 입구; (재즈 등의) 연주대(臺).
kip[kip] *n.* Ⓤ 작은〔어린〕 짐승의 가죽; Ⓒ 그 가죽의 묶음.
Kip·ling[kípliŋ], **Rudyard** (1865-1936) 영국의 소설가.
kip·per[kípər] *n.* ① Ⓤ,Ⓒ 말린〔훈제(燻製)의〕 청어〔연어〕. ② Ⓒ 산란기 중〔후〕의 연어 수컷. — *vt.* 건물(乾物)〔훈제〕로 하다.
Kir·ghiz[kiərgí:z/kə́:rgiz] *n.* Ⓒ 키르기스 사람《중앙 아시아 서부의 몽골 인종》; Ⓤ 키르기스어(語).
kirk[kə:rk] *n.* 《Sc.》 =CHURCH.
kir·mess[kə́:rmis] *n.* =KERMIS.
kir·tle[kə́:rtl] *n.* Ⓒ 《古》 스커트, 슬립, 여성복; (남자용) 짧은 겉옷.
kis·met[kízmet, -s-] *n.* (Turk.) Ⓤ 운명.
†**kiss**[kis] *n., vt., vi.* Ⓒ ① 키스〔입맞춤〕(하다). ② 가볍게 스치다〔스치기〕. ③ 당과(糖菓)의 일종. **~ *and be friends*** 키스하여 화해하다. ***blow a*** **~** (손시늉으로) 키스를 보내다. **~ *away*** (눈물을) 키스로 닦아주다. **~ *one's hand to*** …에게 키스를 던지다. **~ *the Bible*** 〔***Book***〕 성서에 입맞추고 선서하다. **~ *the dust*** 굴복하다. **~ *the ground*** 넙죽 엎드리다; 굴욕을 당하다.
kíss·er *n.* Ⓒ 키스하는 사람; 《俗》 입; 입술; 얼굴.
kíss·ing *a., n.* 키스하는〔하기〕.
kíssing cóusin 〔**kín**〕 (만나면 인사나 할 정도의) 먼 친척.
kíssing diséase 전염성 단핵증(單核症), 키스 병.
kíss-òff *n.* Ⓤ,Ⓒ 《美俗》 면직, 해고.
***kit**[1] [kit] *n.* ① Ⓒ 《英》 나무통〔주머니〕, 통. ② Ⓤ,Ⓒ 《주로 英》 장구(裝具), 장비, 복장 일습. ③ Ⓒ (장색의) 연장〔용구〕 그릇, 용구 상자. ④ Ⓒ 연장〔용구〕 일습. ⑤ =KITBAG. ⑥ 〖컴〗 짝맞춤.
kit[2] *n.* Ⓒ 새끼 고양이.
kít·bàg *n.* Ⓒ 〖軍〗 잡낭(雜囊); (아가리가 큰) 여행 가방.
†**kitch·en**[kítʃən] *n.* Ⓒ 부엌, 주방.
kítchen càbinet (대통령·장관의) 사설 고문단.
kitch·en·et(te)[kìtʃənét] *n.* Ⓒ (아파트 따위의) 간이 부엌.
kítchen gàrden 남새밭, 채원(菜園).
kítchen gàrdener 야채 재배 농가.
kítchen·màid *n.* Ⓒ 식모.
kítchen mìd·den[-mìdn] (<Du.) 〖考〗 조개무지.
kítchen políce 〖軍〗 취사 근무; 《집합적》 취사병《생략 K.P.》.
kítchen sínk 부엌의 개수대.
kítchen stùff 찬거리; 부엌 찌꺼기.
kítchen ùnit 《英》 부엌 설비 일습.

《하수대·조리대·찬장 등》.
kítchen·wàre *n.* Ⓤ 취사 도구, 부엌 세간.
kite**[kait] *n.* Ⓒ ① 솔개. ② 연. ③ 사기꾼. ④〖商〗융통 어음. ***fly a ~ 연을 날리다; 여론을 살피다. ── *vi.*《口》솔개처럼 날다; 빠르게 움직이다. ── *vt.*〖商〗융통 어음으로 바꾸다.
kith[kiθ] *n.*《다음 용법으로만》. ***~ and kin*** 친척(연고자), 일가 친척.
kitsch[kitʃ] *n.* Ⓤ 통속 문학(의 재료); 저속한 허식성.
:kit·ten[kítn] *n.* Ⓒ ① 새끼 고양이. ② 말괄량이. ***have*** (***a litter of***) ***~s***《美俗》안절부절 못하다; 잔뜩 화내다. **~·ish** *a.* 새끼 고양이 같은; 해롱거리는; 요염한.
kit·ti·wake[kítiwèik] *n.* Ⓒ 갈매기의 일종.
kit·tle[kítl] *a.*《Sc.》간지러워하는; 다루기 힘든.
kíttle càttle《집합적》사나운 황소;《美方》다루기 힘든 패거리.
***kit·ty**[1][kíti] *n.* Ⓒ 새끼 고양이(kitten).
kit·ty[2] *n.* Ⓒ (포커의) 판돈; 공동 자금.
Ki·wa·nis[kiwɑ́:nis] *n.* 키와니스 클럽《미국·캐나다 실업가의 사교 단체(1915 결성)》.
ki·wi[kí:wi(:)] *n.* Ⓒ 키위《뉴질랜드산의 날개 없는 새》;《口》뉴질랜드 사람;《英空俗》(공군의) 지상 근무원.
KKK, K.K.K. KU KLUX KLAN.
kl, kl. kiloliter.
Klan[klæn] *n.* =KU KLUX KLAN.
Klax·on[klǽksən] *n.*〖商標〗클랙슨《자동차의 전기 경적》.
Klee[klei], **Paul** (1899-1940) 스위스의 추상파 화가.
Kleen·ex [klí:neks] *n.* Ⓤ〖商標〗클리넥스《tissue paper의 일종》.
klep·to·ma·ni·a [klèptəméiniə, -njə] *n.* Ⓤ (병적) 도벽(盜癖). **-ac** [-niǽk] *n.* Ⓒ 절도광.
klíeg lìght[klí:g-]《美》〖映〗촬영용 아크 등(燈).
Klíne tèst[kláin-] 클라인 시험《매독 혈청의 침강 반응》.
Klutz[klʌts] *n.* Ⓒ《美俗》손재주 없는 사람; 바보.
Klys·tron [kláistrən, klís-] *n.* Ⓤ〖商標·電子〗클라이스트론 (진공관), 속도 변조관(變調管).
km, km. kilometer(s). **KMA** Korean Military Academy. **KMAG** Korean Military Advisory Group. **KMC** Korean Marine Corps.
K-mes·on[kéimézɑn, -mí:sɑn] *n.* Ⓒ〖理〗K 중간자(kaon).
***knack**[næk] *n.* (*sing.*) ① 숙련된 기술; 요령. ② 버릇.
***knap·sack**[nǽpsæ̀k] *n.* Ⓒ 배낭.
:knave[neiv] *n.* Ⓒ ① 악한, 무뢰한, 악당. ②〖카드〗잭.
knav·er·y[néivəri] *n.* Ⓒ 무뢰한의 행위; Ⓤ 부정, 속임, 사기.
knav·ish[néiviʃ] *a.* 악한의(같은); 부정한.
***knead**[ni:d] *vt.* 반죽하다; 안마하다.
knéading-tròugh *n.* Ⓒ 반죽통.
†knee[ni:] *n.* Ⓒ ① 무릎; 무릎 모양의 것. ② (옷의) 무릎 (부분). ***bring*** (*a person*) ***to one's ~s*** 굴복시키다. ***fall*** (***go down***) ***on one's ~s*** 무릎을 꿇다. ***on hands and ~s*** 기어서. ***on the ~s of the gods*** 인력(人力)이 미치지 않는; 미정의. ── *vt.* 무릎으로 치다(밀다).
knée brèeches (궁내관(宮內官) 등의) 반(半)바지.
knée·càp *n.* Ⓒ 슬개골, 종지뼈, 무릎 받이.
knée-déep *a.* 무릎 깊이의.
knée-hígh *a.* (신발 따위) 무릎 높이의. ***~ to a grasshopper***《口》아주 작은.
knée jèrk〖醫〗무릎(슬개) 반사.
knée jòint 무릎 관절.
:kneel[ni:l] *vi.* (***knelt, ~ed***) 무릎을 꿇다(*before, down, to*). ***~ to*** …앞에 무릎 꿇다; …을 간원하다. ***~ up*** 무릎을 짚고 일어서다.
knée·pàd *n.* Ⓒ (보호용) 무릎에 덧대는 것.
knée·pàn *n.* Ⓒ 슬개골, 종지뼈.
***knell**[nel] *n.* Ⓒ 조종(弔鐘) 소리; 불길한 징조. ── *vt., vi.* (조종을(이)) 울리다; 슬픈 소리를 내다; 궂은 일을 알리다.
:knelt[nelt] *v.* kneel의 과거(분사).
†knew[nju:] *v.* know의 과거.
Knick·er·bock·er [níkərbɑ̀kər/-bɔ̀-] *n.* Ⓒ (네덜란드계(系)) 뉴욕 사람; (k-)(*pl.*) =**knickers** 무릎 아래에서 졸라매는 낙낙한 반바지.
knick·knack[níknæ̀k] *n.* Ⓒ 자지레한 장식품; (장식용) 골동품.
†knife[naif] *n.* (*pl.* ***knives***) Ⓒ 나이프, 식칼; 메스. ***a ~ and fork*** 식탁용 나이프와 포크; 식사. ***before you can say ~***《口》순식간에. ***cut like a ~*** (바람 따위가) 살을 에는 듯하다. ***play a good*** (***capital***) ***~ and fork*** 배불리 먹다. ***under the ~*** 외과 수술을 받아. ── *vt.* 나이프로 베다; 단도로 찌르다(찔러 죽이다); 비겁한 수법으로 해치우려 하다.
knífe grìnder 칼 가는 사람.
knífe-machìne *n.* Ⓒ 칼가는 기구.
knífe-pòint *n.* Ⓒ 나이프의 칼끝. ***at ~*** 나이프로 위협받고.
knífe swìtch〖電〗나이프스위치《칼 모양의 개폐기》.
:knight[nait] *n.* Ⓒ ① (중세기) 기사. ②《英》나이트작(爵)의 사람《baronet의 아래로 Sir의 칭호가 허용됨》. ③〖체스〗나이트. ***Knights of columbus*** 미국 가톨릭 자선회(1882 창립). ***Kinghts of the Round Table*** (Arthur 왕의) 원탁(圓卓) 기사단. ── *vt.* (…에게) 나이트작(爵)을 주다. **∠·hòod** *n.* Ⓤ 기사의 신분, 기사도, 기사 기질;《집

K

합적》 기사단. *∠·ly *a., ad.* 기사의; 기사다운[답게], 용감한.
kníght-érrant *n.* (*pl.* ***knights-errant***) Ⓒ 무사 수행자(修行者). **~ry** *n.* Ⓤ 무사 수행.
Kníght Témplar (*pl.* ***Kinghts Templars***) 〖史〗 템플 기사단《성지 순례와 성역(聖域) 보호를 목적으로 하는》; (미국의 비밀 결사) 'Knights Templars'의 일원(一員).
:**knit**[nit] *vt.* (***~ted, knit; -tt-***) ① 뜨다, 짜다. ② 밀착시키다. ③ (눈살을) 찌푸리다. — *vi.* 편물[뜨개질]하다; 접합하다. **~ *goods*** 메리야스류. **~ *up*** 짜깁다; 결합하다. ***well-~*** (***frame***) 꽉 째인(체격), 튼튼한.
knít·ting[nítiŋ] *n.* Ⓤ,Ⓒ 뜨개질, 편물, 뜨개질 세공.
knítting machìne 메리야스 기계, 편물기.
knítting nèedle 뜨개 바늘.
knít·wèar *n.* Ⓤ 니트웨어, 편물(류).
:**knives**[naivz] *n.* knife의 복수.
*__knob__[nɑb/-ɔ-] *n.* Ⓒ 마디, 혹; (문·서랍 등의) 손잡이; 《美》 작고 둥근 언덕. ***with ~s on*** 《俗》 게다가, 설상가상으로. **∠·by** *a.* 마디[혹] 많은, 마디[혹]같은.
†**knock**[nɑk/-ɔ-] *vt.* ① 치다; (문을) 두드리다; 부딪치다. ② 《俗》 깜짝 놀라게 하다. ③ 《美口》 깎아내리다, 헐뜯다. — *vi.* ① 치다; (문을) 두드리다; 부딪다. ② (엔진이) 덜거덕거리다; 《美口》 험담하다. **~ *about*** (남을) 학대하다; 두들겨 패다; 《口》 배회하다. **~ *against*** 충돌하다; (공교롭게) 만나다. **~ *away*** 두들겨서 떼다[벗기다]. **~ *back*** 《俗》 (술을) 단숨에 들이켜다. **~ *cold*** 때려 기절시키다; = ~ out. **~ *down*** 때려 눕히다; 분해하다; (경매에서) 경락(競落)시키다(*to*); 《俗》 (급료를) 타다, 벌다. **~ *for a goal*** = ~ for a loop. **~ *for a loop*** 《美俗》 완전히 해치우다, 재빨리 처치[처리]하다, 아연하게 만들다. **~ *in*** 두들겨 넣다, 처박다. **~ *into a cocked hat*** 쳐부수다, 엉망을 만들다. ***K- it off!*** 《美俗》 (이야기·농담을) 그만둬라! **~ *off*** 두드려 떨어버리다; (일을) 중지하다; 《口》 제꺽제꺽 해치우다; 《美俗》 …을 죽이다. **~ *out*** 두들겨 보내다; 〖拳〗 녹아웃시키다. **~ *over*** 쳐서 쓰러뜨리다. **~ *together*** 충돌시키다[하다]; 벼락치기로 만들다, 급조하다. **~ *under*** 항복하다(*to*). **~ *up*** 두들겨 일으키다; 쳐 올리다; 《英口》 녹초가 되(게 하)다; 벼락치기로 만들다. — *n.* Ⓒ 치기; (문을) 두드림; 그 소리; 노크; (엔진의) 노킹(소리). — *a.* 시끄러운; (노동복 등이) 튼튼한. *∠·**er** *n.* Ⓒ 두들기는 사람[것]; 문에 달린 노크하는 쇠. **∠·ing** *n.* (엔진의) 노킹.
knóck·abòut *n.* Ⓒ 〖海〗 소형 돛배의 일종.
*__knóck·dòwn__ *a.* ① 타도하는, 압도적인. ② (가구 등이) 조립식인. ③ 최저 가격의. — *n.* Ⓒ ① 때려 눕힘, 압도적인 것. ② 조립식 가구(따위). ③ 할인. ④ 치고받음.
knóck-dòwn-and-drág-òut *a.* 가차 없는, 철저한, 압도적인.
knóckdown expòrt 현지 조립 수출.
knóck-knèed *a.* 안짱다리의.
knóck-òff *n.* Ⓒ (일의) 중지; 그 시간; (기계 등의) 급정지; 《美》 복식 디자인의 복제(複製).
knóck·òn *a.* (소립자 등이) 충격에 의해 방출되는.
*__knóck·òut__ *n.* Ⓒ ① 〖拳〗 녹아웃; 큰 타격. ② 《口》 굉장한 것[사람].
knoll[noul] *n.* Ⓒ 작은 둔덕[산].
:**knot**[nɑt/-ɔ-] *n.* Ⓒ ① 매듭; 나비매듭. ② 혹; (나무의) 마디. ③ 무리, 떼. ④ 곤란, 난국; 분규. ⑤ 〖海〗 노트, 해리(海里). ***cut the*** (***Gordian***) **~** 어려운 일을 과감하게 처리하다. ***in ~s*** 삼삼오오. — *vt.* (***-tt-***) 매다; 매듭을 짓다. — *vi.* 매어[맺어]지다. **~·ted**[∠id], **∠·ty** *a.* 매듭있는; 어려운.
knót·hèad *n.* Ⓒ 멍텅구리.
knót·hòle *n.* Ⓒ 옹이 구멍.
†**know**[nou] *vt., vi.* (***knew; ~n***) ① 알(고 있)다; 이해[체험]하고 있다. ② 인지하다; 분간[식별]하다. ***all one ~s*** 《口》 전력을 다해. **~ *a thing or two*** 《口》 빈틈이 없다, 세상 물정에 밝다. **~ *for certain*** 확실히 알고 있다. **~ *of*** …에 관하여 알고 있다. **~ *what's what*** 만사(萬事)를 잘 알고 있다. ***you ~*** 아시다시피. — *n.* 《다음의 용법뿐》 ***be in the ~*** 《口》 사정[내막]을 잘 알고 있다. **∠·a·ble** *a.* 알 수 있는.
knów-hòw *n.* Ⓤ (어떤 일을 하는 데의) 지식, 요령.
:**know·ing**[nóuiŋ] *a.* ① 알고 있는; 빈틈 없는. ② 아는 체하는. ③ 《口》 멋진. **~·ly** *ad.* 아는 체하고; 약삭빠르게; 알면서, 일부러.
knów-it-àll *a., n.* Ⓒ 《口》 (무엇이나) 아는 체하는 (사람).
†**knowl·edge**[nálidʒ/-ɔ́-] *n.* Ⓤ ① 지식; 이해. ② 학식, 학문. ***come to one's ~*** 알게 되다. ***not to my ~*** 내가 아는 바로는 그렇지 않다(not so far as I know). **~·a·ble** *a.* 지식이 있는; 교활한, 아는 체하는.
†**known**[noun] *v.* know의 과거 분사. — *a.* 알려진; 이미 알고 있는. ***make ~*** 공표[발표]하다.
knów-nòthing *a., n.* Ⓒ 무식한 (사람).
Knt. Knight.
*__knuck·le__[nʌ́kəl] *n.* Ⓒ ① 손가락 관절《특히 손가락 뿌리의》. ② (소·돼지 따위의) 무릎 고기. ③ (*pl.*) 주먹. ***near the ~*** 《口》 아슬아슬한 (농담 등)(risky). — *vi.* (구슬치기(marbles)할 때) 손가락 마디를 땅에 대다. **~ *down*** 항복하다(*to*); 열심히 하다. **~ *under*** 항복하다(*to*).

knúckle bàll 〖理〗 너클볼.
knúckle-dùster *n.* Ⓒ (금속) 가락지(knuckles)《격투할 때 무기로 씀》.
knúckle·héad *n.* Ⓒ《美口》 바보(dumbbell), 숙맥.
knur[nəːr] *n.* Ⓒ (나무의) 옹이.
knurl[nəːrl] *n.* Ⓒ 마디, 혹; (동전 따위 가두리의) 깔쭉깔쭉한 데. **~ed, ∠·y** *a.* 마디〔혹〕투성이의.
KO, K.O., k.o. knockout.
ko·a·la[kouáːlə] *n.* Ⓒ 〖動〗 코알라.
ko·bold[kóubɑld, -bould/kɔ́bould] *n.* Ⓒ 〖독일 傳說〗 땅의 요정.
KOC Korean Olympic Committee.
Ko·dak[kóudæk] *n.* Ⓒ 〖商標〗 코닥《미국 Eastman사 사진기》.
K. of C. 《美》 Knight(s) of Columbus.
Koh·i·noor[kóuənùər] *n.* (the ~) 영국 왕실 소장의 대형 다이아몬드.
kohl·ra·bi[kòulrɑ́ːbi, ⌐⌐—/⌐⌐—] *n.* Ⓒ 〖植〗 구경(球莖) 양배추.
ko·la[kóulə] *n.* Ⓒ 〖植〗 (아프리카산의) 콜라 (열매).
kóla nùt 콜라 열매.
ko·lin·sky[kəlínski] *n.* 〖動〗 ① Ⓒ 시베리아 담비. ② Ⓤ 그 모피.
***kol·khoz,* -s**[kɑlkɔ́ːz/kɔl-] *n.* (Russ.) 콜호즈《집단 농장》.
Kom·in·tern[kɑ̀mintə́ːrn/-ɔ́-] *n.* =COMINTERN.
koo·doo[kúːduː] *n.* =KUDU.
kook[kuːk] *n., a.* Ⓒ 머리가 돈 (사람).
ko·peck, -pek[kóupek] *n.* Ⓒ (러시아) 코페이카 (동전)《1/100 루블》.
Ko·ran [kəræ̃n, -rɑ́ːn, kou-/kɔrɑ́ːn] *n.* (the ~) 코란《이슬람교 경전》.
:Ko·re·a[kouríːə, kə-] *n.* (<고려(高麗)) *n.* 한국. ***~n**[kəríːən/-rìən] *a., n.* 한국(인)의; Ⓒ 한국인; Ⓤ 한국어.
Koréa Stráit, the 대한 해협.
ko·sher[kóuʃər] *a.* 〖유대敎〗 (음식·식기가) 규정에 맞는; 정결한; 《俗》 정당한, 순수한, 좋은. — *vt., n.* Ⓒ (음식을) 규정〔법도〕에 따라 요리하다〔하는 식당〕; 정결한 요리.
KOTRA The Korea Trade Investment Promotion Corporation 대한 무역 투자 진흥 공사.
kou·mis(s), -myss[kuːmís, ⌐—] *n.* =KUMISS.
kow·tow[káutəu, ⌐⌐] *n., vi.* Ⓒ (Chin.) 고두(叩頭)(하다).
KP, K.P. kitchen police. **k.p.h.** kilometer(s) per hour. **Kr** 〖化〗 krypton.
kraal[krɑːl] *n.* Ⓒ (남아프리카 토인의 울타리 두른) 부락; (소·양의) 우리.
kraft[kræft/-ɑː-] *n.* Ⓤ 크라프트지(紙)《시멘트 부대 등에 쓰임》.
kra·ken[krɑ́ːkən] *n.* (노르웨이 앞바다에 나타난다는) 전설상의 바다의 괴물.
K ràtion 〖美軍〗 야전 휴대식량《3끼분, 3726 칼로리》.
Kraut[kraut] *n.* Ⓒ《俗》 독일 사람〔병사〕.
Krem·lin [krémlin] *n.* (the ~) (Moscow에 있는) 크렘린 궁전; 러시아 정부.
Kril·i·um[kríliəm] *n.* Ⓤ 〖商標〗 크릴리엄《토양(土壤) 개량제》.
kris[kriːs] *n.* =CREESE.
krish·na[kríʃnə] *n.* 〖印神〗 크리슈나신(神)《Vishnu의 여덟째 화신》.
Kriss Krin·gle [krís kríŋgəl] 《美》 =SANTA CLAUS.
kro·na [króunə] *n.* (*pl.* ***-nor*** [-nɔːr]) Ⓒ 크로나《아이슬란드의 화폐 단위》.
kro·ne[króunə] *n.* (*pl.* ***-ner*** [-nər]) Ⓒ 크로네《덴마크·노르웨이의 화폐 단위》; (*pl.* ***-nen***[-nən]) 크로네《옛독일의 10마르크 금화; 오스트리아의 은화》.
kryp·ton[kríptɑn/-ɔ-] *n.* Ⓤ 〖化〗 크립톤《희가스 원소; 기호 Kr》.
KS, K.S. Korean Standards.
Kshat·ri·ya[kʃæ̃triə/-ɑ́ː-] *n.* 크샤트리아《인도 4성 제도의 제 2계급; 왕후·무사 계급》.
Kt. Knight. **K.T.** Knight Templar; Knight of the Thistle.
KTB Korea Tourist Bureau.
KTS Korea Tourist Service.
Kua·la Lum·pur[kwɑ́ːlə lúmpuər] 말레이시아의 수도.
Ku·blai Khan [kúːblai kɑ́ːn] (1216?-1294) 쿠빌라이 칸(忽必烈汗)《원(元)나라의 초대 황제》.
ku·dos[kjúːdɑs/kjúːdɔs] *n.* (Gk.) Ⓤ《口》 영예, 명성.
ku·du[kúːduː] *n.* Ⓒ 〖動〗 (남아프리카산) 얼룩 영양.
Ku Klux·er[kjúːklʌksər] 3K 단원.
Ku Klux (Klan)[kjúː klʌks (klæ̃n), kjúː-] 《美》 큐클럭스클랜, 3K단《남북 전쟁 후 남부 백인의 흑인 박해 비밀 결사; 또 그 재현이라고 칭하는 1915년 조직의 비밀 결사》.
ku·lax[kuːlɑ́ːk, kúːlæk] *n.* (Russ.) (*pl.* ***-laki***[kuːlɑ́ːki]) Ⓒ (러시아의) 부농(富農).
ku·miss[kúːmis] *n.* Ⓤ 쿠미스《타타르 사람의 말젖 술》; 우유 술.
küm·mel[kíməl/kúm-, kím-] *n.* (G.) Ⓤ 퀴멜주(酒)《리큐어의 일종》.
kum·quat [kʌ́mkwɑ̀t/-ɔt] *n.* Ⓒ 〖植〗 금귤.
kung fu[kʌ́ŋ fùː] (Chin.) 쿵후《중국의 권법(拳法)》.
Kú·riel Íslands[kúːril-, kuríːl-] 쿠릴 열도.
Ku·wait[kuwéit] *n.* 쿠웨이트《아라비아 북동부의 이슬람교국》.
Kv, kv. kilovolt.
kvut·za[kəvùːtsɑ́ː, —⌐—] *n.* Ⓒ (이스라엘의) 소(小)집단 농장.
kw. kilowatt. **K.W.H., kw-h** kilowatt-hour.
kwash·i·or·kor [kwɑ̀ːʃiɔ́ːrkɔːr] *n.* Ⓤ,Ⓒ 〖醫〗 (열대 지방의) 소아 영양 장애 질환.
Ky. Kentucky.
ky·mo·graph[káimougræf, -grɑ̀ːf]

K

n. Ⓒ 카이머그래프《파동(波動) 곡선 기록 장치》.
kyr·i·e (e·le·i·son) [kíriѐi (eiléiisɑ̀n)/kírii (eiléiisɔ̀n)] *n.* (GK.) (the ~; 때로 K- (E-)) 〖宗〗 자비송(慈悲誦)《'주님, 자비를 베푸소서'의 뜻; 미사 중의 기도 문구》; Ⓒ 〖樂〗 (미사곡 중의) 기리에.

L

L, l [el] *n.* (*pl.* **L's, l's** [-z]) Ⓒ L자 모양의 것; 〖機〗 L자관(管); (the L) 《美口》 고가 철도(*an L station*); (로마숫자의) 50(*LXX* =70; *CL* = 150).
L, l. *libra*(L. =pound).
L. Latin; Liberal; Licentiate.
£ *libra*(*e*)(L. =pound(s))의 기호.
l. left; line; lira; lire; liter.
La 〖化〗 lanthanum.
***la** [lɑː] *n.* Ⓤ,Ⓒ 〖樂〗 (음계의) 라.
La. Louisiana. **L.A.** Latin America; Law Agent; Legislative Assembly; Library Association; Local Agent; Los Angeles.
laa·ger [lɑ́ːgər] *n., vt., vi.* Ⓤ《南아》 (짐마차 따위를 둥글게 방벽으로 배치한) 야영지; 야영하다.
lab [læb] *n.* 《口》 =LABORATORY.
Lab. Labor; Labourite; Labrador.
:la·bel [léibəl] *n., vt.* (《英》 *-ll-*) Ⓒ 라벨(을 붙이다), 꼬리표(를 달다); 레테르〔부전〕(를〔을〕 붙이다); 이름을 붙이다, …라고 부르다; 〖컴〗 이름표〔라벨〕(를〔을〕 붙히다).
la·bi·al [léibiəl, -jəl] *a.* 입술(모양)의; 〖音聲〗 순음(脣音)의. ― *n.* Ⓒ 순음《p, b, m, v 따위》.
la·bi·ate [léibièit, -biit] *a., n.* 입술 모양의; Ⓒ 꿀풀과 식물.
la·bile [léibil, -bail] *a.* 변화를 일으키기 쉬운; 〖理·化〗 불안정한.
la·bi·o·den·tal [lèibioudéntl] *n., a.* Ⓒ 〖音聲〗 순치음(脣齒音)《f, v 따위》(의).
la·bi·um [léibiəm] *n.* (*pl.* **-bia** [-biə]) Ⓒ 〖動·植〗 순상부(脣狀部); 〖解〗 음순(陰脣).
†la·bor, 《英》 **-bour** [léibər] *n.* ① Ⓤ 노동, 근로, 노력(勞力); 수고, 노고. ② Ⓒ (구체적인 개개의) 일. ③ Ⓤ (자본·경영에 대한) 노동, 노동자 계급; 《집합적》 노동자. ④ (L-) 《英》 노동당(의원들). ⑤ Ⓤ 산고, 진통, 분만. ***hard ~*** 중노동, 고역. ***in ~*** 분만 중에. ***~ and capital*** 노사(勞使) ***~ of love*** 좋아서 하는 일. ― *vi., vt.* 일하다〔시키다〕; 애써 만들다; (이하 *vi.*) 괴로워하다, 고생하다 (*under*); 진통으로 괴로워하다; (배가) 몹시 흔들리다; 난항(難航)하다. ***~ under*** …에 괴로워하다. **: ~·er** *n.* Ⓒ 노동자. **~·ing** *a.* 노동하는 (*~ing classes* 노동자 계급).
:lab·o·ra·to·ry [lǽbərətɔ̀ːri/ləbɔ́rətəri] *n.* Ⓒ 실험실, 연구실〔소〕; 제약실; 실험 (시간).
Lábor Bànk (노동 조합이 경영하는) 노동 은행.
lábor càmp 강제 노동 수용소.
Lábor Dày 《美》 노동절《9월 첫째 월요일, 미국·캐나다 이외에서는 5월 1일》.
Lábor Depàrtment 〔《英》 **Mìnistry**〕, **the** 노동부.
la·bored [léibərd] *a.* 애쓴; (동작·호흡 따위가) 곤란한; 부자연한.
lábor fòrce 노동력; 노동 인구.
lábor-intènsive *a.* 노동 집약형의.
***la·bo·ri·ous** [ləbɔ́ːriəs] *a.* 힘드는; 부지런한; 공들인. **~·ly** *ad.*
lábor màrket 노동 시장.
lábor pàins 산고, 진통.
lábor relàtions 노사 관계.
lábor-sàving *a.* 노동 절약의〔이 되는〕.
lábor tùrnover 노동자 이동수〔비율〕《신규 채용자·해고자의 평균 노동자에 대한 백분율》.
lábor ùnion 《美》 노동 조합.
†la·bour [léibər] ⇨LABOR.
Lábour Exchànge 《英》 직업 안정국.
La·bour·ite [léibəràit] *n.* 《英》 노동 당원.
Lábour Pàrty 《英》 노동당.
Lab·ra·dor [lǽbrədɔ̀ːr] *n.* 북아메리카 북동부의 반도.
la·bur·num [ləbə́ːrnəm] *n.* Ⓤ,Ⓒ 〖植〗 콩과의 낙엽 교목의 하나《부활절의 장식용》.
***lab·y·rinth** [lǽbərìnθ] *n.* ① (the L-) 〖그神〗 Daedalus가 설계한 미궁(迷宮). ② Ⓒ 미궁, 미로; 복잡한 관계. ③ (the ~) 〖解〗 내이(內耳). **-rin·thine** [læ̀bərínθi(ː)n/-θain] *a.* 미궁의〔과 같은〕.
LAC, L.A.C. leading aircraftsman 《英》 공군 하사관.
lac[1] [læk] *n.* Ⓤ 랙《인도의 깍지진디가 분비하는 나무진 같은 물질; 도료 원료》.
lac[2] *n.* Ⓒ 《印英》 10만; 무수.
:lace [leis] *n.* Ⓒ 끈, 꼰 끈; Ⓤ 레이스《가슴 장식, 테이블보, 커튼 등에 씀》; 몰; Ⓤ (커피 등에 탄) 소량의 브랜디〔진 따위〕. ***gold ~*** 금몰. ***~ boots*** 편상화. ― *vt.* 끈으로 죄다〔장식하다〕; (…에) 끈을 꿰다; 줄무늬로 하다; (소량을) 가미하다; 《口》 후려갈기다, 매질하다. ― *vi.* 끈으로 매다〔죄어지다〕; 매질하다, 비난하

다(*into*). ~ ***up one's shoes*** 구두끈으로 매다.

Lac·e·da(e)·mo·ni·an [læ̀sədimóuniən] *a., n.* =SPARTAN.

lac·er·ate[lǽsərèit] *vt.* (고기 따위를) 찢어 발기다; (마음을) 괴롭히다. **-a·tion**[⌒–éiʃən] *n.* ① Ⓤ 잡아찢음, 고뇌. ② Ⓒ 열상(裂傷).

láce·wìng *n.* Ⓒ 풀잠자리.

lace·wòrk *n.* Ⓤ 레이스(세공).

lach·ry·mal[lǽkrəməl] *a.* 눈물의; 〖解〗 눈물을 분비하는. ~ ***duct*** 누선(淚腺). — *n.* Ⓒ 눈물 단지(=⇩); (*pl.*) 누선.

lach·ry·ma·to·ry [lǽkrəmətɔ̀:ri/-təri] *a.* 눈물의; 눈물을 자아내는, 최루(催淚)의. ~ ***gas*** 〔***shell***〕 최루가스〔탄〕. — *n.* Ⓒ 〖古로〗 눈물 단지《장례식에 온 사람들의 눈물을 받았다는 목이 가는 조그마한 단지》.

lach·ry·mose[lǽkrəmòus] *a.* 눈물 잘 흘리는; 비통한, 슬픈, 슬픔을 자아내는.

lac·ing[léisiŋ] *n.* Ⓒ 끈; Ⓤ 금〔은·녹색〕 몰; (커피 등에 탄) 소량의 브랜디.

:lack[læk] *n.* ① Ⓤ 결핍, 부족. ② Ⓒ 필요한 것. ***by*** 〔***for, from, through***〕 ~ ***of*** …의 결핍 때문에. ***have*** 〔***there is***〕 ***no*** ~ ***of*** …에 부족함이 없다. — *vi.* (…이) 결핍하다, 모자라다(*in*). — *vt.* (…이) 결핍되다. **⌒·ing** *a., prep.* …이 결핍된; =WITHOUT.

lack·a·dai·si·cal [læ̀kədéizikəl] *a.* 생각〔시름〕에 잠긴, 감상적인. **~·ly** *ad.*

lack·er[lǽkər] *n.* =LACQUER.

lack·ey[lǽki] *n.* Ⓒ 종자(從者), 하인; 종; 추종자. — *vt., vi.* (…에) 따르다; 빌붙다.

láck·lùster, 《英》 **-tre** *n., a.* Ⓤ 광택 없음; (눈·보석 등) 흐리터분한.

La·co·ni·an [ləkóuniən] *a., n.* =SPARTAN.

la·con·ic[ləkɑ́nik/-ɔ́-], **-i·cal** [-əl] *a.* 간결한(concise). **-i·cal·ly** *ad.* **-i·cism**[-nəsìzəm] *n.* =LACONISM.

lac·o·nism[lǽkənìzəm] *n.* Ⓤ (표현의) 간결함; Ⓒ 간결한 어구〔문장〕, 경구〔警句〕.

·lac·quer[lǽkər] *n., vt.* Ⓤ,Ⓒ 래커〔옻〕(를〔을〕 칠하다); Ⓤ 《집합적》 칠기(漆器).

lac·quey[lǽki] *n., v.* =LACKEY.

lac·ri·mal, -ry·mal [lǽkrəməl] *a., n.* =LACHRYMAL.

la·crosse[ləkrɔ́(:)s, -rɑ́s] *n.* Ⓤ 라크로스《하키 비슷한 구기의 일종》.

lac·tase[lǽkteis] *n.* Ⓤ 〖生化〗 락타아제《젖당 분해 효소》.

lac·tate[lǽkteit] *vt.* 유화(乳化)하다. — *vi.* 젖을 내다; 젖을 빨리다〔먹이다〕. **lac·tá·tion** *n.*

lac·te·al[lǽktiəl] *a.* 젖(모양)의. — *n.* (*pl.*) 〖解〗 유미관(乳糜管).

lac·tic[lǽktik] *a.* 〖化〗 젖의, 젖에서 얻는.

láctic ácid 젖산.

lac·tom·e·ter [læktɑ́mitər/-tɔ́mi-] *n.* Ⓒ 검유기(檢乳器).

lac·tose[lǽktous] *n.* Ⓤ 〖化〗 락토오스, 젖당.

la·cu·na [ləkjú:nə] *n.* (*pl.* **~s, -nae**[-ni:]) Ⓒ 탈루, 탈문(脫文) (*in*); 공백, 결함(gap); 작은 구멍, 우묵 팬 곳; 〖解〗 (뼈 따위의) 소와(小窩).

la·cus·trine [ləkʌ́strin/-train] *a.* 「호수의.

lac·y[léisi] *a.* lace 같은.

:lad [læd] *n.* Ⓒ 소년, 젊은이(opp. lass); 《口》 (친근감을 주어) 녀석.

:lad·der[lǽdər] *n.* Ⓒ 사닥다리; (출세의) 연줄; 《英》(양말의) '전선(傳線)' (《美》run). ***get one's foot on the*** ~ 착수〔시작〕하다. ***kick down*** 〔***away***〕 ***the*** ~ 출세의 발판이었던 친구를〔직업을〕 차버리다. ***the*** (***social***) ~ 사회 계층.

ládder trùck 사다리(소방)차.

lad·die[lǽdi] *n.* 《Sc.》 =LAD.

lade[leid] *vt.* (**~d; ~d, ~n**) (짐을) 싣다(load); 퍼내다.

·lad·en [léidn] *v.* lade의 과거분사. — *a.* (무거운 짐이) 실린.

ládies' 〔**lády's**〕 **màn** 여성에게 곰살궂은 남자.

lad·ing[léidiŋ] *n.* Ⓤ 적재, 짐싣기; 선적; 뱃짐(load). BILL[1] ***of*** ~.

la·dle[léidl] *n., vt.* Ⓒ 국자(로 푸다, 퍼내다)(*out*). **~·ful**[-fùl] *n.* Ⓒ 한 국자 가득(한 양).

†la·dy[léidi] *n.* Ⓒ 숙녀, 귀부인; (신분에 관계 없이) 기품있는 여성; (L-) 《英》(성명에 붙여) …부인《'Lord' 또는 'Sir'로 호칭되는 이의 부인》; …양《백작 이상의 딸에 대한 경칭》; (L.) 성모마리아; 《一般》 여성에 대한 경칭 또는 호칭; (L-) (*pl.*) 여자 변소. ***my*** ~ 《호칭》 마님, 부인, 아(가)씨; 집사람(my wife). ***Our L-*** 성모 마리아. ***the first*** ~ 대통령〔주지사〕부인.

lády bèetle =⇩.

lády·bìrd 〔**·bùg**〕 *n.* Ⓒ 무당벌레.

lády chàir 손가마《두 사람의 팔로 만드는 부상자 운반용의》.

Lády Dày 성모 영보 대축일《3월 25일. quarter days 중의 하나》.

lády·fìnger *n.* Ⓒ 긴 카스텔라식 과자.

lády-hélp *n.* Ⓒ 《英》 (가족 대우의) 가정부.

lády-in-wáiting *n.* Ⓒ 시녀, 궁녀.

lády-kìller *n.* Ⓒ 《俗》 색한(色漢), 탕아; 호남자.

lády·lìke *a.* 귀부인다운〔같은〕, 우아한, 부드럽고 온화한.

lády·lòve *n.* Ⓒ 애인, 연인.

lády's fìnger 〖植〗 콩과의 식물《가축 사료》.

lády·shìp *n.* Ⓒ (Lady 칭호가 있는 이에 대한 경칭으로) 영부인, 영양(令孃)(*your* 〔*her*〕 *L-*); Ⓤ 부인〔귀부인〕임.

L

lády's màid 시녀, 몸종.
lády's màn =LADIES' MAN.
lády's slìpper 〖植〗 개불알꽃속(屬)의 식물.
lády's thùmb 여뀌속의 잡초.
*__lag__[læg] *vi.* (**-gg-**) 뒤떨어지다; 느릿느릿 걷다; 늦다. — *n.* Ⓒ 뒤떨어짐, 늦음; 시간의 착오, 지연. ***cultural* ~** 문화의 후진. ***time* ~** 시간의 지체.
lá·ger (béer)[lá:gər(-)] *n.* Ⓤ 저장 맥주《일종의 약한 맥주》.
lag·gard[lǽgərd] (<lag) *a., n.* 늦은, 느린; Ⓒ 느림보.
lag·ging[lǽgiŋ] *n.* Ⓤ (보일러 등의) 단열용 피복 시공; 그 피복(재).
la·gn(i)appe [lænjǽp, ⌐—] *n.* Ⓒ《美方》경품.
*__la·goon__ [ləgú:n] *n.* Ⓒ 개펄, 석호(汐湖)《바다에 접근한 호소(湖沼)》; 함수(鹹水)호, 염호; 초호(礁湖).
La Guár·di·a Áirport[lə gwá:rdiə-] New York 시 부근의 국제 공항.
la·ic[léiik] *a., n.* (성직자에 대해서) 속인의(lay); Ⓒ 평신도; 일반인(layman).
†**laid** [leid] *v.* lay¹의 과거(분사). — *a.* 가로놓인, 눕혀진. ***~ up*** 저장의; 집에 틀어박힌; 몸져 누워 있는; 〖船〗 (배를) 독(dock)에 넣은.
láid páper 투문(透紋) 있는 종이.
⁑**lain**[lein] *v.* lie²의 과거 분사.
lair¹[lɛər] *n.* Ⓒ 야수의 (소)굴; 숨는 장소; 《英》 쉬는 장소, 침상.
lair² *n.* Ⓒ 화려하게 모양을 낸 남자. — *vi.* 한껏 모양을 내다. ***~ed up*** 야한 몸차림을 한. **⌐·y** *a.*
laird[lɛərd] *n.* Ⓒ 《Sc.》 (대)지주, 영주(領主).
lais·sez* [*lais·ser*] *faire [lèsei fɛ́ər/léis-] (F.) 자유 방임주의; (상공업에 대한 정부의) 무간섭주의.
la·i·ty[léiəti] *n.* (the ~)《집합적》(성직에 대해서) 속인; 풋내기.
†**lake**¹[leik] *n.* Ⓒ 호수; 못.
lake² *n.* Ⓤ 레이크《다홍색 안료》; 다홍색, 진홍색.
Láke Dìstrict [Cóuntry], the (잉글랜드 북서부의) 호반 지방.
láke dwèller (유사 이전의) 호상(湖上) 생활자.
láke dwèlling (특히 유사 이전의) 호상 생활[주거].
Láke pòets, the 호반 시인《호반 지방에 살았던 Coleridge, Wordsworth 들》.
láke·sìde *n.* (the ~) 호반.
Láke Stàte, the 미국 Michigan 주의 별칭.
láke tròut 호수산(産)의 송어; (미국 5대호 산) 송어의 일종.
lakh[læk, lɑ:k] *n.* =LAC².
lam[læm] *vi., vt.* (**-mm-**), *n.* 《俗》 갈기다; (the ~) 도망(하다). ***be on the ~*** 도망 중이다.
Lam. Lamentations.
la·ma[lá:mə] *n.* Ⓒ (티베트·몽고의) 라마승(僧). ***Grand* [*Dalai*]** [dá:lai, dəlái/dǽ:-] ***L-*** 대(大)라마, 달라이 라마.
La·ma·ism[lá:məìzəm] *n.* Ⓤ 라마교(敎).
la·ma·ser·y[lá:məsèri/-səri] *n.* Ⓒ 라마 사원(寺院).
La·máze technìque[ləméiz-] 라마스 법《무통 분만법의 하나》.
Lamb[læm], **Charles**(1775-1834) 영국의 수필가·시인《필명 Elia》.
⁑**lamb** *n.* ① Ⓒ 새끼[어린]양. ② Ⓤ 새끼양 고기. ③ Ⓒ 순한[천진한] 사람; 풋내기 투기꾼. ***a wolf* [*fox*] *in ~'s skin*** 양의 탈을 쓴 이리[여우], 위선자. ***like a ~*** 순하게, 겁을 집어먹고; 잘 속아 넘어가는. ***the L- (of God)*** 예수. — *vt., vi.* (새끼양을) 낳다.
lam·baste[læmbéist] *vt.* 《口》 후려 갈기다; 몹시 꾸짖다.
lamb·da[lǽmdə] *n.* Ⓤ,Ⓒ 그리스어 알파벳의 열한째 글자《Λ, λ; 로마자의 L, l에 해당》.
lam·bent[lǽmbənt] *a.* (불꽃 등이) 어른거리는; (기지(機智) 등) 경묘한; (광선 등) 부드러운. **-ben·cy** *n.*
lamb·kin[lǽmkin] *n.* Ⓒ 새끼양.
lámb·skìn *n.* ① Ⓤ (털붙은) 새끼양가죽. ② Ⓒ 양피지.
⁑**lame**[leim] *a.* 절름발이의; (논설·변명 따위가) 불충분한, 앞뒤가 맞지 않는; (시의) 운율이 고르지 못한. ***go* [*walk*] *~*** 발을 절다. — *vt.* 절름발이[불구]로 만들다. **⌐·ly** *ad.* **⌐·ness** *n.*
láme dúck 《口》 불구자; 파산자; 《美口》 잔여 임기중에 있는 재선 낙선 의원; 부서진 비행기.
la·mel·la[ləmélə] *n.* (*pl.* **~s, -lae** [-li:]) Ⓒ 얇은 판자; 얇은 층.
⁑**la·ment**[ləmént] *vt., vi.* 슬퍼하다, 한탄하다(*over, for*). ***the ~ed*** 고인. — *n.* Ⓒ 비탄; 비가(悲歌).
⁑**lam·en·ta·ble**[lǽməntəbəl] *a.* 슬픈; 통탄할. **-bly** *ad.*
*__lam·en·ta·tion__ [læ̀məntéiʃən] *n.* Ⓤ 슬픔, 비탄; (the L-s) 〖舊約〗 예레미아의 애가(哀歌).
lam·i·na[lǽmənə] *n.* (*pl.* **~s, -nae** [-nì:]) Ⓒ 얇은 판자; 얇은 층.
lam·i·nal[lǽmənəl], **-nar**[-ər] *a.* 얇은 판자로 된; 얇은 층을 이루는. **~ *flow*** (공기·물의) 층류(層流).
lam·i·nate[lǽmənèit] *vt., vi.* 얇은 판자로 만들다[가 되다]. — [-nit] *a., n.* 얇은 판자 모양의; Ⓤ,Ⓒ 엽상(葉狀) 플라스틱; 합판 제품. **-na·tion** [⌐—néiʃən] *n.*
Lam·mas[lǽməs] *n.* 《英》 추수절 《8월 1일》(=⌐ **Dày**).
†**lamp**[læmp] *n.* Ⓒ 램프, 등불, (불)빛. (*These books*) ***smell of the ~.*** (이 책들은) 애써 쓴 형적이 뚜렷하다.
lámp·blàck *n.* Ⓤ (순)유연(油煙) 《흑색 안료·인쇄 잉크 등의 원료》.
lámp chìmney 등피.

lámp hòlder (전등의) 소켓.
lámp·lìght *n.* Ⓤ 등불.
lámp·lìghter *n.* Ⓒ (가로등의) 점등부(點燈夫).
lam·poon[læmpúːn] *n.* Ⓒ 풍자문, 풍자시. — *vt.* 풍자하다.
lámp·pòst *n.* Ⓒ 가로등 기둥.
lam·prey[lǽmpri] *n.* Ⓒ 〖魚〗 칠성장어.
lámp shàde 램프의 갓.
LAN 〖컴〗 local area network (근거리 통신망).
Lan·ca·shire[lǽŋkəʃìər] *n.* 잉글랜드 북서부의 주《면직 공업 중심지》.
Lan·cas·ter [lǽŋkəstər] *n.* Lancashire의 전 주도; 영국 왕가(1399–1461). **Lan·cas·tri·an**[læŋkǽstriən] *a., n.*
:lance[læns, -ɑː-] *n., vt.* Ⓒ 창(으로 찌르다); (*pl.*) 창기병(槍騎兵); 〖外〗 랜싯(lancet)(으로 절개하다).
lánce córporal 〖英軍〗 병장.
lánce jàck 《英俗》 =↑.
lan·ce·o·late [lǽnsiəlit, -lèit, -ɑ́ː-] *a.* 창끝 모양의; 〖植〗 (잎이) 피침형인.
lanc·er[lǽnsər, -ɑ́ː-] *n.* Ⓒ 창기병(槍騎兵); (*pl.*) 창기병 연대.
lánce sérgeant 〖英軍〗 최하위 중사; 중사 근무 하사.
lan·cet[lǽnsit, -ɑ́ː-] *n.* Ⓒ 〖外〗 랜싯, 피침(披針), 바소.
lan·ci·nate[lǽnsənèit, -ɑ́ː-] *vt.* 찌르다; 잡아 찢다.
Lancs, Lancs. Lancashire.
†land[lænd] *n.* ① Ⓤ 뭍, 육지, 지면, 토지. ② Ⓤ 땅, 소유지. ③ Ⓒ 국토, 국가. ***by*** ~ 육로로. ***go on the*** ~ 농부가 되다, 귀농하다. ***in the*** ~ ***of the living*** 이 세상에서. ***see how the*** ~ ***lies*** 사태를 미리 조사하다; 사정을 살피다. ***the L- of Enchantment*** 《美》 New Mexico 주의 별칭. ***the L- of Nod*** 졸음(의 나라). ***the L- of Promise*** 〖聖〗 약속의 땅《하느님이 Abraham에게 약속한 Canaan 땅》; 천국; (the l- of p-) 희망의 땅. — *vt.* 상륙〔양륙〕시키다; 하차〔하선·착륙〕시키다; 《口》 (상·일자리 등을) 얻다; (타격을) 가하다; (…에) 빠지게 하다. — *vi.* 상륙〔착륙·하차〕하다(*at*); 빠지다. ~ ***all over*** 《口》 …을 몹시 꾸짖다. *~·**ed**[∠id] *a.* 토지를 갖고 있는, 소유지의. ∠·**er** *n.* Ⓒ 상륙〔양륙〕자; 〖宇宙〗 착륙선.
lánd àgent 《美》 토지 매매 중개업자; 《英》 토지 관리인.
lan·dau[lǽndɔː] *n.* Ⓒ 4륜 포장 마차; 자동차의 일종.
lánd brèeze 육풍(陸風).
lánd·fàll *n.* Ⓒ 〖海〗 육지 접근; 육지가 처음으로 보임; 처음으로 보인 육지; 산 사태, 사태; 〖空〗 착륙.
lánd·fill *n.* Ⓤ (쓰레기) 매립; Ⓒ (쓰레기) 매립지.
lánd fòrce 육군, 육상 부대.
lánd frèeze 토지 (매매) 동결.
lánd-gìrl *n.* Ⓒ 《英》 (제 2 차 대전중의) 임시 여자 농장 노동자.
lánd-gràbber *n.* Ⓒ 토지 횡령자.
lánd grànt (정부의) 무상 토지 불하《학교·철도 부지를 위한》.
lánd·hòlder *n.* Ⓒ 지주; 차지인(借地人).
lánd·hòlding *n., a.* Ⓤ 토지 보유(의).
:land·ing[∠iŋ] *n.* ① Ⓤ,Ⓒ 상륙, 착륙, 하차; 하선, 양륙(揚陸). ② Ⓒ 층계참(platfrom).
lánding bèam 〖空〗 (계기 착륙용의) 착륙빔.
lánding cràft 〖美海軍〗 상륙용 주정.
lánding field 비행장.
lánding flàp 〖空〗 착륙 조작 보조익(翼).
lánding fòrce 상륙 부대.
lánding gèar 〖空〗 착륙〔착수〕 장치.
lánding lìght 〖空〗 착륙등.
lánding màt 〖空〗 착륙용 매트《1m×4m 가량의 강철망, 이것을 이어서 임시 착륙 활주로를 만듦》.
lánding nèt 〖낚시〗 사내끼.
lánding pàrty 상륙 부대.
lánding stàge 잔교(棧橋).
lánding strìp (가설) 활주로.
lánding vèhicle 〖宇宙〗 착륙선(lander).
:land·la·dy[lǽn*d*lèidi] *n.* Ⓒ ① 여자 지주〔집주인〕. ② 여관〔하숙〕의 여〔안〕주인(cf. landlord).
lánd làw (보통 *pl.*) 토지법.
lánd·lòcked *a.* 육지로 둘러싸인; 〖魚〗 육봉형(堉封形)의.
:land·lord[lǽn*d*lɔ̀ːrd] *n.* Ⓒ ① 지주; 집주인. ② (여관·하숙의) 주인, 바깥 주인(cf. landlady).
lánd·lùbber *n.* Ⓒ 〖海〗 뭍에 사는 사람; 신출내기 (수부).
:land·mark[lǽn*d*mɑ̀ːrk] *n.* Ⓒ 경계표; (토지의) 표지(標識), 목표; 획기적 사건.
lánd·màss *n.* Ⓒ 광대한 토지, 대륙.
lánd mìne 지뢰.
land·oc·ra·cy[lændɑ́krəsi/-ɔ́k-] *n.* Ⓤ 지주 계급.
lánd òffice (정부의) 국유지 관리국.
lánd-office búsiness 《美口》 인기있는〔급성장하는〕 장사.
***lánd·òwner** *n.* Ⓒ 지주.
lánd plànning 국토 계획.
lánd refòrm 토지 개혁.
:land·scape [lǽn*d*skèip] *n., vt., vi.* Ⓒ 풍경(화); 조망; 〖컴〗 가로 방향; 정원을 꾸미다.
lándscape árchitecture 〔**gàrdening**〕 조경술.
lándscape gàrdener 조경 설계사, 정원사.
lándscape pàinting 풍경화(법).
Lánd's Énd 영국 Cornwall 주 서단(西端)의 갑.
***lánd·slìde** *n.* Ⓒ 사태; 산사태; 《美》 (선거에서의) 압도적 승리; 《一般》 대승리.
lánd·slìp *n.* Ⓒ 《英》 사태; 산사태.
lands·man[∠zmən] *n.* Ⓒ 육상 생

활자; 풋내기 선원.
lánd tàx 지조(地租).
lánd-to-lánd *a.* (미사일이) 지대지(地對地)의.
land·ward[ˊwərd] *ad., a.* 육지 쪽으로[의]. **~s** *ad.* =LANDWARD.
lánd wìnd =LAND BREEZE.
:lane[lein] *n.* Ⓒ 작은 길, 시골길; 골목길; 차선(車線); (선박·항공기의) 규정항로.
lang[læŋ] *a.* 《Sc.》 =LONG.
lang. language.
lang·syne[læŋsáin, -z-] *n., ad.* 《Sc.》 Ⓤ 오래 전(에).
†lan·guage[lǽŋgwidʒ] *n.* ① Ⓤ (넓은 뜻으로) 언어. ② Ⓒ 국어. ③ Ⓤ 말씨; 어법; 말. ④ Ⓤ 어학, 언어학. ⑤ Ⓤ 《英俗》 나쁜 말, 욕. ⑥ 〖컴〗 언어. ***speak*** [***talk***] ***a person's*** [***the same***] **~** 아무와 생각이나 태도[취미]가 같다. ***use* ~ *to*** …에게 욕하다.
lánguage láboratory [**màster**] 어학 실습실[교사].
langue[lɑ̃:ŋg] *n.* (F.) Ⓤ 〖言〗 (체계로서의) 언어(cf. parole).
langue d'oc[lɑ̃:ŋg dɔ́(:)k] 중세 남프랑스 방언《지금의 프로방스 방언에 해당》.
langue d'o·ïl[-dɔí:l] 중세 북프랑스 방언《지금의 프랑스 말의 모체》.
·lan·guid[lǽŋgwid] *a.* ① 느른한; 귀찮은; 무기력한. ② 불경기의; 침체한. **~·ly** *ad.*
·lan·guish[lǽŋgwiʃ] *vi.* (쇠)약해지다, 시들다; 그리워하다; 고생하다; 번민하다. **~·ing** *a.* 쇠약해 가는; 번민하는, 감상적인; 계속되는, 꼬리를 끄는(lingering). **~·ment** *n.*
lan·guor[lǽŋgər] *n.* Ⓤ 무기력, 나른함; 울적함; 우울; 시름. **~·ous** *a.*
la·ni·ar·y [léinièri, lǽn-/-niəri] *a., n.* Ⓒ 송곳니(의); 물어뜯는 데 적합한.
lank[læŋk] *a.* 호리호리한, 야윈; (털·풀잎 등이) 곱슬곱슬하지 않은. **ˊ·y** *a.* 몹시 홀쭉한.
lan·o·lin(**e**)[lǽnəli(:)n] *n.* Ⓤ 라놀린, 양털 기름, 양모지(脂).
:lan·tern[lǽntərn] *n.* Ⓒ ① 초롱, 각등(角燈), 칸델라, 제등. ② (등대 꼭대기의) 등화실(燈火室). ③ 〖建〗 (채광을 위한) 정탑(頂塔). ④ 환등.
lántern-jáwed *a.* 턱이 긴.
lántern slìde (환등용) 슬라이드.
lan·tha·num [lǽnθənəm] *n.* Ⓤ 〖化〗 란탄《희토류 금속 원소; 기호 La》.
lant·horn [lǽntərn, -hɔ̀:rn] *n.* 《英》 =LANTERN.
lan·yard[lǽnjərd] *n.* Ⓒ 〖海〗 (선구(船具)의) 죔줄; (수부가 주머니칼을 목에 늘이는) 끈; 〖軍〗 (대포의) 방아줄.
La·oc·o·ön [leiɑ́kouɑ̀n/-ɔ́kouɔ̀n] *n.* 〖그神〗 라오콘《Athena 여신의 노염을 사, 두 아들과 바다뱀에 감겨 죽은 Troy의 사제(司祭)》.
La·od·i·ce·an [leiɑ̀dəsí:ən, lèiədisíən] *a., n.* Ⓒ (종교·정치에) 무관심한 (사람), 열의 없는 (사람).
La·os[lɑ́:ous, léiɑs] *n.* 인도차이나 북서부의 공화국《수도는 Vientiane》.
La·o·tian[leióuʃən, lɑ́uʃiən] *n., a.* Ⓒ 라오스 사람(의); Ⓤ 라오스 말(의).
Lao-tse, -tzu[lɑ́udzʌ́/lɑ́:outséi] *n.* (604?-531 B.C.?) 노자(老子) 《Taoism (道教)의 개조(開祖)》.
:lap[1][læp] *n.* Ⓒ ① (앉았을 때의) 무릎; (스커트 등의) 무릎 부분; (옷의) 처진 부분, 아랫자락. ② 산골짜기; (산의) 우묵한 곳. ③ 〖競〗 (경주로의) 한 바퀴; (실의) 한 번 감기; 겹침. ***in Fortune's* ~** 운이 좋아. ***in the* ~ *of luxury*** 온갖 사치를 다하여. — *vt., vi.* (***-pp-***) 접어 겹치(어지)다(*over*); 싸다; (*vt.*) 소중히 하다; 한 바퀴 돌다. **~·ful**[ˊful] *n.* Ⓒ 무릎[앞치마]에 가득.
lap[2] *vt.* (***-pp-***) (할짝할짝) 핥다; (the ~) (파도가) 기슭을 치다. **~ *up*** 날름 핥다; (남의 말이나 아첨 따위를) 곧이듣다, 기꺼이 듣다. — *n.* Ⓒ 핥음, 핥는 소리; (파도가 기슭을) 치는 소리; Ⓤ (개의) 유동식.
lap·a·rot·o·my[læ̀pərɑ́təmi/-rɔ́t-] *n.* Ⓤ 〖醫〗 개복(開腹) 수술.
láp·bòard *n.* Ⓒ 무릎에 올려 놓는 테이블 대용의 평판(平板).
láp dòg 애완견《발바리, 스피츠, 스파니엘 따위》.
la·pel[ləpél] *n.* Ⓒ (저고리의) 접어 젖힌 옷깃.
lap·i·dar·y[lǽpədèri/-dəri] *n.* Ⓒ 보석(연마)공.
lap·is laz·u·li [lǽpis lǽzjulài/ ⌐–⌐–⌐] 〖鑛〗 유리(瑠璃)(빛).
Lap·land[lǽplæ̀nd] *n.* Scandinavia 북부 지방. **~·er** *n.* Ⓒ 라플란드 사람.
Lapp[læp] *n., a.* Ⓒ 라플란드 사람(의); Ⓤ 라플란드말(의).
lap·pet[lǽpit] *n.* Ⓒ (옷의) 늘어져 달린 부분; 주름(fold); 처진 살; 귓불; (모자의) 귀덮개.
láp ròbe (차 탈 때의) 무릎덮개(담요·모피).
:lapse[læps] (<L. *lapsus*) *n.* Ⓒ ① (때의) 추이(推移), 경과; 변천. ② (혀·붓끝의) 실수, 잘못. ③ (권리의) 상실; 폐지. ***moral* ~** 도덕상의 과오, 타락. — *vi.* 모르는 사이에 빠지다[타락하다](~ *into sin*); (재산·권리가) 옮겨지다, 소멸하다; 경과하다.
lap·sus[lǽpsəs] *n.* (*pl.* ~) (L.) Ⓒ 잘못. **~ *lin·guae***[líŋwi:] 잘못 말함, 실언.
láp tìme 〖競〗 한 바퀴 도는 시간, 일주 시간, 랩타임.
láp·tòp *n.* Ⓒ 〖컴〗 무릎에 놓을 크기의 퍼스널 컴퓨터.
lap·wing[lǽpwìŋ] *n.* Ⓒ 〖鳥〗 댕기물떼새.
LARA[lɑ́:rə] Licensed Agencies

L

for Relief in Asia.
lar·board[lɑ́ːrbərd] *n., a.* Ⓒ 〖船〗 좌현(左舷)(의).
lar·ce·nous[lɑ́ːrsənəs] *a.* 절도의, 손버릇이 나쁜.
lar·ce·ny[lɑ́ːrsəni] *n.* ① 〖法〗 Ⓤ 절도죄. ② Ⓒ 절도(행위).
larch[lɑːrtʃ] *n.* Ⓒ 낙엽송.
***lard**[lɑːrd] *n.* Ⓤ 라드, 돼지 기름. — *vt.* (…에) 라드를 바르다; (기름기 적은 고기에) 베이컨 따위를 끼우다; (얘기·문장 따위를) 윤색하다.
lard·er[⌐ər] *n.* ① Ⓒ 식료 저장실. ② Ⓤ 저장 식품.
lárd·hèad *n.* Ⓒ 얼간이. 「용).
lárd òil 라드 기름《기계·등화(燈火)
lar·es[lɛ́əriːz, léir-] *n. pl.* (L.) 가정의 수호신.
láres and penátes 〖古로〗 집안의 수호신, 터주; 가보(家寶); 가재(家財).
†**large**[lɑːrdʒ] *a.* 큰, 커다란; 넓은; 다수의; 도량이 넓은, 관대한; (문장 등) 호방한. ***as ~ as life*** 실물 크기의; 《諧》 (다름아닌) 실물 그 자체가. ***be ~ of limb*** 손발이 큰. ***on the ~ side*** 어느쪽이냐 하면 큰 쪽(의). — *n.* 《다음 성구뿐》 ***at ~*** 상세히, 충분히; (범인이) 잡히지 않고; 널리, 일반적으로, 전체로서; 《美》 전주(州)를 대표한; 막연히, 허청대고, 제멋대로; 무임소의(*ambassador at ~* 무임소 대사/*the nation at ~* 국민 일반). ***in (the) ~*** 대규모로; (축소 않은) 큰 그대로. — *ad.* 크게(*write ~*); 대대적으로; 자세히; 과대(誇大)하게(*talk ~* 큰소리치다). BY[1] ***and ~.*** **:⌐·ly** *ad.* 크게; 주로; 풍부하게; 아낌없이; 너그러이; 커다랗게, 대규모로. **⌐·ness** *n.*
lárge-hánded *a.* 활수한; 손이 큰.
lárge-héarted *a.* 도량이 큰.
lárge-mínded *a.* =⇧.
lárger-than-lífe *a.* 실물보다 큰; 과장된; 전설적인.
lárge-scále *a.* 대규모의; (지도 따위) 비율이 큰.
lárge-scale integrátion 〖컴〗 고밀도(高密度) 집적 회로《생략 LSI》.
lar·gess(e)[lɑːrdʒés, ⌐–] *n.* Ⓤ,Ⓒ (푸짐한) 부조, 선물; Ⓤ 아낌없이 줌.
lar·ghet·to[lɑːrgétou] *a., ad., n.* (*pl.* **~s**) (It.) Ⓒ 〖樂〗 좀 느린[느리게]; 좀 느린 곡. 「큼직한.
larg·ish[lɑ́ːrdʒiʃ] *a.* 좀 큰[넓은],
lar·go[lɑ́ːrgou] *a., ad., n.* (*pl.* **~s**) (It.) 매우 느린[느리게]; Ⓒ 완서곡(緩徐曲), 라르고.
lar·i·at[lǽriət] *n.* =LASSO.
:lark[1][lɑːrk] *n.* Ⓒ 종다리(skylark).
lark[2] *n., vi.* Ⓒ 희롱(거리다); 농담(하다), 장난(치다). 「(屬).
lárk·spùr *n.* Ⓒ 〖植〗 참제비고깔속
lar·rup[lǽrəp] *vt.* 《口》 때리다, 매질하다; 때려 눕히다. — *n.* Ⓒ 타격, 일격.
***lar·va**[lɑ́ːrvə] *n.* (*pl.* **-vae**[-viː]) Ⓒ 〖動〗 유충; 〖動〗 유생(幼生)《tadpole, axolotl 따위》. **~·l** *a.*
la·ryn·ge·al[lərίndʒiəl, lærindʒíːəl] *a.* larynx의.
lar·yn·gi·tis[lærəndʒáitis] *n.* Ⓤ 〖醫〗 후두염.
la·ryn·go·scope[ləríŋgəskòup] *n.* Ⓒ 〖外〗 후두경(鏡).
lar·yn·got·o·my[læriŋgɑ́təmi/-ɔ́-] *n.* Ⓤ 〖醫〗 후두 절개(술).
lar·ynx[lǽriŋks] *n.* (*pl.* **~es,** ***larynges***[lərίndʒiːz]) Ⓒ 후두.
las·car[lǽskər] *n.* Ⓒ 동인도 제도의 뱃사람.
las·civ·i·ous[ləsíviəs] *a.* 음탕한; 선정적인. **~·ly** *ad.*
lase[leiz] *vi., vt.* 레이저 광선을 발하다[쬐다].
la·ser[léizər] *n.* Ⓒ 레이저《빛의 증폭장치》. **~ *beam*** 레이저 광선. **~ *communication system*** 레이저 통신 방식. **~ *guided bomb*** 레이저 유도 폭탄. **~ *rifle*** 레이저 총.
láser dìsk 〖컴·TV〗 레이저 디스크《optical disk의 상표명》.
láser prìnter 〖컴〗 레이저 인쇄기.
:lash[læʃ] *n.* Ⓒ ① 챗열; 채찍질; (파도의) 충격. ② 비꼼, 빈정댐; 비난; 혹평. ③ 속눈썹(eyelash). — *vt., vi.* ① 채찍질하다; (바람·파도가) 부딪치다. ② 빈정대다, 욕설을 퍼붓다. ③ 성나게[노하게] 만들다. ④ (*vt.*) 세차게 움직이다, 흔들다. ⑤ 묶다, 매다. **~ *out*** (말이) 걷어차다; 폭언을 퍼붓다; 지랄[난폭한 짓]을 시작하다; 《英方》 (돈을) 낭비하다. **~·ing**[1] [lǽʃiŋ] *n.* Ⓤ,Ⓒ 채찍질; 질책; 묶음; 밧줄.
lash·ing[2] *n.* Ⓤ 묶음; Ⓒ 끈.
lásh-ùp *n.* Ⓒ (다급한) 임시변통.
:lass[læs] *n.* Ⓒ 젊은 여자, 소녀 (opp. lad); 애인. **las·sie**[⌐i] *n.* Ⓒ 소녀; 애인.
las·si·tude[lǽsitjùːd] *n.* Ⓤ 무기력, 느른함.
las·so[lǽsou] *n.* (*pl.* **~(e)s**), *vt.* Ⓒ (던지는) 올가미(로 잡다).
†**last**[1][læst, -ɑː-] *a.* ① 최후[최종]의; 지난 번의, 지난… (*~ night, week, month, year, &c.*). ② 최근의; 최신 유행의. ③ 결코 …할 것 같지 않은(*He is the ~ man to tell a lie.* 거짓말 따위 할 사람이 아니다). ④ 최상의, 궁극의(*This is of the ~ importance.* 이것이 가장 중요하다). ***for the ~ time*** 그것을 마지막으로. **~ *but one* [*two*]** 끝에서 둘[세]째. ***the ~ day*** 최후의 심판 날. ***the ~ days* [*times*]** (사람의) 죽을 시기; 세상의 종말. ***the L-*** JUDG(E)MENT. ***the ~ offices*** 장례(식); 죽은 사람을 위한 기도. ***the ~*** STRAW. ***the L-*** SUPPER. ***the ~ word*** 마지막 말; 《口》 최근의 것, 최신의 스타일. ***to the ~ man*** 마지막 한 사람까지. — *ad.* 최후에[로](lastly); 요전, 지난 번; 최근. **~ *but not least*** 마지막으로

중요한 것을 말하지만. ~ ***of all*** 마지막으로. — ***n.*** (the ~) 최후, 죽음; 최후〔최근〕의 것. ***at*** ~ 드디어, 결국. ***at long*** ~ 간신히, 겨우. ***breathe one's*** ~ 숨을 거두다, 죽다. ***hear*** 〔***see***〕 ***the*** ~ ***of*** (…을) 마지막으로 듣다〔보다〕. ***look one's*** ~ 마지막으로 보다. ***till to the*** ~ 최후까지, 죽을 때까지. *∠**·ly** *ad.* 최후에〔로〕.

:**last**² *vi., vt.* 지속하다; 계속되다, 상하지 않고) 견뎌내다, 오래 가다 (*These shoes will ~ me three years.* 이 구두는 3년쯤 신을 수 있겠다). ~ ***out*** 지탱〔유지〕하다. — ***n.*** Ⓤ 지속력, 끈기. :∠**·ing** *a.* 영속하는; 오래 가는.

last³ *n.* Ⓒ 구두골. ***stick to one's*** ~ 본분을 지키다, 쓸데 없는 일에 참견하지 않다.

Las·tex [lǽsteks] *n.* Ⓤ 〖商標〗 고무와 면의 혼방 섬유.

lást-mínute *a.* 막바지에서의.

***lást nàme** 성(姓)(cf. first name).

Las Ve·gas [lɑːs véigəs] *n.* 라스베이거스《미국 Nevada주 동남부의 도시; 도박으로 유명》.

Lat. Latin. **lat.** latitude.

latch** [lætʃ] *n., vt.* Ⓒ 고리쇠〔걸쇠〕(를 걸다). ~ ***on to (…에) 꼭 달라 붙다; (…을) 손에 넣다. ***on the*** ~ (자물쇠를 채우지 않고) 걸쇠만 걸고.

latch·et [lǽtʃit] *n.* Ⓒ 《古》 구두끈.

látch·kèy *n.* Ⓒ 걸쇠의〔바깥문〕 열쇠; 《比》 (부권(父權)으로부터의 자유의 상징으로서) 문의 열쇠.

látchkey chìld 맞벌이 부부의 아이《열쇠를 가지고 밖에서 놀므로》.

†**late** [leit] *a.* ① 늦은, 더딘(*be ~ for school* 학교에 지각하다). ② 요전의, 지난 번의(*the ~ king* 전왕). ③ 후기의. ④ 작고한, 고(故)… (*the ~ Dr. Einstein*). ***keep ~ hours*** 밤 늦게 자고 아침 늦게 일어나다. ~ LATIN. ***of*** ~ (***years***) 요즈음, 근년. — *ad.* 늦게, 뒤늦게; 저물어, 밤늦도록; 최근, 요즈음. ***Better ~ than never.*** 《속담》 늦을망정 안 하느니보다는 낫다. ***early and*** ~ 아침부터 밤까지. ***sit up*** 〔***till***〕 ~ 밤 늦게까지 일어나 있다. :∠**·ly** *ad.* 요즈음, 최근. ⇨LATER, LATEST. ∠**·ness** *n.*

la·teen [lætíːn, lə-/lə-] *a.* 큰 삼각돛이 있는.

latéen sàil 삼각돛.

la·ten·cy [léitənsi] *n.* Ⓤ 잠재; 잠복.

látency tìme 〖컴〗 도달 시간.

la·tent** [léitənt] *a.* 숨은, 보이지 않는, 잠열적인. ~ ***period (병의) 잠복기. ~**·ly** *ad.*

:**lat·er** [léitər] 《late의 비교급》 *a.* 더 늦은, 더 이후의. — ***ad.*** 나중에. ~ ***on*** 나중에, 추후에. SOON***er or*** ~.

lat·er·al** [lǽtərəl] *a.* 옆의, 가로의, 측면(에서, 으로)의; 〖音聲〗 측음(側音)의. — ***n. Ⓒ 옆쪽, 측면부; 가로장; 〖音聲〗 측음《[l] 음》; 〖蹴〗 = ∠ **páss** 래터럴 패스《골라인과 평행으로 패스하기》. ~**·ly** *ad.*

láteral thínking 수평 사고《기존 사고 방식에서 탈피하여 새로운 해결법을 찾음》.

Lat·er·an [lǽtərən] *n.* Ⓒ (로마의) 라테란 성당; (그 옆의) 라테란궁(宮) 《중세엔 궁전, 현재는 박물관》.

lat·er·ite [lǽtəràit] *n.* Ⓤ 〖鑛〗 라테라이트, 홍토.

:**lat·est** [léitist] 《late의 최상급》 *a.* 최근〔최신〕의. ***at*** (***the***) ~ 늦어도.

la·tex [léiteks] *n.* (*pl.* ~***es, latices*** [lǽtəsìːz]) Ⓤ 〖植〗 (고무나무 따위의) 유액(乳液).

lath [læθ, -ɑː-] *n.* (*pl.* ~***s*** [-s, -ðz]) Ⓤ,Ⓒ 욋가지. ***as thin as a*** ~ 말라 빠져. ~**·er**¹ [∠ər] *n.* Ⓒ 외(椳) 만드는 사람. ∠**·ing** *n.* Ⓤ 외(얽기).

lathe [leið] *n.* Ⓒ 〖機〗 선반(旋盤).

lath·er² [lǽðər, -ɑ́ː-] *n., vt., vi.* Ⓤ 비누 거품(을 칠하다); (말의) 거품같은 땀; 거품 일다, (말이) 땀투성이가 되다; 《口》 갈기다.

:**La·tin** [lǽtin] *a.* 라틴어(계통)의; Latium(사람)의; 로마 가톨릭교의. — ***n.*** Ⓤ 라틴어; Ⓒ Latium〔고대 로마〕 사람. ***classical*** ~ 75 B.C.-A.D. 175경까지의 라틴어. ***late*** ~ 2-6 세기의 라틴어. ***low*** 〔***vulgar***〕 ~ A.D. 175경 이후의 민간 라틴어. ***medieval*** 〔***middle***〕 ~ 7-15세기의 라틴어. ***modern*** ~ 16세기 이후의 라틴어. ***thieves'*** ~ 도둑의 은어. ~**·ism** [-ìzəm] *n.* Ⓤ,Ⓒ 라틴어풍(風)〔법〕. ~**·ist** *n.* Ⓒ 라틴어 학자. ~**·ize** [lǽtənàiz] *vt., vi.* 라틴어로 번역하다〔풍으로 만들다〕.

:**Látin América** 라틴 아메리카《중남미, 멕시코, 서인도 제도 등》.

Látin Chúrch (가톨릭의) 라틴교회.

Látin cróss 세로대의 아래쪽이 긴 보통의 십자가.

La·ti·no [lətíːnou] *n.* (*pl.* ~***s***) Ⓒ 《美》 미국의 라틴 아메리카계 주민.

Látin Quàrter (파리의) 라틴구(區)《학생·예술가가 많이 삶》.

Látin Ríte 로마 방식의 교회 의식.

Látin squàre 〖數〗 라틴 방진(方陣)《*n* 종류의 기호를 *n*×*n*의 정방형으로 중복되지 않게 배열한 것》.

lat·ish [léitiʃ] *a., ad.* 좀 늦은〔늦게〕.

:**lat·i·tude** [lǽtətjùːd] *n.* Ⓤ 위도; 지역, 지대; (활동) 범위, (행동·해석의) 자유; 〖寫〗 관용도. ***cold ~s*** 한지(寒地), 한대 지방. ***out of one's*** ~ 격에 맞지 않게. **-tu·di·nal** [∸∸∠ənəl] *a.* 위도의.

lat·i·tu·di·nar·i·an [lætitjùːdənέəriən] *a., n.* Ⓒ (신앙·사상 등이) 옹졸하지 않은, 자유로운(~ *opinions* 자유로운 의견); 자유 사상가; (*or* L-) 〖英國國敎〗 (신조·예배·형식 등에 대한) 자유주의자. ~**·ism** [-ìzəm] *n.* Ⓤ (종교상의) 자유주의.

La·ti·um [léiʃiəm] *n.* 이탈리아의 옛 나라《로마의 남동쪽》.

L

la·trine[lətríːn] *n.* Ⓒ (공장·병사(兵舍) 등의) 변소.
:lat·ter [lǽtər] *a.* 뒤(쪽)의, 끝의 (*the ~ half* 후반); (the ~) 후자의(opp. the former). 《대명사적으로》 후자; 근자의. ***in these ~ day*** 요즈음은. ***one's ~ end*** 죽음. **~·ly** *ad.* 요즈음(lately).
látter-dày *a.* 근대〔근래〕의.
Látter-day Sáint 모르몬 교도(Mormon).
látter·mòst *a.* 최후의; 최신의.
:lat·tice[lǽtis] *n., vt.* Ⓒ (창문의) 격자(를 붙이다); (원자로 속 핵물질의) 격자형 배열. **~d**[-t] *a.* 격자를 붙인.
láttice·wòrk *n.* Ⓤ 격자 만들기〔세공〕.
Lat·vi·a[lǽtviə] *n.* 라트비아《발트해 동안의 러시아의 한 지방》. **~n** [-ən] *a., n.* 라트비아의; Ⓒ 라트비아 사람; Ⓤ 라트비아 말(Lettish).
la·uan[ləwáːn] *n.* 〖植〗 Ⓒ 나왕; Ⓤ 나왕재.
laud[lɔːd] *n., vt.* Ⓤ 찬미(하다), 칭찬(하다); Ⓒ 〖宗〗 찬가; (*pl.*) (새벽의) 첫 기도, 찬과(讚課). **∠·a·ble** *a.* 칭찬할 만한. **∠·a·bly** *ad.* **lau·dá·tion** *n.* Ⓤ 칭찬, 찬미.
lau·da·num[lɔ́ːdənəm/lɔ́dnəm] *n.* Ⓤ 아편 정기(丁幾).
laud·a·to·ry [lɔ́ːdətɔ̀ːri/-təri], **-tive**[-tiv] *a.* 칭찬의.
:laugh[læf, -ɑː-] *n.* Ⓒ 웃음(소리). ***get* 〔*have*〕 *the ~ of*** (…을) (도리어) 되웃어 주다. ***have the ~ on one's side*** (이번에는) 이 쪽이 웃을 차례가 되다. ***raise a ~*** (사람을) 웃기다. — *vi.* (소리내어) 웃다; 흥겨워하다; 조소〔무시〕하다(*at*). — *vt.* 웃으며 …하다(*~ a reply*). ***He ~s best who ~s last.*** 《속담》 지레 좋아하지 말라. ***L- and grow fat.*** 《속담》 웃는 집에 복이 온다. ***~ away*** 일소에 부치다; (시간을) 웃으며 보내다. ***~ down*** 웃어대어 중지〔침묵〕시키다. ***~ in a person's face*** 아무를 맞대놓고 조롱하다. ***~ in* 〔*up*〕 *one's*** SLEEVE ***~ off*** 웃음으로 얼버무리다. ***~ on the other* 〔*wrong*〕 *side of one's mouth*** 웃다가 갑자기 울상이 되다〔풀이 죽다〕. ***~ out*** 웃음을 터뜨리다. **~·a·ble**[∠əbl] *a.* 우스운, 어리석은. **∠·a·bly** *ad.* **∠·ness** *n.*
laugh·ing**[∠iŋ] *a.* 웃는; 기쁜 듯한; 우스운, 웃을(*It is no ~ matter*). ***the L- Philosopher 그리스의 철인 Democritus의 별명. — *n.* Ⓤ 웃음, 웃는 일. **~·ly** *ad.*
láughing gàs 웃음 가스, 일산화질소《마취용》.
láughing jáckass (오스트레일리아의) 웃음물총새.
láughing·stòck *n.* Ⓒ 웃음거리.
:laugh·ter[lǽftər, láːf-] *n.* Ⓤ 웃음; 웃음소리.
láugh tràck 〖放〗 관객의 웃음소리를 녹음한 테이프《효과용》.
:launch[lɔːntʃ, -ɑː-] *vt.* 진수(進水)시키다, (보트를) 물에 띄우다; (아무를 세상에) 내보내다; 착수〔시작〕하다; 발사하다; 내던지다. — *vi.* 배를 타고 나아가다; 시작하다(*forth, (out) into*). — *n.* Ⓒ 진수(대(臺)); 런치《함재 대형 보트》; 기정(汽艇). **∠·er** *n.* Ⓒ (유도탄 등의) 발사대〔장치〕.
láunch còmplex (위성·미사일따위의) 발사 시설.
láunch(ing) pàd 미사일〔로켓〕 발사대.
láunching sìte 발사 기지.
láunching wàys 〖造船〗 진수대.
láunch vèhicle(인공 위성·우주선의) 발사 로켓.
láunch wìndow (우주선 따위의) 발사 가능 시간대(帶).
laun·der[lɔ́ːndər, -áː-] *vt., vi.* 세탁하다, 세탁하여 다림질하다. **láun-dress** *n.* Ⓒ 세탁부(婦).
laun·der·ette [lɔ̀ːndərét, làːn-], **-dro·mat**[lɔ́ːndrəmæ̀t, láːn-] *n.* Ⓒ 동전 투입식 세탁기, 빨래방.
:laun·dry [lɔ́ːndri, -áː-] *n.* Ⓒ 세탁장〔물〕; 세탁소. **~·man** *n.* Ⓒ 세탁부(夫). **~·woman** *n.* =LAUNDRESS.
lau·re·ate**[lɔ́ːriit] *a.* (영예의) 월계관을 쓴〔받을 만한〕. ***poet ~ 계관(桂冠)시인. — *n.* Ⓒ 계관 시인. **~·ship**[-ʃip] *n.* Ⓤ 계관 시인의 지위〔임기〕.
:lau·rel [lɔ́ːrəl, -á-/-ɔ́-] *n.* ① Ⓤ,Ⓒ 월계수; 《美》 미국석남화. ② (*pl.*) 월계관, 명예, 승리. ***look to one's ~s*** 명예를 잃지 않도록 조심하다. ***rest on one's ~s*** 소성(小成)에 만족하다. ***win* 〔*gain*〕 *~s* 〔*the ~*〕** 영관(榮冠)을 차지하다. **-(l)ed**[-d] *a.* 월계관을 쓴, 영예를 짊어진.
Lau·trec [loutrék] ⇨TOULOUSE-LAUTREC.
lav.[læv] lavatory.
***la·va**[láːvə, -ǽ-] *n.* ① Ⓤ 용암. ② Ⓒ 화산암층.
láva bèd 용암층.
la·va·bo[ləvéibou] *n.* (*pl.* **~(e)s**) Ⓤ 〖가톨릭〗 (미사의) 손 씻는 예식(때에 염하는 암송구); Ⓒ 손 씻는 그릇.
láva fìeld 용암원(原).
lav·age [ləváːʒ, lǽvidʒ] *n.* Ⓤ,Ⓒ 〖醫〗(위·장 따위의) 세척.
lav·a·lier(e)[læ̀vəlíər] *n.* Ⓒ (가는 사슬로 거는) 목걸이.
***lav·a·to·ry**[lǽvətɔ̀ːri/-təri] *n.* Ⓒ 세면소; 세면대(臺); 변소.
lávatory pàper =TOILET PAPER.
***lav·en·der** [lǽvəndər] *n., a.* Ⓒ 〖植〗 라벤더《향수·제충제(劑) 원료》; Ⓤ 연보라색(의).
lávender wàter 라벤더 향수.
la·ver[1][léivər] *n.* Ⓒ 〖聖〗 세반(洗盤); 〖宗〗 세례 대야.
la·ver[2] *n.* Ⓤ 김, 해태(海苔).
***lav·ish** [lǽviʃ] *vt.* 아낌없이 주다(*on*); 낭비하다. — *a.* 손이 큰, 활수한; 낭비적인, 사치스러운; 풍부한.

~·er *n.* * **~·ly** *ad.* **~·ment** *n.* Ⓤ 낭비. **~·ness** *n.*

†**law**[lɔː] *n.* ① Ⓒ,Ⓤ 법률, 국법; 보통법. ② Ⓤ 규칙, 관례. ③ Ⓤ 법칙; 원리(principle). ④ Ⓤ 법(률)학. ⑤ Ⓤ 소송. ⑥ (the ~) 변호사업. ⑦ Ⓤ 〖競〗 (규정에 의한)선진(先進)거리. ⑧ (the L-) (구약 성서 중의) 모세의 율법. ***be a ~ (un)to oneself*** 관습(등)을 무시하다. ***give the ~ to*** (…을) 마음대로 부리다. ***go to ~*** (*with* 〔*against*〕 *a person*) 고소하다. ***lay down the ~*** 명령적으로 말하다; 꾸짖다. ***read*** 〔***go in for***〕 ***~*** 법률을 연구하다. ***take the ~ into one's own hands*** 사적 제재를 가하다.

láw-abìding *a.* 법률을 지키는.

láw·brèaker *n.* Ⓒ 법률 위반자.

láw·brèaking *n., a.* Ⓤ 법률 위반(의).

***láw còurt** 법정.

‡**law·ful**[⌐fəl] *a.* 합법〔적법〕의; 법정의, 정당한(~ *money* 법화/*a* ~ *age* 성년(成年)). **~·ly** *ad.* **~·ness** *n.*

láwful áge 〖法〗 법정 연령, 성년.

láw·gìver *n.* Ⓒ 입법자.

***law·less**[⌐lis] *a.* ① 법률 없는, 법을 지키지 않는. ② 무법의; (감정·욕망 등) 누를 수 없는.

láw·màker *n.* Ⓒ 입법자.

láw·màking *n., a.* Ⓤ 입법(의).

law·man[⌐mæ̀n] *n.* Ⓒ 《美》 경관, 보안관.

láw mèrchant 상(商)관습법; 상법(commercial law).

‡**lawn**[1][lɔːn] *n.* Ⓒ 잔디(밭). **⌐·y** *a.*

lawn[2] *n.* Ⓤ 론《한랭사(寒冷紗) 비슷한 얇은 아마포〔무명〕; 영국 국교의 bishop의 소매로 쓰임》.

láwn mòwer 잔디 깎는 기계.

láwn tènnis 론 테니스.

láw òfficer 《英》 법무관; 법무장관; 검찰총장.

Law·rence [lɔ́ːrəns, -ɑ́-/-ɔ́-], **D**(avid) **H**(erbert) (1885-1930) 영국의 소설가·시인.

law·ren·ci·um [lɔːrénsiəm] *n.* Ⓤ 〖化〗 로렌슘《인공 방사성 원소의 하나; 기호 Lr》.

láw schòol 《미》로스쿨《대학원 수준의 법률가 양성 기관》.

láw·sùit *n.* Ⓒ 소송, 고소.

‡**law·yer**[lɔ́ːjər] *n.* Ⓒ 법률가; 변호사; 법률 학자.

lax[læks] *a.* 느슨한, 느즈러진; 모호한; 단정치 못한; 설사하는. **⌐·i·ty** *n.*

lax·a·tive[⌐ətiv] *a., n.* 대변이 나오게 하는; Ⓒ 하제(下劑).

†**lay**[1][lei] *vt.* (*laid*) ① 누이다, 놓다; 가로〔뉘어〕놓다; 고정시키다, 늘어놓다, 쌓다; 깔다. ② (평평하게) 칠하다, 바르다. ③ (올가미 등을) 장치하다, 만들어 놓다; (식탁을) 차리다. ④ (알을) 낳다. ⑤ (무거운 세금·책임을) 지우다, 과하다, 돌리다; (내기에) 걸다. ⑥ (티끌·먼지를) 가라앉히다; (망령 등을) 진정시키다. ⑦ 때려눕히다, 넘어뜨리다; 평평하게 하다. ⑧ 궁리하다, (계획을) 세우다; 신청하다. ⑨ 주장하다; (손해)액을 어림잡다〔정하다〕(*at*). ⑩ (실·밧줄을) 꼬다, (가지를) 엮다. ⑪ (총을 조준하다. ⑫ (어떤 상태로) 만들다. ― *vi.* 알을 낳다; 내기하다(*on, to*); 진력하다. **~ *about*** 맹렬히 강타하다, 분투하다. **~ *aside*** 〔***away, by***〕 떼어 두다, 저장하다. **~ *at*** 《方》 …에 덤벼들다. **~ *bare*** 벌거벗기다; 누설하다, 입밖에 내다. **~ *down*** 내리다, 놓다; 부설하다, 갈다, 건설하다; (계획을) 세우다; (포도주를) 저장하다; 주장〔단정〕하다; 결정하다; 버리다, 사임하다; 지불하다; (내기에) 걸다; 적다. **~ *fast*** 감금하다(confine). **~ *for*** 준비하다; 《美口》 숨어 기다리다. **~ *hold of*** 〔***on***〕 체포하다; (붙)잡다. **~ *in*** 사들이다, 저장하다; 《俗》 게걸스레 먹다. **~ *into*** 《俗》 후려 갈기다. **~ *it on*** 바가지 씌우다; 너무 야단치다; 무턱대고 칭찬하다 (*~ it on thick*); 때려눕히다. **~ *off*** 떼어두다; (일을) 중지하다; (잠시) 해고하다; 구분하다; 《美》 (…을) 피하다. **~ *on*** (타격을) 가하다; 칠하다; (가스·수도를) 끌어 들이다, 놓다; 과하다; (명령을) 내리다; 준비하다. **~ *open*** 가린 것을 벗기다, 벌거벗기다; 드러내다, 폭로하다; 절개(切開)하다. **~ *out*** 펼치다; 설계하다; 토지를 구분하다; 입관(入棺) 준비를 하다; 《俗》 때려 눕히다, 죽이다; 투자〔소비〕하다; 폭로하다. **~ *over*** 칠하다; 연기하다; 《美》 도중 하차하다. **~ *to*** 〖海〗 (일시) 정선(停船)하다〔시키다〕. **~ *to one's work*** 일에 전념하다. **~ *up*** 저장하다; 쓰지 않고 두다; 병이 사람을 틀어박히게 하다. 〖海〗 계선(繫船)하다. ***You may ~ to that*** …이라는 것은 절대로 틀림없다. ― *n.* Ⓤ (종종 the ~) 위치, 지형(*of*); 상태, 형세, 정세, 사태.

lay[2] *a.* 속인의, 평신도의(opp. clerical); 전문가 아닌.

lay[3] *n.* Ⓒ 노래; 민요; 시《짧은 이야기체의 시》; (새의) 지저귐.

‡**lay**[4] *v.* lie[2]의 과거.

láy·abòut *n.* Ⓒ 부랑자.

láy·awày plán, the 《美》 예약 월부 방식《월부금이 완납되면 인도함》.

láy-bỳ *n.* Ⓒ 《英》 (도로의) 대피소; (철도의) 대피선.

‡**lay·er**[⌐ər] *n.* Ⓒ ① 놓는〔까는, 쌓는〕 사람; (돈을) 거는 사람; 알 낳는 닭(*a bad* ~ 알을 잘 안 낳는 닭). ② 층; 켜, (한 번) 칠함. ③ 〖園藝〗 휘묻이(로 불린 나무).

láyer càke 켜 사이에 크림 따위를 넣는 과자.

lay·ette[leiét] *n.* (F.) Ⓒ 갓난아이 용품 일습《배내옷·침구 등》.

láy figure(<Du. *lee, led* joint) 모델 인형, 인체 모형; 하찮은 사람.

‡**lay·man**[léimən] *n.* Ⓒ (성직자에 대하여) 속인, 평신도.

láy·òff *n.* Ⓒ 일시적 해고〔휴직, 귀휴〕(기간).

***láy·òut** *n.* Ⓤ,Ⓒ 설계, 지면 배치;

〖컴〗 레이아웃, 판짜기《책·신문의 지면 배열》. ② (도구 등의) 한 벌.
láy·òver *n.* Ⓒ 여행 중단; 도중하차.
láy-ùp *n.* Ⓒ (잠시) 쉼; 〖籠〗 바스켓 바로 밑에서 한 손으로 하는 점프 슛.
laz·a·ret·to [læ̀zərétou] *n.* (*pl.* **~s**) Ⓒ 나병원; 격리 병원.
Laz·a·rus [lǽzərəs] *n.* 〖聖〗 나사로《한 사람은 이적(異蹟)에 의해 죽음에서 부활한 예수의 친구; 한 사람은 승천한 거지》.
laze [leiz] (<⇩) *vi.* 게으름 피우다 (*away*).
:la·zy [léizi] *a.* 게으른; 느린. **lá·zi·ly** *ad.* **lá·zi·ness** *n.*
lázy·bònes *n.* (*pl.* **~**) Ⓒ 《口》 게으름뱅이. 「반.
Lázy Súsan (식탁 중앙의) 회전 쟁
·lb. (*pl.* **ibs.**) *libra.* (L.=pound).
LC landing craft. **L.C.** 《美》 Library of Congress; 《英》 Lord Chamberlain. **L.C., L/C** 〖商〗 letter of credit. **L.C.C.** London County Council. **LCD** Liquid Crystal Diode 액정 소자《전자 계산기·전자 시계 따위에 씀》; liquid crystal display 액정 디스플레이〔표시〕. **L.C.D., l.c.d.** lowest common denominator. **L.C.F., l.c.f.** lowest 〔least〕 common factor. **L.C.M. l.c.m.** lowest 〔least〕 common multiple.
-le [l] *suf.* '반복'을 나타냄; chuck*le*, spark*le*, twink*le*, wrest*le* (cf. -er).
lea [liː] *n.* Ⓒ 《詩》 풀밭, 초원; 목장.
leach [liːtʃ] *vt., vi.* 거르다; 걸러 내다〔나오다〕. — *n.* Ⓒ 여과(기); Ⓤ 잿물. **∠·y** *a.* 다공질(多孔質)의《흙 따위》.
:lead[1] [led] *n.* ① Ⓤ 납; Ⓒ 납제품. ② Ⓤ,Ⓒ (연필의) 심; Ⓒ 측연(測鉛). ③ (*pl.*) 함석 지붕. ④ Ⓒ 〖印〗 인테르. ***heave the* ~** 수심을 재다. — *vt.* (…에) 납을 씌우다〔채워 메우다〕; 〖印〗 인테르를 끼우다.
†lead[2] [liːd] *vt.* (**led** [led]) ① 인도〔안내〕하다; 데리고 가다; 거느리다; 지도하다. ② (클라스의) 수석을 차지하다. ③ 꾀다; 시작하다, 앞장서서 하다. ④ (수도 따위를) 끌다. ⑤ 지내다, (생활·일생을) 보내다. — *vi.* 안내하다; (길이) 통하다, 이르다(*to*); 귀착하다; 솔선〔리드〕하다; 끌려가다; 〖카드〗 맨먼저 패를 내다; 〖拳〗 치고 공세를 취하다. **~ *away*** 데리가 가다, 꾀다; 맹종시키다. **~ *by the nose*** 맹종시키다, 마음대로 부리다. **~ *off*** 시작하다, 솔선하다. **~ *on*** 꾀다, 꾀어 들이다. **~ *out*** 시작하다; 꾀다. **~ *out of*** (…으로) 이끌다, …하도록 만들다. (…으로) 화제를 돌리다. — *n.* ① (*sing.*) 선도, 솔선, 지휘; 통솔(력); Ⓒ 지침, 모범; 조언(助言), 실마리. ② (a ~) 우세; Ⓒ 〖劇〗 주역(배우); 〖카드〗 선수(先手). ③ Ⓒ (물을 끌어들이는) 도랑; 〖電〗 도선(導線); 개(를 끄는) 줄(leash); 광맥(鑛脈)(lode). ④ Ⓒ 〖新聞〗 허두(의 일정); 〖放〗 톱 뉴스. ***follow the* ~ *of*** …의 예에 따르다. ***give a person a* ~** 모범을 보이다. ***take the* ~ *in*** (…을) 솔선하여 하다.
lead·en [lédn] *a.* 납(빛)의; 답답한; (눈이) 정기 없는; (날이) 무딘; 활기 없는.
léaden-héarted *a.* 무정한; 무기력한(inert).
†lead·er [líːdər] *n.* Ⓒ ① 지도자, 솔선자, 주장; 〖樂〗 지휘자; 제1주자. ② (신문의) 사설. ③ (4두 마차의) 선두 말. ④ (손님을 끄는) 특가품; 유도 신문. ⑤ (낚시의) 목줄; (필름의) 양쪽 선단부. ⑥ (*pl.*) 〖印〗 점선. **:~·ship** [-ʃìp] *n.*
lead·er·ette [lìːdərét] *n.* Ⓒ 짧은 사설.
lead·in [líːdìn] *n., a.* Ⓒ 〖電〗 도입선; 끌어들이는; 〖放〗(커머셜《광고의 말》을 이끄는) 도입 부분.
lead·ing[1] [lédiŋ] *n.* Ⓤ 납세공〔씌움, 입힘〕; 〖印〗 인테르.
:lead·ing[2] [líːdiŋ] *n.* Ⓤ 지도, 지표, 통솔(력). — *a.* 이끄는, 지휘하는; 주역의; 주요한, 일류인, 훌륭한; 선도하는; 세력 있는.
léading árticle [líːdiŋ-] 사설; (정기 간행물의) 주요 기사.
léading cáse 선례가 되는 판례.
léading lády 〔**mán**〕 주연 여우〔남우〕.
léading párt 주역.
léading quéstion (호의적인) 유도 신문(leader).
léading rèin (말 따위의) 끄는 줄, 고삐(leash).
léading stríngs (아기의 걸음마 연습용) 끈; 지도. ***in* ~** 혼자 걷지 못하고; 속박되어.
léad nìtrate [léd-] 〖化〗 질산연.
léad·òff [líːd-] *n.* Ⓒ 개시, 착수; 〖野〗 일번〔선두〕 타자.
léad óxide [léd-] 〖化〗 산화연.
léad péncil [léd-] (흑심의 보통) 연필. 「독.
léad pòisoning [léd-] 연독, 납중
leads·man [lédzmən] *n.* Ⓒ 측연수(測鉛手), 측심원.
léad swìnger [léd-] 《海俗》 꾀쟁이, 게으름뱅이, 게으름 피우기《측연 작업을 하는 체하는》.
léad tìme [líːd-] 기획에서 생산까지의 시간; 발주(發注)에서 배달까지의 시간. 「프 접합용》.
léad wòol [léd-] 연모(鉛毛)《파이
†leaf [liːf] *n.* (*pl.* **leaves**) ① Ⓤ,Ⓒ (한 장의, 또는 집합적으로) 잎(사귀). ② Ⓒ (책 따위의 종이) 한 장. ③ Ⓒ 꽃잎. ④ Ⓒ 얇은 판자, 박(箔). ⑤ Ⓒ (접는 문의) 문짝, (경첩 따위의) 한 장. ***come into* ~** 잎이 나오다. ***gold* ~** 금박(金箔). ***in* ~** (푸른) 잎이 나와. ***the fall of the* ~** 낙엽이 질때, 가을. ***turn over a new* ~** 생활을 일신하다. — *vi.* 잎이 나오다. — *vt.* (급히 책) 페이지

L

를 넘기다. *∠·less a.* 잎 없는.
leaf·age[∠idʒ] *n.* Ⓤ 《집합적》 잎.
léaf bùd 〖植〗 잎눈.
leafed[li:ft] *a.* 잎이 있는; 잎이 … 인.
***leaf·let**[∠lit] *n.* Ⓒ 작은 잎; 광고지.
léaf mòld 〔《英》 **mòuld**〕 부엽토「(腐葉土).
léaf·stàlk *n.* Ⓒ 〖植〗 잎 꼭지, 엽병(葉柄).
***leaf·y**[lí:fi] *a.* ① 잎이 우거진, 잎이 많은. ② 잎으로 된. ③ 잎 모양의.
:league¹[li:g] *n.* Ⓒ 동맹, 연맹; 리그; 맹약; (the L-) 〖史〗 신성 동맹; (the L-) =(***the***) ***L- of Nations*** 국제 연맹(1919-46). ***in ~ with*** …와 맺어. — *vi., vt.* 동맹〔연맹〕하다〔시키다〕. 「3마일》.
league² *n.* Ⓒ 리그《거리의 단위, 약
léague màtch 리그전(戰).
lea·guer[lí:gər] *n.* Ⓒ 동맹자〔국〕, 가맹자〔국, 단체〕; 〖野〗 리그에 속하는 선수.
leak**[li:k] *n.* Ⓒ 샘, 새는 곳〔구멍〕; 〖電〗 누전. ***spring 〔***start***〕 ***a ~*** 새는 곳〔구멍〕이 생기다, 새기 시작하다. — *vi., vt.* 새(어 나오)다, 새는 구멍이 있다; 새게 하다.
leak·age[∠idʒ] *n.* Ⓤ 누출; Ⓒ 누출량; Ⓤ 샘, 누설, 드러남; Ⓒ 〖商〗 누손(漏損).
leak·y[∠i] *a.* 새는 구멍 있는, 새기 쉬운; 오줌을 지리는; 비밀을 지킬 수 없는(*He is a ~ vessel.* 그 친구에게 말하면 곧장 새어 버린다).
:lean¹[li:n] *a.* ① 야윈. ② 살코기의, 지방 없는. ③ (식사·영양가·강의 따위가) 빈약한, 수확이 적은. — *n.* Ⓤ 살코기; Ⓒ 야윈〔가는〕 부분.
:lean² *vi.* (***~ed***[li:nd/lent, li:nd], 《英》 ***leant***) 기대다(***against, on, over***); (…의) 경향이 있다(***to, toward***). — *vt.* 기대게 하다; 기울이다; 구부리다. ***~ against*** …에 대해 비우호적이다. ***~ back*** 뒤로 젖혀지다. ***~ over backward*** 지금까지와는 반대(의 태도)로 나오다. ***~ toward mercy*** 조금 자비심을 내다. — *n.* Ⓤ 기욺, 경사. ***∠·ing*** *n.* Ⓤ 경사; Ⓒ 경향, 기호(嗜好).
léan-búrn *a.* (엔진이) 희박 연소의, 연료가 적게 드는. 「사).
***leant**[lent] *v.* 《英》 lean²의 과거(분
léan-tò *n.* Ⓒ 의지간; 달개지붕.
:leap[li:p] *vi.* (***~t, ~ed***[lept, li:pt]) 뛰다, 도약하다; 약동하다(*~ for joy*). — [승마할 때는 lep] *vt.* 뛰어 넘(게 하)다. ***~ out*** …의 눈에 띄다. ***~ to one's feet*** (기뻐서, 놀라서) 뛰어오르다. ***~ to the eye*** 곧 눈에 띄다. ***Look before you ~.*** 《속담》 실행 전에 잘 생각하라. — *n.* Ⓒ (한 번) 뛰기; 그 거리. ***a ~ in the dark*** 난폭〔무모〕한 행동. ***by ~s and bounds*** 급속히, 일사천리로.
léap·fròg *n., vi.* (***-gg-***) Ⓤ 개구리 뜀(을 하다)(*over*). ***~ging*** *n.* Ⓤ 〖經〗 (물가와 임금과의) 악순환.
leapt[lept, li:pt] *v.* leap의 과거(분
léap yèar 윤년. 「사).
†learn[ləːrn] *vt., vi.* (***~ed***[-t, -d], ***~t***) 배우다, 익히다; 외다; (들어서) 알다(*from, of*); 《古·俗·諧》 가르치다. ***~ a lesson*** 학과를 공부하다; (경험으로) 교훈을 얻다. ***~ by heart*** 〔***rote***〕 암기하다. ***:∠·er*** *n.* ***†∠·ing*** *n.* Ⓤ 학문; 박식. ***man of ~ing*** 학식 있는 사람.
:learn·ed *a.* ① [lə́:rnid] 학식 있는; 학구적인; 학자의. ② [lə́:rnd, -t] 학습에 의해 터득한, 후천적인. ***the ~*** 학자들.
†learnt[-t] *v.* learn의 과거(분사).
lease**[li:s] *vt.* (토지를) 임대〔임차〕하다, 빌(리)다. ***~d territory 조차지(租借地). — *n.* Ⓤ,Ⓒ (토지·건물의) 임대차 계약(권·기간); Ⓒ 그 계약서; (목숨 등) 정해진 기간. ***by*** 〔***on***〕 ***~*** 임대로; 임차로. ***take a new ~ of life*** (완쾌되어) 수명이 늘다.
léase-lénd *n., v.* =LEND-LEASE.
léase·hòld *n.* Ⓤ,Ⓒ 차지. ***~er*** *n.* Ⓒ 차지인.
leash[li:ʃ] *n.* Ⓒ (개 따위를 매는) 가죽끈; (개·토끼·여우·사슴 따위의) 세 마리; Ⓤ 속박. ***hold in ~*** 속박〔지배〕하다. — *vt.* 가죽끈으로 매다.
†least[li:st] 《little의 최상급》 *n., a.* (보통 the ~) 최소(의)(*There isn't the ~ danger.* 위험은 전혀 없다/ *There is not*[nάt/-ɔ́-] *the ~ danger.* 적지 않은 위험이 있다). ***at*** (***the***) ***~*** 적어도; 하다 못해. ***not in the ~*** 조금도 …않다. ***the ~ common multiple*** 최소 공배수. ***to say the ~ of it*** 줄잡아 말하더라도. — *ad.* 가장 적게. ***~ of all*** 가장 …않다(*I like arrogance ~ of all.* 오만이 무엇보다도 싫다). ***∠·wise, ∠·ways*** *ad.* 《口》 적어도, 하다 못해; 하여튼.
léast signíficant bít 〖컴〗 최하위 비트《생략 LSB》.
:leath·er[léðər] *n.* ① Ⓤ (무두질한) 가죽. ② Ⓒ 가죽 제품; 가죽 끈; 공. ③ Ⓤ 《俗》 피부. ***~ and prunella*** [pru(:)nélə] 아무래도 괜찮은 일, 보잘것 없는 것《Alexander Pope의 Essay on Man에서》. — *vt.* (…에) 가죽을 씌우다〔대다〕; 가죽 끈으로 때리다. ***~·y***[-i] *a.*
léather·bòund *a.* (책이) 가죽 제본〔장정〕의.
léather drèsser 무두장이.
Leath·er·ette[lèðərét] *n.* Ⓤ 〖商標〗 레더, 인조 피혁. 「〖鳥〗 꿀새.
léather·hèad *n.* Ⓒ 바보, 멍청이;
leath·ern[léðərn] *a.* 가죽(제)의.
léather·nèck *n.* Ⓒ 《美俗》 해병대원(marine), 난폭한 남자.
Leath·er·oid[léðərɔ̀id] *n.* Ⓤ 〖商標〗 인조 가죽.
†leave¹[li:v] *vt.* (***left***) 남기다; 놓고 가다, 둔 채 잊다; (유산 등을) 남기

L

고 죽다; (뒤에 남기고) 떠나다(~ *Seoul for Paris*); (…에서) 물러나다; 지나가다; …케 하다(*His words left me angry.* 그의 말에 화가 났다); …인 채로 두다; 맡기다, 위탁하다(*to, with*); 그만두다(cease). — *vi.* 떠나다, 출발하다. ***be nicely left*** 속다. ***Better ~ it unsaid.*** 말 않는 편이 낫다. ***get left*** 버림받다; 지다. ***~ alone*** 간섭하지 않다(*Please ~ me alone.* 나를 상관 말고 내버려 두세요). ***~ behind*** (뒤에) 남기다; 놓아 둔 채 잊다; 앞지르다. ***~ hold of*** (잡은 것을) 놓아버리다. ***~ much* 〔*nothing*〕 *to be desired*** 유감스러운 점이 많다〔더할 나위 없다〕. ***~ off*** 그만두다, 그치다; 벗다, 버리다. ***~ out*** 빠뜨리다, 생략하다; 잊다; 무시하다. ***~ over*** 남기다; 연기하다. ***~ a person to himself*** 방임하다.

:leave² *n.* ① Ⓤ 허가. ② Ⓤ,Ⓒ 휴가(기간); 말미. ③ Ⓤ 고별, 작별. ***by your ~*** 실례입니다만. ***have* 〔*go on*〕 *~*** 휴가를 얻다. ***~ of absence*** 말미, 휴가(기간). ***on ~*** 휴가로. ***take French ~*** 무단히〔아무 말 없이〕 자리를 뜨다. ***take ~ of one's senses*** 미치다. ***take one's ~ of*** …에게 작별 인사를 하다. ***without ~*** 무단히.

leave³ *vi.* 잎이 나오다.

leav·en**[lévən] *n.* ① Ⓤ 효모, 누룩(yeast). ② Ⓤ,Ⓒ 영향을〔감화를〕 주는 것; 기미(氣味)(tinge), 기운. ***the old ~ 묵은 누룩; 구폐(舊弊). — *vt.* 발효시키다; 영향을 주다; …기미를 띠게 하다.

†leaves[li:vz] *n.* leaf의 복수.

léave-tàking *n.* Ⓤ 작별, 고별.

leav·ings[lí:viŋz] *n. pl.* 남은 것, 찌꺼기.

***Leb·a·non**[lébənən] *n.* 레바논《공화국》.

lech·er·ous [létʃərəs] *a.* 음탕한(lewd). **-y** *n.* Ⓤ 호색, 음란.

lec·i·thin[lésəθin] *n.* Ⓤ 〖生化〗 레시틴《생물의 세포조직·난황에 포함된 지방 비슷한 화합물》.

lec·tern[léktərn] *n.* Ⓒ (교회의) 성서대(臺); 연사용 탁자.

:lec·ture[léktʃər] *n., vt., vi.* Ⓒ 강의〔강화·강연〕(하다)(*on*); 훈계(하다)(*on*). **~·ship**[-ʃìp] *n.* Ⓤ 강사직(의 지위). **:léc·tur·er** *n.* Ⓒ 강사; 강연자.

lécture háll 강당.

:led[led] *v.* lead²의 과거(분사).

LED Light Emitting Diode 발광 소자《컴퓨터·전자 시계 등에 씀》.

:ledge[ledʒ] *n.* Ⓒ 좁은 선반; (암벽(岩壁) 측면의) 바위 선반; (해안 부근의) 암초; 광맥.

ledg·er[lédʒər] *n.* Ⓒ 〖簿〗 원장(元帳); (무덤의) 대석(臺石).

lédger lìne 〖樂〗 덧줄.

Lee[li:], **Robert E.**(1807-1870) 미국 남북 전쟁 때의 남군 총지휘관.

:lee¹[li:] *n., a.* Ⓤ (the ~) 바람이 불어가는 방향(의); 바람을 등진 쪽(의); 가려진 곳(shelter); 보호, 비호.

lee² *n.* (보통 *pl.*) (술 종류의) 찌기, 앙금.

:leech[li:tʃ] *n.* Ⓒ ① 거머리《특히 의료용의》. ② 흡혈귀, 고리 대금업자. ③ 《古》 의사.

leek[li:k] *n.* Ⓒ 〖植〗 리크, 서양부추파; 회색〔청색〕을 띤 녹색.

leer[liər] *n., vi., vt.* Ⓒ 추파(를 던지다), 곁눈질(하다), 짓궂은 눈매(를 하다). **~·y**[lí:əri] *a.* 곁눈질하는; 《俗》 교활한; 《俗》 의심이 많은(*of*).

lees[li:z] *n. pl.* ⇨LEE².

lée shòre 바람 불어가는 쪽의 해안.

lee·ward[lí:wərd, (海) lú:ərd] *n., a., ad.* Ⓤ 바람 불어가는 쪽(의, 으로).

Lée·ward Íslands[lí:wərd-] 리워드 제도《서인도 제도 중의 영령 제도》.

lée·wày *n.* ① Ⓤ 〖海〗 풍압(風壓)《바람 불어가는 쪽으로 밀려 내려감》. ② Ⓒ 풍압차(風壓差). ③ Ⓤ,Ⓒ 시간〔돈〕의 여유; 활동의 여지; 시간적 손실. ***make up ~*** 뒤진 것을 만회하다; 곤경을 벗어나다.

†left¹[left] *a.* 좌측의, 왼쪽의, 좌익의. ***marry with the ~ hand*** 지체 낮은 여자와 결혼하다. — *ad.* 왼쪽에. ***Eyes ~!*** 좌로 나란히! ***L- turn!*** 좌향좌. — *n.* Ⓤ (the ~) 왼쪽; (the L-) 좌익; Ⓤ 좌파, 혁신파. ***over the ~*** 거꾸로 말하면. **∠·ish** *a.* 좌익적인. **∠·ism** *n.* Ⓤ 좌익주의〔사상〕. **∠·ist** *a., n.* Ⓒ 좌익의 (사람), 좌파(의). **∠·y** *n.* Ⓒ 《口》 왼손잡이; 〖野〗 왼손잡이 투수; 좌익《사람》; 왼손잡이용 도구.

†left² *v.* leave¹의 과거(분사).

Léft Bánk (파리의 센 강의) 좌안(左岸)《화가가 많이 삶》; 자유 분방한 사람들이 사는 고장.

léft fíeld 〖野〗 좌익; 좌익수의 위치.

léft fíelder 〖野〗 좌익수.

léft-hánd *a.* 왼손의, 왼쪽의. **~ed** *a.* 왼손잡이의; 왼손으로 한; 왼손용의; 왼쪽으로 도는〔감는〕; 음험한; 불성실한, 말뿐인(*~ed compliment*).

léft·òver *n., a.* Ⓒ (보통 ~s) 나머지(의), 남은 것.

léft·ward *a.* 왼쪽의, 좌측의.

léft wíng 좌익, 좌파, 혁신파.

léft-wíng *a.* 좌익의, 좌파의. **~er** *n.* Ⓒ 좌파〔좌익〕의 사람.

†leg[leg] *n.* Ⓒ ① 다리(부분), 정강이; (가구 따위의) 다리. ② 지주, 버팀대; (삼각형의 밑변 이외의) 변. ③ (옷)자락. ④ (여정·주정(走程)의) 구분, 한구간; (갈지자로 나아가는 범선의) 한진행 구간〔거리〕. ⑤ 《英》 사기꾼. ***as fast as one's ~s would* 〔*will*〕 *carry one*** 전속력으로. ***feel* 〔*find*〕 *one's ~s*** (갓난아이가) 걸을 수 있게 되다. ***get on one's ~s*** 일어서다. ***give a person a ~ up*** 부축하여 태워 주다, 도와서 어려움을 헤어나게 하다. ***have ~s***

L

빠르다(는 평판이다). ***have not a ~ to stand on*** 거론(擧論)〔변명〕의 근거가 없다. ***have the ~s of*** …보다 빠르다. ***keep one's ~s*** 쓰러지지 않다. ***on one's last ~s*** 다 죽게 되어, 막다른 골목에 이르러. ***pull*** 〔***draw***〕 ***a person's ~*** 《口》 속이다, 놀리다. ***shake a ~*** 춤추다. ***stretch one's ~s*** 산책하다. ***take to one's ~s*** 도망치다. ***walk*** 〔***run***〕 ***a person off his ~s*** 지치도록 걷게〔달리게〕 하다. — *vi.* (**-gg-**) 걷다, 달리다. ~ ***it*** 《口》 걷다, 달리다.

leg. legal; legate; *legato;* legislative; legislature.

ⁱleg·a·cy[légəsi] *n.* Ⓒ 유산; 전승물(傳承物).

ⁱle·gal[lí:gəl] *a.* 법률(상)의; 합법적인; 법정(法定)의. **~·ism**[-ìzəm] *n.* Ⓤ (극단적인) 법률 존중주의, 형식주의. **~·ist** *n.* * **~·ly** *ad.*

légal áid 《英》 법률 구조《재력이 없는 이의 소송비를 정부가 지불하는 일》.

légal hóliday 법정 휴일.

le·gal·i·ty[li:gǽləti] *n.* Ⓤ 적법성; 법률 준수.

le·gal·ize[lí:gəlàiz] *vt.* 합법으로 인정하다; 합법화하다; 공인하다. **-i·za·tion**[ㅅ—izéiʃən/-lai-] *n.*

légal pérson 법인(法人).

légal resérve 법정(法定) 준비금.

légal ténder 법화(法貨). 「사진.

lég àrt 《美俗》 여성의 각선미 강조

leg·ate[légit] *n.* Ⓒ 로마 교황 사절.

leg·a·tee[lègətí:] *n.* Ⓒ 〖法〗 (동산의) 유산 수취인, 유산 수령인.

le·ga·tion[ligéiʃən] *n.* Ⓒ 공사관; 《집합적》 공사관원.

le·ga·to[ligɑ́:tou] *a., ad.* (It.) 〖樂〗 부드러운, 부드럽게.

lég báil 탈주.

ⁱleg·end[lédʒənd] *n.* Ⓒ 전설; 성도전(聖徒傳); (화폐·메달 등의) 명(銘); (도표 등의) 설명문, 일러두기. * **~·ar·y**[-èri/-əri] *a.* 전설의, 전설적인.

leg·er·de·main [lèdʒərdəméin] *n.* Ⓤ 요술; 속임수. 「LINE.

lég·er lìne[lédʒər-] =LEDGER

***leg·ging**[légiŋ] *n.* Ⓒ 각반; (*pl.*) 레깅스《어린이용 보온(保溫) 바지》.

lég guàrd 〖野·크리켓〗 정강이받이.

leg·gy[légi] *a.* 다리가 가늘고 긴〔미끈한〕.

leg·horn[léghɔ̀:rn] *n.* Ⓒ ① 맥고모자의 일종. ② [légərn] 레그혼(닭).

leg·i·ble[lédʒəbəl] *a.* 읽을 수 있는, 읽기 쉬운; 명백한. **-bly** *ad.* **~·ness** *n.* **-bil·i·ty**[ㅅ—bíləti] *n.*

le·gion**[lí:dʒən] *n.* Ⓒ (고대 로마의) 군단《보병 3000-6000명》; 군세(軍勢); 다수. ***L- of Honor (Napoleon 이래의) 레지옹 도뇌르 훈장〔훈위(勳位)〕. **~·ar·y**[-èri/-əri] *a., n.* Ⓒ 군단의 (병사). **~·naire**[lì:dʒənέər] *n.* Ⓒ 군단의 병사; 미국 재향 군인회 회원.

leg·is·late[lédʒislèit] *vi., vt.* 법률을〔로〕 정하다. **ⁱ-la·tion**[ㅅ—léi-] *n.* Ⓤ 입법; Ⓒ 법률. ***-la·tive**[-lèit-, -lət-] *a.* 입법의. ***-la·tor** *n.* Ⓒ 입법자. ***-la·ture**[-lèitʃər] *n.* Ⓒ (국가의) 입법부.

le·git [lidʒít] *a., n.* 《俗》 =LEGITIMATE (drama).

le·git·i·ma·cy[lidʒítəməsi] *n.* Ⓤ 합법, 정당; 적출(嫡出).

le·git·i·mate**[lidʒítəmit] *a.* 합법〔적법〕의; 정당한; 적출의; 논리적인. ~ ***drama 〔***stage***〕 (소극(笑劇) 등에 대하여) 정극(正劇); (영화에 대하여) 무대극. — [-mèit] *vt.* 합법이라고 하다; 적출로 (인정)하다. **~·ly** *ad.*

le·git·i·mism[-mìzəm] *n.* Ⓤ 정통주의. **-mist** *n.*

le·git·i·mize[-màiz] *vt.* =LEGITIMATE. 「원; 외근원.

lég·màn *n.* Ⓒ 취재 기자; 외무 사

lég-of-mútton *a.* 양(羊)다리 모양의, 삼각형의(*a ~ sail, sleeve, &c.*).

lég-pùll(**ing**) *n.* Ⓒ 골탕먹이기, 못된 장난. 「쇼.

lég shòw (각선미를 보이는) 레그

leg·ume[légju:m, ligjú:m], **le·gu·men**[ligjú:mən] *n.* Ⓒ 콩과 식물(의 꼬투리).

le·gu·min[ligjú:min] *n.* Ⓤ 〖生化〗 레구민《콩과 식물 씨에 있는 단백질》.

le·gu·mi·nous [legjú:minəs] *a.* (꼬투리) 콩이 나는; 콩과의. 「동.

lég·wòrk *n.* Ⓤ 돌아다님; 취재 활

lei[lei, léii:] *n.* Ⓒ 레이《하와이 사람이 목에 거는 화환》.

Lei·ca[láikə] *n.* Ⓒ 〖商標〗 라이카《독일제 카메라 이름》.

Leices·ter[léstər] *n.* 잉글랜드 중부의 도시; Ⓒ 레스터종(種)의 양.

Leices·ter·shire [-ʃìər, -ʃər] *n.* 영국 중부의 주(州)《생략 Leices.》.

Leip·zig[láipsig/-zig], **-sic**[-sik] *n.* 라이프치히《동독 남부의 도시》.

ⁱlei·sure[lí:ʒər, lé-] *n., a.* Ⓤ 여가(의); 안일. ***at ~*** 한가하여; 천천히. ***at one's ~*** 한가할〔형편 좋을〕 때에. **~d**[-d] *a.* 한가한. **ⁱ ~·ly** *ad.*

léisure-tìme *a.* 여가의.

leit·mo·tif, -tiv[láitmoutì:f] *n.* (G.) Ⓒ (Wagner의 악극(樂劇)의) 시도동기(示導動機); 주목적.

LEM lunar excursion module.

lem·ming[lémiŋ] *n.* Ⓒ 〖動〗 나그네쥐《북극산》.

ⁱlem·on[lémən] *n., a.* Ⓒ 레몬《나무·열매》; Ⓤ 레몬 빛(의), 레몬이 든. **~·y** *a.* 레몬 맛이〔향기가〕 있는.

***lem·on·ade**[lèmənéid] *n.* Ⓤ 레몬수, 레모네이드.

lémon dròp 레몬 드롭《캔디》.

lémon squásh 《英》 =LEMONADE.

lémon squèezer 레몬 짜는 기구(juicer).

le·mur[lí:mər] *n.* Ⓒ 여우원숭이《Madagascar산》.

†lend[lend] *vt.* (***lent***) 빌려주다; (효

L

과 따위를) 증대시키다, 더하다, 첨가하다, (도움을) 주다. ~ ***a* (*helping*) *hand*** 돕다, 손〔힘〕을 빌리다. ~ ***itself* 〔*oneself*〕 *to*** …의 소용에 닿다; (나쁜 짓, 비열한 짓 등을) 굳이 하다; 받아 들이다. **∠·er** *n.* **∠·ing** *n.* Ⓤ 대여; Ⓒ 대여물; (*pl.*) 빌려 입은 옷.

lénd-léase *n.* Ⓤ《美》(무기) 대여. ── *vt.* (무기·물자를) 대여하다.

Lénd-Léase Áct《美》무기 대여법《1941 제정》.

†**length**[leŋkθ] *n.* Ⓤ 길이, 기장, 세로; 기간; Ⓒ (보트·경마의) 1정신(艇身), 1마신(馬身). ***at full*** ~ 길게; 네 활개를 펴고; 상세히. ***at*** ~ 드디어, 겨우; 최대한의 길이로, 상세히. ***go all* ~*s,*** or ***go to great* 〔*any*〕 ~** 어떤 일이라도 해치우다. ***go the* ~ *of*** (doing) …까지도 하다. ***go the whole*** ~ 끝까지 하다, 하고 싶은 말을 모두 하다. ***know* 〔*find, get, have*〕 *the* ~ *of*** …의 성질을〔급소를〕 간파하다. ***:*~·en**[∠ən] *vi., vt.* 길게 하다〔되다〕, 늘이다, 늘어나다. **~·ways**[∠wèiz] *ad.* 세로로. ***~·wise**[∠wàiz] *ad., a.* 세로로(의). ***∠·y** *a.* 긴; (연설·글이) 장황한.

le·ni·ent[líːniənt, -jənt] *a.* 관대한; 온화한. **~·ly** *ad.* **-ence, -en·cy** *n.*

Len·in [lénin], **Nikolai** (1870-1924) 러시아의 혁명가·소련 창설자.

Len·in·grad[-græd, -ɑ̀ː-] *n.* 레닌그라드《St. Petersburg의 옛 이름》.

len·i·tive[lénətiv] *a., n.* 완화〔진통〕성의; Ⓒ 완화〔진통〕제.

len·i·ty[lénəti] *n.* Ⓤ 관대; Ⓒ 관대한 조처〔행위〕. 「정체.

:lens[lenz] *n.* Ⓒ 렌즈; (눈알의) 수

léns hòod〖寫〗(카메라의) 후드.

lens·man[∠mən] *n.* Ⓒ《口》사진사 (photographer).

Lent[lent] *n.* 사순절(四旬節)《Ash Wednesday부터 Easter까지의 40일간; 이 동안에 단식·회개를 함》.

†**lent**[lent] *v.* lend의 과거(분사).

len·tan·do[lentáːndou] *ad.* (It.)〖樂〗차차 느리게.

Lent·en[∠ən] *a.* 사순절의, 봄철의; (*or* l-) 육식없는; (복장 등) 검소한. ***the* ~ *season*** 사순절의 계절《봄》.

len·til[léntil] *n.* Ⓒ〖植〗렌즈콩, 편두(扁豆).

len·to[léntou] *a., ad.* (It.)〖樂〗느린, 느리게.

Lént tèrm《英》(대학의) 봄 학기.

Le·o[líːou] *n.*〖天〗사자자리(the Lion); (황도의) 사자궁(宮).

le·o·nine [líːənàin] *a.* 사자의〔같은〕; (L-) 교황 Leo의.

leop·ard**[lépərd] *n.* Ⓒ〖動〗표범. ***American ~ =JAGUAR. **~·ess** *n.* Ⓒ 암표범.

Lep·cha[léptʃə] *n.* Ⓒ (히말라야 산지의) 렙차 사람; Ⓤ 렙차 말.

lep·er[lépər] *n.* Ⓒ ① 나병 환자, 문둥이. ② 세상으로부터 배척당한 사람.

lep·i·dop·ter·ous[lèpədáptərəs/-ɔ́-] *a.* 인시류(鱗翅類)《나비·나방》의.

lep·ra[léprə] *n.* =LEPROSY.

lep·re·chaun [léprəkɔ̀ːn] *n.* Ⓒ《Ir.》난장이 노인 모습의 요귀(妖鬼).

lep·ro·sar·i·um[lèprəsɛ́əriəm] *n.* Ⓒ 나병 요양소(leper house).

lep·ro·sy[léprəsi] *n.* Ⓤ 나병. **lép·rous** *a.* 나병의〔같은〕; 비늘 모양의.

les·bi·an[lézbiən] *a., n.* Ⓒ 동성애의 (여자). **~·ism**[-ìzəm] *n.* Ⓤ 여성의 동성애.

lése májesty[líːz-]〖法〗불경〔대역〕죄.

le·sion [líːʒən] *n.* Ⓒ 상해(傷害);〖醫〗(조직·기능의) 장애, 병소(病巢).

Le·so·tho [lesóuθou] *n.* 아프리카 남부의 독립국.

†**less**[les]《little의 비교급》*a.* 보다 적은〔작은〕, 보다 이하의〔못한〕. ***little* ~ *than*** …와 같은 정도. ***no* ~ *than*** 꼭 …만큼, 적어도 …만큼; 다름 아닌 바로 그 …. ***nothing* ~ *than*** 꼭 …만큼, 적어도 …만큼, 바로 그것. ── *ad.* 보다 적게. MUCH **~*.* *no* 〔*none the,* or *not the*〕 ~** 역시, 그래도 역시. STILL[1] ~. ── *prep.* =MINUS(*a month* ~ *two days* 이틀 모자라는 한 달). ── *n.* Ⓤ 보다 적은 수량〔액〕. ***in* ~ *than no time***《諧》곧, 이내.

-less[ləs, lis] *suf.* 명사에 붙여서 '…이 없는', 동사에 붙여서 '…할 수 없는'의 뜻의 형용사를 만듦: care*less,* wire*less,* count*less.*

les·see[lesíː] *n.* Ⓒ〖法〗차지〔차가〕인(借地〔借家〕人).

:less·en[lésn] *vt., vi.* 적게〔작게〕 하다〔되다〕; 줄(이)다.

***less·er**[lésər]《little의 비교급》*a.* 보다 작은〔적은〕.

Les·sing [lésiŋ], **Gotthold Ephraim** (1729-81) 독일의 비평가·극작가. 「열등.

less·ness[lésnis] *n.* Ⓤ 한층 적음,

†**les·son**[lésn] *n.* Ⓒ 학과, 과업; (*pl.*) 수업, 공부, 연습; 교훈; 훈계; (성서의) 일과. ***give* 〔*have, take*〕 ~*s in*** (*chemistry*) (화학을) 가르치다〔배우다〕. ***read* 〔*teach*〕 *a person a* ~** 호되게 야단치다. ***take* 〔*give, have*〕 ~*s in*** (Latin) (라틴어)를 배우다.

les·sor[lesɔ́ːr, ∠-] *n.* Ⓒ (토지·가옥 등을) 빌려 주는 사람, 집주인.

:lest[lest] *conj.*《문어적》…하지 않도록; …하면 안 되므로, …을 두려워 하여.

†**let**[1][let] *vt.* (*let; -tt-*) ① …시키다; 하게 하다, 허가하다. ② 빌려 주다. ③ (액체·음성·공기를) 내다, 새어 나오게 하다, (눈물을) 흘리다. ④ (문 등에 사람을) 통과시키다. ── *aux., v.* '권유·명령·허가·가정'의 뜻(*Let's take a rest.* 좀 쉬자). ~ ***alone*** 내

L

버려 두다; 《명령적》 …은 그만두고, …은 말할 것도 없고(*He knows Latin, ~ alone French.* 프랑스 말은 물론 라틴 말도 한다). **~ be** 내버려 두다; 그만두다. **~ down** 내리다, 낙심케 하다; 부끄럽게 하다. **~ fall** 떨어뜨리다. **~ fly** 날리다. **~ go** (쥔 것을) 놓다, 놓아 주다. **~ in** 들이다(*Let me in!* 들여 보내 주세요). **~ into** 속에 넣다; 알리다; 공격하다, 해내다. **~ loose** 놓아 주다. **~ me see** (저) 글쎄. **~ off** (총을) 쏘다; 농담을 하다; 석방하다; 내다, 새게 하다. **~ on** 《口》 새게 하다, 폭로하다; 《口》 …체 하다. **~ out** (*vt.*) 흘러나오게 하다, 새게 하다; 넓히다, 크게 하다, 빌려 주다; (*vi.*) 《美》 (모임·학교 등이) 파하다; 후려 갈기다, (발로) 차다; 욕지거리하다(*at*). **~ pass** 눈감아 주다. **~ up** 그만두다(*on*); 느즈러지다, 바람이 자다.

let² *n., vt.* (***let, ~ted***) Ⓤ 《古》 방해(하다). 「stream*let*.

-let[lət, lit] *suf.* '작은…'의 뜻:

lét·dòwn *n.* Ⓒ 감소, 이완(弛緩); 환멸, 실망; 〖空〗 (착륙을 위한) 감속(減速).

le·thal[líːθəl] *a.* 치명〔치사〕적인.

le·thar·gic[liθáːrdʒik], **-gi·cal** [-əl] *a.* (몹시) 졸린, 노곤한; 혼수 상태의. **-gi·cal·ly** *ad.*

leth·ar·gy[léθərdʒi] *n.* Ⓤ 혼수; 활발치 못함.

Le·the[líːθi(ː)] *n.* 〖그神〗 망각의 강 《지옥의 강, 그 물을 마시면 과거를 잊음》; Ⓤ 망각. **∠·an** *a.*

†**let's**[lets] let us의 단축.

Lett[let] *n.* Ⓒ Latvia 사람; Ⓤ 레트말.

†**let·ter**[létər] *n.* Ⓒ 문자, 글자; 편지; (*pl.*) 문학, 학문, 문필업(*a man of ~s* 학자, 문인); (보통 *pl.*) 증서, …장(狀). **~ of attorney** 위임장. **~ of credit** 신용장《생략 L/C, l/c. l.c.》. **~s of marque** (**and reprisal**) (정부 발행의) 적 상선 나포(敵商船拿捕)허가장. **~s patent** 특허장. ***to the ~*** 문자(그)대로.

létter bòmb 우편 폭탄《우편물에 폭탄을 장치한 것》.

létter bòx 《주로 英》 우편함(《美》 mail box).

létter càrd 《英》 봉함 엽서.

létter càrrier 우편 집배인(《美》 mail carrier).

létter dròp 우편물 투입구.

let·tered[-d] *a.* 학문〔교양〕 있는.

létter·hèad *n.* Ⓒ 편지지 위쪽의 인쇄문구《회사 이름·소재지·전화번호 따위》; Ⓤ 그것이 인쇄된 편지지.

let·ter·ing[-iŋ] *n.* Ⓤ 자체(字體), 글자배치; 쓴〔새긴〕 글씨.

létter·less *a.* 무식한, 무교육의.

létter pàd (떼어 쓰게 된) 편지지.

létter pàper 편지지.

létter-pérfect *a.* 〖劇〗 대사를 외고 있는; 세부까지 정확한.

létter·prèss *n.* Ⓤ 활판 인쇄한 자구(字句). ② Ⓒ (삽화에 대하여) 본문. ③ Ⓤ 활판〔식자〕 인쇄; Ⓒ 그 인쇄기.

létters pátent 전매 특허증.

létter stàmp (편지의) 소인(消印).

létter stòck 비공개주.

létter wrìter 편지 쓰는 사람; 서간 문학자; 편지틀.

Let·tish[létiʃ] *n., a.* Ⓤ 레트어, 라트비아어; 레트인〔어〕의. 「추.

***let·tuce** [létis] *n.* Ⓒ,Ⓤ 상추, 양상

lét·ùp *n.* Ⓤ,Ⓒ 《口》 정지; 완화.

leu·cine[lúːsiːn] *n.* Ⓤ 〖化〗 류신, 로이친《백색 결정성의 아미노산》.

leu·co·cyte, -ko-[lúːkəsàit] *n.* Ⓒ 백혈구.

leu·cot·o·my [luːkátəmi/luːkɔ́-] *n.* Ⓤ,Ⓒ 뇌엽 절제(술)(腦葉切除(術)).

leu·ke·mi·a, -kae-[luːkíːmiə] *n.* Ⓤ 백혈(구 과다)증.

Lev. Leviticus.

Le·vant[livǽnt] *n.* (the ~) 레반트《지중해 동부 지방 여러 나라》.

Le·van·tine[lévəntàin] *a.*

lev·ee¹, ***lev·ée***[lévi] *n.* Ⓒ 《英》 (군주의) 아침 알현(謁見)(식)《이른 오후에 남자에 한함》; 《美》 (대통령의) 접견회; 〖프史〗 아침 접견식.

lev·ee² *n.* Ⓒ (강의) 제방, 둑; 부두.

⁑**lev·el**[lévəl] *n.* ① Ⓤ,Ⓒ 수평(면). ② Ⓒ 평지. ③ Ⓒ 높이; 수준; 수준기(器). ***bring a surface to a ~*** 어떤 면을 수평하게 하다. ***find one's*** 〔***its***〕 ***~*** 실력에 맞는 지위를 얻다. ***on a ~ with*** …과 동등하게. ***on the ~*** 《俗》 공평한, 정직하게 (말하면). ── *a.* 수평의; 평평한; 동일 수준의; 서로 우열이 없는; 한결같은; 분별있는. ***do one's ~ best*** 전력을 다하다. ── (《英》 ***-ll-***) *vt.* 수평으로 만들다, 고르다; 동일 수준으로 만들다, 한결같게 하다; (건물을) 쓰러뜨리다; 겨누다(*at*); (날카로운 풍자를) 퍼붓다, (의도를) 돌리다(*at, against*). ── *vi.* 겨누다, 조준하다. **~ down** 〔**up**〕 (…의 표준을) 낮추다〔올리다〕, 균일하게 하다. **lév·eled,** 《英》 **-elled**[-d] *a.* 〖文〗 등격(等格)의; (악센트가) 등고(等高)의. **lév·el·er,** 《英》 **-el·ler** *n.* Ⓒ 수평하게 만드는 것; 평등주의자, 수평 운동자.

lével cróssing 《英》 =GRADE CROSSING.

lével-héaded *a.* 냉정한, 온건한.

***lev·er**[lívər, lévər] *n., vi., vt.* Ⓒ 지레〔레버〕(로 움직이다, 비집어 열다). **~·age**[-idʒ] *n.* Ⓤ 지레의 힘〔작용〕; (이용의) 수단; 세력.

lev·er·et[lévərit] *n.* Ⓒ 새끼 토끼.

Le·vi[líːvai] *n.* 〖聖〗 레위《Jacob의 셋째 아들》.

le·vi·a·than[liváiəθən] *n.* ① (종종 L-) 〖聖〗 거대한 바다짐승. ② Ⓒ 큰 배; 거대한 물건; 거인.

Le·vi's, Le·vis[líːvaiz] *n.* 〖商標〗 리바이스《솔기를 리베트로 보강한 청색 데님(denim)의 작업복 바지》.

Levit. Leviticus.
lev·i·tate[lévətèit] *vi., vt.* (강신술(降神術) 등에서) 공중에 뜨(게 하)다.
Le·vite[lí:vait] *n.* Ⓒ 〖유대史〗 레위 사람; 《俗》 유대 사람.
Le·vit·i·cal [livítikəl] *a.* 레위 사람(⇧)의; 레위기(⇩)의.
Le·vit·i·cus [livítikəs] *n.* 〖舊約〗 레위기(記).
lev·i·ty[lévəti] *n.* Ⓤ 경솔, 부박(浮薄); Ⓒ 경솔한 짓. 「당(果糖).
lev·u·lose[lévjəlòus] *n.* Ⓤ 〖化〗 과
lev·y**[lévi] *vt.* (세금 따위를) 과하다, 거두어 들이다; (장정을) 징집하다. ── *vi.* 징세〔과세〕하다. ~ ***taxes 〔***blackmail***〕 ***upon*** …에 과세하다〔공갈치다〕. ~ ***war on*** …에 전쟁을 걸다. ── *n.* Ⓒ 징세, 징집; 징집 병원(兵員).
:lewd[lu:d] *a.* 음탕한, 호색의; 외설한. **∠·ly** *ad.* **∠·ness** *n.*
Lew·is[lú:is], **Sinclair**(1885-1951) 미국의 소설가.
lew·is·ite[lú:isàit] *n.* Ⓤ 루이사이트《미란성 독가스의 일종》.
lex[leks] *n.* (*pl.* ***leges***[lí:dʒi:z]) (L.) =LAW. 「의.
lex·i·cal[léksikəl] *a.* 사전(상에서)
lex·i·cog·ra·phy [lèksəkágrəfi/-ɔ́-] *n.* Ⓤ 사전 편집. **-ra·pher**[-rəfər] *n.* **-co·graph·i·cal**[-sikougræ̀fikəl] *a.*
lex·i·con[léksəkən] *n.* Ⓒ 사전《특히 고전어의》. 「의 도시.
Ley·den[láidn] *n.* 네덜란드 남서부
Léyden jár 〖電〗 라이든병(瓶)《마찰 전기 축적기》.
LF, L.F. low frequency. **lf.** left field(er). **LG, LG., L.G.** Low German. **l.g.** 〖蹴〗 left guard. **L.G.B.** Local Government Board. **lh., l.h., lhb, l.h.b.** 〖蹴〗 left halfback.
Lha·sa[lá:sə] *n.* 티베트의 수도.
Li 〖化〗 lithium. **L.I.** Light Infantry; Long Island.
li·a·bil·i·ty**[làiəbíləti] *n.* ① Ⓤ 책임 (있음); 부담; 의무; 경향(*to*). ② Ⓒ 불리한 일〔조항〕. ③ (*pl.*) 빚. ***limited ~ 유한 책임.
:li·a·ble [láiəbəl] *a.* ① 책임 있는 (*for*); (벌·부담·손해 등) 면할 수 없는. ② 빠지기 쉬운; (병에) 걸리기 쉬운; …하기 쉬운.
***li·ai·son** [lí:əzàn, li:éizan/li:éizɔ:ŋ] *n.* (F.) ① Ⓤ 〖軍〗 연락. ② Ⓒ 〖音聲〗 (프랑스 말 등의) 연결 발음. ③ Ⓒ 간통, 밀통.
líaison ófficer 연락 장교.
:li·ar[láiər] (<lie[1]) *n.* Ⓒ 거짓말쟁이.
lib[lib] *n., a.* Ⓤ 해방 운동(의).
lib. librarian; library; *liber* (L.) (=book). **Lib.** Liberal.
li·ba·tion[laibéiʃən] *n.* Ⓒ 헌주(獻酒)《술을 마시거나 땅 위에 부어서 신(神)을 제사하기》; 신주(神酒); 《諧》 술; 음주.
lib·ber[líbər] *n.* Ⓒ 《美口》 (여성) 해방 운동가.
li·bel[láibəl] *n.* Ⓒ 중상문(서); Ⓤ 〖法〗 명예 훼손죄; Ⓒ 《口》 모욕이 되는 것(*This portrait is a* ~ *on me.* 망측한 초상화다). ── *vt.* (《英》 ***-ll-***) 중상하다; 고소하다. **~·er,** 《英》 **~·ler** *n.* **~·ous,** 《英》 **~·lous** *a.*
:lib·er·al[líbərəl] *a.* ① 자유주의의. ② 활수한, 대범한; 관대한. ③ 풍부한. ④ 자유로운. ⑤ 자유인〔신사〕에 어울리는, 교양적인. ── *n.* Ⓒ 자유주의자; (L-) 자유당원. ***~·ism** [-ìzəm] *n.* Ⓤ 자유주의. **~·ist** *n.* **~·is·tic**[∸--ístik] *a.* **~·i·ty**[∸--ǽləti] *n.* **~·ly** *ad.*
:líberal árts 교양 학과, 학예.
líberal educátion 일반 교육《직업·전문 교육에 대하여》.
lib·er·al·ize[-àiz] *vt., vi.* 자유주의화하다; 관대하게 하다〔되다〕. **-i·za·tion**[∸--izéiʃən/-laiz-] *n.*
Líberal Párty, the (영국의) 자유당.
***lib·er·ate**[líbərèit] *vt.* ① 해방하다, 자유롭게 하다, (노예 따위를) 석방하다(*from*). ② 〖化〗 유리시키다.
lib·er·a·tion[lìbəréiʃən] *n.* Ⓤ 해방, 석방; 〖化〗 유리; (무역 따위의) 자유화, (권리·지위의) 평등화. **-a·tor** *n.* Ⓒ 해방자, 석방자.
Li·be·ri·a[laibíəriə] *n.* 아프리카 서부의 (아프리카 최초의) 흑인 공화국. **-ri·an** *a., n.* Ⓒ 라이베리아의 (사람).
lib·er·tine[líbərtì:n] *n.* Ⓒ 방탕자, 난봉꾼; 〖宗〗 자유 사상가. **-tin·ism** [-tinìzəm] *n.* Ⓤ 방탕, 난봉; 〖宗〗 자유 사상.
:lib·er·ty[líbərti] *n.* ① Ⓤ 자유; 해방. ② Ⓒ 멋대로 함, 방자, 무람〔스스럼〕 없음. ③ (*pl.*) 특권. ***at*** ~ 자유로, 마음대로; 할일 없어; (물건이) 쓰이지 않고. ***be guilty of a*** ~ 마음대로 행동하다. ~ ***of conscience*** 〔***press***〕 신교(信敎)〔출판〕의 자유. ***take liberties with*** …에게 무람없이 굴다; (명예)를 손상하다; 멋대로 변경하다, (사실)을 굽히다. ***take the*** ~ (*of doing, to* do) 실례를 무릅쓰고 …하다.
Líberty Bèll, the 자유의 종《Philadelphia에 있는 종; 1776년 7월 4일 독립 기념일에 울렸음》.
líberty hàll 손님이 마음대로 행동할 수 있는 집.
Líberty Ísland 자유의 여신상이 있는 뉴욕항 입구의 작은 섬.
Líberty Shìp 《美》 (제2차 대전 중에 건조한) 수송선의 일종.
li·bid·i·nal[libídənəl] *a.* 리비도의, 성적 충동의.
li·bid·i·nous [libídənəs] *a.* 호색의; 〖精神分析〗 애욕(愛慾)의. **~·ly** *ad.* 「析〗 애욕, 리비도.
li·bi·do [libí:dou] *n.* Ⓤ,Ⓒ 〖精神分
li·bra[láibrə] *n.* (*pl.* ***-brae***[-bri:]) Ⓒ (무게의) 파운드《생략 lb, lb.》; [lí:brə] 파운드(화)《생략 £》; (L-)

〖天〗저울자리, (황도의) 천칭궁(宮).

***li·brar·i·an**[laibrέəriən] *n.* Ⓒ 도서관원, 사서(司書).

†**li·brar·y**[láibrəri, -rèri] *n.* Ⓒ ① 도서관〔실〕. ② 장서; 서재; 총서(叢書). ③〖컴〗라이브러리. ***a walking* ~** 박물 군자.

líbrary edìtion 특제판; 동일 저자의 동일 장정본.

líbrary scíence 도서관학.

li·bret·to[librétou] *n.* (*pl.* **~s, -ti** [-ti]) Ⓒ (가극 따위의) 가사, 대본.

Lib·ri·um[líbriəm] *n.* 〖商標〗 리브리엄《진정제의 일종》.

Lib·y·a[líbiə] *n.* 리비아《아프리카 북부의 공화국》. **-an** *a., n.* 리비아의; Ⓒ 리비아 사람, 베르베르 사람; Ⓤ 베르베르 말.

lice[lais] *n.* louse의 복수.

:**li·cense, -cence**[láisəns] *n.* ① Ⓤ,Ⓒ 면허, 인가; Ⓒ 허가증, 면허장〔증〕, 감찰. ② Ⓤ 방종, 방자, 멋대로 함. ③ Ⓤ (기교상의) 파격(破格). ***under* ~** 면허를 받고서. ── *vt.* (…에게) 면허하다. **li·cen·see, -cee** [làisənsíː] *n.* Ⓒ 면허 받은 사람; 공인 주류 판매인. **lí·cens·er, -cen·sor** *n.* Ⓒ 인가〔허가〕자; 검열관.

li·censed[láisənst] *a.* 면허를 얻은; 세상이 인정하는. **~ *house*** 공인 주류 판매점; 유곽. **~ *satirist*** 세상이 다 아는 독설가. **~ *victual(l)er*** 공인 주류 판매인.

lícense plàte (공식 인가를 표시하는) 감찰, (자동차의) 번호판.

li·cen·ti·ate[laisénʃiit, -ʃièit] *n.* Ⓒ 공인〔면허〕받은 사람; 유자격자.

li·cen·tious[laisénʃəs] *a.* 방자한, 방탕한; 음탕한; 반항적인, 《稀》 파격적인《문체》. **~·ly** *ad.* **~·ness** *n.*

***li·chen**[láikən, -kin] *n.* Ⓤ 〖植〗 지의류(地衣類); 이끼; 〖醫〗 태선(苔癬).

lích gàte[lítʃ-] 《특히 英》 지붕 있는 묘지문(墓地門).

lic·it[lísit] *a.* 합법적인, 정당한.

:**lick**[lik] *vt.* ① 핥다; (물결이) 넘실거리다, (불길이) 널름거리다. ② 때리다. ③ 해내다. ④ 《口》 (…에) 이기다, (…보다) 낫다. ── *vi.* ① (불길 따위가) 급속히 번지다; 너울거리다. ② 서두르다. ③ 《口》 이기다. **~ *into shape*** 《口》 제 구실 할 만큼 길러내다. **~ *one's chops* 〔*lips*〕** 입맛 다시다. **~ (*a person's*) *shoes* 〔*boots, spittle*〕** (아무에게) 아첨하다. **~ *the dust*** 쓰러지다, 지다. **~ *up*** 다 핥아 먹다. ***This* ~*s me.*** 도무지 모르겠다. ── *n.* ① Ⓒ 핥음, 한 번 핥기. ② (a ~) 조금 (*of*). ③ Ⓒ 《口》 일격. ④ Ⓤ 《口》 속력. ***give a* ~ *and a promise*** (청소·일 등) 되는 대로 하다. **∠·ing** *n.* ① Ⓤ,Ⓒ 핥음. ② Ⓒ 《口》 때림, 지게 함.

lick·er·ish, liq·uor·ish[líkəriʃ] *a.* 맛있는 것을 좋아하는, 가리는 것이 많은; 갈망하는; 호색의.

lick·e·ty-split[líkətisplít] *ad.* 《美口》 전속력으로, 쏜살같이.

「식객.

lick·spit·tle[líkspìtl] *n.* Ⓒ 알랑쇠;

lic·o·rice[líkəris] *n.* Ⓤ 〖植〗 감초(甘草); 그 말린 뿌리.

lic·tor[líktər] *n.* Ⓒ 〖史〗 릭토르《고대 로마에서 집정관에 딸려 죄인을 처벌한 관리》.

:**lid** [lid] *n.* Ⓒ ① 뚜껑; 눈꺼풀. ② 《俗》 모자. ***flip one's* ~** 《俗》 마음껏 웃다.

li·dar[láidɑːr] *n.* Ⓤ 라이더.

li·do[líːdou] *n.* Ⓒ 《英》 해변 휴양지; 옥외 수영 풀.

†**lie**¹[lai] *vi.* (***lay; lain; lying***) ① (사람·동물이) 누워〔자고〕 있다; 눕다; 기대다(*against*); (지하에) 잠들고 있다. ② 놓여 있다; (어떤 상태에) 있다(**~ *motionless*** 가만히 있다); (어떤 장소 또는 위치에) 있다, 위치하다; (원인·이유 등이 …에) 있다; (지형이) 펼쳐〔전개되어〕 있다; (길이) 통해 있다. ③ (군대 등이) 숙영〔야영〕하다; (배가) 정박하다(**~ *at anchor*** 정박하고 있다). ④ (사냥새가) 웅그리다, 움츠리다. ⑤〖法〗 (소송 등이) 이유가 서다, 성립되다, 인정할 수 있다. ***as far as in me* ~*s*** 내 힘이 미치는 한은. **~ *along*** (배가) 옆바람을 받고 기울다; 쓰러지다; 녹초가 되다. **~ *along the land* 〔*shore*〕**〖海〗 (배가) 해안을 끼고 항행하다. **~ *asleep*** 드러누워 자고 있다. **~ *back against*** …에 기대다. **~ *by*** 휴식하다, 곁에 있다, 쓰여지지 않고 있다, …에 보관되어 있다. **~ *close*** 숨어 있다; 한데 모이다. **~ *down*** 눕다; 굴복하다. **~ *down on the job*** 《口》 (일을) 되는 대로 날리다, 게으름 피우다. **~ *down under*** (모욕을) 달게 받다. **~ *heavy on*** …을 괴롭히다. **~ *in*** 산욕(産褥)에 누워 있다; …에 있다. **~ *in the way*** 방해가 되다. **~ *off*** 잠깐 일을 쉬다; 은퇴하다; 〖海〗 (배가 육지나 다른 배로부터) 조금 떨어져 있다. **~ *on* 〔*upon*〕** …의 의무〔책임〕이다; …여하에 달리다; …의 힘겨운 부담이 되다. **~ *on* (*a person's*) *head*** (아무개의) 책임이다. **~ *on one's back*** 벌떡 드러눕다. **~ *out of* (*a person's*) *money*** (아무에게서) 지불을 받지 않고 있다. **~ *over*** 기울다, 연기되다, (기한이 지나도) 지불을 받지 못하고 있다. **~ *to*** 정선(停船)하려 하다; …에 전력을 기울이다. **~ *under*** …을 받다, …에 몰리다. **~ *up*** 병상에 눕다, 휴양하다, (집에) 들어박히다, (겨울을 나기 위해서 배가) 독에 매어지다. **~ *with*** …와 함께 자다〔묵다〕; …의 소임〔의무〕이다. ── *n.* ① Ⓤ (사물이 존재하는) 위치; 방향, 향; 상태, 형세, 모양. ② Ⓒ (동물의) 소굴. ③ Ⓒ 〖골프〗 공의 위치. ***the* ~ *of the land*** 지세(地勢).

†**lie**² *n.* Ⓒ 거짓말, 허언; 사기; 허위. ***give a person the* ~,** or ***give the* ~ *to*** …의 거짓말을 비난하다;

L

…을 거짓(말)이라고 증명하다. ***white* ~** 악의 없는 거짓말. **— *vt., vi.*** (***~d; lying***) 거짓말하다, 속이다. ***~ a person into* 〔*out of*〕** …을 속여서 …에 빠뜨리다〔…을 우려내다〕.

Liech·ten·stein[líktənstàin] *n.* 오스트리아와 스위스 사이의 입헌 군주국.

lied[li:t, li:d] *n.* (*pl.* ***~er***[lí:dər]) (G.) Ⓒ 리트, 가곡(歌曲).

Lie·der·kranz [lí:dərkrà:nts] *n.* 〖商標〗 향기로운 치즈.

líe detèctor 거짓말 탐지기.

líe-dòwn *n.* Ⓒ 《주로 英》 선잠.

lief[li:f] *ad.* 기꺼이, 쾌히. ***would* 〔*had*〕 *as ~ … (as)*** …할 바에는 …해도 좋다〔…하는 편이 오히려 낫다〕. ***would* 〔*had*〕 *~er … than*** …보다는 …하는 편이 낫다.

liege[li:dʒ] *n.* Ⓒ 군주; 가신; (the ~s) 신하. **— *a.*** 군주〔가신〕인; 충성스러운. ***~ lord*** 군주. **⌐·man** *n.* Ⓒ 〖史〗 가신.

lien[li:n, lí:ən] *n.* Ⓒ 〖法〗 유치권, 선취 특권(*on*).

lieu[lu:] *n.* 《다음 성구로》 ***in ~ of*** …의 대신으로.

Lieut. lieutenant.

:lieu·ten·ant [lu:ténənt/(육군) leftén-, (해군)lətén-] *n.* Ⓒ ① 상관 대리, 부관. ② 〖陸軍〗 중〔소〕위; 《英》 중위; 〖海軍〗 대〔중〕위; 《英》 대위. ***first* 〔*second*〕 *~*** 《美》 육군 중위〔소위〕. ***~ senior* 〔*junior*〕 *grade*** 《美》 해군 대〔중〕위. **-an·cy** *n.* Ⓤ lieutenant의 직〔직위·임기〕.

lieuténant cólonel 육군 중령.

lieuténant commánder 해군 소령.

lieuténant géneral 육군 중장.

lieuténant góvernor 《英》 (식민지의) 총독 대리; 《美》 (주의) 부지사.

†life[laif] *n.* (*pl.* ***lives***[laivz]) ① Ⓤ,Ⓒ 생명, 목숨. ② Ⓒ 생애, 일생. ③ Ⓤ 인생; 《집합적》 생물. ④ Ⓒ,Ⓤ 생활, 생계. ⑤ Ⓤ 생기; 활력. ⑥ Ⓒ 전기(傳記). ⑦ Ⓤ 실물; 실물 크기. ***all one's ~*** 평생. ***as large* 〔*big*〕 *as ~*** 실물 크기의; 《諧》 틀림없이, 장본인이어서. ***come* 〔*bring*〕 *to ~*** 소생하다〔시키다〕. ***for ~*** 종신의. ***for dear* 〔*very*〕 *~,*** or ***for one's ~*** 기를 쓰고, 필사적으로; 아무리 해도. ***for the ~ of me*** 아무리 해도(생각나지 않다 따위). ***from (the) ~*** 실물에서, 실물을 모델로 하여. ***give ~ to*** …에게 생기를 불어 넣다. ***good* 〔*bad*〕 *~*** 〖保險〗 장수할 가망이 있는〔없는〕 사람. ***have the time of one's ~*** 《口》 난생 처음으로 재미있는 일을 경험하다. ***in ~*** 이 세상에서, 살아 있는 동안에. ***matter of ~ and death*** 사활 문제. ***not on your ~*** 《口》 결코 … 않다. ***on* 〔*upon*〕 *my ~*** 목숨을 걸고, 맹세코; 이거 놀랐는데! ***see ~*** 사람들과 널리 사귀다, 세상을 알다(*I've seen something of ~.* 다소 세상이라는 것을 알게 되었다). ***take ~*** 죽이다. ***take one's ~ in one's hands*** 그런 줄 알면서 죽음의 위험을 무릅쓰다. ***take one's own ~*** 자살하다. ***this ~*** 이 세상. ***to the ~*** 실물대로, 정확하게; 완전히. ***upon* 〔*on*〕 *one's ~*** 목숨을 걸고, 맹세코; 어렵쇼.

lífe-and-déath *a.* 죽느냐 사느냐의.

lífe annùity 종신 연금.

lífe assùrance 《英》 생명 보험(《美》 life insurance).

lífe bèlt 구명대(救命帶).

lífe·blòod *n.* Ⓤ (생)피; 활력(소); 《英俗》 (눈꺼풀 따위의) 경련.

***lífe·bòat** *n.* Ⓒ 구명정(救命艇), 구조선; 《美俗》 은사, 특사.

lífe bùoy 구명 부낭(浮囊).

lífe cỳcle 〖生〗 생활사(史), 라이프 사이클; 〖컴〗 생명 주기.

lífe expèctancy 평균 예상 수명.

lífe fórce ＝ÉLAN VITAL.

lífe-gìving *a.* 생명을〔생기를〕 주는.

lífe·guàrd *n.* Ⓒ 호위병, 경호원, 친위대; 《英》 구명기(器); 《美》 (수영장 따위의) 구조원.

Lífe Guàrds 《英》 근위 기병 연대.

lífe hístory 일생, 생애; 〖生〗 (개체의 발생에서 죽음까지의) 생활사.

lífe insùrance 《美》 생명 보험(의 보험금·보험료).

lífe jàcket 구명(救命) 자켓.

***life·less**[⌐lis] *a.* 생명 없는; 죽은. ② (술·연극 따위) 김빠진. **~·ly** *ad.*

lífe·lìke *a.* 살아 있는 것 같은, 실물과 아주 비슷한.

lífe lìne 구명삭(索); 생명선(線); (잠수부의) 생명줄.

***lífe·lòng** *a.* 일생의, 종신의, 평생의.

lífe màster 《美》 브리지 경기에서 최고 점수를 딴 선수.

lífe nèt (소방용의) 구명망(網).

lífe òffice 《英》 생명 보험 회사.

lífe péer (영국의) 일대(一代) 귀족.

lífe pòlicy 생명 보험 증서.

lífe presèrver (수중) 구명대(帶); 호신용 단장.

lif·er[láifər] *n.* Ⓒ 《俗》 종신수(囚).

lífe·sàver *n.* Ⓒ 구조자; 《口》 구원의 손길.

lífe·sàving *a.* 인명 구조의.

lífe scìence 생명 과학《생물학·생화학·의학·심리학 따위》.

lífe sèntence 종신형, 무기 징역.

lífe-síze(d) *a.* 등신대(等身大)의.

lífe spàn (생물체의) 수명.

lífe·stỳle *n.* Ⓒ 《美口》 (개인에게 맞는) 생활 양식.

lífe-support sýstem 생명 유지 장치《우주·해저 탐험용》.

:lífe·tìme *n., a.* Ⓒ 평생(의).

lífe·wày *n.* Ⓒ 생활 방식.

lífe·wòrk *n.* Ⓤ 필생의 사업.

li·fo[láifou] (< *l*ast-*i*n-*f*irst-*o*ut) *n.* Ⓤ 〖會計〗 후입선출법(後入先出法), 먼저 끝내기, 〖컴〗 후입선출.

†lift[lift] *vt.* ① 들어〔안아〕 올리다(*up,*

off, out), 올리다; 높이다, 향상시키다, 승급시키다. ② 제거하다. ③ 《美》(잡힌 물건을) 찾아오다; 《俗》 훔치다, 표절하다; 캐〔파〕내다. ④ (성형 수술로) 주름을 없애다. ── *vi.* ① 높아지다, 올라가다; (구름이) 걷히다; (깔개 따위가) 부풀어 오르다. ② 《美》 잡힌 것을 찾아오다. ***have one's face ~ed*** (미장원 등에서) 얼굴의 주름살을 펴다. ***~ a hand*** 약간의 수고를 하다; 맞서다(*against*). ***~ one's hat*** 모자를 약간 들어 인사하다. ***~ up the hand*** (손을 들고) 선서하다. ── *n.* ① Ⓒ (들어)올림; 위로 향함; 승진, 출세; 상승; (a ~) 정신의 앙양. ② Ⓒ 거들어줌; 차에 태움. ③ Ⓒ 들어올린 거리; Ⓤ 상승력, 부력(浮力). ④ Ⓒ 《英》 승강기(《美》 elevator); =SKI LIFT; 수송; 공수(空輸). **∠·er** *n.* **∠·man** *n.* Ⓒ 승강기 운전사.

lift·ing[líftiŋ] *n.* Ⓤ 들어올림.

lífting bòdy 항공 겸용 우주선.

líft-òff *n.* Ⓒ (헬리콥터·로켓 따위의) 이륙, 떠오름.

líft pùmp 무자위, 양수〔흡입〕 펌프 (cf. force pump).

líft trùck 적재용 트럭.

lig·a·ment[lígəmənt] *n.* Ⓒ 〖解〗 인대(靭帶).

lig·a·ture [lígətʃùər, -tʃər] *n.* Ⓒ 〖外〗 결찰사(結紮絲); 〖樂〗 =SLUR; 〖印〗 합자(合字)(《Æ, æ 따위》). ── *vt.* 동이다, 매다.

li·ger[láigər] *n.* Ⓒ 라이거《수사자와 암범의 튀기》.

†**light**[1][lait] *n.* ① Ⓤ 빛, 광선; 일광, 햇빛; 조명; 새벽; 밝기. ② Ⓒ 등불; 채광창(採光窓); (성냥 등의) 불, 성냥(*a box of ~s*); (*pl.*) 《俗》 눈. ③ Ⓒ 견지; 형세. ④ Ⓤ,Ⓒ (문제 해결의) 단서; Ⓒ 모범이 되는 사람; 그 방면의 대가. ⑤ Ⓤ (정신적인) 광명; 계몽, 교화; 승인(*the ~ of the king's countenance* 왕의 재가·원조). ***according to one's ~s*** 그 식견에 따라서. ***before the ~s*** 무대에 나서서. ***between the ~s*** 저녁때. ***bring*** 〔***come***〕 ***to ~*** 폭로하다〔되다〕. ***by the ~ of nature*** 직각(直覺)으로, 자연히. ***get in a person's ~*** 아무의 빛을 가로막아 서다; 아무의 방해가 되다. ***in the ~ of*** …에 비추어. ***~ and shade*** 명암(明暗); 큰 차이. ***place in a good*** 〔***bad***〕 ***~*** 좋게〔나쁘게〕 보이도록 하다. ***see the ~*** (***of day***) 태어나다; 출판되다; 이해하다; 《美》 개종하다. ***stand in a person's ~*** (출세를) 방해하다. ***strike a ~*** (성냥 따위로) 불을 켜다. ── *vt.* (***lit, ~ed***) (…에) 불을 켜다〔붙이다〕; 비추다; 활기띠게 하다; 불을 켜고 길 안내하다. ── *vi.* 불이 켜지다〔붙다〕; 밝아지다. ── *a.* 빛나는, 반짝이는, 밝은; (색이) 엷은. **~·ed** [∠id] *a.* 불이 켜진. ***∠·ing** *n.* Ⓤ 조명. **∠·ness**[1] *n.* Ⓤ 밝기; 광량(光量).

:**light**[2] *a.* ① 가벼운; 간편한; 사소한. ② 경쾌한, 쾌활한; 기민한; 경솔한; 들뜬. ③ 경장비의, 가벼운 몸차림의. ④ (흙이) 흐슬부슬한. ⑤ (소리·술 등이) 약한; (잠이) 깊지 않은. ***be ~ of heart*** 쾌활하다. ***have a ~ hand*** 〔***touch***〕 손재주가 있다, 민완이다. ***~ in the head*** 현기증이 나서; 머리가 돈, 경솔하여. ***~ of foot*** 발이 빠른. ***make ~ of*** …을 얕보다. ── *ad.* 가볍게, 경쾌하게, 쉽게. ***L- come, ~ go.*** 《속담》 얻기 쉬운 것은 잃기도 쉽다. **:∠·ly** *ad.* **∠·ness**[2] *n.*

light[3] *vi.* (***lit, ~ed***) 《古》 (말에서) 내리다; (새가) 앉다; 우연히 만나다〔일어나다〕. ── *vt.* 〖海〗 (밧줄을) 끌어 올리다. ***~ into*** 《口》 공격하다; 꾸짖다. ***~ on*** 〔***upon***〕 …을 만나다; …을 발견하다. ***~ out*** 《俗》 도망치다, 달아나다.

líght-ármed *a.* 〖軍〗 경장비의.

líght cávalry 〔**hórse**〕 《집합적》 경기병(輕騎兵).

líght chàin 전기 스탠드의 끈.

líght contròl 등화 관제.

líght èater 소식가(少食家).

:**light·en**[1][láitn] *vt.* ① 비추다, 밝게 하다; 밝히다; (…에게) 광명을 주다. ② (얼굴을) 환하게 하다. ③ 빛깔을 엷게 하다. ── *vi.* 빛나다, 번쩍이다; 밝아지다, 환해지다. ***It ~s.*** 번개가 친다.

:**light·en**[2] *vt., vi.* 가볍게 하다〔되다〕, 경감〔완화〕하다; 기쁘게 하다; 마음 편해지다.

·**light·er**[1][láitər] *n.* Ⓒ ① 불켜는 사람, 점등부(點燈夫). ② 점화기(點火器); 라이터.

light·er[2] *n., vt.* Ⓒ 거룻배(로 운송하다). **~·age**[-idʒ] *n.* Ⓤ 거룻배 운반(삯).

líght-fíngered *a.* 손버릇이 나쁜; (손끝이) 잰.

líght-fóoted *a.* 발빠른.

líght-hánded *a.* 솜씨좋은, 손재주 있는; (일)손이 부족한.

líght-héaded *a.* 경솔한; 머리가 돈.

líght-héarted *a.* 마음이 쾌활한, 「마음 편한.

líght héavyweìght 〖拳·레슬링·力技〗 라이트헤비급 선수.

líght-hòrseman *n.* Ⓒ 경기병.

:**líght·hòuse** *n.* Ⓒ 등대.

líghthòuse kèeper 등대지기.

líght índustries 경공업.

líght ínfantry 경기병대.

líght líterature 경(輕)문학; 중간 「소설.

líght-mínded *a.* 경솔한.

líght músic 경음악.

:**light·ning**[láitniŋ] *n.* Ⓤ 번개, 번갯불.

líghtning arrèster 〔**condùctor, ròd**〕 피뢰침.

líghtning bùg 〔**bèetle**〕 《美》 개똥벌레.

light-o'-love[láitəlʌ̀v] *n.* Ⓒ 연인; 바람난 여자, 허튼 계집.

líght pèn 〖컴〗 광펜《브라운관 위에

L

신호를 그려 컴퓨터에 입력함》.
líght ráilway 《英》 경편 철도.
lights[laits] *n. pl.* 가축의 허파《개·고양이의 먹이》.
líght·shìp *n.* Ⓒ 항로 표지등선(標識燈船), 등대선(船).
light·some[láit-səm] *a.* 민속한; 쾌활[명랑]한; 경솔한; 빛나는, 밝은.
líghts óut 〖軍〗 소등 나팔 (시간).
líght-strùck *a.* 〖寫〗 (필림 등에) 광선이 들어간.
líght tràp 유아등(誘蛾燈).
líght wàve 광파(光波).
líght·wèight *n.* Ⓒ 〖拳·레슬링·力技〗 라이트급 선수; 《口》 하찮은 사람; 표준 무게 이상의 사람.
líght-yèar *n.* Ⓒ 〖天〗 광년(光年).
lig·ne·ous[lígniəs] *a.* (풀이) 나무 같은, 목질(木質)의.
lig·nite[lígnait] *n.* Ⓤ 갈탄, 아탄(亞炭).
†**like**[1][laik] *vt.* 좋아하다; 바라다, …하고 싶다(*to* do; do*ing*). — *vi.* 하고 싶다고 생각하다. ***I ~ that.*** 《反語》 이것봐라(건방진 것 같으니). ***if you ~*** 좋으시다면; …라고도 말할 수 있다(*I am shy if you ~.* 그렇습니다, 숫기가 없다고도 할 수 있겠죠《사람을 싫어하는 건 아니지만》). ***I should*** [***would***] ***~ to*** do …하고 싶습니다. — *n.* (*pl.*) 기호(嗜好), 좋아함. ***~s and dislikes*** 가리는 것.
†**like**[2] *a.* ① …닮은, …같은; 비슷한. ② …에 어울리는; …의 특징을 나타내는, (과연) …다운; 똑같은(*~ sum* 같은 액수). ③ …이 될 것 같은(*It looks ~ rain.* 비가 올 듯하다); 《古·俗》 거의 …할 것 같아[할 뻔하여](*I was* [《方》 *had*] *~ to have lost it.* 하마터면 잃어버릴 뻔했다). ***feel ~ doing*** …하고 싶은 생각이 들다. ***L- master ~ man.*** 《속담》 그 주인에 그 머슴. ***~ nothing on earth*** 드문. ***nothing ~*** …보다 나은 것은 없다(*There is nothing ~ home.* 내집보다 나은 곳은 없다); 조금도 …같지[답지] 않다. ***nothing ~ as good*** 견줄 것이 없을 만큼. ***something ~*** …같은[다운] 것; 대략; 근사한(*something ~ a day* 쾌청(快晴)/*This is something ~!* 이거 근사[굉장]한데). — *ad.* …와 똑같이; 아마; 《俗》 마치 …같이(*He seemed angry, ~.* 마치 성난 것 같았다). ***as ~ as not*** 《口》 아마. — *prep.* …처럼. ***~ anything,*** or 《口》 ***~ blazes*** [***fun, mad***] 맹렬히. ***very ~,*** or ***~ enough*** 아마. — *conj.* 《口》 …와 같이, …처럼(as). — *n.* Ⓤ,Ⓒ 비슷한 것[사람]; 필적하는 것, 마찬가지. ***and the ~*** …같은 것, …따위[등등]. ***L- cures ~.*** 《속담》 이독제독(以毒制毒). ***L- draws to ~.*** 유유상종(類類相從). ***or the ~*** …따위. ***the ~ of it*** 그와 같은 것. ***the ~s of me*** 《낮추어》 나같은 것. **:∠·wise**[-wàiz] *ad.* 똑같이, 마찬가지로; 게다가 또.

-like[laik] *suf.* 《형용사 어미》 '…같은, …와 같은'의 뜻: child*like.*
lik(e)·a·ble[láikəbəl] *a.* 마음에 드는; 호감이 가는.
like·li·hood**[láiklihùd] *n.* Ⓤ 있음직한 일, 가능성. ***in all ~ 십중팔구.
:like·ly[láikli] *a.* ① 있음직한, …할 듯한(*to* do); 유망한, 믿음직한. ② 적당한. ③ 《美》 예쁜. ***A ~ story!*** 있을 법한 이야기다!; 《反語》 설마! — *ad.* 아마. ***as ~ as not*** 아마. ***~ enough*** 아마. ***most ~*** 아마.
líke-mínded *a.* 한마음[동지]의; 같은 취미의.
lik·en[láikən] *vt.* (…에) 비유하다, 비기다.
:like·ness[láiknis] *n.* ① Ⓤ 비슷함, 상사(相似)(성). ② Ⓒ 비슷한 것[사람]; 초상. ③ Ⓤ 겉보임, 외관. ***hit a ~*** 매우 닮다[비슷하다].
lik·ing** [láikiŋ] *n.* Ⓤ 좋아함, 기호(嗜好)(*for*). ***to one's ~ 마음에 드는.
***li·lac**[láilək] *n., a.* Ⓒ 〖植〗 라일락; Ⓤ 연보라색(의), 엷은 자색(의).
lil·i·a·ceous[lìliéiʃəs] *a.* 백합의, 나리 같은; 〖植〗 백합과의.
Lil·li·put [lílipʌ̀t] *n.* (*Gulliver's Travels* 중의) 난쟁이 나라. **-pu·tian** [∸—pjúːʃən] *a., n.* Ⓒ Lilliput 의 (사람); 작은.
lilt[lilt] *vt., vi., n.* 경쾌하게 노래 부르다; Ⓒ 그 노래; (a ~) 경쾌하게 움직이다[움직임].
†**lil·y**[líli] *n., a.* Ⓒ ① 백합(같은), 흰, 순결한, 사랑스러운. ② (the lilies) 프랑스 (국민)(⇨FLEUR-DE-LIS). ***the lilies and roses*** 《比》 백합과 장미처럼 아름다운 빛, 미모.
líly-lívered *a.* 겁많은.
líly of the válley 은방울꽃.
líly-whíte *a.* 백합처럼 흰; 흠없는, 결백한.
Li·ma[líːmə] *n.* 리마《페루의 수도》.
Lí·ma bèan[láimə-] 리마콩《강낭콩의 일종》.
:limb[lim] *n.* Ⓒ ① 수족, 팔, 다리, 날개; 큰 가지. ② 앞잡이, 졸개. ***be*** LARGE ***of ~.*** ***~ from ~*** 갈기갈기《찢다, 따위》. ***~ of the law*** 사직의 손《재판관, 경관 등》. ***out on a ~*** 《美口》 위태로운 입장에. — *vt.* (…의) 가지를[손발을] 자르다.
lim·ber[1][límbər] *a., vt.* 유연[경쾌]한[하게 하다].
lim·ber[2] *n., vt.* Ⓒ 〖軍〗 전차(前車)(를 연결하다)《포차(砲車)에》.
lim·bo[1][límbou] *n.* Ⓤ ① (천국과 지옥의 중간에 있다는) 림보, 지옥의 변방(邊方). ② 잊혀진[버림받은] 상태; 망각.
lim·bo[2] *n.* (*pl.* **~s**) Ⓒ 림보(댄스).
Lim·burg·er[límbə̀ːrgər] *n.* Ⓤ 치즈의 일종《연하고 향기로움》.
:lime[1][laim] *n., vt.* Ⓤ 석회(로 처리하다, 를 뿌리다); 끈끈이[감탕](를 바르다); =LIMELIGHT. ***~ and water*** 석회수.

L

lime2 *n.* Ⓒ 〖植〗 보리수, 참피나무 (linden)(의 열매).
lime3 *n.* Ⓒ 레몬 비슷한 과실.
líme jùice 라임 과즙《청량 음료》.
líme·kìln *n.* Ⓒ 석회 굽는 가마.
líme·lìght *n.* Ⓤ (옛날, 무대 조명에 쓴) 석회광등(石灰光燈); (the ~) 주목의 대상. ***be fond of the*** ~ 남의 앞에 서기를 좋아하다. ***in the*** ~ 화려한 무대에 서서, 세상의 각광을 받고; 유명해져서.
lim·er·ick[límərik] *n.* Ⓒ 오행 희시(五行戲詩).
***líme·stòne** *n.* Ⓤ 석회석.
líme trèe 〖植〗 보리수.
líme·wàter *n.* Ⓤ 석회수.
lim·ey, L-[láimi] *n.* Ⓒ 《俗》 영국인 (수병).
:lim·it[límit] *n.* ① Ⓒ 한계, 한도, 제한; (종종 *pl.*) 경계. ② (the ~) 〖商〗 지정 가격; (내기의 한 번에 거는) 최대액. ③ (the ~) 참을 수 없는 일〔것〕(*That's the ~!* 더는 못 참겠다!). ***go to any*** ~ 무슨 일이든 하다. ***set ~s*** 〔***a*** ~〕 ***to*** …을 제한하다. ***The sky is the ~.*** 《俗》 무제한이다, 기회는 얼마든지 있다. ***to the*** ~ 《美》 극단적으로. ***within the ~s of*** …의 범위내에. ── *vt.* 한정〔제한〕하다. **~·less** *a.*
:lim·i·ta·tion [lìmətéiʃən] *n.* ① Ⓤ,Ⓒ 제한, 한정. ② Ⓒ (보통 *pl.*) (지력·능력 등의) 한계, 한도. ③ Ⓤ,Ⓒ 〖法〗 제소(提訴) 기한.
lim·i·ta·tive[límitèitiv] *a.* 제한적인, 한정적인.
:lim·it·ed[-id] *a.* ① 유한의; 제한된, 얼마 안 되는. ② 좁은. ***a ~ war*** 국지전.
límited edítion 한정판.
límited liabílity cómpany 유한 책임 회사, 주식 회사《생략 Ltd》.
límited mónarchy 입헌 군주 정체.
limn[lim] *vt.* 《古》 (그림·문자로) 묘사하다.
lim·nol·o·gy[limnɑ́lədʒi/-ɔ́-] *n.* Ⓤ 호소학(湖沼學).
lim·o[límou] *n.* Ⓒ 《口》 ① 리무진 (limousine). ② 《一般》 대형 고급 승용차.
lim·ou·sine[líməzìːn, ⌐–⌐] *n.* Ⓒ 리무진《운전석과 객석의 사이에 유리 칸막이가 있는 대형 자동차》; 호화로운 대형 승용차; (공항의) 여객 수송용 소형 버스.
:limp1[limp] *vt., n.* 절뚝거리다; (a ~) 절뚝거림; 서투름.
limp2 *a.* 유연한, 나긋나긋한, 잘 휘는; 흐늘흐늘한; 약한, 힘〔풀〕 없는.
lim·pet [límpit] *n.* Ⓒ 〖貝〗 꽃양산 조개; =⌐ **mìne** 배밑 밀착식 수뢰.
lim·pid[límpid] *a.* 맑은; 투명한. **~·ly** *ad.* **~·ness** *n.* **lim·píd·i·ty** *n.*
lim·y[láimi] *a.* 석회질의, 석회를 함유하는; 끈끈이를〔감탕을〕 바른.
lin·age[láinidʒ] *n.* Ⓤ 행수(行數)(에 따른 지불)《원고료의》; 정렬(하기).
Linc(s). Lincolnshire《영국의 주》.
linch·pin [líntʃpìn] *n.* Ⓒ (바퀴 굴대의) 비녀장.
:Lin·coln[líŋkən], **Abraham** (1809-65) 미국의 제16대(代) 대통령(재직 1861-65).
lin·dane[líndein] *n.* Ⓤ 린데인《농업용 살충제·제초제》.
***lin·den**[líndən] *n.* Ⓒ 〖植〗 린덴《참피나무·보리수 따위》.
†line1[lain] *n.* ① Ⓒ 선, 줄, 끈; 주름살; 철사; 전화선(*Hold the ~, please.* 잠깐만 기다리십시오); 실, 낚싯줄; 《美》 고삐. ② Ⓒ 노선, 항로, 궤도. ③ Ⓒ 행렬, 열; (the ~) 정규군; (종종 *pl.*) 전열(戰列); 횡대 (cf. column); (*pl.*) 참호, 보루(堡壘)(선). ④ Ⓒ 솔기. ⑤ Ⓒ 가계(家系). ⑥ Ⓒ 경계(선). ⑦ Ⓒ (종종 one's ~) 전문(분야), 능한 방면 (*Drawing is in* 〔*out of*〕 *my ~.* 그림은 잘〔못〕 그린다); 장사; 직업; 매입품(買入品); (상품의) 품목, 재고품. ⑧ Ⓒ (종종 *pl.*) 형상, 윤곽(*a yacht of fine ~s* 모양 좋은 요트). ⑨ Ⓒ (종종 the ~) 진로(進路); (종종 *pl.*) 방침, 방법, 주의; (*pl.*) 운명(의 길), 처지. ⑩ Ⓒ (글자의) 행, 몇 자〔줄〕; 단신(短信)(*Drop* 〔*Send*〕 *me a ~.* 엽서를 띄워주세요); (시의) 한 행; (*pl.*) (학생에게 라틴 시 등을 베끼게 하는) 벌(*You have a hundred ~s.* 백 줄 베껴라); (*pl.*) (연극의) 대사. ⑪ (*pl.*) 결혼 허가증. ⑫ Ⓒ 직선; (오선지의) 선; (the ~) 적도; 라인《1인치의 12분의 1: 길이의 단위》. ⑬ Ⓒ 〖컴〗 (프로그램의) 행(行). ***all along the*** ~ 도처에. ***bring into*** ~ 일렬로 하다; 동의〔협력〕시키다. ***by*** (***rule and***) ~ 정확히, 정밀히. ***come into*** ~ 한 줄로 서다; 동의〔협력〕하다(*with*). ***direct*** ~ 직계. ***do a ~ with*** …에게 사랑을 호소하다, 구혼하다. ***down the*** ~ 도심(都心)을 향하여. ***draw the*** ~ (…에) 한계를 두다(*at*); (…을) 구별하다(*between*). ***draw up in*** 〔***into***〕 ~ (군대를) 횡대로 정렬시키다. ***get a ~ on*** 《美口》 …에 관해서는 아는 바가 있다. ***hard ~s*** 불운(不運). ***in ~ with*** …와 일직선으로; 《美》 …와 일치〔조화〕하여. ***in*** 〔***out of***〕 ***one's*** ~ 성미에 맞아〔안맞아〕; 장기(長技)인〔능하지 못한〕. ***~ of battle*** 전선(戰線). ***~ of beauty,*** S자 모양의 곡선. ***~ of fire*** 탄도(彈道). ***~ of force*** 〖理〗 자력선(磁力線). ***~ of fortune*** (손금의) 운명선. ***~ of life*** (손금의) 생명선. ***on a*** ~ 평균하여. ***on the*** ~ 꼭 눈높이에《그림 따위》; 이도 저도 아닌, 어중되어, 분류가 곤란하여. ***out of*** ~ 일렬이 아닌; 일치되지 않은; 《俗》 주제넘은. ***read between the ~s*** 언외(言外)의 뜻을 알아내다. ***shoot a*** ~ 《俗》 자랑하다. ***throw a good*** ~ 낚시질을 잘 하다. ── *vt.* 선을 긋

L

다; 주름살을 짓다; 한줄로〔줄지어〕 세우다〔놓다〕; 소묘(素描)하다. ── *vi.* 나란히〔줄지어〕 서다. ~ ***out*** (설계도·그림 등의) 대략을 그리다; …에 선으로 표시하다. ~ ***through*** 줄을 그어서 지우다. ~ ***up*** (기계를) 정돈하다; 정렬시키다〔하다〕; 전원 정렬해 서다. ~ ***up behind*** …의 뒤에 줄지어 서다.

***line**[2] *vt.* ① (의복·내벽 따위에) 안(감)을 대다. ② (배·주머니를) 채우다. 「통; 가문.

lin·e·age [líniidʒ] *n.* Ⓤ 혈통, 계

lin·e·al[líniəl] *a.* 직계의, 동족의; 선(모양)의. ~ ***ascendant*** 〔***descendant***〕 직계 존속〔비속〕.

lin·e·a·ment [líniəmənt] *n.* Ⓒ (보통 *pl.*) 용모, 얼굴 생김새.

***lin·e·ar**[líniər] *a.* ① 직(선)의〔으로 이루어진〕. ② 〖컴〗 선형(線形)의, 리니어. 「形) 가속기.

línear accélerator 〖理〗 선형(線

línear méasure 척도, 길이.

línear mótor 선형(線形) 모터.

línear prógramming 〖軍·經〗 선형(線形) 계획(법).

líne·bàcker *n.* Ⓒ 〖美蹴〗 라인배커《스크럼인의 후방 수비 선수》.

líne dràwing 선화(線畫), 데상.

líne dríve 〖野〗 수평으로 친 공.

líne èditor 〖컴〗 줄(단위) 편집기.

líne engràving 선조(線彫)(판화), 줄새김.

líne-ítem vèto 《美》 예산안 개별 항목 거부권.

line·man[láinmən] *n.* Ⓒ 가선공(架線工), 보선공(保線工); 〖測〗 측선수(測線手); 〖美蹴〗 전위(前衛).

:**lin·en**[línin] *n.* ① Ⓤ 아마포, 아마실, 린네르. ② (*pl.*) 린네르류. ③ Ⓤ 《집합적》 린네르 제품《시트·셔츠 따위》. ***wash one's dirty ~ at home*** 〔***in public***〕 집안의 수치를 감추다〔드러내다〕. ── *a.* 린네르제의; 린네르처럼 흰.

línen dràper 《英》 린네르상(商).

línen páper 리넨〔린네르〕지(紙).

líne-óut *n.* Ⓒ 〖럭비〗 라인아웃《공이 터치라인을 나간 뒤의 throw-in》.

líne prìnter 〖컴〗 라인 프린터.

***lin·er**[láinər] *n.* Ⓒ ① 정기 항로선〔항공기〕. ② 〖野〗 =LINE DRIVE. ③ 안을 대는〔붙이는〕 사람, 안(감). ④ 깔쇠, 덧쇠.

lìne-shòot *vt.* 《口》 자랑거리를 이야기하다.

lines·man[láinzmən] *n.* Ⓒ 〖蹴·테니스〗 선심(線審); =LINEMAN.

líne spàcing 〖컴〗 줄띄(우)기.

líne·ùp *n.* Ⓒ (보통 *sing.*) 〖野·蹴〗 진용, 라인업; (내각 따위의) 구성.

ling[liŋ] *n.* Ⓒ 〖魚〗 대구 비슷한 물고기《북유럽·그린랜드산》.

-ling[liŋ] *suf.* ① 지소사(指小辭)를 만듦(duck*ling*, gos*ling*). ② 경멸적인 뜻을 나타냄(hire*ling*, lord*ling*).

:**lin·ger**[líŋgər] *vi.* ① (우물쭈물) 오래 머무르다, 꾸물거리다. ② (추위·감정 등이) 쉬이 사라지지〔물러가지〕 않다, 나중에까지 남다, (병이) 오래 끌다. ③ 어정거리다(*about*). ── *vt.* 질질 끌다; (시간을) 우물쭈물 보내다. ~ ***on*** (*a subject*) (한 가지 일을 가지고) 언제까지나 끙끙 앓다. ~·**ing** *a.* 오래 끄는, 머뭇거리는; 미련이 있는; 못내 아쉬운. ~·**ing·ly** [-iŋli] *ad.*

lin·ge·rie[lɑ̀:ndʒəréi, lǽnʒərì:] *n.* (F.) Ⓤ 여자의 속옷류, 란제리《여자용 린네르 속옷붙이》.

lin·go [líŋgou] *n.* (*pl.* ~(*e*)*s*) Ⓒ 《諧》 외국어; 술어, 전문어.

lin·gua fran·ca[líŋgwə frǽŋkə] (It. =Frankish tongue) 프랑크 말 《Levant 지방에서 쓰이는 이탈리아·프랑스·그리스·스페인 말의 혼합어》; 《一般》 혼합어.

lin·gual[líŋgwəl] *a., n.* Ⓒ 혀의; 〖音聲〗 설음(舌音)(의).

lin·gua·phone[líŋgwəfòun] *n.* Ⓒ 링귀폰《어학 (학습용) 레코드》; (L-) 그 상표명.

***lin·guist**[líŋgwist] *n.* Ⓒ 언어학자; =POLYGLOT.

***lin·guis·tic**[liŋgwístik], **-ti·cal** [-əl] *a.* 언어학(상)의. **-tics** *n.* Ⓤ 언어학.

linguístic àtlas 언어 지도(地圖).

linguístic geógraphy 언어 지리학.

linguístic stóck 어계(語系)《조어(祖語)와 그것에서 파생된 모든 방언·언어》; 어떤 어계를 말하는 민족.

lin·i·ment[línəmənt] *n.* Ⓤ,Ⓒ 바르는 약, 도찰제(塗擦劑).

***lin·ing**[láiniŋ] *n.* ① Ⓤ 안대기, 안붙이기. ② Ⓤ,Ⓒ 안, 안감(*the ~ of a stove* 스토브의 안쪽).

:**link**[1][liŋk] *n.* Ⓒ ① (사슬의) 고리; 연쇄(連鎖), 연결(부). ② (편물의) 코. ③ 〖컴〗 연결, 연결로. ── *vt., vi.* 연접〔연속〕하다(*together, to, with*); 이어지다(*on, into*). ~·**age**[∠idʒ] *n.* Ⓤ,Ⓒ 연쇄, 연합.

link[2] *n.* Ⓒ 〖史〗 횃불.

línk(ing) vèrb 〖文〗 연결 동사《be, seem 따위》.

links[liŋks] (link[1,2]와 관계 없음) *n. pl.* 《단수 취급할 때도 있음》 골프장.

Línk tráiner 〖商標〗 (지상에서의) 링크식 비행 연습 장치.

línk·ùp *n.* Ⓒ 연결; (우주선의) 도킹; 결합(연결)점.

Linn. Linn(a)ean; Linnaeus.

Lin·nae·us [liní:əs], **Carolus** (*Swed.* **Linné**)(1707-78) 린네《스웨덴의 식물 분류학자》.

lin·net[línit] *n.* Ⓒ 홍방울새《유럽·아시아·아프리카산》.

***li·no·le·um**[linóuliəm] *n.* Ⓤ (마룻바닥에 까는) 리놀륨.

lin·o·type[láinoutàip] (<line) *n.* Ⓒ (1행 분씩 만드는) 자동 주조 식자기, 라이노타이프. 「의 씨.

lin·seed[línsì:d] *n.* Ⓤ 아마(flax)

línseed òil 아마인유(亞麻仁油).
lin·sey(-wool·sey) [línzi(wúlzi)] *n.* Ⓤ (튼튼한) 면모(綿毛) 교직.
lint[lint] *n.* Ⓤ 린트 천《린네르의 한 면을 보풀 일게 하여 부드럽게 한 것》; 실보무라지; 조면(繰綿).
lin·tel[líntl] *n.* Ⓒ 〖建〗상인방(上引枋)《창·입구 따위의 위에 댄 가로대》.
†**li·on**[láiən] *n.* ① Ⓒ 라이온, 사자. ② Ⓒ 인기물, 인기의 중심, 명사; 용사; (*pl.*) 명물, 명소. ③ (L-) 〖天〗사자자리〔궁〕. **~ *in the way* 〔*path*〕** 앞길에 가로놓인 난관. **~*'s share*** 가장 큰〔좋은〕 몫, 단물. ***make a ~ of*** …을 치켜 세우다. ***the British L-*** 영국(민). ***twist the ~'s tail*** (미국의 기자 등이) 영국에 관해서 나쁘게 말하다〔쓰다〕. **~·ess** *n.* Ⓒ 암사자.
líon-héarted *a.* 용감한.
líon hùnter 사자 사냥꾼; 명사와 교제하고 싶어하는 사람.
li·on·ize[láiənàiz] *vt.* 치켜 세우다; 《英》(…의) 명소를 구경하다.
†**lip**[lip] *n.* ① Ⓒ 입술; (*pl.*) 입; (물병 따위의) 귀때. ② Ⓤ 《俗》수다(떨기), 건방진 말. ***carry* 〔*keep*〕 *a stiff upper ~*** 굴하지 않다; 끝끝내 고집을 세우다. ***curl one's ~*** (경멸의 표정으로) 입을 비쭉하다. ***escape one's ~s*** (말이) 입에서 새다. ***hang on a person's ~s*** 감탄하여 듣다, 경청하다. ***hang one's ~*** 입을 비쭉거리다, 울상을 하다. ***hang on the ~s of (a person)*** (아무의) 말에 귀를 기울이다. ***lick* 〔*smack*〕 *one's ~s*** (맛이 있어) 입술을 핥다; 군침을 삼키다. ***make (up) a ~*** (울려고) 입을 비쭉 내밀다, 뾰로통해지다. ***None of your ~!*** 입닥쳐! ― *vt., vi.* **(-pp-)** (…에) 입술을 대다; (피리 따위에) 입술을 쓰다; 중얼거리다; (파도가 물가를) 찰싹찰싹 치다. ― *a.* 표면〔말〕만의.
lip·id(e) [lípid] *n.* Ⓤ 〖生化〗지질(脂質).
líp lànguage (농아자(聾啞者)의) 「시화법(視話法).
li·pog·ra·phy[lipágrəfi/-ɔ́-] *n.* Ⓤ (부주의로 인한) 탈자, 탈어(脫語).
lipped[lipt] *a.* 입이〔귀때〕 달린.
líp-rèad *vt., vi.* 시화(視話)하다; 독순술(讀脣術)로 이해하다.
líp rèading (농아자의) 독순술(讀脣術).
líp sèrvice 입에 발린 아첨, 말뿐인 「친절.
***líp·stìck** *n.* Ⓤ,Ⓒ 입술연지, 립스틱.
liq. liquid; liquor.
liq·ue·fac·tion[lìkwifǽkʃən] *n.* Ⓤ 액화(液化).
liq·ue·fy[líkwifài] *vt., vi.* 액화하「다.
li·ques·cent[likwésənt] *a.* 액화하는, 액화하기 쉬운.
li·queur[likə́ːr/-kjúər] *n.* Ⓤ,Ⓒ 리큐어술.
‡**liq·uid**[líkwid] *n.* ① Ⓤ,Ⓒ 액체; 유동체. ② Ⓒ 〖音聲〗유음(流音)《l, r; 때로는 m, n도 가리킴》. ― *a.* ① 액체〔유동체〕의; ② (작은 새 소리·하늘 빛 등이) 맑은; 유창한; 유음의. ③ (공채 등) 돈으로 바꿀 수 있는.
líquid áir 액체 공기.
liq·ui·date[líkwidèit] *vt.* (빚을) 갚다; (회사를) 청산〔정리〕하다; (사회악 등을) 일소하다, 전멸시키다; 죽이다. **-da·tor** *n.* Ⓒ 청산인. **-da·tion** [⌐-déiʃən] *n.* Ⓤ 변제(辨濟); 청산; (파산자의) 정리; 일소; 살해. ***go into liquidation*** (회사가) 청산하다; 파산하다.
líquid crýstal 액정(液晶).
líquid fíre 〖軍〗액화(液火)《화염 방사기에서 발사되는》.
líquid fúel (로켓의) 액체 연료.
li·quid·i·ty[likwídəti] *n.* Ⓤ 유동성; 유창함.
líquid méasure 액량(液量).
líquid sóund 〖音聲〗유음《⇨LIQUID *n.*》.
‡**liq·uor**[líkər] *n.* ① Ⓤ,Ⓒ 알코올 음료, 술《특히, 브랜디·진·럼·위스키》. ② Ⓤ 액(液). ***in ~,*** or ***(the) worse for ~*** 취해서. ― *vt., vi.* 《口》(…에게) 술을 많이 먹이다〔마시다〕.
liq·uo·rice[líkəris] *n.* Ⓒ 《英》〖植〗감초(licorice).
líquor stòre 《美》주류 판매점.
li·ra[líːrə] *n.* (*pl.* **~s, lire**[-rei]) Ⓒ 리라《이탈리아의 은화》.
Lis·bon[lízbən] *n.* 리스본《포르투갈의 수도》.
lisle [lail] *n.* Ⓤ 튼튼한 무명실(~ thread)《양말·장갑용》; 그 직물.
lisp[lisp] *vt., vi.* (s를 θ, z를 ð처럼) 불완전하게 발음하다; 혀짤배기 소리로 말하다, 혀가 잘 돌지 않다. ― *n.* (a ~) 혀짤배기 소리, 또렷하지 못한 말.
lis·som(e) [lísəm] *a.* 나긋나긋한; 재빠른, 기민한.
‡**list**[1] [list] *n.* Ⓒ ① 목록, (일람)표, 명부. ② 명세서. ③ 〖컴〗목록, 죽보이기. ***draw up a ~*** 목록을 만들다. ***on the sick ~*** 병으로, 앓고. ― *vt.* 명부〔목록〕에 올리다〔싣다〕. ― *vi.* 명부에 오르다(*at*).
list[2] *n., a.* Ⓒ (피륙의) 가장자리(로 만든); (*pl.*) 〖史〗울짱, 경기장. ***enter the ~s*** 경기에 나가다(***against***). ― *vt.* 귀〔가장자리〕를 달다.
list[3] *n., vi.* (a ~) 〖海〗경사(지다).
list[4] *vt.* (3인칭 단수 현재 ***list, listeth;*** 과거(분사) ***list,*** or ***listed***) 《古》마음에 들다; 바라다, 원하다.
list[5] *vt., vi.* 《古》듣다, 경청하다(cf. listen).
†**lis·ten**[lísən] *vi.* ① 경청하다, 듣다(*to*). ② (충고 따위에) 따르다(*to*); 귀를 기울이다(*for*). **~ *in*** (라디오를) 청취하다; (전화 따위를) 도청하다. ‡**~·er** *n.* Ⓒ 경청〔청취〕자. ***~·ing** *n.* Ⓤ 경청; 〖軍〗청음; (정보 등의) 청취.
lístener-ín *n.* (*pl.* **-ers-in**) Ⓒ (라디오) 청취자; 도청자. 「사 프로.
lístener resèarch 〖放〗청취자 조

L

list·er[lístər] *n.* Ⓒ 리스트〔카탈로그〕 작성자; 《美》 배토(培土)〔이랑 파는〕 농구.
list·ing [lístiŋ] *n.* Ⓤ 표에 올림; 〖컴〗 목록 작성, 족보(이)기.
líst·less *a.* 께느른한, 열의〔시름〕 없는; 무관심〔냉담〕한. **~·ly** *ad.* **~-ness** *n.*
líst príce 표시 가격.
Liszt[list], **Franz**(1811-86) 헝가리의 작곡가·피아니스트.
lit[lit] *v.* light[1.3]의 과거(분사).
lit. liter; literal(ly); literary; literature. 「도; 용장한 말.
lit·a·ny[lítəni] *n.* Ⓒ 〖宗〗 호칭 기
Lit. B. *Lit(t)erarum Baccalaureus* (L. =Bachelor of Letters 〔Literature〕) 문학사.
li·tchi[líːtʃiː] *n.* Ⓒ 〖植〗 여주(열매).
Lit. D. *Li(t)terarum Doctor* (L.= Doctor of Letters 〔Literature〕)문학박사.
***liter,** 《英》 **-tre**[líːtər] *n.* Ⓒ 리터 《약 5홉 5작》. 「는 능력; 교양.
***lit·er·a·cy**[lítərəsi] *n.* Ⓤ 읽고 쓰
lit·er·al**[lítərəl] *a.* ① 문자(그대로)의; 정확한. ② (과장·수식 따위를 이해 못 하고) 문자 그대로 생각하는, 실제가(實際家) 기질의. ③ 〖컴〗 문숫자의, 리터럴. **~ *translation 축어역(逐語譯). **~·ism**[-ìzəm] *n.* Ⓤ (엄밀한) 직역주의; 〖美術·文學〗 직사(直寫)주의. **~·ist** *n.* **:** **~·ly** *ad.*
:lit·er·ar·y[lítərèri/-əri] *a.* ① 문학〔문예〕의; 문학에 소양이 깊은. ② 문어의. **~ *property*** 판권. **~ *style*** 문어체. **~ *works*** 〔***writings***〕 문학작품. **-ar·i·ly**[-rèrəli/-rəri-] *ad.*
lit·er·ate[lítərit] *a., n.* Ⓒ 글을 아는 (사람)(cf. illiterate); 교양 있는.
lit·e·ra·ti[lìtəráːti, -réitai] *n. pl.* (L.) 문인〔학자〕들, 문학자들.
lit·e·ra·tim[lìtəréitim/-ráː-] *ad.* (L.) 한자 한자, 축자(逐字)적으로.
:lit·er·a·ture[lítərətʃər, -tʃùər] *n.* Ⓤ ① 문학, 문예. ② 문헌(*the ~ of mathematics* 수학의 문헌). ③ 저술(업); 인쇄물《광고 등》.
lith·arge[líθɑːrdʒ] *n.* Ⓤ 〖化〗 밀타승(密陀僧), 일산화납.
lithe[laið], **lithe·some**[ˊsəm] *a.* 나긋나긋한, 유연한.
lith·ic[líθik] *a.* 돌의; 〖醫〗 (방광) 결석(結石)의; 〖化〗 리튬의.
lith·i·um[líθiəm] *n.* Ⓤ 〖化〗 리튬.
lith·o·graph[líθəgræ̀f/-grɑ̀ːf] *n.* Ⓒ 석판 인쇄, 석판화. — *vi.* 석판으로 인쇄하다. **li·thog·ra·pher** [liθágrəfər/-θɔ́g-] *n.*
li·thog·ra·phy[liθágrəfi/-θɔ́g-] *n.* Ⓤ 석판 인쇄술. **lith·o·graph·ic** [lìθəgræ̀fik], **-i·cal**[-əl] *a.*
lith·o·sphere[líθəsfìər] *n.* 〖地〗 (the ~) 지각.
Lith·u·a·ni·a [lìθjuéiniə] *n.* 리투아니아《발트 해 연안의 공화국》. **~n** *n., a.* 리투아니아(사람·말)(의); Ⓒ 리투아니아 사람; Ⓤ 리투아니아 어.

lit·i·ga·ble[lítigəbəl] *a.* 법정에서 투쟁할 수 있는.
lit·i·gant[lítigənt] *a., n.* 소송하는; Ⓒ 소송 관계자.
lit·i·gate[lítigèit] *vt., vi.* 법정에 들고 나오다, 법정에서 다투다. **lit·i·ga·tion**[ˋ-géiʃən] *n.*
li·ti·gious[litídʒəs] *a.* 소송의〔을 좋아하는〕; 소송해야 할.
lit·mus[lítmus] *n.* Ⓤ 리트머스《리트머스 이끼에서 얻는 청색 색소》.
lítmus pàper 〖化〗 리트머스 시험지.
li·to·tes[láitətìːz] *n.* Ⓤ 〖修〗 곡언법(曲言法)《MEIOSIS(완서법)의 일종 : much 대신에 *not a little* 이라 하는 따위》.
***li·tre**[líːtər] *n.* 《英》 =LITER.
Litt. B. ⇨LIT. B. **Litt. D.** ⇨ LIT. D.
lit·ter**[lítər] *n.* ① Ⓒ 들것, 가마. ② Ⓤ (짐승의) 깔짚, 깃. ③ Ⓤ 《집합적》 어수선하게 흩어진 물건, 잡동사니; (a ~) 난잡. ④ Ⓒ 《집합적》 (돼지의) 한 배 새끼. ***in a ~ 어지럽게 흩어져. — *vt.* (…에) 깃을 깔다; 난잡하게 어지르다(*with*); (돼지가 새끼를) 낳다. — *vi.* (가축이) 새끼를 낳다.
lit·té·ra·teur[lìtərətə́ːr] *n.* (F.) Ⓒ 문인, 문학자.
lítter·bàsket *n.* Ⓒ 휴지통.
lítter·bìn *n.* =⇧.
lítter·bùg *n.* Ⓒ (길거리 따위에) 쓰레기를 함부로 버리는 사람.
lítter·lòut *n.* 《英口》 =⇧.
lit·ter·y[lítəri] *a.* 먼지로 더러워진; 난잡한, 흐트러놓은.
†lit·tle[lítl] *a.* (***less, lesser; least;*** 《口》 ***~r; ~st***) ① 작은. ② 《부정적》 적은, 조금밖에 없는(*There is ~ ink in it.* 잉크는 조금밖에 없다). ③ (a ~) 《긍정적》 얼마간, 조금은(*There is a ~ ink in it.* 잉크가 조금은 있다). ④ 어린애 같은, 하찮은, 비천한. ***but ~*** 극히 조금의, 거의 없는. ***~ one(s)*** 아이(들). ***~ or no*** 거의 없는. ***(my) ~ man*** 《호칭》 악아. ***the ~*** 얼마 안 되는 (것), 대수롭지 않은 사람. — *n., pron.* 조금; 잠깐. ***for a ~*** 잠깐. ***~ by ~*** 조금씩. ***in ~*** 소규모로. ***make ~ of*** 얕보다. ***not a ~*** 적지 않게, 크게. ***quite a ~*** 《美口》 다량, 많이. — *ad.* ① (a ~) 조금은(*I know it a ~.*). ② (관사 없이) 《부정적》 거의 …않다; 전혀 …않다(*You ~ know ...* 너는 …을 전혀 모른다). ***~ better*** 〔***more***〕 ***than*** …나 매한가지. ***~ less than*** 거의 …와 같은. ***~ short of*** …에 가까운, 거의 …와 마찬가지인. ***think ~ of*** 경시하다; …망설이지 않다. **~-ness** *n.* 「소위원회.
Líttle Assémbly 《口》 국제 연합
Líttle Béar 〔**Dípper**〕 ⇨BEAR[1].
Líttle Énglander 소(小)영국주의자《식민지에 의존하지 않고 영(英)본국의 충실을 주장하는》.

líttle fínger 새끼손가락.
líttle gò 《英口》 소(小)시험《Cambridge 대학에서 B.A.의 학위를 얻기 위한 예비 시험》.
Líttle Lèague 《美》 (12세 미만의) 소년 야구 리그.
líttle magazíne 〔**revíew**〕 동인 (同人) 잡지.
líttle Máry 《英口》 배(때기).
Líttle Rhódy 미국 Rhode Island 주의 속칭.
Líttle Rússia 소러시아《우크라이나의 별칭》.
líttle théater (진보적·비상업적인) 소극장(에 적당한 극).
lit·to·ral[lítərəl] *a., n.* 바닷가의, 바닷가에서 나는; Ⓒ 연해지(沿海地).
lit·ur·gy[lítərdʒi] *n.* Ⓒ 예배식; (그리스정교의) 성찬식; (the ~) (영국 국교회의) 기도서. **li·túr·gic, -gi·cal** *a.*
liv·a·ble[lívəbəl] *a.* 살기에 알맞은; 사는 보람이 있는; 함께 지낼 수 있는, 무간한(*with*).
†**live**[1][liv] *vi.* ① 살(고 있)다; 살아 있다, 생존하다, 생활하다, 재미있게 살다. ② 존속하다, (기억에) 남다. ③ (…을) 상식(常食)으로 하다(*on*), (…으로) 생계를 이어가다(*on, by*). ④ (배가) 가라앉지 않고 있다. ⑤ 〖野〗 아웃이 안 되다. — *vt.* 보내다, 지내다; (이상 따위를) 실행〔실현〕하다. ***~ a lie*** 거짓에 가득 찬 생활을 보내다. ***~ and learn*** 오래 살고 볼일 《놀랐을 적에 말함》. ***L- and let ~.*** 공존 공영(共存共榮); 세상은 서로 도와가며 사는 것. ***~ down*** (오명을) 씻다; (슬픔 따위를) 잊게 되다. ***~ it up*** 호화롭게 살다. ***~ on*** 〔***upon***〕 …을 먹고살다; …으로 생활하다. ***~ on air*** 아무 것도 먹지 않고 살고 있다. ***~ off*** …에 의존하여 생활하다, …의 신세를 지다(eat off). ***~ out*** 〔***through***〕 …을 넘겨 목숨을 부지하다〔살(아 남)다〕; …을 헤어나다. ***~ to oneself*** 고독하게〔이기적으로〕 살다. ***~ up to*** …에 따라 생활하다; 주의〔주장〕대로 살다, …에 맞는 생활을 하다. ***~ well*** 잘 먹고 살다; 경건한 생활을 하다. ***where one ~s*** 《美俗》 급소를〔에〕.
:**live**[2][laiv] *a.* ① 살아 있는. ② (불) 타고 있는(*~ coals*). ③ 전류가 통하고 있는. ④ 《口》 활기 있는; 활동적인. ⑤ 장탄돼 있는. ⑥ 〖放〗 (녹음·녹화 아닌) 생방송의.
live·a·ble[lívəbəl] *a.* =LIVABLE.
líve-ìn *a.* (주인 집에서) 숙식하며 일하는; 동거하는.
:**live·li·hood**[láivlihùd] *n.* Ⓒ (보통 *sing.*) 생계.
líve·lòng *a.* 《詩》 오랜(동안의); …내내, 온, 꼬박.
:**live·ly**[láivli] *a.* ① 활기 있는, 쾌활한, 명랑한. ② (공·마루 등이) 잘 튀는. ③ 선명한, 실감을 주는; 《諧》 아슬아슬한. — *ad.* 활발〔쾌활〕하게. ***make it ~ for*** …을 곤란케 하다. **-li·ly** *ad.* **-li·ness** *n.*
liv·en[láivən] *vt., vi.* 활기 띠(게 하)다(*up*).
líve óak[láiv-] 〖植〗 (미국 남부산의) 떡갈나무의 일종.
*__liv·er__[1] [lívər] *n.* Ⓒ 생활〔거주〕자. ***good ~*** 미식가(美食家), 잘 먹고 사는 사람; 유덕자(有德者).
:**liv·er**[2] *n.* ① Ⓒ 간장(肝臟). ② Ⓤ 간(고기). ③ Ⓤ 적갈색.
líver-còlo(u)red *a.* 간빛의, 적갈색의.
líver flùke 간흡충(肝吸蟲).
liv·er·ied[lívərid] *a.* livery 를 입은.
liv·er·ish[lívəriʃ] *a.* 간장병의; 성미가 까다로운; 적갈색의.
Liv·er·pool[lívərpù:l] *n.* 리버풀 《잉글랜드 서부 Merseyside 주의 주도; 항구 도시》.
líver sàusage =LIVERWURST.
liv·er·wort[-wə̀:rt] *n.* Ⓒ 〖植〗 우산이끼.
liv·er·wurst[-wə̀:rst] *n.* Ⓤ,Ⓒ 《美》 간(肝)고기 소시지.
*__liv·er·y__[lívəri] *n.* ① Ⓤ,Ⓒ 일정한 옷, (하인의) 정복(正服); (직업상의) 제복. ② Ⓤ (말의) 정식량(定食糧). ③ Ⓤ 말〔마차〕 세놓는 업; =LIVERY STABLE. ***in*** 〔***out of***〕 ***~*** 제복〔평복〕을 입고. ***~ of grief*** 상복.
liv·er·y·man[-mən] *n.* Ⓒ (런던의) 동업 조합원; 말〔마차〕 세놓는 사람; 정복〔제복〕을 입은 사람.
lívery stàble 말〔마차〕 세놓는 집.
:**lives**[laivz] *n.* life의 복수.
*__líve·stòck__[láiv-] *n.* Ⓤ 《집합적; 복수 취급》 가축.
lívestock fármer 축산업자.
lívestock fárming 축산업.
líve wíre[láiv-] 전류가 흐르고 있는 철사; 《俗》 활동가, 정력가.
liv·id[lívid] *a.* 납빛의, 창백한; 퍼렇게 멍든; 격노하여.
:**liv·ing**[líviŋ] *a.* ① 살아 있는, 현대의, 현존의. ② 활기 있는; 흐르고 〔불타고〕 있는. ③ 자연 그대로의. ④ 생활에 관한, 생계의. ***~ death*** 생지옥, 비참한 생활. ***within ~ memory*** 현재 세상 사람들의 기억에 생생한. — *n.* ① Ⓤ 생활; Ⓒ (보통 *sing.*) 생계(*earn one's ~*), 살림. ② Ⓒ 목사〔교회〕의 수입.
líving-ìn *a.* 주인 집에서 숙식하는.
líving-òut *a.* 통근하는.
líving quárters 거소(居所), 거처.
†**líving ròom** 거실(居室), 거처방.
Liv·ing·stone[líviŋstən], **David** (1813-73) 스코틀랜드의 선교사·아프리카 탐험가.
líving wáges (최저의) 생활 임금.
*__liz·ard__ [lízərd] *n.* Ⓒ ① 도마뱀. ② 《英俗》 (유흥가의) 건달.
L.J. (*pl.* ***L.JJ.***) Lord Justice.
LL, L.L. Late LATIN; Low LATIN. **ll.** leaves; lines.
lla·ma[lá:mə] *n.* Ⓒ 야마《남아메리카산의 육봉 없는 낙타》; Ⓤ 야마털.
lla·no[lá:nou] *n.* (*pl.* **~s**) Ⓒ (남아메리카의) 대평원.
LL.B. *Legum Baccalaureus* (L. =Bachelor of Laws). **LL.D.**

Legum Doctor (L. =Doctor of Laws). **LLDC** least less developed countries 후발 개발 도상국.
Lloyd George [lɔ́id dʒɔ́:rdʒ], **David** (1863-1945) 영국의 정치가·수상(1916-22).
Lloyd's [lɔidz] *n.* 로이드 조합《런던의 해상 보험업자 조합》; =∠ **Rég·ister** 로이드 선급(船級) 협회; (이 협회 발행의) 로이드 선명록(船名錄).
LM lunar module. **lm** 〖光〗 lumen(s). **LMT** local meantime 지방 평균시.
LNG liquefied natural gas.
lo [lou] *int.* 《古》 보라(behold)!
loach [loutʃ] *n.* Ⓒ 〖魚〗 미꾸라지.
:load [loud] *n.* Ⓒ ① 짐, 적하(積荷); 적재량. ② (정신적인) 무거운 짐, 부담, 근심, 걱정. ③ 〖理〗 하중(荷重); 〖電〗 부하(負荷); (화약의) 장전. ④ (*pl.*) 《口》 많음(*of*). ***a ~ of hay*** 《美俗》 장발의 머리. ***carry the ~*** 책임을 다하고 있다. ***get a ~ off one's chest*** 털어놓고 마음의 짐을 덜다. ***take a ~ off*** (***one's feet***) 《口》 걸터앉다, 드러눕다. ― *vt.* ① 싣다, 적재하다; 마구 처넣다〔주다〕. ② (주사위에 납을 박아) 무겁게 하다; (술에) 섞음질을 하여 독하게 만들다. ③ (질문에) 비꼬는 뜻(따위)을 함축시키다. ④ (탄알을) 재다; 필름을 넣다. ⑤ 〖컴〗 (프로그램·데이터를) 보조〔외부〕 기억 장치에서 주기억 장치로 놓다, 올리다. ― *vi.* 짐 싣다; 총에 장전하다; 《口》 잔뜩 채워 넣다. ∠**·er** *n.* Ⓒ 짐을 싣는 사람; 〖컴〗 올리개.
lóad displàcement 〖海〗 만재 배수량〔톤수〕.
load·ed [∠id] *a.* 짐 실은; 탄알을 잰; 필름을 넣은; 납을 박은; 화약을 잰; 돈 많은; 섞음질을 한; 취한; (질문이) 비꼬는 뜻을〔악의를〕 내포한, 의미 심장한; 감정적이 된.
***load·ing** [∠iŋ] *n.* Ⓤ 짐싣기, 선적(船積); 뱃짐; 장전; 〖컴〗 올리기.
lóad lìne 〔**wáterline**〕 만재 흘수선(滿載吃水線).
lóad-shèdding *n.* Ⓤ 〖電〗 (공장의) 전력 제한; 전력 평균 분배(법).
lóad·stàr *n.* =LODESTAR.
lóad·stòne *n.* Ⓤ,Ⓒ 천연 자석(磁石); Ⓒ 사람을 끄는 것.
:loaf[1] [louf] *n.* (*pl.* ***loaves*** [louvz]) ① Ⓒ (일정한 모양으로 구워낸 빵의) 덩어리, 빵 한 덩어리; (설탕 등의) 원뿔꼴의 한 덩이. ② Ⓤ,Ⓒ (식빵 모양의) 찜구이 요리. ③ Ⓒ 《英俗》 머리(loaf of bread). ***loaves and fishes*** 제 잇속. ***use one's ~*** (***of bread***) 《英俗》 머리를 쓰다.
loaf[2] *vi., vt.* 놀고 지내다; 빈둥거리다; 어정거리다. ∠**·er** *n.* Ⓒ게으름뱅이; 간편화(靴)의 일종.
lóaf sùgar 각〔덩이〕설탕.
loam [loum] *n.* Ⓤ 양토; 비옥한 흙토; 롬《모래·점토·짚이 섞인 비옥토》. ∠**·y** *a.* 롬(질)의.
:loan [loun] *n.* ① Ⓤ 대부, 대차. ② Ⓒ 공채, 차관; 대부금, 대차물. ③ Ⓒ 외래어. ***get*** 〔***have***〕 ***the ~ of*** …을 빌리다〔꾸다〕. ***on ~*** 대부하고; 차입하고, 빌어서. ***public ~*** 공〔국〕채. ― *vt., vi.* 《주로 美》 빌려주다(*out*).
lóan òffice 금융업소; 전당포.
lóan shàrk 《美》 고리 대금 업자.
lóan translàtion 차용(借用) 번역(어구), 어구의 축어역(逐語譯).
lóan wòrd 외래어.
loath** [louθ] *pred. a.* 싫어하여, 꺼려서(*to* do; *that*). ***nothing ~ 기꺼이.
***loathe** [louð] *vt., vi.* 몹시 싫어하다.
lóath·ing *n.* Ⓤ 몹시 싫어함, 혐오.
loath·ly[1] [lóuðli] *a.*=LOATHSOME.
loath·ly[2] [lóuθli, -ðli] *ad.* =UNWILLINGLY.
***loath·some** [lóuðsəm] *a.* 지긋지긋한, 구역질 나는. ~**·ly** *ad.*
***loaves** [louvz] *n.* loaf[1]의 복수.
lob [lab/-ɔ-] *vt., vi.* (**-bb-**), *n.* Ⓒ 〖테니스〗 높게 상대방의 뒤쪽으로 가게 치다〔친 공〕.
lo·bar [lóubər] *a.* 귓불〔폐엽(肺葉)〕(lobe)의.
:lob·by [lábi/-ɔ́-] *n.* Ⓒ ① (호텔·극장 등의) 로비, 현관의 홀, 복도. ② 원내(院內) 대기실. ③ 《美》 원외단(院外團) 압력 단체. ― *vi., vt.* 《美》 (의회 로비에서) 의원에게 압력을 가하다. ~**·ing**, ~**·ism** [-ìzəm] *n.* Ⓤ (의원에 대한) 원외로부터의 운동; 의안 통과〔반대〕 운동. ~**·ist** *n.* Ⓒ 《美》 원외 운동자; 의회 출입 기자.
lobe [loub] *n.* Ⓒ 귓불; 잎사귀; 〖解〗 엽(葉)《폐엽 따위》. ***small ~*** 소열편(小裂片); 소엽(小葉).
lo·bel·ia [loubí:ljə] *n.* Ⓒ 〖植〗 로벨리아《숫잔대속(屬)》.
lo·bo [lóubou] *n.* (*pl.* ~**s**) Ⓒ 〖動〗 (미국 서부산의) 회색의 큰 이리.
lo·bot·o·my [loubátəmi/-ɔ́-] *n.* Ⓤ,Ⓒ 〖醫〗 뇌엽 절제(腦葉切除)(술).
***lob·ster** [lábstər/lɔ́b-] *n.* Ⓒ 바닷가재, 대하(大蝦).
:lo·cal [lóukəl] *a.* ① 지방의, 지방적인; 국부적인. ② 공간의, 장소의; 시내 배달의; 〖數〗 궤적(軌跡)(locus)의. ③ 역마다 정거하는, 소구간(小區間)의; (엘리베이터가) 각층마다 멈추는, 완행의. ④ 〖컴〗 울안의. ― *n.* Ⓒ 지방 주민, 구간 열차; (신문의) 지방 기사; 《英口》 근처의 선술집. ~**·ism** [-kəlìzəm] *n.* ① Ⓤ 지방 근성; 지방색; 향토 편애, 편협성. ② Ⓒ 지방 사투리. ~**·ly** *ad.* 지방〔국부〕적으로.
lócal cólo(u)r 지방색, 향토색.
lo·cale [loukǽl/-ká:l] *n.* Ⓒ 현장.
lócal góvernment 지방 자치; 《美》 지방 자치체(의 행정관들).
***lo·cal·i·ty** [loukǽləti] *n.* ① Ⓤ 위치, 방향성, 장소. ② Ⓒ (사건의) 현장; 산지(産地).
lo·cal·ize [lóukəlàiz] *vt.* 국한하다; 위치를 밝혀내다; 지방화하다; 집중하

다(*upon*). ~**d**[-d] *a.* 지방〔국부〕적인. **-i·za·tion**[ˌ-izéi-/-lai-] *n.*
lo·cal·ly[lóukəli] *ad.* 장소로 보아; 이 땅에; 지방주의로.
lócal óption 지방 선택권《주류 판매 등에 지방 주민이 투표로 결정하는 권리》.
lócal tíme 지방시(地方時), 현지 시간 「차.
lócal tráin (역마다 서는) 완행 열
lócal véto (지방 주민의) 주류 판매 거부권.
:lo·cate[lóukeit, -ˊ] *vt.* (관청·건물 따위의) 위치를 정하다; (…에) 두다; 소재를 밝혀내다. ***be ~d*** 위치하다, 있다. ── *vi.* 거주하다(*in*).
:lo·ca·tion[loukéiʃən] *n.* ① Ⓒ 위치, 배치, 소재. ② Ⓒ 〖映〗 야외 촬영지; 로케이션, Ⓤ 야외 촬용(*on location* 로케 중에). ③ Ⓒ 〖컴〗 기억 장치의 배당 장소. ④ Ⓤ 위치 선정.
loc·a·tive[lákətiv/lɔ́k-] *a., n.* 〖文〗 위치를 가리키는; Ⓤ 위치격(어(語)).
loc. cit. *loco citato.*
loch [lɑk, lɑx/lɔk, lɔx] *n.* Ⓒ 《Sc.》 호수; 후미.
lo·ci[lóusai] *n.* locus의 복수.
:lock[1] [lɑk/-ɔ-] *n.* Ⓒ ① 자물쇠; (운하·선거(船渠)의) 수문(水門). ② 총기(銃機)《총의 발사 장치》; 제륜(制輪)장치. ③ (차량의) 혼잡. ④ 〖레슬링〗 조르기(cf. hold). ⑤ 〖컴〗 잠금. ***~, stock, and barrel*** 전부, 완전히. ***on*** 〔***off***〕 ***the ~*** 자물쇠로 잠그고〔잠그지 않고〕. ***under ~ and key*** 자물쇠를 채우고; 투옥되어. ── *vt.* ① (…에) 자물쇠를 채우다. ② 챙겨 넣다, 가두다; 끌어안다. ③ 고착〔고정〕시키다, 제동하다. ④ 수문을 통과시키다. ── *vi.* ① 자물쇠가 채워지다〔잠기다〕, 닫히다. ② 서로 맞붙다. ③ 수문을 지나다. ***~ in*** 〔***out***〕 가두다〔내쫓다〕. ***~ up*** 자물쇠로 잠그다; 감금〔폐쇄〕하다; 집어〔챙겨〕 넣다; (자본을) 고정하다.
lock[2] *n.* Ⓒ 한 줌의 털; (머리·양털 따위의) 타래, 타래진 머리털; (*pl.*) 두발.
Locke[lɑk/-ɔ-], **John**(1632-1704) 영국의 철학자.
˙lock·er[lákər/-ɔ́-] *n.* Ⓒ 로커, 자물쇠 달린 장; 자물쇠를 채우는 사람〔것〕. ***have not a shot in the ~*** 빈털터리이다; 조금도 가망이 없다.
lock·et[lákit/-ɔ́-] *n.* Ⓒ 로켓《사진이나 머리카락 등을 넣어 목걸이에 거는 조그만 금합》.
lóck gàte 수문(水門).
Lock·heed[lákhìːd/-ɔ́-] *n.* 록히드(사)《미국의 군수 회사》.
Lóck Hòspital 《英》 성병 병원.
lock·ing[lákiŋ/lɔ́k-] *n.* Ⓤ 〖컴〗 잠그기.
lóck·jàw *n.* Ⓤ 파상풍(tetanus).
lóck kèeper 수문지기.
lóck·òut *n.* Ⓒ (경영자측의) 공장 폐쇄(opp. strike); 내쫓음.
locks·man[ˊsmən] *n.* Ⓒ 수문지기. 「수〕.
lóck·smìth *n.* Ⓒ 자물쇠 제조공〔장
lóck·ùp *n.* =JAIL.
lo·co[1][lóukou] *n.* (*pl.* **~s**) 《口》 = LOCOMOTIVE engine.
lo·co[2] *n.* (*pl.* **~(e)s**) Ⓒ 〖植〗 로코초(草)《콩과 식물; 가축에 유독(有毒)함》; Ⓤ 로코병. ── *a.* 《俗》 정신이 돈, 머리가 이상한.
lo·co ci·ta·to[lóukou saitéitou] (L.) 위의 인용문 중에《생략 loc. cit., l.c.》.
lo·co·mo·tion[lòukəmóuʃən] *n.* Ⓤ 운동(력), 이동(력); 여행; 교통 기관.
:lo·co·mo·tive[lòukəmóutiv] *a.* 이동하는, 이동력 있는. ── *n.* Ⓒ 기관차. ***~ engine*** 기관차. ***~ organs*** 발, 다리(따위).
lo·co·mo·tor[lòukəmóutər] *a.* 운동〔이동〕의〔에 관한〕.
lócomotor atáxia 〖醫〗 보행성 운동 실조(失調)(증).
lo·cum[lóukəm] *n.* Ⓒ 《英口》 대리인, 대리 목사; 대진(代診).
lo·cus[lóukəs] *n.* (*pl.* **-ci**[-sai]) (L.) Ⓒ 장소, 소재지; 〖數〗 자취.
:lo·cust[lóukəst] *n.* Ⓒ ① 메뚜기; 《美》 매미. ② 대식가; 탐욕한 사람. ③ 쥐엄나무 비슷한 상록 교목《나무·열매》; 아카시아.
lo·cu·tion[loukjúːʃən] *n.* Ⓤ 화법(話法); 어법(語法); Ⓒ 어구, 관용어법.
lode[loud] *n.* Ⓒ 광맥(vein).
lóde·stàr *n.* (the ~) 북극성; Ⓒ 지침; 지도 원리.
lóde·stòne *n.* =LOADSTONE.
:lodge[lɑdʒ/-ɔ-] *n.* Ⓒ ① 파수막; 수위실; 오두막집. ② (비밀 결사의) 지부〔집합소〕. ③ 해리(海狸)〔수달〕 따위의 굴. ── *vi.* ① 묵다, 투숙하다(*at*), (…댁에) 하숙하다〔셋방들다〕(*with*). ② (화살 따위가) 꽂히다, 박히다, (탄알이) 들어가다. ③ (바람에) 쓰러지다. ── *vt.* ① 투숙시키다. ② 맡기다, 위탁하다. ③ (화살 따위를) 꽂다, (탄알을) 박아 넣다. ④ 넘어〔쓰러〕뜨리다; (서류·소장(訴狀) 따위를) 제출하다. **lódg·er** *n.* Ⓒ 숙박인, 하수인, 동거인.
:lodg·ing[ˊiŋ] *n.* Ⓤ 하숙, 숙박; Ⓒ 숙소; (*pl.*) 셋방, 하숙집. ***take*** (***up***) ***one's ~s*** 하숙하다.
lódging hòuse 하숙집.
lodg·ment, 《英》 **lodge-**[ˊmənt] *n.* Ⓤ 숙박; Ⓒ 숙소; 〖軍〗 점령; 거점, 발판; 저축; (토사의) 퇴적. ***effect*** 〔***make***〕 ***a ~*** 발 붙일 곳〔발판〕을 마련하다.
lo·ess[lóues, les, lʌs] *n.* Ⓤ 〖地〗 뢰스《Rhine 강 유역 등의 황토》.
lo-fi[lóufài] *a.* 하이파이가 아닌, 저충실도의(cf. hi-fi).
˙loft[lɔːft/lɔft] *n., vt.* Ⓒ ① 고미다락; (교회·강당 등의) 위층 (관람석). ② 〖골프〗 올려치기(하다); (우주선을) 쏘아 올리다.

L

:loft·y[⌐i] *a.* ① 대단히 높은, 치솟은. ② 숭고한, 당당한; 고상한. ③ 거만한, 거드럭거리는. **-i·ly** *ad.* **-i·ness** *n.*

:log[lɔ(:)g, lɑg] *n.* Ⓒ ① 통나무(*in the* ~ 통나무 그대로). ②〖海〗측정기(測程器). ③ =⌐ **bòok** 항해〔항공〕일지. ④〖컴〗기록, 로그《오퍼레이션 또는 입출력 데이터의 기록》. — *vt.* (**-gg-**) (나무를) 베어 내다; 항해 일지에 적다.

log, log. logarithm(ic); logic; logistic.

lo·gan·ber·ry [lóugənbèri/-bəri] *n.* Ⓒ 로건베리《blackberry와 raspberry의 잡종》; 그 열매.

log·a·rithm [lɔ́:gərìðəm, -θəm, lɑ́g-/lɔ́g-] *n.* Ⓒ 대수(對數). **-rith·mic, -mi·cal** *a.*

lóg·bòok *n.* Ⓒ 항해 일지, 항공 일지; 여행 일지; 업무 기록.

lóg càbin 통나무집.

loge[louʒ] *n.* (F.) Ⓒ (극장의) 우대석, 특별석.

log·ger[lɔ́:gər, lɑ́g-/lɔ́g-] *n.* Ⓒ 나무꾼; 통나무 적재기(積載機).

lógger·hèad *n.* Ⓒ《古》얼간이, 바보. ***at ~s*** 다투어(*with*).

lóggerhead tùrtle (대서양산의) 붉은 거북.

log·gia [lɑ́dʒə/lɔ́-] *n.* (*pl.* **~s, -gie**[-dʒe]) (It.) Ⓒ〖建〗로지아《한쪽에 벽이 없는 복도 모양의 방》.

log·ging[lɔ́:giŋ, lɑ́g-/lɔ́g-] *n.* Ⓤ 통나무 벌채(량).

lógging tràin (재목 반출용) 삼림(森林) 철도.

lóg hòuse =LOG CABIN.

:log·ic[lɑ́dʒik/-ɔ́-] *n.* ① Ⓤ 논리학; 논리, 조리; Ⓒ 논리학 서적. ② Ⓤ〖컴〗논리 조작. ***formal*** 〔***symbolic***〕 ~ 형식〔기호〕 논리학.

:lo·gi·cal[lɑ́dʒikəl/-ɔ́-] *a.* 논리적인; 논리학상의; 필연의;〖컴〗논리의. ***~·ly** *ad.*

lógic (tíme) bòmb〖컴〗논리폭탄《일정한 조건이 충족되었을 때 컴퓨터 시스템에 파괴적인 결과를 초래하는 명령군》.

lo·gi·cian[loudʒíʃən] *n.* Ⓒ 논리학자, 논법가.

log·i·cism[lɑ́dʒisìzəm/-ɔ́-] *n.* Ⓤ〖哲〗논리주의.

lo·gis·tic[loudʒístik] *a.* 병참술(兵站術)의. — *n.* Ⓤ 기호 논리학. **~s** *n.* Ⓤ 병참술.

lóg·jàm *n.* Ⓒ 강으로 떠나려가서 한곳에 몰린 통나무;《美》정체.

lóg lìne〖海〗측정(測程)줄.

lo·go[lɔ́:gou, lɑ́g-/lɔ́g-] *n.* Ⓒ《口》(상품명·회사명 따위의) 의장(意匠) 문자, 로고(logotype).

lóg·òff *n.*〖컴〗접속끝《단말(端末)의 사용을 끝내는 기계 조작의 순서》.

lóg-òn *n.*〖컴〗접속시작《단말(端末) 사용에 있어 메인 컴퓨터에 접속하기 위한 여러 조작의 순서》.

lo·gos[lóugɑs/lɔ́gɔs] *n.* Ⓤ〖哲〗로고스, 이성;〖神〗(하느님의) 말씀; (삼위 일체의) 제 2 위.

log·o·type[lɔ́:gətàip, lɑ́g-/lɔ́g-] *n.* Ⓒ〖印〗연자(連字) 활자《and, or 따위를 하나로 주조한 활자》; (회사명 등의) 의장(意匠) 문자; 상표.

lóg·ròll *vt., vi.* (의안을) 협력하여 통과시키다; (의안을 통과시키려고) 협력하다. **~·ing** *n.* Ⓤ (여럿이 하는) 통나무 굴리기; (정당인의) 결탁; (작가 등의) 맞칭찬, 서로 칭찬하는 비평.

lóg·wòod *n.* Ⓒ〖植〗로그우드《남아메리카 열대 지방산의 나무》.

-lo·gy[lədʒi] *suf.* '…학〔론〕'의 뜻(zoo*logy*); '말함, 이야기, 담화'의 뜻(eu*logy*).

loin**[lɔin] *n.* ① (*pl.*) 허리. ② Ⓤ (소 등의) 허리 고기. GIRD[1] (up***) ***one's ~s.***

lóin·clòth *n.* Ⓒ 허리에 두르는 간단한 옷.

:loi·ter[lɔ́itər] *vi., vt.* 어슬렁어슬렁 거닐다; 빈들빈들 지내다〔시간을 보내다〕(*away*). **~·er** *n.* **~·ing** *a.* **~·ing·ly** *ad.* 빈들빈들.

loll[lɑl/-ɔ-] *vi., vt.* 척 기대(게 하)다(*on*); (혀 따위) 축 늘어지다〔늘어뜨리다〕(*out*); (*vi.*) 빈둥거리다(*about*).

lol·li·pop, lol·ly- [lɑ́lipɑ̀p/lɔ́lipɔ̀p] *n.* Ⓒ (보통 꼬챙이 끝에 붙인) 사탕;《英》(아동 교통 정리원이 드는) 교통 지시판.

lol·lop[lɑ́ləp/-ɔ́-] *vi.*《英方》터벅터벅 걷다; 비실비실 걷다.

lol·ly[lɑ́li/-ɔ́-] *n.* Ⓒ 캔디;《英口》=MONEY.

Lom·bard[lɑ́mbərd, -bɑ:rd/lɔ́m-] *n.* Ⓒ 롬바르드족의 사람《6세기에 이탈리아를 정복한 게르만 민족》.

Lómbard Strèet 런던의 은행가(街); 영국 금융계. (***It is***) (***all***) ~ ***to a China orange.*** (롬바르드가의 부(富)를 귤 한 개에 걸고 내기를 해도 좋을 정도로) 거의 확실(하다).

Lo·mond[lóumənd], **Loch** 스코틀랜드 서부의 호수.

†Lon·don[lʌ́ndən] *n.* 영국의 수도. **~·er** *n.* **~·ism**[-ìzəm] *n.* Ⓤ 런던식〔말투〕.

Lon·don·der·ry[lʌ́ndəndèri] *n.* 북아일랜드의 주; 그 주도.

:lone[loun] *a.*《詩》=LONELY.

:lone·ly[lóunli] *a.* 외로운, 쓸쓸한; 고립한, 외톨의. ***-li·ness** *n.*

lónely hèarts (친구·배우자를 구하는) 고독한 사람들.

:lone·some[⌐səm] *a.* (장소·사람 등이) 쓸쓸한, 고독의, 외로운.

Lóne Stár Státe, the 미국 Texas 주의 속칭.

lóne wólf 독불장군; 고립주의자; 독신자; 독립 사업가.

†long[1][lɔ:ŋ/-ɔ-] *a.* ① 긴; 길다란; 길이가 …인. ② 오래 걸리는; 지루한(tedious);〖音聲〗장음(長音)의. ③ 키다리의. ④〖商〗강세(強勢)의. ⑤

…이상; 다량의, 다수의. ***a* ~ *way off*** 먼(*from*). ***Don't be* ~!** 꾸물거리지 마라. ***in the* ~ *run*** 결국, 마침내. ***L- time no see!*** 《口》 야아, 오래간만이 아닌가. ***make a* ~ *arm*** 손을 뻗치다. ***take* ~ *views* (*of life*)** 먼 장래의 일을 생각하다. — *ad.* 길게; 오랫동안, 전부터; …줄곧. ***all day* ~** 종일. ***any* ~*er*** 벌써, 이 이상. ***at* (*the*) ~*est*** 길어야, 기껏해야. **~ *after*** …의 훨씬 후에. ***no* ~*er*** 이미 …아니다[않다]. ***so* ~** 《口》 =GOODBY(E). ***so* [*as*] ~ *as …*** …하는 한은, …이면. — *n.* Ⓤ 오랫동안(*It will not take* ~. 오래는 걸리지 않을 것이다); (the ~) 《英口》 하기 휴가; (*pl.*) 〖商〗 시세가 오를 것을 예상하여 사들이는 방침을 취하는 패들; Ⓒ 장모음[음절]. ***before* [*ere*] ~** 머지 않아. ***for* ~** 오랫동안. ***take* ~** 장시간을 요하다. ***The* ~ *and the short of it is that …*** 간단히 말하자면, 결국은.

:long[2] *vi.* 간절히 바라다(*for; to* do); 사모하다(*for*). **:´-ing** *a., n.* Ⓤ,Ⓒ 동경, 열망; 동경하는.

long. longitude.

lóng-agó *a.* 옛날의.

Lóng Bèach 미국 Los Angeles 근교의 도시·해수욕장.

lóng·bòat *n.* Ⓒ 범선 적재의 대형 「보트.

lóng·bòw *n.* Ⓒ 긴 활. ***draw the* ~** 크게 허풍 떨다.

long·cloth[´klɔ̀(ː)θ, -klɑ̀θ] *n.* Ⓤ 옥양목(의 일종).

lóng clòthes 배내옷; 기저귀.

lóng-dístance *a., ad.* 《美》 먼 곳의, 장거리 전화의[로]. — *vt.* (…에게) 장거리 전화를 걸다.

lóng dózen 13(개).

lóng-dràwn(-óut) *a.* 길게 뺀[늘인], 길다란.

lóng-éared *a.* 귀가 긴; 나귀 같은; 우둔한.

lóng éars 밝은 귀; 나귀; 바보.

lónged-fòr *a.* 대망(待望)의; 갈망하는.

·lon·gev·i·ty[lɑndʒévəti/lɔ-] *n.* Ⓤ 장수; 수명; 장기 근속.

lóng-fáced *a.* 얼굴이 긴; 슬픈 듯한, 우울한; 엄숙한.

lóng fámily (아이가 많은) 대가족.

Long·fel·low [lɔ́ːŋfèlou/lɔ́ŋ-], **Henry Wadsworth** (1807-82) 미국의 시인.

lóng fínger 가운뎃손가락. 「진.

lóng-forgótten *a.* 오랫동안 잊혀

lóng-háir(ed) *a.* 예술가[학자](기질)의; 고전 음악을 좋아하는; 인텔리 같은.

lóng·hànd *n.* Ⓤ (속기에 대해) 보통의 필기법(cf. shorthand).

lóng·hèad *n.* Ⓒ 장두(長頭)(의 사람); 선견(先見).

lóng-héaded *a.* 장두(長頭)의; 총명한; 선견지명이 있는.

lóng·hòrn *n.* Ⓒ 뿔이 긴 소.

lóng hóurs 밤 11시·12시《시계가 종을 오래 치는 시간》.

long·ish[´iʃ] *a.* 기름한, 좀 긴.

·lon·gi·tude [lɑ́ndʒətjùːd/lɔ́n-] *n.* 경도(經度)(cf. latitude); 〖天〗 황경; 세로 길이. **-tu·di·nal**[⌐–´dinəl] *a.* 경도의; 세로의.

lóng jòhns (손목·발목까지 덮는) 긴 속옷.

lóng jùmp 멀리뛰기.

long-lived[´láivd, ´lívd] *a.* 명이 긴, 장수의; 영속하는.

lóng méasure 척도.

lóng-pláy(ing) *a.* (레코드가) 장시간 연주의, LP의.

lóng-ránge *a.* 장거리의[에 달하는]; 원대한(~ *plans*).

lóng róbe 법복; 성직자의 옷; 《집합적》 법률가.

lóng rùn 장기 흥행, 롱런.

lóng·shìp *n.* Ⓒ 〖史〗 (Viking 등이 쓴) 대형선《외대의 가로돛에 노가 많은 싸움 배》.

lóng·shòre *a.* 연안의(~ *fisheries* 연안 어업), 해변에서 일하는(*a* ~ *laborer* 항만 노동자/*a* ~ *dispute* 《美》 항만 노동자의 쟁의).

lóngshore·man[-mən] *n.* Ⓒ 부두 노동자; 연안 어부.

lóng shòt 〖映〗 원경(遠景) 촬영; 〖競馬〗 승산 없는 말[선수].

lóng síght 먼 데를[앞일을] 볼 수 있음(*have* ~ 먼데를 잘 보다; 선견지명이 있다); 통찰력.

lóng-síghted *a.* 먼 데를 볼 수 있는; 선견지명이 있는.

lóng-stánding *a.* 여러 해에 걸친.

lóng-súffering *n., a.* Ⓤ 참을성(있는), 인내심 (강한).

lóng-térm *a.* 장기의.

Lóng Tóm 《軍俗》 장거리포.

lóng tón 영(英)톤《2,240 파운드》.

lóng tóngue 다변, 수다.

lóng-tóngued *a.* 수다스러운(talkative).

lon·gueur[lɔːŋgə́ːr] *n.* (F.) Ⓒ (보통 *pl.*) (소설·음악 등의) 지루한 부분. 「WISE.

lóng·wàys, -wìse *ad.* =LENGTH-

lóng-wínded *a.* 숨이 긴; 길다란.

loo[luː] *n.* Ⓤ 카드놀이의 일종; Ⓒ 《英俗》 변소. 「미외.

loo·fah[lúːfə/-fɑː] *n.* Ⓒ 〖植〗 수세

†look[luk] *vi.* ① 보다, 바라보다(*at*); 눈을 돌리다(*He* ~*ed but saw nothing.* 쳐다보았지만 아무 것도 보이지 않았다). ② …하게 보이다, …의 얼굴[모양]을 하다, …처럼 보이다; …인 듯하다. ③ (집이 …에) 면하다(*into, on, toward*); (정세가 …으로) 기울다(*toward*). ④ 조심하다; 조사하다, 찾다. ⑤ 기대하다. — *vt.* ① 눈(짓)으로 나타내다[…하게 하다](*He* ~*ed them into silence.* 눈을 흘겨 침묵시켰다). ② 눈여겨 들여다보다(*He* ~*ed me in the face.* 내 얼굴을 자세히 들여다보았다). ③ 확인하다, 조사하다. **~ *about*** 둘러보다; 망보다; 구하다

(*for*). ~ ***after*** 보살피다, 보호하다; 찾다; 배웅하다. ~ ***ahead*** 장래 일을 생각하다. ***L-*** ALIVE! ~ ***at*** 보다, 바라보다, 조사하다;《부정적으로 써서》상대하다, 문제삼다(*I will not ~ at such a question.* 이런 문제는 상대하지 않는다). ~ ***back*** 뒤돌아(다)보다; 회고하다(*on*); 마음이 내키지 않다; 진보하지 않다. ***L- before you*** LEAP. ~ ***down*** 아래를 보다〔향하다〕; (물가가) 내리다; 내려다보다; 경멸하다(*upon*). ~ ***forward to*** …을 기대하다. ***L- here!*** 어이!; 이봐!《주의를 환기하여》. ~ ***in*** 엿보다; 잠깐 들르다. ~ ***into*** 들여다보다; 조사하다. ~ ***like*** …처럼 보이다; …할 것같이 보이다(*It ~s like snow.* 눈이 올 것 같다). ~ ***off*** …으로부터 눈을 돌리다〔떼다〕. ~ ***on*** (…으로) 간주하다(*as*); 방관〔구경〕하다; …에〔로〕 향해 있다. ~ ***one's age*** 제 나이에 걸맞아 보이다. ~ ***oneself*** 여느 때와 다름 없다. ~ ***out*** 주의하다; 기대하다(*for*); 밖을 보다, 조망하다(*on, over*). ~ ***over*** 대충 훑어보다; 조사하다; 눈감아주다. ~ ***round*** 둘러보다; (사전에) 고려해 보다. ~ ***through*** 간파하다; 훑어보다. ~ ***to*** 기대〔의지〕하다(*for*); …의 뒤를 보살피다; 조심하다. ~ ***up*** 우러러 보다, 위를 향하다; 향상하다; (경기 등이) 좋아지다; (사전 따위를) 찾아보다; …을 방문하다; 존경하다(*to*). — *n.* ① Ⓒ 표정, 눈매; (보통 *pl.*) 용모(*good ~s* 미모); (전체의) 모양. ② Ⓤ 외관; 기색. ③ Ⓒ 일견; 조사. ***have*** 〔***give, take***〕 ***a ~ at*** …을 (얼핏) 보다. ***have a ~ of*** …와 비슷하다. ***∠·er*** *n.* Ⓒ 보는 사람;《美俗》미녀.

lóoker-ín *n.* (*pl.* ***-ers-in***) Ⓒ 텔레비전 시청자.

lóoker-ón *n.* (*pl.* ***-ers-on***) Ⓒ 구경꾼, 방관자.

look·ing[lúkiŋ] *a.*《복합어로》…으로 보이는(*angry-~* 성나 보이는).

lóoking glàss 거울.

lóoking-ín *n.* Ⓤ 텔레비전 시청.

look·out**[∠àut] *n.* ① Ⓤ 감시, 경계, 망; Ⓒ 망보는 사람, 망루. ② Ⓒ 전망, 전도(의 형세). ③ Ⓒ《口》관심사, 일(*That's his ~.* 내 알 바 아니다!). ***on the ~ 경계하여(*for, to* do).

***loom**[1][lu:m] *n.* Ⓒ 베틀, 직기(織機).

loom[2] *vi., n.* (a ~) 어렴풋이 보이다〔보임〕; 섬찍지근하게 나타나다〔나타남〕.

loon[1][lu:n] *n.* Ⓒ 얼간이; 게으름뱅이;《Sc.》젊은이(lad).

***loon**[2] *n.* Ⓒ 〖鳥〗 아비, 농병아리.

loon·y[lú:ni] (<lunatic) *n., a.* Ⓒ 미치광이(의).

lóony bìn《俗》정신 병원.

:loop[lu:p] *n.* Ⓒ ① (실·철사 등의) 고리; 고리 모양의 물건〔장식〕. ② 〖空〗 공중 회전. ③ 〖컴〗 프로그램 중에서 일련의 명령을 반복 실행하기; 반복 실행되는 일련의 명령. — *vt., vi.* 고리 모양으로 만들다〔되다〕; (*vt.*) 죄다, 동이다(*up*). ~ ***the ~*** 〖空〗 공중제비하다. ***∠·er*** *n.* Ⓒ 자벌레. ***∠·y*** *a.*《口》정신이 (좀) 이상한.

looped [lu:pt] *a.* 고리로 된;《美俗》술 취한.

***lóop·hòle** *n.* Ⓒ (성벽의) 총안; (법망 등에서) 빠져 나갈 구멍.

lóop lìne 〖鐵〗 환상선(環狀線).

:loose[lu:s] *a.* ① 매지 않은, 풀린, 느즈러진, 엉성한, 헐거운; (개 따위) 풀어 놓은, 자유로운; (의복 따위) 낙낙한, 헐렁헐렁한. ② (종이 따위) 흐트러진; (문·이·못·말뚝 따위) 흔들흔들하는; (흙 따위) 부슬부슬한. ③ 포장이 나쁜; 상자에 넣지 않은, 통〔병〕조림이 아닌, 포장되어 있지 않고 달아 파는(~ *coffee*). ④ 설사하는. ⑤ 칠칠치 못한, 몸가짐이 헤픈. ⑥ (글이) 소루〔산만〕한. ***at a ~*** END. ***at ~*** ENDs. ***break ~*** 탈출하다. ***cast ~*** 풀다. ***come ~*** 풀리다, 빠져 나오다. ***cut ~*** 끊어 버리다; 관계를 끊다; 도망치다;《口》법썩을 떨다. ***get ~*** 도망치다. ***let*** 〔***set, turn***〕 ~ 놓아주다, 해방시키다. ***give*** (***a***) ~ ***to*** (감정 따위를) 쏠리는 대로 내맡기다. ***on the ~*** 자유로워, 속박을 받지 않고;《口》흥겹게 떠들어. — *vt.* 놓(아 주)다, 풀(어 주)다; (화살·탄환을) 쏘다. — *vi.*《古》헐거워지다; 총포를 쏘다. ***∠·ly** *ad.* ***∠·ness*** *n.*

lóose bówels 설사.

lóose cánnon《美俗》(어쩔 수 없는) 위험한 사람〔것〕; 허풍선이.

lóose cóins 잔돈.

lóose-fítting *a.* (옷 따위가) 낙낙한, 헐거운.

lóose·jóinted *a.* 관절이 헐거운; 「유연한.

lóose-léaf *a.* (장부 등의 페이지를) 마음대로 바꾸어 꽂을 수 있는, 루스리프식의.

:loos·en[lú:sən] *vi., vt.* 느즈러지(게 하)다, 늦추다; 풀(리)다; 흩어지(게 하)다; 놓(아 주)다.

lóose tóngue 수다쟁이.

loot[lu:t] *n.* Ⓤ 약탈물; 전리품; 부정 이득;《俗》돈. — *vt., vi.* 약탈하다, 부정 이득을 취하다. ***∠·er*** *n.* Ⓒ 약탈자. ***∠·ing*** *n.* Ⓒ 약탈; 부정이득.

lop[1][lap/-ɔ-] *vi.* (***-pp-***) 늘어지다.

lop[2] *vt.* (***-pp-***) (가지 따위를) 자르다, 치다(*off, away*).

lope[loup] *vi., vt., n.* (a ~) (말·토끼 따위가) 가볍게 달리다〔달림〕.

lóp-èar *n.* Ⓒ 늘어진 귀.

lóp-éared *a.* 늘어진 귀의.

lop-síded *a.* 한 쪽으로 기울어진.

lo·qua·cious[loukwéiʃəs] *a.* 말 많은; (새·물 따위가) 시끄러운. ***lo-quac·i·ty***[-kwǽsəti] *n.*

lo·quat[lóukwat, -kwæt/-kwɔt] *n.* Ⓒ 〖植〗 비파《나무·열매》.

lo·ran[lɔ́:ræn] (<*long range navigation*) *n.* Ⓤ 〖海·空〗 로랜《두 개의 무선국에서 오는 전파의 시간차

를 이용한 자기 위치 측정 장치》.

:**lord**[lɔ:rd] *n.* ① Ⓒ 군주, 영주; 수장(首長), 주인; 권력자. ② (the L-) 천주, 하느님, 신; (the *or* our L-) 예수. ③ Ⓒ《英》 귀족; 상원 의원; (L-)《英》 경(卿)《후작 이하의 귀족의 경칭》. ***drunk as a ~*** 곤드레 만드레 취하여. (***Good***) ***L-!*** or ***L- bless me*** [***my soul, us, you***]***!*** or ***L- have mercy*** (***upon us***)***!*** 허, 어머(놀랐다)! ***live like a ~*** 사치스럽게 지내다. ***~ and master***《諧》 남편. ***L- of hosts*** 만군의 주(Jehova). ***the L- of Lords*** = CHRIST. ***L- only knows.*** 오직 하느님만이 아신다《아무도 모른다》. ***~s of creation*** 인간;《諧》 남자. ***my L-*** [milɔ́:rd] 각하, 예하(猊下)《후작 이하의 귀족, 시장, 고등 법원 판사, 주교 등을 부를 때의 경칭》. ***the*** (***House of***) ***Lords***《英》 상원. ***the Lord's Day*** 주일《일요일》. ***the Lord's Prayer*** 주기도문《마태복음 6:9-13》. ***the Lord's Supper*** [***table***] 성찬식[대]. — *vi., vt.* 주인인 체하다, 뻐기다(*I will not be ~ed over.* 위압당할 수야 없지); 귀족으로 만들다. ***~ it over*** …에 군림하다. **ᐟ·ling** *n.* Ⓒ 소귀족. ***ᐟ·ly** *a., ad.* 왕후(王侯)와 같은[같이], 귀족다운[답게], 당당한[히]; 교만한[하게]. **ᐟ·li·ness** *n.* ***~·ship**[ᐟʃip] *n.* Ⓤ 귀족[군주]임; 주권; 지배(*over*); Ⓒ 영지; Ⓤ《英》《호칭》 각하(*your* [*his*] *~ship*).

Lòrd Chámberlain, the《英》 궁내성 대신.

Lórd Chìef Jústice, the《英》(고등 법원) 수석 재판관.

Lòrd Hígh Cháncellor, the《英》 대법관《생략 L.H.C., L.C.》.

Lórd Jústice《英》 공소원(控訴院) 판사《생략 L. J.》.

Lòrd Máyer, the《英》 런던 등의 대도시의 시장.

lor·do·sis[lɔ:rdóusis] *n.* (*pl.* ***-ses*** [-si:z]) Ⓤ 〖病〗 척추 전만증(前灣症).

Lórd Prívy Séal, the《英》 옥새관(玉璽官).

Lórd Protéctor, the 〖英史〗 호민관.

「원.

lòrd spíritual《英》 성직 상원 의

lòrd témporal《英》 귀족 상원 의원《lord spiritual 이외의 의원》.

lore**[lɔ:r] *n.* Ⓤ (특수한 일에 관한) 지식; 학문; (민간) 전승. ***ghost ~ 유령 전설.

Lor·e·lei[lɔ́:rəlài] *n.* 〖독일 傳說〗 로렐라이《아름다운 마녀》.

lor·gnette[lɔ:rnjét] *n.* Ⓒ 자루 달린 안경; (자루 달린) 오페라 글라스.

lorn[lɔ:rn] *a.*《詩》 =FORLORN.

***lor·ry**[lɔ́:ri, -á-/-ɔ́-] *n.* Ⓒ《英》(대형) 화물 자동차, 트럭; 목판차.

lórry-hòp *vi.* (***-pp-***)《英俗》 =HITCH-HIKE.

lo·ry[lɔ́:ri] *n.* Ⓒ 〖鳥〗 진홍잉꼬.

Los Al·a·mos [lɔ:s ǽləmòus, lɑs-] 미국 New Mexico주 북부의 도시, 원자력 연구의 중심지.

Los An·ge·les [lɔ:s ǽndʒələs/lɔs ǽndʒəlì:z] 미국 캘리포니아 주 남서부의 도시.

†**lose**[lu:z] *vt.* (***lost***) ① 잃다; 허비하다. ② (상 따위를) 놓치다; (차에) 늦어서 못 타다; 못 보고[듣고] 빠뜨리다. ③ 지다, 패하다. ④ (시계가) 늦다(opp. gain). ⑤ 벗어나다(*I've lost my cold.* 감기가 떨어졌다). ⑥ (…에게 …을) 잃게 하다(*His insolence has lost him his popularity.* 교만해서 인기가 떨어졌다). — *vi.* ① 줄다, 쇠하다. ② 손해 보다. ③ 실패하다; 패하다. ④ (시계가) 늦다. ***be lost upon*** …에 효과가 없다. ***~ oneself*** 길을 잃다; 정신 팔리다(*in*); 보이지 않게 되다(*in*). ***~ one's way*** 길을 잃다. ***~ way*** 〖海〗 속도가 줄다. ***lós·er** *n.* Ⓒ 손실[유실]자; 패자(*He is a good loser.* 깨끗이 졌다). **lós·ing** *n., a.* Ⓤ 패배(의), 승산 없는; 실패(의); (*pl.*) 손실.

†**loss**[lɔ(:)s, lɑs] *n.* ① Ⓤ,Ⓒ 상실. ② Ⓒ 손실(액), 손해. ③ Ⓤ 감손(*in*); 소모, 낭비. ④ Ⓤ 실패, 패배. ***at a ~*** 곤란하여, 어쩔 줄 몰라서 (*for; to* do); 손해를 보고.

lóss lèader《美》(손님을 끌기 위한) 특매품《종종 원가 이하의》.

†**lost**[lɔ(:)st, lɑst] *v.* lose의 과거(분사). — *a.* ① 잃은; 놓친; 진; 허비한; 길 잃은. ② (명예·건강 등을) 해친. ③ 정신 팔린(*in*). ④ 헛되어(*on*). ⑤ 죽은, 파멸된. ***be ~ in*** …에 잠겨[빠져] 있다. ***give up for ~*** 가망 없는 것으로 치고 단념하다. ***be ~ to*** …을 느끼지 않다(*He is ~ to pity.* 인정 머리가 없다); …에 속하지 않다(*He is ~ to the world.* 세상을 버린 사람이다). ***~ child*** 미아(迷兒). ***~ sheep*** 길잃은 양《인생의 바른 길을 벗어난 사람》. ***~ souls*** 지옥에 떨어진 영혼. ***~ world*** 유사 이전의 세계. ***the ~ and found*** 유실물 취급소.

lóst cáuse 실패한[성공할 가망이 없는] 운동[주의].

Lóst Generátion, the 잃어버린 세대《제 1 차 세계 대전 후의 불안정한 사회에서 살 의욕을 잃은 세대》.

lóst próperty《집합적》 유실물.

†**lot**[lɑt/-ɔ-] *n.* ① Ⓒ 운(명). ② Ⓒ 제비; 당첨; Ⓤ 추첨. ③ Ⓒ 몫; 한 입[무더기]. ④ Ⓒ《口》 놈. ⑤ Ⓒ 한 구획의 토지. ***a ~ of,*** or ***~s of***《口》 많은(*~s of ink*). ***cast*** [***cut, draw***] ***~s*** 제비를 뽑다. ***sell by*** [***in***] ***~s*** 분매(分賣)하다. ***the ~***《口》 전부. ***throw*** [***cast***] ***in one's ~ with*** …와 운명을 함께 하다. — *vt., vi.* (***-tt-***) 구분하다.

loth[louθ] *pred. a.* =LOATH.

Lo·thar·i·o[louθɛ́əriòu, -θá:r-] *n.* (*or* l-) Ⓒ 탕아, 난봉꾼.

L

*__lo·tion__[lóuʃən] *n.* Ⓤ,Ⓒ 바르는 물약; 세제(洗劑); 화장수.

*__lot·ter·y__[látəri/lɔ́-] *n.* Ⓒ 복권(뽑기); 추첨; (a ~) 운.

__lot·to__[látou/lɔ́-] *n.* Ⓤ (다섯 장) 숫자맞추기《카드놀이》.

*__lo·tus, -tos__[lóutəs] *n.* Ⓒ 연(꽃); Ⓤ 〖그神〗 로터스, 망우수(忘憂樹)(의 열매)《먹으면 이 세상의 괴로움을 잊음》.

__lótus-èater__ *n.* Ⓒ 무의미하게 일생을 보내는 사람; 쾌락주의자.

__lótus position__ (요가의) 연화좌(蓮花座)《양발끝을 각기 반대쪽 무릎위에 올려놓고 앉는 명상의 자세》.

†__loud__[laud] *a.* ① (목)소리가 큰; 떠들썩한. ② (빛깔·복장 따위가) 화려한. ③ (요구 따위가) 극성스러운; 주제넘은; 야비한. — *ad.* 큰 소리로; 야〔천〕하게; 불쾌히. __∠·ish__ *a.* 좀 소리가 높은; 좀 지나치게 화려한. ⁑__∠·ly__ *ad.* *__∠·ness__ *n.*

*__loud-spéaker__ *n.* Ⓒ 확성기; 《美俗》 시끄러운 여자. 「미.

__lough__[lɑk/-ɔ-] *n.* Ⓒ 《Ir.》 호수, 후

__Lou·is__[lú:is] *n.* 프랑스 왕의 이름. ~ __XIV__ (*'Louis the Great'*)(1638-1715) 'the Grand Monarch'로 일컬어짐(재위 1643-1715); ~ __XVI__ (1754-93) 대혁명 때 단두대에서 사형됨(재위 1774-92).

*__Lou·i·si·an·a__[lù:əziǽnə, luì:-] *n.* 미국 남부의 주《생략 La.》.

*__lounge__[laundʒ] *n.* (a ~) 만보(漫步); Ⓒ (호텔·기선 등의) 휴게〔오락〕실; =SOFA. — *vi., vt.* 한가롭게 거닐다(*about*); 축 늘어져〔한가로이〕 기대다(*on*); 빈들빈들 지내다(*away*).

__lóunge lìzard__ 《俗》 난봉꾼; 멋부리는 사내; 건달; 게으름뱅이.

__lóunge sùit__ 《주로 英》 신사복.

__loupe__[lu:p] *n.* Ⓒ 《美·캐나다》 루페 《보석상·시계상 등의 강력 확대경》.

__lour__[láuər] *vi.* 얼굴을 찌푸리다, 이맛살을 찌푸리다(*at, upon*); (날씨가)나빠지다. __~·ing__ *a.* 기분이 좋지 않은, 잔뜩 찌푸린; (날씨가) 험악한.

__louse__[laus] *n.* (*pl.* __*lice*__) Ⓒ 〖蟲〗 이. — [-s, -z] *vt.* (…의) 이를 잡다. ~ __*up*__ 결딴내다.

__lous·y__[láuzi] *a.* 이투성이의; 《口》 불결한; 지독한, 인색한; 많은(*with*).

__lout__[laut] *n.* Ⓒ 무작한 자, 촌놈. __∠·ish__ *a.*

__lou·ver__ [lú:vər] *n.* Ⓒ 미늘창(窓); (*pl.*) =∠ __bòards__ 미늘살.

*__Lou·vre__[lú:vrə, -vər] *n.* (the ~) (파리의) 루브르 박물관.

*__lov·a·ble__[lʌ́vəbəl] *a.* 사랑스러운, 귀여운. __-bly__ *ad.* __~·ness__ *n.*

†__love__[lʌv] *n.* ① Ⓤ 사랑, 애정; 애호(*for, of, to, toward*). ② Ⓤ (신의) 자애; (신에 대한) 경모(敬慕). ③ Ⓤ 동정; 연애; 색정. ④ Ⓒ 애인, 사랑하는 자(darling); (L-) = VENUS; (L-) =CUPID; 《口》 즐거운〔귀여운〕 것(*Isn't she a little ~ of a child?* 참 귀여운 애로구나). ⑤ Ⓤ 〖테니스〗 제로(*L- all!* 영 대 영). __*fall in ~ with*__ …을 사랑하다, …에게 반하다. __*for ~*__ 좋아서; 거저; 아무 것도 내기를 걸지 않고. __*for ~ or money*__ 아무리 하여도. __*for the ~ of*__ …때문에, …한 까닭에. __*for the ~ of Heaven*__ 제발. __*give*__ 〔__*send*__〕 __*one's ~ to*__ …에게 안부 전하다. __*in ~*__ 사랑하여. __*make ~*__ (…에) 구애(求愛)하다(*to*). __*out of ~*__ 사랑하는 마음에서. __*out of ~ with*__ …이 싫어서. __*There is no ~ lost between them.*__ 본래 피차간 눈곱만큼의 애정도 없다. — *vt., vi.* 사랑하다; 좋아하다; 즐기다; 그리워하다. __*Lord ~ you!*__ 맙소사!; 기가 막혀라! __~d__[-d] *a.* 사랑을 받고 있는.

__lóve affàir__ 연애, 정사(情事).

__lóve àpple__ 《古》 토마토.

__lóve·bìrd__ *n.* Ⓒ 모란잉꼬의 무리; (*pl.*) 《口》 사이 좋은 부부〔애인〕.

__lóve chìld__ 사생아.

__lóved òne__ 《婉曲》 시신, 주검.

__lóve fèast__ (초기 기독교의) 애찬(愛餐)(agape[2]); 친목회.

__lóve gàme__ 〖테니스〗 제로 게임《패자가 무득점인 게임》.

__lóve generátion, the__ 히피족.

__lóve-in-ídleness__ *n.* Ⓒ 〖植〗 팬지.

__lóve knòt__ (리본 따위의) 사랑매듭.

__love·less__[∠lis] *a.* 사랑하지 않는; 사랑을 못 받는.

__lóve lètter__ 연애 편지.

__lóve-lìes-bléeding__ *n.* Ⓒ 〖植〗 줄맨드라미.

__lóve·lòck__ *n.* Ⓒ (이마의) 애교 머리카락《특히 Elizabeth I 시대의 멋쟁이 남자들의》.

__lóve·lòrn__ *a.* 사랑〔실연〕에 고민하는.

†__love·ly__[∠li] *a., n.* ① Ⓒ 사랑스러운〔아름다운, 귀여운〕 (처녀); 《口》 (쇼 등에 나오는) 매력적인 여자; 아름다운 것. ② 《口》 멋진, 즐거운. *__love·li·ness__ *n.* Ⓤ 사랑스러움, 귀염성; 멋짐.

__lóve màtch__ 연애 결혼.

__lóve nèst__ 사랑의 보금자리《특히, 정당한 결혼이 아닌 남녀의》.

__lóve pòtion__ 미약(媚藥)(philter).

⁑__lov·er__[∠ər] *n.* Ⓒ ① 연인, 애인《남자》; (*pl.*) 애인 사이. ② 애호자; 찬미자(*of*).

__lóve scène__ 러브 신.

__lóve sèat__ 두 사람이 앉게 된 소파.

__lóve sèt__ 〖테니스〗 패배자가 한 게임도 이기지 못한 세트.

__lóve·sìck__ *a.* 사랑에 고민하는. __~·ness__ *n.* Ⓤ 상사병.

__lóve sòng__ 연가.

__lóve stòry__ 연애 소설〔이야기〕.

__lov·ey-dov·ey__[lʌ́vidʌ́vi] *a.* 《口》 맹목적인 사랑에 빠진; 달콤한.

⁑__lov·ing__ [∠iŋ] *a.* 애정을 품고 있는, 사랑하는; 친애하는. __~·ly__ *ad.*

__lóving cùp__ 우애의 (술)잔《돌려가며 마심》.

lóving-kíndness *n.* Ⓤ 자애《특히 신의》.
low[1][lou] *vi., vt.* (소 따위가) 음매하고 울다; 굵은 목소리로 말하다 (*forth*). ── *n.* Ⓒ 소의 울음 소리.
†**low**[2] *a.* ① 낮은; 저지(低地)의; 저급한; 야비한, 천한. ② 침울한; 약한. ③ 값싼; (수가) 적은; (돈주머니가) 빈; (음식물이) 담박[산뜻]한, (식사가) 검소한. ④ (시대가) 비교적 근대의. ⑤ 저조[저음]의; 〚音聲〛 혀의 위치가 낮은. ⑥ (옷의) 깃을 깊이 판. ***be in ~ water*** 돈에 궁하다. ***bring ~*** 쇠퇴케 하다; 줄이다. ***fall ~*** 타락하다. ***feel ~*** 기분이 안 나다, 소침하다. ***lay ~*** 쓰러뜨리다; 죽이다; 매장하다. ***lie ~*** 웅크리다; 나가떨어져[죽어] 있다; 《俗》 가만히 죽치고 있다. ***run ~*** 결핍하다. ***The glass is ~.*** 온도계가 낮다. ── *ad.* ① 낮게, 낮은 곳에; 야비[천]하게; 싸게; 작은 소리로. ② 검소한 음식으로. ③ 적도(赤道) 가까이. ④ 최근 (*We find it as ~ as the 19th century.*). ***~ down*** 훨씬 아래에. ***play it ~ (down) upon*** …을 냉대하다(*They are playing it ~ (down) upon him.* 괄시한다). ***play ~*** 소액의 내기를 하다. ── *n.* ① Ⓤ (차의) 저속 기어. ② Ⓒ 〚氣〛 저기압. ③ Ⓒ 최저 수준[기록].
lów béam 로 빔《자동차 헤드라이트의 근거리용 하향 광선》(cf. high beam).
lów·bórn *a.* 태생이 미천한.
lów·bòy *n.* Ⓒ 《美》 다리가 낮은 옷장(cf. highboy, tallboy). 「뻔.
lów·bréd *a.* 버릇[가정 교육]이 나
lów·brow *a., n.* Ⓒ 《口》 교양 없는 (사람); (영화·소설 등) 저급한.
low-cal[∠kǽl] *a.* 《美口》 저(底)칼로리의.
Lów Chúrch 저교회파《영국 국교파 중 교회의 교리·의식에 중점을 두지 않는 한 파》(cf. High Church).
Lów Chúrchman 저교회파의 사
lów cómedy 저속한 코미디. 「람.
Lów Còuntries 지금의 Benelux 의 총칭.
lów-cút *a.* =LOW-NECK(ED).
lów-dòwn *n., a.* (the ~) 《俗》 실정, 진상(*give the ~ on* …의 내막을 알리다); 《俗》 비열한, 시시한.
:**low·er**[1][lóuər] *vi.* (끌어) 내리다; 낮추다; (기운을) 꺾다, 누르다. ── *vi.* 내려가다, 낮아지다; 싸지다; 보트를[돛을] 내리다. ── 《low²의 비교급》 *a., ad.* 더 낮은[게]; 하급[하층]의; 열등한. **~·ing** *a.* 내려가는; 비천[비열]한; 저하시키는.
low·er[2][láuər] *vi.* =LOUR.
lówer cáse[lóuər-] 〚印〛 소문자용 케이스.
lówer-cáse *a., vt.* 소문자의; 소문자로 인쇄하다《생략 l. c.》.
Lówer Chámber =LOWER HOUSE. 「층 계급.
lówer clásses [órders], the 하
lówer déck 〚海〛 하갑판; 《英》《집합적》 수병.
Lówer Hóuse, the 하원.
lówer·mòst *a.* 최하[최저]의, 맨 밑바닥의. 「세; 지옥.
lówer wórld, the 하계(下界), 현
low·er·y[láuəri/-əri] *a.* = LOURING.
low·est[lóuist] 《low²의 최상급》 *a.* 최하[최저]의, 최소의. ***at the ~*** 적어도.
lówest cómmon denóminator 최소 공분모《생략 L.C.D.》.
lówest cómmon múltiple 최소 공배수《생략 L.C.M.》.
lów-fát *a.* 저(低)지방의.
lów fréquency 저주파.
lów géar (자동차의) 저속 기어(cf. high gear).
low·land**[lóulənd, -lǽnd] *n.* Ⓒ (종종 *pl.*) 저지(低地). ***the Lowlands 스코틀랜드 중남부 저지 지방. **~·er** *n.* Ⓒ 저지 사람; (L-) 스코틀랜드 저지 사람. 「어.
lów-lével lánguage 〚컴〛 저급 언
lów-lìfe *n.* (*pl.* **~s**) Ⓒ 수상쩍은 사람, 범죄자; 하층 계급.
***low·ly**[lóuli] *a., ad.* 신분이 낮은, 비천한; 천하게; 초라한; 겸손한[하여]. **-li·ness** *n.*
lów-lỳing *a.* (땅이) 낮은.
Lów Máss 〚가톨릭〛 평미사.
lów-mínded *a.* 야비한.
lów-néck(ed) *a.* (옷)깃을 깊이 판 《여성복의》.
low·ness[∠nis] *n.* Ⓤ 낮음, 미천; 야비; 헐값; 원기 없음, 의기 소침.
lów-pítched *a.* 저조한; 경사가 뜬.
lów-préssure *a.* 저압의; 저조한.
lów relíef 얕은 돋을새김.
lów-ríse *a.* 《美》 (건물이) 층수가 적은, 높이가 낮은(cf. high-rise).
lów séason 《英》 (장사·행락 따위의) 비수기, 시즌 오프. 「한.
lów-spírited *a.* 의기 소침한, 우울
Lów Súnday 부활절 다음의 일요일. 「(cf. high tea).
lów téa 《美》 간단한 (저녁) 식사
lów-téch *a.* 저수준 과학 기술의.
lów tíde 간조, 썰물.
lów wáter 간조; 최저 수면.
lów-wáter màrk 간조표(標); 최저점, 최악 상태.
lox[lɑks/-ɔ-] *n.* Ⓤ 액체 산소.
:**loy·al**[lɔ́iəl] *a.* 충의의, 충성스러운, 충실한. **~·ism**[-ìzəm] *n.* Ⓤ 충성, 충절. **~·ist** *n.* **~·ly** *ad.* :**~·ty**[-ti] *n.* Ⓤ 충절, 충성; 충실.
lóyalty òath 《美》 (공직 취임자에게 요구되는 반체제 활동을 하지 않는다는) 충성의 선서.
Loy·o·la[lɔióulə], **Ignatius** (1491-1556) Jesuit회의 창설자.
loz·enge[lázindʒ/-ɔ́-] *n.* Ⓒ 마름모꼴(의 것·무늬); 〚醫〛 정제《입 안에서 녹이는》; (보석의) 마름모꼴의 면.
LP[élpíː] *n.* (<*l*ong-*p*laying) Ⓒ 〚商標〛 (레코드의) 엘피판(cf. EP).

LPG liquefied petroleum gas 액화(液化) 석유 가스. **LRBM** long-range ballistic missile. **LRCS** League of Red Cross Societies. **LRL** Lunar Receiving Laboratory. **LRV** lunar roving vehicle. **LSD** landing ship dock《美》해군의 상륙용 주정 모함; lysergic acid diethylamide 〖藥〗 결정상(結晶狀)의 환각제의 일종(LSD-25). **L.S.D., £.s.d.** *librae, solidi, denarii* (L.=pounds, shillings, and pence). **LSI** large scale integration 고밀도 집적 회로. **LSMR** landing ship medium, rocket 〖軍〗 상륙 지원 중형 로켓함. **L.S.S.** Lifesaving Service. **LST** Landing Ship Tanks 상륙용 주정. **Lt.** Lieutenant. **Lt. Col.**(onel). **Lt. Com.**(mander). **Lt. Gen.**(eral). **Lt. Gov.**(ernor). **Ltd.** Limited. **Lt. Inf.** Light Infantry. **Lu** 〖化〗 lutetium.

lu·au[lu:áu] *n.* Ⓒ《美》하와이식 파티《여흥을 겸한 야외 연회》.

lub·ber[lʌ́bər] *n.* Ⓒ 덩치 큰 뒤틈바리, 느림보; 풋내기 선원. **~·ly** *a., ad.* 투미한〔하게〕, 볼품 없는〔없게〕.

lúbe (óil)[lu:b(-)] *n.*《口》=LUBRICATING OIL.

lu·bri·cant[lú:brikənt] *a., n.* 매끄럽게 하는; Ⓤ,Ⓒ 윤활제(劑)〔유〕.

lu·bri·cate[-kèit] *vt., vi.* 기름을〔윤활제를〕 바르다; 매끄럽게 하다; 《俗》뇌물을 주다; 술을 권하다, 취하다. **-ca·tion**[ㅅ-kéiʃən] *n.* **-ca·tive** *a.* **-ca·tor** *n.* Ⓒ 기름 치는 기구〔사람〕.

lúbricating óil 윤활유, 기계유.

lu·bri·cious [lu:bríʃəs], **lu·bri·cous**[lú:brəkəs] *a.* 매끄러운, 붙잡기 곤란한; 불안정한; 교활한; 음탕한.

lu·bric·i·ty [lu:brísəti] *n.* Ⓤ 매끄러움, 원활; 재치 있음; 음탕.

lu·cent[lú:sənt] *a.* 빛나는, 번쩍이는; 투명한. **lu·cen·cy** *n.*

lu·cern(e)[lu:sə́:rn] *n.* Ⓤ 〖植〗《英》자주개자리.

lu·cid[lú:sid] *a.* 명백한; 맑은, 투명한; 〖醫〗 본〔제〕정신의;《詩》빛나는, 맑은. **~·ly** *ad.* **~·ness** *n.* **lu·cíd·i·ty** *n.*

lúcid ínterval (미치광이의) 평정기(平靜期).

Lu·ci·fer[lú:səfər] *n.* 샛별, 금성; =SATAN; (l-) =**lúcifer màtch** 황린 성냥.

lu·cif·er·ase[lu:sífəreis] *n.* Ⓤ 〖生化〗 루시페라아제《루시페린의 산화를 돕는 효소》.

lu·cif·er·in [lu:sífərin] *n.* Ⓤ 〖生化〗 루시페린《개똥벌레 따위의 발광 물질》.

Lu·cite[lú:sait] *n.* Ⓒ 〖商標〗 플라스틱 유리.

:luck[lʌk] *n.* Ⓤ 운; 행운. ***as ~ would have it*** 다행히; 불행히도, 운 나쁘게. ***bad*** 〔***ill***〕 ***~*** 불행, 불운. ***Bad ~ to*** …에게 천벌이 있기를! ***down on one's ~*** =UNLUCKY. ***for ~*** 운이 좋도록. ***good ~*** 행운. ***Good ~ to you.*** 행운을 빕니다. ***in*** 〔***out of, off***〕 ***~*** 운이 틔어서〔나빠서〕. ***Just my ~!*** 아아 또구나《실패했을 때, 운이 나빠서》. ***try one's ~*** 운을 시험해 보다. ***with one's ~*** 운이 좋아서〔나빠서〕. ***worse ~*** 운수 사납게, 재수없게, 공교롭게. * **∠·less(·ly)** *a.* (*ad.*)

†luck·y[lʌ́ki] *a.* 행운의, 운이 좋은; 상서로운. **~ *beggar*** 〔***dog***〕 행운아, 재수 좋은 사람. **~ *guess*** 〔***hit***〕 소경 문고리 잡기. **:lúck·i·ly** *ad.* **-i·ness** *n.*

lúcky bág (바자회 등에서 뽑는) 복주머니.

lúcky díp《英》=☆.

lu·cra·tive [lú:krətiv] *a.* 이익 있는, 돈벌이가 되는. **~·ness** *n.*

lu·cre[lú:kər] *n.* Ⓤ 이익; 돈; 부(riches). ***filthy ~*** 부정(不淨)한 돈.

lu·cu·brate[lú:kjəbrèit] *vi.* (등불 밑에서) 밤늦도록 공부하다; 고심하여 저작하다.

lu·cu·bra·tion[lù:kjəbréiʃən] *n.* Ⓤ 한밤의 공부; 고심의 노작.

Lu·cy Ston·er[lú:si stóunər] 결혼 후에도 미혼 때의 성(姓)을 고수하는 여자.

***lu·di·crous**[lú:dəkrəs] *a.* 익살맞은, 우스운, 바보 같은, 시시한. **~·ly** *ad.*

luff[lʌf] *n., vi., vt.* Ⓒ 〖海〗 역풍 항진(抗進)(하게 하다), (요트 경주에서 상대편의) 바람 부는 쪽으로 가다.

lug[1][lʌg] *vi., vt.* (**-gg-**), *n.* 세게 끌다〔잡아당기다〕, Ⓒ 힘껏 끎〔잡아당김〕; (*pl.*)《美俗》젠체하는 태도(*put on ~s* 뽐내다);《俗》정치 헌금의 강요; =**∠·wòrm** 갯지렁이.

lug[2] *n.* Ⓒ 돌출부; 손잡이;《俗》멍청이;《Sc.》귀.

luge[lu:ʒ] *n.* Ⓒ (스위스의) 산을 타기 위한 썰매; (스위스식) 터보건(toboggan) 썰매.

:lug·gage[lʌ́gidʒ] *n.* Ⓤ《英》《집합적》수(手)하물(《美》baggage); 여행 가방.

lúggage làbel《英》=BAGGAGE TAG.

lúggage tìcket《英》=BAGGAGE CHECK.

lúggage vàn《英》=BAGGAGE CAR.

lug·ger[lʌ́gər] *n.* Ⓒ 작은 범선의 일종.

lug·sail [lʌ́gsèil:《海》lʌ́gsl] *n.* Ⓒ 〖海〗 러그세일《뒤 폭이 더 넓은 네모꼴 세로돛》.

lu·gu·bri·ous[lu:gjú:briəs] *a.* 슬픈 듯한, 애처로운, 가엾은.

Luke[lu:k] *n.* 〖聖〗 누가《의사; 사도 Paul의 동료》; 〖新約〗 누가복음.

luke·warm[∠wɔ̀:rm] *a.* 미지근한; 미적지근한; 열의 없는. **~·ly** *ad.* **~·ness** *n.* Ⓤ 미적지근함; 열의 없음.

:lull[lʌl] *vt.* (어린애를) 달래다, 어르다; (바람·병세·노염 등을) 가라앉히

다, 진정시키다. ── *vi.* 자다, 가라앉다. ── *n.* (a ~) (폭풍우 따위의) 잠잠함, 뜸함; (병세의) 소강 상태; (교통·회화의) 두절, 잠깐 쉼.

***lull·a·by** [lʌ́ləbài] *n.* Ⓒ 자장가.

lu·lu [lú:lu:] *n.* Ⓒ 《美俗》 굉장한 사람[것], 거물.

lum·ba·go [lʌmbéigou] *n.* Ⓤ 〖病〗 요통, 산기(疝氣). 「분)의.

lum·bar [lʌ́mbər] *a.* 〖解〗 허리(부

:lum·ber[1] [lʌ́mbər] *n.* Ⓤ ① 《美·Can.》 재목(《英》 timber). ② (낡은 가구 따위의) 잡동사니. ── *vt.* 난잡하게 쌓아올리다; 목재로 장소를 막아버리다. ── *vi.* 목재를 베어 내다. **~·er** *n.*

lum·ber[2] *vi.* 쿵쿵 걷다; 무겁게 움직이다(*along, past, by*). 「목꾼.

lúmber·jàck *n.* Ⓒ 《美·Can.》 벌

lúmber·man [-mən] *n.* 《美·Can.》 =LUMBERJACK; Ⓒ 재목상.

lúmber ròom 허섭스레기를 두는 방, 광.

lúmber·yàrd *n.* Ⓒ 《美·Can.》 재목 두는 곳.

lu·men [lú:mən] *n.* (***-mina*** [-mənə]) Ⓒ 루멘《광량 단위》.

lú·mi·nal árt [lú:mənəl-] 빛의 예술《채색 전광에 의한 시각 예술》.

lu·mi·nar·y [lú:mənèri/-nəri] *n.* Ⓒ 발광체 《태양, 달》; 지도자; 명사.

lu·mi·nes·cence [lù:mənésns] *n.* Ⓤ 냉광(冷光).

lu·mi·nif·er·ous [lù:mənífərəs] *a.* 빛을 발하는, 빛나는.

:lu·mi·nous [lú:mənəs] *a.* ① (스스로, 또는 반사로) 빛나는; 밝은. ② 명쾌한, 계몽적인. **~·ness, -nos·i·ty** [⌐–nάsəti/-ɔ́-] *n.* 「틈바리.

lum·mox [lʌ́məks] *n.* Ⓒ 《美口》 뒤

:lump[1] [lʌmp] *n.* ① Ⓒ 덩어리(*a ~ of sugar* 각설탕 한 개). ② Ⓒ 돌기, 혹. ③ (a ~) 《俗》 많음(*of*). ④ Ⓒ 《口》 멍청이. ***a ~ in one's* [*the*] *throat*** (감격으로) 목이 메는[가슴이 벅찬] 느낌. ***in* [*by*] *the ~*** (대충) 통틀어, 총체로. ── *vt., vi.* ① 덩어리로 만들다, 덩어리지다, 한 묶음으로[총괄]되다[하다] (*together, with*). ② 어슬렁어슬렁 걷다(*along*). ③ 털썩 주저앉다(*down*). **⌐·ish** *a.* 덩이져서 묵직한; 작달막한; 멍텅구리의. **⌐·y** *a.* 혹투성이의; (바다가) 파도가 일고 있는; 투미한; 모양 없는.

lump[2] *vt.* 《口》 참다, 견디다.

lum·pen [lúmpən, lʌ́m-] *a.* (G.) 사회에서 탈락한, 룸펜의.

lump·fish [lʌ́mpfiʃ] *n.* Ⓒ 〖魚〗 (북대서양산(産)의) 성대의 무리.

lúmp sùgar 각사탕.

lúmp súm (대충 잡은) 총액.

Lu·na [lú:nə] *n.* (L.) 〖로神〗 달의 여신; 달.

lu·na·cy [-si] (<⇧) *n.* Ⓤ 정신 이상; Ⓒ 미친[어리석은] 짓(folly).

***lu·nar** [lú:nər] *a.* 달의[과 같은]; 초승달 모양의. **~** CALENDAR.

lúnar eclípse 월식.

lúnar lànder 달 착륙선.

lúnar mòdule 달 착륙선.

lúnar mónth 태음월(太陰月)《약 29 1/2일》.

lu·nar·naut [lú:nərnɔ̀:t] *n.* Ⓒ 달 여행 우주 비행사. 「기.

lúnar òrbiter 미국의 달 무인 탐사

lúnar trèaty 달 조약《1971년 옛 소련이 제안한 달의 평화적 이용에 관한》.

lúnar yéar 태음년(太陰年)《lunar month에 의한 약 354일 8시간》.

lu·nate [lú:neit] *a.* 초승달 모양의.

***lu·na·tic** [lú:nətik] *a., n.* 미친; Ⓒ 미친 사람.

lúnatic asýlum 정신 병원.

lúnatic fringe 《美口》 (사상·운동 등의) 극단파, 열광적 지지자.

†lunch [lʌntʃ] *n., vi., vt.* Ⓤ,Ⓒ 점심[가벼운 식사](을 먹다). 「노점.

lúnch càr [**wàgon**] 《美》 이동식

lúnch còunter 《美》 (음식점의) 런치용 식탁; 간이 식당.

:lunch·eon [⌐ən] *n.* Ⓤ,Ⓒ (정식의) 오찬; 점심. **~·ette** [lʌ̀ntʃənét] *n.* Ⓒ 간이 식당.

lúncheon bàr 《英》 =SNACK BAR.

lúncheon vòucher 《英》 식권《회사 따위에서 종업원에 지급되는》.

lúnch·ròom *n.* Ⓒ 간이 식당.

lúnch·tìme *n.* Ⓤ 점심 시간. 「건).

lune [lu:n] *n.* Ⓒ 활꼴; 반월형(의 물

:lung [lʌŋ] *n.* Ⓒ 폐. ***have good ~s*** 목소리가 크다.

lunge [lʌndʒ] *n., vi.* Ⓒ 찌르기, 찌르다(*at*); 돌진(하다)(*at, out*); (말이) 차다. ── *vt.* (칼을) 불쑥 내밀다.

Lu·nik [lú:nik] *n.* Ⓒ 옛 소련이 쏘아 올린 일련의 달 로켓의 하나.

lu·pin(e)[1] [lú:pin] *n.* Ⓒ 루핀콩(의 씨). 「잔인한.

lu·pine[2] [lú:pain] *a.* 이리의[같은];

lurch[1] [lə:rtʃ] *n.* 《다음 성구로》 ***leave a person in the ~*** (친구 따위가) 곤경에 빠져 있는 것을 모른 체하다.

lurch[2] *n., vi.* Ⓒ 경사(지다); 비틀거림; 경향.

:lure [luər] *n., vi., vt.* (*sing.*) 매력; 미끼(로 꾀어들이다); 유혹(하다).

lu·rid [lú:rid] *a.* (하늘 따위가) 섬쩍지근하게[타는 듯이] 붉은; 창백한 (wan); 무시무시한, 무서운. ***cast a ~ light on*** …을 무시무시하게 보이게 하다.

:lurk [lə:rk] *vi.* 숨다, 잠복하다.

lus·cious [lʌ́ʃəs] *a.* 맛있는, 감미로운; 보기[듣기]에 즐거운, 촉감이 좋은; 《古》 지루한.

lush [lʌʃ] *a.* (풀이) 파릇파릇하게 우거진; 풍부한; 유리한.

:lust [lʌst] *n., vi.* Ⓤ,Ⓒ ① (종종 *pl.*) 육욕(이 있다). ② 열망(하다) (*after, for*). **⌐·ful** *a.* 음탕한, 색골의.

:lus·ter, 《英》 **-tre** [lʌ́stər] *n.* Ⓤ ① (은은한) 광택(*the ~ of pearls*); 광채; 빛남, 밝기. ② 명성. ③ 광택 있는 모직물. ── *vt.* 광택을 내다.

M

lus·tral[lʌ́strəl] *a.* (상서롭지 못한 것을) 깨끗이하는; 5년마다의; 5년에 1번의.
lus·trate[lʌ́streit] *vt.* (상서롭지 못한 것을) 깨끗이 하다. **lus·tra·tion** [ㅗtréiʃən] *n.*
:lus·tre[lʌ́stər] *n.* ⇨LUSTER.
lus·trous[lʌ́strəs] *a.* 광택 있는. **~·ly** *ad.*
***lust·y**[lʌ́sti] *a.* 튼튼한; 원기 왕성한. **lúst·i·ly** *ad.* **lúst·i·ness** *n.*
lute[lu:t] *n.* Ⓒ (15-17세기의) 기타 비슷한 악기.
lu·te·ci·um[lu:tí:ʃiəm] *n.* =⇩.
lu·te·ti·um[lu:tí:ʃiəm] *n.* Ⓤ 〖化〗 루테튬《희토류 원소; 기호 Lu》.
Lu·ther[lú:θər], **Martin**(1483-1546) 독일의 종교 개혁가. **~·an** [-ən] *a., n.* Ⓒ 루터파의 (신자).
luv[lʌv] *n.* 여보, 당신(love)《호칭》.
lux[lʌks] *n.* Ⓒ 〖光〗 럭스《조명도의 국제 단위》.
luxe[luks, lʌks] *n.* (F.) Ⓤ 화려, 사치; 우아(cf. deluxe). ***edition de*** ~ (책의) 호화판. ***train de*** ~ 특별 열차.
Lux·em·burg[lʌ́ksəmbə̀:rg] *n.* 독일·프랑스·벨기에에 둘러싸인 대공국; 이 나라의 수도.
:lux·u·ri·ant[lʌgʒúəriənt, lʌkʃúər-] *a.* ① 무성한, 다산(多産)의. ② (문체가) 화려한. **~·ly** *ad.* **-ance** *n.* **-ate**[-èit] *vi.* 무성하다, 호사하다; 즐기다, 탐닉하다(*in*).
:lux·u·ri·ous[-əs] *a.* 사치(호화)스런; 사치를 좋아하는; 매우 쾌적한. **~·ly** *ad.* **~·ness** *n.*
:lux·u·ry[lʌ́kʃəri] *n.* ① Ⓤ 사치; 호화. ② Ⓒ 사치품, 비싼 물건. ③ Ⓤ 쾌락, 만족.
Lu·zon[lu:zán/-ɔ́-] *n.* 루손 섬《필리핀 군도의 주도(主島)》.
lx 〖光〗 lux.
-ly[li] *suf.* ① 부사 어미: real*ly*, kind*ly*, month*ly*. ② '…과 같은'의 뜻의 형용사 어미: kind*ly*, love*ly*.
ly·cée[li:séi/ㅅㅡ] *n.* (F.) Ⓒ (프랑스의) 국립 고등 학교.
ly·ce·um[laisí:əm] *n.* Ⓒ 학원, 학회; 강당; (the L-) 〖史〗 (아리스토텔레스가 철학을 가르친) 아테네 부근의 숲과 학사(學舍); =LYCÉE.
lydd·ite[lídait] *n.* Ⓤ 〖化〗 강력 폭약(의 일종).
Lyd·i·a[lídiə] *n.* 소아시아 서부에 번영한 옛 나라. **~n** *a., n.* Ⓒ 리디아의 (사람); 연약한.
lye[lai] *n.* Ⓤ 잿물; 세탁용 알칼리액.
***ly·ing**[1][láiiŋ] *a.* 거짓(말)의; 거짓말쟁이의.
:ly·ing[2] *a., n.* Ⓤ 드러누워 있는(있음).
lýing-ín *n., a.* Ⓒ 해산, 분만; 산부인과의.
lýing-ín hòspital 산부인과 병원.
Lyl·y[líli], **John**(1554?-1606) 영국의 소설가·극작가(cf. euphuism).
lymph[limf] *n.* Ⓤ 〖醫〗 두묘(痘苗)액; 혈청; 〖解·生〗 림프액; 《詩》 청수(淸水), 깨끗한 물. **lym·phat·ic** [limfǽtik] *a., n.* 림프액의(*the lymphatic gland* 림프샘); 연약한; (성질이) 굼뜬; Ⓒ 〖解〗 림프샘(관).
lýmph glànd 〖解〗 림프샘.
lýmph nòde 〖解〗 림프절(節).
lym·pho·cyte[límfəsàit] *n.* Ⓒ 림프톨(세포).
***lynch**[lintʃ] *vt.* 사형(私刑)을(린치를) 가하다.
lýnch làw 사형(私刑).
lynx[liŋks] *n.* (*pl.* **~es,** ~) Ⓒ 살쾡이; Ⓤ 그 가죽; (the L-) 〖天〗 살쾡이자리.
lýnx-èyed *a.* 눈빛이 날카로운, 눈이 좋은.
ly·on·naise[làiənéiz] *a.* 얇게 썬 양파와 함께 기름에 튀긴(~ *potatoes*).
Ly·ons[láiənz] *n.* 리옹《프랑스 남동부의 도시》; (런던의) 요릿집 이름.
Ly·ra[láiərə] *n.* 〖天〗 거문고 자리.
lyre[láiər] *n.* Ⓒ 리라《손에 들고 타는 옛날의 작은 수금(竪琴)》; (the L-) =LYRA.
lýre·bìrd *n.* Ⓒ 《濠》 금조(琴鳥)《꼬리털이 lyre와 비슷함》.
***lyr·ic**[lírik] (<lyre) *n., a.* Ⓒ 서정시(의, 적인)(cf. epic). ***-i·cal** *a.* 서정시조(調)의. **-i·cal·ly** *ad.*
lyr·i·cism[lírəsìzəm] *n.* Ⓤ 서정시체(풍).
lyr·i·cist[lírəsist] *n.* Ⓒ 서정 시인.
lyr·ist[láiərist] *n.* Ⓒ 리라 연주자; 서정 시인.
ly·sér·gic ácid [laisə́:rdʒik-] 〖化〗 리세르그산(cf. LSD).
ly·sin[láisn] *n.* Ⓒ 〖生化〗 리신, 세포용해소《항체의 일종》.
Ly·sol[láisɔl, -sal] *n.* Ⓤ 〖商標〗 리졸《소독액》.
lys·sa[lísə] *n.* Ⓤ 〖醫〗 광견병, 공수병.
LZ landing zone 착륙 지대.

M

M, m[em] (*pl.* ***M's, m's***[-z]) ① Ⓤ,Ⓒ 알파벳의 열 셋째 글자. ② Ⓒ M자 모양의 것.
M 《로마 숫자》 ***mille*** (L.=1,000); mobilization. **M.** Monday; Monsieur. **m.** majesty; male; mark(s); masculine; medium; month. **m., m** meter; mile.
:ma[mɑ:] *n.* Ⓒ 《口》 엄마; 아줌마.
Ma 〖化〗 masurium. **mA** milliampere(s). **M.A.** *Magister Artium* (L. =Master of Arts);

mental age; Military Academy.

MAAG Military Assistance Advisory Group.

:ma'am *n.* Ⓒ ① [məm, m] 《口》 부인, 마님《호칭》, (여)선생 등 윗사람에 대한 호칭. ② [mæm, -ɑ:-] 《英》 여왕·공주에 대한 호칭《madam의 단축》.

Mac [mæk] *n.* Ⓒ 《諧》 스코틀랜드 사람, 아일랜드 사람; 《俗》 낯선 사람에 대한 호칭.

MAC Military Armistice Commission.

Mac- [mək, mæk] *pref.* '…의 아들'의 뜻《스코틀랜드 사람·아일랜드 사람의 성에 붙음; 보기: MacArthur; 생략 Mc, Mc-, M'》.

ma·ca·bre [məkɑ́:brə], **-ber** [-bər] *a.* 죽음의 무도의; 섬뜩한.

ma·ca·co [məkɑ́:kou, -kéi-] *n.* (*pl.* **~s**) Ⓒ 〖動〗 여우원숭이.

mac·ad·am [məkǽdəm] *n.* Ⓤ 〖土〗 쇄석(碎石); 쇄석 포도(鋪道). **~·ize** [-àiz] *vt.* (…에) 밤자갈을 깔다.

Ma·cao [məkáu] *n.* 중국 남동해안의 포르투갈령 식민지.

:mac·a·ro·ni [mæ̀kəróuni] *n.* (*pl.* **~(e)s**) ① Ⓤ 마카로니《이탈리아식 국수》. ② Ⓒ 18세기 영국에서 이탈리아를 숭상하던 멋쟁이. ③ Ⓒ 《俗》 이탈리아 사람.

mac·a·roon [mæ̀kərú:n] *n.* Ⓒ 마카롱《달걀 흰자·편도·설탕으로 만든 과자》.

Mac·Ar·thur [məkɑ́:rθər], **Douglas** (1880-1964) 미국의 육군 원수.

Ma·cau·lay [məkɔ́:li], **Babington** (1800-59) 영국의 역사가·정치가.

ma·caw [məkɔ́:] *n.* Ⓒ 〖動〗 마코앵무새; 〖植〗 야자의 일종.

Macb. Macbeth.

Mac·beth [məkbéθ] *n.* Shakespeare작의 비극(의 주인공).

Mac·ca·bees [mǽkəbì:z] *n. pl.* ① 시리아의 학정으로부터 유대국을 독립시킨 유대 애국자의 일족. ② 〖聖〗 마카베오서《Apocrypha 중의 2서》.

mace[1] [meis] *n.* Ⓒ 갈고리 철퇴《중세의 무기》; 권표(權標), 직장(職杖)《시장·대학 학장 등의 앞에 세운 직권의 상징》; (구식) 당구봉; (M-) 《美》 지대지 핵 유도탄; (M-) 불능 화학제(不能化學劑), 최루 신경 가스.

mace[2] *n.* Ⓤ 육두구 껍질을 말린 향료.

Mac·e·do·ni·a [mæ̀sədóuniə, -njə] *n.* ① 〖史〗 마케도니아《고대 그리스북방의 고대 국가》. ② 마케도니아 공화국《옛 유고슬라비아 연방에서 독립》. **-an** [-n] *a., n.* 마케도니아의; Ⓒ 마케도니아인(의); Ⓤ 마케도니아말(의).

mac·er·ate [mǽsərèit] *vt.* 물에 담가 부드럽게 하다; 〖醫〗 (태아를) 침연(浸軟)시키다; 단식하여 야위게 하다. — *vi.* 마르다; 야위다. **-a·tion** [ᅩ-éiʃən] *n.*

Mach, m- [mɑ:k, mæk] *n.* Ⓒ 〖理〗 마하《고속도의 단위; ~ one은 20°C에서의 음속 770 마일/시에 상당》.

ma·chet·e [mətʃéti, -tʃé-] *n.* Ⓒ (중남미 원주민의) 날이 넓은 큰 칼.

Mach·i·a·vel·li [mæ̀kiəvéli], **Niccolò di Bernardo** (1469-1527) 책략 정치를 주장한 이탈리아의 정치가. **~·an** [-véliən] *a.* 권모 정치를 예사로 하는. **-vél·lism** *n.* Ⓤ 마키아벨리주의《목적을 위해서는 수단을 가리지 않음》.

mach·i·nate [mǽkənèit] *vt., vi.* (음모를) 꾸미다. **-na·tion** [ᅩ-néiʃən] *n.* Ⓒ 책동; 음모. **-na·tor** *n.* Ⓒ 책사(策士).

†ma·chine [məʃí:n] *n.* Ⓒ ① 기계, 기구. ② 자동차, 비행기, 자전거, 재봉틀, 타이프라이터, 인쇄 기계, 기계적으로 일하는 사람. ③ 기구(機構) (*the military* ~ 군부/*the social* ~ 사회 기구); (정당의) 지도부.

machíne àge, the 기계 (문명) 시대.

machíne còde 〖컴〗 기계 코드.

machíne gùn 기관총.

machíne lànguage 〖컴〗 기계어《전자 계산기를 작동시키기 위한 명령어》.

machíne-màde *a.* 기계로 만든.

machíne-réadable *a.* 〖컴〗 (전산기가) 처리할 수 있는, 반응할 수 있는 꼴의.

:ma·chin·er·y [məʃí:nəri] *n.* Ⓤ ① 《집합적》 기계, 기계 장치. ② (정부 따위의) 기관, 기구; 조직. ③ (극 따위의) 꾸밈; (극 따위) 초자연적 사건. *government* ~ 정치 기구.

machíne shòp [**shèd**] 기계 공장.

machíne tìme (컴퓨터 등의) 총 작동 시간, 연(延)작동 시간.

machíne tòol 공작 기계.

machíne wòrd 〖컴〗 기계어.

ma·chin·ist [məʃí:nist] *n.* Ⓒ 기계공.

ma·chis·mo [mɑ:tʃí:zmou] *n.* Ⓤ 남자의 긍지; 남자다움.

Mách·mèter *n.* Ⓒ 〖空〗 초음속도계, 마하계. 「(⇨MACH).

Mách nùmber 〖理〗 마하수(數)

ma·cho [mɑ́:tʃou] *a., n.* (Sp.) Ⓒ 사내다운〔늠름한〕 (사나이).

mack·er·el [mǽkərəl] *n.* (*pl.* **~s,** 《집합적》 ~) Ⓒ 〖魚〗 고등어.

máckerel píke 꽁치.

máckerel ský 비늘구름(이 덮힌 하늘).

mack·i·naw [mǽkənɔ̀:] *n.* Ⓒ 바둑판 무늬 담요(=~ blanket); 그것으로 만든 짧은 상의.

mack·in·tosh [mǽkintɑ̀ʃ/-tɔ̀ʃ] *n.* Ⓤ 고무 입힌 방수포; Ⓒ 방수 외투.

Mac·mil·lan [məkmílən, mæk-], **Harold** (1894-1986) 영국의 정치가·수상(재임 1957-63).

mac·ra·mé [mǽkrəmèi/məkrɑ́:mi] *n.* (F.) Ⓤ 마크라메 레이스《가구 장식용 매듭실술》.

mac·ro [mǽkrou] *n.* 〖컴〗 =

MACROINSTRUCTION.
mac·ro-[mǽkrou, -rə] *pref.* '긴, 큰' 이란 뜻의 결합사.
màcro·biótic *a.* 장수(長壽)의, 장수식(食)의.
mac·ro·cosm [mǽkrəkɑ̀zəm/-kɔ̀z-] *n.* (the ~) 대우주(opp. microcosm).
màcro·económic *a.* 거시 경제의. **~s** *n.* Ⓤ 거시 경제학.
mac·ro·graph[mǽkrəgræ̀f, -grɑ̀:f] *n.* Ⓒ 육안도(肉眼圖).
màcro·instrúction *n.* Ⓒ 〖컴〗 매크로명령(macro)《어셈블리 언어의 명령의 하나》.
màcro·linguístics *n.* Ⓤ 대언어학(大言語學)《모든 언어 현상을 대상으로 함》.
mac·rom·e·ter [məkrɑ́mitər/-ɔ́mi-] *n.* Ⓒ 측원기(測遠機)《망원경을 둘 씀》.
ma·cron[méikrɑn/mǽkrɔn] *n.* Ⓒ 모음 위의 장음부《보기: cāme, bē》.
mac·ro·scop·ic [mæ̀krəskɑ́pik/-ɔ́p-], **-i·cal**[-əl] *a.* 육안으로 보이는(opp. microscopic).
mac·u·la [mǽkjələ] *n.* (*pl.* **-lae** [-lì:]) Ⓒ (태양·달의) 흑점; (광물의) 흠; (피부의) 점.
:mad[mæd] *a.* (**-dd-**) ① 미친. ② 무모한(wild). ③ 열중한(*after, about, for, on*)(*He is ~ about her.* 그 여자에 미쳐 있다). ④《口》 성난(angry)(*at*). ***drive*** (*a person*) ~ 미치게 하다. ***go*** 〔***run***〕 ~ 미치다. ***like*** ~ 미친 듯이, 맹렬히. ***˂.ly** *ad.* 미쳐서, 미친듯이, 몹시, 극단으로. **:˂.ness** *n.*
Mad·a·gas·car[mæ̀dəgǽskər] *n.* 아프리카 남동쪽의 섬나라《수도 Tananarive》(⇨MALAGASY).
:mad·am[mǽdəm] *n.* Ⓒ 부인, 아씨《미혼 기혼에 관계 없이 여성에게 대한 정중한 호칭》(cf. ma'am).
***mad·ame** [mǽdəm, mədǽm, mədɑ́:m] *n.* (F.) Ⓒ 아씨, 마님, …부인《생략 MRS.》.
mád·càp *a., n.* Ⓒ 무모한 (사람).
mád-cow diséase 광우병(狂牛病).
***mad·den**[mǽdn] *vt., vi.* 미치게 하다, 미치다. **~.ing** *a.* 미칠 듯한.
mad·der[mǽdər] *n.* Ⓤ 〖植〗 꼭두서니; 〖染〗 인조 꼭두서니.
mád-dòctor *n.* Ⓒ 정신과 의사.
†made[meid] *v.* make의 과거(분사). — *a.* ① 만든; 그러모은; 만들어진. ② 성공이 확실한. ~ ***dish*** 모듬요리. ~ ***man*** 성공자.
Ma·dei·ra[mədíərə] *n.* Ⓤ 마데이라 흰포도주.
Madéira càke 카스텔라의 일종.
mad·e·leine[mǽdəlin, -lèin] *n.* Ⓤ,Ⓒ 마들렌《작은 카스텔라 비슷한 과자》.
***mad·e·moi·selle** [mæ̀dəmwəzél] *n.* (F.) =MISS《생략 Mlle.; (*pl.*) Mlles》.
máde-to-órder *a.* 주문에 의해 만든, 맞춤의.
máde-úp *a.* 만든, 만들어낸, 메이크업한; 꾸며낸; 결심한; (스타일 따위) 지나치게 꾸민, 부자연한.
mád·hòuse *n.* Ⓒ 정신병원.
Mád·i·son Ávenue[mǽdəsən-] 미국 뉴욕 시의 광고업 중심가; 광고업(계).
Mádison Squàre Gárden 미국 뉴욕시 Eighth Avenue에 있는 스포츠 센터.
Madm. Madam.
***mád·màn** *n.* Ⓒ 미친 사람.
mád mòney《口》 여자의 소액 비상금《데이트할 때의》.
***Ma·don·na**[mədɑ́nə/-ɔ́-] (It.=my lady) *n.* (the ~) 성모 마리아; Ⓒ 그 (초)상.
Madónna lìly 〖植〗 흰백합.
Ma·drid[mədríd] *n.* 스페인의 수도.
mad·ri·gal[mǽdrigəl] *n.* Ⓒ 사랑의 소곡; 합창곡(cf. motet).
mael·strom[méilstrəm/-ròum] *n.* Ⓒ 큰 소용돌이; 혼란; (the M-) 노르웨이 북서 해안의 큰 소용돌이.
mae·nad[mí:næd] *n.* Ⓒ 〖그·로神〗 주신(酒神)을 섬기는 여자; 열광하는 여자.
ma·es·to·so[maistóusou, -zou/mɑ̀:es-] *ad.* (It.) 〖樂〗 장엄하게.
ma·es·tro [máistrou/mɑ:és-] *n.* (It.)(*pl.* **~s, -tri**[-tri:]) Ⓒ 대음악가; 거장(巨匠).
Máe Wést[méi-] (선원·비행사용) 구명 조끼; 〖美海軍〗 (낙하산의) 중앙 조리개《낙하 속도를 증가하는 장치》.
Ma(f)·fi·a [mɑ́:fi:ə, mǽfiə] *n.* (It.) Ⓒ 마피아단《법률과 질서를 무시한 시칠리아 섬의 폭력단》; (미국 등의) 범죄 비밀 결사.
maf·fick[mǽfik] *vi.*《英口》 야단법석을 치다.
ma·fi·o·so[mɑ̀:fi:óusou] *n.* (*pl.* **-si** [-si:]) Ⓒ 마피아의 일원.
†mag·a·zine[mæ̀gəzí:n, ˂-˂] *n.* Ⓒ ① 잡지. ② (탄약·식량 따위의) 창고. ③ (연발총의) 탄창. ④ 〖寫〗 필름 감는 틀.
Mag·da·len[mǽgdəlin], **-lene** [mǽgdəlì:n, mæ̀gdəlí:ni] *n.* 〖聖〗 막달라마리아《누가 복음 7-8》; (m-) Ⓒ 갱생한 창녀.
Mágdalen hòme 〔**hòspital**〕 윤락 여성 갱생원.
Mag·da·le·ni·an[mæ̀gdəlí:niən] *a.* 〖考〗 마들렌기(期)의《구석기 시대 후기의 종말》.
mage[meidʒ] *n.* Ⓒ《古》 마법사(魔法師); 박식한 사람.
ma·gen·ta[mədʒéntə] *n.* Ⓤ 빨간 아닐린 물감; 그 색《진홍색》.
mag·got[mǽgət] *n.* Ⓒ 구더기; 변덕. ~ ***in one's head*** 변덕. **~.y** *a.* 구더기 천지의; 변덕스러운.
Ma·ghreb[mʌ́grəb] *n.* 마그레브 지방《북아프리카 서부; Libya, Tunisia, Algeria, Morocco를 포함》.
Ma·gi[méidʒai] *n. pl.* (*sing.* **-gus**

[-gəs]) 〖聖〗 동방 박사《마태 복음 2:1》; 마기 승족(僧族)《고대 페르시아의》; 마술사. ~·**an**[méidʒiən] *a., n.* Ⓒ 마기 승족의; 마술의; 마기승(僧); 마술사.

mag·ic**[mǽdʒik] *a.* ① 마법의(cf. Magi); 기술(奇術)의. ② 불가사의한. — *n.* Ⓤ ① 마법, 기술. ② 불가사의한 힘. ***black ~ 악마의 힘에 의한 마술. ***natural*** ~ 자연력 응용의 마술. ***white*** ~ 착한 요정(妖精)의 힘에 의한 마술. *__mág·i·cal__ *a.* **-i·cal·ly** *ad.*

mágic cárpet (전설상의) 마법의 양탄자.

mágic éye (라디오·텔레비전 따위의) 매직아이《동조(同調) 지시 진공관》; (M- E-) 그 상표명.

***ma·gi·cian**[mədʒíʃən] *n.* Ⓒ 마법사; 요술쟁이.

mágic lántern 환등(幻燈).

mágic mírror (미래나 먼 고장의 광경을 비추는) 마법의 거울.

mágic squáre 마방진(魔方陣)《수의 합이 가로·세로·대각선이 같은 숫자 배열표》.

mágic wórds 주문(呪文).

Má·gi·not lìne[mǽdʒənòu-] 마지노선《2차 대전시 독일·프랑스 국경의 프랑스 방어선》.

mag·is·te·ri·al[mæ̀dʒəstíəriəl] *a.* magistrate의; 위엄에 찬; 고압적인.

mag·is·tral[mǽdʒəstrəl] *a.* 〖藥〗 특별 처방의(opp. officinal).

mágistral stàff 《집합적》 교직원.

***mag·is·trate**[mǽdʒistrèit, -trit] *n.* Ⓒ (사법권을 가진) 행정 장관; 치안 판사(justice of the peace). **-tra·cy** *n.* Ⓤ magistrate의 직[임기·관구]; 《집합적》 행정 기관.

mágistrates' cóurt 《英》 경범죄(예심) 법정.

mág·lev tràin[mǽglev-] 자기 부상(磁氣浮上) 열차.

mag·ma[mǽgmə] *n.* (*pl.* ***-mas, -mata***[-mətə]) Ⓤ 〖地〗 마그마, 암장(岩漿).

Mag·na C(h)ar·ta[mǽgnə kɑ́ːrtə] 〖英史〗 (1215년 John 왕에 강요하여 국민의 개인적·정치적 자유를 승인시킨) 대헌장.

mag·na cum lau·de [mǽgnə kʌm lɔ́ːdi] (L.) 제 2 위(의 우등으)로 (cf. *summa cum laude*).

mag·nan·i·mous[mægnǽniməs] *a.* 도량이 넓은, 아량 있는. **mag·na·nim·i·ty**[⌐-níməti] *n.* Ⓤ 도량이 넓음, 아량; Ⓒ 관대한 행위.

mag·nate[mǽgneit] *n.* Ⓒ 거물, 유력자(*an oil* ~ 석유왕).

mag·ne·sia[mægníːʃə, -ʒə] *n.* Ⓤ 〖化〗 산화마그네슘. **-sian** *a.*

mag·ne·site [mǽgnəsàit] *n.* Ⓤ 〖鑛〗 마그네사이트《마그네슘의 원광석》.

mag·ne·si·um [mægníːziəm, -ʒəm] *n.* Ⓤ 〖化〗 마그네슘《금속 원소; 기호 Mg》.

magnésium lìght 마그네슘광(光) 《야간 촬영 따위에 쓰임》.

mag·net**[mǽgnit] *n.* Ⓒ 자석; 사람을 끄는 것. ***bar ~ 막대 자석. ***horseshoe*** ~ 말굽 자석. ***natural*** ~ 천연 자석.

***mag·net·ic**[mægnétik] *a.* 자기성이 있는; 매력 있는. ~**s** *n.* Ⓤ 자기학(磁氣學). **-i·cal·ly** *ad.*

magnétic cárd 〖컴〗 자기(磁氣) 카드.

magnétic círcuit 〖理〗 자기(磁氣) 회로.

magnétic cómpass 자기 컴퍼스 [나침의].

magnétic córe 〖컴〗 자기 코어《기억 소자로 쓰이는 자철(磁鐵)의 작은 고리》.

magnétic detéctor 자침 검파기 「(檢波器).

magnétic dísk 〖컴〗 자기 디스크.

magnétic drúm 〖컴〗 자기 드럼.

magnétic fíeld 자장, 자계.

magnétic míne 자기 기뢰.

magnétic néedle 〖電〗 자침(磁針). 「北).

magnétic nórth, the 자북(磁

magnétic póle 자극(磁極).

magnétic stórm 자기 폭풍.

magnétic tápe (recòrder) 자기 테이프 (리코더).

***mag·net·ism**[mǽgnətìzəm] *n.* Ⓤ 자기, 자력.

mag·net·ite[mǽgnətàit] *n.* Ⓤ 자철광, 마그네타이트.

mag·net·ize[mǽgnətàiz] *vt.* 자력을 띠게 하다; (사람을) 끌어 당기다, (사람 마음을) 움직이다. — *vi.* 자력을 띠다. **-i·za·tion**[⌐-izéiʃən] *n.* Ⓤ 〖컴〗 자기화(化).

mag·ne·to[mægníːtou] *n.* (*pl.* ~***s***) Ⓒ 〖電〗 자석 발전기.

mag·ne·to·e·lec·tric[mægnìːtouiléktrik] *a.* 자전기(磁電氣)의.

mag·ne·to·graph [mæ̀gníːtəgræ̀f, -grɑ̀ːf] *n.* Ⓒ 〖電〗 기록 자력(磁力)계.

mag·ne·tom·e·ter [mæ̀gnitɑ́mitər/-tɔ́mi-] *n.* Ⓒ 자력계.

mag·ne·tron [mǽgnətrɑ̀n/-trɔ̀n] *n.* Ⓒ 〖電子〗 마그네트론, 자전관(磁電管).

mag·ni·fi·ca·tion [mæ̀gnəfikéiʃən] *n.* Ⓤ 확대; 과장; 찬미; 〖光〗 배율(倍率); Ⓒ 확대도.

***mag·nif·i·cent**[mægnífəsənt] *a.* 장려한; 장엄한; 웅대한; 훌륭한. ~·**ly** *ad.* *__-cence__ *n.*

mag·ni·fi·er[mǽgnəfàiər] *n.* Ⓒ 확대기, 확대경.

***mag·ni·fy**[mǽgnəfài] *vt.* ① 확대하다, 확대하여 보다; 과장하다. ② 《古》 칭찬하다.

mágnifying glàss 확대경, 돋보기.

mágnifying pòwer (렌즈 따위의) 배율.

mag·nil·o·quent[mægníləkwənt] *a.* 호언 장담하는(high-sounding); 과장한. **-quence** *n.*

M

***mag·ni·tude**[mǽgnətjùːd] *n.* ① Ⓤ 크기. ② Ⓤ 중요도. ③ Ⓒ 〖天〗 광도(光度); 진도(震度).

mag·no·li·a[mægnóuliə, -ljə] *n.* Ⓒ 〖植〗 태산목(泰山木), 목련; 그 꽃.

Magnólia Státe 《美》 Mississippi주의 속칭.

mag·num[mǽgnəm] *n.* (L.) Ⓒ 2 쿼트들이의 큰 술병; 그 양.

mágnum ó·pus[-óupəs] (L.) (문예·예술상의) 대작, 대표작; 주요 작품.

mag·pie[mǽgpài] *n.* Ⓒ 〖鳥〗 까치; 비둘기의 일종; 수다쟁이.

Mag·say·say[mɑːgsáisai], **Ramon** (1907-57) 필리핀의 정치가.

Mag·yar[mǽgjɑːr] *n., a.* Ⓒ 마자르 사람《헝가리의 주요 민족》(의); Ⓤ 마자르 말(의).

ma·ha·ra·ja(h)[mɑ̀ːhərɑ́ːdʒə] *n.* (Hind.) Ⓒ (인도의) 대왕, 인도 토후국의 왕. **-ra·nee**[-rɑ́ːni] *n.* Ⓒ maharaja(h)의 부인.

ma·hat·ma[məhǽtmə, -hɑ́ːt-] *n.* (Skt.) Ⓒ (밀교의) 대성(大聖), 초인.

Ma·ha·ya·na [mɑ̀ːhəjɑ́ːnə] *n.* (Skt.) Ⓤ 대승(大乘) 불교.

Mah·di[mɑ́ːdi(ː)] *n.* 〖이슬람교〗 구세주.

Ma·hi·can [məhíːkən], **Mo-**[mou-] *n.* 모히칸 족《Hudson강 상류 지방에 살던 북미 인디언》.

mah-jong(g) [mɑ́ːdʒɔ́ːŋ, -dʒɑ́ŋ/-dʒɔ́ŋ] *n.* Ⓤ 마작(麻雀).

ma·hog·a·ny**[məhɑ́gəni/-hɔ́-] *n.* ① Ⓒ 마호가니; Ⓤ 그 목재. ② Ⓤ 적갈색. ③ (the ~) 식탁. ***be under the ~ 식탁 밑에 취해 곤드라지다. ***with one's knees under the ~*** 식탁에 앉아.

Ma·hom·et[məhɑ́mit/-hɔ́-] *n.* = MOHAMMED.

Ma·hom·i·dan [məhɑ́midən/-hɔ́-], **-e·tan**[-tən] *a., n.* = MOHAMMEDAN.

ma·hout[məhàut] *n.* Ⓒ 코끼리 부리는 사람.

:**maid**[meid] *n.* Ⓒ ① 소녀, 아가씨; 미혼녀; 《古》 처녀. ② 하녀. ***~ of hono(u)r*** 시녀; 《美》 신부의 들러리 《미혼녀》. ***~ of work*** 가사 일반을 맡아 보는 하녀. ***old ~*** 노처녀; 잔소리꾼; (트럼프의) 조커 빼기.

:**maid·en**[méidn] *n.* Ⓒ ① 아가씨, 미혼녀. ② 〖史〗 단두대. — *a.* 미혼의, 처음의, 처녀…(*a ~ speech* 처녀 연설/*a ~ voyage* 처녀 항해).

máiden·hàir *n.* Ⓤ 〖植〗 공작고사리속(屬)의 속칭.

máidenhair·trèe *n.* Ⓒ 〖植〗 은행나무.

máiden·hèad *n.* Ⓤ =MAIDENHOOD; Ⓒ 처녀막.

máiden·hòod *n.* Ⓤ 처녀성, 처녀 시대.

máiden·lìke *a., ad.* 처녀다운〔답게〕, 조심스러운〔스럽게〕.

maid·en·ly[-li] *a.* 처녀다운.

máiden náme (여자의) 구성(舊姓).

máid·sèrvant *n.* Ⓒ 하녀.

mail[1][meil] *n.* ① Ⓒ 우편낭. ② Ⓤ 《美》 우편(제도)(*air ~* 항공 우편/*firstclass ~* 제1종 우편). ③ Ⓤ 《집합적》 우편물. ***by ~*** 우편으로. — *vt.* 우송하다.

†**mail**[2] *n.* Ⓤ 사슬미늘 갑옷. **~ed**[-d] *a.* 사슬미늘 갑옷을 입은.

máil·bàg *n.* Ⓒ 우편낭.

máil·bòat *n.* Ⓒ 우편선.

máil bòmb (열면 폭파하는) 우편 폭탄.

***máil·bòx** *n.* Ⓒ 우편함; 우체통; 〖컴〗 편지상자《전자 우편을 일시 기억해 두는 컴퓨터 내의 기억 영역》.

máil càr 《美》 (철도의) 우편차.

máil càrrier 《美》 우편 집배원(《英》 postman).

máil càtcher 〖鐵〗 우편물 적재 장치.

máil chùte 우편물을 빌딩 위층에서 아래층으로 떨어뜨리는 장치.

máil clèrk 《美》 우체국 직원.

***máil còach** 《英》 (옛날의) 우편 마차.

máil dày 우편 마감일.

máil dròp 《美》 우편함의 투입구; 극비 통신용의 수신인 주소.

máiled físt, the 무력(에 의한 위협), 완력.

máil·ing lìst 우편물 수취인 명부.

Mail·lol[mɑːjɔ́ːl], **Aristide** (1861-1944) 프랑스의 조각가.

mail·lot[maijóu] *n.* (F.) Ⓒ (발레용) 타이츠; (원피스로 어깨끈 없는) 여자 수영복.

:**máil·màn** *n.* Ⓒ 우편 집배원.

máil màtter 우편물.

máil òrder 〖商〗 통신 주문, 통신 판매.

máil-order hòuse 통신 판매점.

máil·plàne *n.* Ⓒ 우편 비행기.

máil tràin 우편 열차.

***maim**[meim] *vt.* 불구자로 만들다.

:**main**[mein] *n.* ① Ⓤ 힘, 체력. ② Ⓒ 주된 것; 중요 부분. ③ (the ~) 《詩》 대해《main sea의 생략》(cf. mainland)(*over land and ~* 육지와 바다에). ④ Ⓒ (수도 따위의) 본관(本管), 간선. ***in the ~*** 주로; 대체로. ***with might and ~*** 전력을 다하여. — *a.* ① 전력〔온 힘〕을 다하는. ② 주요한, 제일의. ***by ~ force*** 전력을 다하여. **:∠·ly** *ad.* 주로, 대개.

máin chánce 절호의 기회; 사리(私利), 이익.

máin cláuse 〖文法〗 주절(主節).

máin déck 주(主)갑판.

***Maine** [mein] *n.* 미국 북동부의 주 《생략 Me.》.

máin evént 《美》 주요 경기.

máin fórce 〖軍〗 주력.

máin·fràme *n.* Ⓒ 〖컴〗 컴퓨터의 본체(cf. peripheral); 대형 고속 컴퓨터.

***main·land**[∠lǽnd, -lənd] *n.* Ⓒ

M

본토(부근의 섬·반도에 대한). **~·er** *n.* Ⓒ 본토 주민.
máin lìne 간선, 본선.
máin·màst *n.* Ⓒ 큰 돛대.
máin mémory 〖컴〗 주기억 장치.
máin ròtor (헬리콥터 등의) 주(主)회전익.
main·sail[´-sèil, (海) -səl] *n.* Ⓒ 주범(主帆)(mainmast의 돛).
máin·sprìng *n.* Ⓒ (시계 등의) 큰 태엽; 주요 동기.
máin·stày *n.* Ⓒ 큰 돛대의 버팀줄; 대들보.
máin stèm 《口》 한길; 주류; 간선.
Máin Strèet 《美》 중심가; (인습·실리적인) 전형적 지방 도시인[사회].
:main·tain[meintéin, mən-] *vt.* ① 유지하다. ② 지속[계속]하다. ③ 부양하다, (한 집안을) 지탱하다. ④ 간수하다, 건사하다. ⑤ 주장하다 (*that*); 지지하다. **~ *oneself*** 자활하다.
·main·te·nance [méintənəns] *n.* Ⓤ 유지, 보존; 지속, 부양(료), 생계; 주장.
máin·tòp *n.* Ⓒ 〖海〗 큰 돛대의 장루(檣樓).
máin yàrd 〖海〗 큰 돛의 활대.
mai·son·(n)ette[mèizounét] *n.* (F.) Ⓒ 《英》 작은 집; (종종, 이층 건물의) 아파트, 셋방.
maî·tre d'hô·tel[mèitrə doutél] (F.) 급사장(給仕長).
maize[meiz] *n.* Ⓒ 옥수수; 그 열매; Ⓤ 담황색.
Maj. Major. **maj.** major; majority.
:ma·jes·tic[mədʒéstik], **-ti·cal** [-əl] *a.* 위엄 있는, 당당한. **-ti·cal·ly** *ad.*
:maj·es·ty[mǽdʒisti] *n.* ① Ⓤ 위엄, 장엄. ② Ⓤ 주권. ③ Ⓒ (M-) 폐하. ④ Ⓒ 《美》 후광에 둘러싸인 신[예수]의 상(像). ***His* [*Her, Your*] ~** 폐하.
Maj. Gen. Major General.
ma·jol·i·ca [mədʒálikə, -jál-/ -jɔ́l-, -dʒɔ́l-] *n.* Ⓤ (이탈리아의) 마졸리카 도자기.
:ma·jor[méidʒər] *a.* (opp. minor) ① (둘 중에서) 큰 쪽의, 대부분의. ② 주요한. ③ 〖樂〗 장조(長調)의. ④ 성년의. ⑤ (M-) (같은 성(姓)에서) 연장의(*Brown* ~ 큰 브라운). ― *n.* Ⓒ ① 육군[해·공군] 소령; 《軍俗》 (특무) 상사. ② 〖法〗 성년자. ③ 《古》 〖論〗 대전제; 〖樂〗 장조 (*A* ~ 가장조); 장음계. ④ 《美》 (대학의) 전공 과목. ― *vi.* 《美》 전공하다(*in*).
ma·jor·ette[mèidʒərét] *n.* =DRUM MAJORETTE.
májor géneral 소장《육군·해병·공군의》.
:ma·jor·i·ty[mədʒɔ́(:)rəti, -dʒár-] *n.* ① Ⓤ 대다수; Ⓤ,Ⓒ 과반수; 다수파; Ⓒ (득표)차. ② Ⓤ 〖法〗 성년. ③ Ⓤ 소령의 지위. ***attain one's* ~** 성년이 되다. (*win*) ***by a ~ of*** …의 차로 (이기다). ***join the ~*** 죽다. ***the ~*** 죽은 사람.
májor kéy 〖樂〗 장조(長調).
májor léague 《美》 직업 야구 대리그《National League 혹은 American League》.
májor párt 대부분, 과반수. 「提).
májor prémise 〖論〗 대전제(大前
májor scále 〖樂〗 장음계(長音階).
ma·jus·cule[mədʒʌ́skju:l, mǽdʒəskjù:l] *n.* Ⓒ 대문자(cf. minuscule).
†make[meik] *vt.* (***made***) ① 만들다, 제조하다, 건설하다. ② (시나 글을) 창작하다, 마련하다(arrange) (~ *a bed* 잠자리를 마련하다). ③ (…으로) 만들다. ④ (…이) 되게 하다(*into*); (…을) …으로 하다(~ *a man of him* 그를 당당한 사나이로 만들다). ⑤ (…을) …으로 보다(~ *him a fool* 우롱하다); 판단하다(~ MUCH [LITTLE] *of*). ⑥ (법률 따위를) 제정하다; 구성하다(*Oxygen and hydrogen* ~ *water.* 산소와 수소로 물이 된다). ⑦ 도합 (…이) 되다; (…에) 충분하다(*One swallow does not* ~ *a summer.*); (…이) 되다(*She will* ~ *a good wife.* 좋은 아내가 될 것이다). ⑧ 얻다; (돈을) 벌다. ⑨ 하다, 행하다(~ *a bow* 절을 하다). ⑩ 가다, 나아가다, 답파하다(~ *one's way* 나아가다/ ~ *ten miles an hour* 한 시간에 10마일 나아가다). ⑪ 눈으로 확인하다(~ *land* 육지가 보이다); …이 보이는 데까지 가다; 도착하다(*The ship made port.* 배는 입항했다); 《口》 시간에 대다(*I've made it!* 됐다!). ⑫ 말하다(~ *a joke* 농담하다). ⑬ (트럼프에서) 이기다. ⑭ (…을) …으로 하다(~ *her happy*); (…을) …으로 어림하다(*I* ~ *the distance 5 miles.* 그 거리는 5마일로 생각된다). ⑮ (…에게) …하게 하다(~ *him go*). ― *vi.* 나아가다; 행동하다(~ *bold*); 조수가 차다. **~ *after*** 《古》 …을 뒤쫓다. **~ *against*** …에 불리해지다; …을 방해하다. **~ *away*** 도망치다. **~ *away with*** 처치하다, 죽이다, 탕진하다. **~ *for*** …로 향하여 나아가다; …에 기여하다. **~ (*a thing*) *from*** …을 재료로 하여 (물건을) 만들다. **~ *it*** 《美口》 잘 해내다; 성공하다; 시간에 대다; 《美俗》 성교하다. **~ *it up with*** …와 화해하다. **~ *off*** 급히 떠나다. **~ *off with*** …을 가지고 달아나다. **~ *or mar* [*break*]** (되든 안 되든) 성패를 가리다. **~ *out*** (서류를) 작성하다; 입증하다; 이해하다; …와 같이 말하다; 암시하다; 《美俗》 애무하다, 성교하다. **~ *over*** 양도하다. **~ *up*** 벌충[보충]하다, 메우다; 조합(調合)하다; 편성하다; 이야기를 조작하다; 화장[메이크업]하다, 분장하다; 결정짓다; 화해하다. **~ *up one's*** MIND ***to.*** **~ *up to*** 구애(求愛)하다, …의 환심을 사다. ― *n.* Ⓤ,Ⓒ ① 만듦새, 구조, 체격, 꼴, 형(型). ② 성질. ③ …제(製)

M

(*American* ~); 제조(량). ④ 〖電〗 접속(*at* ~ 회로의 접속점에서). **on the ~** 《口》(성공·승진·이익 등을 얻으려고) 열중하여.

máke-belìeve *n.* Ⓤ 거짓, 겉꾸밈, 가장.

máke-dò *n., a.* Ⓒ 임시 변통의 (물건), 대용의 (물건).

:mak·er[⌐ər] *n.* Ⓒ 제조업자; (M-) 조물주, 하느님.

máke·shìft *n., a.* Ⓒ 임시 변통(의) 둘러맞춤.

***máke-ùp** *n.* ① Ⓤ,Ⓒ 메이크업, 배우의 얼굴 분장; 《집합적》 화장품. ② Ⓒ 꾸밈(새); 조립; 〖印〗(게라쇄(刷)의) 종합 배열〔대판 짜기〕; 구조.

máke·wèight *n.* Ⓒ 부족한 중량을 채우는 물건; 무가치한 사람〔물건〕; 균형을 잡게 하는 것.

máke·wòrk *n.* Ⓤ (노동자를 놀리지 않게 하기 위해 시키는) 불필요한 작업.

***mak·ing**[⌐iŋ] *n.* ① Ⓤ 만들기, 제조, 제작; 형성, 발달 과정, Ⓒ 제작품; 1회의 제작량. ② (the ~) (성공·발달의) 수단〔원인〕. ③ (*pl.*) 소질. ④ (*pl.*) 이익; 벌이. **be the ~ of** …의 성공의 원인이 되다. **in the ~** 제작 과정 중의, 완성 전의.

mal-[mæl] *pref.* '악(惡), 비(非)' 따위의 뜻.

mal·a·chite[mǽləkàit] *n.* Ⓤ 〖鑛〗 공작석.

màl·adjústed *a.* 잘 조절되지 않은; 환경에 적응 안 되는.

màl·adjústment *n.* Ⓤ,Ⓒ 부적응, 조절 불량.

màl·administrátion *n.* Ⓤ 실정(失政), 악정.

mal·a·droit[mæ̀lədrɔ́it] *a.* 서투른, 졸렬한. **~·ly** *ad.* **~·ness** *n.*

***mal·a·dy**[mǽlədi] *n.* Ⓒ 병; 병폐.

ma·la fi·de[mǽlə fáidi, méilə-] (L.) 불성실한〔하게〕(opp. *bona fide*).

Mal·a·ga[mǽləgə] *n.* Ⓤ 말라가 흰 포도주.

Mal·a·gas·y[mæ̀ləgǽsi] *a., n.* Ⓒ 마다가스카르〔말라가시〕의 사람(의); Ⓤ 마다가스카르 말(의).

ma·laise[mæléiz] *n.* (F.) Ⓤ,Ⓒ 불쾌, 불안.

mal·a·prop·ism[mǽləprɑ̀pizəm] *n.* Ⓤ (유사어의) 익살맞은 오용(誤用); Ⓒ 그와 같은 말.

mal·ap·ro·pos [mæ̀læprəpóu, -læ̀p-] *a., ad.* 시기를 얻지 못한〔못하여〕, 부적절한〔하게〕.

***ma·lar·i·a**[məlɛ́əriə/-lέər-] *n.* Ⓤ ① 말라리아. ② 늪의 독기. **~l, ~n, -i·ous** *a.*

Mal·a·thi·on[mæ̀ləθáiɑn/-ɔn] *n.* 말라티온《살충제; 상표명》.

Ma·la·wi[mɑːlɑ́ːwi] *n.* 아프리카 남동부의 공화국.

Ma·lay[məléi, méilei] *n., a.* Ⓒ 말레이 사람(의); Ⓤ 말레이 말(의). **~·an**[məléiən] *a., n.*

Ma·lay·a[məléiə] *n.* 말라야, 말레이 반도. **the ~ Archipelago** 말레이 제도. **the ~ Peninsula** 말레이 반도.

Ma·lay·sia[məléiʒə, -ʃə] *n.* 말레이시아. **the Federation of ~** 말레이시아 연방《1963년 성립》.

Mal·com X[mǽlkəm éks] 미국의 흑인 인권 운동 지도자(1925-65).

mal·con·tent[mǽlkəntènt] *a.* 불평불만의. —— *n.* Ⓒ 불평 분자.

màl·distribútion *n.* Ⓤ 부적정 배치〔배급〕.

Mal·dive[mǽldaiv] *n.* 스리랑카 남서의 이슬람교 공화국.

:male[meil] *n., a.* Ⓒ 남성(의), 수컷(의)(opp. female).

mal·e·dic·tion[mæ̀lədíkʃən] *n.* Ⓒ 저주, 악담.

mále cháuvinism 남성 우월〔중심〕주의.

mále cháuvinist 남성 우월〔중심〕주의자.

mále cháuvinist pìg 《蔑》 남성 우월주의자《생략 MCP》.

mal·e·fac·tion[mæ̀ləfǽkʃən] *n.* Ⓤ,Ⓒ 나쁜 짓, 범행.

mal·e·fac·tor[mǽləfæ̀ktər] *n.* Ⓒ 범인; 악인(opp. benefactor).

ma·lef·i·cent[məléfəsnt] *a.* 유해한(*to*); 나쁜 짓 하는. **-cence** *n.*

ma·lev·o·lent[məlévələnt] *a.* 악의 있는, 심술궂은. **~·ly** *ad.* **-lence** *n.* Ⓤ 악의.

mal·fea·sance[mælfíːzəns] *n.* Ⓤ,Ⓒ 〖法〗(공무원의) 부정 행위.

màl·formátion *n.* Ⓤ,Ⓒ 불구, 기형.

mál·fórmed *a.* 볼꼴 사나운; 기형〔의.

màl·fúnction *vi.* 고장나다, 기능부전을 일으키다. —— *n.* Ⓤ,Ⓒ 기능부전, 고장; 〖컴〗 기능 불량.

Ma·li[mɑ́ːliː] *n.* 아프리카 서부의 공화국.

mal·ic[mǽlik, méil-] *a.* 사과의.

málic ácid 〖化〗 사과산(酸).

:mal·ice[mǽlis] *n.* Ⓤ 악의, 해칠 마음; 〖法〗 범의(犯意). **~ AFORETHOUGHT** 〔PREPENSE〕.

***ma·li·cious**[məlíʃəs] *a.* 악의 있는, 속검은. **~·ly** *ad.* **~·ness** *n.*

ma·lign[məláin] *a.* 유해한; 〖醫〗 악성〔악질〕의(opp. benign); 악의 있는. —— *vt.* 헐뜯다, 중상하다.

:ma·lig·nant[məlígnənt] *a.* 유해한; 악성의; 악의를 품은. —— *n.* Ⓒ 〖英史〗 Charles I 시대의 왕당원. **~·ly** *ad.* **-nan·cy** *n.*

ma·lig·ni·ty[məlígnəti] *n.* Ⓤ 악의, 원한; 악성.

ma·lin·ger[məlíŋgər] *vi.* (특히 병사·하인 등이) 꾀병을 부리다.

mall[mɔːl/mæl] *n.* Ⓒ 나무 그늘진 산책길; (the M-) 런던의 St. James's Park의 산책길; Ⓤ 펠멜 구기(球技)(PALL MALL); Ⓒ 펠멜용의 망치.

mal·lard[mǽlərd] *n.* Ⓒ 〖鳥〗 물오

리; Ⓤ 물오리 고기.
Mal·lar·me [məlɑ:rméi], **Sté-phane**(1842-98) 프랑스의 시인.
mal·le·a·ble [mǽliəbəl] *a.* (금속이) 전성(展性)이 있는; 순응성이 있는. **-bil·i·ty**[ㅗ——bíləti] *n.*
mal·let [mǽlit] *n.* Ⓒ 나무메; (croquet나 polo의) 공 치는 방망이.
mal·low [mǽlou] *n.* Ⓒ 〖植〗 당아욱속(屬).
malm·sey [mɑ́:mzi] *n.* Ⓤ 흰포도주의 일종《Madeira산; 달고 독함》.
màl·nutrítion *n.* Ⓤ 영양 장애〔실조〕, 영양 부족.
màl·ódorant *a., n.* Ⓒ 악취 나는 「(물건).
màl·ódorous *a.* 악취 나는.
Mal·pígh·i·an túbe 〔**túbule**〕 [mælpígiən-] 〖生〗 말피기관.
màl·posítion *n.* Ⓤ 위치가 나쁨; (태아의) 변위(變位).
màl·práctice *n.* Ⓤ,Ⓒ (의사의) 부당 치료; 직책상의 비행.
Mal·raux [mɑ́:lrou], **André** (1901-76) 프랑스의 소설가·정치가.
***malt** [mɔ:lt] *n.* Ⓤ 맥아(麥芽), 엿기름. — *vt., vi.* 엿기름을 만들다, 엿기름이 되다.
Mal·ta [mɔ́:ltə] *n.* 몰타《지중해 중앙부의 섬 및 공화국; 섬은 Maltese Island라고도 함》.
málted (**mílk**) 맥아 분유(를 넣은 우유).
Mal·tese [mɔ:ltí:z, ㅗ—] *a., n.* 몰타(섬)의; Ⓒ 몰타 사람(의); Ⓤ 몰타 말(의).
Máltese cát 몰타고양이《털이 짧고 청회색》.
Máltese cróss 몰타 십자(十字) 《네 가닥의 길이가 같음》.
Máltese dóg 몰타섬 토종의 애완용 개.
Mal·thus [mǽlθəs], **Thomas Robert**(1766-1834) 영국의 경제 학자·인구론자.
Mal·thu·si·an [mælθjú:ziən, -ʒən] *a., n.* Ⓤ 맬서스주의(의); Ⓒ 맬서스주의자. **~·ism**[-ìzəm] *n.* Ⓤ 맬서스주의.
mált lìquor 맥주, 스타우트류(類).
malt·ose [mɔ́:ltous] *n.* Ⓤ 〖化〗 맥아당(麥芽糖).
màl·tréat *vt.* 학대〔혹사〕하다. **~-ment** *n.* Ⓤ 학대, 혹사, 냉대.
malt·ster [mɔ́:ltstər] *n.* Ⓒ 맥아 제조〔판매〕자; 엿기름 만드는 사람.
malt·y [mɔ́:lti] *a.* 엿기름의〔같은〕; 술을 좋아하는.
mal·ver·sa·tion [mælvə:rséiʃən] *n.* Ⓤ 독직(瀆職).
mam [mæm] *n.* 《英口·兒》 =⇩.
***ma·ma** [mɑ́:mə, məmɑ́:] *n.* 《口》 = MAMMA[1].
máma's bòy 《美口》 여자 같은 아이, 과보호의 남자 아이, 응석꾸러기.
mam·bo [mɑ́:mbou] *n.* Ⓒ 맘보 《4/4박자 춤》; 그 곡.
‡**mam·ma**[1] [mɑ́:mə, məmɑ́:] *n.* Ⓒ 《口》 엄마.
mam·ma[2] [mǽmə] *n.* (*pl.* **-mae** [-mi:]) Ⓒ (포유 동물의) 유방. 「물.
‡**mam·mal** [mǽməl] *n.* Ⓒ 포유 동
mam·ma·li·a [mæméiliə, -ljə] *n. pl.* 〖動〗 포유류. **~n** *n., a.*
mam·ma·ry [mǽməri] *a.* 〖生〗 유방의. ***the ~ gland*** 젖샘.
mam·mon [mǽmən] *n.* Ⓤ 〖聖〗 (악덕으로서의) 부(富), 배금(拜金)《마태복음 6:24》. **~·ism**[-ìzəm] *n.* Ⓤ 배금주의. **~·ist** *n.*
***mam·moth** [mǽməθ] *n.* Ⓒ 매머드. — *a.* 거대한.
***mam·my** [mǽmi] *n.* Ⓒ 《口》 = MAMMA[1]; 《美南部》 (아이 보는) 흑인 할멈.
†**man** [mæn] *n.* (*pl.* **men**) ① Ⓒ 인간, 사람(이라는 것). ② Ⓤ 남자, 사내다운 남자. ③ Ⓒ 남편. ④ Ⓒ 하인(opp. master); 부하; 직공; 인부; (*pl.*) 졸병(opp. officer). ⑤ 《호칭》 어이, 여보게. ⑥ (the *or* one's ~) 적격자; 상대; (체스의) 말. ***as one ~*** 이구 동성으로. ***be a ~,*** or ***play the ~*** 사내답게 행동하다. ***be one's own ~*** 독립하고 있다, 남의 지배를 안 받다; 자유로이 행동하다. ***between ~ and ~*** 사내들 사이에, 남자 대 남자로서. ***~ and wife*** 부부. ***~ of letters*** 문인. ***~ of the world*** 세상 물정에 밝은 사람; 속물(俗物). ***old ~*** 《口》 영감《아버지·남편·주인·선장 등》. ***the ~ in the street*** (전문가에 대한) 세상의 일반 사람. ***to a ~,*** or ***to the last ~*** 모조리, 마지막 한 사람까지. — *vt.* (**-nn-**) 사람을 배치하다; 태우다; 격려하다. **~ *up*** 인력을 공급하다.
mán-abòut-tówn *n.* (*pl.* **men-**) Ⓒ 사교가; 플레이보이; (런던 사교계의) 멋쟁이 신사.
man·a·cle [mǽnəkl] *n.* Ⓒ (보통 *pl.*) 쇠고랑; 속박. — *vt.* 고랑을 채우다.
‡**man·age** [mǽnidʒ] *vt.* ① (도구 따위를 손으로) 다루다; 조종하다. ② (말을) 어거하다; 조교(調敎)하다. ③ (업무를) 취급하다; 처리하다. ④ (사업을) 경영하다; 관리하다. ⑤ 먹다. ⑥ 이럭저럭해서 …하다(*to* do). ⑦ 《종종 비꼬는 투로》 잘 …하다(*He ~d to make a mess of it.* 엉망으로 만들어 버렸다). — *vi.* 처리하다, 헤쳐나가다. **~·a·ble** *a.* 다루기 쉬운. ‡**~·ment** *n.* Ⓤ,Ⓒ 취급, 관리, 경영; 《집합적》 경영자측; 술책.
man·ag·ing *a.* 처리〔관리〕하는; 잘 꾸려 나가는; 간섭 잘 하는, 인색한. ***managing director*** 전무 (이사).
mán·aged cúrrency 관리 통화.
mánagement informàtion sỳstem 〖컴〗 (컴퓨터를 이용한) 경영 정보 체계《생략 MIS》.
mánagement-lábo(u)r *a.* 노사의. **~ *dispute*** 노사 분쟁.
‡**man·ag·er** [mǽnidʒər] *n.* Ⓒ 지배인, 경영자; 수완가; 관리인; 처리자;

M

(영국 양원의) 교섭 위원. **good ~** 살림을 잘 꾸려 나가는 주부, 경영을 잘 하는 사람, 두름성 좋은 사람.

mán-at-árms *n.* (*pl.* **men-at-arms**) Ⓒ 중세의 병사.

man·a·tee[mǽnətìː, ⌐—⌐] *n.* Ⓒ 〖動〗 해우(海牛).

***Man·ches·ter** [mǽntʃèstər, -tʃəs-] *n.* 영국 서부의 도시《견직물·무역의 중심》.

Mánchester Schòol, the 맨체스터 학파《1830년대에 자유 무역주의를 주장한》.

Man·chu[mæntʃúː] *n., a.* 만주의; Ⓒ 만주 사람(의); Ⓤ 만주 말(의).

Man·chu·ri·a[mæntʃúəriə] *n.* 만주. **~n** *n., a.* Ⓒ 만주 사람[인]; 만주의.

M & A merger and acquisition (기업의) 합병과 매수.

man·da·la[mʌ́ndələ] *n.* (Sans.) (힌두교·불교의) 만다라(曼荼羅).

man·da·rin[mǽndərin] *n.* Ⓒ (중국의) 관리; (중국 옷차림의) 머리 흔드는 인형; (M-) Ⓤ 중국 관화(官話); Ⓒ (귤빛이 중국 관리의 옷 빛깔과 비슷했던 데서) 중국 귤; Ⓤ 귤빛(의 물감).

mándarin dúck 원앙새.

man·da·tar·y[mǽndətèri/-təri] *n.* Ⓒ 수탁자, 수탁국; 위임 통치국.

***man·date**[mǽndeit, -dit] *n.* Ⓒ (보통 *sing.*) ① 명령, 훈령. ② 위임, 위임 통치령. ③ (교황으로부터의) 성직 수임(授任) 명령. ④ (선거구민이 의원에게 내는) 요구. — [-deit] *vt.* 위임 통치령으로 하다; (…에게) 권한을 위양하다; 명령하다.

man·da·to·ry[mǽndətɔ̀ːri/-təri] *a.* 명령의, 위임의. — *n.* =MANDATARY.

mán-dày *n.* Ⓒ 인일(人日)《한 사람이 하루에 하는 일의 양》.

man·di·ble[mǽndəbəl] *n.* Ⓒ (포유 동물·물고기의) 아래턱(뼈); 새의 부리.

man·do·lin[mǽndəlin], **man·do·line** [⌐dəlíːn] *n.* Ⓒ 〖樂〗 만돌린.

man·drag·o·ra[mændrǽgərə] *n.* 〖植〗 =⇩.

man·drake[mǽndreik] *n.* Ⓒ 〖植〗 흰독말풀《그 뿌리는 마약제》.

man·drel[mǽndrəl], **-dril**[-dril] *n.* Ⓒ 〖鑛〗 곡괭이; 〖冶〗 (주조용) 심쇠; 〖機〗 심축(心軸).

man·drill[mǽndril] *n.* Ⓒ 〖動〗 아프리카산의 큰 비비(狒狒).

***mane**[mein] *n.* Ⓒ (사자 따위의) 갈기; (갈기 같은) 머리털.

mán-eàter *n.* Ⓒ 식인 동물; 식인종.

***ma·nège**[mænéiʒ, -nèʒ] *n.* (F.) Ⓒ 마술(馬術) 연습소; Ⓤ 마술.

ma·nes[méiniːz, mɑ́ːnes] *n. pl.* (고대 로마의) 조상[죽은이]의 영혼.

Ma·net[mənéi], **Édouard** (1832–83) 프랑스의 인상파 화가.

‡ma·neu·ver[mənúːvər] *n.* Ⓒ ① 전략적 행동; 기동 연습. ② 책략, 책동; 교묘한 조치. — *vi.* 연습하다; 술책을 부리다. — *vt.* 군대를 움직이다; 책략으로 움직이다(*away, into, out of*).

mán Fríday 충복(忠僕).

man·ful[mǽnfəl] *a.* 남자다운, 용감한. **~·ly** *ad.*

man·ga·nese[mǽŋgəniːz, -nìːs] *n.* Ⓤ 〖化〗 망간.

mánganese nódule 〖地〗 망간 단괴(團塊).

mange [meindʒ] *n.* Ⓤ (개·소의) 옴.

man·gel(-wur·zel) [mǽŋgl(-wə́ːrzl)] *n.* Ⓒ 〖植〗 근대의 일종《사료용》.

***man·ger**[méindʒər] *n.* Ⓒ 여물통, 구유. **dog in the ~** (버릴 것이라도 남은 못 쓰게 하는) 짓궂은 사람.

man·gle[1] [mǽŋgl] *n., vt.* Ⓒ 세탁 마무리용의 압착 롤러(로 다리다).

***man·gle**[2] *vt.* 토막토막 자르다; 형편없이 만들다.

man·go[mǽŋgou] *n.* (*pl.* **~(e)s**) Ⓒ 〖植〗 망고; Ⓤ,Ⓒ 망고열매.

man·go·steen[mǽŋgəstìːn] *n.* Ⓒ 〖植〗 망고스틴 (열매).

man·grove[mǽŋgrouv] *n.* Ⓒ 〖植〗 홍수림(紅樹林)《열대성 상록수》.

man·gy[méindʒi] *a.* 옴이 오른, 더러운.

mán·hàndle *vt.* 인력으로 움직이다; 거칠게 다루다.

***Man·hat·tan**[mænhǽtən] *n.* 뉴욕 시내의 섬《상업 지구》.

Manháttan (cócktail) 맨해튼《칵테일의 일종; 위스키와 베르무트의 혼합주에 체리를 띄움》.

Manháttan Dístrict 미육군 원자력 연구 기관(1942-47).

***mán·hòle** *n.* Ⓒ 맨홀《하수도·도랑 따위에 사람이 드나들도록 만든 구멍》.

‡man·hood[mǽnhùd] *n.* Ⓤ ① 인간임, 인격. ② 남자임; 성년; 남자다움; 《집합적》 (한 나라의) 성년 남자 전체. ③ (남성의) 성적 매력, 정력.

mánhood súffrage 성년 남자 선거권.

mán-hóur *n.* Ⓒ 인시(人時)《한 사람의 한 시간 작업량》.

mán·hùnt *n.* Ⓒ 《美》 범인 수사.

***ma·ni·a**[méiniə, -njə] *n.* ① Ⓤ 〖醫〗 조병(躁病). ② Ⓒ 열광; …열, …광(*for, of*).

ma·ni·ac[méiniæ̀k] *a., n.* 미친; Ⓒ 미치광이. **-a·cal**[mənáiəkəl] *a.* = MANIAC.

man·ic[mǽnik, méi-] *a.* 〖醫〗 조병(躁病)의.

mánic-dépressive *a., n.* Ⓒ 〖醫〗 조울병의 (환자).

Man·i·ch(a)e·ism[mǽnəkìːizəm] *n.* Ⓤ 마니교《페르시아 사람 Mani가 창도한 3-5세기의 이원교(二元敎)》.

Man·i·chee[mǽnəkìː] *n.* Ⓒ 마니교의 교도.

***man·i·cure**[mǽnəkjùər] *n., vt.* Ⓤ

매니큐어(하다). **-cur·ist** *n.* Ⓒ 손톱 미용사.
:man·i·fest[mǽnəfèst] *a.* 명백한. ── *vt.* ① 명시하다; (감정을) 나타내다; 입증하다. ② 〖商〗 적하 목록(積荷目錄)에 기재하다. ── *vi.* 나타나다; 의견을 발표하다. ~ ***oneself*** (유령·징후가) 나타나다. ── *n.* Ⓒ 〖商〗 적하 목록. **~·ly** *ad.* ***-fes·ta·tion**[ᅩ–—téiʃən] *n.* Ⓤ,Ⓒ 표명, 명시, 정견 발표.
man·i·fes·to[mæ̀nəféstou] *n.* (*pl.* ~(***e***)***s***) Ⓒ 선언(서), 성명서.
***man·i·fold**[mǽnəfòuld] *a.* 다양한, 여러 가지의, 다방면의. ── *vt.* 복사를 뜨다.
mánifold pàper 복사 용지.
man·i·kin[mǽnikin] *n.* Ⓒ 난쟁이; 인체 해부 모형; =MANNEQUIN.
Ma·nil·a, -nil·la[mənílə] *n.* 필리핀의 수도; (*or* m-), Ⓤ 마닐라삼; 마닐라 여송연.
***ma·nip·u·late**[mənípjəlèit] *vt.* ① (손으로) 다루다; 조종하다. ② 잔재주를 부리다, 교묘히 조종하다. ***-la·tion**[–ᅩ–léiʃən] *n.* Ⓤ,Ⓒ 교묘히 다루기, 조작, 속임; 촉진(觸診); 〖컴〗 조작《문제 해결을 위해 자료를 변화하는 과정》. **-la·tor** *n.* Ⓒ 조종하는 사람; 속이는 사람.
:man·kind[mæ̀nkáind] *n.* Ⓤ 인류, 인간; [ᅩᅩ] 남성.
mán·lìke *a.* 사람 같은, 남성 같은.
:man·ly[ᅩli] *a.* 사내다운; 남자 같은. **mán·li·ly** *ad.* **mán·li·ness** *n.*
mán-máde *a.* 인공의, 인조의. ~ ***moon*** 〔***satellite***〕 인공위성.
mán-mìnute *n.* Ⓒ 인분(人分)《한 사람의 1분간의 작업량》.
Mann[mɑːn, mæn], **Thomas** (1875-1955) 독일의 반나치 소설가.
man·na[mǽnə] *n.* Ⓤ 〖聖〗 만나《옛날 이스라엘 사람이 황야에서 신으로부터 받은 음식》; 마음의 양식; 맛 좋은 것.
manned[mænd] *a.* (우주선 등이) 사람이 탄, 유인의(cf. unmanned).
man·ne·quin[mǽnikin] *n.* Ⓒ 마네킹(걸); 모델 인형.
†man·ner[mǽnər] *n.* ① Ⓒ (보통 *sing.*) 방법; 방식. ② (*sing.*) 태도. ③ (*pl.*) 예절. ④ (*pl.*) 풍습; 생활양식. ⑤ (*sing.*) (문학·미술의) 양식; 작풍(作風). ⑥ (*sing.*) 종류. ***all ~ of*** 모든 종류의. ***have no ~s*** 예의범절을 모르다. ***in a ~*** 얼마간, 다소. ***in like ~*** 《古》 마찬가지로. ***to the ~ born*** 나면서부터 적합한, 타고난. **~·less** *a.* 버릇 없는. **~·ly** *a.* 예절 바른, 정중한.
man·nered[mǽnərd] *a.* 틀에 박힌; 버릇이 있는.
man·ner·ism[mǽnərìzəm] *n.* Ⓤ 매너리즘《문체·태도·말투 따위가 틀에 박힌 것》; 버릇. **-ist** *n.* Ⓒ 틀에 박힌 사람.
man·ni·kin [mǽnikin] *n.* = MANIKIN.
man·nish[mǽniʃ] *a.* (여자가) 남자 같은.
***ma·noeu·vre** [mənúːvər] *v., n.* 《英》 =MANEUVER. 「함.
mán-of-wár *n.* (*pl.* ***men-***) Ⓒ 군
ma·nom·e·ter [mənɑ́mitər/-nɔ́mi-] *n.* Ⓒ 압력계, 기압계《유체(流體)의 압력 측정기의 총칭》.
***man·or**[mǽnər] *n.* Ⓒ 영지(領地), 장원(莊園). **ma·no·ri·al**[mənɔ́ːriəl] *a.* 장원의.
mánor hòuse 장원 영주(lord of the manor)의 저택.
mán pòwer 인적 자원; 인력.
mán-ràte *vt.* (로켓·우주선을) 유인 비행에 안전하다고 증명하다.
man·sard[mǽnsɑːrd] *n.* Ⓒ 2단 경사 지붕.
manse[mæns] *n.* Ⓒ 목사관(館).
mán·sèrvant *n.* (*pl.* ***menservants***) Ⓒ 하인, 종복.
Mans·field[mǽnsfiːld, mǽnz-], **Katherine**(1888-1923) 영국의 여류 단편 소설가.
mán·shìft *n.* Ⓒ (교대 시간에서 다음 교대까지의) 한 사람의 일의 양.
:man·sion[mǽnʃən] *n.* Ⓒ 대저택; 〖天〗 성수(星宿).
mánsion hòuse =MANOR HOUSE; (the M- H-) 런던 시장의 관저.
mán·sìze(d) *a.* 《口》 어른형〔용〕의; 특대의; (일이) 힘드는.
mán·slàughter *n.* Ⓤ 살인(죄); 〖法〗 고살(故殺)죄.
man·teau[mǽntou, –ᅩ] *n.* (*pl.* ***~s, ~x***[-z]) (F.) Ⓒ 망토, 외투.
man·tel[mǽntl] *n.* Ⓒ 벽로(壁爐)의 앞장식, 벽로 선반.
***mántel·pìece** *n.* Ⓒ 벽로의 앞장식.
mántel·shèlf *n.* (*pl.* ***-shelves***) Ⓒ 벽로 선반.
man·til·la[mæntílə] *n.* (Sp.) Ⓒ 만틸라《스페인 여자 등의 머리를 덮는 베일》; 케이프.
man·tis[mǽntis] *n.* (*pl.* ***~es, -tes***[-tiːz]) Ⓒ 〖蟲〗 사마귀, 버마재비.
man·tis·sa[mæntísə] *n.* Ⓒ 〖數〗 가수(假數); 〖컴〗 거짓수《부동 소수점 숫자에서 숫자의 실제 유효 숫자를 나타내는 부분》.
:man·tle[mǽntl] *n., vt.* Ⓒ 망토; 여자의 소매 없는 외투; 덮개; (가스등의) 맨틀; 덮다.
mán-to-mán *a.* 솔직한, 개방적인. ~ ***defense*** 맨투맨 방어《농구 등의 1대 1의 방어》.
Man·tóux tèst[mæntúː-] 〖醫〗 망투 반응《결핵 감염의 검사용》.
mán·tràp *n.* Ⓒ (침입자·밀렵자를 잡는) 덫, 함정; 《口》 요부(妖婦).
***man·u·al**[mǽnjuəl] *a.* 손의, 손으로 만든. ── *n.* Ⓒ ① 편람, 안내서. ② 〖컴〗 안내서.
mánual álphabet (농아자가 쓰는) 수화(手話) 문자. 「동.
mánual lábo(u)r 손일, 근육 노

M

mánual tráining 공작(과).
mánual wórker 근육 노동자.
man·u·fac·to·ry[mæ̀njəfǽktəri] *n.* Ⓒ《古》제조소, 공장.
ː**man·u·fac·ture** [mæ̀njəfǽktʃər] *vt.* ① 제조하다. ② (문예 작품을) 남작(濫作)하다. ③ 날조하다. ── *n.* ① Ⓤ 제작, 제조업. ② Ⓒ 제품. ː**-tur·er** *n.* Ⓒ 제조업자, 생산자. **-tur·ing** *n., a.* Ⓤ 제조 (공업); 제조하는.
man·u·mis·sion[mæ̀njəmíʃən] *n.* Ⓤ 노예 해방; Ⓒ 해방 증명서.
man·u·mit[mæ̀njəmít] *vt.* (노예·농노를) 해방하다. 「(를 주다).
*****ma·nure**[mənjúər] *n., vt.* Ⓤ 비료
ː**man·u·script**[mǽnjəskrìpt] *a., n.* 손으로 쓴, 필사한; Ⓒ (인쇄용) 원고《생략 MS; (*pl.*) MSS》.
Manx [mæŋks] *a., n.* 맨 섬 (the Isle of Man)의; Ⓒ 맨 섬 사람(의); Ⓤ 맨 섬 말(의). **~·man**[∠mən] *n.* 맨 섬 사람. 「고양이.
Mánx cát (맨 섬산의) 꼬리 없는
†**man·y**[méni] *a.* (*more; most*) (수)많은. ***a good*** **~** 꽤 많은. ***a great*** **~** 아주 많은. ***as*** **~** 같은 수의. ***how*** **~*?*** 얼마?, 몇 개? **~ *times,*** or **~ *a time*** 몇 번이고. ***one too*** **~ *for*** …보다 한수 위인, …의 힘에 겨운〔벅찬〕. ***the*** **~** 대중. ── *n., pron.* (the ~)《복수 취급》다수. 「작업량.
mán-yèar *n.* Ⓒ 한 사람의 1년간
mány-héaded *a.* 다두(多頭)의.
mány-síded *a.* 다변(多邊)의; 다방면의. **~ness** *n.* Ⓤ 다면(성).
MAO monoamine oxidase 모노아민 옥시다아제.
Mao·ism[máuizm] *n.* Ⓤ 마오쩌둥 주의. **Máo·ist** *n., a.* Ⓒ 마오쩌둥 주의자(의).
Mao·ri[máuri] *n., a.* Ⓒ 마오리 사람《New Zealand 원주민》; Ⓤ 마오리 말(의).
Mao Tse-tung [máu tsètúŋ, -tsə-] (1893–1976) 마오쩌둥(毛澤東)《중국의 주석》.
†**map**[mæp] *n.* Ⓒ ① 지도. ②〖컴〗도표《기억장치의 각 부분이 어떻게 사용되는지를 보여주는》. ── *vt.* (***-pp-***) 지도를 만들다. **~ *out*** 자세히 계획하다. ***off the*** **~** 문제 안되는.
ː**ma·ple**[méipl] *n.*〖植〗Ⓒ 단풍; Ⓤ 단풍나무 재목.
máple lèaf 단풍잎《캐나다의 표장》.
máple súgar 단풍당(糖).
máple sýrup 단풍 시럽.
map·ping[mǽpiŋ] *n.* Ⓤ 지도 작성;〖數〗함수;〖컴〗도표화, 사상(寫像).
máp·rèader *n.* Ⓒ 독도법(讀圖法)을 아는 사람.
ma·quis[mɑːkíː, mæ-] *n.* (*pl.* ~[-z]) (F.) Ⓒ (코르시카의) 악한; (M-) 마키《2차 대전 때 반독 유격대(원)》. **ma·qui·sard**[mæ̀kizɑ́ːr] *n.* Ⓒ 마키 대원.
*****mar**[mɑːr] *vt.* (***-rr-***) 손상시키다, 훼내다, 망쳐놓다.
Mar. March; Maria.
mar·a·bou[mǽrəbùː] *n.* Ⓒ〖鳥〗황새의 일종《서아프리카산》; Ⓤ 그 깃털.
ma·rac·a[mərɑ́ːkə, -ǽ-] *n.* Ⓒ (보통 *pl.*)〖樂〗마라카스《흔들어 소리내는 리듬 악기; 보통 양손에 하나씩 가지고 흔듦》.
már·ag·ing stèel[mɑ́ːreidʒiŋ-] 마레이징강(鋼)《강도 높은 강철의 일종》.
*****Mar·a·thon**[mǽrəθɑ̀n, -θən] *n.* Athens 북동방의 옛 싸움터; (*or* m-) =**márathon ràce** 마라톤 경주. **már·a·thòn·er** *n.* Ⓒ 마라톤 선수.
ma·raud [mərɔ́ːd] *vt.* 약탈하다. **~·er** *n.*
ː**mar·ble**[mɑ́ːrbəl] *n.* ① Ⓤ 대리석. ② (*pl.*) 조각물. ③ Ⓒ 공깃돌. ***heart of*** **~** 냉혹〔무정〕한 마음. ── *vt.* 대리석 무늬를 넣다《책 가장자리 따위에》. **~d** *a.* 대리석 무늬의.
márble-édged *a.*〖製本〗책 가장자리 면을 대리석 무늬로 한.
mar·ca·site [mɑ́ːrkəsàit] *n.* Ⓤ〖鑛〗백철광.
†**March**[mɑːrtʃ] *n.* 3월《생략 Mar.》.
march[1][mɑːrtʃ] *n.* Ⓒ (보통 *pl.*) 국경 지대; 경계(境界).
†**march**[2] *n.* ① Ⓤ 행진, 행군. ② (the ~) 사건의 진전. ③ Ⓒ〖樂〗행진곡. ④ (*pl.*) 데모 행진. ***dead*** 〔***funeral***〕 **~** 장송 행진곡. ***double*** **~** 구보(驅步). **~ *past*** 분열식. ***steal a*** **~ *on*** 〔***upon***〕 …을 앞지르다, 기습하다. ── *vi., vt.* 행진하다〔시키다〕; 진전하다; 끌고 가다(*off, on*). **~*ing order*** 군장(軍裝). **~*ing orders*** 출발 명령. **~ *off*** 출발하다. **~ *on*** …에 밀려 들다. **~ *past*** 분열 행진하다.
mar·chion·ess[mɑ́ːrʃənis] *n.* Ⓒ 후작(侯爵) 부인(cf. marquis).
march·pane[mɑ́ːrtʃpèin] *n.* Ⓒ 감복숭아 사탕(marzipan).
Mar·co·ni[mɑːrkóuni], **Guglielmo**(1874–1937) 이탈리아의 무선 전신 발명자. **~·gram**[–∠–græm] *n.* Ⓤ 마르코니식 무선 전신.
Már·co Pó·lo[mɑ́ːrkou póulou] ⇨POLO.
*****mare**[1][mɛər] *n.* Ⓒ 암말.
ma·re[2][mɑ́ːrei] *n.* (L.) Ⓒ 바다.
máre cláu·sum[mɑ́ːrei klɔ́ːsəm] 영해. 「공해.
máre lí·be·rum[-líbərəm, -lái-]
Ma·ren·go, m-[məréŋgou] *a.*〖料理〗마렝고풍의《기름에 튀긴 버섯, 토마토, 올리브유, 포도주 등으로 만든 소스로 버무린》.
mar·ga·rine[mɑ́ːrdʒərin, ∸–ríːn] *n.* Ⓤ 마가린《인조 버터》.
marge[mɑːrdʒ] *n.*《英方》=⇧.
ː**mar·gin**[mɑ́ːrdʒin] *n.* Ⓒ ① 가장자리, 변두리. ② 한계. ③ 난외(欄外). ④ 여지; 여유. ⑤ 판매 수익, 이문; (주식의) 증거금. ⑥〖컴〗한

계《신호가 일그러져도 바른 정보로 인식할 수 있는 신호의 변형 한계》. ***go near the ~*** (도덕상의) 불장난을 하다. — *vt.* (…에) 방주(旁註)를 달다; (…의) 증거금을 걸다.

*__mar·gin·al__ [-əl] *a.* 언저리의, 가의; 한계에 가까운; 난외의.

mar·gi·na·li·a [mɑ̀rdʒənéiliə, -ljə] *n. pl.* 방주(旁註), 난외에 써넣기.

márginal lánd 〖經〗 (불모에 가까운) 메마른 경작지.

márginal mán 〖社〗 (두 문화의) 경계인(境界人), 주변인.

márginal nótes 방주(旁註).

márginal séa 영해.

márginal utílity 〖經〗 한계 효용.

mar·gue·rite [mɑ̀rgəríːt] *n.* Ⓒ 〖植〗 마거리트《데이지의 일종》.

Mar·i·anne [mɛ̀əriǽn] *n.* 프랑스의 속칭《의인화(擬人化); cf. John Bull》.

mar·i·cul·ture [mǽrəkʌ̀ltʃər] *n.* Ⓤ 해양 생물 양식(養殖).

mar·i·gold [mǽrəgòuld] *n.* Ⓒ 금잔화.

ma·ri·hua·na, -jua- [mæ̀rəhwɑ́ːnə, mɑ̀ːr-] *n.* Ⓤ 삼《인도산》; 마리화나《그 잎과 꽃에서 뽑은 마약; 담배로 피움》.

ma·rim·ba [mərímbə] *n.* Ⓒ 목금(木琴)의 일종.

ma·ri·na [məríːnə] *n.* Ⓒ (해안의) 산책길; 《美》 요트·모터보트의 정박소.

mar·i·nade [mæ̀rənéid] *n.* Ⓤ,Ⓒ 마리네이드《와인·초·기름·약초 및 향미료를 섞은 양념 국물》; 마리네이드에 담근 생선〔고기〕. — *vt.* 마리네이드에 담그다.

mar·i·nate [mǽrənèit] *vt.* =⇧.

‡**ma·rine** [məríːn] *a.* ① 바다의; 바다에 사는. ② 해상의; 선박(용)의. — *n.* Ⓒ ① 《집합적》 (일국의) 선박; 함대. ② (the M-s) 《美》 해병대 (《英》 the Royal Marines). ***Tell that to the (horse) ~s.*** 《口》 거짓말도 작작 해라! ***the mercantile ~*** 상선대, 해운력. *__mar·i·ner__ [mǽrənər] *n.* Ⓒ 선원, 수부; (M-) 《美》 화성·금성 탐사용의 우주선.

Marine Còrps, the 《美》 해병대.

maríne cóurt 해사(海事) 심판소.

maríne insùrance 해상 보험.

maríne làw 해상법.

maríne pòlicy 해상 보험 증권.

maríne pròducts 해산물.

maríne stòres 낡은 선구류(船具類); 선박용 물자.

mar·i·on·ette [mæ̀riənét] *n.* Ⓒ 꼭두각시, 마리오네트.

ma·ri·tal [mǽrətl] *a.* 남편의; 혼인의, 부부간의.

*__mar·i·time__ [mǽrətàim] *a.* 바다의, 해상의(~ *power* 제해권/~ *law* 해상법); 해변의; 바다에 사는.

mar·jo·ram [mɑ́ːrdʒərəm] *n.* Ⓤ 〖植〗 마요라나《약용·요리용》.

Mark [mɑːrk] *n.* 〖新約〗 마가(복음).

†**mark**[1] [mɑːrk] *n.* ① Ⓒ 과녁, 목표. ② (the ~) 표준; 한계(*touch the 1,000 dollar ~* 천 달러대가 되다). ③ Ⓒ 표, 자국, 흔적; 표지. ④ Ⓒ 특징. ⑤ Ⓤ 중요성; 명성. ⑥ Ⓒ 부호, 기호; Ⓒ〖英軍〗 (종종 the ~) (무기·장비 등의) 형. ⑦ Ⓒ 점수; 주목; 현저. ⑧ (종종 the ~) 〖競〗 출발선. ⑨ Ⓒ〖컴〗 마크. ***below the ~*** 표준 이하로. ***beside the ~*** 과녁에서 빗나간, 적절하지 않은. ***full ~(s)*** 만점. ***get off the ~*** (주자(走者)가) 스타트하다. ***(God) save bless the ~.*** 어이쿠 실례했소《실언했을 때의 사과》; 어허 참!, 하느님 맙소사!《냉소·경멸》. ***good ~*** 선행점(善行點). ***hit the ~*** 적중하다. ***make one's ~*** 저명해지다. ***man of ~*** 명사(名士). ***miss the ~*** 적중하지 않다. ***On your ~s!*** 〖競走〗 제자리에! ***short of the ~*** 과녁에 미치지 못하고. ***toe the ~*** 〖競走〗 발가락을 출발점에 대다. ***up to the ~*** 표준에 달하여, 기대에 부응하여. ***within the ~*** 예상이 어긋나지 않은. — *vt.* ① (…에) 표를 하다; 흔적을 남기다; 드러나게 하다. ② 점수를 매기다; 정찰을 붙이다. ③ (어떤 목적·운명을 위해) 골라내다; 운명지우다. ④ 명시하다; 주시하다. ⑤ (짐승의) 숨은 곳을 알아두다. ⑥ 〖競〗 마크하다. ~ ***out*** 구획하다, 설계하다, 예정하다. **<·er** *n.* Ⓒ (게임의) 득점 기록원〔장치〕; 서표(書標); 묘비; 이정표; 《英》 조명탄.

mark[2] *n.* Ⓒ 마르크《독일의 화폐단위》. 「하액.

márk·dòwn *n.* Ⓒ (값의) 인하; 인

*__marked__ [mɑːrkt] *a.* 기호가 붙은, 현저한, 눈에 띄는, 명료한; 저명한.

mark·ed·ly [mɑ́ːrkidli] *ad.* 현저하게, 눈에 띄게.

†**mar·ket** [mɑ́ːrkit] *n.* ① Ⓒ 장, 저자, 시장. ② Ⓒ 시장에 모인 사람들. ③ Ⓤ (또는 a ~) 판로, 수요, 팔리는 곳; 거래선. ④ Ⓒ 시가; 상황(商況). ⑤ 상기(商機). ***be in ~*** 매매되고 있다. ***be in the ~*** 매물로 나와 있다. ***black ~*** 암시장. ***bring one's eggs*** 〔***hogs***〕 ***to a bad*** 〔***the wrong***〕 ***~*** 예상이 어긋나다. ***come into*** 〔***put on***〕 ***the ~*** 매물로 내어지다〔내놓다〕. ***corner the ~*** 시장을 매점하다, 증권〔상품〕을 매점하여 등귀시키다. ***go to ~*** (시장에) 장보러 가다; 일을 꾀하다. ***hold the ~*** 시장을 좌우하다. ***lose one's ~*** 매매의 기회를 잃다. ***make a ~ of*** (…을) 이용하다, (…을) 써서 돈을 벌다. ***The ~ fell.*** 시세〔시가〕가 떨어졌다. — *vt., vi.* 시장에서 매매하다, 물건을 시장에서 팔다. **~·a·ble** *a.* 팔릴, 판로가 좋은, 시장성이 있는.

márket dày 장날.

mar·ket·eer [mɑ̀ːrkitíər] *n.* Ⓒ 시장상인; 《英》 영국의 유럽 공동시장 참가 지지자. ***black ~*** 암상인, 잠

상(潛商).

mar·ket·er[máːrkitər] *n.* Ⓒ 장보러 가는 사람; 시장상인.

márket gàrden (시장에 내기 위한) 야채 재배 농원.

márket gàrdening 〔**gàrdener**〕 시장 공급용 야채 재배〔재배업자〕.

***mar·ket·ing**[máːrkitiŋ] *n.* Ⓤ (시장에서의) 매매; 『經』 마케팅《제조에서 판매까지의 전과정》.

márketing resèarch 시장 조사, 시장 분석.

márket óvert 공개 시장.

***márket·plàce** *n.* Ⓒ 장터.

márket prìce 〔**vàlue**〕 시장 가격.

márket resèarch 시장 조사《어떤 상품의 수요를 위한 사전 조사》.

márket tòwn 장이 서는 거리; (중세의) 특허에 의해 장이 서는 읍〔시〕.

márk·ing *n.* Ⓤ 표하기; Ⓒ 표, 점; Ⓒ (새의 깃이나 짐승 가죽의) 반문(斑紋).

marks·man[máːrksmən] *n.* Ⓒ (명)사수; 저격병.

márksman·shìp *n.* Ⓤ 사격술.

Márk Twáin ⇨TWAIN.

márk·ùp *n.* Ⓒ 가격 인상; 인상 가격; 《美》 법인의 최종 절충.

marl[mɑːrl] *n.* Ⓤ 이회토(泥灰土)《비료·시멘트용》. **∠·y** *a.*

mar·line[máːrlin] *n.* Ⓒ 『海』 (두 가닥으로 꼰) 가는 밧줄.

Mar·lowe[máːrlou], **Christopher**(1564-93) 영국의 극작가.

marl·pit[máːrlpìt] *n.* Ⓤ 이회토(泥灰土) 채굴장.

mar·ma·lade[máːrməlèid] *n.* Ⓤ 마멀레이드《오렌지·레몬 따위의 잼》.

mar·mo·re·al [mɑːrmɔ́ːriəl] *a.* 《詩》 대리석 같은.

mar·mo·set [máːrməzèt] *n.* Ⓒ 『動』 명주원숭이《라틴 아메리카산》.

mar·mot[máːrmət] *n.* Ⓒ 『動』 마멋《다람쥐의 일종; 모르모트와는 다름》.

mar·o·cain [mǽrəkèin, ∽–∠] *n.* Ⓤ 비단 또는 모직 옷감의 일종.

ma·roon[1][mərúːn] *n., a.* Ⓤ 밤색(의); Ⓒ 《주로 英》 불꽃의 일종.

ma·roon[2] *n.* Ⓒ 탈주 흑인(의 자손) 《서인도 제도·Guiana 산 중에 삶》; 무인도에 버려진 사람. — *vt.* 무인도에 버리다, 고립시키다. — *vi.* 빈둥거리다; 《美》 캠프 여행을 하다. **∼·er** *n.* Ⓒ 해적.

mar·plot[máːrplàt/-plɔ̀t] *n.* Ⓒ 쓸데 없이 참견하여 일을 그르치는 사람, 헤살꾼.

Marq. Marquess; Marquis.

mar·quee[mɑːrkíː] *n.* Ⓒ 《주로 英》 큰 천막; (클럽·호텔 따위의 정문 앞 보도 위에 친) 텐트, 큰 차양.

mar·que·try, -te·rie[máːrkətri] *n.* Ⓤ 상감(象嵌) 세공, (가구 장식의) 쪽매붙임 세공.

mar·quis,** 《英》 **-quess** [máːrkwis] *n.* (*fem.* ***marchioness) Ⓒ 후작《duke의 아래》.

mar·quise[mɑːrkíːz] *n.* (F.) Ⓒ 후작 부인.

mar·qui·sette[mɑ̀ːrkwəzét] *n.* Ⓤ 얇은 천의 일종《커튼·모기장·여성 옷감 등에 씀》.

mar·ram[mǽrəm] *n.* Ⓒ (해변에 나는 사방용(砂防用)의) 볏과 식물.

:mar·riage[mǽridʒ] *n.* ① Ⓤ,Ⓒ 결혼; 결혼 생활. ② Ⓒ 결혼식. ③ Ⓤ,Ⓒ 밀접한 결합. ***civil*** ∼ (종교의 식에 의하지 않는) 신고 결혼. ***communal*** ∼ 잡혼(雜婚). ***give*** 〔***take***〕 ***in*** ∼ 며느리 또는 사위로 주다〔삼다〕. ***left-handed*** ∼ 신분이 다른 사람끼리의 결혼. ***take a person in*** ∼ 아무를 아내로〔남편으로〕 삼다〔맞다〕.

mar·riage·a·ble[-əbəl] *a.* 결혼할 수 있는, 혼기가 된. **∼ *age*** 혼기.

márriage àrticles 혼인 재산 설정 계약서.

márriage lìcense 결혼 허가(증).

márriage lìnes 《英》 결혼 증명서.

márriage pòrtion 지참금.

márriage sèrvice (교회에서의) 결혼식.

márriage sèttlement 혼인 재산 「계약.

:mar·ried[mǽrid] *a.* 결혼한, 기혼의; 부부의.

mar·ron gla·cé[marɔ́ːŋ glɑséi] (F.) 마롱글라세《양주와 설탕에 담가 굳힌 밤》.

mar·ron·ni·er[mærɔnjéi] *n.* (F.) Ⓒ 『植』 마로니에《서양 칠엽수(七葉樹)》.

mar·row**[mǽrou] *n.* ① Ⓤ 『解』 뼈골, 골수; 정수(精髓), 알짜. ② Ⓒ 《英》 서양 호박의 일종. ***to the ∼ 뼈속까지; 순수한.

márrow·bòne *n.* Ⓒ 골수가 든 뼈; (*pl.*) 《諧》 무릎. 「일종.

márrow·fàt *n.* Ⓒ 『植』 큰 완두의

†mar·ry[mǽri] *vt.* (…와) 결혼하다; 결혼시키다(one *to* another); 굳게 결합시키다. — *vi.* 결혼하다. ***a*** ∼***ing man*** 결혼을 희망하는 남자. ***be married*** 결혼하(고 있)다. ***get married*** 결혼하다. ∼ ***beneath oneself*** 지체가 낮은 상대와 결혼하다. ∼ ***for love*** 연애 결혼하다.

***Mars**[mɑːrz] *n.* ① 『로神』 (로마 군신(軍神)) 마르스. ② 화성.

Mar·seil·laise[mɑ̀ːrsəléiz, -seiéz] *n.* (*La* ∼) 라마르세예즈《프랑스 국가(國歌)》.

Mar·seilles[mɑːrséilz] *n.* 마르세유《프랑스 지중해안의 항구 도시》.

:marsh[mɑːrʃ] *n.* Ⓤ,Ⓒ 소택(沼澤); 습지. **:∠·y** *a.* 늪의; 소택이 많은; 늪 같은.

:mar·shal[máːrʃəl] *n.* Ⓒ ① (프랑스 등지의) 육군 원수. ② 《英》 의전(儀典)관. ③ 《英》 사법 비서관; 《美》 연방 재판소의 집행관, 경찰서장. ***M- of the Royal Air Force*** 《英》 공군 원수. — *vi., vt.* (《英》 ***-ll-***) 정렬하다〔시키다〕; (*vt.*) (의식을 차리며) 안내하다.

már·shal·(l)ing yàrd [máːr-ʃəliŋ-] 〖鐵〗 조차장(操車場).
Már·shall Plàn [máːrʃəl-] 마셜안 《미 국무장관 G.C. Marshall 제안의 유럽 부흥 계획(1948-52)》(cf. European Recovery Program).
márshgàs 메탄.
marsh·mal·low [máːrʃmèlou, -mæ̀l-] *n.* UC 마시맬로《과자》.
mársh màrigold 〖植〗 눈동이나물류의 식물.
mar·su·pi·al [mɑːrsúːpiəl/-sjúː-] *a.* 〖動〗 유대류(有袋類)의; 주머니의, 주머니 모양의. — *n.* C 유대 동물.
***mart** [mɑːrt] *n.* C 시장(市場).
mar·tél·lo tòwer [mɑːrtélou-] (*or* M-) (옛날의) 원형 포탑(砲塔) 《해안 방어용》.
mar·ten [máːrtən] *n.* C 〖動〗 담비; U 담비의 모피.
mar·tens·ite [máːrtənzàit] *n.* C 〖冶〗 마텐자이트《담금질 강철의 주요 경도 성분》.
mar·tial [máːrʃəl] *a.* 전쟁의; 무용(武勇)의; 호전적인; (M-) 군신(軍神) Mars의. **~·ly** *ad.* 용감하게.
mar·tial·ize [-àiz] *vt.* (…에) 전쟁 준비를 시키다.
mártial láw 계엄령.
mártial rúle 군정.
mártial spírit 사기(士氣).
Mar·tian [máːrʃən] *a.* 군신(軍神) Mars의; 화성의. — *n.* C 화성인.
mar·tin [máːrtən] *n.* C 흰털발제비.
mar·ti·net [mɑ̀ːrtənét, ∠-∠] *n.* C 규율에 엄격한 사람《특히 군인·공무원 등》, 몹시 까다로운 사람.
mar·tin·gale [máːrtəngèil] *n.* C ① (말의) 가슴걸이. ② (배의) 제2 사장(斜檣)(jib boom)을 고정하는 버팀줄. ③ 곱 걸기《걸 때마다 거는 돈을 배로 해감》.
mar·ti·ni [mɑːrtíːni] *n.* UC 마티니《진과 베르무트의 칵테일》.
Mar·ti·nique [mɑ̀ːrtiníːk] *n.* 카리브해에 있는 프랑스령 섬.
Mar·tin·mas [máːrtənməs] *n.* 성 마르탱 축일《11월 11일》.
mart·let [máːrtlit] *n.* C 《英方》 흰털발제비.
mar·tyr** [máːrtər] *n.* C 순교자; (…으로) 괴로워하는 사람(*to*). ***make a ~ of oneself 순교자연하다. ***~ to*** (gout)(통풍)으로 괴로워하는 사람. — *vt.* (신앙·주의·고집을 이유로) 죽이다; 박해하다. **~·dom** *n.* UC 순교; 순사(殉死); 고난, 고뇌, 고통.
:mar·vel [máːrvəl] *n.* C 경이, 놀라운 것, 경탄. — *vi.* (《英》 ***-ll-***) 경탄하다(*at; that*); 괴이쩍게 여기다 (*why, how*).
:mar·vel·ous, 《英》 **-vel·lous** [máːrvələs] *a.* 불가사의한, 놀라운; 기적적인; 괴이쩍은; 《口》 훌륭한. * **~·ly** *ad.*
Marx [mɑːrks], **Karl**(1818-83) 독일의 사회주의자《*Das Kapital* (1867)》.
Marx·i·an [máːrksiən] *a.* 마르크스(주의)의. **-ism** *n.* U 마르크스주의. **-ist** *n.* C 마르크스주의자.
:Mar·y [méəri] *n.* 성모 마리아; 막달라 마리아(Mary MAGDALENE); 여자 이름. ~ STUART.
Máry Jáne 《美俗》 마리화나.
***Mar·y·land** [mérələnd] *n.* 미국 동부의 주《생략 Md.》.
mar·zi·pan [máːrzəpæ̀n] *n.* UC =MARCHPANE.
mas., masc. masculine.
mas·car·a [mæskǽrə, -áː-] *n.* U 마스카라《눈썹에 칠하는 물감》.
mas·con [mǽskɑn/-kɔn] *n.* U 매스콘《달의 중량 집중 지대》.
mas·cot(te) [mǽskət] *n.* C 마스코트, 행운의 부적, 행운을 가져오는 사람[물건, 동물].
:mas·cu·line [mǽskjəlin, máːs-] *a., n.* C 남자(의); 남자다운; 남자 같은; 〖文〗 남성(어). **-lin·i·ty** [∠-línəti] *n.*
másculine génder 〖文〗 남성.
másculine rhýme 남성운(韻) 《*disdain, complain*처럼 마지막 음절에 악센트를 둠》(opp. feminine rhyme).
Mase·field [méisfìːld, méiz-], **John**(1878-1967) 영국의 시인·극작가·소설가.
ma·ser [méizər] (< *m*icrowave *a*mplification by *s*timulated *e*mission of *r*adiation) *n.* C 〖電〗 메이저, 분자 증폭기.
mash [mæʃ] *n.* U ① 짓이긴 것. ② 엿기름물《양조용》. ③ 곡분(穀粉)이나 밀기울 따위를 더운 물에 갠 사료. ④ 《英俗》 (감자의) 매시. ***all to a ~*** 아주 곤죽이 될 때까지. — *vt.* 으깨서 뭉개다; (엿기름에) 더운 물을 섞다; 반하게 하다. **∠·er** *n.*
MASH mobile army surgical hospital 육군 이동 외과 병원.
mash·ie, mash·y [mǽʃi] *n.* 〖골프〗 아이언 5번.
máshie nìblick 〖골프〗 아이언 6번.
†mask [mæsk, -ɑː-] *n.* C ① (춤·연극용의) 가면; (방호용) 복면, 마스크; (가제의) 마스크; 탈. ② 가장한 사람. ③ 구실, 핑계. ④ 〖컴〗 본, 마스크《어떤 문자 패턴의 1부분의 보존·소거의 제어에 쓰이는 문자 패턴》. ***throw off the ~*** 가면을 벗다; 정체를 드러내다. — *vt.* (…에게) 가면을 씌우다; 차폐(遮蔽)하다; (사격 따위를) 방해하다. — *vi.* 가면을 쓰다; 변장하다. **~ed** [-t] *a.* 가면을 쓴, 숨긴. **∠·er** *n.* C 가면[가장]무도자.
másked báll 가면[가장] 무도회.
másk RÒM 〖컴〗 본 늘기억 장치, 마스크 롬.
mas·och·ism [mǽsəkìzəm, mǽz-] *n.* U 피학대 음란증(被虐待淫亂症), 마조히즘(opp. sadism). **-ist** *n.*
:ma·son [méisn] *n.* C ① 석수, 벽

M

돌공. ② (M-) 프리메이슨《우애·공제를 목적으로 한 비밀 결사》(의 일원(一員)). ── *vt.* 돌〔벽돌〕을 쌓다. **~·ic**[məsάnik/ -ɔ́-] *a.* 석공의; (M-) 프리메이슨의. ***~·ry** *n.* Ⓤ 석수직(職), 석조 건축; (M-) 프리메이슨 조합.

Má·son-Díx·on lìne [méisn-díksn-] 《美》 Maryland주와 Pennsylvania 주의 경계선《노예 시대의 남북 경계선; 현재는 방언 구분선의 하나》.

ma·son·ite[méisənàit] *n.* Ⓒ 섬유판(fiberboard)의 일종; (M-) 그 상표.

Máson jàr 《美》 (식품용) 보존병.

mas·que[mæsk/-ɑː-] *n.* Ⓒ (16-17세기 영국의) 가면극(각본); 가장 무도회.

***mas·quer·ade**[mæ̀skəréid] *n.* Ⓒ 가장 무도회; 가장; 구실. ── *vi.* 가장 무도를 하다; 가장하다; 체하다 (*as*). **-ád·er** *n.* Ⓒ 가장 무도자.

mass**[1], **M-**[mæs] *n.* Ⓤ 미사《가톨릭교의 성체성사》; 미사곡. ***High M- (분향·주악이 있는) 대미사.

:mass[2] *n.* ① Ⓒ 덩어리; 집단; (a ~) 다수, 다량(*He is a ~ of bruises.* 전신 상처 투성이다). ② (the ~) 대부분. ③ Ⓤ 〖理〗 질량. ***in the ~*** 통틀어. ***the* (*great*) *~ of*** …의 대부분. ***the ~es*** 대중(大衆). ── *vt., vi.* 한 덩어리로 하다〔되다〕; 집중시키다〔하다〕.

Mass. Massachusetts.

***Mas·sa·chu·setts**[mæ̀sətʃúːsits] *n.* 매사추세츠《미국 북동부의 주; 생략 Mass.》.

***mas·sa·cre**[mǽsəkər] *n.* Ⓒ 대학살. ── *vt.* 학살하다.

***mas·sage** [məsάːʒ/mǽsɑːʒ] *n.* Ⓤ,Ⓒ 마사지, 안마. ── *vt.* 마사지〔안마〕하다. **-ság·ist** *n.* Ⓒ 안마사.

máss communicátion 대중 전달, 매스커뮤니케이션.

mass·cult[mǽskʌ̀lt] *n.* Ⓤ 《美口》 대중 문화.

máss défect 〖理〗 질량 결손.

mas·sé[mæséi] *n.* (F.) 〖撞〗 마세, 세워 치기.

máss-énergy equàtion 질량 에너지 방정식《A. Einstein이 정식화한 $E=mc^2$의 공식》.

mas·seur[mæsə́ːr] *n.* (F.) (*fem.* ***-seuse***[-sə́ːz]) Ⓒ 마사지사, 안마사.

máss gáme 집단 경기.

:mas·sive[mǽsiv] *a.* ① 크고 무거운; 묵직한, 육중한. ② 실팍한. ③ 덩어리 모양의. **~·ly** *ad.*

máss mán 대중적〔집단〕 인간《대중 사회를 구성하는 가정된 전형적 인간으로, 개성이 상실됨》.

máss média (*sing.* ***mass medium***) 대중 전달 기관《방송·신문 등》.

máss méeting (국민) 대회.

máss observátion 《英》 여론 조사.

máss prodúction 대량 생산.

máss psychólogy 군중 심리(학).

máss stórage devìce 〖컴〗 대량 기억 장치.

mass·y[mǽsi] *a.* 무거운, 실팍한.

:mast[1][mæst, -ɑː-] *n.* Ⓒ 돛대, 마스트, 기둥. ***before the ~*** 돛대 앞에, 평수부로서《수부는 앞돛대 앞의 수부실에 있으므로》.

mast[2] *n.* Ⓒ 《집합적》 도토리《돼지 먹이》.

mas·tec·to·my[mæstéktəmi] *n.* Ⓤ,Ⓒ 〖醫〗 유방 절제(술).

†mas·ter[mǽstər, -ɑ́ː-] *n.* Ⓒ ① 주인(opp. man); 소유주(主); 임자. ② 장(長), 우두머리; 가장; 선장; 교장. ③ 《주로 英》 선생; 명인, 대가. ④ 도련님. ⑤ 석사. ⑥ 승자. ⑦ (the M-) 예수. ***be ~ of*** …을 갖고 있다, …에 통달해 있다; …을 마음대로 할 수 있다. ***be one's own ~*** 자유로이 행동할 수 있다. ***make oneself ~ of*** …에 숙달하다. ***M- of Arts*** 문학 석사. ***~ of ceremonies*** (식·여흥의) 사회자《생략 M.C.》; 《英》 의전관. ***pass ~*** 급제해서 석사가 되다. ***the old ~s*** 문예 부흥기의 명(名)화가들(의 작품). ── *vt.* ① 지배하다, 정복하다; (정열을) 억제하다. ② 숙달하다. **~·ful** *a.* 주인티를 내는; 거만한. **~·ly** *a.* 대가다운, 교묘한.

máster-at-árms *n.* Ⓒ 〖海軍〗 선임 위병 하사관《함상 경찰 임무를 담당》.

máster buílder 건축 청부업자; (뛰어난) 건축가.

máster cárd 최후〔비장〕의 카드; 〖컴〗 기본 카드.

máster file 〖컴〗 기본 파일.

máster hànd 명인; 명기(名技).

máster kèy 결쇠; 해결의 열쇠.

máster·mìnd *vt., n.* Ⓒ 배후에서 조종하다〔조종하는 사람〕, (어떤 계획의) 흑막, 지도자.

:mas·ter·piece [mǽstərpìːs, mάːs-] *n.* Ⓒ 걸작.

máster plán 종합 기본 계획.

máster sérgeant 《美》〖軍〗 상사.

máster·shìp *n.* Ⓤ 주인〔우두머리〕임; 교장〔교사〕의 직〔지위·권위〕; 숙달; 지배(력).

máster-sláve manìpulator 매직 핸드《원자로 따위의 원거리 조정 기계의 손》.

máster·stròke *n.* Ⓒ 훌륭한 수완.

máster·wòrk *n.* Ⓒ 대작, 걸작.

***mas·ter·y**[mǽstəri, -ɑ́ː-] *n.* Ⓤ ① 지배, 통어(統御)(*the ~ of the seas* 〔*air*〕 제해〔제공〕권). ② 우위, 승리. ③ 숙달.

mást·hèad *n.* Ⓒ 돛대 머리.

mas·ti·cate[mǽstəkèit] *vt.* 씹다. **-ca·tion**[⩥-kéiʃən] *n.*

mas·ti·ca·to·ry [mǽstəkətɔ̀ːri/ kèitəri] *a.* 저작(咀嚼)의, 씹는. ── *n.* Ⓒ 씹는 것《타액 분비 촉진을 위한》.

mas·tiff[mǽstif] *n.* Ⓒ (큰) 맹견의 일종.

mas·ti·tis [mæstáitis] *n.* Ⓤ 〖醫〗 유선염(乳腺炎).

mas·to·don[mǽstədàn/-dɔ̀n] *n.* Ⓒ 〖古生〗 마스토돈《신생대 제3기(紀)

의 큰 코끼리》.
mas·toid[mǽstɔid] *a.* 젖꼭지 모양의. — *n.* Ⓒ 〖解〗 유양(乳樣)돌기.
mas·tur·ba·tion[mæ̀stərbéiʃən] *n.* Ⓤ 수음(手淫).
:mat[1][mæt] *n.* Ⓒ ① 매트, 멍석; 신바닥 문지르는 깔개; (식기의) 깔개. ② 엉킨 물건. ***leave a person on the ~*** 아무를 문전에서 쫓아 버리다. — *vt.* (**-tt-**) (…에) 매트를[멍석을] 깔다; 얽히게 하다. — *vi.* 엉키다. ***~ted hair*** 헝클어진 머리.
mat[2] *a.* 광택이 없는. — *n.* Ⓒ (그림의) 대지(臺紙).
mat. matinee; matins; maturity.
mat·a·dor[mǽtədɔ̀ːr] *n.* Ⓒ 투우사; (카드놀이의) 으뜸패의 일종; (M-) 《美》 지대지 미사일.
:match[1][mætʃ] *n.* Ⓒ 상대, 적수(敵手), 짝지움; 한쌍 중의 한쪽; 필적하는 것; 맞붙음; 《주로 英》 시합; 배우자; 혼인. ***be a ~ [no ~] for*** 필적(匹敵)하다[하지 못하다], …의 호적수다[…에겐 못당하다]. ***be more than a ~ for*** 맞설 수 없다, 상대가 안 되다. ***make a ~ of it*** 결혼하다. — *vt.* (…에) 필적하다; 결혼시키다(*with*); 맞붙게 하다(*against*); 어울리게 하다(*with*). — *vi.* 어울리다; 걸맞다. ***⁓·less*** *a.* 무적의, 무비(無比)의.
:match[2] *n.* Ⓒ 성냥; 도화선.
mátch·bòok *n.* Ⓒ 성냥첩《뜯어 쓰게 된 종이 성냥》.
mátch·bòx *n.* Ⓒ 성냥통. 「조.
match·ing[mǽtʃiŋ] *n.* Ⓤ 〖컴〗 대
mátch·lòck *n.* Ⓒ 화승총(銃).
mátch·màker[1] *n.* Ⓒ 중매인; 경기의 대진 계획을 짜는 사람. 「자.
mátch·màker[2] *n.* Ⓒ 성냥 제조업
mátch·wòod *n.* Ⓤ 성냥개비.
:mate[1][meit] *n.* Ⓒ ① 한패, 동료. ② (한쌍의 새의) 한편. ③ 〖海〗 항해사《선장의 대리도 함》; 조수. ***first ~,*** 1등 항해사. — *vt.* (…와) 짝지우다, 결혼시키다(*with*). — *vi.* 짝짓다; 한패가 되다.
mate[2] *n., v.* 〖체스〗 =CHECKMATE.
ma·té, **ma·te**[mɑ́ːtei, mǽt-] *n.* (Sp.) Ⓒ 마테차 나무; Ⓤ 마테차(의 잎); Ⓒ 마테차 그릇.
ma·ter[méitər] *n.* (L.) Ⓒ 《英口》 어머니(mother).
†ma·te·ri·al[mətíəriəl] *a.* ① 물질적인; 실질적인(opp. formal). ② 육체적인. ③ 중요한(*be ~ to*). ***~ evidence*** 물적 증거. — *n.* ① Ⓤ,Ⓒ 재료, 원료; 감. ② Ⓤ 자료; 요소; 제재(題材). ③ (*pl.*) 용구(用具)(*writing ~s*). ***printed ~*** 인쇄물. ***row ~*** 원료. **~·ism**[-ìzəm] *n.* Ⓤ 유물론, 유물주의. **~·ist** *n.* **~·is·tic**[─⌐─əlístik] *a.* 유물론의. ***~·ís·ti·cal·ly*** *ad.* 크게, 물질적으로.
ma·te·ri·al·ize[mətíəriəlàiz] *vt.* (…에) 형체를 부여하다; 구체화하다, 구현하다, 유형으로 하다; 〖降神術〗 (영혼을) 물질화하다. ***~ a spirit*** (강신술로) 영혼을 물질화하여 눈앞에 나타내다. — *vi.* 나타나다, 유형으로 되다, 실현되다. **-i·za·tion**[─⌐── izéiʃən] *n.*
matérial nóun 〖文〗 물질 명사.
matérials scìence 재료 과학, 재료학.
***ma·ter·nal**[mətə́ːrnl] *a.* 어머니의; 어머니다운(opp. paternal).
ma·ter·ni·ty[mətə́ːrnəti] *n.* Ⓤ 어머니임, 모성, 어머니다움. 「병원.
matérnity hòspital 산과(産科)
matérnity núrse 조산사.
math [mæθ] *n.* 《口》 =MATHEMATICS. 「matics.
math. mathemetician; mathe-
:math·e·mat·ic [mæ̀θəmǽtik], **-i·cal**[-əl] *a.* 수학의, 수리적인; 정확한. **-i·cal·ly** *ad.*
†math·e·mat·ics[mæ̀θəmǽtiks] *n.* Ⓤ 수학. ***-ma·ti·cian**[-mətíʃən] *n.* Ⓒ 수학자.
maths[mæθs] *n.* 《英口》 =MATHEMATICS.
mat·in[mǽtən] *n.* (*pl.*) 〖英國國教〗 조도(朝禱); 아침 일과; 아침 예배(의 시각); 《詩》 (새의) 아침 노래.
****mat·i·née,*** **mat·i·nee**[mæ̀tənéi/mǽtənèi] *n.* (F.) Ⓒ (연극 등의) 낮 흥행, 마티네.
mat·ing[méitiŋ] *n.* Ⓤ 〖動〗 교배. ***the ~ season*** 교배기.
Ma·tisse[mɑːtíːs], **Henri** (1869–1954) 프랑스의 후기 인상파·야수파의 화가.
ma·tri·arch[méitriɑ̀ːrk] *n.* Ⓒ 여자 가장; 가장의 아내.
ma·tri·ar·chate [méitriɑ̀ːrkit, -keit] *n.* Ⓤ,Ⓒ 여가장제 사회.
ma·tri·ces[méitrisìːz, mǽt-] *n.* matrix의 복수.
mat·ri·cide [méitrəsàid, mǽt-] *n.* Ⓤ,Ⓒ 모친 살해(자). **-cid·al**[⌐─sáidl] *a.* 어머니 살해(자)의.
ma·tric·u·late[mətríkjəlèit] *vt., vi.* 대학 입학(을 허가)하다. **-la·tion** [─⌐─léiʃən] *n.* Ⓤ,Ⓒ 대학 입학 허가, 입학.
mat·ri·lin·e·al[mæ̀trəlíniəl] *a.* 모계(母系)의《사회 등》.
***mat·ri·mo·ny**[mǽtrəmòuni] *n.* Ⓤ,Ⓒ 결혼; 결혼 생활; 〖카드〗 으뜸패 King과 Queen을 짝짓는 놀이. **-ni·al**[⌐─móuniəl] *a.*
ma·trix[méitriks, mǽt-] *n.* (*pl.* ***-trices, ~es***) Ⓒ 자궁; 모체; 〖生〗 세포 간질(間質); 〖印〗 자모; 지형(紙型); 〖컴〗 행렬(行列)《입력 도선과 출력 도선의 회로망》.
mátrix prìnter 〖컴〗 행렬 프린터.
***ma·tron**[méitrən] *n.* Ⓒ ① (나이 지긋한) 기혼 부인. ② 간호부장; 학교 여자 사감(舍監). **~·ly** *a.* matron다운; 침착하고 품위 있는.
MATS Military Air Transport Service.
matt[mæt] *a.* =MAT[2].
Matt. Matthew.

M

†**mat·ter**[mǽtər] *n.* ① Ⓤ 물질(opp. spirit, mind); 실질, 본질. ② Ⓤ 〖哲〗 질료(質料); 〖論〗 명제의 본질(opp. form). ③ Ⓤ 내용, 자료; 재료; 〖美術〗 재질(材質), 마티에르. ④ (the ~) 사건, 일, 문제. ⑤ Ⓤ 중요(함). ⑥ Ⓤ …물(物) (*postal* ~ 우편물/*printed* ~ 인쇄물). ⑦ Ⓤ 〖醫〗 고름. ⑧ (*pl.*) 사태. ***a ~ of*** 약(*a ~ of 10 years* 약 10년간). ***as a ~ of fact*** 실제는, 실제에 있어서. ***as ~s stand,*** or ***as the ~ stands*** 현상태로는. ***for that ~*** 그 일에 대해서는. ***in the ~ of*** …에 대해서는. ***~ of course*** 당연히 예기되는 일. ***~ of fact*** (의견이 아니라) 사실 문제. ***no ~*** 대단한 일이 아니다. ***no ~ how*** 〔***what, when, where, who***〕 비록 어떻게〔무엇을, 언제, 어디에서, 누가〕 …한다 하더라도. ***what is the ~ (with)?*** (…은) 어찌된 일인가. ***What ~?,*** or ***No ~.*** 상관 없지 않은가. — *vi.* 중요〔중대〕하다; (상처 따위가) 곪다. ***It does not ~ (if ...)*** (…이라도) 괜찮다. ***What does it ~?*** 상관 없지 않은가.

Mat·ter·horn[mǽtərhɔ̀ːrn] (the ~) 알프스 산맥 중 Mont Blanc 다음 가는 고봉(高峯)《4,505m》.

mátter-of-cóurse *a.* 당연한, 물론인, 자연의.

mátter-of-fáct *a.* 사실의; 사무적인, 멋없는.

*__Mat·thew__[mǽθjuː] *n.* 〖聖〗 마태《예수의 12제자의 하나》; 마태복음.

mat·ting[mǽtiŋ] *n.* 《집합적》 멍석, 매트, 돗자리; Ⓤ 그 재료.

*__mat·tress__[mǽtris] *n.* Ⓒ (짚·솜 따위를 둔) 매트리스, 침대요; 〖土〗 침상(沈床).

mat·u·rate[mǽtʃərèit] *vi., vt.* 익다; 〖醫〗 화농(케)하다. **-ra·tion** [∸–réiʃən] *n.* Ⓤ 화농; (과일 따위의) 익음; (재능의) 원숙.

‡**ma·ture**[mətjúər, -tʃúː-] *a.* ① 익은, 성숙한; (심신이) 충분히 발달한. ② 만기가 된. ③ 신중한. — *vt., vi.* 익(히)다, 성숙시키다〔하다〕; 완성시키다; 만기가 되다.

*__ma·tu·ri·ty__ [mətjúərəti, -tʃúː-/ -tjúərə-] *n.* Ⓤ 성숙; 완성; 만기; 화농. ***come to ~*** 성숙하다.

ma·tu·ti·nal[mətjúːtənəl] *a.* (이른) 아침의; 이른.

mat·zo[mάːtsə, -tsou] *n.* (*pl.* ***~s, ~th***[-θ]) Ⓤ Passover에 유대인이 먹는 밀가루만으로 된 빵.

maud·lin[mɔ́ːdlin] *a.* 걸핏하면 우는; 취하면 우는; 감상적인. — *n.* Ⓤ 눈물 잘 흘림, 감상벽(感傷癖).

Maugham[mɔːm], **William Somerset** (1874-1965) 영국의 소설가·극작가.

maul[mɔːl] *n.* Ⓒ 큰 나무 망치, 메. — *vt.* 큰 메로 치다, 쳐서 부수다; 거칠게 다루다; 혹평하다.

mául·stìck *n.* Ⓒ (화가의) 팔받침.

maun·der[mɔ́ːndər] *vi.* 종작〔두서〕없이 지껄이다; 방황하다.

maun·dy[mɔ́ːndi] *n.* Ⓤ 세족식(洗足式)《빈민의 발을 씻어 주고 선물을 주는 의식》; 《英》 세족식 날에 왕실로부터 하사되는 빈민 구제금.

Máundy Thúrsday 세족 목요일《부활절 전의 목요일》.

Mau·pas·sant [móupəsɑ̀ːnt], **Guy de**(1850-93) 프랑스의 소설가.

Mau·riac[mɔːrjάːk], **François** (1885-1970) 프랑스의 소설가.

Mau·ri·ta·ni·a[mɔ̀ːritéiniə, -njə/ mɔ̀-] *n.* 아프리카 북서부의 공화국.

Mau·ri·tius[mɔːríʃiəs] *n.* 마다가스카르섬 동쪽 인도양의 섬 나라.

Mau·rois[mɔrwa], **André**(1885-1967) 프랑스의 소설가·전기 작가·평론가《본명 Émile Herzog》.

mau·so·le·um [mɔ̀ːsəlíːəm] *n.* (*pl.* ***~s, -lea***[-líːə]) Ⓒ 장려한 무덤, 영묘(靈廟), 능.

mauve[mouv] *n., a.* Ⓤ 연보라(의).

ma·vis[méivis] *n.* Ⓒ 《英·詩》 〖鳥〗 개똥지빠귀류.

maw[mɔː] *n.* Ⓒ 동물의 위(胃).

mawk·ish[mɔ́ːkiʃ] *a.* 구역질나는; 연약하고 감상적인.

mawl[mɔːl] *n.* =MAUL.

max. maximum.

max·i[mǽksi] *n.* Ⓒ 맥시〔롱〕 스커트(maxiskirt), 맥시 코트(maxi-coat). — *a.* 맥시의, 발목까지 내려오는.

max·i-[mǽksi] '최대의, 최장의' 뜻의 결합사.

*__max·im__[mǽksim] *n.* Ⓒ 격언, 금언.

max·i·mal[mǽksəməl] *a.* 최대한의, 최고의.

max·i·mize[mǽksəmàiz] *vt.* 최대한으로 증가하다.

‡**max·i·mum** [mǽksəməm] *n.* (*pl.* ***~s, -ma***[-mə]) Ⓒ 최대 한도; 〖數〗 극대(opp. minimum). — *a.* 최대〔최고〕의.

máxi·skìrt *n.* Ⓒ 맥시스커트.

max·well[mǽkswəl, -wel] *n.* Ⓒ 〖理〗 맥스웰《자속(磁束)의 단위》.

†**May**[mei] *n.* ① 5월. ② Ⓤ 청춘. ③ (m-) Ⓒ 《英》 〖植〗 산사나무.

†**may**[mei] *aux. v.* (***might***[mait]) ① 《가능성(부정은 may not)》 …일지도 모른다(*It ~ be true.* 사실일지도 모른다/*It ~ not be true.* 사실이 아닐지도 모른다). ② 《허가(부정은 must not, cannot)》 …해도 좋다(*You ~ go./You must not* 〔*cannot*〕 *go.*)《정중한 금지에는 다음 말씨가 있음: *No* tape or sticker *may* be attached. (스카치)테이프나 종이를 붙이지 마십시오(항공우편의 주의서)》. ③ 《용인(부정은 cannot)》 …하여도 상관 없다; …하는 것도 당연하다(*You ~ call him a great man, but you cannot call him a good man.*); 하여도 괜찮을 텐데(*You might offer to help.* 도와 주겠다는 말쯤 해줘도 좋을 것 아

니가). ④《목적을 나타내는 부사절 속에서》…하기 위하여, …할 수 있도록(*We worked hard (so) that we might succeed.*). ⑤《양보》비록 …일지라도(*come what* ~ 무엇이 닥쳐오든). ⑥《능력》…할 수 있다(*as best one* ~ 될 수 있는 대로; 이럭저럭). ⑦《희망·기원》원컨대 …이기를(*M- you be happy!* 행복을 빕니다). ⑧《희망적 명령》…을 바라다(*You* ~ *imagine.* 바라건대 헤아려 주십시오). ***be that as it*** ~ 그것은 어떻든. ~ ***as well*** …하는 편이 좋다.

Ma·ya[má:jə] *n., a.* Ⓒ 마야 사람(의); Ⓤ 마야 말(의).

†**may·be**[méibi:] *ad.* 아마, 어쩌면.

***Máy Dày** 오월제《5월 1일 Maypole 춤을 춤》; 노동절, 메이데이.

May·day, m-[méidèi] *n.* (<F. *m'aidez* =help me) Ⓒ 메이데이《국제 구조 신호》.

máy·flòwer *n.* Ⓒ 〖植〗《英》산사나무; 《美》암당자(岩棠子).

***Máy·flòwer** *n.* (the ~) 메이플라워호《1620년 Pilgrim Fathers가 타고 미국으로 건너간 배》.

máy flỳ 〖蟲〗하루살이.

may·hem[méihem, méiəm] *n.* Ⓤ 〖法〗신체 상해(죄); 《一般》파괴, 난동; 혼란.

May·ing[méiiŋ] *n.* Ⓤ 오월제 축하, 5월의 꽃을 따러 가기.

mayn't[meint] may not의 단축.

***may·on·naise**[mèiənéiz, ⌐―⌐] *n.* Ⓤ 마요네즈.

‡**may·or**[mɛər, méiər] *n.* Ⓒ 시장. ***Lord*** ~ 런던시(기타 대도시)의 시장. ~**·al·ty** *n.* Ⓤ 시장의 직.

may·or·ess[mɛ́əris, méiər-] *n.* Ⓒ 여시장; 《英》시장 부인.

may·pole[méipòul] *n.* Ⓒ 오월제에 세우는 기둥《이 둘레에서 춤을 춤》.

Máy quèen 5월의 여왕《오월제의 놀이에서 여왕으로 뽑힌 소녀》.

Maz·da[mǽzdə] *n.* 〖조로아스터교〗 선(善)의 신. ~**·ism** *n.* =ZOROASTRIANISM.

***maze**[meiz] *n.* Ⓒ 미로(迷路); (a ~) 당혹, 곤혹. — *vt.* 《주로 方》얼떨떨하게〔쩔쩔매게〕하다.

ma·zur·ka, -zour- [məzə́:rkə, -zúər-] *n.* Ⓒ (폴란드의) 마주르카춤(곡). 「한.

ma·zy[méizi] *a.* 구불구불한; 당황

M.B. *medicinae baccalaureus* (L. =Bachelor of Medicine). **MBA** Master of Business Administration. **MBS** 《美》 Mutual Broadcasting Service. **MC, mc, m.c.** megacycle. **M.C.** Marine Corps; Master of Ceremonies; Member of Congress; 《英》Military Cross; Medical Corps.

Mc-[mək, mæk] *pref.* =MAC-.

MCAT 《美》 Medical College Aptitude Test.

Mc·Car·thy·ism [məká:rθiìzəm] *n.* Ⓤ 매카시주의, 좌익 추방주의.

Mc·Coy[məkɔ́i] *n., a.* (the ~) 《美俗》진짜(=the real ~); 본인; 훌륭한, 인류의.

Mc·Don·ald's [məkdánəldz/-ɔ́-] *n.* 〖商標〗맥도널드《미국 최대의 햄버거 체인점》.

Mc·In·tosh[mǽkintàʃ/-ɔ̀-] *n.* Ⓒ 붉은 사과의 일종《미국산》.

Mc·Lu·han·ism [məklú:ənìzəm] *n.* Ⓤ 맥루언 이론《캐나다의 문명비평가 Marshall McLuhan에 의한 매스커뮤니케이션 이론》.

MCP male chauvinist pig. **Md** 〖化〗mendelevium. **Md.** Maryland. **M.D.** Medical Department; *Medicinae Doctor* (L. = Doctor of Medicine).

†**me**[強 mi:, 弱 mi] *pron.* 《I의 목적격》나를, 나에게. ***Dear me!*** 어머!《보통, 여자의 말》.

ME, ME., M.E. Middle English. **M.E.** Methodist Episcopal; Mining 〔Mechanical〕 Engineer. **Me.** Maine.

me·a cul·pa[méɑ: kúlpɑ:] (L. =(by) my fault) 내 탓(으로).

mead[1][mi:d] *n.* Ⓤ 꿀술.

mead[2] *n.* 《古》=MEADOW.

‡**mead·ow**[médou] *n.* Ⓤ,Ⓒ 목초지; Ⓒ 강변의 낮은 풀밭. ~**·y** *a.* 목초지의. 「류.

méadow·làrk *n.* Ⓒ 〖鳥〗들종다리

méadow·swèet *n.* Ⓒ 〖植〗조팝나무속(屬)의 관목.

‡**mea·ger,** 《英》**-gre**[mí:gər] *a.* 야윈, 불충분한; 빈약한; 무미건조한. ~**·ly** *ad.* ~**·ness** *n.*

‡**meal**[1][mi:l] *n.* Ⓤ (옥수수 따위의) 거칠게 간 곡식; 굵은 가루. ***make a*** ~ ***of*** …을 (음식으로서) 먹다; (일 따위를) 소중하게 다루다〔생각하다〕. — *vt.* 갈다, 타다.

†**meal**[2] *n.* Ⓒ 식사(시간).

méal·tìme *n.* Ⓤ,Ⓒ 식사 시간.

meal·y[mí:li] *a.* 탄 곡식 모양의, 작은 알 모양의, 가루 모양의; (얼굴이) 창백한. 「말솜씨 좋은.

méaly-móuthed[-máuðd, -θt] *a.*

‡**mean**[1][mi:n] *n.* Ⓒ ① 중간, 중위. ② 〖數〗평균값, 내항(內項); 〖倫〗중용(中庸); 〖論〗매사(媒辭)《중간에 서는 것, 중개자의 뜻에서》. ③ (*pl.*) 《보통 단수 취급》수단, 방법. ④ (*pl.*) 자산(資産), 부(富). ***by all (manner of)*** ~***s*** 반드시; 《口》좋고 말고요《대답》. ***by any*** ~***s*** 어떻게 해서든지. ***by fair*** ~***s or foul*** 수단을 안 가리고. ***by*** ~***s of*** …수단에 의하여. ***by no*** ~***s*** 결코 …아니다. ***by some*** ~***s*** 어떻게든 해서. ***by some*** ~***s or other*** 이럭저럭. ***happy*** 〔***golden***〕 ~ 중용, 중도. ***man of*** ~***s*** 부자. ~***s of living*** 생활 방도. ~***s test*** (실업 수당 받는 자의) 가계 조사. ***within*** 〔***beyond***〕 ***one's*** ~***s*** 분수에 알맞

M

게〔지나치게〕. ── *a.* 중정도의, 중등의, 보통의; 평균의(～ *access time* 〖컴〗 평균 접근 시간). *in the* ～ *time* =MEANTIME. ～ *temperature* 평균 온도.
:mean² *a.* ① (태생이) 비천한; 초라한; 열등한. ② 인색한; 가치 없는, 비열한. *no* ～ 훌륭한. **∠·ly** *ad.* **∠·ness** *n.*
†mean³ *vt., vi.* (**meant**[ment]) ① 꾀하다; …할 셈이다. ② 예정하다. ③ 의미하다(*What do you* ～ *by that?* 그건 무슨 뜻이냐); …의 뜻으로 말하다(*You don't* ～ *to say so!* 설마). *be meant for* …맞게 돼 있다, …이 될 예정이다; …을 예정하다. *I* ～ *what I say.* 농담이 아니다, 진정이다. ～ BUSINESS. ～ *well by* 〔*to*〕 …에게 호의를 갖다.
me·an·der[miǽndər] *n.* (보통 *pl.*) Ⓒ ① 강의 굽이침; 꼬부랑길. ② 산책, 우회(迂廻)하는 여행. ── *vi.* 굽이쳐 흐르다; 정처 없이 거닐다; 만담하다. **～·ing**[-iŋ] *n., a.* (*pl.*) 꼬부랑길; 산책로; 만담; 두서 없는.
méan deviátion 〖統〗 평균 편차.
mean·ie[míːni] *n.* Ⓒ《美口》 치사한 놈; 불공평한 비평가; 독설가; (극, 소설의) 악역.
:mean·ing[míːniŋ] *n.* Ⓤ,Ⓒ 의미, 의의; 목적; 저의(底意). *with* ～ 뜻있는 듯이. ***～·ful** *a.* 의미 심장한, 의의 있는. ***～·less** *a.* 무의미한. **～·ly** *ad.* 의미 있는 듯이, 일부러.
:means[miːnz] ⇨MEAN¹(*n.*).
méans tèst ⇨MEAN¹.
:meant[ment] *v.* mean³의 과거(분사).
:mean·time[míːntàim] *ad.* 이럭저럭하는 동안에. ── *n.* (the ～) 그 동안. *in the* ～ 이럭저럭 하는 사이에, 이야기는 바뀌어 (한편).
:mean·while[∠*h*wàil] *ad., n.*=⇧.
***mea·sles**[míːzəlz] *n.* Ⓤ 〖醫〗 홍역. **mea·sly**[míːzli] *a.* 홍역에 걸린, 홍역의; (고기에) 촌충(寸蟲)이 붙은; 《口》 빈약한, 지질한.
***meas·ur·a·ble**[méʒərəbəl] *a.* 잴 수 있는; 알맞은. **-bly** *ad.* 잴 수 있을 정도로, 다소.
:meas·ure[méʒər] *n.* ① Ⓤ 측정, 측량; Ⓒ 측정의 단위; 계량기. ② Ⓤ (측정된) 크기; 양; 치수; 무게. ③ Ⓤ 정도. ④ Ⓒ 기준, 표준, 척도. ⑤ Ⓤ 한도, 제한(limit); 적도(適度). ⑥ Ⓤ 운율; 〖樂〗 박자, 가락; Ⓒ 마디. ⑦ Ⓒ (종종 *pl.*) 수단(step), 조처. ⑧ Ⓒ 법안(bill). *above* 〔*beyond*〕 ～ 엄청나게, 엄청난. *common* ～ 공약수. *cubic* ～ 부피, 용량. *dry* 〔*liquid*〕 ～ 건(乾)〔액(液)〕량. *for good* ～ 덤으로. *full* 〔*short*〕 ～ 듬뿍〔중량 부족〕. *give full* ～ 듬뿍 주다. *in a great* ～ 크게. *in a* ～ 다소. *know no* ～ 한 없다. (*clothes*) *made to* ～ 치수에 맞추어 지은 (옷). ～ *for* ～ (동등한) 보복, 대갚음. *set* ～*s to* …을 제한하다. *take a person's* ～ 아무의 치수를 재다; 인물을 보다. *take* ～*s* …을 측정하다(*of*); 수단을 강구하다. *take the* ～ *of a person's foot* 아무의 인물〔역량〕을 평가하다. *to* ～ 치수에 맞추어서. *waist* ～ 허리둘레. *within* ～ 알맞게. *without* 〔*out of*〕 ～ 엄청나게. ── *vt., vi.* ① 측정하다, (…의) 치수를 재다. ② 평가하다. ③ 길이〔폭·높이〕가 …이다. ④ 견주다, 겨주시키다(*with*). ⑤ 구분하다(*off*). ⑥ 분배하다(*out*). ⑦ 적응시키다. ⑧ 《詩》 걷다, 나아가다. ～ *back* 후퇴하다. ～ *oneself against* …와 힘을 겨루다. ～ *one's length* 푹 쓰러지다. **～d**[-d] *a.* 잰; 신중한; 운율이 고른; 리드미컬한. **～·less** *a.* 헤아릴 수 없는. **:～·ment** *n.* Ⓤ 측정, 측량; Ⓒ 용량, 치수.
meas·ur·ing[méʒəriŋ] *a.* 측정의, 측량용의.
méasuring cùp 계량(計量) 컵.
méasuring rùle 자.
†meat[miːt] *n.* Ⓤ ① (식용의) 고기. ② 《古》 음식, 식사. *as full of ... as an egg is full of* ～ 가득히. *green* ～ 야채. ～ *and drink* 만족스러움(*to*). ～ *safe* 《英》 쥐막이 찬장; 냉장고. *One man's* ～ *is another man's poison.* 《속담》 갑의 약은 을에게 독. **∠·y** *a.* 고기가 많은; 내용이 풍부한.
méat and potátoes 《美口》 중심부, 기초, 기본, 근본; (*a person's* ～) 좋아하는〔잘 하는〕 것, 기쁨.
méat·bàll *n.* Ⓒ 고기 완자; 《美俗》 얼간이; 지겨운 사람.
méat·hèad *n.* Ⓒ 《美俗》 바보, 얼뜨기.
méat lòaf 미트로프《간 고기에 야채 따위를 섞어 식빵만하게 구운 것》.
méat-pàcking *n.* Ⓤ 정육업.
méat tèa 《英》=HIGH TEA.
me·a·tus[miéitəs] *n.* (*pl.* ～*es*) Ⓒ 〖解〗 관(管), 통로.
***Mec·ca**[mékə] *n.* 메카《Arabia의 도시; Muhammed의 탄생지》; (종종 m-) Ⓒ 동경의 땅; 발상지.
me·chan·ic[məkǽnik] *n.* Ⓒ 기계공. ***～s** *n.* Ⓤ 기계학, 역학.
***me·chan·i·cal**[-əl] *a.* 기계의, 기계에 의한; 기계학의, 물리적인(opp. chemical); 기계적인, 창의성 없는. ***～·ly** *ad.* 기계적으로.
mechánical bráin 인공 두뇌.
mechánical dráwing 제도기화(製圖器畫).
mechánical engineéring 기계공학.
mechánical péncil 《美》 샤프 펜슬(《英》 propelling pencil).
mechánical pówer 기계력; (*pl.*) 간단한 기구류《지레·활차·나사·굴대 등》.
mech·a·ni·cian[mèkəníʃən] *n.* Ⓒ 기계 조립공; 기계학자; 기사.
***mech·a·nism**[mékənìzəm] *n.* ① Ⓒ 기계 (장치); 기구, 조직. ② Ⓤ,Ⓒ

기교. ③ Ⓤ 〖哲〗 우주 기계론.
mech·a·nist[mékənist] *n.* Ⓒ 기계론자; 《稀》 기계 기사.
mech·a·nis·tic[mèkənístik] *a.* 기계학〔기계론〕적인.
mech·a·nize[mékənàiz] *vt.* 기계화하다. **~*d unit*** 기계화 부대. **-ni·za·tion**[≻—nizéiʃən] *n.*
med. medalist; medical; medicine; medieval; medium.
M.Ed. Master of Education.
:med·al[médl] *n.* Ⓒ 메달, 상패, 기장, 훈장. ***war* ~** 종군 기장. **~(l)ist**[médəlist] *n.* Ⓒ 메달 수상자; 메달 제작가.
me·dal·lion[mədǽljən] *n.* Ⓒ 큰 메달; 《古》 원형 양각(陽刻).
:med·dle[médl] *vi.* 쓸데없이 참견〔간섭〕하다(*in, with*); 《古》 주물럭거리다(*with*). **-dler** *n.* Ⓒ 쓸데없이 참견하는 사람. **~·some** *a.* 참견하기 좋아하는.
Me·de·a[midí:ə] *n.* 〖그神〗 메데아 《Jason의 Golden Fleece 입수를 도운 여자 마법사》.
med·e·vac[médəvæ̀k] *n.* Ⓒ 《美》 〖軍〗 부상자 구출용 헬리콥터.
me·di·a[1][mí:diə] *n.* medium의 복수; =MASS MEDIA; 〖컴〗 매체.
me·di·a[2] *n.* (*pl.* ***mediae***[-diì:]) Ⓒ 〖音聲〗 유성 파열음; 〖生〗 (동맥의) 중막(中膜).
:me·di·ae·val[mì:dií:vəl, mèd-], **~·ism, &c.** =MEDIEVAL, ~ISM, &c.
me·di·al[mí:diəl] *a.* 중간의, 보통의. **~·ly** *ad.*
me·di·an[mí:diən] *a.* 중간에 위치한. — *n.* Ⓒ 〖解〗 정중 동맥〔정맥〕; 〖數〗 메디안《중앙값》; 중점(中點), 중선(中線).
médian stríp 《美》 (도로의) 중앙 「분리대.
me·di·ate[mí:diət] *a.* 중간의, 중개의. — [-èit] *vi.* 개재하다. — *vt.* 조정하다; 중간에 서다, 중재하다. **~·ly** *ad.* 간접으로. **-a·tion**[mì:diéiʃən] *n.* **mé·di·a·tor** *n.* Ⓒ 조정자.
me·di·a·to·ry[mí:diətɔ̀:ri/-təri] *a.* 중재의, 조정의.
med·ic[médik] *n.* Ⓒ 《俗》 의사; 의학도; 위생병.
med·i·ca·ble[médikəbəl] *a.* 치료할 수 있는.
Med·i·caid, m-[médikèid] *n.* Ⓤ 《美》 저소득자 의료 보조.
:med·i·cal[médikəl] *a.* 의학의; 의료의; 내과적인(opp. surgical). — *n.* Ⓒ 《口》 의사. **~·ly** *ad.*
médical atténdant 주치의(醫).
médical examinátion 건강 진단, 신체검사.
médical exáminer 검시관(檢屍官); (공장 등의) 전속 의사.
médical jurisprúdence 법의학.
médical ófficer 보건소원.
médical reáctor 의료용 원자로.
médical schóol 의학교, (대학의) 의학부.
me·dic·a·ment[medíkəmənt] *n.* Ⓒ 의약, 약제, 약물.
Med·i·care, m-[médikɛ̀ər] *n.* Ⓤ 《美·캐나다》 국민 의료 보장.
med·i·cas·ter[médəkæ̀stər] *n.* Ⓒ 가짜 의사.
med·i·cate[médəkèit] *vt.* 약으로 치료하다; 약을 섞다.
med·i·ca·tive[médəkèitiv] *a.* 약효가 있는.
Med·i·ci[médətʃi:] *n.* (the ~) (이탈리아 르네상스기의) 메디치가(家).
me·dic·i·nal[mədísənəl] *a.* 의약의, 약효가 있는. **~ *plant*** 약초(cf. simple). **~·ly** *ad.* 의약으로.
:med·i·cine[médəsən] *n.* ① Ⓤ,Ⓒ 약, 약물, 내복약. ② Ⓤ 의술, 의학. ③ Ⓤ 마술, 주문. ***take one's* ~** 벌을 감수하다. — *vt.* 투약하다.
médicine báll 가죽으로 만든 무거운 공《체육용》.
médicine màn (북아메리카 토인의) 마법사.
med·i·co [médikòu] *n.* (*pl.* **~*s***) Ⓒ 《口》 의사, 의학도.
:me·di·e·val[mì:dií:vəl, mèd-] *a.* 중세(풍)의. ***M- History*** 중세사《서로마 제국의 멸망부터 동로마 제국의 멸망까지(476-1453)》. **~·ism**[-ìzəm] *n.* Ⓤ 중세풍, 중세 정신〔존중〕. **~·ist** *n.* Ⓒ 중세 연구〔존중〕가.
me·di·o·cre[mì:dióukər, ≤—≻] *a.* 보통의, 평범한, 별것이 아닌.
***me·di·oc·ri·ty**[mì:diákrəti/-ɔ́-] *n.* Ⓤ 범용(凡庸); Ⓒ 평범한 사람.
:med·i·tate[médətèit] *vi., vt.* 숙고〔묵상〕하다(*on, upon*); 꾀하다. **~ *revenge*** 복수를 꾀하다. **:-ta·tion**[mèdətéiʃən] *n.* ***-ta·tive**[médətèitiv] *a.* 명상적인. **-ta·tor**[-tèitər] *n.* Ⓒ 명상에 잠기는 사람, 사색가.
:Med·i·ter·ra·ne·an [mèdətəréiniən] *a.* 지중해의. ***the* ~ *Sea*** 지중해. — *n.* (the ~) 지중해.
:me·di·um[mí:diəm] *n.* (*pl.* **~*s, -dia***) Ⓒ ① 중간; 중용. ② 매개(물), 매질, 매체. ③ 〖細菌〗 배양기; 환경; 생활 조건. ④ 수단, 방법. ⑤ (그림물감의) 용제(溶劑); 영매(靈媒). **~ *of circulation*** 통화. — *a.* 중정도의, 보통의. **~ *range ballistic missile*** 중거리 탄도탄《생략 MRBM》.
médium bómber 중형 폭격기.
médium-sízed *a.* 중형의.
médium wáve 〖通信〗 중파(中波).
med·lar[médlər] *n.* Ⓒ 서양모과(열매).
***med·ley**[médli] *n.* Ⓒ ① 잡동사니, 혼합; 잡다한 집단; 잡색천. ② 접속〔혼선〕곡. — *a.* 그러모은, 혼합의.
médley ràce 혼합 경영(競泳)〔경주〕, 메들리 레이스.
me·dul·la[mədʌ́lə] *n.* (*pl.* ***-las, -lae***[-li:]) Ⓒ 〖解〗 수질(髓質).
Me·du·sa[mədjú:sə, -zə] *n.* ① 〖그神〗 마녀(魔女)(Gorgons)의 하

나. ② (m-) (*pl.* **-sae**[-siː, -z-], **~s**) Ⓒ 〖動〗 해파리.
meed[miːd] *n.* (*sing.*) 《古》 보수, 포상(褒賞).
:meek[miːk] *a.* 온순한, 유화한; 겸손한. **as ~ as a lamb** 양처럼 온순한. ***∠·ly** *ad.* **∠·ness** *n.*
meer·schaum[míərʃəm, -ʃɔːm] *n.* Ⓤ 〖鑛〗 해포석(海泡石); Ⓒ 해포석 파이프.
†meet[1][miːt] *vt., vi.* (**met**) ① 만나다; 마주치다. ② 마중하다, (약속하고) 면회하다. ③ (정식 소개로) 아는 사이가 되다; (…에) 직면하다. ④ (…와) 서로 만나보다. ⑤ (…와) 싸우다; (희망·요구에) 응하다, 만족시키다. ⑥ 지불하(기에 충분하)다. ⑦ (선·길 따위가) (…와) 합치다. ⑧ (띠·옷 따위가) 맞다. ***I'm very glad to ~ you.*** 처음 뵙겠습니다. ***~ one's ear*** 〔***eye***〕 들리다〔눈에 들어오다〕. ***~ expenses*** 비용을 치르다. ***~*** (*a person*) ***halfway*** 타협하다. ***~ objections*** 반대를 반박하다. ***~ with*** …와 우연히 만나다; (사건에) 조우하다, 경험하다; 우연히 발견하다. ***Well met!*** 마침 잘 만났다. ── *n.* Ⓒ 회합, 모임; 《英》 사냥 전의 회합.
meet[2] *a.* 《稀》 적당한, 어울리는(*for; to* do, *to be* done; *that*).
:meet·ing[míːtiŋ] *n.* Ⓒ ① 모임, 집회; 회합, 회견. ② 결투, 회전(會戰). ③ 합류점. ④ 예배회. ***call a ~*** 회의를 소집하다. ***hold a ~*** 회합을 갖다〔개최하다〕.
méeting hòuse 교회당.
méeting plàce 집회소, 회장.
meg·a-[mégə] '대(大), 백만(배)'의 뜻의 결합사.
méga·bùck *n.* Ⓒ 《美俗》 100만 달러.
méga·bỳte *n.* Ⓒ 〖컴〗 메가바이트 《100만 바이트=800만 비트》.
méga·cìty *n.* Ⓒ 인구 100만 이상의 도시.
méga·cùrie *n.* Ⓒ 〖理〗 메가퀴리 《100만 퀴리; 생략 mc》.
méga·cỳcle *n.* Ⓒ 100만 사이클.
méga·dèath *n.* Ⓒ 100만 명의 사망자《핵무기에 의한 사망자수의 단위》.
méga·hèrtz *n.* Ⓒ 메가헤르츠, 100만 헤르츠.
meg·a·lith[mégəlìθ] *n.* Ⓒ 〖考〗 거석(巨石).
meg·a·lo·ma·ni·a [mègəlouméiniə] *n.* Ⓤ 과대 망상광(狂). **-ac** [-niæ̀k] *a.*
meg·a·lop·o·lis[mègəlápəlis/-ɔ́-] *n.* Ⓒ 거대 도시.
meg·a·lo·sau·rus[mègəlousɔ́ːrəs] *n.* Ⓒ 〖古生〗 거룡(巨龍).
:meg·a·phone[mégəfòun] *n.* Ⓒ 메가폰, 확성기.
meg·a·scop·ic [mègəskápik/-skɔ́p-] *a.* 육안으로 보이는, 육안에 의한; 확대된.
méga·tòn *n.* Ⓒ 100만 톤; 메가톤 《핵무기 폭발력의 계량 단위》.
meg·a·tron[mégətràn/-rɔ̀n] *n.* Ⓒ 〖電子〗 메가트론 진공관.
meg·a·ver·si·ty[mègəvə́ːrsəti] *n.* Ⓒ 매머드 대학.
méga·vòlt *n.* Ⓒ 〖電〗 메가볼트 《100만 볼트; 생략 MV, Mv》.
méga·wàtt *n.* Ⓒ 메가와트《100만 와트; 생략 Mw》. 「100만 옴.
meg·ohm [mégòum] *n.* Ⓒ 〖電〗
mei·o·sis[maióusis] *n.* Ⓤ,Ⓒ 〖生〗 세포핵의 감수 분열; 〖修〗 완서법(緩敍法)《보기: This is *some*(=a big) war.》.
Me·kong[méikáŋ/-kɔ́ŋ] *n.* (the ~) 메콩강. **~ *Delta*** 메콩강 어귀의 삼각주.
mel·a·mine[méləmìːn] *n.* Ⓤ 멜라민 (수지).
mel·an·cho·li·a[mèlənkóuliə] *n.* Ⓤ 〖醫〗 우울증. **-chol·ic**[∸–kálik/-ɔ́-] *a.* 우울한, 우울증의.
:mel·an·chol·y [mélənkàli/-kɔ̀li] *n.* Ⓤ (습관적·체질적인) 우울(증). ── *a.* 우울한, 생각에 잠긴; 침울한, 서글픈.
Mel·a·ne·sia[mèləníːʒə, -ʃə] *n.* 멜라네시아《태평양 중부의 섬들》.
mé·lange[meilάːnʒ] *n.* (F.) Ⓒ 혼합(물).
mel·a·nin[mélənin] *n.* Ⓤ 멜라닌, 검은 색소.
mel·a·to·nin[mèlətóunin] *n.* Ⓤ 멜라토닌《송과선(松果腺)에서 분비되는 호르몬의 하나》.
Mél·ba tòast[mélbə-] (바삭바삭한) 얇은 토스트. 「다.
meld[meld] *vt., vi.* 《美》 섞다; 섞이
me·lee, mêl·ée[méilei, –∠/mélei] *n.* (F.) Ⓒ 치고받기, 난투, 혼전.
me·lio·rate[míːljərèit] *vt.* 개선〔개량〕하다. ── *vi.* 좋아지다. **-ra·tive** [∠–rèitiv/-rə-] *a.* 개선하는, 개량에 도움이 되는.
me·lis·ma[milízmə] *n.* (*pl.* **~ta** [-tə]) Ⓒ 〖樂〗 선율이 아름다운 음악〔가락〕. 「내는.
mel·lif·er·ous[milífərəs] *a.* 꿀을
mel·lif·lu·ent[məlífluənt] *a.*=⇩. **-ence**[-əns] *n.* Ⓤ 유창(流暢).
mel·lif·lu·ous[məlífluəs] *a.* 꿀같이 감미로운; 유창한.
:mel·low[mélou] *a.* ① (과일이) 익어 달콤한, 익은; 향기 높은. ② 비옥한. ③ 원숙한. ④ 풍부하고 아름다운《음색·빛 따위》. ⑤ 기분 좋은. ── *vt., vi.* 연하고 달게 익(히)다; 원숙하게 하다, 원숙해지다. **~·ly** *ad.* **~·ness** *n.*
me·lo·de·on[milóudiən] *n.* Ⓒ 멜로디온《리드오르간의 일종》.
me·lod·ic [miládik/-ɔ́-] *a.* 선율의; 선율적인; 선율이 아름다운. ***~ minor scale*** 〖樂〗 선율적 단음계. **-i·cal·ly** *ad.*
:me·lo·di·ous[məlóudiəs] *a.* 선율이 고운. **~·ly** *ad.* **~·ness** *n.*
mel·o·dist[mélədist] *n.* Ⓒ 성악

가, 가수, 작곡가.

:mel·o·dra·ma[mélədrà:mə, -ræ̀-] *n.* Ⓒ 통속극; 권선징악의 통속극, 멜로드라마. **-mat·ic**[mèloudrəmǽtik] *a.* **~·tist**[mèlədrǽmətist] *n.* Ⓒ 멜로드라마 작가.

:mel·o·dy[mélədi] *n.* Ⓒ 선율, 멜로디; 곡; Ⓤ 아름다운 음악(성), 즐거운 가락.

mel·on**[mélən] *n.* Ⓒ 〖植〗 멜론, 참외류. ***water ~ 수박.

Mel·pom·e·ne [melpámənì:/-pɔ́m-] *n.* 〖그神〗 멜포메네《비극의 여신; Muses의 한 사람》.

:melt[melt] *vi.* (*~ed; ~ed, molten*) ① 녹다. ② 녹아 없어지다. ③ (마음이) 풀리다, 가엾은 생각이 나다; (색이) 녹아 섞이다. ④《口》몸이 녹을 정도로 더위를 느끼다. — *vt.* ① 녹이다. ② 흐트리다. ③ 풀리게 하다. ④《英俗》낭비하다. ~ ***away*** 녹아 없어지다. ~ ***into*** 녹아서 …이 되다, 마음이 풀려서 …하기 시작하다(~ *into tears*).

mélt·dòwn *n.* Ⓤ,Ⓒ (원자로의) 노심(爐心) 융해《냉각 장치 등의 고장에 의한》.

mélting mòod 감상적인 기분.

mélting pòint 융해점.

mélting pòt 도가니; 온갖 인종이 융합해서 사는 곳《흔히 미국을 가리킴》. 「《천》.

mel·ton[méltən] *n.* Ⓤ 멜턴 나사

Mel·ville[mélvil], **Herman** (1819-91)미국의 소설가《*Moby Dick* (1851)》.

mem·ber**[mémbər] *n.* Ⓒ ① (단체의) 일원, 구성원. ② 수족, 신체의 일부, 기관; 부분. ③ 〖文〗 절, 구; 〖數〗 변, 항. ④ 〖컴〗 원소, 멤버. ***M- of Congress《美》국회의원, 하원의원《생략 M.C.》. ***M- of Parliament***《英》하원 의원《생략 M.P.》. **:~·ship**[-ʃip] *n.* Ⓤ 일원임; 회원 자격; Ⓒ 회원수.

mémber bànk《美》연방 준비 은행에 가맹한 은행; (어음 교환의) 조합 은행. 「맹국.

mémber nàtion (유엔 등의) 가

***mem·brane**[mémbrein] *n.* ① Ⓒ 〖解〗 얇은 막, 막피(膜皮). ② Ⓤ 양피지, 문서의 한 장. **-bra·nous** [-brənəs] *a.* 막 모양의.

me·men·to [miméntou] *n.* (*pl.* ~(*e*)*s*) Ⓒ 기념물, (추억이 되는) 유품.

meménto mó·ri[-mɔ́:rai] (L.) 죽음의 상징《해골 따위》.

mem·o[mémou] *n.* (*pl.* **~s**)《口》=MEMORANDUM.

***mem·oir**[mémwɑ:r, -wɔ:r] *n.* Ⓒ 회상록, 실록; 전기; 연구 논문.

***mem·o·ra·ble** [mémərəbəl] *a.* 잊지 못할; 유명한.

***mem·o·ran·dum** [mèmərǽndəm] *n.* (*pl.* **~s, -da**[-də]) Ⓒ 메모, 각서, 비망록; 〖法〗 정관(定款); 매매 각서; (서명 없는) 비공식 서한.

:me·mo·ri·al[mimɔ́:riəl] *a.* 기념하는, 추도의; 기억의. — *n.* Ⓒ 기념품; (*pl.*) 연대기, 기록; 각서; 청원서. **~·ize**[-àiz] *vt.* 기념하다, 추도 연설을 하다.

Memórial 〔**Decorátion**〕 **Dày, the**《美》현충일《대부분의 주에서는 5월 30일》.

:mem·o·rize[méməràiz] *vt.* 암기하다, 기억하다; 명심하다.

:mem·o·ry[méməri] *n.* ① Ⓤ 기억; Ⓒ (개인의) 기억력. ② Ⓒ 추억. ③ Ⓤ 죽은 뒤의 명성; Ⓒ (고인의) 영(靈). ④ Ⓤ 기억을 더듬을 수 있는 연한(*beyond* ~). ⑤ Ⓒ 기념. ⑥ Ⓒ 〖컴〗 기억, 메모리(~ *capacity* 기억 용량/ ~ *density* 기억 밀도/ ~ *management* 기억 관리). ***in ~ of*** …을 위해서, …을 기념하여. (*King George*) ***of blessed*** 〔***happy***〕 ~ 고(故)(조지왕)《죽은 왕·성인 등의 이름에 붙임》. ***within living ~*** 아직도 사람들의 기억에 살아 있는.

mémory bànk 〖컴〗 기억 장치, 데이터 뱅크.

mémory chìp 메모리 칩.

mémory cèll 〖컴〗 기억 소자.

mémory drùm 〖컴〗 기억 드럼《학습할 사항이 주기적으로 제시되는 회전식 장치》.

mémory màp 〖컴〗 기억 배치도.

†men[men] *n.* man의 복수.

:men·ace[ménəs] *n.* Ⓤ,Ⓒ 협박. — *vt.* 협박하다. **-ac·ing·ly** *ad.* 협박적으로.

***mé·nage*, me-**[meiná:ʒ] *n.* (F.) Ⓤ 가정(家政), 가사; Ⓒ 가족.

me·nag·er·ie[minǽdʒəri] *n.* Ⓒ (이동) 동물원; 구경거리의 동물.

men·ar·che[miná:rki:] *n.* Ⓤ 〖生〗 초경(初經), 초조(初潮).

Men·ci·us [ménʃiəs] *n.* (372?-289? B. C.) 맹자.

:mend[mend] *vt.* ① 고치다, 수선하다(repair). ② 정정하다(correct). ③ (행실을) 고치다(improve). ④ (사태를) 개선하다(~ *matters*). ⑤ 걸음을 빠르게 하다(quicken). — *vi.* 고쳐지다; 나아지다. ***Least said soonest ~ed.***《속담》말은 적을수록 좋다. ~ ***the fire*** 꺼져 가는 불을 살리다; 불에 나무를 지피다. ~ ***one's ways*** 소행을 고치다. — *n.* Ⓒ 수선한 부분. ***be on the*** ~ 나아져 가고 있다. **~·a·ble**[⌐əbəl] *a.* 고칠 수 있는. **⌐·er** *n.* Ⓒ 수선인.

men·da·cious[mendéiʃəs] *a.* 허위의, 거짓말하는.

men·dac·i·ty[mendǽsəti] *n.* Ⓒ 허위; Ⓤ 거짓말하는 버릇.

Men·del[méndl], **Gregor Johann**(1822-84) 오스트리아의 유전학자. **~'s Law** 멘델의 법칙. **Men·de·li·an**[mendí:liən, -ljən] *a.* **~·ism**[méndəlìzəm] *n.* Ⓤ 멘델의 유전학설.

men·de·le·vi·um[mèndəlí:viəm] *n.* Ⓤ 〖化〗 멘델레븀《방사성 원소》.

Men·dels·sohn [méndlsn, -sòun], **Felix** (1809-47) 독일의 작곡가.

men·di·cant [méndikənt] *a.* 구걸하는; 탁발하는. — *n.* Ⓒ 거지; 탁발 수사(修士). **-can·cy, -dic·i·ty** [mendísəti] *n.* Ⓤ 거지 생활.

Men·e·la·us [mènəléiəs] *n.* 〖그神〗 메넬라오스《스파르타의 왕; Helen의 남편, Agamemnon의 동생》.

mén·fòlk(s) *n.* (보통 the ~)《복수 취급》남자들《특히 가족의》.

M. Eng. Master of Engineering.

men·hir [ménhiər] *n.* Ⓒ 〖考〗 멘히르, 선돌(cf. dolmen).

me·ni·al [mí:niəl, -njəl] *a.* (비)천한; 하인의. — *n.* Ⓒ 하인.

me·nin·ge·al [minínd3iəl] *a.* 뇌막의.

me·nin·ges [minínd3i:z] *n. pl.* (*sing.* ***meninx*** [mí:niŋks]) 〖解〗 뇌막, 수막.

men·in·gi·tis [mènind3áitis] *n.* Ⓤ 〖醫〗 뇌막염.

me·nis·cus [miniskəs] *n.* (*pl.* ***~es, -ci*** [-skai]) Ⓒ 초승달 모양(의 것); 〖理〗 요철(凹凸) 렌즈.

men·o·pause [ménəpɔ̀:z] *n.* (the ~) 폐경기(閉經期), 갱년기.

men·ses [ménsi:z] *n. pl.* (보통 the ~) 월경.

Men·she·vik [ménʃəvìk] *n.* (*pl.* ***~s, -viki*** [-vì(:)ki]) (러시아 사회 민주당의) 소수[온건]파(의 당원)(cf. Bolshevik). **-vism** [-ìzəm] *n.* **-vist** *n.*

mens re·a [ménz rí:ə] (L.) 범의(犯意).

mén's ròom 남성용 변소.

mens sa·na in cor·po·re sa·no [menz séinə in kɔ́:rpərì: séinou] (L.) 건전한 신체에 건전한 정신.

men·stru·al [ménstruəl] *a.* 월경의; 다달의(monthly).

men·stru·a·tion [mènstruéiʃən] *n.* Ⓤ,Ⓒ 월경 (기간).

men·sur·a·ble [ménʃərəbəl] *a.* 측정할 수 있는.

men·su·ra·tion [mènʃəréiʃən/-sjuər-] *n.* Ⓤ 측정, 측량; 측정법, 구적법(求積法).

méns·wèar *n.* Ⓤ 신사용품, 신사복, 남성용 의류.

-ment [mənt] *suf.* 결과·수단·상태 따위를 나타내는 명사 어미(achieve*ment*, develop*ment*, enjoy*ment*).

:men·tal [méntl] *a.* ① 마음의, 정신의. ② 지적인. ③ 마음으로 하는, 암산의. ④ 정신병의.

méntal áge 정신[지능] 연령《생략 M.A.》.

méntal aríthmetic 암산.

méntal cáse 정신병 환자.

méntal cúlture 정신 수양.

méntal disórder 정신 착란.

méntal fáculty 지능.

men·tal·ism [méntəlìzəm] *n.* Ⓤ 〖哲〗 유심론; 〖心〗 멘탈리즘(cf. behavio(u)rism). **-ist** *n.* **men·ta·lis·tic** [ㅡ-lístik] *a.*

***men·tal·i·ty** [mentǽləti] *n.* ① Ⓤ 정신 활동, 심성. ② Ⓒ 심적 상태. ③ Ⓤ 정신 (능력), 지능.

***men·tal·ly** [méntəli] *ad.* 마음으로, 정신적으로; 지력[기질]상으로.

méntal pátient 정신병 환자.

méntal spécialist 정신과 의사.

méntal tést 지능 검사.

men·thol [ménθɔ(:)l, -θαl] *n.* Ⓤ 〖化〗 멘톨, 박하뇌(薄荷腦).

men·ti·cide [méntəsàid] *n.* Ⓤ 심리적 살해, 정신적 박해《고문·세뇌·약제 따위에 의한》(cf. brainwashing).

†men·tion [ménʃən] *vt.* 언급하다, 이름을 들다, 진술하다. ***Don't ~ it.*** 천만의 말씀입니다. ***not to ~*** …은 말할 것도 없고. — *n.* Ⓤ 언급, 진술, 기재. ***honorable ~*** (상품이 없는) 등외 상장. ***make ~ of*** …에 관해서 말하다, …에 언급하다.

men·tor [méntər, -tɔ:r] *n.* Ⓒ 경험·신용 있는 조언자(助言者).

***men·u** [ménju:, méi-] *n.* Ⓒ ① 식단, 메뉴. ② 〖컴〗 메뉴《프로그램의 기능 등이 일람표로 표시된 것》.

me·ow, mi·aow [miáu, mjau] *n.* Ⓒ 야옹(하고 우는 소리). — *vi.* 야옹하고 울다.

Meph·is·to·phe·le·an, -li·an [mèfəstoufí:liən, -ljən] *a.* (Faust를 유혹해서 혼을 팔게 한 악마) Mephistopheles 같은, (간사하고) 냉혹한.

mer·can·tile [mɔ́:rkəntàil, -tì:l] *a.* 상업의; 무역의; 돈에 눈이 어두운. **-til·ism** [-ìzəm] *n.* Ⓤ 중상(重商)주의. **-til·ist** *n.*

mércantile àgency 상업 흥신소.

mércantile pàper 〖商〗 상업 어음《약속 어음, 환어음 따위》.

mércantile sỳstem 〖經〗 중상주의.

***mer·ce·nar·y** [mɔ́:rsənèri] *a.* 돈을 목적으로 일하는; 고용된. — *n.* Ⓒ 용병(傭兵).

mer·cer [mɔ́:rsər] *n.* Ⓒ《英》 포목상.

mer·cer·ize [-ràiz] *vt.* (무명을) 머서법으로 처리하다《광택을 냄》. ***~d cotton*** 광을 낸 무명, 의견사(silket).

:mer·chan·dise [mɔ́:rtʃəndàiz] *n.* Ⓤ《집합적》 상품.

†mer·chant [mɔ́:rtʃənt] *n.* Ⓒ 상인; 《英》 도매 상인; 무역 상인; 《美》 소매 상인. — *a.* 상인의, 상선의. **~·a·ble** *a.* 팔 수 있는, 수요가 있는.

mérchant advénturer 〖英史〗 모험적 상인《해외 시장을 개척한 근세 초기의 무역상》.

mérchant·man [-mən] *n.* Ⓒ 상선, 상인.

mérchant marine 《집합적》(일국의) 상선; 그 상선원.

mérchant prínce 호상(豪商).
mérchant sérvice 해상 무역; 상선.
mérchant shíp 〔**véssel**〕 상선.
mer·ci[mɛərsíː] *int.* (F.) 고맙습니다(thanks, thank you).
merci beau·coup [mɛərsíːboukúː] (F.) 대단히 감사합니다(thank you very much).
:mer·ci·ful[mə́ːrsifəl] *a.* 자비로운. **~·ly** *ad.* **~·ness** *n.*
***mer·ci·less**[mə́ːrsilis] *a.* 무자비한, 용서없는. **~·ly** *ad.*
mer·cu·ri·al[məːrkjúəriəl] *a.* 기민한; 쾌활한; 마음이 변하기 쉬운; 수은의; (M-) 수성(水星)의. — *n.* Ⓒ 수은제. **~·ism**[-ìzəm] *n.* Ⓤ 〖醫〗 수은 중독(증).
Mer·cu·ro·chrome[məːrkjúərəkròum] *n.* Ⓤ 〖商標〗 머큐로크롬.
:mer·cu·ry[mə́ːrkjəri] *n.* ① (M-) 〖로神〗 (여러 신의 심부름꾼) 머큐리신《상업·웅변·숙련·도둑의 수호신》. ② (M-) 〖天〗 수성. ③ Ⓒ 사자(使者). ④ Ⓤ 수은. ⑤ Ⓒ 온도계, 청우계. ⑥ Ⓤ 원기. ⑦ Ⓒ (M-) 《美》 1인승 우주선. ***The ~ is rising.*** 온도가 올라가고 있다; 형세가 좋아져 간다; 점점 홍분해 간다.
mércury-vápo(u)r làmp 수은등, 수은 램프.
:mer·cy[mə́ːrsi] *n.* Ⓤ 자비, 연민; Ⓒ 고마움, 행운. ***at the ~*** 〔***mercies***〕 ***of*** …에 내맡기어. ***for ~('s sake)*** 부디, 제발 비노니. ***left to the tender ~ of*** …로부터 가혹한 취급을 받고. ***~ flight*** 〔***mission***〕 구조 비행. ***~ killing*** 안락사(安樂死)(술)(euthanasia). ***M- on us!*** 어허!; 아뿔싸! ***What a ~ that ... !*** …이라니 고마워라.
:mere[1][miər] *a.* 단순한, 명색뿐인, …에 지나지 않는(*the ~st folly* 아주 어리석은 짓). **:⌐·ly** *ad.* 단지, 다만, 그저.
mere[2] *n.* Ⓒ 《주로 英方》 호수, 못.
Mer·e·dith[mérədiθ], **George** (1828-1909) 영국의 소설가·시인.
mer·e·tri·cious[mèrətríʃəs] *a.* 야한; 매춘부 같은.
***merge**[məːrdʒ] *vt.* ① 몰입(沒入)하게 하다. ② 합병하다(*in*). — *vi.* ① 몰입하다. ② 합병되다; 융합하다.
merg·er[mə́ːrdʒər] *n.* Ⓒ (회사 등의) 합병; 합동.
me·rid·i·an**[məridiən] *n.* Ⓒ ① 자오선. ② 《古》 특성, 장소, 환경. ③ 《古》 정오. ④ 정점, 전성기. — *a.* 정오의; 절정의. ***calculated for the ~ of …의 취미〔특성〕에 알맞은. ***first ~*** 본초(本初) 자오선.
me·rid·i·o·nal[məridiənəl] *a.* 남부 유럽의; 자오선의. — *n.* Ⓒ 남프랑스 사람; 남쪽의 사람.
me·ringue[məræ̃ŋ] *n.* Ⓤ 머랭《설탕과 달걀 흰자위로 만든 푸딩의 거죽》; Ⓒ 그것을 입힌 과자.
me·ri·no[məríːnou] *n.* (*pl.* **~s**) Ⓒ 메리노양; Ⓤ 메리노 나사.
:mer·it[mérit] *n.* ① Ⓤ 뛰어남, 가치. ② Ⓒ 장점, 취할 점. ③ Ⓤ,Ⓒ 공적, 공로. ④ (*pl.*) 공죄. ***make a ~ of*** …을 제 공로인 양하다. ***on one's own ~*** 진가에 의하여; 실력으로. ***the Order of M-*** 《英》 공로훈장. — *vt.* (…을) 받을 만하다. ***~ attention*** 주목할 만하다.
mer·i·toc·ra·cy[mèritɑ́krəsi/-ɔ́-] *n.* Ⓤ,Ⓒ 수재 교육제; Ⓒ 실력 사회; 엘리트 지배층.
mer·i·to·ri·ous[mèritɔ́ːriəs] *a.* 공적 있는; 가치 있는; 칭찬할 만한.
mérit sỳstem 《美》 (공무원의) 능력 본위 임용〔승진〕 제도.
***mer·maid**[mə́ːrmèid] *n.* Ⓒ 인어《여성》; 《美》 여자 수영 선수.
mer·man[mə́ːrmæ̀n] *n.* Ⓒ 인어《남성》; 《美》 남자 수영 선수.
:mer·ri·ly[mérəli] *ad.* 즐겁게, 명랑하게, 흥겹게.
***mer·ri·ment**[mérimənt] *n.* Ⓤ 흥겹게 떠들기, 유쾌, 웃고 즐기기, 환락.
†mer·ry[méri] *a.* ① 명랑한, 흥겨운, 유쾌한. ② 거나한. ③ 《古》 즐거운. ***make ~*** 흥겨워하다. ***The more, the merrier.*** 《속담》 동행이 많으면 즐거움도 많다. **mér·ri·ness** *n.* Ⓤ 유쾌, 명랑.
mérry-ándrew *n.* Ⓒ 어릿광대, 익살꾼.
mérry dáncers 북극광(北極光).
Mérry Éngland 즐거운 영국《영국의 별칭》.
***mérry-go-ròund** *n.* Ⓒ 회전 목마.
mérry·màker *n.* Ⓒ 흥겹게 떠드는 사람.
mérry·màking *n.* Ⓤ 흥겹게 떠들기.
mérry màn 종자(從者), 부하.
Mérry Mónarch, the 영국왕 Charles Ⅱ의 별칭.
me·sa[méisə] *n.* (Sp. =table) Ⓒ (평원에 우뚝 솟은) 대지(臺地), 봉우리가 평평한 산.
mé·sal·li·ance [meizǽliəns, ⌐–lɑ́i-] *n.* (F.) Ⓒ 신분이 서로 다른 결혼.
mes·cal[meskǽl] *n.* Ⓤ (멕시코의) 메스칼 술; Ⓒ 〖植〗 선인장의 일종.
mes·ca·line [méskəlìːn] *n.* Ⓤ 〖藥〗 메스칼린《슈으로 만든 환각제》.
mes·dames[meidɑ́ːm, -dǽm] *n.* (F.) *madame*의 복수.
mes·de·moi·selles [mèidəmwəzél] *n.* (F.) *medemoiselle*의 복수.
me·seems[miːsíːmz] *vi.* (p. ***meseemed***) 《古》 생각되다(=it seems to me).
mesh**[meʃ] *n.* Ⓒ 그물코; (*pl.*) 그물, 올가미; Ⓤ (톱니바퀴의) 맞물림. ***in ~ 톱니바퀴가 맞물려서. — *vt., vi.* 그물로 잡다; 그물에 걸리다; 맞물리다; 맞물다.
mes·mer·ic[mezmérik, mes-] *a.* 최면(술)의.
mes·mer·ism [mézmərìzəm, més-] *n.* Ⓤ 최면술, 최면 상태. **-ist**

M

n. Ⓒ 최면술사.
mes·mer·ize[mézməràiz, més-] *vt.* (…에게) 최면술을 걸다; 홀리게 하다, 매혹시키다.
me·so-[mézou, míː-, -sou/-zəu, -səu] '중간, 중앙'의 뜻의 결합사.
mes·o·lith·ic, M- [mèzəlíθik, mèsə-] *a.* 〖考〗 중석기 시대의.
me·son [mézɑn, míː-, -sɑn/míːzɔn, mésɔn] *n.* Ⓒ 〖理〗 중간자 (mesotron).
méso·sphère *n.* (the ~) 〖氣〗 중간권《성층권과 열권의 중간》.
mes·o·tron [mézətràn, -sə-/mésətrɔ̀n] *n.* =MESON.
Mes·o·zo·ic [mèzəzóuik, mès-] *n., a.* (the ~) 〖地〗 중생대(의).
:mess[mes] *n.* ① Ⓤ 잡탕, 혼합식. ② Ⓒ (군대의) 회식 동료; Ⓤ 회식. ③ Ⓒ 한끼분. ④ Ⓤ 혼란, 북새. ⑤ Ⓤ 실책. ***at*** ~ 식사중. ***get into a*** ~ 난처해지다. ***in a*** ~ 더럽혀져서; 혼란하여; 당혹하여. ***make a*** ~ ***of*** …을 망치다. ~ ***of pottage*** 〖聖〗 한 그릇의 국《고귀한 희생으로 얻은 물질적 쾌락》. ── *vt.* 망치다, 혼란케 하다. ── *vi.* 더럽히다; 회식하다. ~ ***about*** 〔***around***〕《口》; 주물럭거리다; 《俗》 빈둥거리다; 《俗》 (나쁜 목적으로) 사귀다.
†mes·sage[mésidʒ] *n.* Ⓒ ① 전하는 말; 소식, 통신. ② 신탁(神託). ③ 《美》 대통령 교서. ④ 〖컴〗 메시지. ***get the*** ~ 《口》 (암시 따위의) 의미를 파악하다, 이해하다. ***go on a*** ~ 심부름가다. ── *vt.* (…와) 통신하다; (…에게) 신호를 보내다; 편지하여 교제를 요구하다.
mes·sa·line[mèsəlíːn] *n.* (F.) Ⓤ (광택 있는) 얇은 능직 비단.
:mes·sen·ger[mésəndʒər] *n.* Ⓒ ① 사자(使者), 심부름꾼. ② 《古》 전조, 선구(先驅). ③ 연줄에 달아 바람에 올게 하는 종이. ④ 닻줄을 인양하는 밧줄.
méssenger RNA[-ɑ̀ːrènéi] 〖生〗 메신저 리보핵산(核酸).
méss hàll (군대·공장 등의) 식당.
Mes·si·ah[misáiə] *n.* (the ~) 메시아, 구세주, 예수. **-an·ic** [mèsiǽnik] *a.* Messiah의.
mes·sieurs[məsjə́ːrz] *n. pl.* (F.) *monsieur*의 복수《생략 Messrs.; Mr.의 복수형으로 쓰임》.
méss kit 〔**gèar**〕 휴대용 식기 세트.
méss·màte *n.* Ⓒ (군대, 특히 배의) 회식 동료.
méss·ròom *n.* =MESS HALL.
***Messrs.**[mésərz] *n. pl.* *messieurs*의 생략; Mr.의 복수.
mess·tin[méstìn] *n.* Ⓒ 반합, 휴대 식기.
mes·suage[méswidʒ] *n.* Ⓒ 〖法〗 가옥《부속 건물·토지를 포함》.
mess·y[mési] *a.* 어질러진, 더러운.
mes·ti·zo [mestíːzou] *n.* (*pl.* ~(*e*)*s*) Ⓒ 혼혈아《특히 스페인인과 아메리카 인디언의》.
†met[met] *v.* meet의 과거(분사).
met. metaphor; metaphysics; meteorological; meteorology; metropolitan.
me·tab·o·lism[mətǽbəlìzəm] *n.* Ⓤ 〖生〗 (세포의 물질) 대사 작용; 신진 대사. **met·a·bol·ic**[mètəbɑ́lik/-ɔ́-] *a.*
met·a·car·pus[mètəkɑ́ːrpəs] *n.* (*pl.* **-pi**[-pai]) Ⓒ 〖解〗 장부(掌部); 장골(掌骨).
:met·al[métl] *n.* Ⓤ,Ⓒ 금속; Ⓒ 《英》 밤자갈; (*pl.*) 《英》 레일; 《비유》 소질. ── *vt.* ((《英》 **-ll-**) (…에) 금속을 입히다. ~·(**l**)**ed** *a.* 자갈을 깐.
méta·lànguage *n.* Ⓤ,Ⓒ 〖言〗 언어 분석용 언어, 실험용 언어; 〖컴〗 메타언어.
***me·tal·lic**[mitǽlik] *a.* 금속(질)의; 엄한; 냉철한.
metállic cúrrency 경화(硬貨).
metállic sóund 금속성의 소리.
met·al·line[métəlàin, -lin] *a.* 금속(성)의.
met·al·lize[métəlàiz] *vt.* 금속화하다; (고무를) 경화하다.
met·al·log·ra·phy [mètəlɑ́grəfi/-ɔ́-] *n.* Ⓤ 금속 조직학, 금상학(金相學).
met·al·lur·gy [métələ̀ːrdʒi/metǽlərdʒi] *n.* Ⓤ 야금학, 야금술. **-gi·cal**[mètələ́ːrdʒikəl] *a.*
métal·wòrk *n.* Ⓤ 《집합적》 금속 세공(물). **~er** *n.* Ⓒ 금속 세공인. **~ing** *n.* Ⓤ 금속 가공(업).
met·a·mor·phism [mètəmɔ́ːrfizəm] *n.* Ⓤ 〖地〗 (암석의) 변성 작용; 변형.
met·a·mor·phose [-mɔ́ːrfouz, -s] *vt.* 변형시키다, 변질시키다. **-pho·sis**[-fəsis] *n.* Ⓤ,Ⓒ 변형, 변태.
***met·a·phor** [métəfər, -fɔ̀ːr] *n.* Ⓤ,Ⓒ 〖修〗 은유(隱喩)《보기: *a heart of stone*(이것을 a heart *like* stone으로 하면 SIMILE이 됨)》. **~·i·cal** [≥–fɔ́ːrikəl, -ɑ́-/-ɔ́-] *a.* **-i·cal·ly** *ad.*
met·a·phrase[métəfrèiz] *n.* Ⓒ 축어역, 직역. ── *vt.* 축어역하다.
***met·a·phys·i·cal**[mètəfízikəl] *a.* 형이상학의; 공론의; 추상적인. **~-ly** *ad.* **-phy·si·cian**[-fizíʃən] *n.* Ⓒ 형이상학자. ***-ics**[-fíziks] *n.* Ⓤ 형이상학; 추상론; 심리학.
met·a·plasm [métəplæ̀zəm] *n.* Ⓤ,Ⓒ 〖生〗 후형질(後形質)《원형질에 포함된 성형 요소》.
met·a·pol·i·tics [mètəpɑ́lətiks/-ɔ́li-] *n.* Ⓤ 정치 철학; 《蔑》 공론 정치학.
met·a·psy·chol·o·gy[mètəsaikɑ́lədʒi/-ɔ́-] *n.* Ⓤ 〖心〗 초(超)심리학.
me·tas·ta·sis[mətǽstəsis] *n.* (*pl.* **-ses**[-sìːz]) Ⓤ,Ⓒ ① 〖醫〗 전이(轉移). ② 〖修〗 (화제의) 급전환.
mete[1] [miːt] *vt.* 할당하다(*out*);

《古》 재다.
mete² *n.* Ⓒ 경계(boundary); 경계석(石).
me·tem·psy·cho·sis [mətèmpsəkóusis, mètəmsai-] *n.* (*pl.* ***-ses***[-si:z]) Ⓤ,Ⓒ 〖宗〗 윤회(輪廻).
***me·te·or**[mí:tiər, -tiɔ:r] *n.* Ⓒ 유성(流星). **~·ic**[mì:tiɔ́:rik, -ár-] *a.*
***me·te·or·ite**[mí:tiəràit] **me·te·or·o·lite**[mì:tiɔ́:rəlàit] *n.* Ⓒ 운석(隕石).
me·te·or·ol·o·gy [mì:tiərálədʒi/-ɔ́-] *n.* Ⓤ 기상학; 기상. **-o·log·ic** [-rəládʒik/-ɔ́-], **-i·cal**[-əl] *a.* 기상학(상)의(***meteorological satellite*** 기상 위성). **-gist** *n.* Ⓒ 기상학자.
:me·ter, 《英》 **-tre**[mí:tər] *n.* ① Ⓒ 미터《미터법에서 길이의 단위》. ② Ⓒ 계량기; 미터《가스·수도 따위의》. ③ Ⓤ 운율; 박자; Ⓒ 보격(步格).
-me·ter[mətər] *suf.* '계기, 미터' 또는 운율학의 '각수(脚數)'의 뜻: baro***meter;*** kilo***meter;*** penta***meter.***
mé·tered màil[mí:tərd-] 《美》 요금 별납 우편.
méter màid 《美》 주차 위반을 단속하는 여경관.
Meth. Methodist.
meth·a·crýl·ic ácid [mèθəkrílik-] 〖化〗 메타크릴산.
meth·a·done[méθədòun], **-don** [-dàn/-dɔ̀n] *n.* Ⓤ 〖藥〗 메타돈《진통제·헤로인 중독 치료제》.
meth·ane[méθein] *n.* Ⓤ 〖化〗 메탄.
meth·a·nol [méθənòul, -nàl, -nɔ̀(:)l] *n.* Ⓤ 〖化〗 메탄올, 메틸알코올.
meth·i·cil·lin[mèθəsílin] *n.* 〖藥〗 메티실린《페니실린계 항생물질》.
me·thinks[miθíŋks] *vi.* (p. ***methought***) 《古》 …라고 생각되다 (meseems).
:meth·od[méθəd] *n.* ① Ⓒ 방법, 방식. ② Ⓤ (규칙 바른) 순서, 질서. ***deductive*** 〔***inductive***〕 **~** 연역〔귀납〕법. **me·thod·i·cal**[miθádikəl/-ɔ́-] *a.* 조직적인, 규율 바른. **-i·cal·ly** *ad.*
***Meth·od·ist**[méθədist] *n.* Ⓒ ① 감리교도《기독교 신교의 일파》. ② (m-) 엄격한 종교관을 가진 사람. ③ 《蔑》 격식 위주의 융통성이 없는 사람; 까다로운 사람. **-ic**[-ik], **-i·cal** [-əl] *a.* 감리교파의. **-ism**[-ìzəm] *n.*
meth·od·ol·o·gy [mèθədálədʒi/-ɔ́-] *n.* Ⓤ,Ⓒ 방법론.
me·thought[miθɔ́:t] *v.* methink 의 과거.
meths[meθs] *n.* Ⓤ 변성 알코올 (methylated spirits).
Me·thu·se·lah[miθjú:zələ] *n.* ① 〖舊約〗 므두셀라《969세까지 살았다는 남자; 창세기 5:27》. ② Ⓒ 나이 많은 사람.
meth·yl[méθəl] *n.* Ⓒ 〖化〗 메틸.
méthyl álcohol 〖化〗 메틸알코올.
meth·yl·ate[méθəlèit] *vt.* (…에) 메틸을 섞다. **~*d spirit*(*s*)** 변성(變性) 알코올.
méthyl chlóride 〖化〗 염화메틸.
meth·yl·ene[méθəlì:n] *n.* Ⓤ 〖化〗 메틸렌.
me·tic·u·lous[mətíkjələs] *a.* 옹졸한; 지나치게 세심한. **~·ly** *ad.*
mé·tier[méitjei, ─́] *n.* (F.) Ⓒ 직업; 전문; 장기(長技); (작가의) 수법, (화가의) '메티에'.
METO Middle East Treaty Organization.
me·ton·y·my[mitánəmi/-ɔ́n-] *n.* Ⓤ 〖修〗 환유(換喩)《보기: ***crown***(=king); ***wealth***(=rich people)》.
me-too[mí:tú:] *vt.* 《美俗》 흉내내다. **~·ism** *n.* Ⓤ 《美》 모방주의.
:me·tre[mí:tər] *n.* 《英》 =METER.
***met·ric**[métrik] *a.* 미터법의; 계량의.
met·ri·cal[métrikəl] *a.* 운율의; 측량(용)의, 측량법의.
métric sýstem 미터법.
métric tón ⇨TON.
Met·ro[métrou] *n.* (the ~) (특히 파리의) 지하철; (m-) Ⓒ 《一般》 지하철.
me·trol·o·gy[mitrálədʒi/-ɔ́-] *n.* Ⓤ 도량형학.
met·ro·nome[métrənòum] *n.* Ⓒ 〖樂〗 박절기(拍節器), 메트로놈.
:me·trop·o·lis[mitrápəlis/-ɔ́-] *n.* Ⓒ (일국의) 주요 도시; 수도(capital); 중심지.
:met·ro·pol·i·tan [mètrəpálitən/-ɔ́-] *a.* 수도의; 대주교〔대감독〕 교구의. ── *n.* Ⓒ 수도의 주민; 대주교.
metropólitan políce 수도 경찰.
met·tle[métl] *n.* Ⓤ 기질, 성질; 용기; 정열. ***on one's ~*** 분발하여. **~d**[-d], **~·some**[-səm] *a.* 위세 좋은.
MEV, Mev, mev million electron volts 메가 전자 볼트.
mew¹[mju:] *n.* Ⓒ 야옹하는 소리. ── *vi.* 야옹울다《고양이가》.
mew² *n.* Ⓒ 〖鳥〗 갈매기.
mewl, mule[mju:l] *vi.* 가냘픈 소리로〔고양이처럼〕 울다.
mews [mju:z] *n. pl.* 《단수 취급》 《英》 (빈터 주위의) 마구간.
Mex. Mexican; Mexico.
:Mex·i·co [méksikòu] *n.* 멕시코. **:-i·can**[-kən] *n., a.* Ⓒ 멕시코(사람)(의); Ⓤ 멕시코의 스페인 말.
mez·za·nine[mézənì:n] *n.* Ⓒ 중이층(中二層); 무대 밑.
mez·zo [métsou, médzou] *ad.* (It.) 〖樂〗 반쯤, 알맞게. **~ *forte*** 조금 세게.
mézzo-sopráno *n.* (*pl.* ***~s, -prani***[-prǽni:, -á:-]) Ⓤ 메조소프라노; Ⓒ 메조소프라노 가수.
mézzo·tìnt *n.* Ⓒ 그물눈 동판의 일종; Ⓤ 그물눈 동판술.
MF Middle French; medium frequency. ***mf*** 〖樂〗 *mezzo forte.*

M

mfd. manufactured. **mfg.** manufacturing. **M.F.N.** Most Favo(u)red Nation. **mfr.** manufacture(r). **M.G.** Order of St. Michael and St. George. **Mg** 〖化〗 magnesium. **mg, mg.** milligram(s). **MGM** Metro-Goldwyn-Mayer. **Mgr.** *monseigneur.* **MHG, MHG., M.H.G.** Middle High German. **M.H.R.** 《美》 Member of the House of Representative. **MHz, Mhz** megahertz.

***mi** [mi:] *n.* U,C 〖樂〗 미《장음계의 제 3음》.

M.I. Military Intelligence 군사 정보부. **mi.** mile; mill.

Mi·am·i [maiǽmi] *n.* 미국 Florida 주 남동부의 해안 도시·피한지.

mi·aow [miáu, mjau] *n., vi.* C (고양이가) 야옹(울다).

mi·as·ma [maiǽzmə, mi-] *n.* C (늪에서 나오는) 독기; 말라리아 병독.

Mic. Micah 〖舊約〗 미가서.

mi·ca [máikə] *n.* U 운모(雲母), 돌비늘. **∠·ceous** [maikéiʃəs] *a.* 운모(모양)의.

Mi·cah [màikə] *n.* 헤브라이의 예언자; 〖舊約〗 미가서.

‡mice [mais] *n.* mouse의 복수.

Mich. Michaelmas; Michigan.

Mi·chael [màikəl] *n.* 〖聖〗 미가엘《대천사의 하나》; 남자의 이름.

Mich·ael·mas [míkəlməs] *n.* 미가엘 축일《9월 29일, 영국에서는 청산일(quarter days)의 하나》.

***Mi·chel·an·ge·lo** [màikəlǽndʒəlou] *n.* 이탈리아의 화가·조각가·건축가(1475-1564).

***Mich·i·gan** [míʃigən] *n.* 미국 중북부의 주 《생략 Mich.》; 미시간호《5대호의 하나》.

mick, M- [mik] *n.* C 《俗·蔑》 아일랜드 사람.

míck·ey mòuse [míki-] 《美俗》 케케묵은; 싸구려의; (M- M-) 미키마우스《Walt Disney의 만화 영화의 주인공》; 《英空軍俗》 전동식 폭탄 투하 장치.

mick·le [míkəl] *n., a.* (*sing.*) 《古·Sc.》 많음, 많은, 다량(의). ***Many a little makes a ~.*** 《속담》 티끌 모아 태산.

MICR 〖컴〗 magnetic ink character reader 자기(磁氣) 잉크 문자 판독기.

mi·cro [máikrou] *n., a.* C 매우 작은 (것); 마이크로스커트.

mi·cro- [máikrou, -krə] '소(小), 미(微), 100만 분의 1'의 뜻의 결합사.

mi·crobe [máikroub] *n.* C 미생물, 세균.

mìcro·biólogy *n.* U 미생물학.

mícro·bùs *n.* C 《美》 마이크로[소형] 버스.

mìcro·chémistry *n.* U 미량 화학.

mícro·cìrcuit *n.* C 〖電〗 소형[마이크로] 회로; 집적회로.

mìcro·compúter *n.* C 〖컴〗 마이크로 컴퓨터.

mícro·còpy *n., vt., vi.* C 축사(縮寫)(하다)(cf. microfilm).

mi·cro·cosm [-kàzəm/-kɔ̀-] *n.* C (cf. macrocosm) 소우주; (우주의 축도로서의) 인간. **-cos·mic** [∠-kázmik/-kɔ́z-] *a.*

mìcro·económics *n.* U 미시(微視) 경제학.

mi·cro·far·ad [màikrəfǽrəd] *n.* C 〖電〗 백만분의 1 farad《전기 용량의 실용 단위》.

mi·cro·fiche [máikrəfì:ʃ] *n.* U,C 마이크로피시《여러 장의 마이크로 필름을 수록한 시트 모양의 것》.

mícro·film *n., vt., vi.* U,C 마이크로 필름(에 찍다, 찍히다).

mícro·gràm, 《英》 **-gràmme** *n.* C 백만분의 1g.

mícro·gròove *n.* C (LP판의) 가는 홈; 그 LP 레코드.

mìcro·mánage *vt.* 세세한 점까지 관리[통제]하다. **~ment** *n.*

mi·crom·e·ter [maikrámitər/-rɔ́mi-] *n.* C (현미경·망원경용의) 마이크로미터, 측미계(測微計); 〖天〗 거리 측정기. **~ *caliper*** 〖機〗 마이크로미터 캘리퍼, 측미경기(測微徑器).

mìcro·míniature *a.* 초소형의. **-míniaturize** *vt.* (전자 장치 등을) 초소형화하다.

mi·cron [máikran/-krɔn] *n.* (*pl.* **~s, -cra** [-krə]) C 미크론《1밀리미터의 천분의 1; 부호 μ》. **~·ize** [máikrənàiz] *vt.* (미크론 정도로) 미소(微小)화하다.

Mi·cro·ne·sia [màikrəní:ʃə, -ʒə] *n.* 미크로네시아《적도 이북, 필리핀 동쪽의 군도》. **-sian** *n., a.* C 미크로네시아(사람)(의); U 미크로네시아말(의).

「마이크(로폰).

‡mi·cro·phone [máikrəfòun] *n.* C

mìcro·phótograph *n.* C 마이크로 필름; 축소 사진; 현미경 사진.

mícro·prìnt *n.* C 축사(縮寫)사진.

microprócessing ùnit 〖컴〗 마이크로 처리 장치.

mìcro·prócessor *n.* C 마이크로 프로세서.

mícro·rèader *n.* C 마이크로리더《마이크로필름을 확대·투사하는 장치》.

‡mi·cro·scope [máikrəskòup] *n.* C 현미경.

***mi·cro·scop·ic** [màikrəskápik/-ɔ́-], **-i·cal** [-əl] *a.* 현미경의; 극히 미세(微細)한.

mi·cros·co·py [maikráskəpi/-ɔ́-] *n.* U 현미경 검사[사용법].

mícro·skìrt *n.* C 마이크로스커트《미니스커트보다 짧음》.

mícro·súrgery *n.* U 〖醫〗 현미(顯微) 외과(수술).

mi·cro·tome [máikrətòum] *n.* C 마이크로톰《검경용(檢鏡用)의 얇은 조각을 써는 절단기, 검경용 메스》.

mícro·vòlt *n.* C 〖電〗 마이크로볼트

《100만분의 1볼트》.
mi·cro·wave[máikrouwèiv] *n.* Ⓒ 극(極)초단파《파장 1m-1cm》; =MICROWAVE OVEN.
mícrowave òven 전자 레인지.
mic·tu·ri·tion[mìktʃəríʃən] *n.* Ⓤ 〖醫〗 요의(尿意) 빈번; 방뇨(작용).
*__mid__[1][mid] *a.* 중앙의, 중간의, 중부의. ***in* ~ *air*** 공중에, 허공에.
mid[2], **'mid** *prep.* 《詩》 =AMID.
mid. middle; midshipman.
mìd·afternóon *n.* Ⓤ 이른 오후《3시 전후》.
Mi·das[máidəs] *n.* 〖그神〗 미다스《손에 닿는 모든 것을 황금으로 변하게 하는 힘을 부여받았던 프리지아의 왕》; Ⓒ 큰 부자; 《美》 조기 경보용 위성.
mìd·còurse *a., n.* (우주선의) 궤도 중간의; Ⓒ 중간 궤도.
míd·cùlt *n.* Ⓤ,Ⓒ 《美》 중간 문화.
*__mid·day__[ˊdèi, ˊˊ] *n., a.* Ⓤ 정오(의), 한낮(의).
†**mid·dle**[mídl] *n., a.* Ⓤ (the ~) 중앙(의), 중간(의), 중부(의); Ⓒ 〖論〗 중명사(中名辭); (the ~, one's ~) (사람의) 몸통, 허리. ***at the* ~ *of*** …의 중간에. ***in the* ~ *of*** …의 한가운데에; …에 몰두하여.
míddle áge 중년《40-60세》.
*__míddle-áged__ *a.* 중년의.
Míddle Áges, the 중세(기).
Míddle América 중앙 아메리카, 미국의 중서부. 「의) 중간 기사.
míddle árticle 《英》 (신문·잡지
Míddle Atlántic Státes, the 미국 중부 대서양 연안의 주.
*__míddle-cláss__ *a.* 중류 사회〔중산 계급〕의. 「류 사회.
míddle cláss(es) 중산 계급, 중
míddle cóurse 중도(中道).
míddle dístance (그림의) 중경(中景)(middle ground); 중거리(경주).
Míddle Éast, the 중동《Far East와 Near East와의 중간》.
Míddle Énglish ⇨ENGLISH.
míddle fínger 가운뎃손가락.
Míddle Kíngdom, the 중기 고대 이집트 왕국; 중국. 「활.
míddle lífe 중년; 《英》 중류의 생
míddle·màn *n.* Ⓒ 중매인, 매개자; 《美》 MINSTREL show의 중앙에 있는 사람(⇨INTERLOCUTOR).
míddle·mòst *a.* 한가운데의.
*__míddle nàme__ 중간 이름(보기: Lyndon Baines Johnson의 Baines).
míddle-of-the-róad *a.* 중용의, 중도(中道)의. **~er** *n.*
Míddle Páth 〖佛〗 중도(中道).
míddle-sízed *a.* 중형의, 중키의.
Míddle Státes =MIDDLE ATLANTIC STATES.
míddle térm 〖論〗 중명사(中名辭); 〖數〗 중항(中項).
míddle·wèight *n.* Ⓒ (권투·레슬링의) 미들급 선수.
Míddle Wést, the 미국 중서부 (Midwest).
mid·dling[mídliŋ] *a.* 중등의, 보통의. — *n.* (*pl.*) 중등품, 2급품. — *ad.* 중 정도로, 웬만큼(~ *good*), 꽤, 상당히.
mid·dy[mídi] *n.* = 《口》 MIDSHIPMAN; =MIDDY BLOUSE.
míddy blòuse (소녀가 입는) 세일러식의 깃이 달린 블라우스.
míd·fìeld *n., a.* Ⓤ (경기장의) 중앙부, 필드 중앙부(의). 「꼬마.
midge[midʒ] *n.* Ⓒ 모기, 파리매;
mid·get[mídʒit] *n., a.* Ⓒ 난쟁이; 꼬마; 극소형의 (물건); 아주 작은.
mídget súbmarine 〖海軍〗 (2인승의) 특수 잠수함.
MIDI[mídi] (<*m*usic *i*nstrument *d*igital *i*nterface) *n.* 〖컴〗 미디.
mi·di[mídi] *n.* Ⓒ 중간 길이의 스커트〔드레스〕.
mid·i·ron[mídàiərn] *n.* Ⓒ 〖골프〗 2번 아이언《중거리용 클럽》.
mid·land[mídlənd] *a.* (나라의) 중부의; 내지의; (M-) 영국 중부 지방의; 육지로 둘러싸인. — *n.* (the ~) (나라의) 중부; (M-) 영국 중부 지방 방언. ***the Midlands*** 잉글랜드의 중부 여러 주.
⁑**mid·night**[mídnàit] *n., a.* Ⓤ 자정(의), 한밤중(의). ***burn the* ~ *oil*** 밤 늦게까지 공부하다〔일하다〕.
míd-óff *n.* Ⓒ 〖크리켓〗 투수 왼쪽에 자리잡은 외야수(外野手).
míd-ón *n.* Ⓒ 〖크리켓〗 투수 오른쪽에 자리잡은 외야수.
míd·rìff *n.* Ⓒ 횡경막; 몸통.
míd·shìp *a., n.* (the ~) 배의 중앙부(의).
mídship·man[-mən] *n.* Ⓒ 《英》 해군 소위 후보생; 《美》 (Annapolis) 해군 사관 학교 생도.
*__midst__[midst] *n.* Ⓤ 중앙, 한가운데. ***in our*** 〔***your, their***〕 **~** 우리들〔당신들, 그 사람들〕 가운데〔사이〕에서. ***in the* ~ *of*** …의 한 가운데에서. — *ad.* 중간에, 한가운데에. ***first, ~, and last*** 시종일관해서. — *prep.* 《詩》 …의 (한)가운데에.
míd·strèam *n.* Ⓤ 중류(中流).
*__míd·súmmer__ *n.* Ⓤ 한여름《하지(夏至) 무렵》.
Mídsummer Dáy 세례자 요한 축일《6월 24일(영국에서는 quarter days의 하나)》. 「광란.
mídsummer mádness 극도의
míd·tèrm *a.* 《美》 (학기, 대통령 임기 등의) 중간의(~ *election* 중간 선거). — *n.* Ⓤ (종종 *pl.*) 《美口》 중간 시험.
míd·tówn *n.* Ⓒ 《美》 downtown과 uptown의 중간 지대.
*__mid·wáy__ *a., ad.* 중도의(에). — [ˊˋ] *n.* Ⓒ 중도; 《美》 (박람회 따위의) 중앙로; 복도. 「WEST.
Míd·wést *n.* 《美》 = MIDDLE
mid·wife[mídwàif] *n.* (*pl.* ***-wives***) Ⓒ 조산원, 산파. **~·ry**[-wàifəri,

-wìf-] *n.* Ⓤ 조산술, 조산학.
*míd·wínter *n.* Ⓤ 한겨울.
Midx. Middlesex《이전의 잉글랜드 남부의 주》.
mien[mi:n] *n.* Ⓤ《雅》풍채, 태도.
miff[mif] *n.* (*sing.*)《口》부질없는 싸움; 분개. —— *vt., vi.*《口》불끈(하게)하다.
MIG, Mig[mig, émáidʒí:] *n.* Ⓒ 미그기《러시아의 제트 전투기》.
‡**might**[1][mait] *n.* Ⓤ 힘《정신적·육체적》; 우세. ***with*** **~** ***and main,*** or ***with all one's*** **~** 전력을 다하여.
†**might**[2] may의 과거. ①《might+동사의 원형》《가능성》*It ~ happen sometime.* 혹은 언젠가 일어날는지도 모른다《may 보다 가능성이 적음》;《허가》*M- I use your car?* 차를 빌려 주시겠습니까《may보다 공손》;《명령》*You ~ imagine.* 좀 생각해 주세요《may보다 공손》;《소망》*You ~ help me.* 도와 주어도 좋으련만. ②《~ have+과거분사》*They ~ have helped me.* 도와줄 수 있었던 것을. ***as*** **~** ***be*** 〔***have been***〕 ***expected ...*** 예기했던 대로 …이다. **~** ***as well*** …함이 좋을 것이다. **~** ***as well ... as*** …할 정도라면 …하는 편이 낫다(*You ~ as well do anything as do that.* 딴 일은 몰라도 그것만은 그만두시오).
‡**might·y**[máiti] *a., ad.* ① 힘센, 강대한. ② 위대한, 굉장한. ③ 거대한. ④《口》몹시. ***high and*** **~** 교만한. **míght·i·ly** *ad.* 힘차게.
mi·gnon·ette[mìnjənét] *n.* (F.) Ⓤ,Ⓒ〖植〗목서초(木犀草); Ⓤ 쑥색; Ⓒ 가는 실로 뜬 레이스.
mi·graine[máigrein/mí:-] *n.* (F.) Ⓤ,Ⓒ〖醫〗편두통.
mi·grant[máigrənt] *a.* 이주(移住)하는. —— *n.* Ⓒ 이주민; 철새.
‡**mi·grate**[máigreit, ―⌐] *vi.* ① 이주하다. ② (새·물고기가 정기적으로) 이동하다.
‡**mi·gra·tion**[maigréiʃən] *n.* ① Ⓤ,Ⓒ 이주, 이전; Ⓒ 이주자〔동물〕(의 떼). ② Ⓤ〖化〗(분자 내의) 원자 이동.
mi·gra·to·ry[máigrətɔ̀:ri/-təri] *a.* 이주하는.
mike[1][maik] *vi., n.* Ⓒ《英俗》게으름(피우다). ***on the*** **~** 게으르게.
*****mike**[2] *n.* Ⓒ《口》마이크(로폰).
Míke Fínk[-fíŋk]〖美傳說〗갖가지 큰 일을 해낸 영웅적 뱃사공.
mil[mil] *n.* Ⓒ〖電〗밀《1인치의 천분의 1, 전선의 직경을 재는 단위》.
mil. military; militia.
mi·la·dy[miléidi] *n.* Ⓒ 마님(cf. milord, milor)《영국 귀부인에 대한 호칭; my lady의 와전》.
mil·age[máilidʒ] *n.* =MILEAGE.
Mil·an·ese [mìləní:z, -ní:s] *n.* (*pl.* ~), *a.* Ⓒ (이탈리아의) 밀라노(Milan) 사람(의).
milch[miltʃ] *a.* (소·산양 등이) 젖이 나는.
mílchców 젖소;《비유》돈줄.
‡**mild**[maild] *a.* ① (태도가) 유순한, 온화한. ② (맛이) 순한, 달콤한 (opp. bitter). ③ (기후가) 온화한 (cf. moderate). ④ (병이) 가벼운 (opp. serious). DRAW ***it*** **~.** **~** ***case*** 경증(輕症). **~** ***steel*** 연강(軟鋼). **⌐·en** *vt., vi.* ~하게 하다〔되다〕. ***⌐·ly** *ad.* **⌐·ness** *n.*
mil·dew[míldjù:] *n.* Ⓤ 곰팡이, 백분병균(白粉病菌). —— *vt., vi.* 곰팡나(게 하)다. **~·y** *a.*
†**mile**[mail] *n.* Ⓒ 마일《1,760야드, 1,609km》. ***not*** 100 **~*s from*** … 의 부근에《소재를 모호하게 말할 때》.
*****mile·age**[⌐idʒ] *n.* Ⓤ ① 마일수(에 의한 운임). ② (마일수 계산에 의한) 여비 수당.
míle·pòst *n.* Ⓒ 이정표(里程標).
*****míle·stòne** *n.* Ⓒ ① 이정표. ② 획기적 사건.
mi·lieu [mi:ljú/mí:ljə:] *n.* (*pl.* **~*s*, ~*x***[-z]) (F.) Ⓒ 주위, 환경.
*****mil·i·tant**[mílitənt] *a., n.* 싸우고 있는; 투쟁적인; Ⓒ 호전적인(사람); 투사. ***the church*** **~** 신전(神戰)의 교회《지상에서 악마나 사악과 싸우고 있는 기독교회》. **-tan·cy** *n.* Ⓤ 투지; 교전 상태.
*****mil·i·ta·rism**[mílitərìzəm] *n.* Ⓤ 군국주의. **-rist** *n.*
mil·i·ta·rize[mílitəràiz] *vt.* 군국화하다; 전시 체제로 하다.
‡**mil·i·tar·y**[mílitèri/-təri] *a.* ① 군(인)의, 군인다운, 군용의. ② 군인의 경력이 있는; 군인의 특징이 있는. —— *n.* (the ~)《집합적》군인, 군부.
mílitary affáirs 군사.
mílitary attaché (대〔공〕사관부) 육군 무관.
mílitary desérter 탈주병.
mílitary engineéring 군사 공학, 공병학.
mílitary hòspital 육군 병원.
mílitary márch 군대 행진곡.
mílitary políce 헌병대《생략 MP》.
mílitary sérvice 병역.
mílitary tèstament 군인의 구두(口頭) 유언.
mil·i·tate[mílitèit] *vi.* 작용하다, 크게 힘이 되다(*against; in favor of*).
*****mi·li·tia**[milíʃə] *n.* Ⓒ 의용군;《美》국민군.
†**milk**[milk] *n.* Ⓤ 젖; 우유; 젖 모양의 액체; 유제(乳劑). ***cry over spilt*** **~** 돌이킬 수 없는 일을 후회하다. **~** ***and honey*** 풍요(豐饒). **~** ***and water*** 물 탄 우유; 시시한 감상〔담화〕. **~** ***for babies*** (서적·교리의) 어린이 상대의 것(opp. STRONG meat). **~** ***of human kindness*** 따뜻한 인정《Sh., *Macb.*》. ***separated*** 〔***skim***〕 **~** 탈지유(脫脂乳). ***whole*** **~** 전유(全乳). —— *vt.* (…의) 젖을 짜다; 착취하다, 밥으로 삼다; 즙을 짜내다; 도청하다. **~** ***the bull*** 〔***ram***〕 가망 없는 일을 하다.
mílk bàr 밀크바《우유·샌드위치 따

위를 파는 가게》.
mílk-flòat *n.* Ⓒ 《英》 우유 배달차.
mílk glàss 젖빛 유리.
***mílk·màid** *n.* Ⓒ 젖 짜는 여자.
milk·man[ˊmæ̀n, -mən] *n.* Ⓒ 우유 배달부.
mílk pòwder 분유.
mílk rùn 우유 배달; 《俗》 (매일 이른 아침에 행하는) 폭격〔정찰〕 비행.
mílk snàke 회색의 독 없는 뱀.
mílk·sòp *n.* Ⓒ 유약한 사람.
mílk tòoth 젖니.
mílk-whíte *n., a.* Ⓤ 유백색〔젖빛〕「(의).
milk·y**[mílki] *a.* ① 젖의, 젖 같은. ② 무기력한. ***the M- Way 은하(銀河).
:mill[1][mil] *n.* Ⓒ ① 물방앗간; 제분소. ② 제분기, 분쇄기; 공장. ③ 《俗》 권투 경기, 치고 받기. ***go*** 〔***put***〕 ***through the ~*** 수련을 쌓다〔쌓게 하다〕. ***The ~s of God grind slowly, yet they grind exceeding small.*** 《속담》 하늘의 응보는 때로 늦기는 해도 언젠가는 반드시 온다. ― *vt.* (곡물 등을) 갈아서 가루로 만들다; 분쇄하다; (나사 따위를) 융단으로 만들다; (화폐에) 깔쭉이를 내다, 주먹으로 때리다; (초콜릿 따위를) 저어 거품을 일게 하다. ― *vi.* 물방아를 쓰다; 《俗》 서로 치고받다; (가축 따위가) 떼를 지어 빙빙 돌다.
mill[2] *n.* Ⓒ 《美》 1센트의 10분의 1.
Mill[mil], **John Stuart**(1806-73) 영국의 경제학자·사상가.
míll·bòard *n.* Ⓤ 마분지, 서적 표지용 판지(板紙).
míll·dàm *n.* Ⓒ 물방아용 둑.
mil·le·nar·i·an[mìlənέəriən] *a., n.* 지복 천년(至福千年)의; Ⓒ 지복 천년설을 믿는 (사람).
mil·le·nar·y[mílənèri/məlénəri] *a.* 천 개의; 천년의; 지복 천년의, 그 설을 믿는. 「지복」천년의.
mil·len·ni·al[miléniəl] *a.* 천년의;
mil·len·ni·um[miléniəm] *n.* (*pl.* ***~s, -nia***[-niə]) Ⓒ 천년의 기간; (the ~) 지복 천년《예수가 재림해서 지상을 지배하는》.
mil·le·pede[míləpìːd] *n.* Ⓒ 〖動〗 노래기.
:mill·er[mílər] *n.* Ⓒ ① 물방앗간 주인; 제분업자; 공장주. ② (흰 점이 있는) 나방의 일종. ***drown the ~*** (화주·반죽에) 물을 타다.
mil·les·i·mal[milésəməl] *a., n.* Ⓒ 천분의 1(의).
mil·let[mílit] *n.* Ⓤ 〖植〗 기장.
Mil·let[miléi], **Jean François** (1814-75) 프랑스의 화가.
mil·li-[mílə, -li] *pref.* '천분의 1'의 뜻 : ***milli***bar; ***milli***gram(me); ***milli***liter; ***milli***litre; ***milli***meter; ***milli***metre.
mil·liard[míljaːrd] *n.* (F.) Ⓒ《英》 10억. 「《기압의 단위》.
mil·li·bar [míləbàːr] *n.* Ⓒ 밀리바
mílli·gràm(me) *n.* Ⓒ 밀리그램《생략 mg》.
mílli·lìter, 《英》 **-tre** *n.* Ⓒ 밀리리터《생략 ml》. 「미터《생략 mm》.
***mílli·mèter,** 《英》 **-tre** *n.* Ⓒ 밀리
mílli·mícron *n.* Ⓒ 밀리미크론《천분의 1미크론; 기호 mμ》.
mil·li·ner[mílənər] *n.* Ⓒ 부인 모자 제조인〔판매인〕.
mil·li·ner·y[-nèri/-nəri] *n.* Ⓤ 부인용 모자류〔장신구류〕; Ⓒ 그 판매업.
mill·ing[míliŋ] *n.* Ⓤ 맷돌로 갈기; 제분; (모직물의) 축융(縮絨); (화폐에) 깔쭉이를 내기; (화폐의) 깔쭉이.
milling machìne 프레이즈반(盤).
†mil·lion[míljən] *n.* Ⓒ 백만; 무수; 백만 달러; (the ~) 대중. ― *a.* 백만의. ***a ~ to one*** 전혀 불가능한 것 같은. **~th** *n., a.* Ⓒ (the ~) 백만번째(의); 백만분의 1(의).
:mil·lion·(n)aire[ˋ-ˊέər] *n.* Ⓒ 백만 장자(cf. billionaire).
mil·lion·oc·ra·cy [mìljənákrəsi/-nɔ́k-] *n.* Ⓤ 재벌〔부호〕 정치.
míll·pònd *n.* Ⓒ 물방아용 저수지.
míll·ràce *n.* Ⓒ 물방아용 물줄기.
Mílls bòmb 〔**grenàde**〕 [mílz-] 〖軍〗 난형(卵形) 고성능 수류탄.
míll·stòne** *n.* Ⓒ 맷돌. ***between the upper and the nether ~(s) 진퇴유곡에 빠져.
míll whèel 물방아 바퀴.
mi·lor(d)[milɔ́ːr(d)] *n.* Ⓒ 각하, 나리(cf. milady)《프랑스 사람이 영국의 귀족·신사에게 씀; my lord의 와전》; 영국 신사.
milque·toast[mílktòust] *n.* Ⓒ 《美》 무기력한 사람, 마음이 약한 사람, 겁쟁이. **~·ish** *a.*
milt[milt] *n.* Ⓤ (물고기의) 이리; Ⓒ 비장. ― *a.* (수컷이) 번식기인. ― *vt.* (알을) 수정시키다. **ˊ·er** *n.* Ⓒ 산란기의 물고기 수컷.
Mil·ton[míltən], **John**(1608-74) 영국의 시인《*Paradise Lost*》.
Mil·to·ni·an[miltóuniən], **Mil·ton·ic**[-tánik/-ɔ́-] *a.* Milton풍의.
mime[maim] *n.* Ⓤ,Ⓒ (고대 그리스·로마의) 몸짓 익살극; Ⓒ 그 배우. ― *vt.* 몸짓으로 연극을 하다.
mim·e·o·graph[mímiəgræ̀f] *n., vt.* Ⓒ 등사판; 등사판으로 인쇄하다.
mi·me·sis[mimíːsis, mai-] *n.* Ⓤ 〖生〗 의태(擬態).
mi·met·ic[mimétik, mai-] *a.* 모방의; 의태의; 〖醫〗 의사(疑似)의.
mim·ic**[mímik] *a.* 흉내내는, 모방의; 가짜의. ― *n.* Ⓒ 흉내내는 사람. ― *vt.* (-ck-***) 흉내 내(어 조롱하)다; 모사(模寫)하다.
***mim·ic·ry**[mímikri] *n.* Ⓤ 흉내; Ⓒ 모조품; Ⓤ 의태.
mim·i·ny-pim·i·ny[mímənipímənì] *a.* 점잔빼는, 지나치게 세련된.
mi·mo·sa[mimóuzə, -sə] *n.* Ⓤ,Ⓒ 〖植〗 함수초(의 무리)《자귀나무 따위》.
Min. Minister; Ministry. **min.**

minimum; minute(s).

mi·na·cious[minéiʃəs] *a.* 위협〔협박〕적인.

min·a·ret[mínərèt, ⌐—⌐] *n.* Ⓒ (회교 교당의) 뾰족탑.

min·a·to·ry[mínətɔ̀:ri/-təri] *a.* = MINACIOUS.

mince**[mins] *vt.* (고기 따위를) 잘게 다지다; 조심스레 말하다. — *vi.* 맵시를 내며 종종걸음으로 걷다, 점잔빼며 말하다. — *n.* =⌐·**mèat** 잘게 썬 고기. ***make ~ meat of …을 난도질하다; …을 철저하게 해내다. **~ *pie*** 민스미트〔잘게 썬 고기〕를 넣은 파이. **mínc·ing** *a., n.* 점잔빼는; Ⓤ 점잔빼(*Let us have no mincing of matters* 〔*words*〕. 까놓고 말하자).

†**mind**[maind] *n.* ① Ⓤ 마음, 정신. ② Ⓤ 기억(력). ③ Ⓤ,Ⓒ 의견, 생각; 의지. ④ Ⓤ 지력, 이성. ⑤ Ⓤ,Ⓒ 기질, 기분. ⑥ Ⓒ (마음의 소유자로서의) 사람. ***bear*** 〔***keep***〕 ***in ~*** 유념하다. ***be in two ~s*** 결심을 못하다. ***be of a person's ~*** …와 같은 의견이다. ***be out of one's ~*** 잊고 있다; 미치다. ***bring*** 〔***call***〕 ***to ~*** 상기하다. ***come to one's ~*** 머리에 떠오르다. ***give one's ~ to*** …에 전념하다. ***have a great ~ to*** 몹시 …하고 싶어 하다. ***have half a ~ to*** …할까 생각하고있다. ***know one's own ~*** 결심이 되어 있다. ***make up one's ~*** 결심하다(resolve)(*to* do). **~*'s eye*** 심안(心眼), 상상력. ***of a ~*** 마음을 같이하여. ***Out of sight, out of ~.*** 《속담》 헤어져있다면 마음도 멀어진다. ***put a person in ~*** 생각나게 하다, 연상시키다. ***say*** 〔***tell***〕 ***one's ~*** 흉중을 털어 놓다; 직언하다. ***time out of ~*** 태고적, 옛날. ***to my ~*** 나의 생각으로는.

— *vt.* ① (…에) 주의를 기울이다; 마음에 두다, 주의하다, 조심하다(~ *the step* 발 밑을 조심하다). ② 전념하다(*M- your own business.* 웬 참견이냐(너 할일이나 하라)). ③ 《의문·부정문에서》 신경 쓰다, 염려하다, 싫어하다(*'Should you ~ my telling him?' 'No, not at all.'* '그에게 이야기해도 괜찮습니까' '예, 괜찮고 말고요' / *Would you ~ shutting the door?* 문을 좀 닫아 주실까요?). ④ (주의해서) 돌보다. ⑤ 《古·方》 잊지 않고 있다. — *vi.* 정신차리다; 꺼리다; 걱정〔조심〕하다. ***if you don't ~*** 괜찮으시다면. **~ *you!*** 《삽입구》 알겠지, 잘 듣게. ***M- your eye!*** 정신차려! ***Never ~!*** 걱정마라; 네가 알바 아니다. **~·er**[⌐ər] *n.* Ⓒ 《주로 英》 지키는 사람. *⌐·**ful** *a.* 주의깊은, 마음에 두는(*of*). ⌐·**less** *a.* 분별없는, 부주의한. **(-)mind·ed** [⌐id] *a.* 할 마음이 있는.

mínd rèading 독심술(讀心術).

†**mine**¹[main] *pron.* 《I의 소유대명사》 나의 것; 《詩·古》 (모음 또는 h자 앞에서) 나의(my). ***me and ~*** 나와 나의 가족.

‡**mine**² *n.* Ⓒ ① 광산; 광갱(鑛坑). ② 《비유》 보고(寶庫); 철광. ③ 〖軍〗 갱도(坑道). ④ 기뢰, 지뢰. ***charge a ~*** 지뢰를 장치하다. ***lay a ~*** 지뢰〔기뢰〕를 부설하다; 전복을 기도하다(*for*). ***spring a ~ on*** …을 기습하다. — *vt.* 채굴하다; 갱도를 파다; 기뢰를 부설하다; 음모로 전복시키다(undermine).

míne detèctor 지뢰〔광물〕 탐지기. 「매장지.

míne field 지〔기〕뢰원(原); 광석

míne làyer 기뢰 부설함(艦).

‡**min·er**[máinər] *n.* Ⓒ 갱부; 지뢰공병.

‡**min·er·al**[mínərəl] *n.* ① Ⓒ 광물; 〖化〗 무기물. ② (*pl.*) 《英》 광천(鑛泉); 탄산수. — *a.* 광물의〔을 포함한〕; 무기의.

min·er·al·ize[mínərəlàiz] *vt., vi.* 광(물)화하다; 광물을 함유시키다; 채광하다.

míneral kìngdom, the 광물계.

min·er·al·o·gy [mìnərǽlədʒi] *n.* Ⓤ 광물학. **-og·i·cal** [mìnərəládʒikəl/-ɔ́-] *a.* **-gist**[mìnərǽlədʒist] *n.* Ⓒ 광물학자.

míneral òil 광유(鑛油)《석유 따위》.

míneral pìtch 아스팔트《천연의》.

míneral sprìng 광천(鑛泉).

míneral wàter 광천수, 《英口》 탄산수.

Mi·ner·va[minə́:rvə] *n.* 〖로神〗 미네르바《지혜의 여신; 그리스 신화의 Athena》.

míne swèeper 소해정(掃海艇).

míne swèeping 소해 (작업).

‡**min·gle**[míŋgəl] *vt., vi.* ① 섞(이)다. ② 사귀다, 어울리다. **~ *their tears*** 따라 울다.

min·gy[míndʒi] *a.* 인색한. 「(것).

min·i[míni] *a., n.* Ⓒ 《口》 (썩) 작은

‡**min·i·a·ture**[míniətʃər, -tʃùər] *n.* ① Ⓒ (작은) 모형; 축소화; 축도. ② Ⓤ 미세(微細)화법. ***in ~*** 소규모로; 축도의. — *a.* 축도의; 소형의. — *vt.* 미세화로 그리다; 축사(縮寫)하다. **-tur·ist** *n.* Ⓒ 세밀 화가, 미니어처 화가.

míniature cámera (35mm 이하의) 소형 카메라. 「이.

míni·bìke *n.* Ⓒ 《美》 소형 오토바

míni·bùs *n.* Ⓒ 마이크로버스.

míni·càb *n.* Ⓒ 《英》 소형 콜택시.

míni·càm(era) *n.* =MINIATURE CAMERA.

míni·càr *n.* Ⓒ 소형 자동차.

mìni·compúter *n.* Ⓒ 〖컴〗 미니컴퓨터.

min·im[mínəm] *n.* Ⓒ 〖樂〗 2분음표; 미세한 물건; 액량의 최소 단위《1 dram의 1/60; 생략 min.》.

min·i·mal[mínəməl] *a.* 최소량〔수〕의, 극소의.

mínimal árt 미니멀 아트《최소한의 조형 수단으로 제작된 그림·조각》.

M

min·i·mize[mínəmàiz] *vt.* 최소로 하다; 최저로 어림잡다; 경시하다.
:min·i·mum [mínəməm] *n.* (*pl.* **~s, -ma**[-mə]) Ⓒ 최소량; 〖數〗 극소(opp. maximum). — *a.* 최소 한도의, 최저의.
mínimum wáge 최저 임금.
***min·ing**[máiniŋ] *n.* Ⓤ 채광, 광업. — *a.* 채광의, 광산의(~ *industry* 광업).
min·ion[mínjən] *n.* Ⓒ 《蔑》 총애받는 사람《아이·여자·하인 등》; 앞잡이, 부하. ~ **of fortune** 행운아.
míni·pìll *n.* Ⓒ 작은 알의 먹는 피임약.
míni·skìrt *n.* Ⓒ 미니스커트.
:min·is·ter[mínistər] *n.* Ⓒ ① 성직자. ② 장관, 대신, 각료. ③ 공사(公使). ④ 대리인; 하인. ***the prime*** ~ 국무총리, 수상. ***vice-*** ~ 차관. — *vi.* 힘을 빌리다; 공헌하다(*to*); 쓸모가 있다; 봉사하다. — *vt.* (제사를) 올리다; 공급하다.
min·is·te·ri·al[mìnəstíəriəl] *a.* 대리의, 대행의; 장관〔각료〕의, 정부측의, 공사의; 목사의; 종속적인. ***the*** ~ ***party*** 여당.
mínister plenipoténtiary 특명전권 공사.
min·is·trant[mínistrənt] *a.* 봉사하는, 보좌의. — *n.* Ⓒ 봉사자, 보좌역.
min·is·tra·tion[mìnəstréiʃən] *n.* Ⓤ (목사의) 직무; Ⓤ,Ⓒ 봉사; 보조.
:min·is·try[mínistri] *n.* ① (the ~) 성직(聖職). ② Ⓒ (M-) (장관 관할의) 부(部), 성(省); (영국·유럽의) 내각. ③ 《집합적》 목사들, 각료(閣僚). ④ Ⓤ,Ⓒ 직무, 봉사. ***M- of Defense*** 국방부.
míni·tràck *n.* 〖宇宙〗 (때로 M-) 미니트랙《인공 위성 등에서 내보내는 전파의 추적 장치》.
min·i·ver[mínəvər] *n.* Ⓤ (귀족 예복의) 흰 모피.
***mink**[miŋk] *n.* Ⓒ 〖動〗 밍크《족제비류》; Ⓤ 그 모피.
Min·kóẃ·ski wòrld 〔**ùniverse**〕 [miŋkɔ́:fski-] 〖數〗 민코프스키 세계《4차원의 좌표에 따라 기술되는 시공(時空)》.
Minn. Minnesota.
min·ne·sing·er, M-[mínəsìŋər] *n.* Ⓒ (중세 독일의) 음유(吟遊) 시인.
:Min·ne·so·ta[mìnəsóutə] *n.* 미국 중북부의 주《생략 Minn.》.
min·now[mínou] *n.* Ⓒ 황어(黃魚), 피라미; 작은 물고기. ***throw out a*** ~ ***to catch a whale*** 새우로 고래를 낚다; 큰 이익을 위해 작은 이익을 버리다.
:mi·nor[máinər] *a.* ① 작은 쪽의 (opp. major). ② 중요하지 않은, 2류의; 〖樂〗 단음계의. ③ 손아래의 (*Jones* ~)《학교에서 같은 성이 두 사람 있을 때》. ④ 《美》 부전공 과목의. — *n.* Ⓒ ① 미성년자. ② 〖論〗 소명사(小名辭); 소전제; 〖樂〗 단조. ③ (M-) 프란체스코회의 수사. ④ 《美》 부전공 과목. ***in a*** ~ ***key*** 〖樂〗 단조로, 음울한 곡조로.
:mi·nor·i·ty[minɔ́:riti, mai-] *n.* ① Ⓤ 미성년(기). ② Ⓒ 소수(파); 소수당(opp. majority).
mínor kéy 〖樂〗 단조.
mínor léague 《美》 마이너리그《2류의 프로 야구 연맹》.
mínor scále 〖樂〗 단음계.
Min. Plen. Minister Plenipotentiary.
min·ster[mínstər] *n.* Ⓒ 《英》 수도원 부속 교회당; 대성당.
***min·strel**[mínstrəl] *n.* Ⓒ ① (중세의) 음유(吟遊) 시인; 가수, 시인. ② (*pl.*) =∠ **shòw** (흑인으로 분장한) 가극단. ~**·sy** *n.* Ⓤ 음유 시인의 연예; 음유 시인들.
***mint**[1][mint] *n.* Ⓤ 〖植〗 박하(薄荷); Ⓒ 박하사탕.
mint[2] *n.* Ⓒ 조폐국; (*a* ~) 거액(*a* ~ *of money* 거액의 돈); (발명·음모 등의) 근원. — *vt.* (화폐를) 주조하다; (신어를) 만들어 내다; 발명하다. ~**·age**[∠idʒ] *n.* Ⓤ 조폐; 주조화폐.
min·u·et[mìnjuét] *n.* Ⓒ 미뉴에트《3박자의 느린 춤》; 그 곡.
:mi·nus[máinəs] *prep.* ① 〖數〗 마이너스한, …을 뺀(7 ~ 4 *is* (*equal to*) 3. 7-4=3). ② 《口》 …을 잃고 (*He came back* ~ *his arm.* 한 쪽 팔을 잃고 돌아왔다). — *a.* 마이너스의, 음(陰)의. — *n.* Ⓒ 음수(陰數); 마이너스 부호《-》.
mi·nus·cule[mínʌskjù:l, -∠-] *a.* (글자가) 소문자의; 작은.
†min·ute[1][mínit] *n.* Ⓒ ① 분《시간·각도의 단위》; 잠시. ② 간단한 메모. ③ (~s) 의사록. ***any*** ~ 지금 당장에라도. ***in a*** ~ 곧. ***not for a*** 〔***one***〕 ~ 조금도 …않는. ***the*** ~ (***that***) …하자마자(*The* ~ (*that*) *he saw me, he ran away.*). ***this*** ~ 지금 곧. ***to the*** ~ 정확히 (그 시간에). ***up to the*** ~ 최신 유행의. — *vt.* (…의) 시간을 정밀히 재다; 의사초안을 만들다; 기록하다. ~**·ly**[1] *a., ad.* 일분마다(의).
:mi·nute[2][mainjú:t, mi-] *a.* 자디잔, 미소한. ② 정밀한. ~**·ly**[2] *ad.* 세세하게, 상세하게. ~**·ness** *n.*
mínute bòok 기록부; 의사록.
mínute gùn 분시포(分時砲)《1분마다 쏘는 조포·조난 신호포》.
mínute hànd (시계의) 분침.
min·ute·man[mínitmæ̀n] *n.* Ⓒ 《美》 (독립 전쟁 당시 즉각 출동할 수 있게 준비하고 있던) 민병.
mi·nu·ti·a[minjú:ʃiə, mai-] *n.* (*pl.* **-tiae**[-ʃiì:]) (L.) Ⓒ (보통 *pl.*) 상세(한 사정), 세목.
minx[miŋks] *n.* Ⓒ 말괄량이, 왈가닥, 바람난 처녀.
Mi·o·cene[máiəsì:n] *n., a.* (the ~) 〖地〗 중신세(中新世)(의).
:mir·a·cle[mírəkəl] *n.* Ⓒ ① 기적. ② 불가사의한 물건〔사람·일〕. ***to a***

M

～ 기적적으로, 신기할 정도로 훌륭히. ***work* (*do*) *a* ～** 기적을 행하다.
míracle plày (중세의) 기적극.
***mi·rac·u·lous** [mirǽkjələs] *a.* 기적적인, 놀랄 만한, 불가사의한. **～·ly** *ad.* 기적적으로.
mi·rage [mirɑ́:ʒ/∠–] *n.* (F.) Ⓒ 신기루; 망상(妄想).
***mire** [maiər] *n.* Ⓤ ① 진흙; 진창; 습지; 수렁. ② 궁지. ***drag a person's name through the* ～** 아무의 이름을 더럽히다. ***stick* (*find oneself*) *in the* ～** 궁지에 빠지다. ── *vt.* 진창에 몰아 넣다; 곤경에 빠뜨리다; 진흙 투성이로 만들다; 더럽히다. ── *vi.* 진창(곤경)에 빠지다.
Mi·ro [mí:rou], **Joan** (1893-1930) 스페인의 초현실파 화가.
:**mir·ror** [mírər] *n.* Ⓒ ① 거울(looking glass). ② 모범, 전형(典型). ③ 있는 그대로 비추는 것. ── *vt.* 비추다; 반사하다, 반영하다.
:**mirth** [məːrθ] *n.* Ⓤ 환락, 유쾌, 명랑. **∠·less** *a.* 즐겁지 않은, 서글픈.
***mirth·ful** [mə́:rθfəl] *a.* 유쾌한, 명랑한, 즐거운. **～·ly** *ad.*
MIRV [məːrv] multiple independently targeted reentry vehicle 다탄두 각개 목표 재돌입 미사일.
mir·y [máiəri] *a.* 진창인; 진흙투성이의; 더러운.
mis- [mis] *pref.* '잘못하여, 나쁘게, 불리하게' 따위의 뜻.
mìs·administrátion *n.* Ⓤ 실정(失政).
mìs·advénture *n.* Ⓤ 불운; Ⓒ 재난. ***by* ～** 잘못하여(*homicide by* ～ 〖法〗 과실 치사).
mìs·allíance *n.* Ⓒ 어울리지 않는 결혼, 잘못된 결합.
mis·an·thrope [mísənθròup, míz-], **-thro·pist** [misǽnθrəpist, miz-] *n.* Ⓒ 사람이 싫은 사람, 염세가.
mis·an·throp·ic [mìsənθrɑ́pik, mìz-/-θrɔ́-] *a.* 사람 싫어하는, 염세적인.
mis·an·thro·py [misǽnθrəpi, miz-] *n.* Ⓤ 사람을 싫어함, 인간 불신.
mìs·applicátion *n.* Ⓤ,Ⓒ 오용, 남용, 악용.
mìs·applý *vt.* 오용(악용)하다. **-applíed** *a.* 악용된.
mìs·apprehénd *vt.* 오해하다. **-apprehénsion** *n.* Ⓤ 오해.
mìs·appróPriate *vt.* (남의 돈을) 악용하다; 횡령하다.
mìs·appropriátion *n.* Ⓤ 악용, 남용; 〖法〗 횡령.
mìs·arránge *vt.* 잘못 배치(배열)하다.
mìs·becóme *vt.* (*-came; -come*) (…에) 맞지 않다, (…에) 어울리지 않다, (…에) 적합하지 않다.
mìs·beháve *vi.* 무례한 짓을 하다; 방정치 못한 짓을 하다. **-behávior,** 《英》 **-háviour** *n.* Ⓤ 비행(非行).
mìs·belíef *n.* Ⓤ,Ⓒ 그릇된 신념(신앙), 사교.
mìs·belíeve *vi., vt.* 《廢》 잘못 믿다, 이교를 믿다; 의심하다.
mìs·belíever *n.* Ⓒ 이교도.
mìs·cálculate *vt., vi.* 오산하다; 잘못 예측하다. **-calculátion** *n.*
mìs·cáll *vt.* 이름을 잘못 부르다.
mìs·cárriage *n.* Ⓤ,Ⓒ (편지의) 불착; 유산(流産); 실패.
mìs·cárry *vi.* 실패하다; 유산(조산)하다; 편지가 도착하지 않다, 잘못 배달되다.
mìs·cást *vt.* (아무에게) 부적당한 임무를 맡기다; (배우에게) 배역(配役)을 잘못하다.
***mis·cel·la·ne·ous** [mìsəléiniəs] *a.* 잡다한; 가지가지의(～ *goods* 잡화). **～·ly** *ad.*
mis·cel·la·ny [mísəlèini, misélәni] *n.* Ⓒ 잡록, 논문집; 잡동사니.
mìs·chánce *n.* Ⓤ,Ⓒ 불행, 재난.
:**mis·chief** [místʃif] *n.* ① Ⓤ (정신 도덕적인) 해; Ⓤ,Ⓒ (물질적인) 손해, 위해(危害). ② Ⓒ 재난의 씨; 고장. ③ Ⓤ 장난, 익살. ***come to* ～** 폐가 되다. ***do a person a* ～** 아무에게 해를 가(加)하다. ***eyes full of* ～** 장난기 가득 찬 눈. ***like the* ～** 《口》 몹시, 매우. ***make* ～ *between*** …의 사이를 떼어놓다, …을 이간시키다. ***mean* ～** 악의를 품다. ***play the* ～ *with*** 해치다; 엉망으로 하다.
míschief-màker *n.* Ⓒ (소문 등으로) 이간질하는 사람.
***mis·chie·vous** [místʃivəs] *a.* 유해한; 장난치는. **～·ly** *ad.* **～·ness** *n.*
mis·con·ceive [mìskənsí:v] *vt., vi.* 오해하다, 오인하다, 잘못 생각하다(*of*). **-cep·tion** [∸–sépʃən] *n.* Ⓤ,Ⓒ 잘못된 생각, 오인.
mis·con·duct [miskɑ́ndʌkt/-kɔ́n-] *n.* Ⓤ 품행 불량, 간통. ── [mìskəndʌ́kt] *vt.* 실수하다. **～ *oneself*** 방정치 못한 행동을 하다, 품행이 나쁘다.
mìs·constrúction *n.* Ⓤ,Ⓒ 그릇된 조립(구문); 오해, 곡해.
mìs·constrúe *vt.* 뜻을 잘못 해석하다, 오해하다, 그릇 읽다.
mìs·cóunt *n., vt., vi.* Ⓒ 오산(하다), 계산 착오(하다).
mis·cre·ant [mískriənt] *a.* 극악무도한; 이단의. ── *n.* Ⓒ 이단자, 극악 무도한 사람.
mìs·dáte *vt.* (…의) 날짜(연대)를 틀리다.
mìs·déal *vt., vi.* (*-dealt* [-délt]), *n.* Ⓒ 〖카드〗 패를 잘못 도르다(도르기).
mìs·déed *n.* Ⓒ 범죄; 못된 짓.
mis·de·mean·or, 《英》 **-our** [mìsdimí:nər] *n.* Ⓒ 비행, 행실이 나쁨; 〖法〗 경범죄.
mìs·diréct *vt.* 그릇 지시하다; 잘못 겨냥하다; (편지의) 수취인 주소를 잘못 쓰다.
mìs·dóing *n.* Ⓒ (보통 ～s) 나쁜 짓, 비행, 범죄.
mise en scène [mì:z ɑ:n séin] (F.) 무대 장치; 연출; =MILIEU.
:**mi·ser** [màizər] *n.* Ⓒ 구두쇠, 수전

노. ~·ly *a.*
:mis·er·a·ble[mízərəbəl] *a.* 비참한, 불쌍한; 초라한. ***-bly** *ad.*
:mis·er·y[mízəri] *n.* U,C 불행, 비참; 비참한 신세, 빈곤.
mis·fea·sance [misfí:zəns] *n.* U,C 〚法〛 불법 행위, 직권 남용.
mìs·fíre *n., vi.* C (총 따위가) 불발(하다); 목적하는 효과를 못 내다.
mís·fit *n.* C 맞지 않는 것《옷·신 따위》. ── [–⁄] *vt., vi.* 잘못 맞추다; 잘 맞지 않다.
:mis·for·tune[misfɔ́:rtʃən] *n.* U 불운, 불행; C 재난. ***have the ~ to*** (do) 불행하게도 …하다.
mis·give [misgív] *vt.* (***-gave; given***) 의심을 일으키다, 불안하게 하다(*His heart misgave him about the result.* 결과가 근심스러웠다).
mis·giv·ing**[-gíviŋ] *n.* U,C 걱정, 불안, 의심. ***have ~s about …에 불안을 품다.
mìs·góvern *vt.* 악정을 하다. **~·ment** *n.* U 악정, 실정.
mìs·guíde *vt.* 잘못 지도하다, 잘못 생각하게 하다. **-gúided** *a.* 오도된.
mìs·hándle *vt.* 심하게 다루다, 학대하다.
***mis·hap**[⁄hæp, –⁄] *n.* C 재난, 불행한 사고; U 불운, 불행.
mish·mash[míʃmæ̀ʃ] *n.* (a ~) 뒤범벅.
mìs·infórm *vt.* 오보하다; 오해시키다(mislead). **-informátion** *n.*
mìs·intérpret *vt.* 그릇 해석하다. **-interpretátion** *n.* U 오해; 오역.
mìs·júdge *vt., vi.* 그릇 판단하다, 오해하다. **~ment** *n.*
mìs·láy *vt.* (***-laid***) 놓고 잊어버리다; 잘못 놓다.
mis·lead**[-lí:d] *vt.* (-led*** [-léd]) 그릇 인도하다; 잘못하게 하다, 현혹시키다.
***mis·lead·ing**[mislí:diŋ] *a.* 오도하는, 오해하게 하는, 현혹시키는.
mìs·mánage *vt.* 잘못 관리〔취급〕하다, 잘못 처리하다. **~ment** *n.*
mìs·mátch *vt.* 짝을 잘못 짓다.
mìs·náme *vt.* 이름을 잘못 부르다.
mis·no·mer[-nóumər] *n.* C 잘못된 이름, 명칭의 오용, 잘못 부름.
mis·o-[mísou, -sə, máis-] '혐오(嫌惡)'의 뜻의 결합사.
mi·sog·a·my [miságəmi, mai-/-ɔ́-] *n.* U 결혼을 싫어함. **-mist** *n.* C 결혼을 싫어하는 사람.
mi·sog·y·ny [misádʒəni, mai-/-sɔ́dʒ-] *n.* U 여자를 싫어함. **-nist** *n.* C 여자를 싫어하는 사람.
mìs·percéive *vt.* 오인〔오해〕하다. **-percéption** *n.*
mìs·pláce *vt.* 잘못 놓다; (애정·신용을) 부당한 사람에게 주다; 때와 장소를 틀리다. **~d** *a.* **~ment** *n.* U 잘못 두기.
mís·prìnt *n.* C 오식(誤植). ── [–⁄] *vt.* 오식하다.
mis·pri·sion[misprí ʒən] *n.* U 〚法〛 (공무원의) 비행; 범죄 은닉.
mìs·pronóunce *vt., vi.* 잘못 발음하다. **-pronunciátion** *n.* U,C 틀린 발음.
mìs·quóte *vt.* 잘못 인용하다. **-quotátion** *n.* U 잘못된 인용; C 잘못된 인용구.
mìs·réad *vt.* (***-read***[-réd]) 오독하다, 그릇 해석하다.
mìs·represént *vt.* 잘못 전하다; 바르게 나타내지 않다. **-representátion** *n.* U,C 왜곡한 진술; 오전(誤傳).
mìs·rúle *n., vi.* U 악정(을 하다). ***the Lord of M-*** 〚英史〛 크리스마스 연회의 사회자.
†miss[1][mis] *n.* C ① (M-) …양, …씨. ② 아가씨《하녀·점원 등이 부르는 호칭》; 처녀.
:miss[2] *vt.* ① (과녁 따위에) 못 맞히다, 잘못하다. ② (기회를) 놓치다; 길을 잃다; (기차 따위에) 타지 못하다; 빠뜨리고 듣다〔말하다, 쓰다〕. ③ 만나지 못하다; 없〔있지 않〕음을 깨닫다(*You were ~ed yesterday.* 어제는 없었지). ④ 없〔있지 않〕음을 서운하게 생각하다(*The child ~ed his mother very much.*); 없어서 부자유를 느끼다(*I ~ it very much.*); 그리워하다. ⑤ 모면하다(escape) (~ *being killed* 피살을 면하다). ── *vi.* ① 과녁을 빗나가다; 실패하다. ② 보이지 않게 되다; 행방 불명이 되다; 잡지 못하다(*of, in*). ***~ fire*** 불발로 끝나다(cf. misfire); 목적을 이루지 못하다. ***~ one's step*** 실족(失足)하다; 실패하다. ***~ out*** 생략하다. ***~ the point*** (이야기의) 요점을 모르다〔빠뜨리다〕. ── *n.* C 못맞힘; 못잡음; 실수; 탈락; 회피.
Miss. Mississippi.
mis·sal[mísəl] *n.* C 〚가톨릭〛 미사 전서(典書).
mis·sel[mísəl] *n.* C 〚鳥〛 큰개똥지빠귀.
mis·shap·en[misʃéipən] *a.* 보기 흉한; 기형의.
:mis·sile[mísəl/-sail] *n., a.* C 날아 가는 무기《팔매돌·화살·탄환 따위》(로서 쓰이는); 미사일(의)(cf. guided missile).
mis·sile·ry[mísəlri] *n.* U 《집합적》 미사일; 미사일 공학.
:miss·ing[mísiŋ] *a.* ① 없는; 모자라는. ② 보이지 않는; 행방 불명의.
míssing línk, the 〚動〛 잃어버린 고리《유인원과 사람 사이에 존재했다고 가상되는 동물》.
:mis·sion[míʃən] *n.* C ① 사절(단), 전도(단). ② (사절의) 임무, 직무. ③ 사명, 천직. ④ 《美》 해외 대〔공〕사관. ⑤ 〚軍〛 (작전상의) 비행 임무; 우주 비행 계획.
:mis·sion·ar·y[-èri/-əri] *a., n.* 전도의; C 선교사. 「사 양성소.
míssion schòol 전도 학교, 선교
mis·sis[mísiz, -is] *n.* C ① 마님

《하녀 등의 용어》. ② (the ~) (자기의) 아내, 마누라; (일가의) 주부.
:Mis·sis·sip·pi[mìsəsípi] *n.* 미국 남부의 주《생략 Miss.》; (the ~) 북아메리카에서 가장 긴 강. 「편지.
mis·sive[mísiv] *n.* Ⓒ 공식 서한;
***Mis·sou·ri**[mizúəri] *n.* 미국 중부의 주《생략 Mo.》.
mìs·spéll *vt.* (**~ed**[-t, -d], **-spelt**) (…의) 철자를 틀리다.
mìs·spént *a.* 낭비한.
mìs·státe *vt.* 허위〔잘못〕 진술하다. **~ment** *n.*
:mist[mist] *n.* U,C 안개. — *vi., vt.* 안개가 끼다, 흐리게 하다. **∠·i·ly** *ad.* **∠·i·ness** *n.* 「리기 쉬운.
mis·tak·a·ble[mistéikəbəl] *a.* 틀
†mis·take[mistéik] *vt., vi.* (**-took; -taken**) 틀리다, 잘못 생각하다. **~ *A for B,*** A를 B로 잘못 생각하다. — *n.* Ⓒ 잘못, 잘못 생각함; 실책; 〖컴〗 실수《원치 않는 결과를 초래하는 사람의 조작 실수》. ***and no ~*** 《앞의 말을 강조하여》 그것은 틀림없다. ***by ~*** 잘못하여. ***make a ~*** 실수하다, 잘못 생각하다. ***make no ~*** 《口》 틀림없이, 분명히.
:mis·tak·en[mistéikən] *v.* mistake의 과거분사. — *a.* 틀린, 잘못 생각한(*I'm sorry I was ~.* 나의 잘못이었다). **~ *identity*** 사람을 잘못 봄. **~·ly** *ad.*
***mis·ter**[místər] *n.* Ⓒ ① (M-) 군, 씨, 귀하, 님《생략 Mr.》. ② 《美口》 선생님, 나리, 여보시오, 형씨《호칭》.
mìs·tíme *vt.* 부적당한 때에 행하다〔말하다〕, 시기를 놓치다.
***mis·tle·toe**[mísltòu, -zl-] *n.* Ⓤ 〖植〗 겨우살이, 기생목(寄生木).
:mis·took[mistúk] *v.* mistake의 과거.
mìs·translàte *vt.* 오역하다. **-translátion** *n.*
mìs·tréat *vt.* 학대하다. **~ment** *n.* Ⓤ 학대.
:mis·tress[místris] *n.* Ⓒ ① 여주인, 주부. ② (M-) …부인《보통 Mrs. [mísiz]로 생략함》. ③ 여교사; 애인; 정부; 여지배자(*She is her own ~.* 그 여자는 자유의 몸이다). **~ *of the situation*** 형세를 좌우하는 것.
mìs·tríal *n.* Ⓒ 〖法〗 오판(誤判), 무효 심리《절차상 과오에 의한》.
***mis·trust**[mistrʌ́st] *vt.* 신용하지 않다, 의심하다. — *n.* Ⓤ 불신, 의혹. **~ful** *a.* 의심 많은.
***mist·y**[místi] *a.* 안개낀; 희미한; 애매한.
:mis·un·der·stand[mìsʌndərstǽnd] *vt.* (**-stood**) 오해하다. ***~·ing** *n.* U,C 오해; 불화(不和).
***mis·un·der·stood**[-ʌndərstúd] *vt.* misunderstand의 과거(분사). — *a.* 오해받은; 가치를 인정할 수 없는.
***mis·use**[-júːz] *vt.* ① 오용하다《어구를》. ② 학대하다. — [-s] *n.* U,C 오용. **-ús·age** *n.* U,C 오용; 학대, 혹사(illtreatment).
M.I.T. Massachusetts Institute of Technology 매사추세츠 공과 대학.
mite[1][mait] *n.* Ⓒ 어린 아이; (보통 *sing.*) 적으나 갸륵한 기부; (a ~) 소량. ***not a ~*** 조금도 …아니다. ***widow's ~*** 가난한 과부의 한 푼《마가복음 XII:42》.
mite[2] *n.* Ⓒ 진드기.
mi·ter, 《英》 **-tre**[máitər] *n.* Ⓒ (bishop의) 주교관(主教冠). — *vt.* 주교(bishop)로 임명하다. **mí·tered,** 《英》 **-tred** *a.* 주교관을 쓴.
mí·tral *a.* 주교관 모양의.
Mith·ra·ism[míθrəìzəm] *n.* Ⓤ 미트라교《고대 페르시아의 종교; 빛의 신(神) Mithras를 숭배》.
mith·ri·da·tize [míθrədèitaiz/miθrídətàiz] *vt.* (독을 조금씩 마시어) 면독성(免毒性)을 기르다《이 방법을 쓴 Mithridates VI의 이름에서》.
***mit·i·gate**[mítəgèit] *vt.* 누그러뜨리다, 완화〔경감〕하다. **-ga·tion**[∸–géiʃən] *n.* U,C 완화〔제〕.
mi·to·chon·dri·a[màitəkándriə/-kɔ́n-] *n. pl.* 〖生〗 미토콘드리아《세포질 속의 호흡을 맡는 소기관》.
mi·to·sis[maitóusis, mi-] *n.* (*pl.* **-ses**[-siːz]) U,C 〖生〗 유사(有絲)분열.
†mitt[mit] *n.* Ⓒ ① (여성용) 손가락 없는 긴 장갑. ② (야구의) 미트. ③ =MITTEN.
mit·ten**[mítn] *n.* Ⓒ ① 벙어리장갑. ② (*pl.*) 《俗》 권투 글러브. ***give 〔***get***〕 ***the ~*** 애인을 차다〔에게 채이다〕.
†mix[miks] *vt.* 섞다, 혼합하다; 사귀게 하다. — *vi.* 섞이다(*in, with*); 교제하다(*with*). ***be ~ed up*** 뒤섞여서 혼란하다; (부정·나쁜 친구 따위에) 걸려들다. **~ *in*** 잘 섞다; 갑자기 싸움을 벌이다. **~ *it with*** …와 싸우다. **∠·er** *n.* Ⓒ 교제가(*a good ~er*); (주방용·콘크리트 등의) 믹서, 혼합기; 〖라디오·TV〗 음량 등의 조정 기술자〔장치〕.
:mixed[mikst] *a.* 섞인; 남녀 혼합의.
míxed-blóod *n.* Ⓒ 《美》 혼혈아, 튀기.
míxed chórus 혼성 합창.
míxed dóubles 〖테니스〗 남녀 혼합 복식.
míxed drínk 혼합주, 칵테일.
míxed ecónomy (자본주의·사회주의 병존의) 혼합 경제《영국에서 볼 수 있음》. 「합 농업.
míxed fárming (목축을 겸한) 혼
míxed fértilìzer 배합 비료.
míxed márriage (다른 종족·종교 간의) 잡혼.
míxed média 혼합 매체《영상·그림·음악 등의 종합적 예술 표현》.
míxed númber 〖數〗 대(帶)분수.
:mix·ture[míkstʃər] *n.* ① U,C 혼합물〔약〕; (감정의) 교차. ② U,C 혼

합. ③ Ⓒ,Ⓤ 첨가물. ④ Ⓒ 혼방 직물.
míx-ùp *n.* Ⓒ 혼란; 《口》 난투.
miz·(z)en[mízən] *n.* Ⓒ 〖船〗 뒷돛대의 가로돛; =⇩.
míz(z)en·màst *n.* Ⓒ 〖船〗 뒷돛대.
míz(z)en·tòp *n.* Ⓒ 뒷 돛대의 장루(檣樓).
miz·zle[mízəl] *n., vi.* Ⓤ,Ⓒ 《方》 이슬비(가 내리다). **míz·zly** *a.*
mk. mark. **MKS, mks, m.k.s.** meter-kilogram-second 미터·킬로그램·초(秒)《3 기본 단위》. **ML, ML., M.L.** Medieval 〔Middle〕 LATIN. **ml, ml.** milliliter(s). **MLA, M.L.A.** Modern Language Association. **MLD, M.L.D., m.l.d.** minimum lethal dose 〖醫·藥〗 최소 치사량. **MLF.** Multilateral (Nuclear) Force (북대서양 조약 기구의) 다변 핵군(多邊核軍). **MLG, M.L.G.** Middle Low German. **Mlle.** *Mademoiselle.* **Mlles.** *Mesdemoiselles.* **MM.** Majesties; *Messieurs* (F.=Sirs). **mm, mm.** millimeter(s). **Mme.** *Madame.* **Mmes.** *Mesdames.* **Mn** manganese.
mne·mon·ic[ni:mánik/-ɔ́-] *a.* 기억을 돕는; 기억(술)의. ***a ~ code*** 〖컴〗 연상 기호 코드. ── *n.* Ⓒ〖컴〗 연상기호. **~s** *n.* Ⓤ 기억술.
mo[mou] *n.* 《口》=MOMENT. ***Wait half a ~.*** 잠깐 기다려 다오.
MO, M.O. Mass Observation; Medical Officer. **Mo** 〖化〗 molybdenum. **Mo.** Missouri; Monday. **M.O., m.o.** money order.
mo·a[móuə] *n.* Ⓒ 공조(恐鳥)《멸종된 뉴질랜드산의 타조 비슷한 큰 새》.
:moan[moun] *vi., vt.* 신음하다; 끙끙거리다; 한탄하다. ── *n.* Ⓒ 신음소리. **∠·ful** *a.* Ⓒ 신음하는, 슬픈듯한, 구슬픈.
***moat**[mout] *n., vt.* Ⓒ (성 둘레에) 해자(垓字)(를 두르다).
:mob[mab/-ɔ-] *n.* Ⓒ 군중, 폭도(暴徒), 오합지졸. ── *vt., vi.* (***-bb-***) 떼지어 습격하다.
mób·càp *n.* Ⓒ (18-19세기경의) 여자용 실내 모자의 일종.
***mo·bile**[móubəl, -bi:l/-bail] *a.* 자유로 움직이는, 변하기 쉬운. ── *n.* Ⓒ 가동물(可動物); 《美俗》 자동차; 〖美術〗 모빌 작품. 「동식 주택.
móbile hóme 트레일러 주택, 이
***mo·bil·i·ty**[moubíləti] *n.* Ⓤ 가동성, 기동성; 감격성.
mo·bi·lize[móubəlàiz] *vt.* 동원하다; 가동성을 부여하다; 유통시키다. **-li·za·tion**[∸bìləzéiʃən] *n.* Ⓤ 동원; 유통시킴.
Mö·bi·us strìp[méibiəs-/mə́:-] 〖數〗 뫼비우스의 띠《장방형의 띠를 180 회전시켜서 양끝을 붙인 곡면(曲面), 면이 하나뿐임》.
mób làw 〔**rùle**〕 폭민 정치; 사형(私刑).
mob·oc·ra·cy[mabákrəsi/mɔbɔ́k-] *n.* Ⓤ 폭민 정치; (지배자로서의) 폭민.
mób psychólogy 군중 심리.
MOBS[mabz/-ɔ-] multiple orbit bombardment system 다수 궤도 폭격 시스템.
mob·ster[mábstər/-ɔ́-] *n.* Ⓒ 갱의 한 사람(gangster).
moc·ca·sin [mákəsin, -zən/mɔ́kəsin] *n.* Ⓒ 북아메리카 토인의 신발; 독사의 일종.
mo·cha[móukə] *n.* Ⓤ 모카 (커피).
:mock[mak, -ɔ:-/-ɔ-] *vt., vi.* ① 조소하다(*at*); 흉내내어 우롱하다. ② 무시하다. ── *n.* Ⓒ 조소(의 대상); 우롱; 모방; 모조품. ── *a.* 모조의 (~ *diamond*); 거짓의(***with ~ gravity*** 진지한 체하고서). **∠·er** *n.* Ⓒ 조소하는 사람.
móck áuction 협잡 경매.
mock·er·y**[mákəri, -ɔ́:-/-ɔ́-] *n.* ① Ⓤ 조롱. ② Ⓒ 조소의 대상; 흉내; 헛수고. ***make a ~ of 우롱하다, 놀리다.
mock·ing·bird [mákiŋbə̀:rd/mɔ́(:)k-] *n.* Ⓒ (북아메리카 남부와 서인도 일대에 있는) 입내새; 지빠귀류의 새.
móck sún 〔**móon**〕 〖氣〗 환일(幻日) 〔환월〕.
móck tùrtle (**sóup**) (송아지 머리로 만든) 가짜 자라 수프.
móck-ùp *n.* Ⓒ 실물 크기의 모형. ***~ stage*** 실험 단계.
mod[mad/-ɔ-] *n.* Gael 사람들의 시와 음악의 집회.
mod·al[móudl] *a.* 형태〔형식〕상의; 〖文〗 법(mood)의; 〖論〗 양식의. **~·ly** *ad.* **mo·dal·i·ty**[moudǽləti] *n.* Ⓤ,Ⓒ 형태, 양식; 〖論〗 (판단의) 양식; (의무·재산 처리의) 실행 방법.
:mode[moud] *n.* ① Ⓒ 양식, 하는 식; 식. ② Ⓤ 유행. ③ Ⓒ 〖樂〗 선법(旋法), 음계(***major ~*** 장음계). ④ Ⓒ 〖컴〗 방식, 모드, 모형. ***out of ~*** 유행에 뒤떨어져, 한물 지나고.
Mod. E. Modern ENGLISH.
†mod·el[mádl/-ɔ́-] *n.* Ⓒ ① 모형, 원형, 본, 설계도. ② (화가 등의) 모델; 마네킨. ③ 모범. ④ 〖컴〗 모형. ── *a.* 모범적인, 모형의. ── *vt.* (《英》 ***-ll-***) 모양〔모형〕을 만들다; (점토 따위를 어떤 형으로) 뜨다, 설계하다, (…을) 본뜨다(*after, on, upon*). ***~ school*** 시범학교. **~·(l)ing** *n.* Ⓤ 모형 제작; 〖美術〗 살 붙이는 기법; 〖컴〗 (어떤 현상의) 모형화. ***~(l)ing clay*** 소상용(塑像用) 점토.
Módel T 발달 초기의, 구식의.
mo·dem[móudèm] *n.* 〖컴〗 변복조(變復調) 장치.
:mod·er·ate[mádərət/-ɔ́-] *a.* ① 온건한, 온화한. ② (양·정도가) 알맞은, 웬만한, 보통의; 절제하는. ③ (병세가) 중간 정도의(***a ~ case***) 《'*mild*'와 '*serious*'의 중간》. ──*n.*

M

M

Ⓒ 온건한 사람; (M-) 〖政〗 온건파의 사람. ── [-dərèit] *vt., vi.* 삼가다, 완화하다, 알맞게 하다; 누그러지다; 중재인 노릇을 하다, 사회(司會)하다. * **~·ly** *ad.* 적당하게, 중간 정도로.

móderate bréeze 〖氣〗 건들 바람《초속 6-8m》.

móderate gále 〖氣〗 센바람《초속 14-17m》.

***mod·er·a·tion** [màdəréiʃən] *n.* Ⓤ 적당, 중용; 완화, 절제. ***in* ~** 정도에 맞게.

mod·er·a·tism [mádərətìzəm/mɔ́d-] *n.* Ⓤ 온건주의《특히 정치상·종교상의》.

mod·e·ra·to [màdərá:tou/mɔ̀-] *ad.* (It.) 〖樂〗 중간 속도로, 모데라토.

mod·er·a·tor [mádərèitər/-ɔ́-] *n.* Ⓒ 조정자; 조절기; 사회자, 의장; (Oxford 대학의) B. A. 시험 위원; 〖理〗 (원자로의) 감속재(減速材).

:mod·ern [mádərn/-ɔ́-] *a.* 현대의; 근대적인, 당세풍의, 모던한.

Módern Énglish ⇨ENGLISH.

módern hístory 근대사.

mod·ern·ism [-ìzəm] *n.* Ⓤ 현대식, 현대 사상; 근대 어법; 〖宗〗 근대주의. **-ist** *n.* Ⓒ 현대주의자.

***mod·ern·ize** [mádərnàiz/-ɔ́-] *vt., vi.* 근〔현〕대화하다. **-i·za·tion** [ㅿ-izéiʃən/-nai-] *n.* Ⓤ 근〔현〕대화.

módern jázz 모던 재즈《1940년대부터 발달》.

módern pentáthlon, the 근대 5종 경기.

módern schóol 〔**síde**〕《英》 현대어〔과학〕중시의 중·고등학교〔학과〕.

módern tímes 현대.

:mod·est [mádist/-ɔ́-] *a.* ① 조신(操身)하는, 겸손한. ② 수줍은; 수수한. * **~·ly** *ad.* **:mód·es·ty** *n.* Ⓤ 조심스러움; 수줍음; 겸양; 정숙.

mod·i·cum [mádikəm] *n.* (a ~) 소량, 소액.

:mod·i·fy [mádəfài/-ɔ́-] *vt.* ① 가감하다, 완화하다. ② 수정하다, 제한하다. ③ 〖文〗 수식하다. ④ 〖컴〗 (명령의 일부를) 변경하다. * **-fi·ca·tion** [ㅿ-fikéiʃən] *n.* Ⓤ,Ⓒ 가감; 수정; 수식. **:-fi·er** *n.* Ⓒ ① 수정자; 〖文〗 수식어. ② 〖컴〗 변경자. 「의.

mod·ish [móudiʃ] *a.* 유행의, 멋쟁이

mo·diste [moudí:st] *n.* (F.) Ⓒ 양재사, 장신구상.

mod·u·late [mádʒəlèit/mɔ́-] *vt.* 조절〔조정〕하다, 음조(音調)를 바꾸다; 〖無電〗 변조하다. **-la·tion** [ㅿ-léiʃən] *n.* Ⓤ,Ⓒ 조절, 억양; 〖無電〗 변조; 〖컴〗 변조. **-la·tor** [ㅿ-ㅿtər] *n.* Ⓒ 〖컴〗 변조기.

mod·ule [mádʒu:l/mɔ́dju:l] *n.* Ⓒ (도량·치수의) 단위, 기준; 〖建〗 (각 부분의) 산출 기준; 모듈, …선(船)《우주선의 구성 단위》(*a lunar* ~ 달 착륙선); 〖컴〗 모듈.

mo·dus o·pe·ran·di [móudəs àpərǽndai/mɔ́dəs ɔ̀pərǽndi:] Ⓒ (L.) 활동방식, 운용법; (범인의) 수법; (일의) 작용 방법.

mo·dus vi·ven·di [-vivéndi:, -dai] (L.) 생활 양식; 잠정 협정.

Mo·gul [móugʌl, ─ㅿ] *n.* Ⓒ 무굴 사람《인도를 정복한 몽골 사람》; 거물. ***the Great*** 〔***Grand***〕 **~** 무굴 황제.

Mógul Émpire, the 무굴 제국《인도 사상 최대의 이슬람 왕조; 1526-1858》.

mo·hair [móuhɛər] *n.* Ⓤ 모헤어《앙골라 염소의 털》; Ⓤ,Ⓒ 모헤어천.

Mo·ham·med [mouhǽmid, -med] *n.* (570?-632) 마호메트《이슬람교의 개조》.

Mo·ham·med·an [mouhǽmidən, -med-] *a.* Mohammed의; 이슬람교의. ── *n.* Ⓒ 회교도. **~·ism** [-ìzəm] *n.*

Mo·howk [móuhɔ:k] *n.* Ⓤ 모호크 말; Ⓒ 모호크 사람《New York주에 살던 북아메리카 토인》.

Móhs' scále [móuz-] 〖鑛〗 모스 굳기계〔경도계〕.

moil [mɔil] *vi.* 악착같이 일하다 (TOIL[1] ***and*** ~). 「감.

moire [mwa:r] *n.* Ⓤ 물결무늬의 옷

:moist [mɔist] *a.* ① 습한, 눅눅한. ② 비가 많은. * **~·en** [mɔ́isn] *vt.* 습하게 하다, 적시다.

:mois·ture [mɔ́istʃər] *n.* Ⓤ 습기, 수분.

móisture-sénsitive *a.* 습기 차기 쉬운, 습기로 쉽게 변질〔변색〕되는.

MOL Manned Orbiting Laboratory 유인(有人) 궤도 실험실.

mo·lar[1] [móulər] *n., a.* Ⓒ 어금니

mo·lar[2] *a.* 〖理〗 질량의. 「(의).

mo·las·ses [məlǽsiz] *n.* Ⓤ 당밀(糖蜜).

:mold[1], 《英》 **mould**[1] [mould] *n.* Ⓒ ① 형(型), 거푸집. ② 《비유》 모양, 모습. ③ (*sing.*) 특성, 성격. ── *vt.* 거푸집에 넣어 만들다; 연마하다. **ㅿ·ing** *n.* Ⓤ 주조; Ⓒ 주조물; 〖建〗 장식 쇠시리.

mold[2], 《英》 **mould**[2] *n.* Ⓤ 곰팡이. ── *vt., vi.* 곰팡나(게 하)다.

mold[3], 《英》 **mould**[3] *n.* Ⓤ 옥토(沃土), 경토(耕土); 《英·方》 토지. ***man of* ~** (죽으면 흙이 되는) 인간.

Mol·da·vi·a [maldéiviə, -vjə/mɔl-] *n.* 몰다비아《러시아 흑해 연안의 한 지방》.

móld·bòard *n.* Ⓒ 보습; 불도저의 흙밀이 판.

mold·er [móuldər] *vi., vt.* 썩어문드러지(게 하)다, 썩다, 허물어지다.

mold·y, 《英》 **mould·y** [móuldi] *a.* 곰팡난; 진부한.

móldy fíg 《俗》 전통 재즈의 팬; 시대에 뒤진 사람〔것〕.

mole[1] [moul] *n.* Ⓒ 사마귀.

***mole**[2] *n.* Ⓒ 〖動〗 두더지. ***blind as a* ~** 눈이 아주 먼.

mole[3] *n.* Ⓒ 방파제, 돌제(突堤).

mole[4] *n.* Ⓒ 〖化〗 몰, 그램분자(mol).

***mo·lec·u·lar** [məlékjələr] *a.* 분자의, 분자로 된.

M

molécular biólogy 〖生〗 분자 생물학

molécular genétics 〖生〗 분자 유전학.

molécular wéight 〖化〗 분자량.

***mol·e·cule** [málikjùːl/-ɔ́-] *n.* Ⓒ 〖理〗 분자.

móle·hìll *n.* Ⓒ 두더지가 파올린 흙.

***mo·lest** [məlést] *vt.* ① 괴롭히다, 지분거리다. ② 방해〔간섭〕하다. **mo·les·ta·tion** [mòulestéiʃən] *n.* Ⓤ 훼방, 방해.

Mo·liere [mòuljɛ́ər/mɔ́liɛər] *n.* (J.B. Poquelin의 펜네임) (1622-73) 프랑스의 극작가.

mol·li·fy [máləfài/-ɔ́-] *vt.* 누그러지게 하다, 달래다. **-fi·ca·tion** [ˋ–fikéiʃən] *n.* Ⓤ,Ⓒ 완화, 진통.

mol·lusc, -lusk [máləsk/-ɔ́-] *n.* Ⓒ 연체 동물. **mol·lus·coid** [məlʌ́skɔid/mɔl-] *n., a.* Ⓒ 의(擬)연체 동물(의).

mol·ly·cod·dle [málikàdl/mɔ́likɔ̀dl] *vt.* 응석받이로 기르다. — *n.* Ⓒ 뱅충맞이.

Mól·o·tov cócktail [málətàf-/mɔ́lətɔ̀f-] 화염병(火焰瓶).

molt [moult] *vt., vi.* (동물이) 탈피하다, 털을 갈(게 하)다. — *n.* Ⓤ,Ⓒ 탈피, 털갈이, 그 시기.

***mol·ten** [móultn] *v.* melt의 과거분사. — *a.* 녹은; 주조된.

Mo·luc·cas [moulʌ́kəz] *n.* 몰루카 군도《동인도 제도의 군도, 인도네시아령; 향신료(香辛料)가 나므로 Spice Islands라고도 함》.

mo·lyb·de·num [məlíbdənəm] *n.* Ⓤ 〖化〗 몰리브덴《기호 Mo》.

mom [mɑm/-ɔ-] *n.* 《口》 =MUMMY².

†**mo·ment** [móumənt] *n.* ① Ⓒ 순간; 때, 현재. ② Ⓤ 중요성. ③ Ⓒ 〖哲〗 계기, 요소. ④ Ⓤ 〖機〗 (축(軸) 둘레의) 운동률, 모멘트, 역률(力率). ***at any*** ~ 언제라도. ***at the*** ~ 당시. ***for the*** ~ 당장. ***in a*** ~ 곧. ***Just a*** ~., or ***One*** ~., or ***Half a*** ~., or ***Wait a*** ~. 잠깐 (기다려 주시오). ***man of the*** ~ 시대의 각광을 받는 인물, 요인. ***of no*** ~ 중요치 않은, 시시한. ***the*** (***very***) ~ ***that ...*** …할 찰나. ***this*** ~ 지금 곧. ***to the*** ~ 제시각에, 일각도 어김없이.

‡**mo·men·tar·y** [móumәntèri/-təri] *a.* 순간의, 찰나의. **-tar·i·ly** *ad.* 잠깐, 시시 각각.

mo·ment·ly [-li] *ad.* 각 일각, 시시각각.

***mo·men·tous** [mouméntəs] *a.* 중대한, 중요한. **~·ly** *ad.*

***mo·men·tum** [mouméntəm] *n.* (*pl.* **~s, -ta** [-tə]) Ⓤ,Ⓒ (물체의) 타성(惰性), 여세; Ⓤ 〖機〗 운동량.

mom·ma [mámə/-ɔ́-] *n.* 《美口·小兒》 =MOTHER.

mom·my [mámi/mɔ́mi] *n.* 《美·兒》 =MOM.

mo-mo [móumòu] *n.* Ⓒ 《美》 얼간이, 반편이.

***Mon.** Monastery; Monday.

mon·a·chal [mánəkəl] *a.* =MONASTIC.

mon·a·chism [mánəkìzəm/-ɔ́-] *n.* =MONASTICISM.

mon·ac·id [mɑnǽsid/-ɔ-] *a.* 〖化〗 일산(一酸)의.

Mon·a·co [mánəkòu/-ɔ́-] *n.* 모나코《프랑스 남동의 작은 나라》.

mon·ad [móunæd, -á-/-ɔ́-] *n.* Ⓒ 단일체; 〖哲〗 단자(單子)《원자·혼·개인·신 따위》; 〖生〗 단세포 생물; 〖化〗 일가 원소(一價元素).

Mo·na Li·sa [móunə líːsə, -zə] 모나리자(=*La Gioconda*).

‡**mon·arch** [mánərk/-ɔ́-] *n.* Ⓒ 군주. **mo·nar·chal** [mənáːrkəl] *a.* 군주의, 군주다운.

mo·nar·chic [mənáːrkik], **-chi·cal** [-əl] *a.* 군주(정치, 국)의.

mon·ar·chism [mánərkìzəm/-ɔ́-] *n.* Ⓤ 군주주의. **-chist** *n.* Ⓒ 군주제 주의자.

***mon·ar·chy** [mánərki/-ɔ́-] *n.* Ⓤ 군주 정치〔정체〕; Ⓒ 군주국.

***mon·as·ter·y** [mánəstèri/mɔ́nəstəri] *n.* Ⓒ 수도원.

***mo·nas·tic** [mənǽstik] *a.* 수도원의; 수도사의; 금욕〔은둔〕적인. **-ti·cism** [-təsìzəm] *n.* Ⓤ 수도원 생활〔제도〕.

mon·au·ral [mɑnɔ́ːrəl/mɔn-] *a.* (레코드 따위가) 모노럴의; 한쪽 귀의〔에 쓰는〕(cf. stereophonic).

†**Mon·day** [mʌ́ndei, -di] *n.* Ⓒ《보통 무관사》 월요일. **~·ish** *a.* 느른한《일요일 다음이라》.

Mónday (**mórning**) **quárter-back** 《美口》 미식 축구 시합이 끝난 뒤 에러를 비평하는 사람; 결과를 가지고 이러쿵저러쿵 비평하는 사람.

monde [mɔ̃ːnd] *n.* (F.) Ⓒ 세상, 사회, 사교계.

Mon·dri·an [mɔ́ːndriɑːn/mɔ́n-], **Peiter Cornelis** (1872-1944) 네덜란드의 추상파 화가《파리에 살았음》.

Mo·nél mètal [mounél-] 〖商標〗 모넬 메탈《니켈·동의 합금; 산에 강함》.

Mo·net [mounéi], **Glaude** (1840-1926) 모네《프랑스의 화가; 인상파의 창시자》.

***mon·e·tar·y** [mánətèri/mʌ́nitəri] *a.* 화폐의, 금전상의.

mon·e·tize [mánətàiz, mʌ́ni-] *vt.* 화폐로 정하다; 화폐로 주조하다. **-ti·za·tion** [ˋ–tizéiʃən/-tai-] *n.*

†**mon·ey** [mʌ́ni] *n.* Ⓤ 돈. ***coin*** ~ 《口》 돈을 많이 벌다. ***for*** ~ 돈으로; 돈을 위해. ***hard*** ~ 경화(硬化); 정금(正金). ***lucky*** ~ 행운이 온다고 몸에 지니고 다니는 돈. ***make*** ~ 돈을 벌다. ~ ***for jam*** 《英俗》 거저 번 돈. ***M- makes the mare to go.*** 《속담》 돈이면 귀신도 부린다. ~ ***on*** 〔***at***〕 ***call*** =CALL ~. ~***'s worth*** 돈에 상당하는 물건, 돈만큼의 가치.

M

paper ~ 지폐. *raise* ~ *on* …을 저당하여 돈을 마련하다. *ready* ~ 맞돈, 현금. *small* ~ 잔돈. *soft* ~ 지폐. *standard* ~ 본위(本位) 화폐.
móney·bàg *n.* Ⓒ 지갑; (*pl.*) 부자; 부(富).
móney chànger 환전상(換錢商).
móney·grùbber *n.* Ⓒ 축재; 돈만 아는 사람, 수전노.
móney·grùbbing *n., a.* Ⓒ 축재(에 열심인), 축재가의.
móney làundering 돈세탁(money-washing)《금융기관과의 거래나 계좌를 통하여 부정한 돈의 출처를 모르게 하는 것》.
móney·lènder *n.* Ⓒ 대금업자.
móney·màking *n.* Ⓤ 돈벌이.
móney·màn *n.* Ⓒ《口》자본가, 재정가, 투자가.
móney màrket 금융 시장.
móney òrder (송금)환.
móney pòlitics 금권 정치.
móney ràtes 금리.
móney wàges 명목 임금.
mon·ger[máŋgər] *n.* Ⓒ 상인, …상, …장수(fish*monger*).
Mon·gol[máŋgəl, -goul/mɔ́ŋgɔl] *n., a.* Ⓒ 몽골 사람(의). **~·ism**[-ìzəm] *n.* Ⓤ 〖醫〗 몽골증(症)《선천적 치매증의 일종》.
Mon·go·li·a[maŋgóuliə, -ljə/mɔŋ-] *n.* 몽골. **-an**[-ən] *n., a.* Ⓒ 몽골 사람(의); 몽골인종(에 속하는); Ⓤ 몽골어(語)(의).
mon·gol·oid[máŋgəlɔ̀id/-ɔ́-] *a., n.* Ⓒ 몽골인 비슷한 (사람); 〖醫〗 몽골증(症)의 (환자).
mon·goose[máŋgu:s, mán-/-ɔ́-] *n.* (*pl.* **~s**) Ⓒ 몽구스《인도산 족제비 비슷한 육식 동물, 독사를 먹음》.
mon·grel[máŋgrəl, -á-] *n., a.* Ⓒ 잡종(의)《주로 개》.
mon·ism[mánizəm/-ɔ́-] *n.* Ⓤ 〖哲〗 일원론(一元論). **món·ist** *n.* Ⓒ 일원론자. **mo·nis·tic**[mounístik, mə-], **-ti·cal**[-əl] *a.*
mo·ni·tion[mouníʃən, mə-] *n.* Ⓤ,Ⓒ 경고; 훈계; (법원의) 소환(召喚).
mon·i·tor[mánitər/mɔ́n-] *n.* Ⓒ ① 권고자, 경고자; 경고가 되는 것, ② 학급 위원. ③ 〖軍〗 (회전 포탑이 있는) 저현(低舷) 장갑함. ④〖動〗 큰 도마뱀의 일종《열대산; 악어의 존재를 알린다 함》. ⑤ (펌프 등의) 자유 회전 통구(筒口). ⑥ 외국방송 청취원, 외전(外電) 방수(傍受)자. ⑦〖放送〗 모니터 장치《음질·영상을 조절하는; ~ screen이라고도 함》; 모니터《방송에 대한 의견을 방송국에 보고하는 사람》. ⑧ (원자력 공장의 위험탐지용) 방사능 탐지기. ⑨〖컴〗 모니터 (~ *mode* 모니터 방식). ── *vt., vi.* ① (…을) 감시하다, 감독하다; (…을 데이터로) 추적하다. ② 〖放送〗 (…을) 모니터(장치)로 감시〔조정〕하다; (방송을) 모니터하다; (…을) 방수하다; 외국방송을 청취하다. ③ (방사능의 강도를) 검사하다. **-to·ri·al**[ˌ-tɔ́:riəl] *a.* 경고의, 감시의.
mon·i·tor·ing[mánitəriŋ/mɔ́n-] *n.* 〖컴〗 감시《프로그램 수행 중 일어날 수 있는 여러 오류에 대비하는 것》.
mon·i·to·ry[-tɔ̀:ri/-təri] *a.* 경고의, 권고의, 훈계의. ── *n.* Ⓒ (bishop의) 계고장(戒告狀).
:**monk**[mʌŋk] *n.* Ⓒ 수도사, 중. **∠·ish** *a.* 수도사 티가 나는, 중 냄새 나는《나쁜 의미로》.
†**mon·key**[máŋki] *n.* Ⓒ ① 원숭이. ② 장난 꾸러기; 흉내를 내는 아이, 젊은 것; (말뚝 박는 기계의) 쇠달구. ③《英俗》 500파운드. *get* 〔*put*〕 *one's* ~ *up* 성내다〔성내게 하다〕. ~ *business* 〔*tricks*〕《俗》 장난, 기만. *suck the* ~ (병 따위에) 입을 대고 마시다. *young* ~ 젊은 것. ── *vi.* 《口》 장난치다, 놀려대다 (*with*). ── *vt.* 흉내내다, 놀려대다. **~·ish** *a.* 원숭이 같은, 장난 좋아하는.
mónkey bùsiness 《口》 ① 기만, 사기. ② 장난, 짓궂은 짓.
mónkey nùt 《주로 英俗》 땅콩.
mónkey·shìne *n.* Ⓒ (보통 *pl.*) 《美俗》 장난.
mónkey sùit 《美俗》 제복; (남자용) 예복. 「너.
mónkey wrènch 자재(自在) 스패
mon·o-[mánou, -nə/mɔ́n-] '일(一), 단(單)'의 뜻의 결합사.
móno·chòrd *n.* Ⓒ (음정(音程) 측정용) 일현금(一絃琴).
mon·o·chrome[mánəkròum/-ɔ́-] *n.* Ⓒ 단색(화); Ⓤ 그 화법 〖컴〗 단색(~ *display* 단색 화면 표시기/~ *monitor* 단색 모니터). **-chro·mati·c**[ˌ--mǽtik] *a.*
mon·o·cle[mánəkəl/mɔ́-] *n.* Ⓒ 단안경(單眼鏡).
mon·o·cli·nous [mànəkláinəs/mɔ̀n-] *a.* 〖植〗 양성화(兩性花)의.
mo·noc·u·lar [mənákjələr/mɔnɔ́-] *a.* 단안(용)의. 「作).
móno·cùlture *n.* Ⓤ 〖農〗 단작(單
móno·cỳcle *n.* Ⓒ 일륜차(一輪車).
mon·o·cyte[mánəsàit/mɔ́n-] *n.* 〖生〗 단핵(單核) 백혈구.
móno·dràma *n.* Ⓒ,Ⓤ 모노드라마, 1인극.
mon·o·dy[mánədi/-ɔ́-] *n.* Ⓒ (그리스 비극의) 서정적 독창부; 만가.
mo·noe·cious[məní:ʃəs] *a.* 〖植〗 자웅동주의; 〖動〗 자웅동체의.
mo·nog·a·my[mənágəmi/mənɔ́-] *n.* Ⓤ 일부 일처제〔주의〕(opp. polygamy). **-mist** *n.* Ⓒ 일부 일처주의자. **-mous** *a.*
mon·o·gram [mánəgræ̀m/mɔ́n-] *n.* Ⓒ 짜맞춘 글자《도형화한 머리 글자 등》.
mon·o·graph [mánəgræ̀f/mɔ́nəgrà:f] *n., vt.* Ⓒ (특정 테마에 대한) 전공 논문(을 쓰다).
mon·o·ki·ni[mànəkí:ni/mɔ̀n-] *n.*

M

Ⓒ 토플리스 수영복; (남성용의) 극히 짧은 팬츠.
mon·o·lith[mánəlìθ/-ɔ́-] *n.* Ⓒ 돌 하나로 된 비석·기둥(따위); 통바위, 단암(單岩). **~·ic**[ᅩ-líθik] *a.* 단암(單岩)의; (사상·정책이) 일관된, 혼란이 없는.
mon·o·logue, 《美》 **-log**[mánəlɔ̀:g, -à-/mɔ́nəlɔ̀g] *n.* Ⓒ 독백(극); 이야기의 독차지.
mon·o·ma·ni·a [mànəméiniə, -njə/-ɔ̀-] *n.* Ⓤ 편집광(偏執狂). **-ac** [ᅩ-ᅩ-æ̀k] *n.* Ⓒ 편집광 환자.
Mon·o·mark[mánəmà:rk/mɔ́n-] *n.* 《英》 〖商標〗 (소유자·상품명·제작자 등을 등록한) 짜맞춤 기호〔문자〕.
mon·o·mer[mánəmər/mɔ́n-] *n.* Ⓒ 〖化〗 단량체; 단위체.
mon·o·met·al·lism[mànəmétəlìzəm/mɔ̀n-] *n.* Ⓤ 〖經〗 (화폐의) 단본위제(單本位制).
mo·no·mi·al[mounóumiəl, mən-] *a., n.* Ⓒ 〖數〗 단항식(의); 〖生〗 한 말로 된《명칭》.
mon·o·pho·bi·a [mànəfóubiə/mɔ̀n-] *n.* Ⓤ 〖醫〗 고독 공포증.
mon·o·phon·ic[mànəfánik/mɔ̀nəfɔ́n-] *a.* ① =MONAURAL. ② 〖樂〗 단선율(가곡)의; 〖컴〗 모노포닉.
mon·oph·thong [mánəfθɔ̀:ŋ/mɔ́nəfθɔ̀ŋ] *n.* Ⓒ 단모음(cf. diphthong).
mon·o·pitch[mánəpìtʃ/-ɔ́-] *n.* Ⓤ (말·노래 소리의) 단조로움.
mon·o·plane[mánəplèin/-ɔ́-] *n.* Ⓒ 단엽 비행기.
mo·nop·o·list[mənápəlist/-ɔ́-] *n.* Ⓒ 전매(론)자; 독점(론)자. **-listic**[-ᅩ-lístik] *a.* 독점적인; 전매의.
***mo·nop·o·lize**[-làiz] *vt.* 독점하다, 전매권을 얻다. **-li·za·tion**[-ᅩ-lizéiʃən/-lai-] *n.* Ⓤ 독점, 전매.
⁑**mo·nop·o·ly**[mənápəli/-ɔ́-] *n.* ① Ⓤ,Ⓒ 독점(권), 전매(권). ② Ⓒ 독점물, 전매품; 전매 회사, 독점자.
mon·o·rail[mánərèil/-ɔ́-] *n.* Ⓒ 단궤(單軌) 철도, 모노레일.
mon·o·so·di·um glu·ta·mate [mànəsóudiəm glú:təmeit/mɔ̀n-] 글루탐산 나트륨《조미료》.
mon·o·syl·la·ble [mánəsìləbəl/-ɔ́-] *n.* Ⓒ 단음절어. ***speak* 〔*answer*〕 *in* ~** 퉁명스럽게 말〔대답〕하다. **-lab·ic**[ᅩ--lǽbik] *a.*
mon·o·the·ism[mánəθi:ìzəm/-ɔ́-] *n.* Ⓤ 일신교, 일신론. **-is·tic**[ᅩ--ístik] *a.* 일신론〔교〕의.
mon·o·tone[mánətòun/-ɔ́-] *n.* (a ~) 단조(음). — *vt.* 단조롭게 이야기하다.
⁑**mo·not·o·nous**[mənátənəs/-ɔ́-] *a.* 단조로운, 변화가 없어 지루한. **~·ly** *ad.* **~·ness** *n.* ***-ny** *n.* Ⓒ 단음(單音); 단조; Ⓤ 단조로움.
Mon·o·type[mánətàip/-ɔ́-] *n.* Ⓒ 〖商標·印〗 자동 주조 식자기, 모노타이프(cf. linotype).
mon·ov·u·lar[manóuvjələr/mɔn-] *a.* 〖生〗 일란성의(cf. biovular).
mon·ox·ide[manáksaid/mɔnɔ́k-] *n.* Ⓤ,Ⓒ 〖化〗 일산화물.
Mon·roe[mənróu], **James**(1758-1831) 미국 제5대 대통령(1817-25).
Monróe Dóctrine(유럽 각국은 미대륙 각국에 대하여 간섭해서는 안 된다고 한) 먼로주의《⇧》.
mon·sei·gneur [mànseinjə́:r/mɔ̀nse-] *n.* (*pl.* ***messeigneurs*** [mèseinjə́:rz/-sen-]) (F.) 전하, 각하《생략 Mgr.》.
****mon·sieur***[məsjə́:r] *n.* (*pl.* ***messieurs*** [mesjə́:r]) (F.) 씨, 귀하, 님 《생략 M.=Mr.》.
mon·soon[mansú:n/-ɔ-] *n.* (the ~) (인도양·남아시아의) 계절풍.
⁑**mon·ster**[mánstər/-ɔ́-] *n.* Ⓒ ① 괴물, 도깨비; 거수(巨獸). ② 악독한 사람. — *a.* 거대한.
mon·stros·i·ty [manstrásəti/mɔnstrɔ́s-] *n.* Ⓤ 기형(畸形); 괴물; 지독한 행위.
***mon·strous**[mánstrəs/-ɔ́-] *a.* ① 거대한; 괴물 같은; 기괴한. ② 어처구니 없는; 극악 무도한. **~·ly** *ad.* **~·ness** *n.*
Mont. Montana.
mon·tage[mantá:ʒ/mɔn-] *n.* (F.) Ⓤ,Ⓒ 혼성화; 합성〔몽타주〕 사진, 〖映〗 몽타주《작은 화면의 급속한 연속에 의한 구성》; 필름 편집.
Mon·taigne [mantéin/mɔn-], **Michel Eyquem de** (1533-92) 몽테뉴《프랑스의 철학자·수필가(*Essais*)》.
Mon·tan·a[mantǽnə/mɔn-] *n.* 미국 북서부의 주《생략 Mont.》.
Mont Blanc [mɔŋ blá:ŋ] 몽블랑 《알프스의 최고봉(4,810m)》.
Mon·te Car·lo[mànti ká:rlou/mɔ̀n-] 몬테카를로《모나코의 도시; 공설 도박장이 있음》.
Mon·te·ne·grin [màntəní:grin/-ɔ̀-] *n., a.* Ⓒ 몬테네그로 사람(의).
Mon·tes·quieu[màntəskjú:/mɔ̀n-], **Charles**(1689-1755) 몽테스키외《프랑스의 정치 사상가; *De l'Esprit des Lois*(법의 정신)》.
†**month**[mʌnθ] *n.* Ⓒ 월, 달. ***a ~ of Sundays*** 《口》 오랫동안. ***a ~'s mind*** 〖가톨릭〗 사후 1개월째 되는 날의 연(煉) 미사. ***last ~*** 전달. ***~ by ~*** 다달이. ***this day ~*** 내달〔전달〕의 오늘. ***this ~*** 이달.
⁑**month·ly**[ᅩli] *a.* 매달의; 월 1회의. — *n.* Ⓒ 월간 잡지; (*pl.*) 《口》 월경.
Mont·re·al [màntriɔ́:l, mʌ̀n-/mɔ̀n-] *n.* 몬트리올《캐나다 최대의 도시; 상공업 중심지》.
Montreál Prótocol 몬트리올 의정서《1987년 오존층 보호를 위해 채택됨》.
⁑**mon·u·ment**[mánjəmənt/-ɔ́-] *n.* Ⓒ ① 기념비, 기념상, 기념문, 기념관(따위); 기념물. ② 문서, 기록. ***the M-*** 1666년 런던 대화재 기념탑.

mon·u·men·tal**[mànjəméntl/-ɔ̀-] *a.* ① 기념(물)의, 기념되는. ② 불멸의. ③ 거대한; 《口》 어처구니 없는. ④ 〖美術〗 실물보다 큰. **~ *mason 묘석 제조인. **~·ly**[-təli] *ad.*

moo[mu:] *vi.* (소가) 음매 울다. ── *n.* Ⓒ 그 우는 소리.

mooch[mu:tʃ] *vi., vt.* 《俗》 건들건들[살금살금] 거닐다, 배회하다; 훔치다, 우려내다. **∠·er** *n.*

:mood[1][mu:d] *n.* Ⓒ 마음(의 상태), 기분. ***a man of ~s*** 변덕쟁이. ***be in no ~*** (***for***) …할 마음이 없다. ***in the ~*** …할 마음이 나서.

***mood**[2] *n.* Ⓤ,Ⓒ ① 〖文〗 법(cf. indicative, imperative, subjunctive). ② 〖論〗 논식(論式). ③ 〖樂〗 선법(mode), 음계법.

***mood·y**[mú:di] *a.* 까다로운; 우울한. **móod·i·ly** *ad.* **-i·ness** *n.*

†moon[mu:n] *n.* (보통 the ~) 달; Ⓒ 위성; (보통 *pl.*) 《詩》 월(month). ***below the ~*** 이 세상의. ***cry for the ~*** 실현 불가능한 것을 바라다. ***full ~*** 만월. ***shoot the ~*** 《俗》 야반 도주하다. ── *vi. vt.* 멍하니 바라보다[거닐다]; 멍하니 시간을 보내다(*away*).

móon·bèam *n.* Ⓒ 달빛.

móon·bùggy *n.* Ⓒ 월면차(月面車).

móon·càlf *n.* Ⓒ (선천적) 백치.

móon-fàce *n.* Ⓒ 둥근 얼굴.

móon·flìght *n.* Ⓤ,Ⓒ 달 여행[비행].

móon jèep 월면차(月面車).

móon·lèt *n.* Ⓒ (자연 또는 인공의) 소위성.

:móon·lìght *n., a.* Ⓤ 달빛(의). ── *vi.* 《口》 아르바이트하다.

móonlight flítting 야반 도주.

***móon·lit** *a.* 달빛에 비친, 달빛어린.

moon·man[∠mæ̀n] *n.* Ⓒ 월인(月人), 달탐험가.

móon·pòrt *n.* Ⓒ 달로켓 발사기지.

móon·qùake *n.* Ⓒ 월진(月震).

móon·scòoper *n.* Ⓒ 자동 월면 물질 채집선(船).

***móon·shìne** *n.* Ⓤ ① 달빛. ② 부질없는 생각. ③ 《美口》 밀주, 밀수입주. **-shìner** *n.* Ⓒ 《美口》 주류 밀조자[밀수입자].

móon·shìp *n.* Ⓒ 달 여행용 우주선.

móon·shòt *n.* Ⓒ 달로켓 (발사).

móon·stòne *n.* Ⓤ,Ⓒ 월장석(月長石).

móon·stròll, -wàlk *n.* Ⓒ 월면 보행.

móon·strùck *a.* 실성한《광기(狂氣)와 달빛과는 상관 관계가 있다고 여겨 왔음》.

Móon týpe (맹인용의) 문식 선자(線字)《영국인 W. Moon 발명》.

móon·wòrk *n.* Ⓤ 월면 작업.

moon·y[∠i] *a.* 달 같은; 초승달 모양의; 《口》 꿈 같은; 얼빠진.

Moor[muər] *n.* Ⓒ 무어 사람《아프리카 북서부에 사는 회교도》. **~·ish**[múəriʃ] *a.* 무어 사람[식]의.

:moor[1][muər] *n.* Ⓤ,Ⓒ (heath가 무성한) 황야, 사냥터.

***moor**[2] *vt.* (배를) 계류하다, 정박시키다.

moor·age[mú(:)ridʒ/múər-] *n.* Ⓤ,Ⓒ 계류(소); 계류료(料).

móor·gàme *n.* Ⓒ 〖鳥〗 붉은뇌조.

moor·ing[múəriŋ] *n.* Ⓒ (보통 *pl.*) 계류 기구; (*pl.*) 계선장, 정박장; Ⓤ 계류, 계선.

moor·land[∠lænd, -lənd] *n.* Ⓤ 《英》 (heath가 무성한) 황야.

***moose**[mu:s] *n.* (*pl.* ~) Ⓒ 〖動〗 큰사슴.

moot[mu:t] *n., a., vt.* (a ~) 집회; 모의 재판; 논의의 여지가 있는; 토의하다.

móot cóurt (대학의) 모의 법정.

móot pòint [**quéstion**] 논쟁[문제]점.

mop**[1][mɑp/-ɔ-] *n.* Ⓒ 자루걸레. ***a ~ of hair 더벅머리. ── *vt.* (**-pp-**) 자루걸레로 닦다; 훔쳐 내다(*up*); (이익을) 빨아 먹다.

mop[2] *n., vi.* (**-pp-**) Ⓒ 찡그린 얼굴; 얼굴을 찡그리다.

mope[moup] *vi., vt.* 침울해지다, 침울하게 하다; 풀이 죽다, 풀죽게 하다. ── *n.* Ⓒ 침울한 사람; (*pl.*) 우울. **móp·ish** *a.* 침울한.

móp·hèad *n.* Ⓒ 《俗》 더벅머리.

mo·raine[mouréin, mɔ:-/mɔ-] *n.* Ⓒ 〖地〗 빙퇴석(氷堆石).

:mor·al[mɔ́(:)rəl, -ɑ́-] *a.* ① 도덕상의; 윤리적인. ② 교훈적인; 도덕적인, 품행 방정한. ③ 정신적인《지지·의미 따위의》; 개연적인. ── *n.* Ⓒ (우화·사건 등의) 교훈; (*pl.*) 수신; 도덕, 윤리(학); 예절, 몸가짐. ***point a ~*** 보기를 들어 교훈하다. *** ∠·ly** *ad.* 도덕적으로; 실제로, 진실로.

móral cértainty 결코 틀림이 없음, 확실성.

móral códe 도덕률.

móral cóurage 도덕적[참다운] 용기.

***mo·rale**[mourǽl/mɔrɑ́:l] *n.* Ⓤ 사기, 풍기(*the ~ of soldiers*).

móral házard 〖保險〗 도덕[인위]적 위험.

***mor·al·ist**[mɔ́(:)rəlist, -ɑ́-] *n.* Ⓒ 도학자, 도덕가, 윤리학자; 덕육가. **-is·tic**[∸-ístik] *a.* 도학[교훈]적인.

***mo·ral·i·ty**[mɔ(:)rǽləti, mɑ-] *n.* ① Ⓤ 도덕성; 윤리학; 도덕률; 도의; 덕성. ② Ⓒ 교훈적인 말, 훈화. ③ =∠ **plày** (16세기경의) 교훈극.

mor·al·ize[mɔ́(:)rəlàiz, -ɑ́-] *vt., vi.* 도를[도덕을] 설교하다; 도덕적으로 해석하다; 설교하다. **-iz·er** *n.* Ⓒ 도를 설교하는 사람.

móral láw 도덕률.

móral obligátion 도덕적 책임.

móral philósophy [**scíence**] 도덕학, 윤리학.

Móral Re-Ármament 도덕 재무장 운동《생략 MRA》.

móral sénse 도덕 관념, 양심.

móral túrpitude 부도덕한 행위.

móral víctory 정신적 승리《지고도 사기가 왕성해지는 경우》.

M

mo·rass[mərǽs] *n.* Ⓒ 소지(沼地); 늪.

mor·a·to·ri·um [mɔ̀(:)rətɔ́:riəm, mὰr-] *n.* (*pl.* **~s, -ria**[-riə]) Ⓒ 〖法〗 일시적 정지(령), 지급 유예(령), 지급 유예 기간.

*__mor·bid__[mɔ́:rbid] *a.* ① 병적인, 불건전한; 병의. ② 섬뜩한. **-i·ty** *n.* Ⓤ 병적인 상태, 불건전. **~·ly** *ad.*

mórbid anátomy 병리 해부학.

mor·da·cious[mɔ:rdéiʃəs] *a.* 신랄한, 비꼬는. **~·ly** *ad.* **-dac·i·ty** [-dǽsəti] *n.*

mor·dant[mɔ́:rdənt] *a.* 비꼬는, 부식성(腐蝕性)의; 매염(媒染)의; 색을 정착시키는.

†**more**[mɔ:r] *a.* 《many 또는 much의 비교급》 ① 더 많은; 더 큰. ② 그 이외의. ***(and) what is ~*** 더욱이 (중요한 것은). — *n., pron.* 더 많은 수[양, 정도]; 그 이상의 것. — *ad.* 《much의 비교급》 더욱 (많이); 더 일층. ***all the ~*** 더욱 더. ***and no ~*** …에 불과하다. ***be no ~*** 이미 없다, 죽었다. ***~ and ~*** 점점 더. ***~ or less*** 다소, 얼마간. ***~ than ever*** 더욱 더. ***much (still) ~*** 하물며. ***no ~*** 이미 …하지 않다. ***no ~ than*** 겨우, 단지. ***no ~ ... than*** …이 아닌 것과 마찬가지로 …이 아니다(*I am no ~ mad than you are.* 네가 미치지 않았다면 나 또한 마찬가지이다). ***the ~ ... the ~*** …하면 할수록 …하다.

More[mɔ:r], Sir **Thomas**(1478-1535) 영국의 정치가·사상가《*Utopia*의 저자》.

more·ish[mɔ́:riʃ] *a.* 《口》 더 먹고 싶어지는, 아주 맛있는.

:**more·o·ver**[mɔ:róuvər] *ad.* 더욱이.

mo·res[mɔ́:ri:z, -reiz] *n. pl.* 관습, 습관.

mor·ga·nát·ic márriage[mɔ̀:rgənǽtik-] 귀천 상혼(貴賤相婚)《왕족·귀족이 평민의 여자와 결혼한 경우로, 처자는 남편·아버지의 재산·신분을 계승할 수 없음》.

morgue[mɔ:rg] *n.* (F.) Ⓒ 시체 공시소; 《美》 (신문사의) 자료부, 자료집.

mor·i·bund[mɔ́(:)rəbʌ̀nd, mάr-] *a.* 《雅》 다 죽어가는, 소멸해가는.

Mor·mon[mɔ́:rmən] *n.* Ⓒ 모르몬 교도. **~·ism**[-ìzəm] *n.* Ⓤ 모르몬교.

*__morn__[mɔ:rn] *n.* Ⓒ 《詩》 아침.

†**morn·ing**[mɔ́:rniŋ] *n.* ① Ⓤ,Ⓒ 아침, 오전; 주간. ② Ⓤ 여명. ***in the ~*** 오전중. ***of a ~*** 언제나 아침나절에.

mórning áfter 숙취; (악에서의) 뉘우침.

mórning-áfter pìll (성교 후에 먹는) 경구 피임약.

mórning càll (호텔의) 모닝콜; 아침 방문《실제는 오후 3시까지의 정식 사교 방문》.

mórning còat 모닝 코트.

mórning drèss 여성용 실내복; (남자의) 보통 예복《morning coat, frock coat 따위》.

mórning glòry 나팔꽃.

mórning pàper 조간 (신문).

Mórning Práyer (영국 국회의) 아침 기도.

mórning ròom 《英》 낮에 쓰는 거실.

mórning sìckness 입덧.

mórning stár 샛별《금성》.

mórning wàtch 〖海〗 아침 당직.

Mo·ro[mɔ́:rou] *n.* (*pl.* **~s**) Ⓒ (필리핀의) 모로족의 토인; Ⓤ 모로말.

Mo·roc·co[mərάkou/-ɔ́-] *n.* 아프리카 북서안의 회교국; (m-) Ⓤ 모로코 가죽.

mo·ron[mɔ́:rɑn/-rɔn] *n.* Ⓒ 〖心〗 정신박약자《지능지수 50-69이고 정신연령 8-12세인 성인》; 《口》 저능자.

*__mo·rose__[məróus] *a.* 까다로운, 시무룩한, 부질없는.

mor·pheme[mɔ́:rfi:m] *n.* Ⓒ 〖言〗 형태소(形態素)《syntactical한 관계를 나타내는 요소; 예컨대 *Is* Tom*'s* sister sing*ing?*의 이탤릭 부분과 이 글을 발음할 때의 (rising) intonation 따위》(cf. semanteme, phoneme).

Mor·phe·us[mɔ́:rfiəs, -fju:s] *n.* 〖로神〗 꿈·잠의 신.

mor·phi·a[mɔ́:rfiə], **-phine** [-fi:n] *n.* Ⓤ 〖化〗 모르핀. **mor·phin·ism**[∠-ìzəm] *n.* Ⓤ 〖醫〗 모르핀 중독. **mor·phi·(n)o·ma·ni·ac** [∠-(n)əméiniæ̀k] *n.* Ⓒ 모르핀 중독자.

mor·phol·o·gy[mɔ:rfάlədʒi/-ɔ́-] *n.* Ⓤ 〖生〗 형태학; 〖言〗 어형론, 형태론(accidence) (cf. syntax).

mór·ris dánce[mɔ́(:)ris-, mά-] Ⓒ 《英》 모리스춤《주로 May Day에 가지는 가장 무도》.

Mór·ri·son shèlter [mɔ́(:)risn-, mά-] 《英》 강철제 실내 방공(防空) 대피소.

*__mor·row__[mɔ́(:)rou, -ά-] *n.* (the ~) 《雅》 ① 이튿날. ② (사건) 직후.

Mórse códe[álphabet] [mɔ́:rs-] 모스 (전신) 부호.

*__mor·sel__[mɔ́:rsəl] *n.* Ⓒ (음식의) 한 입, 한 조각; (a ~) 소량.

:**mor·tal**[mɔ́:rtl] *a.* ① 죽어야 할. ② 인간의. ③ 치명적인; 불치의. ④ 불구대천의《적 따위》. ⑤ 《口》 대단한. ⑥ 《口》 길고 긴, 지루한. ⑦ 《口》 생각할 수 있는, 가능한. ***be of no ~ use*** 아무짝에도 쓸 데 없다. ***in a ~ hurry*** 몹시 서둘러. **~ *wound*** 치명상. — *n.* Ⓒ 죽어야 할 것; 인간; 《諧》 사람, 놈. **~·ly** *ad.* 치명적으로; 굉장히.

*__mor·tal·i·ty__[mɔ:rtǽləti] *n.* Ⓤ 죽음을 면할 수 없음; 죽어야 할 운명; 사망수, 사망률.

mortálity ràte 사망률.

mortálity tàble 〖保險〗 사망률 통계표.

mor·tar¹[mɔ́:rtər] *n.* Ⓤ 모르타르, 회반죽. — *vt.* 모르타르로 굳히다.

*__mor·tar²__ *n., vt.* Ⓒ 철확, 절구, 유발; 박격포(로 사격하다).

M

mórtar·bòard *n.* Ⓒ (모르타르용) 흙손; (대학의) 사각 모자.
mort·gage**[mɔ́ːrgidʒ] *n.* Ⓤ,Ⓒ 〖法〗 저당(권), 저당잡히기. ***on ~ 저당잡아. — *vt.* 저당잡히다. **mort·ga·gee**[mɔ̀ːrgədʒíː] *n.* Ⓒ 저당권자. **mort·ga·gor**[mɔ́ːrgidʒər, mɔ̀ːrgedʒɔ́ːr] *n.* Ⓒ 저당권 설정자.
mórtgage ràte 저당 금리.
mor·tice[mɔ́ːrtis] *n.* =MORTISE.
mor·ti·cian[mɔːrtíʃən] *n.* Ⓒ 《美》 장의사(葬儀社)(undertaker).
***mor·ti·fy**[mɔ́ːrtəfài] *vt.* ① (고통·욕정을) 억제〔극복〕하다. ② 굴욕을 느끼게 하다; (기분을) 상하게 하다. — *vi.* 탈저(脫疽)에 걸리다. ***-fi·ca·tion**[∸—fikéiʃən] *n.* Ⓤ 〖宗〗 고행, 금욕; 굴욕, 억울함; 탈저. **~·ing** *a.* 분한; 고행의.
mor·tise, -tice[mɔ́ːrtis] *n.* Ⓒ 〖建〗 장붓구멍. — *vt.* 장부촉 이음으로 잇다.
mort·main[mɔ́ːrtmèin] *n.* Ⓤ 〖法〗 (법인에 의한 부동산의) 영구 소유.
mor·tu·ar·y[mɔ́ːrtʃuèri/-tjuəri] *n.* Ⓒ 시체 임시 안치소. — *a.* 죽음의, 매장의. 「(Moses)의.
Mo·sa·ic[mouzéiik, mə-] *a.* 모세
***mo·sa·ic** *n., a.* Ⓤ 모자이크(의), 쪽매붙임 세공(의), 모자이크식의.
mosáic gòld 모자이크 금《황화제2주석을 주성분으로 함》.
Mosáic Láw 모세의 율법.
***Mos·cow** [máskou, -kau/mɔ́skou] *n.* 모스크바《러시아의 수도》.
***Mo·ses**[móuziz] *n.* 〖聖〗 모세《헤브라이의 입법자》.
***Mos·lem**[mázləm, -lem/-ɔ́-] *n.* (*pl.* ~(*s*)), *a.* =MUSLIM.
mosque[mɑsk/-ɔ-] *n.* Ⓒ 이슬람교 교당.
:mos·qui·to [məskíːtou] *n.* (*pl.* ~(*e*)*s*) Ⓒ 〖蟲〗 모기.
mosquíto bòat 《美》 고속 어뢰정.
mosquíto cànopy 소형의 모기장.
mosquíto cràft 소함정《수뢰정 등》.
mosquíto cùrtain 〔**nèt**〕 모기장.
mosquíto flèet 《美》 쾌속 소함정대.
mosquíto nètting 모기장 감.
:moss[mɔːs, -ɑ-] *n.* Ⓤ,Ⓒ 이끼. — *vt.* 이끼로 덮다.
móss·bàck *n.* Ⓒ 《口》 구식 사람; 극단적 보수주의자; 촌놈.
móss-gròwn *a.* 이끼 낀; 시대에 뒤진.
móss róse 〖植〗 이끼장미.
***moss·y**[∸i] *a.* 이끼 낀, 이끼 같은; 케케 묵은.
†most [moust] *a.* 《many 또는 much의 최상급》 ① 가장 큰〔많은〕. ② 대부분의. — *n., pron.* 가장 많은 것, 대부분, 대개의 것; 최고의 정도. ***at*** (***the***) ~ 많아야, 기껏해서. ***for the ~ part*** 주로, 보통. ***make the ~ of*** …을 충분히 이용하다; …을 크게 소중히 여기다, 한껏 좋게〔나쁘게〕 말하다. — *ad.* 《much의 최상급》 가장, 가장 많이; 매우. **:∠·ly** *ad.* 대개.
móst-fávored-nátion clàuse (국제법상의) 최혜국 조항(最惠國條項).
móst signíficant bit 〖컴〗 (자릿수가) 최상(위)비트《생략 MSB》.
***mot**[mou] *n.* (F.) Ⓒ 경구(警句); 명구.
M.O.T. 《英》 Ministry of Transport 운수성.
mote[mout] *n.* Ⓒ (한 조각의) 티끌; 아주 작은 조각〔결점〕. ~ ***and beam*** 티와 들보; 남의 작은 과실과 자기의 큰 과실. ~ ***in another's eye*** 남의 사소한 결점《마태복음 7:3》.
mo·tel[moutél] (<*mo*torists' ho*tel*) *n.* Ⓒ 모텔《자동차 여행자 숙박소》.
mo·tet[moutét] *n.* Ⓒ 〖樂〗 경문가(經文歌), 모테트.
:moth[mɔ(ː)θ, mɑθ] *n.* Ⓒ 〖蟲〗 나방; 좀벌레; 《비유》 유혹의 포로.
móth·bàll *n.* Ⓒ 좀약《나프탈렌 따위》. ***in ~s*** 퇴장(退藏)하여.
móthball flèet 《美》 예비 함대.
móth-èaten *a.* 좀먹은; 시대에 뒤진, 구식의.
†moth·er[mʌ́ðər] *n.* ① Ⓒ 어머니. ② Ⓒ 수녀원장. ③ (the ~) 《비유》 근원, 원인. ***aftificial*** ~ (병아리의) 인공 사육기. ***every ~'s son*** 누구나 다. — *vt.* ① (…의) 어머니가 되다; 낳다. ② 어머니로서 돌보다; (…의) 어머니라고 나서다. ***~·hood**[-hùd] *n.* Ⓤ 어머니임, 모성(애). ***~·ly** *a.* 어머니의, 어머니 같은. 「판.
móther·bòard *n.* 〖컴〗 어미(기)
Móther Cár·ey's chícken 〔**góose**〕[-kέəriz-] 〖鳥〗 바다제비, 바다쇠오리.
Móther Chúrch 어머니 같은 교회; (m- c-) 본(本)교회; 본산(本山).
móther cóuntry 본국, 모국.
móther·cràft *n.* Ⓤ 육아법.
móther éarth 대지.
Móther Góose 영국 민간 동요집의 전설적 작자; 그 동요집.
Móther Húb·bard[-hʌ́bərd] 길고 헐렁한 여자용 가운.
moth·er·ing[mʌ́ðəriŋ] *n.* Ⓤ 《英》 귀성(歸省), 친정 나들이.
***móther-in-làw** *n.* Ⓒ 장모, 시어머니.
móther·lànd *n.* Ⓒ 모국, 조국.
móther·less *a.* 어머니가 없는.
móther·lìke *a.* 어머니의; 어머니 같은.
Móther Náture 어머니 같은 자연; (m- n-) 《美俗》 마리화나.
móther-of-péarl *n.* Ⓤ 진주층(層), 진주모(母), 자개.
Móther's Dày 《美》 어머니 날《5월의 둘째 일요일》(cf. Father's Day).

M

móther shíp 《주로 英》 모함.
Móther Stàte 《美》 Virginia주의 통칭.
móther supérior 수녀원장.
móther-to-bé *n.* Ⓒ 임신부.
móther tóngue 모국어.
móther wít 타고난 지혜〔슬기〕.
moth·proof[mɔ́(:)θprù:f, -ɑ́-] *a.* 방충제를 바른. ― *vt.* 방충 처리하다.
***mo·tif**[moutí:f] *n.* (F.) Ⓒ (예술 작품의) 주제; 주선율; 레이스 장식.
:**mo·tion**[móuʃən] *n.* ① Ⓤ,Ⓒ 움직임, 운동. ② Ⓒ 동작, 몸짓. ③ Ⓒ (의회 등에서의) 동의. ④ Ⓒ 〖法〗 신청; 변통(便通). ***in*** **~** 움직여, 활동하여. ***on the*** **~** ***of*** …의 동의로. ***put*** 〔***set***〕 ***in*** **~** 움직이게 하다. ― *vi., vt.* 몸짓으로 신호하다(*to, toward, away; to* do). :**~·less** *a.* 움직이지 않는, 정지한.
:**mótion pícture** 《美》 영화.
***mo·ti·vate**[móutəvèit] *vt.* 용기를 주다, 자극하다, 꼬드기다. ***-va·tion**[∸―véiʃən] *n.* Ⓤ,Ⓒ 동기를 줌.
mo·ti·vá·tion·al reséarch [mòutəvéiʃənəl-] (구매) 동기 조사.
:**mo·tive**[móutiv] *a.* 운동을 일으키는, 동기가 되는. ― *n.* Ⓒ 동기, 동인(動因). ― *vt.* =MOTIVATE. **~-less** *a.* 동기〔이유〕 없는.
mótive pówer 원동력; 《집합적》 기관차.
mot·ley[mɑ́tli/-ɔ́-] *a.* 잡색의; 잡다한. ― *n.* Ⓤ 뒤범벅; 어릿광대의 얼룩덜룩한 옷. ***wear*** **~** 광대역을 하다(cf. wear RUSSET).
:**mo·tor**[móutər] *n.* Ⓒ ① 원동력. ② 발동기, 전동기, 모터, 내연 기관. ③ 〖解〗 운동 근육〔신경〕. ― *a.* 움직이게 하는, 원동의. ― *vt., vi.* 자동차로 가다〔수송하다〕.
mótor·bìke *n.* Ⓒ 《口》 모터 달린 자전거; 소형 오토바이.
mótor·bòat *n.* Ⓒ 모터보트, 발동기선.
mo·tor·cade[-kèid] *n.* Ⓒ 자동차 행렬.
:**mótor·càr** *n.* Ⓒ 자동차.
mótor còurt 《美》 =MOTEL; AUTO COURT.
***mótor·cỳcle** *n.* Ⓒ 오토바이.
mótor·dròme *n.* Ⓒ 자동차 시운전장〔경주로〕.
***mo·tor·ist**[móutərist] *n.* Ⓒ 자동차 운전〔여행〕자.
mo·tor·ize[móutəràiz] *vt.* (…에) 동력 설비를 하다; 자동차화하다. **~*d unit*** 자동차 부대. **-i·za·tion**[∸―izéiʃən] *n.*
mótor lòdge 《美》 =MOTEL.
mo·tor·man[móutərmən] *n.* Ⓒ 전차 운전수.
mótor mùscle 운동 근육.
mótor nèrve 운동 신경.
mótor pòol 《美》 (관청·군대 따위의) 배차용 자동차군(群); 주차장.
mótor scòoter 스쿠터.
mótor shìp 발동기선.
mótor spírit 《주로 英》 가솔린.
mótor torpédo bòat 〖海〗 고속 어뢰정《생략 M.T.B.》.
mótor·wày *n.* Ⓒ 《英》 고속도로.
mot·tled[mɑ́tld/-ɔ́-] *a.* 얼룩진, 잡색의.
:**mot·to**[mɑ́tou/-ɔ́-] *n.* (*pl.* **~(*e*)*s**) Ⓒ ① (방패 등에 새긴) 명(銘). ② 금언; 표어, 모토. ③ (논문 등의 첫머리에 인용한) 제구(題句). ④ 〖樂〗 반복 악구.
mou·jik[mu:ʒík, ∸―] *n.* =MUZHIK.
:**mould**[mould], **&c.** 《英》 =MOLD, &c.
moult[moult] *v., n.* 《英》 =MOLT.
:**mound**[maund] *n.* Ⓒ ① 흙무덤, 작은 언덕, 석가산(石假山). ② 〖野〗 투수판(***take the*** **~** 투수가 되다).
:**mount**[1][maunt] *vi., vt.* 오르다, (말에) 타다; 앉히다; (보석을) 박다; (대지(臺紙)에) 붙이다; 무대에 올리다, (물가가) 오르다. **~ *guard over*** …을 지키다. ― *n.* Ⓒ (승용) 말; 대지(臺紙); (보석의) 대좌(臺座); 포가(砲架).
mount[2] *n.* Ⓒ 산, 언덕; (M-) …산 《생략 Mt》.
moun·tain**[màuntin] *n.* Ⓒ 산. ***a **~ *of*** 산더미 같은, 엄청난. ***make a*** **~** (***out***) ***of a molehill*** 침소봉대하다. **~ *high*** (파도 따위가) 산더미 같은〔같이〕. ***remove*** **~*s*** 기적을 행하다. ***the*** **~ *in labor*** 태산명동 서일필; 애만 쓰고 보람 없음.
móuntain àsh 〖植〗 마가목류.
móuntain chàin 산맥.
móuntain déw 《美口》 밀조주.
***moun·tain·eer**[màuntəníər] *n.* Ⓒ 등산가; 산악 지대 주민. ― *vi.* 등산하다. ***~·ing** *n.* Ⓤ 등산.
móuntain lìon 퓨마.
:**moun·tain·ous**[máuntənəs] *a.* ① 산이 많은. ② (파도 따위) 산더미 같은.
móuntain òyster 《美》 요리한 양 또는 소의 불알.
móuntain rànge 산맥; 산악 지방.
móuntain rìce 밭벼.
móuntain sìckness 고산병.
móuntain·sìde *n.* (the ~) 산허리.
móuntain (**stándard**) **tìme** 《美》 산지(山地) 표준시.
móuntain sýstem 산계(山系).
moun·te·bank[máuntəbæ̀ŋk] *n.* Ⓒ 사기꾼; 돌팔이 약장수〔의사〕. **~·er·y** *n.* Ⓤ 사기, 협잡.
***mount·ed**[máuntid] *a.* ① 말 탄, 기마의. ② 〖軍〗 기동력이 있는. ③ (보석이) 박힌; 붙박이한.
:**mourn**[mɔ:rn] *vi., vt.* 슬퍼하다(*for, over*); 애도하다, 몽상〔거상〕하다. ***∠·er** *n.* Ⓒ 애도자, 상중(喪中)의 사람, 회장자(會葬者).
:**mourn·ful**[mɔ́:rnfəl] *a.* 슬픔에 잠긴, 슬픈; 애처로운. **~·ly** *ad.*
:**mourn·ing**[mɔ́:rniŋ] *n.* Ⓤ ① 슬픔, 애도. ② 상(喪); 《집합적》 상복. ***go into*** 〔***take to, put on***〕 **~** 거상하다; 상복을 입다. ***half***

M

〔**second**〕 ～ 약식 상복. ***in*** ～ 상중인; 상복을 입고. ***leave off*** 〔***get out of***〕 ～ 탈상하다.
móurning bànd 상장(喪章).
móurning còach (검은) 장의 마차; 영구차.
móurning pàper 까만 테를 두른 「편지지.
†**mouse**[maus] *n.* (*pl.* ***mice***) Ⓒ ① 새앙쥐. ② 《俗》 얻어맞은 눈두덩이의 멍. ③ 〖컴〗 다람쥐, 마우스(～ *button* 마우스 단추/～ *cursor* 마우스 깜박이/～ *driver* 다람쥐 돌리개/～ *pad* 다람쥐〔마우스〕판). (***as***) ***poor as a chruch*** ～ 매우 가난한, 찰가난의. ***like a drowned*** ～ 비참한 몰골로. ～ ***and man*** 모든 생물. — [mauz] *vt.* (고양이가) 쥐를 잡다; 찾아 헤매다.
MOUSE[maus] Minimum Orbital Unmanned Satellite of Earth 소형 지구 궤도 무인 인공 위성.
mous·er[máuzər] *n.* Ⓒ 쥐 잡는 동물《고양이·올빼미 따위》.
móuse·tràp *n.* Ⓒ 쥐덫.
*__mous·tache__[mʌ́stæʃ, məstǽʃ] *n.* 《주로 英》 =MUSTACHE.
†**mouth**[mauθ] *n.* Ⓒ ① 입. ② 부양 가족, 식구. ③ 출입구. ④ 찡그린 얼굴. ⑤ 건방진 말투. ***by word of*** ～ 구두로. ***down in the*** ～ 《口》 낙심하여. ***from hand to*** ～ 하루살이 생활의. ***have a foul*** ～ 입정이 사납다. ***in the*** ～ ***of*** …에 말하게 한다면, …의 말에 의하면. ***laugh on the wrong side of one's*** ～ 울면서 웃다, 갑자기 울상을 짓다. ***make a*** ～, or ***make*** ～***s*** (입을 삐죽 내밀고) 얼굴을 찡그리다(cf. make FACES). ***make a person's*** ～ ***water*** (먹고 싶어) 군침을 흘리게 하다. ***open one's*** ～ ***too wide*** 지나친 요구를 하다. ***put words into a person's*** ～ 할 말을 가르쳐 주다; 하지도 않은 말을 했다고 하다. ***take the words out of another's*** ～ 남이 말하려는 것을 앞질러 말하다. ***useless*** ～ 밥벌레, 식충이. ***with one*** ～ 이구동성으로. *～**·**[´fùl] *n.* Ⓒ 한 입(의 양), 입 가득, 소량.
móuth-fìlling *a.* 호언 장담하는.
móuth òrgan 하모니카.
*__móuth·pìece__ *n.* Ⓒ ① 빨대 구멍; (악기의) 부는 구멍. ② 〖拳〗 마우스피스; 재갈. ③ 대변자.
móuth-to-móuth *a.* (인공 호흡이) 입으로 불어넣는 식의.
móuth·wàsh *n.* Ⓤ,Ⓒ 양치질 약.
móuth-wàtering *a.* 군침을 흘리게 하는, 맛있어 보이는.
mouth·y[máuði] *a.* 수다스러운; 흰소리 치는.
*__mov·a·ble__[mú:vəbəl] *a.* 움직일 수 있는, 이동할 수 있는. ～ ***feast*** 해에 따라 날짜가 달라지는 축제일 《Easter 따위》. — *n.* Ⓒ 가재, 가구; (*pl.*) 동산. **-bil·i·ty**[⌒-bíləti] *n.* Ⓤ 가동성.
†**move**[mu:v] *vt.* ① 움직이다, 이동시키다; (정신적으로) 움직이다, 감동시키다. ② (동의를) 제출하다, 호소하다. ③ (창자의) 배설을 순하게 하다. — *vi.* ① 움직이다, 이전하다; 흔들리다; 나아가다. ② 활약하다, 행동하다; (사건이) 진전하다. ③ 제안〔신청〕하다. ④ (창자의) 변이 통하다. ***feel*** ～***d to*** do (…하고) 싶은 마음이 들다. ～ ***about*** 몸을 움직이다; 돌아다니다; 이리저리 거처를 옮기다. ～ ***for*** …의 동의를 내다. ～ ***heaven and earth to*** do 온갖 노력을 다하여 …하다. ～ ***in*** …로 이사하다. ***M- on!*** 빨리 가라《교통 순경의 명령》. ～ ***out*** 물러나다; 이사하다. ～ ***a person to anger*** 〔***tears***〕 아무의 감정을 자극하여 성내게 하다〔울리다〕. — *n.* Ⓒ ① 움직임, 운동, 이전. ② 행동, 조처; 진행, 추이(推移). ③ 〖체스〗 말의 움직임. ④ 〖컴〗 옮김. ***be up to every*** ～ ***on the board,*** or ***be up to*** 〔***know***〕 ***a*** ～ ***or two*** 민첩하다, 빈틈 없다. ***get a*** ～ ***on*** 《口》 전진하다, 서두르다, 출발하다. ***make a*** ～ 움직이다, 떠나다; 행동을 취하다; 이사하다; 〖체스〗 말을 움직이다. ***on the*** ～ 이리저리 움직여; 진행〔활동〕중. **móv·er** *n.*
†**move·ment**[´mənt] *n.* ① Ⓤ,Ⓒ 움직임, 운동. ② Ⓒ 동작; 동정. ③ Ⓒ (시계 톱니바퀴 따위의) 기계 장치. ④ Ⓒ (사회적·정치적) 운동. ⑤ Ⓤ (소설 따위의) 줄거리의 진전. ⑥ Ⓒ 〖樂〗 악장; 리듬. ⑦ Ⓤ,Ⓒ (시대 따위의) 동향; (시장·주가의) 활황, 변동. ⑧ Ⓒ 변통(便通). ***in the*** ～ 풍조를 타고.
†**mov·ie** [mú:vi] *n.* Ⓒ 《口》 영화; (흔히 the ～) 영화관. ***go to the*** ～***s*** 영화 구경 가다.
móvie·dom[-dəm] *n.* Ⓤ 영화계.
móvie·gòer *n.* Ⓒ 《口》 자주 영화 구경 가는 사람.
móvie hòuse 《俗》 영화관.
‡**mov·ing**[mú:viŋ] *a.* ① 움직이는. ② 감동시키는; 동기가 되는; 원동력의. ～**·ly** *ad.* 감동적으로.
móving àrm 〖컴〗 옮김팔.
móving pícture 영화.
móving stáircase 〔《英》 ***pavement***〕 에스컬레이터.
*__mow__[1][mou] *vt.* (～***ed***; ～***ed***, ***mown***) ① (풀을) 깎다, 베다. ② 쓰러뜨리다. *´**·er** *n.* Ⓒ 풀 깎는 기계; 풀 베는 사람.
mow[2][mau/mou] *n.* Ⓒ 건초 더미; 건초 곳간.
mówing machìne 풀 베는 기계.
mown[moun] *v.* mow[1]의 과거분사.
moy·a[mɔ́iə] *n.* Ⓤ 〖地〗 화산니(火山泥).
Mo·zam·bique [mòuzəmbí:k] *n.* 모잠비크《아프리카 남동부의 공화국》.
Mo·zart[móutsɑ:rt], **Wolfgang Amadeus**(1756-91) 오스트리아의

작곡가.
mp 〖樂〗 *mezzo piano*(It.=half soft). ***M.P.** Metropolitan Police; Military Police; Mounted Police; Municipal Police. **m.p.** melting point. **MPC** (U.S.) Military Payment Certificate. **MPEA** 《美》 Motion Picture Export Association. **mpg, m.p.g.** miles per gallon. **mph, m.p.h.** miles per hour. **M. Ph.** Master of Philosophy. **MPU** 〖컴〗 microprocessor unit 초소형 연산 처리 장치.
†**Mr.** [místər] *n.* (*pl.* ***Messrs*** [mésərz]) 씨, 귀하, 님, 군《=mister, 남자의 성(명)·직업 따위의 앞에 붙임》(*Mr. Smith; Mr. Ambassador, Mr. Mayor, &c.*).
M.R. 《英》 Master of the Rolls; municipal reform(er). **MRA** Moral Re-Armament. **MRBM** medium range ballistic missile. **M.R.C.A.** multirole combat aircraft 다목적 전투기. **MRI** magnetic resonance imaging 자기 공명 영상법.
†**Mrs.** [mísiz] *n.* (*pl.* ***Mmes*** [meidáim]) …부인, 님, 여사.
MRSA 〖醫〗 methicillin-resistant staphylococcus aureus 메티실린 내성 황색 포도구균《병원내 감염의 주원인으로, 보통의 항생물질은 효과가 없음》. **MRT** mass rapid transit 대량 수송 교통 기관. **MRV** moon roving vehicle 월면차(月面車).
Ms. [miz] *n.* (*pl.* ***Mses, Ms's Mss*** [-iz]) Miss와 Mrs.를 합친 여성에의 경칭.
MS, Ms., ms, ms. (*pl.* ***MSS, mss., &c***) manuscript. **M.S.** master of science 이학(理學) 석사. **MSA** Mutual Security Act. **MSC** Manned Spacecraft Center 유인 우주 본부. **M.S(c).** Master of Science. **MS-DOS** [émèsdás/-dɔ́s] Microsoft disk operating system. **M.Sgt, M/Sgt.** Master Sergeant《美》 상사. **MSI** medium-scale integration 〖컴〗 중규모 집적회로. **M.S.L., m.s.l.** mean sea level. **MSS, mss.** manuscripts. **MST** 《美》 Mountain Standard Time. †**Mt.** [maunt] Mount². **mt., mtn.** mountain. **M.T.B.** motor torpedo boat 쾌속 어뢰정. **Mt. Rev.** Most Reverend. **Mts., mts.** mountains. **MTV** 《美》 Music Television 음악 전문 방송 회사.
mu [mju:/mju] *n.* Ⓤ,Ⓒ 그리스어 알파벳의 12번째 글자《M, *μ*; 로마자 M, m에 해당》.
†**much** [mʌtʃ] *a.* (***more; most***) 다량의, 다액의, 많은. — *n., pron.* Ⓤ 다량. ***make*** 〔***think***〕 ~ ***of*** …을 중히 여기다; …을 떠받들다. ~ ***of*** 상당한, 대단한《언제나 부정으로》(*He is not ~ of a scholar.* 대단한 학자는 아니다). ***so*** ~ 같은 양의; 그만큼의. ***so ~ for*** …은 이만, …의 이야기는 이것으로 끝. ***this*** ~ 이것만은, 여기까지는. ***too ~ for***(*me*) 힘에 겨운. ***too ~ of a good thing*** 좋은 일도 지나치면 귀찮은 것. — *ad.* 크게; 《비교급·최상급에 붙여서》 훨씬; 대략. ***as ~ as*** (…와 같은) 정도. ***as ~ as to say*** …이라는 듯이. ~ ***less*** 하물며 …않다. ~ ***more*** 더구나 …이다. ~ ***the same*** 거의 같은. ***not so ~ as*** …라기보다는 오히려. ***… not so ~ as*** …조차 하지 않다. ***without so ~ as*** …조차 아니하고.
mu·cha·cho [mutʃá:tʃou] *n.* (Sp.) (*fem.* ***-cha*** [-tʃə]) Ⓒ 《美南西》 소년, 젊은이; 사용인.
much·ness [mʌ́tʃnis] *n.* Ⓤ 《古》 많음. ***much of a*** ~ 《口》 거의 같은, 대동 소이한.
mu·ci·lage [mjú:səlidʒ] *n.* Ⓤ 점액(粘液), 고무풀.
mu·cin [mjú:sin] *n.* Ⓤ 〖生化〗 점액소(粘液素), 점액질.
muck [mʌk] *n.* Ⓤ 퇴비; 오물; (a ~) 불결한 상태.
muck·er [mʌ́kər] *n.* Ⓒ 《英俗》 예절 없는 사람; 《英俗》 친구; 〖鑛〗 버력을 제거하는 사람.
múck·ràke *n., vi.* Ⓒ 쇠스랑; 《美》 추문을 들추다. **-ràker** *n.* Ⓒ 추문을 들추는 사람.
múck·wòrm *n.* Ⓒ 구더기; 수전노.
mu·cous [mjú:kəs] *a.* 점액의, 점액을 분비하는.
múcous mémbrane 점막(粘膜).
mu·cus [mjú:kəs] *n.* Ⓤ 점액; 진(*nasal* ~ 콧물).
:mud [mʌd] *n.* Ⓤ 진흙, 진창. ***stick in the*** ~ 궁지에 빠지다; 보수적이다, 발전이 없다. ***throw*** 〔***fling***〕 ~ ***at*** …을 헐뜯다.
mud·dle** [mʌ́dl] *vt.* ① 혼합하다, 뒤섞다; 엉망으로 만들다. ② 얼근히 취하게 하다; 어리둥절하게 하다. — *vi.* 갈피를 못잡다. ~ ***away 낭비하다. ~ ***on*** 얼렁뚱땅 해나가다. ~ ***through*** 이럭저럭 헤어나다. — *n.* Ⓒ (보통 a ~) 혼잡, 혼란.
múddle·hèaded *a.* 당황한, 얼빠진, 멍청한, 멍텅구리의.
:mud·dy [mʌ́di] *a.* ① 진흙의, 진흙투성이의, 질퍽거리는. ② 충충한《색》; 혼란한; 흐린. — *vt.* 진흙투성이로 만들다; 흐리게 하다. **múd·di·ly** *ad.* **múd·di·ness** *n.*
mud·fish [∠fiʃ] *n.* Ⓒ 미꾸라지(의 무리).
múd flàt (썰물 때의) 개펄.
múd·guàrd *n.* Ⓒ (차의) 흙받기.
múd·pàck *n.* Ⓒ (미용의) 산성 백토(白土)팩.
múd pùppy 《美》 〖動〗 영원.
múd·ròom *n.* Ⓒ 흙 묻은 옷·신발 등을 두는 방〔곳〕.
múd·stòne *n.* Ⓤ 이암(泥岩).

M

mu·ez·zin[mju(:)ézin] *n.* Ⓒ 회교 교당에서 기도 시각을 알리는 사람.
muff[1][mʌf] *n.* Ⓒ 머프《여자용, 모피로 만든 외짝 토시》.
muff[2] *n.* Ⓒ 얼뜨기; 스포츠에 서투른 사람. ── *vt.* 실수하다; 공을 (못받고) 놓치다.
***muf·fin**[mʌ́fin] *n.* Ⓒ 머핀《살짝 구운 빵, 버터를 발라 먹음》.
muf·fle[mʌ́fəl] *vt.* 덮어 싸다; 따뜻하게 하기 위하여 싸다; 소리를 죽이(려고 싸)다; 누르다. **~d** *a.* (뒤덮여) 잘 들리지 않는. ***~d curse*** 무언(無言)의 저주.
***muf·fler**[mʌ́flər] *n.* Ⓒ ① 머플러, 목도리. ② 벙어리 장갑; 권투 장갑. ③ 소음(消音) 장치.
muf·ti[mʌ́fti] *n.* ① Ⓤ 평복, 사복, 신사복. ② Ⓒ 회교 법전 설명관. ***in ~*** 평복으로.
***mug**[1][mʌg] *n.* Ⓒ 원통형 찻잔, 머그《손잡이 있는 컵》.
mug**[2] *vt., vi.* (-gg-***) 《英口》 벼락 공부하다. ── *n.* Ⓒ《英口》 벼락 공부하는 사람.
mug·gy[mʌ́gi] *a.* 무더운.
múg shòt 《美俗》 얼굴 사진.
mug·wump[mʌ́gwʌ̀mp] *n.* Ⓒ 《美》 당파에 초연한 사람; 《口》 두목, 거물.
mu·jik[mu:ʒík, ∠─] *n.* =MUZHIK.
mu·lat·to[mju(:)lǽtou, mə-] *n.* (*pl.* ***~es***) Ⓒ 백인과 흑인과의 혼혈아. ── *a.* 황갈색의.
***mul·ber·ry**[mʌ́lbèri/-bəri] *n.* ① Ⓒ 뽕나무; 오디. ② Ⓤ 짙은 자주색.
mulch[mʌltʃ] *n., vt.* Ⓤ (이식한 식물의) 뿌리 덮개(를 하다).
mulct[mʌlkt] *n., vt.* Ⓒ 벌금(을 과하다); 빼앗다(~ *a person* (*in*) 10 *dollars,* 10달러 벌금을 과하다).
***mule**[1][mju:l] *n.* Ⓒ ① 〖動〗 노새《수나귀와 암말과의 잡종》. ② 얼간이, 고집쟁이. ③ 잡종. ④ (실내용) 슬리퍼. **múl·ish** *a.* 노새 같은, 고집센, 외고집의.
mule[2] *vi.* =MEWL.
mu·le·teer[mjù:lətíər] *n.* Ⓒ 노새 모는 사람.
mull[1][mʌl] *n.* Ⓤ 얇고 부드러운 모슬린.
mull[2] *vt.* 《英》 그르치다, 엉망진창으로 만들다. ── *n.* 《英》 그르침; 혼란. ***make a ~ of*** …을 그르치다; 엉망으로 만들다.
mull[3] *vt.* (술에) 향료·설탕·달걀을 넣고 데우다.
mul·lah[mʌ́lə, mú(:)-] *n.* Ⓒ 물라《고승·학자에 대한 회교도의 경칭》; 회교의 신학자.
mul·ler[mʌ́lər] *n.* Ⓒ 막자《그림 물감·약 등을 개는》; 분쇄기.
mul·let[mʌ́lit] *n.* (*pl.* ***~s,*** 《집합적》 ~) Ⓒ 〖魚〗 숭어과의 물고기.
mul·li·gan[mʌ́ligən] *n.* ① Ⓤ 《美俗》 스튜 요리의 일종. ② Ⓒ 〖골프〗 스코어에 안드는 쇼트.
mul·li·ga·taw·ny[mʌ̀ligətɔ́:ni] *n.* Ⓤ (동인도의) 카레가 든 수프.
mul·lion[mʌ́ljən, -liən] *n.* Ⓒ 〖建〗 창의 세로 창살, 장살대.
mul·ti-[mʌ́lti, -tə] '많은(many)'의 뜻의 결합사.
mùlti·chánnel *a.* 〖通信〗 다중(多重) 채널의.
mùlti·cólored, 《英》 **-oured** *a.* 다색(多色)의.
mul·ti·far·i·ous[mʌ̀ltəféəriəs] *a.* 가지 가지의, 각양 각색의.
múlti·fòrm *a.* 여러 모양을 한, 다양한; 여러 종류의.
Mul·ti·graph, m-[-græ̀f, -grɑ̀:f] *n.* Ⓒ 〖商標〗 소형 윤전 인쇄기.
múlti·hèaded *a.* 두부(頭部)가 많은, 《특히》 다탄두의(*a ~ rocket* 다탄두 로켓).
mùlti·láteral *a.* 다변(형)의; 여러 나라가 참가한. ***~ trade*** 다변적 무역.
mùlti·média *n.* (*pl.*) 《단수 취급》 〖컴〗 다중 매체.
mùlti·millionáire *n.* Ⓒ 억만장자.
mùlti·nátional *a., n.* 다국적의; Ⓒ 다국적 기업(의).
mùlti·núclear *a.* 다핵(多核)의.
mul·ti·ple**[mʌ́ltəpəl] *a.* ① 복합의; 다양한. ② 배수의. ── *n.* Ⓒ 배수, 배량(倍量). ***least common ~ 최소공배수.
múltiple-chóice *a.* 다항식 선택의.
múltiple chóice tèst 선다형 테스트.
múltiple crópping 다모작(多毛作).
múltiple fárming 다각 농업.
múltiple shóp 〔**stóre**〕《英》 연쇄점(《美》 chain store).
mul·ti·plex[mʌ́ltəplèks] *a., n.* 다양〔복합〕의; Ⓤ 〖컴〗 다중(多重)(의); 다중 송신(의). **~·er** *n.* Ⓒ 〖컴〗 다중화기. **~·ing** *n.* Ⓤ 〖컴〗 다중화
múltiplex bróadcasting 음성 다중 방송.
múltiplex télegraphy 〖電信〗 다중(多重) 송신법.
mul·ti·pli·cand[mʌ̀ltəplikǽnd] *n.* Ⓒ 〖數〗 피승수(被乘數); 〖컴〗 곱힘수.
***mul·ti·pli·ca·tion** [mʌ̀ltəplikéiʃən] *n.* ① Ⓤ,Ⓒ 곱셈. ② Ⓤ 증가, 배가(倍加), 증식.
multiplicátion tàble (곱셈) 구구표《12×12까지 있음》.
mul·ti·plic·i·ty[mʌ̀ltəplísəti] *n.* Ⓤ (종종 a ~) 중복; 다양성. ***a*** 〔***the***〕 ***~ of*** 많은.
‡**mul·ti·ply**[mʌ́ltəplài] *vt., vi., n.* 늘리다; 붇다, 번식시키다, 번식하다; 곱하다; Ⓤ,Ⓒ 〖컴〗 곱하기(하다). **-pli·er** *n.* Ⓒ 〖數〗 승수(乘數); 〖電·磁〗 증폭기(增幅器), 배율기(倍率器); 〖컴〗 곱함수.
mùlti·pólar *a.* 〖電〗 다극(多極)의.
mùlti·prócessing *n.* Ⓤ 〖컴〗 다중(多重)처리.

múlti·pròcessor *n.* Ⓒ 〖컴〗 다중 처리기《장치나 시스템 따위》.
mùlti·prógramming *n.* Ⓤ 〖컴〗 다중 프로그램 짜기.
mùlti·púrpose *a.* 다목적의, 용도가 많은.
mùlti·rácial *a.* 다민족의〔으로 된〕. **~ism** *n.* Ⓤ 다민족 공존〔평등〕 (사회).
múlti·scàn *n.* Ⓤ 〖컴〗 다중훑기, 검색(~ *monitor* 다중 훑기 화면기).
múlti·scrèen *n.* Ⓒ 4면 또는 9면으로 된 분할 스크린; 다수〔다각〕 화면.
mul·ti·shift[mʌ́ltiʃìft] *a.* 여러번 교대하는. 「작업.
múltishift wòrking 단시간 교대
múlti·stàge *a.* 다단(多段)식의(*a ~ rocket* 다단식 로켓).
mùlti·tásking *n.* Ⓤ 〖컴〗 다중 작업《하나의 CPU로 복수 작업》.
:mul·ti·tude [mʌ́ltətjùːd] *n.* ① Ⓒ,Ⓤ 다수. ② (the ~(s)) 군중. ***a ~ of*** 다수의. ***the ~*** 대중. **-tu·di·nous**[mʌ̀ltətjúːdənəs] *a.* 수많은.
mùlti·úser *n.* Ⓒ 〖컴〗 다중 사용자.
mùlti·válent *a.* 〖化〗 다원자가(多原子價)의, 삼가(三價) 이상의.
mul·tum in par·vo[mʌ́ltəm in páːrvou] (L.) 소형이나 내용 풍부.
mum[1][mʌm] *int., a.* 쉿!; 말 마라!; 무언의. ***Mum's the word!*** 남에게 말 마라. — *vi.* (**-mm-**) 무언극을 하다.
mum[2] *n.* Ⓒ 《兒》 엄마(mummy).
***mum·ble**[mʌ́mbəl] *vi., vt.* ① 중얼거리다. ② (이가 없는 입으로) 우물우물 먹다. — *n.* Ⓒ 중얼거리는 말.
mum·bo jum·bo [mʌ́mbou dʒʌ́mbou] 무의미한 의식; 알아 들을 수 없는 말; 우상(偶像).
mum·mer[mʌ́mər] *n.* Ⓒ 무언극 배우; 배우.
mum·mer·y[mʌ́məri] *n.* Ⓒ 무언극; Ⓤ,Ⓒ 허례, 점잔빼는 동작〔의식〕.
mum·mi·fy[mʌ́mifài] *vt.* 미라로 만들다; 바짝 말리다.
***mum·my**[1][mʌ́mi] *n.* ① Ⓒ 미라. ② Ⓤ 갈색 안료(顔料)의 일종.
mum·my[2][mʌ́mi] *n.* Ⓒ 《兒》 엄마.
mùmmy whèat 이집트 밀.
mump[mʌmp] *vi.* 《英》 뚱해 있다; 오만상을 짓다; 구걸하다; 속이다.
mumps[mʌmps] *n. pl.* ① 《단수 취급》 〖醫〗 이하선염(耳下腺炎), 항아리 손님. ② 부루퉁한〔성난〕 얼굴.
***munch**[mʌntʃ] *vt., vi.* 우적우적 먹다, 으드득으드득 깨물다.
mun·dane[mʌ́ndein, ⌐⌐] *a.* 현세의, 속세(俗世)의, 우주의.
Mu·nich[mjúːnik] *n.* 뮌헨《독일의 Bavaria의 도시; (G.) München》.
:mu·nic·i·pal[mjuːnísəpəl] *a.* 지방 자치제의, 시(市)의. ~ ***government*** 시당국. ~ ***law*** 국내법. ~ ***office*** 시청.
mu·nic·i·pal·ism [mjuːnísəpəlìzəm] *n.* Ⓤ (시·읍 등의) 지방 자치주의.
***mu·nic·i·pal·i·ty** [mjuːnìsəpǽləti] *n.* Ⓒ 자치체《시·읍 등》; 《집합적》 자치체 당국.
mu·nif·i·cent[mjuːnífəsənt] *a.* 아낌 없이 주는, 손이 큰(opp. niggardly). **-cence** *n.*
mu·ni·ment[mjúːnəmənt] *n.* Ⓒ (보통 *pl.*) 〖法〗 권리 증서, 땅문서; 증서; 공식 기록.
***mu·ni·tion**[mjuːníʃən] *n.* Ⓒ (보통 *pl.*) 군수품; 필수품, 자금(*for*). — *vt.* (…에) 군수품을 공급하다.
Múntz mètal[mʌ́nts-] 먼츠 메탈《아연과 구리의 합금》.
mu·ral[mjúərəl] *a.* 벽의, 벽에 걸린. ~ ***painting*** 벽화.
:mur·der[mə́ːrdər] *n.* Ⓤ 살인(*M-!* 사람 살려!); 〖法〗 모살(謀殺), 고살(故殺). ***like*** BLUE ~. ***M- will out.*** 《속담》 나쁜 짓은 드러나게 마련이다. — *vt.* 살해하다; (곡을 서투르게 불러서〔연주하여〕) 망치다. **:~·er** *n.* Ⓒ 살인자.
***mur·der·ous**[mə́ːrdərəs] *a.* 살인의, 흉악한; 살인적인; 지독한《더위 따위》.
mu·ri·at·ic[mjùəriǽtik] *a.* 염화(鹽化)수소의.
múriatic ácid 염산(鹽酸).
murk·y[mə́ːrki] *a.* 어두운; 음울한.
:mur·mur[mə́ːrmər] *vi., vt.* 웅성대다, 졸졸 소리내다, 속삭이다; 투덜거리다(*at, against*). — *n.* Ⓒ 중얼거림, 불평; (시내의) 졸졸거리는 소리, (파도의) 출렁거리는 소리, 속삭임.
mur·phy[mə́ːrfi] *n.* Ⓒ 《俗》 감자.
mur·rain[mə́ːrin] *n.* Ⓤ 가축의 전염병.
mur·rhine[mə́ːrin] *a.* 형석(螢石)(제)의, 꽃무늬 유리의.
mus. museum; music(al); musician.
Mus·cat[mʌ́skət] *n.* 아라비아 동남단 Oman 토후국의 수도. ~ ***and Oman*** Oman의 구칭.
mus·cat *n.* Ⓒ 포도의 일종.
mus·ca·tel[mʌ̀skətél] *n.* Ⓤ,Ⓒ 머스커텔《muscat로 만든 포도주》; =⇧.
:mus·cle[mʌ́səl] *n.* ① Ⓤ,Ⓒ 근육. ② Ⓤ 완력; 영향력. ③ Ⓤ 《口》 힘, 압력. ***flex one's ~s*** 《口》 비교적 쉬운 일로 힘을 시험해 보다. ***not move a ~*** 까딱도 않다. — *vi.* 《口》 완력을 휘두르다.
múscle-bòund *a.* (운동과다로) 근육이 굳어버린.
Mus·co·vite[mʌ́skəvàit] *n., a.* Ⓒ 모스크바 사람; 러시아 사람(의); (m-) Ⓤ 〖鑛〗 백운모. 「아.
Mus·co·vy[mʌ́skəvi] *n.* 《古》 러시
***mus·cu·lar**[mʌ́skjələr] *a.* 근육의; 근육이 늠름한. **~·i·ty**[⌐–lǽrəti] *n.* Ⓤ 근육이 억셈, 힘셈.
Mus. D., Mus. Doc., Mus. Dr. *Musicae Doctor* (L. =Doctor of Music).

M

Muse[mjuːz] *n.* Ⓒ 〖그神〗 뮤즈신 《시·음악·그 밖의 학예를 주관하는 9 여신 중의 하나》; (보통 one's ～; the ～) 시적 영감, 시심(詩心); (m-) 시인. ***the Muses*** 뮤즈의 9여신.
:muse[mjuːz] *vi.* ① 심사 묵고하다, 명상에 잠기다(*on, upon*). ② 골똘히 바라보다. **mús·ing** *a.* 생각에 잠긴.
†mu·se·um[mjuːzíːəm/-zíəm] *n.* Ⓒ 박물관, 미술관.
muséum pièce 박물관의 진열품; 박물관 진열감, 진품(珍品).
mush[1][mʌʃ] *n.* Ⓤ 《美》 옥수수 죽; 죽 모양의 것; 《口》 값싼 감상(感傷).
mush[2] *n.* Ⓒ 《英俗》 박쥐우산; 전세 마차집.
:mush·room[mʌ́ʃru(ː)m] *n.* Ⓒ ① 버섯, 버섯 모양의 것. ② 《古》 벼락 출세자. ③ 《俗》 여자용 밀짚 모자의 하나. ④ =⇩. ― *vi.* 버섯을 따다; (탄알 끝이) 납작해지다.
múshroom clòud (핵폭발에 의한) 버섯 구름.
múshroom gròwth 급격한 성장.
mush·y[mʌ́ʃi] *a.* 죽 모양의, 걸쭉한; 《口》 감상적인, 푸념 많은.
†mu·sic[mjúːzik] *n.* ① Ⓤ 음악, 악곡; 악보; 음악적인 음향. ② Ⓤ,Ⓒ 듣기 좋은 소리, 묘음(妙音). ***face the ～*** 태연히 난국에 당하다; 당당하게 비판을 받다. ***～ to one's ears*** (들어) 기분 좋은 것. ***rough ～*** (야유하는) 환성(喚聲). ***set (a poem) to ～*** (시에) 곡을 달다.
:mu·si·cal[mjúːzikəl] *a.* 음악의; 음악적인; 음악을 좋아하는; 음악이 따르는. ― *n.* Ⓒ 희가극, 뮤지컬. **～·ly** *ad.* 음악적으로.
músical cháirs (음악이 따르는) 의자 빼앗기 놀이.
músical cómedy 희가극, 뮤지컬 (cf. comic opera).
mu·si·cale[mjùːzikǽl] *n.* Ⓒ 사교 음악회.
músical ínstrument 악기.
músical sàw 악기로 쓰는 서양 톱 《휘어 켜거나 두드림》.
mu·si·cas·sette[mjúːzəkəsèt] *n.* Ⓒ 음악 카세트(테이프).
músic bòx 《美》 주크 박스(jukebox) (《英》 musical box).
músic hàll 《英》 연예관(演藝館); 음악당.
:mu·si·cian[mju(ː)zíʃən] *n.* Ⓒ 음악가, 악사, 작곡가; 음악을 잘 하는 사람.
mu·si·col·o·gy [mjùːzikálədʒi/-kɔ́l-] *n.* Ⓤ 음악학.
músic pàper 오선지.
músic stànd 악보대.
músic stòol (높이가 조절되는) 피아노용 걸상.
mu·sique con·crète [myzík kɔ̃ːŋkréːt] (F.) 〖樂〗 뮈지크콩크레트 《자연음 따위를 넣은 즉물적(卽物的) 음악》.
musk[mʌsk] *n.* Ⓤ 사향(의 냄새); Ⓒ 〖動〗 사향 노루.
músk càt 사향 고양이.
músk dèer 사향 노루.
***mus·ket**[mʌ́skət] *n.* Ⓒ 머스켓 총 《구식 소총》.
mus·ket·eer[mʌ̀skətíər] *n.* Ⓒ musket를 가진 병사.
mus·ket·ry[mʌ́skətri] *n.* Ⓤ 《집합적》 소총; 소총 부대; 소총 사격술.
músk·mélon *n.* Ⓒ 머스크멜론《참외의 일종》.
músk òx (북아메리카의) 사향소.
músk·ràt *n.* Ⓒ 사향쥐.
musk·y[mʌ́ski] *a.* 사향내 나는; 사향의; 사향 비슷한.
Mus·lim, -lem[mʌ́zləm, múz-, mús-] *n.* (*pl.* ～(***s***)), *a.* Ⓒ 이슬람교〔회교〕도(의). **～·ism**[-ìzəm] *n.* Ⓤ 이슬람교.
***mus·lin**[mʌ́zlin] *n.* Ⓤ 모슬린《부인복·커튼용 면직물의 일종》.
muss[mʌs] *n., vt.* Ⓤ,Ⓒ 뒤죽박죽(으로 만들다), 혼란; 《俗》 언쟁, 소동.
mus·sel[mʌ́səl] *n.* Ⓒ 〖貝〗 홍합, 마합.
Mus·so·li·ni[mùsəlíːni], **Benito** (1883-1945) 이탈리아의 파시스트 당수·수상(1922-43).
Mus·sorg·sky [musɔ́ːrgski], **Modest Petrovich**(1835-81) 러시아의 작곡가.
Mus·sul·man[mʌ́səlmən] *n.* (*pl.* ～***s***), *a.* Ⓒ 이슬람교도(의).
†must[1][強 mʌst, 弱 məst] *aux. v.* ① 《필요·의무·책임·명령》 …하지 않으면 안 된다《부정은 need not; 과거·미래·완료형 따위는 have to의 변화형을 사용함, must not는 '…해서는 안 된다'의 뜻》(*I ～ work.* 나는 일해야 한다). ② 《필연성·분명한 추정》 …임에 틀림없다(*It ～ be true.* 그것은 정말임에 틀림없다/*He ～ have written it.* 그가 그것을 썼음에 틀림없다). ③ 《주장》(*You ～ know.* 네가 알아 주기 바란다). ④ 《과거시제로서, 그러나 지금은 간접화법에 쓰임》 …하지 않으면 안 되었다. ⑤ 《과거 또는 역사적 현재로서》 운나쁘게 …했다(*Just as I was busiest, he ～ come worrying.* 하필이면 가장 바쁠 때 와서 훼방놓다니). ― *a.* 절대 필요한(***a ～ book*** 필독서/***～ bills*** 중요 의안). ― *n.* Ⓒ 필요한 일〔것〕(*English is a ～* 영어는 필수 과목이다).
must[2] *n.* Ⓤ (발효전의) 과즙(果汁); 새 포도주.
must[3] *n., a.* Ⓤ 발정한 (상태)《교미기의 수코끼리나 낙타의》.
must[4] *n.* Ⓤ 곰팡이. **∠·y** *a.* 곰팡내 나는; 케케묵은; 무기력한.
***mus·tache**[mʌ́stæʃ, məstǽʃ] *n.* Ⓒ 콧수염; (고양이 따위의) 수염.
mus·tang[mʌ́stæŋ] *n.* Ⓒ 반야생의 말《소형, 미국 평원 지대산》.
mus·tard**[mʌ́stərd] *n.* Ⓤ 겨자; 갓. ***as keen as ～ 《口》 아주 열심인; 열망하여. ***grain of ～ seed*** 작지만 발전성이 있는 것《마태복음

13:31》. ***French* ~** 초넣은 겨자.

***mus·ter**[mʌ́stər] *n.* Ⓒ 소집, 점호, 검열. ***pass* ~** 합격하다. ─ *vt.* ① 소집하다, 점호하다. ② (용기를) 분발시키다(*up*). **~ *in* 〔*out*〕** 입대〔제대〕시키다.

múster ròll 병원(兵員)〔선원〕 명부.

†**must·n't**[mʌ́snt] must not의 단축.

mut[mʌt] *n.* =MUTT.

mu·ta·ble[mjú:təbəl] *a.* 변하기 쉬운, 변덕의. **-bil·i·ty**[̀--bíləti] *n.* Ⓤ 변하기 쉬움, 부정(不定); 변덕. **-bly** *ad.*

mu·ta·gen[mjú:tədʒən] *n.* Ⓒ 〚生〛 돌연 변이 유도물《약물·방사선 따위》.

mu·tant[mjú:tənt] *n.* Ⓒ 〚生〛 변종(變種), 돌연 변이체(體).

mu·ta·tion[mju:téiʃən] *n.* ① Ⓤ,Ⓒ 변화. ② Ⓒ 〚生〛 돌연 변이, 변종. ③ Ⓤ,Ⓒ 〚言〛 모음 변화.

mu·ta·tis mu·tan·dis[mju:téitis mju:tǽndis] (L.) 필요한 변경을 가하여, 준용해서.

:**mute**[mju:t] *a.* ① 벙어리의, 무언의. ② 〚音聲〛 폐쇄음의; 묵자(默字)의《*k*now의 *k*따위》. ─ *n.* Ⓒ ① 벙어리, 말 않는 배우, (동양의) 벙어리 하인. ② (고용된) 회장(會葬)꾼. ③ 〚樂〛 약음기(弱音器). ─ *vt.* (…의) 소리를 죽이다; (…에) 약음기를 달다.

***mu·ti·late**[mjú:təlèit] *vt.* ① (수족을) 절단하다, 병신을 만들다. ② (책의 일부를 삭제하여) 불완전하게 하다.

mu·ti·la·tion [mjù:təléiʃən] *n.* Ⓤ,Ⓒ 절단, 훼손(毁損).

mu·ti·neer[mjù:təníər] *n.* Ⓒ 폭도, 반항자.

mu·ti·nous[mjú:tənəs] *a.* 폭동의; 반항적인.

***mu·ti·ny**[mjú:təni] *n.* Ⓤ,Ⓒ 반란, 폭동, 반항. ─ *vt.* 반란을 일으키다, 반항하다.

mutt[mʌt] *n.* Ⓒ 《俗》 잡종개, 똥개, 바보.

:**mut·ter**[mʌ́tər] *vi., vt.* 중얼거리다; 투덜거리다. ─ *n.* (*sing.*) 중얼거림; 불평.

:**mut·ton** [mʌ́tn] *n.* Ⓤ 양고기. ***dead as* ~** 아주 죽어서.

mútton·chòp *n.* ① Ⓒ 양의 갈비고기. ② (*pl.*) 위는 조붓하고 밑으로 둥글게 퍼진 구레나룻.

mútton-hèad *n.* Ⓒ 《口》 멍텅구리, 바보. **~ed** *a.* 어리석은.

:**mu·tu·al**[mjú:tʃuəl] *a.* 상호의; 공통의(common). **~ *aid*** 상호 부조. **~ *aid association*** 공제 조합. **~ *friend*** 공통의 친구. **~ *insurance*** 상호 보험. ***~·ly** *ad.* 서로.

mu·tu·al·ism[mjú:tʃuəlìzəm] *n.* Ⓤ 상호 부조론; 〚生〛 공서(共棲).

mu·tu·al·i·ty[mjù:tʃuǽləti] *n.* Ⓤ 상호 관계, 상관.

Mu·zak[mjú:zæk] *n.* Ⓤ 〚商標〛 전화나 무선으로 식당·상점·공장에 음악을 보내주는 시스템.

mu·zhik, -zjik[mu:ʒí(:)k, mú:ʒik] *n.* (Russ.) Ⓒ 러시아의 농민.

***muz·zle**[mʌ́zəl] *n.* Ⓒ ① (동물의) 코·입부분. ② 총구(銃口). ③ 입마개, 부리망, 재갈. ─ *vt.* ① (개 따위에) 부리망을 씌우다. ② (언론을) 탄압하다, 말 못하게 하다.

múzzle·lòader *n.* Ⓒ 구장총(口裝銃), 전장포(前裝砲).

M.V. motor vessel. **MVD** *Ministerstvo Vnutrennikh Del*(Russ. =Ministry of Internal Affairs).

M.V.O. Member of the Victorian Order. **Mx.** Middlesex《이전의 잉글랜드 남부의 주》.

†**my**[強 mai, 弱 mi] *pron.* 《I의 소유격》 나의. ***My!,*** or ***Oh, my!,*** or ***My eye!*** 아이고!, 저런!

my·al·gi·a[maiǽldʒiə] *n.* Ⓤ 〚病〛 근육 류머티즘.

Myan·mar[mjʌ́nmɑ:r] *n.* 미얀마 《1989년부터의 Burma의 공식 명칭》.

Myan·ma·rese[mjʌ̀nmərì:z] *a., n.* 미얀마의; Ⓒ 미얀마 사람; Ⓤ 미얀마 말.

my·ce·li·um[maisí:liəm] *n.* (*pl.* ***-lia***[-liə]) Ⓒ 〚植〛 균사(菌絲).

My·ce·nae[maisí:ni(:)] *n.* 미케네 《그리스 남동부의 옛 도시, 청동기 문명의 중심지》.

my·col·o·gy[maikɑ́lədʒi/-ɔ́-] *n.* Ⓤ 균학(菌學). **-gist** *n.* Ⓒ 균학자.

my·co·sis[maikóusis] *n.* Ⓤ 〚病〛 사상균(絲狀菌)병.

my·e·li·tis[màiəláitis] *n.* Ⓤ 〚病〛 척수염.

M.Y.O.B. mind your own business.

my·o·car·di·al[màiəkɑ́:rdiəl] *a.* 심근(心筋)(층)의.

my·o·glo·bin [máiəglòubin] *n.* Ⓤ 〚生〛 미오글로빈《근육 세포 속의 헤모글로빈》.

my·o·pi·a[maióupiə], **-py**[máiəpi] *n.* Ⓤ 〚醫〛 근시안, 근시. **my·ope** [máioup] *n.* Ⓒ 근시안인 사람(short-sighted person). **my·op·ic**[-ɑ́p-/-ɔ́-] *a.* 근시의.

***myr·i·ad**[míriəd] *n., a.* Ⓒ 만(萬)(의), 무수(한).

myr·i·a·gram, 《英》 **-gramme** [míriəgræ̀m] *n.* Ⓒ 1만 그램.

myr·i·a·li·ter, 《英》 **-tre**[-lì:tər] *n.* Ⓒ 1만 리터.

myr·i·a·me·ter, 《英》 **-tre**[-mì:tər] *n.* Ⓒ 1만 미터.

myr·mi·don [mə́:rmədɑ̀n, -dən/ -midən, -dɔ̀n] *n.* Ⓒ 부하, 졸개, 앞잡이, 수하(手下).

myrrh[mə:r] *n.* Ⓤ 몰약(沒藥)《향료·약제로 쓰이는 열대 수지》.

***myr·tle**[mə́:rtl] *n.* Ⓤ,Ⓒ 〚植〛 도금양(桃金孃); 《美》 =PERIWINKLE[1].

†**my·self**[maisélf, 弱 mə-] *pron.* (*pl.* ***ourselves***) 나 자신. ***by* ~** 혼자서. ***for* ~** 나 자신을 위해서; 남의 부림을 받지 않고, 자력으로. ***I am not* ~.** 몸〔머리〕 상태가 아무래도 이상하다.

mys·ta·go·gy[místəgòudʒi] *n.* Ⓤ

비법전수(秘法傳授). **-gog·ic**[∸-gάdʒik/-gɔ́-], **-i·cal**[-əl] *a.* **-gog(ue)**[-gὰg/-ɔ̀-] *n.* Ⓒ 비법가.
:mys·te·ri·ous[mistíəriəs] *a.* 신비한; 불가사의한; 이상한. **~·ly** *ad.* **~·ness** *n.*
:mys·ter·y[místəri] *n.* ① Ⓤ 신비, Ⓒ 불가사의한 것[사람]; 비밀. ② Ⓒ 비결, 비전(秘傳). ③ (*pl.*) 성체; 비의(秘儀); 비밀 의식. ④ Ⓒ 중세 종교극. ⑤ Ⓒ 괴기[추리] 소설. ***be wrapped in ~*** 비밀[수수께끼]에 싸여 있다, 전혀 모르다. ***make a ~ of*** …을 비밀로 하다, …을 신비화하다.
mýstery plày =MYSTERY ④.
mýstery stòry =MYSTERY ⑤.
mýstery tòur [**trìp**] 행선지를 정하지 않은 여행.
***mýs·tic**[místik] *a.* ① 신비한, 비법의. ② 비교(秘教)의. **—** *n.* Ⓒ 신비주의자《명상·자기 포기로 신과의 합일을 구하는 자》. ***mýs·ti·cal** *a.* 신비의, 비법의. **mýs·ti·cal·ly** *ad.* 신비적으로.
mys·ti·cism[místəsìzəm] *n.* Ⓤ 비교(秘教), 신비주의.
mys·ti·fy[místəfài] *vt.* 신비화하다; 어리둥절하게 하다, 속이다. **-fi·ca·tion**[∸-fikéiʃən] *n.* Ⓤ 신비화; 당혹시킴; Ⓒ 속이기.
mys·tique[mistí:k] *n.* Ⓒ (보통 *sing.*) 신비(적인 분위기); 비법.
:myth[miθ] *n.* ① Ⓒ,Ⓤ 신화(*the solar ~* 태양 신화/*the Greek ~s* 그리스 신화). ② Ⓤ,Ⓒ 꾸민 이야기. ③ Ⓒ 가공의 사람[물건].
myth·ic[míθik], **-i·cal**[-əl] *a.* 신화[가공]의.
myth·o·log·i·cal [mìθəlάdʒikəl/-ɔ́-] *a.* 신화의, 신화학(神話學)의, 가공의. **~·ly**[-kəli] *ad.*
***my·thol·o·gy**[miθάlədʒi/-ɔ́-] *n.* Ⓤ 신화학; Ⓤ《집합적》신화; Ⓒ 신화집. **-gist** *n.* Ⓒ 신화학자, 신화 작자[편집자].

N

N, n[en] *n.* (*pl.* ***N's, n's***[-z]) Ⓒ N자 모양(의 것); 〖數〗 부정 정수(不定整數).
N 〖化〗 nitrogen; 〖理〗 newton(s); 〖電〗 neutral. **N, N., n.** north(-ern). **N.** National(ist); Norse; November. **N., n.** navy; noon. **n.** neuter; nominative; noun.
'n 《口》 and 또는 than의 단축.
Na 〖化〗 *natrium* (L. =sodium).
N.A. National Army; North America(n). **n/a** no account. **NAACP** National Association for the Advancement of Colored People. **NAAFI** 《英》 Navy, Army and Air Force Institute(s). **NAAU** National Amateur Athletic Union. **NAB** National Association of Broadcasters.
nab[næb] *vt.* (***-bb-***) 《口》 (갑자기) 붙잡다; 잡아채다; 체포하다.
na·bob[néibɑb/-bɔb] *n.* Ⓒ (Mogul 제국 시대 인도의) 태수(太守); (인도에서 돌아온) 영국인 부호; 갑부.
na·celle[nəsél] *n.* Ⓒ (비행기·비행선의) 객실, 기관실; (기구의) 곤돌라, 채롱.
na·cre[néikər] *n.* Ⓒ 진주층(眞珠層)(mother-of-pearl).
Na·der·ism [néidərìzəm] *n.* Ⓤ 《美》 소비자 보호 운동.
na·dir[néidər, -diər] *n.* (the ~) 〖天〗 천저(天底) (opp. zenith); 《비유》 밑바닥; 침체기.
nae[nei] *a., ad.* 《Sc.》 =NO.
NAFTA[nǽftə] North American Free Trade Agreement 북미 자유 무역 협정.
nag[1][næg] *vt., vi.* (***-gg-***) 성가시게 잔소리하(여 괴롭히)다(*at*).
nag[2] *n.* Ⓒ (승용의) 조랑말(pony); 늙은 말.
Na·hum[néihəm] *n.* 나훔《헤브라이의 예언자》; 〖舊約〗 나훔서(書).
nai·ad[néiæd, nái-, -əd] *n.* (*pl.* ***~s, ~es***[-ədì:z]) (*or* N-) Ⓒ 〖그·로神〗 물의 요정(妖精)(water nymph); 수영 잘 하는 아가씨.
na·ïf[nɑ:í:f] *a.* =NAÏVE.
:nail[neil] *n.* Ⓒ ① 손톱, 발톱. ② 못. BITE ***one's ~s. hit the (right) ~ on the head*** 바로 맞히다; 정곡을 찌르다. ***on the ~*** 즉석에서. **—** *vt.* ① 못을 박다, 못박아 놓다(*on, to*). ② 《口》 체포하다; (부정을) 찾아내다(detect). **∠·less** *a.* 손톱[발톱]이 없는; 못이 필요 없는.
náil-bìting *n.* Ⓤ 손톱을 깨무는 버릇《불안 초조에서》; 《口》 욕구 불만. **—** *a.* 《口》 초조하게 하는.
náil·brùsh *n.* Ⓒ (매니큐어용의) 손톱솔.
náil fìle 손톱 다듬는 줄.
náil pòlish [**vàrnish**] 매니큐어액.
náil pùller 못뽑이.
náil scìssors 손톱 깎는 가위.
nain·sook[néinsuk] *n.* Ⓤ 인도산의 얇은 무명.
na·ïve, **na·ive**[nɑ:í:v] *a.* (F.) 순진한, 천진난만한. **~·ly** *ad.*
na·ïv·té, **na·ive·te**[-tei] *n.* (F.) Ⓤ 순진, 천진난만; Ⓒ 순진한 말[행동].
na·ive·ty[nɑ:í:vəti] *n.* =⇧.
:na·ked[néikid] *a.* ① 벌거벗은. ②

드러난. ③ 있는 그대로의. ~ ***eyes*** 육안. ~ ***truth*** 있는 그대로의 사실. **~·ly** *ad.* **~·ness** *n.*

NAM., N.A.M. 《美》 National Association of Manufacture.

nam·a·ble, name·a-[néiməbəl] *a.* 지명할 수 있는; 이름 붙일 수 있는; 기념할 만한.

nam·by-pam·by [nǽmbipǽmbi] *a., n.* Ⓒ 지나치게 감상적인(글·이야기); 유약한〔여자 같은〕(사람·태도).

†**name**[neim] *n.* ① Ⓒ 이름; 명칭. ② (a ~) 평판, 명성; 허명(虛名). ③ Ⓒ 명사(名士). ④ 〖컴〗 이름《(기록)철 이름, 프로그램 이름 등》. ***bad*** 〔***ill***〕 ~ 악명, 악평. ***by*** ~ 이름은. ***by*** 〔***of***〕 ***the*** ~ ***of*** …라는 이름의. ***call a person*** ~***s,*** or 《稀》 ***say*** ~***s to a person*** (아무의) 욕을 하다, (큰소리로) 꾸짖다. ***full*** ~ (생략하지 않은) 성명. ***in God's*** ~ 신에 맹세코; 도대체; 제발 (부탁이니). ***in*** ~ (***only***) 명의상. ***in the*** ~ ***of*** …의 이름을 걸고; …에 대신하여. ***make*** 〔***win***〕 ***a*** ~ 이름을 떨치다. ***to one's*** ~ 자기 소유의. ― *vt.* ① 명명하다; 이름을 부르다. ② 지명〔지정〕하다; 임명하다. ~ ***after*** …의 이름을 따서 명명하다. ― *a.* 주지의, 잘 알려진. ***∠·less** *a.* 이름 없는; 익명의; 세상에 알려지지 않은; 서출(庶出)의(bastard); 말로 표현할 수 없는; 언어 도단의. **:∠·ly** *ad.* 즉.

náme-càlling *n.* Ⓤ 욕설; 매도함; 험담함.

náme chìld (어떤 사람의) 이름을 따서 명명된 사람.

náme dày 영명(靈名)축일《같은 이름의 성인(聖人)의 축일》; (아이의) 명명일; 〖證〗 수도(受渡) 결제일.

náme·dròp *vi.* 유명한 사람의 이름을 아는 사람인 양 함부로 들먹이다. **~per** *n.* **~ping** *n.*

náme·plàte *n.* Ⓒ 명패, 명찰.

náme·sàke *n.* Ⓒ 같은 이름의 사람《특히, 남의 이름을 따서 명명된 사람》.

Na·mib·ia[nəmíbiə] *n.* 나미비아《아프리카 남부의 공화국》.

NANA North American Newspaper Alliance.

NAND[nænd] *n.* 〖컴〗 부정 논리곱《양쪽이 참인 경우에만 거짓이 되며 다른 조합은 모두 참이 되는 논리 연산(演算)》(~ ***gate*** 아니또문, 낸드문《NAND 연산을 수행하는 문》/ ~ ***operation*** 아니또셈, 낸드셈)(< ***not AND***).

nan·keen, -kin [nænkíːn] *n.* Ⓤ 남경(南京) 무명; (*pl.*) 그 바지.

Nan·king[nǽnkíŋ] *n.* 남경(南京).

nan·ny[nǽni] *n.* Ⓒ ① 유모; 아주머니. ② =∠ **gòat** 암염소.

nánny stàte, the 과보호 국가《복지 국가에 대한 경멸적 표현》.

nan·o-[nǽnə, néinə] '10억분의 1, 극미한'의 뜻의 결합사.

nan·o·sec·ond[nǽnəsèkənd] *n.* 나노초《10억분의 1초; 생략 ns, nsec》.

Nantes[nænts, (F.) nɑ̃ːt] *n.* 서프랑스의 항구 도시. ***the Edict of*** ~ 〖프史〗 낭트 칙령.

:nap[1][næp] *n., vi.* (**-pp-**) Ⓒ 걸잠(들다), 깜빡 졸다. ***catch a person*** ~***ping*** 아무의 방심을 틈타다. **∠·per**[1] *n.*

nap[2] *n., vt.* (**-pp-**) Ⓤ (직물 따위의) 보풀(을 일게 하다). **∠·less** *a.* **∠·per**[2] *n.* Ⓒ 보풀 세우는 사람〔기계〕.

na·palm[néipɑːm] *n.* 〖軍〗 Ⓤ 네이팜《가솔린의 젤리화제(化劑)》; Ⓒ 네이팜탄(napalm bomb).

nape[neip] *n.* Ⓒ 목덜미.

na·per·y[néipəri] *n.* Ⓤ 테이블 보, 냅킨류.

naph·tha[nǽfθə, nǽp-] *n.* Ⓤ 〖化〗 나프타.

naph·tha·lene, -line [-lìːn], **-lin**[-lin] *n.* Ⓤ 나프탈렌.

naph·thol[nǽfθɔːl, nǽp-, -θoul/ -θɔl] *n.* Ⓤ 〖化〗 나프톨《방부제·물감의 원료》.

Na·píer·i·an lógarithm [nəpíːəriən-, nei-] 〖數〗 자연 대수(對數)(natural logarithm)《J. Napier가 발견》.

Ná·pi·er's ròd 〔**bònes**〕 [néipiərz-] 〖數〗 네이피어 계산봉(棒)《J. Napier가 고안한 곱셈·나눗셈 용구》.

:nap·kin[nǽpkin] *n.* Ⓒ 냅킨; 손수건; 《주로 英》 기저귀.

***Na·ples**[néiplz] *n.* 나폴리《이탈리아 남부의 항구 도시》.

:Na·po·leon [nəpóuliən, -ljən], ~ **Bonaparte**(1769-1821) 나폴레옹 1세(재위 1804-15). **-le·on·ic** [–⌒liɑ́nik/-ɔ́nik] *a.* 나폴레옹의, 나폴레옹 같은.

nap·py[1][nǽpi] *a.* 《英》 (술·맥주가) 독한, 찡 오르는.

nap·py[2] *n.* Ⓒ 《주로 英》 기저귀.

narc[nɑːrk] *n.* Ⓒ 《美俗》 마약 단속관.

nar·ce·ine [nɑ́ːrsiìːn, -in] *n.* Ⓤ 〖化〗 나르세인《마취성 알칼로이드》.

nar·cis·sism [nɑ́ːrsisìzəm] *n.* Ⓤ 〖心〗 자기 도취(cf. Narcissus).

nar·cis·sus** [nɑːrsísəs] *n.* (*pl.* ~es,*** ***-si*** [-sai]) ① Ⓒ 수선화. ② (N-) 〖그神〗 물에 비친 자기 모습을 연모하여 빠져 죽어서 수선화가 된 미소년(cf. narcissism).

nar·co·lep·sy [nɑ́ːrkəlèpsi] *n.* Ⓤ 〖醫〗 기면(嗜眠) 발작.

nar·co·sis[nɑːrkóusis] *n.* Ⓤ (마취 따위에 의한) 혼수 상태.

***nar·cot·ic**[nɑːrkɑ́tik/-ɔ́-] *a.* 마취성의; 마약(중독자)의. ― *n.* Ⓒ 마약(중독자).

nar·co·tism [nɑ́ːrkətìzəm] *n.* = NARCOSIS.

nar·co·tize[nɑ́ːrkətàiz] *vt.* 마취시키다.

nard[nɑːrd] *n.* =SPIKENARD.

nark[nɑːrk] *n.* Ⓒ 《英俗》 (경찰의)

끄나풀, 경찰에 밀고하는 사람; 《주로 豪俗》 귀찮은 사람. ── *vt.* 괴롭히다, 짜증나게 하다. ***N- it!*** 《英俗》 집어치워; 조용히 해.

nar·rate[næréit, ⁄—] *vt., vi.* 말하다, 이야기하다. ***nar·rát·er, -rá·tor*** *n.* Ⓒ 이야기하는 사람.

:nar·ra·tion[næréiʃən, nə-] *n.* ① Ⓤ 서술, 이야기하기. ② Ⓒ 이야기. ③ Ⓤ 〖文〗 화법(speech). ***direct* 〔*indirect*〕 ~** 직접〔간접〕 화법.

:nar·ra·tive[nǽrətiv] *n., a.* Ⓒ 이야기(의); Ⓤ 이야기체(의).

†nar·row[nǽrou] *a.* ① 좁은, 가는. ② 제한된. ③ 마음이 좁은. ④ 가까스로의, 아슬아슬한(close)(*We had a* ~ *escape.* 구사 일생했다). ⑤(시험 따위) 엄밀한. ⑥ 〖音聲〗(모음이) 긴장음의 (tense)《i, u에 대한 i:, u: 따위》. ***the* ~ *bed* 〔*house*〕** 무덤. ── *n.* Ⓒ 협로(狹路); 산협; (*pl.*) 《단수 취급》 (좁은) 해협; 하협(河峽). ── *vt., vi.* 좁히(어지)다; 제한하다. ***~·ly*** *ad.*

nárrow-gáuge *a.* 〖鐵〗 협궤(狹軌)의《56.5 인치 이하의》; 편협한.

nárrow-mínded** *a.* 옹졸한. ***~·ness *n.*

nar·w(h)al[nɑ́ːrhwəl] *n.* Ⓒ 일각과(一角科)의 고래.

NAS National Academy of Sciences. **NASA** National Aeronautics and Space Administration 미국 항공 우주국.

***na·sal**[néizəl] *a., n.* ① 코의; 콧소리의. ② Ⓒ 〖音聲〗 비음(鼻音)(의). **~·ize**[-àiz] *vi., vt.* 콧소리로 말하다; 비음화하다. **~·i·za·tion**[⁄—izéiʃən] *n.* Ⓤ 비음화.

nas·cent[nǽsənt] *a.* 발생〔발전·성장〕하고 있는; 초기의; 〖化〗 발생 상태의. ***nás·cen·cy*** *n.*

Nas·ser [nɑ́ːsər, nǽs-], **Gamal Abdel** (1918-70) 이집트 대통령(1958-70).

na·stur·tium[nəstə́ːrʃəm, næs-] *n.* Ⓒ 〖植〗 한련.

:nas·ty [nǽsti, -ɑ́ː-] *n.* ① 더러운. ② 불쾌한. ③ 외설한, 천한. ④ (바다·날씨가) 험악한, 거친; 심한. ⑤ 심술궂은, 기분이 언짢은. ***a* ~ *one*** 거절, 타박. ***nas·ti·ly*** *ad.* ***nas·ti·ness*** *n.*

nat. national; native; natural.

na·tal [néitl] *a.* 출생의; 고향의. **~·i·ty**[neitǽləti, nə-] *n.* Ⓤ 출생(률).

na·tant [néitənt] *a.* 물에 뜨는; 헤엄치는.

na·ta·to·ri·al[nèitətɔ́ːriəl], **na·ta·to·ry**[néitətɔ̀ːri/-təri] *a.* 헤엄치는, 헤엄치기에 알맞은.

na·ta·to·ri·um [nèitətɔ́ːriəm] *n.* (*pl.* **~s, -ria**[-riə]) Ⓒ (실내) 수영장.

「둔부(臀部).

na·tes[néitiːz] *n. pl.* 〖解〗 엉덩이,

†na·tion[néiʃən] *n.* Ⓒ 국민, 국가; 민족.

†na·tion·al[nǽʃənəl] *a.* ① 전국민의, 국가 (특유)의. ② 국립의. ③ 애국적인. ***a* ~ *enterprise*** 국영 기업. ***the* ~ *flag*** 국기. **~ *government*** 거국 내각. ***a* ~ *park*** 국립 공원. ── *n.* Ⓒ (특히 외국에 거주하는) 동포. ***~·ly*** *ad.* 국가적으로; 거국 일치로.

Nátional Aeronáutics and Spáce Administràtion 미국 항공 우주국, 나사《생략 NASA》.

nátional ánthem 국가(國歌).

nátional assémbly (신헌법 제정을 위한) 국민 회의〔의회〕.

nátional bánk 국립 은행.

Nátional Cáncer Ínstitute, the 《美》 국립 암 연구소《생략 NCI》.

nátinal cémetery 《美》 국립 묘지.

Nátional Convéntion, the 〖프史〗 국민 의회; (n- c-) 《美》 (4 년마다 행하는 정당의) 전국 대회.

nátional débt, the 국채.

nátional grìd 《英》 주요 발전소간의 고압선 회로망; 《英》 영국 제도(諸島)의 지도에 쓰이는 국정 좌표.

Nátional Gúard, the 《美》 주(州) 방위군《연방 정부 직할의》.

Nátional Héalth Sèrvice, the 《英》 국민 건강 보험.

nátional hóliday 국경일, 국민적 축제일.

nátional íncome 국민 총소득.

Nátional Insúrance 《英》 국가 보험 제도.

***na·tion·al·ism** [nǽʃənəlìzəm] *n.* Ⓤ ① 애국심; 국가주의. ② 국민성; 산업 국유주의. ***-ist** *n.* Ⓒ 국가〔민족〕주의자; (N-) 국민〔국수(國粹)〕당원. **-is·tic** *a.*

:na·tion·al·i·ty [næ̀ʃənǽləti] *n.* ① Ⓤ 국민성. ② Ⓤ,Ⓒ 국적. ③ Ⓒ 국민; 국가. ④ Ⓤ 애국심; 국민적 감정.

na·tion·al·ize[nǽʃənəlàiz] *vt.* 국가적으로 하다; 귀화시키다; 국유〔국영〕화하다. **-i·za·tion**[⁄——izéi-/-laiz-] *n.* Ⓤ 국민화, 국유화.

Nátional Léague, the 내셔널 리그《미국 2대 프로 야구 연맹의 하나》.

nátional mónument 《美》 (정부 지정) 천연 기념물.

nátional próduct 〖經〗 (연간) 국민 생산.

Nátional Secúrity Còuncil, the 《美》 국가 안전 보장 회의.

nátional sérvice 《英》 국민 병역 의무.

nátion·hòod *n.* Ⓤ 국민〔국가〕임.

nátion-státe *n.* Ⓒ 민족국가.

nátion·wíde *a.* 전국적인.

:na·tive[néitiv] *a.* ① 출생의, 자기 나라의. ② 토착의, 토착민의. ③ 국산의. ④ 타고난; 자연 그대로의; 소박한. ***go* ~** 《口》 (백인이 미개지에서) 토착민과 같은 생활을 하다. **~ *land*** 모국, 본국. **~ *place*** 고향. ── *n.* Ⓒ ① 토착민, …태생의 사람(*of*). ② 원주민. ③ 토착 동물

〔식물〕.
Nátive Américan 아메리카〔북미〕 인디언.
nátive-bórn *a.* 토착의, 토박이의.
na·tiv·i·ty[nətívəti] *n.* ① Ⓤ 출생. ② (the N-) 예수 탄생; 크리스마스; (N-) Ⓒ 예수 탄생의 그림. ③ Ⓒ 〖占星〗 천궁도(天宮圖).
natl. national.
NATO, Na·to [néitou] (<*N*orth *A*tlantic *T*reaty *O*rganization) *n.* 나토《북대서양 조약 기구(1949)》.
na·tri·um [néitriəm] *n.* 《廢》 = SODIUM.
NATS Naval Air Transportation Service 해군 항공 수송단.
nat·ter[nǽtər] *vi.* 《濠》 재잘거리다; 《英》 투덜거리다. ― *n.* (a ~) 《주로 英》 잡담.
nat·ty[nǽti] *a.* 정연한; (복장 따위가) 말쑥한.
†**nat·u·ral**[nǽtʃərəl] *a.* ① 자연〔천연〕의, 자연계의. ② 미개의. ③ 타고난; 본능적인; 본래의; 보통의. ④ 꼭 닮은, 빼쏜; 사생의. ⑤ 〖樂〗 본위〔제자리〕의. ***one's ~ life*** 수명. ― *n.* Ⓒ ① 자연의 사물. ② 선천적인 백치. ③ 〖樂〗 제자리(음)표(♮); (피아노의) 흰 건반. ④ 《口》 타고난 재사(才士); 성공이 확실한 사람〔일〕. ⁑**~·ly** *ad.* 자연히; 날 때부터; 있는 그대로; 당연히. **~·ness** *n.*
nátural chíld 사생아, 서자; (양자에 대한) 친자(biological child).
nátural déath 자연사.
nátural énemy 천적(天敵).
nátural gás 천연 가스.
nátural hístory 박물학.
⁑**nat·u·ral·ism**[nǽtʃərəlìzəm] *n.* Ⓤ 자연의 본능에 따른 행동; 〖哲·文藝〗 자연주의, 사실(寫實)주의. ***-ist** *n.* Ⓒ 박물학자; 자연주의자.
nat·u·ral·is·tic[nӕtʃərəlístik] *a.* 자연의; 자연주의의; 박물학(자)의.
nat·u·ral·ize[nǽtʃərəlàiz] *vt., vi.* 귀화시키다〔하다〕, 토착화하다; (외국어를) 받아들이다; 이식하다. **-i·za·tion**[⌐--izéiʃən/-lai-] *n.* Ⓤ 귀화; 토착화.
nátural lánguage 〖컴〗 (인공·기계 언어에 대해) 자연 언어.
nátural láw 자연법.
nátural órder (동식물 분류상의) 목(目).
nátural pérson 〖法〗 자연인.
nátural philósophy 자연 철학《지금의 natural science, 특히 물리학》.
nátural resóurces 천연 자원.
nátural scíence 자연 과학.
nátural seléction 자연 도태〔선택〕.
nátural sýstem 〖生〗 (형태 유사에 의한) 자연 분류.
†**na·ture** [néitʃər] *n.* ① Ⓤ 자연(계). ② Ⓤ,Ⓒ 천성, 성질; Ⓒ …한 성질을 지닌 사람. ③ Ⓤ 원시 상태. ④ (*sing.*) 종류. ⑤ Ⓤ 체력; 생활기능. ⑥ Ⓤ,Ⓒ 본질. ***against ~*** 부자연한〔하게〕. ***by ~*** 타고난. ***draw from ~*** 사생하다. ***ease ~*** 대변〔소변〕보다. ***go the way of ~*** 죽다. ***in a*** 〔***the***〕 ***state of ~*** 자연 그대로; 벌거숭이로. ***in*** 〔***of***〕 ***the ~ of*** …의 성질을 지닌, …을 닮은. ***in*** 〔***by, from***〕 ***the ~ of things*** 〔***the case***〕 사물의 본질상, 필연적으로. ***pay one's debt to ~*** 죽다.
náture cùre 자연 요법.
náture stùdy (초등 교육의) 자연 연구〔관찰〕.
náture wòrship 자연 숭배.
na·tur·ism [néitʃərìzəm] *n.* = NATURALISM; Ⓤ 《英》 나체주의.
na·tu·ro·path[néitʃərəpæ̀θ] *n.* Ⓒ 자연요법가.
na·tu·rop·a·thy [nèitʃərɑ́pəθi/-rɔ́p-] *n.* Ⓤ 자연요법《약물을 쓰지 않고 자연 치유력에 의한 요법》. **-ro·path·ic**[nèitʃərəpǽθik] *a.*
⁑**naught**[nɔːt] *n.* ① Ⓤ 무(nothing). ② Ⓒ 영, 제로. ***all for ~*** 무익하게. ***bring*** 〔***come***〕 ***to ~*** 무효로 하다〔되다〕. ***set ... at ~*** 무시하다.
⁑**naugh·ty**[⌐i] *a.* ① 장난스러운; 버릇〔본데〕 없는. ② 《廢》 못된, 사악한. **-ti·ly** *ad.* **-ti·ness** *n.*
Na·u·ru[nɑːúːruː] *n.* 나우루《적도 가까운 태평양상의 공화국》.
nau·se·a[nɔ́ːziə, -ʃə, -siə] *n.* Ⓤ 욕지기, 메스꺼움; 뱃멀미; 혐오.
nau·se·ate [-zièit, -ʃi-, -si-] *vt., vi.* 메스껍(게 하)다; 구역질나(게 하)다(*at*).
nau·seous[nɔ́ːʃəs, -ziəs] *a.* 구역질나는, 싫은.
nau·ti·cal[nɔ́ːtikəl] *a.* 항해의; 배의; 선원의.
náutical míle 해리(海里).
nau·ti·lus[nɔ́ːtələs] *n.* (*pl.* **~es, -li**[-lài]) Ⓒ 〖貝〗 앵무조개; 〖動〗 배낙지; (N-) 노틸러스호《세계 최초의 미국 원자력 잠수함》.
⁑**na·val**[néivəl] *a.* 해군의; 군함의.
Nával Acàdemy (Annapolis 의) 미국 해군 사관 학교.
nával árchitecture 조선 공학(造船工學).
nával ófficer 해군 사관〔장교〕.
nával státion 해군 보급 기지, 해군 기지.
nával stòres 선내(船內) 물자; 선박용 도료《테레빈·수지 등》.
***nave**[1][neiv] *n.* Ⓒ (교회당의) 본당.
nave[2] *n.* Ⓒ (수레의) 바퀴통(hub).
na·vel[néivəl] *n.* Ⓒ 배꼽; (the ~) 중심, 중앙.
nável òrange 네이블 (오렌지).
nável strìng 탯줄.
***nav·i·ga·ble**[nǽvigəbəl] *a.* ① 항행할 수 있는. ② 항해에 견디는. **-bil·i·ty** [⌐--bíləti] *n.*
***nav·i·gate**[nǽvəgèit] *vt.* ① 항행하다; (배·비행기를) 조종〔운전〕하다. ② (교섭 따위를) 진행시키다. ― *vi.* 항행〔조종〕하다. ⁑**-ga·tion** [⌐-géiʃən] *n.* Ⓤ 항해〔항공〕(술).

***-ga·tor** *n.* Ⓒ 항해자, 항해장(長); 해양 탐험가; 《英》 =NAVVY.
nav·vy[nǽvi] *n.* Ⓒ 《英口》 (운하·도로 공사의) 인부; (토목 공사용) 굴착기.
:na·vy[néivi] *n.* ① Ⓒ 해군; 해군 장병. ② Ⓒ 《古》 선대(船隊). ③ = NAVY BLUE.
návy béan 《美》 흰강낭콩.
návy blúe 감색《영국 해군 제복의 빛깔》.
návy cùt (파이프용) 살담배.
Návy Depártment, the 《美》 해군부.
návy yàrd 《美》 해군 조선소, 해군 공창(工廠).
na·wab [nəwɑ́:b, -wɔ́:b] *n.* Ⓒ (Mogul 제국 시대의) 인도 태수(太守); =NABOB.
***nay**[nei] *ad.* ① 《古》 아니(no). ② 그뿐만 아니라. — *n.* ① Ⓤ 아님; 거절. ② Ⓒ 반대, 반대 투표(자).
Naz·a·rene[næ̀zərí:n] *n.* Ⓒ 나사렛 사람; (the N-) 예수; Ⓒ 초기 기독교도.
Naz·a·reth[nǽzərəθ] *n.* 나사렛《예수가 자라난 Palestine 의 마을》.
Na·zi[nɑ́:tsi, -ǽ-] *n.* (G.) Ⓒ 나치 당원《독일의 국가 사회당 당원》; (기타 국가의) 국수주의자(國粹主義者). *the* **~s** 나치당. — *a.* 나치당의. **~·ism**[-ìzəm] *n.* Ⓤ 국가 사회주의. **~·fy** *vt.* 나치화하다. **~·fi·ca·tion** [⌐—fikéiʃən] *n.* Ⓤ 나치화(opp. denazification).
N.B. New Brunswick; North Britain. **Nb** 〖化〗 niobium. **N.B., n.b.** *nota bene.* **NBC** National Broadcasting Company. **NbE** north by east 북미동(北微東). **NBER** National Bureau of Economic Research. **N.B.G., n.b.g.** no blood good 《俗》 가망 없음.
N-bomb[énbɑ́m/-bɔ̀m] *n.* Ⓒ 중성자 폭탄(neutron bomb).
NBS, N.B.S. National Bureau of Standard 미국 규격 표준국. **NbW** north by west 북미서(北微西). **NC** numerical control 수치 제어. **N.C.** North Carolina. **NCC** National Council of Churches. **N.C.C.V.D.** 《英》 National Council for Combating Venereal Diseases. **NCI** 《美》 National Cancer Institute; noncoded information. **N.C.O.** noncommissioned officer. **NCTE** 《美》 National Council of Teachers of English. **Nd** 〖化〗 neodymium. **n.d.** no date. **N.D., N.Dak.** North Dakota. **NE, N.E.** northeast. **Ne** 〖化〗 neon. **N.E.** New England. **N/E** no EFFECTs. **NEA, N.E.A.** 《美》 National Education Association.
Ne·án·der·thal màn[niǽndərtɑ̀:l-, -θɔ̀:l-] 〖人類學〗 네안데르탈인《구석기 시대 유럽에 살던 원시 인류》.
neap[ni:p] *n.* Ⓒ 소조(小潮). — *a.* 간만의 차가 가장 적은.
Ne·a·pol·i·tan [nì:əpɑ́lətən/nì:əpɔ́l-] *a., n.* Ⓒ Naples의 (사람).
néap tìde 소조(小潮).
†near[niər] *ad.* ① 가까이, 접근하여(closely). ② 거의(nearly). ③ 인색하게. **~ *at hand*** (장소가) 가까이에; (때가) 멀지 않아 곧. **~ *by*** 가까이에. **~ *upon*** 거의 …무렵. — *a.* ① 가까운; 근친의; 친밀한. ② 아주 닮은. ③ (마차 따위의) 왼쪽의(*the* ~ *ox, wheel, &c.*) (opp. off). ④ 인색한. ⑤ 아슬아슬한. ⑥ 모조의, 진짜에 가까운(~ *silk*). **~ *and dear*** 친밀한. **~ *race*** 백중〔엎치락뒤치락〕의 경쟁. **~ *work*** 세밀 작업. — *prep.* …의 가까이에. ***come* 〔*go*〕 ~ *doing*** 거의 …할 뻔하다. — *vt., vi.* 가까이 가다; 절박하다, 닥치다. **†⌐·ly** *ad.* 거의; 겨우; 밀접하게; 친하게. ***not* ~*ly*** (…에는) 어림도 없다. **⌐·ness** *n.*
***near·by**[níərbái] *a., ad.* 가까운; 가까이에서.
Néar Éast, the 근동(近東)《영국에서는 발칸 제국, 미국에서는 발칸과 서남 아시아를 가리킴》.
néar míss 근접 폭격, 지근탄(至近彈); (항공기의) 이상(異常) 접근.
néar móney 준(準)화폐《정부 채권이나 정기예금처럼 간단히 현금화할 수 있는 자산》.
néar·sìde *a.* 《英》 왼쪽의, (차에서) 도로가에 가까운 쪽의.
***néar-síghted** *a.* 근시의; 《비유》 소견이 좁은.
:neat[ni:t] *a.* ① 산뜻한; 단정한; 모양좋은. ② 적절한; 교묘한. ③ 섞인 것이 없는; 정미(正味)의(net²). ***⌐·ly** *ad.*
(')neath[ni:θ] *prep.* 《詩》 =BENEATH.
néat-hánded *a.* 손재주 있는.
Neb. Nebraska.
neb·bish[nébiʃ] *n.* Ⓒ 《美俗》 시원찮은 사람, 운이 나쁜 사람.
NEbE northeast by east 북동미동. **NEbN** northeast by north 북동미북. **Nebr.** Nebraska.
***Ne·bras·ka**[nibrǽskə] *n.* 미국 중서부의 주《생략 Neb(r).》.
***neb·u·la**[nébjələ] *n.* (*pl.* **~, -lae** [-lì:]) Ⓒ 〖天〗 성운(星雲). **-lar** *a.* 성운(모양)의(*the nebular hypothesis* 성운설(說)).
neb·u·lous[nébjələs] *a.* 운무(雲霧)와 같은; 흐린, 희미한; 성운(모양)의. **-los·i·ty** [⌐—lɑ́səti/-ɔ́-] *n.* Ⓤ 성운; 막연.
nec·es·sar·i·an[nèsəsɛ́əriən] *a., n.* =NECESSITARIAN.
†nec·es·sar·y [nésəsèri/-sisəri] *a.* 필요한; 필연적인. — *n.* (*pl.*) 필요물; 〖法〗 생활 필수품. **:-sar·i·ly** [nèsəsérəli, nésisəri-] *ad.* 필연적

으로; 부득이; 《부정어를 수반하여》 반드시 …(는 아니다).

ne·ces·si·tar·i·an[nisèsətέəriən] *a., n.* 필연론의; Ⓒ 필연론자. **~·ism** [-ìzəm] *n.* Ⓤ 필연론, 숙명론.

***ne·ces·si·tate** [nisésətèit] *vt.* 필요로 하다; 부득이 …하게 하다.

ne·ces·si·tous[nisésətəs] *a.* 가난한.

:**ne·ces·si·ty**[nisésəti] *n.* ① Ⓤ,Ⓒ 필요, 필연. ② Ⓒ 필요물, 필수품. ③ Ⓤ 궁핍. ***make a virtue of*** **~** 당연한 일을 하고도 잘한 체하다; 부득이한 일을 군소리 없이 하다. ***of*** **~** 필연적으로; 부득이.

†**neck**[nek] *n.* ① Ⓒ 목, 옷깃; Ⓤ,Ⓒ (양 따위의) 목덜미살. ② Ⓒ (병·바이올린 따위의) 목. ③ Ⓒ 지협, 해협. ***a stiff*** **~** 완고(한 사람). ***bend the*** **~** 굴복하다. ***break the*** **~** ***of*** 《口》 (일의) 고비를 넘기다. ***harden the*** **~** 완고하게 저항하다. **~** ***and*** **~** 나란히; (경기에서) 비등비등하게. **~** ***or nothing*** 필사적으로. ***risk one's*** **~** 목숨을 걸고 하다. ***save one's*** **~** 교수형[책임]을 모면하다, 목숨을 건지다. ***win by a*** **~** (경마에서) 목길이만큼의 차로 이기다; 간신히 이기다. — *vt., vi.* 《美口》 (목을) 껴안다, 네킹하다.

néck·bànd *n.* Ⓒ 셔츠의 깃.

néck·clòth *n.* Ⓒ 《廢》 (남자의) 목도리; 넥타이.

neck·er·chief[⌐ərtʃif, -tʃìːf] *n.* Ⓒ 목도리, 네커치프.

neck·ing[⌐iŋ] *n.* Ⓤ 《口》 (이성간의) 포옹, 애무.

***neck·lace**[⌐lis] *n.* Ⓒ 목걸이.

néck·lìne *n.* Ⓒ 네크라인《여자 드레스의 목 둘레에 판 선》.

***neck·tie**[⌐tài] *n.* Ⓒ 넥타이; 《美俗》 교수형 밧줄.

nécktie pàrty 《美俗》 (린치에 의한) 교수형.

néck·wèar *n.* Ⓤ 《집합적》 칼라, 넥타이, 목도리(따위).

ne·crol·a·try [nekrɑ́lətri/-ɔ́-] *n.* Ⓤ 사자(死者) 숭배.

ne·crol·o·gy [nekrɑ́lədʒi/-ɔ́-] *n.* Ⓒ 사망자 명부; 사망 기사.

nec·ro·man·cy[nékrəmæ̀nsi] *n.* Ⓤ 마술, 강신술(降神術). **-man·cer** *n.* Ⓒ 마술사, 강신술자. **-man·tic** [⌐—mǽntik] *a.*

ne·croph·a·gous [nekrɑ́fəgəs/-ɔ́-] *a.* (곤충이) 시체[썩은 고기]를 먹는.

nec·ro·pho·bi·a[nèkrəfóubiə] *n.* Ⓤ 〖精神病〗 공사(恐死)(증); 시체 공포(증).

ne·crop·o·lis[nekrɑ́pəlis/-ɔ́-] *n.* Ⓒ (큰) 묘지(cemetery).

nec·rop·sy[nékrɑpsi/-ɔ-] *n.* Ⓤ 시체 해부, 검시.

ne·cro·sis [nekróusis] *n.* (*pl.* ***-ses***[-siːz]) Ⓤ,Ⓒ 〖醫〗 괴사(壞死); 탈저(脫疽); 〖植〗 흑반병(黑斑病).

nec·tar[néktər] *n.* Ⓤ 넥타, 감로(甘露); 꽃의 꿀; 〖그神〗 신들의 술. **~·e·ous**[nektέəriəs] *a.* nectar의 [같은].

nec·tar·ine[nèktəríːn/néktərin] *n.* Ⓒ 승도복숭아.

nec·ta·ry[néktəri] *n.* Ⓒ 〖植〗 밀선「(蜜腺).

NED, N.E.D. New English Dictionary《OED의 구칭》. **NEDC** 《英》 National Economic Development Council.

née, nee[nei] *a.* (F. =born) 구성(舊姓)은《기혼 부인 이름 뒤에 붙여 결혼 전의 성을 나타냄》.

†**need**[niːd] *n.* ① Ⓤ,Ⓒ 필요(성); 결핍, 빈곤. ② (보통 *pl.*) 필요한 것, 요구물. ③ Ⓤ 다급할 때. ***a friend in*** **~** 어려울 때의 친구. ***be*** [***stand***] ***in*** **~** ***of*** …을 필요로 하다. ***had*** **~** ***to*** …하지 않으면 안되다. ***have*** **~** ***of*** [***for***] …을 필요로 하다. ***if*** **~** ***be were*** 필요하다면. ***serve the*** **~** 소용에 닿다. — *vt.* ① 필요로 하다. ② …할 필요가 있다; …하여야 한다. — *vi.* 궁하다, 어렵다. **~** ***not*** 《조동사 취급》 (…할) 필요가 없다. :**⌐·less** *a.* 불필요한. ***~less to say*** [***add***] 말할[덧붙일] 필요도 없이. **⌐·less·ly** *ad.* 불필요하게.

need·fire[níːdfàiər] *n.* Ⓤ (원래 유럽에서 나무를 비벼 일군) 가축 역병을 물리치는 불; 《Sc.》 봉화; 화톳불.

***need·ful**[níːdfəl] *a.* 필요한; 《古》 가난한.

:**nee·dle**[níːdl] *n.* Ⓒ ① 바늘, 바느질 바늘, 뜨개바늘. ② 자침(磁針); 축음기[주사기] 바늘. ③ 침엽(針葉). ***look for a*** **~** ***in a bottle*** [***bundle***] ***of hay*** 헛고생하다.

néedle bàth [**shòwer**] 물줄기가 가느다란 샤워.

néedle bòok 바늘겨레.

néedle màtch (접전하여) 개인적 감정·적의를 부추기는 경기.

néedle·pòint *n.* Ⓤ (의자 따위 커버의) 수놓은 두꺼운 천; Ⓒ 바늘 끝.

néedle vàlve 〖機〗 침판(針瓣).

néedle·wòman *n.* Ⓒ 재봉사, 침모, 바느질하는 여자.

***néedle·wòrk** *n.* Ⓤ 바느질, 자수.

:**need·n't**[níːdnt] need not의 단축.

needs[niːdz] *ad.* 꼭. ***must*** **~** do 꼭 …하겠다고 우겨대다; **=** **~** ***must*** do …하지 않을 수 없다.

***need·y**[níːdi] *a.* 가난한. **néed·i·ness** *n.* Ⓤ 곤궁.

ne'er[nεər] *ad.* 《詩》 =NEVER.

né'er-do-wèll *n., a.* Ⓒ 쓸모 없는 사람(의); 무능한.

ne·far·i·ous[nifέəriəs] *a.* 악독한, 사악한. **~·ly** *ad.*

ne·gate[nigéit] *vt.* 부정하다, 취소하다; 〖컴〗 부정하다《부동의 작동을 하다》. **ne·gá·tion** *n.* Ⓤ 부정; 취소; 거절; 존재치 않음, 무.

:**neg·a·tive**[négətiv] *a.* ① 부정의 (**~** *sentence* 부정문); 반대의; 소극적인. ② 음전기의. ③ 〖數〗 마이너스

N

의; 〖寫〗 음화의; 〖生〗 반작용적인; 〖醫〗 음성의. ── *n.* Ⓒ ① 부정어; 부정〔반대〕의 설. ② 반대측. ③ 소극성; 《古》 거부권. ④ 음전기, (전지의) 음극판. ⑤ 〖數〗 음수; 음화. ***in the ~*** 부정적으로(*He answered in the ~.* '아니'라고 대답했다). ── *vt.* ① 거부하다; 부결하다. ② 반증하다. ③ 무효로 하다. **~·ly** *ad.* **-tiv·ism**[-ìzəm] *n.* Ⓤ 부정론.

négative lógic 〖컴〗 음논리.

neg·a·tron[négətrɑ̀n/-trɔ̀n] *n.* Ⓒ 〖理〗 음(陰)전자.

:**ne·glect**[niglékt] *vt.* ① 게을리하다, 소홀히하다. ② 무시하다. ③ 하지않고 두다(omit). ── *n.* Ⓤ 태만; 소홀; 무시. **~·ed**[-id] *a.* 소홀하게 다룬; 무시된; 세인에게 인정 못받는. **~·ful** *a.* 태만한; 부주의한.

neg·li·gee, *nég·li·gé*[négliʒèi, ⏑⏑⌐] *n.* Ⓒ (부인용의 낙낙한) 실내복, 네글리제; Ⓤ 약복(略服), 평상복. ── *a.* 소탈한, 터놓은.

neg·li·gent[néglidʒənt] *a.* 태만한; 부주의한; 무관심〔소홀〕한; 내버려둔. ***-gence** *n.*

***neg·li·gi·ble**[néglidʒəbl] *a.* 하찮은; 무시해도 좋은; 극히 적은, 사소한. **-bly** *ad.*

ne·go·ti·a·ble[nigóuʃiəbəl] *a.* 협정〔협상〕할 수 있는; 양도〔유통〕할 수 있는; 통행할 수 있는.

***ne·go·ti·ate**[nigóuʃièit] *vt.* ① 상의하다, 협상〔협정〕하다. ② 양도하다; 매도하다. ③ 통과하다; 뚫고 나가다; 뛰어넘다. **-a·tor** *n.* Ⓒ 교섭자, 양도인.

:**ne·go·ti·a·tion**[─⌐─éiʃən] *n.* ① Ⓤ,Ⓒ 협상. ② Ⓤ (증권 따위의) 양도. ③ Ⓤ (장애·곤란의) 극복.

Ne·gress[ní:gris] *n.* Ⓒ (*or* n-) 《보통 蔑》 흑인 여자.

Ne·gri·to [negrí:tou] *n.* (*pl.* ~(***e***)***s***) Ⓒ (필리핀·동인도 제도의) 체구가 작은 흑인.

Neg·ri·tude, n-[négrətjù:d] *n.* Ⓤ 흑인임; 흑인의 문화적 긍지.

:**Ne·gro** [ní:grou] *n.* (*pl.* ~***es***) Ⓒ ① 니그로, 흑인. ② (흑인 피를 받은) 검은 피부의 사람.

Ne·groid[ní:grɔid] *a.* 흑인의, 흑인같은; 흑인 계통의. ── *n.* Ⓒ 흑인.

Ne·gro·pho·bi·a [nì:groufóubiə] *n.* (*or* n-) Ⓤ 흑인 공포〔혐오〕.

ne·gus[ní:gəs] *n.* Ⓤ 니거스술《포도주에 더운물·설탕·향료를 탄 음료》.

Neh. Nehemiah.

Ne·he·mi·ah[nì:imáiə] *n.* 〖聖〗 기원전 5세기의 헤브라이 지도자; 〖舊約〗 느헤미야서(書).

Neh·ru[néiru:/nɛ́əru:], **Jawaharlal**(1889-1964) 인도의 정치가, 수상; 1947-64.

***neigh**[nei] *n.* Ⓒ (말의) 울음 소리. ── *vi.* (말이) 울다.

†**neigh·bor,** 《英》 **-bour**[néibər] *n.* Ⓒ 이웃 사람; 이웃 나라 사람; 근처의 것. ── *a.* 이웃의. ── *vt., vi.* (…에) 이웃하다; 접근하다(*on, upon, with*). :**~·ing** *a.* 근처의, 인접한; 가까이 있는. **~·ly** *a.* 이웃다운; 친절한. **~·li·ness** *n.*

:**neigh·bo(u)r·hood**[-hùd] (<⇧) *n.* ① (*sing.*) 근처. ② 《수식어와 함께》 지방. ③ (*sing.*) 《집합적》 이웃 사람들. ④ Ⓤ 《古》 이웃의 정분. ***in the ~ of*** 《口》 …의 근처에; 대략.

néighbo(u)rhood ùnit 〖都市計劃〗 주택 지구.

†**nei·ther**[ní:ðər, nái-] *ad.* 《~ … nor …의 형태로》 …도 아니고 …도 아니다; …도 또한 …이 아니다. ***~ more nor less than …*** …와 아주 같은. ***'Tis ~ here nor there.*** 그것은 관계없는 일이다. ── *conj.* 《古》 또한 …도 않다(*"I am not tired." "N- am I."* '나는 피곤하지 않다''나도 그렇다'). ── *a.* 어느쪽의 …도 …아닌. ── *pron.* 어느쪽도 …아니다.

Nel·son[nélsn], **Viscount Horatio** (1758-1805) 영국의 제독.

nel·son *n.* Ⓒ 〖레슬링〗 넬슨《뒤에서 겨드랑이 밑으로 팔을 넣어 목덜미에서 손을 모아 꽉 죄는 수》.

nem·a·tode[némətòud] *a., n.* Ⓒ 선충(線蟲)류(의).

nem. con. *nemine contradicente* (L.=no one contradicting) 이의 없이. **nem. diss.** *nemine dissentiente* (L.=no one dissenting) 이의 없이.

Nem·e·sis[néməsis] *n.* ① 〖그神〗 복수의 여신. ② (n-) Ⓤ 천벌; Ⓒ 천벌주는 자.

ne·o-[ní:ou-] *pref.* '신(新)'의 뜻. **~·clássic**[nì:ou-], **-sical** *a.* 신고전주의. **~·colónialism** *n.* Ⓤ 신식민주의. **~-Dáda** *n.* Ⓤ 네오다다이즘, 반예술. **~-Dárwinism** *n.* Ⓤ 신다윈설. **~-Hegélian** *a., n.* Ⓒ 신헤겔 철학(파)의 (철학자). **~-Impréssionism** *n.* Ⓤ 신인상주의(⇨SEURAT). **~-Kántianism** *n.* Ⓤ 신칸트파 철학. **~-Malthúsianism** *n.* Ⓤ 신맬서스주의. **~·plá·tonism** *n.* Ⓤ 신플라톤파 철학. **~·románticism** *n.* Ⓤ 신낭만주의(⇨STEVENSON). **~·trópical** *a.* (생물 지리학에서) 신열대의《중·남아프리카 및 서인도 제도》.

ne·o·dym·i·um[nì:ədímiəm] *n.* Ⓤ 〖化〗 네오디뮴《희금속 원소의 하나; 기호 Nd》.

ne·o·lith·ic[nì:oulíθik] *a.* 신석기 시대의(*the ~ Age*).

ne·ol·o·gism[ni:ɑ́lədʒìzəm/-ɔ́-], **-gy**[-dʒi] *n.* ① Ⓒ 신어(新語). ② Ⓤ 신어 사용. **-gist** *n.* Ⓒ 신어 창조자〔사용자〕.

ne·o·my·cin [nì:əmáisin] *n.* Ⓤ 〖藥〗 네오마이신《항생물질의 하나》.

***ne·on**[ní:ɑn/-ən, -ɔn] *n.* Ⓤ 〖化〗 네온《희가스류 원소의 하나; 기호 Ne》.

néon lámp 〔**líght, túbe**〕 네온「등.

néon sígn 네온 사인. 「일종》.
néon tétra 네온테트라《열대어의
ne·on·tol·o·gy [nìːantálədʒi/-ɔntɔ́l-] *n.* Ⓤ 현세(現世) 생물학(cf. paleontology). 「자; 초심자.
ne·o·phyte [níːəfàit] *n.* Ⓒ 신개종
ne·o·prene [níːəprìːn] *n.* Ⓤ 네오프렌《합성 고무의 일종》.
Ne·o·sal·var·san [nìːousǽlvər-sæ̀n/-sən] *n.* 〚商標〛 네오살바르산《매독치료제》. 「Policy.
NEP, Nep [nep] New Economic
Ne·pal [nipɔ́ːl, -pάːl] *n.* 네팔《왕국》.
ne·pen·the [nipénθi] *n.* Ⓒ 시름이나 고통을 잊게 하는 약. **~s** [-θiːz] *n.* Ⓒ 〚植〛 네펜시스《식충 식물》; = NEPENTHE. 「카.
:neph·ew [néfjuː/-v-, -f-] *n.* Ⓒ 조
neph·rite [néfrait] *n.* Ⓤ 연옥(軟玉) (cf. jadeite). 「의.
ne·phrit·ic [nefrítik] *a.* 신장(염)
ne·phri·tis [nifráitis] *n.* Ⓤ 신장염.
ne plus ul·tra [nìː plʌs ʌ́ltrə] (L. = not more beyond) 그 이상 갈 수 없는 곳; (사업·업적의) 한계점.
nep·o·tism [népətìzəm] *n.* Ⓤ (임용 등에서의) 연고자 편중, 동족 등용.
***Nep·tune** [néptjuːn, -tʃuːn/-tjuːn-] *n.* 〚로神〛 바다의 신(cf. Poseidon); 〚天〛 해왕성.
Nep·tu·ni·an [neptjúːniən/-tjúː-] *a.* Neptune의; 〚地〛 수성(水成)의.
nep·tu·ni·um [neptjúːniəm/-tjúː-] *n.* Ⓤ 〚化〛 넵투늄《방사성 원소의 하나; 기호 Np, 번호 93》.
Ne·re·id, n- [níəriid] *n.* 〚그神〛 바다의 요정. 「학한 황제(54-58).
Ne·ro [níːrou] *n.* (37-68) 로마의 포
:nerve [nəːrv] *n.* ① Ⓒ 신경. ② Ⓒ 근(筋), 건(腱). ③ Ⓤ 기력, 용기; 침착; 체력, 정력, 원기. ④ Ⓤ 《口》 뻔뻔스러움. ⑤ (*pl.*) 신경 과민, 소심. ⑥ Ⓒ 〚植〛 잎맥; 〚蟲〛 시맥. ***a bundle of ~s*** 신경이 과민한 사람. ***get on one's ~s*** 《口》…의 신경을 건드리다. ***have no ~s*** 태연하다. ***strain every ~*** 전력을 다하다. — *vt.* 힘을 북돋우다.
nérve blòck 〚醫〛 신경 차단.
nérve cèll 신경 세포. 「추.
nérve cènter 〔**cèntre**〕 신경 중
nérve fiber 〔**fibre**〕 신경 섬유.
nérve gàs 〚軍〛 신경 가스.
nérve·less *a.* 힘없는; 기력〔용기〕없는; 신경〔잎맥, 시맥〕이 없는. **~·ly** *ad.* 「드리는.
nérve-ràcking *a.* 몹시 신경을 건
nérve-stràin *n.* Ⓤ,Ⓒ 신경 과로.
nerv·ine [nə́ːrviːn, -vain] *a., n.* 신경을 진정시키는; Ⓒ 신경 안정제.
:nerv·ous [nə́ːrvəs] *a.* ① 신경의, 신경이 있는. ② 신경질인; 침착하지 못한; 소심한(timid). ③ (문체 따위가) 힘찬. ***~·ly** *ad.* **~·ness** *n.*
nérvous bréakdown 〔**pros-trátion**〕 신경 쇠약.
nérvous Néllie 〔**Nélly**〕 《美口》 겁쟁이.
nérvous sýstem 신경 계통.
nerv·y [nə́ːrvi] *a.* 《口》 뻔뻔스러운; 힘센, 원기 있는; 용기가 필요한; 《주로 英》 신경에 거슬리는 것 같은.
N.E.S., n.e.s. not elsewhere specified 〔stated〕 따로 특별한 기재가 없을 경우엔.
nes·ci·ence [néʃiəns/-siəns] *n.* Ⓤ 무지; 〚哲〛 불가지론(不可知論). **-ent** *a.* 무지한; 불가지론의(cf. agnostic).
†nest [nest] *n.* Ⓒ ① 둥지, 보금자리; 안식처. ② (악한 등의) 소굴. ③ (새·벌레 등의) 떼; (둥지 속의) 새끼, 알(따위). ④ (차례로 끼워 맞춘 물건의) 한 벌; 찬합. ***feather*** 〔***line***〕 ***one's ~*** 《口》 돈을 모으다, (부정하게) 사복을 채우다. ***foul one's own ~*** 자기 집〔편〕을 헐뜯다. — *vi.* ① 둥지를 만들다; 깃들이다. ② 새의 둥지를 찾다(cf. bird's-nesting).
nésted súbroutine 〚컴〛 내부 서브루틴《서로 다른 아랫경로 중에서 호출되는 아랫경로》. 「돈.
nést ègg 밑알; (저금 따위의) 밑
***nes·tle** [nésəl] *vi.* ① 아늑하게〔편하게〕 자리잡다〔앉다〕(*in, into*). ② 어른거리다(*among*). ③ 바싹 다가 붙다. — *vt.* 바싹 다가 붙이다.
nest·ling [néstliŋ] *n.* Ⓒ 둥지를 떠나기 전의 새끼; 젖먹이, 어린애.
Nes·tor [néster, -tɔːr] *n.* 〚그神〛 Troy 전쟁 때 그리스군의 현명한 노장; (n-) Ⓒ 현명한 노인.
Nes·to·ri·an [nestɔ́ːriən] *a.* Nestorius (교파)의, 경교(景敎)의. **~·ism** [-ìzəm] *n.*
Nes·to·ri·us [nestɔ́ːriəs] *n.* (?-451?) Constantinople의 대주교.
†net[1] [net] *n.* Ⓒ ① 그물, 네트. ② 망(網)레이스. ③ 올가미, 함정. ***a ~ fish*** 그물로 잡은 물고기. ***cast*** (***throw***) ***a ~*** 그물을 던지다. — *vt.* (**-tt-**) 그물로 잡다〔덮다〕; (…에) 그물을 치다.
net**[2] *a.* (<neat) 정량(正量)의(10 *ozs.* ~, 정량 10온스)(cf. gross). **~ *price 정가(正價). **~ *profit*** 순이익. — *n.* Ⓒ 정량(正量); 순이익; 정가(따위). — *vt.* (**-tt-**) (…의) 순이익을 얻다.
neth·er [néðər] *a.* 아래의(cf. the Netherlands). ***the ~ world*** 〔***region***〕 지옥, 하계(下界). **~·most** [-mòust] *a.* 최하의.
***Neth·er·lands** [-ləndz] *n.* (the ~) 네덜란드(Holland). **-land·er** [-læ̀ndər/-lənd-] *n.* Ⓒ 네덜란드 사람. **-land·ish** [-læ̀ndiʃ/-lənd-] *a.* 네덜란드의.
Nétherlands Índies, the 네덜란드령 동인도 제도《현재의 인도네시아 공화국》.
net·i·zen [nétəzən, -sən] *n.* Ⓒ 네티즌 《인터넷 이용자》.
nett [net] *a.* = NET[2].
net·ted [nétid] NET[1]의 과거(분사).

— *a.* 그물로 잡은; 그물을 친.
net·ting[nétiŋ] *n.* Ⓤ 그물 세공; 그물질.
net·tle[nétl] *n.* Ⓒ 〖植〗 쐐기풀. — *vt.* 초조하게 하다; 노하게 하다.
néttle ràsh 두드러기.
:net·work[nétwə̀:rk] *n.* Ⓒ ① 그물 세공. ② 망상(網狀)조직. ③ 방송망. ④ 〖컴〗 네트워크; 망.
neu·ral[njúərəl] *a.* ① 〖解〗 신경(계)의. ② 〖컴〗 신경의(～ *net* 신경망).
néural nétwork 〖컴〗 신경 (통신)망.
neu·ral·gia[njuərǽldʒə] *n.* Ⓤ 신경통. **-gic** *a.*
neu·ras·the·ni·a [njùərəsθí:niə] *n.* Ⓤ 신경 쇠약.
neu·ri·tis[njuəráitis] *n.* Ⓤ 신경염(炎).
neu·ro-[njúərou, -rə/njúər-] '신경'의 뜻의 결합사.
neu·rol·o·gy[njuərálədʒi/-rɔ́l-] *n.* Ⓤ 신경학. **-gist** *n.* Ⓒ 신경학자.
neu·ron[njúərɑn/-rɔn], **neu·rone**[-roun] *n.* Ⓒ 〖解〗 신경 단위.
neu·ro·pa·thol·o·gy[njùəroupəθálədʒi/-θɔ́l-] *n.* Ⓤ 신경 병리학.
neu·rop·a·thy[njuərápəθi/-rɔ́p-] *n.* Ⓤ 신경병, 신경장애. **neu·ro·path·ic**[⌐-rəpǽθik] *a.*
neu·rop·ter·ous [njuəráptərəs/-rɔ́p-] *a.* 〖蟲〗 맥시류(脈翅類)의.
***neu·ro·sis** [njuəróusis] *n.* (*pl.* **-ses**[-si:z]) Ⓤ,Ⓒ 신경증, 노이로제.
neu·ro·sur·ger·y [njùərousə́:rdʒəri] *n.* Ⓤ 신경 외과학.
***neu·rot·ic**[njuərátik/-rɔ́t-] *a.* 신경증의; 노이로제의. — *n.* Ⓒ 신경증환자.
neu·rot·o·my[njuərátəmi/-rɔ́-] *n.* Ⓤ,Ⓒ 〖外科〗 (아픔을 더는) 신경 절제(切除).
neu·ter [njú:tər] *a.* 〖文〗 중성의; 〖生〗 무성의; 중립의. — *n.* ① (the ～) 〖文〗 중성(어)《*tree, it* 따위》. ② Ⓒ 무성 동물[식물].
:neu·tral [njú:trəl] *a.* ① 중립(국)의. ② 공평한. ③ 어느 편도 아닌, 어느 쪽에도 속하지 않은. ④ 〖生〗 무성의. — *n.* Ⓒ 중립자[국]; Ⓤ (톱니바퀴의) 동력을 전동(傳動)하지 않을 때의 위치. **～·ism**[-ìzəm] *n.* Ⓤ (엄정) 중립주의. **～·i·ty**[-trǽləti] *n.* Ⓤ 중립(상태); 중립 정책; 〖化〗 중성.
***neu·tral·ize**[njú:trəlàiz] *vt.* ① 중립시키다. ② 〖化〗 중화하다; 〖電〗 중성으로 하다. ③ 무효로 하다. **-iz·er** *n.* **-i·za·tion**[⌐--izéiʃən/-lai-] *n.* Ⓤ 중립화(상태 · 선언).
néutral vówel 〖音聲〗 중성 모음 《ə, i 등》.
neu·tri·no[nju:trí:nou] *n.* Ⓒ〖理〗 중성 미자(微子).
Neu·tro·dyne [njú:troudàin] *n.* 〖商標〗 진공관을 사용한 라디오 수신 장치.
neu·tron [njú:trɑn/njú:trɔn] *n.* Ⓒ 〖理〗 중성자.
néutron bòmb 중성자 폭탄.
Nev. Nevada.
:Ne·vad·a[nivǽdə, -vɑ́:-/nevɑ́:-] *n.* 미국 서부의 주《생략 Nev.》.
ne·ve[neivéi] *n.* (F.) Ⓤ 만년설.
†nev·er[névər] *ad.* 결코[일찍이, 조금도] …않다. **～ *again*** 두 번 다시 …않다. **～ *ever*** 결코 …않다. ***Well, I ～!*** 설마!
néver-énding *a.* 끝없는.
néver-fáiling *a.* 무진장의.
nèver·móre *ad.* 두번 다시 …않다.
néver-néver *n.* (the ～)《英俗》 월부 구입, 분할부.
:nev·er·the·less[nèvərðəlés] *ad.* 그럼에도 불구하고, 그래도 역시.
néver-to-be-forgótten *a.* 영원히 못 잊을.
ne·vus [ní:vəs] *n.* Ⓒ 〖醫〗 모반(母斑).
†new[nju:/nju:] *a.* ① 새로운; 처음 보는[듣는]. ② 처음 사용하는, 처음의; 일신된; 신임의. ③ 최근의. ④ 익숙하지 않은; 풋내기의. ⑤ 그 이상의. — *ad.* 새로이; 다시. **⌐·ness** *n.*
Néw Áge 뉴에이지(의)《환경 · 의학 · 사상 등 광범위한 분야에 대하여 전체론적인 접근을 특징으로 함》.
Néw·ber·y Awàrd[njú:bəri:-] 뉴베리상《미국에서 최우수 아동 도서에 수여되는 상》.
***néw·bórn** *a.* 갓난; 재생한.
néw-búilt *a.* 신축의.
Nèw Caledónia 오스트레일리아 동쪽 남태평양의 섬《프랑스 식민지》.
New·cas·tle[njú:kæ̀səl, njú:kɑ̀:səl] *n.* 영국 북동부의 항구 도시 《탄광지》. ***carry coals to ～*** 쓸데없는 짓을 하다.
***néw·còmer** *n.* Ⓒ 신참자.
Néw Críticism, the 신비평《작인(作因)·창작 환경 따위를 중시하지 않고, 텍스트 자체를 분석함으로써 그 기교를 추구하는 심미적 비평》.
Néw Déal, the (미국의 F.D. Roosevelt 대통령이 주장한) 뉴딜 정책; 루스벨트 정권.
Nèw Délhi[-déli] 인도의 수도.
Néw Écónomic Pólicy, the (러시아의) 신경제 정책(1921).
néw·el pòst[njú:əl-/njú:-] (나선 계단의) 어미기둥.
:Nèw Éngland 미국 북동부의 지방 《⇨지도》.
new·fan·gled[⌐fǽŋgəld] *a.* 신기한; 신기한 것을 좋아하는.
néw-fáshioned *a.* 신유행의.
:New·found·land[njú:fəndlæ̀nd, -lənd/njù-⌐] *n.* 캐나다 동해안의 큰 섬; 캐나다 북동부의 주; [* nju:fáundlənd] 뉴펀들랜드 개.
Néw Frontíer ⇨FRONTIER.
Nèw Guin·ea[-gíni] 오스트레일리아 북부의 세계 제2의 큰 섬(Papua).
***Nèw Hámp·shire**[-hǽmpʃiər] 미국 동부의 주《생략 N.H.》.
Nèw Héb·ri·des[-hébrədì:z] 오스트레일리아 북동쪽의 남태평양상의

군도.
Nèw Jér·sey[-dʒə́ːrzi] 미국 동부의 주《생략 N.J.》.
Néw Jerúsalem 〖聖〗 천국.
néw-láid *a.* 갓 낳은(~ *eggs*); 《俗》 미숙한, 풋내기의.
Néw Léft 《美》 신좌익《1960년대에 나타난 학생 중심의 정치적 급진 그룹》.
néw líne 〖컴〗 새줄《단말기 등에서 다음 줄로 넘어가게 하는 기능》.
néw lóok, the 뉴룩《1947년에 유행한 여성복》; 《一般》 신형 복장〔스타일〕. 「새로이.
:new·ly[njúːli] *ad.* 최근, 요즈음;
néwly·wèd *n.* Ⓒ 신혼의 사람; (*pl.*) 신혼 부부.
:Nèw México 미국 남서부의 주《생략 N.M., N.Mex.》.
néw móon 초승달.
new·mown[njúːmóun] *a.* (잔디·건초가) 막 벤.
†news[njuːz/njuːz] *n.* Ⓤ 뉴스, 보도; 색다른 사건; 소식. ***break the ~*** (흔히 나쁜) 소식을 알리다. ***No ~ is good ~.*** 《속담》 무소식이 희소식.
néws àgency 통신사.
néws·àgent *n.* Ⓒ 《英》 신문 판매인〔점〕.
néws ànalyst (텔레비전·라디오의) 뉴스 해설자.
néws·bèat *n.* Ⓒ (신문 기자의) 취재 담당 구역. 「신문 배달인.
néws·bòy *n.* Ⓒ 신문 파는 아이,
néws·brèak *n.* Ⓒ 보도 가치 있는 일〔사건〕.
néws·càst *n.* Ⓒ 뉴스 방송. **~er** *n.* Ⓒ 뉴스 방송자〔해설자〕.
néws cònference 《美》 (특히 정부 고관 등의) 기자 회견.
néws·dèaler *n.* 《美》 =NEWSAGENT.
néws fílm =NEWSREEL.
néws·hàwk *n.* Ⓒ《美口》 (특히 의욕적인) 신문기자, 보도 통신원.
néws·hòund *n.* 《美》 =⇧.
néws·less *a.* 뉴스〔소식〕 없는.
néws·lètter *n.* Ⓒ 주간 뉴스, 주보《17세기의 편지식 주간 신문, 현대 신문의 전신》; 속보(*a market ~*).
néws·màker *n.* Ⓒ 《美》 뉴스 가치가 있는 사건〔인물〕.
news·man[´mæ̀n, -mən] *n.* Ⓒ 《美》 신문 배달〔판매〕인; 신문인, 신문 기자.
néws·mònger *n.* Ⓒ 소문을 퍼뜨리고 다니는 사람, 수다쟁이.
†néws·pàper *n.* ① Ⓒ 신문(지). ② Ⓒ 신문사. ③ Ⓤ 신문용지. 「(界).
néwspaper·dom *n.* Ⓤ 신문계
néwspaper·màn *n.* Ⓒ 신문인, 신문 기자.
néwspaper vèndor 신문 판매기.
Néw·spèak *n.* Ⓒ '신언어'《국민의 선동·여론 조작에 쓰임; G. Orwell의 소설 '1984'에서》.
néws·prìnt *n.* Ⓤ 신문용지.
néws-rèader *n.* =NEWSCASTER.
néws·rèel *n.* Ⓒ 뉴스 영화.
néws·ròom *n.* Ⓒ 《英》 신문 열람실; 뉴스 편집실.
news sàtellite 통신 위성.
néws sèrvice 통신사.
néws·shèet *n.* Ⓒ (간단한) 한 장짜리 신문.
néws stàll 《英》 =NEWSSTAND.
néws·stànd *n.* Ⓒ (역 따위의) 신문·잡지 매점.
néws stòry 뉴스 기사. 「대.
Néw Stóne Áge, the 신석기 시
Néw Stýle, the 신력(新曆), 그레고리오력.
néws vàlue 보도 가치. 「팔이.
néws·vèndor *n.* Ⓒ (가두의) 신문
néws·wèekly *n.* Ⓒ 주간지.
néws·wòrthy *a.* 보도 가치가 있는.
news·y[´i] *a., n.* 《口》 뉴스가 많은; 이야기 좋아하는; =NEWSBOY.
newt[njuːt/njuːt] *n.* Ⓒ 〖動〗 영원.
***Néw Téstament, the** 신약 성서.
***New·ton**[njúːtn/njúː-], **Isaac** [áizək](1642-1727) 영국의 과학자·수학자. **New·to·ni·an**[njuːtóuniən] *a., n.* Newton(의 학설)의; Ⓒ Newton의 학설을 신봉하는 사람.
new·ton *n.* Ⓒ 〖理〗 뉴턴《힘의 mks 단위; 기호 N》.
:Néw Wórld, the 신세계.
:néw yéar 새해; (N- Y-, N- Year's) 정월 초하루, 정초의 수일간.
Néw Yèar's Dáy 〔**Éve**〕 정월 초하루〔섣달 그믐〕. 「사람.
†Nèw Yórk 뉴욕시〔주〕. **~·er** 뉴욕
***Nèw Zéa·land**[-zíːlənd] 남태평양의 영연방 자치국. **~·er** 뉴질랜드 사람.
†next[nekst] *a.* 다음의, 가장 가까운. ***in the ~ place*** 다음에; 둘째로. ***~ best*** 차선(次善)의, 그 다음으로 가장 좋은. ***~ door to*** 이웃집에; 거의 …에 가까운. ***~ of kin*** 〖法〗 최근친(最近親). ***~ to*** …의 다음에, 거의. — *ad.* 다음에, 그리고 나서. — *n.* Ⓒ 다음 사람〔것〕. — *prep.* …의 이웃〔다음〕에.
néxt-bèst *a., n.* =SECOND-BEST.
***néxt-dòor** *a., ad.* 이웃의〔에〕.
néxt fríend 〖法〗 (지정) 대리인《소송에서 법정 무능력자의 대리인》.
nex·us[néksəs] *n.* (*pl.* ~(*es*)) Ⓤ,Ⓒ 이음, 연접, 연쇄(link); 연쇄적 계열; 〖文〗 넥서스《Jespersen의 용어로 주어와 술어의 관계; *Dogs bark.* 나 I don't like *them barking.* 의 이탤릭 부분; cf. junction》.
N.F. Norman French; Newfoundland. **NG, N.G.** 《美》 National Guard. **N.G.O.** nongovernmental organization. **N.H.** New Hampshire. **N.H.S.** National Health Service. **Ni** 〖化〗 nickel.
ni·a·cin[náiəsin] *n.* Ⓤ 〖生化〗 나이어신《nicotinic acid(니코틴산)의 상품명》.

N

Ni·ag·a·ra[naiǽgərə] *n.* Erie호와 Ontario호를 연결하는 강; =*∽ **Fálls** 나이애가라 폭포.
nib[nib] *n., vt.* (**-bb-**) Ⓒ 펜촉(을 끼우다); (새의) 부리; 끝.
*__nib·ble__[níbəl] *vt., vi., n.* Ⓒ 조금씩 갉아먹다[갉아먹음]; (물고기의) 입질(하다); 한번 물어 뜯기[뜯다].
Ni·be·lung·en·lied [ní:bəlùŋənlì:t, -lì:d] *n.* Ⓒ 니벨룽겐의 노래《독일의 국민적 서사시》.
nib·lick[níblik] *n.* Ⓒ 〖골프〗 쇠머리 골프채, 9번 아이언.
nibs[nibz] *n.* 《俗》 (his [her] ∼) 거드름쟁이, 나으리《멸칭》.
N.I.C., NIC newly industrialized country 신흥 공업국.
ni·cad, Ni·Cad[náikæ̀d] *n.* Ⓒ 〖商標〗 니켈카드뮴 전지.
Nic·a·ra·gua [nìkərá:gwə/-rǽgjuə] *n.* 중미의 공화국.
Nice[ni:s] *n.* 니스《남프랑스의 항구 도시; 피한지》.
†**nice**[nais] *a.* ① 좋은, 훌륭한; 유쾌한(pleasing). ② 《口》 친절한(*to*). ③ 적당한. ④ 까다로운(*She is ∼ in her eating*). ⑤ 엄한. ⑥ 미묘한(subtle); 정밀한(exact); 감상[식별]력 있는(*He has a ∼ eye for china*). ⑦ 꼼꼼한; 민감한, 교양이 있는[엿보이는]. ⑧ 《口·反語》 곤란한, 싫은. ∼ **and** (*warm*)(따뜻하여) 더할 나위 없는. ***∽·ly** *ad.* **∽·ness** *n.*
ni·ce·ty[náisəti] *n.* Ⓤ 정밀; 미묘, 섬세; 까다로움; Ⓒ 우아한 것; 미세한 구별; (보통 *pl.*) 상세. ***to a*** ∼ 정확히, 꼭 알맞게.
niche[nitʃ] *n.* Ⓒ 벽감(壁龕)《조상(彫像)·꽃병 따위를 놓는》; 적소(適所). ─ *vt.* 《보통 과거분사형으로》 벽감에 놓다; (제 자리에) 앉히다.
Nich·o·las[níkələs], **Saint**(?-45?) 어린이·여행자·선원·러시아의 수호성인; =SANTA CLAUS.
Ni·chrome[nàikroum] *n.* Ⓤ 〖商標〗 니크롬.
Nick[nik] *n.* (Old ∼) 악마(devil).
*__nick__ *n.* Ⓒ 새김눈. ***in the*** (***very***) ∼ (***of time***) 아슬아슬한 때에, 꼭 알맞게. ─ *vt.* ① 새김눈을 내다; (칼로) 상처를 내다. ② 알아맞히다; 제시간에 꼭 대다. ③ 속이다(trick).
:nick·el[níkəl] *n.* ① Ⓤ 〖化〗 니켈. ② Ⓒ 《美·캐나다》 5센트 백통화. ─ *vt.* (《英》 **-ll-**) 니켈 도금하다.
níckel-and-díme *a.* 《美口》 소액의; 하찮은, 사소한.
nick·el·o·de·on [nìkəlóudiən] *n.* Ⓒ 《美》 5센트 극장; =JUKE BOX.
níckel pláte 니켈 도금. 「하다.
níckel-pláte *vt.* (…에) 니켈 도금
níckel sílver 양은(洋銀).
nick·er[níkər] *n.* (*pl.* ∼) Ⓒ 《英》 1파운드.
nick·nack [níknæ̀k] *n.* =KNICK-KNACK.
:nick·name[níknèim] *n., vt.* Ⓒ 별명(을 붙이다).
nic·o·tin·a·mide[nikətínəmaid] *n.* Ⓤ 〖化〗 니코틴(산)아미드.
nic·o·tine[níkəti:n], **-tin**[-tin] *n.* Ⓤ 니코틴. **-tin·ism**[-ìzəm] *n.* Ⓤ 니코틴 중독.
níc·o·tin·ic ácid [nìkətínik-] 니코틴산《비타민 B의 한 성분》.
nid·dle-nod·dle[nìdlnádl/-ɔ́dl] *a.* (머리가) 끄덕거리는, 근들거리는. ─ *vt., vi.* 머리를 근들거리(게 하)다.
:niece[ni:s] *n.* Ⓒ 조카딸, 질녀.
NIEs newly industrializing economies 신흥 공업 경제 지역《한국·싱가포르·타이완·홍콩 따위의 총칭》.
Nie·tzsche [ní:tʃə], **Friedrich Wilhelm** (1884-1900) 독일의 철학자.
nif·ty[nífti] *a.* 《俗》 멋진(stylish).
Ni·ger[náidʒər] *n.* 니제르《북아프리카 서부의 공화국》.
Ni·ge·ri·a[naidʒíəriə] *n.* 나이지리아《서아프리카의 공화국》.
nig·gard[nígərd] *n.* Ⓒ 인색한 사람. **∼·ly** *a., ad.* 인색한[하게].
nig·ger[nígər] *n.* 《蔑》 =NEGRO. ∼ ***minstrels*** 흑인으로 분장한 백인 희극단.
nig·gle[nígəl] *vi.* 하찮은 일에 안달하다[시간을 낭비하다]. **níg·gling** *a., n.*
nigh[nai] *ad., a., prep., v.* 《古·方》 =NEAR.
†**night**[nait] *n.* ① Ⓤ,Ⓒ 야간, 밤; 해질녘, 일몰. ② Ⓤ (밤의) 어둠. ③ Ⓤ 무지; 망각; 죽음. ***by*** ∼ 밤에는. ***have*** [***pass***] ***a good*** [***bad***] ∼ 편히 자다[자지 못하다]. ***make a*** ∼ ***of it*** 놀며[술마시며] 밤을 새우다. ∼ ***after*** [***by***] ∼ 매일 밤. ***a*** ∼ ***out*** 밖에서 놀이로 새우는 밤; (하녀 등의) 외출이 자유로운 밤.
níght bìrd 밤새《올빼미·나이팅게일 등》; 밤에 나다니는 사람; 밤 도둑.
níght blìndness 야맹증.
níght·càp *n.* Ⓒ 잠잘 때 쓰는 모자, 나이트 캡; 《口》 잘 때 마시는 술; 《口》 〖野〗 더블헤더의 제 2경기, 당일 최후의 경기.
níght clùb 나이트 클럽.
níght cràwler 《美方》 밤에 기어 나오는 큰 지렁이.
níght·drèss *n.* Ⓒ 잠옷.
*__níght·fàll__ *n.* Ⓤ 해질녘.
níght glàss 〖海〗 야간용 망원경.
*__níght·gòwn__ *n.* =NIGHTDRESS.
níght·hàwk *n.* Ⓒ 〖鳥〗 쏙독새의 일종; 밤샘하는 사람; 밤도둑.
níght hèron 〖鳥〗 푸른백로.
*__night·in·gale__[náitiŋgèil, -tiŋ-] *n.* Ⓒ ① 나이팅게일《유럽산 지빠귓과의 새, 밤에 욺》. ② 목청이 고운 가수.
Night·in·gale, Florence(1820-1910) 영국의 여성 박애주의자《근대 간호법의 창시자》.
níght·jàr *n.* Ⓒ 〖鳥〗 쏙독새.
níght làtch 안에서는 열쇠 없이 열고 밖에서는 열쇠로 여닫는 빗장.
níght lètter 《美》 야간 전보(《英》

overnight telegram).
níght lìfe (밤의) 환락.
níght·lòng *a.* 밤을 새우는, 철야의.
***night·ly**[⌐li] *a., ad.* 밤의[에], 밤마다의; 밤마다.
***night·mare**[⌐mὲər] *n.* Ⓒ 몽마(夢魔); 악몽(같은 경험·일); 가위눌림. **-mar·ish**[-mὲəriʃ] *a.* 악몽 같은.
níght nùrse 야간 근무 간호사.
níght òwl 《口》 밤샘하는 사람.
níght pìece 야경화(夜景畫).
nights[naits] *ad.* 매일 밤, (거의) 밤마다.
níght sàfe (은행 따위의) 야간[시간외] 예금 창구, 야간 금고.
níght schòol 야간 학교.
níght·scòpe *n.* Ⓒ 암시경(暗視鏡)《어둠 속에서 물체가 보이도록 적외선을 이용한 광학기기》.
níght·shàde *n.* Ⓤ,Ⓒ 가지속(屬)의 식물《유독한 것이 많음》.
níght shìft (주야 교대제의) 야간조; 야근 시간.
níght·shìrt *n.* Ⓒ (남자의) 긴 잠옷.
níght sòil 인분《밤에 치는 데서》.
níght·spòt *n.* 《美口》 =NIGHT CLUB.
níght·stànd *n.* Ⓒ 침실용 소탁자.
níght·stìck *n.* Ⓒ 경찰봉.
níght stòol 침실용 변기, 요강.
níght·stòp *vi.* (*-pp-*) 〖空〗 야간 비행장에 머무르다.
***níght·tìme** *n.* Ⓤ 야간, 밤.
níght·wàlker *n.* Ⓒ 몽유병자; 밤에 배회하는 사람; 밤도둑; =NIGHT CRAWLER.
níght·wàlking *n.* Ⓤ 밤에 나다님.
níght wàtch 야경(시간).
níght wátchman 야경꾼.
níght wòrk 밤일, 야간 작업.
NIH National Institutes of Health 《美》 국립 위생 연구소.
ni·hil·ism[náiəlìzəm, ní:ə-] *n.* Ⓤ 허무주의, 니힐리즘. **-ist** *n.* **-is·tic** [⌐⌐ístik] *a.*
-nik[nik] *suf.* 《俗》 '…관계하는 사람, 열심가'의 뜻: beat*nik.*
Ni·ke[náiki:] *n.* 〖그神〗 승리의 여신; Ⓒ 《美》 나이키《지대공 미사일》; 나이키《미국의 스포츠화·의류 제조 회사; 그 제품》.
nil[nil] *n.* Ⓤ 무(nothing); 〖컴〗 없음 (~ *pointer* 없음 알리개). ~ ***admirari***[ædmirέərai] (L. =to wonder at nothing) 무감동(한 태도).
:Nile[nail] *n.* (the ~) 나일강.
nill[nil] *vi.* 《다음 용법뿐》 ***will he,*** ~ ***he*** 좋든 싫든.
nim[nim] *vt.* (*-mm-*) 《古》 훔치다.
***nim·ble**[nímbəl] *a.* ① 재빠른. ② 영리한, 현명한. **~·ness** *n.* **-bly** *ad.*
nim·bus[nímbəs] *n.* (*pl.* **~es, -bi** [-bai]) Ⓒ 후광(halo); 〖氣〗 비구름.
nim·by, NIM·BY[nímbi] (<*not in my back yard*) *n.* Ⓒ 주변에 꺼림칙한 건축물 설치를 반대하는 주민.
nim·i·ny-pim·i·ny [nímənipímәni] *a.* 아니꼬운, 태깔 부리는; 투미한.
Nim·rod[nímrɑd/-rɔd] *n.* 〖聖〗 니므롯《Noah의 자손으로, 이름난 사냥꾼》; Ⓒ (n-) 사냥꾼.
nin·com·poop [nínkəmpù:p, níŋ-] *n.* Ⓒ 바보.
†nine[nain] *n., a.* ① Ⓤ,Ⓒ 아홉(의). ② Ⓒ 9명[개]의 1조, 야구 팀. ③ (the N-) 뮤즈의 아홉 여신. ***a ~ day's wonder*** 한 때의 소문, 남의 말도 사흘. ~ ***times*** [***in ~ cases***] ***out of ten*** 십중팔구. (***up***) ***to the ~s*** 완전히. 「(으로).
níne·fòld *a., ad.* 9배의[로], 9겹의
níne·pìn *n.* ① (~s) 《단수 취급》 9주희(柱戲). ② Ⓒ 9주희에 쓰는 핀.
†nine·teen [naintí:n, ⌐⌐] *n., a.* Ⓤ,Ⓒ 19(의). ***talk ~ to the dozen*** 쉴새 없이 지껄이다. **:~th** *n., a.* Ⓤ 제19(의); Ⓒ 19분의 1(의).
níne-to-fíve *a.* 아침 9시부터 저녁 5시까지 근무하는 사람의.
†nine·ty[náinti] *n., a.* Ⓤ,Ⓒ 90(의). **níne·ti·eth** *n., a.* Ⓤ 제90(의); Ⓒ 90분의 1(의).
nínety-níne *n., a.* Ⓤ,Ⓒ 99(의).
nin·ny[níni] *n.* Ⓒ 바보.
†ninth[nainθ] *n., a.* Ⓤ 제9(의); Ⓒ 9분의 1(의).
Ni·o·be[náioubì:] *n.* 〖그神〗 니오베《자식 사랑이 지나쳐 14명의 아이들이 모두 살해당하고, 돌로 변한 후에도 계속 울었다는 여자》.
ni·o·bi·um[naióubiəm] *n.* Ⓤ 〖化〗 니오브《금속 원소의 하나》.
Nip[nip] (<*Nip*ponese) *n.* Ⓒ 《美俗·蔑》 일본인.
nip**[1][nip] *vt.* (*-pp-*) ① (집게발 따위가) 집다; 물다, 꼬집다. ② 잘라내다, 따내다(*off*). ③ 상하게 하다; 해치다; 이울게 하다. ④ (찬바람 따위가 손·귀를) 얼게 하다. — *vi.* ① 집다; 물다. ② (추위가) 살을 에다; 《俗》 날쌔게 움직이다, 뛰다 (*along, away, off*). ~ ***in [***out***] 《口》 급히 뛰어들다[나가다]. ~ ***in the bud*** 봉오리 때에 따다; 미연에 방지하다. — *n.* (a ~) ① 한 번 물기[집음]. ② 상해(霜害); 모진 추위. ③ 한 조각. ~ ***and tuck*** 《美口》 (경기 따위에서) 막상막하로, 호각(互角)으로. **⌐·ping** *a.* (바람 따위) 살을 에는 듯한; 신랄한.
nip[2] *n.* Ⓒ (술 따위의) 한 모금. — *vi., vt.* (*-pp-*) 홀짝홀짝 마시다.
nip·per[nípər] *n.* ① Ⓒ 집는[무는] 사람[것]. ② (*pl.*) (게의) 집게발; 집게, 족집게, 못뽑이. ③ Ⓒ 《英》 소년, (노점의) 사동.
nip·ple[nípəl] *n.* Ⓒ 젖꼭지 (모양의 것); (젖병의) 고무 젖꼭지.
nip·py[nípi] *a.* (바람 따위) 살을 에는듯한; 날카로운, 《英口》 기민한.
nir·va·na, N-[nə:rvá:nə, niər-, -vǽnə] *n.* (Skt.) Ⓤ 〖佛〗 열반(涅槃). 「HUT.
Nís·sen hùt[nísən-] =QUONSET

N

nit[nit] *n.* Ⓒ (이 따위의) 알, 유충.
ni·ter, 《英》 **-tre**[náitər] *n.* Ⓤ 〖化〗 질산칼륨, 초석(硝石); 칠레초석.
nit·er·y[náitəri] *n.* 《美俗》 =NIGHT CLUB.
nít-pìck *vi.* 《口》 (이 잡듯이) 수색하다; (시시한 일로) 끙끙 앓다.
nít-pìcking *n., a.* 《美口》 Ⓤ 흠을 들추는(일).
ni·trate[náitrit, -treit] *n.* ⓊⒸ 질산염; 질산칼륨〔나트륨〕. ~ ***of silver*** 질산은. —— *vt.* 질산(염)으로 처리하다; 니트로화(化)하다.
ni·tra·tion[naitréiʃən] *n.* Ⓤ 〖化〗 니트로화(化).
ni·tric[náitrik] *a.* 〖化〗 질소의, 질소를 함유하는.
nítric ácid 질산.
ni·tride[náitraid, -trid] *n.* Ⓒ 〖化〗 질화물.
ni·tri·fy[náitrəfài] *vt., vi.* 〖化〗 질화하다; (토양 따위를) 질소(화합물)로 포화(飽和)하다. **-fi·ca·tion**[ㅅ— fikéiʃən] *n.*
ni·trite[náitrait] *n.* Ⓒ 〖化〗 아질산염(亞窒酸鹽).
ni·tro-[náitrou, -trə] niter의 뜻의 결합사.
nìtro·céllulose *n.* Ⓤ 〖化〗 니트로셀룰로오스.
nìtro explósive 니트로 화약.
***ni·tro·gen**[náitrədʒən] *n.* Ⓤ 〖化〗 질소. **ni·trog·e·nous**[naitrádʒ-/-ɔ́-] *a.*
nítrogen cỳcle 〖生〗 질소 순환.
nítrogen dióxide 〖化〗 이산화 질소.
nítrogen fixàtion 〖化〗 질소 고정「(법).
nítrogen óxide 〖化〗 산화 질소, 질소산화물.
nìtro·glýcerin, -glýcerine *n.* Ⓤ 〖化〗 니트로 글리세린.
ni·trous[náitrəs] *a.* 〖化〗 질소의, 질소를 함유하는; (칠레) 초석의.
nítrous ácid 아질산.
nítrous óxide 〖化〗 아산화 질소, 소기(笑氣).
nit·ty-grit·ty[nítigríti] *n.* (the ~) 《美俗》 냉엄한 현실; (문제의) 핵심.
nit·wit[nítwìt] *n.* Ⓒ 《口》 바보, 멍텅구리.
nix[niks] *n.* Ⓤ 《俗》 무(nothing); 거부, 금지. —— *ad.* 아니(no). —— *vt.* 거부〔금지〕하다.
Nix·on [níksən], **Richard Milhous** (1913-94) 미국 제 37대 대통령(1969-74).
N.J. New Jersey. **NL, N.L.** New Latin; National League.
n.l. new line 〖校正〗 별행(別行).
N.lat. North latitude. **NLF** National Liberation Front.
NLRB 《美》 National Labor Relations Board. **N.M., N.Mex.** New Mexico. **NNE** north-northeast. **NNW** north-northwest.
†**no**[nou] *ad.* 아니오; …이 아니다; 조금도 …이 아니다. ***No can do.*** 《口》 그런 일은 못한다. —— *n.* (*pl.* **~es**) ⓊⒸ '아니' 라는 말; 부정, 거절; Ⓒ (보통 *pl.*) 반대 투표(자).
no man's land 소유자가 없는 경계(境界) 지구; 〖軍〗 적과 아군 최전선의 중간지; 《美軍俗》 여군 숙영지.
no SHOW. —— *a.* ① 없는; 아무 것도 없는. ② 결코 …아닌〔않는〕.
There is no (do)***ing.*** (…하는) 것은 도저히 불가능하다.
***No.**[nʌ́mbər] 제…번(番)(number).
No. 1 제1〔일류, 최대〕(의 것). ***No. 1 Dress*** 제1호 군복《예복 대신이 되는 군복》.
No., no. north; northern; *numero*(L. =by number).
No·a·chi·an [nouéikiən], **No·ach·ic**[-ǽkik, -éi-] *a.* 노아(Noah)(시대)의.
***No·ah**[nóuə] *n.* 〖聖〗 노아《신앙이 두터운 헤브라이의 가장(家長)》.
nob[nab/-ɔ-] *n.* Ⓒ 《俗》 머리.
nob·ble[nábəl/-ɔ́-] *vt.* 《英俗》 (약품 투여 등으로 말을) 경마에서 못 이기게 하다; 속임수를 쓰다; (범인을) 잡다.
「일류의.
nob·by[nábi/-ɔ́-] *a.* 《英俗》 멋부린,
***No·bel**[noubél], **Alfred**(1833-96) 스웨덴의 화학자. **~·ist** *n.* Ⓒ 노벨상 수상자.
***Nóbel príze** 노벨상.
***no·bil·i·ty**[noubíləti, -li-] *n.* Ⓤ ① 숭고함, 고상함. ② 고귀한 태생〔신분〕; (the ~) 귀족 (계급).
***no·ble**[nóubəl] *a.* ① 고귀한; 고상한. ② 훌륭한; 귀중한. —— *n.* Ⓒ 귀족. **~·ness** *n.* ***no·bly** *ad.* 훌륭하게, 고결하게, 고귀하게, 귀족답게.
nóble gás 〖化〗 희(希)가스.
***noble·man**[-mən] *n.* Ⓒ 귀족.
nóble-mínded *a.* (마음이) 숭고한, 넓은, 고결한.
no·blesse o·blige [noublés oublí:ʒ] (F.) 높은 신분에는 의무가 따른다.
nóble·wòman *n.* Ⓒ 귀부인.
†**no·bod·y**[nóubàdi, -bədi/-bɔ̀di] *pron.* 아무도 …않다. —— *n.* Ⓒ 《口》 하찮은 사람.
nock[nak/-ɔ-] *n.* Ⓒ 활고자; 오늬.
noc·tam·bu·list[naktǽmbjəlist] *n.* Ⓒ 몽유병자.
***noc·tur·nal** [naktə́:rnl/nɔk-] *a.* 밤의(opp. diurnal); 〖動〗 밤에 활동하는; 〖植〗 밤에 피는.
noc·turne [náktə:rn/-ɔ́-] *n.* Ⓒ 〖樂〗 야상곡; 〖美術〗 야경화(night piece).
nod**[nad/-ɔ-] *vi.* (**-dd-**) ① 끄덕이다; 끄덕하고 인사하다. ② 졸다; 방심〔실수〕하다. ③ (꽃 따위가) 흔들거리다. ***Even Homer sometimes ~s. 《속담》 원숭이도 나무에서 떨어질 때가 있다. ***~ding acquaintance*** 만나면 인사나 할 정도의 사이. —— *vt.* (머리를) 끄덕이다; 끄덕여 표시하다; 굽히다. —— *n.* Ⓒ 끄덕임《동의·인사 따위》; 졺; (사람을 턱

으로 부리는) 지배력. ***be at a person's* ～** 아무의 지배하에 있다. ***the land of N-*** 〖聖〗 잠의 나라; 수면.
nod·al[nóudl] *a.* node의〔같은〕.
nod·dle[nádl/-ɔ́-] *n.* Ⓒ 《口》 머리.
nod·dy[nádi/-ɔ́-] *n.* Ⓒ 바보.
node[noud] *n.* Ⓒ 마디, 혹; 〖植〗 마디《잎이 나는 곳》; 〖理〗 마디《진동체의 정지점〔선·면〕》; (조직의) 중심점; 〖컴〗 마디, 노드《네트워크의 분기점이나 단말 장치의 접속점》.
no·dose[nóudous] *a.* 마디 있는〔많은〕. **no·dos·i·ty**[noudásəti/-ɔ́-] *n.*
nod·ule[nádʒuːl/nɔ́dj-] *n.* Ⓒ 작은 혹〔마디〕; 작은 덩이. **nód·u·lar** *a.*
no·el[nouél] *n.* Ⓒ 크리스마스의 축가; Ⓤ (N-) 크리스마스.
nó-fàult *n., a.* Ⓤ 《美》 (자동차 보험에서) 무과실 보험《과실 유무에 관계없이 피해자 자신의 보험에서 지불되는 방식》(의).
nog[1][nag/-ɔ-] *n.* Ⓒ 나무못; (못을 박기 위해, 벽돌 사이에 넣는) 나무 벽돌.
nog[2] *n.* Ⓤ 《英》 독한 맥주의 일종《원래는 영국 Norfolk산》; 《美》 달걀술.
nog·gin[nágin/-ɔ́-] *n.* Ⓒ 작은 잔; 액량 단위《1/4 pint》; 《美口》 머리.
nó-gó *a.* 《俗》 진행 준비가 돼 있지 않은; 《英》 출입 금지의.
nó-hítter *n.* Ⓒ 〖野〗 노히트 게임.
no·how[nóuhàu] *ad.* 《口·方》 아무리 해도 …않다. ── *a.* (몸이) 편찮은.
†**noise**[nɔiz] *n.* ① Ⓤ,Ⓒ 소음; 소리, 시끄러운 목소리, 법석. ② Ⓤ (TV·라디오의) 잡음; 〖컴〗 잡음《회선의 난조로 생기는 자료의 착오》. ***make a* ～** 떠돌다. ***make a ～ in the world*** 평판이 나다, 유명해지다. ── *vt.* 소문을 퍼뜨리다. ***be ～d abroad that*** …이라는 말이 퍼지다. ── *vi.* 떠들다. ***∠·less** *a.* 소리 안 나는, 조용한. **∠·less·ly** *ad.*
nóise pollùtion 소음 공해.
noi·some[nɔ́isəm] *a.* 해로운; 싫은; 악취 나는. **～·ly** *ad.* **～·ness** *n.*
:**nois·y**[nɔ́izi] *a.* 시끄러운; 와글거리는. ***nóis·i·ly** *ad.* **nóis·i·ness** *n.*
no·lens vo·lens [nóulenz vóulenz] *ad.* (L.) 싫든 좋든.
nol pros. *nolle prosequi*(L.=to be unwilling to prosecute) 〖法〗 고소 취하 고시서(告示書).
nom[nɔ̃ːm] *n.* (F.) Ⓒ 이름. ***～ de guerre*** [∠də gέər] 가명. ***～ de plume*** [∠də plúːm] 필명 (pen name).
nom. nominative.
***no·mad**[nóumæd, -məd, nɔ́mæd] *n.* Ⓒ 유목민; 방랑자. ── *a.* 유목의; 방랑의. **～·ic**[noumǽdik] *a.* 유목민의; 방랑의. **～·ism**[-ìzəm] *n.* Ⓤ 유목〔방랑〕 생활.
no-man[nóumæ̀n] *n.* (*pl.* ***-men*** [-mèn]) Ⓒ 좀처럼 동조하지 않는 자, 옹고집쟁이(opp. yes-man).
nó màn's lànd ⇨NO.
no·men·cla·tor[nóumənklèitər] *n.* Ⓒ (동·식물 따위의 학명) 명명자.
no·men·cla·ture [nóumənklèitʃər, nouménklə-] *n.* Ⓤ,Ⓒ (전문어의) 명명법; Ⓤ 《집합적》 전문어, 학술 용어, (분류학적) 학명.
***nom·i·nal**[námənl/-ɔ́-] *a.* ① 이름의; 이름뿐인, 근소한. ② 〖文〗 명사의. **～·ism** [-ìzəm] *n.* Ⓤ 〖哲〗 유명론(唯名論), 명목론. **～·ly** *ad.*
nóminal válue (증권 따위의) 액면 가격.
nóminal wáges 〖經〗 명목 임금.
:**nom·i·nate**[námənèit/nɔ́mi-] *vt.* 임명하다; (후보자로) 지명하다. :**-na·tion** [∸-néiʃən] *n.* Ⓤ,Ⓒ 임명〔지명〕(권). **nóm·i·na·tor** *n.*
***nom·i·na·tive** [námənətiv/-ɔ́-] *n., a.* Ⓒ 〖文〗 주격(의), 주어; 지명에 의한; (증권 따위가) 기명식의.
nom·i·nee [nàməníː/-ɔ̀-] *n.* Ⓒ 임명〔지명〕된 사람.
nom·o·gram [náməgræ̀m/-ɔ́-] *n.* Ⓒ 〖數〗 계산 도표.
nom·o·thet·ic [nàməθétik/nɔ̀-] *a.* 입법의, 법의.
non-[nan/nɔn] *pref.* '비, 불, 무' 따위의 뜻. **∸·abstáiner** *n.* Ⓒ 음주가. **∸·accéptance** *n.* Ⓤ 불승낙; 〖商〗 (어음) 인수 거절. **∸·admíssion** *n.* Ⓤ 입장 불허. **∸·aggréssion** *n.* Ⓤ 불침략. **∸·appéarance** *n.* Ⓤ 〖法〗 (법정에의) 불출두. **∸·atténdance** *n.* Ⓤ 결석. **∸·bellígerent** *n., a.* 비교전의; Ⓒ 비교전국(의). **∸·cértifiable** *a.* 《英》 정신병이라고 증명할 수 없는; 《諧》 제정신의. **∠·com**[nánkàm/nɔ́nkɔ̀m] *n.* 《口》 =NON COMMISSIONED officer. **∸·combátant** *n., a.* Ⓒ 〖軍〗 비전투원(의); (전시의) 일반 시민(의). **∸·commíssioned** *a.* 위임장이 없는; (장교로) 임명되지 않은(*a ～commissioned officer*). **∸·commíttal** *a.* 언질을 주지 않는; (태도 등이) 애매한. **∸·complíance** *n.* Ⓤ 불순종. **∸·condúcting** *a.* 〖理〗 부전도(不傳導). **∸·condúctor** *n.* Ⓒ 〖理〗 부도체. **∸·cónfidence** *n.* Ⓤ 불신임. **∸·confórmance** *n.* Ⓤ 순응하지 않음; 불일치. **∸·convértible** *a.* (지폐가) 불환의. **∸·cooperátion** *n.* Ⓤ 비협력; (Gandhi 파의) 비협력 정책. **∸·delívery** *n.* Ⓤ 인도 불능; 배달 불능. **∸·esséntial** *a.* 긴요하지 않은. **∸·exístence** *n.* Ⓤ,Ⓒ 비존재. **∸·exístent** *a.* 존재하지 않는. **∸·féasance** *n.* Ⓤ 〖法〗 의무 불이행. **∸·férrous** *a.* 쇠를 함유하지 않은, 비철의(*～ferrous metals* 비철금속《금·은·구리·납 따위》). ***∸·fíction** *n.* Ⓤ 논픽션《소설 이외의 산문 문학》. **∸·fulfíllment** *n.* Ⓤ 불이행. **∸·intervéntion** *n.* Ⓤ (외교·내정상의) 불간섭. **∸·júror** *n.* Ⓒ 선서 거부자; (N-) 〖英史〗 (1688년의 혁명 후, William Ⅲ와 Mary에 대한) 충성 선서 거부자《국교(國敎) 성직자》. **∠·línear** *a.* 직선이 아닌, 비선형(非

線形)의. **~·métal** *n.* Ⓒ 〖化〗 비금속 원소. **~·metállic** *a.* 〖化〗 비금속의. **~·móral** *a.* 도덕과는 관계 없는(cf. immoral). **~·núclear** *a.* 비핵(非核)의. **~·objéctive** *a.* 〖美術〗 비객관적인, 추상적인. **~·pártisan** *a.* 초당파의; 무소속의; 객관적인(objective). **~·prodúctive** *a.* 비생산적인; 직접 생산에 관여하지 않는. **~·prófit** *a.* 비영리적인; 이익이 없는. **~·proliferátion** *n.* Ⓤ 비증식(非增殖), (핵무기 등의) 확산 방지. **~·prós** *vt.* (**-ss-**) 〖法〗 (원고를 법정 결석의 이유로) 패소시키다. **~·réader** *n.* Ⓒ 독서하지 않는〔할 수 없는〕 사람; 읽는 법을 늦게 깨우치는 아이. **~·representátional** *a.* 〖美術〗 비묘사적인. **~·résident** *a., n.* Ⓒ 어떤 장소〔임지〕에 거주하지 않는 (사람). **~·resístant** *a., n.* 무저항의, 맹종적인; Ⓒ 무저항(주의)자. **~·restríctive** *a.* 〖文〗 (수식 어구가) 비제한적인. **~·schéduled áirline(s)** 부정기 항공《항공 수송을 주로 하지만 임시로 여객 수송도 하는 것; 생략 nonsked》. **~·sectárian** *a.* 어느 종파에도 관계하지 않은. **~·sélf** *n.* Ⓒ 비(非)자기《면역계에 의한 공격성을 유발하는 외래성 항원 물질》. **~·skéd** *n.* 《口》 =NONSCHEDULED AIRLINE(S). **~·skíd** *a.* (타이어가) 미끄러지지 않는. **~·stíck** *a.* (특히 음식이) 눌어 붙지 않는《냄비 따위》. **~·stóp** *a., ad.* 도중 무착륙의〔으로〕, 도중 무정차의〔로〕. **~·suppórt** *n.* Ⓤ 지지가 없음; 〖法〗 부양 의무 불이행. **~·ténured** *a.* (대학 교수가) 종신 재직권이 없는. **~·únion** *a.* 노동 조합에 속하지 않는〔을 인정치 않는〕. ***~·víolence** *n.* Ⓤ 비폭력(주의). **~·vóter** *n.* Ⓒ (투표) 기권자.

non·age [nánidʒ, nɔ́n-] *n.* Ⓤ 〖法〗 미성년; 미성숙(기).

non·a·ge·nar·i·an [nànədʒənέəriən, nòun-/nòunədʒinέər-] *a., n.* Ⓒ 90대(代)의 (사람).

non·a·gon [nánəgàn/nɔ́nəgɔ̀n] *n.* Ⓒ 9각〔9변〕형.

nonce [nans/-ɔ-] *n.* 《다음 구로만 쓰임》 ***for the ~*** 당분간, 목하. ── *a.* 임시의. **~ *use*** 〔***word***〕 임시 용법(用法)〔어〕.

non·cha·lant [nànʃəlá:nt, nánʃələnt/nɔ́nʃələnt] *a.* 무관심한, 냉담한. **~·ly** *ad.* **-lance** *n.*

non com·pos men·tis [nan kámpəs mèntis/nɔn kɔ́mpɔs-] (L. =not of sound mind) 정신이 건전치 못한, 정신 이상의.

nòn·confórming *a.* 복종치 않는; 《英》 국교를 신봉치 않는. **-confórmist** *n.* Ⓒ 비동조자; (N-) 《英》 비국교도. **-confórmity** *n.* Ⓤ 비동조; 부조화; (N-) 《英》 비국교주의.

non·de·script [nàndiskrípt/nɔ́n-스] *a., n.* Ⓒ 정체 모를 (사람·것).

nòn·disjúnction *n.* Ⓤ,Ⓒ 〖生〗 (상동(相同) 염색체의) 비분리.

non·dúrable gòods 비내구재(非耐久財)《의류·식품 따위》.

†none [nʌn] *pron.* ① 아무도 …않다〔아니다〕. ② 아무 것도〔조금도〕 …않다〔아니다〕(*It is ~ of your business.* 쓸데 없는 참견이다). ── *ad.* 조금도 …하지 않다. **~ *the less*** 그런데도 불구하고.

non·éntity *n.* Ⓤ 실재하지 않음; Ⓒ 하찮은 사람〔것〕.

none·such [nʌ́nsʌ̀tʃ] *n.* Ⓒ 비길 데 없는 사람〔것〕, 절품(絶品)(paragon).

non-impáct prìnter 〖컴〗 안때림〔비충격〕 인쇄기《무소음을 목적으로 무타격으로 인자(印字)하는 프린터》.

nòn-íron *a.* 다림질이 필요 없는.

non·pa·reil [nànpərél/nɔ́npərəl] *a., n.* Ⓒ 비길 데 없는 (사람·것); 〖印〗 논파렐 활자《6포인트》.

non·plus [nànplʌ́s/nɔ̀n-] *n., vt.* 당혹(當惑)(시키다). ***put*** 〔***reduce***〕 ***... to a ~*** …을 난처하게 하다. ***stand at a ~*** 진퇴 양난이다.

‡non·sense [nánsens/nɔ́nsəns, -sens] *n.* Ⓤ 어리석은 말〔생각·짓〕, 넌센스. ***N-!*** 바보 같은 소리! **non·sén·si·cal** *a.* 무의미한, 엉터리 없는.

non seq. *non sequitur.*

non se·qui·tur [nan sékwitər/nɔn-] (L. =it does not follow) (전제와 관계 없는) 불합리한 추론〔결론〕.

non·such [nʌ́nsʌ̀tʃ] *n.* =NONESUCH.

nòn·súit *n., vi.* Ⓒ 〖法〗 소송 각하(却下)(하다).

non-U [nànjú:/nɔ̀n-] *a.* 《口》 (특히 영국의) 상류 계급에 걸맞지 않는.

non·únion shóp 반(反)노조 기업.

non·vol·a·tile [nanválətl/nɔnvɔ́lətail] *a.* 〖컴〗 비휘발성《전원이 끊겨도 정보가 소거되지 않는》.

noo·dle[1] [nú:dl] *n.* Ⓒ (흔히 *pl.*) 누들《달걀과 밀가루로 만든 국수》.

noo·dle[2] *n.* Ⓒ 멍텅구리; 《俗》 머리.

***nook** [nuk] *n.* Ⓒ (아늑한) 구석; 피난처.

†noon [nu:n] *n.* Ⓤ 정오; 《주로 雅》 야반; (the ~) 전성기. ── *a.* 정오의. ***~·dày** *n., a.* Ⓤ 정오(의). ***as clear*** 〔***plain***〕 ***as ~day*** 아주 명백한.

***no one, no-one** [nóuwʌ̀n] *pron.* =NOBODY.

noon·ing [nú:niŋ] *n.* Ⓤ 《美方》 낮; 낮 휴식 (시간); 점심.

nóon·tìme, -tìde *n.* =NOON.

noose [nu:s] *n., vt.* Ⓒ 올가미(에 걸다, 로 잡다)(cf. lasso); 속박하는 것.

NOP [nɑp/nɔp] (< *no-operation*) *n.* 〖컴〗 무작동, 무연산.

n.o.p. not otherwise provided (for).

no-par [nóupɑ̀:r] *a.* 액면 가격이 없는.

NOR [nɔ:r] (< *not+or*) *n.* 〖컴〗 부정 논리합, 아니또는, 노어(~ *gate* 아니 또는문, 노어문/ ~ *operation* 아니또는셈, 노어셈).

†**nor**¹ [nɔːr, 弱 nər] *conj.* (and not; or not).
nor', nor² [nɔːr] *n., a., ad.* = NORTH.
Nor. North; Norway; Norwegian.
NORAD North American Air Defence Command.
Nor·dic [nɔ́ːrdik] *n., a.* Ⓒ 〖人類〗 북유럽인(의); 〖스키〗 노르딕 경기의.
Nórdic combíned 〖스키〗 노르딕 복합 경기《점프와 거리의 종합 점수를 겨룸》.
Norf. Norfolk.
Nor·folk [nɔ́ːrfək] *n.* 영국 동부의 주. ~ ***Island*** 남태평양상의 섬《오스트레일리아령(領)》.
Nórfolk jácket 밴드가 달린 남자용의 웃옷.
*__norm__ [nɔːrm] *n.* Ⓒ 규준; 규범; 노르마《노동 기준량》; 〖컴〗 기준.
:**nor·mal** [nɔ́ːrməl] *a.* ① 정상의 (regular); 보통의; 표준의; 전형적인. ② 〖數〗 수직의, 직각을 이루는. ③ 〖化〗 규정(規定)의; (실험 따위의) 처치를 받지 않은《동물 따위》. — *n.* Ⓤ 상태; 표준; 〖컴〗 정규; Ⓒ 〖數〗 수직선〔면〕. ~·**cy**, ~·**i·ty** [nɔːrmǽləti] *n.* Ⓤ 정상. ~·**ize** [-àiz] *vt.* 정상으로 하다. ~·**i·za·tion** [ˌ--izéiʃən/-laiz-] *n.* Ⓤ 정상화. * ~·**ly** *ad.* 순리로; 정규적으로; 순리로 나가면, 본래 같으면.
nórmal schòol 교육 대학《2년제》.
*__Nor·man__ [nɔ́ːrmən] *a.* 노르만 사람의. — *n.* Ⓒ 노르만 사람.
Nórman Cónquest, the 노르만인의 영국 정복《1066년》.
*__Nor·man·dy__ [-di] *n.* 노르망디《프랑스의 북서 지방》.
Nor·man·esque [nɔ̀ːrmənésk] *a.* 〖建〗 노르만식〔풍〕의.
Nórman-Frénch *n., a.* =ANGLO-FRENCH.
nor·ma·tive [nɔ́ːrmətiv] *a.* 표준〔규준〕의, 규범이 되는, 규준이 있는. ~ ***grammar*** 〖文〗 규범 문법.
Norse [nɔːrs] *a.* 고대 스칸디나비아(사람·말)의; (특히) 고대 노르웨이(사람)의. — *n.* (the ~)《복수 취급》 노르웨이 사람; Ⓤ 노르웨이 말. ~·**man** [ˊmən] *n.* Ⓒ 옛 스칸디나비아 사람.
†**north** [nɔːrθ] *n.* ① (the ~) 북; 북방; (*or* N-) (한 나라의) 북부 지방. ② (N-)《美》 미국 북부《Maryland, Ohio 및 Missouri 주 이북》. ③ Ⓒ《詩》 북풍. ***in*** 〔***on, to***〕 ***the ~ of*** …의 북부에〔북쪽에 접하여, 북쪽에 위치하여〕. ~ ***by east*** 〔***west***〕 북미(微)동〔서〕. — *a.* 북쪽의, 북향의; 북쪽에 있는; 북쪽으로부터의. — *ad.* 북쪽에, 북쪽으로. ˊ·**ward** *n., a., ad.* (the ~) 북방; 북방(으로)의; 북방으로, 북방에. ˊ·**wardly** *ad., a.* 북방으로(의); 북방으로부터(의). ˊ·**wards** *ad.* =NORTHWARD.
:**Nórth América** 북아메리카.
Nor·thamp·ton·shire [nɔːrθhǽmptənʃìər] *n.* 영국 중부의 주《약칭 Northants.》.
Nórth Atlántic Cóuncil, the 북대서양 조약 기구 이사회.
Nórth Atlántic Tréaty Organizàtion, the 북대서양 조약 기구.
Nórth Bríton 스코틀랜드 사람.
Nórth Cápe 노르곶《노르웨이 북단》; 노스곶《뉴질랜드 북단》.
*__Nórth Carolína, the__ 미국 남대서양 연안의 주《생략 N.C.》.
Nórth Còuntry, the 영국 북부 지방; 《美》 알래스카와 캐나다의 Yucon 지방을 포함하는 지역.
Northd NORTHUMBERLAND.
*__Nórth Dakóta__ 미국 중서부의 주《생략 N. Dak., N. D.》.
:**north·east** [nɔ̀ːrθíːst; (海) nɔ̀ːríːst] *n.* (the ~) 북동(지방). ~ ***by east*** 〔***north***〕 북동미동〔북〕. — *a.* 북동(향)의; 북동쪽에 있는; 북동쪽으로부터의. — *ad.* 북동으로〔에〕, 북동으로부터. ~·**ward** *n., a., ad.* (the ~) 북동(의); 북동으로(의). ~·**wardly** *ad., a.* 북동으로(의); 북동으로부터(의). ~·**wards** *ad.* = NORTHEASTWARD.
north·east·er [-ər] *n.* Ⓒ 북동풍; 북동의 폭풍. ~·**ly** *ad., a.* 북동으로(의); 북동으로부터(의).
*__north·east·ern__ [-ərn] *a.* 북동의; 북동으로의; 북동으로부터의.
Nórtheast Pássage, the (북대서양으로부터 아시아의 북해안을 따라서 태평양에 나오는) 북동 항로.
north·er [nɔ́ːrðər] *n.* Ⓒ 북풍; 북쪽으로부터의 찬바람. ~·**ly** *ad., a.* 북으로(의); 북쪽으로부터(의).
:**north·ern** [-n] *a.* ① 북의, 북에 있는; 북으로(부터)의. ② (N-)《美》 북부 여러 주의. ~·**er** *n.* Ⓒ 북국인; (N-)《美》 북부 제주(諸州)의 사람.
Nórthern Cróss, the 북십자성《백조 자리》.
Nórthern Hémisphère, the 북반구.
Nórthern Íreland 북아일랜드.
nórthern líghts 북극광(北極光).
nórthern·mòst *a.* 가장 북쪽의, 최북단의, 극북의.
Nórth Frígid Zòne, the 북한대(寒帶).
north·ing [nɔ́ːrθiŋ, nɔ́ːrð-] *n.* Ⓤ 〖海〗 북거(北距)《앞서 측정한 지점으로부터 북방의 어느 지점까지의 위도(緯度)차》; 북진, 북항(北航).
Nórth Ísland (New Zealand의) 북쪽섬.
Nórth Koréa 북한.
north·land [nɔ́ːrθlənd] *n.* Ⓒ 북극; (the ~)(한 나라의) 북부 지방.
North·man [ˊmən] *n.* Ⓒ 고대 스칸디나비아 사람; 북유럽 사람.
north-north·east〔·**west**〕[nɔ̀ːrθnɔ̀ːrθíːst〔wést〕] *n., a., ad.* (the ~) 북북동〔서〕(의, 에).
Nórth Póle, the 북극.

Nórth Séa, the 북해.

Nórth Stár, the 북극성.

North·um·ber·land[nɔːrθʌ́mbərlənd] *n.* 잉글랜드 북쪽 끝의 주.

North·um·bri·an [nɔːrθʌ́mbriən] *n.* Ⓤ Northumbria (영국 북부의 고대 왕국)의 사투리.

:north·west[nɔ̀ːrθwést; (海) nɔ̀ːrwést] *n.* ① (the ~) 북서(지방). ② (N-) 《美》 북서지방《워싱턴·오리건·아이다호의 3주》. **~ by west** 〔**north**〕 북서미서〔북〕. — *a.* 북서의; 북서에 있는; 북서로부터의. — *ad.* 북서쪽으로〔에〕, 북서쪽으로부터. **~·ward** *n., ad., a.* (the ~) 북서쪽(의); 북서쪽으로(의). **~·ward·ly** *ad., a.* 북서쪽으로(의); 북서쪽으로부터(의). **~·wards** *ad.* =NORTHWESTWARD.

north·west·er[nɔ̀ːrθwéstər; (海) nɔ̀ːrwéstər] *n.* Ⓒ 북서풍; 북서의 강풍(nor'wester). **~·ly** *ad., a.* 북서로(의); 북서로부터(의).

***north·west·ern**[-n] *a.* ① 북서의; 북서로의; 북서로부터의. ② (N-) 《美》 미국 또는 캐나다 북서 지방의.

Nórthwest Pássage, the (북대서양으로부터 북아메리카 북해안을 따라서 태평양에 나오는) 북서 항로.

Norw. Norway; Norwegian.

:Nor·way[nɔ́ːrwei] *n.* 노르웨이《북유럽의 왕국》. ***Nor·we·gian**[nɔːrwíːdʒən] *a., n.* 노르웨이(사람·말)의; Ⓒ 노르웨이 사람; Ⓤ 노르웨이 말.

nor'·west·er[nɔːrwéstər] *n.* = NORTHWESTER; (수부용의) 유포(油布) 우비.

Nos., nos. numbers.

n.o.s. not otherwise specified.

†nose[nouz] *n.* ① Ⓒ 코. ② (a ~) 후각(기관); 직감력(直感力)(*for*). ③ Ⓒ 돌출부; 뱃머리, 기수(機首); 원통(圓筒)〔대롱〕의 끝; 총부리. **count** 〔**tell**〕 **~s** 찬성〔출석〕자의 수를 세다. **cut off one's ~ to spite one's face** 홧김에 자기에게 손해되는 일을 해〔말해〕버리다. **follow one's ~** 곧바로 가다; 본능대로 행동하다. **lead a person by the ~** (아무를) 마음대로 부리다; (아무를) 뜻대로 다루다. **~ to ~** 얼굴을 맞대고. **pay through the ~** 엄청난 값을 치르다. **put** 〔**poke, thrust**〕 **one's ~ into** …에 쓸데없이 참견하다. **put a person's ~ out of joint** 아무의 기선을 제하다. **turn up one's ~ at** …을 경멸하다. **under a person's ~** 아무의 코밑〔면전〕에서; 상대방의 기분에 개의하지 않고. — *vt.* ① 냄새를 맡다; 냄새를 맡아내다, 낌새채다(*out*). ② 코를 비벼대다. ③ (배가) 전진하다. — *vi.* ① 냄새맡다(*at, about*). ② 찾다(*after, for*). ③ 캐내다(pry)(*into*). ④ (배가) 전진하다. **~ down** 〖空〗 기수를 아래로 하다. **~ out** (은밀히) 찾아내다. **~ over** 〖空〗 (착륙시 기수를 밑으로) 꺾다.

nóse bàg (말 목에 거는) 꼴망태.

nóse·bànd *n.* Ⓒ (말의) 재갈가죽.

nóse·blèed *n.* Ⓤ 코피, 비(鼻)출혈.

nóse còne 노즈콘《로켓·미사일 따위의 원추형 두부(頭部)》.

nose·count[nóuzkàunt] *n.* (인구조사 등의) 인원수 계산.

nóse dìve 〖空〗 급강하; (가격의) 폭락.

nóse-dìve *vi.* 급강하하다; (가격 등이) 폭락하다. 「발.

nóse·gày *n.* Ⓒ (향기가 좋은) 꽃다

nóse·pìece *n.* Ⓒ (투구의) 코싸개 (cf. visor); =NOSEBAND.

nóse·ràg *n.* Ⓒ 《俗》 손수건.

nóse rìng (소의) 코뚜레, (야만인의) 코고리.

nose-thumb·ing [⌐-θʌ̀miŋ] *n.* Ⓤ 《美》 비웃는 몸짓《엄지손가락을 콧등에 대고 딴 손가락을 흔드는》.

nos·ey[nóuzi] *a.* =NOSY.

nosh [nɑʃ/nɔʃ] *n.* Ⓒ 《口》 가벼운 식사, 간식; 음식. — *vi., vt.* 가벼운 식사를 하다, 간식하다, 먹다.

nosh·ery[nɑ́ʃəri/nɔ́ʃ-] *n.* Ⓒ 《口》 식당, 레스토랑.

nó-shów *n.* Ⓒ 《美口》 (좌석을 예약하고도) 출발할 때까지 나타나지 않는 손님.

***nos·tal·gi·a**[nɑstǽldʒiə/nɔs-] *n.* Ⓤ 향수, 회향병(homesickness); 회고의 정. **-gic** *a.* 향수적인; 회고적인.

Nos·tra·da·mus [nɑ̀strədéiməs/nɔ̀s-] *n.* 노스트라다무스《프랑스의 점성학자·의사; 1503-66》; Ⓒ 예언자, 점성가.

***nos·tril**[nɑ́stril/-ɔ́-] *n.* Ⓒ 콧구멍.

no-strings[nóustríŋs] *a.* 《口》 무조건의.

nos·trum[nɑ́strəm/-ɔ́-] *n.* Ⓒ 엉터리약; 매약; (문제 해결의) 묘안.

nos·y[nóuzi] *a.* 《口》 시시콜콜히 캐기 좋아하는. 「람.

Nósy Párker 《口》 참견 잘하는 사

†not[強 nɑt/-ɔ-; 弱 nt] *ad.* …이 아니다, …않다.

no·ta be·ne[nóutə bíːni] (L.= note well) 단단히 주의하라, 주의.

:no·ta·ble[nóutəbəl] *a.* ① 주목할 만한; 현저한(striking); 저명한. ② 《古》 (주부가) 살림 잘하는. — *n.* Ⓒ (보통 *pl.*) 명사. ***-bly** *ad.* 현저히; 특히. **-bil·i·ty**[⌐-bíləti] *n.* Ⓤ 저명; Ⓒ (보통 *pl.*) 명사.

NOTAM notice to airman (안전 운항을 위한) 항공 정보.

no·ta·rize[nóutəràiz] *vt.* (공증인이) 증명하다(certify).

nó·ta·ry (**públic**)[nóutəri(-)] *n.* Ⓒ 공증인.

no·ta·tion[noutéiʃən] *n.* Ⓤ 기호법; 〖數〗 기수(記數)법; 〖樂〗 기보(記譜)법; Ⓒ (수·양 따위의) 한조의 기호; 《美》 메모; 기록(record); 써놓음; 〖컴〗 표기법. **decimal ~** 10진법.

***notch**[nɑtʃ/-ɔ-] *n.* Ⓒ ① (V자형의) 새김눈. ② 《美》 (깊고 좁은) 산

길. ③ 《口》 단(段), 급(級). ── *vt.* (…에) 금〔새김눈〕을 내다(*into*); 금을 그어 기록하다(*up, down*).

†**note**[nout] *n.* ① Ⓒ 표; 기호. ② Ⓒ 메모; 주(註), 주석. ③ Ⓒ 짧은 편지. ④ Ⓒ (외교상의) 통첩, (간단한) 성명〔보고〕서; 초고. ⑤ Ⓒ 어음, 지폐. ⑥ Ⓒ 〖神〗 진정(眞正)이라는 증거. ⑦ Ⓒ 〖樂〗 음표, (전용되어서) 가락, 선율, 노래; 어조(語調). ⑧ Ⓒ (새의) 울음소리; (악기·목소리 등의) 소리. ⑨ Ⓒ (피아노 따위의) 건. ⑩ (보통 *sing.*) 특징; Ⓤ 주의, 주목(notice). ⑪ Ⓤ 저명, 중요(*a man of* ~ 명사). ***compare ~s*** 의견을 교환하다. ***make a ~*** 〔***take ~s***〕 ***of*** …을 필기하다. ***take ~ of*** …에 주의하다. ── *vt.* 적어두다(*down*); 주목〔주의〕하다; 주(註)를 달다; (글 속에서) 특히 언급하다; 지시하다, 의미하다. ***˚not·ed***[⌐id] *a.* 유명한 (*for*).

†**note·book**[⌐bùk] *n.* Ⓒ 공책, 노트; 어음장.

nótebook compùter 〖컴〗 노트북 컴퓨터.

nóte pàper 편지지.

:**nóte·wòrthy** *a.* 주목할만한, 현저한.

†**noth·ing**[nʌ́θiŋ] *pron.* 아무 일〔것〕도 …아님. ── *n.* ① Ⓤ 무, 영; 존재하지 않는 것. ② Ⓒ 시시한 사람〔것〕. ***come to ~*** 실패로 끝나다. ***for ~*** 무료로; 무익하게; 이유없이. ***have ~ to do with*** …에 조금도 관계가 없다. ***make ~ of*** 대수롭게 보지 않다, …을 우습게 여기다; 이해할 수 없다. ~ ***but*** =ONLY. ***think ~*** …을 경시하다〔얕보다〕. ── *ad.* 조금도 …이 아니다〔…않다〕. **~·ness** *n.* Ⓤ 무, 공; 존재하지 않음; 무가치; Ⓒ시시한 것; Ⓤ 인사 불성, 죽음.

†**no·tice**[nóutis] *n.* ① Ⓤ 주의, 주목. ② Ⓤ 통지, 신고. ③ Ⓤ 예고, 경고. ④ Ⓒ 공고, 게시; 소개, 비평. ⑤ Ⓤ 애고(愛顧). ***at a moment's ~*** 곧, 즉각. ***at short ~*** 갑자기. ***bring to*** 〔***under***〕 ***a person's ~*** 아무의 주의를 환기시키다. ***come into*** 〔***under***〕 ***a person's ~*** 아무의 눈에 띄다. ***give ~*** 통지하다; 예고하다. ***take ~*** 주의하다, 보다(***take no ~ of*** …에 주의하지 않다). ***until further ~*** 추후에 통지가 있을 때까지. ***without ~*** 무단히, 통고 없이. ── *vt.* ① 알게 되다, 인식하다; 주의하다. ② 통지하다; 언급하다; 평하다. ***˚~·a·ble*** *a.* 눈에 띄는; 주목할 만한. **~·a·bly** *ad.*

nótice bòard 《주로 英》 게시판.

:**no·ti·fy**[nóutəfài] *vt.* (…에게) 통지〔통고〕하다; 공고하다; 신고하다. **-fi·a·ble** *a.* (전염병 따위가) 신고해야 할. **-fi·ca·tion**[⌐-fikéiʃən] *n.* Ⓤ 통지; Ⓒ 통지서, 신고서.

:**no·tion**[nóuʃən] *n.* Ⓒ ① 생각, 의견; 신념; 개념; 견해; 의지. ② 어리석은 생각〔의견〕; (*pl.*) 《美》 방물(*a ~ store*). **~·al** *a.* 개념적인; 비현실적인; 공상적인; 《美》 변덕스러운.

no·to·ri·e·ty[nòutəráiəti] *n.* Ⓤ (보통, 나쁜 뜻의) 평판, 악명; Ⓒ 《주로 英》 화제의 인물.

˚**no·to·ri·ous**[noutɔ́:riəs] *a.* (보통, 나쁜 의미로) 유명한, 악명 높은.

˚***No·tre Dame*** [nòutrə dá:m, -déim] (F.=Our Lady) 성모 마리아; 노트르담 성당.

Not·ting·ham[nátiŋəm/-ɔ́-] *n.* 영국 중부의 도시.

Not·ting·ham·shire[-ʃiər] *n.* 영국 중부의 주.

:**not·with·stand·ing** [nàtwiðstǽndiŋ, -wiθ-/nɔ̀t-] *prep.* …에도 불구하고. ── *ad.* 그런데도 불구하고. ── *conj.* …에도 불구하고, …한데.

˚**nou·gat**[nú:gət, -gɑ:] *n.* Ⓤ,Ⓒ 누가 「(당과).

nought[nɔ:t] *n.* =NAUGHT. ── *ad.* 《古》 조금도 …않다.

:**noun**[naun] *n., a.* Ⓒ 〖文〗 명사(용법의).

:**nour·ish**[nɔ́:riʃ, nʌ́r-] *vt.* ① (…에) 영양분을 주다; 기르다; 살찌게〔기름지게〕 하다; 육성하다(foster). ② (희망 따위를) 품다. ***˚~·ing*** *a.* 영양분이 되는〔많은〕. ***˚~·ment*** *n.* Ⓤ 영양물, 음식물.

nou·veau riche[nú:vou rí:ʃ] (F.) (*pl.* ***nouveaux riches***) 벼락 부자.

nou·veau ro·man [nú:vou roumá:ŋ] (F.) 누보 로망《프랑스의 신소설》.

nou·velle vague[nu:vél vá:g] (F.) 누벨바그《1960년대의 프랑스·이탈리아의 전위적 영화》.

˚**Nov.** Nevember.

no·va[nóuvə] *n.* (*pl.* ***-vae***[-vi:], ***~s***) Ⓒ 〖天〗 신성(新星).

No·va Sco·tia[nóuvə skóuʃə] 캐나다 남동부의 반도 및 그 주.

:**nov·el**[návəl/-ɔ́-] *a.* 신기한. ── *n.* Ⓒ (장편) 소설. **~·ette**[⌐-ét] *n.* Ⓒ 단편 소설; 〖樂〗 피아노 소곡. ***˚~·ist*** *n.* Ⓒ 소설가. **:~·ty** *n.* Ⓤ 새로움; Ⓒ 새로운〔색다른〕 일〔것〕; (*pl.*) 작은 신안물(新案物)《장난감, 값싼 보석 따위》.

no·vel·la[nouvélə] *n.* (It.) (*pl.* ***~s, -le***[-lei]) Ⓒ 중편 소설, 소품(小品).

†**No·vem·ber** [nouvémbər] *n.* 11 「월.

no·ve·na[nouví:nə] *n.* (*pl.* ***~s, -nae***[-ni:]) Ⓒ 〖가톨릭〗 9일 기도.

˚**nov·ice**[návis/-ɔ́-] *n.* Ⓒ ① 수련자《수사와 수녀》; 수련 수사〔수녀〕; (기독교에의) 새 귀의자. ② 초심〔미숙〕자.

no·vi·ti·ate, -ci·ate[nouvíʃiit] *n.* Ⓤ 수습 기간; (수사·수녀의) 수도기간; Ⓒ 초심자; 수련 수사〔수녀〕; 수도자 숙소.

No·vo·cain(e)[nóuvəkèin] *n.* Ⓤ 〖商標〗 노보카인《국부 마취제》.

†**now**[nau] *ad.* ① 지금, 지금은; 지금 사정으로는. ② 곧; 방금. ③ 그

리고는(then); 다음에; 《명령·감탄사적》 자, 그런데. — *a.* 《美俗》 유행의, 최신 감각의. **~ and then** 〔**again**〕 때때로. **~ ... ~** 혹은 … 혹은, …하다가도 …하고(~ *cloudy*, ~ *fine* 흐렸다 개였다). **~ that** … 이기 때문에. **~ then** 자 그러면; 《호칭》 얘 얘! — *conj.* …이니까, …인 이상은(now that). — *n.* Ⓤ 지금, 현재.

N

NOW 《美》 National Organization of Woman.

NÓW accóunt[náu-] 《美》 수표도 발행되고 이자도 붙는 일종의 당좌예금 구좌.

:now·a·days[náuədèiz] *n., ad.* Ⓤ 지금(은). 「…않다.

nó·wày(s), nó·wìse *ad.* 조금도

:no·where[nóuhwɛ̀ər] *ad.* 어디에도 …없다. **get ~** 얻는 바가 없다; 아무 쓸모〔효과〕 없다. 「독〕한.

nox·ious[nákʃəs/-ɔ́-] *a.* 유해〔유

***noz·zle**[názəl/-ɔ́-] *n.* Ⓤ (대통·파이프 등의) 주둥이, 노즐; 《俗》 코.

NP neuropsychiatric. **Np** 〖化〗 neptunium. **N.P.** Natary Public. **n.p., n/p** 〖商〗 net proceeds; new paragraph; no pagination, no paging; notes payable. **NPT** nonproliferation treaty. **NRA, N.R.A.** 《美》 National Recovery Administration. **N.S.** National Society; New Style; Nova Scotia. **n.s.** *non satis*(L.=not sufficient); not specified. **NSA** 《美》 National Security Agency; 《美》 National Student Association. **NSC** 《美》 National Security Council. **NSF** 《美》 National Science Foundation; National Society Foundation. **N.S.P.C.C.** National Society for the Prevention of Cruelty to Children. **N.S.W.** New South Wales. **Nt** 〖化〗 niton. **NT, N.T.** New Testament; **NTB** nontariff barrier. **NTC** nontrade concern 농업 비교역 대상.

nth[enθ] *a.* 〖數〗 n번째의. **to the ~ degree** 〔**power**〕 n차(次)〔n승(乘)〕까지; 어디까지든지; 극도로.

NTP normal temperature and pressure 상온 상압(常溫常壓)《0℃, 760㎜》.

nu[nju:] *n.* Ⓤ,Ⓒ 그리스어 알파벳의 열세째 글자《*N*, *ν*; 영어의 N, n에 해당》.

nu·ance[njúːɑːns, ―́] *n.* Ⓒ (어조·의미·감정 등의) 미묘한 차이, 색조(色調), 뉘앙스.

nub[nʌb] *n.* Ⓒ 혹, 매듭; 작은 덩이; (the ~) 《口》 (이야기의) 핵심.

nub·bin[nʌ́bin] *n.* Ⓒ 작은 덩어리; 작은 조각; 작은〔덜익은〕 옥수수 이삭.

nub·by[nʌ́bi] *a.* 혹 있는.

nu·bile[njúːbil, njúːbail] *a.* (여자가) 혼기의.

:nu·cle·ar[njúːkliər] *a.* 〖生〗 (세포) 핵의〔을 이루는〕; 〖理〗 원자핵의, 핵무기의, 핵보유의.

núclear-ármed *a.* 핵장비의, 핵무장하고 있는.

núclear bómb 핵폭탄.

núclear chárge 핵 전하(電荷).

núclear énergy 원자력, 핵 에너지.

núclear fámily 핵가족.

núclear físsion 〖理〗 핵분열.

núclear-frée zòne 비핵(무장) 지대.

núclear fúel 〖理〗 핵연료.

núclear fúsion 〖理〗 핵융합.

núclear phýsicist 원자 물리학자.

núclear phýsics (원자)핵 물리학.

núclear plánt 원자력 발전소.

núclear pówer ① 원자력. ② 핵(무기) 보유국.

núclear reáctor 원자로.

Núclear Régulatory Commìssion, the 《美》 원자력 규제 위원회《생략: NRC; 1974년 발족》.

núclear súbmarine 원자력 잠수

núclear tést 핵실험. 「함.

núclear umbrélla, the 핵우산.

núclear wár 핵 전쟁.

núclear wárhead 핵탄두.

núclear wéapon 핵무기.

nu·cle·ate[njúːklièit] *vt., vi.* (…의) 핵을 이루다; 핵이 되다. — [-kliit] *a.* 핵이 있는.

nu·clé·ic ácid[njuːklíːik-, -kléi-] 〖生化〗 핵산(核酸).

nu·cle·on [njúːkliàn/-ɔ̀n] *n.* Ⓒ 〖理〗 핵입자《원자핵의 양자(proton) 또는 중성자(neutron)》.

nu·cle·on·ics[njùːkliániks/-ɔ́n-] *n.* Ⓤ (원자)핵공학.

***nu·cle·us**[njúːkliəs] *n.* (*pl.* **-clei** [-kliài]) Ⓒ ① 핵, 심(心); 중심. ② 〖理〗 원자핵; 〖氣〗 원자단(團); 〖生〗 세포핵; 〖天〗 혜성핵(彗星核).

nu·clide[njúːklaid] *n.* Ⓒ 〖理〗 핵종(核種).

***nude**[njuːd] *a.* 발가벗은; 드러내 놓은. — *n.* Ⓒ 〖美術〗 나체화〔상〕, 누드. **in the ~** 나체로; 노골적으로.

núd·ism *n.* Ⓤ (건강·미용 따위를 위한) 나체주의. **nú·di·ty** *n.* Ⓤ 벌거벗음; Ⓒ 나체의 것, 그림, 상.

nudge[nʌdʒ] *vt., n.* Ⓒ (주의를 끌려고) 팔꿈치로 가볍게 찌르다〔찌름〕.

nu·ga·to·ry[njúːgətɔ̀ːri/-təri] *a.* 하찮은, 무가치한; 쓸모없는.

nug·get[nʌ́git] *n.* Ⓒ 덩어리; 천연 금괴; 《美俗》 귀중한 것; (*pl.*)=MONEY.

:nui·sance[njúːsəns] *n.* Ⓒ ① 폐, 귀찮은 일; 성가신 사람. ② 〖法〗 불법 방해(*a public* 〔*private*〕 ~). **Commit no ~.** 소변 금지《게시》.

núisance tàx 소액 소비세.

nuke[njuːk] *n.* Ⓒ 《美俗》 핵무기, 원자력 발전소. — *vt.* (…을) 핵무기로 공격하다.

null[nʌl] *a.* 무효의; 무가치한; 아무것도 없는; 영의; 〖數〗 공집합(空集合)의; 〖컴〗 빈《정보의 부재》(~ *char-*

acter 빈문자/~ *string* 빈문자열).
~ ***and void*** 〖法〗 무효의.
nul·li·fy[nʌ́ləfài] *vt.* (법적으로) 무효로 하다, 파기하다, 취소하다; 쓸모없게 만들다. **-fi·ca·tion**[∸–fikéiʃən] *n.*
nul·li·ty[nʌ́ləti] *n.* Ⓤ 무효; Ⓒ 〖法〗 무효한 일[것]; Ⓤ 전무(全無); Ⓒ 시시한 사람[것]. ~ ***suit*** 혼인 무효 소송.
Num(**b**). Numbers 〖舊約〗 민수기.
***numb**[nʌm] *a.* 저린, 마비된; 무감각하게 된. —— *vt.* 감각을 잃게 하다; 마비시키다. **∠·ly** *ad.* **∠·ness** *n.*
†**num·ber**[nʌ́mbər] *n.* ① Ⓒ 수; Ⓤ,Ⓒ 총수. ② Ⓒ 숫자. ③ Ⓒ 번호, 넘버, 제(몇)호, (잡지의) 호(*the Coronation* ~ *of 'The Listener'* '리스너' 지(誌) 대관식(戴冠式)호). ④ Ⓒ 동료. ⑤ Ⓒ 〖文〗 수《단수·복수의》; 〖컴〗 수, 숫자. ⑥ (*pl.*)《廢》 산수. ⑦ (*pl.*) 다수. ⑧ (*pl.*) 수의 우세. ⑨ (*pl.*) 시(verse), 운율(韻律). ⑩ Ⓒ 〖樂〗 박자; 악보. ⑪ Ⓒ 《美俗》 (특별히 선발된) 사람, 물건 (*This is our most popular* ~. 이 물건이 저희 가게에서 제일 잘 나갑니다). ⑫ (Numbers) 〖舊約〗 민수기. ***a great*** [***large***] ~ ***of*** 대단히 많은, 굉장한. ***a*** ~ ***of*** 다소의; 많은. ***get have a person's*** ~ 아무의 본성을 간파하다. ***in*** ~***s*** 분책(分冊)하여. OPPOSITE ~. ***without*** ~ 무수한. —— *vt.* (…에) 번호를 달다[붙이다]; 세다; (…의 속에) 넣다, 산입하다; 총계 …이 되다; (…의) 수를 정하다. *~**-less** *a.* 무수한; 번호가 없는.
númber crùncher 《口》 (복잡한 계산을 하는) 대형 컴퓨터.
númbering machìne 번호기, 넘버링 (머신).
númber plàte (자동차의) 번호판, (가옥의) 번지 표시판.
númber(**s**) **pòol** [**gàme**] (소액의 돈을 거는 불법의) 숫자 도박.
Númber Tén 영국 수상 관저.
num(**b**)**·skull**[nʌ́mskʌ̀l] *n.* Ⓒ 《口》 바보.
nu·men [njúːmən] *n.* (*pl.* ***-mina*** [-minə]) Ⓒ 수호신.
nu·mer·a·ble[njúːmərəbəl] *a.* 셀 수 있는.
:**nu·mer·al**[njúːmərəl] *n.* Ⓒ 숫자; 〖文〗 수사(數詞). —— *a.* 수의; 수를 나타내는.
nu·mer·ate[njúːmərèit] *vt., vi.* (…을) 세다, 계정하다; (숫자를) 읽다. —— [-rit] *a.* 기본적인 계산 능력을 갖는.
nu·mer·a·cy[njúːmərəsi/njúː-] *n.* Ⓤ 수량적 사고 능력, 기본적 계산력.
nu·mer·a·tion[njùːməréiʃən] *n.* Ⓤ 계산(법); 〖數〗 명수법(命數法), 수 읽기.
nu·mer·a·tor [njúːmərèitər] *n.* Ⓒ 〖數〗 (분수의) 분자(cf. denominator); 계산하는 사람, 계산기.
nu·mer·ic[njuːmérik], ***-i·cal** [-əl] *a.* 수의, 수를 나타내는, 수에 의한; 숫자로 나타낸; 〖컴〗 숫자(적). **-i·cal·ly** *ad.* 「판.
numéric(**al**) **kéypad** 〖컴〗 숫자
:**nu·mer·ous**[njúːmərəs] *a.* 다수의, 많은.
nu·mis·mat·ic[njùːməzmǽtik] *a.* 화폐(연구)의, 메달의. ~**s** *n.* Ⓤ 화폐[메달] 연구, 고전학(古錢學).
Núm Lóck kèy 〖컴〗 숫자 걸쇠《숫자 키와 화살표 키를 겸용하는 키 무리의 키 기능을 반전 시키는 키》.
***nun**[nʌn] *n.* Ⓒ 수녀.
nun·ci·o[nʌ́nʃiòu] *n.* (*pl.* ~**s**) Ⓒ 로마 교황 사절(使節); 《廢》 사절.
nun·ner·y[nʌ́nəri] *n.* Ⓒ 수녀원.
***nup·tial**[nʌ́pʃəl] *a.* 결혼(식)의. —— *n.* (보통 *pl.*) 결혼(식).
†**nurse**[nəːrs] *n.* Ⓒ ① 유모(wet nurse); (젖을 먹이지 않는) 보모(dry nurse). ② 간호인, 간호사. ③ 양육[보호]자. ***put out to*** ~ 수양 아이로 주다. —— *vt.* ① 젖을 먹이다; 어린애를 보다. ② 간호하다; 열심히 치료하다. ③ 양육하다; 보호하다; 위로하다. —— *vi.* 젖을 먹이다; 젖을 먹다; 간호사로 일하다, 간호하다.
núrse chìld 수양 아이.
nurs(**e**)**·ling**[nə́ːrsliŋ] *n.* Ⓒ 젖먹이; 묘목.
núrse·màid *n.* Ⓒ 애 보는 여자.
:**nurs·er·y**[nə́ːrsəri] *n.* Ⓒ ① 육아실, 아이방. ② 묘상(苗床); 양어장. ③ 양성소, (악의) 온상(hot bed). ***day*** ~ 탁아소.
núrsery góverness 보모(保姆) 겸 가정 교사.
núrsery·màid *n.* Ⓒ 애 보는 여자.
núrsery·màn *n.* Ⓒ 종묘원(種苗園) 주인.
núrsery rhỳme 동요, 자장가.
núrsery schòol 보육원.
núrsery tàle 동화.
***nurs·ing**[nə́ːrsiŋ] *a.* 양육[보육]하는. —— *n.* Ⓤ (직업으로서의) 육아.
núrsing bòttle 수유(授乳)병.
núrsing hòme (사립의) 요양소.
***nur·ture** [nə́ːrtʃər] *vt.* 양육하다; 가르치다, 길들이다; 영양물을 주다. —— *n.* Ⓤ 양육; 교육; 영양물.
†**nut**[nʌt] *n.* Ⓒ ① 견과(堅果)《호두·밤 따위》. ② 난문제; 까다로운 사람. ③ 〖機〗 너트, 암나사. ④ 《俗》 머리, 대가리. ⑤ 괴짜, 미치광이. ⑥ (*pl.*) 불알. ***be*** ~***s to*** [***for***] …이 가장 좋아하는 것이다. ***be*** [***dead***] ~***s on*** 《俗》 …을 썩 잘 하다; …을 아주 좋아하다. ***for*** ~***s*** 《俗》《부정문에서》 조금도. ***a hard*** ~ ***to crack*** 난문제; 만만찮은 사람. ***off one's*** ~ 《俗》 미쳐서(cf. off one's HEAD). —— *vi.* (**-tt-**) 나무 열매를 줍다[찾다].
N.U.T. 《英》 National Union of Teachers.

nu·tant[njú:tənt] *a.* 『植』 (꽃 따위가) 숙이는 성질의.
nu·ta·tion[nju:téiʃən] *n.* Ⓤ,Ⓒ 고개를 끄덕임〔숙임〕; 『天』 장동(章動)《달·태양의 인력으로 인한 지축의 진동》; 『植』 전두(轉頭) 운동.
nút-brówn *n., a.* Ⓤ 밤색(의).
nút·càse *n.* Ⓒ 《俗》 머리가 돈 사람.
nút·cràcker *n.* Ⓒ (보통 *pl.*) 호두 까는 기구; 『鳥』 산갈가마귀.
nút·hàtch *n.* Ⓒ 『鳥』 동고비.
nút hòuse 《俗》 정신 병원.
nut·meg[⌐mèg] *n.* Ⓒ 『植』 육두구(나무·열매), 육두구의 인(仁)《약용·조미료》.
nu·tri·a[njú:triə] *n.* Ⓒ 『動』 누트리아(coypu); Ⓤ 그 털가죽.
nu·tri·ent[njú:triənt] *a., n.* 영양이 되는; Ⓒ 영양물.
nu·tri·ment[njú:trəmənt] *n.* Ⓤ,Ⓒ 영양물, 음식물.
ˈ**nu·tri·tion**[nju:tríʃən] *n.* Ⓤ ① 영양(섭취, 상태). ② 영양물, 음식물. ③ 영양학. **~·al** *a.* **~·ist** *n.* Ⓒ 영양학자; 영양사(士).
nu·tri·tious[nju:tríʃəs] *a.* 영양이 되는〔많은〕.
nu·tri·tive[njú:trətiv] *a.* 영양의; 영양이 되는〔있는〕.
nút·shèll *n.* Ⓒ 견과(堅果)의 껍질. (***to say***) ***in a*** **~** 간단히〔한 마디로〕 (말하면).
nut·ting[⌐iŋ] *n.* Ⓤ (나무) 열매 줍기. ***go*** **~** (나무) 열매 주우러 가다.
nút trèe 견과수, 《특히》 개암나무.
nut·ty[⌐i] *a.* 견과(堅果)가 든; 견과 같은 (맛의); 《俗》 미친(crazy).
nux vom·i·ca [nʌ́ks vámikə/-vɔ́m-] 마전(馬錢)(나무, 열매); 그 열매로 만드는 약제《스트리키닌 원료》.
nuz·zle[nʌ́zəl] *vt.* (돼지가) 코로 파헤치다〔비비다〕, 코를 들이 밀다; 끌어 안다. — *vi.* 코로 구멍을 파다; 코로 밀어〔비비〕대다(*into, against*); 바싹 붙어 자다.
N.V. New Version. **NW, N.W., n.w.** northwest(ern); North Wales. **NWA** Northwest Airlines. **NWbN**〔**W**〕 north-west by north〔west〕 북서미북〔서〕. **NWC** 《美》 National War College.
ˈ**N.Y.** New York (State). **N.Y.C.** New York City〔Central〕.
nyc·ta·lo·pi·a[nìktəlóupiə] *n.* Ⓤ 『醫』 야맹증.
ː**ny·lon**[náilɑn/-lən, -lɔn] *n.* Ⓤ 나일론; (*pl.*) 나일론 양말, 《특히》 스타킹.
ː**nymph**[nimf] *n.* Ⓒ ① 『神話』 님프《바다·강·샘·숲 따위에 사는 요정(妖精)》; 아름다운 소녀. ② (유충과 성충 중간의) 어린 벌레; 번데기. **~ *pink*** 적자색(赤紫色). **⌐·ish** *a.* 님프의, 님프 같은.
nymph·et[nímfit] *n.* Ⓒ 성에 눈뜬 10대 초의 소녀.
nym·pho·ma·ni·a[nìmfəméiniə] *n.* Ⓤ 『病』 (여자의) 성욕 이상 항진증, 색정광(色情狂). **-ni·ac**[-niæ̀k] *a., n.* Ⓒ 색정증의 (여자).
NYSE New York Stock Exchange.
nys·tag·mus [nistǽgməs] *n.* Ⓤ 『醫』 안구 진탕증(振湯症).
NYT The New York Times.
N.Z., N.Zeal. New Zealand.

O

O[1], **o**[ou] *n.* (*pl.* ***O's, o's***[-z]) Ⓒ O자형의 것.
ː**O**[2] *int.* 오!; 저런!; 아!
O[3] 『文』 object; 『化』 oxygen. **O, o** 『電』 ohm. **O.** Observer; Ocean; October; Ohio; Old; Ontario; Order; Oregon. **o.** *octavus* (L. = pint); octavo; off; old; only; order; 『野』 out(s). **OA** 『컴』 office automation 사무 자동화.
OAEC Organization for Asian Economic Cooperation.
oaf[ouf] *n.* Ⓒ 기형아; 백치(아(兒)), 천치, 뒤틈바리.
O·a·hu[ouá:hu:] *n.* 하와이 군도 중 「의 섬.
ː**oak**[ouk] *n.* Ⓒ 떡갈나무〔졸참나무〕(비슷한 관목); Ⓤ 그 재목.
óak àpple 〔**gàll**〕 떡갈나무 몰식자(沒食子).
ˈ**oak·en**[⌐ən] *a.* 떡갈나무〔졸참나무〕제(製)의.
oa·kum [óukəm] *n.* Ⓤ 뱃밥(cf. 「calk[1]).
OAMS Orbit Attitude Maneuvering System 궤도 조정 장치.
O.&M. organization and methods. **OAO** Orbiting Astronomical Observatory 천체 관측 위성.
O.A.P. 《英》 old-age pension(-er). **OAPEC** Organization of Arab Petroleum Exporting Countries.
ˈ**oar**[ɔ:r] *n.* Ⓒ 노; 노 젓는 사람. ***be chained to the*** **~** (노예선의 노예처럼) 고역을 강제당하다. ***have an*** **~** ***in every man's boat*** 누구의 일에나 말참견하다. ***put*** 〔***thrust***〕 ***in one's*** **~** 쓸데 없는 참견을 하다《in은 문장 끝에 와도 무방함》. — *vt., vi.* 노젓다.
óar·lòck *n.* Ⓒ 노받이.
óars·man[-zmən] *n.* Ⓒ 노 젓는 사람(rower).
O.A.S. on active service; (F.) *Organization de l'Armée secrète* 비밀 군사 조직; Organization of American States 아메리카주(洲)

기구.

*o·a·sis [ouéisis] n. (pl. -ses [-si:z]) Ⓒ 오아시스; 위안의 장소.

oast [oust] n. Ⓒ (홉(hop)·엿기름 등의) 건조 가마.

óast hòuse 《英》 (홉) 건조장.

:oat [out] n. Ⓒ (보통 pl.) 귀리《특히 말의 주식》; 《古》 보리피리, 목가(牧歌). ***feel one's ~s*** 《口》 원기 왕성하다; 《口》 (마음이) 들뜨다; 잘난 체하다. ***sow one's wild ~s*** 젊은 혈기로 방탕을 하다. ***wild ~*** 귀리 비슷한 잡초; (pl.) 젊은 혈기의 도락.

óat·càke n. Ⓒ 얇은 오트밀 케이크.

oat·en [⌐n] a. 귀리로[귀리 짚으로] 만든.

oat·er [óutər] n. Ⓒ 《俗》 〖映·TV〗 서부극(horse opera).

:oath [ouθ] n. (pl. ~s [-ðz, -θs]) Ⓒ ① 맹세, 선서. ② (강조·분노를 표시할 때의) 신명 남용(神名濫用). ③ 저주, 욕설. ***make* [*take, swear*] *an ~*** 선서하다. ***on* [*upon*] *~*** 맹세코.

*oat·meal [óutmì:l] n. Ⓤ 오트밀(죽), 곱게 빻은 귀리.

OAU Organization for African Unity. **OB** old boy 졸업생, 교우. **Ob., Obad.** Obadish. **ob.** *obiit.* (L. =he [she] died); oboe.

O·ba·di·ah [òubədáiə] n. 헤브라이의 예언자; 〖舊約〗 오바댜서(書).

ob·bli·ga·to [àbligá:tou/ɔ̀-] a., n. (pl. ~s) (It.) 〖樂〗 (반주가) 꼭 필요한; Ⓒ 불가결한 성부(聲部); 조주(助奏).

ob·du·rate [ábdjurit/ɔ́b-] a. 완고한, 냉혹한. **~·ly** ad. **-ra·cy** n.

O.B.E. Officer of the British Empire.

:o·be·di·ence [oubí:diəns] n. Ⓤ (권위·법률에 대한) 복종; 〖가톨릭〗 귀의(歸依), (교회의) 권위, 지배. ***in ~ to*** …에 복종하여.

:o·be·di·ent [oubí:diənt] a. 순종하는, 유순한(to). ***Your* (*most*) *~ servant*** 근백(謹白)《공문서의 끝맺음말》. **~·ly** ad. ***Yours ~ly*** 근백(謹白)《공문서 등에서 끝맺음말》.

o·bei·sance [oubéisəns, -bí:-] n. Ⓒ (존경을 표시하는 정중한) 인사; Ⓤ 존경, 복종. ***do* [*make, pay*] *~ to*** …에게 경의를 표하다. ***make* (*an*) *~ to*** …에게 경례하다.

*ob·e·lisk [ábəlìsk/ɔ́b-] n. Ⓒ 방첨탑(方尖搭); 〖印〗 단검표(dagger) 《†》.

ob·e·lize [ábəlàiz/ɔ́b-] vt. 단검표를 붙이다.

O·ber·on [óubəràn, -rən] n. 〖中世傳說〗 오베론《Titania의 남편으로 요정(妖精)의 왕》.

o·bese [oubí:s] a. 뚱뚱한. **o·be·si·ty** [-bí:səti] n. Ⓤ 비만, 비대.

:o·bey [oubéi] vt., vi. 복종하다; (vt.) …(이 시키는) 대로 움직이다.

ob·fus·cate [abfʌ́skeit, ⌐⌐́/ɔ́bfʌskèit] vt. (마음을) 어둡게 하다; 어리둥절하게 하다; 멍하게 하다. **-ca·tion** [⌐—kéiʃən] n.

ob·i·it [óubiit] vi. (L. =he [she] died) 죽다《묘비 등에 씀》.

o·bit·u·ar·y [oubítʃuèri] n., a. Ⓒ (약력을 붙인) 사망 기사; 사망의; 사망을 기록한.

obj. object(ive); objection.

†ob·ject [ábdʒikt/ɔ́-] n. Ⓒ ① 물체, 물건. ② 대상(*of, for*); 목적(물). ③ 〖哲〗 객관, 대상, 객체. ④ 〖文〗 목적어. ⑤ 불쌍한[우스운, 어리석은, 싫은] 사람[것]. ⑥ 〖컴〗 목적, 객체《정보의 세트와 그 사용 설명》. — [əbdʒékt] vi. 반대[불복]하다(to). — vt. 반대 이유로 들다, 반대하다. **~·less** a. 목적 없는. **ob·jéc·tor** n. Ⓒ 반대자.

óbject còde 〖컴〗 목적 부호《컴파일러[옮김틀]·어셈블러[짜맞추개]의 출력으로 실행 가능한 기계어의 꼴이 된 것》.

óbject file 〖컴〗 목적철.

óbject glàss 〖光〗 대물(對物) 렌즈.

ob·jec·ti·fy [əbdʒéktəfài] vt. 객관화하다, 대상으로 삼다. **-fi·ca·tion** [—⌐—fikéiʃən] n.

:ob·jec·tion [əbdʒékʃən] n. ① Ⓤ,Ⓒ 반대, 이의(異議); 혐오. ② Ⓒ 반대 이유; 난점; 장애. ***~·a·ble** a. 이의 있는; 싫은.

:ob·jec·tive [əbdʒéktiv] a. ① 객관적인; 편견이 없는. ② 실재의; 외적(外的)인. ③ 목표의; 〖文〗 목적(격)의. — n. Ⓒ ① 목표, 목적(물); 실재물. ② 〖文〗 목적격[어]. ③ 대물 렌즈. ***~·ly** ad. 객관적으로. **-tiv·ism** [-təvìzəm] n. Ⓤ 〖哲〗 객관주의[성]. **-tiv·i·ty** [⌐—tívəti] n. Ⓤ 객관성.

objéctive cáse 〖文〗 목적격.

objéctive correlátive 〖文學〗 객관적 상관물《작자가 어떤 정서를 점층적으로 작품 속에 그려 넣는 데에 사용하는 상황, 또는 일련의 사건》.

objèctive póint 〖軍〗 목표 지점; 《一般》 목표.

óbject lànguage 대상 언어.

óbject lèns =OBJECT GLASS.

óbject lèsson 실물(實物) 수업.

óbject-òriented a. 〖컴〗 객체 지향의(~ *language* 객체 지향 언어).

óbject plàte (현미경의) 검경판(檢鏡板).

ob·jet d'art [ɔ̀bʒɛdá:r] (F.) (pl. ***objets d'art***) 작은 미술품.

ob·jur·gate [ábdʒərgèit/ɔ́b-] vt. 심하게 꾸짖다[비난하다]. **-ga·tion** [⌐—géiʃən] n.

ob·late [ábleit, —⌐/ɔ́b-, —⌐] a. 〖幾〗 편원(扁圓)의.

ob·la·tion [abléiʃən] n. Ⓒ (신에 대한) 제물; Ⓤ (성체 성사의) 빵과 포도주의 봉헌(奉獻); Ⓤ (교회에의) 기부.

ob·li·gate [ábləgèit/ɔ́b-] vt. (도덕·법률상의) 의무를 지우다; 강제하다.

:ob·li·ga·tion [àbləgéiʃən/ɔ̀blə-] n.

① Ⓒ 계약서. ② U,C 의무; 책임. ③ Ⓒ 채무; 증서. ④ U,C 은혜. ***be*** [***lie***] ***under an ~ to*** …해야 할 의무[의리]가 있다. ***put under an ~*** (아무에게) 은혜를 베풀다.

ob·li·ga·to *a., n.* =OBBLIGATO.

ob·lig·a·to·ry[əblígətɔ̀:ri, ábligー/ɔblígətəri] *a.* (도덕·법률상의) 의무로서 지게 되는(*on, upon*); 필수의.

:o·blige[əbláidʒ] *vt.* ① …할 의무를 지우다; 별수 없이 …하게 하다(*to* do); 강제하다. ② (…에게) 은혜를 베풀다; 고맙게 여기도록 하다. ***be ~d*** 감사하다(*I am much ~d* (*to you*). 참으로 고맙습니다). ***~*** (*a person*) ***by*** do***ing*** (아무에게) …하여 주다. **o·blíg·ing** *a.* 친절한.

ob·li·gee[àblədʒí:/ɔ̀b-] *n.* Ⓒ 〖法〗 권리자, 채권자.

ob·li·gor[àbləgɔ́:r/ɔ̀blə-] *n.* Ⓒ 〖法〗 의무자, 채무자.

***ob·lique**[əblí:k] *a.* 비스듬한; 부정한; 간접의, 완곡한; 〖文〗 사격(斜格)의. ── *vi.* 비스듬히 되다. **~·ly** *ad.* **-líq·ui·ty**[əblíkwəti] *n.* Ⓤ 경사; 부정(행위).

oblíque ángle 빗각.

oblíque cáse 〖文〗 사격《주격·호격 이외의 격》.

***ob·lit·er·ate**[əblítərèit] *vt.* 지우다, 말살하다; 흔적을 없애다. **-a·tion** [ーーーéiʃən] *n.*

ob·liv·i·on**[əblíviən] *n.* Ⓤ 망각; 잊기 쉬움. ***fall [***sink, pass***] ***into ~*** 세상에서 잊혀지다.

***ob·liv·i·ous**[əblíviəs] *a.* 잊기 쉬운, (…을) 잊고(*of*); 관심 없는(unmindful). **~·ly** *ad.* **~·ness** *n.*

***ob·long**[ábl ɔ:ŋ/ɔ́blɔŋ] *n., a.* Ⓒ 장방형(長方形)(의).

ob·lo·quy[ábləkwi/ɔ́b-] *n.* Ⓤ (항간의) 욕; 비난; 오명; 불명예.

ob·nox·ious[əbnákʃəs/-ɔ́-] *a.* 불쾌한; 밉살스러운. **~·ly** *ad.*

o·boe[óubou] *n.* Ⓒ 오보에《목관악기》. **ó·bo·ist** *n.* Ⓒ 오보에 취주자.

obs. observation; observatory; obsolete.

ob·scene[əbsí:n] *a.* 외설한; 추잡한. **~·ly** *ad.* **ob·scen·i·ty**[-sénəti, -sí:n-] *a.*

ob·scur·ant(**·ist**) [əbskjúərənt (-ist)/ɔbskjúər-] *n.* Ⓒ 비교화(非敎化)주의자. **-ant·ism**[-ìzəm] *n.* Ⓤ 비교화주의.

:ob·scure[əbskjúər] *a.* 어두운; 불명료한; 모호한; 세상에 알려지지 않은; 눈에 띄지 않는, 숨은; 미천한. ── *vt.* 어둡게 하다; 덮어 감추다; (주제 따위를) 불명료하게 하다; (남의 명성 따위의) 빛을 잃게 하다. **ob·scu·ra·tion**[àbskjuəréiʃən/ɔ̀b-] *n.*

ob·scu·ri·ty**[əbskjúərəti] *n.* ① Ⓤ 어두컴컴함; 불명료; Ⓒ 난해한 곳. ② Ⓒ 무명인[장소]. ③ Ⓤ 미천. ***retire into ~ 은퇴하다. ***sink into ~*** 세상에 묻히다.

ob·se·quies[ábsəkwiz/ɔ́b-] *n. pl.* (장중(莊重)한) 장례식. **-qui·al** [absí:kwiəl/ɔb-] *a.*

ob·se·qui·ous[əbsí:kwiəs] *a.* 추종적인.

ob·serv·a·ble[əbzə́:rvəbəl] *a.* 관찰할 수 있는, 주목할 만한; 주목해야 할; 지켜져 있는; 지켜야 할. **-bly** *ad.* 눈에 띄게.

:ob·serv·ance[əbzə́:rvəns] *n.* ① Ⓤ (법률·관례의) 준수(*of*). ② Ⓒ (지켜야 할) 의식; 습관; (수도회의) 규율.

***ob·serv·ant**[əbzə́:rvənt] *a.* ① 주의 깊은(*of*); 관찰력이 예리한. ② (법률을) 준수하는(*of*). **~·ly** *ad.*

:ob·ser·va·tion [àbzərvéiʃən/ɔ̀-] *n.* ① U,C 관찰(력), 주목; 감시. ② U,C (과학상의) 관찰; 〖海〗 천측(天測). ③ Ⓒ 관찰 결과; (*pl.*) 관측 보고. ④ Ⓒ (관찰한) 소견, 언설(言說). **~·al** *a.*

observátion ballóon 관측 기구.

observátion cár 전망차.

observátion pòst 〖軍〗 관측소(觀測所)(cf. O pip).

***ob·serv·a·to·ry** [əbzə́:rvətɔ̀:ri/-təri] *n.* Ⓒ ① 천문[기상]대; 관측소. ② 전망대; 감시소.

:ob·serve[əbzə́:rv] *vt.* ① 주시[주목]하다; 관찰[관측]하다; 연구하다. ② 지키다; (제례·의식을 규정대로) 거행하다, 축하하다. ③ 말하다. ── *vi.* 관찰하다; 소견을 말하다(*on, upon*).

:ob·serv·er[-ər] *n.* Ⓒ ① 관찰[관측]자. ② (회의의) 옵서버. ③ 준수자.

ob·serv·ing[-iŋ] *a.* 관측적인; 주의 깊은; 관찰력이 예리한.

ob·sess[əbsés] *vt.* (악마·망상 등이) 들리다(haunt); 붙어 다니다. **ob·sés·sion** *n.* Ⓤ 들러붙음; Ⓒ 강박 관념, 망상.

ob·sés·sive-compúlsive [əbsésiv-] *a.* 강박의. ── *n.* Ⓒ 강박신경증 환자.

ob·sid·i·an[əbsídiən] *n.* Ⓤ 〖鑛〗 흑요석(黑曜石).

ob·so·les·cent[àbsəlésənt/ɔ̀b-] *a.* 쓸모 없이 되고 있는. **-cence** *n.*

***ob·so·lete**[ábsəlì:t/-ɔ́-] *a.* 쓸모없이 된, 안 쓰는; 구식의. 「애(물).

:ob·sta·cle[ábstəkəl/-ɔ́-] *n.* Ⓒ 장

óbstacle cóurse 〖軍〗 장애물 통과 훈련장[과정]; 빠져나가야 할 일련의 장애.

ob·stet·ric[əbstétrik/ɔb-], **-ri·cal** [-əl] *a.* 산과(産科)의. **-rics** *n.* Ⓤ 산과학.

ob·ste·tri·cian [àbstetríʃən/ɔ̀b-] *n.* Ⓒ 산과의사.

:ob·sti·nate[ábstənit/ɔ́bstə-] *a.* ① 완고한, 억지센, 끈질긴. ② (저항따위) 완강한. ③ (병 따위) 난치의. **:~·ly** *ad.* ***-na·cy** *n.* Ⓤ 완고; 난치; Ⓒ 완고한 언행.

ob·strep·er·ous[əbstrépərəs] *a.* 소란한; 날뛰는; 다루기 힘든. **~·ly** *ad.*

***ob·struct**[əbstrʌ́kt] *vt., vi.* (통로 등을) 막다; (통행 등을) 가로막다; (사물의 진행이나 사람의 활동을) 방해하다. ***ob·strúc·tion** *n.* Ⓤ 장애; 방해; Ⓒ 장애〔방해〕물. **ob·strúc·tive** *a.* 방해하는.

†ob·tain[əbtéin] *vt.* (노력의 결과를) 손에 넣다; 획득하다. — *vi.* (풍습 따위가) 행해지다. ***~·a·ble** *a.* 얻을〔획득할〕 수 있는.

ob·trude[əbtrú:d] *vt.* 떠맡기다, 불쑥 내밀다. — *vi.* 주제넘게 나서다. **~ *oneself*** 주제넘게 나서다(*upon, into*). **ob·tru·sion**[-ʒən] *n.* Ⓤ 무리한 강요(*on*); 주제넘은 참견. **ob·trú·sive** *a.* 강요하는 듯한; 중뿔나게 참견하는, 주제넘은.

ob·tuse[əbtjú:s] *a.* 둔한; 〖數〗 둔각(鈍角)의; 머리가 둔한, 둔감한. **~ *angle*** 〖數〗 둔각. **~ *triangle*** 둔각 삼각형. **~·ly** *ad.*

ob·verse[ábvəːrs/ɔ́b-] *n.* (the ~) (화폐·메달 등의) 표면(opp. reverse); 거죽; (사실의) 이면. — [abvə́:rs, ∸–/ɔ́bvə:rs] *a.* 표면의; 상대하는.

ob·vert[abvə́:rt/ɔb-] *vt.* (…을 딴 면이 나오게) 뒤집다; 〖論〗 (명제를) 환질(換質)하다.

ob·vi·ate[ábvièit/ɔ́-] *vt.* (위험 등을) 제거하다, 미연에 방지하다.

:ob·vi·ous[ábviəs/ɔ́-] *a.* 명백한. **:~·ly** *ad.* **~·ness** *n.*

OC oral contraceptive 경구 피임약. **Oc., oc.** ocean. **o/c** 〖商〗 overcharge. **o'c.** o'clock.

oc·a·ri·na[àkəríːnə/ɔ̀-] *n.* Ⓒ 오카리나《오지로 만든 긴 달걀형의 피리》.

OCAS Organization of Central American States 중앙 아메리카 기구.

:oc·ca·sion[əkéiʒən] *n.* ① Ⓒ (특수한) 경우, 기회. ② (*sing.*) (행동 사건이 일어날) 호기(好機). ③ Ⓤ 원인, 이유; 근거. ④ Ⓒ 특별한 행사, 축전(祝典). ***give ~ to*** …을 일으키다. ***improve the ~*** 기회를 이용하다. ***on*** 〔***upon***〕 **~** 이따금. ***rise to the ~*** 난국에 잘 대처하다. — *vt.* 일으키다.

:oc·ca·sion·al[əkéiʒənəl] *a.* 이따금의, 때때로의; 특별한 기회에 만든〔쓰는〕; 임시로 쓰는. **~·ism**[-ìzəm] *n.* Ⓤ 〖哲〗 우인론(偶因論). **:~·ly** *ad.* 때때로(now and then).

***Oc·ci·dent**[áksədənt/ɔ́-] *n.* (the ~) 서양, 구미(歐美); 서반구(西半球); (the o-) 서방(西方).

***Oc·ci·den·tal**[àksədéntl/ɔ̀-] *a., n.* 서양의; Ⓒ 서양 사람. **~·ism**[-təlìzəm] *n.* Ⓤ 서양풍, 서양 문화. **~·ist** *n.* Ⓒ 서양 숭배자.

oc·cip·i·tal[aksípətl/ɔ-] *a.* 〖解〗 후두부(後頭部)의.

oc·ci·put[áksəpʌ̀t/ɔ́-] *n.* (*pl.* ***occipita***[aksípitə/ɔ-]) Ⓒ 〖解〗 후두부.

oc·clude[əklú:d/ɔ-] *vt.* 막다, 폐색하다; 〖化〗 (물질이 가스를) 흡수하다. — *vi.* 〖齒〗 교합(咬合)하다. **oc·clu·sion**[-lú:ʒən] *n.* Ⓤ 폐색; 흡수; 교합.

oc·clúd·ed frónt[əklú:did-/ɔ-] 〖氣〗 폐색 전선.

oc·cult[əkʌ́lt, ákʌlt/ɔkʌ́lt] *a.* 신비〔초자연·마술〕적인, 불가사의의. **~·ism** *n.* Ⓤ 신비학(學). **oc·cul·ta·tion**[∸–téiʃən] *n.* Ⓤ,Ⓒ 은폐; 〖天〗 엄폐(掩蔽).

oc·cu·pan·cy[ákjəpənsi/ɔ́-] *n.* Ⓤ (토지·가옥의) 점유, 거주; Ⓒ 점유 기간.

***oc·cu·pant**[ákjəpənt/ɔ́-] *n.* Ⓒ (토지·가옥의) 점유〔거주〕자.

:oc·cu·pa·tion[àkjəpéiʃən/ɔ̀-] *n.* ① Ⓤ 점유, 점령; 거주. ② Ⓒ 직업, 업무.

***oc·cu·pa·tion·al**[-əl] *a.* 직업의. **occupátional diséase** 직업병. **occupátional thérapy** 〖醫〗 작업 요법.

occupátion brìdge 사설 전용교.

occupátion frànchise 《英》 차지인(借地人) 투표권.

:oc·cu·py[ákjəpài/ɔ́-] *vt.* ① 점령〔거주〕하다; 사용하다; (장소를) 잡다. ② (지위를) 차지하다. ③ (마음을) 사로잡다. ④ 종사시키다. **-pi·er** *n.* Ⓒ 점유〔거주〕자, 점령자, 차지인(借地人), 차가인(借家人).

:oc·cur[əkə́:r] *vi.* (***-rr-***) 일어나다, 마음에 떠오르다; 나타나다, 존재하다(exist). ***It ~red to me that...*** …라는 생각이 머리에 떠올랐다.

***oc·cur·rence**[əkə́:rəns, əkʌ́r-] *n.* Ⓤ 발생(happening); Ⓒ 사건.

OCD Office of Civil Defense 민간 방위국. **OCDM** 《美》 Office of Civil and Defense Mobilization 미국 민방위 동원 본부.

†o·cean[óuʃən] *n.* ① Ⓤ (the ~) 대양; …양. ② (an ~) 끝없이 넓음; (*pl.*) 《口》 막대한 양. ***~s of*** 많은 ….

o·cea·nar·i·um [òuʃənɛ́əriəm] *n.* (*pl.* ***-ums, -ia***[-riə]) Ⓒ 해양 수족관.

ócean-gòing *a.* 외양(外洋) 항행의.

O·ce·a·ni·a[òuʃiǽniə, -á:niə] *n.* 대양주. **-an** *a., n.* Ⓒ 대양주의 (사람).

o·ce·an·ic[òuʃiǽnik] *a.* 대양산(大洋産)의, 대양에 사는; (O-) 대양주의. **-ics** *n.* Ⓤ 해양공학.

o·cea·nog·ra·phy [òuʃiənágrəfi/-nɔ́g-] *n.* Ⓤ 해양학. **-pher** *n.* Ⓒ 해양학자.

o·cea·nol·o·gy [òuʃiənálədʒi/-nɔ́l-] *n.* Ⓤ 해양자원〔공학〕 연구; 해양학.

o·cel·lus[ouséləs] *n.* (*pl.* ***-li***[-lai]) Ⓒ (곤충 등의) 단안(單眼); (하등 동물의) 안점(眼點)《감각기라고 생각되고 있는》; 눈알처럼 생긴 무늬.

o·ce·lot[óusəlàt, ás-/óusilɔ̀t] *n.* Ⓒ (라틴 아메리카산) 표범 비슷한 스라소니.

o·cher, 《英》 **o·chre**[óukər] *n.* Ⓤ 황토(색); 《俗》 금화.

†**o'clock**[əklák/-ɔ́k] *ad.* …시(時).

OCR 〖컴〗 optical character reader 〔recognition〕 광학 문자 판독 장치(～ *card* 광학 문자 판독 카드). **OCS** Officer Candidate School. ***Oct.** October. **oct.** octavo.

oct(a)-[ákt(ə)/ɔ́k-] '8'의 뜻의 결합사.

oc·ta·gon [áktəgàn/ɔ́ktəgən] *n.* Ⓒ 팔변형; 팔각형. **oc·tag·o·nal** [-tǽg-] *a.*

oc·ta·he·dron[àktəhíːdrən/ɔ̀ktəhédr-] *n.* (*pl.* **～s, -dra**[-drə]) Ⓒ 8면체.

oc·tal[áktl/ɔ́k-] *a.* 〖電〗 (진공관이) 접속핀 8개인; 〖컴〗 8진법의. — *n.* Ⓤ,Ⓒ 〖컴〗 8진법〔수〕.

oc·tane[áktein/ɔ́-] *n.* Ⓤ 옥탄《석유중의 무색 액체 탄화수소》.

óctane nùmber 〔**ràting**〕 옥탄가(價).

oc·tant [áktənt/ɔ́-] *n.* Ⓒ 원의 8분의 1; 〖天〗 (다른 천체에 대한) 이각(離角) 45°의 위치; 〖空·海〗 8분의(分儀)《측정 범위 90°》.

oc·tave[áktiv, -teiv/ɔ́k-] *n.* Ⓒ 〖樂〗 옥타브, 8도 음정; 제 8음.

Oc·ta·vi·an [aktéiviən/ɔk-] = AUGUSTUS.

oc·ta·vo[aktéivou/ɔ-] *n.* (*pl.* **～s**), *a.* Ⓒ 8절판의 (책)《보통 6×9½인치》.

oc·ten·ni·al[akténiəl/ɔk-] *a.* 8년마다의; 8년 계속되는. **～·ly** *ad.*

oc·tet(te) [aktét/ɔ-] *n.* Ⓒ ① 8중창(重唱)곡, 8중주(重奏)곡, 8중창단, 8중주단; 8개짜리 한 벌. ② 〖컴〗 8중수.

oc·til·lion[aktíljən/ɔ-] *n.* Ⓒ 《英》 백만의 8제곱; 《美》 천의 9제곱.

†**Oc·to·ber**[aktóubər/ɔk-] *n.* 10월.

oc·to·ge·nar·i·an [àktədʒənέəriən/ɔ̀ktoudʒənέər-] *a., n.* Ⓒ 80세의 (사람); 80대의 (사람).

***oc·to·pus**[áktəpəs/ɔ́-] *n.* Ⓒ ① 〖動〗 낙지(비슷한 것). ② 다방면으로 해로운 세력을 떨치는 단체.

oc·to·roon[àktərúːn/ɔ̀-] *n.* Ⓒ (흑인의 피를 8분의 1받은) 흑백 혼혈아; 백인과 quadroon과의 혼혈아.

O.C.T.U. Officer Cadets Training Unit《英》 사관 후보생 훈련대.

oc·tu·ple[áktjupəl, aktjúː-/ɔ́ktju-] *a.* 8배의. — *vt.* 8배로 하다.

oc·u·lar[ákjələr/ɔ́-] *a.* 눈의, 눈 같은; 눈으로 본; 시각(視覺)상의. — *n.* Ⓒ 접안경(接眼鏡).

oc·u·list[ákjulist/ɔ́-] *n.* Ⓒ 안과 의사.

OD[òudíː] (<*o*ver *d*ose) *n.* Ⓒ 마약의 과용.

od[ad/ɔd] *n.* Ⓤ 오드《과학 현상 설명을 위한 가설의 자연력》.

OD officer of the day 일직 사관; Ordnance Department 병기부; outside diameter 외경(外徑). **OD, O.D., o.d.** olive drab. **O.D.** Docter of Optometry; *oculus dexter* (L. =the right eye); Old Dutch 옛 네덜란드어; ordinary seaman; 〖商〗 overdraft; overdrawn 당좌 차월. **o.d.** on demand.

:**odd**[ad/ɔd] *a.* ① 나머지〔여분〕의; 우수리의. ② 때때로의, 임시의. ③ 홀수의(cf. even¹). ④ 묘한. ～ ***and even*** 홀 짝《알아맞히기 놀이》. ***∠·ly** *ad.* 괴상하게; 짝이 맞지 않게. ***～ly enough*** 이상한 이야기지만. **∠·ment** *n.* Ⓒ 남은 물건; (*pl.*) 잡동사니.

ódd-éven chèck 〖컴〗 홀짝 조사.

odd·i·ty[ádəti/ɔ́-] *n.* Ⓤ 이상함; Ⓒ 기인, 괴짜; 야릇한 것.

ódd-lòoking *a.* 괴상한.

ódd pàrity 〖컴〗 홀수 맞춤.

odds**[adz/ɔ-] *n. pl. & sing.* 불평등(한 것); 우열의 차, 승산(*The ～ are in his favor* 〔*against him*〕. 그에게 승산이 있다〔없다〕); 차이; 불화, 다툼; 가망, 가능성. ***at ～ (***with***) (…와) 사이가 좋지 않아. ***by long*** 〔***all***〕 ～ 훨씬. ***It is ～ that ...*** 아마도…. ***lay*** 〔***give***〕 ***～ of*** (three) ***to*** (one) (상대의 하나)에 대하여 (셋)의 비율로 걸다. ***make no ～*** 아무래도 좋다, 별차 없다. ***～ and ends*** 남은 것; 잡동사니. ***The ～ are that ...*** 아마도….

***ode**[oud] *n.* Ⓒ (고아하고 장중한) 송시(頌詩).

O·din[óudin] *n.* 〖北歐神話〗 지혜·문화·전쟁·죽음의 신. 「싫은.

***o·di·ous**[óudiəs] *a.* 밉살스러운,

o·di·um[óudiəm] *n.* Ⓤ 증오; 비난; 평판이 나쁨.

o·dom·e·ter [oudámitər/oudɔ́-] *n.* Ⓒ 〖機〗 (차의) 주행거리계.

o·don·tol·o·gy [òudantálədʒi/ɔ̀dɔntɔ́l-] *n.* Ⓤ 치과학(齒科學).

:**o·dor,** 《英》 **o·dour**[óudər] *n.* Ⓒ 냄새; 방향(芳香); 기미; Ⓤ 평판. ***be in*** 〔***fall into***〕 ***bad*** 〔***ill***〕 ～ 평이 나쁘다〔나빠지다〕. ***be in good ～ with*** …에게 평이 좋다.

o·dor·if·er·ous [òudərífərəs] *a.* 냄새 좋은, 향기로운.

o·dor·ous[óudərəs] *a.* 《詩》 =⇧.

O·dys·se·us[oudísjuːs, -siəs] *n.* 〖그神〗 =ULYSSES.

Od·ys·sey[ádəsi/ɔ́d-] *n.* 트로이 전쟁 후의 Odysseus의 10년 방랑을 그린 Homer작의 서사시; (o-) Ⓒ 긴 방랑 여행.

OE, O.E. Old English **O.E., o.e.** omissions excepted 탈락은 제외(cf. E. & O.E.). **O.E.C.D.** Organization for Economic Cooperation and Development. **O.E.D., OED** Oxford English Dictionary《구칭 N.E.D》.

Oed·i·pus[édəpəs, íːd-] *n.* 〖그

神』 Sphinx의 수수께끼를 풀었으며, 모르고 아버지를 죽이고 어머니를 아내로 한 그리스의 왕.

Óedipus cómplex 『精神分析』 에디퍼스 콤플렉스, 친모복합(親母複合)《아들이 아버지에 반발하고 어머니를 사모하는 경향》(cf. Electra complex).

O.E.E.C. Organization for European Economic Cooperation《뒤에 O.E.C.D.로 발전》.

OEM Office for Emergency Management 비상시 관리국; original equipment manufacturing [manufacturer] 주문자 상표에 의한 생산[생산자].

oe·nol·o·gy [iːnálədʒi/-ɔ́-] *n.* Ⓤ 포도 재배법, 포도주 양조학.

OEP 《美》 Office of Emergency Planning.

o'er [ɔ́ːr, óuər] *ad., prep.* 《詩》 = OVER.

Oer·li·kon [ə́ːrlikàn/-ɔ̀n] *n.* 엘리콘《대함선·지대공(地對空) 유도탄》.

oe·soph·a·gus [isáfəgəs/-ɔ́-] *n.* (*pl.* **-gi** [-dʒài, -gai]) = ESOPHAGUS.

†**of** [強 av, ʌv/ɔv; 弱 əv] *prep.* ① 《소유·귀속》 …의, …에 속하는. ② 《거리·분리》 …의, …부터(*north of Paris*). ③ 《기원》 …에서(out of) (*come of a noble family*). ④ 《美口》 …전(to)(*a quarter of ten*). ⑤ 《원인·이유》 …에서, …로 인하여(*die of cholera*). ⑥ 《재료》 …로 된; …의, …로 만든(*The house was made of brick*). ⑦ 《분량》 …의(*a cup of tea*); …을 가진(*a house of five rooms*). ⑧ 《부분》 …의 가운데의, …중에서(*one of them*). ⑨ 《관계》 …의, …에 관한, …을, …이(*a story of adventure*). ⑩ 《작자·행위자》 ('…에 관해서는'의 뜻에서 '…은') …의; …에 의한(by)(*That is very kind of you indeed.* 친절에 참으로 감사합니다). ⑪ 《부사구를 만듦》 (*of late* 최근 / *of an evening* 흔히 저녁 나절 같은 때에 / *all of a sudden* 갑자기). ⑫ 《목적격 관계》 …의, …을(*the creation of man* 인류의 창조(創造)). ⑬ 《동격 관계》 …의, …라는(named) (*the city of Rome*). ⑭ 《형용사구를 만듦》 …한, …이 있는(*a man of ability*).

OF, OF., O.F. Old French.

O.F. Odd Fellow.

o·fay [óufei] *n.* Ⓒ 《蔑》 백인.

†**off** [ɔːf/ɔf] *ad.* ① (시간·공간적으로) 떨어져서(away); 저쪽으로. ② 절단되어서; (가스·전기 등이) 끊어져서. ③ 없어질 때까지; 남김없이. ④ 생계를 이어; 기거하여. ***be* ~** 떠나다. **~ *and on,*** or ***on and* ~** 때때로, 단속적으로. **~ *with*** …을 벗은. ***O- with you!*** 가라. ***take oneself* ~** 떠나다. ***well*** [***badly, ill***] **~** 살림이 넉넉한[어려운](cf. COME ~). ── *a.* ① (말·차·도로의) 우측《먼 쪽》의《원래 쌍두 마차에 탈 때 왼쪽 말에서 탔기 때문에》. ② 『海』 바다[난바다]쪽으로 향한. ③ 본도(本道)에서) 갈라진, 지엽(枝葉)의. ④ 비번(非番)의(cf. ~ DUTY). ⑤ 평상보다 좋지 못한, 흉작의; 급이 낮은. ⑥ 《口》 있을 법하지 않은. ⑦ (전기·가스 등이) 나가서. ── *prep.* …에서 (떨어져서, 벗어나서)(away from); …에서 빗나가서; …의 난[앞]바다에. ── *int.* 가라!. ── *n.* (the ~) 『크리켓』 (타자의) 우전방; 『컴』 끄기.

Off. Offered; officer; official; officinal.

of·fal [ɔ́ːfəl, áf-/ɔ́f-] *n.* Ⓤ 부스러기; 고깃부스러기; 겨, 기울.

óff·bèat *a.* 파격적인, 보통과 다른; 자유로운. ── *n.* Ⓒ 『樂』 오프비트《4박자의 제2·4박》.

óff-chànce *n.* (*sing.*) 만에 하나의 가능성, 도저히 있을 것 같지 않은 일.

óff-còlo(u)r *a.* 빛[안색]이 좋지 않은; 점잖지 못한.

óff-dùty *a.* 비번의, 휴식의.

‡**of·fence** [əféns] *n.* 《英》 = OFFENSE.

‡**of·fend** [əfénd] *vt.* 감정을 해치다; 성나게 하다. ── *vi.* 죄를 범하다; (법률·예의 등을) 어기다(*against*). ***~·er** *n.* Ⓒ 범죄자. **~·ing** *a.* 불쾌한, 싫은.

‡**of·fense,** 《英》 **-fence** [əféns] *n.* ① Ⓒ 죄; 위반, 반칙. ② Ⓤ 감정을 해치기, 모욕; 손상받은 감정, 화냄, 불쾌. ③ Ⓤ,Ⓒ 공격(자측). ***give* ~ *to*** …을 성나게 하다. ***take* ~** 성내다.

‡**of·fen·sive** [əfénsiv] *a.* ① 불쾌한, 싫은; 무례한; 괘씸한. ② 공격적인, 공격용의(opp. defensive). ── *n.* Ⓒ (보통 the ~) 공격, 공세. ***peace* ~** 평화 공세. **~·ly** *ad.* **~·ness** *n.*

†**of·fer** [ɔ́ːfər, áf-/ɔ́f-] *vt.* ① 제공[제의]하다, 신청하다. ② 팔려고 내놓다; 값을 부르다. ③ (신에게) 바치다. ④ 꾀하다, 시도하다. ⑤ 나타내다. ── *vi.* 나타나다; 일어나다. **~ *one's hand*** (악수 따위를 위해) 손을 내밀다; 구혼하다. **~ *up*** (기도를) 드리다. ── *n.* Ⓒ 제언; 신청; 제의; 매긴 값(bid). ***~·ing** *n.* Ⓤ 신청; 제공; 헌납; Ⓒ 공물(供物); 선물; (특히 교회에의) 헌금.

of·fer·to·ry [ɔ́ːfərtɔ̀ːri, áf-/ɔ́fətəri] *n.* Ⓒ (예배 볼 때 모으는) 헌금; 그 때 봉창하는 성구(聖句), 부르는 찬송가, 연주되는 음악.

óff·hànd *ad., a.* 즉석에서[의]; 아무렇게나, 되는 대로의.

†**of·fice** [ɔ́ːfis, áf-/ɔ́f-] *n.* ① Ⓤ,Ⓒ 직무, 임무, 일. ② (*pl.*) 진력, 주선. ③ (the ~; one's ~) 『宗』 의식, 기도. ④ Ⓤ 공직. ⑤ Ⓒ 관공서, 관청; 《英》 성(省); 《美》 국. ⑥ Ⓒ 사무소[실], 회사. ⑦ Ⓒ (관청·회사·사무소 등의) 직원. ⑧ (*pl.*) (주택의) 가사실《부엌·세탁장·축사(畜舍)·변소 따위》. ***be in*** [***out of***] **~** 재직하고 있다[있지 않다]; (정당이) 정권을 잡고 있다[에서 물러나 있다]. ***by*** [***through***] ***the good ~s***

of …의 알선으로.
óffice bòy 급사, 사환.
óffice·hòlder *n.* Ⓒ 공무원.
óffice hòurs 집무 시간; 영업 시간.
†**of·fi·cer**[-ər] *n.* Ⓒ ① 관리, 공무원(*a police* ~ 경관). ② (회 등의) 간사, 임원. ③ 장교, 사관(opp. man). ④ (상선의) 선장, 고급 선원. ***an* ~ *of the day*** 일직 사관. — *vt.* 《보통 수동》 장교를 배치하다; (장교로서) 지휘〔통솔〕하다.
:**of·fi·cial**[əfíʃəl] *a.* 직무〔공무〕상의; 공(公)의; 공식〔공인〕의; 관공서풍의. — *n.* Ⓒ 공무원, 직원. **~·dom** *n.* Ⓤ 관계(官界); 관료 (기질). **~·ese**[—ˋ—í:z] *n.* Ⓤ (완곡하고 이해하기 어려운) 관청 독특한 문체〔용어〕. **~·ism**[-ìzəm] *n.* Ⓤ 관제(官制); (관청적인) 형식주의. * **~·ly** *ad.*
of·fi·ci·ant[əfíʃiənt] *n.* Ⓒ 사회자; 사제자(司祭者).
of·fi·ci·ate[əfíʃièit] *vt.* 직무를 행하다; 사회하다; (신부가) 사제하다.
of·fi·ci·nal[əfísənl] *a.* 〖藥〗 약국에서 파는(opp. magistral); (식물 따위) 약효 있는; 약국에 있는.
of·fi·cious[əfíʃəs] *a.* 참견 잘 하는 (meddlesome); 〖外交〗 비공식의. **~·ly** *ad.* **~·ness**
off·ing[ɔ́:fiŋ/ɔ́f-] *n.* (the ~) 난바다. ***gain*** 〔***keep***〕 ***the* ~** 난바다로 나가다, 난바다를 항해하다. ***in the* ~** 난바다에, 눈으로 볼 수 있는 곳에, 가까이에; 절박하여.
off·ish[ɔ́:fiʃ/ɔ́f-] *a.* 《口》 쌀쌀한.
óff-kéy *a.* 음정〔가락·예상〕이 벗어난.
óff-lìcense *n.* Ⓒ 《英》 (점내에서 음주는 허용되지 않는) 주류 판매 면허(가 있는 가게).
óff-límits *a.* 출입 금지의(*to*).
óff-lìne *a.* 〖컴〗 따로잇기의, (중앙 처리 장치에) 직결되지 않은; 철도에서 떨어진. — *n.* 〖컴〗 따로잇기, 이음.
óff-péak *a.* 절정을 지난, 한산할 때의.
óff-prìnt *n.* Ⓒ (잡지의) 발췌 인쇄물.
óff-pùtting *a.* 《英》 느낌이 나쁜; 당혹하게 하는.
óff·scòurings *n. pl.* 찌꺼기 (refuse); 쓰레기; 인간 쓰레기〔폐물〕.
óff·scréen *a., ad.* 〖映·TV〗 화면 밖의〔에서〕; 사생활의〔에서〕.
***óff-séason** *n., a.* Ⓒ 한산기(閑散期), 시즌오프; 제철이 아닌.
***off·set**[ˊsèt] *n.* Ⓒ ① 차감 계산; 벌충. ② 〖植〗 분지(分枝). ③ 〖印〗 오프셋판; 〖建〗 벽단(壁段)《고층 건물 상부의 물러난 부분》. — [ˋˊ/ˊˋ] *vt.* 차감 계산하다; 〖印〗 오프셋판으로 하다; 〖建〗 (초고층 빌딩을) 벽단식(壁段式)으로 건축하다.
óff·shòot *n.* Ⓒ 분지(分枝); 지맥(支脈); 지류; 갈랫길; 분파(分派); 분가(分家).
óff·shóre *ad.* 난바다로 (향하여). — *a.* 난바다(로)의; 역외(域外)의. ~ ***fisheries*** 근해 어업. ~ ***purchase*** 역외 구입.
óff síde 반대측의; 〖蹴·하키〗 오프사이드의.
:**óff·sprìng** *n.* Ⓒ 《집합적》 자식; 자손; 결과.
óff·stáge *a.* 무대 뒤의.
óff-stréet *a.* (뒷)골목의.
óff-the-cúff *a.* 즉석의《연설 따위》.
óff-the-jób *a.* 취업 시간 이외의; 실직〔일시 해고〕중인.
óff-the-récord *a., ad.* 기록해두지 않은〔않고〕; 비공개〔비공식〕의〔으로〕.
óff-tráck *a.* 경마장 밖의(~ *betting* (경마의) 장외 도박).
óff yèar 생산(활동)이 적은 해; (대통령 선거 같은) 큰 선거가 없는 해.
oft[ɔ:ft/ɔft] *ad.* 《詩·古》 =OFTEN.
†**of·ten**[ɔ́:fən, -tən/ɔ́f-] *ad.* 종종, 자주. ***as* ~ *as*** …때마다. ***as* ~ *as not*** 종종, 빈번히.
óften·tìmes, óft·tìmes *ad.* 《古》 =OFTEN.
o·gee[óudʒi:, —ˊ] *n.* Ⓒ 〖建〗 반(反)〔S자〕 곡선.
o·gle[óugəl] *n., vt., vi.* Ⓒ (보통 *sing.*) 추파(를 던지다).
OGO orbiting geophysical observatory 지구 물리 관측 위성.
o·gre[óugər] *n.* Ⓒ (동화의) 사람 잡아 먹는 귀신. **~·ish, ó·grish** *a.* 귀신 같은, 무서운.
†**oh**[ou] *int.* 오!; 아!; 앗! — *n.* (*pl.* **~s, ~'s**) Ⓒ oh하고 외치는 소리; 《美》 제로.
OHG, O.H.G. Old High GERMAN.
***O·hi·o**[ouháiou] *n.* 미국 북동부의 주; (the ~) 오하이오 강.
ohm[oum] *n.* Ⓒ 〖電〗 옴《저항의 MKS 단위; 기호 Ω》.
óhm·mèter *n.* Ⓒ 옴계, 전기 저항계, 〖컴〗 저항계.
O.H.M.S. On His 〔Her〕 Majesty's Service 공용《공문서의 무료 배달 표시》.
o·ho[ouhóu] *int.* 오호!; 하아!, 저런!《놀람·기쁨·비웃음을 나타냄》.
†**oil**[ɔil] *n.* ① Ⓤ 기름; 광유, 석유; 올리브유; 기름 같은 것. ② (*pl.*) 유화(油畵) 물감; Ⓒ 유화; Ⓤ 유포(油布). ***burn the midnight* ~** 밤이 깊도록 공부하다. **~ *of vitriol*** 황산. ***pour* ~ *on the*** (***troubled***) ***waters*** 거친 수면에 기름을 퍼붓다; 분쟁을 가라앉히다. ***smell of* ~** 고심〔공부〕한 흔적이 보이다. ***strike* ~** 유맥(油脈)을 찾아내다; 노다지를 만나다. — *vt.* ① (…에) 기름을 바르다〔치다〕; 기름을 먹이다. ② (지방 따위를) 녹이다; (바퀴 따위에) 기름을 발라서 움직이게 하다. ③ (…에) 뇌물을 쓰다, 매수하다(bribe); 《英俗》 속이다. — *vi.* (지방 따위가) 녹다. ***have a well* ~*ed tongue*** 아첨을 잘 하다. ~ ***a person's hand*** 〔***palm***〕 아무에게 뇌물을 주다(cf. butter(*v.*)). ~ ***one's tongue*** 아첨하다. ~ ***the wheels*** 바퀴에 기름

을 치다; (뇌물 따위로) 일을 원활하게 해나가다. **~ed**[-d] *a.* 기름을 바른. **∠·er** *n.* Ⓒ 급유자; 급유기(器)〔장치〕.
óil bòmb 유지 소이탄.
óil bùrner 오일버너; 중유를 연료로 하는 배.
óil càke 기름 찌꺼기, 깻묵.
***óil·clòth** *n.* Ⓤ,Ⓒ 유포(油布).
óil còlo(u)r 유화(油畵)물감; 유화.
óil drùm 석유 드럼통.
óil èngine 석유 엔진.
óil field 유전(油田).
óil mèal 깻묵가루《사료·비료》.
óil pàinting 유화(법).
óil·pàper *n.* Ⓤ 유지(油紙).
óil prèss 착유기, 기름틀.
óil-rích *a.* 석유를 풍부하게 산출하는.
óil sànd 유사(油砂), 오일샌드《고점도의 석유를 함유하고 있는 다공성 사암(多孔性砂岩)》.
óil·skìn *n.* Ⓤ 유포(油布), 방수포; (*pl.*) 방수복《윗도리와 바지》.
óil slìck 〔**spìll**〕 수면에 유출한 기름.
óil·tànker *n.* Ⓒ 유조선.
óil wèll 유정(油井).
***oil·y**[ɔ́ili] *a.* ① 기름의〔같은〕; 기름 바른; 기름 먹인; 번드르르한. ② 말솜씨 좋은. **óil·i·ly** *ad.*
oint·ment**[ɔ́intmənt] *n.* Ⓤ,Ⓒ 연고. ***a FLY[1] ***in the ~.***
OJ 《美口》 orange juice.
O·jib·wa(y)[oudʒíbwei] *n.* (*pl.* ~(*s*)), *a.* Ⓒ 원래 5대호(大湖) 부근에 살던 아메리카 토인(의).
:OK, O.K.[óukéi] *a., ad.* 《口》 좋아; 틀림없어, 승인필(畢). — *vt.* 승인하다. — *n.* (*pl.* **~'s**) Ⓒ 승인.
o·ka·pi[ouká:pi] *n.* Ⓒ 오카피《아프리카의 기린 비슷한 동물》.
o·kay, o·key[óukéi] *a., ad., v., n.* 《口》 =OK.
o·key-doke [óukidóuk], **-do·key**[-i] *a., ad.* 《口》 =OK.
O·khotsk[oukátsk/-ɔ́-] *n.* ***the Sea of ~*** 오호츠크해.
***O·kla·ho·ma**[òukləhóumə] *n.* 미국 중남부의 주《생략 Okla.》.
o·kra[óukrə] *n.* Ⓒ 〖植〗 오크라; 오크라의 꼬지.
OL., O.L. Old Latin; 〖電〗 overload. **Ol., Olym.** Olympiad.
†old[ould] *a.* (***older, elder; oldest, eldest***) ① 나이 먹은; …세의; 오랜; 옛날(부터)의. ② 과거의, 시대에 뒤떨어진, 구식인; 헌; 못쓰게 된; 이전의; 전시대의, 고대의. ③ 늙은이 같은, 고리타분한. ④ 노성한; 숙련된. ⑤ 그리운. ⑥ 《口》 굉장한《다른 형용사 뒤에 붙이는 강세어》(*have a fine ~ time* 즐거운 때를 보내다). ⑦ (색이) 충충한. ***dress ~*** 점잖은 옷치장을 하다. ***for an ~ song*** 헐값으로. ***for ~ sake's sake*** 옛날의 정으로. — *n.* Ⓤ 옛날. ***of ~*** 옛날의; 옛날은〔부터〕.
óld áge 노년《대체로 65세 이상》.
óld-áge *a.* 노년자의〔를 위한〕, 노인의.
óld-áge pènsion 《英》 양로 연금.
óld bírd 노련가.
óld bónes 노골(老骨), 노체.
óld bóy 《주로 英》 (친근하게) 여보게, 자네(~ chap, ~ fellow); 《英》 졸업생《특히 public school의》; 쾌활한 노인.
óld cóuntry, the (이민의) 조국, 고국《종종 영국 식민지의》.
Óld Domínion, the 《美》 Virginia 주의 속칭.
***old·en**[∠ən] *a.* 《詩》 오래된; 옛날의.
Óld Énglish ⇨ENGLISH.
:óld-fáshioned *a.* 유행에 뒤떨어진, 구식의.
óld-fóg(e)y(ish) *a.* 구식의.
Óld Frénch 고대 프랑스어《800-1400년경》.
Óld Glóry, the 미국 국기, 성조기.
óld góld 빛 안 나는 금색.
óld guárd, the 《집합적》 보수파.
óld hánd ① 숙련공, 노련가(*at*). ② 《美》 정당 내의 보수파.
Óld Hárry 악마.
óld hát 《口》 시대에 뒤떨어진.
Óld Hígh Gérman ⇨GERMAN.
Óld Icelándic 고대 아이슬란드어.
old·ie, old·y[óuldi] *n.* Ⓒ 《口》 시대에 뒤떨어진 사람〔것〕《특히 유행가, 영화》.
old·ish[∠iʃ] *a.* 좀 늙은〔오래된〕.
Óld Látin 고대 라틴어《기원전 7-1세기》.
óld-líne *a.* 보수적인; 역사가 오랜.
óld máid 올드미스, 노처녀; 잔소리 심한 사람; 〖카드〗 도둑 잡기.
óld-máidish *a.* 노처녀 같은, 잔소리 심한; 딱딱한.
óld mán 《口》 부친; 남편; 보스, 선장, 사장《우두머리를 가리킴》; 《호칭》 여보게; 숙련자.
óld máster 대화가《특히 15-18세기 유럽의》; 거장의 작품.
Óld Níck 악마.
Óld Nórse 고대 스칸디나비아 말《Viking 시대부터 1300년경까지》; =OLD ICELANDIC.
Óld Sáxon 고대 색슨어《800-1100년경 사용된 독일 북서부의 방언》.
óld schòol tíe 《英》 (public school 출신자가 매는) 넥타이; public school 출신자; 학벌 (의식).
óld sóldier 노병, 고참병; 《比》 숙련자; 《美俗》 빈 술병.
old·ster [óuldstər] *n.* Ⓒ 《口》 노인.
Óld Stóne Áge, the 구석기 시대.
óld style 구체 활자; (the O- S-) (율리우스력(曆)에 의한) 구력(舊曆).
***Óld Téstament, the** ⇨TESTAMENT.
***óld-tíme** *a.* 옛날(부터)의. **-tímer** *n.* Ⓒ 《口》 고참; 구식 사람.
Óld Tóm 진(gin)의 일종.
óld wíves' tàle 미신, 허튼 구전(口傳).
óld wóman 노파; 《口》 마누라; 어머니; 소심한 남자.

óld-wómanish *a.* 노파 같은; 잔소리 심한.
Óld Wórld, the 구세계《유럽·아시아·아프리카》; 동반구.
óld·wórld *a.* 구세계의; 옛날(풍)의; (O- W-) 구세계의《아메리카 대륙 이외의》, 동반구(東半球)의.
Óld Yéar's Dày 섣달 그믐날.
o·le·ag·i·nous[òuliǽdʒənəs] *a.* 유질(油質)의; 말주변 좋은.
o·le·an·der [òuliǽndər] *n.* Ⓒ 〖植〗 서양협죽도(夾竹桃). 「산.
o·lé·ic ácid [oulíːik-] 〖化〗 올레
o·le·in[óuliin] *n.* Ⓤ 〖化〗 올레인《올레산과 글리세린의 에스테르》.
o·le·o[óuliòu], **o·le·o·mar·ga·rin(e)**[òulioumáːrdʒəriːn] *n.* Ⓤ 동물성 마가린.
o·le·o·phil·ic[òulioufílik] *a.* 〖化〗 친유성(親油性)의.
o·le·o·res·in[òuliourézən] *n.* Ⓤ 올레오레진《수지와 정유의 혼합물》.
Ó lèvel 《英》 보통급(ordinary level) 《G.C.E.의 기초 학력 시험》.
ol·fac·tion[ɑlfǽkʃən/ɔ-] *n.* Ⓤ 후각(嗅覺) (작용).
ol·fac·to·ry[ɑlfǽktəri/ɔ-] *a.* 후각(嗅覺)의, 냄새의. — *n.* Ⓒ (보통 *pl.*) 후관(嗅官), 코.
ol·fac·tron·ics[àlfæktrániks/ɔ̀lfæktrɔ́-] *n.* Ⓤ 취기(臭氣) 분석학〔법〕.
ol·i·garch[áləgɑ̀ːrk/ɔ́l-] *n.* Ⓒ 과두(寡頭) 정치의 집정자(執政者); 과두제 지지자. **-gar·chy** *n.* Ⓤ 과두정치; Ⓒ 과두 정치 집정자; 과두제 국가. **-gar·chic**[⌐−gáːrkik], **-chi·cal**[-əl] *a.*
ol·i·gop·o·ly[àləgápəli/ɔ̀ligɔ́-] *n.* Ⓤ,Ⓒ 소수 독점, 과점(寡占).
:ol·ive[áliv/ɔ́-] *n., a.* ① Ⓒ 올리브나무〔열매〕. ② Ⓤ 올리브 재목; 올리브색《황록색·(살갗의) 미색》(의).
ólive brànch 올리브 가지《평화의 상징》; 화평〔화해〕의 제의; 자식.
ólive cròwn (옛 그리스의 승리자가 쓴) 올리브 관(冠). 「복).
ólive dráb 《美》 짙은 황록색(의 군
ólive gréen 올리브색, 황록색.
ólive òil 올리브유(油).
ol·i·vine [álәvìn/ɔ̀ləvíːn] *n.* Ⓤ 〖鑛〗 감람석(橄欖石).
ol·la[álə/ɔ́-] *n.* Ⓒ (스페인·라틴 아메리카의) 흙으로 만든 물독; Ⓤ 스튜(stew).
-ol·o·gist[álədʒist/ɔ́l-] *suf.* '…학자, …론자(論者)'의 뜻.
-ol·o·gy[álədʒi/ɔ́l-] *suf.* '…학(學), …론(論)'의 뜻.
O·lym·pi·a[əlímpiə, ou-] *n.* 고대 올림픽이 열렸던 그리스의 평야; 미국 Washington 주의 주도.
O·lym·pi·ad[əlímpiæ̀d, ou-] *n.* Ⓒ (옛 그리스의) 올림피아기(紀)《한 올림피아 경기로부터 다음 경기까지의 4년간》; 국제 올림픽 대회.
O·lym·pi·an[əlímpiən, ou-] *a.* 올림포스 산의; 신과 같은; 하늘(위)의; 당당한; 거드름 빼는; Olympia의. ***the ~ Games*** (고대의) 올림피아 경기. — *n.* Ⓒ 올림포스 산의 신; 올림픽 대회 출전 선수.
:O·lym·pic[əlímpik, ou-] *a.* 올림피아 경기의; Olympia의. — *n.* (the ~s) 국제 올림픽 대회.
Olympic Gámes, the (고대의) 올림피아 경기; 국제 올림픽 대회.
Olym·pism[əlímpizəm, ou-] *n.* Ⓤ 올림픽 정신.
***O·lym·pus**[əlímpəs, ou-] *n.* 올림포스 산《그리스의 여러 신들이 살고 있었다 함》; 하늘.
O.M. 《英》 Order of Merit.
O·man[oumáːn] *n.* 아라비아 남동부의 왕국.
o·ma·sum[ouméisəm] *n.* (*pl.* **-sa** [-sə]) Ⓒ 겹주름위《반추 동물의 제 3 위(胃)》.
***o·me·ga** [oumégə, -míː-, -méi-] *n.* Ⓤ,Ⓒ 그리스어 알파벳의 끝글자 《Ω, ω》; (the ~) 최후; Ⓒ 〖理〗 오메가 중간자. 「오믈렛.
***om·e·let(te)** [ámәlit/ɔ́m-] *n.* Ⓒ
:o·men[óumən] *n.* Ⓒ,Ⓤ 전조, 징조; 예감. ***an evil*** 〔***ill***〕 ***~*** 흉조. ***be of good ~*** 징조가 좋다. — *vt.* 전조가 되다.
om·i·cron[ámikrɑ̀n, óu-/ɔ́mikrɔ̀n] *n.* Ⓤ,Ⓒ 그리스어 알파벳의 열 다섯째 글자《Ο, ο》.
***om·i·nous**[ámənəs/ɔ́mə-] *a.* 불길한; 험악한; 전조(前兆)의(*of*). **~·ly** *ad.* 불길하게도.
o·mis·si·ble[oumísəbəl] *a.* 생략할 수 있는.
o·mis·sion**[oumíʃən] *n.* ① Ⓤ 생략; 탈락; Ⓒ 생략물, 탈락 부분. ② Ⓤ 태만. ***sins of ~ 태만죄.
:o·mit[oumít] *vt.* (**-tt-**) 생략하다; (…하기를) 잊다; 게을리하다.
om·ni-[ámni/ɔ́m-] '전(全), 총(總), 범(汎)'의 뜻의 결합사: *omnipotent.*
om·ni·bus**[ámnəbʌ̀s, -bəs/ɔ́m-] *n.* Ⓒ 승합마차〔자동차〕, 버스; =⌐ **bóok** 한 작가의 한 권으로 된 작품집. — *a.* 잡다한 것을 포함한, 총괄적인. **~ *film 옴니버스 영화.
ómnibus vólume =OMNIBUS BOOK.
om·ni·com·pe·tent [àmnikámpətənt/ɔ̀mnikɔ́m-] *a.* 전권(全權)을 쥔.
om·ni·di·rec·tion·al [-dirékʃənəl] *a.* 〖電子〗 전(全)방향성의.
om·ni·far·i·ous[-fέəriəs] *a.* 잡다한, 가지각색의.
om·nif·ic[ɑmnífik/ɔ-] *a.* 만물을 창조하는.
om·nip·o·tent [ɑmnípətənt/ɔ-] *a.* 전능의. — *n.* (the O-) 전능의 신. **-tence** *n.*
om·ni·pres·ent [àmnəprézənt/ɔ̀-] *a.* 편재(遍在)하는. **-ence** *n.*
om·nis·cient[ɑmníʃənt/ɔm-] *a.* 전지(全知)의. — *n.* (the O-) 하느

님. **-cience** *n.*
om·niv·o·rous[ɑmnívərəs/ɔ-] *a.* 무엇이나 먹는; 잡식의; 무엇이든지 좋다는 식의(*an ~ reader* 남독가(濫讀家)). **~·ly** *ad.*
OMR 〖컴〗 optical mark reader 표빛읽개, 광학 표시 판독(*~ card* 표빛 카드, 광학 표시 판독 카드).
†**on**[ɑn, ɔ:n/ɔn] *prep.* ①《접촉》…의 위에[의], …에. ②《근거·이유》…에 의거하여(*act on principle*). ③《근접》…의 가까이에, …을 향하여(toward)(*march on Paris*). ④ …에 대해서. ⑤《날짜·때·결과》…에, …와 동시에, …한 다음에(*on Sunday / on the instant* 즉시로). ⑥《상태》…하여(*be on fire* 타고 있다). ⑦《관계》…에 관계하여, …에 대하여(about)(*a book on music*). ⑧《수단》…으로(*play on the piano*). ⑨《누가》…에 더하여(*heaps on heaps* 쌓이고 쌓여). — *ad.* ① 위에. ② 향하여. ③ 진행하여, 행해져서(*'Othello' is on.* '오셀로' 상연중). ④ (가스·전기)가 통하여. AND *so on.* **be on** 《俗》 내기에 응하다. **be well on** 잘 되어가다; (내기에) 이길 듯하다. **be on about** 《口》 …에 대해 투덜거리다. **from that day on** 그날 이후. **later on** 나중에, 후에. **neither off nor on** 관계 없는(*to*); 우유부단한. **on and** OFF. **on and on** 계속하여, 자꾸.
ON, ON., O.N. Old Norse.
o·nan·ism[óunənìzəm] *n.* Ⓤ 성교중절《피임 등을 목적한》; 수음(手淫).
ón-bóard compúter 〖컴〗 내장 전산기.
†**once**[wʌns] *ad.* ① 한 번, 한 곱. ② 일찍이; (장래) 언젠가. ③ 일단 …하면. **ever ~ in a while** 때때로. **more than ~** 한 번만이 아니고, 여러 번이나. **~ and again** 몇 번이고. **~ for all** 한[이]번만; 단호히. **~ in a way** [**while**] 간혹. **~ over** 다시 한 번. **~ too often** 늘, 자주. **~ upon a time** 옛날. — *n.* Ⓤ 한 번, 동시. **all at ~** 갑자기; 일제히. **at ~** 즉시; 동시에. **for** (**this**) **~** 이번만은. — *conj.* 한 번 …하면, …하자마자. — *a.* 이전의.
ónce-òver *n.* (*sing.*) 《美口》 대충 한 번 훑어보기. **give a person** [**thing**] **the ~** 아무를 한 번 만나두다[물건을 대충 봐두다].
onc·er[wʌ́nsər] *n.* Ⓒ 《英口》 (의무적으로) 한 번만 하는 사람.
on·co·gene[ɑ́ŋkədʒi:n/ɔ́-] *n.* Ⓒ 발암(發癌) 유전자.
on·co·gen·e·sis[⌒—dʒénəsis] *n.* Ⓤ 발암, 종양 발생.
on·col·o·gy[ɑŋkɑ́lədʒi/ɔŋkɔ́-] *n.* Ⓤ 종양학(腫瘍學).
ón·còming *a.* 다가오는; 새로 나타나는; 장래의. — *n.* Ⓤ 접근.
ón·còst *n.* Ⓤ 《英》 간접비.
†**one**[wʌn] *a.* 하나의; 동일한; 일체(一體)의; 어떤; (the ~) 유일한. **be all ~** 전혀 같다, 어떻든 상관없다. **for ~ thing** 한 예를 들면. **~ and the same** 동일한. — *n.* Ⓤ,Ⓒ 하나, 한 개, 한 사람. **all in ~** 전부가 하나로 되어서. **at ~** 일치하여. **make ~** (모임의) 일원이 되다; 하나로 되다; 결혼으로 결합하다. **~ and all** 누구나다. **~ by ~** 하나[한 사람]씩. — *pron.* 사람; 누구나;《명사의 반복을 피하여》 그것. **no ~** 아무도 …아니다. **~ another** 서로. **~ ..., another** [**the other**] **...** 한 편은… 또 한 편은…. **the ~ ..., the other** 전자는… 후자는. **∠·ness** *n.* Ⓤ 단일[동일, 통일]성, 일치, 합일.
óne-àrmed *a.* 외팔의.
óne-armed bándit 《口》 도박용 슬롯머신.
óne-base hít 〖野〗 단타(單打).
óne-éyed *a.* 애꾸눈의, 외눈이.
óne-hòrse *a.* 말 한 필이 끄는; 《美口》 보잘것 없는, 빈약한.
O'Neill[ouní:l], **Eugene**(1888–1953) 미국의 극작가.
óne-légged *a.* 한[외]다리의.
óne-mán *a.* 한 사람만의, 개인의(*a ~ show* 개인전(展)).
óne-night stánd 《美》 하룻밤만의 흥행.
óne-óff *a., n.* Ⓒ 《英》 1회 한의 (것), 한 개에 한하는 (것), 한 사람을 위한 (것).
óne-píece *a., n.* Ⓒ (옷이) 원피스(의). 「부담이 되는.
on·er·ous [ɑ́nərəs/ɔ́-] *a.* 귀찮은,
:**one's**[wʌnz] *pron.* one의 소유격; one is의 단축. 「[비행기].
óne-séater *n.* Ⓒ 1인승의 자동차
†**one·self**[wʌnsélf] *pron.* 스스로; 자기 자신을. **be ~** 자제하다; 자연스럽게 행동하다.
óne-shòt *a.* 《俗》 1회[1예]뿐인.
óne-síded *a.* 한 쪽만 있는; 한 쪽으로 치우친; 균형이 맞지 않는; 문제의 한 쪽 면밖에 보지 못하는, 편파적인.
óne-stèp *n., vi.* (*-pp-*) Ⓒ 원스텝(을 추다); 그 곡.
óne-tìme *a.* 이전의.
óne-to-óne *a.* 1대 1의, 한 쌍이 되는, 대조적인.
óne-tráck *a.*(철도가) 단선인;《口》 하나밖에 모르는, 편협한.
óne-twó *n.* Ⓒ 〖拳〗 원투(*a ~ to the jaw*).
òne-úp *a.* 한 발 앞선, 한 수 위인. — *vt.* (*-pp-*) (…의) 한 수 위로 나오다(*You have ~ped me.* 나보다 한 발 앞선 일을 했다).
òne-úp·man·shìp *n.* Ⓤ 상대보다 일보 앞서기; 우월감.
óne-wáy *a.* 일방 통행[교통]의; 편도(片道)의; 일방적인.
ONF Old North French.
ón·gòing *a.* 전진하는, 진행하는.
ONI Office of Naval Intelligence 《美》 해군 정보부.

:on·ion[ʌ́njən] *n.* ① U,C 양파; U 양파 냄새. ② C 《俗》 인간. ***know one's ~s*** 《俗》 자기 일에 정통하고 있다. ***off one's ~(s)*** 《주로 英》 어리석은; 머리가 돈. **~·y** *a.*
ónion·skìn *n.* C 양파 껍질; U 광택 있는 얇은 반투명지.
ón-lìcense *n.* U 《英》 점내(店內) 주류 판매 허가.
ón-límits *a.* 〖軍〗 출입 허가의.
ón-lìne *a.* 〖컴〗 온라인의, 바로잇기의(~ *help*/~ *processing*/~ *processing system* 바로잇기 처리 체계); (중앙 처리 장치에) 직결한.
ón-line réal tíme sỳstem 〖컴〗 온라인 실(實)시간 처리 시스템.
ón-line sérvice 〖컴〗 온라인 서비스《통신 회선을 이용한 데이터베이스 서비스》.
ón·lòoker *n.* U 방관자. **ón·look·ing** *a.* 방관하는.
†on·ly[óunli] *a.* 유일한, 단 하나[한 사람]의; 최상의. — *ad.* 오직, 단지; 겨우, …만. ***have ~ to*** (do) …하기만 하면 된다. ***if ~*** …하기만 하면; …라면 좋을 텐데. ***not ~ … but*** (***also***) …뿐만 아니라 또한. ***~ just*** 이제 막 …한. ***~ not*** (*a child*) 거의 (어린이나) 마찬가지. ***~ too*** 유감스럽게도; 대단히. — *conj.* 단, 오직; …을 제외하고 (*that*).
ón/óff contròl 〖컴〗 켜고 끄기, 점멸 제어.
on·o·mat·o·poe·ia [ɑ̀nəmæ̀təpí:ə/ɔ̀-] *n.* U 〖言〗 의성(법); C 의성어; U 〖修〗 성유(聲喩)법. **-poe·ic** [-pí:ik], **-po·et·ic**[-pouétik] *a.*
ón·rùsh *n.* C 돌진; 분류.
***ón·sèt** *n.* (the ~) 공격; 개시.
ón·shóre *a., ad.* 육지를 향하는[향하여]; 육상의[에서].
ón·síde *a., ad.* 〖美蹴·하키〗 정규 위치의[에].
ón-síte *a.* 현장[현지](에서)의.
ón·slàught *n.* C 맹공격.
Ont. Ontario.
***On·tar·i·o**[ɑntɛ́əriòu/ɔn-] *n.* ① 캐나다 남쪽의 주. ② (Lake ~) 온타리오호《미국·캐나다 사이의》.
***on·to**[強 ɑ́ntu: ɔ́:n-, 弱 -tə] *prep.* …의 위에.
on·tog·e·ny [ɑntɑ́dʒəni/ɔntɔ́dʒ-] *n.* U 〖生〗 개체 발생.
on·tol·o·gy [ɑntɑ́lədʒi/ɔntɔ́l-] *n.* U 〖哲〗 존재론, 실체론. **on·to·log·ic**[ɑ̀ntəlɑ́dʒik/ɔ̀ntəlɔ̀-], **-i·cal**[-əl] *a.*
o·nus[óunəs] *n.* (the ~) 책임; 무거운 짐.
:on·ward[ɑ́nwərd/ɔ́-] *a.* 전방으로의, 전진의. — *ad.* 전방에; 나아가서. **: ~s** *ad.* =ONWARD.
on·y·mous[ɑ́nəməs/ɔ́n-] *a.* (책·기사 따위에) 이름을 밝힌.
on·yx[ɑ́niks/ɔ́-] *n.* U 〖鑛〗 오닉스, 얼룩마노(瑪瑙).
oo·long[ú:lɔ(:)ŋ] *n.* U (중국산) 오룡차(烏龍茶).
oops[u:ps] *int.* 어럽쇼, 아뿔싸.
***ooze**[1][u:z] *vi.* 스며나오다, 줄줄 흘러 나오다; (비밀 등이) 새다(*out*); (용기 등이) 점점 없어지다(*away*). — *vt.* 스며나오게 하다. — *n.* U 스며나옴; 분비물. **óoz·y**[1] *a.* (줄줄) 스며나오는.
ooze[2] *n.* U (해저·강바닥 등의) 연한 개흙. **óoz·y**[2] *a.* 진흙의; 곤죽 같은.
OP observation post. **op.** *opera;* operation; opposite; *opus* (L. = work). **O.P.** opposite prompt side. **o.p.** out of print; over proof. **OPA** 《美》 Office of Price Administration.
o·pac·i·ty[oupǽsəti] *n.* U 불투명(체); 모호; 우둔.
***o·pal**[óupəl] *n.* U 〖鑛〗 단백석(蛋白石), 오팔.
o·pal·esce[òupəlés] *vi.* (단백석 같은) 젖빛 광택을 내다. **-és·cence** *n.* U 젖빛. **-cent** *a.* 젖빛 광택을 내는.
ópal glàss 유백색 유리(opaline).
o·pal·ine[óupəlàin, -lì:n] *a.* 단백석의, 단백석 같은; 젖빛 광택을 내는. — [-lì:n] *n.* U 젖빛 유리.
***o·paque**[oupéik] *a.* 불투명한; 광택 없는, 충충한(dull); 불명료한; 우둔한.
óp árt[ɑ́p-/ɔ́p-] 광학 예술(optical art).
op. cit.[ɑ́p sít/ɔ́p-] *opere citato* (L. =in the work cited) 앞에 든 책에[인용서에].
ÓP còde[ɑ́p-/ɔ́p-] 〖컴〗 연산 코드(operation code).
ope[oup] *v., a.* 《古》 =OPEN.
OPEC[óupek] Organization of Petroleum Exporting Countries 석유 수출국 기구.
óp-éd páge[ɑ́péd-/ɔ́p-] (<***op***posite ***ed***itorial page) 《美》 (신문의) 사설란 반대쪽의 특집쪽[면].
†o·pen[óupən] *a.* ① 열린; 드러나 있는; 노출된. ② 무개(無蓋)의. ③ 펼쳐진; 넓은. ④ 공개의, 공공의; 이용할 수 있는; 자유로운. ⑤ (지위·직 등이) 비어 있는(unfilled). ⑥ 관대한. ⑦ 솔직한. ⑧ 미결정의. ⑨ 〖軍〗 (도시가) 무방비의, (국제법상) 보호를 받고 있는. ⑩ 공공연한. ⑪ (직물이) 발이 성긴. ⑫ 개점[개업·개회] 중인, 개최 중인. ⑬ (감화 등) 받기 쉬운, (…을) 면할 수 없는(subject) (*to*). ⑭ (지식·사상 등을) 받아들이기 쉬운(*to*). ⑮ (강·바다 등이) 얼지 않는. ⑯ 해금(解禁)의; 《美口》 주류 판매·도박을 허용하고 있는. ⑰ 〖樂〗 개방음의. ⑱ 〖音聲〗 (모음이) 개구음(開口音)인, (자음이) 개구적인. ⑲ 〖印〗 (활자가) 음각(陰刻)의. ***be ~ to*** …을 쾌히 받아들이다; …을 받기 쉽다; …에 문호가 개방되어 있다. ***be ~ with*** …에게 숨김이 없다. ***have an ~ hand*** 인색하지 않다. ***keep one's mouth ~*** 걸신들려 있다. — *n.* (the ~) 빈터, 광장; 넓은 장소[해면], 옥외(屋外); 〖컴〗 열기. — *vt.* 열다; 펴다; 트다; 개간

하다; (대열 등을) 벌이다; 공개하다; 개업하다; 개시하다; 털어놓다; 누설하다(*to*). — *vi.* 열리다; 넓어지다; (마음 등이) 커지다; 시작하다(*with*); (대열 등이) 벌어지다; 〖海〗 보이게 되다. ~ ***into*** …로 통하다. ~ ***on***… 에 면하다[통하다]. ~ ***one's eyes*** 깜짝 놀라다. ~ ***out*** 열다; 펴(지)다; 발달시키다[하다]; 속을 터놓다. ~ ***the door to*** …에 기회[편의]를 주다. ~ ***up*** 열다; 펴다; 개발하다; 나타내다; 개시하다. **:** ~**·ly** *ad.* 솔직히; 공공연히.

ópen áccess 《英》 (도서관의) 개가식(開架式).

ópen áir 옥외, 야외.

:ópen-áir *a.* 옥외[야외]의.

ópen-and-shút *a.* 명백한.

ópen-ármed *a.* 두 팔을 벌린; 충심으로부터의.

ópen bállot 기명 투표, 공개 투표.

ópen bóat 갑판이 없는 배.

ópen-bóok examinátion 교과서·참고서 등의 지참을 허용하는 시험.

ópen cár 무개차(無蓋車).

ópen·càst *n., ad., a.* 《주로 英》 = OPEN-PIT.

ópen cóurt 공개 법정.

ópen·cùt *n., ad., a.* =OPEN-PIT.

ópen dóor (통상상의) 문호 개방.

ópen-éared *a.* 경청하는.

ópen-énd *a.* 〖經〗 (투자 신탁의) 자본액 가변(可變)의(opp. closed-end); 광고 방송의 문구를 넣을 부분을 비워 둔《녹음》.

o·pen·er[óupənər] *n.* Ⓒ 여는 사람, 개시자; 여는 도구, 병[깡통]따개. 「방심하지 않는.

ópen-éyed *a.* 눈을 뜬; 깜짝 놀란;

ópen-fíeld *a.* 공동 경작의.

ópen fórum 공개 토론회.

ópen-hánded *a.* 활수한.

ópen-héarted *a.* 솔직한; 친절한.

ópen hóuse 공개 파티; (학교 따위의) 공개일(日); 손님을 환대하는 집. ***keep*** ~ (언제나) 손님을 환대하다.

ópen hóusing 《美》 주거 개방《인종·종교에 의한 주택 매매의 차별 금지》.

:o·pen·ing[óupəniŋ] *n.* ① Ⓤ 열기; 개방. ② Ⓒ 개시; 모두(冒頭). ③ Ⓒ 구멍, 틈. ④ Ⓒ 빈터, 광장. ⑤ Ⓒ 취직 자리. ⑥ Ⓒ 기회. — *a.* 개시의.

ópening bàtsman 〖野〗 (그 회의) 선두 타자.

ópening hòurs 영업 시간, (도서관 따위의) 개관 시간.

ópening nìght (연극·영화 따위의) 초연; 첫날(밤).

ópening tìme 개점 시간, (도서관 따위의) 개관 시간.

ópen létter 공개장.

ópen-márket operátion 〖經〗 (중앙 은행의) 공개 시장 조작.

ópen-mínded *a.* 편견 없는.

ópen-móuthed *a.* 입을 벌린; (놀라서) 입이 딱 벌어진; 욕심사나운; 시끄러운.

ópen-pìt *n., ad., a.* Ⓒ 노천굴(掘)(로(의)).

ópen-pit míning 노천 채광.

ópen-plán *a.* (넓은 사무실·공간 따위를 벽없이) 낮은 칸막이로 구획을 지은 방의 배치의.

ópen pórt 자유항; 부동항.

ópen prímary 《美》 공개 예선 대회《투표자의 소속을 명시하지 않는 직접 예비 선거》.

ópen príson 경비(警備)를 최소한으로 줄인 교도소.

ópen quéstion 미결 문제.

ópen sándwich 위에 빵을 겹쳐 놓지 않은 샌드위치.

ópen séa, the 공해(公海).

ópen séason 수렵[어업] 해금기(解禁期).

ópen sécret 공공연한 비밀.

ópen sésame '열려라 참깨' 《문 여는 주문(呪文)》; 바라는 결과를 가져오는 유효한 수단.

ópen shélf 《美》 =OPEN ACCESS.

ópen shóp 오픈 숍《비노조원도 고용하는 공장》(opp. closed shop).

ópen sýllable 개음절(開音節)《모음으로 끝나는》.

ópen sýstem 〖컴〗 열린 체계.

Ópen Univérsity 영국의 방송 대학《1971년 발족》.

ópen·wòrk *n.* Ⓤ 도림질 세공.

:op·er·a[ápərə/ɔ́-] *n.* Ⓒ 가극, 오페라; Ⓤ 가극의 상연; Ⓒ 가극장.

o·pe·ra *n.* (F.) opus의 복수.

op·er·a·ble[ápərəbəl/ɔ́-] *a.* 실시 가능한; 수술이 가능한.

op·ér·a bouffe[ápərə bú:f/ɔ́-] (F.) 희가극. 「쌍안경.

ópera glàss(es) 관극용의 소형

ópera hàt 오페라 해트《접을 수 있는 실크 해트》.

ópera hòuse 가극장.

op·er·and[ápərǽnd/ɔ́-] *n.* Ⓒ 〖數〗 연산수(演算數), 피연산 함수; 〖컴〗 연산 대상, 실행 대상.

:op·er·ate[ápərèit/ɔ́-] *vi.* ① (기계 등이) 움직이다, 일하다. ② 작용하다, 영향을 미치다(*on, upon*). ③ (약이) 듣다. ④ 수술을 하다(*on, upon*). ⑤ 군사 행동을 취하다. — *vt.* 운전[조종]하다; 《美》 경영하다.

op·er·at·ic[àpərǽtik/ɔ̀-] *a.* 오페라(풍)의.

·op·er·at·ing[ápərèitiŋ/ɔ́-] *a.* 수술(용)의; 경영[운영]상의. ~ ***expenses*** 운영비; 수술비. ~ ***room*** [***table***] 수술실[대]. ~ ***theater*** (계단식) 수술 교실.

óperating sýstem 〖컴〗 운영 체제《프로그램의 제어·데이터 관리 따위를 행하는 소프트웨어; 생략 OS》.

:op·er·ation[àpəréiʃən/ɔ̀-] *n.* ① Ⓤ 가동, 작용. ② Ⓤ 행동, 활동. ③ Ⓤ 효과, (약의) 효력. ④ Ⓤ,Ⓒ 방법; (기계의) 운전. ⑤ Ⓤ,Ⓒ 사업; 경영. ⑥ Ⓤ 실시. ⑦ Ⓒ 수술. ⑧ Ⓒ 〖數〗 운산(運算). ⑨ (보통 *pl.*)

〖軍〗 군사 행동, 작전. ⑩ Ⓒ 투기 매매, (시장의) 조작. ⑪ Ⓒ 〖컴〗 작동, 연산. ***come* 〔*go*〕 *into* ~** 운전〔활동〕을 시작하다; 실시되다; 유효하게 되다. ***in* ~** 운전〔활동, 실시〕중에. ***put into* ~** 실시하다. ***~·al** *a.* 조작상의; 〖軍〗 작전상의.

operátion còde 〖컴〗 연산 코드.

operátions 〔《英》 **operátional**〕 **resèarch** 기업 경영상의 과학적 조사 연구; 작전 연구《생략 OR》.

***op·er·a·tive** [ápərətiv, -rèi-/ɔ́-] *a.* 일〔활동〕하는; 운전〔작용〕하는; 효력 있는, (약 등) 잘 듣는; 수술의; 실시의. ***become* ~** 실시되다. — *n.* Ⓒ 직공; 《美口》 탐정, 형사.

:op·er·a·tor [ápərèitər/ɔ́-] *n.* Ⓒ ① (기계의) 운전자; (전신) 기사; (전화) 교환원. ② (외과) 수술자. ③ 《美》 경영자. ④ 〖證〗 투기사. ⑤ 〖數〗 연산기호. ⑥ 〖컴〗 연산자; 조작원. ⑦ 〖遺傳〗 작동 유전자(~ gene).

o·per·cu·lum [oupə́:rkjələm] *n.* (*pl.* **-la** [-lə], **~s**) Ⓒ 〖植〗 삭개(蒴蓋), 선개(蘚蓋); 〖動〗 (조개의) 딱지, (물고기의) 아감딱지.

op·er·et·ta [àpərétə/ɔ̀-] *n.* Ⓒ 소희가극, 오페레타.

oph·thal·mi·a [ɑfθǽlmiə/ɔ-] *n.* Ⓤ 〖醫〗 안염(眼炎). **-mic** *a.* 눈의.

oph·thal·mol·o·gy [àfθælmálədʒi/ɔ̀fθælmɔ́l-] *n.* Ⓤ 안과학. **-gist** *n.* Ⓒ 안과 의사.

o·pi·ate [óupiit] *n., a.* Ⓒ 아편제(劑); 《口》 마취제; 진정제; 아편을 함유한; 최면〔진정〕의.

o·pine [oupáin] *vt., vi.* (…라고) 의견을 말하다, 생각하다(*that*).

:o·pin·ion [əpínjən] *n.* ① Ⓒ 의견. ② Ⓒ (보통 *pl.*) 소신 ③ Ⓒ 평가, 평판. ④ Ⓤ,Ⓒ 전문가의 의견, 감정; Ⓤ 여론. ***act up to one's* ~*s*** 소신을 실행하다. ***be of* (*the*) ~ *that*** …라고 믿다. ***have a good* 〔*bad*〕 ~ *of*** …을 좋게〔나쁘게〕 생각하다; …을 신용하다〔하지 않다〕. ***have the courage of one's* ~*s*** 소신을 당당하게 표명하다.

o·pin·ion·at·ed [-èitid], **-a·tive** [-èitiv] *a.* 자설(自說)을 고집하는, 독단적인.

opínion pòll 여론 조사.

O pip [óu píp] 《軍俗》 =OBSERVATION POST.

***o·pi·um** [óupiəm] *n.* Ⓤ 아편. **~·ism** [-ìzəm] *n.* Ⓤ 아편 중독.

ópium dèn 아편굴.

ópium èater 〔**smòker**〕 아편쟁이.

ópium pòppy 〖植〗 양귀비.

Ópium Wàr, the (영국·청나라간의) 아편 전쟁(1839-42).

OPM other people's money 남의 돈; output per man, 1인당 생산량.

o·pos·sum [əpásəm/əpɔ́-] *n.* Ⓒ 〖動〗 (미국 남부산) 주머니쥐(cf. possum). ***play* ~** 《美俗》 죽은 시늉을 하다.

opp. oppose(d); oposite. 「료.

op·po [ɔ́pou] *n.* Ⓒ 《英俗》 친한 동

:op·po·nent [əpóunənt] *n.* Ⓒ 적, 상대; 반대자. — *a.* 대립〔반대〕하는.

***op·por·tune** [àpərtjú:n/ɔ́pər⌐] *a.* 형편 좋은; 행운의; 적절한. **~·ly** *ad.* **-tun·ism** [-ìzəm] *n.* Ⓤ 기회주의. **-tun·ist** *n.*

:op·por·tu·ni·ty [-əti] *n.* Ⓤ,Ⓒ 기회, 호기.

op·pos·a·ble [əpóuzəbəl] *a.* 반대〔대항〕할 수 있는; 마주 보게 할 수 있는.

:op·pose [əpóuz] *vt.* (…에) 반대하다; 저항하다; 방해하다; 대항시키다; 대조시키다; 맞보게 하다.

op·posed** [əpóuzd] *a.* 반대의, 적대〔대항〕하는; 대립된; 마주 바라보는. ***be* ~ *to …에 반대이다.

:op·po·site [ápəzit/ɔ́-] *a.* 마주 보는; 반대의, 역(逆)의; 〖植〗 대생(對生)의. — *n.* Ⓤ 반대의 것; 반대자〔어〕. — *ad.* 반대〔맞은〕쪽에. — *prep.* …의 맞은〔반대〕쪽의〔에〕.

ópposite númber 대등한 지위에 있는 사람; 대등한 위치.

:op·po·si·tion [àpəzíʃən/ɔ̀-] *n.* ① Ⓤ 반대, 저항; 대항; 방해; 대조. ② 《집합적》 (종종 the O-) 반대당. ***in* ~ *to*** …에 반대하여. ***the* 〔*His, Her*〕 *Majesty's O-*** 《英》 야당. **~·ist** *n.* Ⓒ 반대자.

:op·press [əprés] *vt.* 압제하다; 압박하다; 답답한 느낌을 주다; 우울하게 하다. ***op·prés·sor** *n.* Ⓒ 압제자.

:op·pres·sion [əpréʃən] *n.* ① Ⓤ,Ⓒ 압박; 압제(tyranny). ② Ⓤ 우울; 답답함(dullness).

***op·pres·sive** [əprésiv] *a.* ① 압제적인; 가혹한. ② 답답한. **~·ly** *ad.* **~·ness** *n.*

op·pro·bri·ous [əpróubriəs] *a.* 입이 건; 모욕적인, 상스러운; 창피한. **~·ly** *ad.* **-bri·um** [–briəm] *n.* Ⓤ 불명예; 욕.

OPS, O.P.S. Office of Price Stabilization 물가 안정국.

op·si·math [ápsimæ̀θ/ɔ́-] *n.* Ⓒ 만학(晩學)하는 사람.

op·so·nin [ápsənin/ɔ́p-] *n.* Ⓒ 〖生化〗 옵소닌.

opt [ɑpt/ɔpt] *vi.* 선택하다(*for, between*). ***~ing out*** 〖經〗 (국제 통화기금 특별 인출권의) 선택적 거부권.

opt. optative; optical; optician; optics; optional.

op·ta·tive [áptətiv/ɔ́-] *a.* 〖文〗 기원(祈願)을 나타내는.

***op·tic** [áptik/ɔ́-] *a.* 눈의; 시각의. — *n.* Ⓒ 《諧》 눈. ***~s** *n.* Ⓤ 광학(光學). ***óp·ti·cal** *a.* 눈의; 시력의〔을 돕는〕; 광학(상)의.

óptical árt =OP ART.

óptical bár-còde rèader 〖컴〗 광(光)막대부호읽개〔판독기〕.

óptical communicátion 〖컴〗 광(光)통신.

óptical dísk 〖컴〗 광(光)디스크 (laser disk)《videodisk, compact disk, CD-ROM 따위》.
óptical fíber 〖電·컴〗 광(光)섬유.
óptical láser dìsk 〖컴〗 광(光)레이저 디스크. 「이저.
óptical máser 광(光)메이저, 레
óptical móuse 〖컴〗 광(光)마우스 〔광다람쥐〕.
óptical scánner 〖컴〗 광스캐너《빛을 주사하여 문자·기호·숫자를 판독하는 기기(機器)》.
óptical scánning 광학 주사(走査).
op·ti·cian[ɑptíʃən/ɔ-] *n.* Ⓒ 안경상, 광학 기계상.
***op·ti·mism**[ɑ́ptəmìzəm/ɔ́pt-] *n.* Ⓤ 낙천주의 (opp. pessimism). **-mist** *n.* Ⓒ 낙천가. ***-mis·tic** [∸―místik] *a.* 낙천적인.
op·ti·mi·za·tion [ɑ̀ptəməzéiʃən/ɔ̀p-] *n.* Ⓤ 최대의 활용; 〖컴〗 최적화.
op·ti·mum[ɑ́ptəməm/ɔ́p-] *n.* (*pl.* *~s, -ma*[-mə]) Ⓒ 〖生〗 (성장·번식 등의) 최적(最適) 조건. ― *a.* 최적의, 최선(最善)의.
op·tion**[ɑ́pʃən/ɔ́-] *n.* ① Ⓤ 선택권, 선택의 자유, 수의(隨意). ② Ⓒ 선택물. ③ Ⓒ 〖商〗 (일정한 프리미엄을 지불하고 계약 기간 중 언제든지 할 수 있는) 선택 매매권. ④ Ⓒ 〖컴〗 별도, 추가 선택. ***have no ~ but to do …하는 수밖에 없다. ***make one's ~*** 선택하다. * **~·al** *a.*
op·to·e·lec·tron·ics[ɑ̀ptouilèktrɑ́niks/ɔ̀ptouilèktrɔ́-] *n.* Ⓤ 광전자 공학.
op·tom·e·ter[ɑptɑ́mitər/ɔptɔ́m-] *n.* Ⓒ 시력 측정 장치.
op·tom·e·try[ɑptɑ́mətri/ɔptɔ́mi-] *n.* Ⓤ 검안(檢眼)(법).
op·u·lent[ɑ́pjələnt/ɔ́-] *a.* 부유한; 풍부한. **~·ly** *ad.* **-lence** *n.* Ⓤ 부(富); 풍부.
o·pus[óupəs] *n.* (*pl.* ***opera***) (L.) Ⓒ 작(作), 저작; 〖樂〗 작품《생략 op.》. 「OPUS.
opus magnum (L.) ＝MAGNUM
OR[ɔːr] *n.* 〖컴〗 논리합(論理合).
OR, O.R. operations research.
O.R., o.r. owner's risk 〖商〗 (수송 화물의) 위험 화주 부담(危險貨主負擔).
†**or**[ɔːr, 弱 ər] *conj.* 또는; 즉; 그렇지 않으면《종종 else를 수반함》.
-or[1][ər] *suf.* '…하는 사람, …하는 것'의 뜻: act*or*, refrigerat*or*.
-or[2], 《英》 **-our** *suf.* '동작·상태·성질' 따위를 나타내는 명사를 만듦: col*or*, colo*ur*; hon*or*, hono*ur*.
***or·a·cle**[ɔ́(ː)rekəl, ɑ́-] *n.* Ⓒ ① 신탁(神託)(소). ② (신탁을 전하는) 사람. ③ 성언(聖言). ④ 현인(賢人).
o·rac·u·lar[ɔːrǽkjələr/ɔ-] *a.* 신탁의〔같은〕; 뜻이 모호한; 현명한; 독단적인; 점잔 빼는, 젠체하는.
***o·ral**[ɔ́ːrəl] *a.* 구두〔구술〕의; 〖解〗 입의. **~·ly** *ad.*
óral appróach (외국어의) 구두(口頭) 도입 교수법.
óral hístory 구술 역사(자료)《역사적 중요 인물의 구술 증언의 녹음; 그것에서 얻은 자료》.
o·rang[ɔːrǽŋ, əːrǽŋ] *n.* ＝ORANG-UTAN.
†**or·ange**[ɔ́(ː)rindʒ, ɑ́-] *n.* ① Ⓒ,Ⓤ 오렌지, 귤; Ⓒ 오렌지 나무. ② Ⓤ 오렌지 빛. ― *a.* 오렌지의, 오렌지 같은; 오렌지 빛의.
or·ange·ade[∸―éid] *n.* Ⓤ 오렌지에이드, 오렌지즙.
órange blòssom 오렌지꽃《신부가 순결의 표시로 머리에 꽂음》.
órange pékoe (실론·인도산의) 고급 홍차. 「오렌지 밭〔온실〕.
or·ange·ry[ɔ́(ː)rindʒəri, ɑ́-] *n.* Ⓒ
o·rang·u·tan[ɔːrǽŋutæ̀n, əræ̀ŋ-], **-ou·tang**[-ŋ] *n.* Ⓒ 〖動〗 성성이.
***o·ra·tion**[ɔːréiʃən] *n.* Ⓒ (형식을 갖춘) 연설.
***or·a·tor**[ɔ́(ː)rətər, ɑ́-] *n.* Ⓒ 연설자; 웅변가.
or·a·to·ri·o[ɔ̀(ː)rətɔ́ːriou, ɑ̀-] *n.* (*pl.* *~s*) Ⓒ 〖樂〗 오라토리오, 성담곡(聖譚曲).
***or·a·to·ry**[1][ɔ́ːrətɔ̀ːri, ɑ́-/ɔ́rətə-] *n.* Ⓤ 웅변(술). **-tor·i·cal**[∸―tɔ́ːrikəl/-tɔ́r-] *a.* 「실.
or·a·to·ry[2] *n.* Ⓒ 작은 예배당, 기도
***orb**[ɔːrb] *n.* Ⓒ 천체; 구(球), 구체(球體); 세계; 보주(寶珠)《왕권의 상징》; 안구, 눈(알).
or·bic·u·lar[ɔːrbíkjələr], **-late** [-lit] *a.* 공 모양의; 완전한.
:**or·bit**[ɔ́ːrbit] *n.* Ⓒ (천체의) 궤도; (인생의) 행로; 〖解〗 안와(眼窩); 세력 범위. ― *vt.* (지구 따위의) 주위를 돌다; (인공 위성을) 궤도에 올리다. ― *vi.* 선회 비행하다; 궤도를 돌다. * **~·al** *a.* 궤도의; 안와의.
or·bit·er[ɔ́ːrbitər] *n.* Ⓒ 선회하는 것; (특히) 인공 위성.
Or·ca·di·an[ɔːrkéidiən] *a.* Orkney(제도)의.
:**or·chard**[ɔ́ːrtʃərd] *n.* Ⓒ 과수원; 《집합적》 과수원의 과수. **~·ist** *n.* Ⓒ 과수 재배자(orchardman).
:**or·ches·tra**[ɔ́ːrkəstrə] *n.* Ⓒ ① 오케스트라; 관현악단. ② (무대 앞의) 주악석. ③ (극장의) 일층석(의 앞쪽). **-tral** [ɔːrkéstrəl] *a.* 오케스트라(용)의. 「단석.
órchestra pit (무대 앞의) 관현악
or·ches·trate[ɔ́ːrkəstrèit] *vt., vi.* 관현악용으로 작곡〔편곡〕하다. **-tra·tion**[∸―tréiʃən] *n.*
or·chid[ɔ́ːrkid] *n., a.* Ⓒ 〖植〗 난초(꽃); Ⓤ 연자줏빛(의).
or·chis[ɔ́ːrkis] *n.* Ⓒ (야생의) 난초.
***or·dain**[ɔːrdéin] *vt.* ① (신·운명이) 정하다. ② (법률이) 규정하다. ③ (성직자로) 임명하다.
***or·deal**[ɔːrdíːəl] *n.* Ⓒ 호된 시련; Ⓤ (고대 튜턴 민족의) 죄인 판별법《불을 잡게 하거나 독약 등을 마시게

하고도 무사하면 무죄로 한》.

†**or·der**[ɔ́ːrdər] *n.* ① Ⓒ (보통 *pl.*) 명령; (법정의) 지령(서). ② Ⓤ 정돈, 정리. ③ Ⓤ 질서; 이치; 조리. ④ Ⓤ 순서. ⑤ Ⓤ 복장. ⑥ Ⓤ 정상적인 상태. ⑦ Ⓒ (종종 *pl.*) 계급, 신분; 등급; 사제의 계급. ⑧ Ⓒ 성직 수임식(授任式). ⑨ Ⓒ 수도회; 기사단; 결사, 우애(友愛) 조합. ⑩ Ⓒ 〖商〗 주문(서); 지불 명령서; 환(어음). ⑪ (O-) Ⓒ 훈위(勳位), 훈장. ⑫ Ⓒ 〖生〗 목(目). ⑬ Ⓤ (회의 등의) 규칙; Ⓒ 〖宗〗 의식. ⑭ Ⓤ 〖數〗 위수(位數); 〖化〗 차수(次數). ⑮ Ⓒ 〖建〗 주식(柱式), 건축 양식. ⑯ Ⓒ 《주로 英》 무료 입장권. ⑰ Ⓒ (음식점의) 일인분(의 식사)(portion). ⑱ Ⓒ 〖컴〗 차례, 주문. ***be on*** ~ 주문중이다. ***call to*** ~ (의장이) 정숙을 명하다. ***give an*** ~ ***for*** …을 주문하다. ***in*** ~ ***to*** 〔***that***〕 …하기 위하여. ***in short*** ~ 곧. ***made to*** ~ 맞춘. ***on the*** ~ ***of*** …와 비슷하여. ***out of*** ~ 뒤죽박죽이 되어; 고장이 나서; 기분이 나빠서. ***take*** ~***s*** 성직자가 되다. ***take*** ~ ***with*** …을 처분하다. ***the*** ~ ***of the day*** 일정. ── *vt.* (…을) 명령〔지시〕하다; (…에게) 가도록 명하다; 주문하다; 정돈하다; (신·운명 등이) 정하다. ── *vi.* 명령을 내리다. ~ ***about*** 〔***around***〕 여러 곳으로 심부름 보내다〔이것저것 마구 부리다〕.

órder bòok 주문 기록 장부.

órdered líst 〖컴〗 차례 목록, 순서 리스트.

órder fòrm 주문 용지.

***or·der·ly**[-li] *a.* 순서 바른, 정돈된; 질서를 잘 지키는; 순종하는. ── *n.* Ⓒ 전령, 연락병; (특히 군(軍)의) 병원 잡역부. **-li·ness** *n.*

órder pàper 《英》 (하원의) 의사 일정표.

***or·di·nal**[ɔ́ːrdənəl] *a.* 순서를 나타내는; 〖生〗 목(目)의. ── *n.* Ⓒ 서수(序數); 〖英國敎〗 성직 수임식 규범(規範); 〖가톨릭〗 미사 규칙서.

órdinal númber 서수.

***or·di·nance** [ɔ́ːrdənəns] *n.* Ⓒ 법령; 〖宗〗 의식.

‡**or·di·nar·y**[ɔ́ːrdənèri/-dənri] *a.* 보통의, 평범한; 보통 이하의; 〖法〗 직할(直轄)의. ── *n.* ① (the ~) 보통(의 일·상태). ② Ⓒ 《주로 英》 정식(定食); 여관(의 식당). ③ (the ~) 〖宗〗 의식 차례서. ④ Ⓒ 관할권을 갖는 (대)주교 또는 성직자. ⑤ Ⓒ 《美》 유언 검인 판사. ***in*** ~ 상임의; (함선이) 대기중인(*a physician in* ~ 상시 근무하는 시의(侍醫)/*a ship in* ~ 예비함). ***out of the*** ~ 유다른. ***-na·ri·ly**[⌐--nérəli, ⌐-⌐---/ ⌐dənri-] *ad.* 통상, 보통으로.

órdinary lével 《英》 G.C.E.의 기초 학력 시험.

órdinary séaman 〖英海軍〗 3등 수병; 〖海〗 2등 선원. 「로좌표.

or·di·nate[ɔ́ːrdənit] *n.* Ⓒ 〖數〗 세

or·di·na·tion [ɔ̀ːrdənéiʃən] *n.* [U,C] 성직 수임(식), 서품식.

ord·nance[ɔ́ːrdnəns] *n.* Ⓤ 《집합적》 포(砲); 병기, 군수품; 병참부.

órdnance màp 《英》 육지 측량부의 지도.

órdnance sùrvey, the (영국 정부의) 육지 측량부.

Or·do·vi·cian[ɔ̀ːrdəvíʃən] *n., a.* (the ~) 〖地〗 오르도비스기(紀)(의); 오르도비스층(의).

or·dure[ɔ́ːrdʒər/-djuər] *n.* Ⓤ 오물; 똥; 외설한 일; 상스러운 말.

‡**ore**[ɔːr] *n.* [U,C] 광석, 원광(原鑛).

Ore(g). Oregon.

***Or·e·gon**[ɔ́ːrigàn, -gən/ɔ́rigən] *n.* 미국 북서부의 주《생략 Oreg., Ore.》.

org. organ; organic; organism; organized; organizer.

†**or·gan**[ɔ́ːrgən] *n.* Ⓒ ① 오르간, (특히) 파이프오르간; 배럴오르간(barrel organ); 리드오르간(reed organ). ② (생물의) 기관. ③ (정치적) 기관(機關); 기관지(紙·誌).

or·gan·dy, -die[ɔ́ːrgəndi] *n.* Ⓤ 얇은 모슬린.

órgan grìnder 배럴오르간 연주자.

***or·gan·ic**[ɔːrgǽnik] *a.* ① 〖化〗 유기의; 탄소를 함유한; 유기체의. ② 조직〔유기〕적인. ③ 〖醫〗 기관(器官)의; 장기(臟器)를 침범하는, 기질성(器質性)의(*an* ~ *disease*)(opp. functional). ④ 기본적인; 고유의. **-i·cal·ly** *ad.* 유기〔조직〕적으로; 유기체의 일부로.

orgánic chémistry 유기 화학.

orgánic evolútion 생물 진화.

***or·gan·ism**[ɔ́ːrgənìzəm] *n.* Ⓒ 유기체, (미)생물; 유기적 조직체.

***or·gan·ist**[ɔ́ːrgənist] *n.* Ⓒ 오르간 연주자.

‡**or·gan·i·za·tion** [ɔ̀ːrgənəzéiʃən/ -nai-] *n.* ① Ⓤ 조직, 구성, 편성. ② Ⓒ 체제, 기구; 단체, 조합, 협회.

organizátion màn 조직인《회사일 따위에 열을 올리는 사람》.

‡**or·gan·ize**[ɔ́ːrgənàiz] *vt., vi.* (단체 따위를) 조직〔편성〕하다; (노동자를) 조합으로 조직하다; 창립하다; 체계화하다; 조직화하다. ~***d labor*** 조합 가입 노동자. ***-iz·er** *n.* Ⓒ 조직〔편성〕자, 발기인, 창립〔주최〕자; 〖生〗 형성체.

or·gasm[ɔ́ːrgæzəm] *n.* [U,C] (성적) 흥분의 절정.

ÓR gàte 〖컴〗 논리합 게이트.

***or·gy, -gie**[ɔ́ːrdʒi] *n.* Ⓒ (보통 *pl.*) 진탕 마시고 떠들기; 법석대기, 유흥; (*pl.*) 《古그·로》 주신(酒神) Bacchus제(祭); 《美俗》 섹스 파티.

o·ri·el[ɔ́ːriəl] *n.* Ⓒ 〖建〗 (보통 2층의) 밖으로 튀어 나온 창문.

‡**o·ri·ent**[ɔ́ːriənt] *n.* ① (the O-) 동양; 《古》 (the ~) 동쪽. ② Ⓒ (동양산의) 질이 좋은 진주; Ⓤ 그 광택. ── [-ènt] *vt., vi.* 동쪽으로 향하게 하다; 성단(聖壇)을 교회의 동쪽으로 오게 세우다; 바른 방위에 놓다;

(환경 등에) 바르게 순응하다. ～ ***oneself*** 자기의 태도를 정하다. ── *a.* (해가) 떠오르는; 《古》 동쪽의; (보석의) 광택이 아름다운.

:O·ri·en·tal[ɔ̀ːriéntl] *a., n.* 동양의; (o-) 동쪽의; Ⓒ 동양 사람. **～·ism, o-**[-təlìzəm] *n.* Ⓤ 동양풍; 동양학. **～·ist, o-** *n.* Ⓒ 동양통(通), 동양학자. **～·ize, o-**[-àiz] *vt., vi.* 동양식으로 하다[되다].

o·ri·en·tate[ɔ́ːriəntèit] *vt.* =ORIENT.

***o·ri·en·ta·tion**[ɔ̀ːrientéiʃən] *n.* Ⓤ,Ⓒ ① 동쪽으로 향하게 함; (교회의) 성단을 동향으로 함. ② 방위 (측정). ③ 〖心〗 소재식(所在識); 〖生〗 정위(定位). ④ 태도 시정; (새 환경에의) 순응, 적화(適化); (신입생 등의) 지도, 안내.

orientátion còurse (신입생·신입사원에 대한) 안내[지도] 과정.

o·ri·ent·ed[ɔ́ːrientid] *a.* 방향이 정해진, 지향성의.

o·ri·en·teer·ing[ɔ̀ːrientíəriŋ] *n.* Ⓤ 오리엔티어링《지도와 나침반으로 목적지를 찾아가는 경기; 이 경기의 참가자는 orienteer》. 「가리.

***or·i·fice**[ɔ́ːrəfis, ɑ́-] *n.* Ⓒ 구멍; 아

orig. origin; original(ly).

:or·i·gin[ɔ́ːrədʒin/ɔ́ri-] *n.* Ⓤ,Ⓒ 기원, 근원; 〖컴〗 근원; Ⓤ 가문(家門), 태생; 혈통.

:o·rig·i·nal[ərídʒənəl] *a.* 원시의; 최초의; 원물(原物)[원작·원문]의; 독창적인, 발명의 재간이 있는; 신기한. ── *n.* Ⓒ 원물, 원작; (the ～) 원문; 원어; 《古》 기인(奇人); 기원, 근원. ***～·ly** *ad.* 본래; 최초에(는).

oríginal dáta 〖컴〗 근원 자료.

oríginal gúm 우표 뒤에 발라 놓은 풀《생략 o.g., O.G.》.

***o·rig·i·nal·i·ty** [ərìdʒənǽləti] *n.* Ⓤ ① 독창성[력]; 신기(新奇); 창의. ② 기인(奇人); 진품; 진짜.

oríginal sín 〖神〗 원죄.

***o·rig·i·nate**[ərídʒənèit] *vt.* 시작하다; 일으키다; 발명하다. ── *vi.* 시작되다; 일어나다, 생기다. **-na·tor** *n.* Ⓒ 창작자, 발기인. **-na·tion**[─̀─́─néiʃən] *n.* Ⓤ 시작; 창작; 발명; 기원.

o·rig·i·na·tive[ərídʒənèitiv] *a.* 독창적인, 발명의 재간이 있는; 신기한.

o·ri·ole[ɔ́ːriòul] *n.* Ⓒ 〖鳥〗 (유럽산) 꾀꼬리의 일종; (미국산) 찌르레기과(科)의 작은 새.

O·ri·on** [əráiən] *n.* 〖그神〗 오리온《거대한 사냥꾼》; 〖天〗 오리온자리. ***～'s Belt 오리온자리의 세 별.

or·i·son[ɔ́ːrəzən, ɑ́-] *n.* Ⓒ (보통 *pl.*) 기도.

Órk·ney Íslands[ɔ́ːrkni-] 스코틀랜드 북동방의 영국령의 제도《*adj.*는 Orcadian》.

Or·lon[ɔ́ːrlɑn/-ɔn] *n.* Ⓤ 〖商標〗 올론《합성 섬유의 일종》.

or·mo·lu [ɔ́ːrməlùː] *n.* Ⓤ 오몰루《구리·아연·주석의 합금; 모조금(模造金)용》.

:or·na·ment[ɔ́ːrnəmənt] *n.* Ⓤ 장식; Ⓒ 장식품; 광채[명예]를 더하는 사람[행위]. ── [-mènt] *vt.* 꾸미다. ***-men·tal**[─̀─méntl] *a.* 장식(용)의; 장식적인. **-men·ta·tion**[─̀──téiʃən] *n.* Ⓤ 장식(품). 「한.

or·nate[ɔːrnéit] *a.* (문체 등) 화려

or·ner·y[ɔ́ːrnəri] *a.* 《美口》 품성이 비열한; 《주로 方》 하찮은, 흔한.

or·ni·thol·o·gy [ɔ̀ːrnəθɑ́lədʒi/-θɔ́-] *n.* Ⓤ 조류학(鳥類學). **-gist** *n.* Ⓒ 조류학자. **-tho·log·ic**[-θəlɑ́dʒik/-ɔ́-], **-i·cal**[-əl] *a.*

o·ro·ide[ɔ́ːrouàid] *n.* Ⓤ 오로이드《구리·아연의 합금》.

o·rol·o·gy[ɔːrɑ́lədʒi] *n.* Ⓤ 산악학(山岳學).

ÓR operátion 〖컴〗 논리합 연산.

o·ro·tund[ɔ́ːrətʌ̀nd] *a.* (목소리가) 낭랑한; 호언 장담하는.

:or·phan[ɔ́ːrfən] *n.* Ⓒ 고아; 한쪽 부모가 없는 아이. ── *a.* 고아의[를 위한]; (한쪽) 부모가 없는. ── *vt.* 고아로 만들다. **～·age**[-idʒ] *n.* Ⓒ 고아원; = **～·hood**[-hùd] *n.* Ⓤ 고아의 몸[신세].

Or·phe·us[ɔ́ːrfiəs/-fjuːs] *n.* 〖그神〗 오르페우스《수금(竪琴)의 명수》. **Or·phe·an**[ɔːrfíːən], **Ór·phic** *a.* Orpheus의; 아름다운 음률의.

or·ris, or·rice[ɔ́(ː)ris, ɑ́-] *n.* Ⓒ 〖植〗 흰 붓꽃의 일종; =**órrisroot**[-rùːt] 오리스 뿌리.

or·th(o)-[ɔ́ːrθ(ou), -θ(ə)] '정(正), 직(直)'의 뜻의 결합사《모음 앞에서는 orth-》: *ortho*dox.

or·tho·clase [ɔ́ːrθəklèis] *n.* Ⓤ 〖鑛〗 정장석(正長石).

or·tho·don·tics [ɔ̀ːrθədɑ́ntiks/-dɔ́n-] *n.* Ⓤ 치열 교정(술).

***or·tho·dox**[ɔ́ːrθədɑ̀ks/-ɔ̀-] *a.* ① (특히 종교상) 정교(正教)의, 정통파의. ② 일반적으로 옳다고 인정된; 전통[보수]적인. **～·y** *n.* Ⓤ 정교 (신봉); 일반적인 설에 따름.

Órthodox Chúrch, the 그리스 정교회.

or·tho·ep·y[ɔːrθóuəpi, ┴─èpi] *n.* Ⓤ 올바른 발음(법); 정음학(正音學).

or·tho·gen·e·sis[ɔ̀ːrθoudʒénəsis] *n.* Ⓤ 〖動〗 정향(定向) 진화설; 〖社會〗 계통 발생설.

or·thog·o·nal [ɔːrθɑ́gənl/-θɔ́g-] *a.* 〖數〗 직교의. **～ *projection*** 정사영(正射影).

or·thog·ra·phy [ɔːrθɑ́grəfi/-ɔ́-] *n.* Ⓤ 바른 철자; 정서법(正書法). **or·tho·graph·ic** [ɔ̀ːrθəgrǽfik], **-i·cal**[-əl] *a.*

or·tho·pe·dic, 《英》 **-pae·dic** [ɔ̀ːrθoupíːdik] *a.* 정형 외과의. **～s** *n.* Ⓤ (특히 유아의) 정형 외과(수술). **-dist** *n.* Ⓒ 정형 외과 의사.

or·thop·ter·ous[ɔːrθɑ́ptərəs/-ɔ́-] *a.* 〖蟲〗 직시류(直翅類)의.

or·thop·tic[ɔːrθɑ́ptik/-ɔ́-] *a.* 〖眼

科】 시각 교정의; 정시(正視)의.

or·to·lan[ɔ́ːrtələn] *n.* Ⓒ (유럽산) 멧새류(類).

-ory[ɔ̀ːri, əri/əri] *suf.* ① '…로서의, …의 효력이 있는' 등의 뜻의 형용사를 만듦: compuls*ory*, prefa*tory*. ② '…소(所)'의 뜻의 명사를 만듦: dormit*ory*, fact*ory*, labora*tory*.

o·ryx[ɔ́ːriks] *n.* Ⓒ (아프리카산) 영「양(羚羊).

Os 【化】 osmium. **OS** 【컴】 operating system 운영 체제. **O.S.** Old Saxon; Old Style; ordinary seaman (O.D.). **O.S.A., O.S.B., O.S.D., O.S.F.** Order of St. Augustine, St. Benedict, St. Dominic, St. Francis.

Os·car[áskər, ɔ́-] *n.* 【映】 아카데미상 수상자에게 수여되는 작은 황금상(像).

os·cil·late[ásəlèit/ɔ́s-] *vi.* (진자〔추〕 모양으로) 진동하다; (마음·의견 등이) 동요하다. ― *vt.* 【電】 전류를 고주파로 변환시키다; 진동시키다. **-la·tion**[⌐―léiʃən] *n.* Ⓤ,Ⓒ 진동; 한 번 흔들기. **-la·tor** [ásəlèitər/ɔ́s-] *n.* Ⓒ 【電】 발진기(發振器); 【理】 진동자(子); 동요하는 사람. **-la·to·ry** [ásələtɔ̀ːri/ɔ́silətəri] *a.* 진동〔동요〕하는.

os·cil·lo·graph[əsíləgræ̀f, -grɑ̀ːf] *n.* Ⓒ 오실로그래프, 진동 기록기.

os·cil·lo·scope[əsíləskòup] *n.* Ⓒ 【電】 오실로스코프《전압·전류 등의 변화를 형광 스크린에 나타내는 장치》.

os·cine[ásin/ɔ́sain] *a., n.* Ⓒ 【鳥】 명금류의 (새).

os·cu·late[áskjəlèit/ɔ́-] *vi., vt.* (…에) 입맞추다; 접촉하다〔시키다〕. **-la·to·ry**[-lətɔ̀ːri/-təri] *a.* 키스의.

OSI Office of Special Investigation 특별 수사대.

o·sier[óuʒər] *n.* Ⓒ 《英》 꽃버들(의 가지)《버들 세공용》.

O·si·ris[ousáiəris] *n.* 고대 이집트의 주신(主神). 「웨이의 수도.

Os·lo[ázlou, ás-/ɔ́z-, ɔ́s-] *n.* 노르

os·mics[ázmiks/ɔ́-] *n.* Ⓤ 향기학.

os·mi·um[ázmiəm/ɔ́-] *n.* Ⓤ 【化】 오스뮴《금속 원소의 하나; 기호 Os》.

os·mo·sis[azmóusis, as-/ɔz-] *n.* Ⓤ 【理】 삼투(滲透)(성). 「tory.

OSO Orbiting Solar Observa-

os·prey[áspri/ɔ́-] *n.* Ⓒ 【鳥】 물수리(fishhawk).

OSRD, O.S.R.D. 《美》 Office of Scientific Research and Development. **OSS, O.S.S.** 《美》 Office of Strategic Service; Overseas Supply Store.

os·se·ous[ásiəs/ɔ́-] *a.* 뼈의, 뼈 있는; 뼈로 된; 뼈가 앙상한.

os·si·fy[ásəfài/ɔ́-] *vt., vi.* 골화(骨化)하다; 경화(硬化)하다; 냉혹하게 하다〔되다〕; 보수적으로 하다〔되다〕. **-fi·ca·tion**[⌐―fəkéiʃən] *n.*

os·ten·si·ble[asténsəbəl/ɔ-] *a.* 표면상의, 겉꾸밈의, 가장한.

os·ten·ta·tion [àstentéiʃən/ɔ̀-] *n.* Ⓤ 자랑해 보임, 허영, 과시.

os·ten·ta·tious[-téiʃəs] *a.* 허세부리는; 겉꾸미는, 화려한. **~·ly** *ad.*

os·te·o-[ástiou, -tiə/ɔ́s-] '뼈'의 뜻의 결합사.

os·te·ol·o·gy[àstiálədʒi/ɔ̀stiɔ́l-] *n.* Ⓤ 골학(骨學).

os·te·o·path[ástiəpæ̀θ/ɔ́-] *n.* Ⓒ 정골의(整骨醫).

os·te·op·a·thy[àstiápəθi/ɔ̀stiɔ́p-] *n.* Ⓤ 정골 요법(整骨療法).

os·te·o·po·ro·sis[àstioupəróusis/ɔ̀s-] *n.* (*pl.* **-roses**[-siːz]) Ⓤ 【醫】 골다공증(骨多孔症); 【畜産】 골연증(骨軟症).

ost·ler[áslər/ɔ́-] *n.* Ⓒ (여관의) 말구종(hostler).

ost·mark[ɔ́ːstmɑ̀ːrk, á-] *n.* Ⓒ 옛 동독의 화폐 단위《생략 Om》.

os·tra·cism[ástrəsìzəm/ɔ́-] *n.* Ⓤ (옛 그리스의) 패각 추방(貝殼追放)《투표에 의한 추방》; 추방.

os·tra·cize [ástrəsàiz/ɔ́-] *vt.* 패각 추방을 하다; (국외로) 추방하다; 배척하다.

os·trich** [ɔ́(ː)stritʃ, á-] *n.* Ⓒ 【鳥】 타조. ***bury one's head in the sand like an ~ 어리석은 짓을 하다. ~ ***belief*** 〔***policy***〕 눈 가리고 아웅하기, 자기 기만의 얕은 지혜. ~ ***farm*** 타조 사육장.

Os·tro·goth [ástrəgɑ̀θ/ɔ́strəgɔ̀θ] *n.* 【史】 동(東)고트족(cf. Visigoth).

O.T. Old Testament. **O.T.B.** Offtrack betting.

O·thel·lo [ouθélou] *n.* Shakespeare 작의 비극; 그 주인공《무어 사람》.

†oth·er [ʌ́ðər] *a.* 딴; 다른(*than, from*); 또 그밖의; 다음의; 저쪽의; (the ~) 또 하나의, 나머지의. ***every*** ~ 하나 걸러. ***in*** ~ ***words*** 바꿔 말하면. ***none*** ~ ***than*** 다름 아닌. ***the*** ~ ***day*** 〔***night***〕 일전〔요전날 밤〕에. ***the*** ~ ***party*** 【法】상대방. ***the*** ~ ***side*** (미국에서 본) 유럽. ***the*** ~ ***world*** 내세, 저승. ― *pron.* 딴 것〔사람〕; (the ~) 다른 하나, 나머지 것. ***of all ~s*** 모든 것〔사람〕 중에서 특히. ***some ... or*** ~ 무언〔누군·어딘〕가. ― *ad.* 그렇지 않고, 딴 방법으로.

:oth·er·wise[-wàiz] *ad.* 딴 방법으로, 달리; 딴 점에서는; 다른 상태로; 그렇지 않으면. ― *a.* 다른.

óther·wórldly *a.* 내세〔저승〕의; 공상적인.

o·tic[óutik] *a.* 【解】 귀의.

o·ti·ose[óuʃiòus] *a.* 쓸모 없는; 한가한; 게으른. 「(耳炎).

o·ti·tis [outáitis] *n.* Ⓤ 【醫】 이염

o·to·lar·yn·go·l·o·gy[òutoulæ̀riŋgálədʒi/-gɔ́l-] *n.* Ⓤ 이(비)인후학.

o·tol·o·gy[outálədʒi/-ɔ́-] *n.* Ⓤ 이과의학(耳科醫學).

o·to·scope [óutəskòup] *n.* Ⓒ 【醫】 이경(耳鏡).

Ot·ta·wa[átəwə/ɔ́-] *n.* 오타와《캐나다의 수도》.
*°***ot·ter**[átər/ɔ́-] *n.* (*pl.* **~s,** 《집합적》 ~) Ⓒ 〖動〗 수달; Ⓤ 수달피.
ótter tràwl 트롤망.
Ot·to·man[átəmən/ɔ́-] *a.* 터키(사람)의. — *n.* (*pl.* **~s**) Ⓒ 터키 사람; (o-) (등널이 없는) 긴 소파.
O.U. Oxford University.
ouch[autʃ] *int.* 아야!
†**ought**[1][ɔ:t] *aux. v.* …해야만 하다; …하는 것이 당연하다; …하기로 되어 있다; …으로 정해져 있다.
ought[2] *n., ad.* =AUGHT[1].
ought[3] *n.* Ⓤ 《俗》 무(無), 영(零).
ought·n't[ɔ:tnt] ought not의 단축.
Oui·ja [wí:dʒə] *n.* Ⓒ 〖商標〗 위저 《심령(心靈) 전달의 점판(占板)》.
:ounce[auns] *n.* Ⓒ 온스《상형(常衡) 1/16 pound, 금형(金衡) 1/12 pound; 액량 《美》 1/16 〔《英》 1/20〕 pint: 생략 oz.; *pl.* ozs》; (an ~) 소량.
†**our**[auər, ɑ:r] *pron.* 우리의.
†**ours**[auərz, ɑ:rz] *pron.* 우리의 것.
our·self[àuərsélf, ɑ:r-] *pron.* 짐〔나〕스스로《저자·군주·재판관 등의 자칭》.
†**our·selves**[àuərsélvz, ɑ:r-] *pron.* 우리 자신(을, 이, 에게).
-ous[əs] *suf.* 형용사 어미를 만듦; courage*ous,* fam*ous,* monstr*ous.*
ou·sel[ú:zəl] *n.* =OUZEL.
*°***oust**[aust] *vt.* 내쫓다(*from, of*). **∠·er** *n.* Ⓤ,Ⓒ 추방; (불법 수단에 의한 재산) 탈취, 불법 몰수.
†**out**[aut] *ad.* ① 밖으로, 밖에; 떨어져서; 외출하여; 부재 중으로. ② 실직하여; 정권을 떠나서; 〖競〗 아웃되어. ③ 불화하여; 스트라이크 중에. ④ 벗어나서; 탈이 나서; 잘못되어; 못쓰게 되어. ⑤ (불이) 꺼져서. ⑥ 공개되어, 출판되어; 사교계에 나와; 나타나서; (꽃이) 피어; 탄로되어. ⑦ 완전히; 끝까지. ⑧ 큰 소리로. ⑨ 돈에 궁해서. ***be ~ for*** 〔***to*** do〕 …을 얻으려고〔하려고〕 애쓰다. ***down and ~*** 거덜이 나. ***~ and about*** (환자가) 외출할 수 있게 되어. ***~ and away*** 훨씬, 비길 데 없이. ***~ and ~*** 완전히, 철저히. ***~ of*** …의 안으로부터; …의 사이에서; …의 출신인; …의 범위 밖에; …이 없어서; 《재료》 …로; …에서; …때문에. ***~ there*** 저쪽에; 《俗》 싸움터에. ***~ to*** 열심히 하려고 하는. — *a.* 밖의; 떨어진; 야당의; 〖野〗 수비측의; 유별난; 활동〔사용〕 중이 아닌. — *n.* ① Ⓒ 지위〔세력〕을 잃은 사람; 못쓰게 된 것. ② (*sing.*) 《俗》 도피구, 변명. ③ Ⓒ 〖野〗 아웃. ***at*** 〔***on the***〕 ***~s*** 불화하여. ***from ~ to ~*** 끝에서 끝까지. ***make a poor ~*** 성공하지 못하다, 두드러지지 않다. — *prep.* …을 통하여 밖으로; 《詩》 …으로부터, …에서. — *vi.* 나타나다; 드러나다. — *vt.* 쫓아내다; 《英俗》 죽이다; 〖野〗 아웃이 되게 하다; 〖拳〗 때려 눕히다. — *int.* 나가, 꺼져.
out-[aut] *pref.* '밖의〔으로〕, …이상으로, …을 넘어, 보다 많이 …하는' 따위의 뜻: *out*door, *out*live.
out·age[áutidʒ] *n.* Ⓤ,Ⓒ (정전에 의한) 기계의 운전 정지; 정전.
óut-and-óut *a.* 완전한, 철저한. **~er** *n.* Ⓒ 《俗》 (어떤 성질을) 철저히 갖춘 사람〔물건〕, 전형; 극단으로 나가는〔끝까지 하는〕 사람.
òut·bálance *vt.* …보다 무겁다; …보다 낫다〔뛰어나다〕.
òut·bíd *vt.* (**-bid, -bade; -bid, -bidden; -dd-**) …보다 비싼 값을 매기다.
óut·bòard *a., ad.* 배 밖의〔에〕; 뱃전의〔에〕. 「기.
óutboard mótor 선외(船外) 발동
óut·bòund *a.* 외국행의.
òut·bóx *vt.* …보다 낫게 권투를 하다(outdo in boxing).
òut·bráve *vt.* 용감한 점에서 …보다 낫다; 용감히 (…에) 맞서다.
:óut·brèak *n.* Ⓒ 발발; 폭동.
óut·buìlding *n.* Ⓒ (본채의) 부속 건축물, 딴채.
*°***òut·búrst** *n.* Ⓒ 폭발.
óut·càst *a.* (집·친구로 부터) 버림받은; 집 없는; 배척받은. — *n.* Ⓒ 버림받은〔집 없는〕 사람, 추방자.
òut·cláss *vt.* …보다 고급이다〔낫다〕, (…을) 능가하다.
óut-còllege *a.* 《英》 대학 구내 밖에 사는; 대학 기숙사에 들지 않은.
:óut·còme *n.* Ⓒ 결과.
óut·cròp *n.* Ⓒ (광맥의) 노출, 노두(露頭). — [∠∠] *vi.* (**-pp-**) 노출하다.
*°***óut·crỳ** *n.* Ⓤ 부르짖음, (갑작스러운) 외침; 떠들썩함; 경매. — [∠∠] *vt., vi.* …보다 큰 소리로 외치다; 야료하다; 큰 소리로 외치다. 「다.
òut·dáte *vt.* 시대에 뒤떨어지게 하
òut·dístance *vt.* 훨씬 앞서다《경주·경마에서》; 능가하다.
*°***òut·dó** *vt.* (**-did; -done**) …보다 낫다, 물리쳐 이기다.
:óut·dòor *a.* 문 밖의.
:òut·dóors *n., ad.* Ⓤ 문밖(에서, 으로). **~ *man*** 옥외 생활〔운동〕을 좋아하는 사람.
:out·er[áutər] *a.* 바깥(쪽)의, 외면의(opp. inner). — *n.* 〖射擊〗 (표적판의) 과녁 밖. **~·mòst** *a.* 가장 밖의〔먼〕.
Óuter Hóuse 《Sc.》 (Edinburgh 의 국회 의사당 안의) 단독 심리실 《Court of SESSION의 판사가 단독 심리함》.
óuter mán, the 풍채, 몸차림.
óuter spáce (대기권 밖의) 우주, 외계(外界). 「외투.
óuter·wèar *n.* Ⓤ 《집합적》 겉옷;
òut·fáce *vt.* 노려보다; 꿈쩍도 않다; (…에게) 대담하게 대항하다.
*°***óut·fìeld** *n.* (the ~) ① 〖野·크리켓〗 외야. ② 《집합적》 외야수; 외진

곳의 밭. *~**er** *n.* Ⓒ 외야수.
:**óut·fit** *n.* Ⓒ ① (여행 따위의) 채비, 도구. ②《美口》(채광·철도 건설·목축 따위에 종사하는 사람들의) 일단. — *vt.* (***-tt-***) (…에게) 필수품을 공급하다, 채비를 차리다(*with*). — *vi.* 몸차림을 하다, 준비하다. ~**ter** *n.* Ⓒ 여행용품상.
òut·flánk *vt.* (적의) 측면을 포위하다[돌아서 후방으로 나가다]; (…을) 선수치다; 허를 찌르다.
óut·flòw *n.* Ⓤ 유출; Ⓒ 유출물.
òut·géneral *vt.* (《英》 ***-ll-***) 전술로[작전으로] 이기다.
óut·gò *n.* (*pl.* ~***es***) Ⓒ 경비, 지출 (opp. income). — [⌐⌐] *vt.* 능가하다.
***óut·gòing** *a.* 나가는; 출발하는; 사교적인. — *n.* Ⓤ 나감; (*pl.*) 경비.
òut·grów *vt.* (***-grew; -grown***) ① (…에) 들어가지 못할 정도로 커지다. ② (…보다도) 커지다.
óut·gròwth *n.* Ⓒ 자연의 결과; 가지; 생장물; 성장.
óut·guàrd *n.* Ⓒ 〖軍〗 전초(outpost).
òut·guéss *vt.* (…을) 선수치다.
out-Her·od, -her·od[⌐hérəd] *vt.*《흔히 다음 구로》. ~ ***Herod*** 포학함이 헤롯 왕을 능가하다(⇨HEROD)《비슷한 구; *out-Lupin Lupin*(신출귀몰 하기가 뤼팽을 능가하다) 따위》.
óut·hòuse *n.* Ⓒ =OUTBUILDING; 옥외 변소.
***out·ing**[⌐iŋ] *n.* Ⓒ 소풍.
out·laid[-léid] *v.* outlay의 과거(분사).
óut·lànder *n.* Ⓒ 외국인;《口》국외자(局外者).
out·land·ish[àutlǽndiʃ] *a.* 이국풍(異國風)의; 색다른.
òut·lást *vt.* …보다 오래 계속되다[가다], …보다 오래 견디다.
***out·law**[áutlɔ̀ː] *n.* Ⓒ ① 법률의 보호를 빼앗긴 사람; 추방자(exile). ② 무법자; 상습범. — *vt.* (…로 부터) 법률의 보호를 빼앗다; 비합법으로 하다; 법률의 효력을 잃게 하다. ~·**ry** *n.* Ⓤ,Ⓒ 법익(法益) 박탈; 법률 무시.
óut·lày** *n.* Ⓒ 지출; 경비. — [⌐⌐] *vt.* (-laid***) 소비하다.
:**out·let**[⌐lèt] *n.* Ⓒ 출구(出口); 배출구; 판로.
:**out·line**[⌐làin] *n.* Ⓒ 윤곽; 약도(법); 대요; 개략; (종종 *pl.*) 요강. ***in*** ~ 윤곽만의; 대강의; 〖컴〗 테두리, 아우트라인. ***give an*** ~ ***of*** …의 대요를 설명하다. — *vt.* (…의) 윤곽을 그리다; 약술하다(sketch).
***out·live**[àutlív] *vt.* …보다 오래 살다[계속하다·견디다].
:**out·look**[áutlùk] *n.* Ⓒ ① 전망(*on*); 예측(prospect)(*for*). ② 견지(*on*). ③ 망보기, 경계(lookout); 망루.
óut·lỳing *a.* 중심에서 떠난; 멀리 떨어진; 외딴.
òut·machíne *vt.* 〖軍〗 기계 장비면에서 (적을) 능가하다.
òut·manéuver, 《英》 **-manoéuvre** *vt.* 책략으로 (…에게) 이기다.
òut·mátch *vt.* …보다 낫다, (…에게) 이기다.
out·mod·ed[⌐móudid] *a.* 시대에 뒤떨어진, 구식의.
óut·mòst *a.* 가장 밖의[먼].
òut·númber *vt.* …보다 수가 많다; 수에서 (…을) 능가하다.
òut-of-bóunds *a.* 〖競〗 아웃오브바운즈; 테두리를 넘은.
***òut-of-dáte** *a.* 시대에 뒤떨어진; 현재는 사용하지 않는.
óut-of-dóor *a.* =OUTDOOR.
óut-of-dóors *a.* =OUTDOORS. — *n., ad.* Ⓤ =OUTDOORS.
óut-of-fócus *a.* 〖寫〗 핀트가 맞지 않는.
óut-of-pócket *a.* 현금 지불의 (~ *expenses* (경비중의) 현금지불 비용).
óut-of-prínt *a., n.* Ⓒ 절판된 (책).
óut-of-the-wáy *a.* 벽지의, 외딴; 특이한, 색다른.
óut·pàrty *n.* Ⓒ 야당.
óut·pàtient *n.* Ⓒ 외래 환자(cf. inpatient).
òut·perfórm *vt.* (기계·사람이) …보다 우수하다.
òut·pláy *vt.* (경기에서) 이기다, 지우다.
òut·póint *vt.* …보다 많이 득점하다; 〖요트〗 …보다 이물을 바람부는 쪽으로 돌려서 범주(帆走)하다.
óut·pòst *n.* Ⓒ 〖軍〗 전초(진지); 전진 거점.
out·pour[⌐pɔ̀ːr] *n.* Ⓒ 유출(물). — [⌐⌐] *vt., vi.* 유출하다.
out·pour·ing[àutpɔ́ːriŋ] *n.* Ⓒ 유출(물); (*pl.*)(감정의) 분출[발로].
:**out·put**[⌐pùt] *n.* Ⓤ,Ⓒ ① 산출, 생산(고). ② 〖電·機〗 출력(出力). ③ 〖컴〗 출력《컴퓨터 안에서 처리된 정보를 외부 장치로 끌어내는 일; 또 그 정보》.
óutput dàta 〖컴〗 출력 데이터.
óutput devìce 〖컴〗 (인쇄기, VDU 등의) 출력 장치.
:**out·rage**[⌐rèidʒ] *n., vt.* Ⓤ,Ⓒ 폭행[모욕](하다); (법률·도덕 등을) 범하다; 난폭(한 짓을 하다).
***out·ra·geous**[àutréidʒəs] *a.* 난폭한; 포악한, 괘씸한; 심한. ~·**ly** *ad.*
òut·rán *v.* outrun의 과거.
òut·ránk *vt.* …보다 윗 자리에 있다.
ou·tré[uːtréi] *a.* (F.) 상도를 벗어난; 이상[기묘]한.
òut·réach *vi., vt.* (…의) 앞까지 도달하다[미치다]; 펴다, 뻗치다. — *n.* Ⓤ,Ⓒ 뻗치기; 뻗친 거리.
òut·ríde *vt.* (***-rode; -ridden***) …보다 빨리[잘, 멀리] 타다; (배가 폭풍우를) 헤치고 나아가다.
óut·rìder *n.* Ⓒ 말탄 종자(從者)《마차의 전후[좌우]의》; 선도자(先導者)《경호 오토바이를 탄 경관 등》.
óut·rìgger *n.* Ⓒ (카누의 전복 방지용의) 돌출 부재(浮材); 돌출 노받이(가 있는 보트).
***out·right**[⌐ràit] *a.* 명백한, 솔직

한; 완전한. ── [⌐⌐] *ad.* 철저히, 완전히; 명백히; 당장; 솔직하게.

òut·ríval *vt.* (《英》 *-ll-*) 지우다, 능가하다.

òut·róde *v.* outride의 과거.

***òut·rún** *vt.* (*-ran; -run; -nn-*) …보다 빨리 달리다; 달려 앞지르다; 달아나다; (…의) 범위를 넘다.

òut·séll *vt.* (*-sold*) …보다 많이〔비싸게〕 팔다.

***óut·sèt** *n.* (the ~) 착수, 최초.

òut·shíne *vt.* (*-shone*) …보다 강하게 빛나다; …보다 우수하다, 낫다.

†**out·side** [⌐sáid, ⌐⌐] *n.* (*sing.*) (보통 the ~) 바깥쪽; 외관; 극한. ***at the*** (***very***) ~ 기껏해야. ~ ***in*** 뒤집어서, 바깥쪽이 보이지 않아. ***those on the*** ~ 국외자. ── *a.* 바깥쪽〔외부〕의; 옥외의; 국외(局外)(자)의; 《口》 최고의. 극한에 달한. ── *ad.* 밖으로〔에〕; 문밖으로〔에서〕. ***be*** 〔***get***〕 ~ ***of*** 《美俗》 …을 양해〔이해〕하다; …을 마시다〔먹다〕. ~ ***of*** …의 바깥에〔으로〕. ── *prep.* …의 밖에〔으로, 의〕; …의 범위를 넘어서, …이외에; 《美口》 …을 제외하고 (except).

óutside bróadcast 스튜디오 밖에서의 방송.

***out·sid·er** [àutsáidər] *n.* Ⓒ ① 외부 사람; 국외자; 문외한; 초심자. ② 승산이 없는 말〔사람〕.

out·sit [àutsít] *vt.* (*-sat; -tt-*) (남보다) 오래 머무르다.

óut·sìze *a., n.* 특대의; Ⓒ 특대품.

out·skirts** [⌐skə̀ːrts] *n. pl.* (도시의) 변두리, 교외; 주변. ***on 〔***at, in***〕 ***the*** ~ ***of*** …의 변두리에.

òut·smárt *vt.* 《口》 …보다 약다〔수가 높다〕; (…을) 압도하다.

òut·spóken *a.* 솔직한, 숨김없이 말하는; 거리낌 없는.

òut·spréad *vt., vi.* (~) 펼치(어지)다. ── *a.* 펼쳐진.

òut·stánd *vi.* (*-stood*) 돌출하다, 뛰어나다.

‡**òut·stánding** *a.* 눈에 띄는, 걸출한; 중요한; 돌출한; 미불(未拂)의; 미해결의.

óut·stàtion *n.* Ⓒ (본대에서 먼) 주둔지; (중심지에서 먼) 분견소〔지소〕, 출장소.

òut·stáy *vt.* …보다 오래 머무르다.

òut·stép *vt.* (*-pp-*) 도(度)를 넘다; 범하다; 지나치다.

***òut·strétched** *a.* 펼친, 뻗친.

òut·stríp *vt.* (*-pp-*) …보다 빨리 가다, 앞지르다; 능가하다.

òut-tráy *n.* Ⓒ (서류의) 기결함(函) (cf. in-tray).

óut·tùrn *n.* Ⓤ,Ⓒ 생산고, 산출액.

out·vie [⌐vái] *vt.* (…에) 경쟁해서 이기다.

òut·vóte *vt.* 표수로 (…에게) 이기다.

òut·wálk *vt.* …보다 멀리〔빨리, 오래〕 걷다; 앞지르다.

‡**out·ward** [áutwərd] *a.* ① 밖으로 향하는〔가는〕; 바깥 쪽의; 표면의; 외면적인. ② 육체의. ***the*** ~ ***eye*** 육안. ***the*** ~ ***man*** 육체. ── *ad.* 바깥 쪽에〔으로〕. ~·**ly** *ad.* 바깥 쪽으로〔에〕; 외면에; 외형상. ~**s** *ad.* = OUTWARD.

óutward-bóund *a.* 외국행의.

out·wear [àutwέər] *vt.* (*-wore; -worn*) …보다 오래가다; 입어 해어뜨리다; 다 써버리다; (풍습 등을) 쇠퇴하게 하다.

òut·wéigh *vt.* …보다 무겁다; (가치·세력 등이) (…을) 능가하다.

òut·wít *vt.* (*-tt-*) (…의) 허를 찌르다, 선수치다.

òut·wóre *v.* outwear의 과거.

óut·wòrk *n.* ① Ⓒ 〖築城〗 외루(外壘). ② Ⓤ 밖에서 하는 일. ── [⌐⌐] *vt.* 일에서 (…를) 능가하다, 보다 일을 잘 〔빨리〕하다.

òut·wórn *v.* outwear의 과거분사. ── [⌐⌐] *a.* 입어서〔써서〕 낡은.

ou·zel [úːzəl] *n.* Ⓒ 〖鳥〗 (유럽산) 지빠귀의 무리《특히 blackbird》; 물까마귀.

o·va [óuvə] *n.* ovum의 복수.

***o·val** [óuvəl] *a., n.* Ⓒ 달걀 모양의(것), 타원형의 (물건).

o·var·i·ot·o·my [ouvὲəriátəmi/-ɔ́t-] *n.* Ⓤ 〖醫〗 난소 절제술.

o·va·ry [óuvəri] *n.* Ⓒ 난소; 〖植〗 씨방.

o·vate [óuveit] *a.* 〖生〗 달걀 모양의 (*an* ~ *leaf* 달걀꼴의 잎).

o·va·tion [ouvéiʃən] *n.* Ⓒ 대환영, 대갈채; 대인기.

‡**ov·en** [ʌ́vən] *n.* Ⓒ 솥, (요리용) 화덕, 오븐; (난방·건조용) 작은 노(爐).

‡**o·ver** [óuvər] *prep.* ① …의 위에. ② …을 덮어. ③ 온통. ④ …을 넘어서, …을 통하여. ⑤ …의 저쪽에. ⑥ …을 가로질러서. ⑦ 《시간·장소》 …중. ⑧ …의 위에, …을 지배하여. ⑨ …에 관하여(about). ⑩ …을 하면서. ⑪ …이상. ~ ***all*** 끝에서 끝까지. ── *ad.* ① 위에(above). ② 넘어서; 건너서; 저쪽에. ③ 거꾸로; 넘어져서. ④ 온통, 덮이어. ⑤ 가외로. ⑥ 끝나서. ⑦ 구석구석까지. ⑧ (어느 기간을) 통하여. ⑨ 통틀어. ⑩ 한번 더; 되풀이하여. ⑪ 《주로 복합어로》 너무나. ***all*** ~ 완전히 끝나서. ***all*** ~ ***with*** …은 완전히 절망적이어서; …은 만사 끝나서. ***It's all*** ~ ***with*** ~ ***...*** (병 따위에서) 회복하다. ~ ***again*** 다시 한 번. ~ ***against*** …에 대〔면〕하여, …와 대조하여. ~ ***and above*** 그 밖에. ~ ***and*** ~ (***again***) 여러번 되풀이하여. ~ ***here*** 〔***there***〕 이〔저〕쪽에. ── *a.* 위의(upper); 끝의; 《보통 복합어로서》 상위의(~*lord*), 여분의(~*time*), 과도한(~*act*). ── *n.* Ⓤ 여분.

o·ver- [óuvər, ⌐⌐] *pref.* '과도로〔의〕, 여분의, 위의〔로〕, 밖의〔으로〕, 넘어서, 더하여, 아주' 따위의 뜻.

òver·abúndant *a.* 남아 돌아가는.

òver·áct *vt., vi.* 지나치게 하다; 과장하여 연기하다.

óver·áge *a.* 적령(適齡)을 넘은; 노후(老朽)한.
***óver·àll** *n.* (*pl.*)(가슴판이 붙은) 작업 바지; 《英》(의사·여자·아이의) 일옷, 덧옷. ── *a.* 끝에서 끝까지의; 전반적인, 종합적인.
óverall pèace 전면 강화.
óver·anxíety *n.* Ⓤ 지나친 걱정.
òver·ánxious *a.* 지나치게 근심하는. **~ly** *ad.* **~ness** *n.*
òver·árch *vt., vi.* (…의) 위에 아치를 만들다; 아치형을 이루다; (…의) 중심이 되다, 전체를 지배하다.
óver·àrm *a.* 〖球技〗 (어깨 위로 손을 들어 공을) 내리던지는, 내리치는; 〖水泳〗 팔을 물 위로 내어 앞으로 쭉 뻗치는.
òver·áwe *vt.* 위압하다.
òver·bálance *vt.* …보다 균형을 잃게 하다. ── *vi.* 넘어지다. ── [⌐–⌐] *n.* Ⓤ,Ⓒ 초과(량).
òver·béar *vt.* (***-bore; -borne***) 위압하다, 지배하다; 전복시키다. **~·ing** *a.* 거만한.
òver·bíd *vt.* (***-bid; -bid, -bid·den; -d·d-***) 에누리하다; (남보다) 비싼 값을 매기다. ──[⌐–⌐] *n.* Ⓒ 비싼 값.
óver·blòuse *n.* Ⓒ 오버블라우스《스커트나 슬랙스 밖으로 내어 입음》.
òver·blówn *a.* 과도한; (폭풍 따위가) 멎은; (꽃이) 활짝 필 때를 지난.
óver·bòard** *ad.* 배 밖으로, (배에서) 물 속으로; 《美》 열차에서 밖으로. ***throw **~** 물속으로 내던지다; 《口》 저버리다, 돌보지 않다.
óver·brìdge *n.* Ⓒ 가도교(架道橋).
òver·brím *vt., vi.* (***-mm-***) 넘치(게 하)다.
òver·búrden *vt.* (…에게) 지나치게 적재(積載)하다〔지우다〕.
òver·búsy *a.* 지나치게 분주한.
***òver·cáme** *v.* overcome의 과거.
òver·cáreful *a.* 지나치게 조심하는〔마음을 쓰는〕.
***òver·cást** *vt.* (~) ① 구름으로 덮다; 어둡게 하다. ② 휘갑치다. ── *a.* 흐린; 어두운; 음침한; 휘갑친.
òver·chárge *n., vt.* Ⓒ 엄청난 대금(을 요구하다); 엄청난 값; 적하(積荷) 초과; 짐을 지나치게 싣다; 과(過)충전(하다).
òver·clóud *vt., vi.* 흐리게 하다, 흐려지다; 어둡게 하다, 어두워지다; 침울하게 하다, 침울해지다.
:óver·còat *n.* Ⓒ 외투. **~ing** *n.* Ⓤ 외투감.
òver·cólor *vt.* 지나치게 채색하다; 지나치게 (기사를) 윤색하다; 과장하다.
:òver·cóme *vt.* (***-came; -come***) ① 이겨내다, 극복하다; 압도하다. ②《수동으로 써서》 지치다, 정신을 잃다(*by, with*).
óver·compensátion *n.* Ⓤ 〖精神分析〗 (약점을 감추기 위한) 과잉 보상.
òver·cónfidence *n.* Ⓤ 과신(過信), 자만심. **-cónfident** *a.*
òver·cóoked *a.* 너무 익힌〔삶은, 구운〕.
òver·cróp *vt.* (***-pp-***) 지나치게 경작하다, 작물을 너무 지어 피폐케 하다《토지를》.
***òver·crówd** *vt.* (사람을) 너무 많이 들여 넣다, 혼잡하게 하다. * **~ed** *a.* 초만원의.
òver·devélop *vt.* 과도하게 발달시키다; 〖寫〗 현상을 지나치게 하다.
òver·dó *vt.* (***-did; -done***) 지나치게 하다; 과장하다; 《보통 수동 또는 재귀적으로》 (몸 따위를) 너무 쓰다, 과로케 하다; 너무 삶다〔굽다〕. ***~ it*** 지나치게 하다; 과장하다. ***~ oneself*** 〔***one's strength***〕 무리를 하다.
óver·dòse *n.* Ⓒ 약의 적량(適量) 초과. ── [⌐–⌐] *vt.* (…에) 약을 너무 많이 넣다〔먹이다〕.
óver·dràft, -dràught *n.* Ⓒ (은행의) 당좌 대월(當座貸越)(액)《예금자측에서 보면 차월(借越)》; (어음의) 초과 발행.
òver·dráw *vt.* (***-drew; -drawn***) (예금 등을) 초과 인출하다; (어음을) 초과 발행하다; 과장하다.
òver·dréss *vt., vi.* 옷치장을 지나치게 하다(*oneself*). ── [⌐–⌐] *n.* Ⓒ (얇은 옷감으로 된) 윗도리.
òver·drínk *vt., vi.* (***-drank; -drunk***) 과음하다(*oneself*).
òver·dríve *vt.* (***-drove; -driven***) (사람·동물을) 혹사하다. ── [⌐–⌐] *n.* Ⓒ 〖機〗 오버드라이브, 증속 구동(增速驅動). 「연착한.
òver·dúe *a.* (지불) 기한이 지난;
óver·èager *a.* 지나치게 열심인, 너무 열중하는.
òver·éat** *vt., vi.* (-ate; -eaten***) 과식하다(*oneself*).
òver·émphasize *vt., vi.* 지나치게 강조하다.
òver·emplóyment *n.* Ⓤ 과잉고용.
òver·éstimate *vt.* 과대 평가하다; 높이 사다. **-estimátion** *n.* Ⓤ 과대 평가.
òver·excíte *vt.* 지나치게 자극하다〔흥분시키다〕.
òver·expóse *vt.* 〖寫〗 지나치게 노출하다. **-expósure** *n.* Ⓤ,Ⓒ 노출 과도.
óver·fàll *n.* Ⓒ 단조(湍潮)《바닷물이 역류에 부딪쳐 생기는 해면의 물보라 파도》; (운하·수문의) 낙수하는 곳.
òver·fatígue *vt.* 과로케 하다. ── *n.* Ⓤ 과로.
òver·féed *vt., vi.* (***-fed***) (…에) 과하게 먹(이)다.
òver·fíll *vt.* 지나치게 넣다.
óver·flìght *n.* Ⓒ (어느 지역의) 상공 비행, 《특히》 영공 침범.
:òver·flów *vt.* (강 등이) 범람하다; (물 등) (…에서) 넘치다; (…에) 다 못들어가 넘치다. ── *vi.* 범람하다; 넘치다; 넘칠 만큼 많다(*with*). ── [⌐–⌐] *n.* Ⓤ 범람; Ⓒ 충만; Ⓒ 배수로; Ⓒ 〖컴〗 넘침《연산결과 등이 계산기의 기억·연산단위 용량보다 커

짐》. **~ing** *a.* 넘쳐 흐르는, 넘칠 정도의.

o·ver·ful·fill, 《英》 **-fil**[-fulfíl] *vt.* (표준) 이상으로 생산하다.

o·ver·ground [óuvərgràund] *a.* 지상의. ***be still*** ~ 아직 살아 있다.

òver·grów *vt.* (***-grew; -grown***) (풀이) 만연하다; 너무 자라다; …보다도 커지다. — *vi.* 너무 커지다.

óver·gròwth *n.* Ⓒ 전면에 난 것; [U,C] 과도 성장; 무성.

óver·hànd *a., ad.* 〖野〗 내리던지는, 내리던져서; 〖水泳〗 손을 물 위로 쭉 뻗는〔뻗어서〕; 휘갑치는, 휘갑쳐서. — *vt.* 휘갑치다.

òver·háng** *vt.* (-hung***) (…의) 위에 걸치다; 닥쳐서 불안케 하다, 위협하다. — *vi.* 덮치다; 절박하다. — [⌐—⌐] *n.* Ⓒ 쑥 내밂; 쑥 내민 것〔부분〕.

***o·ver·haul**[òuvərhɔ́:l] *vt.* (수리하려고) 분해 검사하다; 〖海〗 (삭구를) 늦추다. — [⌐—⌐] *n.* [U,C] 분해 검사.

:òver·héad *ad.* 위로 (높이); 상공에; 위층에. — [⌐—⌐] *a.* 머리 위의, 고가(高架)의; 전반적인, 일반의. — [⌐—⌐] *n.* Ⓒ ① (~(s)) 〖商〗 간접비, 제경비. ② 〖컴〗 부담.

:o·ver·hear[-híər] *vt.* (***-heard*** [-hə́:rd]) 도청하다; 엿듣다.

òver·héat *vt., vi.* 너무 뜨겁게 하다, 과열시키다〔하다〕.

òver·indúlge *vt., vi.* 지나치게 방임하다; 방종하게 굴다.

òver·inflátion *n.* Ⓤ 극단적으로 부풀게 함; 극단적인 통화 팽창.

óver·ìssue *n.* Ⓒ (지폐·어음 등의) 남발, 한외(限外) 발행.

òver·jóy *vt.* 매우 기쁘게 하다, 미칠듯이 기쁘게 하다. ***be ~ed*** (…에) 미칠 듯이 기뻐하다(*at, with*). **~ed** *a.* 대단히 기쁜.

óver·kìll *n.* Ⓤ (핵무기의) 과잉 살상력.

òver·kínd *a.* 지나치게 친절한.

òver·lábor *vt.* 일을 너무 시키다; (…에) 너무 공들이다.

òver·láden *a.* 짐을 지나치게 실은.

***óver·lànd** *ad.* 육로로〔를〕, 육상으로〔을〕. — *a.* 육로의.

o·ver·lap**[òuvərlǽp] *vt., vi.* (-pp-***) (…에) 겹치(어 지)다; 일부분이 일치하다, 중복하다. — [⌐—⌐] *n.* [U,C] 겹침; 중복 (부분); 〖映〗 오버랩《한 장면을 다음 장면과 겹치는 일》; 〖컴〗 겹침. **~·ping** *n.* 〖컴〗 겹치기.

òver·láy *vt.* (***-laid***) 겹치다; (장식을) 달다; 압도하다. — [⌐—⌐] *n.* Ⓒ 덮개, 씌우개; 덧장식; 〖컴〗 오버레이(~ *structure* 오버레이 구조).

óver·lèaf *ad.* (종이의) 뒷 면에; 다음 페이지에.

òver·léap *vt.* (***~ed, -leapt***) 뛰어넘다; 빠뜨리다, 생략하다. ***~ oneself*** 지나치게 하여 실패하다.

òver·líe *vt.* (***-lay; -lain***) (…의) 위에 눕다, (…의) 위에서 자다; (어린아이 위에) 덮쳐서 질식시키다.

***òver·lóad** *vt.* 짐을 과하게 싣다. — [⌐—⌐] *n.* Ⓒ 과중한 짐; 〖컴〗 과부하.

:o·ver·look[òuvərlúk] *vt.* 내려다보다, 바라보다; 빠뜨리고 보다; 눈감아주다; 감독하다; …보다 높은 곳에 있다; (…을) 넘어 저쪽을 보다.

óver·lòrd *n.* Ⓒ (군주 위의) 대군주(大君主).

o·ver·ly[-li] *ad.* 《美·Sc.》 과도하게, 지독하게.

ò·ver·mán *n.* Ⓒ 직공장(foreman); (탄광의) 갱내 감독.

òver·máster *vt.* 압도하다; (…에) 이겨내다.

òver·mátch *vt.* …보다 낫다.

òver·múch *a., ad.* 과다(한); 과도(하게). — *n.* Ⓤ 과도, 과잉.

***òver·níght** *ad.* 밤새도록; 전날 밤에. — [⌐—⌐] *a.* 밤중에 이루어지는〔일어나는〕; 전날 밤의; 밤을 위한. — [⌐—⌐] *n.* Ⓒ 《口》 일박(一泊) 허가증; Ⓤ 《古》 전날 밤.

óvernight bág 〔**cáse**〕 작은 여행용 가방.

óvernight pòll 심야 여론조사《TV 프로그램의 방영 후 시청자의 반응을 확인하는》.

òver·páss *vt.* (***~ed, -past***) 넘다 (pass over); 빠뜨리다; 못보고 넘기다; 능가하다. — [⌐—⌐] *n.* Ⓒ 육교, 구름다리; 고가 도로〔철도〕.

òver·páy *vt.* (***-paid***) (…에) 더 많이 지불하다. **~ment** *n.*

òver·péopled *a.* 인구 과잉의.

òver·pláy *vt.* 과장하여 연기하다; 보다 잘 연기하다; 과장해서 말하다.

óver·plùs *n.* Ⓒ 여분.

òver·pópulated *a.* 인구 과잉의.

òver·populátion *n.* Ⓤ 인구 과잉.

***òver·pówer** *vt.* ① (…으로) 이겨내다; 압도하다. ② 깊이 감동시키다, 못견디게 하다. **~ing** *a.* 압도적인, 저항할 수 없는.

***òver·prodúction** *n.* Ⓤ 생산 과잉.

óver·próof *a.* 표준량《보통 50%》 이상으로 알코올을 함유한.

òver·ráte *vt.* 과대 평가하다.

òver·réach *vt.* 속이다; 지나쳐 가다; 퍼지다; 두루 미치다. ***~ oneself*** 몸을 지나치게 뻗다; 무리가〔책략이〕 지나쳐서 실패하다.

òver·ríde *vt.* (***-rode; -ridden***) (장소를) 타고 넘다; 짓밟다; 무시하다; 무효로 하다, 뒤엎다; 이겨내다; (말을) 타서 지치게 하다.

óver·rípe *a.* 너무 익은.

òver·rúle *vt.* 위압〔압도〕하다; (의론·주장 등을) 뒤엎다, 무효로 하다; 각하하다.

òver·rún** *vt.* (-ran; -run; -nn-***) (…의) 전반에 걸쳐 퍼지다; (잡초 등이) 무성하다; (…을) 지나쳐 달리다; 초과하다; (강 등이) (…에) 범람하다. — [⌐—⌐] *n.* Ⓒ 만연, 무성; 잉여.

óver·séa(s)** *ad.* 해외로, 외국으로. — *a.* 해외(에서)의; 외국의; 외국으로 가는. ~ ***Koreans 〔***Chinese***〕

해외 교포[화교].
òver·sée *vt.* (*-saw; -seen*) 감독하다; 몰래[흘끗] 보다. **óver·sèer** *n.* Ⓒ 감독자.
òver·séll *vt.* (*-sold*) 지나치게 팔다; (주식·상품 등을) 차금매매(差金賣買)하다.
òver·sét *vt., vi.* (*~; -tt-*) 뒤엎다, 뒤집히다; 타도하다. ── [´-`] *n.* Ⓒ 전복, 타도.
òver·séxed *a.* 성욕 과잉의.
***òver·shádow** *vt.* (…에) 그늘지게 하다; 무색하게 만들다.
***óver·shòe** *n.* (보통 *pl.*) 오버슈즈, 방한[방수]용 덧신.
òver·shóot *vt.* (*-shot*)(과녁을) 넘겨 쏘다; …보다 높게[멀리] 쏘아 실패하다. ── *vi.* 지나치게 멀리 날아가다. ~ *oneself* [*the mark*] 지나치게 하다; 과장하다. ── [´-`] *n.* 지나침(으로 인한 실패); 『컴』 오버슈트.
òver·shót *v.* overshoot의 과거(분사). ── [´-`] *a.* (물레방아가) 상사식(上射式)의; 위턱이 쑥 나온.
óver·sìght *n.* Ⓤ,Ⓒ 빠뜨림, 실수; Ⓤ 감독. *by* (*an*) ~ 까딱 실수하여.
òver·símplify *vt.* (…을) 지나치게 간소화하다.
óver·sìze *a.* 너무 큰, 특대의. ── *n.* Ⓒ 특대형(의 것).
óver·skìrt *n.* Ⓒ 겉 스커트, (스커트 겉에 입는) 반스커트.
***òver·sléep** *vi., vt.* (*-slept*) 지나치게 자다(*oneself*).
óver·spìll *n.* Ⓒ 흘러떨어진 것, 넘쳐나온 것; (대도시에서 넘치는) 과잉 인구.
***òver·spréad** *vt., vi.* (~) 전면에 펴다[퍼지다]; 덮다.
òver·stáff *vt.* (…에) 필요 이상의 직원을 두다.
òver·státe *vt.* 허풍을 떨다, 과장하다.
òver·stáy *vt.* (…보다) 너무 오래 머무르다.
òver·stép *vt.* (*-pp-*) 지나치다, 한도를 넘다.
òver·stóck *vt.* 지나치게 공급하다[사들이다]. ── [´-`] *n.* Ⓤ 공급[재고] 과잉.
òver·stráin *vt.* 너무 팽팽하게 하다, 너무 긴장시키다; 무리하게 사용하다. ── [´-`] *n.* Ⓤ 지나친 긴장[노력]; 과로.
òver·strúng *a.* 지나치게 긴장한, 신경 과민의.
òver·stúffed *a.* (의자 따위) 두껍게 속을 채워 넣은.
òver·subscríbe *vt., vi.* 모집액 이상으로 신청하다《공채 등을》.
òver·supplý *vt.* 지나치게 공급하다. ── [´--`] *n.* Ⓤ 공급 과잉.
o·vert[óuvəːrt, -´] *a.* 명백한; 공공연한(opp. covert). ~**·ly** *ad.* 명백히, 공공연히.
:**o·ver·take**[òuvərtéik] *vt.* (*-took; -taken*) ① (…에) 뒤따라 미치다. ② (폭풍·재난이) 갑자기 덮쳐오다.
òver·tásk *vt.* (…에) 무리한 일을 시키다; 혹사하다.
òver·táx *vt.* (…에) 중세(重稅)를 과하다; (…에) 과중한 짐[부담]을 지우다.
óver-the-cóunter *a.* 『證』 장외 거래의; 『藥』 의사 처방이 필요 없이 팔리는《약 따위》.
:**o·ver·throw** [òuvərθróu] *vt.* (*-threw; -thrown*) ① 뒤집어엎다. ② 타도하다; (정부·국가 등을) 전복시키다; 폐지하다. ── [´-`] *n.* Ⓒ 타도, 전복; 파괴.
***óver·tìme** *n.* Ⓤ 정시외 노동 시간, 잔업 시간; 초과 근무. ── *a., ad.* 정시 외의[에]. ── [`-´] *vt.* (…에) 시간을 너무 잡다.
òver·tíre *vt., vi.* 과로시키다[하다].
òver·tòne *n.* Ⓒ 『樂』 상음(上音) (opp. undertone); 배음(倍音).
***o·ver·took**[òuvərtúk] *v.* overtake의 과거.
òver·tóp *vt.* (*-pp-*) (…의) 위에 치솟다; 능가하다.
òver·tráin *vt., vi.* 지나치게 훈련하다 [훈련하여 건강을 해치다].
***o·ver·ture**[óuvərtʃər, -tʃùər] *n.* Ⓒ 『樂』 서곡; (보통 *pl.*) 신청, 제안.
:**o·ver·turn**[òuvərtə́ːrn] *vt., vi.* 뒤엎다, 뒤집히다; 타도하다. ── [´-`] *n.* Ⓒ 전복, 타도, 파멸.
òver·úse *vt.* 과용하다. ── [´-jùːs] *n.* Ⓤ 과용, 혹사, 남용.
òver·válue *vt.* 지나치게 평가[존중]하다.
óver·vìew *n.* Ⓒ 개관(槪觀).
òver·wátch *vt.* 망보다, 감시하다.
o·ver·ween·ing[-wíːniŋ] *a.* 뽐내는, 교만한.
òver·wéigh *vt.* (…보다) 무겁다[중요하다]; 압도하다.
***óver·wèight** *n.* Ⓤ 초과 중량, 과중. ── [`-´] *a.* 중량을 초과한. ── *vt.* 지나치게 싣다; 부담을 지나치게 지우다.
:**o·ver·whelm** [òuvərhwélm] *vt.* ① (큰 파도나 홍수가) 덮치다, 물에 잠그다. ② 압도하다. ③ (마음을) 꺾다. * ~**·ing** *a.* 압도적인; 저항할 수 없는. ~**·ing·ly** *ad.*
o·ver·win·ter[-wíntər] *vi.* 겨울을 지내다.
òver·with·hóld *vt.* 《美》 (세금)을 초과하여 원천징수하다.
:**òver·wórk** *vt.* (*~ed, -wrought*) ① 지나치게 일을 시키다; 과로시키다. ② (…에) 지나치게 공들이다. ── *vi.* 지나치게 일하다; 과로하다. ── [´-`] *n.* Ⓤ 과로; 초과 근무.
òver·wríte *vt., vi.* (*-wrote; -written*) 너무 쓰다; 다른 문자 위에 겹쳐서 쓰다. ── *n.* 『컴』 겹쳐쓰기《이전의 정보는 소멸》.
òver·wróught *v.* overwork의 과거(분사). ── *a.* 《古》 지나치게 일한; 《古》 과로한; 흥분한; 지나치게 공들인.
òver·zéalous *a.* 지나치게 열심인.
o·vi-[óuvi, -və] 'egg' 의 뜻의 결합사.

Ov·id[ávid/ɔ́-] *n.* (43 B.C.-A.D. 17?) 로마의 시인.
o·vi·duct[óuvədʌ̀kt] *n.* Ⓒ 수란관(輸卵管), 난관.
o·vi·form[óuvəfɔ̀ːrm] *a.* 난형(卵形)의.
o·vip·a·rous[ouvípərəs] *a.* 난생(卵生)의.
o·vi·pos·i·tor[òuvəpázitər/-ɔ́-] *n.* Ⓒ 〖蟲〗 (곤충의) 산란관.
o·void[óuvɔid] *a., n.* Ⓒ 난형의 (것); 난형체.
o·vu·lar[óuvjulər] *a.* 밑씨의; 난자의.
o·vu·late[óuvjulèit] *vi.* 배란(排卵)하다.
o·vule [óuvjuːl] *n.* Ⓒ 〖動〗 난자; 〖植〗 밑씨.
o·vum [óuvəm] *n.* (*pl.* ***ova***) Ⓒ 〖生〗 난자, 알.
:owe[ou] *vt.* ① 빚지고 있다. ② 은혜를 입고 있다(*to*). ③ (사은(謝恩)·사죄·원한 등의 감정을) 품다. — *vi.* 빚이 있다(*for*).
Ow·en[óuən], **Robert**(1771-1858) 영국의 사회 개혁자. **~·ism**[-ìzəm] Ⓤ 공상적 사회주의.
OWI, O.W.I. Office of War Information 《美》 전시 정보국.
:ow·ing[óuiŋ] *a.* 빚지고 있는; 지불해야 할(due). **~ *to*** …때문에, …로 인하여.
:owl[aul] *n.* Ⓒ ① 올빼미. ② 젠 체하는 사람. ③ 밤을 새우는 사람, 밤에 나다니는 사람. **∠·et** *n.* Ⓒ 올빼미 새끼; 작은 올빼미. **∠·ish** *a.* 올빼미 비슷한; 점잔 뺀 얼굴을 한.
ówl·lìght *n.* Ⓤ 황혼, 땅거미, 희미한 빛.
†own[oun] *a.* ① 자기 자신의, 그것의. ② 독특한. ③ (혈연 관계가) 친(親)인(real). ***be one's ~ man*** 〔***master***〕 자유의 몸이다, 남의 지배를 받지 않다. ***get one's ~ back*** 앙갚음하다(*on*). — *n.* Ⓒ 자기〔그〕 자신의 것〔사람〕. ***come into one's ~*** (당연한 권리로) 자기의 것이 되다; 정당한 신용〔성공〕을 얻다. ***hold one's ~*** 자기의 입장을 지키다, 지지 않다. ***my ~*** 《호칭》 얘야, 아아(착한 애구나). ***on one's ~*** 《口》 자기가, 자기의 돈〔책임〕으로, 혼자 힘으로. — *vt.* ① 소유하다. ② 승인하다; 자백하다; 자기의 것으로 인정하다. — *vi.* 자백하다(*to*). **~ *up*** 모조리〔깨끗이〕 자백하다.
:own·er [óunər] *n.* Ⓒ 임자, 소유자. **~·less** *a.* 임자 없는. ***~·ship** [-ʃìp] *n.* Ⓤ 임자임; 소유(권).
ówner-drìver *n.* Ⓒ 오너드라이버 《자가용차를 소유하고 있는 운전자》.
ówn gòal 〖蹴〗 자살 골; 자신에게 불리한 행동〔일〕.
:ox[ɑks/ɔ-] *n.* (*pl.* ***~en***) Ⓒ (특히 거세한) 수소, 소(속(屬)의 동물).
Ox. Oxford(shire).
ox·al·ic[ɑksǽlik/ɔk-] *a.* 괭이밥의, 괭이밥에서 채취한.
oxálic ácid 수단(蓚酸).
ox·a·lis[áksəlis/ɔ́-] *n.* Ⓒ 〖植〗 괭이밥.
ox·bow[∠bòu] *n.* Ⓒ 《美》 (소의) 멍에; (강의) U자형 물굽이.
Ox·bridge[áksbridʒ/ɔ́-] *n., a.* Ⓤ 《英》 Oxford 대학과 Cambridge 대학(의); 일류 대학(의).
óx·càrt *n.* Ⓒ 우차, 달구지.
ox·en[∠ən] *n.* ox의 복수.
óx·èye *n.* Ⓒ 데이지, 프랑스 국화; (사람의) 왕방울 눈. **~d**[-d] *a.* (소 같이) 눈이 큰, 아름다운 눈의.
óxeye dáisy 프랑스 국화(菊花).
Oxf. Oxford(shire).
***Ox·ford**[áksfərd] *n.* ① 영국 남부의 도시; 옥스퍼드 대학. ② Ⓒ (보통 o-) (*pl.*) = **∠ shóes** (끈 매는 보통의) 신사용 단화. ③ Ⓤ (o-) 진회색 《Oxford gray라고도 함》.
Óxford bágs 《英》 통 넓은 바지.
Óxford blúe 감색(紺色).
Óxford mòvement, the 옥스퍼드 운동《1833년경부터 Oxf.대학에서 일어난 가톨릭 교의 재흥(教義再興) 운동》.
Ox·ford·shire[áksfərdʃìər, -ʃər/ɔ́-] *n.* 잉글랜드 남부의 주《생략 Oxon.》.
ox·hide[∠hàid] *n.* Ⓤ 쇠가죽.
ox·i·dant[áksədənt/ɔ́-] *n.* Ⓒ 〖化〗 옥시던트, 산화체, 강산화성 물질.
ox·i·date [áksədèit/ɔ́-] *v.* =OXIDIZE.
ox·i·da·tion[àksədéiʃən/ɔ̀-] *n.* Ⓤ 〖化〗 산화(酸化).
***ox·ide**[áksaid/ɔ́-], **ox·id**[-sid] *n.* Ⓤ,Ⓒ 〖化〗 산화물.
ox·i·dize**[áksədàiz/ɔ́-] *vt., vi.* 〖化〗 산화시키다〔하다〕; 녹슬(게 하)다. ***~d silver 그을린 은. **-di·za·tion** [àksədizéiʃən/ɔ̀ksədai-] *n.* Ⓤ 산화.
ox·lip[ákslìp/ɔ́-] *n.* Ⓒ 앵초(櫻草)의 일종.
Oxon. Oxfordshire; *Oxinia* (L.= Oxford, Oxfordshire); Oxonian.
Ox·o·ni·an[ɑksóuniən/ɔ-] *a., n.* Ⓒ Oxford (대학)의 (학생, 출신자).
óx·tàil *n.* Ⓤ,Ⓒ 쇠꼬리《수프재료》.
ox·ter[ákstər/ɔ́-] *n., vt.* Ⓒ 《Sc.》 겨드랑(에 끼다).
ox·y·a·cet·y·lene[àksiəsétəlìːn/ɔ̀-] *a.* 산소 아세틸렌의. **~ *blowpipe*** 〔***torch***〕 산소 아세틸렌 용접기.
ox·y·ac·id [áksiǽsid/ɔ́k-] *n.* Ⓤ 〖化〗 산소산.
:ox·y·gen [áksidʒən/ɔ́-] *n.* Ⓤ 〖化〗 산소.
ox·y·gen·ate [áksidʒənèit/ɔ́k-], **-gen·ize**[-dʒənàiz] *vt.* 〖化〗 산소로 처리하다; 산화시키다. **-gen·a·tion**[∸--éiʃən] *n.* Ⓤ 산소 처리법; 산화.
óxygen dèbt 〖醫〗 산소채(債).
óxygen màsk 〖空〗 산소 마스크.
óxygen tènt 〖醫〗 산소 텐트.
ox·y·h(a)em·o·glo·bin [àksihíːməglòubin/ɔ̀k-] *n.* Ⓤ 〖生〗 산소 헤모글로빈.
ox·y·hy·dro·gen[àksiháidrədʒən/ɔ̀k-] *a.* 〖化〗 산수소의. **~ *torch*** 〔***blowpipe***〕 산수소 용접기.

ox·y·mo·ron [àksimɔ́:ran/ɔ̀ksimɔ́:rɔn] *n.* Ⓒ 〖修〗 모순 형용법《보기: *cruel kindness, thunderous silence, etc.*》.
o·yes, o·yez [óujes, -jez] *int.* 들어라!; 조용히!《광고인 또는 법정의 서기가 포고(布告)를 읽기 전에 세 번 반복하여 외치는 소리》.
:oys·ter [ɔ́istər] *n.* Ⓒ 〖貝〗 굴.
óyster bèd 〔**bànk, fàrm, fìeld**〕 굴 양식장.
óyster cràb (굴 껍질에 공생(共生)하는) 속살이(게).
óyster cùlture 〔**fàrming**〕 굴 양식(업).
óyster mìne 수압 기뢰(機雷)《배가 통과하면 수압으로 폭발함》.
óyster plànt 〖植〗 선모(仙茅).
***oz.** ounce(s).
o·zone [óuzoun, ─́] *n.* Ⓤ 〖化〗 오존; 《口》 신선한 공기. **o·zo·nif·er·ous** [òuzouníf(ə)rəs] *a.* 오존을 함유한.
ózone alèrt 오존 경보.
ózone làyer 오존층.
o·zon·er [óuzənər] *n.* Ⓒ 《美俗》 야외 광장, (특히) 차를 탄 채로 들어가는 극장.
ózone shìeld (특히 강렬한 태양광선을 흡수하는) 오존층.
o·zon·ize [óuzənàiz] *vt.* 오존으로 처리하다; (산소를) 오존화하다. **-iz·er** *n.* Ⓒ 오존 발생기〔관(管)〕. **-i·za·tion** [∸-izéiʃən/-ai-] *n.* Ⓤ 오존화.
o·zo·no·sphere [ouzóunəsfiər] *n.* (the ~) 〖氣〗 오존층.
ozs. ounces.

P

P, p [pi:] *n.* (*pl.* ***P's, p's*** [-z]) Ⓒ P자 모양의 것. ***mind one's p's and q's*** 언행을 조심하다.
P phosphorus; 〖數〗 probability. **p.** page; participle; past; penny; pint; population. ***p.*** 〖樂〗 *piano*[2]. **P.A., P/A** power of attorney; private account. **Pa** 〖化〗 protactinium. **Pa.** Pennsylvania. **p.a.** participial adjective; PER annum.
pa [pɑ:] *n.* 《口》 =PAPA.
PAA Pan-American World Airways.
Pab·lum [pǽbləm] *n.* 〖商標〗 유아용 식품 이름; Ⓒ (p-) 무미건조한 책, 유치한 사상.
pab·u·lum [pǽbjələm] *n.* Ⓤ 영양(물); 음식; 마음의 양식.
PAC Political Action Committee. **P.A.C.** Pan-American Congress. **Pac.** Pacific. **PACAF** 〖美軍〗 Pacific Air Forces.
:pace [peis] *n.* Ⓒ ① 한 걸음(step); 보폭(步幅)《약 2.5 피트》. ② 걸음걸이; 보조; 걷는 속도, 진도; (생활·일의) 페이스, 속도. ③ (말의) 측대보(側對步)《한 쪽 앞 뒷다리를 동시에 드는 걸음걸이》. ***go at a good ~,*** or ***go*** 〔***hit***〕 ***the ~*** 대속력으로〔상당한 속도로〕 가다; 난봉 피우다, 방탕하게 지내다(cf. GO it). ***keep ~ with*** …와 보조를 맞추다; …에 뒤지지 않도록 하다. ***put a person through his ~s*** 아무의 역량을 시험해 보다. ***set*** 〔***make***〕 ***the ~*** 보조를 정하다; 정조(整調)하다; 모범을 보이다(*for*). ── *vt.* ① (규칙 바르게) …을 걸어 다니다. ② 보측(步測)하다(*out*). ③ 보조를 바르게 하다. ── *vi.* ① 보조 바르게 걷다. ② (말이) 일정한 보조로 달리다.
páce·màker *n.* Ⓒ 보조 조절자; 《一般》 지도자; 주동자; 〖醫〗 페이스메이커《전기의 자극으로 심장의 박동을 계속시키는 장치》; 〖解〗 박동원(搏動原).
páce·sètter *n.* Ⓒ 보조 조절자; 《一般》 지도자, 주동자(⇧).
pa·cha [pɑ́:ʃə] *n.* =PASHA.
pach·y·derm [pǽkidə:rm] *n.* Ⓒ 후피(厚皮)동물《코끼리·하마 따위》; 둔감한 사람.
:pa·cif·ic [pəsífik] *a.* ① 평화의〔를 사랑하는〕; 온화한; 화해적인. ② (P-) 태평양(연안)의. ***the P-*** (***Ocean***) 태평양.
pa·cif·i·cate [pəsífikèit] *vt.* = PACIFY.
pac·i·fi·ca·tion [pæ̀səfəkéiʃən] *n.* Ⓤ 강화 (조약); 화해; 진압.
Pacífic Rím, the 환태평양.
Pacífic (**Stándard**) **Tìme** (미국의) 태평양 표준시.
pac·i·fi·er [pǽsəfàiər] *n.* Ⓒ 달래는 사람〔것〕, 조정자; (고무) 젖꼭지.
pac·i·fism [pǽsəfìzəm] *n.* Ⓤ 평화주의, 반전론. ***-fist** *n.* Ⓒ 평화주의자.
***pac·i·fy** [pǽsəfài] *vi.* ① 달래다, 가라앉히다. ② 평화를 수립하다.
:pack[1] [pæk] *n.* Ⓒ ① 꾸러미, 다발, 묶음, 짐짝. ② (담배의) 갑; (카드의) 한 벌《52 장》. ③ (악한 등의) 일당; (사냥개·사냥감의) (한) 떼. ④ 총빙(叢氷), 큰 성엣장 떼. ⑤ (조직화된) 일단, 전함대(戰艦隊). ⑥ 〖醫〗 습포(濕布), 찜질(하기); (미용술의) 팩. ⑦ 〖컴〗 압축《자료를 압축시키는 일》. ***in ~s*** 떼를 지어. ── *vt.* ① 싸다, 꾸리다, 포장하다(*up*). ② (과일·고기 따위를) 포장〔통조림으로〕하다. ③ 가득 채우다(*with*); 채워 넣다; 패킹하다. ④ (말 따위에) 짐을 지우다. ⑤ 《美口》 (포장하여) 운반하다. ⑥ 〖컴〗 압축하다. ── *vi.* ① 짐을 꾸리다, 짐이 꾸려지다, 포장되다.

② (짐을 꾸려 가지고) 나가다. ~ ***off*** 내쫓다; 급히 나가다. ***send a person ~ing*** 아무를 해고하다, 쫓아내다. *∠·er *n.* Ⓒ 짐 꾸리는 사람; 포장꾼[업자]; 통조림업자; 《美》식료품 포장 출하(出荷)업자.

pack² *vt.* (위원 등을) 자기편 일색으로 구성하다.

†**pack·age**[∠idʒ] *n., vt.* ① Ⓤ 짐꾸리기, 포장(하다). ② Ⓒ 꾸러미, 짐. ③ Ⓒ (포장용) 상자. ④ Ⓒ 〖컴〗 패키지《범용(凡用) 프로그램》. ~**(*d*)** ***tour*** (여행사 주최의) 비용 일체를 한 목에 내고 하는 여행(all-expense tour).

páckage dèal 일괄 거래.

páckage stòre 《美》 주류 소매점《가게에서는 마실 수 없는》. 「말.

páck ànimal 짐 나르는 짐승, 짐

pácked lúnch (점심) 도시락.

*__pack·et__[pǽkit] *n.* Ⓒ ① 소포; (작은) 묶음. ② =∠ **bòat** 우편선, 정기선. ③ 《英俗》 (투기 등에서 번[잃은]) 상당한 금액; 일격, 강타. ④ 〖컴〗 패킷. ***buy*** 〔***catch, get, stop***〕 ***a ~*** 《英俗》 총알에 맞다; 갑자기 변을 당하다.

pácket swìtching 〖컴〗 다발 엇바꾸기[전환하기, 교환기].

páck·hòrse *n.* Ⓒ 짐말, 복마.

*__pack·ing__[∠iŋ] *n.* Ⓤ ① 짐꾸리기, 포장(재료). ② 채워 넣는 것, '패킹'. ③ 통조림 제조(업).

pácking bòx 〔**càse**〕 포장 상자.

pácking hòuse 〔**plànt**〕 식품 가공[포장] 공장; 출하장. 「(業).

pácking ìndustry 식육 공급업

pácking shèet 포장지.

pack·man[∠mən] *n.* Ⓒ 행상인.

páck·sàck *n.* Ⓒ 륙색, 배낭.

páck·sàddle *n.* Ⓒ 길마.

páck·thrèad *n.* Ⓤ 포장끈.

PACOM Pacific Command 《美》 태평양 지구 사령부.

pact[pækt] *n.* Ⓒ 계약, 협정, 조약.

:**pad¹**[pæd] *n.* Ⓒ ① 덧대는 것, 채워넣는 것; 안장 밑(받침). ② 스탬프패드. ③ 한 장씩 떼어 쓰게 된 종이철《편지지 따위》. ④ (개·여우 따위의) 육지(肉趾)《발바닥》, 발. ⑤ 수련의 큰 잎. ⑥ 〖컴〗 판. — *vt.* (***-dd-***) ① (…에) 채워 넣다. ② (군소리를 넣어 문장을) 길게 하다(***out***). ③ (인원·장부 따위의 숫자를) 허위 조작하여 불려서 기입하다. ***~ded cell*** (벽에 부드러운 것을 댄) 정신 병원의 병실. ∠·**ding** *n.* Ⓤ 채워 넣는 물건; 메워서 채움.

pad² *n.* Ⓒ《英俗》 도로; 길을 밟는 (발소리 따위의) 무딘 소리, 쿵. — *vt., vi.* (***-dd-***) 터벅터벅 걷다; 도보 여행하다.

:**pad·dle¹**[pǽdl] *n.* Ⓒ ① 노(젓기), 한 번 저음; 노[주걱] 모양의 물건; 《美》 (탁구의) 라켓. ② (외륜선(外輪船)의) 물갈퀴; 〖工〗 날개 판; 〖컴〗 패들. ③ (빨래) 방망이. — *vt.* ① (…을) 노로 젓다. ② 방망이로 치다, 철썩 때리다. ~ ***one's own canoe*** 독립독보(獨立獨步)하다. ~**r** *n.* Ⓒ 탁구 선수.

pad·dle² *vi.* (물속에서 손발을) 철벙거리다; 물장난하다; (어린애가) 아장아장 걷다. 「(外輪船).

páddle bòat 〔**stèamer**〕 외륜선

páddle·fish *n.* Ⓒ 철갑상어의 일종.

páddle tènnis 《美》 패들테니스《나무 판자 라켓과 스펀지 공을 쓰는 테니스》.

páddle whèel (기선의) 외륜.

páddling pòol (공원 등의) 어린이 물놀이터.

pad·dock[pǽdək] *n.* Ⓒ (마구간 근처의) 작은 목장; 경마장에 딸린 울친 땅. 「(계의) 사람《별명》.

Pad·dy[pǽdi] *n.* Ⓒ《俗》 아일랜드

pad·dy[pǽdi] *n.* Ⓒ 논; Ⓤ 쌀, 벼.

páddy fìeld 논.

páddy wàgon 《美》 죄수 호송차.

Pa·de·rew·ski [pæ̀dəréfski, -rév-], **Ignace Jan**(1860-1941) 폴란드의 피아니스트·정치가 수상.

pad·lock[pǽdlɑ̀k/-ɔ̀k] *n., vt.* Ⓒ 맹꽁이 자물쇠(를 채우다).

pa·dre[pɑ́:dri, -drei] *n.* Ⓒ (이탈리아·스페인 등지의) 신부, 목사; 종군 신부.

pae·an[píːən] *n.* Ⓒ 기쁨의 노래, 찬가; 승리의 노래.

paed-, &c. =PED-, &c.

*__pa·gan__[péigən] *n., a.* Ⓒ 이교도《기독교·유대교·이슬람교에서 본》(의); 무종교자(의). ~·**ism**[-ìzəm] *n.* Ⓤ 이교(신앙). ~·**ize**[-àiz] *vt., vi.* 이교(도)화하다.

†**page¹**[peidʒ] *n.* Ⓒ ① 페이지. ② 〖印〗 한 페이지의 조판. ③ 기록, 문서. ④ (역사상의) 사건, 시기. ⑤ 〖컴〗 페이지. — *vt.* (…에) 페이지를 매기다.

*__page²__ *n.* Ⓒ ① 시동(侍童), 근시(近侍); 수습 기사(騎士). ② (호텔 따위의 제복을 입은) 급사(~ boy). — *vt.* (급사에게) 이름을 부르게 하여 (사람을) 찾다, (급사가 하듯이) 이름을 불러 (사람을) 찾다.

*__pag·eant__[pǽdʒənt] *n.* ① Ⓤ 장관(壯觀). ② Ⓒ 장려(壯麗)[장엄]한 행렬. ③ Ⓒ (화려한) 야외극, 패전트. ④ Ⓤ 허식, 겉치레. ~·**ry** *n.* Ⓤ,Ⓒ 장관; 허식.

páge bòy =PAGE² (*n.*); 〖美容〗 안말이《머리 스타일》.

páge hèading 〖컴〗 쪽머리.

páge nùmber 〖컴〗 페이지 번호.

PAGEOS passive geodetic satellite 측지(測地)용 위성.

pag·i·nate[pǽdʒənèit] *vt.* (책에) 페이지를 매기다. **-na·tion**[∠-néiʃən] *n.* Ⓤ 페이지 매기기; 〖컴〗 페이지 매김; 《집합적》 페이지 수.

pag·ing[péidʒiŋ] *n.* =PAGINATION.

pa·go·da[pəgóudə] *n.* Ⓒ (동양의) 탑(***a five-storied ~***, 5층탑).

pah[pɑː] *int.* 흐응!, 체!《경멸·불쾌

등을 나타냄》.

†**paid**[peid] *v.* pay의 과거(분사). —*a.* 유급의; 고용된; 지급필(畢)의; 현금으로 치른.

páid-ìn *a.* 이미 지급된, 지급필의.

páid-ùp *a.* 지급을 끝낸.

:**pail**[peil] *n.* Ⓒ (물 담는) 들통, 양동이; 한 통의 양(量). **~·ful**[⌐fùl] *n.* Ⓒ 한 통 (가득).

†**pain**[pein] *n.* ① Ⓤ,Ⓒ 아픔, 고통. ② Ⓤ 괴로움, 고뇌. ③ (*pl.*) 고생, 애씀. ④ Ⓤ《古》형벌. ***be at the ~s of** doing* …하려고 애쓰다. ***for one's ~s*** 고생한〔애쓴〕값으로〔보람으로〕; 《反語》애쓴 보람도 없이 (혼나다). ***on*** 〔***upon, under***〕 **~ *of*** 어기면 …의 벌을 받는다는 조건으로. **~ *in the neck***《口》싫은 것〔녀석〕. ***take*** (***much***) **~*s*** (크게) 애쓰다. — *vt., vi.* 아프게 하다, 괴롭히다; 아프다.

:**pain·ful**[⌐fəl] *a.* 아픈, 괴로운; 쓰라린. ***~·ly** ad.* 고통스럽게; 애써서. **~·ness** *n.*

páin·kìller *n.* Ⓒ《口》진통제.

páin·less *a.* 아픔〔고통〕이 없는. **~·ly** *ad.* **~·ness** *n.*

***pains·tak·ing**[⌐ztèikiŋ] *a., n.* 부지런한; 공들인; 힘드는; Ⓤ 수고, 고심. **~·ly** *ad.*

†**paint**[peint] *n.* ① Ⓤ,Ⓒ 채료, 페인트; 칠, 도료. ② Ⓤ 화장품, 연지, 루즈. — *vt.* ① (채료로) 그리다; 채색〔색칠〕하다; 페인트 칠하다. ② 화장하다. ③ (생생하게) 묘사하다. ④ (약을) 바르다. — *vi.* ① 그림을 그리다. ② 화장하다, 연지〔루즈〕를 바르다. **~ *in*** 그려넣다; 그림물감으로 두드러지게 하다. **~ *out*** 페인트로 지우다. **~ *the town red***《俗》야단법석하다.

páint bòx 그림물감 상자.

páint·brùsh *n.* Ⓒ 화필(畫筆).

:**paint·er**[1][⌐ər] *n.* Ⓒ ① 화가. ② 페인트공, 칠장이, 도장공.

paint·er[2] *n.* Ⓒ 〖海〗배를 매어 두는 밧줄.

paint·er[3] *n.* Ⓒ 아메리카표범(cf. panther).

:**paint·ing**[⌐iŋ] *n.* ① Ⓒ 그림. ② Ⓤ 그리기; 화법. ③ Ⓤ 페인트칠. ④ Ⓤ 〖컴〗색칠.

páint pòt 페인트 통.

†**pair**[pεər] *n.* Ⓒ ① 한 쌍(*a* **~** *of shoes* 신발 한 켤레); (두 부분으로 된 것의) 하나, 한 자루(*a* **~** *of scissors* 가위 한 자루). ② 부부, 약혼한 남녀; (동물의) 한 쌍. ③ (한데 맨) 두 필의 말. ④ (짝진 것의) 한 쪽〔짝〕. ⑤ 〖政〗서로 짜고 투표를 기권하는 반대 양당 의원 두 사람; 그 타합. ***another*** 〔***a different***〕 **~ *of shoes*** 〔***boots***〕 별문제. ***in ~s,*** or ***in a ~*** 둘이 한 쌍〔짝〕이 되어. — *vt., vi.* ① 한 쌍이 되(게 하)다. ② 결혼시키다〔하다〕(*with*); 짝지우다; 짝짓다. ③ (*vi.*) 〖政〗반대당의 의원과 짜고 기권하다. **~ *off*** 둘〔두 사람〕씩 가르다〔짝짓다〕.

páir-òar *n.* Ⓒ (두 사람이 젓는) 쌍노 보트.

páir prodùction 〖理〗쌍생성(雙生成)《입자와 반입자의 동시 생성》.

pais·ley[péizli] *n., a.* Ⓤ 페이즐리(모직)(의).

***pa·ja·ma**[pədʒɑ́:mə, -ǽ-] *n., a.* (*pl.*) 파자마(의), 잠옷(의).

pajáma pàrty 파자마 파티《10대 소녀들이 친구 집에 모여 파자마 바람으로 밤새워 노는 모임》.

Pa·ki·stan[pɑ̀:kistɑ́:n, pǽkistæ̀n] *n.* 파키스탄.

Pa·ki·sta·ni[-i] *a., n.* Ⓒ Pakistan의 (사람).

:**pal**[pæl] *n.* Ⓒ《口》① 동료, 친구. ② 짝패, 공범. ③ =PEN PAL. — *vi.* (*-ll-*) 사이가 좋아지다.

PAL Philippine Air Lines. **Pal.** Palestine.

†**pal·ace**[pǽlis, -əs] *n.* Ⓒ 궁전; 큰 저택.

pal·a·din[pǽlədin] *n.* Ⓒ (Charlemagne 대제의) 친위 기사《12 명 있었음》; 무사 수업자(修業者).

pa·lae·o-, &c. =PALEO, &c.

pal·an·quin, -keen[pæ̀lənkí:n] *n.* Ⓒ (중국·인도 등지의) 1인승 가마.

pal·at·a·ble[pǽlətəbəl] *a.* 맛좋은; 상쾌한. **-bly** *ad.*

pal·a·tal[pǽlətl] *a.* 〖解〗구개(口蓋)의; 〖音聲〗구개음의. — *n.* Ⓒ 〖音聲〗구개음《[j][ç][i:] 따위》. **~·ize**[-təlàiz] *vt.* 구개(음)화하다. **~·i·za·tion**[pæ̀lətəlizéiʃən] *n.* Ⓤ 〖音聲〗구개음화.

***pal·ate**[pǽlit] *n.* Ⓒ ① 〖解〗구개, 입천장. ② (보통 *sing.*) 미각; 취미, 기호; 심미.

pa·la·tial[pəléiʃəl] *a.* 궁전의〔같은〕; 웅장한.

pal·a·tine[pǽlətàin] *a., n.* Ⓒ 자기 영지 내에서 왕권의 행사가 허용된 (영주)《백작》.

Pa·láu (**Íslands**)[pəláu(-)] *n.* (태평양 서부의) 팔라우 제도.

pa·lav·er[pəlǽvər, -ɑ́:-] *n., vt., vi.* Ⓤ (특히 아프리카 토인과 무역상과의) 상담(을 하다); 잡담(하다), 수다(떨다); 아첨; 감언(甘言).

:**pale**[1][peil] *a.* ① 창백한. ② (빛깔이) 엷은. ③ (빛이) 어슴푸레한. — *vt., vi.* ① 창백하게 하다〔되다〕. ② 엷게 하다, 엷어지다. **~ *before*** 〔***beside***〕 …와 비교하여 무색하다〔훨씬 못하다〕. **⌐·ly** *ad.* **⌐·ness** *n.*

pale[2] *n., vt.* Ⓒ 끝이 뾰족한 말뚝(으로 두르다); (the **~**) 경계; 구내. **~d**[-d] *a.* 울타리를 둘러친. **pál·ing** *n.* Ⓤ 말뚝(을 둘러)박기; Ⓒ 말뚝(의 울타리).

pále·fàce *n.* Ⓒ《때로 蔑》백인《북아메리카 토인과 구별하여》.

pa·le·o-[péiliou, pǽ-] '고(古), 구(舊), 원시'의 뜻의 결합사.

pa·le·o·bot·a·ny [pèilioubɑ́təni,

pæ̀l-/-bɔ́t-] *n.* Ⓤ 고(古) 식물학.
Pa·le·o·cene[péiliəsì:n, pǽl-] *n., a.* (the ~) 〚地〛 팔레오세(世)(의)《제 3기(紀)의 제 1기》.
pa·le·og·ra·phy[pèiliágrəfi, pæ̀l-/-ɔ́g-] *n.* Ⓤ 고문서(학).
pa·le·o·lith·ic[pèiliəlíθik, pæ̀l-] *a.* 구석기 시대의.
pa·le·on·tol·o·gy[pèiliəntálədʒi, pæ̀l-/-tɔ́l-] *n.* Ⓤ 고생물학.
Pa·le·o·zo·ic[pèiliəzóuik, pæ̀l-] *n., a.* (the ~) 고생대(암층)(의).
***Pal·es·tine**[pǽləstàin] *n.* 팔레스타인《아시아 남서부의 옛 나라, 현재는 이스라엘과 아랍 지구로 분할됨》.
pal·ette[pǽlit] *n.* Ⓒ 팔레트, 조색(調色)판; 팔레트 위의 (여러 색의) 그림물감.
pálette knìfe 팔레트 나이프《그림물감을 섞는 데 씀》.
pal·frey[pɔ́:lfri] *n.* Ⓒ 《古》 (특히, 여자가 타는) 작은 말.
Pa·li[pá:li] *n.* Ⓤ 팔리어(語).
pal·imp·sest[pǽlimpsèst] *n.* Ⓒ 거듭 쓴 양피지(의 사본)《본디 문장을 긁어 지우고 그 위에 다시 쓴 것》.
pal·i·sade[pæ̀ləséid] *n.* Ⓒ 뾰족 말뚝; 울타리; (*pl.*) (강가의) 벼랑. — *vt.* 방책(防柵)을 두르다.
pal·ish[péiliʃ] *a.* 좀 창백한; 파리 「한.
***pall**[1][pɔ:l] *n.* Ⓒ 관〔무덤〕 덮는 천; 막. — *vt.* 관 씌우개로〔처럼〕 덮다.
pall[2] *vi.* (너무 먹거나 마셔) 맛이 없어지다; 물리다(*on, upon*). — *vt.* 물리게 하다.
pal·la·di·um[1][pəléidiəm, -djəm] *n.* (*pl.* ***-dia***[-diə]) Ⓤ,Ⓒ 보호(물), 보장.
pal·la·di·um[2] *n.* Ⓤ 〚化〛 팔라듐《금속 원소의 하나》.
Pál·las (Athéna) [pǽləs(-)/-læs(-)] *n.* =ATHENA.
páll·bèarer *n.* Ⓒ 관을 들거나 옆을 따라가는 장송자(葬送者).
pal·let[1][pǽlit] *n.* Ⓒ 짚으로 된 이부자리; 초라한 잠자리.
pal·let[2] *n.* Ⓒ (도공(陶工)의) 주걱; (화가의) 팔레트; 〚機〛 (톱니바퀴의) 미늘, 바퀴 멈추개.
pal·li·ate[pǽlièit] *vt.* (병세가 잠정적으로) 누그러지게 하다; 변명하다. **-a·tion**[⌐—éiʃən] *n.*
pal·li·a·tive [pǽlièitiv, -liə-] *a.* (병세 따위를) 완화시키는; (죄를) 경감하는; 변명하는. — *n.* Ⓒ (일시적) 완화제; 변명; 참작할 만한 사정; 고식적인 수단.
pal·lid[pǽlid] *a.* 해쓱한, 창백한 (cf. pale[1]). **~·ly** *ad.* **~·ness** *n.*
Pall Mall[pél mél, pǽl mǽl] 펠멜가(街)《런던의 클럽 거리》; 영국 육군성; (p- m-) (옛날의) 구기(球技)의 일종; 펠멜 구기장.
pal·lor[pǽlər] *n.* Ⓤ 해쓱함, 창백 (cf. pale[1])
pal·ly[pǽli] *a.* 우호적인, 친한.
:palm[1][pɑ:m] *n.* Ⓒ ① 손바닥. ② 장갑의 손바닥. ③ 손목에서 손가락 끝까지의 길이, 수척(手尺)《폭 3-4인치, 길이 7-10인치》. ④ 손바닥 모양의 부분《노의 편평한 부분, 사슴뿔의 넓적한 부분 따위》. ***grease*** 〔***gild, tickle***〕 ***a person's ~*** 아무에게 뇌물을 주다(cf. OIL a person's hand). ***have an itching ~*** 뇌물을 탐내다; 욕심이 많다. — *vt.* (요술로) 손바닥에 감추다. ***~ off*** 속여서 (가짜를) 안기다(*on, upon*).
:palm[2] *n.* Ⓒ ① 〚植〛 종려, 야자. ② 종려나무의 가지〔잎〕《승리의 상징》. ③ (the ~) 승리. ***bear*** 〔***carry off***〕 ***the ~*** 《古·廢》 우승하다. ***yield*** 〔***give***〕 ***the ~ to*** …에게 승리를 양보하다, 지다.
pal·mar[pǽlmər] *a.* 손바닥의.
pal·mate[pǽlmeit, -mit], **-mat·ed**[-meitid] *a.* 〚植〛 손바닥 모양의; 〚動〛 물갈퀴가 있는.
Pálm Béach 미국 Florida 주 남동해안의 피한지(避寒地).
***palm·er**[pá:mər] *n.* Ⓒ 성지 순례자 《참예(參詣)의 기념으로 종려나무의 가지를 가지고 돌아갔음》; 순례.
pal·met·to[pælmétou] *n.* (*pl.* **~(*e*)*s***) Ⓒ (미국 남동부산) 야자과의 일종. 「재배 온실.
pálm hòuse (종려·야자 따위의)
palm·ist[pá:mist] *n.* Ⓒ 손금〔수상〕쟁이. **-is·try** *n.* Ⓤ 수상술(手相術).
pal·mit·ic[pælmítik] *a.* 〚化〛 팔미틴산의; 야자유에서 빼낸.
palmític ácid 〚化〛 팔미틴산.
pálm lèaf 종려 잎.
pálm òil 야자유; 《美俗》 뇌물.
Pálm Súnday Easter 직전의 일요일.
pálm·top compúter[pá:mtàp-/-tɔ̀p-] 〚컴〛 팜톱 컴퓨터《손바닥에 올려 놓을 정도로 작은》.
palm·y[pá:mi] *a.* 종려〔야자〕의; 야자가 무성한; 번영하는; 의기 양양한.
pal·pa·ble[pǽlpəbəl] *a.* 만질〔감촉할〕 수 있는; 명백한. **-bly** *ad.* **-bil·i·ty**[⌐—bíləti] *n.*
pal·pi·tate[pǽlpətèit] *vi.* (가슴이) 두근거리다; 떨리다(*with*). **-ta·tion**[⌐—téiʃən] *n.* Ⓤ,Ⓒ 두근댐, 동계(動悸); 〚醫〛 심계 항진(心悸亢進).
pal·pus[pǽlpəs] *n.* (*pl.* ***-pi***[-pai]) Ⓒ (곤충 따위의) 더듬이, 촉수(觸鬚).
pal·sied[pɔ́:lzid] *a.* 마비된, 중풍에 걸린; 떨리는.
pal·sy[pɔ́:lzi] *n., vt.* Ⓤ 중풍; 무기력; 마비(시키다).
pal·ter[pɔ́:ltər] *vi.* 속이다(*with*); 되는 대로〔적당히〕 다루다(*with*); 값을 깎다, 흥정하다(*with, about*).
pal·try[pɔ́:ltri] *a.* 하찮은; 무가치한; 얼마 안 되는.
Pa·mirs[pəmíərz] *n.* (the ~) 파미르 고원.
pam·pas[pǽmpəz, -pəs] *n. pl.* (the ~) (남아메리카, 특히 아르헨티나의) 대초원.

P

pámpas gràss 팜파스초(草)《남아메리카 원산의 참억새; 꽃꽂이에 씀》.
pam·per[pǽmpər] *vt.* 어하다, 지나치게 떠받들다; 실컷 먹게 하다; (식욕 따위를) 지나치게 채우다.
:pam·phlet[pǽmflit] *n.* Ⓒ 팸플릿; (시사 문제의) 소(小)논문. **~·eer** [∸flətíər] *n., vi.* Ⓒ 팸플릿을 쓰는 사람[쓰다, 출판하다].
Pan[pæn] *n.* 『그神』 판《숲·들·목양(牧羊)의 신; 염소의 뿔과 다리를 가졌으며 피리를 붊》.
:pan[1][pæn] *n.* Ⓒ ① 납작한 냄비. ② 접시(모양의 것), (천칭의) 접시; (구식총의) 약실. ③《俗》 상판대기. — *vt.* (**-nn-**) ① (사금을 가려내기 위하여) 냄비에 (감흙을) 일다(*off, out*). ②《口》 혹평하다. **~ out** (사금을) 일어내다; 사금이 나오다; 《口》…한 결과가 되다(~ *out well*).
pan[2] (<panorama) *vt., vi.* (**-nn-**) (카메라를) 좌우로 움직이다(cf. tilt[1]); (*vt.*) (카메라를 돌려 …을) 촬영하다.
PAN[pæn] peroxyacetyl nitrate 스모그 중의 질소산화물; polyacrylonitrile 폴리아크릴로니트릴.
Pan. Panama.
pan-[pæn] '전(全), 범(汎)(all)'의 뜻의 결합사.
pan·a·ce·a[pæ̀nəsíːə] *n.* Ⓒ 만능약, 만병 통치약.
pa·nache[pənǽʃ, -náːʃ] *n.* Ⓤ 당당한 태도; 겉치레, 허세; Ⓒ (투구의) 깃털장식. 「주의.
Pàn-Áfricanism *n.* Ⓤ 범아프리카
PANAM, Pan Am ⇨PAA.
***Pan·a·ma**[pǽnəmàː, ∸∸∸] *n.* ① (the Isthmus of ~) 파나마 지협. ② 파나마 공화국; 그 수도. ③ (p-) =**pánama hát** 파나마 모자.
Pánama Canál (Zòne), the 파나마 운하 (지대).
Pàn-Américan *a.* 범미(汎美)의. ***the ~ Union*** 범미 연맹《북남미 21개국의 친선을 꾀함》. **~ìsm** *n.* Ⓤ 범미주의.
Pàn-Árabism *n.* Ⓤ 범(汎)아랍주의.
Pan-Cake[pǽnkèik] *n.* Ⓒ,Ⓤ 『商標』 고형(固形)분.
***pan·cake**[pǽnkèik] *n.* ① Ⓒ,Ⓤ 팬케이크《일종의 핫케이크》. ② Ⓒ 『空』 (비행기의) 수평 낙하. — *vi.* 『空』 수평 낙하하다.
Páncake Dày Ash Wednesday 바로 전 화요일《pancake를 먹는 습관에서》.
Pán·chen Láma[páːntʃen-] 판첸 라마《Dalai Lama 다음가는 라마교의 부교주(副敎主)》.
pan·chro·mat·ic[pæ̀nkroumǽtik] *a.* 『寫』 전정색(全整色)의.
pan·cre·as[pǽŋkriəs] *n.* Ⓒ 『解』 췌장(膵臟). **-cre·at·ic**[∸-ǽtik] *a.*
pan·da[pǽndə] *n.* Ⓒ 『動』 판다《히말라야 등지에 서식하는 너구리 비슷한 짐승》; 흑백곰의 일종(giant ~) 《티베트·중국 남부산》.
pánda càr 《英》 (경찰의) 순찰차.
pan·dect[pǽndekt] *n.* (the Pandects) 유스티니아누스 법전《533년에 Justinian I의 명으로 만들어진 로마 법전》; Ⓒ 법전(집).
pan·dem·ic[pændémik] *a., n.* Ⓒ 전국적[세계적] 유행의 (병)(cf. epidemic).
pan·de·mo·ni·um[pæ̀ndəmóuniəm, -njəm] *n.* ① (P-) 마귀굴, 복마전(伏魔殿). ② Ⓒ 수라장; Ⓤ 대혼란.
pan·der[pǽndər] *vt., vi., n.* 나쁜 일[매춘]의 알선을 하다(*to*); Ⓒ 그 사람.
p & h 《美》 postage and handling 포장 송료.
P. and L. profit and loss 손익.
***Pan·do·ra**[pændɔ́ːrə] *n.* 『그神』 판도라《인류 최초의 여자, Prometheus를 벌주기 위해 Zeus가 지상에 내려 보냄》.
Pandóra's bóx 『그神』 판도라의 상자《Zeus가 Pandora에게 준》; 여러 재앙의 씨.
pan·dow·dy[pændáudi] *n.* Ⓒ,Ⓤ 《美》 애플파이.
:pane[pein] *n.* Ⓒ (한 장의) 창유리.
pan·e·gyr·ic[pæ̀nədʒírik] *n.* Ⓒ 칭찬의 연설[글], 찬사(*upon*); 격찬. **-i·cal**[-əl] *a.*
pan·e·gy·rize[pǽnədʒəràiz] *vt., vi.* 칭찬하다; (…의) 찬사를 하다.
:pan·el[pǽnl] *n.* Ⓒ ① 판벽널, 판자널. ② 화판(畫板); 패널판의 사진《4×8.5 인치》; 폭이 좁고 긴 그림[장식]. ③ 양피지 조각; 『法』 배심원 명부, 《집합적》 배심원; 《英》 건강 보험 의사 명부. ④ 《집합적》 (토론회의) 강사단; (3, 4 명의) 그룹, 위원; 『放』 (퀴즈 프로) 회답자들. — *vi.* (《英》 **-ll-**) 판벽널을 끼우다. **~·(l)ist** *n.* Ⓒ (토론회 따위의) 강사, 참석자.
pánel bèater (자동차의) 판금공(板金工).
pánel discùssion (연사·의제가 미리 정해져 있는) 공개 토론회.
pánel gàme =PANEL SHOW.
pánel hèating (마루·벽으로부터의) 복사 난방. 「판벽널.
pan·el·(l)ing [-iŋ] *n.* Ⓤ 《집합적》
pánel shòw (라디오·TV의) 퀴즈 프로. 「트럭.
pánel trùck 《美》 소형 유개(有蓋)
pán·fish *n.* Ⓒ 프라이용의 민물고기.
pán·frỳ *vt.* 프라이팬으로 튀기다.
***pang**[pæŋ] *n.* (cf. pain) Ⓒ 고통; 격통; 마음 아픔.
pan·go·lin[pæŋgóulin] *n.* Ⓒ 『動』 천산갑(穿山甲).
pán·hàndle *n.* Ⓒ 프라이팬의 자루; (P-) 《美》 좁고 긴 땅. — *vt., vi.* 《美》 (길에서) 구걸하다. **-hàndler** *n.* Ⓒ 거지.
Pánhandle Státe, the 미국 West Virginia 주의 별칭.
Pan·hel·len·ic [pæ̀nhəlénik, -helíːn-] *a.* 범(汎)그리스(주의)의; 《美》 전(全)대학생 클럽의(cf. Greek-letter fraternity).

P

:pan·ic[pǽnik] *n.* Ⓤ,Ⓒ 낭패, 당황(sudden fear); Ⓒ 〖經〗 공황. ― *a.* 공황적인, 낭패의. ― *vt.* (**-ck-**) 《俗》 (청중을) 열광케 하다. ***be at ~ stations*** (…을) 서둘러 하지 않으면 안 되다; (…때문에) 몹시 당황하다(*over*). **pán·ick·y** *a.* 《口》 =PANIC.

pan·i·cle[pǽnikəl] *n.* Ⓒ 〖植〗 원추 꽃차례.

pan·ic-mon·ger[pǽnikmʌ̀ŋgər] *n.* Ⓒ 공황을 일으키는 사람.

pánic-strìcken, -strùck *a.* 공황에 휩쓸린; 당황한, 허둥거리는.

Pàn-Islámic *a.* 범(汎)이슬람의, 이슬람교도 전반의.

pan·nier[pǽnjər, -niər] *n.* Ⓒ (말의 등 양쪽에 걸치는) 옹구; (옛날의) 스커트 버팀테.

pan·ni·kin[pǽnikin] *n.* Ⓒ 《주로 英》 작은 접시〔냄비〕; 금속제의 작은 컵.

pan·o·ply[pǽnəpli] *n.* Ⓤ ① 성대한 의식(*of*). ② (한 벌의) 갑주(甲冑). ③ 완전한 장비〔덮개〕.

pan·op·ti·con [pænɑ́ptikɑ̀n/-nɔ́ptikɔ̀n] *n.* Ⓒ 원형 감옥《중앙에 감시소가 있는》.

:pan·o·ra·ma[pæ̀nərǽmə, -ɑ́:-] *n.* Ⓒ 파노라마; 전경(全景); 개관(概觀); 잇달아 변하는 광경〔영상〕. **-ram·ic** [-rǽmik] *a.*

Pàn-Pacífic *a.* 범(汎)태평양의.

pán·pìpe, Pán's pìpes *n.* Ⓒ 판(Pan)피리《파이프를 길이의 차례대로 묶은 옛 악기》.

:pan·sy[pǽnzi] *n.* Ⓒ 〖植〗 팬지(의 꽃); 《俗》 여자 같은〔나약한〕 사내, 동성애의 남자.

:pant[pænt] *n., vi.* Ⓒ 헐떡임, 헐떡이다, 숨이 참〔차다〕; (엔진이 증기 따위를) 확 내뿜다〔내뿜는 소리〕; 동계(動悸), 두근거리다; 열망하다(*for, after*). ― *vt.* 헐떡거리며 말하다(*out, forth*).

Pan·ta·gru·el·ism[pæ̀ntəgrú:əlìzəm] *n.* Ⓤ 팡타그뤼엘적 유모어《무무하고 풍자적》.

pan·ta·let(te)s[pæ̀ntəléts] *n. pl.* (1830-50년경의) 긴 드로즈 (자락의 장식).

***pan·ta·loon**[pæ̀ntəlú:n] *n.* Ⓒ ① (근대 무언극(無言劇)의) 늙은이 어릿광대역《clown의 상대역》. ② 《주로 美》 (*pl.*) 바지.

pan·tech·ni·con [pæntéknikɑ̀n, -kən/-kən] *n.* Ⓒ 《英》 가구 진열장(場)〔창고〕; =∠ **vàn** 가구 운반차.

pan·the·ism[pǽnθiìzəm] *n.* Ⓤ 범신론(汎神論); 다신교. **-ist** *n.* Ⓒ 범신론자. **-is·tic**[∽-ístik], **-i·cal** [-əl] *a.*

pan·the·on[pǽnθiən] *n.* (the P-) (로마의) 판테온, 만신전(萬神殿); Ⓒ 한 나라 위인들의 무덤·기념비가 있는 건물; 《집합적》 한 국민이 믿는 신들.

***pan·ther**[pǽnθər] *n.* Ⓒ 〖動〗 퓨마; 표범; 아메리카표범(jaguar).

pant·ies[pǽntiz] *n. pl.* 팬티; (어린애의) 잠방이.

pánti·hòse *n.* 《英》 =PANTY HOSE.

pan·to [pǽntou] *n.* 《英》 =PANTOMIME ②.

pan·to·graph [pǽntəgræ̀f, -grɑ̀:f] *n.* Ⓒ 축도기(縮圖器); (전차 지붕의) 팬터그래프, 집전기(集電器).

***pan·to·mime**[pǽntəmàim] *n., vt., vi.* ① Ⓤ,Ⓒ 무언극(을 하다); 《英》 (크리스마스 때의) 동화극. ② Ⓤ 몸짓(으로 나타내다), 손짓.

pan·to·scop·ic [pæ̀ntəskɑ́pik/-skɔ́p-] *a.* 시야가 넓은. ***~ camera*** 광각(廣角) 카메라.

pán·to·thén·ic ácid [pæ̀ntəθénik-] 〖生化〗 판토텐산《비타민 B 복합체의 하나》.

***pan·try**[pǽntri] *n.* Ⓒ 식료품(저장)실(室), 식기실.

pan·try·man[-mən] *n.* Ⓒ (호텔 등의) 식료품〔식사〕계원.

:pants[pænts] *n. pl.* 《주로 美》 바지; (여자용) 드로어즈; 《英》 (남자용)속바지, 팬츠. ***beat the ~ off*** 《俗》 완패시키다. ***bore the ~ off a person*** 아무를 질력나게 하다. ***wear the ~*** 내주장하다.

pánt·sùit *n.* Ⓒ 《美》 팬트슈트《상의와 바지로 된 여성용 슈트》.

pánty hòse 《美》《복수 취급》 팬티 스타킹.

pánty-wàist *n., a.* Ⓒ 짧은 바지가 달린 아동복(의); 《口》 계집애 같은 (사람).

pan·zer[pǽnzər/-tsər] *a.* (G.) 장갑(裝甲)의.

pánzer ùnit 〔**divìsion**〕 기계화〔기갑〕 부대, 기갑 사단.

pap[pæp] *n.* Ⓤ (어린애·환자용) 빵죽; 《俗》 (관리의) 음성 수입.

:pa·pa[pɑ́:pə, pəpɑ́:] *n.* Ⓒ 아빠.

pa·pa·cy[péipəsi] *n.* ① (the ~) 교황의 지위〔권력〕. ② Ⓒ 교황의 임기. ③ Ⓤ 교황 정치.

***pa·pal**[péipəl] *a.* 로마 교황의; 교황 정치의; 로마 가톨릭 교회의.

pa·paw[pɔ́:pɔ:, pəpɔ́:] *n.* Ⓒ (북미산의) 포포(나무); Ⓒ,Ⓤ 포포 열매.

pa·pa·ya[pəpáiə] *n.* Ⓒ (열대산) 파파야(나무); Ⓒ,Ⓤ 파파야 열매.

†pa·per[péipər] *n.* ① Ⓤ 종이; 벽지, 도배지. ② Ⓒ 신문. ③ Ⓤ 어음; 지폐. ④ (*pl.*) 신분 증명서; 서류. ⑤ Ⓒ 논문; 시험 문제; 답안. ⑥ Ⓒ 종이 용기, 포장지. ***on ~*** 서류〔이론〕상으로는. ***put pen to ~*** 붓을 들다, 쓰기 시작하다. ― *vt.* ① 종이에 쓰다. ② 종이로 싸다(*up*). ③ 도배지〔종이〕를 바르다, …뒤에 종이를 대다. ― *a.* ① 종이의〔로 만든〕. ② 종이 같은, 얇은, 무른. ③ 서류(상)의.

páper·bàck *n.* Ⓒ (염가판) 종이 표지 책(paper book). ― *a.* 종이 표지의.

páper bóok 소송 절차에 관한 서「류.

páper·bòund *a.* 종이 표지의.
páper bòy 〔**gìrl**〕 신문 파는 소년〔소녀〕.
páper chàse =HARE and hounds.
páper-còver *n.* =PAPERBACK.
páper fèed 〖컴〗 (프린터의) 종이 먹임.
páper gòld 국제 통화 기금의 특별 인출권. 「구사.
páper·hànger *n.* Ⓒ 도배장이, 표
páper·hànging *n.* Ⓤ 도배.
páper knìfe 종이 베는 칼.
páper·less *a.* 정보나 데이터를 종이를 쓰지 않고 전달하는.
páper mìll 제지 공장.
páper mòney 〔**cùrrency**〕 지폐.
páper náutilus 〖動〗 오징어·문어 따위의 두족류(頭足類).
páper prófit 장부상의 이익.
páper stàndard 지폐 본위(의 화폐 제도).
páper-thín *a.* 종이처럼 얇은; 아슬아슬한. 「세.
páper tíger 종이 호랑이, 허장성
páper wár(fare) 지상 논전, 필전.
páper·wèight *n.* Ⓒ 서진(書鎭).
páper·wòrk *n.* Ⓤ 탁상 사무, 문서 업무, 서류를 다루는 일.
pa·per·y [péipəri] *a.* 종이 모양의, 종이같이 얇은; 취약한.
pa·pier-mâ·ché [péipərməʃéi/pǽpjeimáːʃei] *n., a.* (F.) Ⓤ 혼응지(混凝紙)《송진과 기름을 먹인 딱딱한 종이; 종이 세공용》; 혼응지로 만든.
pa·pil·la [pəpílə] *n.* (*pl.* ***-lae*** [-liː]) Ⓒ 젖꼭지, 유두; (모근(毛根) 따위의) 작은 젖꼭지 모양의 돌기; (혓바닥의) 미관구(味官球). **pap·il·lose** [pǽpəlòus] *a.* 작은 젖꼭지 모양의 돌기가 많은.
pap·il·lo·ma [pæ̀pəlóumə] *n.* (*pl.* ***-mata*** [-tə]) Ⓒ 〖醫〗 유두종(乳頭腫).
pap·il·lon [pǽpəlàn/-lɔ̀n] *n.* Ⓒ 애완견의 일종《스파니엘종(種)》.
pa·pist [péipist] *n., a.* Ⓒ 《蔑》 가톨릭 교도(의).
pap·py [pǽpi] *a.* 빵죽 같은.
pap·ri·ka, -ca [pæpríːkə] *n.* Ⓒ 고추의 일종. ***Spanish*** ~ 피망.
Pap·u·a [pǽpjuə] *n.* = NEW GUINEA.
pap·u·la [pǽpjələ] *n.* (*pl.* ***-lae*** [-lìː]) Ⓒ ① 작은 돌기. ② 〖醫〗 구진(丘疹)(papule), 여드름, 부스럼.
pa·py·rus [pəpáirəs/-páiər-] *n.* (*pl.* ***-ri*** [-rai]) Ⓤ 〖植〗 파피루스《고대 이집트·그리스·로마 사람의 제지 원료》; 파피루스 종이; Ⓒ (파피루스로 된) 옛 문서.
par** [pɑːr] *n.* ① (a ~) 동등; 동수준. ② Ⓤ 〖經〗 평가(平價), 액면 가격; 환평가(換平價). ③ Ⓤ 〖골프〗 표준 타수. ***above ~ 액면 이상으로. ***at*** ~ 액면 가격으로. ***below*** ~ 액면 이하로; 건강이 좋지 않아. ***on a*** ~ ***with*** …와 같아〔동등하여〕. ~ ***of exchange*** (환의) 법정 평가. — *a.* 평균〔정상, 평가〕의.
par. paragraph.
par·a-[1] [pǽrə] *pref.* ① '측면, 이상, 이외, 부정, 불규칙'의 뜻. ② 〖醫〗 '의사(疑似), 부(副)'의 뜻.
par·a-[2] ① '보호, 방호'의 뜻의 결합사. ② '낙하산'의 뜻의 결합사.
pár·a·am·i·no·ben·zó·ic ácid [pǽrəəmìːnoubenzóuik-] 〖化〗 파라아미노안식향산《물감·약품 제조용》.
par·a·ble [pǽrəbəl] *n.* Ⓒ 비유(담), 우화.
pa·rab·o·la [pəræ̀bələ] *n.* Ⓒ 〖數〗 포물선; 파라볼라.
par·a·bol·ic [pæ̀rəbálik/-ɔ́-], **-i·cal** [-əl] *a.* 우화적인; 포물선(모양의). ***parabolic antenna*** 파라볼라 안테나.
***par·a·chute** [pǽrəʃùːt] *n., vi., vt., a.* Ⓒ 낙하산(으로 내리다, 으로 투하하다); 낙하산 수송의. **-chùt·er, -chùt·ist** *n.* Ⓒ 낙하산병(兵).
:**pa·rade** [pəréid] *n.* Ⓒ ① 행렬, 시위 행진. ② 과시, 자랑하여 보이기; 장관; 〖放〗 (프로·히트송 따위의) 열거(*hit* ~). ③ 〖軍〗 열병식(장). ④ 《주로 英》 산책장; 산보하는 사람들, 인파. ***make a*** ~ ***of*** …을 자랑해 보이다. ***on*** ~ (배우 등) 총출연하여. — *vt.* ① 열병하다; (열병을 위해) 정렬시키다. ② (거리 따위를) 누비고 다니다. ③ 과시해 보이다. — *vi.* 줄을 지어 행진하다; 열병을 위해 정렬하다. **pa·rad·er** [-ər] *n.* Ⓒ 행진하는 사람.
paráde gròund 열병〔연병〕장.
paráde rést 〖軍〗 '열중 쉬어'의 자세〔구령〕.
par·a·digm [pǽrədàim, -dim] *n.* Ⓒ 범례; 〖文〗 어형 변화표.
:**par·a·dise** [pǽrədàis] *n.* ① (P-) 천국; 에덴 동산. ② Ⓒ 낙원.
:**par·a·dox** [pǽrədàks/-dɔ̀ks] *n.* ① Ⓤ,Ⓒ 역설《일견 모순된 것 같으나 바른 이론; 보기: *The child is father of the man.*》. ② Ⓒ 모순된 설〔인물·일〕. **~·i·cal** [⌐-⌐ikəl] *a.*
par·af·fin [pǽrəfin], **-fine** [-fìːn] *n., vt.* Ⓤ 파라핀(으로 처리하다); 메탄계의 탄화수소.
páraffin òil 파라핀유; 《英》 등유.
par·a·gon [pǽrəgən, -gàn] *n.* Ⓒ ① 모범, 전형; 뛰어난 인물; 일품(逸品). ② 〖印〗 패러건 활자《20포인트》.
:**par·a·graph** [pǽrəgræ̀f, -gràːf] *n.* Ⓒ ① (문장의) 마디, 절(節), 단락. ② 단락 부호(¶). ③ (신문의, 표제 없는) 단평(短評). — *vt.* ① (문장을) 단락으로 나누다. ② (…의) 기사를 쓰다. **~·er** *n.* Ⓒ 단평 기자.
Par·a·guay [pǽrəgwài, -gwèi] *n.* 남아메리카 중부의 공화국. **~·an** [⌐-⌐ən] *n., a.* 파라과이(의); Ⓒ 파라과이 사람(의). 「새의 일종.
par·a·keet [pǽrəkìːt] *n.* Ⓒ 앵무
par·al·lax [pǽrəlæ̀ks] *n.* Ⓤ,Ⓒ 〖天·寫〗 시차(視差).
:**par·al·lel** [pǽrəlèl] *a.* ① 평행의 (*to, with*). ② 동일 방향〔목적〕의

(*to, with*); 대응하는; 유사한. ③ 〖컴〗 병렬의. — *n.* Ⓒ ① 평행선〔면〕. ② 유사물; 대등자〔물〕. ③ 대비. ④ 위선(緯線). ⑤ 〖印〗 평행 부호(‖). ⑥ 〖컴〗 병렬. ***draw a ~ between*** …을 비교하다. ***have no ~*** 유례가 없다. ***in ~ with*** …와 병행하여. ***without (a) ~*** 유례 없이. — *vt.* (《英》 ***-ll-***) ① 평행하다〔시키다〕. ② 필적하다〔시키다〕. ③ 비교하다(*with*). **~·ism** *n.* Ⓤ 평행; 유사; 대응; 〖哲〗 평행론; 〖生〗 평행현상; 〖修〗 대구법(對句法).

párallel bárs 평행봉.

párallel compúter 〖컴〗 병렬 컴퓨터.

par·al·lel·e·pi·ped[pæ̀rəlèləpáipid, -píp-] *n.* Ⓒ 〖數〗 평행 6면체.

párallel ínterface 〖컴〗 병렬 접속기.

par·al·lel·ism[pǽrəlelìzəm] *n.* Ⓤ 평행; Ⓒ 비교, 대응; 유사.

par·al·lel·o·gram [pæ̀rəléləgræ̀m] *n.* Ⓒ 평행 4변형.

párallel prínter 〖컴〗 병렬 프린터.

párallel prócessing 〖컴〗 병렬처리《몇 개의 자료를 동시에 처리하는 방식》.

Par·a·lym·pics[pæ̀rəlímpiks] *n.* (the ~) 파랄림픽, 신체 장애자 올림픽.

pa·ral·y·sis** [pərǽləsis] *n.* (*pl.* ***-ses[-sìːz]) Ⓤ,Ⓒ ① 〖醫〗 마비. ② 무기력, 무능력; 정체(停滯).

parálysis á·gi·tans [-ǽdʒətæ̀nz] 〖病〗 진전(震顫) 마비.

par·a·lyt·ic[pæ̀rəlítik] *a., n.* 마비의〔된〕; 무력한; Ⓒ 중풍 환자.

:**par·a·lyze,** 《英》 **-lyse**[pǽrəlàiz] *vt.* 마비시키다; 무능력하게 하다.

pàra·magnétic *a., n.* 상자(常磁)성의; Ⓤ 상자성체. **-mágnetìsm** *n.* Ⓤ 〖理〗 상자성.

par·a·me·ci·um [pæ̀rəmíːʃiəm, -si-] *n.* (*pl.* ***-cia***[-ʃiə, -siə]) Ⓒ 〖動〗 짚신벌레.

par·a·med·ic[pæ̀rəmédik] *n.* Ⓒ ① 낙하산 위생병〔군의관〕. ② 준의료 종사자《조산원 등》.

par·a·med·i·cal [pæ̀rəmédikəl] *a.* 준의료 종사자의, 준의료 활동의.

pa·ram·e·ter[pərǽmitər] *n.* Ⓒ 〖數·컴〗 매개 변수, 파라미터; 〖統〗 모수(母數).

par·a·met·ron [pæ̀rəmétran, -rən] *n.* Ⓒ 파라메트론《컴퓨터의 회로 소자(素子)》.

pàra·mílitary *a.* 군 보조의, 준(準)군사적인.

***par·a·mount**[pǽrəmàunt] *a.* 최고의; 주요한; 보다 우수한(*to*).

par·a·mour[pǽrəmùər] *n.* Ⓒ (기혼자의) 정부(情夫·情婦); 연인.

par·a·noi·a[pæ̀rənɔ́iə] *n.* Ⓤ 〖醫〗 편집광(偏執狂). **-ac**[-nɔ́iæk] *a., n.* Ⓒ 편집광의 (환자).

pàra·nórmal *a.* 과학적〔합리적〕으로는 설명할 수 없는.

***par·a·pet**[pǽrəpit, -pèt] *n.* Ⓒ 난간; (성의) 흉장(胸牆).

par·a·pher·na·lia [pæ̀rəfərnéiljə] *n.* Ⓤ (개인의) 자질구레한 소지품〔세간〕; 장치, 여러 가지 도구.

:**par·a·phrase**[pǽrəfrèiz] *n.* Ⓒ (상세하고 쉽게) 바꿔쓰기, 말하기; 의역(意譯). — *vt., vi.* 의역하다.

par·a·ple·gi·a [pæ̀rəplíːdʒiə] *n.* Ⓤ 〖醫〗 하반신 불수.

pàra·proféssional *n., a.* Ⓒ (교사·의사 따위의) 전문직 조수(의).

pàra·psychólogy *n.* Ⓤ 초(超)심리학《심령 현상의 과학적 연구 분야》.

Pa·rá rúbber[paːráː-] 파라 고무《남아메리카산》.

par·a·sab·o·teur[pæ̀rəsǽbətəːr, ⌐—⌐—⌐] *n.* Ⓒ 후방 교란을 목적으로 하는 낙하산병.

***par·a·site**[pǽrəsàit] *n.* Ⓒ ① 기생 생물, 기생충〔균〕. ② 기식자, 식객. **-sit·ism**[-sàitizəm] *n.* Ⓤ 기생(상태); 〖病〗 기생충 감염증. **-sit·ic** [pæ̀rəsítik], **-si·cal**[-əl] *a.* 기생의, 기생적인; 〖電〗 와류(渦流)의.

par·a·si·tol·o·gy [pæ̀rəsaitáləd3i, -si-/-tɔ́l-] *n.* Ⓤ 기생충학.

:**par·a·sol**[pǽrəsɔ̀ːl, -sàl/-sɔ̀l] *n.* Ⓒ 양산, 파라솔.

par·a·sym·pa·thét·ic nérvous sýstem[pæ̀rəsìmpəθétik-] 〖解·生〗 부교감(副交感) 신경계.

par·a·tax·is [pæ̀rətǽksis] *n.* Ⓤ 〖文〗 병렬(竝列)(구문)《보기 : *He is tall, you know* (*that*). cf. hypotaxis》.

par·a·thi·on[pæ̀rəθáiɑn/-ɔn] *n.* Ⓤ 파라티온《농약》.

par·a·thý·roid glànds [pæ̀rəθáirɔid-] 〖解〗 부갑상선(副甲狀腺).

par·a·troop[pǽrətrùːp] *a., n.* (*pl.*) 공정대(空挺隊)(의). **~·er** *n.* Ⓒ 공정대원.

pàra·týphoid *n., a.* Ⓤ 〖醫〗 파라티푸스(의).

paratýphoid fèver 파라티푸스.

par a·vion[pɑ̀ːrævjɔ̃ːŋ] (F.) 항공편으로《항공 우편물의 표시》.

par·boil[páːrbɔ̀il] *vt.* 반숙(半熟)이 되게 하다; 너무 뜨겁게 하다(overheat); (태양 따위가) 태우다.

:**par·cel**[páːrsəl] *n.* ① Ⓒ 소포, 꾸러미, 소화물. ② Ⓒ (토지의) 한 구획. ③ (a ~) 한 떼, 한 무더기. ***by ~s*** 조금씩. PART ***and ~.*** — *vt.* (《英》 ***-ll-***) ① 분배하다(*out, into*). ② 소포로 하다(*up*).

párcel póst 소포 우편.

parch**[paːrtʃ] *vt.* ① (콩 따위를) 볶다, 덖다, 태우다. ② 바싹 말리다. ③ 갈증을 느끼게 하다(*with*). — *vi.* 바싹 마르다; 타다. ***be ~ed with thirst 목이 타다. **~ed**[-t] *a.* 볶은, 덖은, 탄; 바싹 마른. **∠·ing** *a.* 타는〔태우는〕 듯한.

***parch·ment**[páːrtʃmənt] *n.* ① Ⓤ 양피지. ② Ⓒ 양피지 문서.

pard[1][paːrd] *n.* 《古》 =LEOPARD.

pard[2] *n.* Ⓒ《俗》 동아리, 짝패.
pard·ner[pá:rdnər] *n.*《口》 =⇧.
‡**par·don**[pá:rdn] *n.* ① Ⓤ 용서. ② Ⓒ 〖宗〗 면죄;〖法〗 사면. ***I beg your* ~.** 죄송합니다; 실례입니다만…《상대방의 말을 반대할 때》;《끝을 올려 발음하여》 다시 한 번 말씀해 주십시오;《성난 어조로》 다시 한 번 말해 봐라! — *vt.* 용서하다;〖法〗 사면하다. **~·a·ble** *a.* 용서할 수 있는. **~·er** *n.* Ⓒ 용서하는 사람;〖史〗 면죄부 파는 사람.
*__pare__[pɛər] *vt.* ① (…의) 껍질을 벗기다. ② 잘라〔깎아〕내다(*off, away*). ③ (예산 따위를) 조금씩 줄이다, 절감하다(*away, down*).
pa·ren·chy·ma[pəréŋkəmə] *n.* Ⓤ 〖解〗 실질(實質);〖植〗 유(柔)조직.
†**par·ent**[pέərənt] *n.* Ⓒ ① 어버이. ② (*pl.*) 조상. ③ (동식물의) 어미, 모체. ④ 근원, 원인. **~·hood**[-hùd] *n.* Ⓤ 어버이임; 친자 관계.
‡**par·ent·age**[-idʒ] *n.* Ⓤ 어버이임; 태생, 혈통; 가문.
*__pa·ren·tal__[pəréntl] *a.* 어버이(로서)의.
párent còmpany 모(母)회사.
párent dirèctory 〖컴〗 윗자료방.
párent èlement 〖理〗 어미원소《핵분열할 때 daughter element를 만드는 원소》.
*__pa·ren·the·sis__ [pərénθəsis] *n.* (*pl.* ***-ses***[-sì:z]) Ⓒ ① 삽입구. ② (보통 *pl.*) (둥근) 괄호. ③ 간격. **-size** [-θəsàiz] *vt.* 괄호 속에 넣다; 삽입구를 넣다. **par·en·thet·ic** [pæ̀rənθétik], **-i·cal**[-əl] *a.* 삽입구의; 설명적인.
párent-téacher associàtion 사친회《생략 P.T.A.》.
pa·re·sis[pərí:sis, pǽrə-/pǽri-] *n.* Ⓤ 〖醫〗 국부(局部) 마비.
pa·ret·ic[pərétik, -rí:t-] *a., n.* Ⓒ 〖醫〗 국부 마비(성)의 (환자).
par ex·cel·lence [pɑ:r èksəlá:ns] (F.) 특히 뛰어난.
par·fait[pɑ:rféi] *n.* Ⓒ,Ⓤ 파르페《길쭉한 글라스에 아이스크림·과일 조각을 담은 빙과》. 「⇧).
parfáit glàss 파르페 글라스(cf.
par·get[pá:rdʒit] *n.* Ⓤ 석고; 회반죽. — *vt., vi.* (《英》 ***-tt-***) (…에) 회반죽을 바르다.
par·he·li·on[pɑ:rhí:liən, -ljən] *n.* (*pl.* ***-lia***[-liə, -ljə]) Ⓒ 〖氣〗 환일(幻日), 햇무리(mock sun).
pa·ri·ah[pəráiə, pǽriə] *n.* Ⓒ (남부 인도의) 최하층민; 사회에서 버림받은 자.
pa·ri·e·tal[pəráiətl] *a.* 〖解〗 강벽(腔壁)의; 정수리(부분)의;〖植〗 자방벽(子房壁)의;《美》 학교 구내에 사는. — *n.* Ⓒ 〖解〗 정수리뼈.
paríetal bòne 〖解〗 정수리뼈.
par·i·mu·tu·el[pǽrimjú:tʃuəl] *n.* Ⓤ 건 돈 전부를 이긴 말에 건 사람들이 분배받는 방법; Ⓒ 건 돈 기록기.
par·ing[pέəriŋ] *n.* Ⓤ 껍질을 벗김; Ⓒ 벗긴 껍질, 깎은 부스러기.
†**Par·is**[pǽris] *n.* ① 파리《프랑스의 수도》. ②〖그神〗 파리스《Troy 의 왕 Priam 의 아들》.
Páris Chàrter 파리 헌장《1990년 CSCE 정상들이 민주주의와 평화·통합의 새 시대를 선언한 헌장》.
Páris gréen《英》〖化〗 패리스그린《유독한 도료·살충제》.
*__par·ish__[pǽriʃ] *n.* Ⓒ ① (교회의) 교구, 본당(本堂). ②《집합적》 교구의 주민. ③ (미국 Louisiana주의) 군. ***all over the* ~**《英》 어디에나, 도처에(everywhere). ***go on the* ~** 교구의 신세를 지고 살다.
párish chùrch《英》 교구 교회.
párish clèrk《英》 교회의 서무계원. 「교구민.
pa·rish·ion·er[pəríʃənər] *n.* Ⓒ
párish régister 교구 기록부《세례·결혼·사망 따위》.
*__Pa·ri·sian__[pəríʒiən, -ziən] *a.* 파리(식·사람)의. — *n.* Ⓒ 파리 사람.
Páris whíte (상질·미립의) 마분(磨粉); 파리백(白)《도료·그림물감 따위의 하양》.
par·i·ty[pǽrəti] *n.* Ⓤ 동등, 동격; 일치;〖商〗 등가(等價), 평가(平價); 유사;〖經〗 '패리티'《농가의 수입과 생활비와의 비율》;〖컴〗 패리티; = PARITY BIT.
párity bìt 〖컴〗 패리티 비트.
párity chèck 〖컴〗 패리티 검사《컴퓨터 조작의 잘못을 발견하는 방법》.
párity èrror 〖컴〗 패리티 오류.
†**park**[pɑ:rk] *n.* Ⓒ ① 공원. ② 큰 정원;《英》 사냥터. ③ 주차장. ④〖軍〗 (군대 숙영 중의) 군수품 저장소, 포창(砲廠). ***the P-*** =HYDE PARK. — *vt.* ① 공원으로서〔사냥터로서〕 둘러 막다. ② (포차 따위를) 기지에 정렬시키다. ③ 주차시키다. ④《口》 두다, 두고 가다.
par·ka[pá:rkə] *n.* Ⓒ (알래스카·시베리아의) 후드 달린 털가죽 재킷; 후드 달린 재킷〔스목〕(cf. anorak).
*__park·ing__[⌐iŋ] *n., a.* Ⓤ 주차(의);〖컴〗 둠, 파킹. ***No* ~.** 주차 금지.
párking lìght《美》 (자동차) 주차등. 「park).
párking lòt《美》 주차장(《英》 car
párking mèter 주차 시간 표시기.
párking òrbit 〖宇宙〗 대기(待機) 궤도《우주선을 더 먼 궤도에 올려 놓기 위하여 임시로 돌게 하는 궤도》.
párking tìcket 주차 위반 호출장.
Pár·kin·son's disèase[pá:rkinsənz-] 〖醫〗 진전(震顫) 마비(paralysis agitans).
Párkinson's láw 파킨슨의 법칙《영국의 C. Parkinson이 제창한 풍자적 경제 법칙》.
párk·lànd *n.* Ⓤ 수목이 듬성듬성 있는 초원지, 풍치 지구.
párk rànger (국립) 공원 관리인.
párk·wày *n.* Ⓒ《美》 공원도로《중앙에 가로수나 잔디가 있는 큰 길》.
park·y[pá:rki] *a.*《英俗》 싸늘한.

차가운《아침·공기 등》.

par·lance[pɑ́:rləns] *n.* Ⓤ 말투, 어조, 어법(語法).

par·lay[pɑ́:rlei, -li] *vt., vi.* 《美》 원금과 상금을 다시 다음 승부에 걸다; 차례차례로 교묘히 이용하다.

***par·ley**[pɑ́:rli] *n., vi.* Ⓒ 상의, 협의, 교섭; (특히 전쟁터에서 적과의) 담판(을 하다).

:**par·lia·ment**[pɑ́:rləmənt] *n.* ① Ⓒ 의회, 국회(cf. diet², congress). ② (P-) 영국 의회.

par·lia·men·tar·i·an [pɑ̀:rləmentέəriən] *n.* Ⓒ 의회 법규〔정치〕에 정통한 사람.

par·lia·men·tar·i·an·ism[-ìzəm] *n.* Ⓤ 의회 정치〔제도〕.

***par·lia·men·ta·ry**[-méntəri] *a.* ① 의회의, 의회가 있는. ② 의회에서 제정된. ③ 의회 법규〔관습〕에 따른.

parliaméntary láw 국회법; 회칙.

parliaméntary procédure 의회 「운영 절차.

:**par·lor,** 《英》 **-lour**[pɑ́:rlər] *n., a.* Ⓒ 객실(의), 거실; (호텔·클럽의) 담화실; 《美》 영업실, …점(店).

párlor càr 《美》 특등 객차.

párlor gàme 실내의 놀이.

párlor hòuse 《俗》 고급 유곽.

párlor·màid *n.* Ⓒ 잔심부름 하는 계집아이, (방에 딸린) 하녀.

par·lous[pɑ́:rləs] *a.* 《古》 위험한 (perilous); 빈틈 없는. — *ad.* 몹시.

Pár·me·san chéese[pɑ́:rmizæ̀n-] (탈지유(脫脂乳)로 만든 북이탈리아산의 딱딱한) 파르마 치즈.

Par·nas·si·an[pɑ:rnǽsiən] *a., n.* Parnassus산의; 시(詩)의; Ⓒ 고답파의 (시인).

Parnássian schòol 고답파《1866-90년경 형식을 중시한 프랑스 시인의 일파》.

Par·nas·sus[pɑ:rnǽsəs] *n.* 그리스 남부의 산《Apollo와 Muses의 영지(靈地)》; Ⓤ 문단, 시단.

pa·ro·chi·al[pəróukiəl] *a.* 교구의 〔를 위한〕; 지방적인; 편협한. **~·ism**[-ìzəm] *n.* Ⓤ 교구 제도; 지방근성; 편협.

par·o·dy[pǽrədi] *n.* Ⓤ,Ⓒ 풍자적 〔조롱적〕 모방 시문(詩文); 서투른 모방. — *vt.* 풍자적으로 모방하다; 서투르게 흉내내다. **-dist** *n.* Ⓒ 풍자적 〔조롱적〕 모방 시문 작자.

pa·role[pəróul] *n., vt.* Ⓤ 포로의 선서; 가석방; 집행 유예; (포로를) 선서시키고 석방하다; 가석방하다.

par·o·nym[pǽrənim] *n.* Ⓒ 〖言〗 동원어(同源語)《wise와 wisdom 따위》; =HOMOPHONE.

par·o·quet[pǽrəkèt] *n.* =PARAKEET.

pa·rot·id[pərɑ́tid/-ɔ́-] *n.* Ⓒ 〖解〗 이하선(耳下腺). — *a.* 귓가의.

par·o·ti·tis[pæ̀rətáitis] *n.* Ⓤ 〖醫〗 (유행성) 이하선염(炎), 항아리손님.

par·ox·ysm[pǽrəksìzəm] *n.* Ⓒ 발작; (감정의) 격발(激發). **-ys·mal** [pæ̀rəksízməl] *a.*

par·quet[pɑ:rkéi] *n.* ① Ⓤ 쪽모이 세공한 마루. ② Ⓒ 《美》(극장의) 아래층 앞자리, 오케스트라 박스와 parquet circle(⇩) 사이의 자리. — *vt.* (《英》 **-tt-**) 쪽모이 세공 마루를 깔다. **~·ry**[pɑ́:rkətri] *n.* Ⓤ 쪽모이 세공〔깔기〕.

parquét círcle 《美》 (극장의 2층 관람석 밑) parquet ②의 뒤쪽.

parr[pɑ:r] *n.* (*pl.* **~s,** 《집합적》 **~**) Ⓒ 〖魚〗 (아직 바다로 내려가지 않은) 새끼 연어.

par·ra·keet[pǽrəkì:t], **par·ro·ket, -quet**[pǽrəkèt] *n.* =PARAKEET.

par·ri·cide[pǽrəsàid] *n.* Ⓤ 어버이〔존속〕 살해(죄); Ⓒ 그 범인. **-cid·al**[⌐—sáidl] *a.*

:**par·rot**[pǽrət] *n., vt.* Ⓒ 〖鳥〗 앵무새; 앵무새처럼 말을 되뇌다〔입내내다〕; 그 사람.

párrot fèver 〖醫〗 앵무병.

par·ry[pǽri] *vt.* 받아넘기다, 슬쩍 피하다, 비키다; 어물쩍거리다, 둘러〔꾸며〕대다. — *n.* Ⓒ (펜싱의) 받아넘김, 슬쩍 피함; (말을) 둘러댐.

parse[pɑ:rs] *vt.* (글을 문법적으로) 해부하다; (어구의 품사·문법 관계를) 설명하다.

par·sec[pɑ́:rsèk] *n.* Ⓒ 〖天〗 파섹《천체간 거리의 단위; 3.26 광년》.

Par·see, -si[pɑ́:rsi:, —⌐] *n.* Ⓒ 페르시아계의 조로아스터 교도.

par·ser [pɑ́:rzər] *n.* Ⓒ 〖컴〗 파서《키워드에 의해 입력된 정보를 번역처리하는 프로그램》.

par·si·mo·ni·ous [pɑ̀:rsəmóuniəs] *a.* 인색한. **~·ly** *ad.* **-ny**[pɑ́:rsəmòuni/-məni] *n.*

pars·ley[pɑ́:rsli] *n.* Ⓤ 〖植〗 양미나리, 파슬리.

pars·nip[pɑ́:rsnip] *n.* Ⓒ 〖植〗 양〔아메리카〕방풍나물.

***par·son**[pɑ́:rsən] *n.* Ⓒ 교구 목사; 《一般》 목사. **~·age**[-idʒ] *n.* Ⓒ 목사관.

†**part**[pɑ:rt] *n.* ① Ⓒ 부분, 일부; (책 따위의) 부, 편; 신체의 부분. ② Ⓤ (일의) 역할, 구실. ③ Ⓒ (배우의) 역; 대사. ④ Ⓤ (상대하는) 한쪽 편; 쪽, 편(side). ⑤ (*pl.*) 지방, 지구. ⑥ (*pl.*) 자질; 재능. ⑦ Ⓒ 〖樂〗 음부(音部), 성부(聲部), 악장(樂章). ⑧ Ⓒ 《美》 머리의 가르마. ***a ~ of speech*** 품사. ***for my ~*** 나(로서)는. ***for the most ~*** 대부분은. ***in ~*** 일부분. ***~ and parcel*** 중요 부분. ***play a ~*** 역(役)을 하다; 시치미를 떼다. ***take* (*it*) *in good* 〔*bad*〕 *~*** (그것을) 선의〔악의〕로 해석하다. ***take ~ in*** …에 관계〔참가〕하다. ***take ~ with,*** or ***take the ~ of*** …에 편들다〔가담하다〕. — *vt.* ① 나누다. ② (머리를) 가르다. ③ 절단하다; 떼어 놓다. ④ 《古》 분배하다. — *vi.* ① 갈라지다, 떨어지다; 터지다, 쪼개지다. ② (…와) 헤

P

어지다(*from*). ③ (남에게) 넘겨주다(*with*). ④ 떠나다. ⑤ 죽다. **~ *company with*** …와 헤어지다. **~ *with*** …을 해고하다; (남에게) 넘겨주다; 《稀》 …와 헤어지다. ── *a.* 부분의. ── *ad.* 일부분(*a room ~ study, ~ studio* 서재 겸 아틀리에); 어느 정도. **ː∠·ly** *ad.* 일부분, 얼마간.

part. participle; particular.

***par·take** [pɑːrtéik] *vi.* (**-took; -taken**) ① 한 몫 끼다, 참여하다(share)(*of, in*); 같이〔함께〕하다. ② 얼마큼 먹다〔마시다〕(*of*). ③ (성질 따위가 …의) 기미가 있다(*of*). ── *vt.* (…에) 참여하다, 함께하다. **par·ták·er** *n.* Ⓒ 함께하는 사람, 관여자(*of, in*).

par·tak·en [pɑːrtéikən] *v.* partake의 과거분사.

P

par·terre [pɑːrtɛ́ər] *n.* Ⓒ (극장의) 무대 앞부분의 뒤쪽 좌석《미국에서는 2층 관람석의 아래》.

par·the·no·gen·e·sis [pὰːrθənoudʒénəsis] *n.* Ⓤ 〖生〗 단성〔처녀〕생식.

Par·the·non [pɑ́ːrθənὰn, -ən] *n.* 파르테논《그리스의 아테네 신전》.

Par·thi·a [pɑ́ːrθiə] *n.* 파르티아《현 이란 부근을 중심으로 한 고대 국가》.

Pár·thi·an shót [pɑ́ːrθiən-] 마지막 화살; 떠나며 내뱉는 가시돋힌 말.

ːpar·tial [pɑ́ːrʃəl] *a.* ① 부분적인. ② 불완전〔불공평〕한. ③ 특히 좋아하는(*to*). ***~·ly** *ad.* **~·ness** *n.*

par·ti·al·i·ty [pὰːrʃiǽləti] *n.* Ⓤ 불공평, 편파; (a ~) 편애, 기호(*for, to*).

***par·tic·i·pant** [pɑːrtísəpənt] *a.* 관계하는(*of*). ── *n.* Ⓒ 참가자, 관계자, 협동자.

ːpar·tic·i·pate [pɑːrtísəpèit] *vi., vt.* ① 관여〔관계〕하다; 가담〔참여〕하다(*in, with*). ② (…한) 기미가 있다(*of*). **-pa·tor** *n.* Ⓒ 관계자, 참가자, 협동자. **ː-pa·tion** [-∸-péiʃən] *n.* Ⓤ 참가, 관계; 협동.

ːpar·ti·ci·ple [pɑ́ːrtəsìpəl] *n.* Ⓒ 〖文〗 분사. **ː-cip·i·al** [pὰːrtəsípiəl] *a.* 〖文〗 분사의. ***participial construction*** 〖文〗 분사 구문.

ːpar·ti·cle [pɑ́ːrtikl] *n.* Ⓒ ① 미분자(微分子); 미량(微量). ② 〖理〗 질점(質點). ③ 〖文〗 불변화사(不變化詞)《관사·전치사, 접속사, 감탄사》, 접두〔접미〕사.

párticle accélerator 〖理〗 입자 가속기(加速器).

par·ti-col·ored, 《英》 **-oured** [pɑ́ːrtikʌ̀lərd] *a.* 잡색(雜色)의.

ːpar·tic·u·lar [pərtíkjələr] *a.* ① 특수한, 특정의(cf. special); 고유의, 독특한. ② 각별한; 현저한. ③ 상세한. ④ 까다로운(*about, in, over*). ── *n.* ① Ⓒ 사항, 항목. ② (*pl.*) 자세한 내용〔점〕. ③ (the ~) 특색. ***in ~*** 특히, 상세하게. ***the London ~*** 런던의 명물《안개 따위》. **ː~·ly** *ad.* 특히; 낱낱이; 상세히.

partícular áverage 〖海上保險〗 단독 해손(海損).

par·tic·u·lar·ism [pərtíkjələrìzəm] *n.* Ⓤ 자당(自黨)〔자국〕 제1주의; (연방 등의) 자주 독립주의; 〖神學〗 특정인 은총론《신의 은총이 특정인에게 주어진다고 하는》. **-ist** *n.*

par·tic·u·lar·i·ty [pərtìkjəlǽrəti] *n.* Ⓤ 특성, 특이성, 특색; 상세함; 세심한 주의; 까다로움.

par·tic·u·lar·ize [pərtíkjələràiz] *vt., vi.* 상술하다; 열거하다; 특기하다. **-i·za·tion** [-∸-lərizéiʃən/-rai-] *n.*

***part·ing** [pɑ́ːrtiŋ] *n.* ① Ⓤ,Ⓒ 이별, 고별; 별세. ② Ⓤ 분리; 출발. ③ Ⓒ 분기점. ── *a.* ① 고별〔이별〕의; 최후의. ② 떠나가는. ③ 나누는.

***par·ti·san** [pɑ́ːrtəzən/pὰːtizǽn] *n., a.* Ⓒ ① 도당(徒黨)(의 한 사람); 한 동아리; 당파의. ② 〖軍〗 유격병(의). **~·ship** [-ʃìp] *n.* Ⓤ 당파심; 가담.

par·ti·ta [pɑːrtíːtə] *n.* (It.) Ⓒ 〖樂〗 파르티타《변주곡집, 또는 조곡(組曲)의 일종》.

***par·ti·tion** [pɑːrtíʃən] *n., vt.* Ⓤ 분할(하다); 구획(하다); Ⓒ 부분; 칸막이; 벽; 칸막(이 하)다; 〖컴〗 분할.

par·ti·tive [pɑ́ːrtətiv] *a., n.* Ⓒ 〖文〗 부분을 나타내는 (말)《some, few, any 등》.

par·ti·zan *n.* =PARTISAN.

párt mùsic 합창〔중창〕곡.

ːpart·ner [pɑ́ːrtnər] *n.* Ⓒ ① 협동자; 동아리, 공동자(共同者). ② 〖法〗 조합원, 사원. ③ 배우자; (댄스의) 파트너; (경기의) 짝패. **~·less** *a.* 상대가 없는. ***~·ship** [-ʃìp] *n.* Ⓤ 공동, 협력; Ⓒ 조합, 상사, 합명〔합자〕회사; Ⓤ,Ⓒ 조합 계약, 공동 경영.

par·toc·ra·cy [pərtɑ́krəsi, pɑːr-] *n.* Ⓤ 일당 독재 정치.

párt òwnership 공동 소유.

par·took [pɑːrtúk] *v.* partake의 과거.

***par·tridge** [pɑ́ːrtridʒ] *n.* (*pl.* **~s,** 《집합적》 ~) Ⓒ 〖鳥〗 반시·자고의 무리; (미국의) 목도리뇌조. 「곡.

párt sòng (특히 반주 없는) 합창

párt(s) per míllion 백만분율, 피피엠《미소 함유량의 단위; 생략 PPM》.

***part-time** [pɑ́ːrttàim] *a.* 시간제의, 파트타임의. **-tímer** *n.* Ⓒ 시간제의 근무자(cf. full-timer); 정시제(定時制) 학교의 학생.

par·tu·ri·ent [pɑːrtjúəriənt] *a.* 출산의, 출산에 관한.

par·tu·ri·tion [pὰːrtjuəríʃən] *n.* Ⓤ 출산, 분만.

†par·ty [pɑ́ːrti] *n.* Ⓒ ① 당(파); 정당; (the P-) (공산)당. ② 〖軍〗 분견대(分遣隊), 부대; 일행; 대(隊); 한동아리, 자기편. ③ (사교의) 모임. ④ 〖法〗 (계약·소송의) 당사자(*the third ~* 제삼자). ⑤ 《口》 사람. ***be a ~ to*** …에 관계하다.

make one's ~ good 자기 주장을 관철하다〔입장을 유리하게 하다〕. ── *a.* 정당〔당파〕의.

párty-còlored *a.* = PARTI-COLORED.

párty góvernment 정당 정치.

párty lìne (전화의) 공동 가입선; (정당의) 정책 노선; (공산당의) 당 강령. 「람.

párty líner 당의 정책에 충실한 사

párty màn 당원, 당인.

párty plátform 정당 강령, 정강.

párty pólitics 정당 본위 정치《자기 당의 이익만 생각하는》; 당략.

párty spírit 당파심, 애당심; 파티열(熱).

párty-spírited *a.* 당파심이 강한.

párty vòte 정당의 정책 방침에 의한 투표. 「벽.

párty wáll 〖法〗 (이웃집과의) 경계

pár válue 액면 가격.

par·ve·nu[pɑ́ːrvənjùː] *n.* (F.) Ⓒ 벼락 출세자.

PAS[1] Pan-American Society.

PAS[2], **P.A.S.**[pæs] *n.* 파스《결핵 치료약》(< ***p****ara-****a****mino****s****alicylic* acid).

pas[pɑː] *n.* (F.) (*pl.* ~ [-z]) Ⓒ (댄스의) 스텝; 선행권, 우선권.

PASCAL[pæskǽl] *n.* Ⓒ 〖컴〗 파스칼《ALGOL의 형식을 따르는 프로그램언어》.

Pas·cal[pǽskəl], **Blaise**(1623-62) 프랑스의 철학자·수학자·물리학자.

pas·chal[pǽskəl, -ɑ̀ː-] *a.* (종종 P-) 유월절(踰越節)(passover)의; 부활절의.

pa·sha[pɑ́ːʃə] *n.* Ⓒ 파샤《터키의 문무고관의 존칭》. **~·lik, -lic**[pəʃɑ́ː-lik] *n.* Ⓤ 파샤의 관할구〔권〕.

pasque·flow·er[pǽskflàuər] *n.* Ⓒ 양할미꽃《아네모네속》.

pas·quin·ade[pæ̀skwənéid] *n.* Ⓒ (사람 눈에 띄게 한) 풍자문, 풍자.

†**pass**[1][pæs, pɑːs] *vi.* (*~ed*[-t], ***past***) ① 지나다, 나아가다(*away, out, by*), 통과하다(*by, over*). ② (때가) 경과하다. ③ 변화하다(~ *into nothingness* 무(無)로 돌아가다), 되다(become)(*to, in*). ④ (시험에) 합격하다; (의안이) 통과하다. ⑤ 소실〔소멸〕하다; 떠나다; 끝나다; 죽다. ⑥ (사건이) 일어나다. ⑦ 통용하다(*for, as*). ⑧ 판결을 내리다; (판결이) 내려지다(*on, upon*). ⑨ (재산 따위가 남의 손에) 넘어가다. ⑩ (술잔 따위가) 돌다. ⑪ (구기(球技)에서) 공을 패스하다; 〖카드〗 패스하다; 〖펜싱〗 찌르다(*on, upon*). ── *vt.* ① 지나가다; 통과시키다; 넘(어 가)다, 건너다, 횡단하다. ② (시간을) 보내다, 지내다. ③ 움직이다; (밧줄 따위를) 휘감다; 꿰다, 꿰뚫다. ④ (의안이) 통과〔가결〕하다. ⑤ (시험에) 합격하다, 급제시키다. ⑥ 양도하다; 넘겨주다; 돌리다. ⑦ 못보고 지나치다, 눈감아 주다, 간과하다; 아무것도 않고 그대로 두다. ⑧ (판결을) 선고하다, (판단을) 내리다; (의견을) 말하다. ⑨ 약속하다. ⑩ (한도를) 넘다; …보다 낫다. ⑪ 《美》 거르다, 빼먹다, 생략하다. ⑫ (공을) 패스하다; 〖野〗 (4구 또는 히트로 주자를) 1루(壘)에 나가게 하다. ⑬ (대소변을) 보다(~ *water* 소변보다). ***~ away*** 떠나다; 끝나다; 스러지다, 안쓰이게 되다; 죽다. ***~ by*** (…을) 지나(가)다; (때가) 지나가다; 눈감아주다; 못보고 지나치다〔빠뜨리다〕; 무시하다. ***~ into*** …으로 변하다; (…의 손)으로 넘어가다. ***~ off*** 떠나다; 차차 사라지다; 잘 되어가다; 일어나다(happen); (가짜를) 쥐어주다〔갖게 하다〕(*on*); (그 자리를) 얼버무려 꾸미다; 가짜로 통하다(~ *oneself off as* 짐짓 …으로 행세하다). ***~ on*** 나아가다; 넘겨주다. ***~ out*** 나가다; 《口》 의식을 잃다. ***~ over*** 건너다; 통과하다; (때를) 보내다; 생략하다; 못보고 빠뜨리다〔넘어가다〕, 무시하다. ***~ the*** BABY. ***~ through*** 빠져 나가다; 관통하다; 경험하다. ***~ up*** 《美俗》 그대로 보내다, 간과하다; 포기하다. ── *n.* Ⓒ ① 합격, 급제; 《英》 보통급제《우등 급제가 아닌》. ② 패스《무료 입장〔승차〕권》; 통행〔입장〕허가. ③ 모양, 상태; 위기. ④ (최면술의) 안수(按手); 요술, 속임수. ⑤ 산길(path). ⑥ 물길, 수로. ⑦ 〖펜싱〗 찌르기; 〖球技·카드〗 패스; 〖野〗 사구(四球) 출루(出壘)(walk). ⑧ 〖컴〗 과정. ***bring to ~*** 이룩하다; 야기시키다. ***come to ~*** 일어나다(happen)(*come to a nice* 〔*pretty*〕 ~ 난처〔곤란〕하게 되다). **∠·er** *n.*

***pass**[2] *n.* Ⓒ ① 산길, 고갯길; 고개. ② 물길, 수로. ③ 〖軍〗 요충지.

pass. passenger; *passim;* passive.

***pass·a·ble** [pǽsəbəl, -ɑ́ː-] *a.* ① 통행할 수 있는. ② 어지간한, (성적이) 보통인. ③ (화폐 따위) 통용되는; (의안이) 통과될 수 있는. **-bly** *ad.*

pas·sa·ca·glia[pɑ̀ːsəkɑ́ːljə, pæ̀-] *n.* 〖樂〗 파사칼리아《3박자의 조용한 춤곡》.

‡**pas·sage**[pǽsidʒ] *n.* ① Ⓤ,Ⓒ 통행, 통과; 통행권. ② Ⓤ (사건의) 진행; (때의) 경과; 추이. ③ Ⓤ 여행, 항해. ④ Ⓤ 뱃삯; 찻삯; 항행권. ⑤ Ⓒ 통로, 샛길; 《英》 복도; 수로(水路). ⑥ Ⓒ (문장·연설의) 한 절; 〖樂〗 악절. ⑦ Ⓤ,Ⓒ (의안의) 통과, 가결. ⑧ (*pl.*) 밀담, 교섭. ⑨ Ⓤ 논쟁; 격투(combat). ***make a ~*** 항해하다. ***~ of arms*** 시합, 싸움, 격투; 논쟁. ***take ~ in*** …을 타고 도항(渡航)하다. ***work one's ~*** 뱃삯 대신 배에서 일하다.

pássage bìrd 철새.

pássage mòney 뱃삯, 찻삯.

***pássage·wày** *n.* Ⓒ 통로, 복도.

páss·bòok *n.* Ⓒ 은행 통장; (외

P

상) 거래장.
páss chèck 입장권; 재 입장권.
páss degrèe 〖英大學〗 (우등 아닌) 보통 졸업 학위.
pas·sé[pæséi, pɑ́:sei] *a.* (F.) 과거의; 한창때가 지난; 시대에 뒤진.
†**pas·sen·ger**[pǽsəndʒər] *n.* Ⓒ 여객, (특히) 선객.
pássenger bòat 여객선.
pássenger càr 객차.
pássenger lìst 승객(탑승자) 명부.
pássenger plàne 여객기.
pássenger sèat (특히 자동차의) 조수석.
pássenger sèrvice 여객 수송.
pássenger tràin 여객 열차.
pas·ser-by**[pǽsərbái, pɑ́:-] *n.* (*pl.* ***-s-by) Ⓒ 지나가는 사람, 통행인.
pas·sim[pǽsim] *ad.* (L.) (인용서(書)의) 여기저기에.
pass·ing**[pǽsiŋ, -ɑ́:-] *a.* ① 통행(통과)하는. ② 목전(현재)의. ③ 삽시(순식)간의. ④ 대충의; 우연의. ⑤ 합격의; 뛰어난. — *n.* Ⓤ 통행, 통과; 경과; 죽음; (의안의) 통과, 가결. ***in **~** …하는 김에. — *ad.* 《古》 대단히. **~·ly** *ad.* 대충, 대강; 《古》 몹시.
pássing bèll 조종(弔鐘).
:**pas·sion**[pǽʃən] *n.* ① U,C 격정, 열정. ② Ⓤ 감정의 폭발; 격노. ③ Ⓤ 열렬한 애정; 정욕. ④ Ⓤ 정열, 열심(*for*); 열애하는 것. ⑤ (the P-) 예수의 수난; Ⓤ 《古》 (순교자의) 수난. ***fall*** [***fly, get***] ***into a*** **~** 벌컥 성내다. **~·less** *a.* 정열이 없는; 냉정한.
:**pas·sion·ate**[pǽʃənit] *a.* ① 감정에 지배되는. ② 성 잘 내는. ③ 열렬한, 감정적인. ***~·ly** *ad.*
pássion·flòwer *n.* Ⓒ 〖植〗 시계초(時計草).
pássion màrk 《美口》 키스마크(hickey).
Pássion plày 예수 수난극(劇).
Pássion Wèek 수난 주간.
:**pas·sive**[pǽsiv] *a.* ① 수동의. ② 무저항의. ③ 활발하지 못한. ④ 〖文〗 수동(피동)의. — *n.* (the ~) 〖文〗 수동태. **~·ly** *ad.* **pas·sív·i·ty** *n.* Ⓤ 수동(성).
pássive bélt (자동차의) 자동 안전 벨트.
pássive resístance (정부에 대한) 소극적 저항.
pássive restráint (차의) 자동 방호 장치《자동 벨트·에어백 등》.
pássive smóking 간접적 끽연《타인이 내뿜는 담배 연기를 들이마시는 일》.
pássive vóice 〖文〗 수동태.
páss·kèy *n.* Ⓒ 곁쇠; 사용(私用)의 열쇠.
pass·man[ˊmæ̀n, -mən] *n.* Ⓒ 《英》 (대학의) 보통 급제생《특히, 보통의 졸업생; cf. classman》.
Páss·òver *n.* (the ~) (유대인의) 유월절(踰越節).
:**pass·port**[ˊpɔ̀:rt] *n.* Ⓒ 여권(旅券), 패스포트. 「호.
páss·wòrd *n.* Ⓒ 암호(말); 〖컴〗 암
†**past**[pæst, pɑ:st] *a.* ① 과거의, (이제 막) 지난. ② 요전의. ③ 〖文〗 과거의. — *ad.* 지나쳐서(by). — *n.* ① (the ~) 과거; (*sing.*) 과거의 일); 경력; 수상쩍은(아름답지 못한) 경력. ② (the ~) 〖文〗 과거(시제), 과거형. — ***prep.*** ① (시간이) …을 지나서(after)(***half ~ two,*** 2시 반). ② …을 넘어서. ③ …이 미치지 않는, …이상. **~ *belief*** 믿을 수 없는.
:**paste**[peist] *n.* U,C ① 풀. ② (과자용의) 반죽(dough). ③ 반죽해 이긴 것, 페이스트《생선고기 뭉갠 것, 크림 치약, 연고(軟膏), 이긴 흙, 모조보석의 원료용 납유리 따위》. ④ 〖컴〗 붙임, 붙이기. SCISSORS ***and*** **~**. — *vt.* 풀로 붙이다(*up, on, down, together*); 《俗》 (주먹으로) 때리다. **pást·er** *n.* Ⓒ 고무풀 칠한 붙임용지; 풀칠하는 사람.
páste·bòard *n.* Ⓤ 판지(板紙).
pas·tel[pæstél/ˊ-] *n.* Ⓤ 파스텔; 파스텔 화법; 파스텔풍의 색조(色調); Ⓒ 파스텔화(畵).
pas·tern[pǽstə:rn] *n.* Ⓒ (말의) 발회목뼈《뒷발톱과 발굽과의 사이》.
Pas·ter·nak[pǽstərnæ̀k], **Boris Leonidovich**(1890-1960) 옛 소련의 시인·소설가.
Pas·teur[pæstə́:r], **Louis**(1822-95) 프랑스의 화학자.
pas·teur·ism[pǽstərìzəm] *n.* Ⓤ 광견병 예방 접종법; 파스퇴르 멸균법.
pas·teur·ize[pǽstəràiz, -tʃə-] *vt.* (개에) 광견병 예방 접종을 하다. **-i·za·tion**[ˋ--izéiʃən] *n.*
pas·til[pǽstil], **pas·tille**[pæstí:l] *n.* Ⓒ 정제(錠劑); 향정(香錠).
***pas·time**[pǽstàim, -ɑ́:-] *n.* U,C 오락; 기분 전환.
pást máster 명인, 대가; (조합·협회 따위의) 전(前)회장.
***pas·tor**[pǽstər, -ɑ́:-] *n.* Ⓒ 주임 목사; 정신적 지도자.
pas·to·ral**[pǽstərəl, -ɑ́:-] *a.* 목자(牧者)의; 전원(생활)의; 목사의. ***the P- Symphony 전원 교향곡《Beethoven의 교향곡 제 6 번》. — *n.* Ⓒ 목가, 전원시(극·화); (bishop) 교서(教書).
pástoral cáre (종교 지도자·선생 등의) 충고, 조언.
pas·to·rale [pæ̀stərɑ́:l, -rɑ́:li] *n.* (*pl.* ***-li*** [-li:], **~*s***) Ⓒ 〖樂〗 전원곡, 목가적 가극.
pas·tor·ate[pǽstərit, -ɑ́:-] *n.* Ⓒ 목사의 직(지위·임기); (the ~) 목사단(團).
:**pást párticiple** 〖文〗 과거분사.
:**pást pérfect** 〖文〗 과거완료.
:**pas·try**[péistri] *n.* U,C 반죽 과자(식품). 「람.
pástry còok 반죽 과자 만드는 사

:pást ténse 〖文〗 과거 시제.
pas·tur·age [pǽstʃuridʒ, pɑ́ːstju-] *n.* Ⓤ 목초(지); 목축(업).
:pas·ture [pǽstʃər, -ɑ́ː-] *n.* Ⓤ,Ⓒ 목장, 방목장; 목초지; Ⓤ 목초. — *vt., vi.* 방목하다; (풀을) 뜯(어 먹)다. **pas·tur·er** [-ərər] *n.* Ⓒ 목장주.
pásture·lànd *n.* Ⓤ,Ⓒ 목장, 목초지.
past·y[1] [pǽsti, pɑ́ː-] *n.* Ⓤ,Ⓒ 《주로 英》 고기 파이.
past·y[2] [péisti] *a.* 반죽〔풀〕 같은; (얼굴이 부중으로 들떠) 누런; 창백한, 늘어진(flabby).
pásty-fáced *a.* 창백한 얼굴의.
P.À. sỳstem 확성 장치(public-address system).
:pat[1] [pæt] *vt., vi.* (**-tt-**) ① (납작한 것으로) 가볍게 두드리다. ② 쳐서 모양을 만들다. — *n.* Ⓒ ① 가볍게 두드리기〔두드리는 소리〕. ② (버터 따위의) 작은 덩어리.
pat[2] *a.* 꼭맞는, 안성맞춤의; 적절한 (*to*). — *ad.* 꼭(들어 맞아서); 적절히. ***stand*** ~ (트럼프 따위) 처음 패 그대로 하다; (결의 등을) 고수하다.
pat. patent(ed); patrol; pattern. **PATA** Pacific Area Travel Association 태평양 지구 여행 협회.
:patch [pætʃ] *n.* Ⓒ ① 깁는 헝겊. ② (상처에 대는) 헝겊 조각, 안대(眼帶). ③ (불규칙한) 반점. ④ 작은 지면. ⑤ 〖컴〗 깁기《프로그램이나 데이터의 장애 부분에 대한 임시 교체 수정》. ***not a*** ~ ***on*** …와는 비교가 안 되는. — *vt.* ① (…에) 헝겊을 대고 깁다(*up*); 수선하다. ② (사건·분쟁 따위를) 가라앉히다(*up*). ③ 일시 미봉하다(*up*). **∠·y** *a.* 누덕누덕 기운; 주워 모은; 조화되지 않은. **∠·ing** *n.* 〖컴〗 깁기.
pátch tèst 첩포(貼布) 시험《헝겊 조각에 바른 항원(抗原)을 피부에 붙여서 알레르기 반응을 봄》.
pátch·wòrk *n.* Ⓤ,Ⓒ 쪽모이 세공(細工); 주워 모은 것.
pate [peit] *n.* Ⓒ 《口》 머리; 두뇌.
pâ·té de foie gras [pɑːtéi də fwɑ́ː grɑ́ː] (F.) (지방이 많은 거위의) 간(肝) 파이.
pa·tel·la [pətélə] *n.* (*pl.* ***-lae*** [-liː]) Ⓒ 종지뼈, 슬개골.
pat·en [pǽtn] *n.* Ⓒ 〖宗〗 성반(聖盤), 파테나《제병(祭屛) 담는 얇은 접시》.
pa·ten·cy [péitənsi, pǽt-] *n.* Ⓤ 명백(함); 〖醫〗 (결핵의) 개방성.
:pa·tent [pǽtənt, péit-] *n.* Ⓒ 특허(품·증). — *a.* ① (전매) 특허의, 《口》 신안의. ② 명백한. ③ 열려 있는. ④ 〖醫〗 (결핵 따위가) 개방성의. — *vt.* (…의 전매) 특허를 얻다. **~·ly** *ad.* 명백히, 공공연히.
pátent attòrney 《美》 변리사.
pa·tent·ee [pæ̀təntíː, pèi-] *n.* Ⓒ 전매특허권 소유자.
pátent ínsides 〔**óutsides**〕 한 쪽면만 인쇄한 신문《작은 신문사는 이 것을 사서 뒷면에 자기들 기사를 인쇄함》.
pátent léather (검은 광택이 나는) 에나멜 가죽.
pátent médicine 매약(賣藥).
Pátent Óffice 특허청.
pátent rìght 특허권.
pa·ter [péitər] *n.* Ⓒ 《英口》 아버지.
pa·ter·fa·mil·i·as [pèitərfəmíliəs, -æs] *n.* Ⓒ 〖로法〗 가장(家長).
***pa·ter·nal** [pətə́ːrnəl] *a.* 아버지(편)의, 아버지다운(opp. maternal); 아버지로부터 물려받은. **~·ism** [-ìzəm] *n.* Ⓤ (정치·고용 관계의) 부자(父子)주의; 온정주의; 간섭정치. **~·ly** *ad.* 아버지로서, 아버지답게.
pa·ter·nal·is·tic [pətə̀ːrnəlístik] *a.* 온정주의의. **-ti·cal·ly** *ad.*
pa·ter·ni·ty [pətə́ːrnəti] *n.* Ⓤ 아버지임; 부계(父系)(cf. maternity).
patérnity lèave (맞벌이 부부의) 남편의 출산·육아 휴가.
patérnity tèst 부계(父系)〔부자 감별〕시험《혈액 검사에 의한》.
pa·ter·nos·ter [pǽːtərnɑ̀ːstər/-nɔ̀s-] *n.* Ⓒ (라틴어의) 천주경(天主經)(을 욀 때의 묵주의 큰 구슬).
†path [pæθ, -ɑː-] *n.* (*pl.* **~s** [-ðz, -θz/-ðz]) Ⓒ ① (사람이 다녀서 난) 길, 작은 길; 보도; (정원·공원 안의) 통로; 진로. ② (인생의) 행로. ③ 〖컴〗 경로. **∠·less** *a.* 길 없는; 인적 끊긴.
:pa·thet·ic [pəθétik], **-i·cal** [-əl] *a.* 가련한; 감동시키는. ***the*** ~ 감상적인 것. **-i·cal·ly** *ad.*
páth·fìnder *n.* Ⓒ 개척자, 탐험자; (폭격기를 이끄는) 선도기(先導機)(의 조정사).
páth·náme *n.* Ⓒ 〖컴〗 경로명.
path·o·gen·ic [pæ̀θədʒénik] *a.* 발병시키는, 병원(病原)이 되는.
pa·thog·no·mon·ic [pæ̀θəgnoumɑ́nik/-mɔ́n-] *a.* 〖醫〗 질병 특유의.
pa·thol·o·gy [pəθɑ́lədʒi/-ɔ́-] *n.* Ⓤ 병리학; 병상(病狀). **path·o·log·ic** [pæ̀θəlɑ́dʒik/-ɔ́-], **path·o·log·i·cal** [-əl] *a.* 병리학의; 병적인.
***pa·thos** [péiθɑs/-θɔs] *n.* Ⓤ (문장·음악·사건 따위의) 애틋함을 자아내는 힘, 애수감, 비애; 〖藝〗 '파토스', 정감(情感)(opp. ethos).
***páth·wày** *n.* Ⓒ (작은) 길.
:pa·tience [péiʃəns] *n.* Ⓤ ① 인내(심); 끈기. ② 《英》 혼자 노는 카드놀이(solitaire).
:pa·tient [péiʃənt] *a.* ① 인내력이 강한. ② 근면한. — *n.* Ⓒ 환자. ***~·ly** *ad.* 「고색(古色).
pat·i·na [pǽtənə] *n.* Ⓤ 녹, 녹청;
pa·ti·o [pǽtiòu, pɑ́ː-] *n.* (*pl.* **~s**) Ⓒ (스페인·라틴 아메리카식 집의) 안뜰.
Pat. Off. Patent Office.
pat·ois [pǽtwɑː] *n.* (F.) (*pl.* ~ [-z]) Ⓒ 방언.
pa·tri·al [péitriəl] *a., n.* Ⓒ 《英》 (부

모가 영국 태생이므로) 영국 거주권이 있는 (사람).

pa·tri·arch[péitriɑ̀:rk] *n.* Ⓒ 가장, 족장(族長); 개조(開祖), 창설자; 장로, 고로(古老); (초기 교회·그리스 정교회의) 주교. **-ar·chal**[ˌ—ɑ́:rkəl] *a.* **-ar·chate**[ˊ—ɑ̀:rkit] *n.* Ⓤ,Ⓒ patriarch의 지위〔직권·임기〕. **-ar·chy** *n.* Ⓤ 가장〔족장〕정치〔제도〕.

pa·tri·cian[pətríʃən] *n., a.* Ⓒ (고대 로마의) 귀족(의); 《一般》 귀족적인, 귀족에 어울리는.

pat·ri·cide[pǽtrəsàid] *n.* Ⓒ 부친 살해범; Ⓤ 부친 살해죄. **-cid·al**[ˌ—sáidl] *a.*

Pat·rick[pǽtrik], **Saint**(389?-461?) 아일랜드의 수호 성인.

pat·ri·mo·ny [pǽtrəmòuni/-məni] *n.* Ⓤ,Ⓒ 세습 재산; 어버이로부터 물려받은 것; 교회 재산. **-ni·al** [pæ̀trəmóuniəl, -njəl] *a.*

:pa·tri·ot[péitriət, -ɑ̀t/pǽtriət] *n.* Ⓒ 애국자; (점령군에의) 협력 거부자 (cf. collaborator). ***~·ism**[-triətìzəm] *n.* Ⓤ 애국심. ***~·ic**[pèitriɑ́tik/pæ̀triɔ́-] *a.* 애국의; 애국심이 강한.

Pátriot mìssile 패트리어트 (미사일 요격) 미사일.

pa·tris·tic[pətrístik], **-ti·cal** [-əl] *a.* (초기 기독교의) 교부(教父)의; 교부의 유저(연구)의. **-tics** *n.* Ⓤ 교부학, 교부의 유저 연구.

pa·trol**[pətróul] *n.* ① Ⓤ 순회, 순시, 정찰. ② Ⓒ 순시인, 순경; 정찰대《척후·비행기·함선 따위의》. ③ Ⓒ 《집합적》 소년단의 반《8명》. ***on **~** 순회 중. — *vt., vi.* (**-ll-**) 순회하다; (거리를) 행진하다. **~·ler** *n.*

pa·trol·man[-mən] *n.* Ⓒ 《美》 순찰 경관, 순시인.

partról òfficer 《美》 순경, 순찰〔외근〕 경관.

patról wàgon 《美》 죄수 호송차.

:pa·tron[péitrən] *n.* Ⓒ ① 후원자, 패트런. ② (상점의) 단골 손님, 고객. ③ 수호 성인(聖人). ④ 〖古로〗 (해방된 노예의) 옛 주인. ***~·age** [pǽtrənidʒ, péit-] *n.* Ⓤ 후원; 애고(愛顧); 은혜를 베푸는 듯한 태도, 덕색(德色); 《英》 서임권(敍任權). **~·ess** *n.* Ⓒ patron의 여성. ***~·ize** [-àiz] *vt.* 후원하다; 아끼고 사랑하다; 덕색질하다. **~·iz·ing**[-àiziŋ] *a.* 은인인 체하는, 생색을 내는, 은혜라도 베푸는 듯싶은.

pátron sáint 수호 성인.

pat·ro·nym·ic[pæ̀trənímik] *a., n.* Ⓒ 부조(父祖)의 이름을 딴 (이름)《보기: *Johnson* <*John*》.

pat·sy[pǽtsi] *n.* Ⓒ 《美俗》 쉬이 속아 넘어가는 사람, '봉'.

pat·ten[pǽtn] *n.* Ⓒ 덧나막신.

***pat·ter**[1][pǽtər] *vt., vi.* ① 또닥또닥〔후두두후두두〕 소리를 내다; 후두두후두두 비가 뿌리다. ② 타닥타닥 잦은 걸음으로 달리다. — *n.* (*sing.*) 그 소리.

pat·ter[2] *n., vt., vi.* Ⓤ 재게 재잘거림; 재잘대다; (도둑·거지 등의) 변말.

:pat·tern[pǽtərn] *n.* Ⓒ ① 모범; 본보기; 본. ② 양식; 모형. ③ 무늬, 바탕, (옷 따위의) 견본. ④ 《美》 (양복지의) 1착분. ⑤ 〖컴〗 패턴. ***run to*** **~** 틀에 박히다. — *vt., vi.* (본을 따라) 만들다(*after, upon*); (행위의) 본보기에 따르다; 무늬를 넣다.

páttern-bòmb *vt.* (편대로) 일제 폭격하다. **~ing** *n.*

***pat·ty**[pǽti] *n.* Ⓤ,Ⓒ 작은 파이.

pátty pán 작은 파이 굽는 냄비.

pat·u·lin[pǽtʃulin, -tju-] *n.* Ⓤ 패툴린《감기에 특효인 항생물질 약》.

P.A.U. Pan-American Union 범미 동맹.

pau·ci·ty[pɔ́:səti] *n.* (a ~) 소수; 소량; 결핍.

***Paul**[pɔ:l], **Saint**(?-67?) 바울《예수의 사도》.

Páu·li exclúsion prìnciple [páuli:-] 〖理〗 파울리의 배타원리.

Pau·line[pɔ́:lain] *a.* 성 바울의. — *n.* ① (런던의) St. Paul's School의 학생. ② [pɔ:lí:n, ˊ—] 여자 이름. ***the ~ Epistles*** [pɔ́:lain-] (신약성서 중의) 바울 서간.

pau·low·ni·a[pɔ:lóuniə] *n.* Ⓒ 오동나무.

paunch[pɔ:ntʃ] *n.* Ⓒ 배(belly); 올챙이배. **ˊ·y** *a.* 올챙이배의.

pau·per[pɔ́:pər] *n.* Ⓒ (생활 보호를 받는) 빈곤자, 가난한 사람. **~·ism** [-ìzəm] *n.* Ⓤ 빈곤. **~·ize**[-àiz] *vt.* 가난하게 하다; 피구호자가 되게 하다.

:pause[pɔ:z] *n.* Ⓒ ① 휴지(休止), 중지, 중단. ② 지체; 주저. ③ 단락, 구두(句讀); 〖樂〗 늘임표(𝄐, 𝄑). ④ 〖컴〗 (프로그램 실행의) 쉼. ***give ~ to*** …을 주저케 하다. — *vi.* ① 휴지(休止)하다; 기다리다(*for*). ② 머뭇거리다(*upon*).

:pave[peiv] *vt.* ① 포장하다(*with*). ② 덮다; 수월케 하다. **~ *the way for*** 〔***to***〕…을 위해 길을 열다〔트다〕; …을 수월하게 하다. **páv·ing** *n.* Ⓤ 포장 (재료).

:pave·ment[ˊmənt] *n.* ① Ⓒ 《英》 포장 도로, 인도(cf. 《美》 sidewalk); 《美》 차도. ② Ⓤ 포장 (재료).

pávement àrtist 《英》 거리의 화가《포도 위에 색분필로 그림을 그려 돈을 얻음》; 《美》 길가에서 개인전을 하는 화가.

:pa·vil·ion[pəvíljən] *n.* Ⓒ ① 큰 천막. ② (야외 경기장 따위의) 관람석. ③ (병원의) 병동(病棟); (공원·정원의) 정자, 별채. ④ 《詩》 하늘. — *vt.* 큰 천막을 치다〔으로 덮다〕.

páving brìck 포장용 벽돌.

páving stòne 포석(鋪石).

Pav·lov[pǽvlɔ:f, -lɑv/-lɔv], **Ivan Petrovich**(1849-1936) 러시아의 생물학자·의학자《노벨 의학상(1904)》.

pav·lov·ism[pǽvləvìzəm] *n.* Ⓤ

파블로프 학설《조건반사를 밝힌》.
:paw[pɔː] *n.* Ⓒ ① (개·고양이 따위의) 발. ②《口》(사람의) 손. — *vi., vt.* ① (앞)발로 치다〔긁다〕. ② 서투르게〔거칠게〕 다루다, 만지작거리다(*over*).
pawl[pɔːl] *n.* Ⓒ (톱니바퀴의 역회전을 막는) 톱니 멈춤쇠.
pawn**[1][pɔːn] *n.* Ⓤ 저당; Ⓒ 저당물, 질물(質物). ***in 〔***at***〕 **~** 전당〔전당〕 잡혀. — *vt.* ① 전당잡히다. ② (생명·명예를) 걸다, (…을) 걸고 맹세하다.
pawn[2] *n.* Ⓒ (장기의) 졸(卒); 남의 끄나풀〔앞잡이〕 짓하는 사람.
páwn·bròker *n.* Ⓒ 전당포 주인.
páwn·shòp *n.* Ⓒ 전당포.
páwn tìcket 전당표.
paw·paw[pɔ́ːpɔ̀ː] *n.* =PAPAW.
PAX private automatic exchange.
†pay[pei] *vt.* (***paid***) ① 치르다; (대금·봉급 등을) 지불하다. ② 변제하다. ③ (사업 따위가 아무에게) 이익을 주다, 보상하다. ④ 대갚음하다. ⑤ (방문 따위를) 하다(give), (주의·존경 따위를) 하다. ⑥ (벌을) 주다. — *vi.* ① 지불하다; 변제하다. ② (일 따위가) 수지맞다, 괜찮다. ③ 벌을 받다(*for*). **~ *as you go*** (빚을 지지 않고) 현금으로 해나가다; 수입에 따른 지출을 하다; 원천과세(源泉課稅)를 물다. **~ *back*** 도로 갚다; 보복하다. **~ *down*** 맞돈으로 지불하다. **~ *for*** …의 댓가를 치르다; …을 보상하다. **~ *in*** 불입하다. **~ *off*** (빚을) 전부 갚다; 봉급을 주고 해고하다; 앙갚음하다; 〖海〗(이물을) 바람 불어가는 쪽으로 돌리다. **~ *one's way*** 빚을 지지 않고 살다. **~ *out*** (빚을) 지불하다; (아무에게) 분풀이〔앙갚음〕하다; 〖海〗(밧줄을) 풀어내다. **~ *up*** 전부 지불하다; (주(株)를) 전액 불입하다. — *n.* Ⓤ ① 지불 (능력이 있는 사람). ② 급료, 보수. ③ 갚음, 응보. ***in the* ~ *of*** …에게 고용되어. ***∠·a·ble** *a.* 지불해야 할; 지불할 수 있는; (광산 따위) 수지 맞을 듯싶은.
páy-as-you-éarn *n., a.* Ⓤ《英》원천 과세(源泉課稅)(제도)(의)《생략 P.A.Y.E.》.
páy-as-you-énter *n.* Ⓤ 승차시(乘車時) 요금 지불 방식《생략 P.A.Y.E.》.
páy-as-you-gó plàn 현금 지급주의, 원천 징수 방식.
páy·dày *n.* Ⓒ 지불일, 봉급날.
páy dìrt《美》수지맞는 채굴지.
P.A.Y.E. pay-as-you-earn; pay-as-you-enter.
pay·ee[peiíː] *n.* Ⓒ 수취인.
páy ènvelope《美》봉급 봉투(《英》pay packet).
pay·er[péiər] *n.* Ⓒ 지불인.
páying guèst 하숙인.
páy lìst =PAYROLL.
páy lòad 인건비; 수익 하중(收益荷重); 유도탄의 탄두; 그 폭발력.
páy·màster *n.* Ⓒ 회계원; 〖軍〗 재정관.
:pay·ment[∠mənt] *n.* Ⓤ,Ⓒ 지불(액), 납부, 불입; 변상; Ⓤ 보복.
páy·òff *n.* (*sing.*) 급료 지불(일); 청산; 보상;《口》예기치 않은 사건; (이야기의) 클라이맥스.
pay·o·la[peióulə] *n.* Ⓤ《俗》뇌물《가수가 자기 노래 선전을 위해 디스크 자키에게 쥐어 주는 돈》, 매수.
páy phòne《美》=PAY STATION.
páy·ròll *n.* Ⓒ 급료 지불부; 지불 급료의 총액. ***off the* ~** 해고되어. ***on the* ~** 고용되어.
páy stàtion《美》(주화를 넣어 쓰는) 공중 전화(실).
payt. payment.
pay-TV[péitìːvíː] *n.* Ⓤ 유료 방송 텔레비전.
Pb 〖化〗 *plumbum*(L.=lead). **P.B.** prayer Book. **PBX** private branch exchange. **P.C.** Police Constable; Privy Council 〔Councilor〕. **PC** 〖컴〗 program counter 프로그램 계수기; personal computer 개인용 컴퓨터. **pc.** piece; price(s). **p.c.** per cent; postcard. **PCB** 〖컴〗 printed circuit boards 인쇄 회로 기판. **PCM** 〖컴〗 pulse code modulation 펄스 코드 변조. **PCP** 〖컴〗 primary control program 피시피. **PCS** punch(ed) card system. **Pd** 〖化〗 palladium. **pd.** paid. **P.D.** police department. **P.D., p.d.** *per diem*. **PDP** 〖電〗 plasma display panel 플라스마 화면 표시판. **PDQ, p.d.q.**《口》pretty damn quick 곧, 즉시.
PE[piːíː] (<*p*hysical *e*ducation) *n.* Ⓤ《口》체육.
P.E. petroleum engineer; Protestant Episcopal.
:pea[piː] *n.* (*pl.* **~*s***) Ⓒ 완두(콩); (BEAN과 구별하여) (둥근) 콩; 완두콩 비슷한 식물. ***green* ~** 푸른 완두. — *a.* 완두콩 만한 (크기의).
†peace[piːs] *n.* ① Ⓤ 평화. ② (the ~) 치안, 공안(公安). ③ (종종 P-) Ⓤ 강화 (조약)(*the P- of Paris* 파리 강화 조약). ④ Ⓤ 안심, 평안(平安). ***at* ~** 평화롭게; 사이좋게(*with*). ***hold*** 〔***keep***〕 ***one's* ~** 침묵을 지키다. ***in* ~** 평화롭게; 안심하여. ***make one's* ~ *with*** …와 화해하다. ***make* ~** 화해〔강화〕하다. ***wage the* ~**《美》평화를 유지하다. — *int.* 조용히! ***∠·a·ble** *a.* 평화로운, 평화를 좋아하는; 평온한. **:∠·ful** *a.* 평화로운〔적인〕; 평온한. ***∠·ful·ly** *ad.*
Péace Còrps 평화 봉사단. 「인.
péace·màker *n.* Ⓒ 조정자, 중재
péace·màking *n., a.* Ⓤ 조정(의), 중재(의). 「자.
péace·mònger *n.* Ⓒ《蔑》평화론
peace·nik[∠nik] *n.* Ⓒ 평화 운동

가, 평화 데모광(狂).
péace offènsive 평화 공세.
péace òffering (신에게 바치는) 사은의 제물; 화해의 선물.
péace òfficer 치안관, 경관.
péace pìpe =CALUMET.
péace·tìme *n., a.* Ⓤ 평시(의).
:**peach**¹[piːtʃ] *n., a.* ① Ⓒ,Ⓤ 복숭아; Ⓒ 복숭아 나무. ② Ⓤ 복숭앗빛(의). ③ Ⓒ《俗》 미인; 멋진 것. **∠·y** *a.* 복숭아 같은; 복숭앗빛의.
peach² *vi.* 《俗》 (특히 공범자를) 밀고하다(*against, on, upon*).
:**pea·cock**[píːkɑ̀k/-kɔ̀k] *n.* (*pl.* **~s,** 《집합적》 ~) Ⓒ ① 공작(의 수컷). ② 허영 부리는 사람.
péacock blúe 광택 있는 청색.
péa·fòwl *n.* Ⓒ 공작《암·수》.
péa gréen 연둣빛(light green).
péa·hèn *n.* Ⓒ 암공작. 「킷.
péa jàcket (선원 등의) 두꺼운 재
:**peak**¹[piːk] *n.* Ⓒ ① 봉오리, 산꼭대기; 고봉(孤峰). ② 첨단, 뾰족한 끝. ③ 최고점, 절정. ④ (모자의) 앞챙. **~ed**¹[piːkt, píːkid] *a.* 뾰족한.
peak² *vi.* 바싹 여위다. **~·ed**²[píːkid] *a.* 여윈(thin).
:**peal**[piːl] *n.* Ⓒ ① (포성·천둥·웃음소리 등의 길게 끄는) 울림; 종소리의 울림. ② (음악적으로 음률을 고른) 한 벌의 종, 종악(鐘樂)(chime). — *vi., vt.* (종 따위가) 울려 퍼지(게 하)다, (우렁차게) 울리다.
pe·an[píːən] *n.* =PAEAN.
˙**pea·nut**[píːnʌ̀t] *n.* ① Ⓒ,Ⓤ 땅콩, 낙화생. ② Ⓒ《俗》 변변치 않은 사람. ③ (*pl.*) 하찮은 것; 적은 액수.
péanut bùtter 땅콩 버터.
péanut òil 낙화생 기름.
:**pear**[pɛər] *n.* Ⓒ,Ⓤ 서양배; Ⓒ 서양배 나무.
†**pearl**[pəːrl] *n.* ① Ⓒ 진주. ② Ⓒ 일품(逸品), 정화(精華). ③ Ⓒ 진주 같은 것《이슬·눈물 따위》. ④ Ⓤ 진줏빛(bluish gray). ⑤ Ⓒ 【印】 펄형 활자《5포인트》. ***cast*** [***throw***] **~*s before swine*** 돼지에 진주를 던져주다. — *a.* 진주(빛·모양)의. — *vt., vi.* 진주로 장식하다; 진주를 캐다.
péarl àsh 진주회(灰), 조제(粗製) 탄산 칼륨.
péarl bàrley 정백(精白)한 보리.
péarl dìver 진주조개를 캐는 잠수부; 《俗》 접시닦이. 「선〕.
péarl·er *n.* Ⓒ 진주 채취자〔채취
péarl gráy 〔**gréy**〕 진줏빛.
Péarl Hárbor 진주만《하와이 Oahu 섬의 만(灣)》.
péarl làmp 젖빛유리 전구.
péarl òyster 진주조개.
péarl shèll 진주조개. 「식한〕.
pearl·y[pə́ːrli] *a.* 진주 같은〔로 장
péar-shàped *a.* 서양배〔호리병박〕 모양의; (음성이) 낭랑한. 「있는.
peart[piərt] *a.* 《方》 발랄한, 활기
:**peas·ant**[pézənt] *n.* Ⓒ 소농(小農), 농부; 시골뜨기. **~·ry** *n.* Ⓤ 《집합적》 소작인, 농민.
pease[piːz] *n.* (*pl.* ~) 《古·英方》 =PEA. 「푸딩.
péase pùdding 《주로 英》 콩가루
péa·shòoter *n.* Ⓒ 콩알총.
péa sòup 완두콩 수프; =⇩.
péa·sòuper *n.* Ⓒ 《주로 英口》 (런던의) 누런 짙은 안개.
peat[piːt] *n.* Ⓤ 토탄(土炭)(덩어리). **∠·y** *a.* 토탄 같은, 토탄이 많은.
pea·v(e)y[píːvi] *n.* Ⓒ (벌채 인부가 쓰는) 갈고랑 장대.
˙**peb·ble**[pébəl] *n., vt.* Ⓒ (둥근) 조약돌; (가죽 따위의) 표면을 도톨도톨하게 하다. **péb·bly** *a.* 자갈이 많은.
p.e.c. photoelectric cell.
pe·can[pikǽn, -kɑ́ːn] *n.* Ⓒ (미국 남부산) 피칸(나무)《hickory의 일종》.
pec·ca·dil·lo[pèkədílou] *n.* (*pl.* **~(*e*)*s***) Ⓒ 가벼운 죄, 조그마한 과오; 작은 결점.
pec·cant[pékənt] *a.* 죄 있는, 죄를 범한; 부정한, 타락한; 그릇된.
pec·can·cy[-si] *n.*
pec·ca·ry[pékəri] *n.* (*pl.* ***-ries,*** 《집합적》 ~) Ⓒ (미국산) 산돼지류.
peck¹[pek] *n.* Ⓒ 펙《영국의 건량(乾量) 단위, 8 quarts, 9.74 리터》; 1 펙들이 되; (a ~) 많음(*a ~ of trouble*).
:**peck**² *vi., vt.* (부리 따위로) 쪼다, 쪼아 먹다; 쪼아 줍다(*up*); 쪼아 파다; 조금씩 먹다; 흠을 잡다(*at*); (타이프로) 쳐내다. — *n.* Ⓒ 쪼기; 쪼아낸 구멍〔자국〕; 가벼운 키스.
peck·er[pékər] *n.* Ⓒ 딱따구리; 《英》 곡괭이; 《英俗》 원기, 용기.
pec·tic[péktik] *a.* 【化】 펙틴의.
pec·tin[péktin] *n.* Ⓤ 【生化】 펙틴.
pec·to·ral [péktərəl] *a.* 가슴의 (*~ fin* 가슴지느러미).
pec·tose[péktous] *n.* Ⓤ 【化】 펙토오제《덜 익은 과실 속에 있는 다당류》.
pec·u·late[pékjəlèit] *vi., vt.* (공금 따위를) 잘라 쓰다, 횡령하다. **-la·tion** [∸–léi-] *n.* **-la·tor** *n.*
:**pe·cu·liar**[pikjúːljər] *a.* 독특한, 특유한(*to*); 특별한; 묘한(odd). ˙**~·ly** *ad.* ˙**-li·ar·i·ty**[–∸liǽrəti] *n.* Ⓤ 특(수)성, 특질; Ⓒ 괴상함; Ⓒ 기이한 버릇.
pe·cu·ni·ar·y[pikjúːnièri/-njəri] *a.* 금전(상)의. 「trian.
ped. pedal; pedestral; pedes-
ped·a·gog·ic[pèdəgɑ́dʒik, -góu-/-ɔ́-], **-i·cal**[-əl] *a.* 교육학〔자〕의. **-ics** *n.* =PEDAGOGY.
ped·a·gog(ue) [pédəgɑ̀g, -gɔ̀ːg/-gɔ̀g] *n.* Ⓒ 《蔑》 교사; 현학자(衒學者).
ped·a·go·gy[pédəgòudʒi, -ɑ̀-/-ɔ̀-] *n.* Ⓤ 교육(학).
˙**ped·al**[pédl] *n., a.* Ⓒ 페달(의), 발판; 발의. — *vi., vt.* (《英》 ***-ll-***) 페달을 밟다〔밟아 움직이다〕. 「트.
ped·a·lo[pǽdəlòu] *n.* Ⓒ 페달식 보
pédal pùsher 자전거 타는 사람, 사이클 선수; (*pl.*) (여자용의, 장딴지까지 내려오는) 반바지.

pédal stèel (guitár) 페달 스틸기타《페달로 조현(調弦)을 바꾸는 스틸기타》.

ped·ant[pédənt] *n.* Ⓒ 학자연하는 사람; 공론가(空論家). **pe·dan·tic** [pidǽntik] *a.* 학자연하는. **péd·ant·ry** *n.* Ⓤ 학자연함; 현학(衒學).

ped·dle[pédl] *vt., vi.* 행상하다; 소매하다. ***ped·dler** *n.* Ⓒ 행상인.

ped·dling[pédliŋ] *a.* 《특히》 하찮은, 사소한; 작은 일에 구애되는, 곰상스러운.

ped·er·as·ty[pédəræ̀sti, pí:d-] *n.* Ⓤ (특히 소년과의) 남색(男色).

ped·es·tal**[pédəstl] *n.* Ⓒ ① (동상·기둥 등의) 주춧대, 대좌(臺座), (꽃병 등의) 받침. ② 근저; 기초. ③ 〚機〛 축받이. ***put 〔***set***〕 ***a person on a*** ~ 아무를 받들어 모시다. — *vt.* (《英》 **-ll-**) 대(臺)에 올려놓다.

***pe·des·tri·an**[pədéstriən] *a.* 도보의; 단조로운; 진부한. — *n.* Ⓒ 보행자; 도보주의자. ~**·ism**[-ìzəm] *n.* Ⓤ 도보주의.

pedéstrian précinct 보행자 전용 도로 구획.

pe·di·a·tri·cian [pì:diətríʃən], **-at·rist**[-ǽtrist] *n.* Ⓒ 소아과 의사. **-át·rics** *n.* Ⓤ 〚醫〛 소아과.

ped·i·cab[pédikæ̀b] *n.* Ⓒ (동남아시아 등의) 페달식 삼륜 인력거.

ped·i·cel[pédisəl, -sèl], **-cle** [-ikəl] *n.* Ⓒ 〚植〛 작은 꽃자루〔화경(花梗)〕.

ped·i·cure[pédikjùər] *n.* Ⓤ 발 치료《티눈·물집 따위의》; Ⓤ,Ⓒ 페디큐어《발톱가꾸기》(cf. manicure).

ped·i·gree[pédəgrì:] *n.* Ⓒ 계도(系圖); Ⓤ,Ⓒ 가계(家系), 가문; Ⓒ《美俗》 (경찰의) 전과 기록부. ~**d**[-d] *a.* 유서 있는; 혈통이 확실한.

ped·i·ment[pédəmənt] *n.* Ⓒ 〚建〛 (그리스식 건축의) 박공(벽).

***ped·lar**[pédlər] *n.* =PEDDLER.

pe·dol·o·gy¹ [pidɑ́lədʒi/-ɔ́-] *n.* Ⓤ 토양학. 「〚醫〛 소아과.

pe·dol·o·gy² *n.* Ⓤ 아동〔육아〕학;

pe·dom·e·ter[pidɑ́mitər/-dɔ́m-] *n.* Ⓒ 보수계(步數計).

pe·dun·cle[pidʌ́ŋkəl] *n.* Ⓒ 〚植〛 꽃자루, 화경; 〚動〛 육경(肉莖).

pee[pi:] *vi.* 《俗》 쉬하다, 오줌누다. — *n.* Ⓤ 오줌(piss).

peek[pi:k] *vi.* 엿보다(*in, out*). — *n.* (*sing.*) 엿보기; 〚컴〛 집어내기.

peek·a·boo[pí:kəbù:] *n.* 《美》 = BOPEEP; Ⓒ 비치는 옷. — *a.* 비치는, 잔 구멍이 많은.

:peel[pi:l] *n.* Ⓤ (과일·야채 등의) 껍질. — *vt., vi.* (…의) 껍질을 벗기다, 껍질이 벗겨지다(*off*), 허물벗다. **∠·ing** *n.* Ⓤ 껍질을 벗김; (*pl.*) (벗긴) 껍질.

peel·er¹[∠ər] *n.* Ⓒ 《英古俗》 순경.

peel·er² *n.* Ⓒ 껍질 벗기는 사람〔기구〕; 《俗》 스트리퍼.

:peep¹[pi:p] *n.* (a ~) 엿보기, 훔쳐봄; Ⓤ 출현, 보이기 시작함. ***have*** 〔***get***〕 ***a*** ~ ***at*** …을 잠깐 보다. ~ ***of day*** 〔***dawn***〕 새벽. — *vi.* 엿보다, 훔쳐보다(*at, into, through*); 나타나다; (성질 따위가) 부지중 드러나다(*out, forth*).

peep² *n.* Ⓒ (새끼새·쥐 등의) 삐악삐악〔짹짹〕 우는 소리. — *vi.* 삐악삐악〔짹짹〕 울다; 작은 소리로 이야기하다.

péep·er *n.* Ⓒ 엿보는 사람; 캐묻기 좋아하는 사람; (보통 *pl.*) 《俗》 눈; Ⓒ 《美俗》 사립 탐정.

péep·hòle *n.* Ⓒ 들여다 보는 구멍.

Péeping Tóm 엿보기 좋아하는 사

péep shòw 요지경. 「내.

péep sìght (총의) 가늠구멍.

***peer**¹[piər] *vi.* (눈을 한데 모아) 응시하다(*into, at*); 희미하게 나타나다, 보이기 시작하다(*out*).

peer**² *n.* Ⓒ 귀족; 동배(同輩), 동등한 사람. ***without a ~ 비길 데 없는. ***∠·less** *a.* 비길 데 없는.

peer·age[píəridʒ] *n.* (the ~) 《집합적》 귀족; 귀족 계급(의 지위); Ⓒ 귀족 명감(名鑑). 「여자 귀족.

peer·ess[píəris] *n.* Ⓒ 귀족 부인;

peeve[pi:v] *vt., vi., n.* 짜증나게〔속타게〕 하다; Ⓒ 짜증나게 하는 것.

pee·vish[pí:viʃ] *a.* 성마른, 짜증이 난; 부루퉁〔지르퉁〕한. ~**·ly** *ad.*

pee·wit[pí:wit] *n.* =PEWIT.

:peg[peg] *n.* Ⓒ 나무못; 마개; 걸이못; (악기의) 줄조르개; (천막의) 말뚝; 이유, 구실, 계기; 《口》 (평가 따위의) 등급; 단계(degree); 《口》 다리, (나무로 만든) 의족(義足); 《英》 빨래집게. ***a*** ~ ***to hang on*** 구실, 계기. ***a round*** ~ ***in a square hole,*** or ***a square*** ~ ***in a round hole*** 부적임자(不適任者). ***take a person down a*** ~ (***or two***) 《口》 아무의 콧대를 꺾다. — *vt.* (**-gg-**) (…에) 나무못을 박다〔으로 고정시키다, 죄다〕(*down, in, out*); (주가 등을) 안정시키다. — *vi.* 부지런히 일하다(*away*).

Peg·a·sus[pégəsəs] *n.* 〚그神〛 시신(詩神) 뮤즈가 애용한 날개 달린 말; 〚天〛 페가수스자리.

pég-bòard *n.* Ⓒ 페그보드《구멍에 나무못을 꽂는 놀이판》.

pég pànts 《美》 끝이 좁은 바지.

pég tòp (서양배 모양의) 나무 팽이; (*pl.*) 허리가 넓고 밑이 좁은 팽이 모양의 바지.

peign·oir[peinwɑ́:r, ∠–] *n.* (F.) Ⓒ (여자의) 화장옷. 「칭.

Pei·ping[péipíŋ] *n.* Peking의 구

pe·jo·ra·tive [pidʒɔ́:rətiv, pí:dʒərèi-, pédʒə-] *a., n.* 경멸의; Ⓒ 경멸어《보기: *poetaster*》.

Pe·kin·ese[pì:kiní:z], **-king·ese**[-kiŋí:z] *a.* 북경(인)의. — *n.* Ⓒ 북경 사람; 발바리. 「이징.

***Pe·king**[pí:kíŋ] *n.* 북경(北京), 베

Péking mán 북경원인(猿人)《유골이 북경 부근에서 발견됨(1927)》.

pe·koe[pí:kou] *n.* Ⓤ (인도·스리랑카산) 고급 홍차.
pe·lag·ic[pəlǽdʒik] *a.* 대양〔원양〕의(~ *fishing* 원양 어업). 「(富).
pelf[pelf] *n.* Ⓤ 《보통 蔑》 금전, 부
*__pel·i·can__[pélikən] *n.* Ⓒ 〖鳥〗 펠리컨.
pélican cróssing 《英》 누름버튼식 횡단 보도(*pedestrian light controlled* crossing 에서).
pe·lisse[pəlí:s] *n.* Ⓒ 여자용 긴 외투; (용기병(龍騎兵)의) 안에 털을 댄 웃옷.
pel·la·gra[pəléigrə, -lǽg-] *n.* Ⓤ 〖醫〗 펠라그라, 옥수수홍반(紅斑)《피부병》.
pel·let[pélit] *n., vt.* Ⓒ (진흙·종이의) 뭉친 알(로 맞히다); (육식조(肉食鳥)가) 게워낸 덩어리; 알약; 작은 총알. 「膜).
pel·li·cle[pélikəl] *n.* Ⓒ 피막(被
pell-mell[pélmél] *n., ad., a.* (a ~) 혼란, 난잡(하게, 한), 엉망진창(으로, 의); 몹시 허둥대어.
pel·lu·cid[pəlú:sid] *a.* 투명한; (뜻 따위) 명백한.
Pel·o·pon·ne·sus, -sos[pèləpəní:səs] *n.* 그리스 남부의 반도《초기 미케네 문명 중심지》.
‡**pelt**[1][pelt] *vt.* (…에) (내)던지다; (질문·욕설 따위를) 퍼붓다(*with*). — *vi.* (비 따위가) 세차게 퍼붓다; 급히 가다. — *n.* Ⓤ 내던짐; 질주. (***at***) ***full*** ~ 전속력으로.
pelt[2] *n.* Ⓒ (양·염소 따위의) 생가죽; 《諧》 (사람의) 피부. **∠·ry** *n.* Ⓤ 《집합적》 생가죽(pelts or furs); Ⓒ (한 장의) 생가죽(a pelt; a fur).
pel·vis [pélvis] *n.* (*pl.* ***pelves*** [pélvi:z]) Ⓒ 〖解〗 골반.
Pém·broke tàble[pémbruk-] 버터플라이테이블《양쪽에 댄 판을 펼쳐서 넓힐 수 있음》.
pem·mi·can[pémikən] *n.* Ⓤ 페미컨《말린 쇠고기에 지방·과일을 섞어 굳힌 식품》. 「쓰다.
†**pen**[1][pen] *n.* Ⓒ 펜. — *vt.* (***-nn-***)
‡**pen**[2] *n.* Ⓒ (가축의) 우리, 축사(畜舍); =SUBMARINE PEN. — *vt.* (***penned, pent; -nn-***) 우리에 넣다; 가두다(*in, up*).
pen[3] *n.* Ⓒ 《美俗》 구치소.
Pen., pen. peninsula; penitent; penitentiary. **P.E.N.**(Internation Association of) Poets, Playwrights, Editors, Essayists, and Novelists 국제 펜클럽.
pe·nal[pí:nəl] *a.* 형(벌)의, 형(벌)을 받아야 할; 형사〔형법〕상의. **~·ize**[-àiz] *vt.* 유죄로 선고하다; (경기에서 반칙자에게) 벌칙을 과하다.
pénal códe 형법(전).
pénal sérvitude 징역.
‡**pen·al·ty**[pénəlti] *n.* Ⓒ ① 형벌. ② 벌금. ③ (경기의 반칙에 대한) 벌; 페널티. ***on*** 〔***under***〕 ~ ***of*** 어기면 …한 벌을 받는다는 조건으로.
pénalty clàuse 〖商〗 (계약 중의) 위약 조항.
pénalty kíck 〖蹴〗 페널티킥.
*__pen·ance__[pénəns] *n.* Ⓤ 참회, 고행; 〖가톨릭〗 고해 (성사).
pén-and-ínk *a.* 펜으로 쓴.
pe·na·tes, P-[pənéiti:z, -nɑ:-] *n. pl.* 〖로神〗 가정의 수호신. 「수.
‡**pence**[pens] *n.* 《英》 penny의 복
pen·chant[péntʃənt; pɑ́:ŋʃɑ́:ŋ] *n.* (F.) Ⓒ 강한 경향, 기호, 취미(*for*).
†**pen·cil**[pénsəl] *n.* Ⓒ 연필(모양의 것); 《古》 화필; 〖光〗 광속(光束). — *vt.* (《英》 ***-ll-***) 연필로 쓰다〔그리다〕. **~(l)ed** *a.* 연필로 쓴.
péncil pùsher 《美口》 사무원; 서기; (신문) 기자.
péncil shàrpener 연필 깎개.
*__pend·ant__[péndənt] *n.* Ⓒ (로켓(locket) 같은) 드림 장식; (지붕·천장에서의) 늘임 장식; 매단 램프; 〖海〗 =PENNANT. — *a.* =⇩.
pend·en·cy [péndənsi] *n.* Ⓤ 밑으로 드림, 현수(懸垂); 미결, 미정.
pend·ent [péndənt] *a.* 늘어진; 쑥 내민; 미결정의. — *n.* =⇧.
*__pend·ing__[péndiŋ] *a.* 미결정의. — *prep.* …동안, …중(during); …까지.
pénding trày 《英》 미결 서류함.
pen·du·lous[péndʒələs] *a.* 매달린, 늘어진; 흔들리는.
*__pen·du·lum__[péndʒələm] *n.* Ⓒ 진자(振子), 추, 흔들이.
Pe·nel·o·pe[pinéləpi] *n.* 〖그神〗 페넬로페《Odysseus의 귀환을 20년간 기다린 정숙한 아내》; Ⓒ 열녀.
pe·ne·plain, -plane[pí:niplèin, ∠-∠] *n.* Ⓒ 〖地〗 준평원.
pen·e·tra·ble[pénitrəbəl] *a.* 스며들〔침투할〕 수 있는; 관통〔간파〕할 수 있는.
‡**pen·e·trate**[pénətrèit] *vt.* 꿰뚫다, 스며들다; 관통하다; 통찰하다; (빛 따위가) 통하다; 간파하다; 깊이 감명시키다. — *vi.* 스며들어가다; 뚫고 들어가다(*into, through, to*). *__-trat·ing__ *a.* 꿰뚫는, 침투하는; 날카로운; 통찰력이 있는; (목소리 따위) 새된. *__-tra·tion__[∠-tréiʃən] *n.* Ⓤ 관통; 투철(력); 통찰력, 안식(眼識); 세력 침투. **-trà·tive** *a.* 관통력 있는, 스며드는; 마음에 사무치는; 예민한. 「귄.
*__pen·guin__[péŋgwin, pén-] *n.* Ⓒ 펭
pén·hòlder *n.* Ⓒ 펜대; 펜꽂이.
pen·i·cil·lin[pènəsílin] *n.* Ⓤ 〖藥〗 페니실린《항생물질약》.
pen·i·cil·li·um[pènəsíliəm] *n.* (*pl.* ***~s, -lia***[-liə]) Ⓒ 푸른곰팡이《페니실린 원료》.
‡**pen·in·su·la**[pənínsələ, -sjə-] *n.* Ⓒ 반도. **-lar** *a.*
pe·nis[pí:nis] *n.* (L.=tail) (*pl.* ***~es, -nes***[-ni:z]) Ⓒ 음경(陰莖).
*__pen·i·tent__[pénətənt] *a., n.* 뉘우치는, Ⓒ 참회하는 (사람); 〖가톨릭〗 고해자. **-tence** *n.* **~·ly** *ad.*
pen·i·ten·tial[pènəténʃəl] *a.* 회오

의; 속죄의. — *n.* =⇧; 〖가톨릭〗 고해 세칙서. ~·ly *ad.*

pen·i·ten·tia·ry[pènəténʃəri] *n.* Ⓒ 〖가톨릭〗 고해 신부; 《英》 감화원; 《美》 주(연방) 교도소. — *a.* 회오의; 징벌의; 감옥에 갈《벌 따위》.

pén·knìfe *n.* (*pl.* ***-knives***) Ⓒ 주머니칼.

pén·lìght, -lìte *n.* Ⓒ 만년필형 회중 전등.

pen·man[⌐mən] *n.* Ⓒ 서가(書家); 저작가. ~·**ship**[-ʃìp] *n.* Ⓤ 서법(書法); 필적.

Penn., Penna. Pennsylvania.

pén nàme 필명(筆名), 펜네임.

***pen·nant**[pénənt] *n.* Ⓒ 길고 조붓한 삼각기; 《美》 페넌트, 우승기.

pen·nate[péneit] *a.* 〖植·動〗 날개가 있는.

pen·ni·form[pénəfɔ̀:*r*m] *a.* 날개꼴의; 우상(羽狀)의.

***pen·ni·less**[pénilis] *a.* 무일푼의, 몹시 가난한.

pen·non[pénən] *n.* Ⓒ (본래 기사의 창에 단) 긴 삼각기; 《一般》 기(旗).

***Penn·syl·va·ni·a** [pènsilvéiniə, -njə] *n.* 미국 동부의 주(州)《생략 Pa., Penn., Penna.》.

Pennsylvánia Dútch [**Gérman**] 《美》 독일계 Pennsylvania 이민의 자손; 그 방언《영독 혼성어》.

:pen·ny[péni] *n.* (*pl.* (액수) ***pence,*** (개수) ***pennies***) Ⓒ 페니《영국의 청동화, 1/12 shilling》; 《美·캐나다》 1 cent 동전; 금전. ***a bad ~*** 달갑잖은 사람〔물건〕. ***A ~ for them!*** = ***A ~ for your thoughts!*** 무얼 그리 생각하고 있지. ***a pretty ~*** 큰돈. ***In for a ~, in for a pound.*** ⇨IN(*ad.*). ***turn an honest ~*** 정직하게 일하여 돈을 벌다. ***Take care of the pence, and the pounds will take care of themselves.*** 《속담》 티끌 모아 태산.

pénny-a-líner *n.* Ⓒ 3류〔싸구려〕 작가(hack writer).

pénny dréadful 3류 소설.

pénny gáff 《英》 3류 극장.

pénny-in-the-slòt *n.* Ⓒ 《英》 (동전에 의한) 자동 판매기. — *a.* (기계가) 동전을 넣으면 작동하는.

pénny píncher 구두쇠, 노랑이.

pénny·wèight *n.* Ⓤ,Ⓒ 페니웨이트 《영국의 금형량의 단위, 1/2 온스》.

pénny-wíse *a.* 푼돈을 아끼는. ***~ and pound-foolish*** 《속담》 한푼 아끼다 천냥 잃기.

pen·ny·worth[-wə̀:*r*θ] *n.* Ⓒ 1페니어치(의 양); (a ~) 소액; Ⓒ 거래액.

pe·nol·o·gy[pi:nálədʒi/-ɔ́-] *n.* Ⓤ 행형학(行刑學).

:pén pàl 펜팔(pen-friend).

pen·sile[pénsil, -sail] *a.* 매달려 늘어진; (새가) 매달린 둥지를 짓는.

:pen·sion[pénʃən] *n., vt.* Ⓒ (…에게) 연금(을 주다). ***~ off*** 연금을 주어 퇴직시키다. ~·**a·ble** *a.* 연금을 받을 자격이 있는. ~·**ar·y** *a., n.* 연금의, 연금을 받는; Ⓒ 연금 타는 사람. ~·**er** *n.* Ⓒ 연금 타는 사람.

pen·si·on[pɑ:nsjɔ́:ŋ] *n.* (F.) Ⓒ (프랑스·벨기에 등지의) 하숙.

***pen·sive**[pénsiv] *a.* 생각에 잠긴; 구슬픈. ~·**ly** *ad.* ~·**ness** *n.*

pén·stòck *n.* Ⓒ 수문; 《美》 수로, (물방아 등의) 홈통.

pent[pent] *v.* pen²의 과거(분사).

pen·t(a)-[pént(ə)] '다섯'의 뜻의 결합사. 「별표(☆).

pen·ta·cle[péntəkəl] *n.* Ⓒ 5각의

***pen·ta·gon**[péntəgàn/-gɔ̀n] *n.* Ⓒ 5각형, 5변형; 〖築城〗 5능보(稜堡); (the P-) 미국 국방부. -**tag·o·nal**[pentǽgənəl] *a.* 5각〔변〕형의.

pen·ta·he·dron [pèntəhí:drən/-héd-] *n.* (*pl.* ***~s, -ra***) Ⓒ 5면체(面體).

pen·tam·e·ter[pentǽmitə*r*] *n.* Ⓒ 〖韻〗 오보격(五步格).

Pen·ta·teuch[péntət*j*ù:k] *n.* (the ~) 모세오경(五經)《구약의 첫 5편》.

pen·tath·lon [pentǽθlən, -lɑn] *n.* Ⓤ (보통 the ~) 5종 경기.

pen·ta·va·lent [pèntəvéilənt] *a.* 〖化〗 5가(價)의.

Pen·te·cost [péntikɔ̀:st/-kɔ̀st] *n.* 오순절(五旬節)《Passover 후 50일째의 유대의 축일》; 성령 강림절(聖靈降臨節)(Whitsunday).

pént·hòuse *n.* Ⓒ 달개 지붕; 옥상의 소옥(小屋).

Pen·to·thal[péntəθæ̀l] *n.* Ⓤ 〖商標〗 펜토탈《마취제》.

pént ròof 〖建〗 차양.

pént-úp *a.* 억제된; 갇힌.

pe·nult[pí:nʌlt, pinʌ́lt] *n.* Ⓒ 어미에서 둘째의 음절. **pe·nul·ti·mate** [-təmit] *a., n.* Ⓒ 어미에서 둘째의 (음절).

pe·num·bra[pinʌ́mbrə] *n.* (*pl.* ***-brae***[-bri:], ***~s***) Ⓒ 〖天〗 (일·월식 때의) 반음영(半陰影); 태양 흑점 주변의 반영부(半影部).

pe·nu·ri·ous[pin*j*úəriəs] *a.* 인색한; 가난한. 「窮).

pen·u·ry[pénjəri] *n.* Ⓤ 빈궁(貧

pe·on[pí:ən] *n.* Ⓒ (중남미의) 날품팔이 노동자; (멕시코에서) 빚을 갚기 위해 노예로서 일하는 사람. ~·**age** [-idʒ] *n.* Ⓤ 빚 대신에 노예로서 일하기; 그 제도.

pe·o·ny[pí:əni] *n.* Ⓒ 〖植〗 작약(꽃).

†peo·ple[pí:pl] *n.* Ⓒ 국민, 민족; 《이하 모두 복수 취급》 인민; 《一般》 사람들; (the ~) 민중; (the ~) 하층 계급; (어떤 지방·단체에 속하는) 사람들; 신민, 종자(從者); (one's ~) 가족, 친척. ***P- say that...*** 세상에서는 …이라고들 말한다. — *vt.* (…에) 사람을 살게 하다〔채우다〕; (동물 따위를) 많이 살게 하다(*with*).

péople's commíssar (러시아의) 인민 위원.

péople's cómmune (중국의) 인

P

민 공사(人民公社).

péople's frónt 인민 전선(popular front).

pep[pep] (< *pepper*) *n.* Ⓤ《美口》원기. — *vt.* (**-pp-**) 기운을 북돋다.

P.E.P. 《英》 Political and Economic Planning.

pep·lum[pépləm] *n.* (*pl.* **~s, -la** [-lə]) Ⓒ (스커트의) 주름 장식; 허리가 짧은 장식 스커트.

:pep·per [pépər] *n.* Ⓤ 후추; Ⓒ 〚植〛 후춧과의 식물; 고추. — *vt.* (…에) 후춧가루를 치다, 후춧가루로 양념하다; 듬뿍 뿌리다; (총알·질문 따위를) 퍼붓다.

pépper-and-sált *a., n.* Ⓤ 흑백점이 섞인 (옷감), (머리가) 희끗희끗한.

pépper càster 후춧가루병.

pépper·còrn *n.* Ⓒ (말린) 후추 열매; 하찮은 물건.

P

pep·per·mint[-mìnt] *n.* Ⓤ 〚植〛 박하; 박하유; Ⓒ 박하 사탕.

pep·pery [pépəri] *a.* ① 후추의[같은]; 매운. ② 격렬한《연설 따위》. ③ 성마른.

pép pìll 《美俗》 각성제.

pep·py[pépi] *a.* 《口》 원기 왕성한.

pep·sin(e)[pépsin] *n.* Ⓤ 펩신, 소화소(消化素), 소화제.

pép tàlk 격려 연설, 격려의 말.

pep·tic[péptik] *a.* 소화를 돕는, 소화할 수 있는; 펩신의. — *n.* Ⓤ 소화제.

pep·tide[péptaid] *n.* Ⓤ 〚生化〛 펩타이드《둘 이상의 아미노산 결합물》.

pep·tone[péptoun] *n.* Ⓤ 펩톤《단백질이 펩신에 의해 가수 분해된 것》.

:per[強 pəːr, 弱 pər] *prep.* (L.) …에 의하여; …에 대해, …마다. ***as ~*** …에 의하여. ***as ~ usual*** 《諧》 평상시[여느 때]와 같이.

per-[pər] *pref.* ① '완전히, 끝까지 (…하다)'의 뜻: *per*fect. ② '매우'의 뜻: *per*fervid. ③ 〚化〛 '과(過)'의 뜻: *per*oxide.

per. period; person. **P.E.R.** price earning ratio.

per·ad·ven·ture [pə̀ːrədvéntʃər/pər-] *ad.* 《古》 우연히; 아마. — *n.* Ⓤ《古》 의심, 의문; 우연.

per·am·bu·late[pərǽmbjəlèit] *vt., vi.* 돌아다니다; 순시[순회]하다. ***-la·tor** *n.* Ⓒ 유모차(車); 순회자. **-la·tion**[-ᅳ-léiʃən] *n.*

per ánnum (L.) 1년에 대해, 1년마다《생략 per an(n)., p.a.》.

per·cale[pərkéil] *n.* Ⓤ 톡톡한 무명의 일종.

per cáp·i·ta[-kǽpətə] (L.) 1인당, 머릿수로 나누어.

:per·ceive[pərsíːv] *vt.* 지각(知覺)하다; 알아[눈치]채다, 인식하다; 이해하다.

:per·cent, per cént[pərsént] *n.* (*pl.* **~, ~s**) Ⓒ 퍼센트, 100분《기호 %》; 《口》 =⇩.

***per·cent·age**[pərséntidʒ] *n.* Ⓒ 백분율; 비율, 율; 부분; 수수료; Ⓤ 이익.

per·cen·tile[pərséntail, -til] *n., a.* Ⓒ 〚統計〛 백분위수(百分位數)(의) (cf. decile, quartile).

per cént·um[-séntəm] (L.) 백(百)에 대해.

***per·cep·ti·ble**[pərséptəbəl] *a.* 지각할 수 있는. **-bly** *ad.*

***per·cep·tion**[pərsépʃən] *n.* Ⓤ,Ⓒ 지각(작용·력·대상)(perceiving).

per·cep·tive[pərséptiv] *a.* 지각하는; 지각력 있는.

:perch[1][pəːrtʃ] *n.* Ⓒ (새의) 횃대; 높은 지위[장소]; 퍼치《길이의 단위, 5.03m; 면적의 단위, 25.3m^2》. ***hop*** [***tip over***] ***the ~*** 죽다《본디 새에 일컬음》(cf. hop the TWIG). ***knock a person off his ~*** 아무를 이기다[해치우다]. — *vi.* (새가) 횃대에 앉다(*on*); 앉다(*on, upon*). — *vt.* (높은 곳에) 두다, 얹다.

perch[2] *n.* (*pl.* **~es,** 《집합적》 **~**) Ⓒ 농어류(類)의 물고기.

per·chance[pərtʃǽns, -áː-] *ad.* 《古·詩》 =MAYBE.

per·cip·i·ent[pərsípiənt] *a.* 지각하는; 지각력 있는. — *n.* Ⓒ 지각자(知覺者); (정신 감응술의) 영통자.

per·co·late[pə́ːrkəlèit] *vt.* (액체를) 거르다; 스며나오게 하다. — *vi.* 스며나오다. **-la·tor** *n.* Ⓒ 여과기(器), 커피 끓이개. **-la·tion**[ᅳ-léiʃən] *n.* Ⓤ,Ⓒ 여과, 침투; 〚藥〛 침제(浸劑).

per·cus·sion[pərkʌ́ʃən] *n.* Ⓤ,Ⓒ 충격, 진동; 타악기의 연주; 〚醫〛 타진(打診); (*pl.*) (악단의) 타악기부.

percússion càp 뇌관.

percússion ìnstrument 타악기.

percússion sèction (악단의) 타악기부.

per dí·em [-díːəm, -dáiəm] (L.) 하루에 대해, 일급.

per·di·tion[pərdíʃən] *n.* Ⓤ 멸망, 전멸; 지옥; 지옥에 떨어짐; (정신적) 파멸.

per·du(e) [pəːrdjúː] *a.* 보이지 않는, 숨은. ***lie ~*** 잠복하다.

per·dure[pə(ː)rdjúər/-djúː-] *vi.* 영속하다; 참다, 견디다.

per·e·gri·nate[pérəgrinèit] *vi., vt.* 편력(遍歷)하다, 여행하다. **-na·tion** [ᅳ-néiʃən] *n.* **-na·tor** *n.*

per·e·grin(e)[pérəgrin] *a.* 외국[외래]의; (새 따위가) 이주(移住)하는.

péregrine fálcon (매 사냥에 쓰던) 송골매.

per·emp·to·ry[pərémptəri] *a.* 단호한; 거만한, 도도한; 결정[절대]적인. **-ri·ly** *ad.* **-ri·ness** *n.*

***per·en·ni·al**[pəréniəl, -njəl] *a., n.* 연중(年中) 끊이지 않는; 영원한; Ⓒ 다년생의 (식물). **~·ly** *ad.*

†per·fect[pə́ːrfikt] *a.* 완전한, 결점 없는; 숙달한(*in*); 전적인; 〚文〛 완료의. — *n.* Ⓒ 〚文〛 완료 시제[형]. — [pərfékt] *vt.* 완성[개선]하다; 완전하게 하다. **~·er** *n.* **:~·ly** *ad.* **~·ness** *n.* **~·i·ble** *a.* 완전히 할

수 있는, 완전해질 수 있는.

pérfect cádence 〖樂〗 완전 종지(법).

pérfect gáme 〖野·볼링〗 퍼펙트 게임, 완전 시합.

:per·fec·tion [pərfékʃən] *n.* Ⓤ 완전; Ⓒ 완전한 사람〔물건〕; Ⓤ 완성; 극치. ***to*** **~** 완전히.

per·fec·to [pərféktou] *n.* (*pl.* **~*s***) Ⓒ 양끝이 가느다란 중치의 여송연.

pérfect párticiple 〖文〗 완료 분사《past participle임; 보기: *Having seen* it myself, I can believe it. 이 눈으로 본 것이니 믿을 수 있다》.

pérfect rhýme 완전 각운(脚韻)《같은 음 또는 같은 철자로 뜻이 다른 것: rain, reign; dear, deer》.

per·fid·i·ous [pərfídiəs] *a.* 불성실한, 배반하는. **~·ly** *ad.* **~·ness** *n.* 「반.

per·fi·dy [pə́:rfədi] *n.* Ⓤ 불신; 배

per·fo·rate [pə́:rfərèit] *vt.* 구멍을 뚫다〔내다〕; (우표 등에) 줄 구멍을 내다. — *vi.* 꿰뚫다(*into, through*). — [-rit] *a.* 관통된. **-ra·tor** *n.* Ⓒ 구멍 뚫는 기구. **-ra·tion** [∸-réiʃən] *n.* Ⓤ 관통; Ⓒ (필름·우표 등의) 줄 구멍.

per·force [pərfɔ́:rs] *ad.* 무리하게; 부득이, 필연적으로.

:per·form [pərfɔ́:rm] *vt., vi.* 하다(do); 실행하다; 성취하다; 연기(演技)하다; 연주하다; (*vi.*) (동물이) 재주를 부리다. ***~·er** *n.* Ⓒ 행위자, 실행〔수행〕자; 연기〔연주〕자.

:per·form·ance [-əns] *n.* ① Ⓒ 연기, 연주, 흥행. ② Ⓤ 수행, 성취, 실행. ③ Ⓤ,Ⓒ 일; 작업; (기계류의) 성능; 공적; 성과. ④ Ⓤ 〖컴〗 성능.

perfórmance àrt 퍼포먼스 아트《육체의 행위를 음악·영상·사진 등을 통하여 표현하려는 1970년대에 시작된 예술 양식》.

perfórmance tèst 작업〔업적〕검사.

perfórming árts 공연〔무대〕예술《연극·음악·무용 따위》.

:per·fume [pə́:rfju:m] *n.* ① Ⓤ 방향(芳香). ② Ⓤ,Ⓒ 향수, 향료. — [pə(:)rfjú:m] *vt.* 방향으로 채우다; 향수를 뿌리다.

per·fum·er [pə:rfjú:mər] *n.* Ⓒ 향료상(商); 향내를 피우는 사람〔물건〕. **~·y** [-ri] *n.* ① Ⓤ《집합적》향료; 향수류. ② Ⓤ,Ⓒ 향수 제조〔판매〕(소).

per·func·to·ry [pərfʌ́ŋktəri] *a.* 되는 대로의, 마지못해 하는, 기계적인; 형식적인. **-ri·ly** *ad.*

per·fuse [pərfjú:z] *vt.* (물 따위를) 쏟아 붓다; (빛을) 충만시키다; 〖醫〗 (액체를) 주입하다.

per·go·la [pə́:rgələ] *n.* Ⓒ 퍼골라《덩굴을 지붕처럼 올린 정자 또는 길》, 등나무 시렁.

perh. perhaps.

†per·haps [pərhǽps, pəræ̀ps] *ad.* 아마, 혹시(maybe), 어쩌면(possibly). 「精).

pe·ri [píəri] *n.* Ⓒ (Per.) 요정(妖

per·i·car·di·tis [pèrikɑ:rdáitis] *n.* Ⓤ 〖醫〗 심낭염(心囊炎).

per·i·car·di·um [pèrəkɑ́:rdiəm] *n.* (*pl.* ***-dia*** [-diə]) Ⓒ 〖解〗 심낭.

per·i·carp [pérəkɑ̀:rp] *n.* Ⓒ 〖植〗 과피(果皮).

per·i·cra·ni·um [pèrəkréiniəm] *n.* (*pl.* ***-nia*** [-niə]) Ⓒ 〖解〗 두개골막(膜); 《古》 두개골, 두뇌.

per·i·do·tite [pèrədóutait, pərídətàit] *n.* Ⓤ,Ⓒ 감람암(岩).

per·i·gee [pérədʒì:] *n.* Ⓒ (*sing.*) 〖天〗 근지점(近地點)(opp. apogee).

per·i·he·li·on [pèrəhí:liən, -ljən] *n.* (*pl.* ***-lia*** [-liə, -ljə]) Ⓒ 〖天〗 근일점(opp. aphelion).

:per·il [pérəl, -ril] *n.* Ⓤ,Ⓒ 위험, 모험. — *vt.* (《英》 ***-ll-***) 위험에 빠뜨리다. ***at one's*** **~** 위험을 무릅쓰고. ***at the*** **~** ***of*** …을 걸고. ***in*** **~** ***of*** …이 위험에 직면하여.

:per·il·ous [pérələs, -ril-] *a.* 위험한. **~·ly** *ad.* **~·ness** *n.*

péril pòint 〖經〗 임계 세율(臨界稅率)《국내 산업을 압박하지 않을 한도의 관세의 최저점》.

per·i·lune [pérəlù:n] *n.* Ⓒ (달을 도는 인공 위성의) 근월점(近月點).

pe·rim·e·ter [pərímitər] *n.* Ⓒ (평면도의) 주변; 주변의 길이; 〖軍〗 (전선의) 돌출부.

per·i·ne·um [pèrəní:əm] *n.* (*pl.* ***-nea*** [-ní:ə]) Ⓒ 〖解〗 회음.

†pe·ri·od [píəriəd] *n.* Ⓒ 기간; 시대; (어느 기간의) 완결; 수업 시간, 교시(校時); (경기의) 한 구분《전반·후반 등》; 〖天·理〗 주기(週期); 〖地〗 기(紀); 문장의 종결; 마침표, 피리어드; 〖修〗 =PERIODIC SENTENCE; (*pl.*) 미문(美文); (*pl.*) 월경; (병의) 경과. ***come to a*** **~** 끝나다.

***pe·ri·od·ic** [pìəriɑ́dik/-ɔ́d-] *a.* 주기〔단속〕적인; 〖修〗 도미문(掉尾文)의.

***pe·ri·od·i·cal** [-əl] *a.* 정기 간행(물)의; =⇧. — *n.* Ⓒ 정기 간행물, 잡지. **~·ly** *ad.* **-o·dic·i·ty** [-ədísəti] *n.* Ⓤ 주기성(周期性); 주율(周律).

periódic láw 〖化〗 주기율. 「수.

periódic fùnction 〖數〗 주기 함

periódic séntence 도미문(掉尾文)《주절이 문미에 있는 글》.

periódic sýstem 〖化〗 주기계(系)《주기율에 따른 원소 체계》.

periódic táble 〖化〗 주기(율)표.

per·i·os·te·um [pèriɑ́stiəm/-ɔ́-] *n.* (*pl.* **~*s,*** ***-tea*** [-tiə]) Ⓒ 〖解〗 골막.

per·i·os·ti·tis [pèriɑstáitis/-ɔs-] *n.* Ⓤ 〖醫〗 골막염.

per·i·pa·tet·ic [pèrəpətétik] *a.* (걸어) 돌아다니는; 여행하며 다니는; (P-) 소요(逍遙)학파의, 아리스토텔레스 학파의. — *n.* Ⓒ 걸어 돌아다니

는 사람, 행상인; (P-) 소요학파의 학도.

pe·riph·er·al[pərífərəl] *a.* ① 주위[주변]의; 말초의. ② 주변적[말초적]인; (…에 대해) 중요치 않은(*to*). ③ 『컴』 주변 장치의. ~ ***device*** 주변 장치. ~ ***equipment*** 주변 장비. ~ ***nerves*** 말초신경. **~·ly** *ad.*

pe·riph·er·y [pərífəri] *n.* Ⓒ (*sing.*) (원(圓)·타원의) 둘레, 원주(圓周); 바깥면.

per·i·phrase[pérəfrèiz] *n.* =⇧. — *vt.* 에둘러 말하다.

pe·riph·ra·sis[pərífrəsis] *n.* (*pl.* ***-ses***[-si:z]) Ⓒ 『修』 완곡법(婉曲法) 《에둘러 하는 표현》. **per·i·phras·tic**[pèrəfrǽstik] *a.* 에둘러 말하는.

per·i·scope[pérəskòup] *n.* Ⓒ 잠망경(潛望鏡).

†**per·ish**[périʃ] *vi.* 죽다, 멸망하다; 썩어[사라져] 없어지다; 말라[시들어] 죽다, 무너지다. — *vt.* 《보통 수동》 몹시 곤란하게 하다, 괴롭히다(*with*). **~·a·ble** *a., n.* 부패[파멸]하기 쉬운; (*pl.*) (수송 중에) 부패되기 쉬운 것. **~·ing** *a.* (추위 따위) 혹독한; 《부사적으로》 지독하게, 몹시.

per·i·stal·sis[pèrəstǽlsis, -ɔ́:-] *n.* (*pl.* ***-ses***[-si:z]) Ⓒ 『生』 (창자 따위의) 연동(蠕動).

per·i·style[pérəstàil] *n.* Ⓒ (건물·안마당을 둘러싸는) 주열(柱列); 열주랑(列柱廊)《기둥으로 둘러싸인 장소》.

per·i·to·ne·um, -nae·um [pèrətəní:əm] *n.* (*pl.* ***-n(a)ea*** [-ní:ə]) Ⓒ 복막(腹膜).

per·i·to·ni·tis[pèritənáitis] *n.* Ⓤ 『病』 복막염.

per·i·wig[périwig] *n.* Ⓒ (특히 변호사가 쓰는) 가발(假髮)(wig).

per·i·winkle[1] [pérəwiŋkl] *n.* Ⓒ 『植』 협죽도과(科)의 식물.

per·i·winkle[2] *n.* Ⓒ 경단고둥류(類).

per·jure[pə́:rdʒər] *vt.* 《~ oneself로 하여》 거짓 맹세하다, 위증(僞證)하다. **~d**[-d] *a.* 거짓 맹세[증언]한. **pér·jur·er** *n.* Ⓒ 위증자.

per·ju·ry[pə́:rdʒəri] *n.* Ⓤ,Ⓒ 거짓 맹세, 위증.

perk[pə:rk] *vi., vt.* 머리를 쳐들다. 새침떨다, 점잔빼다, 의기 양양해 하다(*up*). **∠·y** *a.* 건방진, 오지랖넓은; 의기 양양한.

perm[pə:rm] *n.* Ⓒ 《口》 파마(permanent wave).

per·ma·frost[pə́:rməfrɔ̀:st/-frɔ̀st] *n.* Ⓤ 영구 동토대(凍土帶)《북극지방의》.

per·ma·nence [pə́:rmənəns] *n.* Ⓤ 영속(성); 영구. **-nen·cy** *n.* = PERMANENCE; Ⓒ 영속물; 종신관(終身官), 종신 고용.

:per·ma·nent[pə́:rmənənt] *a.* 영구한, 불변의; 영속하는. — *n.* 《口》 =~ **wáve** 퍼머넌트. * **~·ly** *ad.*

pérmanent mágnet 『理』 영구자석.

pérmanent tóoth 영구치.

pérmanent wáy 《英》 (철도의) 궤도.

per·man·ga·nate[pə:rmǽŋgənèit, -nit] *n.* Ⓤ 『化』 과(過)망간산염.

per·me·a·ble[pə́:rmiəbəl] *a.* 침투할 수 있는. **-bil·i·ty**[≻--bíləti] *n.* Ⓤ 침투성.

per·me·ance [pə́:rmiəns] *n.* Ⓤ 침투; 『工』 투자율(透磁率).

per·me·ate[pə́:rmièit] *vt.* 침투하다; 스며들다; 충만하다. — *vi.* 스며퍼지다; 널리 퍼지다(*in, among, through*). **-a·tion**[≻-éiʃən] *n.* Ⓤ 침투, 충만; 보급.

Per·mi·an[pə́:rmiən] *n., a.* (the ~) 페름기[계](의).

per·mis·si·ble[pə:rmísəbəl] *a.* 허용되는, 지장 없는.

:per·mis·sion[pə:rmíʃən] *n.* Ⓤ 허가; 면허; 허용.

per·mis·sive[pə:rmísiv] *a.* 허가하는; 허용된; 수의(隨意)의.

:per·mit[pə:rmít] *vt., vi.* (**-tt-**) 허락[허용]하다; (…하게) 내버려 두다[방임하다]; 가능하게 하다; 용납하다(admit)(*of*). ***weather ~ting*** 날씨만 좋으면. — [∠-] *n.* Ⓒ 허가증, 면허장.

per·mu·ta·tion [pə̀:rmjutéiʃən] *n.* Ⓤ,Ⓒ 교환; 『數』 순열(cf. combination).

***per·ni·cious**[pə:rníʃəs] *a.* 유해한; 치명적인(fatal); 파괴적인. **~·ly** *ad.* **~·ness** *n.*

pernícious anémia 『病』 악성 빈혈.

per·nick·et·y[pərnikəti] *a.* 《口》 곰상스러운, 까다로운; 다루기 힘든.

per·o·rate[pérərèit] *vi.* (연설을) 끝맺다; 결론짓다; 열변을 토하다. **-ra·tion**[≻-réiʃən] *n.* Ⓤ,Ⓒ 『修』 (연설의) 결론, 끝맺음.

per·ox·ide[pərɑ́ksaid/-ɔ́-], **-ox·id**[-sid] *n.* Ⓤ 『化』 과산화물[수소]. ~ ***of hydrogen*** 과산화수소. — *vt.* (머리털을) 과산화수소로 표백하다.

peróxide blònde (금발처럼) 머리를 물들인 여자.

***per·pen·dic·u·lar**[pə̀:rpəndíkjələr] *a.* 수직의; 『幾』 직각을 이루는; 깎아지른 듯한. — *n.* Ⓒ 수선(垂線); 수직면; Ⓤ (the ~) 수직의 위치. **~·ly** *ad.* **~·i·ty**[≻-≻-lǽrəti] *n.* Ⓤ 수직, 직립.

per·pe·trate[pə́:rpətrèit] *vt.* (나쁜짓·죄를) 저지르다, 범하다. **-tra·tor** *n.* Ⓒ 범인. **-tra·tion**[≻-tréiʃən] *n.* Ⓒ 범행, 범죄; Ⓤ 나쁜 짓을 행함.

:per·pet·u·al[pərpétʃuəl] *a.* 영구한; (관직 따위) 종신의; 끊임없는; 『園藝』 사철 피는. * **~·ly** *ad.*

perpétual cálendar 만세력.

per·pet·u·ate[pə(:)rpétʃuèit] *vt.* 영속[영존]시키다; 불후(不朽)하게하다. **-a·tor** *n.* **-a·tion**[-≻-éiʃən] *n.* Ⓤ 영속, 불후(화).

per·pe·tu·i·ty[pə̀ːrpətjúːəti] *n.* Ⓤ 영속, 영존(永存); Ⓒ 종신 연금; Ⓤ 영대(永代) 재산〔소유권〕. ***in*** 〔***to, for***〕 ~ 영구히.
‡**per·plex**[pərpléks] *vt.* 곤란케 하다, 당황케 하다, 혼란시키다. **~ed** [-t] *a.* 당황〔혼란〕한. **~·ing** *a.* 곤란〔당황〕케 하는; 복잡한. **~·i·ty** *n.* Ⓤ 당황; 혼란; 곤란케 하는 것〔일〕.
per pro. *per procurationem*(L.=by the agency).
per proc·u·ra·ti·o·nem [pəːr prɑ̀kjəreiʃióunem/-prɔ̀k-] 〖法〗 대리로《생략 ⇧》.
per·qui·site[pə́ːrkwəzit] *n.* Ⓒ (*sing.*) 임시 수입, 손씻이, 팁; (직무상의) 부수입.
Pers. Persia(n). **pers.** person
per se[pəːr séi, -síː] *ad.* (L.) 그 자체, 본질적으로는.
‡**per·se·cute**[pə́ːrsikjùːt] *vt.* (이교도를) 박해〔학대〕하다; 지근거리다, 괴롭히다(*with*). **-cu·tive** *a.* **-cu·tor** *n.* Ⓒ 박해자. ***-cu·tion**[ˌ--kjúːʃən] *n.* Ⓤ (종교적) 박해.
Per·seph·o·ne[pərséfəni] *n.* 〖그神〗 지옥의 여왕(Proserpina).
Per·seus[pəːrsjuːs, -siəs] *n.* 〖그神〗 Medusa를 퇴치한 영웅; 〖天〗 페르세우스 자리.
***per·se·vere**[pə̀ːrsəvíər/-si-] *vi.* 인내하다, 굴치 않고 계속하다(*in, with*). ‡**-ver·ance** [-víːrəns/-víər-] *n.* Ⓤ 인내; 고집. **-vér·ing** *a.* 참을성 있는.
‡**Per·sia**[pə́ːrʒə, -ʃə/-ʃə] *n.* 페르시아《1935년 Iran으로 개칭》.
‡**Per·sian**[pə́ːrʒən, -ʃən/-ʃən] *a.* 페르시아(사람·말)의. — *n.* Ⓒ 페르시아 사람; Ⓤ 페르시아어.
Pérsian Gúlf, the 페르시아 만.
Pérsian lámb 페르시아 새끼양; 그 모피.
per·si·flage[pə́ːrsəflɑ̀ːʒ, pɛ̀ərsiflɑ́ːʒ] *n.* Ⓤ 놀림, 농담.
***per·sim·mon** [pəːrsímən] *n.* Ⓒ 감(나무).
‡**per·sist**[pəːrsíst, -zíst] *vi.* 고집하다; 주장하다(*in*); 지속하다.
‡**per·sist·ent**[pəːrsístənt, -zís-] *a.* 고집하는, 불굴의; 지속하는; 〖植〗 상록의. **~·ly** *ad.* **-ence, -en·cy** *n.* Ⓤ 고집; 지속(성).
†**per·son**[pə́ːrsən] *n.* Ⓒ 사람; (보통 *sing.*) 신체; 풍채, 인품, 인격, 개성; Ⓤ,Ⓒ 〖文〗 인칭; 〖法〗 인(人)《자연인과 법인의 총칭》. ***in*** ~ 스스로, 몸소. **~·a·ble** *a.* 풍채가 좋은, 품위 있는.
per·so·na[pərsóunə] *n.* (*pl.* ***-nae*** [-niː]) (L.) Ⓒ (극·소설의 등장) 인물, 역. DRAMATIS PERSONAE. ~ ***grata*** 〔***non grata***〕 (외교관으로서) 탐탁스러운〔스럽지 않은〕 인물《주재국 입장에서》.
***per·son·age**[pə́ːrsənidʒ] *n.* Ⓒ 사람; 저명 인사; (소설 따위의) 인물.
‡**per·son·al**[pə́ːrsənəl] *a.* ① 개인의, 사적(私的)인(private). ② 본인(직접)의(*a ~ interview* 면접); 신체의; 용모〔풍채〕의. ③ 개인에 관한, 개인적인. ④ 인신 공격의. ⑤ 〖文〗 인칭의. ⑥ 〖法〗 (재산이) 개인에 속하는, 동산(動産)의. ***become*** ~ 인신 공격을 하다. — *n.* Ⓒ《美》(신문의) 인사란(欄). **~·ize**[-àiz] *vt.* 개인적으로 하다; 인격화하다.
pérsonal cólumn (신문의) 개인 광고난.
pérsonal compúter 〖컴〗 개인용 컴퓨터.
pérsonal effécts (개인) 소지품《옷, 책 등》.
pérsonal equátion 〖天〗 (관측상의) 개인차.
pérsonal estáte 〔**próperty**〕 동산.
pérsonal fóul (경기의) 방해, 반칙《몸이 닿는 일》.
‡**per·son·al·i·ty**[pə̀ːrsənǽləti/-li-] *n.* Ⓤ,Ⓒ 개성; 인격; 인물; 사람임; (보통 *pl.*) 인물 비평; 인신 공격.
personálity cúlt 개인 숭배.
personálity tèst 〖心〗 성격 검사.
‡**per·son·al·ly**[pə́ːrsənəli] *ad.* 몸소, 스스로; 나 개인적으로(는), 자기로서는; 자기의 일로서, 빗대어; 인품으로서(는).
pérsonal prónoun 인칭 대명사.
per·son·al·ty[pə́ːrsənəlti] *n.* Ⓤ 〖法〗 동산.
per·son·ate[pə́ːrsənèit] *vt.* (…의) 역을 맡아 하다; (…으로) 분장하다, (…의) 이름을 사칭하다. **-a·tor** [-nèitər] *n.* Ⓒ 연기자, 배우; 사칭자. **-a·tion**[ˌ--néiʃən] *n.*
per·son·i·fy[pəːrsɑ́nəfài/-ɔ́-] *vt.* 인격〔의인(擬人)〕화하다; 체현(体現)하다. ***-fi·ca·tion**[-ˌ--fikéiʃən] *n.* Ⓤ 의인〔인격〕화; Ⓤ,Ⓒ 〖修〗 의인법; 체현, 화신, 전형(典刑).
***per·son·nel**[pə̀ːrsənél] *n.* Ⓤ《집합적》 인원, 전직원; 〖軍〗 요원(要員); (회사 따위의) 인사과.
personnél càrrier (장갑한) 군(軍)수송차.
personnél depàrtment 인사과.
***per·spec·tive**[pəːrspéktiv] *n.* Ⓤ 원근(遠近)화법; Ⓒ 투시도(透視圖); 전망; 균형. — *a.* 원근화법에 의한.
Per·spex[pə́ːrspeks] *n.* Ⓤ 〖商標〗《英》(항공기의) 방풍 유리《투명 플라스틱》.
per·spi·ca·cious[pə̀ːrspəkéiʃəs] *a.* 이해가 빠른, 명민한. **-cac·i·ty** [-kǽsəti] *n.*
per·spic·u·ous[pəːrspíkjuəs] *a.* 알기 쉬운, 명백한. **per·spi·cu·i·ty** [ˌ--kjúːəti] *n.*
***per·spire**[pərspáiər] *vi., vt.* 땀흘리다. ***per·spi·ra·tion**[pə̀ːrspəréiʃən] *n.* Ⓤ 발한(發汗) 작용; Ⓒ,Ⓤ 땀.
‡**per·suade**[pəːrswéid] *vt.* 설복〔설득〕하다(*to, into*) (opp. dissuade); 납득시키다(*of; that*); 납득시키려들다; 주장하다.

*__per·sua·sion__[pərswéiʒən] *n.* ① Ⓤ 설득(력). ② Ⓒ 확신, 신념; 신앙, 신조. ③ Ⓒ 종파. ④ Ⓒ 《諧》종류(*a man of military* ~ 군인).
*__per·sua·sive__[pərswéisiv] *a.* 설득력 있는.
pert[pə:rt] *a.* 버릇〔거리낌〕없는, 건방진; 《口》 활발한, 기운찬.
PERT[pə:rt] program evaluation and review technique 퍼트《복잡한 프로젝트를 계획 관리하는 방식》.
*__per·tain__[pərtéin] *vi.* 속하다(*to*); 관계하다(*to*); 적합하다(*to*).
per·ti·na·cious[pə̀:rtənéiʃəs] *a.* 끈질긴, 집요한, 완고한; 끈기 있는. **~·ly** *ad.* **-nac·i·ty**[-nǽsəti] *n.*
*__per·ti·nent__[pə́:rtənənt] *a.* 적절〔타당〕한, (…에) 관한(*to*). **~·ly** *ad.* **-nence, -nen·cy** *n.*
*__per·turb__[pərtə́:rb] *vt.* 교란하다, 혼란하게 하다; 당황〔불안〕하게 하다. **per·tur·ba·tion**[pə̀:rtərbéiʃən] *n.*
*__Pe·ru__[pərú:] *n.* 페루《남아메리카의 공화국》.
pe·ruke[pərú:k] *n.* Ⓒ 가발(假髮) (wig).
*__pe·ruse__[pərú:z] *vt.* 숙독〔정독〕하다; 읽다. *__pe·rús·al__ *n.* Ⓤ,Ⓒ 숙독; 통독.
Pe·ru·vi·an[pərú:viən, -vjən] *a.* 페루(사람)의. — *n.* Ⓒ 페루 사람.
Perúvian bárk 키나 껍질.
*__per·vade__[pərvéid] *vt.* (…에) 널리 퍼지다; 침투하다. **per·va·sion**[-ʒən] *n.* **per·va·sive**[-siv] *a.*
*__per·verse__[pərvə́:rs] *a.* 심술궂은, 빙퉁그러진; 사악한, 나쁜. **~·ly** *ad.* **~·ness** *n.* **per·vér·si·ty** *n.* Ⓤ 빙퉁그러짐, 외고집; 사악. **per·vér·sive** *a.* 곡해하는; 그르치게 하는.
per·ver·sion [pərvə́:rʒən, -ʃən] *n.* Ⓤ,Ⓒ 곡해; 악용; Ⓤ 악화; (성적) 도착(倒着).
*__per·vert__[pərvə́:rt] *vt.* ① (정도에서) 벗어나게 하다. ② 곡해하다. ③ 악용〔오용〕하다. — [pə́:rvə:rt] *n.* Ⓒ 배교자(背教者); 성욕 도착자.
per·vi·ous[pə́:rviəs, -vjəs] *a.* 통과〔침투〕시키는(*to*); (사리 따위를) 아는(*to*).
pe·se·ta[pəséitə] *n.* Ⓒ 페세타《스페인의 화폐 단위》; 페세타 은화.
pes·ky[péski] *a.* 《美口》 성가신, 귀찮은.
pe·so[péisou] *n.* (*pl.* **~s**) 페소《멕시코·쿠바·라틴 아메리카 등지의 화폐 단위》; 페소 은화.
*__pes·si·mism__ [pésəmìzəm, -si-] *n.* Ⓤ 비관(주의·론); 염세관(opp. optimism). **-mist** *n.* Ⓒ 비관론자, 염세가. *__-mis·tic__[ㅗ-místik] *a.*
*__pest__[pest] *n.* Ⓒ 유해물; 성가신 사람〔물건〕; 해충; Ⓤ 악성 유행병, 페스트.
Pes·ta·loz·zi [pèstəlátsi/-5-], **Johann Heinrich** (1746-1827) 스위스의 교육 개량가.
pes·ter[péstər] *vt.* 괴롭히다.
pést·hòuse *n.* Ⓒ 격리 병원.
pes·ti·cide[péstəsàid] *n.* Ⓤ,Ⓒ 살충제.
pes·tif·er·ous[pestífərəs] *a.* 전염하는; 병균을 옮기는; 유해한; 《口》 성가신.
pes·ti·lence [péstələns, -ti-] *n.* ① Ⓤ,Ⓒ 악성 유행병. ② Ⓤ 페스트. **-lent** *a.* 치명적인; 유해한; 평화를 파괴하는; 성가신.
pes·ti·len·tial[pèstəlénʃəl] *a.* 악역(惡疫)의; 유행병〔전염병〕을 발생하는; 유해한; 성가신.
pes·tle[pésṭl] *n.* Ⓒ 막자, 공이. — *vt., vi.* pestle로 갈다〔찧다〕.
†**pet**[1] [pet] *n.* Ⓒ 페트, 애완 동물; 마음에 드는 물건〔사람〕. — *a.* 귀여워하는, 마음에 드는; 애정을 나타내는; 득의의. — *vt., vi.* (**-tt-**) 귀여워하다; 《口》 (이성을) 애무〔페트〕하다.
pet[2] *n.* Ⓒ 씨무룩함, 부루퉁함. ***be in a ~*** 부루퉁해 있다. ***take the ~*** 성내다. — *vi.* (**-tt-**) 부루퉁해지다.
PET[pet] positron emission tomography.
*__pet·al__[pétl] *n.* Ⓒ 꽃잎.
pe·tard[pitá:rd] *n.* Ⓒ (옛적의 성문 파괴용) 폭발물; 폭죽. HOIST [2] ***with one's own ~.***
*__Pe·ter__[pí:tər], **Saint**(?-67?) 베드로《예수 12사도 중의 한 사람》; 『新約』 베드로서(書).
pe·ter[pí:tər] *vi.* 《口》 (광맥 따위가) 점점 소멸하다(fail)(*out*).
Péter Fùnk 《美》 (경매의) 야바위(패).
pe·ter·man[pí:tərmən] *n.* Ⓒ 《俗》 금고 털이.
Péter Pán J. M. Barrie작의 동화극(의 주인공); 어른이 되어도 언제나 아이같은 사람.
pet·i·ole[pétiòul] *n.* Ⓒ 『植』 잎꼭지(葉柄).
pet·it[péti/pəti:] *a.* (F.) 작은. ***~ jury*** 〔***larcent***〕 =PETTY JURY 〔LARCENY〕.
pe·tite[pəti:t] *a.* (F.) (여자가) 몸집이 작고 맵시 있는.
petíte bour·geoi·síe [-buər-ʒwɑ:zí:] 소시민(小市民) 계급.
‡**pe·ti·tion**[pitíʃən] *n.* Ⓒ 탄원, 진정; 애원; 기원; 탄원〔진정〕서. — *vt., vi.* 청원〔신청〕하다(*for, to*); 기원하다. **~·ar·y**[-èri/-nəri] *a.* *__~·er__ *n.*
pét náme 애칭.
Pe·trarch[pí:trɑ:rk/pét-] *n.* (1304-74) 이탈리아의 시인.
pet·rel[pétrəl] *n.* Ⓒ 바다제비류(類).
pé·tri dìsh[pí:tri-] 페트리 접시《세균 배양 접시》.
pet·ri·fac·tion[pètrəfǽkʃən] *n.* Ⓤ 돌로 화함, 석화(石化) (작용); Ⓒ 화석(fossil); Ⓤ 망연 자실.
pet·ri·fy[pétrəfài] *vt., vi.* 돌이 되게 하다, 돌이 되다; 굳(어 지)게 하다; 둔하게 하다; 망연자실하(게 하)

다, 제정신을 잃게 하다.
pet·ro-[pétrou, -rə] '바위, 돌, 석유'의 뜻의 결합사.
pètro·chémical *n., a.* Ⓒ (보통 *pl.*) 석유 화학 제품〔약품〕(의).
pètro·chémistry *n.* Ⓤ 석유〔암석〕화학.
pétro·dòllar *n.* Ⓒ 산유국의 달러 화폐, 오일 달러.
pe·trog·ra·phy[pitrágrəfi/-ɔ́-] *n.* Ⓤ 암석 기재(記載)〔분류〕학.
pet·rol[pétrəl] *n.* Ⓤ《英》가솔린.
pet·ro·la·tum [pètrəléitəm] *n.* Ⓤ 〖化〗 바셀린; 광유(鑛油).
pétrol bòmb《英》화염병.
***pe·tro·le·um** [pitróuliəm, -jəm] *n.* Ⓤ 석유.
pe·trol·o·gy[pitrálədʒi/-ɔ́-] *n.* Ⓤ 암석학(cf. petrography).
pet·ti·coat**[pétikòut] *n., a.* Ⓒ 페티코트《여자·어린이의 속치마》; 스커트; (*pl.*)《口》여자, 여성(의). ~ ***government 치맛바람, 내주장.
pet·ti·fog [pétifàg, -fɔ̀(:)g] *vi.* (*-gg-*) 되잖은〔억지〕이론을 늘어 놓다. ~·**ger** *n.* Ⓒ 궤변가, 엉터리 변호사. ~·**ging** *a.* 궤변으로 살아가는 속임수의; 보잘 것 없는.
pet·tish[pétiʃ] *a.* 까다로운, 성마른.
***pet·ty**[péti] *a.* ① 사소한, 하찮은. ② 옹졸한, 인색한. ③ 소규모의.
pétty cásh 소액 지불 자금; 용돈.
pétty júry 소배심(小陪審)《12명으로 구성》.
pétty lárceny 〖法〗 가벼운 절도죄; 좀도둑.
pétty òfficer (해군의) 하사관.
pet·u·lant[pétʃələnt] *a.* 까다로운; 성마른. ~·**ly** *ad.* **-lance, -lan·cy** *n.*
pe·tu·ni·a[pitjú:niə, -njə] *n.* Ⓒ 〖植〗 피튜니아(꽃).
***pew**[pju:] *n.* Ⓒ (교회의) 벤치형 좌석; 교회의 가족석.
pe·wee[pí:wi:] *n.* Ⓒ 〖鳥〗 (미국산) 딱새의 일종《다리가 짧고, 언뜻 보아 waxwing 비슷함》.
pe·wit[pí:wit] *n.* Ⓒ 〖鳥〗 댕기물떼새; (유럽산) 갈매기의 일종; = PEWEE.
pew·ter[pjú:tər] *n.* Ⓤ 백랍(白鑞), 땜납《주석과 납의 합금》;《집합적》백랍제의 기물(器物).
pf 〖樂〗 *piano forte.* **pf.** pfennig; preferred; proof. **PFC, Pfc.** Private First Class. **pfd.** preferred.
pfen·nig[pfénig] *n.* (*pl.* **~*s*, *-nige***[-nigə]) Ⓒ 페니히《독일의 동전 1/100 마르크》.
pfg. pfennig. **PFLP** Popular Front for the Liberation of Palestine. **Pg.** Portugal; Portuguese. **P.G., p.g.** paying guest. **PGA** Professional Golfers' Association. **P.H.** public health;《美》(Order of the) Purple Heart.
pha·e·ton[féiətn/féitn] *n.* Ⓒ 쌍두 경(輕)4륜 마차; 무개(無蓋) 자동차의 일종.
phag·o·cyte[fǽgəsàit] *n.* Ⓒ 〖生〗 식(食)세포.
phal·an·ger[fəlǽndʒər] *n.* Ⓒ 오스트레일리아산의 유대(有袋) 동물.
Pha·lanx[féilæŋks, fǽl-] *n.* (*pl.* **~*es, phalanges*** [fəlǽndʒi:z]) Ⓒ 〖古그〗 방진(方陣); 밀집대(隊); 결사(結社); 지골(指骨), 지골(趾骨).
phal·lism[fǽlizəm], **-li·cism**[-ləsìzəm] *n.* Ⓤ 남근(男根) 숭배.
phal·lus[fǽləs] *n.* (*pl.* ***-li***[-lai]) Ⓒ 남근상(像); 〖解〗 =PENIS; CLITORIS.
phan·er·o·gam [fǽnərougæ̀m] *n.* Ⓒ 〖植〗 꽃식물(cf. cryptogam).
phan·tasm[fǽntæzəm] *n.* Ⓒ 곡두, 환영(幻影); 환상. **-tas·mal**[fæntǽzməl] *a.* 환영의〔같은〕; 공상의.
phan·tas·ma·go·ri·a[fæ̀ntæzməgɔ́:riə] *n.* Ⓒ (초기) 환등의 일종; 주마등 같은 광경. **-gór·ic** *a.*
phan·ta·sy[fǽntəsi, -zi] *n.* = FANTASY.
***phan·tom**[fǽntəm] *n.* Ⓒ 곡두, 환영; 유령, 도깨비; 착각, 환상. — *a.* 유령 같은; 환영의; 가공의.
phántom círcuit 〖電〗 중신 회선(重信回線).
phántom límb 〖醫〗 유령통(痛)《절단한 다리나 팔에 아픔을 느끼는 신경적 증상》.
phántom prégnancy 상상 임신.
Phar. pharmaceutical; pharmacist; pharmacy.
Phar·aoh[fɛ́ərou] *n.* Ⓒ 고대 이집트왕의 칭호.
Phar·i·sa·ic[fæ̀rəséiik], **-i·cal** [-əl] *a.* 바리새 사람〔파〕의; (p-) 형식을 존중하는, 위선의. **-sa·ism** [∠-ìzəm] *n.* Ⓤ 바리새주의; (p-) 형식주의, 위선.
Phar·i·see[fǽrəsi:] *n.* Ⓒ 바리새(파의) 사람; (p-) 형식주의자, 위선자. ~·**ism** *n.* =PHARISAISM.
phar·ma·ceu·tic [fà:rməsú:tik/-sjú:t-], **-ti·cal**[-əl] *a.* 조제(調製)(상)의. **-céu·tist** *n.* Ⓒ 약제사. **-céu·tics** *n.* Ⓤ 조제학.
phar·ma·cist[fá:rməsist] *n.* = DRUGGIST.
phar·ma·col·o·gy[fà:rməkálədʒi/-ɔ́-] *n.* Ⓤ 약학, 약리학.
phar·ma·co·poe·ia [fà:rməkəpí:ə] *n.* Ⓒ 약전(藥典).
phar·ma·cy[fá:rməsi] *n.* Ⓤ 조제법(調製法); 약학; Ⓒ 약국; 약종상.
pha·ros[fɛ́əras/-rɔs] *n.* Ⓒ 등대, 항로 표지.
pha·ryn·ge·al[fəríndʒiəl, fæ̀rindʒí:əl], **pha·ryn·gal**[fəríŋgəl] *a.* 〖解〗 인두(咽頭)의 (~ artery 경(頸)동맥).
phar·yn·gi·tis [fæ̀rindʒáitis] *n.* Ⓤ 〖醫〗 인두염.
pha·ryn·go·scope[fəríŋgəskòup]

n. Ⓒ 〖醫〗 인두경(咽頭鏡).
phar·ynx [fǽriŋks] *n.* (*pl.* **~es**, ***pharynges*** [fəríndʒi:z]) Ⓒ 〖解〗 인두.
:phase [feiz] *n.* Ⓒ (변화·발달의) 단계, 형세, 국면; (문제의) 면(面), 상(相); 〖天〗 (달, 기타 유성의) 상(象); 〖理〗 위상(位相); 〖化〗 상(相); 〖컴〗 위상, 단계. ── *vt.* 위상으로〔단계로〕 나누(어 나타내)다.
pháse(-cóntrast) microscope 위상차(位相差) 현미경.
pháse(-difference) mìcroscope =⇧.
pháse modulàtion 〖電〗 위상 변조(位相變調).
pháse-òut *n.* Ⓒ 단계적 폐지〔제거, 철수〕.
phat·ic [fǽtik] *a.* (말 따위가 깊은 뜻이 없는) 의례적인, 사교적인.
Ph.C. Pharmaceutical chemist.
Ph.d. [pí:èitʃ dí:] *Philosophiae Doctor*(L.=Doctor of Philosophy).
˙pheas·ant [fézənt] *n.* Ⓒ 꿩.
phe·nac·e·tin(e) [finǽsətin] *n.* Ⓤ 페나세틴《해열 진통제》.
phe·nix [fí:niks] *n.* =PHOENIX.
phe·no·bar·bi·tal [fì:nəbá:rbətɔ̀:l/-bit-] *n.* Ⓤ 페노바르비탈《수면 진통제》.
phe·nol [fí:noul, -nɑl/-nɔl] *n.* Ⓤ 〖化〗 페놀, 석탄산(酸).
phe·nol·phthal·ein [fì:noulθǽli(:)n/-nɔl-] *n.* Ⓤ 〖化〗 페놀프탈레인.
˙phe·nom·e·na [finɑ́mənə/-nɔ́mi-] *n.* phenomenon의 복수.
phe·nom·e·nal [finɑ́mənəl, -ɔ́-] *a.* 현상의; 자연 현상의; 경이적인, 굉장한. **~·ism** [-ìzəm] *n.* Ⓤ 〖哲〗 현상론.
:phe·nom·e·non [finɑ́mənɑ̀n/-nɔ́minən] *n.* (*pl.* **-na**) Ⓒ 현상; (*pl.* **~s**) 경이(적인 것), 진기한 사물〔사람〕.
phe·no·type [fí:nətàip] *n.* Ⓒ 〖遺傳〗 표현형(表現型)《환경에 따라 외부에 나타나는》. 「닐기(基).
phen·yl [fénil, fí:n-] *n.* Ⓤ 〖化〗 페
phen·yl·al·a·nine [fènəlǽlənì:n] *n.* Ⓤ 〖生化〗 페닐알라닌.
phen·yl·ke·to·nu·ri·a [fènəlkì:tənjú:riə] *n.* Ⓤ 〖醫〗 페닐케톤뇨증(尿症)《생략 PKU》.
pher·o·mone [férəmòun] *n.* Ⓒ 〖生〗 페로몬《어느 개체에서 분비되어, 동종의 다른 개체의 성적·사회적 행동에 변화를 주는 유인 물질》.
phew [ɸ:, fju:] *int.* 쳇!《초조·혐오·놀람 따위를 나타내는 소리》.
Ph. G. Graduate in Pharmacy.
phi [fai] *n.* Ⓤ,Ⓒ 그리스어 알파벳의 21째 글자《Φ, φ, 영어의 ph에 해당》.
phi·al [fáiəl] *n.* Ⓒ 작은 유리병; 약병.
Phí Bè·ta Káp·pa [fái bèitə kǽpə, -bì:tə-] 《美》 우등 학생 및 졸업생의 교우회(校友會)(1776년 설립).
Phil. Philemon; Philip; Philippians; Philippine(s). **phil.** philology; philosophical; philosophy.
˙Phil·a·del·phi·a [fìlədélfiə, -fjə] *n.* 미국 펜실베이니아주 남동부의 도시《생략 Phila.》.
Philadélphia láwyer 《美》 민완 변호사, 수완 있는 법률가.
phi·lan·der [filǽndər] *vi.* (남자가) 엽색하다; 여자를 희롱하다(*with*). **~·er** *n.*
phil·an·thrope [fílənθroup] *n.* = PHILANTHROPIST.
phi·lan·thro·py [filǽnθrəpi] *n.* Ⓤ 박애, 자선; Ⓒ 자선 행위〔사업, 단체〕. **-thro·pist** *n.* Ⓒ 박애주의자. **-throp·ic** [filənθrɑ́pik/-ɔ́-] *a.* 박애의.
phi·lat·e·ly [filǽtəli] *n.* Ⓤ 우표 수집〔연구〕. **-list** *n.* Ⓒ 우표 수집가.
Phi·le·mon [filí:mən/-mɔn] *n.* 〖聖〗 빌레몬서(書).
˙phil·har·mon·ic [filhɑ:rmɑ́nik, fìlər-/-mɔ́n-] *a.* 음악 애호의《주로 악단 이름에 쓰임》(*London P- Orchestra*).
Phil·ip [fílip] *n.* 빌립《예수 12사도의 한 사람》.
Phi·lip·pi·ans [filípiənz] *n. pl.* 《단수 취급》 〖聖〗 빌립보서(書).
Phi·lip·pic [filípik] *n.* Demosthenes가 Philip 왕을 공격한 연설; Cicero가 Marcus Antonius를 공격한 연설; (p-) Ⓒ 격렬한 공격 연설.
˙Phil·ip·pines [fíləpì:nz, -li-] *n.* (the ~) 필리핀 군도; 필리핀 공화국《정식 명칭:Republic of the ~》.
˙Phi·lis·tine [fíləstì:n, filístin, fílistàin] *n.* Ⓒ 필리스틴 사람《옛날, 유대인의 강적》; 《諧》 잔인한 적《집달리·비평가 등》; (*or* p-) 속물(俗物). ── *a.* 필리스틴 사람의; (*or* p-)교양이 없는. **-tin·ism** [fíləstinìzəm] *n.* Ⓤ 속물 근성, 무교양.
phi·lol·o·gy [filɑ́lədʒi/-ɔ́-] *n.* Ⓤ 《주로 英》 문헌학; 언어학(linguistics). **-gist** *n.* Ⓒ 문헌〔언어〕학자. **phil·o·log·i·cal** [filəlɑ́dʒikəl/-ɔ́-] *a.* 문헌〔언어학〕(상)의. **-i·cal·ly** *ad.*
phil·o·mel [fíləmèl], **phil·o·me·la** [fìloumí:lə] *n.* 《詩》 = NIGHTINGALE.
:phi·los·o·pher [filɑ́səfər/-ɔ́-] *n.* Ⓒ 철학자; 철인.
philósopher's stòne (연금술가(鍊金術家)가 찾던) 현자의 돌《비금속을 금으로 바꾸는》; (실행 불가능한) 이상적 해결법.
˙phil·o·soph·ic [filəsɑ́fik/-ɔ́-], **-i·cal** [-əl] *a.* 철학의; 철학에 통달한〔몰두한〕; 현명한, 냉정한. **-i·cal·ly** *ad.*
phi·los·o·phize [filɑ́səfàiz/-ɔ́-] *vi.* 철학적으로 사색하다; 이론을 세

우다.
:**phi·los·o·phy**[filάsəfi/-ɔ́-] *n.* ① Ⓤ 철학; Ⓒ 철리, 원리. ② Ⓤ 침착; 깨달음.
phil·ter, 《英》 **-tre**[filtər] *n.* Ⓒ 미약(媚藥); 마법의 약. — *vt.* 미약으로 홀리게 하다.
phi·mo·sis [faimóusis] *n.* (*pl.* **-ses**[-si:z]) Ⓒ 〖醫〗 포경(包莖).
phle·bi·tis[flibáitis] *n.* Ⓤ 〖醫〗 정맥염(炎).
phle·bot·o·my[flibάtəmi/-ɔ́-] *n.* Ⓤ,Ⓒ 〖醫〗 자락(刺胳), 사혈(瀉血), 방혈(放血) (**bloodletting**).
phlegm[flem] *n.* Ⓤ 담, 가래; 〖廢〗 점액; 냉담, 무기력; 지둔(遲鈍).
phleg·mat·ic[flegmǽtik], **-i·cal** [-əl] *a.* 《廢》 점액질의; 냉담한; 둔감한.
phlo·gis·ton[flou*d*ʒístən] *n.* Ⓤ 〖地〗 플로지스톤, 연소(燃燒).
phlox[flαks/-ɔ-] *n.* Ⓒ 〖植〗 플록스(꽃).
Phnom Penh[pənɔ́:m pén] 캄보디아 공화국의 수도.
pho·bi·a[fóubiə] *n.* Ⓤ,Ⓒ 공포증.
-pho·bi·a[fóubiə] *suf.* '…(공포)병'의 뜻의 명사를 만듦: Anglo*phobia*.
pho·co·me·li·a[fòuko*u*mí:liə] *n.* Ⓤ 〖醫〗 해표지증(海杓肢症).
pho·com·e·lus[foukάmiləs/-ɔ́-] *n.* Ⓒ 〖醫〗 해표지증의 기형(환)자.
Phoe·be[fí:bi] *n.* 〖로神〗 달의 여신; 《詩》 달.
phoe·be *n.* Ⓒ (미국산) 작은 명금(鳴禽)의 일종.
Phoe·bus[fí:bəs] *n.* 〖그神〗 태양신(Apollo); 《詩》 태양, 해(sun).
Phoe·ni·ci·a[finíʃ*i*ə] *n.* 페니키아 《시리아 서부에 있던 옛나라》. **-an** *a., n.* 페니키아(사람·말)의; Ⓒ 페니키아 사람; Ⓤ 페니키아말.
phoe·nix**[fí:niks] *n.* 〖이집트神話〗 불사조. ***the Chinese ~ 봉황새.
phon[fαn/fɔn] *n.* Ⓒ 〖理〗 폰《음의 강도의 단위》.
pho·nate[fóuneit] *vt., vi.* 〖音聲〗 목소리를 내다, 발성하다.
***phone**[1][foun] *n., v.* 《口》 =TELEPHONE.
phone[2] *n.* Ⓒ 〖音聲〗 음성, 단음(單音).
-phone[foun] '음'의 뜻의 결합사.
phóne bòok 전화번호부.
phóne bòoth (공중) 전화 박스 (《英》 phone box).
pho·ne·mat·ic[fòuni:mǽtik] *a.* 〖音聲〗 음소(phoneme)의.
pho·neme[fóuni:m] *n.* Ⓒ 〖音聲〗 음소《어떤 언어에 있어서 음성상의 최소의 단위》.
pho·ne·mic[founí:mik] *a.* 〖音聲〗 음소의; 음소론의. **~s** *n.* Ⓤ 음소론.
pho·net·ic[fo*u*nétik] *a.* 음성(상)의, 음성을 나타내는. ~ ***notation*** 음성 표기법. ~ ***signs*** 〔***symbols***〕 음표 문자. ~ ***transcription*** 표음 전사(轉寫). **-i·cal·ly** *ad.* **~s** *n.* Ⓤ 음성학.
pho·ne·ti·cian[fòunətíʃən] *n.* Ⓒ 음성학자.
pho·ney[fóuni] *a., n.* =PHONY.
pho·nic[fóunik] *a.* 소리의; 음성의; 유성(有聲)의. **~s** *n.* Ⓤ (발음 교습용) 간이 음성학; 음향학.
pho·no-[fóunou, -nə] '음, 소리'란 뜻의 결합사.
pho·no·car·di·o·gram [fòunəkά:*r*diəgræ̀m] *n.* Ⓒ 〖醫〗 심음도(心音圖).
pho·no·gen·ic[fòunədʒénik] *a.* 《美》 전화에 가장 적합한 음성을 가진, 전화에 맞는.
pho·no·gram[fóunəgræ̀m] *n.* Ⓒ (속기용) 표음 문자.
***pho·no·graph**[fóunəgræ̀f, -grὰ:f] *n.* Ⓒ 《美》 축음기.
pho·nog·ra·phy[fo*u*nάgrəfi/-ɔ́-] *n.* Ⓤ (표음 문자에 의한) 속기(速記).
pho·nol·o·gy[fo*u*nάlədʒi/-ɔ́-] *n.* Ⓤ 음성학(phonetics), 음운론; 음성사론(音聲史論), 사적(史的) 음운론.
pho·nom·e·ter [fo*u*nάmitə*r*/-nɔ́m-] *n.* Ⓒ 측음기; 음파 측정기.
pho·no·scope[fóunəskòup] *n.* Ⓒ (악기의) 검현기(檢弦器).
pho·ny[fóuni] *a., n.* Ⓒ 《口》 가짜(의).
phos·gene[fάsdʒi:n, fάz-] *n.* Ⓤ 〖化〗 포스겐《1차 대전 때 사용된 독가스》.
***phos·phate**[fάsfeit/-ɔ́-] *n.* Ⓤ,Ⓒ 〖化〗 인산염; (소량의 인산을 함유한) 탄산수; Ⓒ (보통 *pl.*) 인산 비료.
phos·phor[fάsfə*r*/fɔ́s-] *n.* Ⓤ 〖理〗 인광 물질. ② (P-) 《詩》 샛별. ~ ***bronze*** 인청동(燐靑銅).
phos·pho·rate[fάsfərèit/-ɔ́-] *vt.* 인(燐)과 화합시키다, 인을 가하다.
phos·pho·resce[fὰsfərés/-ɔ̀-] *vi.* 인광(燐光)을 발하다. **-res·cence** [-résns] *n.* Ⓤ 인광(을 냄). **-res·cent** *a.* 인광을 발하는.
***phos·phor·ic** [fαsfɔ́:rik/fɔsfɔ́r-] *a.* (5가(價)의) 인(燐)의; 인을 함유하는; 인 모양의.
phosphóric ácid 아인산.
phos·pho·rous[fάsfərəs/-ɔ́-] *a.* 인(燐)의; 인을 함유하는.
phos·pho·rus[fάsfərəs/-ɔ́-] *n.* Ⓤ 〖化〗 인(燐).
phos·phu·ret·(t)ed[fάsfjərètid/-ɔ́-] *a.* 〖化〗 인(燐)과 화합한.
:**pho·to**[fóutou] *n.* (*pl.* **~s**) 《口》 =PHOTOGRAPH.
pho·to-[fóutou, -tə] '사진·빛·광전자'란 뜻의 결합사.
phóto·cèll *n.* =PHOTOELECTRIC CELL; =PHOTOTUBE.
phòto·chémical *a.* 광화학(光化學)의.
photochémical smóg 광화학 스모그.
phòto·chémistry *n.* Ⓤ 광화학.

P

phòto·composítion *n.* Ⓤ 〖印〗 사진 식자.
phóto·cùrrent *n.* Ⓤ 광전류(光電流).
phòto·eléctric *a.* 광전(光電)의; 광전자 사진 장치의.
photoeléctric céll 광전지(光電池)《생략 p.e.c.》.
phòto·engráving *n.* Ⓤ 사진 제판(술); Ⓒ 사진판 (인쇄화).
phòto·fínish *a.* (경마 따위) 사진 판정의.
phòto·fínishing *n.* Ⓤ 필름 현상.
phóto·flash lámp =FLASH-BULB.
phóto·flood lámp 〖寫〗 촬영용 일광등(溢光燈).
pho·to·gen·ic[fòutədʒénik] *a.* (풍경·얼굴·배우 등) 촬영에 알맞은; 〖生〗 발광성(發光性)의.
†**pho·to·graph**[fóutəgræ̀f, -grɑ̀ːf] *n., vt., vi.* Ⓒ 사진(으로 찍다, 을 찍다, 에 찍히다), 촬영하다.
***pho·tog·ra·phy** [fətágrəfi/-ɔ́-] *n.,* Ⓤ 사진술, 촬영술. ***-pher** *n.* Ⓒ 사진사. ***pho·to·graph·ic**[fòutəgræ̀fik] *a.* 사진의, 사진 같은; 극히 사실적인[정밀한].
pho·to·gra·vure[fòutəgrəvjúər] *n., vt.* Ⓤ 그라비아 인쇄(로 복사하다); Ⓒ 그라비아 사진.
phòto·jóurnalism *n.* Ⓤ 사진 보도를 주체로 하는 신문·잡지(업); 사진 뉴스.
phòto·lithógraphy *n.* Ⓤ 사진 평판.
phóto·màp *n., vt., vi.* (*-pp-*) Ⓒ (항공) 사진 지도(를 만들다).
pho·tom·e·ter [foutámitər/-ɔ́-] *n.* Ⓒ 광도계(光度計).
pho·tom·e·try[foutámətri/-ɔ́-] *n.* Ⓤ 광도 측정(법).
phòto·mícrogràph *n.* Ⓒ 현미경[마이크로] 사진.
phòto·montáge *n.* Ⓒ 몽타주 사진; Ⓤ 몽타주 제작.
pho·to·mu·ral[fòutoumјúərəl] *n.* Ⓒ (전시·광고용) 벽(壁)사진.
pho·ton[fóutan/-tɔn] *n.* Ⓒ 〖理〗 광자.
phóto opportúnity (정부 고관·유명 인사 등의) 카메라맨과의 회견.
phòto·périod *n.* Ⓒ 〖生〗 광주기(光周期). **~·ism** *n.* Ⓤ 〖生〗 광주기성; 〖農〗 일장(日長) 효과.
pho·to·pho·bi·a[fòutəfóubiə] *n.* Ⓤ 〖醫〗 수명(羞明), 광선 공포증.
pho·to·phone[fóutəfòun] *n.* Ⓒ 광선 전화기.
phóto·plày *n.* Ⓒ 영화극[각본].
phòto·sénsitive *a.* 감광성(感光性)의.
phóto·sphère *n.* Ⓒ 〖天〗 광구(光球).
pho·to·stat[fóutoustæ̀t] *n.* Ⓒ 직접 복사 사진기; 직접 복사 사진. ― *vt.* 직접 복사 사진기로 촬영하다.
phòto·sýnthesis *n.* Ⓤ 〖生·生化〗 (탄수화물 따위의) 광합성(光合成).
pho·to·tax·is [fòutoutæ̀ksis], **-tax·y**[-tæ̀ksi] *n.* Ⓤ 〖生〗 주광성(走光性).
phòto·télegràph *n.* Ⓒ 사진 전송기; 전송사진. **-telégraphy** *n.* Ⓤ 사진 전송(술).
phóto·tìmer *n.* Ⓒ 〖寫〗 자동 노출 장치; 경주 판정용 카메라.
pho·tot·ro·pism[foutátrəpìzəm/-ɔ́-] *n.* Ⓤ 〖植〗 굴광성(屈光性). ***positive* [*negative*] ~** 향[배]일성.
phóto·tùbe *n.* Ⓒ 〖電〗 광전관.
phr. phrase.
***phrase**[freiz] *n.* Ⓒ ① Ⓤ 말(씨). ② 성구(成句), 관용구; 금언. ③ 〖文〗 구(句); 〖樂〗 악구(樂句). ***set* ~** 상투 문구, 성구. ― *vt.* 말로 표현하다; 〖樂〗 악구로 구분하다. **phràs·ing** *n.* Ⓤ 말씨; 어법; 〖樂〗 구절법.
phráse bòok 숙어집, 관용구집.
phra·se·ol·o·gy[frèiziálədʒi/-ɔ́-] *n.* Ⓤ 말(씨), 어법.
phre·net·ic[frinétik], **-i·cal** [-əl] *a.* 발광한; 열광적인.
phren·ic[frénik] *a.* 〖解〗 횡격막의; 〖生〗 마음[정신]의.
phre·ni·tis[frináitis] *n.* Ⓤ 〖病〗 뇌염; 횡경막염(炎).
phre·nol·o·gy [frinálədʒi/-ɔ́-] *n.* Ⓤ 골상학. **-gist** *n.* Ⓒ 골상학자. **phre·no·log·i·cal** [frènəlάdʒikəl/-ɔ́-] *a.*
Phryg·i·a[frídʒiə] *n.* 프리지아《소아시아의 옛 나라》. **~an** *a., n.* 프리지아(사람)의; Ⓒ 프리지아 사람; Ⓤ 프리지아말.
PHS Public Health Service.
phthi·sis [θáisis], **phthis·ic** [tízik, θízik] *n.* Ⓤ 〖醫〗 폐결핵; 천식.
phy·col·o·gy [faikálədʒi/-kɔ́l-] *n.* Ⓤ 조류학(藻類學).
phy·lo·gen·e·sis[fàilədʒénəsis], **phy·log·eny** [failádʒəni/-lɔ́dʒ-] *n.* Ⓤ,Ⓒ 〖生〗 계통 발생(론).
phy·lum[fáiləm] *n.* (*pl.* ***-la***[-lə]) Ⓒ 〖生〗 (분류상의) 문(門).
***phys·ic**[fízik] *n., vt.* (*-ck-*) Ⓤ,Ⓒ 약(을 먹이다), 하제(下劑)(를 쓰다); 치료하다; Ⓤ 《古》 의술.
:**phys·i·cal**[fízikəl] *a.* 물질의, 물질적인; 자연의(법칙에 의한); 물리학상의[적인]; 육체의. * **~·ly** *ad.*
phýsical chémistry 물리 화학.
phýsical educátion [**cúlture**] 체육.
phýsical examinátion 신체 검사.
phýsical geógraphy 지문(地文)학, 자연 지리학.
phýsical jérks 《英》 미용 체조.
phýsical scíence 자연과학; 물리학.
phýsical théraphy 물리 요법(physiotherapy).
phýsic gárden 약초 재배원.
:**phy·si·cian**[fizíʃən] *n.* Ⓒ (내과)

의사.

***phys·i·cist**[fízisist] *n.* Ⓒ 물리학자.

‡**phys·ics**[fíziks] *n.* Ⓤ 물리학.

phs·i·oc·ra·cy[fìziákrəsi/-ɔ́-] *n.* Ⓤ 중농〔농본〕주의.

phys·i·o·crat[fíziəkræ̀t] *n.* Ⓒ 중농〔농본〕주의자.

phys·i·og·no·my [fìziágnəmi/-ɔ́-] *n.* ① Ⓤ 인상〔관상〕학; Ⓒ 인상, 얼굴 생김새. ② Ⓤ 지형; 특징. **-nom·i·cal**[∠–əgnámikəl] *a.* 관상(학)의. **-nom·i·cal·ly** *ad.* 인상〔관상〕(학)상. **-mist** *n.* Ⓒ 인상〔관상〕학자, 관상가.

phys·i·og·ra·phy[fìziágrəfi/-ɔ́-] *n.* Ⓤ 지문학(地文學); 《美》 지형학. **-pher** *n.* Ⓒ 지문학자.

***phys·i·ol·o·gy**[fìziálədʒi/-ɔ́-] *n.* Ⓤ 생리학; 생리 현상〔기능〕. ***-o·log·ic**[-əládʒik/-ɔ́-], **-i·cal**[-əl] *a.* 생리학(상)의. **-gist** *n.* Ⓒ 생리학자. 「*n.* Ⓤ 물리 요법.

phys·i·o·ther·a·py[fìziouθérəpi]

phy·sique[fizí:k] *n.* Ⓒ 체격.

pi[1][pai] *n.* Ⓤ,Ⓒ 그리스 알파벳의 16째 글자《Π, π, 영어의 P, p에 해당함》; Ⓒ 〖數〗 원주율.

pi[2] *a.* 《英俗》 믿음이 깊은(pious). ~ ***jaw*** 《英》 설교조의 이야기.

P.I. Philippine Islands.

pi·a·nis·si·mo[pì:ənísəmòu] *ad., a.* (It.) 〖樂〗 아주 여리게; 최약음(最弱音)의. — *n.* (*pl.* ***~s, -mi***[-mì:]) Ⓒ 최약음(부).

‡**pi·an·ist**[piǽnist, pí:ə-, pjǽn-] *n.* Ⓒ 피아니스트.

†**pi·an·o**[1] [piǽnou, pjǽn-] *n.* (*pl.* ***~s***) 피아노.

pi·a·no[2][piá:nou] *ad., a.* (It.) 〖樂〗 여리게; 여린.

pi·an·o·for·te [piǽnəfɔ̀:rt, piæ̀nəfɔ́:rti] *n.* =PIANO[1].

Pi·a·no·la[pì:ənóulə] *n.* Ⓒ 〖商標〗 피아놀라, 자동 피아노.

pi·as·ter, 《英》 **-tre**[piǽstər] *n.* Ⓒ 피아스터《스페인·터키의 옛 은화; 이집트·시리아 등지의 화폐 단위》.

pi·at, P-[pàiæt] *n.* Ⓒ 대전차포.

pi·az·za[piǽzə/-ǽtsə] *n.* Ⓒ (이탈리아 도시의) 광장; 《美》 =VERANDA.

pi·ca[páikə] *n.* Ⓤ 〖印〗 파이커 활자《12포인트》; 파이커 (활자의) 세로의 길이《약 4 mm》.

pic·a·dor[píkədɔ̀:r] *n.* Ⓒ (투우 개시때 소를 창으로 찔러 성나게 하는) 말탄 투우사(cf. toreador).

pic·a·resque[pìkərésk] *a.* 악한을 다룬《소설 따위》. — *n.* (the ~) 악한을 소재로 한 것.

pic·a·roon[pìkərú:n] *n.* Ⓒ 악한, 도둑; 해적(선).

Pi·cas·so[piká:sou, -ǽ-], **Pablo** (1881-1973) 스페인 태생의 프랑스 (입체파의) 화가·조각가·도예가.

pic·a·yune[pìkəjú:n] *n.* Ⓒ 《美》 소액 화폐; 《口》 하찮은 사람〔것〕. — *a.* 《口》 하찮은.

Pic·ca·dil·ly[pìkədíli] *n.* 런던 번화가의 하나.

Píccadilly Círcus 피커딜리 광장 《피커딜리가(街) 동쪽 끝에 있는 둥근 광장》.

pic·ca·lil·li[píkəlìli] *n.* Ⓤ 〖料理〗 (인도의) 겨자절임.

pic·co·lo[píkəlòu] *n.* (*pl.* ***~s***) Ⓒ 피콜로《높은 음의 작은 피리》.

†**pick**[pik] *vt.* ① 따다, 뜯다. ② (뾰족한 것으로) 파다; (구멍을) 뚫다. ③ (귀·이 따위를) 우비다, 쑤시다. ④ (새로부터 깃털을) 쥐어〔잡아〕뜯다. ⑤ (뼈에 붙은 고기를) 뜯다. ⑥ 골라잡다, 고르다. ⑦ (주머니에서) 훔치다, 소매치기하다(~ *pockets*). ⑧ (자물쇠 등을) 비집어 열다. ⑨ (…에 대해 싸움할) 계기〔꼬투리〕를 잡다(*with*); (싸움을) 걸다. ⑩ 〖樂〗 (현악기를) 손가락으로 타다. — *vi.* 쑤시다, 찌르다(*at*); 고르다; 훔치다, 소매치기하다. ~ ***a quarrel with*** …에 싸움을〔시비를〕 걸다. ~ ***at*** 조금씩 먹다; 《美口》 트집잡다, 잔소리하다. ~ ***holes*** 〔***a hole***〕 ***in*** …의 트집을 잡다. ~ ***off*** 뜯다; 하나씩 겨누어 쏘다. ~ ***on*** …을 고르다; 《口》 …을 헐뜯다, 괴롭히다. ~ ***oneself up*** (넘어진 사람이) 스스로 일어서다. ~ ***out*** 고르다; 장식하다, 돋보이게 하다(*with*); 분간하다; (뜻을) 잡다, 파악하다. ~ ***over*** (가장 좋은 것만을) 골라내다. ~ ***up*** 주워 올리다; (배·차 따위가) 도중에서 태우다, (손님을) 태우다; 우연히 손에 넣다; (라디오 따위로) 청취하다; (말 따위를) 배우지 않고 익히다; 《美口》 (여자와) 좋아지다; (원기 따위를) 회복하다; 속력을 늘리다; 《口》 우연히 아는 사이가 되다(*with*); 《美》 정돈하다. — *n.* ① Ⓤ 선택; (보통 the ~) 가장 좋은 물건, 정선품(精選品). ② Ⓒ (한 시기의) 수확 작물; (현악기의) 채, 피크. ④ Ⓒ 찍는〔찌르는〕 도구, 곡괭이, 이쑤시개, 송곳 (따위). **~ed**[-t] *a.* 쥐어 뜯은; 깨끗이 한; 정선한.

pick·a·back[∠əbæ̀k] *ad.* 등〔어깨〕에 지고, 업고(piggyback).

pick·a·nin·ny[∠ənìni] *n.* Ⓒ 흑인 아이; 《諧》 어린 아이.

pick·ax(e) [∠æ̀ks] *n., vt.* Ⓒ 곡괭이(로 파다). 「켈.

pick·el[píkəl] *n.* (G.) Ⓒ 〖登山〗 피

pick·er·el[píkərəl] *n.* Ⓒ 〖魚〗 (작은 종류의) 창꼬치(cf. pike[2]).

***pick·et**[píkit] *n., vt., vi.* Ⓒ 말뚝(을 둘러치다, 에 매다); 〖軍〗 소초(小哨)(를 배치하다), 초병(哨兵)(근무를 하다); (노동 쟁의의) 감시원(노릇을 하다), 피킷(을 치다).

pícket fénce 말뚝 울타리, 울짱.

pícket líne (노동 쟁의의) 피킷라인; 〖軍〗 전초선; (말을 매는) 고삐.

***pick·ing**[píkiŋ] *n.* ① Ⓤ 뜯음, 채집(採集). ② (*pl.*) 이삭; 남은 것; 훔친 물품.

***pick·le**[píkəl] *n.* Ⓤ (고기나 야채를) 절이는 물《소금물·초 따위》; (금속 따위를 씻는) 묽은 산(酸); Ⓤ,Ⓒ 절인 것《특히 오이지》; (a ~)《口》 곤경. — *vt.* 절이 국물에 절이다; 묽은 산으로 씻다.

píck·lòck *n.* Ⓒ 자물쇠 여는 도구; 자물쇠를 비틀어 여는 사람, 도둑.

píck-me-ùp *n.* Ⓒ《口》각성제《술 따위》; 흥분제. 「시킴.

píck-òff *n.* Ⓒ 〖野〗 견제구로 아웃

***píck·pòcket** *n.* Ⓒ 소매치기.

***píck·ùp** *n.* ① Ⓒ《口》 우연히 알게 된 사람; 습득물. ② Ⓒ《口》(경기·건강의) 호전. ③ Ⓤ (자동차의) 가속; Ⓒ 픽업, 소형 트럭. ④ Ⓒ 〖野〗 타구를 건져 올리기. ⑤ Ⓒ (라디오·전축의) 픽업. ⑥ Ⓒ (자동차 등) 무료 편승자.

†**pic·nic**[píknik] *n.* Ⓒ 소풍, 피크닉;《俗》즐거운 일, 쉬운 일. — *vi.* (**-ck-**) 소풍을 가다; 피크닉식으로 식사를 하다.

pi·cot[píːkou] *n.* Ⓒ 피코《레이스 따위 가장자리의 장식 고리》. — *vi., vt.* 피코로 장식하다. 「산.

píc·ric ácid[píkrik-] 〖化〗 피크르

PICS production information and control system.

Pict[pikt] *n.* Ⓒ 픽트 사람《스코틀랜드 북부에 살던 민족》.

pic·to·graph[píktəgræ̀f, -grɑ̀ːf] *n.* Ⓒ 그림 문자.

***pic·to·ri·al**[piktɔ́ːriəl] *a.* 그림의〔으로 나타낸〕; 그림이 든; 그린 것〔그림〕같은. — *n.* Ⓒ 화보, 그림이 실린 잡지〔신문〕. **~·ly** *ad.*

†**pic·ture**[píktʃər] *n.* Ⓒ 그림; 초상; 사진; 아름다운 풍경, 아름다운 것; 사실(적인 묘사); 상(象); 심상(心像)(mental image); 꼭 닮은 것; 화신(化身); (보통 *pl.*) 영화; 〖컴〗 그림. ***out of the*** ~ 엉뚱하게 잘못 짚어, 무관계하여. — *vt.* 그리다; 묘사하다; 상상하다(*to oneself*).

pícture càrd (카드의) 그림 패, 그림 엽서.

pícture gàllery 화랑(畫廊).

pícture·gòer *n.* Ⓒ《英》 영화 팬.

pícture hòuse 〔**pàlace**〕《英》 영화관.

Pic·ture·phone[-fòun] *n.* 〖商標〗 텔레비전 전화.

pícture shòw《美》 영화(관), 그림 전시회.

‡**pic·tur·esque**[pìktʃərésk] *a.* 그림같은, 아름다운; 생생한.

pícture tùbe 브라운관.

pícture wrìting 그림에 의한 설명.

pic·tur·ize[píktʃəràiz] *vt.* 그림으로 보이다; 영화화하다.

pic·ul[píkəl] *n.* Ⓒ 피컬, 담(擔)《중국·타이 등지의 중량단위; 약 60kg》.

pid·dle[pídl] *vi.*《美》(…을) 낭비하다; (…을) 질질 끌다;《小兒》 쉬하다, 오줌누다. **pid·dling**[-dliŋ] *a.* 사소한, 시시한.

pidg·in[pídʒin] *n.* Ⓤ《英口》(볼)일, 거래; (몇 언어가 섞인) 혼합어(jargon).

pídgin Énglish 피진 영어《중국어·말레이어·포르투갈어 등을 영어에 혼합한 통상용의 말》.

‡**pie**[1][pai] *n.* Ⓤ,Ⓒ ① 파이《과일이나 고기를 밀가루반죽에 싸서 구운 것》. ②《美俗》썩 좋은 것; 거저먹기; 뇌물. ***have a*** FINGER ***in the*** ~.

pie[2] *n.* Ⓒ 까치(magpie).

píe·bàld *a., n.* Ⓒ (흑백) 얼룩의 (말).

†**piece**[piːs] *n.* Ⓒ 조각, 단편; 한 조각; 부분(품); 한 구획; 한 개, 한 장; 한 예; (일정한 분량을 나타내는) 한 필, 한 통(따위); 화폐; (작품의) 한 편; 한 곡(따위); 총, 대포; (장기 등의) 말. ***all to ~s*** 산산조각으로;《方》철저히. ***a ~ of water*** 작은 호수. ***come to ~s*** 산산조각이 되다. ***go to ~s*** 자제심을 잃다, 신경 쇠약이 되다(cf. collect oneself; collect one's thoughts 냉정을 찾다). ***into*** 〔***to***〕 ***~s*** 산산조각으로. ***of a ~*** 같은 종류의, 일치하여(*with*). — *vt.* 접합(接合)하다, 잇대어서 수리하다〔만들다〕(*on, out, together, up*).

pièce de ré·sis·tance[pjéis də rèzistɑ̃ːns] (F.) 식사 중의 주요 요리; 주요물, 백미(白眉).

píece-dỳed *a.* 짜고난 뒤에 염색한 (opp. yarn-dyed).

píece gòods 피륙.

piece·meal[∠mìːl] *ad., a.* 조금씩(의), 산산이; 조각난.

píece·ràtes *n.* =⇩

píece·wòrk *n.* Ⓒ 도급일, 삯일.

píe chàrt 〖統〗 (원을 반지름으로 구분하는) 파이 도표.

pied[paid] *a., n.* Ⓒ 얼룩덜룩한 (말); 잡색의. 「한.

pie-eyed [páiàid] *a.*《美俗》 술취

píe-in-the-ský *a.*《口》극락 같은, 유토피아적인; 그림의 떡인.

pie·plant[páiplæ̀nt, ∠plɑ̀ːnt] *n.* Ⓒ《美》〖植〗 대황(大黃)(rhubarb).

‡**pier**[piər] *n.* Ⓒ 부두, 선창; 방파제; 교각(橋脚); 〖建〗 창문 사이 벽. **∠·age** [píəridʒ] *n.* Ⓤ 부두세(稅).

†**pierce**[piərs] *vt.* 꿰찌르다; 꿰뚫다, 관통하다; (…에) 구멍을 내다; 돌입하다; (고함 소리 따위가) 날카롭게 울리다; 감동시키다; 통찰하다; (…에) 스며들다. — *vi.* 들어가다, 꿰뚫다. ***pierc·ing** *a.* 꿰찌르는; 뼈에 사무치는; 날카로운; 통찰력 있는.

píer glàss (창 사이 벽에 거는) 체경.

pi·er·rot[píːəròu] (<F. *Pierre*= Peter) *n.* (F.) Ⓒ (P-) 피에로《프랑스 무언극의 어릿광대》; 어릿광대.

Pie·ta[pìːeitɑ́ː, pjei-] *n.* (It.) Ⓒ 피에타《예수의 시체를 안고 슬퍼하는 마리아상(像)》.

pi·e·tism[páiətìzəm] *n.* Ⓤ (P-) (17세기말 독일의) 경건파(敬虔派)(의 주의); 경건(한 체함). **-tist** *n.* Ⓒ (P-) 경건파 교도; 경건한 체 하는

P

사람.

*__pi·e·ty__[páiəti] *n.* Ⓤ,Ⓒ 경건(한 언행); Ⓤ (어버이·웃어른 등에 대한) 공순(恭順), 순종, 효성.

__pi·e·zo·e·lec·tric·i·ty__[paiìːzouilèktrísəti] *n.* Ⓤ 『理』 압전기.

__pif·fle__[pífəl] *n., vi.* Ⓤ 《口》 허튼소리(를 하다).

__pif·fling__[píflIŋ] *a.* 《口》 하찮은, 시시한.

†__pig__[pig] *n.* Ⓒ 돼지, 새끼 돼지; Ⓤ 돼지고기; Ⓒ 《口》 (추접스러운, 게걸스러운, 또는 욕심 많은) 돼지 같은 사람; Ⓤ 무쇠덩이. ***bring* 〔*drive*〕 *one's ~s to a pretty* 〔*a fine, the wrong*〕 *market*** 오산하다. ***buy a ~ in a poke* 〔*bag*〕** 잘 보지도 않고 물건을 사다. ***make a ~ of oneself*** 잔뜩 먹다; 욕심부리다.

__píg·bòat__ *n.* Ⓒ 《美軍俗》 잠수함.

‡__pi·geon__[pídʒən] *n.* Ⓒ 비둘기.

__pígeon brèast__ 『醫』 새가슴.

__pígeon Ènglish__ =PIDGEIN ENGLISH.

__pígeon hàwk__ (미국산) 송골매.

__pígeon-hèarted__ *a.* 겁많은, 소심한.

__pígeon·hòle__ *n., vi.* Ⓒ 비둘기장의 출입 구멍; 서류 정리장(에 넣다); 정리하다, 기억해 두다; 뒤로 미루다, 묵살하다.

__pígeon-lívered__ *a.* 온순한, 마음 약한.

__pígeon pàir__ 《英》 이성(異性) 쌍둥이; 《英》 (자식이) 남자하나 여자하나.

__pígeon·tòed__ *a.* 안짱다리의.

__pig·ger·y__[pígəri] *n.* Ⓒ 돼지우리; Ⓤ 불결한 곳.

__pig·gish__[pígiʃ] *a.* 돼지 같은; 탐욕스러운; 불결한.

__pig·gy, -gie__[pígi] *n.* Ⓒ 돼지새끼. — *a.* 욕심 많은.

__píggy·bàck__ *a., ad.* 등에 업힌〔업혀서〕.

__píggy bànk__ 돼지 저금통.

__píg·hèaded__ *a.* 고집센, 완고한.

__píg ìron__ 무쇠, 선철(銑鐵).

*__pig·ment__[pígmənt] *n.* Ⓤ,Ⓒ 그림물감; 『生』 색소.

__pig·men·ta·tion__ [pìgməntéiʃən] *n.* Ⓤ 『生』 염색; 색소 형성.

__pig·my, P-__[pígmi] *n., a.* =PYGMY.

__píg·pèn__ *n.* Ⓒ 돼지우리.

__píg·skìn__ *n.* Ⓤ 돼지의 생가죽〔무두질한 가죽; Ⓒ 《口》 축구공.

__píg·stỳ__ *n.* Ⓒ 돼지우리.

__píg·tàil__ *n.* Ⓒ 돼지꼬리; 변발(辮髮); 꼰 담배.

*__pike__[1][paik] *n.* Ⓒ 『史』 미늘창(槍). 「창.

__pike__[2] *n.* (*pl.* ~*s,* 《집합적》 ~) Ⓒ 『魚』 창꼬치(cf. pickerel).

__pike__[3] *n.* Ⓒ 통행세를 받는 곳; 유료 도로.

__pike__[4] 《口》 *vi.* 훌쩍 가버리다, 떠나가다, 나아가다; 죽다; 주저하다, 뒷걸음치다(*on*).

__pike·man__[⌐mən] *n.* Ⓒ (유료 도로의) 통행료 징수원.

__pik·er__[⌐ər] *n.* Ⓒ 《美口》 쩨쩨한 노름꾼; 구두쇠.

__píke·stàff__ *n.* (*pl.* ***-staves*** [-stèivz]) Ⓒ 창자루. ***as plain as ~*** 아주 명백한.

__pi·las·ter__[pilǽstər] *n.* Ⓒ 『建』 벽기둥《벽에서 불쑥 내밀게 만든 기둥》.

__Pi·late__[páilət], __Pontius__ 예수를 처형한 Judea의 총독.

__pi·lau, -law__[pilάu, -lɔ́ː], __pi·laf(f)__[pilάːf/ pílæf] *n.* Ⓤ 육반(肉飯)《볶은 쌀에 고기·후춧가루를 섞은 요리》.

__pilch__[piltʃ] *n.* Ⓒ 기저귀 (커버).

__pil·chard__[píltʃərd] *n.* Ⓒ 정어리류(類)《sardine의 성어(成魚)》.

‡__pile__[1][pail] *n.* Ⓒ ① 퇴적(堆積), 더미(heap). ② 화장(火葬)의 장작더미. ③ 《口》 대량(of). ④ 대건축물(의 집단). ⑤ 쌓은 재화(財貨); 재산. ⑥ 『電』 전퇴(電堆), 전지. ⑦ 『理』 원자로(爐)《reactor의 구칭》. — *vt.* 쌓아 올리다(on, up); 축적하다; 산더미처럼 쌓다. — *vi.* 《口》 와글와글 밀어닥치다(*in, off, out, down*). ***~ arms*** 『軍』 걸어총하다. ***~ it on*** 《口》 과장하다. ***~ up*** (배를) 좌초시키다; (비행기를) 결딴내다; (*vi.*) 충돌하다.

__pile__[2] *n., vt.* Ⓒ (건조물의 기초로서의) 큰 말뚝(을 박아 넣다). __píl·ing__ *n.* Ⓤ 《집합적》 큰 말뚝; 말뚝 박기.

__pile__[3] *n.* Ⓤ 솜털(down); 양털; (우단(羽緞) 따위의) 보풀.

__píle drìver__ 말뚝 박는 기구.

__píle hàmmer__ 말뚝 박는 해머.

__piles__[pailz] *n. pl.* 『病』 치질.

__píle·ùp__ *n.* Ⓒ (자동차의) 다중 충돌.

__pil·fer__[pílfər] *vt., vi.* 훔치다, 좀도둑질하다. __~·age__[-fəridʒ] *n.* Ⓤ 좀도둑질; 『水産海運』 발화(拔貨).

‡__pil·grim__[pílgrim] *n.* Ⓒ 순례〔방랑·여행〕자; 《美》 (P-) Pilgrim Fathers의 한 사람.

*__pil·grim·age__[pílgrimidʒ] *n., vi.* Ⓤ,Ⓒ 순례 여행; 긴 여행〔나그네길〕; 인생행로; 순례하다.

__Pílgrim Fáthers, the__ 1620년 May flower 호를 타고 Plymouth에 건너온 영국 청교도단.

‡__pill__[pil] *n.* Ⓒ ① 알약, 환약; 작은 구형의 것. ② 《俗》 (야구·골프 등의) 공. ③ 《俗》 싫은 사람.

__pil·lage__[pílidʒ] *n., vt., vi.* Ⓤ 약탈(하다).

‡__pil·lar__[pílər] *n.* Ⓒ 기둥(모양의 것); 주석(柱石). ***from ~ to post*** 여기저기에.

__píllar bòx__ 《英》 우체통.

__píll·bòx__ *n.* Ⓒ (작은) 환약 상자; 작은 요새, 토치카.

__pil·lion__[píljən] *n.* Ⓒ (같이 타는 여자용의) 뒤안장.

__pil·lo·ry__[píləri] *n.* Ⓒ 『史』 칼〔형틀〕《죄인의 목과 양손을 널빤지 구멍에 끼운 채 뭇사람 앞에서 망신을 당하게 하던 옛날의 형 틀》. — *vt.* 칼을 씌워 세우다; 웃음거리로 만들다.

P

:**pil·low**[pílou] *n.* Ⓒ 베개; 방석, 덧대는 물건(pad). ── *vt.* 베개로 하다.
píllow·càse, -slìp *n.* Ⓒ 베갯잇.
pi·lose [páilous] *a.* 부드러운 털로 덮인.
†**pi·lot**[páilət] *n.* Ⓒ 도선사(導船士), 수로(水路) 안내인; 키잡이; 〖空〗 조종사; 지도자; 〖機〗 조절기. ***drop the* ~** 훌륭한 지도자를 물리치다. ── *vt.* 도선(導船)하다; 지도하다; (비행기를) 조종하다. ── *a.* 시험적인, 예비적인. **~·age**[-idʒ] *n.* Ⓤ 도선(료); 비행기 조종술. **~·less** *a.* 조종사 없는(*a ~less airplane* 무인기).
pílot ballòon 측풍 기구(測風氣球).
pílot bìscuit [brèad] (뱃사람의) 건빵.
pílot bùrner (가스 점화용의) 불씨.
pílot chàrt 항해도, 항공도.
pílot chùte 유도 낙하산.
pílot fìsh 방어류의 물고기.
pílot làmp 표시등(燈).
pílot lìght =PILOT LAMP; PILOT BURNER.
pílot òfficer 《英》 공군 소위.
pílot plànt 시험 공장.
pílot tàpe (스폰서 모집용의) 견본 비디오테이프.
pil·u·lar[píljulər] *a.* 환약(모양)의.
pi·men·to [piméntou] *n.* (*pl.* **~s**) =PIMIENTO; =ALLSPICE; Ⓤ 선명한 적색.
pi·mien·to [pimjéntou] *n.* (*pl.* **~s**) Ⓒ 〖植〗 피망《요리용》.
pimp[pimp] *n., v.* =PANDER.
pim·per·nel [pímpərnèl, -nəl] *n.* Ⓒ 〖植〗 별봄맞이꽃.
pim·ple[pímpl] *n.* Ⓒ 여드름, 뾰루지. **~d**[-d] *a.* 여드름이 난[투성이의].
†**pin**[pin] *n.* Ⓒ ① 핀, 못바늘. ② 핀 달린 기장(記章); 장식 핀, 브로치. ③ (나무)못; 빗장. ④ 〖海〗 밧줄을 비끄러매는 말뚝(belaying pin), 노받이; (현악기 따위의) 주감이. ⑤ 〖볼링〗 병 모양의 표주(標柱), 핀. ⑥ 〖골프〗 hole을 표시하는 깃대. ⑦ (*pl.*) 《口》 다리(leg). ⑧ 하찮은 것. ***in a merry* ~** 기분이 매우 좋아. ***not care a* ~** 조금도 개의[상관]치 않다. **~*s and needles*** (손발의) 저림. ***on* ~*s and needles*** 조마조마하여. ── *vt.* (**-nn-**) (…에) 핀을 꽂다(*up, together, on, to*); 핀을 찌르다; 옴쭉달싹 못하게 하다, (그 자리에) 못박다; 억누르다; 속박하다(*down*). **~ *one's faith on* [*to*]** …을 신뢰하다.
pin·a·fore[pínəfɔ̀ːr] *n.* Ⓒ (어린애의) 앞치마; 소매 없는 간이복.
pin·ball[pínbɔ̀ːl] *n.* Ⓤ 핀볼, 코린트 게임.
pínball machìne 핀볼 기계.
pince-nez[pǽnsnèi] *n.* (F.) Ⓒ 코안경.
pin·cers[pínsərz] *n. pl.* 집게, 펜치. 못뽑이; 〖動〗 (게 따위의) 집게발; 〖軍〗 협공(전).
píncers mòvement 〖軍〗 협공작전.
「셋(tweezers).
pin·cette [pænsét] *n.* (F.) Ⓒ 핀
:**pinch**[pintʃ] *vt.* ① 꼬집다, 집다, 물다. ② 잘라내다, 따다(*out*). ③ (구두 따위가) 죄다. ④ 괴롭히다(*for*); 수척하게 하다; (추위 따위로) 움츠러[지지러]들게 하다; 바싹 조리차하다[줄이다]. ⑤ 《俗》 훔치다(*from, out, of*). ⑥ 《口》 체포하다. ── *vi.* 죄어들다, (구두 따위가) 꼭끼다; 인색하게 굴다; (광맥이) 가늘어지다. ── *n.* Ⓒ 꼬집음, 집음; 소량, 조금; (the ~) 압박; 어려움, 곤란; 위기; Ⓒ 《俗》 훔침; 《俗》 포박(捕縛). ***at* [*in, on*] *a* ~** 절박한 때에. **∠·er** *n.* Ⓒ 집는[무는] 사람[도구]; (*pl.*) =PINCERS.
pinch·beck[píntʃbèk] *n.* Ⓤ 핀치벡《구리와 아연의 합금; 모조금(金)용》; Ⓒ 가짜; 값싼 보석류. ── *a.* 핀치벡의, 핀치벡으로 만든; 가짜의.
pínch-hít *vi.* (**~; -tt-**) 〖野〗 핀치히터로 나서다; 대역(代役)을 하다(*for*).
pínch hítter 〖野〗 핀치히터, 대(代)타자.
pín·cùshion *n.* Ⓒ 바늘 겨레.
:**pine**[1][pain] *n.* Ⓒ 소나무; Ⓤ 그 재목.
***pine**[2] *vi.* 수척해지다(*out, away*); 몹시 그리다[동경하다], 갈망하다(*for, after*).
pín·e·al bódy [glánd][píniəl-] 〖解〗 (뇌의) 송과선(松果腺).
:**píne·àpple** *n.* Ⓒ 〖植〗 파인애플; 《軍俗》 폭탄, 수류탄.
píne còne 솔방울.
píne nèedle 솔잎.
píne rèsin 송진.
píne trèe 소나무.
Píne Trèe Státe, the 미국 Main주의 딴 이름.
pin·feath·er[pínfèðər] *n.* Ⓤ 새의 솜털.
ping[piŋ] *n., vi.* (a ~) 핑 (소리가 나다)《총탄이 나는 소리》.
ping-pong[píŋpàŋ, -pɔ̀(ː)ŋ] *n.* Ⓤ 핑퐁, 탁구.
Píng-Pong párents 《美》 핑퐁 부모《이혼 후에 아이를 탁구공처럼 자기들 사이를 오가게 하는 부모》.
pín·hèad *n.* Ⓒ 핀 대가리; 사소한[하찮은] 것.
「구멍.
pín·hòle *n.* Ⓒ (바늘로 찌른) 작은
pin·ion[1][pínjən] *n.* Ⓒ 새의 날개 끝 부분; 날개; 칼깃, 날개깃. ── *vt.* (날지 못하도록) 날개 끝을 자르다[날개를 묶다]; (…의) 양팔을 동이다; 묶다; 속박하다(*to*).
pin·ion[2] *n.* Ⓒ 〖機〗 (큰 톱니바퀴에 맞 물리는) 작은 톱니바퀴.
:**pink**[1][piŋk] *n.* Ⓒ 석죽, 패랭이(의 꽃); Ⓤ,Ⓒ 도홍[분홍]색, 핑크빛; (the ~) 전형(典刑), 극치; Ⓒ 《美俗》 (때로 P-) 좌경한 사람. ── *a.*

도홍[분홍]색의; 《俗》 좌경한. **∠·ish** *a.* 불그레한.

pink² *vt.* 찌르다; 가장자리를 들쭉날쭉하게 자르다; 장식 구멍을 내다.

pínk-cóllar *a.* 핑크칼라《전통적으로 여성이 하는 직종에 종사하는》.

pínk-cóllar jòbs 여성에 알맞는 직업.

pínk disèase 〖醫〗 선단동통(증)(先端疼痛(症))《유아병》.

pínk·èye *n.* Ⓤ 〖病〗 급성 전염성 결막염.

pink·ie[píŋki] *n.* Ⓒ 새끼 손가락.

pínk lády 핑크레이디《칵테일의 일종》.

pink·o[píŋkou] *n.* Ⓒ 《美俗》 좌익적인 사람.

pínk slìp 《美口》 해고 통지.

pínk·ster flòwer[píŋkstər-] 핑크색의 진달래.

pínk téa 《口》 공식적인 리셉션.

pín mòney (아내·딸에게 주는, 또는 자기의) 용돈.

pin·na[pínə] *n.* (*pl.* **~s, -nae**[-ni:]) Ⓒ 〖動〗 날개; 날개 모양의 부분.

pin·nace[pínis] *n.* Ⓒ 함재용(艦載用) 중형 보트; 소형 스쿠너.

***pin·na·cle**[pínəkəl] *n., vt.* Ⓒ 〖建〗 작은 뾰족탑; 높은 산봉우리; 정점(頂點)을 붙이다; 높은 곳에 두다.

pin·nate[píneit, -nit] *a.* 깃 모양의; 〖植〗 깃꼴잎이 있는.

Pi·noc·chi·o[pinákiou/-ɔ́-] *n.* Ⓒ 피노키오《이탈리아 동화의 주인공》.

pi·noc(h)·le[pí:nəkl, -nʌkl] *n.* Ⓤ 카드놀이의 일종.

pín·pòint *n.* Ⓒ 핀[바늘] 끝; 아주 작은 물건; 소량; 정확한 위치 결정. ― *a.* 핀 끝(만큼)의; (폭격이) 정확한. ― *vt., vi.* 정확하게 가리키다[폭격하다].

pín·strìpe *n.* Ⓒ 가는 세로 줄무늬(의 옷감·옷).

***pint**[paint] *n.* Ⓒ 파인트《1/2 quater; 《英》=0.57리터, 《美》=0.47리터》; 1파인트들이 그릇.

pin·tle[píntl] *n.* Ⓒ (경첩 따위의) 축(軸).

pin·to[píntou] *a.* (흑백) 얼룩의. ― *n.* (*pl.* **~s**) Ⓒ 《美西部》 얼룩말; 얼룩 잠두(蠶豆).

pínt-sìze *a.* 《美口》 비교적 자그마한.

pín·ùp *n., a.* Ⓒ 《口》 벽에 핀으로 꽂는 (사진); 매력적인 (여자).

pín·whèel *n.* Ⓒ 회전 불꽃; (장난감의) 종이 팔랑개비.

pín·wòrm *n.* Ⓒ 요충(蟯蟲).

pinx. *pinxit* (L.=he [she] painted it).

pin·y[páini] *a.* 소나무의[같은]; 소나무가 우거진.

pi·on[páiɑn/-ɔn] *n.* Ⓒ 〖理〗 파이(π) 중간자(pi meson).

:pi·o·neer[pàiəníər] *n., vt., vi.* Ⓒ 개척자; 선구자; (P-) 미국의 혹성 탐사기; 〖軍〗 공병; 개척하다; 솔선하다.

:pi·ous[páiəs] *a.* 신앙심이 깊은, 경건한; 신앙이 깊은 체하는; 종교적인; 《古》 효성스러운(opp. impious). **~·ly** *ad.*

pip¹[pip] *n.* Ⓒ (사과·귤 따위의) 씨.

pip² *n.* Ⓤ,Ⓒ 가금(家禽)의 혓병; 《諧》 가벼운 병.

pip³ *n.* Ⓒ (카드놀이 패나 주사위 위의) 점, 별.

pip⁴ *vi.* (**-pp-**) (병아리가) 삐악삐악 울다; (시보(時報)가) 삐이하다. ― *vt.* (병아리가 껍질을) 깨고 나오다. ― *n.* Ⓒ (시보의) 삐이(소리).

pip⁵ *vt.* (**-pp-**) 《英》 (총으로) 쏘다; 《英俗》 배척하다; 못쓰게 하다. ― *vi.* 《英俗》 죽다(*out*).

pip·age, pipe-[páipidʒ] *n.* Ⓒ (물·가스·기름의) 파이프 수송; 수송관.

:pipe[paip] *n.* Ⓒ ① 관(管), 도관(導管). ② (담배의) 파이프; 한 대의 담배. ③ 피리, 관악기, (파이프 오르간의) 관; (*pl.*) =BAGPIPE; 〖海〗 호적(號笛). ④ 노래 소리; 새의 울음소리. ⑤ 술통. ⑥ 〖컴〗 연결, 파이프. ***the ~ of peace*** =CALUMET. ― *vt.* (피리를) 불다; 노래하다; 새된 소리로 말하다; 〖海〗 호적으로 부르다; 도관(導管)으로 나르다[공급하다]; (옷 따위에) 가선 끈을 달다. ― *vi.* 피리를 불다; 새된 소리를 내다; 〖海〗 호적으로 명령[신호]하다. ***~ down*** 〖海〗 호적을 불어 일을 끝마치게 하다; 《俗》 조용[잠잠]해지다, 침묵하다. ***~ up*** 취주(吹奏)하기 시작하다; 소리지르다. **~·ful**[∠fùl] *n.* Ⓒ (담배) 파이프 하나 가득.

pípe clày 파이프 점토(粘土).

pípe drèam 《口》 (아편 흡연자가 하는 따위의) 큰 공상(空想).

pípe èngine 〖空〗 피스톤식 엔진 (opp. jet engine).

pípe·làyer *n.* Ⓒ (수도관·가스관) 배관공.

pípe·lìne** *n.* Ⓒ 송유관; 정보 루트. ***in the ~ 수송[진행]중에. ― *vt.* 도관으로 보내다.

pípe òrgan 파이프 오르간.

pip·er**[páipər] *n.* Ⓒ 피리 부는 사람. ***pay the ~ 비용을 부담하다.

pípe smòker 《美》 아편 중독자.

pi·pet(te)[pipét] *n.* Ⓒ 〖化〗 피펫.

pip·ing[páipiŋ] *n.* Ⓤ 피리를 붊; 관악(管樂)(pipe music); 새된 소리; 《집합적》 관(管); 관의 재료; (옷의) 가선끈. ― *a.* 새된, 픽픽[지글지글]끓는; 태평한(*the ~ times of peace*(북이 아니고, 피리소리 울리는) 태평 성세《Sh.》). ***~ hot*** 픽픽 끓을 정도로 뜨거운.

pip·it[pípit] *n.* Ⓒ 종다리의 무리.

pip·kin[pípkin] *n.* Ⓒ 작은 질그릇 병; 《方》 (나무) 들통.

pip·y[páipi] *a.* 관(管) 모양의; 관이 있는; 새된《목소리 따위》.

pi·quant[pí:kənt] *a.* 얼얼한, 톡 쏘는(맛 따위); 시원스런, 통쾌한; 《古》 신랄한. **pí·quan·cy** *n.*

pique[pi:k] *n.* Ⓤ 성남; 기분이 언

P

짧음, 지르퉁함. — *vt.* 성나게 하다; (감정을) 상하게 하다; (흥미 따위를) 자아내다; 《古》 자랑하다. ~ ***oneself on*** 〔***upon***〕 …을 자랑하다.

pi·qué[pikéi/pí:kei] *n.* (F.) Ⓤ 피케《골지게 짠 무명》.

pi·quet[pikét, -kéi] *n.* Ⓤ 피켓《두 사람이 하는 카드놀이》.

pi·ra·cy[páiərəsi] *n.* Ⓤ,Ⓒ 해적 행위; 저작권 침해.

:pi·rate[páiərət] *n.* Ⓒ 해적(선); 저작권 침해자; 약탈자. — *vt., vi.* 해적질하다; 약탈하다; 저작권을 침해하다. **pi·rat·ic**[paiərǽtik], **-i·cal** [-əl] *a.*

pir·ou·ette[pìruét] *n., vt.* Ⓒ (스케이트·댄스에서) 발끝 돌기; 발끝으로 급선회하다.

Pi·sa[pí:zə] *n.* 피사《사탑으로 유명한 이탈리아 북서부의 소도시》.

pis·ca·ry[pískəri] *n.* Ⓤ,Ⓒ 〖法〗 어업권; 어장.

pis·ca·to·ri·al [pìskətɔ́:riəl], **pis·ca·to·ry** [pískətɔ:ri/-təri] *a.* 어부〔어업〕의.

Pis·ces[páisi:z, pis-] *n. pl.* 〖天〗 물고기자리; 쌍어궁(雙魚宮)《황도(黃道) 12궁(宮)의 하나》.

pis·ci·cul·ture[písikÀltʃər] *n.* Ⓤ 양어법.

pis·ci·na[pisáinə, -sí:-] *n.* (*pl.* ***-nae***[-ni:], ***~s***) Ⓒ 양어못; (교회의) 성배 수반(聖杯水盤).

pish[piʃ] *int.* 흥!; 체!《경멸·혐오》.

pis·mire[písmàiər] *n.* Ⓒ 개미 (ant).

piss[pis] *n., vi., vt.* 《卑》 Ⓤ,Ⓒ 오줌 「(누다).

Pis·sar·ro[pi:sɑ́rou], **Camille** (1830-1903) 프랑스의 인상파 화가.

pissed[pist] *a.* 《美俗》 화난; 《英俗》 (곤드레만드레) 취한.

pis·ta·chi·o[pistɑ́:ʃiòu] *n.* (*pl.* ***~s***) Ⓒ 〖植〗 피스타치오; 그 열매 〔향료〕; Ⓤ 산뜻한 녹색.

***pis·til**[pístil] *n.* Ⓒ 〖植〗 암술.

:pis·tol[pístl] *n., vt.* (《英》 ***-ll-***) Ⓒ 권총(으로 쏘다).

pis·ton[pístən] *n.* Ⓒ 〖機〗 피스톤.

píston ròd 피스톤간(桿).

:pit[1] [pit] *n.* Ⓒ ① 구덩이, 움푹한 곳. ② 함정. ③ 〖鑛〗 곧은 쌤, 수갱, 채굴장. ④ (the ~) 지옥. ⑤ 《英》 (극장의) 아래층 뒤쪽 좌석(의 관객). ⑥ 투계(鬪鷄)〔투견(鬪犬)〕장. ⑦ 얽은 자국. ⑧ 《美》 거래소의 일구획. ***the ~ of the stomach*** 명치. — *vt.* (***-tt-***) 구멍을 내다, 구덩이를 〔우묵하게〕 만들다; 곰보를 만들다; (닭·개 등을) 싸움붙이다(*against*).

pit[2] *n., vt.* (***-tt-***) Ⓒ 《美》 (복숭아 따위의) 씨(를 빼다).

pit·a·pat[pítəpæ̀t] *ad.* 파닥파닥 (뛰다 (따위)); 두근두근 (가슴이 뛰다 (따위)).

:pitch[1] [pitʃ] *n.* Ⓤ 피치, 역청(瀝青); 수지, 송진. — *vt.* 피치를 칠하다.

:pitch[2] *vt.* ① (말뚝을) 세우다; (천막을) 치다; (주거를) 정하다. ② (목표를 향해) 던지다; (투수가 타자에게) 투구하다. ③ 〖樂〗 조절하다. — *vi.* 던지다; 〖野〗 투수를 맡다; 아래로 기울다; (배가) 뒷질하다; 천막을 치다. ***~ed battle*** 정정당당한 싸움; 격전, 격론. ~ ***in*** 《美口》 기운차게 하다, 시작하다. ~ ***into*** 《口》 맹렬히 공격하다; 호되게 꾸짖다. ~ ***on*** 〔***upon***〕 고르다. — *n.* Ⓒ 던짐, 고정 위치; 투구; (보통 the ~) (배의) 뒷질; 점(point); 정도; Ⓤ,Ⓒ 〖樂〗 음의 높이; 경사도; Ⓒ 피치《톱니바퀴의 톱니와 톱니 사이의 거리》; 〖컴〗 문자 밀도, 피치.

pítch-blàck *a.* 새까만, 캄캄한.

pítch·blènde *n.* Ⓤ 역청 우라늄광(鑛).

pítch còal 역청탄, 유연탄.

pítch-dárk *a.* 캄캄한.

pitch·er[1] [´-ər] *n.* Ⓒ 물주전자. ***The ~ goes to the well once too often.*** 《속담》 꼬리가 길면 밟힌다. **~·ful**[-fùl] *n.* Ⓒ 물주전자 하나 가득의 양.

:pitch·er[2] *n.* Ⓒ 던지는 사람; 〖野〗 투수.

pítcher plànt 낭상엽(囊狀葉)의 식충 식물.

pítch·fòrk *n.* Ⓒ 건초용 쇠스랑〔갈퀴〕; 〖樂〗 음차(音叉).

***pitch·ing**[pítʃiŋ] *n.* Ⓤ 〖野〗 투구〔법〕; 포석(鋪石); 배의 뒷질.

pitch·man[´-mən] *n.* Ⓒ 노점상인; 《俗》 〖라디오·TV〗 야단스러운 선전을 하는 사람.

pítch·òut *n.* Ⓒ 〖野〗 피치아웃《러너가 도루할 것을 예상하고 타자가 치지 못하게 공을 빗던지기》. 「무.

pítch pìne 송진을 채취하는 소나

pítch pìpe 〖樂〗 율관(律管).

pitch·y[´-i] *a.* pitch[1]가 많은〔와 같은〕, 진득진득한; 새까만.

***pit·e·ous**[pítiəs] *a.* 불쌍한, 애처로운.

pít·fàll *n.* Ⓒ 함정, 유혹.

pith**[piθ] *n.* Ⓤ 〖植〗 수(髓); 진수(眞髓), 요점; 《古》 정력, 원기; 힘. ***the ~ and marrow 가장 중요한 점. **´·less** *a.* 수(髓)가 없는; 기력이 없는.

pít·hèad *n.* Ⓒ 갱구(坑口); 그 부근의 건물.

Pith·e·can·thro·pus [pìθikǽnθrəpəs/-kənθróu-] *n.* (*pl.* ***-pi*** [-pài]) Ⓒ 원인(猿人), 피테칸트로푸스.

pith·y[píθi] *a.* 수(髓)의〔같은〕, 수가 많은; 기력이 있는; 간결한.

pit·i·a·ble[pítiəbəl] *a.* 가엾은; 비천한. **-bly** *ad.*

***pit·i·ful**[pítifəl] *a.* 불쌍한; 비루한; 《古》 인정 많은.

***pit·i·less**[-lis] *a.* 무정한, 무자비한. **~·ly** *ad.*

pit·man[pítmən] *n.* Ⓒ 갱부(坑夫).

pi·ton[pí:tɑn/-ɔ-] *n.* Ⓒ 〖登〗 뾰족한 산꼭대기; (등산용의) 바위에 박는 못, 마우어하켄.

Pí·tot tùbe[pí:tou-] 〖理〗 피토관.
Pitt[pit], **William**(1708-78), (1759-1806) 영국의 정치가 부자(父子).
pit·tance[pítəns] *n.* Ⓒ 약간의 수입.
pit·ter·pat·ter[pítərpæ̀tər] *n.* (*sing.*) 후두두《비 따위의 소리》; 푸드득(하는 소리).
pi·tu·i·tar·y[pitjúːətèri/-təri] *n.* Ⓒ 뇌하수체(제제(製劑)).
pitúitary glànd 〔**bòdy**〕 〖解〗 뇌하수체.
‡**pit·y**[píti] *n.* Ⓤ 연민, 동정; Ⓒ 애석한 일; 유감의 원인. ***for* ~'*s sake*** 제발. ***have*** 〔***take***〕 ***~ on*** …을 불쌍히 여기다. ***It is a ~*** 〔***a thousand pities***〕 ***that*** …이라니 딱한 일〔가엾은 일, 유감천만〕이다. ***out of ~*** 딱하게〔가엾이〕 여겨. ***What a ~!*** 참으로 딱하다〔유감이다〕. — *vt., vi.* 가엾게 여기다. **~·ing** *a.* 불쌍히 여기는, 동정하는. **~·ing·ly** *ad.*
*__piv·ot__[pívət] *n.* Ⓒ 선회축(旋回軸); (부채의) 사북; 중심점, 요점. — *vt.* 선회축 위에 놓다, 선회축을 붙이다. — *vi.* 축으로 회전하다, 축상(軸上) 회전하다. **~·al** *a.*
pix[piks] *n. pl.* (*sing.* **pic**) 《美俗》 〖新聞〗 사진; 영화.
pix·el[píksəl] *n.* Ⓒ 〖컴〗 픽셀, 화소(畫素).
pix·i·lat·ed[píksəlèitid] *a.* 머리가 좀 돈; 이상〔야릇〕한; 《美俗》 취한.
pix·y, pix·ie[píksi] *n.* Ⓒ 요정(妖精).
pizz. *pizzicato.*
piz·za[píːtsə] *n.* (It.) Ⓤ,Ⓒ 토마토·치즈·고기 따위가 얹힌 큰 파이.
piz·zi·ca·to[pìtsikáːtou] *a., ad.* 《It.》 〖樂〗 피치카토의〔로〕; 현(絃)을 손톱으로 타는〔뜯어〕. — *n.* (*pl.* ***-ti***[-tiː]) Ⓒ 피치카토곡(曲).
pj's[píːdʒéiz] *n. pl.* 《美口》 =PAJAMAS.
pk. pack; park; peak; peck.
pkg. package(s). **pkt.** packet.
pl. place; plate; plural. **P.L.** Paradise Lost; perfect liberty; Poet Laureate. **P.L.A.** Port of London Authority.
plac·a·ble[plǽkəbəl, pléi-] *a.* 달래기 쉬운; 관대한; 온화한. **-bil·i·ty** [≺-bíləti] *n.*
‡**plac·ard**[plǽkaːrd, -kərd] *n.* Ⓒ 벽보; 간판; 포스터; 플래카드. — [英+-≺] *vt.* 간판을〔벽보를〕 붙이다; 벽보로 광고하다; 게시하다.
pla·cate[pléikeit, plǽk-/pləkéit] *vt.* 달래다.
pla·ca·to·ry[pléikətɔ̀ːri, plǽk-] *a.* 달래는, 회유〔융화〕적인(~ *policies* 회유책).
†**place**[pleis] *n.* ① Ⓒ 장소; 곳. ② Ⓤ 공간, 여지. ③ Ⓒ 지방, 소재지 《시·읍·면 따위》. ④ Ⓒ 거소, 주소, 주택, 저택, 건축물. ⑤ Ⓒ 위치, 지위, 계급, 관직(office), 근무처. ⑥ Ⓒ 본분, 역할, 직무; (현재 차지하고 있는) 위치, 지위. ⑦ Ⓒ (공간에 있어서의) 순서, 〖競〗 선착《1착에서 3착까지》. ⑧ Ⓒ 좌석. ⑨ Ⓒ 〖數〗 자리, 위(位)(*to 3 decimal ~s* 소수점 이하 세 자리까지). ⑩ Ⓒ 여지; 기회, 호기(好機)(*a ~ in the sun* 출세의 좋은 기회). ***give ~ to*** …에게 자리〔지위〕를 물려 주다. ***in*** 〔***out of***〕 ***~*** 적당〔부적당〕한 (위치에). ***in ~ of*** …의 대신으로. ***know one's ~*** 자기 분수를 알다. ***make ~ for*** …을 위해 자리를 만들다. ***take ~*** 일어나다(happen); 개최되다. ***take the ~ of*** …의 대리를 하다. — *vt.* 두다, 놓다; 배치〔정돈〕하다; 직위에 앉히다, 임명하다; (주문을) 내다; 투자하다; 장소를〔연월·등급을〕 정하다; 인정〔확인〕하다, 생각해 내다.
pla·ce·bo[pləsíːbou] *n.* Ⓒ (실효 없는) 안심시키기 위한 약; 《一般》 위안.
pláce hùnter 구직자.
pláce kìck 〖蹴〗 플레이스킥.
pláce-kìck *vt., vi.* 〖蹴〗 플레이스킥하다.
place·man[≺mən] *n.* Ⓒ 《英》 관리, 공무원《특히 사욕을 채우는 자》.
*__place·ment__[pléismənt] *n.* Ⓤ 놓음, 배치; 직업 소개; 채용, 고용; 〖蹴〗 공을 땅에 놓기《place kick을 위해》, 그 위치; (학력에 의한) 반 편성.
plácement tèst (신입생 따위의 반편성을 위한) 학력 테스트.
pláce-nàme *n.* Ⓒ 지명.
pla·cen·ta[pləséntə] *n.* (*pl.* **~s, *-tae***[-tiː]) Ⓒ 〖解·動〗 태반.
plac·er[plǽsər] *n.* Ⓒ 〖鑛〗 충적광상(沖積鑛床), 사광(砂鑛); 세광소(洗鑛所), 사금 채취장.
plácer góld 사금.
plácer mìning 사금 채취.
*__plac·id__[plǽsid] *a.* 평온한; 침착〔잔잔〕한. **~·ly** *ad.* **~·ness** *n.* **pla·cid·i·ty** *n.* Ⓤ 평정, 평온.
plack·et[plǽkit] *n.* Ⓒ (스커트의) 아귀.
plac·oid[plǽkɔid] *a.* 방패 모양의 《비늘》.
pla·gia·rize[pléidʒiəràiz, -dʒjə-] *vt., vi.* (남의 문장·고안 등을) 표절하다, 도용하다. **-rism**[-rìzəm] *n.* Ⓤ 표절; Ⓒ 표절물. **-rist** *n.* Ⓒ 표절자.
pla·gi·o·clase [pléidʒiəklèis] *n.* Ⓒ 〖鑛〗 사장석(斜長石).
‡**plague**[pleig] *n.* ① Ⓒ 역병(疫病). ② (the ~) 페스트. ③ Ⓤ,Ⓒ 천재, 재해; 천벌. ④ Ⓒ 《口》 성가신 사람; 귀찮은 일; 말썽. — *vt.* 역병에 걸리게 하다; 괴롭히다. **plá·gu(e)y** *a.* 《古·方》 성가신, 귀찮은.
plaice[pleis] *n.* (*pl.* **~s,** 《집합적》 ~) Ⓒ 가오리·넙치의 무리.
*__plaid__[plæd] *n.* Ⓤ 격자무늬; Ⓒ (스코틀랜드 고지인이 걸치는) 격자무늬 나사의 어깨걸이; 격자무늬 나사. **~·ed**[≺id] *a.*

†**plain**[plein] *a.* ① 명백한; 평이한; 쉬운; 단순한. ② 무늬〔장식〕없는. ③ 보통의. ④ 소박〔순수〕한; (음식이) 담백한. ⑤ 솔직한. ⑥ (여자가) 예쁘지 않은. ⑦ 평탄한. ***in ~ terms*** 〔***words***〕 솔직히 말하면. ***:** ∠**·ly** *ad.* 명백하게; 솔직히. ∠**·ness** *n.*
pláin bònd 〖商〗 무담보 채권.
pláin clóthes 평복, 통상복.
pláin-clóthes màn 사복 형사.
pláin déaling 솔직, 정직.
pláin lánguage (통신문의) 암호를 사용하지 않은 표현.
pláin-lòoking *a.* 잘나지 못한, 보통으로 생긴.
pláin sáiling 〖海〗 평온한 항해; 순조로운 진행.
pláin pàper (괘선이 없는) 백지; (사진의) 광택이 없는 대지(臺紙).
plains·man[∠zmən] *n.* Ⓒ 평원의 주민.
pláin sòng 〖宗〗 단선율 성가; 정선율(定旋律); 단순·소박한 곡〔선율〕.
pláin spèaking 직언(直言).
pláin-spóken *a.* (말이) 솔직한.
plaint[pleint] *n.* Ⓒ 불평; 《古·詩》 비탄; 〖法〗 고소(장).
pláin tèa 홍차와 버터가 딸린 빵만 나오는 오후의 식사.
plain·tiff[pléintif] *n.* Ⓒ 〖法〗 원고(原告)(opp. defendant).
***plain·tive**[pléintiv] *a.* 애처로운, 슬픈. ~**·ly** *ad.* ~**·ness** *n.*
pláin wàter 담수.
***plait**[pleit, plæt/plæt] *n., vi.* Ⓒ 주름(을 잡다); 꼰 끈; 땋은 머리; 엮은 밀짚(braid); 짜다, 엮다, 땋다.
†**plan**[plæn] *n.* Ⓒ 계획, 설계; 방책; 방법; 도면, 설계도; (시가 등의) 지도. — *vt., vi.* (**-nn-**) 계획(설계)하다; 설계도를 그리다; 뜻하다 (*to* do).
plan·chette[plæntʃét/plɑːnʃét] *n.* Ⓒ 플랑셰트《하트 모양의 점치는 판》.
:plane[1][plein] *n.* Ⓒ ① (수)평면. ② (발달의) 정도, 수준. ③ 비행기; 〖空〗 날개. — *a.* 평평한, 수평한; 평면의. — *vi.* 활주하다; (보트가 달리면서) 수면에서 떠오르다.
plane[2] *n.* Ⓒ 대패; 평평하게 깎는 기계. — *vt., vi.* 대패질하다; 대패로 깎다. **plán·er** *n.* Ⓒ 평삭기(平削機).
pláne[3] (**trèe**) *n.* Ⓒ 플라타너스.
pláne geómetry 〖數〗 평면 기하학.
pláne ìron 대팻날.
:plan·et[plǽnit] *n.* Ⓒ 유성(遊星), 혹성; 운성(運星).
plan·e·tar·i·um**[plæ̀nətέəriəm] *n.* (*pl.* ***~s, -ia[-iə]) Ⓒ 플라네타륨, 행성의(儀), (천상의를 설비한) 천문관(館).
***plan·e·tar·y**[plǽnətèri/-təri] *a.* 혹성의 (작용에 의한); 방랑하는, 부정(不定)한; 지상〔현세〕의.
plan·e·tes·i·mal [plæ̀nətésəməl] *n., a.* 〖天〗 미(微)행성체(의). ~ ***hypothesis*** 미행성설《미행성이 모여 행성이나 위성이 되었다는》.
pláne trèe 플라타너스.
plán·hòlder *n.* Ⓒ 연금 가입자.
pla·ni·form[pléinəfɔ̀ːrm] *a.* 평평한.
pla·nim·e·ter[pleinímitər] *n.* Ⓒ 플래니미터《불규칙한 도형의 면적을 재는 구적계》.
plan·i·sphere[plǽnisfìər] *n.* Ⓒ 성좌 조견표.
:plank[plæŋk] *n.* Ⓒ ① 두꺼운 판자. ② 정강(政綱)의 조항. ***walk the ~*** 뱃전 밖으로 내민 판자 위를 눈을 가린 채 걸림을 당하다《해적의 사형》. — *vt.* ① 판자를 깔다; 밑에 놓다(*down*). ②《口》즉시 지불하다(*down, out*). ③《美》(고기를) 판자위에서 구운 채 내놓다. ∠**·ing** *n.* Ⓤ 판자깔기; 《집합적》 두꺼운 판자.
plank·ton[plǽŋktən] *n.* Ⓤ 《집합적》〖生〗 플랑크톤, 부유(浮游) 생물.
planned[plænd] *a.* 계획된; 정연한.
plánned ecónomy 계획 경제.
plánned párenthood (산아 제한에 의한) 가족 계획.
plan·ning[plǽniŋ] *n.* Ⓤ 계획; 평면 계획; 〖컴〗 계획화.
plán posítion ìndicator (레이더의) 평면 위치 표시기《약칭 PPI》.
†**plant**[plænt, -ɑː-] *n.* ① Ⓒ 식물; 《협의》(수목에 대한) 풀, 초본(草本); 묘목, 접나무. ② Ⓒ 기계 일습, (공장의) 설비; 공장; 장치. ③ Ⓒ (보통 *sing.*) 《俗》 책략, 속임수; (청중 등 사이에 끼어드는) 한통속; 밀정. — *vt.* ① 심다, (씨) 뿌리다. ② (물고기를) 방류(放流)하다, (굴 따위를) 양식하다. ③ 놓다, 설비하다; 건설하다. ④ 식민(植民)하다. ⑤ 처박아 넣다, 찌르다(*in, on*); 《口》(타격을) 주다. ⑥ (주의·교의(敎義)를) 주입하다. ⑦《俗》(훔친 물건을) 감추다. ***~ on*** (가짜를) 속여서 안기다. ***~ out*** (모판에서) 땅으로 옮겨 심다; (모종을) 간격을 두어 심다. ∠**·er** *n.* Ⓒ 심는〔씨 뿌리는〕 사람; 파종기(機); 재배자, 농장 주인; 식민자.
Plan·tag·e·net [plæntǽdʒənit] *n.* Ⓒ 〖英史〗 플랜태저넷 왕가(1154-1485)의 사람.
plan·tain[1][plǽntin] *n.* Ⓒ 〖植〗 질경이.
plan·tain[2] *n.* Ⓤ,Ⓒ (요리용) 바나나.
:plan·ta·tion[plæntéiʃən] *n.* Ⓒ 대농원, 재배장; 식림(植林)(지); 식민(지).
plantátion sòng 《美》 대농장에서 흑인이 부르던 노래.
plánt fòod 비료.
plant·ing[plǽntiŋ, plɑ́ːn-] *n.* Ⓤ 심기, 재배; 파종; 식수 조림; 〖建〗 기초 밑층.
plánt kingdom, the 식물계.
plánt lòuse 진디(aphis).
plaque[plæk/plɑːk] *n.* Ⓒ (벽에 거는 장식용) 틀, 액자.
plash[plæʃ] *n.* (*sing.*) 점벙점벙,

철벅철벅(소리); 웅덩이. — *vt., vi.* 점벙점벙 소리나(게 하)다. ∠·y *a.*
*__plas·ma__[plǽzmə], __plasm__[plǽzəm] *n.* Ⓤ ① 〖生〗 원형질; 〖解·生〗 혈장(血漿), 임파액; 유장(乳漿). ② 〖理〗 플라스마《자유로 움직일 수 있는 하전(荷電)입자의 집단》.
__plásma displày__ 〖컴〗 플라스마 디스플레이《플라스마의 방전을 이용한 표시 장치》.
__plas·mid__[plǽzməd] *n.* Ⓒ 〖生〗 플라스미드《염색체의 유전 결정 인자》.
__plas·mol·y·sis__[plæzmáləsis] *n.* Ⓤ 〖生〗 원형질 분리.
:__plas·ter__ [plǽstər, -áː-] *n.* ① Ⓤ 회반죽; 석고. ② Ⓤ,Ⓒ 반창고, 고약. ~ ***of Paris*** 구운 석고. — *vt.* 회반죽을 바르다; 온통 발라 붙이다; 고약을 붙이다. ~·**er** *n.* Ⓒ 미장이; 석고장(匠).
__pláster cást__ 석고상(像); 〖醫〗 깁스 붕대. ***get out of the*** ~ 깁스가 떨어지다.
__pláster sáint__ 완전한 인간《도덕적 결점도 인간적 결점도 없는》.
*__plas·tic__[plǽstik] *a.* ① 형성하는; 소조(塑造)할 수 있는, 어떤 형태로도 될 수 있는. ② 유연한; 감수성이 강한. ③ 소조(술)의; 〖醫〗 성형의. — *n.* Ⓤ 가소성(可塑性) 물질, 플라스틱. __plas·tic·i·ty__[plæstísəti] *n.* Ⓤ 가소성, 유연성.
__plástic árt__ 조형 미술.
__plástic bág__ 비닐 봉투, 쓰레기 주머니.
__plástic bómb__ 플라스틱 폭탄.
__plástic cláy__ 배토(坏土), 소성(塑性) 점토.
__plástic crédit__ 《美》 크레디트 카드에 의한 신용 대출.
__plástic móney__ 크레디트 카드.
__plástic operátion__ 성형 수술.
__plástics índustry__ 플라스틱 산업.
__plástic súrgery__ 성형 외과.
__plat__[plæt] *n.* Ⓒ 구획한 땅, 작은 땅; 《美》 (토지의) 도면, 지도.
:__plate__[pleit] *n.* ① Ⓒ 판금; 판유리. ② Ⓒ 표찰. ③ Ⓒ 금속판, 전기판, 연판(鉛版); 금속 판화(版畫); 도판(圖板). ④ Ⓒ 〖寫〗 감광판(感光板), 종판(種板). ⑤ Ⓒ 〖史〗 쇠미늘 갑옷. ⑥ Ⓒ (납작하고 둥근) 접시; 접시 모양의 것; 요리 한 접시; (1인분의) 요리. ⑦ (the ~) (교회의) 헌금 접시. ⑧ Ⓤ 《집합적》《주로 英》 금[은](도금한) 식기; 금[은]상배. ⑨ Ⓒ 〖齒〗 의치 가상(義齒假床). ⑩ Ⓒ 〖解·動〗 얇은 켜[층]. ⑪ Ⓒ 〖建〗 (벽 위의) 도리. ⑫ Ⓒ 〖野〗 본루, 투수판. ⑬ Ⓒ 〖電〗 (진공관의) 양극. ⑭ Ⓤ 소의 갈비 밑의 얇은 고기. — *vt.* (금·은 따위를) 입히다, 도금하다; 판금(板金)으로 덮다; 전기판[연판]으로 하다. ∠·**ful**[pléitfùl] *n.* Ⓒ 한 접시(분).
*__pla·teau__[plætóu/∠–] *n.* (*pl.* ~***s***, ~***x***[-z]) Ⓒ 고원; 〖心〗 플래토 상태《학습의 안정기》.
__pláte bàsket__ 《英》 식기 바구니.
__pláte gláss__ 두꺼운 판유리.
__pláte·làyer__ *n.* Ⓒ 《英》 〖鑛〗 선로공.
__plat·en__[plǽtən] *n.* Ⓒ (인쇄기의) 압판(壓版); (타이프라이터의) 롤러.
__pláten préss__ 평압 인쇄기.
:__plat·form__[plǽtfɔːrm] *n.* Ⓒ ① 단(壇), 교단, 연단; (층계의) 층계참. ② (역의) 플랫폼; 《美》 (객차의) 승강단, 덱. ③ (정당의) 강령; 계획.
__plátform scále__ 앉은뱅이 저울.
__plátform tìcket__ 《英》 (역의) 입장권.
__plat·i·na__[plǽtənə, plətíːnə] *n.* Ⓤ 플라티나《천연 그대로의 백금; cf. platinum》.
__plat·ing__[pléitiŋ] *n.* Ⓤ 도금; 철판 씌우기, 장갑(裝甲); 그 철판.
*__plat·i·num__ [plǽtənəm] *n.* Ⓤ 백금; 백금색(色).
__plátinum blónde__ 엷은 금발(의 여자).
__plat·i·tude__ [plǽtətjùːd/-tjùːd] *n.* Ⓤ 단조, 평범; Ⓒ 평범[진부]한 이야기. **-tu·di·nous** [∸–tjúːdənəs/-tjúː-] *a.*
*__Pla·to__[pléitou] *n.* 플라톤《그리스의 철학자(427?-347? B.C.)》.
*__Pla·ton·ic__ [plətánik/-ɔ́-] *a.* 플라톤(철학)의; (연애 따위) 정신적인; 이상[비현실]적인.
__Platónic lóve__ 정신적 연애.
__Pla·to·nism__ [pléitənìzəm] *n.* Ⓤ 플라톤 철학. **-nist** *n.* Ⓒ 플라톤학파의 사람.
__pla·toon__[plətúːn] *n.* Ⓒ 《집합적》 〖軍〗 소대《company와 squad의 중간》.
*__plat·ter__[plǽtər] *n.* Ⓒ 《美》 (타원형의 얇은) 큰 접시; 《美俗》 레코드, 음반; 〖野〗 본루; 〖컴〗 원판.
__plat·y·pus__[plǽtipəs] *n.* (*pl.* ~***es***, -***pi***[-pài-]) Ⓒ 〖動〗 오리너구리(duckbill).
__plau·dit__[plɔ́ːdət] *n.* Ⓒ (보통 *pl.*) 박수, 갈채; 칭찬.
*__plau·si·ble__[plɔ́ːzəbəl] *a.* (핑계가) 그럴 듯한; 말솜씨가 좋은. **-bly** *ad.* **-bil·i·ty**[∸–bíləti] *n.*
†__play__[plei] *vi.* ① 놀다, 장난치며 놀다, 뛰놀다. ② 살랑거리다, 흔들거리다; 어른거리다, 번쩍이며 비치다. ③ 분출하다. ④ 경기를 하다. ⑤ 내기[노름]하다. ⑥ 거동하다. ⑦ 연주하다(*on, upon*). ⑧ 연극을 하다. ⑨ 가지고 놀다, 농락하다(*with, on, upon*). — *vt.* ① (놀이를) 하다. ② (사람·상대 팀과) 승부를 겨루다, (…의) 상대가 되다. ③ 흔들[너울·어른]거리게 하다. ④ (극을) 상연하다, (…의) 역(役)을 맡아 하다. ⑤ 악기를 타다[켜다], (곡을) 연주하다. ⑥ (낚시에 걸린 고기를) 가지고 어르다. ⑦ 가지고 놀다, 우롱하다. ⑧ (탄알 따위를) 발사하다. ⑨ 〖카드〗 패를 내어놓다. ~ ***at*** …을 하며 놀다. ~ ***away*** (재산을) 탕진하다; 놀며 (때를)

P

보내다. ~ ***both ends against the middle*** 양다리 걸치다; 어부지리를 노리다. ~ ***down*** 얕보다(minimize); (회화·연기의) 정도를 낮추다. ~ ***fair*** 공명정대하게 행하다. ~ ***foul*** [***false***] 속임수를 쓰다, 야바위치다. ~ ***into the hands of*** … 에게 유리하게 행동하다, …을 일부러 이기게 하다. ~ ***it low down on*** 《俗》 …에게 대해 불공평[부정]한 짓을 하다. ~ ***off*** 속이다; …에 창피를 주다, 업신여기다; 결승전을 하다. ~ ***on*** [***upon***] …을 이용하다, …에 편승하다. ~ ***out*** (연주·경기 따위를) 끝까지 다하다; 다 써버리다; 기진맥진케 하다. ~ ***to the*** GALLERY. ~ ***up*** (경기 따위에서) 분투하다. ~ ***up to*** …을 후원하다; …에게 아첨하다. —— *n.* ① Ⓤ 놀이, 유희. ② Ⓒ 장난, 농담. ③ Ⓤ,Ⓒ 내기, 노름. ④ Ⓤ 경기; 경기의 차례; 경기 태도. ⑤ Ⓒ 연극, 희곡. ⑥ Ⓤ 활동, 행동; 작용; 마음대로의 움직임, 운동의 자유. ⑦ Ⓤ,Ⓒ 번쩍임, 어른거림. ***at*** ~ 놀고. ***come into*** ~ 일[작용]하기 시작하다. ***give*** (***free***) ~ ***to*** 자유로 …하게 하다. ***in full*** ~ 충분히 활동하고 있는. ***in*** ~ 농으로; 활동하고 있는. ~ ***on words*** 익살.

pláy·bàck *n.* Ⓒ 녹음 재생(기 장치).

pláy·bìll *n.* Ⓒ 연극의 프로그램[광고 전단].

pláy·bòy *n.* Ⓒ (돈많은) 난봉꾼, 탕아.

pláy·dày *n.* (학교의) 휴일; 《英》 (광부 등의) 휴업일; 《美》 학교 대항 경기회.

†**play·er**[pléiər] *n.* Ⓒ 경기자; 직업 선수; 배우; 연주자; 자동 연주 장치.

pláyer piáno 자동 피아노.

pláy·fèllow *n.* Ⓒ 놀이 친구(playmate).

play·ful[⌐fəl] *a.* 놀기 좋아하는; 농담의. ~**·ly** *ad.*

pláy·gìrl *n.* Ⓒ (쾌락에 몰두하는) 여자. 「는 사람.

pláy·gòer *n.* Ⓒ 연극 구경 잘 다니

:**play·ground**[⌐gràund] *n.* Ⓒ 운동장.

pláy·hòuse *n.* Ⓒ 극장; (아이들) 놀이집.

pláying càrd 트럼프 패.

pláy·màker *n.* Ⓒ (팀 경기에서) 공격의 계기를 만드는 선수.

:**pláy·màte** *n.* Ⓒ 놀이 친구.

pláy-òff *n.* Ⓒ (비기거나 동점인 경우의) 결승 경기.

pláy·pèn[⌐pèn] *n.* Ⓒ (격자로 둘러친) 어린이 놀이터.

˙**pláy·thìng** *n.* Ⓒ 장난감(toy).

pláy·tìme *n.* Ⓤ 노는 시간.

pláy·wrìght *n.* Ⓒ 극작가.

pla·za[plɑ́ːzə, plǽzə] *n.* (Sp.) Ⓒ (도시의) 광장.

˙**plea**[pliː] *n.* Ⓒ 탄원; 구실; 변명, 변호; 〖法〗 항변(抗辯).

pleach[pliːtʃ] *vt.* (가지와 가지를) 얽히게 하다; (…을) 엮다.

:**plead**[plíːd] *vt.* (~***ed,*** 《美口·方》 ***ple***(***a***)***d***[pled]) 변호[항변]하다; 주장하다; 변명으로서 말하다. —— *vi.* 변호[항변]하다(*against*); 탄원하다(*for*); 〖法〗 답변하다. ~ ***guilty*** [***not guilty***] (심문에 대해 피고가) 죄상을 인정하다[인정하지 않다]. ⌐**·er** *n.* Ⓒ 변론자; 변호사; 탄원자. ⌐**·ing** *n.* Ⓤ 변론; 변명; 〖法〗 변호.

†**pleas·ant** [plézənt] *a.* 유쾌한(pleasing), 즐거운; 쾌활한; 맑은. ˙~**·ly** *ad.* ~**·ness** *n.* ~**·ry** *n.* Ⓤ 익살; Ⓒ 농담.

†**please**[pliːz] *vt.* ① 기쁘게 하다, 만족시키다; (…의) 마음에 들다. ② 부디, 제발. —— *vi.* 기뻐하다; 좋아하다, 하고 싶어하다. ***be*** ~***d*** …이 마음에 들다; (…을) 기뻐하다. ***be*** ~***d to*** do 기꺼이 …하다; …해 주시다. ~ ***god*** 신의 뜻이라면, 잘만 나간다면. ***with if you*** ~ 부디; 실례를 무릅쓰고; 글쎄 말에요, 놀랍게도. ~**d**[-d] *a.* :**pléas·ing** *a.* 유쾌한; 만족한; 붙임성 있는.

pleas·ur·a·ble[pléʒərəbəl] *a.* 유쾌한; 즐거운, 기분좋은.

†**pleas·ure**[pléʒər] *n.* ① Ⓤ 즐거움; 쾌락; Ⓒ 유쾌한 것[일]. ② Ⓤ,Ⓒ 오락. ③ Ⓤ 의지; 욕구; 기호. ***at*** ~ 마음대로. ***take a*** ~ ***in*** …을 즐기다, 좋아하다. ***with*** ~ 기꺼이.

pléasure bòat 유람선.

pléasure gròund 유원지.

pléasure-sèeker *n.* Ⓒ 쾌락을 추구하는 사람.

pléasure trìp 유람 여행.

pleat[pliːt] *n., vt.* Ⓒ 주름(을 잡다).

plebe[pliːb] *n.* Ⓒ 《美》 사관학교의 최하급생.

˙**ple·be·ian**[plibíːən] *n.* Ⓒ (옛 로마의) 평민. —— *a.* 평민[보통]의; 비속한. 「Ⓒ 국민 투표.

pleb·i·scite [plébəsàit, -sit] *n.*

plebs [plebz] *n.* (*pl.* ***plebes*** [plíːbiːz]) (the ~) (옛 로마의) 평민; 민중.

plec·trum [pléktrəm] *n.* (*pl.* ~***s,*** ***-tra***[-trə]) Ⓒ (현악기의) 채.

pled[pled] *v.* plead의 과거(분사).

:**pledge**[pledʒ] *n.* ① Ⓤ,Ⓒ 서약. ② (the ~) 금주의 맹세. ③ Ⓤ,Ⓒ 담보[저당](물); 질물(質物). ④ Ⓒ 축배. ⑤ Ⓒ 보증. ⑥ Ⓒ 표시; 입회 서약자. ***take*** [***sign***] ***the*** ~ 금주의 맹세를 하다. —— *vt.* 서약하다[시키다]; 저당[전당]잡히다, 담보로 넣다; (건강을 위해) 축배를 들다. **pledg·ée** *n.* Ⓒ 질권자. **plédg·er,** 〖法〗 **pledg**(**e**)**·ór** *n.* Ⓒ 전당 잡히는 사람; (금주의) 서약자.

Ple·iad [plíːəd, pláiəd/pláiəd] *n.* (*pl.* ~***es*** [-dìːz]) ① Ⓒ 〖그神〗 Atlas의 일곱 딸 중의 하나. ② (the ~es) 〖天〗 묘성(昴星).

Pleis·to·cene[pláistəsìːn] *a., n.*

〖地〗 플라이스토세(世)(의), 홍적세(의).

*ple·na·ry[plíːnəri, plén-] *a.* 충분한; 완전한; 절대적인; 전원 출석의. ~ *meeting* 〔*session*〕 본회의.

plen·i·po·ten·ti·ar·y[plènipətén∫əri, -∫ièri] *n.* Ⓒ 전권 대사〔위원〕. — *a.* 전권을 가지는.

plen·i·tude[plénətjùːd/-tjùːd] *n.* Ⓤ 충분; 완전; 풍부.

*plen·te·ous[pléntiəs, -tjəs] *a.* = PLENTIFUL.

:plen·ti·ful[pléntifəl] *a.* 많은. ~·ly *ad.*

†plen·ty[plénti] *n.* Ⓤ 풍부, 많음, 충분(*of*). *in* ~ 많이; 충분히. — *a.* 《口》 많은, 충분한. — *ad.* 《口》 충분히.

ple·o·chro·ic[plìːəkróuik] *a.* (투명한 결정이 각도에 따라) 다색성(多色性)의.

ple·o·nasm[plíːənæ̀zəm] *n.* Ⓤ 용어법(冗語法); Ⓒ 용어구(句). -nas·tic[⌐—nǽstik] *a.*

pleth·o·ra[pléθərə] *n.* Ⓤ 과다(過多); 《醫》 다혈증. ple·thor·ic[pliθɔ́ːrik, -θɑ́r-, pléθə-/pleθɔ́r-] *a.*

pleu·ra[plúərə] *n.* (*pl.* *-rae*[-riː]) Ⓒ 〖解〗 늑막.

pleu·ri·sy[plúərəsi] *n.* Ⓤ 〖醫〗 늑막염.

Plex·i·glas[pléksəglæ̀s, -ɑ̀ː-] *n.* Ⓤ 〖商標〗 플렉시 유리《플라스틱 유리》.

plex·us[pléksəs] *n.* (*pl.* *~es,* ~) Ⓒ 〖解〗 망(網), 총(叢); 복잡한 관계.

pli·a·ble[pláiəbəl] *a.* 휘기 쉬운, 유연(柔軟)한; 고분고분한, 유순한. -bil·i·ty[⌐—bíləti] *n.* Ⓤ 유연(성); 유순(성).

pli·ant[pláiənt] *a.* =PLIABLE. -an·cy *n.* =PLIABILITY.

pli·ers[pláiərz] *n. pl.* 집게; 굽히는 사람〔것〕.

plight[1][plait] *n.* Ⓒ (보통 *sing.*) (나쁜) 상태, 곤경.

plight[2] *n., vt.* Ⓒ 서약〔약혼〕(하다). ~ *one's troth* 서약〔약혼〕하다.

plinth[plinθ] *n.* Ⓒ 〖建〗 원주(圓柱)의 토대(土臺), 주각(柱脚).

Pli·o·film[pláiəfìlm] *n.* 〖商標〗 투명 방수포《우비·포장용》.

PLO Palestine Liberation Organization. PL/1 〖컴〗 programming language one.

*plod[plɑd/-ɔ-] *vi., vt.* (*-dd-*), *n.* 터덕거리다, Ⓒ 무거운 발걸음으로 걷다〔걷기〕(*on, along*); 그 발소리; (*vi.*) 꾸준히 일〔공부〕하다(*at, away, through*).

plonk[1][plɑnk/-ɔ-] *v., n., ad.* = PLUNK.

plonk[2] *n.* Ⓤ 《英口》 값싼 포도주.

plop[plɑp/-ɔ-] *n.* (a ~) 풍덩〔첨벙〕 떨어짐. — *ad.* 풍덩, 첨벙하고. — *vi., vt.* (*-pp-*) 풍덩하고 떨어지다〔떨어뜨리다〕.

plo·sive[plóusiv] *n., a.* Ⓒ 〖音聲〗 파열음(의).

:plot[plɑt/-ɔ-] *n.* Ⓒ (나쁜) 계획, 음모; (소설·극 따위의) 줄거리; 작은 지면(地面); 도면(圖面). — *vt.* (*-tt-*) 계획하다, 음모를 꾸미다; 도면을 작성하다; (토지를) 구획하다(*out*); 도면에 기입하다. — *vi.* 음모를 꾀하다(*for, against*). ⌐·ter *n.* Ⓒ 음모자; 〖컴〗 도형 출력 장치, 플로터.

plótting pàper 방안지, 모눈종이.

:plough[plau] *n., v.* 《英》 =PLOW.

plov·er[plʌ́vər] *n.* Ⓒ 〖鳥〗 물떼새.

:plow[plau] *n.* Ⓒ 쟁기; 제설기(除雪機)(snowplow); Ⓤ 《英》 경작지; (the P-) 북두칠성. *follow the* ~ 농업에 종사하다. ~ *back* 재투자하다. *put* 〔*set*〕 *one's hand to the* ~ 일을 시작하다. *under the* ~ 경작되어. — *vt.* 쟁기질하다, 갈다; 두둑을 만들다; 파도를 헤치고 나아가다; 《英口》 낙제시키다. — *vi.* 쟁기로 갈다; 갈듯이 나아가다(*through*); 《英口》 낙제하다. ~ *one's way* 고생하며 나아가다. ~ *the sand*(*s*) 헛수고하다.

plów·bòy *n.* Ⓒ 쟁기 멘 소나 말을 모는 아이, 촌사람.

plów·lànd *n.* Ⓤ 경지(耕地).

plow·man[⌐mən] *n.* Ⓒ 쟁기질하는 사람; 농부.

plów·shàre *n.* Ⓒ 보습.

:pluck[plʌk] *vt.* ① (새의) 털을 잡아 뽑다; (꽃·과실 따위를) 따다; 잡아당기다〔뽑다〕. ② 《英》 (용기를) 불러 일으키다(*at*). ③ 《俗》 잡아채다, 탈취〔사취〕하다. ④ (현악기의 줄을) 퉁겨 소리내다. ⑤ 《英俗》 낙제시키다. — *vi.* 획 당기다(*at*); 붙잡으려고 하다(*at*). *get ~ed* 낙제하다. ~ *up* 잡아뽑다; 뿌리째 뽑다; (용기를) 불러 일으키다. — *n.* (a ~) 잡아당김, 쥐어뜯음; Ⓤ (소 따위의) 내장; 용기. ⌐·y *a.* 용기 있는, 기력이 좋은, 단호한.

*plug[plʌg] *n.* Ⓒ ① 마개; (충치의) 충전물(充塡物); 소화전(栓) (fireplug); 〖機〗 (내연 기관의) 점화전(栓) (spark plug); 〖電·컴〗 플러그. ② 고형(固形) 담배, 씹는 담배. ③ 《주로 美俗》 늙어 빠진 말(馬). ④ 《口》 (라디오·텔레비전 프로 사이에 끼우는) 짧은 광고 방송; 선전(문구). ⑤ 실크해트. — *vt.* (*-gg-*) 마개를 하다, 틀어 막다; 《俗》 탄환을 쏘다; 치다, 때리다; 《口》 (라디오·텔레비전 등에서) 집요하게 광고하다. — *vi.* 《口》 부지런히 일하다. ~ *in* 〖電〗 플러그를 끼우다.

plug·ger[plʌ́gər] *n.* Ⓒ 충전 기구 《치과의용》; 《口》 꾸준히 일하는 사람; 《美俗》 선전꾼.

plúg-ùgly *n.* Ⓒ 《口》 깡패, 망나니.

:plum[plʌm] *n.* Ⓒ 양오얏(나무); (케이크에 넣는) 건포도; Ⓤ 진보라색; Ⓒ 《俗》 정수(精粹), 일품; 《英俗》 10만 파운드의 돈, 큰 재산.

P

*__plum·age__[plúːmidʒ] *n.* Ⓤ《집합적》 깃털.
__plumb__[plʌm] *n.* Ⓒ 추(錘); 측연(測鉛); Ⓤ 수직. ***off* [*out of*] ~** 수직이 아닌. — *a., ad.* 수직의[으로]; 《口》 순전한[히], 전혀; 정확히. — *vt.* 다림줄로 조사하다; 수직되게 하다(*up*); 깊이를 재다; 헤아려 알다.
__plum·ba·go__[plʌmbéigou] *n.* (*pl.* **~s**) Ⓤ 흑연, 석묵(石墨).
__plúmb bòb__ 측량추(錘).
__plumb·er__[plʌ́mər] *n.* Ⓒ 연관공(鉛管工), 배관공.
__plumb·ing__[´-iŋ] *n.* Ⓤ 배관 공사[업]; 수심 측량; 《집합적》 연관류.
__plum·bism__[plʌ́mbizəm] *n.* Ⓤ 〖醫〗 연(鉛)중독, 연독증(鉛毒症).
__plúmb lìne__ 추선(錘線), 다림줄.
__plúm cáke__ [**púdding**] 건포도가 든 케이크[푸딩].

:__plume__[pluːm] *n.* Ⓒ ① (보통 *pl.*) (큰) 깃털; 깃털 장식. ② (원폭의 수중 폭발로 인한) 물기둥. ***borrowed ~s*** 빌려 입은 옷; 남에게서 빌린 지식. — *vt.* (새가 부리로) 깃털을 고르다; 깃털로 장식하다. **~ *oneself on*** …을 자랑하다.
__plum·met__[plʌ́mit] *n.* Ⓒ 추. — *vi.* 수직으로 떨어지다.
__plu·mose__[plúːmous] *a.* 깃털이 있는; 깃털 모양의.
:__plump__[1][plʌmp] *a.* 부푼; 통통하게 살찐. — *vi., vt.* 통통히 살찌다(*out, up*); 살찌게 하다(*up*).
*__plump__[2] *vi.* 털썩[쿵] 떨어지다(*down, into, upon*); 《주로 英》 (연기(連記) 투표에서) 한 사람에게만 투표하다(*for*). — *n.* Ⓤ 털썩 떨어짐, 그 소리. — *ad.* 털썩; 갑자기; 곧장; 노골적으로. — *a.* 노골적인; 퉁명스런.
__plum·y__[plúːmi] *a.* 깃털 있는; 깃털 모양의; 깃털로 장식한[꾸민].
*__plun·der__[plʌ́ndər] *vt., vi., n.* 약탈하다; 착복하다; Ⓤ 약탈(품).
:__plunge__[plʌndʒ] *vt.* ① 처박다(*into*); 던져넣다, 찌르다(*into*). ② (어떤 상태로) 몰아넣다[빠뜨리다](*into*). — *vi.* ① 뛰어들다, 다이빙하다(*into*); 돌진하다(*into, down*). ② (말이) 뒷다리를 들고 뛰어오르다. ③ (배가) 뒷질하다. ④ 《口》 큰 도박을 하다. — *n.* (*sing.*) 처박음; 뛰어듦; 돌진; 배의 뒷질. ***take the ~*** 모험하다, 과감한 행동을 하다.
__plúng·er__ *n.* Ⓒ 뛰어드는 사람; 〖機〗 (펌프 따위의) 피스톤; 《口》 무모한 도박꾼[투기꾼].
__plunk__[plʌŋk] *vt., vi., n.* (기타 따위) 퉁 소리나게 하다[소리나다]; 《口》 쿵하고 내던지다[떨어뜨리다]; Ⓒ (*sing.*) 쿵하고 던짐[떨어짐]; 그 소리. — *ad.* 《口》 쿵(하고); 정확히.
__plu·per·fect__[pluːpə́ːrfikt] *n., a.* Ⓤ,Ⓒ 〖文〗 대과거(의), 과거완료(의).
__plur.__ plural; plurality.
:__plu·ral__[plúərəl] *a., n.* Ⓤ 복수(의); Ⓒ 복수형. **~·ism**[-ìzəm] *n.* Ⓤ 〖哲〗 다원론. **~·ist** *n.* Ⓒ 〖哲〗 다원론자. **~·is·tic**[⌐-ístik] *a.* 〖哲〗 다원론의.
__plu·ral·i·ty__[pluərǽləti] *n.* Ⓤ 복수성(性); Ⓒ (대)다수; Ⓒ 득표차《최고 득표자와 차점자의》.
:__plus__[plʌs] *prep.* …을 더하여. — *a.* 더하기의, 정(正)의; 〖電〗 양(陽)의; 여분의. — *n.* Ⓒ 플러스 기호, 정수(正數), 정량(正量); 여분; 이익.
__plús fóurs__ 골프 바지《무릎 아래 4 인치인 데서》.
__plush__[plʌʃ] *n.* Ⓤ 견면(絹綿) 벨벳, 플러시천; (*pl.*) 플러시로 만든 바지.
__Plu·tarch__[plúːtaːrk] *n.* (46?-120?) 그리스의 전기 작가(傳記作家).
__Plu·to__[plúːtou] *n.* 〖그神〗 저승의 왕; 〖天〗 명왕성(冥王星).
__plu·toc·ra·cy__[pluːtάkrəsi/-ɔ́-] *n.* Ⓤ 금권 정치; Ⓒ 부호 계급, 재벌.
__plu·to·crat__[plúːtoukræ̀t] *n.* Ⓒ 부호 (정치가). **plu·to·crat·ic**[⌐-krǽtik] *a.* 금권 정치의; 재벌의.
__plu·to·de·moc·ra·cy__[plùːtoudimάkrəsi/-ɔ́-] *n.* Ⓤ (서유럽의) 금권 민주 정치.
__Plu·to·ni·an__[pluːtóuniən, -njən] *a.* Pluto의, 지옥의.
__Plu·ton·ic__ [pluːtάnik/-ɔ́-] *a.* Pluto의; (p-) 〖地〗 (지하) 심성(深成)의; 화성론의.
__plu·to·ni·um__ [pluːtóuniəm, -njəm] *n.* Ⓤ 〖化〗 플루토늄《방사성 원소의 하나; 기호 Pu》.
__Plu·tus__[plúːtəs] *n.* 〖그神〗 플루토스《부의 신》.
__plu·vi·al__[plúːviəl, -vjəl] *a.* 비의, 비가 많은; 〖地〗 비의 작용에 의한.
__plu·vi·om·e·ter__ [plùːviάmitər/-ɔ́mi-] *n.* Ⓒ 우량계.
:__ply__[1][plai] *vt.* ① (도구 등을) 부지런히 쓰다. ② (…에) 열성을 내다, 부지런히 일하게 하다. ③ (음식 등을) 강요하다(*with*). ④ (질문 등을) 퍼붓다(*with*). ⑤ (강 등을) 정기적으로 건너다. — *vi.* ① 정기적으로 왕복하다(*between*). ② 부지런히 일하다.
__ply__[2] *n.* Ⓤ (밧줄의) 가닥, 올; 겹(fold), 두께; 경향, 버릇.
*__Plym·outh__[plíməθ] *n.* 영국 남서부의 군항; 미국 Massachusetts 주의 도시.
__Plýmouth Róck__ Pilgrim Fathers가 처음 상륙했다는 미국 Plymouth에 있는 바위; 플리머스록《닭의 품종》.
__plý·wòod__ *n.* Ⓤ 합판, 베니어 합판 《'veneer'와는 다름》.
__Pm__ 〖化〗 promethium. **pm.** pamphlet; premium. **P.M.** Pacific Mail; Past Master; Paymaster; Police Magistrate; Postmaster; *post mortem* (L.=after death); Prime Minister; Provost Marshal.
:__P.M., p.m.__[píːém] 오후《*post meridiem* (L.=afternoon)》.
__P.M.G.__ Pall-Mall Gazette; Paymaster General; Postmaster

General. **pmh, pmh.** per man-hour. **pmk.** postmark. **PMLA** Publication of the Modern Language Association (of America). **PNdB** perceived noise decibel(s) 소음 감각 데시벨, PN 데시벨. **pneum.** pneumatic(s).

pneu·mat·ic [nju:mǽtik/nju(ː)-] *a.* 공기의 (작용에 의한); 공기를 함유한[채운]; 기학(氣學)(상)의. **-i·cal·ly** *ad.* **~s** *n.* Ⓤ 기체 역학(氣體力學).

pneumátic dispátch (우편물·소포 등의) 압축공기 전송기(傳送機).

pneumátic túbe 기송관(氣送管).

pneu·mo·co·ni·o·sis [njùːmoukòunióusis/njùː-] *n.* Ⓤ 〖醫〗 폐진증(肺塵症). **-ni·ot·ic** [-átik/-ɔ́-] *n.* Ⓒ 폐진증 환자.

pneu·mo·ni·a [nju:móunjə, -niə] *n.* Ⓤ 〖醫〗 폐렴. **pneu·mon·ic** [-mɑ́-/-ɔ́-] *a.*

pneu·mo·tho·rax [njùːmouθɔ́ːræks/njùː-] *n.* Ⓤ 〖醫〗 기흉(氣胸).

pneumothórax tréatment 기흉술.

Pnom Penh [pnɑ́m pén/pnɔ́m-] *n.* ⇨PHNOM PENH.

pnxt. =PINX.

po [pou] *n.* Ⓒ 《英口》 실내 변기, 요강.

Po 〖化〗 polonium. **po., p.o.** 〖野〗 putout. **P.O., p.o.** Petty Officer; postal order; post office.

poach¹ [poutʃ] *vt., vi.* (밀렵하러 남의 땅에) 침입하다(*on*); 밀렵하다; 짓밟다. **∠·er** *n.* Ⓒ 밀렵[침입]자.

poach² *vt.* 수란(水卵)을 뜨다.

POB, P.O.B., P.O. Box Post Office Box 우편 사서함.

Po·ca·hon·tas [pòukəhántəs/-ɔ́-] *n.* (1595?-1617) Captain Smith의 목숨을 구하였다고 전해지는 북아메리카 토인의 소녀.

pock [pɑk/-ɔ-] *n.* Ⓒ 두창(痘瘡), 얽은 자국.

pock·et [pákit/-ɔ́-] *n.* Ⓒ ① 포켓; 주머니; (*sing.*) (포켓 속의) 돈; 자력. ② 〖撞〗 (당구대 네 모서리의) 포켓. ③ 〖採〗 광혈(鑛穴), 광맥류(瘤). ④ 우묵한 땅; 굴. ⑤ 〖空〗 에어포켓. ⑥ 〖軍〗(포위된) 고립 지역. ***be in*** [***out of***] ~ 돈이 있다[없다]; 이득을[손해를] 보다. ***empty*** ~ 한 푼도 없는 사람. ***have a person in one's*** ~ 아무를 마음대로 다루다. ***in*** ~ 접어 끼우게 된(*a book with a map in* ~ 접지도가 든 책). ***put one's hand in one's*** ~ 돈을 내다, 기부하다. ***put one's pride in one's*** ~ 자존심을 억누르다. ***suffer in one's*** ~ 손해를 보다. — *vt.* ① 포켓에 넣다; 착복하다. ② (모욕 등을) 국 참다; (감정 등을) 억누르다. ③ (주자(走者)를) 둘러싸고 방해하다. ④ 《美》 (의안 등을) 묵살하다. — *a.* 포켓용[소형]의. **~·ful** [-fùl] *n.* Ⓒ 주머니 가득(한 분량).

pócket báttleship (제 1 차 대전 때 독일의 1 만톤 급) 소형 전함.

***pócket·bòok** *n.* Ⓒ 지갑; 《美》 핸드백; 포켓북; 수첩; (one's ~) 재원.

pócket edìtion 포켓판(版).

pócket hándkerchief 손수건.

pócket·knífe *n.* Ⓒ 접칼, 주머니칼.

pócket mòney 용돈.

pócket pìece 행운의 동전《부적으로 주머니에 넣고 다니는 돈》.

pócket sìze(d) *a.* 포켓형의, 소형의; 좁은, (규모가) 작은.

pócket vèto 《美》 (대통령의) 의안의 묵살.

póck·màrk *n., vt.* Ⓒ 곰보(를 만들다). **~ed** [-t] *a.* 마마 자국이 있는.

po·co [póukou] *ad.* (It.) 〖樂〗 포코, 조금. **~ *a*** ~ 〖樂〗 포코아포코, 조금씩, 서서히.

***pod** [pɑd/-ɔ-] *n.* Ⓒ ① (완두 등의) 꼬투리. ② (제트 엔진·화물·무기 등을 넣는) 비행기 날개 밑의 부푼 곳. ③ (우주선의) 분해 가능한 구성 단위. — *vi.* (**-dd-**) 꼬투리가 생기다[맺다]. — *vt.* 꼬투리를 까다.

P.O.D. pay on delivery; Post Office Department; Pocket Oxford Dictionary.

podg·y [pádʒi/-ɔ́-] *a.* 《주로 英》 땅딸막한(pudgy).

po·di·a·try [poudáiətri] *n.* Ⓤ 〖醫〗 족병학(足病學); 족부 치료. **-trist** *n.* Ⓒ 족병의(醫).

po·di·um [póudiəm] *n.* (*pl.* ***-dia*** [-diə]) Ⓒ 대(臺); 〖動·解〗 발.

Po·dunk [póudʌŋk] *n.* 《美口》 (단조로운) 시골 읍.

pod·zol, -sol [pádzɔ̀(ː)l/pɔ́d-] *n.* Ⓤ 포드졸《불모의 토양》.

Poe [pou], **Edgar Allan** (1809-49) 미국의 시인·소설가.

P.O.E. 《英》 port of entry 통관항.

†**po·em** [póuim] *n.* Ⓒ 시; 시적인 문장; 아름다운 물건.

po·e·sy [póuizi, -si] *n.* Ⓤ 《古》《집합적》 시, 운문(韻文); 작시(법).

‡**po·et** [póuit] *n.* Ⓒ 시인; 시인 기질의 사람.

po·et·as·ter [póuitæ̀stər/∸∸∠−] *n.* Ⓒ 엉터리 시인.

po·et·ess [póuitis] *n.* Ⓒ 여류 시인.

***po·et·ic** [pouétik], **-i·cal** [-əl] *a.* 시의; 시인의, 시인 같은; 시적인, 시취(詩趣)가 풍부한; 시에 적합한.

po·et·i·cism [pouétəsìzəm] *n.* Ⓤ,Ⓒ 시적 표현, 진부한 표현.

poétic jústice (시에 나타나는 것과 같은) 이상적 정의, 인과 응보.

poétic lícense 시적 허용《시적 효과를 위해 문법·형식·사실 따위의 파격(破格)》.

po·et·ics [-s] *n.* Ⓤ 시학.

póet láureate 《英》 계관 시인.

‡**po·et·ry** [póuitri] *n.* Ⓤ ① 《집합적》 시, 운문. ② 작시; 시정(詩情).

Póets' Córner 영국 London의 Westminster Abbey 안의 유명한 시인의 묘와 기념비가 있는 곳; 《諧》 (신문·잡지 등의) 시란(詩欄).

pó-fàced *a.* 《英口》 자못 진지〔심각〕한 얼굴의.
POGO polar orbiting geophysical observatory 극궤도 지구 물리 관측 위성.
pó·go (**stìck**) [póugou(-)] *n.* (*pl.* **~s**) Ⓒ 포고《용수철 달린 한 막대로, 이를 타고 뜀》.
po·grom [pougrám, póugrəm/pɔ̀grəm] *n.* (Russ.) Ⓒ (조직적인) 학살, (특히) 유대인 학살.
poi [pɔi, póui] *n.* Ⓒ,Ⓤ 토란 뿌리(또는, 으깬 바나나)로 만든 하와이의 식품.
poign·ant [pɔ́injənt] *a.* 찌르는 듯한, 매서운; 통렬한; (혀를) 톡 쏘는, (코를) 찌르는. **póign·an·cy** *n.*
poin·set·ti·a [pɔinsétiə] *n.* Ⓒ 〖植〗 포인세티아.
†**point** [pɔint] *n.* ① Ⓒ (뾰족한) 끝, 첨단, 끝; 곶. ② Ⓒ 〖數〗 점, 소수점 (4.6=four point six); 구두점; 종지부; (온도계·나침반의) 도(度); 점 (*the boiling* ~ 비등점). ③ Ⓒ 정도. ④ Ⓒ 득점. ⑤ Ⓒ 시점(時點), 순간; 지점. ⑥ Ⓤ (특수한) 목적. ⑦ Ⓒ 항목, 세목. ⑧ Ⓒ 특징, 특질. ⑨ Ⓒ 요점, 논점; (우스운 이야기 따위의) 끝장. ⑩ Ⓒ 《美》 (학과의) 단위; (*pl.*) 《英》 (철도의) 전철기; 〖海〗 방위; Ⓤ 〖印〗 포인트《활자 크기의 단위, 약 1/72 인치》. ⑪ Ⓤ 손으로 짠 레이스. ⑫ Ⓒ 암시. ⑬ 〖컴〗 포인트《그림 정보의 가장 작은 단위》. ***at the ~ of*** …의 직전에, …할 무렵에. ***at the ~ of the sword*** 〔***bayonet***〕 칼을 들이대어, 무력으로. ***carry*** 〔***gain***〕 ***one's ~*** 주장을 관철하다. ***come to the ~*** 요점을 찌르다. ***full ~*** 종지부. ***give ~s to*** …에게 핸디캡을 주다, …보다 낫다. ***in ~*** 적절한(*a case in ~* 적절한 예). ***in ~ of*** …에 관하여. ***make a ~ of*** …을 강조하다; 반드시 …하다(*…ing*). ***on the ~ of doing*** 바야흐로 …하려하여. ***~ of view*** 관점; 마음가짐. ***to the ~*** 적절한〔하게〕, 요점을 벗어나지 않은. ── *vt.* ① 뾰족하게 하다; 끝을 붙이다. ② 강조하다. ③ (손가락·무기 따위를) 향하게 하다(*at*); 주의하다; 가리키다. ④ (사냥개가 사냥감을) 알리다. ⑤ 점을 찍다, 구두점을 찍다. ⑥ 메지에 회반죽을 바르다. ── *vi.* 가리키다, 보이다(*at, to*); (…한) 경향이 있다(*toward*); (사냥개가) 멈춰서서 사냥감 있는 곳을 알리다. ***~ off*** 점으로 구별하다. ***~ out*** 지적하다.
póint-blánk *a., ad.* 직사(直射)의; 직사하여; 솔직한〔히〕.
póint dùty 《英》 (교통 순경 등의) 교통 정리 근무.
‡**point·ed** [pɔ́intid] *a.* 뾰족한; (말이) 가시돋친; 빈정대는, 노골적인; 두드러진. **~·ly** *ad.*
***point·er** [⌐ər] *n.* Ⓒ ① 지시하는 사람〔물건〕. ② (시계·계기의) 지침; 교편(教鞭). ③ 《美口》 암시. ④ 포인터《사냥개》. ⑤ (*pl.*) (the P-) 〖天〗 지극성(指極星)《큰 곰자리 중의 두 별》. ⑥ 〖컴〗 포인터.
Póint Fóur (**prògram**) 제 4 정책 《Truman 대통령의 미개발 지역 경제 원조 정책》.
poin·til·lism [pwǽntəlìzəm] *n.* Ⓤ (프랑스 신인상파 화가의) 점묘법(點描法).
point·ing [⌐iŋ] *n.* Ⓤ 뾰족하게 함, 가늘게 함; (뾰족한 것을 향하게 하여) 지시(하기); 구두법(句讀法); 〖建〗 메지 바르기.
póint làce 손으로 뜬 레이스.
póint·less *a.* 뾰족한 끝이 없는; 무딘; 요령 없는; 무의미한.
póint-of-sále *a.* 점두의, 판매 촉진용의, 판매시점의.
points·man [⌐smən] *n.* Ⓒ 《英》 전철수(轉轍手); 교통 순경.
póint sỳstem 〖印〗 포인트식; (맹인용의) 점자 방식; 〖教育〗 학점(진급)제; (운전 위반에 대한 벌칙) 점수제.
póint-to-póint ràce 〖競馬〗 자유 코스의 크로스컨트리.
***poise** [pɔiz] *vt.* 균형 잡히게 하다; (창 따위를 잡고) 자세를 취하다. ── *vi.* 균형잡히다; 허공에 매달리다; (새 따위가) 하늘을 돌다. ── *n.* ① Ⓤ 평형, 균형. ② Ⓤ 안정; 평정(平靜); 미결단. ③ Ⓒ (몸·머리 따위의) 가짐새.
‡**poi·son** [pɔ́izən] *n.* Ⓤ,Ⓒ 독(약); 해독, 폐해. ── *vt.* (…에) 독을 넣다〔바르다〕; 독살하다; 악화시키다; 해치다, 못쓰게 하다. ── *a.* 해로운. **~·ing** *n.* Ⓤ 중독.
póison gás 독가스.
póison ívy 〖植〗 덩굴옻나무.
póison másk 방독면.
***poi·son·ous** [pɔ́izənəs] *a.* 유독〔유해〕한; 악의 있는.
póison pén (익명으로) 악의의 편지를 쓰는 사람.
póison-pén *a.* 독필을 휘두르는; 악의로 씌어진.
poke**[1] [pouk] *vt.* ① (손가락·막대기 따위로) 찌르다, 밀다(*away, in, into, out*). ② (구멍을) 찔러서 뚫다. ③ 《英俗》 (…와) 성교하다. ④ 〖컴〗 (자료를) 어느 번지에 넣다. ── *vi.* 찌르다(*at*); 천착하다; 어정거리다. ***~ fun at …을 놀리다. ***~ one's nose into*** …에 말참견을 하다, 쓸데없는 참견을 하다. ── *n.* Ⓒ 찌름; 《口》 게으름뱅이; 〖컴〗 집어넣기.
poke[2] *n.* Ⓒ 《美中部·Sc.》 주머니; 《古》 포켓.
póke[3] (**bònnet**) *n.* Ⓒ 앞챙이 쑥나온 여자 모자.
***pok·er**[1] [póukər] *n.* Ⓒ 찌르는 사람〔물건〕; 부지깽이; 낙화용구(烙畫用具).
pok·er[2] *n.* Ⓤ 포커《카드 놀이》.
póker fàce 《口》 (의식적인) 무표정한 얼굴.
póker wòrk 낙화(烙畫).

poke(·weed)[póuk(wìːd)] *n.* Ⓒ 〖植〗 (북아메리카산) 자리공.
pok·(e)y[póuki] *a.* 느린, 둔한; 단정치 못한; 비좁은; 초라한; 시시한.
POL 〖軍〗 petroleum, oil, and lubricats. **Pol.** Poland; Polish.
***Po·land**[póulənd] *n.* 폴란드(공화국). **~·er**[-ər] *n.* Ⓒ 폴란드 사람.
:**po·lar**[póulər] *a.* ① 극의, 극지(極地)의. ② 전극〔자극〕의. ③ 〖化〗 이온화한. ④ 정반대 성질의.
pólar bèar 북극곰; 흰곰.
pólar cáp 〖天〗 극관(極冠).
pólar círcle 극권(極圈).
pólar coórdinates 〖數〗 극좌표.
Po·lar·is[pouléəris, -lǽr-] *n.* 〖天〗 북극성; Ⓒ (p-) 《美》 (폴라리스 잠수함에서 발사되는) 중거리 탄도탄.
po·lar·i·ty[poulǽrəti] *n.* Ⓤ 극성(極性), (전기의) 양극성(兩極性).
po·lar·ize[póuləràiz] *vt.* 〖電〗 극성(極性)을 주다; 〖光〗 편광(偏光)시키다. **-iz·er** *n.* Ⓒ 〖光〗 편광기(偏光器). **-i·za·tion**[∸–rizéiʃən/-raiz-] *n.* Ⓤ 귀극(歸極), 편극; 〖電〗 성극(成極) (작용); 〖光〗 편광.
po·lar·oid[póulərɔ̀id] *n.* Ⓤ 폴라로이드, (*pl.*) 인조 편광판; (P-) 그 상표명. ***P- camera*** 폴라로이드 카메라《촬영후 곧 양화가 됨》.
pol·der[póuldər] *n.* Ⓒ 폴더《해면보다 낮은 간척지》.
Pole[poul] *n.* Ⓒ 폴란드인.
pole[1][poul] *n.* Ⓒ ① 막대기, 기둥, 장대. ② 척도의 단위(rod) 《5.03 미터》; 면적의 단위《25.3 평방 미터》. ― *vt.* (배에) 삿대질하다.
:**pole**[2] *n.* Ⓒ (천구(天球)·구체(球體) 따위의) 극; (지구의) 극지; 〖理〗 전극, 자극(磁極); (성격·학설 따위) 정반대.
póle·àx(e) *n.* Ⓒ 자루가 긴 전부(戰斧); 도살용의 도끼.
póle·càt *n.* Ⓒ 〖動〗 (유럽산) 족제비의 일종; (북아메리카산) 스컹크.
póle jùmp 〔**vàult**〕 장대 높이뛰기.
po·lem·ic[poulémik/pɔ-] *n.* Ⓒ 논쟁(가). ― *a.* 논쟁의. **-i·cal**[-əl] *a.* **~s** *n.* Ⓤ 논쟁법, (신학상의) 논증법.
po·len·ta[pouléntə/pɔ-] *n.* (It.) Ⓤ 옥수수죽《이탈리아 농부의 음식》.
póle·stàr *n.* (the ~) 북극성; Ⓒ 목표.
póle·vàult *vi.* 장대높이 뛰기를 하다.
pole·ward(s)[∠wərd(z)] *ad.* 극지로 향하여.
†**po·lice**[pəlíːs] *n., vt.* Ⓤ 경찰; 《집합적》 경찰관; 공안; 치안(을 유지하다).
políce àction 군대의 치안〔경찰〕 활동, 국제 평화·질서 유지를 위한 정규군의 지역적인 군사 행동.
políce bòx 〔**stànd**〕 파출소.
políce càr (경찰) 순찰차.
políce commíssioner 《英》 경시총감; 《美》 시경찰국장.
políce cónstable 《英》 순경(policeman).
políce cóurt 〔**mágistrate**〕 즉결 재판소〔재판소 판사〕《경범죄를 즉결함》.
políce dòg 경찰견.
políce fòrce 경찰대; 경찰력.
†**po·lice·man**[-mən] *n.* Ⓒ 경관, 순경.
políce stàte 경찰 국가.
***políce stàtion** 경찰서.
po·lice·wom·an[-wùmən] *n.* Ⓒ 여자 경찰관, 여순경.
:**pol·i·cy**[1][pάləsi/pɔ́li-] *n.* Ⓤ,Ⓒ 정책, 방침; 수단; Ⓤ 심려(深慮).
pol·i·cy[2] *n.* Ⓒ 보험 증서; 《美》 숫자 도박.
pólicy·hòlder *n.* Ⓒ 보험 계약자.
pólicy·màker *n.* Ⓒ 정책 입안자.
po·li·o[póuliòu] (<⇩) *n.* Ⓤ 《口》 소아마비.
po·li·o·my·e·li·tis[pòulioumàiəláitis] *n.* Ⓤ 〖病〗 (급성) 회백 척수염; 소아마비.
po·lis[póulis] *n.* (*pl.* ***-leis***[-lais] 〖史〗 (고대 그리스의) 도시 국가.
***Pol·ish**[póuliʃ] *a., n.* 폴란드(사람·말)의; Ⓤ 폴란드말; Ⓒ 폴란드 사람.
:**pol·ish**[pάliʃ/-ɔ́-] *vt., vi.* 닦다, 광나게 하다, 윤을 내다〔이 나다〕; 퇴고(推敲)하다, 개선하다; 《古》 세련되(게 하)다, 품위있게 하다〔되다〕. **~ *off*** 《口》 재빨리 끝내다; (적수를) 제압하다. **~ *up*** 《口》 마무리하다; 광택을 내다. ― *n.* Ⓤ,Ⓒ 닦기; Ⓤ,Ⓒ 광택(제), 닦는 가루약; Ⓤ 세련, 품위 있음. **~ed**[-t] *a.* 닦은; 광택이 있는; 세련된.
Pólish Córridor, the 폴란드 회랑(回廊).
Po·lit·bu·reau, -bu·ro[pάlitbjùərou, pəlít-/pɔ́litbjùər-, pəlít-] *n.* (Russ.) (the ~) (러시아의 당중앙 위원회의) 정치국《1952년부터 Presidium(최고 회의 간부회)으로 되었음》.
:**po·lite**[pəláit] *a.* 공손한, 예절 바른; 세련된, 품위 있는. **:~·ly** *ad.* ***~·ness** *n.*
pol·i·tic**[pάlətik/-ɔ́-] *a.* 사려 깊은; 교활한; 시기에 적합한; 정치상의. ***the body ~ 정치적 통일체, 국가. **:~s** *n.* Ⓤ 정치(학); 정략; 정견; 경영.
:**po·lit·i·cal**[pəlítikəl] *a.* 정치(상)의; 국가의; 정당(활동)의; 당략의; 행정의. ***~·ly** *ad.*
polítical áction 정치적 행위.
polítical asýlum (정치적 망명자에 대한) 정부의 보호.
polítical ecónomy 《古》 경제학(economics); 정치 경제학.
polítical párty 정당.
polítical scíence 정치학.
:**pol·i·ti·cian** [pὰlətíʃən/pɔ̀li-] *n.* Ⓒ 정치가, 정객(政客); 행정관.
pol·i·tick[pάlətik/-ɔ́-] *vi.* 《美口》 정치(운동)에 손을 대다.
pol·i·ty[pάləti/-ɔ́-] *n.* Ⓤ 정치; Ⓒ 정체; 국가.

P

pol·ka[póulkə/pólkə] *n.* Ⓒ 폴카《경쾌한 춤》; 그 곡. — *vi.* 폴카를 추다.
pólka dòt 물방울 (무늬).
:poll[poul] *n.* Ⓒ 머리(head); (선거의 머릿수, 즉) 투표수의 계산; 선거인 명부; (보통 *sing.*) 투표; 투표수, 투표 결과; (*pl.*)(the ~)《美》 투표소; Ⓒ 여론 조사. — *vt.* 명부에 올리다; (표를) 얻다〔기록하다〕; 투표하다; (머리를) 깎다; (머리카락·가지 등을) 자르다, (가축의) 뿔을 잘라내다.
póll·bòok *n.* Ⓒ 선거인 명부.
poll·ee[poulí:] *n.* Ⓒ (여론 조사의) 피조사자, 조사 대상.
***pol·len**[pálən/-ó-] *n.* Ⓤ 꽃가루.
pol·len·o·sis [pàlənóusis/pòl-] *n.* Ⓤ 〖醫〗 꽃가루 알레르기.
pol·lex[páleks/pól-] *n.* (*pl.* ***-lices*** [-ləsì:z]) Ⓒ 엄지손가락.
pol·li·nate[pálənèit/-ó-] *vt.* 〖植〗 수분(授粉)〔가루받이〕하다. **-na·tion** [∸–néiʃən] *n.*
poll·ing[póuliŋ] *n.* Ⓤ 투표; 〖컴〗 폴링.
pólling bòoth 기표소(記票所).
pólling plàce 투표소.
pol·li·no·sis[pàlənóusis/pòl-] *n.* Ⓤ 〖醫〗 꽃가루 알레르기, 꽃가룻병(病).
pol·li·wog, -ly·wog [páliwàg/póliwòg] *n.* Ⓒ 올챙이.
poll·ster[póulstər] *n.* Ⓒ《종종 蔑》 여론 조사자.
póll tàx 인두세.
pol·lu·tant[pəlú:tənt] *n.* Ⓒ 오염 물질.
***pol·lute**[pəlú:t] *vt.* 더럽히다, 불결하게 하다; (신성을) 더럽히다.
pol·lut·er[pəlú:tər] *n.* Ⓒ 오염자; 오염원.
:pol·lu·tion[pəlú:ʃən] *n.* Ⓤ 오염; 공해; 불결; 모독; 〖醫〗 몽정(夢精).
Pol·lux[páləks/-ó-] *n.* 〖그神〗 Zeus의 쌍둥이의 한 사람《다른 사람은 CASTOR》; 〖天〗 쌍둥이 자리 중의 1등성.
Pol·ly·an·na[pàliǽnə/pòl-] *n.* Ⓒ 지나친 낙천가《미국의 E. Porter의 소설 여주인공의 이름에서》.
***po·lo**[póulou] *n.* Ⓤ 폴로《마상 구기(馬上球技)》.
Po·lo[póulou], **Marco** (1254?-1324?) 이탈리아의 여행가.
pol·o·naise[pàlənéiz/-ò-] *n.* Ⓒ 폴로네즈《폴란드의 무도(곡)》; 여자옷의 일종.
pólo·nèck *a.* 접는〔자라목〕 깃의《스웨터 등》.
po·lo·ni·um [pəlóuniəm] *n.* Ⓤ 〖化〗 폴로늄《방사성 원소; 기호 Po》.
pólo shìrt 폴로셔츠(cf. T-shirt).
pol·troon[paltrú:n/-ɔ-] *n.* Ⓒ 비겁한 사람, 겁쟁이. **~·er·y** *n.* Ⓤ 비겁, 겁많음.
pol·y-[páli/póli] '다(多), 복(複)'의 뜻의 결합사.
pol·y·an·dry [páliæ̀ndri/pó-] *n.* Ⓤ 일처 다부(一妻多夫).
pol·y·an·thus [pàliǽnθəs/pò-] *n.* Ⓤ,Ⓒ 〖植〗 앵초〔수선〕의 일종.
pol·y·chlor·in·at·ed bi·phen·yl[pàliklɔ́:rənèitid baifénl/pòl-] 폴리브롬화 비페닐《절연물 등에 쓰이는 공해 물질》.
póly·chròme *a., n.* Ⓒ 다색의 (작품); 다색쇄(의).
pòly·clínic *n.* Ⓒ 종합 진료소; 종합 병원.
pól·y·es·ter (**rèsin**)[páliè̀stər(-)/-ó-] *n.* Ⓤ 〖化〗 폴리에스테르 합성수지.
pol·y·eth·y·lene[pàliéθəlì:n/-ò-] *n.* Ⓤ 〖化〗 폴리에틸렌《합성 수지》.
po·lyg·a·my[pəlígəmi] *n.* Ⓤ 일부다처제〔주의〕(opp. monogamy). **-mist** *n.* **-mous** *a.*
pol·y·glot[páliglàt/póliglòt] *a., n.* Ⓒ 수개 국어에 능통한 (사람); 수개 국어로 쓴 (책); (특히) 수개 국어로 대역(對譯)한 성서.
pol·y·gon[páligàn/póligòn] *n.* Ⓒ 다각〔다변〕형. **po·lyg·o·nal**[pəlígənl] *a.*
pol·y·graph [páligræ̀f/póligrà:f] *n.* Ⓒ 복사기; 《稀》 다작가(多作家); 고동(鼓動) 기록기, 거짓말 탐지기.
po·lyg·y·ny[pəlídʒəni] *n.* Ⓤ 일부다처; 〖植〗 다(多)암꽃술.
pol·y·he·dron[pàlihí:drən/pòl-] *n.* (*pl.* ***~s, -dra***[-drə]) Ⓒ 다면체. **-dral** *a.*
pol·y·his·tor[pàlihístər/pòl-], **pol·y·math**[pálimæ̀θ/pól-] *n.* Ⓒ 박학자, 박식한 사람.
pol·y·mer[páləmər/-ó-] *n.* Ⓒ 〖化〗 중합체(重合體). **~·ize**[pəlíməràiz, pálə-/pólə-] *vt., vi.* 〖化〗 중합시키다〔하다〕.
pol·y·mor·phism[pàlimɔ́:rfizəm/pòl-] *n.* Ⓤ 다형(多形); 〖化〗 동질이상; 〖地〗 동질 다상.
Pol·y·ne·sia[pàləní:ʒə, -ʃə/pòl-] *n.* 폴리네시아. **-sian** *n.* Ⓒ 폴리네시아 사람; Ⓤ 폴리네시아 말. — *a.* 폴리네시아(사람·말)의; (p-) 다도(多島)의.
pol·y·no·mi·al[pàlənóumiəl/-ò-] *n., a.* Ⓒ 〖數〗 다항식(의); 〖動·植〗 다명(多名)(의).
pol·yp[pálip/-ó-] *n.* Ⓒ 〖動〗 폴립《산호의 무리》; 〖醫〗 식육(瘜肉), 폴립《코의 점막 따위에 생기는 줄기 있는 말랑말랑한 종기》.
po·lyph·o·ny[pəlífəni] *n.* Ⓤ 〖音聲〗 다음(多音); 〖樂〗 다성곡(多聲曲); 대위법. **pol·y·phon·ic**[pàlifánik/pòlifó-] *a.* 〖樂〗 대위법의.
pol·y·pro·pyl·ene [pàlipróupəlì:n/-ò-] *n.* Ⓤ 〖化〗 폴리프로필렌《폴리에틸렌 비슷한 합성 수지》.
pol·y·sac·cha·ride [pàlisǽkəràid/pòl-], **-rid** [-rid] *n.* Ⓤ 〖化〗 다당류.
pol·y·se·my[pálisì:mi/pól-] *n.* Ⓤ

다의성(多義性).
pòly·stýrene *n.* Ⓤ 〖化〗 폴리스티렌《무색 투명한 합성 수지의 하나》.
pol·y·syl·la·ble [pɑ́lisìləbəl/-ɔ́-] *n.* Ⓒ 다음절어《3음절 이상》. **-lab·ic** [∸--lǽbik] *a.*
pol·y·tech·nic [pɑ̀litéknik/-ɔ́-] *a.* 공예의. — *n.* Ⓤ,Ⓒ 공예 학교.
pol·y·the·ism [pɑ́liθi:ìzəm/-ɔ́-] *n.* Ⓤ 다신론(多神論), 다신교(敎). **-ist** *n.* Ⓒ 다신론자〔교도〕. **-is·tic** [∸--ístik] *a.*
poly·ure·thane [pɑ̀lijúərəθèin/pɔ̀lijúərə-] *n.* Ⓤ 〖化〗 폴리우레탄.
pòly·vínyl *a.* 〖化〗 폴리비닐의.
polyvínyl chlóride 〖化〗 폴리 염화 비닐.
pom·ace [pʌ́mis] *n.* Ⓤ 사과즙을 짜낸 찌끼.
***po·made** [poumɑ́:d, -méid] *n., vt.* Ⓤ 포마드(를 바르다).
po·ma·tum [pouméitəm] *n.* = POMADE.
pome [poum] *n.* Ⓒ 이과(梨果)《사과·배 따위》.
pome·gran·ate [pɑ́məgrænit, pʌ́m-/pɔ́m-] *n.* Ⓒ 〖植〗 석류 (나무).
Pom·er·a·ni·a [pɑ̀məréiniə, -njə/-ɔ̀-] *n.* 포메라니아《발트해 연안의 한 지방, 현재 독일과 폴란드로 분할》. **-an** *n.* Ⓒ 포메라니아종의 개.
po·mi·cul·ture [póumikʌ̀ltʃər] *n.* Ⓤ 과수 재배.
pom·mel [pʌ́məl, pɑ́m-] *n.* Ⓒ (검(劍)의) 자루 끝; 안장의 앞머리. — *vt.* (*-ll-*) 자루 끝〔주먹〕으로 (연달아) 치다.
po·mol·o·gy [poumɑ́lədʒi/-ɔ́-] *n.* Ⓤ 과실 재배학.
Po·mo·na [pəmóunə] *n.* 〖로神〗 과수(果樹)의 여신.
‡**pomp** [pɑmp/-ɔ-] *n.* Ⓤ 장관, 화려; (보통 *pl.*) 허식.
pom·pa·dour [pɑ́mpədɔ̀:r/pɔ́mpədùər] *n.* Ⓤ (남녀의) 다듬어 올린 머리.
pom·pa·no [pɑ́mpənòu/pɔ́m-] *n.* (*pl.* ~*s*) Ⓒ 〖魚〗 (서인도 제도·북아메리카산) 전갱이의 일종.
Pom·pei·i [pɑmpéii/pɔm-] *n.* 폼페이《화산의 분화로 매몰된 이탈리아의 옛 도시》.
pom·pom [pɑ́mpɑ̀m/pɔ́mpɔ̀m] *n.* Ⓒ 자동 고사포; 자동 기관총.
pom·pon [pɑ́mpɑ̀n/pɔ́mpɔ̀n] *n.* Ⓒ (비단실·털실의) 방울 술 (장식); 〖植〗 퐁퐁달리아〔국화〕.
***pomp·ous** [pɑ́mpəs/-ɔ́-] *a.* 호화로운; 거드름 피우는; 건방진; (말 따위) 과장된. ~·**ly** *ad.* **pom·pos·i·ty** [pɑmpɑ́səti/pɔmpɔ́-] *n.*
ponce [pɑns/-ɔ-] *n.* Ⓒ 《英俗》 (매춘부의) 정부. — *vi.* 정부가 되다. — *vt.* 정부 노릇하다; 몰래 지내다.
pon·ceau [pɑnsóu/pɔn-] *n.* Ⓒ 개양귀비; Ⓤ 선홍색(鮮紅色).
pon·cho [pɑ́ntʃou/-ɔ́-] *n.* (*pl.* ~*s*) Ⓒ 판초《한가운데 구멍을 뚫어 머리를 내놓게 만든 외투》; (판초식) 비옷.
‡**pond** [pɑnd/-ɔ-] *n.* Ⓒ (연)못.
***pon·der** [pɑ́ndər/-ɔ́-] *vt., vi.* 숙고하다(*on, over*).
pon·der·a·ble [pɑ́ndərəbəl/-ɔ́-] *a.* 무게를 달 수 있는, 무게가 있는.
***pon·der·ous** [pɑ́ndərəs/-ɔ́-] *a.* 대단히 무거운; (무거워서) 다루기 힘든; 묵직한, 육중한; 답답한.
pone [poun] *n.* Ⓒ,Ⓤ 《美南部》 옥수수 빵(의 한 조각).
pon·gee [pɑndʒí:/-ɔ-] *n.* Ⓤ 견주(繭紬).
pon·go [pɑ́ŋgou/-ɔ́-] *n.* (*pl.* ~*s*) Ⓒ 유인원(類人猿), 성성이; 《英海俗》 (육군의) 군인, 육병(陸兵).
pon·iard [pɑ́njərd/-ɔ́-] *n.* Ⓒ 단검.
pon·tiff [pɑ́ntif/-ɔ́-] *n.* Ⓒ 교황; 주교; (유대교의) 제사장; 고위 성직자.
pon·tif·i·cal [pɑntífikəl] *a.* 교황〔주교〕의. — *n.* (*pl.*) 주교의 제복(祭服).
pon·tif·i·cate [pɑntífikit/-ɔ-] *n.* Ⓤ 교황〔주교〕의 지위〔직책·임기〕. — [-kèit] *vt., vi.* 거드름 피우며 이야기하다.
pon·toon [pɑntú:n/-ɔ-] *n.* Ⓒ 〖軍〗 (배다리용의) 납작한 배; (수상 비행기의) 플로트; (침몰선 인양용의) 잠함(潛函).
póntoon brídge 배다리, 부교(浮橋).
‡**po·ny** [póuni] *n.* Ⓒ 조랑말; 《美俗》 자습서; 《口》 작은 잔.
póny expréss 《美》 (말에 의한) 속달 우편.
póny tàil (뒤에 묶어) 드리운 머리.
P.O.O. 《英》 Post Office Order 우편환.
pooch [pu:tʃ] *n.* Ⓒ 《美俗》 (시시한) 개, 잡종개.
poo·dle [pú:dl] *n.* Ⓒ 푸들《작고 영리한 복슬개》.
poof [pu(:)f] *int.* (숨을 세게 내뿜어) 훅; =POOH.
pooh [pu:] *int.* 흥!; 체!
Pooh Bah [pú:bɑ́:] 여러 관직을 겸하는〔난체하는〕 남자《가극 *The Mikado* 에서》.
pooh-pooh [pú:pú] *vt., int.* 경멸하다; =POOH.
‡**pool**[1] [pu:l] *n.* Ⓒ 웅덩이; 작은 못; (냇물이) 괸 곳; (수영용) 풀; 《美》 유층(油層), 천연 가스층.
***pool**[2] *n.* Ⓒ (카드·경마 등의) 건 돈; 기업가 합동(의 구성원); 합동 자금; 《美俗》 (단체 등에서 공유하는) 시설, 설비; Ⓤ 《美》 내기 당구의 일종. — *vt.* 자금을〔물자를〕 합동하다.
póol·ròom *n.* Ⓒ 《美》 당구장; 장외 도박장.
poop[1] [pu:p] *n.* Ⓒ 고물(의 상갑판). — *vt.* (파도가) 고물을 치다.
poop[2] *vt.* 《美俗》 《보통 수동으로》 피로하게 하다(*I'm* ~*ed out.* 지쳤다).
poop[3] *n.* Ⓒ 《英俗》 하찮은 자; 바보, 멍청이.
†**poor** [puər] *a.* 가난한; 부족한; 빈약한; 초라한; 열등한; 조잡한; 불쌍

한; (토지가) 메마른; 시시한; 운수 나쁜; 형편이 좋지 못한. *∠·ly *a.*, *ad.*《口》건강이 시원치 않은; 가난하게; 초라하게; 빈약하게; 서투르게.

póor bòx 자선함(函).

póor bòy 샌드위치의 일종.

póor·hòuse *n.* Ⓒ (공립의) 구빈원(救貧院).

póor làw 빈민 구호법.

póor ràte《英》구빈세(稅).

póor whíte (미국 남부의) 가난한 백인.

pop**[1][pɑp/-ɔ-] *vi* (**-pp-**) 뻥 울리다〔소리내어 터지다〕; 탕 쏘다(fire)(*at*); 《口》불쑥 움직이다〔들어오다, 나가다, 가다, 오다〕(*in, out, up, down, off*). — *vt.* 뻥 소리를 나게 하다; 발포하다; (마개를) 뻥 뽑다; 《美》(옥수수를) 튀기다; 《口》갑자기 찌르다〔놓다, 넣다, 꺼내다〕(*in, out, on*); 《英俗》전당 잡히다; 부풀게 하다; 〖野〗내야 플라이를 치다; 《美俗》(경구 피임약을) 함부로 먹다. **~ *the question 《口》(여자에게) 구혼하다. — *n.* Ⓒ 펑〔뻥〕하는 소리; 발포; Ⓤ 탄산수. — *ad.* 뻥하고; 갑자기, 돌연히.

pop[2] (<*pop*ular) *a.* 통속적인. — *n.* Ⓤ 대중 가요; Ⓒ 그 곡.

pop[3] (<*papa*) *n.* Ⓒ 《美口》아버지; 아저씨《손윗 사람에 대한 호칭》.

pop. popular(ly); population.

P.O.P. 《英》Post Office Preferred; 〖寫〗printing-out paper (cf. D.O.P.); point of purchase 구매 시점(時點).

póp árt 《美》대중 미술《광고·만화·상업 미술 따위를 모방한》.

***pop·corn** [∠kɔ̀ːrn] *n.* Ⓤ《美》옥수수의 일종《잘 튀겨짐》; 튀긴 옥수수, 팝콘.

***Pope**[1], **p-**[poup] *n.* Ⓒ 로마 교황.

Pope[2], **Alexander** (1688-1744) 영국의 시인.

pop·er·y[póupəri] *n.* Ⓤ《蔑》가톨릭교(의 제도, 관습).

Pop·eye[pápai/pɔ́p-] *n.* 포파이《미국 만화의 주인공》.

póp·èyed *a.* 《口》퉁방울눈의; 눈이 휘둥그래진.

póp·gùn *n.* Ⓒ (장난감의) 공기총.

pop·in·jay[pápindʒèi/-ɔ́-] *n.* Ⓒ 수다스럽고 젠체하는 사람.

pop·ish[póupiʃ] *a.* 《蔑》가톨릭교의, 로마 교황의.

***pop·lar**[páplər/-ɔ́-] *n.* Ⓒ 포플라, 사시나무; Ⓤ 그 재목.

pop·lin[páplin/-ɔ́-] *n.* Ⓤ 포플린《옷감》.

póp·òver *n.* Ⓒ 속이 텅 빈 살짝 구운 과자.

pop·per[pápər/-ɔ́-] *n.* Ⓒ 펑 소리를 내는 사람〔물건〕; 《美》옥수수 튀기는 기구.

pop·pet[pápit/-ɔ́-] *n.* Ⓒ《英口》여자〔남자〕아이, (호칭으로) 예쁜애; 〖機〗양판; 선반 머리; 〖海〗침목《진수할 때 배 밑을 굄》.

***pop·py**[pápi/-ɔ́-] *n.* Ⓒ 〖植〗양귀비(의 꽃); Ⓤ 진홍색.

póppy·còck *n., int.* Ⓤ《美口》허튼 소리; 어처구니 없는!(bosh).

póp·shòp *n.*《英俗》=PAWNSHOP.

pop·si·cle[pápsikəl/-ɔ́-] *n.* Ⓒ 《美》아이스 캔디.

póp·tòp *a., n.* Ⓒ (깡통 맥주처럼) 잡아올려 따는 (용기).

***pop·u·lace**[pápjələs/-ɔ́-] *n.* (the ~) 서민, 대중; 하층 계급.

†**pop·u·lar**[pápjələr/-ɔ́-] *a.* 대중의〔에 의한〕; 민간의; 대중적〔통속적〕인; 인기 있는, 평판이 좋은; 대중용의; 유행의, 널리 행해지는. * **~·ly** *ad.* 일반적으로; 통속적으로.

pópular frònt, P- F-, the 인민전선.

‡**pop·u·lar·i·ty** [pàpjəlǽrəti/-ɔ̀-] *n.* Ⓤ 인기, 인망; 통속.

pop·u·lar·ize [pápjələràiz/-ɔ́-] *vt.* 통속적으로 하다, 대중화하다, 보급시키다. **-i·za·tion**[pàpjələrizéiʃən/pɔ̀pjələrai-] *n.*

pópular sóng 유행가.

pópular vóte 《美》(대통령 선거인을 뽑는) 일반 투표.

pop·u·late[pápjəlèit/-ɔ́-] *vt.* (…에) 주민을 거주시키다; 식민(植民)하다; (…에) 살다.

‡**pop·u·la·tion**[pàpjəléiʃən/-ɔ̀-] *n.* Ⓤ,Ⓒ 인구; 주민; 〖統〗모(母)집단.

Pop·u·list[pápjəlist/-ɔ́-] *n.* Ⓒ 〖美史〗인민당원. **-lism**[-lìzəm] *n.* Ⓤ 〖美史〗인민당의 주의.

***pop·u·lous**[pápjələs/-ɔ́-] *a.* 인구가 조밀한; 사람이 붐빈; 사람수가 많은.

póp-ùp *n.* Ⓒ 〖野〗내야 플라이. — *a.* ① 펑 튀어나오는. ② 〖컴〗팝업(~ *menu* 팝업 메뉴/*a* ~ *window* 팝업 윈도).

***por·ce·lain**[pɔ́ːrsəlin] *n.* Ⓤ 자기(磁器); 《집합적》자기 제품.

‡**porch**[pɔːrtʃ] *n.* Ⓒ 현관, 차 대는 곳; 《美》베란다.

por·cine[pɔ́ːrsain, -sin] *a.* 돼지의〔같은〕; 불결한.

por·cu·pine[pɔ́ːrkjəpàin] *n.* Ⓒ 〖動〗호저(豪猪).

***pore**[1][pɔːr] *vi.* 몰두하다, 숙고〔주시〕하다(*on, upon, over*).

pore[2] *n.* Ⓒ 털구멍; 세공(細孔); 기공(氣孔).

por·gy[pɔ́ːrgi] *n.* Ⓒ 도미 무리.

pork[pɔːrk] *n.* Ⓤ ① 돼지고기. ② 《美俗》(정부의 정략적) 보조금. **∠·er** *n.* Ⓒ 식용 돼지. **∠·y** *a.* 돼지의, 돼지 같은, 살찐.

pórk bàrrel 《美俗》선심 교부금《여당 의원의 인기를 높히기 위해 정부가 주는 정책적인 국고 교부금》.

pórk·pie hát 챙이 말린 꼭대기가 납작한 소프트 모자.

porn[pɔːrn] *n.*《俗》=PORNO.

por·no[pɔ́ːrnou] *n.* =PORNOGRAPHY. — *a.* =PORNOGRAPHIC.

por·nog·ra·phy[pɔːrnágrəfi/-ɔ́-] *n.* Ⓤ 포르노, 호색 문학; 《집합적》

포르노 영화〔책, 사진 따위〕. **por·no·graph·ic**[pɔ̀:rnəgrǽfik] *a.*

por·o·mer·ic[pɔ:rəmérik] *n.* Ⓤ 합성 다공 피혁(多孔皮革).

po·rous[pɔ́:rəs] *a.* 작은 구멍〔기공〕이 많은〔있는〕; 삼투성(滲透性)의. **po·ros·i·ty** [pourásəti / pɔ:rɔ́-] *n.* Ⓤ 다공성(多孔性), 유공성; 삼투성.

por·phy·ry[pɔ́:rfəri] *n.* Ⓤ 〖地〗 반암(斑岩).

por·poise[pɔ́:rpəs] *n.* Ⓒ 돌고래.

*__por·ridge__[pɔ́:ridʒ, pá-/-ɔ́-] *n.* Ⓤ 《주로 英》 (오트밀) 죽.

por·rin·ger [pɔ́:rindʒər, -á-/-ɔ́-] *n.* Ⓒ (수프·porridge용의) 우묵한 접시.

:**port**[1][pɔ:rt] *n.* Ⓒ 항구(harbor), 무역항; (세관이 있는) 항구; 항구 도시; (배의) 피난소; 공항. ***any ~ in a storm*** 궁여지책.

port[2] *n.* =PORTHOLE; 〖컴〗 단자, 포트.

port[3] *n., a.* Ⓤ 좌현(左舷)(의). ── *vt., vi.* 좌현으로 향(하게)하다.

port[4] *n.* Ⓤ 태도; (the ~) 〖軍〗 '앞에 총'의 자세. ── *vt.* '앞에 총'하다.

port[5] *n.* Ⓤ (달고 독한) 붉은 포도주; 포트 와인.

Port. Portugal; Portuguese.

*__port·a·ble__[pɔ́:rtəbəl] *a., n.* 들고 다닐 수 있는; (건물, 도서관 따위) 이동〔순회〕할 수 있는; Ⓒ 휴대용의 (라디오, 텔레비전, 타이프라이터); 〖컴〗 (프로그램이 다른 기종에) 이식(移植) 가능한; 휴대용의. **-bil·i·ty** [ㅡ-bíləti] *n.*

pórtable compúter 휴대용 컴퓨터.

pórt ádmiral 〖英海軍〗 해군 통제부 사령관.

por·tage[pɔ́:rtidʒ] *n.* Ⓤ 운반; 운임; (두 수로 사이의) 육로 운반; Ⓒ 연수 육로(連水陸路). ── *vt.* (배·화물 따위를) 연수 육로로 나르다.

*__por·tal__[pɔ́:rtl] *n.* Ⓒ (당당한) 문, 입구; 정문.

pórtal-to-pórtal pày (직장 문에 들어선 후 퇴근때까지의) 구속 시간제 임금.

Pórt Árthur (중국의) 뤼순(旅順)의 별칭.

port·cul·lis[pɔ:rtkʌ́lis] *n.* Ⓒ (옛날 성문의) 내리닫이 쇠살문.

por·tend[pɔ:rténd] *vt.* (…의) 전조(前兆)가 되다, 예고하다.

por·tent[pɔ́:rtənt] *n.* Ⓒ (흉사의) 전조; 흉조. **por·tén·tous** *a.* 불길한; 이상한; 놀라운.

:**por·ter**[1][pɔ́:rtər] *n.* Ⓒ ① 운반인, (역의) 짐꾼. ② 《美》 특등〔침대〕차의 사환.

*__por·ter__[2] *n.* Ⓒ 문지기; (건물의) 관리인.

por·ter[3] *n.* Ⓤ 흑맥주.

pórter·hòuse (stéak) *n.* Ⓤ,Ⓒ 《美》 고급 비프스테이크.

port·fo·li·o[pɔ:rtfóuliòu] *n.* (*pl.* **~s**) Ⓒ 종이 끼우개, 손가방; Ⓤ 장관의 직. ***a minister without ~*** 무임소 장관.

pórt·hòle *n.* Ⓒ 〖海〗 현창(舷窓); 포문(砲門).

por·ti·co [pɔ́:rtikòu] *n.* (*pl.* **~(*e*)*s***) Ⓒ 〖建〗 주랑(柱廊) 현관.

por·tiere[pɔ:rtjέər, -tiέər] *n.* (F.) Ⓒ (문간의) 막(幕), 커튼.

:**por·tion**[pɔ́:rʃən] *n.* Ⓒ ① 부분; 몫; (음식의) 일인분. ② 〖法〗 상속 재산; 지참금. ③ (*sing.*) 운명. ── *vt.* 분배하다(*out*); 몫〔상속분·지참금〕을 주다.

Port·land[pɔ́:rtlənd] *n.* 미국 Maine 〔Oregon〕 주의 항구 도시.

Pórtland cemént 포틀랜드 시멘트《모르타르·콘크리트용》.

port·ly[pɔ́:rtli] *a.* 비만한; 당당한.

port·man·teau[pɔ:rtmǽntou] *n.* (*pl.* **~s, ~x**[-z]) Ⓒ 《英》 대형여행 가방《양쪽으로 열리게 된》(cf. Gladstone bag).

portmánteau wòrd 〖言〗 두 단어가 합쳐 한 단어가 된 말《*brunch* (<*br*eakfast+l*unch*) 따위》.

:**por·trait**[pɔ́:rtrit, -treit] *n.* Ⓒ ① 초상(화); 인물 사진. ② (말에 의한) 묘사. ③ 〖컴〗 세로(방향).

por·trai·ture[pɔ́:rtrətʃər] *n.* Ⓤ 초상화법.

*__por·tray__[pɔ:rtréi] *vt.* ① (…의) 그림을 그리다. ② (말로) 묘사하다. ③ (극으로) 표현하다. **~·al** *n.* Ⓤ 묘사; Ⓒ 초상(화).

Ports·mouth[pɔ́:rtsməθ] *n.* 영국 남부의 해항(海港).

*__Por·tu·gal__[pɔ́:rtʃəgəl] *n.* 포르투갈.

*__Por·tu·guese__[pɔ̀:rtʃəgí:z, -s] *n.* (*pl.* ~) Ⓒ 포르투갈 사람; Ⓤ 포르투갈 말. ── *a.* 포르투갈의; 포르투갈 사람〔말〕의.

por·tu·lac·a[pɔ̀:rtʃəlǽkə] *n.* Ⓒ 〖植〗 채송화.

pórt wíne =PORT[5].

POS point-of-sale.

:**pose**[1][pouz] *n.* Ⓒ ① 자세, 포즈. ② 꾸민 태도, 겉꾸밈. ── *vi.* ① 자세〔포즈〕를 취하다. ② 짐짓 꾸미다, 가장하다(*as*). ── *vt.* ① 자세〔포즈〕를 취하게 하다. ② (문제 따위를) 제출〔제의〕하다. **pós·er**[1] *n.* Ⓒ 짐짓 꾸미는 사람.

pose[2] *vt.* (어려운 문제로) 괴롭히다. **pos·er**[2] *n.* Ⓒ 난문(難問).

Po·sei·don[pousáidən, pə-] *n.* 〖그神〗 바다의 신《로마 신화의 Neptune에 해당함》.

po·seur[pouzə́:r] *n.* (F.) Ⓒ 젠체하는 사람.

posh[1][pɑʃ/pɔʃ] *int.* 체!《경멸·혐오를 나타냄》.

posh[2] *a.* 《口》 멋진; 호화로운.

pos·i·grade[pázəgrèid/-ɔ́-] *a.* 로켓이나 우주선의 진행 방향에 추진력을 주는.

pos·it[pázit/-ɔ́-] *vt.* 놓다, 두다; 〖論〗 가정하다.

†**po·si·tion**[pəzíʃən] *n.* ① Ⓒ 위치; 장소. ② Ⓤ,Ⓒ 적소(適所), 소정의 위치(*be in* ~). ③ Ⓒ 자세; 태도, 견

해. ④ [U,C] 지위, (특히 높은) 신분. ⑤ Ⓒ 일자리, 직(職). ⑥ Ⓒ 처지, 입장. ***be in a* ～ *to*** do …할 수 있다. ***be out of* ～** 적소를 얻지 못하고 있다.

⁑**pos·i·tive**[pázətiv/-ɔ́-] *a.* ① 확실한; 명확한; 확신하는. ② 독단적인; 우쭐한. ③ 적극적인; 절대적인. ④ 실재의; 실제적인; 실증적인. ⑤ 《口》 순전한. ⑥ 〖理·醫〗 양(성)의; 〖數〗 양(陽)의; 〖寫〗 양화(陽畫)의; 〖文〗 원급(原級)의. — *n.* ① Ⓒ 실재; 현실. ② (the ～) 〖文〗 원급. ③ Ⓒ (전지의) 양극판; 〖寫〗 양화; 〖數〗 양수. ***～·ly** *ad.* 확실히; 절대적으로; 적극적으로. **～·ness** *n.*

pósitive electrícity 〖理〗 양(陽) 전기.

pósitive sígn 〖數〗 플러스 기호.

pos·i·tiv·ism[pázətivìzəm/-ɔ́-] *n.* Ⓤ 실증주의〔철학〕; 확신; 독단(주의). **-ist** *n.* Ⓒ 실증주의자〔철학자〕.

pos·i·tron[pázətràn/pɔ́zətrɔ̀n] *n.* Ⓒ 〖理〗 양전자(陽電子).

pósitron emìssion tomògraphy 〖醫〗 양전자 방사 단층 촬영(법) 《생략 PET》.

poss. possession; possessive; possible; possibly.

pos·se[pási/-ɔ́-] *n.* Ⓒ 경관대; (sheriff가 징집하는) 민병대.

⁑**pos·sess**[pəzés] *vt.* ① 소유〔점유〕하다. ② (악령 따위가) 들리다. ③ (마음·감정을) 지배하다; 유지하다. ④ 《古》 잡다, 손에 넣다, 획득하다. ***be ～ed by* 〔*with*〕** (악령 따위에) 들려 있다. ***be ～ed of*** …을 소유하고 있다. ***～ oneself*** 자제하다. ***～ oneself of*** …을 획득하다. **～ed** [-t] *a.* 홀린; 미친; 침착한.

⁑**pos·ses·sion**[pəzéʃən] *n.* ① Ⓤ 소유; 점유. ② (*pl.*) 소유물; 재산. ③ Ⓒ 영지, 속령(屬領). ④ Ⓤ 자제(自制). ***get* 〔*take*〕 *～ of*** …을 손에 넣다, 점유하다. ***in ～ of*** …을 소유하여. ***in the ～ of*** …의 소유의.

⁑**pos·ses·sive**[pəzésiv] *a.* ① 소유의; 소유욕이 강한; 소유를 주장하는. ② 〖文〗 소유(격)의. — *n.* 〖文〗 (the ～) 소유격, 소유대명사.

posséssive cáse 〖文〗 소유격.

posséssive prónoun 〖文〗 소유대명사.

***pos·ses·sor**[pəzésər] *n.* Ⓒ 소유자; 점유자. **-so·ry**[-ri] *a.*

pos·set[pásit/-ɔ́-] *n.* [C,U] 밀크주「(酒).

⁑**pos·si·bil·i·ty**[pàsəbíləti/-ɔ̀-] *n.* ① Ⓤ 가능성. ② Ⓒ 가능한 일. ③ Ⓒ (보통 *pl.*) 가망. ***by any* ～** 《조건에 수반하여》 만일에, 혹시; 《부정에 수반하여》 도저히 (…않다), 아무래도 (…않다). ***by some* ～** 어쩌면, 혹시.

†**pos·si·ble**[pásəbəl/-ɔ́-] *a.* ① 있을〔일어날〕 수 있는; 가능한. ② 《口》 웬만한, 참을 수 있는. ⁑**-bly** *ad.* 어쩌면, 아마; 무슨 일이 있어도, 어떻게든지 해서.

POSSLQ[páslkjùː/pɔ́s-] (< *p*erson of the *o*pposite *s*ex *s*haring *l*iving *q*uarters) *n.* Ⓒ 《美》 동거생활자《미국 인구 조사국의 용어》.

pos·sum[pásəm/-ɔ́-] *n.* 《口》 = OPOSSUM. ***play* 〔*act*〕 ～** 꾀병부리다; 죽은 체하다; 시치미떼다.

⁑**post**[1] [poust] *n.* ① Ⓒ 기둥. ② 〖競馬〗 (the ～) 출발〔결승〕의 표주(標柱). — *vt.* ① (고시 따위를 기둥에) 붙이다; (벽 따위에) 삐라를 붙이다 (*P- no bills.* 벽보 엄금); 게시하다. ② 《英》 (대학에서, 불합격자를) 게시하다. ③ 《美》 사냥 금지를 게시하다.

⁑**post**[2] *n.* Ⓒ ① 지위, 맡은 자리; 직분. ② (초병(哨兵)·경찰관의) 부서. ③ 주둔지; 주둔 부대. ④ 《美》 (재향군인회의) 지방 지부. ⑤ (미개지의) 통상(通常) 거류지. — *vt.* (보초 등을) 배치하다. **～ *a cordon*** 비상선을 펴다.

†**post**[3] *n.* ① (the ～) 《英》 우편. ② Ⓤ 《집합적》 《英》 우편물. ③ (the ～) 《英》 우체국; 우체통. ④ (P-) …신문(*the Sunday P-*). ***by* ～** 우편으로. ***by return of* ～** 편지받는 대로 곧《회답 바람》. ***general* ～** 우체국 놀이《실내 유희의 일종》; 아침의 (제 1 회) 배달 우편. — *vt.* 우송〔투함〕하다; 〖簿〗 (분개장에서 원장에) 전기하다; (최신 정보 등을) 알리다, 정통하게 하다. — *vi.* 역마〔역마차〕로 여행하다; 급히 여행하다; (말의 보조에 맞추어) 몸을 상하로 흔들다. — *ad.* 빠른 말(馬)로; 황급히.

post-[poust] *pref.* '후(後)(after)'의 뜻.

P.O.S.T. Pacific Ocean Security Treaty. 「금.

⁑**post·age**[póustidʒ] *n.* Ⓤ 우편 요

póstage dùe 우편 요금 부족.

póstage mèter (요금 별납 우편물의) 우편 요금 미터 스탬프.

⁑**póstage stàmp** 우표.

⁑**post·al**[póustəl] *a.* 우편의; 우체국의. — *n.* 《美口》 =⇩.

***póstal càrd** 《美》 우편 엽서.

póstal còde =POST-CODE.

Póstal Guíde Nùmber (영국의) 우편 번호.

post·al·i·za·tion[pòustəlizéiʃən/-lai-] *n.* Ⓤ 전지역 송료 균일제.

póstal (móney) òrder 우편환.

póstal sèrvice 우편 업무; (the P- S-)(미국) 우정 공사.

post·a·tom·ic[pòustətámik/-tɔ́-] *a.* 원자 폭탄 (사용) 이후의(*the ～ world*)(opp. preatomic).

póst-bàg *n.* Ⓒ 《英》 =MAILBAG.

post·bel·lum [pòustbéləm] *a.* (L.) 전후의(opp. antebellum).

póst·bòx *n.* Ⓒ 우체통(《美》 mailbox); (각 가정의) 우편함.

póst·bòy *n.* Ⓒ 우편물 집배인; = POSTIL(L)ION.

⁑**póst·càrd** *n.* Ⓒ 《英》 우편 엽서; 《美》 사제 (그림) 엽서.

póst chàise 역마차.
póst-còde *n.* Ⓒ 《英》 우편 번호 (《美》 zip code).
póst·dáte *vt.* 날짜를 실제보다 늦추어 달다.
post·ed[póustid] *a.* ① 지위가〔직장이〕 있는. ② 《口》 (사정에) 밝은, 정통한.
:post·er[póustər] *n.* Ⓒ ① 포스터, 벽보. ② 전단 붙이는 사람.
poste res·tante[pòust restɑ́:nt] (F.) 유치(留置) 우편《봉투에 표기》.
***pos·te·ri·or**[pastíəriər/pɔstíə-] *a.* ① (위치가) 뒤의, 후부의. ② (순서·시간이) 뒤의, 다음의(*to*). ③ 〖動〗 미부(尾部)의. — *n.* Ⓒ 엉덩이 (buttocks). **~·i·ty**[-ˌ-ɔ́rəti/-ɔ́-] *n.* Ⓤ (위치·시간이) 다음임.
:pos·ter·i·ty[pastérəti/pɔs-] *n.* Ⓤ 《집합적》 자손, 후세.
pos·tern[póustə:rn, pɑ́s-] *n., a.* Ⓒ 뒷문(의), 통용문(의); 작은 문; 내밀한.
Póst Exchànge 〖美陸軍〗 매점《생략 PX, P.X.》.
post·fac·tum[pòustfǽktəm] *a.* 사후(事後)의.
póst·frée *a.* 우편 요금 무료의.
pòst·glácial *a.* 후빙기의.
pòst·gráduate *a., n.* (대학 졸업 후의) 연구과의; Ⓒ 연구과〔대학원〕 학생(의, 을 위한).
póst·háste *n., ad.* Ⓤ 지급(으로).
póst hòrse 역마, 파발마.
post·hu·mous[pɑ́stʃuməs/pɔ́s-] *a.* 유복자(遺腹子)로 태어난; (저자) 사후에 출판된; 사후의.
pos·til·ion, 《英》 **-til·lion**[pous-tíljən, pɑs-] *n.* Ⓒ (마차말의 맨 앞줄 왼쪽 말에 타는) 기수장(騎手長).
pòst·impréssionism *n.* Ⓤ 〖美術〗 후기 인상파《Cézanne, Gogh, Gauguin, Matisse, Derain 등》.
post·lude [ˊlu:d] *n.* Ⓒ 〖樂〗 후주곡《예배후의 오르간 곡》; (악곡의) 종말부; 《一般》 종결부.
***post·man** [póustmən] *n.* Ⓒ 우편물 집배인. 「찍다).
póst·màrk *n., vt.* Ⓒ 소인(消印)(을
***póst·màster** *n.* Ⓒ 우체국장.
póstmaster géneral 《美》 우정공사 총재; 《英》 체신 공사 총재.
post me·rid·i·em [pòust mərídièm, -diəm] (L.) 오후《생략 p.m., P.M.》. 「장.
póst·mìstress *n.* Ⓒ 여자 우체국
post·mor·tem[poustmɔ́:rtəm] *a., n.* 사후(死後)의; Ⓒ 검시(檢屍)(의); 사후(事後) 토의.
†póst òffice ① 우체국. ② (the P-O-) 《英》 체신 공사; 《美》 우정성 《1971년 the Postal Service로 개편》. ③ 우체국 놀이《'우편' 배달이 늦어진 아이는 벌로서 키스를 청구당함》.
póst-office bòx 사서함《생략 P. O. Box》.
póst-office òrder 우편환.
pòst·óperative *a.* 수술 후의.

póst·páid *a., ad.* 《美》 우편 요금 선불의〔로〕.
:post·pone[poustpóun] *vt.* 연기하다. **~·ment** *n.*
post·pran·di·al [pòustprǽndiəl] *a.* 식후의.
póst·rìder *n.* Ⓒ (예전의) 파발꾼, 기마 우편 집배인.
póst ròad 우편 도로; 역마 도로.
***post·script**[póustskrìpt] *n.* Ⓒ (편지의) 추신(追伸), 추백(追白)《생략 P.S.》; 《英》 뉴스 방송 후의 해설.
post-traumátic stréss disòrder (정신적) 외상(外傷)후 스트레스 장애《생략 PTSD》.
pos·tu·lant[pɑ́stʃələnt/pɔ́s-] *n.* Ⓒ (특히 성직) 지원〔지망〕자.
pos·tu·late[pɑ́stʃəlèit/pɔ́s-] *vt., vi.* 요구하다(*for*); (자명한 것으로) 가정하다. — [-lit] *n.* Ⓒ 가정; 근본 원리, 필요 조건.
***pos·ture**[pɑ́stʃər/-ɔ́-] *n.* Ⓤ,Ⓒ 자세; Ⓒ 상태. — *vi., vt.* 자세를 취하다〔취하게 하다〕; …인 체하다. **pos·tur·al** *a.* 자세〔상태〕의; 위치상의.
***póst·wár** *a.* 전후의.
po·sy[póuzi] *n.* Ⓒ 꽃; 꽃다발.
:pot[pɑt/-ɔ-] *n.* ① Ⓒ 단지, 항아리, 화분, 병, 속깊은 냄비; 단지 하나 가득(한 물건); (물고기나 새우를 잡는) 바구니. ② (the ~) 《口》 한 번에 건 돈. ③ Ⓤ 《美俗》 마리화나. ***go to ~*** 영락〔파멸〕하다, 결딴나다. ***keep the ~ boiling*** 살림을 꾸려나가다; 경기좋게 계속해 가다. ***make the ~ boil*** 생계를 세우다. ***take a ~ at*** …을 겨냥하여 쏘다. — *vt.* (**-tt-**) 단지〔항아리〕에 넣다; 화분에 심다; 쏘다(shoot). — *vi.* 쏘다(*at*).
po·ta·ble[póutəbəl] *a.* (물이) 음료에 적합한. — *n.* (*pl.*) 음료, 술.
po·tage[poutɑ́:ʒ/pɔ-] *n.* (F.) Ⓤ 포타주《진한 수프》.
pót àle (위스키·알코올 따위의) 증류 찌끼. 「POTASSIUM.
pot·ash[pɑ́tæʃ/-ɔ́-] *n.* Ⓤ 잿물; =
***po·tas·si·um** [pətǽsiəm] *n.* Ⓤ 〖化〗 포타슘, 칼륨《기호 K》.
potássium brómide 브롬화칼륨.
potássium cárbonate 탄산칼륨.
potássium chlórate 염소산칼륨.
potássium chlóride 염화칼륨.
potássium cýanide 시안화칼륨.
potássium hydróxide 수산화칼륨.
potássium íodide 요오드화칼륨.
potássium nítrate 질산칼륨.
potássium permánganate 과망간산칼륨.
potássium súlfate 황산칼륨.
po·ta·tion[poutéiʃən] *n.* Ⓤ 마시기; Ⓒ (보통 *pl.*) 음주; Ⓤ 술.
†po·ta·to[pətéitou] *n.* (*pl.* **~es**) Ⓒ 감자; 《美》 고구마. ***drop a thing like a hot ~*** 당황하여 버리다. ***Irish*** 〔***white***〕 ***~*** 감자. ***sweet***

〔*Spanish*〕 ~ 고구마. 「레.
potáto bèetle 〔**bùg**〕 감자잎벌
potáto bòx 〔**tràp**〕《俗》 입.
potáto chìp 〔《英》 **crìsp**〕 얇게 썬 감자 튀김. 「구.
potáto màsher 감자 으깨는 도
po·ta·to·ry [póutətɔ̀:ri/-təri] *a.* 음주의; 술에 빠지는.
pót·bèlly *n.* Ⓒ 올챙이배(의 사람); (배가 불룩한) 난로.
pót·bòiler *n.* Ⓒ 생활을 위한 문학〔미술〕 작품(을 만드는 사람).
pót chèese 《美》 =COTTAGE CHEESE.
***po·tent**[póutənt] *a.* ① 힘센, 유력한; 세력〔효력〕이 있는. ② (남성이) 성적(性的) 능력이 있는. ③ (약 등) 효력이 있는. ④ (도덕적으로) 영향력이 강한. **~·ly** *ad.* **pó·ten·cy** *n.* Ⓤ 세력; 효력.
***po·ten·tate**[póutəntèit] *n.* Ⓒ 유력자; 세력가, 군주.
:**po·ten·tial**[pouténʃəl] *a.* ① 가능한; 잠재적인. ② 〖理〗 전위(電位)의; 〖文〗 가능법의(~ *mood*). ── *n.* Ⓤ ① 가능성; 잠세(潛勢); 잠재(능)력. ② 〖理〗 전위; 〖文〗 가능법《*I can do* it., He *may come.* 과 같은 'mood'》. **~·ly** *ad.* ***-ti·al·i·ty**[-̀ʃiǽləti] *n.* Ⓤ 가능성; Ⓒ 잠재력.
pót·hèad *n.* Ⓒ《美俗》 마리화나 중독자.
poth·er[pɑ́ðər/-ɔ́-] *n.* Ⓤ 소동; 자욱한 연기〔먼지〕. ── *vt., vi.* 괴롭히다; 걱정하다.
pót·hèrb *n.* Ⓒ 데쳐 먹는 야채; 조미용 야채.
pót·hòle *n.* Ⓒ ① 〖地〗 돌개 구멍《하상의 암석에 생긴》; (노면에 팬) 구멍. ② (수직으로 구멍이 난) 깊은 동굴. **-hòler** *n.* Ⓒ 동굴 탐험자. **-hòling** *n.* Ⓤ 동굴 탐험.
pót·hòok *n.* Ⓒ 불 위의 남비 따위를 매다는 S형 고리; 고리 달린 긴 부젓가락; (어린이의) 꼬부랑 글씨.
pót·hòuse *n.* Ⓒ《英》 (작은) 맥주집.
pót·hùnter *n.* Ⓒ 닥치는 대로 쏘는 사냥꾼; 상품을 노린 경기 참가자.
po·tion[póuʃən] *n.* Ⓒ (약 따위의) 1회 분량, 한 잔. 「음식.
pót·lùck *n.* Ⓤ 있는 것으로 장만한
pótluck sùpper 《美》 각자 먹을 것을 갖고 와서 하는 저녁 파티.
***Po·to·mac**[pətóumək] *n.* (the ~) 미국 Washington 시를 흐르는 강. 「두 스튜.
pót·pìe *n.* Ⓤ,Ⓒ 고기 파이; 고기 만
pót plànt (관상용의) 화분 식물, 분종(盆種).
pot·pour·ri [pòupurí:, poupúəri] *n.* (F.) Ⓒ 화향(花香)《꽃잎과 향료를 섞은 실내 방향제》; 혼성곡; (문학의) 잡집(雜集). 「파편.
pót·shèrd *n.* Ⓒ 사금파리, 도기의
pót·shòt *n.* Ⓒ 식용만을 목적으로 하는 총사냥; (잘 조준하지 않는) 근거리 사격.

pot·tage[pɑ́tidʒ/-ɔ́-] *n.* =POTAGE.
pot·ted[pɑ́tid/-ɔ́-] *a.* 화분에 심은; 단지〔항아리〕에 넣은; 병조림의.
***pot·ter**[1][pɑ́tər/-ɔ́-] *n.* Ⓒ 도공(陶工), 옹기장이. * **~·y** *n.* Ⓤ 도기, 오지 그릇; 도기 제조(업); Ⓒ 도기제조소, 가마.
pot·ter[2] *v.* 《英》 =PUTTER[1].
pótter's cláy 〔**éarth**〕 도토(陶土), 질흙.
pótter's fíeld 무연(無緣) 묘지.
pótter's whèel 녹로(轆轤), 물레.
Pótt's disèase[pɑ́ts-/-ɔ́-] 포트병, 척추 카리에스.
pot·ty[1][pɑ́ti/-ɔ́-] *a.* 《英口》 사소한; 쉬운; 미친 듯한. **pót·ti·ness** *n.*
pot·ty[2] *n.* Ⓒ 어린이용 변기, 《兒》 변소.
pótty-tràined *a.* 《英》 (어린애가) 대소변을 가리게 된.
pótty-tráining *n.* Ⓤ 대소변을 가리도록 길들임.
***pouch**[pautʃ] *n.* Ⓒ 작은주머니; 〖動〗 (캥거루 따위의) 육아 주머니. ── *vt.* 주머니에 넣다; 자루처럼 만들다; 오므라지게 하다. ── *vi.* 자루 모양으로 되다. **~ed**[-t] *a.* 주머니가 있는; (동물이) 유대(有袋)의.
poul·ter·er[póultərər] *n.* Ⓒ《주로 英》 가금상(家禽商), 새 장수.
poul·tice[póultis] *n., vt.* Ⓒ (…에) 찜질약〔습포약〕(을 붙이다).
***poul·try**[póultri] *n.* 《집합적》 가금(家禽)《닭·칠면조·오리 따위》.
***pounce**[1][pauns] *vi., vt.* 붙잡으려 들다(*upon, on*); 갑자기 덮치다〔오다, 튀다〕. ── *n.* Ⓒ 붙잡으려 덤벼듦, 급습. 「는) 지림분(止淋粉).
pounce[2] *n.* Ⓤ (잉크의 번짐을 막
†**pound**[1][paund] *n.* Ⓒ 파운드《무게 단위, 16온스, 453.6그램, 생략 lb.》; 파운드《영국 화폐 단위, 100 pence, 기호 £》.
***pound**[2] *vt.* 세게 연타하다; 짓빻다. ── *vi.* ① 세게 치다(*on*); 난타하다(*on, at*). ② (심장이) 두근거리다. ③ 쿵쿵 걷다(*about, along*). ── *n.* 타격; 치는 소리; 강타.
pound[3] *n., vi.* Ⓒ (주인 잃은 소·개 따위의) 우리(에 넣다); 동물을 넣는 울; 구치소; 구류하다.
pound·age[-̀idʒ] *n.* Ⓤ (무게·금액) 1파운드에 대한 수수료〔세금〕.
pound·al[-̀əl] *n.* Ⓒ 〖理〗 파운달《힘의 단위, 질량 1파운드의 질점(質點)에 작용하여 매초 1피트의 가속도를 일으키는 힘, 13.8 다인》.
póund càke 파운드 케이크《설탕·버터·밀가루를 각 1파운드씩의 비율로 섞어 만든 케이크》.
póund còin 파운드 화폐.
póund-fóolish *a.* 한푼을 아껴 천냥을 잃는(cf. penny-wise).
póund nèt (물속에 치는) 정치망(定置網).
póund nòte 《보통 숫자와 함께 써서》 …파운드 지폐(*a 5-~*, 5파운드 지폐).

póund sìgn 파운드 기호《£》.
póund stérling (영국 화폐) 1파운드.
:**pour**[pɔːr] *vt.* ① 쏟다, 붓다(*into, in, on*); (총알을) 퍼붓다. ② (은혜를) 많이 베풀다. ③ 도도히 말하다. — *vi.* 흘러 나오다(*down, forth, out*); 억수같이 퍼붓다. ***It never rains*** BUT ***it ~s.*** — *n.* Ⓒ 유출(流出); 호우(豪雨).
*__pout__[paut] *vi., n.* Ⓒ 입을 빼물다〔삐죽거림〕; 뾰루퉁하다〔하기〕. — *vt.* (입을) 삐죽 빼물다〔고 말하다〕. **∠·y** *a.* 찌무룩한.
:**pov·er·ty**[pávərti/-ɔ́-] *n.* Ⓤ ① 가난. ② 빈약; (필요물의) 결핍(*in, of*). ③ 불모.
póverty lìne 빈곤(소득)선《최저 생활 유지에 필요한 소득 수준》.
póverty-strìcken *a.* 매우 가난한.
póverty tràp 《英》 빈곤의 올가미《수입이 늘면 국가의 보호 수당을 받지 못해 오히려 빈곤에서 벗어나지 못하는 상황을 이름》.
pow[pau] *int.* 펑, 꽝《타격이나 파열 소리》.
POW, P.O.W. prisoner of war.
:**pow·der**[páudər] *n.* ① Ⓤ 가루, 분말. ② Ⓤ 가루분(face powder); Ⓒ 가루약; Ⓤ 화약(gunpowder). ③ =POWDER BLUE. — *vt., vi.* 가루로 하다〔가 되다〕(*~ed egg* 분말 달걀/ *~ed milk* 분유); 가루를 뿌리다; 가루분을 바르다. **~·y**[-i] *a.* 가루(모양)의; 가루투성이의; 가루가 되기 쉬운, 무른.
pówder blúe 담청색(light blue) (가루 물감).
pówder hòrn 뿔로 만든 화약통.
pówder kèg (옛날의) 화약통; 위험한 상황.
pówder magazìne 화약고(庫).
pówder mìll 화약 공장.
pówder mònkey (군함의) 소년 화약 운반수; 다이너마이트 장치원.
pówder pùff 분첩.
pówder ròom 화장실; 여성용 세면소; 욕실(浴室).
†**pow·er**[páuər] *n.* ① Ⓤ 힘; 능력. ② (*pl.*) 체력; 지력, 정신력. ③ Ⓤ 세력, 권력, 지배력; 정권. ④ Ⓒ 유력자; 강국. ⑤ Ⓒ 〖數〗 멱(冪), 거듭제곱. ⑥ Ⓤ 〖理〗 작업률, 공률; 〖機〗 동력; (렌즈의) 확대력. ⑦ Ⓒ (보통 *pl.*) 신(神). ***a ~ of*** 《口》 많은. ***in one's ~*** 힘이 미치는 범위내에; 지배하에. ***~ of attorney*** 위임장. ***the Great Powers*** 열강(列強). ***the ~s that be*** 당국.
pówer bàse (정치 운동의) 지반.
pówer·bòat *n.* Ⓒ 발동기선, 모터보트.
pówer càble 〖電〗 고압선.
pówer cùt (일시적) 송전 정지, 정전.
pówer dìve 〖空〗 (엔진을 건 채로의) 급강하.
pówer drìll 동력 천공기.
:**pow·er·ful**[páuərfəl] *a.* 강력한; 유력한; 《주로 方》 많은. **~·ly** *ad.* **~·ness** *n.*
pówer gàme 권력 획득 경쟁.
pówer gàs 동력 가스.
pówer·hòuse *n.* Ⓒ 발전소.
*__pówer·less__ *a.* 무력한, 무능한. **~·ly** *ad.* **~·ness** *n.*
pówer lìne 〖電〗 송전선.
pówer lòom 동력 직기(織機).
pówer pàck 〖電〗 전원함(電源函).
pówer plànt 발전소; 발전 장치.
pówer plày 〖美蹴〗 파워 플레이《집단 집중 공격》; (기업·정치상의) 공격적 행동 작전.
pówer pólitics 무력 외교.
pówer reàctor 동력로(爐).
pówer shòvel 동력 삽.
pówer státion =POWERHOUSE.
pówer stéering (자동차의) 파워 스티어링, 동력 조타(操舵) 장치.
pówer strùcture 《美》 권력 기구.
pówer tàke-off (트럭·트랙터의) 동력 인출(引出) 장치.
pówer ùnit 내연 기관.
pow·wow[páuwàu] *n.* Ⓒ (북아메리카 원주민이 질병의 완쾌·사냥의 성공 따위를 비는) 주문(呪文) 의식; 북아메리카 원주민〔과의〕 회의; 《美口》 회의, 회합. — *vi.* ~의 의식을 행하다; 《美口》 협의하다.
pox[paks/-ɔ-] *n.* (the ~) 매독.
pp 〖樂〗 *pianissimo.* **pp.** pages; past participle. **p.p.** parcel post; past participle; postpaid; =PER PRO. **ppb, PPB** part(s) per billion, 10억분의…. **PPB(S)** planning, programming, budgeting (system) 컴퓨터에 의한 기획·계획·예산 제도. **P.P.C., p.p.c.** *pour prendre congé* (F. =to take leave).
PP fáctor 〖生化〗 (<pellagra-preventive factor) 항(抗)펠라그라 인자《펠라그라 예방에 쓰는 니코틴산·니코틴산아미드》.
PPHM, pphm part(s) per hundred million, 1억분의…. **PPI** Plan Position Indicator 고성능 전파 탐지기(電波探知機). **ppl., p.pl.** participial. **PPM, ppm, p.p.m.** par(s) per million, 100만분의…; 〖컴〗 pages per minute 쪽수/분. **ppr., p.pr.** present participle. **P.P.S.** *post postscriptum* (L. =additional postscript). **PPV, ppv** pay-per-view (TV의) 프로그램 유료 시청제. **Pr** 〖化〗 praseodymium. **Pr.** Provençal. **Pr., pr.** preferred (stock) 우선(주). **pr.** pair(s); present. **P.R.** Proportional Representation 비례 대표; public relations; Puerto Rico. **P.R.A.** President of the Royal Academy.
*__prac·ti·ca·ble__ [prǽktikəbəl] *a.* ① 실행할 수 있는. ② 실용에 맞는. ③ (도로 따위) 통행할 수 있는. **-bil-**

i·ty[⌐──bíləti] *n.*
‡prac·ti·cal[prǽktikəl] *a.* ① 실지의, 실제적인. ② 실용적인; 유용한. ③ 실지 경험이 있는; 노련한. ④ 실질상의; 분별 있는(*a ~ mind*). **‡~·ly** *ad.* 실제로; 실질상; 실용적으로; 거의.
práctical jóke 못된 장난.
práctical núrse 환자 시중 전문의 간호사.
†prac·tice[prǽktis] *n.* ① Ⓤ 실시, 실행; 실제. ② ⓊⒸ (개인의) 습관, (사회의) 관습. ③ Ⓒ 연습; 숙련. ④ Ⓒ (의사·변호사 등의) 업무. ⑤ Ⓤ 〖法〗 소송 절차. ***be in ~*** 연습[숙련]돼 있다; 개업하고 있다. ***in ~*** 실제상으로는. ***out of ~*** 연습 부족으로. ***put ... into* [*in*] *~*** …을 실행하다. — *vt.* ① 늘 행하다; 실행하다. ② 연습[훈련]하다. ③ (의사·변호사 등을) 업으로 하다. — *vi.* ① 습관적으로 하다. ② 연습하다(*on, at, with*). ③ (의사·변호사 등이) 개업하다. ④ (약점에) 편승하다, 속이다(*on, upon*). **~d**[-t] *a.* 연습[경험]을 쌓은. ***~d hand*** 숙련가.
práctice-téach *vi.* 교육 실습을 하다.
práctice tèacher 교육 실습생.
práctice tèaching 교육 실습.
prac·ti·cian[præktíʃən] *n.* Ⓒ 숙련자; 실제가; =PRACTITIONER.
‡prac·tise[prǽktis] *vt., vi.* 《英》 = PRACTICE.
***prac·ti·tion·er**[præktíʃənər] *n.* Ⓒ 개업자, 《특히》 개업의(醫), 변호사.
prae·no·men[priːnóumən, -men] *n.* (*pl.* ***-nomina***[-námina/-ɔ́-]) Ⓒ 〖古로〗 첫째 이름《Gaius Julius Caesar의 Gaius》.
prae·pos·tor [priːpástər/-ɔ́-] *n.* Ⓒ《英》('public school'의) 반장.
prae·tor[príːtər] *n.* Ⓒ 〖로史〗 집정관(執政官)(consul); (후에, consul 다음가는) 행정관.
prag·mat·ic[prægmǽtik], **-i·cal** [-əl] *a.* 쓸데없이 참견하는; 독단적인; 〖哲〗 실용주의의; 실제적인; 활동적인. **-i·cal·ly** *ad.*
prag·ma·tism[prǽgmətìzəm] *n.* Ⓤ 쓸데없는 참견; 독단(성); 실제적임; 〖哲〗 실용주의. **-tist** *n.* Ⓒ 〖哲〗 실용주의자; 참견하는 사람.
***Prague**[prɑːg] *n.* 프라하《체코의 수도》.
‡prai·rie[prέəri] *n.* Ⓒ 대초원《특히 북아메리카의》.
práirie chìcken (북아메리카산) 뇌조(雷鳥)의 일종.
práirie dòg 〖動〗 (북아메리카산) 마멋(marmot)의 무리.
práirie schòoner 《美》 (개척 시대의) 대형 포장 마차.
Práirie Stàte 《口》 Illinois주의 딴 이름.
práirie wòlf =COYOTE.
‡praise[preiz] *n., vt.* Ⓤ 칭찬(하다); (신을) 찬미(하다).
práise·wòrthy *a.* 칭찬할 만한, 기특한.
pra·line[prɑ́ːliːn] *n.* ⓊⒸ 호두·아몬드를 넣은 사탕.
pram[præm] (<perambulator) *n.* Ⓒ《英口》 유모차.
***prance**[præns/-ɑː-] *vi* ① (말이 기운이 뻗쳐) 뒷다리로 뛰다(*along*). ② (사람이) 말을 껑충껑충 뛰게 하여 나아가다. ③ 뻐기며 걷다(*about*); 뛰어돌아다니다. — *n.* (a ~) 도약.
prang[præŋ] *n., vt.* Ⓒ《英俗》 맹폭격(하다), 격추시키다; 추락(시키다).
***prank**[1][præŋk] *n.* Ⓒ 농담, 못된 장난. **⌐·ish** *a.* 장난의; 장난을 좋아하는.
prank[2] *vt., vi.* 장식하다(*with*); 성장(盛裝)하다, 잘 차려입다(*up, out*).
pra·se·o·dym·i·um [prèiziou-dímiəm, -si-] *n.* Ⓤ 〖化〗 프라세오디뮴《희금속 원소; 기호 Pr》.
prat[præt] *n.* Ⓒ 《俗》 궁둥이.
prate[preit] *n., vt., vi.* Ⓤ (재잘재잘) 쓸데 없는 말(을 하다), 수다 떨다.
prat·fall[prǽtfɔːl] *n.* Ⓤ 《俗》 엉덩방아; 실수.
prat·tle[prǽtl] *vi., vt., n.* Ⓤ 어린애 같이 (멋대로) 지껄이다; 혀짤배기 소리(를 하다); 수다 (떨다); (물 따위) 졸졸하는 소리.
Prav·da[prɑ́ːvdə] *n.* (Russ. = truth) 옛 소련 공산당 기관지(cf. Izvestia).
prawn[prɔːn] *n.* Ⓒ 〖動〗 참새우.
prax·is[prǽksis] *n.* (*pl.* ***praxes*** [-siːz]) ⓊⒸ 습관, 관례; 연습; 응용; 〖文〗 예제, 연습 문제(집).
‡pray[prei] *vi.* 간원하다(*for*); 빌다, 기도하다(*to*). — *vt.* (…에게) 바라다; 기원하다; 기원하여 이루어지게 하다(*out, into*); 제발. ***be past ~ing for*** 개전(改悛)의 가망이 없다. **⌐·er**[1] *n.* Ⓒ 기도[기원]하는 사람.
‡prayer[2] [prεər] *n.* ① Ⓤ 기원; 간원. ② Ⓤ 기도식; 기도의 문구. ③ Ⓒ 기도의 목적물. ***the Book of Common P-*** (영국 국교회의) 기도서. ***the*** LORD***'s P-.***
práyer bòok[prέər-] 기도서.
prayer·ful[prέərfəl] *a.* 기도에 열심인, 신앙심 깊은.
práy-ìn *n.* Ⓒ《美》 기도로 항의하는 「집회.
práying mántis 〖蟲〗 사마귀.
PRC People's Republic of China. **P.R.B.** Pre-Raphaelite Brotherhood. 「따위의 뜻.
pre-[priː, pri] *pref.* '전, 앞, 미리'
‡preach[priːtʃ] *vi.* 설교하다; 전도하다. — *vt.* 설교하다; (도를) 전하다; 창도(唱道)하다. ***⌐·er** *n.* Ⓒ 설교자; 목사. **~·i·fy**[⌐əfài] *vi.* 《口》 지루하게 설교하다. ***⌐·ing** *n.* ⓊⒸ 설교. **⌐·ment** *n.* ⓊⒸ 설교; 지루한 설교. **⌐·y** *a.* 《口》 설교하기 좋아하는, 설교적인.
pre·am·ble[príːæmbəl/-⌐-] *n.*

Ⓒ (법률·조약 등의) 전문(前文), 머리말.
pre·ámplifier *n.* Ⓒ 〖電〗 전치(前置) 증폭기. 「예보.
prè·annóuncement *n.* Ⓤ 예고,
prè·arránge *vt.* 미리 타합〔상의〕하다; 예정하다. **~ment** *n.*
prè·atómic *a.* 《美》 원폭 (사용) 이전의(opp. postatomic).
preb. prebendary.
preb·end[prébənd] *n.* Ⓒ (cathedral이나 collegiate church에 속하는 목사의) 봉급, 성직급(給); = PREBENDARY. **-en·dar·y**[prébəndèri/-dəri] *n.* Ⓒ 수급(受給) 성직자.
prec. preceding.
Pre·cam·bri·an[prì:kǽmbriən] *n., a.* (the ~) 〖地〗 선(先)캄브리아기(紀)(의).
pre·can·cel[prì:kǽnsəl] *vt.* (《英》 *-ll-*) (우표에) 사용 전에 소인을 찍다.
*__pre·car·i·ous__ [prikέəriəs] *a.* ① 남의 뜻에 좌우되는. ② 불안정한. ③ 위험한. **~·ly** *ad.*
pre·cast[prì:kǽst/-á:-] *vt.* (~), *a.* 〖建〗 (콘크리트를) 미리 틀에 넣어 만들다〔만든〕, 프리카스트의.
précast cóncrete 〖土〗 (조립용) 콘크리트 부품.
:**pre·cau·tion**[prikɔ́:ʃən] *n.* ① Ⓤ 조심, 경계. ② Ⓒ 예방책(*against*). **~·ar·y**[-nèri/-nəri] *a.*
:**pre·cede**[prisí:d] *vt., vi.* ① 앞서다; 선행(先行)하다. ② (…의) 상위에 앉다, …보다 중요하다〔낫다〕, (…에) 우선하다. **-cé·dence, -den·cy** *n.* Ⓤ 선행; 상위, 상석; 우선권; 〖컴〗 우선 순위. *__-céd·ing__ *a.* 선행하는, 앞의; 전술(前述)한.
*__prec·e·dent__ [présədənt] *n.* Ⓒ 선례; Ⓤ,Ⓒ 〖法〗 판례. **pre·ced·ent** [prisí:dənt] *a.* …에 앞서는, 앞의.
pre·cen·sor[prisénsər] *vt.* (출판물·영화 등을) 사전 검열하다.
pre·cen·tor[priséntər] *n.* Ⓒ (교회 성가대의) 선창자(先唱者).
*__pre·cept__[prí:sept] *n.* ① Ⓤ,Ⓒ 교훈; 격언. ② Ⓒ 〖法〗 명령서.
pre·cep·tor[priséptər] *n.* Ⓒ 교훈자, 교사.
pre·ces·sion[priséʃən] *n.* Ⓤ,Ⓒ 선행; 〖天〗 세차(歲差) (운동).
precéssion of the équinoxes 〖天〗 세차 운동.
*__pre·cinct__[prí:siŋkt] *n.* Ⓒ ① 《주로 英》 경내(境內), 구내. ② (행정) 관구(管區); (*pl.*) 경계, 주위, 부근.
pre·ci·os·i·ty [prèʃiásəti/-ɔ́-] *n.* Ⓤ (말씨 따위에) 몹시 신경을 쓰기 〔까다롭게 굴기〕, 점잔빼기.
:**pre·cious**[préʃəs] *a.* ① 귀중한, 비싼; 소중한. ② 귀여운. ③ 점잔빼는; 꾀까다로운. ④ 《口》 지독한, 순전한; 《反語》 대단한(*a ~ fool*). — *ad.* 《口》 대단히. — *n.* Ⓒ 《호칭》 소중한 사람(*My ~!*). **~·ly** *ad.* **~·ness** *n.*
précious métals 귀금속.
précious stóne 보석. 「벼랑.
*__prec·i·pice__[présəpis] *n.* Ⓒ 절벽,
pre·cip·i·tant[prisípətənt] *a.* 거꾸로 떨어지는, 곤두박이치는; 저돌적으로 돌진하는; 돌연한; 성급한. — *n.* Ⓒ 〖化〗 침전제. **-tance, -tan·cy** *n.* Ⓤ 몹시 허둥댐, 경솔, 황급; Ⓒ 경솔한 행위.
*__pre·cip·i·tate__[prisípətèit] *vt., vi.* ① 거꾸로 떨어뜨리다〔떨어지다〕, 곤두박이치(게 하)다. ② 무턱대고 재촉하다, 촉진하다. ③ 〖化〗 침전시키다〔하다〕; 〖氣〗 응결시키다〔하다〕. — [-tit, -tèit] *a.* 거꾸로의; 무모〔경솔〕한; 돌연한. — [-tit, -tèit] *n.* Ⓤ,Ⓒ 〖化〗 침전물; 〖氣〗 응결한 수분《비·눈 따위》. **~·ly**[-titli] *ad.*
*__pre·cip·i·ta·tion__[prisìpətéiʃən] *n.* ① Ⓤ 거꾸로 투하〔낙하〕하기; 투하, 낙하. ② Ⓤ 화급(火急), 황급; 촉진; 경솔. ③ Ⓤ 침전; Ⓒ 침전물; Ⓤ 강수《비·눈·이슬 따위》; 강수량.
*__pre·cip·i·tous__ [prisípətəs] *a.* 험한; 성급한, 경솔한.
pré·cis[préisi:, —ˊ] *n.* (F.) (*pl.* ~ [-z]) Ⓒ 대요, 개략.
:**pre·cise**[prisáis] *a.* ① 정확한. ② 세심한; 꼼꼼한. ③ 조금도 틀림없는. ***to be ~*** 《독립구》 정확히 말하면. :**~·ly** *ad.* 정확히; 《대답으로서》 바로 그렇다. **~·ness** *n.*
pre·ci·sian[prisíʒən] *n.* Ⓒ 딱딱한〔꼼꼼한〕 사람.
*__pre·ci·sion__[prisíʒən] *n., a.* Ⓤ 정확(한), 정밀(한); 〖컴〗 정밀도.
precísion bómbing 정조준 폭격.
precísion ínstrument 정밀 기계.
pre·clude[priklú:d] *vt.* 제외하다; 방해하다(*from*); 불가능하게 하다.
pre·clu·sion[-ʒən] *n.* **pre·clú·sive** *a.* 제외하는; 방해하는(*of*).
pre·co·cious[prikóuʃəs] *a.* 조숙한, 올된; 〖植〗 일되는, 올벼의.
pre·coc·i·ty[-kásəti/-ɔ́-] *n.*
prè-Colúmbian *a.* (Columbus의) 아메리카 발견 이전의.
pre·con·ceive [prì:kənsí:v] *vt.* 예상하다. ***~d idea*** 선입관, 편견.
pre·con·cep·tion[prì:kənsépʃən] *n.* Ⓒ 예상; 선입관.
pre·con·cert[prì:kənsə́:rt] *vt.* 미리 협정〔상의〕하다.
pre·con·di·tion[prì:kəndíʃən] *n.* Ⓒ 전제 조건. — *vt.* 미리 조건을 조성해 놓다.
pre·co·nize[prí:kənàiz] *vt.* (공공연히) 선언〔성명〕하다; 기리다; 소환하다; 〖가톨릭〗 (교황이 주교를) 임명하다.
pre-Cónquest *a.* the NORMAN CONQUEST 이전의.
pre·cur·sor[prikə́:rsər] *n.* Ⓒ 선구자; 선배; 전조(前兆). **-so·ry** *a.* 전조의.
pred. predicate; predicative.
pre·da·cious, -ceous[pridéiʃəs] *a.* 〖動〗 포식성(捕食性)의, 육식성의.
pre·da·tion[pridéiʃən] *n.* Ⓤ 약탈;

P

〖生〗 포식(捕食).
pred·a·tor[prédətər] *n.* Ⓒ 약탈자; 〖生〗 포식자, 육식 동물.
pred·a·to·ry[prédətɔ̀:ri/-təri] *a.* 약탈하는; =PREDACIOUS.
***pre·de·ces·sor** [prèdisésər, ⌐–⌐–/prí:disèsər] *n.* Ⓒ ① 전임자. ② 앞서의 것. ③ 《古》 선조.
pre·des·ti·nate[pridéstənèit] *vt.* 예정하다; (신이) 예정하다. — [-nit] *a.* 예정된, 숙명의. **-na·tion** [–⌐–néiʃən] *n.* Ⓤ 예정; 숙명; 〖神〗 운명 예정설.
pre·des·tine[pridéstin] *vt.* (신이 운명을) 예정하다.
***pre·de·ter·mine** [prì:ditə́:rmin] *vt.* 미리 결정하다〔방향을 정하다〕; 예정하다. **-mi·na·tion**[⌐–⌐mənéiʃən] *n.*
pred·i·ca·ble[prédikəbəl] *a., n.* Ⓒ 단정할 수 있는 (것); 속성.
***pre·dic·a·ment**[pridíkəmənt] *n.* Ⓒ 상태; 궁경(窮境).
pred·i·cate[prédikit] *n., a.* Ⓒ 〖文〗 술어(의), 술부(의); 〖論〗 빈사(賓辭)(의); 〖컴〗 술어. — [-kèit] *vt.* 단언하다; 서술하다. **-ca·tion** [⌐–kéiʃən] *n.* Ⓤ,Ⓒ 단언; 〖文〗 서술.
***pred·i·ca·tive**[prédikèitiv/pridíkətiv] *a.* 〖文〗 서술〔술어〕적인(opp. attributive). — *n.* ~·**ly** *ad.*
pred·i·ca·to·ry[prédikətɔ̀:ri/-təri] *a.* 설교의, 설교하는, 설교에 관한.
:**pre·dict**[pridíkt] *vt., vi.* 예언하다. ***pre·dic·tion** *n.* Ⓤ 예언(하기). **pre·dic·tive** *a.* **pre·dic·tor** *n.* Ⓒ 예언자; 〖軍〗 대공(對空) 조준 산정기(算定機).
pre·di·gest [prì:didʒést, -dai-] *vt.* (음식을) 소화하기 쉽게 요리하다; 쓰기〔알기〕 쉽게 간단히 하다.
pre·di·lec·tion[prì:dəlékʃən] *n.* Ⓒ 좋아함, 편애(偏愛)(*for*).
pre·dis·pose[prì:dispóuz] *vt.* 미리 (…에) 기울게 하다(*to, toward*); (병에) 걸리기 쉽게 하다(*to*). ***-po·si·tion**[⌐–pəzíʃən] *n.* Ⓒ 경향(*to*); 〖病〗 소인(素因)(*to*).
***pre·dom·i·nant** [pridámənənt/-ɔ́-] *a.* 우세한; 뛰어난; 현저한. ~·**ly** *ad.* **-nance** *n.*
pre·dom·i·nate[pridámənèit/-ɔ́-] *vi.* 지배하다(*over*); 우세하다(*over*). **-na·tion**[–⌐–néiʃən] *n.*
pre·e·lec·tion[prì:ilékʃən] *n., a.* Ⓒ 예선(의); 선거전의 (운동).
pree·mie[prí:mi] *n.* Ⓒ 《美口》 조산아.
pre·em·i·nent [priémənənt] *a.* 발군의, 뛰어난; 현저한. ~·**ly** *ad.* **-nence** *n.*
pre·empt[priémpt] *vt.* 선매권(先買權)에 의하여 (공유지를) 획득하다; 선취하다. **pre·émp·tion** *n.* Ⓤ 선매(권). **pre·émp·tive** *a.* 선매의, 선매권 있는.
preen[pri:n] *vt.* (새가) 부리로 (날개를) 다듬다; 몸단장〔몸치장〕하다 (~ *oneself*).
prè·exist *vi.* 선재(先在)하다. ~·**ence** *n.* Ⓤ (영혼) 선재.
pref. preface; prefactory; preference; preferred; prefix.
pre·fab[prí:fæ̀b] *n., a.* Ⓒ 조립(組立) 가옥(의). — *vt.* (-**bb**-) =⇩.
pre·fab·ri·cate[pri:fǽbrikèit] *vt.* (가옥 따위의) 조립 부분품을 제조하다. ~**d house** 조립 가옥〔주택〕.
:**pref·ace**[préfis] *n., vt.* Ⓒ (책의) 서문〔머리말〕(을 쓰다); 허두(虛頭)(를 놓다), 시작하다(*by, with*).
pref·a·to·ry [préfətɔ̀:ri/-tə-], **-ri·al**[prèfətɔ́:riəl] *a.* 서문의, 머리말의; 허두의, 서두의.
pre·fect[prí:fekt] *n.* Ⓒ (고대 로마의) 장관; (프랑스의) 지사(知事); 《英》 (public school의) 반장.
:**pre·fec·ture**[prí:fektʃər] *n.* Ⓤ prefect의 직(職)〔직권·임기〕; Ⓒ prefect의 관할 구역〔관저〕; 도(道), 현(縣). **-tur·al**[–⌐tʃərəl] *a.*
:**pre·fer**[prifə́:r] *vt.* (-**rr**-) ① (오히려 …을) 좋아하다, 택하다(~ *tea to coffee* 커피보다 홍차를 좋아하다). ② 제출하다. ③ 승진시키다. ④ 〖法〗 우선권을 주다. ~·**ment** *n.* Ⓤ 승진; 〖宗〗 고위(高位).
***pref·er·a·ble**[préfərəbəl] *a.* 택할 만한, 오히려 나은, 바람직한. ***-bly** *ad.* 오히려, 즐겨, 이왕이면.
:**pref·er·ence**[préfərəns] *n.* ① Ⓤ 선택; 편애(*to, for, over*). ② Ⓒ 좋아하는 것. ③ Ⓤ,Ⓒ 우선권; (관세의) 특혜.
préference shàre 〔**stòck**〕 우선주(株).
pref·er·en·tial[prèfərénʃəl] *a.* 우선의; 선택적인; 특혜의.
preferéntial shóp 노동 조합원 우대 공장, 노동 조합 특약 공장.
preferéntial táriff 특혜 관세.
preferéntial tráding agrèement 특혜 무역 협정《생략 PTA》.
preferéntial vóting 순위 지정 연기(連記) 투표.
preférred shàre 〔**stòck**〕 우선주(株).
pre·fig·ure[pri:fígər] *vt.* 미리 나타내다, 예시하다; 예상하다.
:**pre·fix**[prí:fiks] *n.* Ⓒ 〖文〗 접두사 (cf. affix, suffix). — [–⌐] *vt.* 앞에 놓다; 접두사로 붙이다(*to*).
pre·for·ma·tion[prì:fɔrméiʃən] *n.* Ⓤ 사전 형성(~ *theory* 〖生〗 (개체 발생에 대한) 전성설(前成說)).
preg[preg] *a.* 《口》 임신한.
pre·gla·cial[pri:gléiʃəl] *a.* 빙하기 전의.
preg·na·ble[prégnəbəl] *a.* 공략할 수 있는; 공격당하기 쉬운.
***preg·nant**[prégnənt] *a.* ① 임신한. ② (…이) 가득 찬(*with*); 풍부한. ③ 뜻깊은, 함축성 있는. **-nan·cy** *n.*
pre·hen·sile[prihénsil/-sail] *a.* 〖動〗 (발·꼬리가) 잡기〔감기〕에 알맞은, 휘감기는.
***pre·his·tor·ic**[prì:histɔ́:rik/-tɔ́r-],

-i·cal[-əl] *a.* 유사 이전의.

pre·ig·ni·tion[prìːigníʃən] *n.* Ⓤ 조기 착화《내연기관의》.

pre·in·for·ma·tion[prìːinfərméiʃən] *n.* Ⓤ 미리〔사전에〕 정보를 알림〔알고 있음〕.

pre·judge[priːdʒʌ́dʒ] *vt.* 미리 판단하다; 심리(審理)하지 않고 판결하다. ~**·ment** *n.*

‡prej·u·dice[prédʒədis] *n.* ① Ⓤ,Ⓒ 편견, 비뚤어진 생각(*against*). ② Ⓤ 〖法〗 손해, 불리. ── *vt.* 편견을 갖게 하다; 해치다, 손상시키다. ~**d** [-t] 편견을 가진.

prej·u·di·cial[prèdʒədíʃəl] *a.* 편견을 품게 하는, 불리한, 손해를 주는 (*to*).

pre·kin·der·gar·ten[priːkíndərgɑ̀ːrtn] *a.* 유치원 가기 전 어린이의; 유치한, 미숙한.

prel·a·cy[préləsi] *n.* Ⓤ prelate 의 직(職)〔지위〕; 《집합적》 고위 성직자들; Ⓒ 고위 성직자에 의한 감독 제도.

***prel·ate**[prélit] *n.* Ⓒ 고위 성직자 《bishop, archbishop 등》.

prel·a·tism[prélətìzəm] *n.* Ⓤ (교회의) 감독 제도〔정치〕.

pre·lect[prilékt] *vi.* (대학 강사가) 강의하다, 강연하다.

pre·lec·tor[priléktər] *n.* Ⓒ (특히 대학의) 강사. 「시식(試食).

pre·li·ba·tion[prìːlaibéiʃən] *n.* Ⓤ

pre·lim[príːlim, prilím] *n.* Ⓒ 《口》 (보통 *pl.*) 예비 시험(preliminary examination); (권투 등의) 오픈 게임.

‡pre·lim·i·na·ry[prilímənèri/-nə-] *a.* 예비의, 준비적인. ~ ***examination*** 예비 시험. ~ ***hearing*** 〖法〗 예심. ── *n.* Ⓒ (보통 *pl.*) ① 예비 행위. ② 예선.

***prel·ude**[préljuːd, préi-] *n.* Ⓒ 〖樂〗 전주곡; 서막; 준비 행위. ── *vt.* 전주곡이 되다; 서두가 되다. ── *vi.* 전주곡을 연주하다; 서막이 되다(*to*).

pre·ma·ture [prìːmətjúər, ⌐‒⌐] *a.* 너무 이른; 때 아닌; 너무 서두른. ~**·ly** *ad.* **-tú·ri·ty** *n.*

pre·med·i·cal[priːmédikəl] *a.* 의예과(醫豫科)의.

pre·med·i·tate[priːmédətèit] *vt., vi.* 미리 생각〔계획〕하다. **-tat·ed**[-id] *a.* 미리 생각한. **-ta·tion**[‒⌐‒téiʃən] *n.*

‡pre·mier[primíər, príːmiər] *n.* Ⓒ (종종 P-) 수상. ── *a.* 제일위의; 최초의, 가장 오래된. ~**·ship**[-ʃìp] *n.* Ⓤ,Ⓒ 수상의 직〔임기〕.

pre·mière[primíər, -mjέər] *n.* (F.) Ⓒ (연극의) 첫날, 초연(初演); 주연 여배우.

***prem·ise**[prémis] *n.* ① Ⓒ 〖論〗 전제. ② (*pl.*) (the ~) 〖法〗 전술한 사항〔재산〕. ③ (*pl.*) (대지가 딸린) 집, 구내. ── [primáiz] *vt., vi.* 미리 말하다; 전제로 하다.

prem·iss[prémis] *n.* 〖論〗 =PREMISE.

pre·mi·um**[príːmiəm] *n.* Ⓒ ① 보수, 상(여)금(bonus). ② 덧돈, 프리미엄. ③ 보험료; 사례, 수업료. ④ 〖經〗 할증 가격, 수수료(agio), (화폐 교환 때의) 초과 가치《금화의 지폐에 대한 경우 따위》. ***at a ~ 프리미엄이 붙어, 액면 이상으로; 진중(珍重)되어. 「어음.

prémium nòte 보험료 지불 약속

prémium sỳstem 상여 제도《시간급을 정하고 소정 시간보다 빨리 하면 할증 급여를 줌》.

pre·mo·lar[priːmóulər] *a., n.* Ⓒ 소구치(小臼齒)(의).

pre·mo·ni·tion [prìːməníʃən] *n.* Ⓒ 예고; 예감.

pre·mon·i·to·ry [primɑ́nitɔ̀ːri/-mɔ́nitəri] *a.* 예고의; 전조(前兆)의.

pre·na·tal[priːnéitl] *a.* 출생 전의. 「PRENTICE.

pren·tice[préntis] *n.* 《口》 =AP-

***pre·oc·cu·pa·tion**[priːɑ̀kjəpéiʃən/-ɔ̀-] *n.* Ⓤ 선취; 선입관; 열중.

***pre·oc·cu·py** [priːɑ́kjəpài/-ɔ́-] *vt.* ① 먼저 차지하다. ② 마음을 빼앗다; 깊이 생각게 하다. ***-pied** *a.* 몰두한, 열중한; 선취되어 있는.

pre·or·dain[prìːɔːrdéin] *vt.* (운명을) 예정하다. **-di·na·tion**[⌐‒də-néiʃən] *n.*

pre-owned[priːóund] *a.* 중고(中古)의(secondhand).

prep[prep] *n.* Ⓤ 《口》 예습; 사전 준비; =PREPARATORY SCHOOL.

pre. preparatory; preposition.

pre·paid[priːpéid] *v.* prepay 의 과거(분사). ── *a.* 선불(先拂)의.

‡prep·a·ra·tion [prèpəréiʃən] *n.* ① Ⓤ,Ⓒ 준비; 예습(*for*). ② Ⓒ 조합제(調合劑); 조제 식품. ***in*** ~ ***for*** …의 준비로.

pre·par·a·tive[pripǽrətiv] *a.* = PREPARATORY. ── *n.* Ⓤ 준비 (행위).

pre·par·a·to·ry** [pripǽrətɔ̀ːri/-təri] *a.* 준비의, 예비의. ~ ***course 예과. ~ ***to*** …의 준비로서, …에 앞서.

prepáratory schòol 《英》 (public school 진학을 위한) 예비교; 《美》 (대학 진학을 위한) 대학 예비교.

†pre·pare[pripέər] *vt.* ① 준비하다〔시키다〕(*for*). ② 각오시키다(*for, to*). ③ 조리〔조정·조합〕하다. ── *vi.* 준비〔각오〕하다(*for*). ***be*** ~***d to*** …의 준비〔각오〕를 하고 있다. **pre·par·ed·ly**[-pέ(ː)ridli/-pέər-] *ad.* 준비〔각오〕하여. **pre·pár·ed·ness** *n.* Ⓤ 준비; 군비의 충실.

pre·pay[priːpéi] *vt.* (***-paid***) 선불하다. ~**·ment** *n.*

pre·pense[pripéns] *a.* 〖法〗 미리 생각한, 계획적인, 고의의. ***of malice*** ~ 가해할 의사를 가지고.

pre·plan[priːplǽn] *vt.* (***-nn-***) 면

밀히 계획을 세우다.
pre·pon·der·ant [pripándərənt/-ɔ́-] *a.* 무게〔수·세력 따위〕에 있어 더한; 우세한; 압도적인(*over*). **-ance** *n.* (a ~) 무게에 있어서의 우위; 우세.
pre·pon·der·ate [pripándərèit/-ɔ́-] *vi.* 무게〔수·양·세력 따위〕에 있어서 더하다〔낫다〕(*over*); 우위를 점하다.
:prep·o·si·tion [prèpəzíʃən] *n.* Ⓒ 〖文〗 전치사. **~·al** *a.* 전치사의(*~al phrase* 전치사구).
pre·pos·sess [prì:pəzés] *vt.* 《보통, 수동》 좋은 인상을 주다; 《보통, 수동》 선입관이 되다. **~·ing** *a.* 귀염성 있는, 호감을 갖게 하는. **-sés·sion** *n.* Ⓒ 선입관(적 호감)《드물게, 반감》, 편애(偏愛).
***pre·pos·ter·ous** [pripástərəs/-ɔ́-] *a.* 비상식의, 터무니없는. **~·ly** *ad.*
pre·po·ten·cy [pripóutənsi] *n.* Ⓤ 우세, 〖遺傳〗 우성 유전(력).
pre·preg [prí:prèg] *n.* Ⓤ 수지(樹脂) 침투 가공제.
pre·proc·es·sor [prí:pràsesər/-prɔ̀-] *n.* Ⓒ 〖컴〗 앞처리기.
pre·puce [prí:pju:s] *n.* =FORESKIN.
Pre-Raph·a·el·ite [pri:rǽfiəlàit] *a., n.* Ⓒ 라파엘 전파(前派)의 (화가).
pre·re·cord [prì:rikɔ́:rd] *vt.* (라디오·텔레비전 프로를) 방송 전에 녹음〔녹화〕하다〔해 두다〕.
pre·req·ui·site [pri:rékwəzit] *a., n.* Ⓒ 미리 필요한 (물건), 없어서는 안 될(*to, for*); 필요 조건(*to, for*).
***pre·rog·a·tive** [prirágətiv/-ɔ́-] *n.* Ⓒ (보통 *sing.*) 특권, (제왕의) 대권(大權).
Pres. President; Presbyter(ian).
pres. present; president.
pres·age [présidʒ] *n.* Ⓒ 전조; 예감; 예언. — [⁺priséidʒ] *vt.* 전조가 되다; 예감하다; 예언하다.
pres·by·o·pi·a [prèzbióupiə] *n.* Ⓤ 〖眼科〗 노안(老眼).
pres·by·ter [prézbitər] *n.* Ⓒ (초대〔장로〕 교회) 장로; (감독 교회) 목사.
***Pres·by·te·ri·an** [prèzbitíəriən] *a.* 장로제의; 장로교회의. — *n.* Ⓒ 장로교회원. **~·ism** [-ìzəm] *n.* Ⓤ 장로 제도.
pres·by·ter·y [prézbitèri/-təri] *n.* Ⓒ 장로회의; 장로회 관할구; 교회 내 성직자석.
pre·school [prí:skú:l] *a.* 학령 미달의.
pre·sci·ent [préʃiənt, prí:-] *a.* 미리 아는, 선견지명이 있는. **-ence** *n.*
:pre·scribe [priskráib] *vt.* ① 명하다. ② (약을) 처방하다, (요법을) 지시하다. ③ 시효로써 무효로 하다. — *vi.* ① 명령하다(*for*). ② 처방을 쓰다(*to, for*). ③ 시효에 의하여 청구하다〔무효로 되다〕(*to, for*). **pre·scríp·tion** *n.* Ⓤ 명령, 규정; Ⓒ 법규; 처방(전(箋)), 처방약; Ⓤ 시효.
pre·script [prí:skript] *n.* Ⓒ 명령; 규정; 법령. — *a.* 규정의.
prescríption drùg 의사 처방전이 필요한 약.
pre·scrip·tive [priskríptiv] *a.* 규정〔지시〕하는; 시효에 의한.
pre·sell [pri:sél] *vt.* (**-sold** [-sóuld]) (발매 전 상품을) 미리 선전하다.
:pres·ence [prézəns] *n.* ① Ⓤ 있음, 존재. ② Ⓤ 출석. ③ Ⓤ (사람이) 있는 곳; 면전. ④ [illegible] 풍채, 태도. ⑤ Ⓒ 유령. ⑥ Ⓤ (라디오·스테레오 따위의) 현장감(現場感). ***in the ~ of*** …의 면전에서. ***~ of mind*** 침착.
présence chàmber 《주로 英》 알현실.
†pres·ent[1] [prézənt] *a.* ① 있는; 출석하고 있는. ② 현재의. ③ 〖文〗 현재(시제)의. — *n.* (the ~) 현재; Ⓒ (보통 the ~) 〖文〗 현재 시제; (*pl.*) 〖法〗 본문, 본 증서. ***at ~*** 목하, 현재. ***for the ~*** 당분간, 현재로서는. ***Know all men by these ~s that...*** …이 서류에 의하여 …을 증명하다.
†pres·ent[2] *n.* Ⓒ 선물.
†pre·sent[3] [prizént] *vt.* ① 선사하다; (정식으로) 제출하다. ② (광경을) 나타내다, (극을) 상연하다. ③ 말하다. ④ 넘겨〔건네〕주다, 내놓다. ⑤ 소개하다, 배알시키다. ⑥ (무기를) 돌리다, 겨누다(*at*). ⑦ 《英》 〖宗〗 추천하다. ***P- arms!*** 《구령》 받들어총. ***~ oneself*** 출두하다; 나타나다. **~·a·ble** *a.* 남 앞에 내 놓을 수 있는, 보기 흉하지 않은; 예의바른; 선물에 적합한.
***pres·en·ta·tion** [prì:zentéiʃən, prèzən-] *n.* ① Ⓤ,Ⓒ 증정; 선물. ② Ⓤ 소개; 배알. ③ Ⓤ 제출; 제시. ④ Ⓒ 표현; 상연; (목사의) 추천.
presentátion còpy 증정본.
***présent-dáy** *a.* 현대의.
pre·sen·ti·ment [prizéntəmənt] *n.* Ⓒ (불길한) 예감, 불안감.
:pres·ent·ly [prézəntli] *ad.* 이내, 곧; 목하, 현재; 《古》 즉시.
pre·sent·ment [prizéntmənt] *n.* Ⓤ 진술; 상연; 연출; 묘사; Ⓒ 초상; Ⓤ 제출; 제시; 〖法〗 배심관의 고발.
***pres·er·va·tion** [prèzərvéiʃən] *n.* Ⓤ 보존, 저장; 보호; 방부(防腐).
pre·serv·a·tive [prizə́:rvətiv] *a.* 보존하는, 보존력이 있는; 방부(防腐)의. — *n.* Ⓤ,Ⓒ 방부제, 예방약.
:pre·serve [prizə́:rv] *vt.* ① 보존하다; 유지하다. ② 방부 조치를 하다; (음식물을) 저장하다. ③ 보호하다; 사냥을 금하다. — *n.* ① Ⓤ (*pl.*) (과일의) 설탕 절임. ② Ⓒ 금렵지(禁獵地), 양어장. **pre·sérv·er** *n.* Ⓒ 보호자; 구조자.
:pre·side [prizáid] *vi.* 사회〔통합〕하

다(*at, over*).
***pres·i·den·cy**[prézidənsi] *n.* Ⓤ president의 직〔임기〕.
†**pres·i·dent** [prézidənt] *n.* (종종 P-) Ⓒ ① 대통령. ② 총재, 장관, 의장, 회장, 총장, 학장, 교장, 사장(등).
président-eléct *n.* Ⓒ (취임전의) 대통령 당선자.
pres·i·den·tial**[prèzidénʃəl] *a.* president 의. ~ ***timber 대통령감.
presidéntial prímary 《美》 (각 정당의) 대통령 선거인 예선회.
presidéntial yéar 《美》 대통령 선거의 해.
pre·sid·i·um[prisídiəm] *n.* (the P-) (구소련 최고 회의의) 간부회.
†**press**[1][pres] *vt.* ① 누르다, 밀어붙이다. ② 눌러펴다, (다리미로) 다리다. ③ 짜다, 짜내다; (…의) 액(液)을 짜다. ④ 압박하다; 꼭 껴안다. ⑤ (의론 따위를) 밀고 나아가다; (의견 따위를) 강제하다; 강요하다. ⑥ 서두르게 하다. ⑦ 간원하다; 조르다; 괴롭히다. ⑧ 〖컴〗 누르다《글쇠판이나 마우스의 버튼을 아래로 누르는》. — *vi.* ① 누르다(*up, down, against*); 밀고 나아가다(*up, down, against*). ② 서두르다(*on, forward*). ③ (떼가) 몰려〔밀려〕 들다(*up, round*). ④ (마음을) 무겁게 하다(*upon*). ⑤ 급박하다(*on, upon*); 강요하다(*for*). ***be ~ed for*** …이 절박하다; …에 궁하다. — *n.* ① Ⓤ,Ⓒ 누름; 압박. ② Ⓤ (밀치락 달치락의) 혼잡, 군집. ③ Ⓒ 압착기; 인쇄기. ④ Ⓤ 인쇄술. ⑤ Ⓒ (보통 P-) 인쇄소〔회사〕; 출판사. ⑥ (the ~) 《집합적》 신문, 잡지, 정기 간행물; Ⓒ (신문·잡지의) 논평. ⑦ Ⓤ 급박, 번망(煩忙). ⑧ Ⓒ 찬장, 서가(書架). ***go*** 〔***come***〕 ***to*** (***the***) ~ 인쇄에 돌려지다. ***in the*** ~ 인쇄중. ***send to*** (***the***) ~ 인쇄에 돌리다. **∠·er** *n.* Ⓒ 압착기〔공〕.
press[2] *vt.* 강제적으로 병역에 복무시키다; 징발하다.
préss àgency 통신사(news agency).
préss àgent (극단 따위의) 선전원, 홍보 담당원, 대변인.
préss bàn 기사 (게재) 금지.
préss·bòard *n.* Ⓤ,Ⓒ 판지.
préss bòx (경기장의) 기자석.
préss-button wàr =PUSH-BUTTON WAR. 「전 활동.
préss campáign 신문에 의한 선
préss cùtting [《英》 **clìpping**] 신문에서 오려낸 것.
préss cònference 기자 회견.
préss còrps 《美》 신문 기자단.
préss corrèctor 교정원.
préss gàllery 신문 기자석〔단〕.
:press·ing[∠iŋ] *a., n.* 화급한, 긴급한; 무리하게 조르는; Ⓒ 프레스한 레코드. 「문 기자.
press·man [∠mən] *n.* Ⓒ 《英》 신
préss·màrk *n.* Ⓒ (도서관 장서의) 서가 기호.
préss òfficer (큰 조직·기관의) 공보관〔담당자〕.
préss réader 교정자.
préss sècretary 《美》 신문 담당 비서, (대통령) 공보관.
préss-stùd *n.* Ⓒ (장갑 따위의) 스냅 단추.
préss-ùp *n.* Ⓒ 《英》 (체조의) 엎드려 팔굽히기.
:pres·sure[préʃər] *n.* ① Ⓤ,Ⓒ 압력, 압력도(度), 전압. ② Ⓤ 압박, 강제. ③ Ⓤ,Ⓒ 절박, 번망(煩忙). ④ Ⓤ,Ⓒ 어려움, 궁핍(~ *for money* 돈에 궁함); (*pl.*) 곤경. ***put ~ on*** …을 압박〔강압〕하다.
préssure càbin 〖空〗 (예압(豫壓)된) 기밀실(氣密室).
préssure còoker 압력 솥.
préssure gàuge 압력계; (화약의) 폭압계(爆壓計). 「도(傾度).
préssure gràdient 〖氣〗 기압 경
préssure gròup 〖政〗 압력 단체.
préssure hùll (잠수함의) 기밀실(氣密室).
préssure pòint 압점(壓點)《지혈을 위해 누르는 신체의 각 부위》.
préssure sùit 〖空〗 여압복(與壓服)《고도 비행용》, 우주복.
préssure wèlding 압력 용접.
pres·su·rize[préʃəràiz] *vt.* (고도 비행중인 비행기 밀실의) 기압을 정상으로 유지하다; 고압 상태에 두다; 압력 솥으로 요리하다.
pres·ti·dig·i·ta·tion[prèstədìdʒitéiʃən] *n.* Ⓤ 요술. **-ta·tor**[⊥-dídʒətèitər] *n.* Ⓒ 요술쟁이. 「성.
***pres·tige**[prestí:ʒ] *n.* Ⓤ 위신, 명
pres·ti·gious[prestídʒəs] (<⇧) *a.* 명성이 높은.
pres·to[préstou] *a., ad.* (It.) 〖樂〗 빠른; 빠르게; 《요술쟁이의 용어》 번개같이(*Hey ~, pass!* 자, 빨리 변해라). — *n.* (*pl.* **~s**) Ⓒ 빠른 곡.
pré·stressed cóncrete [prí:strèst-] 프리스트레스트콘크리트《강선(鋼線) 등을 넣은》.
pre·sum·a·ble [prizú:məbəl] *a.* 가정〔추정〕할 수 있는, 그럴 듯한. ***-bly** *ad.* 아마; 그럴 듯하게.
:pre·sume[prizú:m] *vt.* ① 추정〔가정〕하다; …이라고 생각하다. ② 대담히도〔뻔뻔스럽게도〕 …하다(*to do*). — *vi.* (남의 약점 따위를) 기화로 삼다〔이용하다〕(*on, upon*). **pre·súm·ing** *a.* 주제넘은.
pre·sump·tion[prizʌ́mpʃən] *n.* ① Ⓒ 추정(推定)〔가정〕(의 근거); …할 것 같음, 가망. ② Ⓤ 주제넘음, 뻔뻔스러움.
pre·sump·tive[prizʌ́mptiv] *a.* 추정(推定)의〔에 의거한〕; 추정의 근거가 되는. ***heir ~*** 추정 상속인(cf. heir apparent). **~·ly** *ad.*
***pre·sump·tu·ous**[prizʌ́mptʃuəs] *a.* 주제넘은, 뻔뻔스러운, 건방진. **~·ly** *ad.* **~·ness** *n.*
pre·sup·pose [prì:səpóuz] *vt.* 미

리 상상하다; 필요 조건으로서 요구하다, 전제하다. **-po·si·tion**[-sʌpəzíʃən] *n.* Ⓤ 예상, 가정; Ⓒ 전제(조건).
pret. preterit(e).
prêt-à-por·ter[prètɑpɔrtéi] *n., a.* (F.) Ⓒ 프레타포르테(의), (고급) 기성복(의).
pre·tax[prìːtǽks] *a.* 세금 포함한 「《수입 등》.
pre·teen[priːtíːn] *n.* Ⓒ 10대에 거의 이르는 아이.
***pre·tence**[priténs] *n.* 《英》 =PRETENSE.
‡**pre·tend**[priténd] *vt.* ① …인 체하다, 가장하다; 속이다. ② 감히〔억지로〕 …하려고 하다. — *vi.* 속이다; 요구하다; 자부하다(*to*). **~·ed**[-id] *a.* …체한, 거짓의. **~·er** *n.* Ⓒ …체하는 사람; 사기꾼; 왕위를 노리는 사람.
pre·tense**[priténs] *n.* ① Ⓤ,Ⓒ 구실. ② Ⓒ,Ⓤ 허위, 거짓 꾸밈, 가장. ③ Ⓤ (허위의) 주장, 요구; 허세 (부리기). ***make a ~ of …인 체하다. ***on the***〔***under***(***the***)〕 ***~ of*** …을 구실로 (하여).
***pre·ten·sion**[priténʃən] *n.* ① Ⓤ,Ⓒ 주장, 요구. ② Ⓒ 권리. ③ Ⓒ 자부; Ⓤ 가장; 과시; Ⓒ 빙자.
***pre·ten·tious**[priténʃəs] *a.* 자부하는; 뽐내는; 허세를 부리는. **~·ly** *ad.* **~·ness** *n.*
pre·ter·hu·man[prìːtərhjúːmən] *a.* 초인간적인.
pret·er·it(**e**)[prétərit] *n., a.* (the ~) 〖文〗 과거(의).
pre·ter·mit[prìːtərmít] *vi.* (**-tt-**) 불문에 부치다, 간과하다; 게을리하다, 등한히 하다; 중절하다. **-mís·sion** *n.* Ⓤ,Ⓒ 간과; 무시; 탈락; 중단.
pre·ter·nat·u·ral[prìːtərnǽtʃərəl] *a.* 초자연적인; 이상한. **~·ly** *ad.*
pre·test[príːtèst] *n.* Ⓒ 예비 시험〔검사〕. — [⌐⌐] *vt., vi.* 예비 시험을〔검사를〕 하다. 「명.
***pre·text**[príːtekst] *n.* Ⓒ 구실, 변
pre·tor[príːtər] *n.* =PRAETOR.
pre·tri·al[priːtráiəl] *n., a.* 〖法〗 사전 심리; 공판전의.
pret·ti·fy[prítifài] *vt.* 《蔑》 야단스레 꾸미다, 아름답게 하다.
†**pret·ty**[príti] *a.* ① 예쁜, 아름다운, 귀여운; 멋진. ② 《口》 (수량이) 상당한; 《反語》 심한. ***sitting ~*** 《俗》 유복하여, 안락한〔하게〕. — *ad.* 꽤; 매우. — *n.* Ⓒ 《호칭》 귀여운 애〔사람〕; (*pl.*) 고운 물건《장신구 따위》. **prét·ti·ly** *ad.* **-ti·ness** *n.*
pret·zel[prétsəl] *n.* Ⓒ 단단한 비스킷《소금을 묻힌 것; 맥주 안주》.
‡**pre·vail**[privéil] *vi.* ① 이기다 (*over, against*). ② 우세하다; 유행〔보급〕되다. ③ 잘 되다. ④ 설복하다(*on, upon; with*). ***~·ing** *a.* 널리 행해지는, 유행의; 일반의, 보통의; 우세한, 유력한.
***prev·a·lent**[prévələnt] *a.* ① 널리 행해지는〔퍼진〕, 유행하고 있는; 일반적인. ② 우세한. ***-lence** *n.* Ⓤ 널리 행해짐, 유행; 우세.
pre·var·i·cate[privǽrəkèit] *vi.* 얼버무려 넘기다(equivocate), 속이다. **-ca·tor** *n.* Ⓒ 얼버무려 넘기는 사람. **-ca·tion**[-⌐-kéiʃən] *n.*
pre·vent[privént] *vt.* ① 방해하다, 방해하여 …하지 못하게 하다(hinder)(~ *him from going;* ~ *his*〔*him*〕 *going*). ② 예방하다, 일어나지 않게 하다(check)(*from*). **~·a·ble, ~·i·ble** *a.* 방해〔예방〕할 수 있는. ‡**pre·vén·tion** *n.* Ⓤ 방지, 예방(법)(*against*).
***pre·ven·tive**[privéntiv] *a.* 예방의, 방지하는(*of*). — *n.* Ⓒ 방지하는 물건; 예방법〔책, 약〕.
prevéntive deténtion〔**cústody**〕 〖英法〗 예비 구금; 〖美法〗 예비 구류.
prevéntive médicine 예방 의학.
Prevéntive Sérvice 《英》 (밀수 단속의) 연안 경비대.
prevéntive wár 예방 전쟁.
pre·view[príːvjùː] *n., vt.* Ⓒ (극·영화의) 시연(試演)(을 보다), 시사(試寫)(를 보다); =PREVUE; 〖컴〗 미리보기.
‡**pre·vi·ous**[príːviəs] *a.* ① 앞서의, 이전의(*to*). ② 《口》 너무 일찍 서두른, 조급한. **~·ly** *ad.*
prévious convíction 전과(前科).
prévious quéstion 〖議會〗 선결문제.
pre·vi·sion[privíʒən] *n.* Ⓤ,Ⓒ 선견, 예지(豫知). **~·al** *a.*
pre·vue[príːvjùː] *n.* Ⓒ 〖映〗 예고편(trailer).
***pre·war**[príːwɔ́ːr] *a.* 전전(戰前)의. 「장.
prex·y[préksi] *n.* Ⓒ 《俗》 학장, 총
‡**prey**[prei] *n.* ① Ⓤ 먹이. ② Ⓤ 희생. ③ Ⓤ 포식(飽食). ④ Ⓒ 약탈품. ***beast***〔***bird***〕 ***of ~*** 맹수〔맹조〕. — *vi.* 먹이로 하다(*on, upon*); 괴롭히다, 해하다(*on, upon*); 약탈하다(*on, upon*).
pri·a·pism[práiəpìzəm] *n.* Ⓤ 〖病〗 지속 발기증; 호색.
†**price**[prais] *n.* ① Ⓒ 값, 대가. ② (*sing.*) 대상(代償); 보수, 현상; 희생. ③ Ⓤ 《古》 가치. ***above***〔***beyond, without***〕 ***~*** (값을 헤아릴 수 없을 만큼) 귀중한. ***at any ~*** 값이 얼마이든, 어떤 희생을 치르더라도. ***at the ~ of*** …을 걸고서. ***what ~*** 〖競馬〗 (인기말의) 승산은 어떠한가; 《口》 어떻게 생각하는가; 《口》 무슨 소용 있나(*What ~ going there?* 거기 가서 무슨 소용이 있는가). — *vt.* 값을 매기다; 《口》 값을 묻다. ~ (*a thing*) ***out of the market*** (살 수 없을 만큼) 엄청난 값을 매기다. ***~·less** *a.* 돈으로 살 수 없는, 대단히 귀중한; 《俗·反語》 말도 아닌, 어처구니 없는.
príce càrtel 가격 협정.
príce contròl 물가 통제.

príce cùtting 할인, 값을 깎음.
príce fixing 가격 협정〔조작〕.
príce ìndex 물가 지수.
príce lìst 정가표, 시세표.
príce suppòrt 가격 유지《정부의 매입이나 보조금 등으로의》.
príce tàg (상품에 붙이는) 정찰.
príce wàr 에누리 경쟁.
prick**[prik] *n.* Ⓒ ① 찌름. ② 찔린 상처, 찔린 구멍; 격렬한 아픔; (양심의) 가책. ③ 날카로운 끝. ***kick against the ~s 쓸데 없는 저항을 하다. — *vt.* ① 찌르다; (뾰족한 것으로) 구멍을 뚫다〔표를 하다〕. ② 아프게 하다, 괴롭히다. ③《古》(말에) 박차를 가하다. — *vi.* ① 따끔하(게 찌르)다; 따끔따끔 쑤시다. ② (귀가) 쫑긋 서다(*up*). ③《古》(박차를 가해) 말을 달리다(*on, forward*). ***~ up one's ears*** (개 따위가 귀를) 쭝그리다; (사람이) 귀를 기울이다.
prick·le[príkəl] *n.* Ⓒ 가시, 바늘; (*sing.*) 따끔따끔한 느낌〔아픔〕. — *vt., vi.* 찌르다; 따끔따끔 쑤시(게 하)다.
prick·ly[∠li] *a.* 가시가 많은; 따끔따끔 쑤시는.
príckly héat 땀띠.
príckly péar 〖植〗 선인장의 일종; 그 열매《식용》.
príck-ùp *a.* 《口》 꼿꼿한.
:**pride**[praid] *n.* ① Ⓤ 자만, 자부, 거만; 자존심. ② Ⓤ,Ⓒ 자랑(으로 삼는 것). ③ Ⓤ 득의, 만족; 경멸; 득의의 모습. ④ Ⓒ (*sing.*) 한창. ***take a ~ in*** …에 긍지를 갖다. ***the ~ of manhood*** 남자의 한창 때. — *vt.* 뽐내다, 자랑하다(*oneself on*).
:**priest**[pri:st] *n.* Ⓒ 성직자, 목사, 사제. **∠·ness** *n.* Ⓒ (주로 기독교 이외의) 수녀, 여승. **∠·ly** *a.* 성직자의; 성직자 같은〔다운〕.
príest·cràft *n.* Ⓤ (속세에 세력을 펴려는) 성직자의 정략.
príest·hòod *n.* Ⓤ 성직; 《집합적》 성직자.
Priest·ley[prí:stli], **John Boynton** (1894-1984) 영국의 소설가·극작가.
prig[prig] *n.* Ⓒ 딱딱한〔젠체하는〕 사람, 뽐내는 사람, 학자연하는 사람. **∠·ger·y** *n.* Ⓤ 딱딱함; Ⓒ 젠체하기. **∠·gish** *a.* 딱딱한; 아는 체하는.
prim[prim] *a.* (***-mm-***) 꼼꼼한, 딱딱한, 새침떼는, 얌전빼는, 짐짓 점잔빼는. **∠·ly** *ad.* **∠·ness** *n.*
pri·ma·cy[práiməsi] *n.* Ⓤ 제1위; primate의 직〔지위〕; 〖가톨릭〗 교황의 수위권(首位權).
pri·ma don·na [prí:mə dánə/-dɔ́nə] (It.) (*pl.* ***~s***) (가극의) 주역 여가수.
pri·ma fa·ci·e[práimə féiʃiì:, -ʃi:] (L.) 일견한 바(로는).
pri·mal[práiməl] *a.* 최초의, 원시의; 주요한; 근본의.
:**pri·ma·ry**[práimèri, -məri] *a.* ① 최초의, 원시적인. ② 수위의, 주요한. ③ 본래의, 근본의. ④ 초보의. ⑤ 〖醫〗 제1기의; 〖電〗 1차의. — *n.* Ⓒ ① 제1위의〔주요한〕 사물. ② 원색. ③ 〖文〗 일차어(一次語)《명사 상당 어구》. ④ 《美》 대통령 후보 예비 선거. **-ri·ly** *ad.* 첫째로; 주로.
prímary áccent 제 1 악센트.
prímary cáre 〖醫〗 1차 진료《응급치료 등 주거지에서 행하는 초기 진료》. 「랑·파랑》.
prímary cólo(u)rs 원색《빨강·노
prímary educátion 초등 교육.
prímary elèction 《美》 예비 선거. 「《가정·친구 등》.
prímary gróup 〖社〗 제1차 집단
prímary índustry 제1차 산업.
***prímary schòol** 초등 학교; 《美》 3〔4〕학년급의 초등 학교.
pri·mate[práimit, -meit] *n.* Ⓒ 수석주교, 대주교; 〖動〗 영장류(靈長類). ***P- of All England,*** Canterbury 의 대감독. ***P- of England,*** York 의 대감독. 「〖動〗 영장류.
Pri·ma·tes[praiméiti:z] *n. pl.*
:**prime**[1][praim] *a.* ① 최초의; 원시적인. ② 근본적인; 수위의, 주된. ③ 최상의, 우수한. ④ 〖數〗 소수(素數)의. — *n.* ① (the ~) 최초, 초기; 봄. ② (the ~, one's ~) 전성; 청춘; 최량의 상태〔부분〕. ③ Ⓒ 〖數〗 소수(素數). ④ Ⓒ 분(分)(minute); 프라임 부호(′)《분, 피트, 수학의 대시 따위를 나타냄》.
prime[2] *vt.* (총포에) 화약을 재다; 충분히 먹게〔마시게〕하다(*with*); 미리 가르치다, 코치〔훈수〕하다(*with*); (펌프에) 마중물을 붓다; (페인트나 기름의) 초벌칠을 하다.
príme cóst 매입 가격, 원가.
príme merídian 본초 자오선.
:**príme mínister** 수상, 국무총리.
príme móver 원동력, 원동기.
príme númber 〖數〗 소수(素數).
prim·er**[1][prímər/práim-] *n.* ① Ⓒ 입문서. ② [prímər] Ⓤ 〖印〗 프리머 활자. ***great 〔***long***〕 ~ 대〔소〕 프리머《18〔10〕 포인트 활자》.
prim·er[2][práimər] *n.* Ⓒ 뇌관; 장전(裝塡)하는 사람〔기구〕.
príme ràte (미국 은행이 일류 기업에 적용하는) 표준 금리.
príme tíme (라디오·텔레비전의) 골든 아워.
pri·meur[primə́:r] *n.* (F.) Ⓒ (보통 *pl.*) (과일·야채의) 만물; 일찍 핀 꽃; 빠른 뉴스.
pri·me·val[praimí:vəl] *a.* 태고의, 원시(시대)의.
prim·ing[práimiŋ] *n.* Ⓤ,Ⓒ 기폭제(起爆劑); (페인트 등의) 초벌칠.
:**prim·i·tive**[prímətiv] *a.* ① 태고의; 초기의; 원시의. ② 원시적인, 소박한. — *n.* Ⓒ 문예부흥기 이전의 화가; 그 작품. 「교회.
prímitive chúrch 초기 그리스도
pri·mo·gen·i·tor[prài mou*d*ʒénə-

tər] *n.* Ⓒ 조상, 선조; 시조.
pri·mo·gen·i·ture [-dʒénətʃər] *n.* Ⓤ 장자〔맏아들〕임; 장자 상속권.
pri·mor·di·al [praimɔ́ːrdiəl] *a.* 원시의; 원시 시대부터 존재하는; 근본적인.
primp [primp] *vi., vt.* 멋부리다, 몸단장을 잘 하다.
*__prim·rose__ [prímròuz] *n.* ① Ⓒ 앵초(櫻草), 그 꽃. ② Ⓤ 앵초색, 연노랑. — *a.* 앵초(색)의; 화려한.
prímrose páth 환락의 길; 방탕, 난봉.
Pri·mus [práiməs] *n.* Ⓒ 〖商標〗 석유 스토브의 일종.
prin. principal(ly); principle.
†**prince** [prins] *n.* Ⓒ ① 왕자, 황자, 친왕(親王)《영국에서는 왕〔여왕〕의 아들 또는 손자》. ② (봉건 시대의) 제후, 영주; (작은 나라의) 왕; (영국 이외의) 공작(公爵). ③ (보통 *sing.*) 제 1인자, 대가. **~ *of evil*** 〔***darkness***〕 마왕(魔王). **~ *of the blood*** 황족. ***P- of Wales*** 웨일즈공《영국 왕세자》. **∠·ly** *a.* 왕자〔왕후(王侯)〕의, 왕자〔왕후〕 같은; 기품 높은; 왕자〔왕후〕에 어울리는, 장려한.
Prínce Álbert (còat) 《美》 프록코트《1860년 방미 때 착용한 데서》.
prínce cónsort 여왕의 부군(夫君).
prince·dom [∠dəm] *n.* Ⓤ,Ⓒ prince의 지위·영토·권위.
prince·ling [∠liŋ] *n.* Ⓒ 어린 군주, 소공자.
prin·ceps [prínseps] *n.* (*pl.* ***prin-cipes*** [-səpìːz]) Ⓒ 주요한 것, 제 1위의 사람〔것〕; 초판본.
Prínce Régent 섭정(攝政) 태자.
prínce róyal 제 1왕자.
‡**prin·cess** [prínsis, -səs, prinsés; 이름 앞 ∠-] *n.* Ⓒ ① 공주, 왕녀, 황녀, 왕자비. ② (영국 이외의) 공작 부인. **~ *of the blood*** (여자의) 황족, 왕족.
príncess (dréss) *n.* Ⓒ 몸에 꼭끼는 원피스.
príncess róyal 제 1공주.
‡**prin·ci·pal** [prínsəpəl] *a.* ① 주된; 가장 중요한. ② 원금(元金)의. — *n.* Ⓒ ① 장(長), 우두머리; (초등 학교·중학교의) 교장; 사장, 회장. ② (*sing.*) 원금; 기본 재산. ③ 〖法〗 주범; (채무자의) 제 1 (연대) 책임자. * **~·ly** *ad.* 주로; 대개.
príncipal áxis (기계의) 주축선.
príncipal bóy 《英》 (무언극에서) 남역(男役)《보통 여배우가 맡음》.
príncipal cláuse 〖文〗 주절(主節).
*__prin·ci·pal·i·ty__ [prìnsəpǽləti] *n.* Ⓒ 공국(公國)《prince가 통치하는 나라》. ② (the P-) 《英》 =WALES. ③ 주권. ④ (*pl.*) 제 7위의 천사, 권품(權品)천사.
príncipal párts (동사의) 주요 변화형.
prin·ci·pate [prínsəpèit, -səpit] *n.* Ⓤ (로마 제국 초기의) 원수 정치; Ⓤ,Ⓒ 최고의 지위〔권위〕.
prin·cip·i·um [prinsípiəm] *n.* (*pl.* ***-ia*** [-piə]) (L.) Ⓒ 원리; 초보.
‡**prin·ci·ple** [prínsəpəl] *n.* ① Ⓒ 원리, 원칙; 법칙. ② Ⓒ 주의. ③ Ⓤ 도의, 절조. ④ Ⓒ 동인(動因), 소인(素因); 본원(本源). ⑤ Ⓒ 〖化〗 소(素), 정(精). ***in* ~** 원칙으로, 대체로. ***on* ~** 주의에 따라. **~d** [-d] *a.* 절조 있는; 주의〔원칙〕에 의거한.
prink [priŋk] *vt., vi.* 멋부리다, 치장하다.
‡**print** [print] *vt.* ① 찍다, 자국을 내다. ② 인쇄하다; 출판하다. ③ 활자체로 쓰다; 날염(捺染)하다; (마음에) 새기다(*on*). ④ 〖寫〗 인화(印畫)하다(*out, off*); (…의) 지문을 채취하다(~ *him*). ⑤ 〖컴〗 인쇄〔프린트〕하다. — *vi.* 인쇄〔출판〕하다; 활자체로 쓰다; (사진 따위가) 인화되다, 박혀지다. — *n.* ① Ⓤ 인쇄(자체, 상태). ② Ⓒ 인쇄물; 출판물, 신문(지). ③ Ⓒ 판화(版畫). ④ Ⓒ 흔적, 자국; 인상. ⑤ Ⓤ,Ⓒ 날염포(捺染布), 사라사. ⑥ Ⓒ 〖寫〗 인화(印畫), 양화(陽畫). ⑦ 〖컴〗 인쇄, 프린트. ***blue* ~** 청사진. ***in* ~** 인쇄〔출판〕되어. ***out of* ~** 절판되어.
print·a·ble [príntəbəl] *a.* 인쇄할 수 있는; 인쇄〔출판〕할 가치가 있는; 인화(印畫)할 수 있는.
prínted círcuit 인쇄 회로(回路), 프린트 배선.
prínted-círcuit bòard 〖컴〗 인쇄 회로 기판.
prínted gòods 사라사.
prínted màtter 〔pàper〕 인쇄물.
prínted wòrd, the (신문·잡지 따위에) 인쇄된〔활자화 된〕 것.
*__print·er__ [∠ər] *n.* Ⓒ ① 인쇄인, 인쇄업자; 인쇄〔식자〕공. ② 〖컴〗 프린터.
prínter contróller 〖컴〗 프린터 제어기.
prínter hèad 〖컴〗 프린터 헤드.
prínter ínterface 〖컴〗 프린터 접속기.
prínter fòrmat 〖컴〗 (프린터에 인쇄될) 인쇄 양식.
prínter's dévil 인쇄 수습공《인쇄 잉크로 얼굴이 더럽혀진》.
‡**print·ing** [∠iŋ] *n.* ① Ⓤ 인쇄(술, 업). ② Ⓒ 인쇄물; 인쇄 부수. ③ Ⓤ 활자체의 문자. ④ Ⓤ,Ⓒ 날염(捺染); 〖寫〗 인화(印畫).
prínting blòck 판목(版木).
prínting hòuse 인쇄소.
prínting ínk 인쇄용 잉크.
prínting machìne 인쇄기.
prínting òut (사진의) 인화.
prínting-out pàper 인화지.
prínting pàper 인쇄지.
prínting prèss 인쇄기; 날염기.
prínting spèed 〖컴〗 인쇄 속도.
prínt-òut *n.* Ⓒ 〖컴〗 출력 정보 지시 테이프.
prínt scréen kèy 〖컴〗 화면 인쇄키.
prínt shèet 〖컴〗 인쇄 용지.
prínt·shòp *n.* Ⓒ 판화(版畫) 가

게; 《美》 인쇄소.
print·wòrks *n.* 《단·복수 취급》 날염(捺染)〔사라사〕 공장.
‡**pri·or**[1][práiər] *a.* 전의, 앞(서)의; 보다 중요한(*to*).
pri·or[2] *n.* Ⓒ 수도원 부원장《abbot의 다음》, 소(小)수도원의 원장.
pri·or·ess[práiəris] *n.* Ⓒ 여자 수도원 부원장《abbess의 다음 직위》; 여자 소(小)수도원장.
***pri·or·i·ty** [praiɔ́:rəti, -ɑ́-/-ɔ́-] *n.* Ⓤ ① (시간적으로) 먼저임(*to*); (순위·중요성이) 앞섬, 보다 중요함, 우선권. ②《美》(국방상의 중요도에 따라 정해진) 교통〔수송〕 순위 우선; 《美》 (전시 생산품의) 우선 배급, 그 순위. ③ 〖컴〗 우선 순위.
pri·o·ry[práiəri] *n.* Ⓒ 소(小)수도원《그 원장은 prior, 또는 prioress》.
***prism**[prízəm] *n.* Ⓒ 〖光學〗 프리즘; 〖幾〗 각기둥. **pris·mat·ic**[prizmǽtik], **-i·cal**[-əl] *a.* 분광(分光)의; 무지개빛의; 찬란한; 각기둥의.
prismátic cólors 스펙트럼의 7색.
prísm binòculars 프리즘 쌍안경.
prísm glàss 프리즘 쌍안경의 굴절 반사 렌즈.
‡**pris·on**[prízn] *n.* Ⓒ 형무소, 감옥, 구치소.
príson bìrd 죄수.
príson brèaker 탈옥자.
príson càmp 포로 수용소.
‡**pris·on·er**[príznər] *n.* Ⓒ ① 죄수; 형사 피고. ② 포로. ③ 붙잡힌 사람〔물건〕. ***hold*** 〔***keep***〕 (***a person***) ~ (아무를) 포로로 잡아두다. ***make*** 〔***take***〕 ***a person*** ~ 아무를 포로로 하다.
prísoner's báse 진(陣)빼앗기 놀이.
príson fèver 발진 티푸스.
pris·sy[prísi] *a.* 《美口》 신경질의; 지나치게 꼼꼼한. **prís·si·ly** *ad.*
pris·tine[prísti(:)n, -tain] *a.* 원래의, 원시 시대의, 원시적인, 소박한.
prith·ee[príði:] *int.* 《古》 바라건대, 아무쪼록, 부디《(I) pray thee의 와전》.
***pri·va·cy**[práivəsi/prív-] *n.* Ⓤ ① 은둔, 은퇴; 사생활, 프라이버시. ② 비밀, 비밀성.
‡**pri·vate**[práivit] *a.* ① 사사로운, 개인의, 개인적인; 사용(私用)〔사유〕의. ② 비밀의; 비공개의. ③ 민간의; 관직을 갖지 않은, 평민의. ④ 남의 눈에 띄지 않는, 은둔한. ~ ***citizen*** 평민. — *n.* Ⓒ 사병, 졸병. ***in*** ~ 비공개로, 비밀로. * **~·ly** *ad.*
prívate attórney 〖法〗 대리인.
prívate detéctive 사설 탐정.
prívate énterprise 민영 사업.
pri·va·teer[pràivətíər] *n.* Ⓒ 사략선(私掠船)《전시중 적선 약탈의 허가를 받은 민간 무장선》; 사략선 선장; (*pl.*) 그 승무원. — *vi.* 사략선으로 순항(巡航)하다.
prívate éye (사설) 탐정.
prívate fírst cláss 〖美陸軍〗 일등병《생략 pfc.》.
prívate láw 사법(私法).
prívate líne 〖컴〗 전용 회선.
prívate méans (투자 따위에 의한) 불로 소득.
Prívate Mémber (종종 p- m-) 《英》(각료 외의) 일반 의원.
prívate párts 음부.
prívate sécretary (개인) 비서.
prívate sóldier 졸병, 사병.
prívate wíre 개인 전용 전신〔전화〕선.
pri·va·tion[praivéiʃən] *n.* Ⓤ,Ⓒ (생활 필수품 등의) 결핍; 상실, 결여; 박탈.
priv·a·tive[prívətiv] *a., n.* 〖文〗 결여의, 결성(缺性)의; Ⓒ 결성어(語), 결성사(辭)《*un-, -less* 따위》.
pri·vat·ize[práivətàiz] *vt.* (국유〔공영〕 기업을) 사기업〔민영〕화하다. **prì·vat·i·zá·tion** *n.*
priv·et [prívit] *n.* Ⓤ 〖植〗 쥐똥나무.
‡**priv·i·lege**[prívəlidʒ] *n., vt* Ⓤ,Ⓒ 특권〔특전〕(을 주다). * **~d** *a.* 특권〔특전〕이 있는〔부여된〕.
priv·i·ly[prívəli] *ad.* 비밀히.
priv·i·ty[prívəti] *n.* Ⓤ,Ⓒ 내밀히 관지(關知)하기《동의·공감을 뜻함》(*to*).
***priv·y**[prívi] *a.* ① 내밀히 관여하고 있는(*to*). ②《古》 비밀의. — *n.* Ⓒ 옥외(屋外) 변소.
prívy chámber 궁정의 사실(私室).
Prívy Cóuncil 《英》 추밀원(樞密院).
Prívy Cóuncillor 《英》 추밀 고문관《생략 P.C.》.
prívy pùrse 《英》 내탕금(內帑金).
prívy séal 《英》 옥새(玉璽).
prix fixe[prí: fíks] (F.) 정식(定食)(값).
†**prize**[1][praiz] *n.* Ⓒ ① 상품(賞品), 경품. ② (경주의) 목적물. — *a.* 상품으로 주어진; 상품을 줄 가치가 있는〔줄 만한〕; 입상한; 현상의.
***prize**[2] *n.* Ⓒ 포획물; 포로; 나포 함선.
prize[3] *vt.* 《주로 英方》 지레로 올리다〔움직이다〕, 비집어 열다(*off, out, up, open*).
príze cóurt (전시 중 해상) 포획물 심판소.
príze féllowship 《英》 (시험 성적이 탁월한 자에게 주는) 장학금.
príze fight 〔**fighter**〕 현상 권투 경기〔프로 복서〕.
príze-gìving *n.* Ⓒ 표창식, 상품〔상금〕 수여식. — *a.* 상품〔상금〕 수여의.
prize·man[⌐mən] *n.* Ⓒ 수상자.
príze mòney 포획 상금; 《一般》 상금.
príze rìng 현상 권투(장).
prize·wìnner *n.* Ⓒ 수상자〔작품〕.
pro**[1] [prou] *ad.* 찬성하여. ~ ***and con 찬부 두 갈래로. — *n.* (*pl.* **~s**) Ⓒ 찬성론. **~s *and cons*** 찬부 양론; 찬부의 이유.
***pro**[2] *n.* (*pl.* **~s**) Ⓒ 《口》 프로, 직업 선수. — *a.* 직업적인.

pro-[prou] *pref.* '대리, 부(副), 찬성, 편드는, 친(親)…(for)' 등의 뜻 (*pro*ctor, *pro*slavery).
P.R.O. Public Relations Office(r). **prob.** probably; problem.
:**prob·a·bil·i·ty** [prɑ̀bəbíləti/-ɔ̀-] *n.* ① Ⓤ 있음직함, Ⓒ 가망. ② Ⓤ 〖哲〗 개연성; 〖統·컴〗 확률. ***in all*** ～ 아마, 십중팔구는.
:**prob·a·ble**[prɑ́bəbəl/-ɔ́-] *a.* 있음직한, 사실 같은, …할〔일〕 듯 싶은, 확실할 듯한. †**-bly** *ad.* 아마.
pro·bate[próubeit] *n., a., vt.* Ⓤ 유언 검인(檢認)(의); 《美》 (유언서를) 검인하다.
próbate dùty 유언 증여 동산세.
˙**pro·ba·tion**[proubéiʃən] *n.* ① Ⓤ 시험, 검정(檢定). ② Ⓤ,Ⓒ 수습 (기간). ③ Ⓤ 시련. ④ Ⓤ 〖法〗 집행유예, 보호 관찰. ***on*** ～ 시험 삼아; 집행 유예로, 보호 관찰로. **～·ar·y** [-nèri/-nəri] *a.* **～·er** *n.* Ⓒ 수습〔집행유예〕중인 사람.
˙**probe**[proub] *n.* Ⓒ ① 〖外〗 탐침(探針), 소식자(消息子). ② 시험. ③ 《美》 (불법 행위에 대한 입법부의) 조사. ④ 공중 급유용 파이프; 우주 탐사용 로켓. ⑤ 〖컴〗 문안침, 탐색침. — *vt.* 탐침으로〔소식자로〕 찾다; 자세히 살피다; 조사〔정사(精査)〕하다.
pro·bi·ty[próubəti, prɑ́b-] *n.* Ⓤ 성실, 청렴.
prob·lem[prɑ́bləm/-ɔ́-] *n.* Ⓒ 문제; 난문(難問); 의문. — *a.* 문제의. ***a*** ～ ***child*** 문제아(兒).
prob·lem·at·ic [prɑ̀bləmǽtik/-ɔ̀-], **-i·cal**[-əl] *a.* 문제의, 의문의, 불확실한. **-i·cal·ly** *ad.*
pro bo·no pu·bli·co[próu bóunou pʌ́blikòu] (L.) 공익을 위하여.
pro·bos·cis[proubɑ́sis/-ɔ́-] *n.* (*pl.* ***～es, -cides***[-sədìːz]) Ⓒ (코끼리의) 코; (맥(貘) 등의) 부리《코 포함》; (나비·나방의) 주둥이; 《諧》 (사람의) 코.
pro·caine[proukéin, ⌐—] *n.* Ⓤ 〖藥〗 프로카인《국부 마취제의 일종》.
:**pro·ce·dure**[prəsíːdʒər] *n.* Ⓤ,Ⓒ 절차; 조치; (행위·상태 등의) 진행; 〖컴〗 프로시저.
procédure óriented lánguage 〖컴〗 처리 중심 언어.
:**pro·ceed**[prousíːd] *vi.* ① 나아가다(*to*). ② 시작하다; 착수하다(*to*). ② 계속하다(*in, with*). ③ 발생하다, 생기다(*from, out of*). ④ 처분하다, 소송 절차를 밟다(*against*). — [próusiːd] *n.* (*pl.*) 수입, 매상고. :**～·ing** *n.* Ⓤ,Ⓒ 행동; Ⓒ 조치, 조처; (*pl.*) 소송 절차; (*pl.*) 의사록, (학회의) 회보.
:**proc·ess**[prɑ́ses/próu-] *n.* ① Ⓤ,Ⓒ 진행, 경과; 과정. ② Ⓒ 순서, 방법; 〖컴〗 처리. ③ Ⓒ 〖生〗 돌기. ④ Ⓒ 〖法〗 피고 소환장, 영장. ⑤ Ⓒ 〖印〗 사진 제판법. ***in*** ～ 진행하여, …중(*of*). — *a.* (화학적으로) 가공한. — *vt.* 처리〔가공〕하다; 기소하다. **próc·es·sor** *n.* Ⓒ 《美》 농산물 가공업자; 〖컴〗 처리기, 프로세서.
prócess(ed) chéese 가공 치즈.
proc·ess·ing[prɑ́sesiŋ/próu-] *n.* 〖컴〗 (자료의) 처리. 「업.
prócessing ìndustry 식품 가공
prócessing tàx 농산물 가공세.
prócessing ùnit 〖컴〗 처리 장치.
:**pro·ces·sion** [prəséʃən] *n.* Ⓒ 행렬; Ⓤ 행진. **～·al** *a., n.* 행렬(용)의; Ⓒ 행렬 성가(聖歌).
prócess prìnting 원색 제판법.
prò-chóice *a.* (인공) 임신 중절 합법화 찬성의.
:**pro·claim** [proukléim, prə-] *vt.* 선언하다; 공표하다; 나타내다.
proc·la·ma·tion[prɑ̀kləméiʃən/-ɔ̀-] *n.* Ⓤ 선언; Ⓒ 선언서.
pro·cliv·i·ty[prəklívəti] *n.* Ⓒ 경향, 성벽(性癖)(*for, to, to* do).
pro·con·sul[proukɑ́nsəl/-ɔ́-] *n.* Ⓒ 〖古로〗 지방 총독.
pro·cras·ti·nate[proukrǽstənèit] *vi., vt.* 지연하다. **-na·tor** *n.* Ⓒ 미루는 사람. **-na·tion**[—⌐—néiʃən] *n.* Ⓤ 지연.
pro·cre·ate[próukrièit] *vt.* (아버지로서) 자식을 보다; 자손을 낳다; (신종(新種) 따위를) 내다. **-a·tion** [⌐—éiʃən] *n.* Ⓤ 출산; 생식. **-a·tive** *a.* 낳는; 생식력 있는.
Pro·crus·tes[proukrʌ́stiːz] *n.* 〖그神〗 고대 그리스의 강도《사람을 철 침대의 길이에 맞추어 다리를 자르든가, 잡아늘였다고 함》. **-te·an** *a.* 폭력으로 규준(規準)에 맞추는.
proc·tol·o·gy[prɑktɑ́lədʒi/prɔktɔ́l-] *n.* Ⓤ 항문〔직장〕병학, 항문과.
proc·tor[prɑ́ktər/-ɔ́-] *n.* Ⓒ 〖法〗 대소인(代訴人), 대리인; 학생감.
pro·cum·bent[proukʌ́mbənt] *a.* (납죽) 엎드린; 〖植〗 (줄기가) 땅을 기는.
pro·cur·a·ble [proukjúərəbəl, prə-] *a.* 얻을〔취득할〕 수 있는.
proc·u·ra·tion[prɑ̀kjəréiʃən/prɔ̀-] *n.* Ⓤ 획득; 〖法〗 대리, 위임; Ⓒ 위임장.
proc·u·ra·tor[⌐—èitər] *n.* Ⓒ (소송) 대리인; 〖古로〗 행정〔재무〕관.
:**pro·cure** [proukjúər, prə-] *vt.* ① (노력하여) 얻다. ② 《古》 가져오다, …시키다. ③ (매춘부를) 알선하다. ˙**～·ment** *n.* Ⓤ 획득; 《美》 조달.
Pro·cy·on [próusiɑ̀n/-siɔ̀n] *n.* 〖天〗 프로키온《작은개자리의 일등성》.
prod[prɑd/-ɔ-] *vt.* (***-dd-***) 찌르다; 자극하다, 격려〔편달〕하다. — *n.* Ⓒ 찌르는 바늘; (가축 모는) 막대기; 찌름; 자극, 촉진.
˙**prod·i·gal**[prɑ́digəl/-ɔ́-] *a.* 낭비하는; 아낌없이 주는(*of*); 풍부한. — *n.* Ⓒ 낭비자, 방탕한 아들. **～·i·ty**[⌐—gǽləti] *n.* Ⓤ 낭비; 풍부, 활수함.
˙**pro·di·gious** [prədídʒəs] *a.* 거대

〔막대〕한; 놀랄 만한, 놀라운.
***prod·i·gy** [prádədʒi/-ɔ́-] *n.* Ⓒ 천재(天才); 경탄(할 물건·일).
†**pro·duce** [prədjú:s] *vt.* ① 생기게 하다, 산출〔생산〕하다; 낳다. ② 초래하다. ③ 만들다, 제조하다. ④ 공급하다; 보이다, 제출하다. ⑤ (극 따위를) 상연하다; 《英》 연출하다(《美》 direct). ⑥ 〖幾〗 연장하다. ~ ***on the line*** 대량 생산하다(cf. assembly line). — [prádju:s/prɔ́d-] *n.* Ⓤ 산물, 농산물; 생산액.
‡**pro·duc·er** [-ər] *n.* Ⓒ ① 생산자. ② 《英》 (극의) 연출가(《美》 director), 〖映〗 프로듀서. 「(연료).
prodúcer gàs 〖化〗 발생로 가스
prodúcer(s') gòods 생산재(財).
prodúcer(s') prìce 생산자 가격.
‡**prod·uct** [prádəkt/-ɔ́-] *n.* Ⓒ ① 생산품; 제작물. ② 결과, 성과. ③ 〖數·컴〗 곱, 적(積).
‡**pro·duc·tion** [prədʌ́kʃən] *n.* ① Ⓤ 생산; 제작; Ⓒ 생산〔제작〕물, 작품. ② Ⓤ (영화의) 제작, 연출; Ⓒ 제작소. 「산 공정.
prodúction lìne (일관 작업의) 생
‡**pro·duc·tive** [prədʌ́ktiv] *a.* 생산적인; (…을) 낳는, 산출하는(*of*); 다산(多産)의; 비옥한. ***-tiv·i·ty** [pròudʌktívəti, prɑ̀-/prɔ̀-] *n.* Ⓤ 생산성; 다산; 생산력.
próduct liabìlity (제품에 의한 피해에 대한) 생산자 책임. 「문.
pro·em [próuem] *n.* Ⓒ 머리말, 서
prof [prɑf/-ɔf] *n.* Ⓒ 《口》 교수.
Prof. Professor.
prò-fámily *a.* 《美》 임신 중절 반대법에 찬성하는.
prof·a·na·tion [prɑ̀fənéiʃən/-ɔ̀-] *n.* Ⓤ,Ⓒ (신성) 모독.
***pro·fane** [prəféin] *a.* (신성) 모독의, 불경한; 세속적인; 이교적인, 사교(邪敎)의. — *vt.* (신성을) 더럽히다; 남용하다. **~·ly** *ad.* **~·ness** *n.*
pro·fan·i·ty [prəfǽnəti] *n.* Ⓤ 모독, 불경; Ⓒ 모독적인 언행.
***pro·fess** [prəfés] *vt.* ① 공언〔명언(明言)〕하다. ② …라고 자칭〔주장〕하다. ③ (…을) 신앙한다고 공언하다. ④ …인 체하다. ⑤ (어떤 일을) 직업으로 삼다; (학문·기술 따위를) 지니고 있다고 공언하다. ⑥ (…을) 교수(敎授)하다. — *vi.* 공언하다; 신앙을 고백하다; 대학 교수로 있다.
pro·fessed [prəfést] *a.* 공언한; 공공연한; 서약하고 종교단에 든; 겉꾸밈의, 가장한, 자칭의. **-fess·ed·ly** [-fésidli] *ad.*
‡**pro·fes·sion** [prəféʃən] *n.* ① Ⓒ (전문적, 지적) 직업. ② Ⓤ (the ~) 《집합적》 동업자들; 《俗》 배우들. ③ Ⓒ 공언; 신앙 고백. ***by*** ~ 직업은.
‡**pro·fes·sion·al** [prəféʃənəl] *a.* 직업적인; 지적(知的) 직업에 종사하는; 전문의. — *n.* Ⓒ 지적 직업인; 직업 선수. **~·ism** [-ʃənəlìzəm] *n.* Ⓤ 전문가〔직업 선수〕 기질. **~·ize** [-ʃənəlàiz] *vt.* 직업화하다. **~·ly** *ad.*
‡**pro·fes·sor** [prəfésər] *n.* Ⓒ ① (대학의) 교수; (남자) 선생. ② 공언자(公言者); 《英》 신앙 고백자. **~-ship** [-ʃip] *n.* Ⓤ 교수의 직〔직위〕.
pro·fes·so·ri·al [pròufəsɔ́:riəl, prɑ̀f-/prɔ̀-] *a.* 교수의, 교수다운; 학자연하는.
***prof·fer** [práfər/-ɔ́-] *vt.* 제공하다; 제의하다. — *n.* Ⓤ 제공; Ⓒ 제공물.
***pro·fi·cient** [prəfíʃənt] *a.* 숙련된, 숙달한(*in, at*). — *n.* Ⓒ 능수, 달인(達人)(*in*). **~·ly** *ad.* **-cien·cy** *n.* Ⓤ 숙달.
pro·file** [próufail] *n.* Ⓒ 옆얼굴, 측면; 윤곽; 인물 단평(短評); 소묘(素描); 측면도. ***in ~ 측면에서 보아, 옆모습으로는. — *vt.* (…의) 윤곽을 〔측면도를〕 그리다; 인물평을 쓰다.
‡**prof·it** [práfit/-ɔ́-] *n.* Ⓤ,Ⓒ (종종 *pl.*) (장사의) 이윤; 이익. ***make a ~ of*** …으로 이익을 보다. ***make one's ~ of*** …을 이용하다. — *vt.* (…에) 이익이 되다. — *vi.* 이익을 얻다, 남다(*by, from, of*). **~·less** *a.* 이익 없는; 무익한.
***prof·it·a·ble** [-əbəl] *a.* 유익한; 이문이 있는. **-bly** *ad.*
prof·it·eer [prɑ̀fitíər/prɔ̀fi-] *vi., n.* 폭리를 탐하다; Ⓒ 그 사람.
prófit màrgin 〖商〗 이윤폭(幅).
prófit shàring (노사간의) 이익 분배법.
prof·li·gate [práfligit/-ɔ́-] *a., n.* 품행〔행실〕이 나쁜; 낭비하는; Ⓒ 방탕자. **-ga·cy** *n.*
‡**pro·found** [prəfáund] *a.* 깊은; 심원한; 마음으로부터의; 정중〔공손〕한 《절 따위》. * **~·ly** *ad.* **pro·fun·di·ty** [prəfʌ́ndəti] *n.*
***pro·fuse** [prəfjú:s] *a.* 아낌없는(*in, of*); 풍부한. ***pro·fu·sion** [-fjú:ʒən] *n.* Ⓤ 대량, 풍부, 활수, 낭비.
prog [prɑg/-ɔ-] *n.* Ⓒ 《英俗》 (Oxford·Cambridge 대학의) 학생감. — *vt.* (*-gg-*) (학생을) 처벌하다.
pro·gen·i·tor [proudʒénətər] *n.* Ⓒ 조상, 선조; 선배; 원본(original).
pro·gen·i·ture [proudʒénətʃər] *n.* Ⓤ 자손을 낳음; =⇩.
prog·e·ny [prádʒəni/-ɔ́-] *n.* Ⓤ 《집합적》 자손.
pro·ges·ter·one [proudʒéstəròun], **-ges·tin** [-dʒéstin] *n.* Ⓤ 〖生化〗 프로게스테론《여성 호르몬의 일종》.
pro·ges·to·gen [proudʒéstədʒen] *n.* Ⓤ 〖藥〗 황체 호르몬제.
prog·na·thous [prágnəθəs/prɔgnéi-] *a.* 턱이 튀어나온, 주걱턱의.
prog·no·sis [prɑgnóusis/-ɔ-] *n.* (*pl.* ***-ses*** [-si:z]) Ⓤ,Ⓒ 〖醫〗 예후(豫後); 예측. **prog·nos·tic** [-nás-/-ɔ́-] *a., n.* 〖醫〗 예후의; 전조를 보이는(*of*); Ⓒ 전조, 징후; 예측.
prog·nos·ti·cate [prɑgnástikèit/prɔgnɔ́s-] *vt.* (전조에 의하여) 미리

알다; 예언〔예시(豫示)〕하다. **-ca·tion**[–∸–kéiʃən] *n.* Ⓤ (전조에 의한) 예지(豫知); 예언, 예시; Ⓒ 전조.
pro·gram, 《英》 **-gramme**[próugræm, -grəm] *n.* Ⓒ 프로그램, 차례표; 예정, 계획(표); 〖컴〗 프로그램 《처리 절차를 지시한 것》.
prógram dirèctor (라디오·TV의) 프로 편성자.
pro·gram·ma·ble[próugræməbəl, ∸∸–] *a.* 프로그램으로 제어할 수 있는; 〖컴〗 프로그램할 수 있는. — *n.* Ⓒ (특정한 일을 행할 수 있게) 프로그램할 수 있는 전자 기기《전산기·전화》.
prógram màintenance 〖컴〗 프로그램 보수.
prógrammed cóurse 〖教〗 프로그램 학습 과정.
pro·gram·(m)er[-ər] *n.* Ⓒ 〖放〗 프로그램 제작자; 〖컴〗 프로그래머.
pro·gram·(m)ing[-iŋ] *n.* Ⓤ 프로그램의 작성〔실시〕; 〖컴〗 프로그래밍.
prógramming lànguage 〖컴〗 프로그램 언어.
prógram mùsic 〖樂〗 표제 음악.
prógram pìcture 동시 상연 영화.
:prog·ress[prágres/-óu-] *n.* Ⓤ 전진, 진보; 발달. ***in*** **~** 진행중. ***make*** **~** 진행하다; 진척하다. — [prəgrés] *vi.* 전진〔진행, 진보〕하다.
***pro·gres·sion** [prəgréʃən] *n.* ① Ⓤ 전진, 진행. ② Ⓒ 〖數〗 수열.
:pro·gres·sive[prəgrésiv] *a.* 전진〔진보〕하는; 누진적인; 진보주의의; 〖文〗 진행형의(*the* **~** *form*). **~ *jazz*** 비(非)재즈적 요소를 가미한 모던 재즈의 한 양식. **~ *taxation*** 누진 과세. — *n.* Ⓒ 진보론자; (P-) 《美》 진보당원; (공산당원의 영향으로) 적화(赤化)된 포로. **~·ly** *ad.*
Progréssive Párty, the 《美》 진보당. 「해〕하다.
:pro·hib·it [prouhíbit] *vt.* 금지〔방
:pro·hi·bi·tion[pròuhəbíʃən] *n.* Ⓤ 금지; Ⓒ 금령(禁令); (P-) Ⓤ 《美》 주류 제조 판매 금지령. **~·ism** [-ìzəm] *n.* Ⓤ 주류 제조 판매 금지주의. **~·ist** *n.* Ⓒ 그 주의자.
pro·hib·i·tive [prouhíbətiv], **-to·ry**[-tɔ̀:ri/-təri] *a.* 금지〔방해〕하는.
:pro·ject[prədʒékt] *vi., vt.* ① 고안〔계획〕하다. ② 내던지다. ③ 불쑥 내밀(게 하)다. ④ (탄환 따위를) 발사하다. ⑤ 객관〔구체〕화하다. ⑥ 투영하다, 영사하다. ⑦ 〖幾〗 투영도를 만들다. ⑧ 〖化〗 (…을) 투입하다. — [prádʒekt/-ɔ́-] *n.* ① 계획, 기업; 〖教育〗 연구 과제; 개발 토목 계획. ② 《美》 공영 단지. ③ 〖컴〗 과제. ***Project Apollo*** 〔***Mercury, Surveyor***〕 《美》 (우주선) 아폴로〔머큐리, 서베이어〕 계획.
pro·jec·tile[prədʒéktil, -tail] *a.* 발사하는; 추진하는. — [prədʒéktl, -tail/prɔ́dʒiktàil] *n.* Ⓒ 발사물〔체〕, 탄환. 「한.
pro·ject·ing[prədʒéktiŋ] *a.* 돌출
pro·jec·tion** [prədʒékʃən] *n.* ① Ⓤ,Ⓒ 돌출(부); Ⓤ 사출, 발사. ② Ⓤ,Ⓒ 〖數〗 투영법〔화〕; 〖地〗 평면 도(법); Ⓒ 〖映〗 영사. ③ Ⓤ 계획. ④ Ⓤ 〖心〗 주관의 객관화. ⑤ 〖컴〗 비춰내기. **~ *television 투사식 텔레비전. **~·ist** *n.* Ⓒ 〖映〗 영사기사(映寫技師); TV기사.
projéction bòoth (영화관의) 영사실.
pro·jec·tive[prədʒéktiv] *a.* 〖幾〗 사영의, 투영의; 〖心〗 투영법의.
pro·jec·tor[prədʒéktər] *n.* Ⓒ 계획자; 엉터리 회사의 창립자; 투사기(投射機); 영사기.
prol. prologue. 「장(扁長)한.
pro·late[próuleit, ∸∸] *a.* 〖數〗 편
prole[proul] *n.* =PROLETARIAN.
pro·le·gom·e·na[pròuləgámənə/-ləgɔ́m-] (*sing.* ***-non***[-nàn/-nən]) *n. pl.* 서언, 서문.
***pro·le·tar·i·an**[pròulətέəriən] *n., a.* Ⓒ 프롤레타리아〔무산 계급〕(의). **-i·at(e)**[-iət] *n.* Ⓤ (*the* **~**) 《집합적》 프롤레타리아트, 무산 계급; 〖로史〗 최하층 사회.
prò-lífe *a.* 임신 중절 합법화에 반대하는. **-lífer** *n.*
pro·lif·er·ate [proulífərèit] *vt., vi.* 〖生〗 (관생(貫生)에 의해) 증식〔번식〕시키다〔하다〕. **-a·tion**[–∸–éiʃən] *n.* Ⓤ 〖植〗 관생《생장의 종점인 꽃에서 새로운 줄기나 눈이 자라나는 일》.
***pro·lif·ic**[proulífik] *a.* 아이를 (많이) 낳는; 다산(多産)의; (토지가) 비옥한; 풍부한(*in, of*). **-i·ca·cy** *n.* Ⓤ 출산력; 다산; 풍부.
pro·lix[proulíks] *a.* 장황한, 지루한, 지루하게 말하는. **~·i·ty**[proulíksəti] *n.*
***pro·log(ue)** [próulɔ:g, -lag/-lɔg] *n.* Ⓒ (연극의) 개막사(opp. epilog(ue)); 서막; (소설·시 따위의) 머리말; 서막적 행동〔사건〕.
:pro·long[proulɔ́:ŋ/-lɔ́ŋ] *vt.* 늘이다, 연장하다. **~ed**[-d] *a.* 오래 끈.
pro·lon·ga·tion[∸–géiʃən] *n.* Ⓤ 연장; Ⓒ 연장 부분.
PROM[pram/-ɔ-] 〖컴〗 programmable ROM 피롬.
prom[pram/-ɔ-] *n.* Ⓒ 《美口》 (대학·고교 따위의) 무도회. 「tory.
prom. promenade; promon-
***prom·e·nade**[pràmənéid, -ná:d/prɔ̀məná:d] *n.* Ⓒ ① 산책, 산보. ② 산책하는 곳. ③ (무도회 개시 때의) 내객 전원의 행진. — *vi., vt.* 산책하다. **-nád·er** *n.*
promenáde còncert 야외 음악회《산책·댄스하면서 듣는》.
promenáde dèck 산책 갑판《1등 선객용》.
Pro·me·the·us [prəmí:θiəs, -θju:s] *n.* 〖그神〗 프로메테우스《하늘에서 훔친 불을 인류에게 주어 Zeus의 분노를 산 신(神)》.

pro·me·thi·um[prəmí:θiəm] *n.* Ⓤ 〖化〗 프로메튬《구명 illinium》.

:**prom·i·nent**[prámənənt/prɔ́m-] *a.* 돌출한; 눈에 띄는; 현저한, 중요한; 저명한. **-nence** *n.* Ⓤ 돌출; Ⓒ 돌출물; Ⓤ 현저. **~·ly** *ad.*

pro·mis·cu·ous [prəmískjuəs] *a.* 난잡한; 무차별의; 우연한, 되는 대로의. **-cu·i·ty**[pràmiskjú:əti/prɔ̀m-] *n.*

†**prom·ise** [prámis/-ɔ́-] *n.* Ⓒ 약속(한 일, 물건); Ⓤ 촉망, 가망. ***the Land of P-*** = the Promised Land. — *vt., vi.* 약속하다; 가망이[우려가] 있다. ***the Promised Land*** 〖聖〗 약속의 땅; 천국; (the p- l-) 희망의 땅. **próm·is·ing** *a.* 유망한.

prom·is·so·ry[prámәsɔ̀:ri/prɔ́məsəri] *a.* 약속의; 지불을 약속하는.

prómissòry nóte 약속 어음.

pro·mo[próumou] (<*promo*tion) *a.* 선전의, 선전에 도움이 되는.

prom·on·to·ry [práməntɔ̀:ri/prɔ́məntəri] *n.* Ⓒ 곶, 갑(岬).

:**pro·mote**[prəmóut] *vt.* ① 촉진[조장]하다. ② 승진[진급]시키다(*to*) (opp. demote). ③ (사업을) 발기하다. ④ 《美》 선전하여 (상품의) 판매를 촉진하다. **pro·mót·er** *n.* Ⓒ 촉진자; (주식 회사의) 발기인; 주창자; 흥행주(主). **pro·mó·tion** *n.* Ⓤ 승진, 진급; 촉진; 발기, 주창.

:**prompt** [prampt/-ɔ-] *a.* 신속한; 곧[기꺼이] …하는; 즉시의. — *vt.* 촉진[고무, 자극]하다; 생각나게 하다; (사상·감정을) 환기하다; (배우에게 숨어서) 대사를 일러주다,(퀴즈 따위에서 사회자가) 힌트를 주다. — *n.* Ⓒ (숨어서) 대사를 일러줌; 〖컴〗 길잡이, 프롬프트. **∠·er** *n.* Ⓒ 〖劇〗 (숨어서) 배우에게 대사를 일러주는 사람. **∠·ly** *ad.* **∠·ness** *n.*

prómpt·bòok *n.* Ⓒ prompter용 대본.

prómpt bòx 〖劇〗 prompter가 숨어 있는 좌석.

prómpt càsh 현금, 맞돈, 즉시불.

promp·ti·tude [prámptətjù:d/prɔ́mp-] *n.* Ⓤ 민속(敏速).

prom·ul·gate [práməlgèit, proumʌ́l-/prɔ́məl-] *vt.* 공포[반포]하다; (교의 등을) 널리 펴다. **-ga·tor** *n.* Ⓒ 위의 일을 하는 사람. **-ga·tion** [∸-géiʃən] *n.*

pron. pronominal; pronoun; pronounced; pronunciation.

***prone**[proun] *a.* ① 수그린; 납죽 엎드린. ② 내리받이의. ③ (…의) 경향이 있는, (…하기) 쉬운(*to*).

prong [prɔ:ŋ/-ɔ-] *n., vt.* Ⓒ (포크나 사슴의 뿔 따위, 갈래진 물건의) 끝(으로 찌르다).

próng·hòrn *n.* Ⓒ 〖動〗 (북미 서부산) 영양(羚羊)의 일종.

:**pro·noun**[próunàun] *n.* Ⓒ 〖文〗 대명사. **pro·nom·i·nal**[prounámənəl/prənɔ́m-] *a.* 대명사의, 대명사적인.

:**pro·nounce**[prənáuns] *vt.* ① 발음하다. ② (의견 등을) 말하다; 선고하다; 단언하다. — *vi.* ① 발음하다. ② 의견을 말하다; 판단을 내리다 (*on, upon*). **~·ment** *n.* Ⓒ 선언; 선고; 의견; 결정.

pro·nóunced *a.* 뚜렷한, 단호한. **-nounc·ed·ly**[-sidli] *ad.*

pron·to [prántou/-ɔ́-] *ad.* 《美俗》 급속히.

pron·to·sil [prántəsil/-ɔ́-] *n.* Ⓤ 〖藥〗 프론토실《화농성 세균에 의한 병의 특효약》.

pro·nun·ci·a·men·to[prənʌ̀nsiəméntou, -ʃiə-] *n.* (*pl.* **~s**) Ⓒ 선언서; (특히, 스페인계 남미 제국의) 혁명 선언; 군사 혁명.

:**pro·nun·ci·a·tion** [prənʌ̀nsiéiʃən] *n.* Ⓤ,Ⓒ 발음(하는 법).

:**proof**[pru:f] *n.* ① Ⓤ,Ⓒ 증명; 증거, 증언. ② Ⓒ 시험; Ⓤ 시험필(畢)(의 상태); Ⓒ,Ⓤ 〖印〗 교정쇄(刷). ③ Ⓤ (주류의) 표준 강도. ***in ~ of*** …의 증거로서. ***put*** [***bring***] ***to the ~*** 시험하다. — *a.* 시험필의; (…에) 견디는(*against*); (주류가) 표준 강도의.

próof lìst 〖컴〗 검사 목록.

proof·read[prú:frì:d] *vt., vi.* (***-read*** [-rèd]) 교정하다. **~·er** *n.* Ⓒ 교정원. **~·ing** *n.*

próof shèet 교정쇄(刷).

***prop**[1][prap/-ɔ-] *vt.* (**-pp-**) 버티다 (*up*); 버팀대를 대다. — *n.* Ⓒ 지주(支柱), 버팀대; 지지자.

prop[2] *n.* Ⓒ 〖數〗 명제; 《口》 〖劇〗 소품; 《口》 〖空〗 =PROPELLER.

prop. proper(ly); property; proposition; proprietary; proprietor.

:**prop·a·gan·da**[pràpəgǽndə/-ɔ-] *n.* Ⓤ 선전(된 주의·주장); Ⓒ 선전 기관. **~ *film*** 선전 영화. **-gán·dism** *n.* Ⓤ 선전 (사업); 전도, 포교. **-gán·dist** *n.* Ⓒ 선지자. **-gán·dize** *vt., vi.* 선전[포교]하다.

***prop·a·gate** [prápəgèit/-ɔ́-] *vt.* 번식시키다; 선전하다, 보급시키다; (빛·소리 등을) 전하다. — *vi.* 번식하다; 보급하다. **-ga·tor** *n.* Ⓒ 선전자. **-ga·tion**[∸-géiʃən] *n.*

pro·pane [próupein] *n.* Ⓤ 〖化〗 프로판 (가스)《탄화수소의 일종》.

pro pa·tri·a [prou péitriə] (L.) 조국을 위하여.

***pro·pel** [prəpél] *vt.* (**-ll-**) 추진하다. **~·lant** *n.* Ⓤ,Ⓒ (총포의) 발사화약; (로켓의) 연료. **~·lent** *a., n.* 추진하는; =PROPELLANT. **~·ler** *n.* Ⓒ 프로펠러, 추진기; 추진자.

propélling péncil 《英》 샤프 펜슬 (《美》 mechanical pencil).

pro·pen·si·ty [prəpénsəti] *n.* Ⓒ 경향, 버릇, …벽(癖)(*to, for*).

†**prop·er** [prápər/-ɔ́-] *a.* ① 적당한, 옳은. ② 예의바른. ③ 독특한; 〖文〗 고유의. ④ 엄밀한 의미에서의

P

《보통 명사 뒤에 붙임》; 진정한. ④《英口》 순전한. ***in a ~ rage*** 불같이 노하여. ***China ~*** 중국 본토. **~·ly** *ad.* **~*ly speaking*** 바르게 말하면.

próper ádjective 〖文〗 고유 형용사《Korean 따위》.

próper fráction 〖數〗 진(眞)분수.

próper mótion 〖天〗 (항성의) 고유 운동. 「명사.

***próper nóun** [**náme**] 〖文〗 고유

:**prop·er·ty** [prápərti/-ɔ́-] *n.* ① Ⓤ 재산; 소유물. ② Ⓒ 소유지. ③ Ⓤ 소유(권). ④ Ⓒ 특성. ⑤ (*pl.*) 〖劇〗 소품(小品). ***man of ~*** 자산가. ***real*** [***personal, movable***] ***~*** 부동산[동산]. **-tied** *a.* 《美》 재산 있는.

próperty ànimal 《美》 연극·영화용으로 길들인 동물.

próperty màn [**màster**] 〖劇〗 소품 담당.

próperty tàx 재산세.

pro·phase [próufèiz] *n.* Ⓒ 〖生〗 (유사(有絲) 분열 또는 감수 분열의) 전기(前期).

***proph·e·cy** [práfəsi/prɔ́fə-] *n.* Ⓤ,Ⓒ 예언; 신의 계시; Ⓒ 〖聖〗 예언서.

***proph·e·sy** [práfəsài/prɔ́fə-] *vt., vi.* 예언하다.

:**proph·et** [práfit/-ɔ́-] *n.* Ⓒ 예언자; 신의 뜻을 알리는 사람; (the Prophets) 〖舊約〗 예언서. **~·ess** *n.* Ⓒ 여자 예언자.

***pro·phet·ic** [prəfétik], **-i·cal** [-əl] *a.* 예언(자)의; 예언적인(*of*); 경고의. **-i·cal·ly** *ad.*

pro·phy·lac·tic [pròufəlǽktik/prɔ̀f-] *a., n.* (병을) 예방하는; Ⓒ 예방약[법]; 콘돔.

pro·phy·lax·is [-lǽksis] *n.* Ⓤ,Ⓒ 〖醫〗 예방(법).

pro·pin·qui·ty [prəpíŋkwəti] *n.* Ⓤ (장소·때·관계의) 가까움; 근사; 친근.

pro·pi·ón·ic ácid [pròupiánik-/-ɔ́n-] 〖化〗 프로피온산《곰팡이 방지용으로 빵에 씀》.

pro·pi·ti·ate [prəpíʃièit] *vt.* 달래다; 화해시키다; (…의) 비위를 맞추다. **-a·to·ry** [-ʃiətɔ̀:ri/-təri] *a.* **-a·tion** [-⌐ʃiéiʃən] *n.*

pro·pi·tious [prəpíʃəs] *a.* 순조로운, 형편이 (…에) 좋은(*for, to*); 상서로운. **~·ly** *ad.* **~·ness** *n.*

prop·jet [prápdʒèt/-ɔ́-] *n.* 〖空〗 = TURBOPROP.

própjet éngine 분사 추진식 엔진.

prop·man [prápmæ̀n/-ɔ́-] *n.* = PROPERTY MAN. 「납(蜜蠟).

prop·o·lis [prápəlis/-ɔ́-] *n.* Ⓤ 밀

pro·po·nent [prəpóunənt] *n.* Ⓒ 제안자; 지지자.

:**pro·por·tion** [prəpɔ́:rʃən] *n.* ① Ⓤ 비율. ② Ⓤ 〖數〗 비례. ③ Ⓤ (각 부분의) 균형, 조화. ④ Ⓒ 몫, 부분. ⑤ (*pl.*) (각 부분을 모은) 면적, 용적, 크기. ***in ~ to*** …에 비례하여; …와 균형이 잡혀. ***out of ~ to*** …와 균형이 안 잡혀. ***sense of ~*** (엉뚱한 짓을 하지 않는) 신사적 양식(良識). — *vt.* 균형잡히게 하다, 비례시키다(*to*); 할당[배분]하다(*to*). **~·a·ble** *a.* 균형이 잡힌. **~ed** [-d] *a.* 균형이 잡힌; 균형이 …한(*ill-~ed* 균형이 안 잡힌).

***pro·por·tion·al** [-əl] *a.* 균형이 잡힌; 〖數〗 비례의. **~·ly** *ad.* 비례하여.

propórtional representátion (선거의) 비례 대표(제). 「간격.

propórtional spácing 〖컴〗 비례

***pro·por·tion·ate** [prəpɔ́:rʃənit] *a.* 균형 잡힌, 비례한(*to*). **~·ly** *ad.*

:**pro·pose** [prəpóuz] *vt.* 신청하다; 제안하다; 추천[지명]하다; 기도하다, 꾀하다. — *vi.* 계획하다; 청혼하다. **-pos·al** *n.* Ⓤ,Ⓒ 신청; 제안, 계획; 청혼. **-pos·er** *n.* Ⓒ 신청인; 제안자.

:**prop·o·si·tion** [pràpəzíʃən/-ɔ̀-] *n.* Ⓒ ① 제의, 제안. ② 서술(敍述). ③ 〖數〗 정리(定理); 〖論〗 명제. ④ 《美口》 기업, 사업; 상품. ⑤ 《口》 (처리할) 것; 상대, 놈, 녀석. ⑥ 《美口》 (여자에의) 유혹. 「제 함수.

propositional fúnction 〖數〗 명

pro·pound [prəpáund] *vt.* (문제·계획을) 제출[제의]하다.

pro·pri·e·tar·y [prəpráiətèri/-təri] *a.* 소유(주)의; 재산이 있는; 독점의, 전매의. ***~ classes*** 유산[지주] 계급. ***~ medicine*** 특허 매약. ***~ rights*** 소유권. — *n.* Ⓒ 소유자; 《집합적》 소유자들; Ⓤ,Ⓒ 소유(권).

propríetary náme (상품의) 특허 등록명, 상표명.

pro·pri·e·tor** [prəpráiətər] *n.* (*fem.* ***-tress [-tris]) Ⓒ 소유자; 경영자. **~·ship** [-ʃip] *n.* Ⓤ 소유권.

***pro·pri·e·ty** [prəpráiəti] *n.* Ⓤ ① 적당, 타당. ② 예의 바름; 교양; (the proprieties) 예의 범절.

props [praps/-ɔ-] *n.* =PROPERTY MAN.

pro·pul·sion [prəpʌ́lʃən] *n.* Ⓤ 추진(력). **-sive** *a.*

próp wòrd 〖文〗 지주어(支柱語)《형용사나 형용사 상당 어구에 붙어 이를 명사의 구실을 하게 하는 말; a white sheep and a black one에서 one》. 「(基)의.

pro·pyl [próupil] *a.* 〖化〗 프로필기

pro·rate [prouréit, ⌐—] *vt.* 안분하여 분배[할당]하다.

pro·rogue [prouróug] *vt.* (영국 등지에서 의회를) 정회하다. **pro·ro·ga·tion** [pròurəgéiʃən] *n.*

pros. proscenium; prosecuting; prosody.

pro·sa·ic [prouzéiik] (<prose) *a.* 산문(체)의; 평범한, 지루한. **-i·cal·ly** *ad.*

pro·sce·ni·um [prousí:niəm] *n.* (*pl.* ***-nia*** [-niə]) (the ~) 앞 무대《막과 주악석(奏樂席) 사이》.

pro·scribe [prouskráib] *vt.* (사람을) 법률의 보호 밖에 두다; 추방하

다; 금지〔배척〕하다. **-scríp·tion** *n.* **-scríp·tive** *a.*

:**prose**[prouz] *n.* Ⓤ 산문(체); 평범〔지루〕한 이야기. — *a.* 산문의; 평범한, 공상력이 부족한. — *vi.* 평범하게 쓰다〔이야기하다〕.

pros·e·cute** [prásəkjù:t/prɔ́s-] *vt.* (조사를) 수행하다; (사업을) 경영하다; 〖法〗 (사람·죄를) 고소〔기소〕하다. — *vi.* 기소하다. **-cu·tor** *n.* Ⓒ 수행자; 기소자. ***public prosecutor 검찰관, 검사. **-cu·tion**[⌐–kjú:ʃən] *n.* Ⓤ 수행; 종사; Ⓤ,Ⓒ 기소; Ⓤ (the ~) 《집합적》 기소자측.

prósecuting attórney 《美》 검찰관.

pros·e·lyte [prásəlàit/prɔ́s-] *n.* Ⓒ 개종자; 전향자. — *vt., vi.* 개종〔전향〕시키다〔하다〕. **-lyt·ize**[-lətàiz] *vt., vi.* =PROSELYTE.

pro·ser[próuzər] *n.* Ⓒ 산문가; 평범한 일을 쓰는 사람; 장황히 말하는 사람.

Pro·ser·pi·na [prousə́:rpənə], **-ne**[-ni] *n.* 〖로神〗 =PERSEPHONE.

pro·sit[próusit] *int.* (L. =May it do you good!) (축배 때의) 축하합니다.

pro·slav·er·y[prousléivəri] *a., n.* Ⓤ 노예 제도 지지(의).

pros·o·deme[prásədi:m/-ɔ́-] *n.* =SUPRASEGMENTAL PHONEME.

pros·o·dy[prásədi/-ɔ́-] *n.* Ⓤ 운율학, 작시법.

pro·so·po·poe·ia, -pe·ia[prousòupəpí:ə] *n.* Ⓤ 〖修〗 의인법; 활유법(活喩法).

:**pros·pect**[práspekt/-ɔ́-] *n.* ① Ⓒ 조망(眺望); 경치; 전망. ② Ⓤ,Ⓒ 예상; 기대; 가망. ③ Ⓒ 단골이 될 듯한 손님. ***in*** ~ 예기〔예상〕되어, 가망이 있어, 유망하여. — [prəspékt] *vt., vi.* (광산 따위를) 찾다; 시굴(試掘)하다. **-pec·tor**[práspektər/prəspék-] *n.* Ⓒ 탐광자(探鑛者), 시굴자.

***pro·spec·tive**[prəspéktiv] *a.* 예기된, 유망한; 장래의. **~·ly** *ad.*

pro·spec·tus[prəspéktəs] *n.* (학교·회사 설립 등의) 취지서, 내용, 견본, 안내서.

***pros·per** [práspər/-ɔ́-] *vi., vt.* 번영〔성공〕하다〔시키다〕.

:**pros·per·i·ty**[prɑspérəti/prɔspé-] *n.* Ⓤ 번영; 성공; 행운.

:**pros·per·ous** [práspərəs/-ɔ́-] *a.* 번영하는; 운이 좋은, 행운의; 잘 되어가는, 순조로운. **~·ly** *ad.*

prós·tate (glànd) [prásteit(-)/-ɔ́-] *n.* Ⓒ 〖解〗 전립샘, 섭호선(攝護腺).

pros·ti·tute[prástətjù:t/prɔ́stətjù:t] *n.* Ⓒ 매춘부; 돈의 노예. — *vt.* 매음시키다〔하다〕; (능력 등을) 악용하다. **-tu·tion**[⌐–tjú:ʃən] *n.* Ⓤ 매춘; 타락.

***pros·trate**[prástreit/-ɔ́-] *a.* 부복한, 엎드린, 넘어진; 패배〔항복〕한. — *vt.* 엎드리게 하다, 넘어뜨리다; 굴복시키다; 극도로 피곤하게 하다.

pros·trá·tion *n.* Ⓤ,Ⓒ 부복; Ⓤ 피로, 의기 소침.

pros·y[próuzi] *a.* 산문적인; 평범한, 지루한.

Prot. Protestant.

pro·tac·tin·i·um[pròutæktíniəm] *n.* Ⓤ 〖化〗 프로탁티늄《방사성 원소; 기호 Pa, 번호 91》.

pro·tag·o·nist[proutǽgənist] *n.* Ⓒ (소설·극 따위의) 주인공; 주창자.

prot·a·sis [prátəsis/-ɔ́-] *n.* Ⓒ 〖文〗 (조건문의) 전제절(節)(*cf.* apodosis).

pro·te·ase[próutièis] *n.* Ⓤ 〖生化〗 프로테아제, 단백질 분해 효소.

:**pro·tect**[prətékt] *vt.* 지키다, 막다; 보호하다(*from, against*); 〖經〗 (외국 물품에 과세하여 국내 산업을) 보호하다.

:**pro·tec·tion**[prətékʃən] *n.* ① Ⓤ 보호, 방어(*from, against*). ② Ⓒ 보호하는 사람〔물건〕. ③ Ⓤ 〖經〗 보호 무역 (제도)(opp. free trade). ④ Ⓒ 여권(旅券). ⑤ Ⓤ 〖컴〗 보호. **~·ism**[-ìzəm] *n.* Ⓤ 보호 무역론〔무역주의〕. **~·ist** *n.* Ⓒ 보호 무역론자; 야생 동물 보호론자.

***pro·tec·tive**[prətéktiv] *a.* 보호〔방어〕하는; 상해(傷害) 방지의; 〖經〗 보호 무역의.

protéctive cólo(u)ring 〖動〗 보호색.

protéctive cústody 보호 구치.

protéctive mímicry 〔**resémblance**〕 〖動〗 보호 의태(擬態).

protéctive táriff 보호 관세(율).

***pro·tec·tor**[prətéktər] *n.* Ⓒ ① 보호〔옹호, 방어〕자. ② 보호물〔기, 장치〕. ③ 〖英史〗 섭정.

pro·tec·tor·ate[prətéktərit] *n.* Ⓒ 보호국〔령〕.

pro·tec·to·ry [prətéktəri] *n.* Ⓒ 소년원.

pro·té·gé[próutəʒèi, ⌐–⌐] *n.* (*fem.* ***-gée***[-ʒèi]) (F.) Ⓒ 피보호자.

pro·tein [próuti:in], **-teid** [-ti:id] *n.* Ⓤ,Ⓒ 단백질. — *a.* 단백질의〔을 함유하는〕.

pro tem. *pro tempore.*

pro tem·po·re [prou témpərì:/-ri] (L. =for the time) 일시적으로〔인〕, 잠시적으로〔인〕; 임시로〔의〕.

pro·te·ol·y·sis [pròutiáləsis/-tiɔ̀l-] *n.* Ⓤ 〖化〗 단백질 가수 분해.

Prot·er·o·zo·ic [pràtərəzóuik/prɔ̀t-] *n.* (the ~) 〖地〗 원생대. — *a.* 원생대의.

:**pro·test**[prətést] *vt., vi.* 항의하다(*against*); 단언〔주장〕하다; (*vt.*) (약속 어음 따위의) 지급을 거절하다. — [próutest] *n.* Ⓤ,Ⓒ 이의; 언명; Ⓒ (어음의) 거절 증서. ***under*** ~ 항의하며, 마지못해서.

***Prot·es·tant** [prátəstənt/prɔ́t-] *n.* Ⓒ 〖基〗 신교도; (p-) 항의자. — *a.* 신교도의; (p-) 이의를 제기하는. **~·ism**[-ìzəm] *n.* Ⓤ 신교(의 교리); 《집합적》 신교도; 신교 교회.

Prótestant Epíscopal Chúrch

P

미국 감독 교회, 미국 성공회.
prot·es·ta·tion [pràtistéiʃən, pròutes-] *n.* U,C 항의(*against*); 단언(*of, that*).
Pro·teus [próutju:s, -tiəs] *n.* 〖그神〗 변화 무쌍한 바다의 신.
pro·tha·la·mi·um [pròuθəléimiəm] *n.* (*pl.* ***-mia*** [-miə]) C 결혼 축가.
pro·thal·li·um [prouθǽliəm] *n.* (*pl.* ***-lia*** [-liə]) C 〖植〗 전엽체《양치류의》.
pro·throm·bin [prouθrámbin/-ɔ́-] *n.* U 〖生化〗 프로트롬빈《응혈 인자의 일종》.
pro·ti·um [próutiəm, -ʃiəm] *n.* U 〖化〗 프로튬《수소의 동위 원소》.
pro·to·col [próutəkàl, -kɔ̀:l/-kɔ̀l] *n.* C 의정서; U (외교상의) 의례(儀禮); 〖컴〗 (통신) 규약.
P
pro·ton [próutɑn/-tɔn] *n.* C 〖理·化〗 프로톤, 양자(陽子).
pro·to·ne·ma [pròutəní:mə] *n.* 〖植〗 원사체(原絲體). 「가속 장치.
próton sýnchrotron 〖理〗 양자
pro·to·plasm [próutouplæ̀zəm] *n.* U 〖生〗 원형질.
pro·to·type [próutoutàip] *n.* C 원형; 모범; 〖컴〗 원형.
Pro·to·zo·a [pròutouzóuə] *n. pl.* 〖動〗 원생 동물.
pro·to·zo·an [pròutəzóuən] *n., a.* C 〖動〗 원생 동물(의).
pro·tract [proutrǽkt, prə-] *vt.* 오래〔질질〕 끌게 하다, 연장하다; 뻗치다, 내밀다; (각도기·비례자로) 제도하다. **~·ed** [-id] *a.* 오래 끈. **-trac·tile** [-til, -tail] *a.* (동물의 기관 따위) 신장성(伸長性)의. **-trác·tion** *n.*
pro·trac·tor [-ər] *n.* C 각도기.
***pro·trude** [proutrú:d] *vt., vi.* 내밀다; 불쑥 나오다. **-trud·ent** [-ənt] *a.* **-tru·sion** [-ʒən] *n.* U 돌출; C 돌출부. **-trú·sive** *a.*
pro·tu·ber·ant [proutjú:bərənt] *a.* 불룩 솟은, 불쑥 나온. **-ance, -an·cy** *n.* U 돌출, 융기; C 돌출〔융기〕부, 혹.
†**proud** [praud] *a.* ① 자랑〔자만〕하고 있는; 자랑으로 생각하는(*of*). ② 자존심이 있는. ③ 거만한. ④ 영광으로 여기는. ⑤ 자랑할 만한; 당당한. ***be ~ of*** …을 자랑하다; …을 영광으로 생각하다. ***do a person ~*** 《口》 아무를 우쭐하게 하다. ***∠·ly** *ad.*
próud flésh (아문 상처의) 군살.
Proust [pru:st], **Marcel** (1871-1922) 프루스트《프랑스의 소설가》.
Prov. Provençal; Provence; Proverbs; Providence; Provost.
prov. province; provincial; provisional; provost.
†**prove** [pru:v] *vt.* (***~d; ~d,*** 《美·古》 ***proven***) ① 입증〔증명〕하다. ② (유언서를) 검인(檢認)하다. ― *vi.* …이라 판명되다, …이 되다. **próv·a·ble** *a.* 증명할 수 있는.
prov·en [prú:vən] *v.* 《美·古》 prove 의 과거분사.
prov·e·nance [prάvənəns/prɔ́v-] *n.* U 기원, 출처.
Pro·ven·çal [pròuvənsά:l, prὰv-/prɔ̀vɑ:n-] *a., n.* Provence의; C 프로방스 사람(의); U 프로방스 말(의).
Pro·vence [prouvά:ns] *n.* (프랑스 남동부의) 프로방스 지방.
prov·en·der [prάvindər/prɔ́-] *n.* U 꼴, 여물; 음식물.
pro·ve·ni·ence [prəví:njəns] *n.* 《美》 =PROVENANCE.
‡**prov·erb** [prάvə:rb/-ɔ́-] *n.* C 속담; 평판〔정평〕 있는 것. ***the (Book of) Proverbs*** 〖舊約〗 잠언(箴言).
pro-verb [próuvə̀:rb] *n.* C 〖文〗 대(代)동사.
***pro·ver·bi·al** [prəvə́:rbiəl] *a.* ① 속담(투)의; 속담으로 표현된; 속담으로 된. ② 평판 있는. **~·ly** *ad.* 속담대로; 일반으로 널리 (알려져).
†**pro·vide** [prəváid] *vt.* 준비〔마련〕하다(*for, against*); 조건을 정해두다, 규정하다(*that*); 공급하다(*with*). ― *vi.* 대비〔준비〕하다(*for, against*); 예방책을 취하다; 부양하다(*for*). ***be ~d with*** …의 설비가 있다, …의 준비가 되어 있다. ***-vid·ed** [-id]. ***-víd·ing** *conj.* …할 조건으로(*that*), 만약 …이라면.
***prov·i·dence** [prάvədəns/prɔ́v-] *n.* U,C ① 섭리, 신(神)의 뜻, 신조(神助). ② 장래에 대한 배려, 조심, 검약. ③ (P-) 신(神).
prov·i·dent [prάvədənt/prɔ́v-] *a.* 선견지명이 있는, 신중한, 알뜰한.
prov·i·den·tial [prὰvədénʃəl/prɔ̀v-] *a.* 섭리의, 하느님 뜻에 의한; 행운의. **~·ly** *ad.*
pro·vid·er [prəváidər] *n.* C 공급자. ***lion's ~*** 〖動〗 =JACKAL; 남의 앞잡이. ***universal ~*** 잡화상.
‡**prov·ince** [prάvins/-ɔ́-] *n.* ① C 주(州), 성(省). ② (the ~s) (수도·주요 도시 이외의) 지방, 시골. ③ U 본분; (활동의) 범위, (학문의) 부문.
***pro·vin·cial** [prəvínʃəl] *a.* ① 주〔영토〕의. ② 지방〔시골〕의, 촌스러운, 조야(粗野)한; 편협한. ― *n.* C 지방민, 시골뜨기. **~·ism** [-ìzəm] *n.* U,C 시골티; U 조야; 편협; 지방 사투리.
próving gròund 《美》 (새 장비·새 이론 따위의) 실험장(場).
‡**pro·vi·sion** [prəvíʒən] *n.* ① U 준비(*for, against*); 공급, 지급. ② C 공급량; (*pl.*) 식량, 저장품. ③ 〖法〗 C 조항, 규정. ***make ~*** 준비하다(*for, against*). ― *vi.* 식량을 공급하다.
***pro·vi·sion·al** [prəvíʒənəl] *a.* 임시의, 일시〔잠정〕적인. **~·ly** *ad.*
pro·vi·so [prəváizou] *n.* (*pl.* ***~(e)s***) C 단서(但書); 조건.
pro·vi·so·ry [prəváizəri] *a.* 단서가 붙은, 조건부의; 임시의.
pro·vi·ta·min [prouváitəmin/-vít-] *n.* C 〖生化〗 프로비타민《체내

에서의 비타민화하는 물질》.
*prov·o·ca·tion[pràvəkéiʃən/-ɔ̀-] n. Ⓤ 성나게 함; 자극; 성남, 화. under ~ 성을 내어.
*pro·voc·a·tive [prəvákətiv/-ɔ́-] a., n. Ⓒ 성나게 하는 (것); 자극하는 (것); 도발적인.
:pro·voke[prəvóuk] vt. ① 성나게 하다, 자극하다. ② (감정 따위를) 불러일으키다; 일으키다(of). pro·vók·ing a. 성이 나는, 속타게〔울컥거리게〕 하는. -vók·ing·ly ad. 자극적으로; 성〔화〕날 정도로.
prov·ost[právəst/-ɔ́-] n. Ⓒ (영국의 college의) 학장; 〖宗〗 =DEAN; 《Sc.》 시장(市長).
próvost guàrd 《美》《집합적》 헌병대.
próvost màrshal 〖陸軍〗 헌병 사령관; 〖海軍〗 미결감장(未決監長).
*prow[prau] n. Ⓒ 이물 (모양의 물건); (비행기 따위의) 기수(機首).
*prow·ess[práuis] n. Ⓤ ① 용기; 무용(武勇). ② 훌륭한 솜씨.
*prowl[praul] vt., vi. (먹이를 찾아) 헤매다. — n. (a ~) 배회, 찾아 헤맴. ~·er n. Ⓒ 배회자, 좀도둑.
prówl càr 《美》 (경찰의) 순찰차 (squad car).
prox. proximo.
prox·e·mics[praksí:miks/prɔk-] n. Ⓤ 근접학(近接學)《인간과 문화적 공간의 관계를 연구함》.
prox·i·mal[práksəməl/prɔ́k-] a. 〖解·植〗 (신체·식물의 중심부에) 가까운 쪽의, 기부(基部)의.
prox·i·mate[práksəmit/prɔ́k-] a. (장소·시간이) 가장 가까운; 근사한.
prox·im·i·ty[praksíməti/-ɔ-] n. Ⓤ (장소·시간·관계의) 접근(to).
proxímity fùze 〖美軍〗 (탄두의) 근접 폭발 신관.
prox·i·mo [práksəmòu/-ɔ́-] ad. (L. =next (month)) 내달《생략 prox.》.
prox·y[práksi/-ɔ́-] n. Ⓒ 대리(인); 대용물; 대리 투표; 위임장.
prs. pairs. PRT personal rapid transit 개인 고속 수송.
prude[pru:d] n. Ⓒ (남녀 관계에) 얌전한 체하는 여자, 숙녀연하는 여자.
:pru·dent[prú:dənt] a. 조심성 있는, 신중한; 분별 있는. ~·ly ad. -dence n. Ⓤ 사려, 분별; 신중; 검소(economy).
pru·den·tial[pru:dénʃəl] a. 조심성 있는, 신중한; 분별 있는.
prud·er·y[prú:dəri] n. Ⓤ 얌전한〔점잖은〕 체함, 숙녀연함; Ⓒ 짐짓 점잔빼는 행위〔말〕.
prud·ish[prú:diʃ] a. 숙녀인 체하는, 새침떼는.
*prune[1][pru:n] n. Ⓒ 서양 자두; 말린 자두. ~*s and prism*(*s*) 점잔뺀 말투, 특별히 공손한 말씨.
*prune[2] vt. ① (나무를) 잘라 내다, (가지를) 치다(*away, off, down*). ② (여분의 것을) 없애다, 바싹 줄이다, (문장을) 간결하게 하다.
prun·er[prú:nər] n. Ⓒ 가지 치는 사람; (pl.) 가지치기〔전정〕 가위.
prun·ing[prú:niŋ] n. Ⓤ (심은 나무 등의) 가지치기, 전지(剪枝).
prúning hòok 〔shèars〕 전정 낫〔가위〕.
pru·ri·ent[prúəriənt] a. 호색(好色)의, 음탕한.
pru·ri·go[pruəráigou] n. Ⓤ 〖醫〗 양진(痒疹).
Prus·sia[prʌ́ʃə] n. 프러시아《원래 독일 북부에 있던 왕국》. -sian n., a. Ⓒ 프러시아 사람(의).
Prussian blue 감청(紺靑).
prús·sic ácid[prʌ́sik-] 〖化〗 청산(靑酸).
*pry[1][prai] vi. 엿보다(peep)(*about, into*); 일일이 알고 싶어하다(*into*). — n. Ⓒ 꼬치꼬치 캐기 좋아하는 사람.
pry[2] n. Ⓒ 지레. — vt. 지레로 올리다〔움직이다〕; 애써서 얻다(*out*).
Ps., Psa. Psalm(s). P.S. Privy Seal; Public School. *P.S., p.s. passenger steamer; postscript.
:psalm[sɑ:m] n. Ⓒ 찬송가, 성가; (P-) (시편중의) 성가. *the* (*Book of*) *Psalms* 〖舊約〗 시편. — vt. 성가를 불러 찬미하다. ~·ist n. Ⓒ 찬송가 작자; (the P-) (시편의 작자라고 일컬어지는) 다윗왕.
psálm·bòok n. Ⓒ =PSALTER.
psal·mo·dy[sá:mədi, sǽlmə-] n. Ⓤ 성가 영창; 《집합적》 찬송가(집).
Psal·ter[sɔ́:ltər] n. (the ~) 시편; (p-) Ⓒ (예배용 기도서) 성가집.
PSAT 《美》 Preliminary Scholastic Aptitude Test 대학 진학 적성 검사. PSB 〖컴〗 program specification block 프로그램 명세 블록.
pseud. pseudonym.
pseu·do(-)[sú:dou] a. 《口》 가짜의, 거짓의; 유사한.
pseu·do·clas·sic [sù:doukláe-sik], -si·cal[-əl] a. 의고전적(擬古典的)인.
psèudo-instrúction n. Ⓒ 〖컴〗 유사 명령어.
pseu·do·nym[sú:dənim] n. Ⓒ (저자의) 아호(雅號), 필명.
pseu·do·po·di·um[sù:dəpóudiəm] n. Ⓒ 〖動〗 위족(僞足).
pshaw[ʃɔ:] int. 체!; 흥!; 기가 막혀!《경멸·초조 등을 나타냄》. — vi., vt. 홍 코웃음치다(at).
psi[sai, psai] n. 그리스어 알파벳의 스물 셋째 글자《Ψ, ψ, 영어의 ps에 해당》.
psi·lo·cin[sáiləsən] n. =⇩.
psi·lo·cy·bin[sàiləsáibin] n. Ⓤ 실로시빈《멕시코산 버섯에서 나는 환각제》.
psit·ta·co·sis[sìtəkóusis] n. Ⓤ 〖醫〗 앵무병.
P.SS., p.ss. *postscripta* (L.=

postscripts).
psst [pst] *int.* 저, 여보세요, 잠깐 《주의를 끌기 위해 부르는 말》.
P.S.T. Pacific Standard Time.
psych [saik] *vt., vi.* 《美俗》 정신적으로 혼란케 하다[해지다]; (육감으로) 꼭뒤지르다; 정신 분석을 하다.
Psy·che [sáiki] *n.* 【그神】 프시케, 사이키《나비의 날개를 가진 미소녀로 표현되는 인간의 영혼》; (p-) 《보통 단수형》 Ⓒ 영혼, 정신.
psy·che·del·ic [sàikədélik] *a.* 도취(감)의; 환각을 일으키는; 사이키풍의. ── *n.* Ⓒ 환각제 (사용자).
psy·chi·a·try [saikáiætri] *n.* Ⓤ 정신병학. **-trist** *n.* Ⓒ 정신병 의사 [학자]. **-at·ric** [sàikiǽtrik] *a.*
psy·chic [sáikik], **-chi·cal** [-əl] *a.* 혼의; 정신의; 심령(현상)의, 초자연적인; 심령 작용을 받기 쉬운. ── *n.* Ⓒ 영매(靈媒), 무당.
psỳchic dístance 심리적 거리.
psỳchic íncome 정신적 보수《명예, 신용 따위》.
psýchic médium 영매(靈媒).
psy·cho [sáikou] *n.* Ⓒ 《俗》 정신병자; Ⓤ 정신 분석. ── *a.* 정신병학의, 신경증의.
psy·ch(o)- [sáik(ou)] '정신, 영혼, 심리학'의 뜻의 결합사.
psỳcho·análysis *n.* Ⓤ 정신 분석(학). **-análýst** *n.* Ⓒ 정신 분석학자.
psy·cho·del·ic [sàikoudélik] *a., n.* =PSYCHEDELIC.
psỳcho·dráma *n.* Ⓤ 【精神病理】 심리극《정신병 치료로서 환자에게 시키는 연극》.
psỳcho·génic *a.* 【心】 심인성(心因性)의, 정신 작용[상태]에 의한.
psỳcho·kinésis *n.* Ⓤ 염력(念力)(작용).
psỳcho·linguístics *n.* Ⓒ 언어 심리학.
***psy·cho·log·i·cal** [sàikəlɑ́dʒikəl/ -ɔ́-] *a.* 심리학의, 심리(학)적인(~ *acting* 심리 연기). **~·ly** *ad.*
psychológical móment 심리적인 호기; 절호의 기회.
psychológical wárfare 심리전, 신경전.
:**psy·chol·o·gy** [saikɑ́lədʒi/-ɔ́-] *n.* Ⓤ 심리학; 심리 (상태). ***-gist** *n.* Ⓒ 심리학자.
psỳcho·neurósis *n.* Ⓤ 정신 신경증, 노이로제.
psy·cho·path [sáikoupæ̀θ] *n.* Ⓒ 정신병자.
psỳcho·pathólogy *n.* Ⓤ 정신 병리학.
psy·chop·a·thy [saikɑ́pəθi/-ɔ́-] *n.* Ⓤ 정신병; (발광에 가까운) 정신 착란. **psy·cho·path·ic** [sàikəpǽθik] *a.* 정신병의; 미칠 듯한.
psy·cho·pro·phy·lax·is [sàikouprɑ̀filǽksis/-ɔ̀-] *n.* Ⓤ 자연[무통] 분만 도입법(Lamaze technique).
psy·cho·sis [saikóusis] *n.* (*pl.* **-ses** [-si:z]) Ⓤ,Ⓒ (심한) 정신병, 정신 이상.
psy·cho·so·mat·ic [sàikousoumǽtik] *a.* 정신 신체 양쪽의, 심신의. **~s** *n.* Ⓤ 정신 신체 의학.
psychosomátic médicine 정신 신체 의학.
psỳcho·súrgery *n.* Ⓤ 정신 외과《뇌 수술》.
psỳcho·téchnics *n.* Ⓤ 정신 기법(技法)《임상 심리학의 일종》.
psỳcho·technólogy *n.* Ⓤ 심리 공학, 인간 공학.
psỳcho·thérapy *n.* Ⓤ (암시나 최면술에 의한 신경병의) 정신 요법.
psy·chot·ic [saikɑ́tik/-ɔ́-] *a., n.* 정신병의; Ⓒ 정신병자.
psy·chrom·e·ter [saikrɑ́mitər/ -krɔ́m-] *n.* Ⓒ 건습구 습도계.
psy·op [sáiɑp/-ɔ̀-] (< *psy*chological *op*eration) *n.* Ⓒ 【美軍】 심리작전.
psy·war [sáiwɔ̀:r] *n.* 《美》 =PSYCHOLOGICAL WARFARE.
Pt 【化】 platinum. **pt.** part; payment; pint(s); point; port.
P.T. Pacific Time; physical training; postal telegraph; post town; pupil teacher. **p.t.** past tense; post town; =PRO TEM. **PTA, P.T.A.** Parent-Teacher Association; preferential trading agreement 특혜 무역 협정.
ptar·mi·gan [tɑ́:rmigən] *n.* Ⓒ 【鳥】 뇌조(雷鳥).
ptbl. portable.
PT bóat 《美》 어뢰정《PT=Patrol Torpedo》.
Pte. Private 《英》 병사(cf. Pvt.).
pter·o·dac·tyl [tèroudǽktil] *n.* Ⓒ 【古生】 익수룡(翼手龍).
pter·o·saur [térousɔ̀:r] *n.* Ⓒ 【古生】 익룡(翼龍).
ptg. printing. **PTM** pulse-time modulation. **P.T.O., p.t.o.** please turn over.
Ptol·e·ma·ic [tɑ̀ləméiik/-ɔ̀-] *a.* (천문학자) 프톨레마이오스의.
Ptolemáic sýstem [**théory**], **the** 천동설(天動說).
Ptol·e·my [tɑ́ləmi/tɔ́l-] *n.* 2세기경의 그리스의 수학·천문·지리학자.
pto·maine [tóumein, ─́] *n.* Ⓤ 【化】 프토마인.
pts. parts; payments; pints; points; ports. **Pu** 【化】 plutonium. **PTSD** post-traumatic stress disorder.
pty·a·lin [táiəlin] *n.* Ⓤ 【生化】 프티알린, 타액소.
pub [pʌb] *n.* Ⓒ 《英口》 목로술집, 선술집(public house).
pub. public; publication; published; publisher; publishing.
púb cràwl 《英俗》 술집 순례《2차, 3차 다니는》.
pu·ber·ty [pjú:bərti] *n.* Ⓤ 사춘기 《남자 14세, 여자 12세경》; 묘령.
pu·bes [pjú:bi:z] *n.* Ⓤ 음모(陰毛);

〖植·動〗 솜털; Ⓒ 음부.
pu·bes·cent[pju:bésnt] *a.* 사춘기에 이른; 〖動·植〗 솜털로 뒤덮인.
pu·bic[pjú:bik] *a.* 음모의; 음부의; 치골의(*the ~ region* 음부 / *the ~ hair* 음모).
pu·bis [pjú:bis] *n.* (*pl.* **-bes** [-bi:z]) Ⓒ 〖解〗 치골(恥骨).
†**pub·lic**[pʌ́blik] *a.* ① 공중의; 공공의. ② 공립의, 공영(公營)의. ③ 공개의. ④ 공공연한; 널리 알려진. ⑤ 국제적인. — *n.* Ⓤ ①(the ~) 《집합적》 공중, 국민, 사회. ② (때로 a ~) 《집합적》 …계(界); 동아리, 패거리, 팬. ***in ~*** 공공연히. ***~ good*** 〔***benefit, interests***〕 공익. *** ~·ly** *ad.* 공공연히; 여론으로.
públic-addréss sỳstem (강당 등의) 확성 장치.
pub·li·can[pʌ́blikən] *n.* Ⓒ 《英口》 선술집(public house)의 주인; (고대 로마의) 수세리(收稅吏).
:**pub·li·ca·tion**[pʌ̀bləkéiʃən] *n.* ① Ⓤ 발표, 공표. ② Ⓤ 발행; 출판; Ⓒ 출판물.
públic chárge 정부 구호 대상자.
públic convénience 《주로 英》 (역 따위의) 공중 변소.
públic domáin (주나 정부의) 공유지; 공유 재산; 공유《특허·저작권의 소멸 상태》. ***in the ~*** (저작권·특허권 소멸에 의해) 자유로 사용할 수 있는.
públic-domáin sóftware 〖컴〗 퍼블릭 도메인 소프트웨어《저작권 포기 등으로 저작권이 보호되지 않는 소프트 웨어》.
públic énemy 공적(公敵).
públic házard 공해(公害).
públic héalth 공중 위생.
públic héaring 공청회. 「숙.
públic hòuse 《英》 선술집; 여인
pub·li·cist[pʌ́blisist] *n.* Ⓒ 국제법 학자; 정치 평론가; 광고 취급인.
:**pub·lic·i·ty**[pʌblísəti] *n.* Ⓤ 널리 알려짐, 주지; 공표; 평판; 선전.
publícity àgent 광고 대리업자.
pub·li·cize[pʌ́bləsàiz] *vt.* 선전〔공표〕하다. 「이 있는.
públic láw 공법.
públic-mínded *a.* 공공심(公共心)
públic núisance 〖法〗 공적 불법 방해; 공해; 세상의 골칫거리.
públic óffice 관공서; 관청.
públic opínion (póll) 여론(조사).
públic philósophy (문화·정치의 기반으로서의) 민중 도덕.
públic relátions 홍보〔피아르〕 활동《생략 P.R.》; 섭외 사무; P.R. 담당원.
públic relátions ófficer 섭외 담당원〔장교〕.
públic sále 공매(公賣), 경매.
***públic schóol** 《美》 공립 학교; 《英》 기숙사제의 사립 중등 학교《귀족주의적인 대학 예비교; Eton, Harrow, Winchester, Rugby 등은 특히 유명》.
públic séctor 공공 부문.
públic sérvant 공무원.
públic sérvice 공익 사업; 공무; 사회 봉사.
públic spírit 공공심(公共心).
públic-spírited *a.* =PUBLIC-MINDED.
públic utílity 공익 사업(체).
públic wórks 공공 토목 공사.
:**pub·lish** [pʌ́bliʃ] *vt.* ① 발표〔공표〕하다; (법률 따위를) 공포하다. ② 출판〔발행〕하다. ***~·er** *n.* Ⓒ 출판업자; 발표자; 《美》 신문 경영자.
Puck[pʌk] *n.* 장난 좋아하는 요정(妖精).
puck *n.* Ⓒ 퍽《아이스하키용의 고무로 만든 원반》.
puck·a[pʌ́kə] *a.* 《印英》 일류의, 고급품의; 진짜의; 신뢰할 수 있는.
púcka gèn[-dʒèn] 〖英軍〗 확실한 보도.
puck·er[pʌ́kər] *vt., vi.* 주름을 잡다; 주름잡히다; 주름살짓다; 주름지다; 오므리다(*up*); 오므라지다(*up*). — *n.* Ⓒ 주름, 주름살.
:**pud·ding**[púdiŋ] *n.* ① Ⓤ,Ⓒ 푸딩 《과자》; 《英》 (식사 끝에 나오는) 디저트; 소시지의 일종. ② Ⓒ 푸딩 모양의 것; 《口》 땅딸보. ***more praise than ~*** (실속 없는) 헛 칭찬.
púdding fàce 무표정하고 둥글 납작한 얼굴.
púdding-hèad *n.* Ⓒ 바보, 멍청이.
pud·dle[pʌ́dl] *n.* Ⓒ 웅덩이; Ⓤ 이긴 진흙《진흙과 모래를 물로 이긴 것》. — *vt.* 흙탕물로 적시다; 흙탕물이 되게 하다; 이긴 진흙이 되게 하다; (물의 유출을 막기 위해) 이긴 진흙을 바르다; (산화제를 넣어 녹은 쇠를) 정련하다. — *vi.* 흙탕을 휘젓다(*about, in*). **púd·dling** *n.* Ⓤ 연철(鍊鐵)(법). **púd·dly** *a.* (길 따위) 웅덩이가 많은; 진흙투성이의, 흙탕의.
pu·den·da [pju:déndə] *n. pl.* (*sing.* **-dum** [-dəm]) 〖解〗 (여성의) 외음부.
pudg·y[pʌ́dʒi] *a.* 땅딸막한, 뭉툭한.
pueb·lo[pwéblou, puéb-] *n.* (*pl.* **~s**) Ⓒ 《美》 벽돌이나 돌로 만든 토인 부락; (P-) (pueblo에 사는) 토인족.
pu·er·ile [pjú:əril, -ràil] *a.* 어린애 같은. **-il·i·ty**[pjù:əríləti] *n.* Ⓤ 어린애 같음; 유년기; Ⓒ 어린애 같은 언행.
pu·er·per·al[pju:ə́:rpərəl] *a.* 〖醫〗 해산의. ***~ fever*** 산욕열(産褥熱).
Puér·to Rí·co[pwɛ̀ərtə rí:kou/ pwə́:rtə-] 푸에르토리코《서인도 제도 동부의 섬, 미국 자치령》.
:**puff**[pʌf] *n.* Ⓒ ① 한 번 붊, 그 양, 훅불기. ② 부풂. ③ (머리털의) 술; (화장용의) 분첩. ④ 슈크림(모양의 과자). ⑤ 과장된 칭찬; 과대 광고. ⑥ (여자 옷 소매의) 부푼 주름. — *vi.* ① 입김을〔연기를〕 훅 뿜다 (*out, up*). ② 푹푹거리며 움직이다 〔뛰다〕(*away, along*). ③ 헐떡이다.

P

④ 부풀어 오르다(*out, up*). — *vt.* ①(연기 따위를) 훅 내뿜다, (담배를) 피우다. ② 훅 불어 버리다(*away*). ③ 헐떡이게 하다. ④ 부풀어 오르게 하다, 과장하여 칭찬하다. **∠·er** *n.* Ⓒ 훅 부는 사람〔물건〕; 〖魚〗 복어류. **∠·er·y** *n.* Ⓤ,Ⓒ 과대 선전(*mutual ~ery* 상호 칭찬). **∠·y** *a.* 훅 부는, 한 바탕 부는《바람》; 부푼; 뚱뚱한; 숨찬.

púff àdder (아프리카산의) 큰 독사.

púff·bàll *n.* Ⓒ 〖植〗 말불버섯.

puf·fin[pʌ́fin] *n.* Ⓒ 바다행무《해조(海鳥)》(sea parrot).

púff slèeve 퍼프 소매.

pug[1][pʌg] *n.* Ⓒ 발바리의 일종; 사자코.

pug[2] *n.* Ⓒ《俗》 권투 선수(pugilist).

pug[3] *n.* Ⓤ,Ⓒ 이긴 흙. — *vt.* (*-gg-*) 흙을 이기다〔채워 넣다〕.

pugh[pjuː] *int.* 홍, 체《경멸, 혐오 등을 나타냄》.

pu·gil·ism[pjúːdʒəlìzəm] *n.* Ⓤ 권투. **-ist** *n.* Ⓒ (프로) 권투 선수. **-is·tic**[∸–ístik] *a.*

pug·na·cious[pʌgnéiʃəs] *a.* 툭하면 싸우는. **~·ly** *ad.* **pug·nac·i·ty** [-nǽsəti] *n.*

púg nòse 사자코.

pu·is·sant[pjúːisənt, pwísənt] *a.* 《詩·古》 힘센. **-sance** *n.*

puke[pjuːk] *n., v.* 《口》 =VOMIT.

puk·ka[pʌ́kə] *a.* 《印英》 =PUCKA.

pu·las·ki[pəlǽski, pjuː-] *n.* Ⓒ 《美》 괭이와 도끼를 합친 도구.

pul·chri·tude[pʌ́lkrətjùːd] *n.* Ⓤ 아름다움.

pule[pjuːl] *vi.* (어린애가) 슬프게 울다.

Pú·litz·er Príze[púlitsər-] 《美》 퓰리처상《1회 수상은 1917년》.

†**pull**[pul] *vt.* ① 당기다. ② (이·마개 따위를) 뽑다(*up*). ③ (꽃·과실 따위를) 따다; 찢다; 당기어 손상시키다. ④ (수레 따위를) 끌어 움직이다; (배를) 젓다. ⑤ (고삐를 당겨 말을) 멈추다; 〖競馬〗 (지려고 말을) 제어하다; 적당히 다루다. ⑥ (찌푸린 얼굴을) 하다(*~ a face*). ⑦《口》 행하다. ⑧ 〖印〗 수동 인쇄기로 찍어내다. — *vi.* 끌다, 잡아당기다(*at*); 당겨지다; (배가) 저어지다, 배를 젓다(*away, for, out*); 마시다(*at*); (담배를) 피우다(*at*). ***P- devil, ~ baker!*** (줄다리기 등에서) 어느 편도 지지 마라! ***~ down*** 헐다; (정부 등을) 넘어뜨리다; (가치·지위를) 떨어뜨리다; (병 따위가 사람을) 쇠약게 하다. ***~ foot*** 《俗》 죽자하고 뛰다; 도망가다. ***~ for*** 《口》 …을 돕다. ***~ in*** (목 따위를) 움추리다; 절약하다; (말을) 제어하다; 《俗》 체포하다; (기차가) 들어오다, (배가 물가 따위에) 접근하다. ***~ off*** 벗다; (경기에) 이기다, (상을) 타다; 잘 해내다. ***~ on*** (잡아당겨) 입다. ***~ oneself together*** 원기를 회복하다(cf. COLLECT[1] oneself). ***~ out*** 잡아 빼다; 배를 저어나가다; (기차가 역을) 떠나다; (이야기 따위를) 끌다. ***~ out of the fire*** 실패를 성공으로 돌리다. ***~ round*** (건강을) 회복시키다. ***~ through*** (병·난국을) 견디어내게 하다; 곤란을 겪어내다. ***~ together*** 협력해서 하다. ***~ to pieces*** 갈기갈기 찢다; 혹평하다. ***~ up*** 뽑다; 근절하다; (말·수레를) 정지시키다, 정지하다. — *n.* ① Ⓒ 끌어〔잡아〕당김; 당기기; 한 번 노를 젓기; 《口》 (술·담배 따위의) 한 모금. ② Ⓤ 끄는 힘, 인력. ③ Ⓒ 당기는 손잡이(handle), 당기는 줄. ④ Ⓤ 곤란한 등반(登攀)〔여행〕; 노력. ⑤ Ⓤ 《俗》 연고, 연줄; (개인적인) 이점.

púll·bàck *n.* Ⓒ 철수; 후퇴.

púll·dòwn *a.* 접기식의《침대, 보트》. — *n.* 〖컴〗 풀다운.

púll-down mènu 〖컴〗 풀다운 메뉴.

púller-ín *n.* (*pl.* ***pullers-in***) Ⓒ 《美》(상점 등의) 여리꾼.

pul·let[púlit] *n.* Ⓒ (1년이 안 된) 어린 암탉.

***pul·ley**[púli] *n.* Ⓒ 도르래. — *vt.* 도르래로 올리다〔를 달다〕.

púll-ìn *n.* Ⓒ《英》(길가의) 간이식당.

Púll·man (**càr**)[púlmən-] *n.* (*pl.* ***~s***) 풀먼식 차량《침대차·특등차》.

púll-òut *n.* Ⓒ (잡지 따위의) 접어 넣는 페이지; 철수.

púll·òver *n.* Ⓒ 스웨터.

pul·mom·e·ter [pʌlmɑ́mitər/ -mɔ́-] *n.* Ⓒ 폐활량계.

pul·mo·nar·y[pʌ́lmənèri, púl-/ pʌ́lmənəri] *a.* 폐의; 폐를 침범하는; 폐병의; 폐를 가진.

***pulp**[pʌlp] *n.* ① Ⓤ 과육(果肉); 치수(齒髓); 펄프《제지 원료》. ② Ⓒ (보통 *pl.*) 《俗》 (질이 나쁜 종이의) 저속한 잡지, 싸구려 책. **∠·y** *a.* 과육〔펄프〕 모양의, 걸쭉한.

***pul·pit**[púlpit, pʌ́l-] *n.* Ⓒ 설교단; (the ~) 《집합적》 목사; (the ~) 설교; 《英空軍俗》 조종석.

púlp·wòod *n.* Ⓤ 펄프용 나무.

pul·que[púlki, -kei] *n.* Ⓤ (멕시코·중앙 아메리카산의) 용설란주(酒).

pul·sate[pʌ́lseit/–∸] *vi.* 맥이 뛰다, 고동하다; 진동하다, 오싹오싹하다. **pul·sá·tion** *n.* **pul·sá·tor** *n.* Ⓒ (세탁기 따위의) 진동기(器).

pul·sa·tile[pʌ́lsətil, -tàil] *a.* ① 맥박 치는; 두근두근하는. ② 〖樂〗 쳐서 울리는. — *n.* Ⓒ 〖樂〗 타악기.

:**pulse**[1][pʌls] *n.* Ⓒ ① 맥박; 고동. ② (생명·감정·의지 등의) 움직임; 느낌, 의향. ③ (규칙적으로) 뜀. ④ (전파 등의) 순간 파동, 펄스. ⑤ 〖컴〗 펄스. — *vi.* 맥이 뛰다; 진동하다.

pulse[2] *n.* Ⓒ 콩류, 콩《beans, peas, lentils 따위》.

púlse·jet éngine 〖空〗 펄스 제트 엔진.

púlse modulátion 펄스 변조.

púlse rádar 펄스 변조 레이다.

púlse-time modulátion 〖無電〗

펄스시(時) 변조《생략 PTM》.
pul·sim·e·ter[pʌlsímitər] *n.* Ⓒ 〖醫〗 맥박계.
pul·ver·ize[pʌ́lvəràiz] *vt.* 가루로 만들다; (액체를) 안개 모양으로 만들다; 《俗》 (의론 따위를) 분쇄하다. — *vi.* 가루가 되다. **-iz·er**[-àizər] *n.* Ⓒ 분쇄자[기]; 분무기. **-i·za·tion**[pʌ̀lvərizéiʃən] *n.* Ⓤ 분쇄.
pu·ma[pjú:mə] *n.* (*pl.* **~s,** 《집합적》 ~) Ⓒ 아메리카사자, 퓨마; Ⓤ 그 모피.
pum·ice[pʌ́mis] *n., vt.* Ⓤ 경석(輕石)(으로 닦다).
pum·mel[pʌ́məl] *vt.* (《英》 **-ll-**) 주먹으로 연거푸 치다.
:**pump**[1][pʌmp] *n.* Ⓒ 펌프 (달린 우물). — *vt., vi.* ① 펌프로 (물을) 올리다, 퍼내다(*out, up*). ② 펌프로 공기를 넣다(*up*). ③ 펌프의 손잡이 같이 (위아래로) 움직이다. ④ (머리를) 짜내다. ⑤《口》 넘겨짚어 알아내다, 유도심문하다.
pump[2] *n.* Ⓒ (보통 *pl.*) 끈 없는 가벼운 신《야회용·무도용》, 펌프스.
pum·per·nick·el[pʌ́mpərnìkəl] *n.* Ⓤ,Ⓒ 조제(粗製)의 호밀빵.
*__pump·kin__ [pʌ́mpkin, pʌ́ŋkin] *n.* Ⓒ,Ⓤ (서양) 호박. ***be some ~s*** 《美俗》 대단한 인물[물건, 곳]이다.
púmp prìming 《美》 (펌프의 마중물 같은) 정부의 재정 투융자에 의한 경제 회복 정책.
pun[pʌn] *n.* Ⓒ (동음 이의어를 이용한) 재담, 신소리(*on, upon*). — *vi.* (**-nn-**) 신소리[재담]하다(*on, upon*).
Punch[pʌntʃ] *n.* 펀치《영국 인형극 ~ *and Judy*의 주인공, 곱사등이며 코가 굽은, Judy의 남편》; 펀치지(誌)《영국의 풍류 만화 잡지》. ***as pleased as ~*** 매우 기뻐서.
:**punch**[1] *vt.* 주먹으로 때리다; 《美西部》 (가축을) 몰다. — *n.* ① Ⓒ 주먹으로 때리기(*on*), 치기. ② Ⓤ 《口》 박력; 활기; 효과.
:**punch**[2] *n.* Ⓒ 구멍 뚫는 기구, 타인기(打印器), 표 찍는 가위, 찍어서 도려 내는 기구, 펀치; 〖컴〗 구멍, 펀치. — *vi.* (구멍을) 뚫다; 찍어내다; (표를) 찍다.
*__punch__[3] *n.* Ⓤ,Ⓒ 펀치《포도주·설탕·레몬즙·우유 따위의 혼합 음료》.
punch[4] *n.* Ⓒ (살찌고 다리가 짧은) 짐말.
púnch·bàll *n.* 《英》 =PUNCHING BAG.
púnch-drùnk *a.* (권투 선수가) 맞고 비틀비틀하는; 《口》 (머리가) 혼란한; 망연 자실한.
púnch(ed) cárd 〖컴〗 천공 카드.
pun·cheon[pʌ́ntʃən] *n.* Ⓒ 간주(間柱); (탄갱의 천장을 받치는) 버팀기둥, 동바리; 《美》 (마루청으로 쓰는) 켠 재목; 큰 나무통.
punch·er[∸ər] *n.* Ⓒ 키펀치; 타인기; 《口》 카우보이.
Pun·chi·nel·lo[pʌ̀ntʃənélou] *n.* (*pl.* **~(e)s**) Ⓒ (이탈리아 인형극의) 어릿광대, 땅딸보.
púnching bàg (권투 연습용의) 매달아 놓은 자루(《英》 punchball).
púnch lìne 급소를 찌르는 명문구.
punct. punctuation.
punc·til·i·o[pʌŋktíliòu] *n.* (*pl.* **~s**) Ⓒ (의식(儀式) 따위의) 미세한 점; Ⓤ 형식 차림. **punc·tíl·i·ous** *a.* (예의범절에) 까다로운, 형식을 차리는, 꼼꼼한.
:**punc·tu·al**[pʌ́ŋktʃuəl] *a.* 시간을 엄수하는. **~·ly** *ad.* **~·i·ty**[∸–ǽləti] *n.*
punc·tu·ate[pʌ́ŋktʃuèit] *vt.* 구두점을 찍다; (이야기를) 중단하다; 강조하다.
*__punc·tu·a·tion__[∸–éiʃən] *n.* Ⓤ 구두(법); 《집합적》 구두점.
punctuátion màrk 구두점.
*__punc·ture__[pʌ́ŋktʃər] *n.* Ⓤ 찌름; Ⓒ (찔러 생긴) 구멍, (타이어의) 펑크. — *vt.* 찌르다; 구멍을 뚫다. — *vi.* 펑크나다.
pun·dit[pʌ́ndit] *n.* Ⓒ (인도의) 학자; 《諧》 박식한 사람.
pun·gent[pʌ́ndʒənt] *a.* (혀나 코를) 자극하는; 날카로운, 신랄한; 가슴을 에는 듯한; 마음을 찌르는. **pún·gen·cy** *n.* Ⓤ 자극; 신랄; Ⓒ 신랄한[자극이 강한] 것.
Pu·nic[pjú:nik] *a.* 고대 카르타고(사람)의; 신의 없는.
Púnic Wárs, the (로마와 카르타고 사이의) 포에니 전쟁.
:**pun·ish**[pʌ́niʃ] *vt.* 벌하다, 응징하다(*for, with, by*); 호되게 해치우다, 혼내주다. **~·a·ble** *a.* 벌 줄 수 있는, 벌주어야 할. **~·ment** *n.* Ⓤ 벌, 처벌; Ⓒ 형벌(*for, on*); Ⓤ 가혹한 처사, 학대; 〖拳〗 강타.
pu·ni·tive[pjú:nətiv], **-to·ry**[-nətɔ̀:ri/-təri] *a.* 형벌의; 벌 주는.
Pun·jab[pʌndʒɑ́:b, ∸–] *n.* 원래 인도 북부의 한 주(州)《지금은 인도와 파키스탄으로 분할》.
punk[pʌŋk] *n.* Ⓤ《美》 불쏘시개(용의 썩은 나무); Ⓒ《美俗》 애송이, 풋내기; 쓸모 없는 인간; 《美俗》 면, 연동(戀童); Ⓤ《美俗》 실없는 소리. — *a.* 《美俗》 빈약한, 하찮은.
púnk ròck 펑크록《1970년대 후반에 영국에서 일어난 사회 체제에 대한 반항적인 음악의 조류》.
pun·ster[pʌ́nstər] *n.* Ⓒ 신소리를 잘하는 사람.
punt[1][pʌnt] *n.* Ⓒ (삿대로 젓는 양끝이 네모진) 너벅선; 〖美式蹴〗 펀트《손에서 떨어뜨린 공을 땅에 닿기 전에 차기》. — *vt., vi.* (보트를) 삿대로 젓다; 〖美式蹴〗 펀트하다.
punt[2] *vt.* 〖카드〗 물주에게 대항하여 걸다; 《英》 (경마 따위에서) 돈을 걸다.
pu·ny[pjú:ni] *a.* 아주 작은, 미약한; 보잘 것 없는.
*__pup__[pʌp] *n.* Ⓒ ① 강아지; (여우·이리·바다표범 등의) 새끼. ② 《口》 건방진 풋내기. — *vi.* (**-pp-**) (암캐

가) 새끼를 낳다.
pu·pa[pjú:pə] *n.* (*pl.* ***-pae*** [-pi], ***~s***) Ⓒ 번데기《chrysalis의 과학적 명칭》. **pú·pal**[-pəl] *a.*
pu·pate[pjú:peit] *vi.* 번데기가 되다, 용화(蛹化)하다.
pu·pil¹[pjú:pəl] *n.* Ⓒ 학생.
pu·pil² *n.* Ⓒ 〖解〗 눈동자, 동공.
púpil téacher (초등 학교의) 교생(敎生).
***pup·pet**[pʌ́pit] *n.* Ⓒ 강아지; 꼭두각시, 괴뢰; 건방진 풋내기.
púppet góvernment 〔**státe**〕 괴뢰 정부〔국가〕.
púppet plày 〔**shòw**〕 인형극.
***pup·py**[pʌ́pi] *n.* Ⓒ 강아지; 건방진 풋내기.
pur[pə:r] *n., v.* (***-rr-***) =PURR.
pur·blind[pə́:rblàind] *a.* 반소경의, 흐려 뵈는; 우둔한.
pur·chas·a·ble[pə́:rtʃəsəbəl] *a.* 살 수 있는.
:**pur·chase**[pə́:rtʃəs] *vt.* ① 사다; 노력하여 얻다. ② 지레〔도르래〕로 올리다. — *n.* ① Ⓤ 구입; Ⓒ 구입품. ② Ⓤ (토지로부터의 해마다의) 수익(고). ③ Ⓤ (당기거나 오르거나 할 때의) 손 잡을〔발 붙일〕데. ***púr·chas·er** *n.* Ⓒ 사는 사람, 구매자.
púrchase jòurnal 〖商〗 구입 일계장〔원장〕.
púrchase tàx 《英》 물품세.
púrchasing pòwer 구매력.
:**pure**[pjuər] *a.* 순수한, 더러움 없는; 순혈〔순종〕의; 깨끗한; 순정(純正)의; 오점 없는, 순전한; 단순한; 순이론적인. (*a fool*) ~ ***and simple*** 순전한 (바보). **∠·ly** *ad.* **∠·ness** *n.*
púre·blòod *a., n.* =PUREBRED. **~ed** *a.* =PUREBRED.
púre·bréd *a., n.* 순종의; Ⓒ 순종 동물〔식물〕.
pu·rée, **pu·ree**[pjuréi, ∠–/pjúri:] *n.* (F.) Ⓒ,Ⓤ 퓌레《야채 등을 삶아 거른 것》; 그것으로 만든 진한 스프.
pur·ga·tion[pə:rgéiʃən] *n.* Ⓤ 정화(淨化); (하제(下劑)로) 변이 잘 나오게 하기.
pur·ga·tive[pə́:rgətiv] *a., n.* Ⓒ 하제(의).
pur·ga·to·ry[pə́:rgətɔ̀:ri/-təri] *n.* Ⓤ 〖가톨릭〗 연옥(煉獄); Ⓤ,Ⓒ 고행, 고난, 지옥 같은 곳. **-to·ri·al**[∠–tɔ́:riəl] *a.* 연옥의; 정죄적(淨罪的)인, 속죄의.
:**purge**[pə:rdʒ] *vt.* ① (몸·마음을) 깨끗이 하다(*of, from*). ② 일소하다(*away, off, out*). ③ (정당·반대 분자 따위를) 추방〔숙청〕하다. ④ (죄·혐의를) 풀다(*of*). ⑤ 변통(便痛)시키다. — *vi.* 깨끗이 하다. — *n.* Ⓒ 정화; 추방; 하제(下劑). **pur·gée** *n.* Ⓒ 피(被)추방자.
***pu·ri·fy**[pjúərəfài] *vt.* 정화하다, 깨끗이 하다(*of, from*); 심신을 깨끗이 하다; 정령〔정제(精製)〕하다. **-fi·er** *n.* Ⓒ 깨끗이 하는 사람; 청정기(淸淨器), 청정 장치. **-fi·ca·tion**[∠–fikéiʃən] *n.*
pu·rine[pjúəri:n], **pu·rin**[-rin] *n.* Ⓤ 〖生化〗 퓨린《요산(尿酸) 화합물의 기(基)》.
pur·ism[pjúərizm] *n.* Ⓤ,Ⓒ (언어 따위의) 순수주의, 국어 순정(純正)주의. **pur·ist** *n.*
***Pu·ri·tan**[pjúərətən] *n., a.* Ⓒ 청교도(의); (p-) (도덕·종교상) 엄격한 (사람). **~·ism**[-ìzəm] *n.* Ⓤ 청교(주의); (p-) (도덕·종교상의) 엄정주의.
pu·ri·tan·ic[pjùərətǽnik], **-i·cal**[-əl] *a.* 청교도적인; 엄격한.
***pu·ri·ty**[pjúərəti] *n.* Ⓤ ① 청정(淸淨), 청결. ② 결백. ③ (언어의) 순정(純正).
purl¹[pə:rl] *vi., n.* (작은 내가) 졸졸 흐르다; (*sing.*) 졸졸 흐름; 그 소리.
purl² *n., vt., vi.* Ⓒ (고리 모양의) 가장 자리 장식(을 달다); Ⓤ 〖編物〗 뒤집어 뜨기〔뜨다〕.
pur·lieu[pə́:rlju:] *n.* Ⓒ 세력권내; (*pl.*) 근처, 주변, 교외.
pur·loin[pə:rlɔ́in] *vt., vi.* 도둑질하다.
pu·ro·my·cin[pjùərəmáisin] *n.* Ⓤ 퓨로마이신《항생 물질의 일종》.
:**pur·ple**[pə́:rpəl] *n.* ① Ⓤ,Ⓒ 자줏빛; Ⓤ (옛날 황제나 왕이 입던) 자줏빛 옷. ② (the ~) 왕위; 고위; 추기경의 직(위). ***be born in the*** ~ 왕후(王侯)의 신분으로 태어나다. — *a.* 자줏빛의; 제왕의; 화려한; 호화로운. — *vt., vi.* 자줏빛이 되(게 하)다. **pur·plish, pur·ply**[-li] *a.* 자줏빛을 띤.
Púrple Héart 〖美陸軍〗 명예 상이기장; (p- h-) 《俗》 (보랏빛 하트형) 흥분제.
púrple mártin (미국산의) 큰 제비.
púrple pássage 〔**pátch**〕 (책 속의) 명문이 있는 대문.
pur·port[pə́:rpɔ:rt] *n.* Ⓤ 의미, 요지, 취지. — [–∠] *vt.* 의미하다, 취지로 하다; …이라 칭하다.
†**pur·pose**[pə́:rpəs] *n.* ① Ⓒ 목적, 의도; 용도. ② Ⓤ 의지, 결심. ③ Ⓤ 효과. ***on*** ~ 일부러. ***to good*** ~ 매우 효과적으로, 잘. ***to little*** 〔***no***〕 ~ 거의〔아주〕 헛되이. — *vt.* 계획하다, …하려고 생각하다. **~·ly** *ad.* 일부러, 고의로.
pur·pose·ful[-fəl] *a.* 목적 있는; 고의의; 의미심장한, 중대한; 과단성 있는. **~·ly** *ad.*
pur·pose·less[-lis] *a.* 목적이 없는; 무의미한, 무익한. **~·ly** *ad.*
púrpose-máde *a.* 《英》 특수 목적을 위해 만들어진.
pur·pos·ive[pə́:rpəsiv] *a.* 목적이 있는; 목적에 맞는; 과단성 있는.
pur·pu·ra[pə́:rpjurə] *n.* Ⓤ 〖醫〗 자반병(紫斑病)
***purr**[pə:r] *vi., vt., n.* (고양이가 만족하여) 가르랑거리다; Ⓒ 그 소리; 목을 울리다〔울려서 알리다〕.
pur sang[pyə sɑ́:ŋ] (F.) 《명사 뒤에》 순혈〔순종〕의; 철저한, 순수한

(*He is a liar* ~. 그는 순전한 거짓말쟁이다.)

:purse[pəːrs] *n.* Ⓒ ① 돈주머니, 돈지갑. ② (*sing.*) 금전, 자력, 국고. ③ 상금, 기부금. ***hold the ~ strings*** 금전 출납을 취급하다. ***make a*** SILK ***~ out of a sow's ear.*** — *vt., vi.* (돈주머니 아가리처럼) 오므리다(*up*); 오므라지다.

púrse-pròud *a.* 재산을 자랑하는.

purs·er[pə́ːrsər] *n.* Ⓒ (선박의) 사무장.

púrse-snàtcher (지갑·핸드백을 채가는) 날치기.

purse strìngs 돈주머니끈; 재산상의 권한. 「쇠비름.

purs·lane[pə́ːrslin] *n.* Ⓤ,Ⓒ 〖植〗

pur·su·ance [pərsúːəns/-sjúː-] *n.* Ⓤ 추구; 속행(續行); 수행, 이행. ***in ~ of*** …을 좇아서, …을 이행하여. ***-ant** *a.* (…에) 따른(*to*).

:pur·sue[pərsúː/-sjúː] *vt.* ① 추적하다. ② 추구하다. ③ 수행하다, 종사하다; 속행하다. ④ (길을) 찾아 가다. — *vi.* 쫓아가다, 따라가다. ***pur·sú·er** *n.* Ⓒ 추적자; 추구자; 수행자; 연구자.

:pur·suit[pərsúːt/-sjúːt] *n.* ① Ⓤ 추적, 추격; 추구. ② Ⓤ 속행, 수행; 종사. ③ Ⓒ 직업, 일; 연구. ***in ~ of*** …을 좇아서.

pursúit plàne 추격기, 전투기.

pur·sui·vant[pə́ːrswivənt] *n.* Ⓒ 《英》 문장원 속관(紋章院屬官); 《古》 종자(從者). 「한.

pur·sy[pə́ːrsi] *a.* 숨이 가쁜; 뚱뚱

pu·ru·lent[pjúərələnt] *a.* 곪은, 화농성의; 고름 같은. **-lence** *n.*

pur·vey[pərvéi] *vt.* (식료품을) 공급〔조달〕하다. **~·ance** *n.* Ⓤ (식료품의) 조달; 《廢》 조달〔식료〕품. **~·or** *n.* Ⓒ 어용(御用) 상인, 식료품 조달인.

pur·view[pə́ːrvjuː] *n.* Ⓤ (활동) 범위; 권한; 〖法〗 요항, 조항.

pus[pʌs] *n.* Ⓤ 고름, 농즙.

†push[puʃ] *vt.* ① 밀다; 밀어 움직이다. ② 쑥 내밀다. ③ (계획 등을) 밀고 나가다; 강하게 주장하다; 추구하다. ④ 확장하다. ⑤ (상품 등을) 억지로 떠맡기다. ⑥ 궁박게 하다. — *vi.* 밀다; 밀고 나가다(*on*); 노력하다; 돌출하다; (싹이) 나다. ***be ~ed for*** (돈·시간 따위에) 쪼들리다. ***~ along*** 출발하다; (다시) 한 걸음 더 나아가다. ***~ off*** (배를) 밀어내다; 《口》 떠나다, 돌아가다. ***~ out*** 밀어내다; (싹 따위를) 내밀다. ***~ over*** 밀어 넘어뜨리다. ***~ up*** 《口》 증가하다. — *n.* ① Ⓒ 밂, 한 번 밀기; 추진; 돌진; 분투. ② Ⓤ 기력, 진취적 기상. ③ Ⓤ,Ⓒ 《口》 억지, 적극성. ④ 《집합적》 《口》 동아리, 일당. ⑤ 〖컴〗 밀어넣기. **∠·er** *n.* Ⓒ 미는 사람〔것〕; 〖空〗 추진식 비행기; 보조 기관차. **∠·ful** [∠fəl] *a.* 적극적인; 오지랖넓은. **∠·ing** *a.* 미는; 활동적인; 억지가 센.

púsh·bàll *n.* Ⓤ 푸시볼《큰 공을 두 팀이 서로 밀어 상대방 골에 넣는 경기》; Ⓒ 그 경기의 공. 「단추.

púsh bùtton (벨·컴퓨터 등) 누름

púsh-bùtton wàr 누름단추식 전쟁《유도탄, 무인기 따위에 의한 전쟁》.

púsh·càrt *n.* Ⓒ 《美》 손수레.

púsh·chàir *n.* Ⓒ 《英》 접는 식의 유모차.

púsh·dòwn *n.* Ⓤ 〖컴〗 끝먼저내기 《새로 기억된 항목이 먼저 도출될 수 있는 기억 방식》.

púsh-in crìme 〔**jòb**〕 《美》 (문이 열리자 마자 덮치는) 주택 침입강도.

Push·kin[púʃkin], **Alexander Sergeevich** (1799-1837) 러시아의 시인.

púsh·òver *n.* Ⓒ 《美俗》 편한〔쉬운〕 일, (경기에서) 약한 상대.

púsh·ùp *n.* ① Ⓒ (체조의) 엎드려 팔굽히기(press-up). ② Ⓤ 〖컴〗 처음 먼저내기.

push·y[∠i] *a.* 《美口》 자신만만한, 오지랖넓은.

pu·sil·lan·i·mous[pjùːsəlǽnəməs] *a.* 겁많은, 무기력한. **-la·nim·i·ty**[-sələníməti] *n.*

puss[pus] *n.* Ⓒ 《의인적 호칭》 고양이(cf. chanticleer); 소녀.

***puss·y**[púsi] *n.* Ⓒ ① 《兒》 고양이. ② 털이 있는 부드러운 것《버들개지 등》(catkin). ③ 《卑》 여자의 음부; 성교.

pússy·càt *n.* Ⓒ 《兒》 고양이.

pússy·fòot *vi., n.* (*pl.* **~s**) Ⓒ 《美口》 살그머니 걷다〔걷는 사람〕; 소극적인 생각을 하다〔하는 사람〕; 《주로 英》 금주주의자.

pússy wíllow (미국산) 갯버들.

pus·tule[pʌ́stʃuːl] *n.* Ⓒ 〖醫〗 농포(膿疱); 〖動·植〗 소돌기(小突起); 여드름, 물집, 사마귀.

†put[put] *vt.* (**~; -tt-**) ① 놓다, 두다, 고정시키다; 넣다(*in, to*). ② (어떤 물건에) 붙이다(*to*). ③ (어떤 상태·관계로) 두다, 하다(*in, to, at, on, under*). ④ 기록하다; 설명하다; 표현〔번역〕하다(*into*). ⑤ (문제를) 제출하다, (질문을) 하다. ⑥ 평가하다, 어림잡다(*at*). ⑦ (방향으로) 돌리다, 진로를 잡다(*off, out*). ⑧ (손을 어깨까지 굽혀) 던지다. ⑨ 사용하다(*to*). ⑩ (일, 책임, 세금 등을) 지우다; …에게 돌리다, …의 탓으로 하다. ***be ~ to it*** 강권에 못이겨 …하게 되다, 몹시 곤란받다. ***~ about*** (배의) 방향을 바꾸다; 퍼뜨리다; 공표하다. ***~ aside*** 〔***away, by***〕 치우다, 떼어〔남겨〕 두다; 버리다. ***~ back*** (본래의 장소·상태로) 되돌리다, …을 방해하다; 되돌아가다. ***~ down*** 내려놓다; 억누르다, 진정하게 하다, 말 못하게 하다; 줄이다; 적어 두다, (예약자로서) 기입하다; 평가하다(*at, as, for*); (…의) 탓으로 하다(*to*); 〖空〗 착륙하다. ***~ forth*** 내밀다; (싹·힘 따위를) 내다; (빛을)

P

발하다. ~ **forward** 나아가게 하다; 제언〔주장〕하다; 촉진하다; 추천하다; 눈에 띄게 하다. ~ **in** 넣다; 제출하다; 신청하다(*for*); 《口》 (시간을) 보내다; 입항하다. **Put it there!** 《美俗》 악수〔화해〕하자. ~ **off** (옷을)벗다; 제거하다; 연기하다, 기다리게 하다; (가짜 물건을) 안기다(*on, upon*); 피하다, 회피하다; 단념케 하다(*from*); 출발하다. ~ **on** 입다, 몸에 걸치다; …체하다; 늘다; 일시키다, 부추기다. ~ **oneself forward** 주제넘게 굴다; 입후보하다. ~ **out** 내다, 쫓아내다; (불을) 끄다; 방해하다, 난처하게 하다; (싹·힘 따위를) 내다; (눈을) 상하게 하다; 출판하다; 〖크리켓·野〗 아웃시키다; 출범하다. ~ **over** 연기하다; 호평을 얻게 하다, 성공하다. ~ **through** 꿰뚫다; 해내다; (전화를) 연결하다. ~ **together** 모으다; 합계하다. ~ (*a person*) **to it** 강제하다; 괴롭히다. ~ **up** 올리다, 걸다; 보이다; 상연하다, (기도를) 드리다; (청원을) 제출하다; 입후보로 내세우다, 건립하다; 저장하다; 제자리에 두다, 치우다; (칼집에) 넣다; 숙박시키다; 《口》 (몰래) 꾀하다. ~ **upon** 속이다. ~ (*a person*) **up to** (아무에게) 알리다; 부추기어 …하게 하다. ~ **up with** …을 참다〔견디다〕. 「의.

pu·ta·tive[pjúːtətiv] *a.* 추정(상)

pút-òff *n.* Ⓒ 핑계; 변명; 연기.

pút-òn *a.* 《俗》 겉치레의. ── *n.* Ⓒ 속임, 못된 장난; 비꼼; (*sing.*) 겉치레, 젠체함.

pút-òut *n.* Ⓒ 〖野〗 척살, 터치아웃.

put-put[pʌ́tpʌ̀t] *n.* Ⓒ 《口》 (소형 엔진의) 펑펑〔통통〕하는 소리. ── *vi.* 펑펑〔통통〕 소리를 내며 나아가다.

pu·tre·fac·tion[pjùːtrəfǽkʃən] *n.* Ⓤ 부패 (작용); Ⓒ 부패물. **-tive** *a.*

pu·tre·fy[pjúːtrəfài] *vt., vi.* 부패시키다〔하다〕; 곪(게 하)다.

pu·tres·cent[pjuːtrésənt] *a.* 썩어 가는; 부패의. **-cence** *n.*

pu·trid[pjúːtrid] *a.* 부패한; 타락한.

putsch[putʃ] *n.* (G.) Ⓒ 소폭동, 소란.

putt[pʌt] *vt., vi.* 〖골프〗 (홀 쪽으로 공을) 가볍게 치다. ── *n.* Ⓒ 경타(輕打).

put·tee[pʌtíː, ⌐–] *n.* Ⓒ (보통 *pl.*) 감는〔가죽〕 각반. 「다.

put·ter[1][pʌ́tər] *vi.* 꾸물꾸물 일하

put·ter[2][pútər] *n.* Ⓒ 놓는 사람; 〖鑛〗 운반부(夫).

put·ter[3][pʌ́tər] *n.* Ⓒ 〖골프〗 경타자; 경타용 채.

pútting grèen 〖골프〗 (홀 주위의) 경타 구역(cf. tee, fairway).

put·ty [pʌ́ti] *n., vt.* Ⓤ (유리 접합용의) 퍼티(로 고정하다, 로 메우다).

pútty mèdal 《英》 퍼티로 만든 가짜 메달; 《英諧》 작은 노력에 대한 근소한 보수.

pút-ùp *a.* 《口》 미리 꾸민; 미리 짠.

:**puz·zle**[pʌ́zl] *n.* Ⓒ 수수께끼, 난문; (*sing.*) 당혹. ── *vt.* 당혹시키다, (머리를) 괴롭히다〔짜내다〕(*over*); 생각해내다. ── *vi.* 당혹하다(*about, over*); 머리를 짜다(*over*). ~ **out** 생각해내다.

p.v. par value; post village. **PVA** polyvinyl alcohol 〔acetate〕. **PVC** polyvinyl chloride. **Pvt.** Private 《美》 병사(cf. Pte.). **P.W.** =POW; public works. **PWA** Public Works Administration; a person with AIDS 에이즈 보균자. **PWD, P.W.D.** Psychological Warfare Division. **P.W.D.** Public Works Department. **PWR** pressurized water reactor 가압수형 (동력용) 원자로. **pwt.** pennyweight. **PX** Post Exchange. **pxt.** =PINX.

py·ae·mi·a, py·e·mi·a[paiíːmiə] *n.* Ⓤ 〖醫〗 농혈증(膿血症).

pyc·nom·e·ter [piknɑ́mitər] *n.* Ⓒ 〖理〗 비중병《액체의 비중을 재는 장치》.

py·e·li·tis[pàiəláitis] *n.* Ⓤ 〖醫〗 신우염(腎盂炎).

Pyg·ma·lion[pigméiljən, -liən] *n.* 〖그神〗 자작의 조각품을 사랑한 그리스의 조각가.

***pyg·my**[pígmi] *n., a.* Ⓒ 난쟁이; (P-) (아프리카·동남 아시아의) 피그미족; 아주 작은.

py·jam·as[pədʒɑ́ːməz, -ǽ-] *n. pl.* 《英》 =PAJAMAS.

pyk·nic[píknik] *a., n.* Ⓒ 비만형의 (사람).

py·lon[páilɑn/-lɔn] *n.* Ⓒ (고대 이집트 사원의) 탑문; (고압선의) 철탑; 〖空〗 (비행장의) 목표탑.

py·lor·ic[pailɔ́ːrik] *a.* 〖動〗 유문(幽門)(부)의.

py·lo·rus[pailɔ́ːrəs, pi-] *n.* (*pl.* **-ri**[-rai]) 〖解〗 유문(幽門)).

pymt. payment.

py·or·rhoe·a, -rhe·a [pàiəríːə] *n.* Ⓤ 〖醫〗 치조농루(齒槽膿漏).

:**pyr·a·mid** [pírəmid] *n.* Ⓒ 피라미드, 금자탑; 각추(角錐). **py·ram·i·dal**[pirǽmədəl] *a.* 「미.

pyre[paiər] *n.* Ⓒ 화장용의 장작더

Pyr·e·nees[pírənìːz/⌐–⌐] *n. pl.* 피레네 산맥《프랑스와 스페인 국경의》.

py·re·thrum[paiəríːθrəm] *n.* Ⓒ 〖植〗 제충국(除蟲菊); Ⓤ 그 가루.

py·ret·ic[paiərétik] *a.* 열병의, 열병에 걸린; 열병 치료의.

Py·rex[páiəreks] *n., a.* Ⓤ 《美》 〖商標〗 (내열용의) 파이렉스 유리(로 만든).

pyr·i·dox·ine[pìrədɑ́ksi(ː)n/-dɔ́k-] *n.* Ⓤ 〖生化〗 피리독신《비타민 B_6를 말함》.

py·ri·tes[paiəráitiːz, pə-] *n.* Ⓤ 〖鑛〗 황철광; 황화(黃化) 금속의 총칭.

py·ro-[páiərou, -rə] '불, 열(熱)'의 뜻의 결합사.

py·ro·clas·tic[pàiərəklǽstik] *a.*

〖地〗 화쇄암(火碎岩)의, 화산 쇄설암(碎屑岩)으로 된.
py·rog·ra·phy [paiərágrəfi/-ɔ́-] *n.* Ⓤ 낙화술(烙畫術).
py·rol·a·try [paiərálətri/-ɔ́-] *n.* Ⓤ 배화교(拜火教).
py·rol·y·sis [paiərálәsis/-rɔ́l-] *n.* Ⓤ 〖化〗 열분해.
py·ro·ma·ni·a [pàiəréméiniə] *n.* Ⓤ 방화광(狂). 「*n.* Ⓒ 고온계.
py·rom·e·ter [paiərámitər/-rɔ́mi-]
py·ro·tech·nic [pàiəroutéknik], **-ni·cal** [-əl] *a.* 불꽃의, 불꽃 같은; 불꽃 제조(술)의. **~s** *n.* Ⓤ 불꽃 제조술; 《복수 취급》 불꽃(올리기); (변설 따위의) 멋짐.
py·rox·ene [paiəráksi:n/-rɔ́k-] *n.* Ⓤ 〖鑛〗 휘석(輝石).
py·rox·y·lin(e) [paiəráksəlin/-ɔ́-] *n.* Ⓤ 질산 섬유소, 면화약.
Pyr·rhic [pírik] *a.* 고대 그리스의 Epirus 왕 Pyrrhus의.
Pýrrhic vìctory 막대한 희생을 치르고 얻은 승리.
Py·thag·o·ras [piθǽgərəs] *n.* (582?-500? B.C.) 피타고라스《그리스의 철학자·수학자》.
Py·thag·o·re·an [piθæ̀gərí:ən] *a., n.* Ⓒ 피타고라스의 (학설 신봉자). ~ ***proposition*** 〔***theorem***〕 〖數〗 피타고라스의 정리.
py·thon [páiθɑn, -θən] *n.* Ⓒ (열대산) 비단뱀.
pyx [piks] *n.* Ⓒ 〖가톨릭〗 성합(聖盒).

Q

Q, q [kju:] *n.* (*pl.* ***Q's, q's***[-z]) Ⓒ q자형의 것. ***Q and A*** 질의 응답(Question and Answer).
Q. quarto; Quebec; queen; question. **q.** quarto; query; question; quintal; quire.
Qa·tar [ká:tɑ:r] *n.* 카타르《페르시아만 연안의 토후국》.
Q.B. Queen's Bench. **q.b.** 〖美式蹴〗 quarterback.
Q-bòat, Q-shìp *n.* Q보트《제1차 세계 대전에서 독일 잠수함을 유인하기 위하여 상선을 가장한 영국 군함》.
Q.C. Quartermaster Corps; Queen's Counsel.
Q cléarance 극비 문서 취급 인가, 최고 기밀 참여 허가.
Q depártment 〖軍〗 병참부.
Q.F. quick-firing.
Q fáctor 〖電·理〗 Q인자《공명의 예리함을 나타내는 양; 핵반응에 있어서의 반응열》.
ql. quintal. **QM, Q.M.** Quartermaster. **QMC** Quartermaster Corps. **Q.M.G.** Quartermaster General. **qr.** quarter; quire.
qt. quantity; quart(s).
Q.T., q.t. 《俗》 quiet. ***on the*** (***strict***) ~ 내밀히, 몰래.
qto. quarto. **qts.** quarts. **qu.** quart; quarter(ly); quasi; queen; query; question.
qua [kwei, kwɑ:] *ad.* (L.) …로서, …의 자격으로.
*__quack__[1] [kwæk] *vi.* (집오리 따위가) 꽥꽥 울다. — *n.* Ⓒ 우는 소리.
quack[2] *n.* Ⓒ 돌팔이 의사; 식자연하는 사람; 사기꾼. — *a.* 가짜〔협잡·사기〕의; 돌팔이 의사가 쓰는. ~ ***doctor*** 돌팔이 의사. ~ ***medicine*** 가짜 약. **∠·er·y** *n.* Ⓤ 엉터리 치료; 사기꾼 같은 짓.
quáck-quàck *n.* Ⓒ 《兒》 집오리; 꽥꽥; 재잘재잘.
quáck·sàlver *n.* Ⓒ 돌팔이 의사; 《古》 협잡꾼.
quad [kwɑd/-ɔ-] *n.* 《口》 = QUADRANGLE; Ⓒ 《口》 네 쌍둥이(의 한 사람); 4채널 (스테레오).
quad·plex [kwádpleks/-ɔ́-] *n.* Ⓒ 4인 가족용 아파트.
quad·ran·gle [kwádræŋgəl/-ɔ́-] *n.* Ⓒ 사변〔사각〕형, 정방형; (건물에 둘러 싸인 네모꼴의) 안뜰; 안뜰 둘레의 건물. **quad·rán·gu·lar** *a.* 사변형의.
quad·rant [kwádrənt/-ɔ́-] *n.* Ⓒ 〖幾〗 사분원(주), 사분면; 사분의(四分儀).
quad·ra·phon·ic [kwɑ̀drəfánik/kwɔ̀drəfɔ́nik] *a.* (녹음 재생이) 4채널의.
quad·rate [kwádrit, -reit/-ɔ́-] *a., n.* Ⓒ 네모의, 정사각형(의).
quad·rat·ic [kwɑdrǽtik/kwɔd-] *a., n.* 〖數〗 2차의; Ⓒ 2차 방정식. ~ ***equation*** 이차방정식.
quad·ren·ni·al [kwɑdréniəl/-ɔ-] *a.* 4년마다 일어나는; 4년간의.
quad·ri- [kwádrə/-ɔ́-] '4' 의 뜻의 결합사.
quàdri·centénnial *n., a.* 4백년의; Ⓒ 4백년 기념(일).
quàdri·láteral *n., a.* Ⓒ 4변형(의); 4변의.
qua·drille [kwədríl, kwə-] *n.* Ⓒ 카드리유《네 사람이 추는 춤; 그 곡》.
quad·ril·lion [kwɑdríljən/-ɔ-] *n.* Ⓒ 《美·프》 천의 5제곱, 천조(千兆)《1에 0이 15개 붙음》; 《英·獨》 백만의 4제곱《1에 0이 24개 붙음》.
quàdri·plégia *n.* Ⓤ 〖醫〗 사지(四肢) 마비.
quad·ri·va·lent [kwɑ̀drəvéilənt/kwɔ̀d-] *a.* 〖化〗 4가(價)의.
quad·roon [kwɑdrú:n/-ɔ-] *n.* Ⓒ 4분의 1 흑혈아《백인과 mulatto와의 혼혈인》(cf. octoroon).

quad·ru·ped[kwádrupèd/-ɔ́-] *n.* Ⓒ 네발 짐승. — *a.* 네발 가진.
quad·ru·ple[kwadrú:pəl, kwád-ru-/kwɔ́dru-] *a.* 4겹의; 4부분으로〔4단위로〕 된; 4배의; 〖樂〗 4박자의. — *n.* Ⓤ (the ~) 4배. — *vt., vi.* 4배로 만들다〔되다〕. **-ply**[-i] *ad.*
quad·ru·plet[kwádruplit/-ɔ́-] *n.* Ⓒ 4개 한 조〔벌〕; 네 쌍둥이의 한 사람; (*pl.*) 네 쌍둥이(cf. triplet).
quad·ru·pli·cate[kwadrú:plikit/-ɔ-] *a.* 4배의, 4겹의; 4통 작성한. — *n.* Ⓒ 4개짜리 중의 하나; 4통 작성한 서류의 한 통. ***in*** ~ (같은 문서를) 네 통으로 하여. — [-kèit] *vt.* 4배로〔네겹으로〕 하다; 4통 작성하다.
quaff[kwa:f, kwæf] *n., vt., vi.* Ⓒ 꿀꺽꿀꺽 마심〔마시다〕.
quag·gy[kwǽgi] *a.* 늪지〔수렁〕의.
quag·mire[kwǽgmàiər] *n.* Ⓒ 늪지; 궁지.
qua·hog, -haug[kwɔ́:hɔ:g, -hag/-hɔg] *n.* Ⓒ 〖貝〗 (북아메리카산) 대합의 일종.
Quai d'Or·say[kèi dɔ:rséi] 프랑스 외무성.
***quail**[1][kweil] *n.* (*pl.* **~s,** 《집합적》 ~) Ⓒ 메추라기.
quail[2] *vi.* 주눅들다, 기가 죽다(*at, before, to*).
:quaint[kweint] *a.* 색다르고 재미있는, 고풍이며 아취 있는; 기이(奇異)한. **∠·ly** *ad.* **∠·ness** *n.*
***quake**[kweik] *n., vi.* Ⓒ 흔들림, 흔들리다, 진동(하다); 떨림, 떨리다(*with, for*); 《口》 지진.
qúake·pròof *a.* 내진성의.
***Quak·er**[kwéikər] *n.* Ⓒ 퀘이커교도. **~·ess** *n.* Ⓒ 여자 퀘이커교도. **~·ish** *a.* 퀘이커교도와 같은; 근엄(謹嚴)한. **~·ism**[-ìzəm] *n.* Ⓤ 퀘이커교도의 교의〔습관·근엄성〕.
Quáker Cíty Philadelphia의 속칭.
Quáker gùn 《美》 (배 따위의) 가짜 대포, 나무 대포.
***qual·i·fi·ca·tion** [kwàləfəkéiʃən/kwɔ̀l-] *n.* ① Ⓒ (*pl.*) 자격(부여)(*for*). ② Ⓒ 자격 증명서. ③ Ⓤ,Ⓒ 제한, 조절.
:qual·i·fy[kwáləfài/-ɔ́l-] *vt.* ① (…에게) 자격〔권한〕을 주다, 적격으로 하다; 《美》 (…에) 선서하고 법적 자격을 주다. ② 제한하다, 한정하다; 완화하다; 약하게 하다. ③ (…으로) 간주하다, 평하다. ④ 〖文〗 한정〔수식〕하다. — *vi.* 자격을 얻다, 적격성을 보이다. ***-fied**[-d] *a.* 자격 있는, 적임의; 면허받은; 한정된, 조건부의. **-fi·er** *n.* Ⓒ 자격을 주는 사람〔것〕; 〖文〗 한정〔수식〕어구; 〖컴〗 정성자. **~·ing** *a.* 자격을 주는; 한정〔수식〕하는. ***~ing examination*** (자격) 검정 시험.
***qual·i·ta·tive** [kwálətèitiv/kwɔ́lətə-] *a.* 성질상의, 질적인.
quálitative análysis 〖化〗 정성분석.
:qual·i·ty [kwáləti/-ɔ́l-] *n.* ① Ⓤ 질; 성질; 품질. ② Ⓒ 특질, 특성; 재능. ③ Ⓤ 음질, 음색. ④ Ⓤ 양질(良質), 우량성. ⑤ Ⓤ 《古》 고위(高位), (높은) 사회적 지위; (the ~) 상류 사회(의 사람들).
quálity contròl 품질 관리.
quálity tìme 질 높은〔소중한〕 시간 《가족이 단란하게 지내는 등의》; 머리가 잘 도는 시간《오전 등의》.
qualm[kwa:m, -ɔ:-] *n.* Ⓒ (*pl.*) 현기증; 메스꺼움, 구역질; (갑작스런) 불안, 의구심, (양심의) 가책. ***~s of conscience*** 양심의 가책. **∠·ish** *a.*
quan·da·ry [kwándəri/-ɔ́-] *n.* Ⓒ 당혹; 당황; 궁경(predicament).
quan·ti·fier[kwántəfàiər/kwɔ́n-] *n.* Ⓒ 〖컴〗 정량자.
***quan·ti·ta·tive** [kwántətèitiv/kwɔ́n-] *a.* 양적인, 양에 관한; 계량(計量)할 수 있는.
quántitative anàlysis 〖化〗 정량분석.
:quan·ti·ty[kwántəti/kwɔ́n-] *n.* Ⓤ 양; Ⓒ (특정한) 수량, 분량; (*pl.*) 다량, 다수. ***a ~ of*** 다소의. ***in ~*** 〔***quantities***〕 많이, 다량으로.
quántity survèyor 〖建〗 견적사(見積士).
quan·ti·za·tion [kwàntəzéiʃən/kwɔ̀ntai-] *n.* Ⓤ 〖化〗 양자화(量子化).
quan·tize [kwántaiz/kwɔ́n-] *vt.* 〖理〗 (…을) 양자화(量子化)하다.
quan·tum[kwántəm/-ɔ́-] *n.* (*pl.* ***-ta***[-tə]) Ⓒ 양; 정량; 몫; 〖理〗 양자(量子).
quántum jùmp 〔**lèap**〕 〖理〗 양자 도약; 돌연한 비약; 약진.
quántum mechánics 양자 역학.
quántum nùmber 〖理〗 양자수.
quántum phýsics 양자 물리학.
quántum thèory 양자론.
quar. quarter(ly).
quar·an·tine[kwɔ́:rəntì:n, -á-] *n.* Ⓒ 검역 정선(停船) 기간; 검역소; Ⓤ 격리, 교통 차단. — *vt.* 검역하다; 격리하다; (한 나라를) 고립시키다.
quárantine flàg 〖海〗 (황색의) 검역기.
quárantine òfficer 〔**stàtion**〕 검역관〔소〕.
quark[kwɔ:rk] *n.* Ⓒ 〖理〗 쿼크 모형《가설적 입장》.
:quar·rel[1][kwɔ́:rəl, -á-] *n.* Ⓒ ① 싸움, 말다툼; 불화. ② 싸움〔말다툼〕의 원인, 불화의 씨. ③ 불평. — *vt.* (《英》 ***-ll-***) (…와) 싸움〔말다툼〕하다(*with, for*); 티격나다; 불평하다(*with*). * **~·some** *a.* 싸움〔말다툼〕 좋아하는.
quar·rel[2] *n.* Ⓒ 〖史〗 (crossbow에 쓰는) 네모진 촉이 달린 화살.
***quar·ry**[1][kwɔ́:ri, -á-] *n.* Ⓒ 채석장; (지식·자료 따위의) 원천. — *vi.* 채석장에서 떠내다; (책에서) 찾아내다.
quar·ry[2] *n.* (*sing.*) 사냥감; 먹이; 추구물(追求物); 복수의 대상.
quarry·man[∠mən] *n.* Ⓒ 채석공, 석수.
***quart**[kwɔ:rt] *n.* Ⓒ 쿼트《액량의 단위: 4분의 1 갤런, 약 1.14 리터; 건

량(乾量)의 단위; 1/8펙》; 1쿼트 들이 그릇.
quart. quarter(ly).
†**quar·ter**[kwɔ́ːrtər] *n.* Ⓒ ① 4분의 1; 《美》 25센트 (은화); 15분(간); 4분기, 3개월, 1기(期)《1년을 4지불기로 나눈 하나》; 《美》 (4학기제의) 한 학기. ② 4방위《동서남북》의 하나, 방향, 방면, 그 방향의 장소. ③ 지역; 지구, …가(街). ④ (정보의) 출처, 소식통. ⑤ (*pl.*) 주소, 숙소; 부서. ⑥ (항복자 등의) 구명(救命)(을 허락함). ⑦ 짐승의 네 발의 하나, 각(脚). ⑧ 〖海〗 선미부(船尾部), 고물쪽. ⑨ 〖紋〗 방패를 직교선(直交線)으로 4분한 그 한 부분; 방패의(가진 사람이 보아) 오른쪽 위 4분의 1의 부분에 있는 문장(紋章). ⑩ 〖蹴〗 =QUARTERBACK. ***at close ~s*** 접근하여. ***give ~ to*** …에게 구명(救命)을 허락하다. — *vt.* 4(등)분하다; (죄인을) 네 갈래로 찢다; 숙박시키다; 〖海〗 부서에 배치하다; 〖紋〗 (4분한) 방패에 (무늬를) 배치하다. — *vi.* 〖海〗 고물에 바람을 받고 달리다. — *a.* 4분의 1의.
quárter·bàck *n.* Ⓒ 〖美式蹴〗 쿼터백《네 사람의 백필드 중의 한 사람; 센터의 후방, 백의 중앙 부근에 위치함》.
quárter dày 4계(季) 지불일《영국에서는 Lady Day(3월 25일), Midsummer day(6월 24일), Michaelmas(9월 29일), Xmas(12월 25일); 미국에서는 1월, 4월, 7월, 10월의 각 초하루》.
quárter·dèck *n.* (the ~) 〖海〗 후갑판.
quar·terd[-d] *a.* 4분된; 숙사(宿舍)가 주어진; 〖紋〗 (방패가) 4분된.
quàrter·fínal *n., a.* Ⓒ 준준결승(의)(cf. semifinal).
quárter-hòrse *n.* Ⓒ 《美》 4분의 1마일을 고속으로 달리는 경주용 말의 한 품종, 준마.
quárter lìght 《英》 (마차·자동차의) 옆창.
quar·ter·ly[-li] *a., ad.* 연 4회의(에); 철마다의(에). — *n.* Ⓒ 연 4회 간행물, 계간지(季刊誌).
quárter·màster *n.* Ⓒ 〖美陸軍〗 병참 장교; 〖海軍〗 조타(操舵)수.
Quártermaster Còrps 〖美陸軍〗 보급(병참)부대《생략 Q. C., QMC》.
quártermaster géneral 〖美陸軍〗 병참감《생략 QMG》.
quárter nòte 〖樂〗 4분 음표.
quárter·sàw *vt.* (*~ed; ~ed, -sawn*) (통나무를) 세로로 넷으로 켜다.
quárter séction 《美》 반 마일 4방의 토지.
quárter sèssions 〖英法〗 (연(年) 4회의) 주(州)재판소《1971년 폐지되고 Crown Court가 설치됨》.
quárter·stàff *n.* Ⓒ 옛날 영국 농민이 쓰던 6-8피트의 막대.
***quar·tet(te)**[kwɔːrtét] *n.* Ⓒ 4중주(창)(곡); 4중주(창)단; 4개 한 벌.
quar·to [kwɔ́ːrtou] *n.* (*pl. ~s*) Ⓤ,Ⓒ 4절판; Ⓒ 4절판의 책《약 9×12인치》. — *a.* 4절판의.
quartz[kwɔːrts] *n.* Ⓤ 〖鑛〗 석영.
quártz clòck 수정시계《정밀 전자시계》.
quartz·ite[kwɔ́ːrtsait] *n.* Ⓤ 〖鑛〗 규암(硅岩).
qua·sar[kwéisɑːr, -zər] *n.* Ⓒ 〖天〗 항성상(恒星狀) 천체.
quash[kwɑʃ/-ɔ-] *vt.* 누르다, 진압하다, 가라앉히다; 〖法〗 취소하다, 폐기하다.
qua·si-[kwéizai, -sai] *pref.* '준(準)…, 유사(類似)…' 의 뜻.
quási·párticle *n.* Ⓒ 〖理〗 준입자(準粒子).
quási-stéllar òbject 〖天〗 준항성상(準恒星狀) 천체《생략 QSO》.
quas·sia[kwɑ́ʃiə/kwɔ́ʃə] *n.* Ⓒ 소태나뭇과의 나무《남아메리카산》; Ⓤ 그 쓴 액체《강장제, 홉(hop)의 대용》.
qua·ter·cen·te·na·ry [kwɑ̀tərséntənèri/kwæ̀tərsentíːnəri] *n.* Ⓒ 4백년제(祭).
qua·ter·nar·y[kwətə́ːrnəri, kwɑ́ːtərnèri] *n., a.* 4요소로 되는; Ⓒ 4개 한 벌(의); 〖地〗 4개 한 벌(의); (the Q-) 〖地〗 제4기(紀)(의).
quat·rain[kwɑ́trein/-ɔ́-] *n.* Ⓒ 4행시(詩).
quat·re·foil[kǽtərfɔ̀il, kǽtrə-] *n.* Ⓒ 네 잎, 사판화(四瓣花); 〖建〗 사엽(四葉) 장식.
***qua·ver**[kwéivər] *vi.* (목소리가) 떨리다; 떨리는 목소리로 노래하다(말하다); (악기로) 떠는 소리를 내다. — *n., vt.* Ⓒ 떨리는 목소리(로 노래하다, 말하다); 진음(震音); 〖樂〗 8분음표. **~·y** *a.* 떨리는 목소리의.
quay[kiː] *n.* Ⓒ 부두, 안벽(岸壁).
quáy·sìde *n.* Ⓒ 부두 지대.
Que. Quebec.
quean[kwiːn] *n.* Ⓒ 뻔뻔스런 계집; 매춘부.
quea·sy[kwíːzi] *a.* (음식물 따위가) 구역질 나는; (위·사람이) 메슥거리기 잘하는; 안정되지 않는, 불쾌한; 까다로운. **-si·ly** *ad.* **-si·ness** *n.*
Que·bec[kwibék] *n.* 퀘벡《캐나다의 주; 그 주도》.
†**queen**[kwiːn] *n.* Ⓒ ① 왕비; 여왕; (…의) 여왕; 여왕벌(개미). ② 아내, 연인. ③ (카드·체스의) 퀸. ④ 《空俗》 (무인기를 조작하는) 모기(母機). ⑤ 《美俗》 (남색의) 면(cf. punk). — *vt., vi.* 여왕으로서 군림하다. **~·ly** *a., ad.* 여왕의(같은, 같이); 여왕다운(답게); 위엄 있는.
Quéen Ánne's láce =WILD CARROT.
quéen ánt 여왕 개미.
quéen bée 여왕벌.
quéen cónsort 왕비, 황후.
quéen dówager 황태후.
quéen móther 태후, 대비.
quéen régent 섭정 여왕.
quéen régnant (주권자로서의) 여왕.
Queens[kwiːnz] *n.* New York시

동부의 한 구(區).
Quéens·ber·ry rùles [kwíːnzbèri-/-bəri-] 〖拳〗 퀸즈베리 규칙《영국인 Queensberry 후작이 설정》; 표준룰.
quéen's cólour 《英》 연대기(聯隊旗).
quéen's Énglish ⇨ENGLISH.
quéen-sìze *a.* 《美口》 중특대(中特大)의《king-size보다 작음》.
quéen's wàre 크림빛의 Wedgwood 도자기.
quéen wàsp 암벌, 여왕벌.
:queer [kwiər] *a.* ① 기묘한, 우스운; 별난. ② 몸〔기분〕이 좋지 않은; 기분〔정신〕이 좀 이상한. ③ 수상한; 《美俗》 가짜의; 나쁜, 부정한. ④ 《英俗》 술취한. ── *n.* Ⓒ 《美俗》 가짜돈; 남자 동성애자. ── *vt.* 《俗》 결딴내다. **∠·ly** *ad.* **∠·ness** *n.*
***quell** [kwel] *vt.* (반란을) 진압하다; (감정을) 가라앉히다; 소멸시키다.
Quél·part Ísland [kwélpɑːrt-] 퀠파트《우리 나라 제주도의 별칭》.
:quench [kwentʃ] *vt.* 《詩》 (불 따위를) 끄다; (욕망 등을) 억제하다; (갈증을) 풀다. **∠·less** *a.* 끌〔누를〕 수 없는.
quern [kwəːrn] *n.* Ⓒ 맷돌.
quer·u·lous [kwérjələs] *a.* 툴툴거리는; 성마른.
***que·ry** [kwíəri] *n.* Ⓒ 질문, 의문; 의문 부호; 〖컴〗 질문, 조회《data base에 대한 특정 정보의 검색 요구》 (~ *language* 질문〔조회〕 문자). ── *vt.* (…에게) 묻다, 질문하다. ── *vi.* 질문을 하다; 의문을 나타내다.
:quest [kwest] *n.* Ⓒ 탐색, 탐구(물). ***in ~ of*** (…을) 찾아. ── *vt.* 탐색하다.
†ques·tion [kwéstʃən] *n.* Ⓒ 질문; Ⓤ 의심, 의문; Ⓒ 〖文〗 의문문; 심문; 논쟁; 문제; 사건; (의안의) 채결(의 제의). ***beside the ~*** 문제 밖이어서. ***beyond*** 〔***without***〕 **~** 의심할 나위도 없이, 확실히. ***call in ~*** 의심을 품다, 이론(異論)을 제기하다. ***in ~*** 논의 중의, 문제의. ***out of ~*** 《古》 확실히. ***out of the ~*** 논할 가치가 없는, 문제가 안되는. ***put the ~*** (의장이) 가부를 채결하다. ***Q-!*** (연사를 주의시켜) 본론을 말하시오!; 이의 있소! ── *vt.* (…에게) 묻다, 질문하다; 심문하다; 탐구하다; 의심하다; 논쟁하다. **~·a·ble** *a.* 의심스러운; 수상쩍은. **~·less** *a.* 의심 없는, 명백한.
ques·tion·ing [-iŋ] *n.* Ⓤ 질문, 심문. ── *a.* 의심스러운, 묻는 듯한. **~·ly** *ad.*
:quéstion màrk 의문부호《?》.
quéstion màster 《英》 (퀴즈 프로 등의) 질문자, 사회자.
ques·tion·naire [kwèstʃənέər] *n.* (F.) Ⓒ (조목별로 쓴) 질문서, 앙케트(cf. opinionaire).
quéstion tìme 《英》 (의회의) 질문 시간.
quet·zal [ketsɑ́ːl], **que·zal** [keisɑ́ːl] *n.* Ⓒ 중앙 아메리카산의 깃털이 고운 새.
queue** [kjuː] *n.* Ⓒ 땋아 늘인 머리, 변발(辮髮); 《英》 (순번을 기다리는 사람이나 자동차 따위의) 긴 열; 〖컴〗 큐. JUMP ***the ~. ── *vi.* 《英》 긴 열을 이루다〔이루어 기다리다〕; 〖컴〗 대기 행렬을 짓다.
quéue-jùmp *vi.* 《口》 줄에 새치기하다; 부정 이득을 얻다.
Que·zon [kéizɑn, -sɔːn/-sɔn] *n.* 마닐라에 인접한 필리핀의 수도.
quib·ble [kwíbl] *n.* Ⓒ 둔사(遁辭), 핑계, 견강 부회; (수수께끼) 익살. ── *vi.* 둔사를 농하다, 신소리하다.
†quick [kwik] *a.* ① 빠른, 재빠른, 민속한; 즉석의, 당장의. ② 성급한; (커브가) 급한. ③ 이해가 빠른; 민감한; 날카로운. ④ 《古》 살아 있는. ── *ad.* 서둘러서, 빨리. ── *n.* Ⓤ ① (the ~)(손〔발〕톱 밑의) 생살; 상처의 붉은 살. ② 감정의 중추(中樞), 급소; 중요 부분. ③ 살아 있는 사람들. ***the ~ and the dead*** 생존자와 사망자. ***to the ~*** 속살까지; 통렬히; 순수하게. **†∠·ly** *ad.* 서둘러서; 빨리. **∠·ness** *n.*
quíck-and-dírty *a.* 《美口》 싸게 만들 수 있는; 질이 나쁜. ── *n.* Ⓒ 《美俗》 싸구려 식당.
quíck ássets 〖會計〗 당좌〔유동〕 자산.
quíck brèad 《美》 베이킹파우더·소다를 써서 구운 빵《corn bread, muffins 따위》.
quíck-chànge *a.* 재빨리 변장하는 《배우 등》; 재빨리 교환되는.
quíck-èared *a.* 귀밝은.
:quick·en [∠ən] *vt.* ① (…에게) 생명을 주다, 살리다. ② 고무하다; 활기 있게 하다. ③ 서두르게 하다, 속력을 올리다. ── *vi.* 살다; 활기띠다; (속력이) 빨라지다.
quíck-éyed *a.* 눈치빠른.
quíck-fíre *a.* 속사(용)의.
quíck-fírer *n.* Ⓒ 속사포.
quíck-frèeze *vt.* (**-froze; -frozen**) (식료품을) 급속 냉동하다《맛이 변하지 않도록》.
quíck hédge 산울타리.
quick·ie, quick·y [kwíki] *n.* Ⓒ 《俗》 (급히 서둘러 만든) 날림 영화〔소설〕; 《美俗》 (술을) 단숨에 들이켬, 서둘러서 하는 일《여행, 성교 따위》. ── *a.* 속성의.
quíck-lìme *n.* Ⓤ 생석회.
quíck màrch 속보 (행진).
quíck òne 《口》 (쭈욱) 단숨에 들이켜는 술.
quíck·sànd *n.* Ⓒ (*pl.*) 유사(流砂).
quíck-scénted *a.* 후각이 예민한; 냄새 잘 맡는.
quíck·sèt *n., a.* Ⓒ 《英》 (주로 산사나무의) 산울타리(의).
quíck-síghted *a.* 눈이 빠른.
quíck·sìlver *n.* Ⓤ 수은.
quíck sòrt 〖컴〗 퀵 정렬.
quíck·stèp *n.* Ⓒ (*sing.*) 속보 (행진); 속보(速步) 행진곡; 활발한 춤의

스텝. 「내는.

quíck-témpered *a.* 성마른, 성 잘

quíck tìme 〖軍〗 빠른 걸음, 속보《1시간 4마일》.

quíck-wítted *a.* 기지에 찬, 재치있는. 「잎(분).

quid[1] [kwid] *n.* Ⓒ (씹는 담배의) 한

quid[2] *n.* (*pl.* ~) Ⓒ 《英俗》 1파운드 금화〔지폐〕; 1파운드.

quid·di·ty[kwídəti] *n.* Ⓒ 본질, 실질; 억지, 견강 부회.

quid·nunc[kwídnʌ̀ŋk] *n.* Ⓒ 무엇이나 듣고 싶어하는 사람, 수다쟁이, 캐기 좋아하는 사람.

quid pro quo[kwìd prou kwóu] (L.) 대상물(代償物); 대갚음.

qui·es·cent[kwaiésnt] *a.* 조용한; 활동없는. **-cence, -cen·cy** *n.*

†**qui·et**[kwáiət] *a.* 조용〔고요〕한; 평정(平靜)한; (마음이) 평온한; 얌전한; 침착한; 점잖은, 수수한. ― *ad.* 조용히, 고요히, 평온히. ― *n.* Ⓤ 조용함; 정지(靜止); 침착, 평정. ― *vt.* 고요〔조용〕하게 하다; 달래다; 누그러뜨리다, 가라앉히다. ― *vi.* 조용해지다(*down*). **~·ism**[-ìzəm] *n.* Ⓤ 정적주의(靜寂主義)《17세기 말의 신비적 종교 운동》. **~·en** *vt., vi.* 《英》 =QUIET. **~·ist** *n.* †**~·ly** *ad.* **~·ness** *n.*

qui·e·tude[kwáiətjù:d] *n.* Ⓤ 고요, 조용함, 정온(靜穩); 평온.

qui·e·tus[kwaiíːtəs] *n.* (*sing.*) (채무 등의) 해제, 총결산; 치명타; 죽음.

quiff[kwif] *n.* Ⓒ 《英》 (이마에 드린) 만 머리, (남자의) 앞머리.

***quill**[kwil] *n.* Ⓒ ① 큰 깃《날개·꼬리 따위의 튼튼한》; 깃촉. ② =∠ **pén** 깃촉 펜; 이쑤시개, (낚시의) 찌. ③ (보통 *pl.*) (호저(豪猪)의) 가시.

quíll drìver 《俗》 필경, 서기; 기자; 문필가.

***quilt**[kwilt] *n.* Ⓒ 누비 이불; 침상 덮개. ― *vt.* 누비질하(여 꿰매)다; (지폐·편지 등을) …갈피에 꿰매 넣다. ― *vi.* 《美》 누비 이불을 만들다. **∠·ing** *n.* Ⓤ 누비질; 누비 이불감.

quin[kwin] *n.* =QUINTUPLET.

qui·na·ry[kwáinəri] *a.* 다섯의, 다섯으로 된, 다섯씩의. ― *n.* Ⓒ 5개 한세트; 〖數〗 5진법. 「매).

quince [kwins] *n.* Ⓒ 마르멜로 (열

quin·cen·te·na·ry [kwìnséntənèri], **-ten·ni·al**[kwìnsenténiəl] *a.* 500년(째)의; 500년 계속되는; 500세의. ― *n.* Ⓒ 500년제(祭).

qui·nine [kwáinain/kwiníːn] *n.* Ⓤ 키니네, 퀴닌.

quin·quen·ni·al[kwiŋkwéniəl] *a.* 5년마다〔일어나는〕; 5년간 계속되는.

quin·sy[kwínzi] *n.* Ⓤ 〖醫〗 편도선염(炎).

quint[kwint] *n.* 《口》 =QUINTUPLET.

quin·tal [kwíntl] *n.* Ⓒ 퀸틀《=100kg., 《美》 100lb., 《英》 112lb.》.

quin·tes·sence [kwintésns] *n.* (the ~) 정수(精髓), 진수(眞髓); 전형(典型)(*of*). **-sen·tial**[kwìntəsénʃəl] *a.*

quin·tet(te) [kwintét] *n.* Ⓒ 5중주단; 5중주〔창〕곡; 5개 한 벌〔세트〕.

quin·til·lion[kwintíljən] *n.* Ⓒ 《美·프》 천의 6제곱; 《英》 백만의 5제곱.

quin·tu·ple [kwintjú(:)pl/kwíntju:pl] *a.* 5배의, 5겹의, 5부분으로 된. ― *vt., vi.* 5배로 만들다〔되다〕. ― *n.* Ⓒ 5배.

quin·tu·plet[kwintʌ́plət, -tjú:-/kwíntju-] *n.* Ⓒ 다섯 쌍둥이 중의 한 사람; 5개 한 벌.

quin·tu·pli·cate[kwintjú:plikit] *a.* 5배의; 5중의; (베끼는 중) 다섯 번째의. ― *n.* Ⓒ 5개 한 세트 중의 하나. ― [-pləkèit] *vt.* (…의) 복사를 5개〔장〕 만들다.

quip[kwip] *n.* Ⓒ 명언(名言), 경구(警句); 빈정대는 말; 신랄한 말; 둔사(遁辭)(quibble); 기묘한 것.

quire[1][kwáiər] *n.* Ⓒ (종이) 1첩(帖), 1권(卷)《24장 또는 25장》.

quire[2] *n.* 《古》 =CHOIR.

quirk[kwəːrk] *n.* Ⓒ 빈정거림, 기벽(奇癖); 둔사(遁辭); 갑작스런 굽이; (서화의) 멋부려 쓰기〔그리기〕.

quirt[kwəːrt] *n., vt.* Ⓒ (가죽으로 엮은) 승마 채찍(으로 때리다).

quis·ling[kwízliŋ] *n.* Ⓒ 매국노, 배반자. **quis·le** *vi.* 조국을 팔다.

quis·ler *n.* Ⓒ 매국노, 배반자.

‡**quit**[kwit] *vt.* (**~, ~ted; -tt-**) ① 그만두다; 사퇴하다; 떠나다; 포기하다; 놓아버리다. ② (갚아서 빚 따위를) 면하다; 갚다; 면하게 하다(~ ***oneself of*** …을 면하다). ~ ***oneself*** 처신하다. ― *n.* Ⓒ 〖컴〗 끝냄《현 체계에서 이전 상태로의 복귀·처리 중지를 뜻하는 명령어〔키〕; 그 신호》. ― *pred., a.* 자유로워; (의무·부담 따위를) 면하여.

quít·clàim *n., vi.* Ⓤ,Ⓒ 〖法〗 권리 포기(서); 권리를 포기하다.

†**quite**[kwait] *ad.* 아주, 전혀, 완전히; 실제로, 거의; 《口》 꽤, 대단히.

Qui·to[kíːtou] *n.* 키토《에콰도르의 수도》.

quits[kwits] *pred. a.* 승패 없이 대등하여(*with*). ***call*** 〔***cry***〕 ~ 비긴 것으로 하다.

quit·tance[kwítəns] *n.* Ⓤ,Ⓒ (채무의) 면제 (증서), 영수(증); 보답.

quit·ter[kwítər] *n.* Ⓒ 《口》 (경쟁·일·의무 등을) 이유없이 중지〔포기〕하는 사람.

‡**quiv·er**[1][kwívər] *vi., vt., n.* 떨다, 떨게 하다; Ⓒ (*sing.*) 진동, 떨림.

quiv·er[2] *n.* Ⓒ 전통(箭筒), 화살통.

qui vive[kiː víːv] (F.) 누구야!《보초의 수하(誰何)》. ***on the*** ~ 경계하여.

quix·ot·ic[kwiksɑ́tik/-ɔ́-] *a.* 돈키호테식의; 기사(騎士)연하는; 공상적인, 비현실적인. **-i·cal·ly** *ad.*

quix·ot·ism[kwíksətìzəm], **-ot·ry**[-tri] *n.* Ⓤ 돈키호테적인 성격;

Q

Ⓒ 공상적 행위.
*quiz[kwiz] vt. (-zz-) ① 《美》 (…에게) 질문하다, (…의) 지식을 시험하다. ② 놀리다, 희롱하다. — n. (pl. ～zes [kwíziz]) Ⓒ 《美》 시문(試問), 질문; 퀴즈; 장난; 놀리는〔희롱하는〕 사람.
quíz gàme 〔prògram, shòw〕 퀴즈 게임〔프로〕.
quíz kìd 《口》 신동(神童).
quíz·màster n. Ⓒ (퀴즈 프로의) 사회자.
quiz·(z)ee[kwizí:] n. Ⓒ 질문을 받는 사람.
quiz·zer[kwízər] n. Ⓒ 질문자; 퀴즈 프로.
quiz·zi·cal[kwízikəl] a. 놀리는, 희롱하는, 지나친 장난을 하는; 기묘한, 우스꽝스러운. ～·ly ad.
quod[kwɑd/-ɔ-] n., vt. (-dd-) Ⓒ 《英》 형무소(에 넣다), 투옥(하다).
quod vi·de [kwɑd váidi/kwɔd-] (L.) 그 말〔항〕을 보라, …참조《생략 q.v.》.
quoin[kwɔin] n. Ⓒ (벽·건물의) 외각(外角); 귀돌; 쐐기 모양의 버팀.
quoit [kwait/kwɔit] n. Ⓒ 쇠고리; (pl.) 쇠고리 던지기.
quon·dam[kwɑ́ndəm/kwɔ́n-] a. 이전에 …이었던, 옛날의.
Quón·set hùt[kwɑ́nsət-/-ɔ́-] 퀀셋병사(兵舍)(Nissen hut).
quo·rum[kwɔ́:rəm] n. Ⓒ (회의의) 정족수(定足數).
quot. quotation.
quo·ta[kwóutə] n. Ⓒ 몫; 할당; 할당액(額).
quot·a·ble[kwóutəbəl] a. 인용할 수 있는; 인용할 만한; 인용에 적당한.
:quo·ta·tion[kwoutéiʃən] n. ① Ⓤ 인용; Ⓒ 인용어〔구·문〕. ② Ⓤ,Ⓒ 견적(見積).
:quotátion màrks 인용 부호(“ ” 또는 ‘ ’)(inverted commas).
:quote[kwout] vt. ① 인용하다; 인증(引證)하다. ② 〖商〗 (…의) 시세를 말하다; 견적하다(*at*). — vi. 인용하다(*from*); 〖商〗 시세를〔견적을〕 말하다(*for*). — n. Ⓒ 인용구〔문〕, 인용 부호.
quóted stríng 〖컴〗 따옴(문자)열.
quoth[kwouθ] vt. 《古》 말하였다《1인칭·3인칭 직설법 과거, 언제나 주어 앞에 놓음》(*“Yes,” ～ he, “I will.”*).
quo·tid·i·an [kwoutídiən/kwɔ-] a. 매일의, 매일 일어나는; 평범한.
quo·tient[kwóuʃənt] n. Ⓒ 〖數·컴〗 몫.
quo·ti·e·ty[kwoutáiəti] n. Ⓤ 율, 계수(係數).
q.v.[kjú: ví:, hwítʃ sí:] *quod vide* (L.=which see) 이 문구를〔말을〕 참조하라.
QWER·TY, qwer·ty[kwə́:rti] n., a. Ⓒ 표준형 키보드(식의)《영문 타자기 등의 맨 윗줄 문자순에서》.
Qy. query.

R

R, r[ɑ:r] n. (pl. R's, r's[-z]) *the r months* R자(가 들어) 있는 달《9월부터 이듬해 4월까지; 굴(oyster)의 식용 기간》. *the three R's* 읽기·쓰기·셈(*r*eading, w*r*iting and a*r*ithmetic).
R radical; radius; restricted(보호자 동반을 요하는 영화). R, r 〖電〗 resistance; royal. R. Réaumur (온도계의) 열씨(列氏); Republican. R., r. rabbi; railroad; railway; rector; *regina*(L.=queen); *rex* (L.=king); right; river; road; rook; royal; ruble; rupee.
Ⓡ registered trademark.
Ra[rɑ:] n. 라신(神)《이집트의 태양신》.
Ra 〖化〗 radium. R.A. Rear Admiral; Royal Academy; Royal Academician; Royal Artillery. R.A.A.F. Royal Australian Air Force.
rab·bet[rǽbit] n., vt. Ⓒ 〖木工〗 개탕(치다), 사개(로 물리다).
rab·bi[rǽbai], rab·bin[rǽbin] n. (pl. ～(e)s) Ⓒ 랍비《유대의 율법 박사의 존칭》; 선생.
rab·bin·i·cal[rəbínikəl, ræ-] a. 랍비의; 랍비의 교의(教義)〔말투, 저작〕의.
†rab·bit[rǽbit] n. Ⓒ (집)토끼(의 털가죽)(cf. hare).
rábbit èars 〖TV〗 실내용 V자형 소형 안테나; 《俗》 (관객의) 야유에 성내는 선수.
rábbit fèver 야토병(野兎病)《토끼 등에서 옮는 전염병》.
rábbit hèart 《美口》 겁(쟁이).
rábbit-mòuthed a. 언청이의.
rábbit pùnch 〖拳〗 후두부에 가한 펀치《반칙》.
rab·bit·ry[rǽbitri] n. 《집합적》 토끼; 토끼 사육장.
rábbit wàrren 토끼 사육장; 길이 복잡한 장소.
rab·ble[rǽbəl] n. ① Ⓒ 《집합적》 와글대는 어중이떠중이, 무질서한 군중(mob). ② (the ～) 하층 사회. ～·ment n. Ⓤ 소동.
Rab·e·lais[rǽbəlèi], François (1494?-1553) 프랑스의 작가.
rab·id[rǽbid] a. 맹렬한, 열광적인; 광포한; 미친. ～·ness, ra·bíd·i·ty n. 광견병.
ra·bies [réibi:z] n. Ⓤ 〖病〗 공수병,
R.A.C. Royal Armo(u)red Corps.

rac·coon[rækúːn, rə-] *n.* Ⓒ 완웅(浣熊)《북아메리카산 곰의 일종》; Ⓤ 그 털가죽.
raccóon dòg 너구리.
†**race**[1][reis] *n.* ① Ⓒ 경주, 경마; (the ～s) 경마대회; Ⓒ …싸움; 경쟁. ② Ⓒ (사람의) 일생; (태양·달의) 운행; (시간의) 경과; (이야기의) 진전. ③ Ⓒ 수로(水路). ***run a ～*** 경주하다. — *vi., vt.* (…와) 경주〔경쟁〕하다〔시키다〕(*with*); 질주하다; (기관 따위가) 헛돌(게 하)다; (*vt.*) (재산을) 경마로 날리다(*away*).
†**race**[2] *n.* ① Ⓤ,Ⓒ 민족, 종족, 인종. ② Ⓤ 가문, 가계(家系); 자손. ③ Ⓒ 품종. ④ Ⓒ 부류, 패거리, 동아리. ***finny ～*** 어류(魚類).
ráce càrd 경마 순번표.
ráce·còurse *n.* Ⓒ 경마장.
ráce-cùp *n.* Ⓒ (경주·경마 등의) 우승배.
ráce·gòer *n.* Ⓒ 경마팬〔광〕.
ráce gròund 경주장, 경마장.
ráce hàtred 인종적 반감〔증오〕.
ráce·hòrse *n.* Ⓒ 경마말.
ra·ceme[reisíːm, rə-] *n.* Ⓒ 〖植〗 총상 꽃차례.
ráce mèeting 경마대회; 경륜대회.
ra·ce·mic[reisíːmik, rə-] *a.* 〖化〗 라세미산(酸)의. 「(酸).
racémic ácid 〖化〗 라세미〔포도〕산
rac·e·mi·za·tion [ræ̀səmizéiʃən/-mai-] *n.* 〖化〗 라세미화(化); 라세미화법《화석연대 결정법의 하나》.
ráce prèjudice 인종적 편견.
rac·er[réisər] *n.* Ⓒ 경주자; 경마말; 경주 자전거〔요트〕(따위).
ráce rìot 인종 폭동《특히 미국의》.
ráce stànd 경마〔경마장〕 관람석.
ráce sùicide 민족 자멸《산아 제한에 의한 인구의 줄어듦》.
ráce·tràck *n.* Ⓒ 경마장.
ráce wàlker 경보 선수.
ráce wàlking 〖스포츠〗 경보.
ráce·wày *n.* Ⓒ 《美》 경마장, 트랙; 물길, 수로; 〖電〗(건물 안 전선의) 배관. 「ETS.
ra·chi·tis[rəkáitis, ræ-] *n.* =RICK-
Rach·ma·ni·noff[rɑːkmáːnənɔ̀ːf, rækmǽnə-], **Sergei**(1873-1943) 러시아의 작곡가·피아니스트.
***ra·cial**[réiʃəl] *a.* 인종상의.
rácial stèering 《美》 인종 차별적 부당 유도《부동산업자가 백인용과 흑인용의 부동산 일람표를 따로 마련하기》.
rácial uncónscious =COLLECTIVE UNCONSCIOUS.
Ra·cine[rəsíːn], **Jean Baptiste** (1639-99) 프랑스의 극시인.
***rac·ing**[réisiŋ] *n.* Ⓤ 경주, 경마. — *a.* 경주(용)의; 경마광의.
rácing càr 경주용 자동차.
rácing fòrm (말·기수·기록 따위를 실은) 경마 신문.
rac·ism[réisizəm], **ra·cial·ism** [réiʃəlìzəm] *n.* Ⓤ 민족주의, 민족 우월 사상.

:**rack**[1][ræk] *n.* ① Ⓒ 선반; (기차 등의) 그물 선반; 모자〔옷·칼〕걸이; 격자꼴 시렁. ② (the ～) 고문대《이 위에서 사지를 잡아당김》; 괴롭히는 것. ③ Ⓒ (톱니가 맞물리는) 톱니판. ***live at ～ and manger*** 유복하게 살다. ***on the ～*** 고문을 받고; 괴로워하여, 걱정하여. — *vt.* 선반〔시렁〕에 얹다; 고문하다; 괴롭히다; 잡아당기다. ***～ one's brains*** 머리를 짜내다.
rack[2] *n.* Ⓤ 뜬구름, 조각구름; 파괴(wreck), 황폐. ***go to ～ and ruin*** 파멸〔황폐〕하다.
rack[3] *n., vi.* Ⓒ (말의) 가볍게 달리기〔달리다〕.
ráck càr 《美》 자동차 운반용 화차.
rack·et[1][rǽkit] *n.* (a ～) 소동, 소음(騷音)(din); Ⓒ 등치기, 공갈; 속임, 협잡(수단); 《美俗》 직업, 장사. ***go on the ～*** 들떠서 떠들다〔법석치다〕. ***stand the ～*** 시련에 견뎌 내다; 책임을 지다; 셈을 치르다. **～·y** *a.* 떠들썩한; 떠들썩하기를 좋아하는. 「켓.
†**rack·et**[2] *n.* Ⓒ (정구·탁구 등의) 라
rack·et·eer[ræ̀kitíər] *n., vi.* Ⓒ 등치기; 공갈 취재하다.
rácket prèss 라켓프레스《라켓 테가 물러나지 않도록 끼워두는 틀》.
ráck mònster 졸음; (졸음이 오는) 전신피로.
ráck ràilway 〔**ràilroad**〕 아프트식 톱니레일 (등산) 철도.
ráck-rènt *n., vi.* Ⓤ,Ⓒ 비싼 땅세〔집세〕(를 받다).
ra·con[réikɑn/-kɔn] *n.* Ⓒ 레이콘《레이더용 비컨》.
rac·on·teur[ræ̀kɑntə́ːr/-kɔn-] *n.* (F.) Ⓒ 말솜씨 좋은 사람. 「COON.
ra·coon[rækúːn, rə-] *n.* =RAC-
rac·quet[rǽkit] *n.* =RACKET[2].
rac·y[réisi] *a.* 팔팔〔발랄〕한, 생기있는(lively); 신랄한(pungent); 본바닥의; 풍미있는; (풍류담(談) 등이) 외설한(*risqué*). **rác·i·ly** *ad.* **rác·i·ness** *n.*
rad. radical; radius; radix.
RADA Royal Academy of Dramatic Art 영국 왕립 연극학교.
***ra·dar**[réidɑːr] *n.* Ⓒ 전파 탐지기, 레이더.
rádar astrònomy 레이더 천문학.
rádar dàta prócessing sỳstem 항공로 레이더 정보처리 시스템《생략 RDP》.
rádar fènce 〔**scrèen**〕 레이더망.
ra·dar·man[-mən] *n.* Ⓒ 레이더 기사.
rádar tèlescope 레이더 망원경.
***ra·di·al**[réidiəl] *a.* 방사상(放射狀)의. **～·ly** *ad.*
ra·di·an[réidiən] *n.* Ⓒ ① 〖數〗 호도(弧度). ② 〖컴〗 라디안《단위》.
***ra·di·ance**[réidiəns], **-an·cy**[-i] *n.* Ⓤ 빛남, 광휘.
:**ra·di·ant**[-diənt] *a.* ① 빛나는, 빛〔열〕을 발하는. ② 방사〔복사(輻射)〕

R

의. ③ (표정이) 밝은.
*ra·di·ate[réidièit] *vi., vt.* ① (빛·열 따위를) 방사[발산]하다; 빛나다. ② (얼굴이 기쁨 따위를) 나타내다; (도로 따위가) 팔방으로 뻗(치)다. ── [-diit] *a.* 발산하는, 방사상(狀)의.
*ra·di·a·tion[rèidiéiʃən] *n.* ① Ⓤ (열·빛 따위의) 방사, 발광(發光), 방열(放熱). ② Ⓒ 방사물[선].
radiátion biophýsics 방사선 생물학.
radiátion chémistry 방사선 화「학.
radiátion fàllout 방사성 낙하물.
radiátion fòg 복사 안개《밤에 복사열에 의해 생기는 안개》.
radiátion sìckness 방사선병.
*ra·di·a·tor[réidièitər] *n.* Ⓒ ① 라디에이터, 방열기; (자동차·비행기 따위의) 냉각기. ②〖無線〗공중선.
:rad·i·cal[rǽdikəl] *a.* ① 근본[기본]의; 철저한. ② 급진적인, 과격한. ── *n.* Ⓒ ① 급진주의자. ②〖化〗기(基);〖數〗근호(√);〖言〗어근. ~·ism[-ìzəm] *n.* Ⓤ 급진론[주의]. *~·ly *ad.*
rádical ríght 급진 우익, 극우.
rad·i·cle[rǽdikəl] *n.* Ⓒ〖植〗어린 뿌리;〖解〗소근(小根)《혈관·신경의 말단의》.
ra·di·i[réidiài] *n.* radius의 복수.
*ra·di·o[réidiòu] *n.* (*pl.* **~s**) Ⓒ 라디오(수신 장치). ***listen (in) to the ~*** 라디오를 듣다. ── *a.* 라디오[무선]의. ── *vt., vi.* 무선 통신하다.
ra·di·o-[réidiou, -diə] '방사·복사·반지름·라듐·무선'의 뜻의 결합사
*ràdio·áctive *a.* 방사성의, 방사능이 있는; 방사성에 의한. **~ *burn*** 열상(熱傷)《원자의 재 따위로 인한 화상》. **~ *isotope***〖化〗방사성 동위원소. **-actívity** *n.* Ⓤ 방사능.
radioáctive dáting 방사능 연대측정.
ràdio·ámplifier *n.* Ⓒ〖電〗고주파 증폭기.
rádio astrònomy 전파 천문학.
rádio bèacon 라디오 비컨, 무선 표지(소).
rádio bèam 신호[라디오] 전파.
ràdio·biólogy *n.* Ⓤ 방사선 생물학.
ràdio·bróadcast *vt., vi., n.* Ⓤ 라디오[무선] 방송(하다).
ràdio·cárbon *n.* Ⓤ 방사성 탄소《화석 등의 연대측정에 씀》.
ràdio·chémistry *n.* Ⓤ 방사 화학.
Rádio Cíty 뉴욕 시의 환락가.
rádio còmpass 무선 방위 측정기.
rádio contròl 무선 조종.
rádio·dùst *n.* Ⓤ 방사능재, 방사능진(塵).
ràdio·élement *n.* Ⓒ 방사성 원소.
rádio fréquency 무선 주파수.
ra·di·o·gen·ic[rèidioudʒénik] *a.* 방사능에 의해 생기는; 방송에 맞는.
ra·di·o·gram[réidiougræ̀m] *n.* Ⓒ 무선 전보; =⇩.
ra·di·o·gram·o·phone [rèidiougrǽməfòun] *n.* Ⓒ 라디오 겸용 전축.
ra·di·o·graph[réidiougræ̀f, -ɑ̀ː-] *n., vt.* Ⓒ 뢴트겐 사진(으로 찍다).
ra·di·og·ra·phy[rèidiágrəfi/-ɔ́-] *n.* Ⓤ X선 사진술.
ràdio·ísotope *n.* =RADIOACTIVE isotope.
rádio knìfe〖醫〗전기 메스《수술「용》.
ràdio·lócate *vt.* (…의 위치를) 전파로 탐지하다.
rádio·lòcator *n.* Ⓒ 전파 탐지기.
rádio·màn *n.* Ⓒ 무선 기사, 방송 사업 종사자.
ra·di·on·ics[rèidiániks/-ɔ́-] *n.* =《美》ELECTRONICS.
rádio pàger 무선 호출 수신기.
rádio·phòne *n., v.* =RADIOTELEPHONE.
ràdio·phóto(graph) *n.* Ⓒ 무선 전송 사진.
rádio recéiver 라디오 수신기.
ra·di·os·co·py[rèidiáskəpi/-ɔ́-] *n.* Ⓤ 뢴트겐 검사.
rádio sèt 라디오 수신[발신]기.
rádio·sònde *n.* Ⓒ 라디오 존데《상층 기상 전파 관측기》.
rádio stàr〖天〗전파별《우주 전파원의 하나》.
rádio stàtion 라디오 방송국; 무선국.
ràdio·stérilized *a.* X선[감마선]으로 살균된.
ràdio·télegram *n.* Ⓒ 무선 전보.
ràdio·télegraph *n., vt., vi.* Ⓤ 무선 전신(을 발하다). **-telégraphy** *n.* Ⓤ 무선 전신술.
ràdio·télephone *n., vt., vi.* Ⓒ 무선 전화(를 걸다). **-teléphony** *n.* Ⓤ 무선 전화술.
rádio téléscope〖天〗전파 망원경.
ràdio·thérapy *n.* Ⓤ 방사선 요법.
ra·di·o·ther·my[réidiouθə̀ːrmi] *n.* Ⓤ〖醫〗방사선열 요법.
*rad·ish[rǽdiʃ] *n.* Ⓒ〖植〗무.
*ra·di·um[réidiəm] *n.* Ⓤ〖化〗라듐.
*ra·di·us[réidiəs] *n.* (*pl.* ***-dii*** [-diài]) Ⓒ ① 반지름, 반경. ② 지역, 범위; (바퀴의) 살. ③〖解〗요골(橈骨). **~ *of action*** 행동 반경.
rádius véctor〖數·天〗동경(動徑).
ra·dix[réidiks] *n.* Ⓒ ①〖數〗기(基), 근; 기수(基數)《통계의》;〖컴〗기수. ②〖植〗뿌리;〖言〗어근.
ra·dome[réidoum] *n.* Ⓒ 레이돔《항공기 외부의 레이더안테나 덮개》.
ra·don[réidɑn/-dɔn] *n.* Ⓤ〖化〗라돈《방사성 희(稀)가스류 원소》.
RAF, R.A.F. Royal Air Force.
raf·fi·a[rǽfiə] *n.* Ⓒ Madagascar 산의 종려나무; Ⓤ 그 잎의 섬유.
raf·fle[rǽfəl] *n.* Ⓒ 복권식(福券式) 판매. ── *vi., vt.* 복권식 판매에 가입하다[로 팔다].
*raft[1][ræft, -ɑː-] *n., vt., vi.* Ⓒ 뗏목(으로 짜다, 가다, 보내다). **∠·er**[1], **ráfts·man** *n.* Ⓒ 뗏사공.
raft[2] *n.* (a ~)《美口》다수, 다량.

***raft·er**[2] [rǽftər, -ɑ́ː-] *n.* Ⓒ 서까래.

:rag[1] [ræg] *n.* ① Ⓤ,Ⓒ 넝마(조각), 단편(斷片); (*pl.*) 누더기, 남루한 옷. ② Ⓒ 걸레 같은 것; 《蔑》 (극장의) 막(幕); 손수건; 신문; 지폐. ***chew the ~*** 불평을 하다; 종잘거리다. ***take the ~ off*** 《美》 …보다 낫다, …을 능가하다. ***the R-*** 《英俗》 육·해군인 클럽. — *a.* 누더기의, 너덜너덜해진.

rag[2] *vt.* (**-gg-**), *n.* 《俗》 (못살게) 괴롭히다, 꾸짖다; 놀리다, Ⓒ (…에게) 못된 장난(을 하다); 법석(떨다).

rag·a·muf·fin [rǽgəmʌ̀fin] *n.* Ⓒ 남루한 옷을 입은 부랑아.

rág-and-bóne màn 《英》 넝마장수.

rág bàby 〔**dòll**〕 봉제 인형(stuffed doll).

rág·bàg *n.* Ⓒ 넝마 주머니.

:rage [reidʒ] *n.* ① Ⓤ 격노; 격렬, 맹위《바람·파도·역병 따위의》. ② (*sing.*) 열망, 열광. ③ (the ~) 대유행(하는 것). ***in a ~*** 격노하여. — *vi.* 격노하다; 맹위를 떨치다; 크게 성하다.

:rag·ged [rǽgid] *a.* ① 남루한(tattered), 해진, 찢어진; 초라한. ② 울툭불툭〔깔쭉깔쭉〕한, 껄끄러운, (암석이) 비쭉비쭉한. ③ 고르지 못한, 조화되지 않은, 불완전한. **~·ly** *ad.*

rágged róbin 〖植〗 전추라의 일종.

rágged schòol 〖英史〗 (수업료 면제의) 빈민 학교.

rag·ing [réidʒiŋ] *a.* 사납게 날뛰는, 맹렬한; 격노한.

rag·lan [rǽglən] *n.* Ⓒ 래글런《소매가 솔기없이 깃까지 이어진 외투》.

rág·màn *n.* Ⓒ 넝마 장수〔주이〕.

ra·gout [rægúː] *n.* (F.) Ⓤ,Ⓒ 라구《스튜의 일종》.

rág·pìcker *n.* Ⓒ 넝마주이.

rág·tag (**and bóbtail**) [rǽgkæ̀g(-)] *n.* =RIFFRAFF.

rag·time [rǽgtàim] *n.* Ⓤ 〖樂〗 래그타임; 재즈.

rág tràde, the 《俗》 피복 산업, 양복업《특히 여성의 겉옷》.

rág·wèed *n.* Ⓒ 《美》 〖植〗 개쑥갓속(屬)의 식물《이 꽃가루는 화분증(hay fever)의 원인》.

rah [rɑː] *int., n.* 《美》 =HURRAH.

***raid** [reid] *n., vt., vi.* 습격〔침입〕하다 (*into*); Ⓒ (경찰이) 급습(하다)(*on*). **∠·er** *n.* Ⓒ 침입자; 습격기; 〖軍〗 특공대원.

:rail[1] [reil] *n.* ① Ⓒ 가로장(대), 난간; (*pl.*) 울타리. ② Ⓒ 궤조(軌條), 레일; Ⓤ,Ⓒ 철도. ***by ~*** 기차로; 철도편으로. ***off the ~s*** 탈선하여, 문란하여, 어지러워. — *vt.* 가로장〔난간〕으로 튼튼히 하다〔을 붙이다〕 (fence). ***∠·ing**[1] *n.* Ⓒ (보통 *pl.*) 레일; 난간; 울; Ⓤ 《집합적》 그 자료.

rail[2] *vi.* 몹시 욕하다(revile); 비웃다 (scoff)(*at, against*). **∠·ing**[2] *n.* Ⓤ 욕설, 푸념.

rail[3] *n.* Ⓒ 〖鳥〗 흰눈썹뜸부기류(類).

ráil·bìrd *n.* Ⓒ 《美口》 (울타리에서 경마나 조련을 구경하는) 경마광.

rail·ler·y [réiləri] *n.* Ⓤ (악의 없는) 놀림(말); 농담(banter).

rail·man [∠mən] *n.* Ⓒ 철도원.

ráil mòtor 전동차, 기동차.

†rail·road [réilròud] *n., vt.* Ⓒ 《美》 철도《종업원도 포함해서》; 철도를 놓다〔로 보내다〕; 《美口》 (의안을) 무리하게 통과시키다; 《俗》 (귀찮은 존재를 없애려고 부당한 죄목으로) 투옥하다. **~·er** *n.* Ⓒ 《美》 철도(종업)원; 철도 부설(업)자.

ráilroad màn =RAILROADER.

:ráilroad stàtion 철도역.

†rail·way [réilwèi] *n.* Ⓒ 《英》 철도.

rail·way·man [-mən] *n.* =RAILROAD MAN.

:ráilway stàtion =RAILROAD STATION.

rai·ment [réimənt] *n.* Ⓤ 《집합적》 《雅》 의류(衣類)(garments).

†rain [rein] *n., vi., vt.* Ⓤ,Ⓒ 비(가 오다), 빗발처럼 쏟아지다〔퍼붓다〕; (*pl.*) 우기(雨期). ***It never ~s but it pours.*** 《속담》 비만 오면 (반드시) 억수같이 쏟아진다; 엎친데 덮치기. ***It ~s*** CATs ***and dogs. ~ or shine*** 비가 오건 날이 개건. **∠·less** *a.* 비오지 않는.

rain·band [réinbæ̀nd] *n.* 〖理〗 우선(雨線)《태양 스펙트럼 중의 흑선; 대기중 수증기의 존재를 나타냄》.

†rain·bow [∠bòu] *n.* Ⓒ 무지개.

ráinbow tròut 〖魚〗 무지개송어 《캐나다 원산》.

ráin chèck 우천 입장 보상권《경기를 중지할 때, 관객에게 내주는 차회 유효권》.

ráin clòud 비구름.

:rain·coat [∠kòut] *n.* Ⓒ 비옷, 레인코트.

ráin·dròp *n.* Ⓒ 빗방울.

:rain·fall [∠fɔ̀ːl] *n.* Ⓤ 강우(降雨); Ⓤ,Ⓒ 강우량.

ráin gà(u)ge 우량계.

ráin·màker *n.* Ⓒ (마술 따위에 의한) 강우사(降雨師); 인공 강우 전문가.

ráin·màking *n.* Ⓤ 인공 강우.

ráin·pròof *a.* 비가 새들지 않는, 방수의.

ráin·stòrm *n.* Ⓒ 폭풍우, 호우.

ráin·tìght *a.* =RAINPROOF.

ráin·wàter *n.* Ⓤ 빗물.

ráin·wèar *n.* Ⓤ 비옷, 우비.

ráin·wòrm *n.* Ⓒ 〖動〗 지렁이.

†rain·y [∠i] *a.* 비의, 우천의, 비가 많은. **~ *season*** 장마철, 우기.

ráiny dáy 우천; (장차의) 곤궁한 때.

:raise [reiz] *vt.* ① 일으키다, 세우다. ② 높이다; 올리다; (먼지 따위를) 일으키다; 승진시키다. ③ (집을) 짓다; (외치는 소리를) 지르다; (질문·이의를) 제기하다; (군인을) 모집하다; (돈을) 거두다; (동식물·아이를) 기르다. ④ 가져오다, 야기시키다; 출현시키다, (망령 등을) 불러내다; (죽은 자를) 소생시키다. ⑤ (사냥개가) 몰

이하다; (빵을) 부풀리다(~*d bread*); (포위·금지 따위를) 풀다. ⑥ 〖海〗 …이 보이는 곳까지 오다(*The ship ~d land.*); 〖카드〗 …보다 더 많이 돈을 걸다; 〖數〗 제곱하다. **~ *a dust*** 먼지를 일으키다; 남의 눈을 속이다; 소동을 일으키다. **~ *Cain*** 〔***hell, the devil***〕《俗》 큰 법석을 벌이다〔일으키다〕. ~ MONEY ***on.*** **~ *oneself*** 뻗어 올라가다; 출세하다. — ***n.*** Ⓒ 《美》 올림; 오르막(길); 높은 곳; 증가, 가격〔임금〕 인상; 그러모으기. ***make a ~*** 변통〔조달〕하다; 찾아내다. **ráis·er** ***n.***

:raised[reizd] ***a.*** 높인; 돋을새김의. **~ *type*** (맹인용) 점자(點字). **~ *work*** 돋을새김 세공.

†rai·sin[réizən] ***n.*** Ⓤ,Ⓒ 건포도.

rai·son d'ê·tre [réizoun détrə] (F.) 존재 이유.

raj[rɑːdʒ] ***n.*** (the ~) 《Ind.》 지배, 통치(rule).

ra·ja(h)[rɑ́ːdʒə] ***n.*** Ⓒ 《Ind.》 왕, 군주; (Java, Borneo의) 추장.

:rake[1][reik] ***n.*** Ⓒ 갈퀴, 쇠스랑; 써레; 고무래. — ***vt.*** ① 갈퀴로 그러모으다; 써레로 긁다〔긁어 고르다〕. ② (불을) 헤집어 일으키다; (불을) 잿속에 묻다. ③ 찾아 다니다; 내다보다. ④ 〖軍〗 소사(掃射)하다(enfilade). **~ *down*** 《美俗》 꾸짖다; (내기 등에서) 돈을 따다.

rake[2] ***n., vi., vt.*** Ⓒ 경사(지다, 지게 하다)(slant).

rake[3] ***n., vi.*** Ⓒ 난봉꾼; 난봉피우다.

ráke-òff ***n.*** Ⓒ 《口》 (부정한) 배당, 몫, 리베이트(rebate).

rak·ish[1][réikiʃ] ***a.*** (배·자동차가) 경쾌한, 스마트한.

rak·ish[2] ***a.*** 방탕한.

râle[rɑːl] ***n.*** (F.) (폐의) 수포음(水泡音).

Ra·leigh[rɔ́ːli], **Sir Walter** (1552?-1618) 영국의 군인·탐험가·문인; (1861-1922) 영국의 비평가.

rall. =⇩.

ral·len·tan·do[rɑ̀ːləntɑ́ːndou/ræ̀lentǽn-] ***a., ad.*** (It.) 〖樂〗 점점 느린〔느리게〕(생략 rall.).

:ral·ly[1][rǽli] ***vt., vi.*** (다시) 모으다〔모이다〕; (세력·기력·체력을) 회복(케)하다; (힘을) 집중하다; (***vi.***) 〖테니스〗 (쌍방이) 연달아 되받아치다. — ***n.*** ① (a~) 재집합, 재거(再擧); 되돌림, 되찾음, 회복. ② Ⓒ 시위운동, 대회. ③ Ⓒ 〖테니스〗 계속하여 되받아치기.

ral·ly[2] ***vi.*** 놀리다.

rállying pòint 집합지, 집결지; 활력 회복점, 세력을 회복하는 계기.

ram**[ræm] ***n. ① Ⓒ 숫양(cf. ewe); (R-) 〖天〗 양자리〔궁〕. ② Ⓒ 〖史〗 파성(破城) 메(battering ram); (군함의) 충각(衝角); (땅을 다지는) 달구(rammer). — ***vt.*** (***-mm-***) 부딪다; 파성 메로 치다; 충각으로 부딪다; 달구로 다지다.

RAM [ræm] (<*r*andom-*a*ccess *m*emory) ***n.*** Ⓤ 〖컴〗 램, 임의 접근 기억 장치.

R.A.M. 《英》 Royal Academy of Music.

Rá·man effèct[rɑ́ːmən-] 〖理〗 라만 효과.

ram·ble**[rǽmbəl] ***n., vi. Ⓒ 산책(하다), 어정거림〔거리다〕; 종작〔두서〕없는 이야기(를 하다); (담쟁이 덩굴 따위가) 뻗어 퍼지다(*over*). **rám·bler** ***n.*** Ⓒ 산보하는 사람; 덩굴장미; = RANCH HOUSE.

ram·bling[rǽmbliŋ] ***a.*** 어슬렁어슬렁 거니는; 산만한; 어수선한; (덩굴이) 뻗어 나간, 널리 퍼지는.

ram·bunc·tious [ræmbʌ́ŋkʃəs] ***a.*** 《美口》 몹시 난폭한(unruly); 시끄러운.

ram·e·kin, -quin [rǽməkin] ***n.*** Ⓤ,Ⓒ 〖料理〗 치즈 그라탱(cheese gratin); (보통 ***pl.***) 그것을 넣는 틀 접시.

ram·ie, ram·ee[rǽmiː] ***n.*** Ⓒ 모시(풀); Ⓤ 그 섬유.

ram·i·fy[rǽməfài] ***vt., vi.*** 분지(分枝)하다; 분파하다. **-fi·ca·tion**[ㅅ-fikéiʃən] ***n.***

rám·jet (**èngine**) [rǽmdʒèt(-)] ***n.*** Ⓒ 램제트(분사 엔진의 일종).

ram·mer[rǽmər] ***n.*** Ⓒ (땅을 다지는) 달굿대, 달구(ram).

ram·mish[rǽmiʃ] ***a.*** 수양(羊) 같은; 악취가 심한; 맛이 진한.

ra·mose[réimous, rəmóus] ***a.*** 가지가 많은; 가지로 갈라진.

ramp[1][ræmp] ***vi.*** (사자가) 뒷다리로 서다, 덤벼들다〔들려하다〕(cf. rampant); 날뛰다(rush about); 〖建〗 물매지다(slope). — ***n.*** Ⓒ 물매, 경사(면·로(路)), 루프식 입체 교차로.

ramp[2] ***n., vt., vi.*** Ⓒ 《英俗》 사기(하다).

ram·page[*v.* ræmpéidʒ, *n.* ㅅ-] ***vi., n.*** 날뛰다; Ⓤ 날뜀, 설침. ***go*** 〔***be***〕 ***on the*** 〔***a***〕 **~** 날뛰다.

ramp·ant**[rǽmpənt] ***a. ① 마구 퍼지는, 만연〔창궐〕하는; 분방한; (유행병 등이) 맹렬한. ② 〖紋〗 뒷발로 선(*a lion ~* 뒷발로 일어선 사자)(cf. ramp[1]). **rámp·an·cy** ***n.*** Ⓤ 만연; 맹렬; (초목의) 무성.

ram·part**[rǽmpɑːrt, -pərt] ***n., vt. Ⓒ 누벽(壘壁)〔성벽〕(을 두르다); 방어(물).

ram·rod[rǽmrɑ̀d/-rɔ̀d] ***n.*** Ⓒ (총포의) 꽂을대.

rám·shàckle ***a.*** 쓰러질 듯한; 흔들흔들하는.

†ran[ræn] ***v.*** run의 과거.

R.A.N. Royal Australian Navy.

:ranch[ræntʃ, rɑːntʃ] ***n., vi.*** Ⓒ 큰 농장(을 경영하다, 에서 일하다); 목장(에서 일하는 사람들). ***ㅅ·er, ~·man**[ㅅmən] ***n.*** Ⓒ 농장〔목장〕 경영자〔노동자〕.

ránch hòuse 《美》 목장주의 가옥; 지붕의 경사가 완만한 단층집.

ran·cid[rǽnsid] ***a.*** 악취가 나는, 썩은 냄새〔맛이〕나는; 불유쾌한. **~·ly**

ad. **~·ness, ~·i·ty**[rænsídəti] *n.*
ran·cor, 《英》 **-cour** [rǽŋkər] *n.* Ⓤ 원한, 증오. **~·ous** *a.* 원한을 품은, 증오하는.
r & b, R & B rhythm and blues. **R & D** research and development.
:ran·dom[rǽndəm] *n., a.* Ⓤ 마구잡이; 닥치는〔되는〕 대로의(*a ~ guess* 어림 짐작); 〖컴〗 막…, 무작위. ***at ~*** 되는〔닥치는〕대로.
rándom áccess 〖컴〗 비순차적 접근, 임의 접근.
rándom fíle 〖컴〗 임의 파일, 비순차적 파일.
ran·dom·ize[rǽndəmàiz] *vt.* 〖컴〗 무작위화하다.
rándom númbers 〖컴〗 난수.
rándom sámpling 〖統計〗 무작위 추출.
R & R rest and recreation 〖軍〗 휴양〔위로〕 휴가.
ra·nee, -ni[rɑ́ːni, –∠] *n.* Ⓒ (인도의) 왕비; 여왕.
:rang[ræŋ] *v.* ring[1]의 과거.
:range[reindʒ] *n.* ① Ⓒ 열(列), 줄, 연속(series); 산맥. ② Ⓤ,Ⓒ 범위; 한계; 음역; 사정(射程). ③ Ⓒ 사격장. ④ Ⓒ 계급; 부류. ⑤ Ⓒ 목장. ⑥ Ⓒ (요리용 가스·전기) 레인지 (cookstove)(*a gas ~* 가스 레인지). ⑦ 〖컴〗 범위. — *vt.* ① 늘어놓다, 정렬시키다; 가지런히 하다; 분류하다. ② (…의) 편에 서다(*He is ~d against* 〔*with*〕 *us.* 우리의 적〔편〕이다). ③ (…을) 배회하다; (연해를) 순항(巡航)하다. ④ (총·망원경 따위를) 가늠하다, 겨누다; 사정을 정하다. — *vi.* ① 늘어서다, 일직선으로 되어 있다(*with*); 잇달리다; (범위가) 걸치다, 미치다(*over; from ... to ...*). ② 어깨를 나란히 하다(rank)(*with*). ③ 배회〔방황〕하다, 서성거리다; 순항하다; 변동하다(*between*). ***~ oneself*** (결혼·취직 따위로) 신상을 안정시키다; 편들다(*with*).
ránge finder (사격용) 거리 측정기; 〖寫〗 거리계(計).
***rang·er**[réindʒər] *n.* Ⓒ ① 돌아다니는 사람, 순회자. ② (숲·공원 따위를) 지키는 사람, 감시인, 무장 경비원(*a Texas R-*); 《美》 특별 유격대원; (R-) 《美》 〖宇宙〗 레이저 계획.
rang·y[réindʒi] *a.* 팔 다리가 가늘고 긴; (동물 따위가) 돌아다니기에 알맞은; 산(山)이 많은.
:rank[1][ræŋk] *n.* ① Ⓤ,Ⓒ 열, 횡렬; 정렬. ② (*pl.*) 군대, 병졸. ③ Ⓤ,Ⓒ 계급(grade); 직위, 신분; 품위; 순서. ④ Ⓤ 고위, 고관. ⑤ 〖컴〗 순번. ***break ~(s)*** 열을 흩뜨리다; 낙오하다. ***fall into ~*** 정렬하다, 줄에 늘어서다. ***~ and fashion*** 상류사회. ***~ and file*** 하사관병, 사병; 대중. ***rise from the ~s*** 일개 사병〔미천한 신분〕에서 출세하다. — *vi., vt.* 자리〔지위〕를 차지하다; 등급을 매기다, 평가하다(*above, below*); 늘어서다〔세우다〕; 부류에 넣다. **∠·ing** *n.* Ⓤ 등급〔자리, 지위〕 매기기; 서열, 랭킹.
rank[2] *a.* 조대(粗大)한(large and coarse); 우거진, 널리 퍼진; 냄새나는; 지독한; 천한, 외설한. **∠·ly** *ad.* **∠·ness** *n.*
ran·kle[rǽŋkəl] *vt.* (경멸·원한 따위가) 괴롭히다.
ran·sack[rǽnsæk] *vt.* 샅샅이 뒤지다; 약탈하다.
***ran·som**[rǽnsəm] *n., vt.* Ⓒ 몸값(을 치르고 자유롭게 하다); Ⓤ 〖神〗 속죄(하다).
rant[rænt] *vi., n.* Ⓤ 고함(치다), 폭언〔노호〕(하다); 호언(하다).
R.A.O.C. Royal Army Ordnance Corps.
***rap**[1][ræp] *n., vt., vi.* Ⓒ (*-pp-*) 가볍게 두드림〔두드리다〕; 비난(하다)(*take the ~* 비난을 받다); 내뱉듯이 말하다(*out*).
rap[2] *n.* Ⓒ 《口》 동전 한푼, 조금.
ra·pa·cious[rəpéiʃəs] *a.* 강탈하는; 욕심 사나운(greedy); 〖動〗 생물을 잡아먹는. **~·ly** *ad.* **ra·pac·i·ty** [rəpǽsəti] *n.* Ⓤ 탐욕.
RAPCON[rǽpkɑn/-ɔn] *n.* (레이더에 의한) 항공 교통 관제(<*R*adar *Ap*proach *Con*trol).
***rape**[1][reip] *n., vt.* Ⓤ,Ⓒ 강간(하다); 강탈(하다).
rape[2] *n.* Ⓤ 〖植〗 평지.
Raph·a·el[rǽfiəl, réi-] *n.* 이탈리아의 화가(1483-1520); 대천사의 하나.
:rap·id[rǽpid] *a.* 신속한, 빠른, 급한(swift); (비탈이) 가파른(steep). — *n.* Ⓒ (보통 *pl.*) 여울. ***ra·pid·i·ty**[rəpídəti] *n.* Ⓤ 신속; 속도. **:~·ly** *ad.* 빠르게; 서둘러.
rápid éye mòvement ⇨REM[1].
rápid-fíre *a.* 속사(速射)의. ***~ gun*** 속사포.
rápid tránsit (고가 철도·지하철에 의한) 고속 수송.
ra·pi·er[réipiər] *n.* Ⓒ (찌르기에 쓰는 양날의) 장검(長劍).
rap·ine[rǽpin, -pain] *n.* Ⓤ 약탈, 「강탈.
rap·ist[réipist] *n.* Ⓒ 강간 범인.
ráp mùsic 랩 음악《1970년대 말부터 발전한 팝 뮤직의 한 스타일》.
rap·port[ræpɔ́ːr] *n.* (F.) Ⓤ (친밀·조화된) 관계; 일치.
rap·proche·ment[ræ̀prouʃmɑ́ːŋ/ ræprɔ́ʃmɑːŋ] *n.* (F.) Ⓒ (국가간의) 친선; 국교 회복.
rap·scal·lion[ræpskǽljən] *n.* = RASCAL.
ráp shèet 《美俗》 (경찰이 보관하는) 체포〔범죄〕 기록.
***rapt**[ræpt] *a.* ① (육체·영혼을 이승으로부터) 빼앗긴(*away, up*). ② (생각에) 마음을 빼앗긴, 골똘한, 열중한(absorbed); 황홀한(*with ~ attention*); 열심인. 「의.
rap·to·ri·al[ræptɔ́ːriəl] *a.* 맹금류
:rap·ture[rǽptʃər] *n.* Ⓤ,Ⓒ 미칠 듯

한 기쁨, 광희(狂喜), 무아(無我), 황홀(ecstasy). **ráp·tur·ous** *a.*

:rare[1][rɛər] *a.* 드문, 드물게 보는; (공기가) 희박한(thin). **:∠·ly** *ad.* 드물게; 썩 잘. **∠·ness** *n.*

***rare**[2] *a.* (고기가) 설구워진, 설익은.

rare·bit [rɛ́ərbit] *n.* =WELSH RABBIT.

ráre-éarth èlement 〖化〗 희토류(稀土類) 원소《57번부터 71번 원소까지》. 「원소군(群).

ráre-éarth mètals 희토류 금속

ráre éarths 희토류 (산화물).

rár·ee shòw[rɛ́əri-] 요지경; 《一般》 구경 거리.

rar·e·fy[rɛ́ərəfài] *vt., vi.* 희박하게 하다〔되다〕; 순화(純化)하다, 정화하다; (*vt.*) 정미(精微)하게 하다(subtilize). **-fac·tion**[≻−fǽkʃən] *n.*

rare·ripe[rɛ́ərràip] *a.* 《美》 올되는, 조숙한. — *n.* Ⓒ 올된 과일〔야채〕.

rar·i·ty[rɛ́ərəti] *n.* Ⓤ 드묾, 진기; 희박; Ⓒ 진품.

R.A.S.C. Royal Army Service Corps.

:ras·cal[rǽskəl/-ɑ́:-] *n.* Ⓒ 악당 (rogue). **~·ly** *a.* 악당의, 비열한. **~·i·ty**[ræskǽləti/rɑ:s-] *n.* Ⓤ 악당 근성; Ⓒ 악당 행위.

rase[reiz] *v.* =RAZE.

:rash[1][ræʃ] *a.* 성급한; 무모한. **∠·ly** *ad.* **∠·ness** *n.*

rash[2] *n.* (a ~) 뾰루지, 발진(發疹), 부스럼.

rash·er[rǽʃər] *n.* Ⓒ (베이컨·햄의) 얇게 썬 조각.

rasp[ræsp, -ɑ:-] *n.* Ⓒ 이가 굵고 거친 줄, 강판. — *vt.* 줄질하다, 강판으로 갈다; 쉰목소리로 말하다; 속을 지글지글 태우다. — *vi.* 북북 문지르다〔소리 나다〕, 쓸리다, 갈리다 (grate). **~ on** (신경에) 거슬리다.

***rasp·ber·ry**[rǽzbèri, rɑ́:zbəri] *n.* Ⓒ ① 나무딸기(의 열매). ② 《俗》입술과 혀를 진동시켜 내는 소리《이의·경멸 따위를 나타냄》.

:rat[ræt] *n.* Ⓒ ① 쥐(cf. mouse). ② 배반자; 파업 불참 직공. ③ 《美》 (여자 머리의) 다리. ***Rats!*** 《俗》 바보같은 소리 마라!; 에이(빌어먹을)!; 설마! ***smell a ~*** (계략 따위를) 낌새〔알아〕채다. — *vi.* (**-tt-**) 쥐를 잡다; 《俗》 변절하다, 파업을 깨다.

rat·a·ble[réitəbəl] *a.* 견적〔어림〕할 수 있는; 《英》 과세해야 할.

rat·a·fi·a[rӕtəfíə] *n.* Ⓤ 과실주(酒)의 일종.

ra·tan[rætǽn, rə-] *n.* =RATTAN.

rat-(a-)tat[rǽt(ə)tǽt] *n.* Ⓒ 쾅쾅, 둥둥《소리》.

rát·bàg *n.* Ⓒ 《英俗》 불쾌한 사람.

ratch·et[rǽtʃət], **ratch**[rætʃ] *n., vt.* Ⓒ 미늘 톱니(를 붙이다); 갈고리 톱니〔N자 톱니〕 모양(으로 하다).

rátchet whèel 미늘 톱니바퀴(cf. escapement).

†rate[1][reit] *n.* Ⓒ ① 비율, 율; 정도, 속도. ② (배·선원 따위의) 등급; 시세(*the ~ of exchange* 환율); 값(*at a high ~*). ③ (보통 *pl.*) 《英》 세금; 지방세(*~s and taxes* 지방세와 국세). ***at a great ~*** 대속력으로. ***at any ~*** 하여튼, 좌우간. ***at that ~*** 《口》 저런 상태〔푼수〕로는, 저 형편으로는. ***give special ~s*** 할인하다. — *vt.* 견적〔평가〕하다; …으로 보다〔여기다〕; 도수(度數)를 재다; 등급을 정하다; 지방세를 과하다. — *vi.* 가치가 있다. 견적〔평가〕되다; (…의) 등급을 가지다.

rate[2] *vt., vi.* 욕설하다; 꾸짖다.

ráte-càpping *n.* Ⓤ 《英》 지방 자치 단체가 지방세 징수액의 상한을 정하는 일.

rat·ed[réitid] *a.* 〖電〗 정격(定格)의 (*~ voltage* 정격 전압).

ráte·pàyer *n.* Ⓒ 《英》 납세자.

rát·fink *n.* Ⓒ 《美口》 꼴보기 싫은 놈, 배반자.

rathe[reið] *a.* 《英詩》 일찍 피는, 올되는.

†rath·er[rǽðər, -ɑ́:-] *ad.* ① 오히려, 차라리; 다소, 약간. ② (or ~) 좀 더 적절히 말하면. ③ [rǽðɑ́:r/rɑ́:ðə́r] 《英口》 그렇고 말고(Certainly!), 물론이지(Yes, indeed!) (*"Do you like Mozart?" "R-!"*). ***had*** 〔***would***〕 ***~ ... than*** …보다는〔하느니〕 오히려 …하고 싶다〔…하는 편이 낫다〕(*He would ~ ski than eat.* 밥먹기보다도 스키를 좋아한다) (cf. had BETTER[1]). ***I should ~ think so.*** 그렇고 말고요. ***I would ~ not*** …하고 싶지 않다.

raths·kel·ler [rɑ́:tskèlər] *n.* (G.) Ⓒ (독일의) 지하실 비어 홀〔식당〕.

***rat·i·fy**[rǽtəfài] *vt.* 비준〔재가〕하다. ***-fi·ca·tion**[≻−fikéi-] *n.*

rat·ing[1][réitiŋ] *n.* Ⓒ 평점; Ⓤ,Ⓒ 평가, 견적; Ⓤ,Ⓒ 과세(액); Ⓒ (배·선원의) 등급; 〖電〗 정격(定格); (라디오·TV의) 시청률.

rat·ing[2] *n.* Ⓤ,Ⓒ 꾸짖음, 질책.

ra·tio**[réiʃou, -ʃiòu/-ʃiòu] *n.* (*pl.* **~s**) Ⓤ,Ⓒ 비(율). ***direct 〔***inverse***〕 ***~*** 정〔반〕비례.

ra·ti·oc·i·nate [ræ̀ʃiɔ́usənèit/-tiɔ́s-] *vi.* 추리〔추론〕하다. **-na·tive** *a.* **-na·tion**[≻−≻−néiʃən] *n.*

rátio cóntrol 〖컴〗 비율 제어《두 양 사이에 어떤 비례를 유지시키려는 제어》.

ra·tion**[rǽʃən, réi-] *n.* Ⓒ ① 정액, 정량; 1일분의 양식; 배급량(*the sugar ~*). ② (*pl.*) 식료(食料). ***iron ~ 비상용 휴대 식량, K RATION. ***~ing by the purse*** 《英》 물가의 (부당한) 인상. — *vt.* 급식〔배급〕하다. ***~ing system*** 배급 제도.

ra·tion·al**[rǽʃənl] *a.* ① 이성 있는, 이성적인; 합리적인. ② 〖數〗 유리수(有理數)의(opp. irrational). **~·ism**[-ʃənəlizəm] *n.* Ⓤ 합리주의. ***the Saint of ~ism =J.S. MILL. **~·ist**[-ʃənəlist] *n.* **~·ly** *ad.* **~·i·ty**

[⌐ʃənǽləti] *n.* Ⓤ 합리성, 순리성; (보통 *pl.*) 이성적 행동.
ra·tion·ale[ræ̀ʃənǽl/-nɑ́:l] *n.* (L.) (the ~) 이론적 해석; 《稀》 근본적 이유, 이론적 근거.
ra·tion·al·ize[rǽʃənəlàiz] *vt.* 합리화하다; 합리적으로 다루다; 이론적으로 설명〔생각〕하다; 이유를 붙이다; 〖數〗 유리화하다. **-i·za·tion**[⌐—— izéiʃən/-laiz-] *n.* 「理數).
rátional númber 〖컴〗 유리수(有
rátion bòok 배급 통장.
rat·lin(e)[rǽtlin], **-ling**[-liŋ] *n.* Ⓒ (보통 *pl.*) 〖船〗 밧줄 사다리.
R.A.T.O., Ra·to [réitou] 〖空〗 rocket-assisted take-off 로켓 추진 이륙.
rát pòison 쥐약.
rát ràce 《美》 무의미한 경쟁; 악순환. 「나무.
rat·tan[rætǽn, rə-] *n.* Ⓒ 등(藤)
rat-tat[rǽttǽt] *n.* (a ~) 쾅쾅, 똑똑《문의 knocker 소리 등》.
rat·ter[rǽtər] *n.* Ⓒ 쥐덫, 쥐 잡는 개; 《俗》 배반자.
:rat·tle[rǽtl] *vi.* 왈각달각〔덜걱덜걱〕하다〔소리나다〕, 왈각달각 달리다; 우르르 떨어지다(*along, by, down, &c.*). ── *vt.* 왈각달각〔덜거덕덜거덕〕소리내다; 빨리 말하다(*away, off, out, over*); 놀라게 하다, 혼란시키다(confuse), 갈팡거리게 하다; (사냥감을) 몰아내다. ── *n.* ① Ⓤ,Ⓒ 왈각달각《소리》; Ⓒ 딸랑이《장난감》. ② Ⓒ 수다〔수선〕쟁이. ③ Ⓒ (목구멍의) 꼬르륵 소리《특히 죽을 때》. ④ Ⓒ 방울뱀의 둥근 고리 끝. ⑤ Ⓒ 야단법석.
ráttle·bòx *n.* Ⓒ 딸랑이《장난감》.
ráttle·bràin *n.* Ⓒ (골이 빈) 수다쟁이. **~ed** *a.* 골이 빈.
ráttle·hèad *n.* =RATTLEBRAIN. **~ed** *a.* 「**~d** *a.*
ráttle·pàte *n.* =RATTLEBRAIN.
rat·tler[rǽtlər] *n.* Ⓒ 왈각달각하는〔소리 내는〕 것; 수다쟁이; 《美口》 화물 열차(따위).
***ráttle·snàke** *n.* Ⓒ 방울뱀.
ráttle·tràp *n.* Ⓒ 털터리 마차(따위); 《美俗》 수다쟁이; 《俗》 입.
rat·tling[rǽtliŋ] *a., ad.* 덜거덕거리는; 활발한; 굉장〔훌륭〕한〔하게〕(*That's ~ fine.*)
rát·tràp *n.* Ⓒ 쥐덫; 절망적인 상태; 허술한 집.
rat·ty[rǽti] *a.* 쥐의, 쥐 같은, 쥐가 많은; 《俗》 초라한.
rau·cous [rɔ́:kəs] *a.* 쉰목소리의(hoarse), 귀에 거슬리는.
***rav·age**[rǽvidʒ] *n., vt., vi.* Ⓤ 파괴(하다); 휩쓸다, 황폐케 하다; (the ~s) 파괴된 자취, 참해.
***rave**[reiv] *vi., vt.* (미친 사람같이) 헛소리하다, 소리치다; 정신 없이 떠들다, 격찬하다; (풍랑이) 사납게 일다.
rav·el[rǽvəl] *vt., vi.* (《英》 *-ll-*) 엉클어지(게 하)다, 풀(리)다. ── *n.* Ⓒ 엉클림; 풀린 실. **~·(l)ing** *n.* Ⓒ 풀린 실.
***ra·ven**[1][réivən] *n., a.* Ⓒ 큰까마귀; 새까만, 칠흑 같은.
rav·en[2][rǽvən] *n., vt.* Ⓤ 약탈(하다). **~·ing** *a.* 탐욕스런. **~·ous** *a.* 굶주린; 탐욕스런(greedy). **~·ous·ly** *ad.*
ráven-háired[réivən-] *a.* 흑발(黑髮)의. 「티.
ráve-ùp *n.* Ⓒ《英口》 떠들썩한 파
***ra·vine**[rəví:n] *n.* Ⓒ 협곡(峽谷).
rav·ing[réiviŋ] *a.* 헛소리를 하는; 광란의; 《美口》 굉장한. ── *n.* Ⓤ,Ⓒ 헛소리; 광란. **~·ly** *ad.*
ra·vi·o·li[ræ̀vióuli] *n.* (It.) Ⓤ 매콤한 다진 고기를 싼 납작한 단자.
rav·ish[rǽviʃ] *vt.* (여자를) 능욕하다(violate); 황홀케 하다(enrapture); (빼)앗아 가다. **~·ing** *a.* 마음을 빼앗는, 황홀케 하는. **~·ment** *n.* Ⓤ 무아(無我), 황홀; 강탈; 강간.
:raw[rɔ:] *a.* ① 생〔날〕것의(~ *fish*); 원료 그대로의; 가공하지 않은; 물 타지 않은. ② 세련되지 않은, 미숙한(*a ~ soldier*). ③ (날씨가) 궂고 으스스한. ④ 껍질이 벗겨진, 따끔따끔 쑤시는, 얼얼한(sore). ⑤《俗》 잔혹한, 불공평한(*a ~ deal* 심한 대우). ⑥ 〖컴〗 (입력된 그대로의) 원, 미가공. ~ ***silk*** 생사(生絲). ── *n.* (the ~) 까진〔벗겨진〕 데(*touch a person on the ~* 아무의 약점을 찌르다). **⌐·ness** *n.*
ráw·bóned *a.* 깡마른.
ráw·hìde *n., vt.* (**~d**) Ⓤ 생가죽, 원피(原皮); Ⓒ 가죽 채찍(으로 때리다).
ráw matérial 원료.
:ray[1][rei] *n.* Ⓒ ① 광선; 방사선, 열선(熱線). ② 광명, 번득임, 서광(*a ~ of hope* 한가닥의 희망). ③ (보통 *pl.*) 방사상(狀)의 것. ── *vt., vi.* (빛을) 내쏘다, 방사하다; (*vi.*) 번득이다(*forth, off, out*).
ray[2] *n.* Ⓒ 〖魚〗 가오리.
ráy gùn 광선총.
Ráy·leigh wàve[réili-] 〖理〗 레일리파(波).
***ray·on**[réiɑn/-ɔn] *n.* Ⓤ 인조견(사), 레이온.
raze[reiz] *vt.* 지우다(erase); (집·도시를) 파괴하다.
rá·zon (bòmb)[réizɑn(-)/-zɔn(-)] *n.* Ⓒ(무선 유도의) 방향·항속 범위 가변 폭탄.
:ra·zor[réizər] *n.* Ⓒ 면도칼.
rázor·bàck *n.* Ⓒ 〖動〗 큰돌고래; 《美》 반야생의 돼지.
razz[ræz] *n., vt.* Ⓤ,Ⓒ 《俗》 혹평〔조소〕(하다).
raz·zle(-daz·zle)[rǽzəl(dǽzəl)] *n.* (the ~) 《俗》 대법석; (겉으로) 화려한 움직임《쇼 따위》.
Rb 〖化〗 rubidium. **R.B.A.** Royal Society of British Artists. **RBE** relative biological efficiency (방사선의) 생물학적 효과 비율. **r.b.i.** run(s) batted in.

R.C., RC Red Cross; Reserve Corps; Roman Catholic. **RCA** Radio Corporation of America. **R.C.A.F., RCAF** Royal Canadian Air Force. **R.C.Ch.** Roman Catholic Church. **rcd.** received. **R.C.M., R.C.P., R.C.S.** Royal College of Music, Physicians, Surgeons. **RCMP, R.C.M.P.** Royal Canadian Mounted Police 캐나다 기마 경찰대.

ŕ-còlored *a.* 〖音聲〗 (모음이) r의 음색을 띤《further[fə́:rðər]의 [ə:r, ər]》.

R.C.S. 《英》 Royal Corps of Signals. **R/D** refer to drawer. **Rd., rd.** road. **RDB** Research and Development Board. **R.D.C.** Rural District Council 지방 의회; Royal Defence Corps. **R.D.F.** radio direction finding (비행기 따위의) 무선 방향 탐지. **RDS** 〖컴〗 relational data system 관계 데이터 시스템; respiratory distress syndrome (신생아의) 호흡 장애 증후군; Radio Data system. **RDX** Research Development Explosive (백색·결정성·비수용성의 강력 폭약). **Re** 〖化〗 rhenium; rupee.

re[1] [rei, ri:] *n.* U,C 〖樂〗 레《장음계의 둘째 음》.

re[2] [ri:] *prep.* (L.) 〖法·商〗 …에 관하여.

re- [rì:, ri:] *pref.* '다시, 다시 …하다, 거듭'의 뜻: *recover.*

R.E. Right Excellent; Royal Engineers.

†**reach** [ri:tʃ] *vt.* ① (손을) 뻗치다, 내밀다; 뻗어서 잡다[집다]; 집어서 넘겨주다(*Please ~ me that book.*). ② 도착하다; 닿다, 미치다, 이르다, 달하다; 달성하다. ③ (마음을) 움직이다, 감동시키다(*Men are ~ed by flattery.*). ④ (…와) 연락이 되다. — *vi.* 손[발]을 뻗치다; 발돋움하다; 뻗다; 얻으려고 애쓰다(*after, at, for*); 닿다, 퍼지다(*to, into*). — *n.* ① U (손을) 뻗침. ② U 손발을 뻗을 수 있는 범위; 미치는[닿는] 범위, 한계; 세력 범위. ③ C 이해력. ④ C 조붓한 후미. ***within (easy) ~*** (용이하게) 닿을[얻을] 수 있는.

réach-me-dòwn *a., n.* 기성품의; (*pl.*) 《英》 기성복.

***re·act** [ri:ǽkt] *vi.* ① (자극에) 반응하다(*on, upon*); 〖理〗 반작용하다. ② 반동[반발]하다(*to*). ③ 반항하다(*against*); 역행하다.

re-act [rì:ǽkt] *vt.* 거듭 행하다, 재연하다.

re·ac·tance [ri:ǽktəns] *n.* U 〖電〗 감응 저항.

:**re·ac·tion** [ri:ǽkʃən] *n.* U,C ① 반응, 반동, 반작용; 〖政〗 (보수) 반동. ② 〖電〗 재생. * **~·ar·y** [-ʃənèri/ -ʃənəri] *a., n.* 반동의, 보수적인; 반작용의; 〖化〗 반응의; C 반동[보수]주의자.

reáction èngine 〖空〗 반동 엔진 《로켓·제트엔진처럼 분출물에 의한 반동을 에너지원으로 하는 엔진》.

re·ac·tive [ri:ǽktiv] *a.* 반동[반응]의. **~·ly** *ad.*

***re·ac·tiv·i·ty** [rì:æktívəti] *n.* U 반작용; 반응; 반발.

***re·ac·tor** [ri:ǽktər] *n.* C 반응을 보이는 사람[물건]; 원자로(爐) (atomic reactor; cf. pile[1]).

†**read**[1] [ri:d] *vt.* (**read** [red]) ① 읽다, 독서하다; 낭독하다. ② 이해하다; 해독하다; (꿈 따위를) 판단하다; 알아채다, 간파하다; 배우다(*~ law*). ③ (…의) 뜻으로 읽다; (…라고) 읽을 수 있다; (…을) 가리키다(*The thermometer ~s 85 degrees.*). ④ (정오표 따위에서, …라고 있는 것은) …의 잘못(*For "set" ~ "sit".*). ⑤ (컴퓨터에 정보를) 주다(*in*); (컴퓨터에서 정보를) 회수하다(*out*). — *vi.* ① 읽다, 독서[공부]하다; 낭독하다. ② …라고 씌어져 있다; …라고 읽다; …라고 해석할 수 있다. ③ 읽어 들려주다(*to, from*). ④ 〖컴〗 데이터를 읽다. ***be well ~ [red] in*** …에 정통하다, …에 밝다[환하다]. ***~ a person's hand*** 손금을 보다. ***~ between the lines*** 언외(言外)의 뜻을 알아내다. ***~ into*** …의 뜻으로 해석[곡해]하다. ***~ out of*** …에서 제명하다. ***~ to oneself*** 묵독하다. ***~ up*** 시험공부하다; 전공하다(*on*). ***~ with*** …의 공부 상대를 하다《가정교사가》. **∠·a·ble** *a.* 읽을 만한, 읽어 재미있는; (글자가) 읽기 쉬운. — *n.* 〖컴〗 읽기.

†**read**[2] [red] *v.* read[1]의 과거(분사).

read·a·bil·i·ty [rì:dəbíləti] *n.* U 〖컴〗 읽힘성, 가독성.

réad-àfter-wríte vèrify 〖컴〗 쓴 뒤읽기 검사.

:**read·er** [rí:dər] *n.* C ① 독본, 리더. ② 독자, 독서가. ③ (대학) 강사(lecturer). ④ 출판사 고문《원고를 읽고 채부(採否) 결정에 참여함》; 교정원(proof-reader). ⑤ 〖컴〗 읽개, 판독기.

réader·shìp *n.* C (보통 *sing.*) (신문·잡지의) 독자수; 독자층; U (대학) 강사의 직[지위].

réad héad [rí:d-] 〖컴〗 읽기머리(틀).

†**read·ing** [rí:diŋ] *n.* ① U 읽기, 독서(력); 학식. ② C 낭독; 의회의 독회(讀會). ③ U 읽을 거리. ④ C 해석, 판단. ⑤ C (계기의) 시도(示度).

réading bòok 독본.

réading dèsk 독서대.

réading glàss 독서용 확대경.

réading màtter (신문·잡지의) 기사, 읽을 거리.

réading ròom 열람실.

re·ad·just [rì:ədʒʌ́st] *vt.* 다시 하다; 재조정하다. **~·ment** *n.*

re·ad·mit [rì:ədmít] *vt.* 다시 인정

[허가]하다; 재입학시키다.
réad-ónly *a.* 〖컴〗 읽기 전용의(~ *memory* 늘기억 장치, 읽기 전용 기억 장치《생략 ROM》).
réad·òut *n.* U,C 〖컴〗 정보 판독[취득].
réad/wríte hèad 〖컴〗 읽기 쓰기 「머리틀.
†**read·y**[rédi] *a.* ① 준비된, 채비가 된(prepared)(*to, for*). ② 기꺼이 …하는(willing); 이제라도 …할 것 같은(be about)(*to* do); 걸핏하면 …하는, …하기 쉬운(be apt)(*to* do). ③ 즉석의, 재빠른(*a* ~ *welcome*); 교묘한; 곧 나오는; 손쉬운, 편리한, 곧 쓸 수 있는. ***get* [*make*] ~** 준비[채비]하다. **~ *to hand*** 손 가까이에 있는. — *vt.* 준비[채비]하다. — *n.* U 〖컴〗 준비《실행 준비가 완료된 상태》(~ *list* 준비 목록/~ *time* 준비 시간). **:réad·i·ly** *ad.* 쾌히; 곧, 즉시; 쉽사리. ***réad·i·ness** *n.*
réady-cóoked *a.* 조리를 마친; 곧 먹을 수 있는.
:réady-máde *a.* 만들어 놓은, 기성품의(opp. custom-made); (의견이) 얻어 들은, 독창성이 없는.
réady-mìx *a., n.* C (각종 성분을) 조합한 (물건·상품).
réady móney 현금.
réady réckoner 계산 조견표(早見表).
réady resérve 예비군.
réady ròom 〖空〗 조종사 대기실.
réady-to-wéar *n., a.* C 《美》 기성복(의).
réady wít 기지(機智), 재치.
réady-wítted *a.* 재치 있는, 꾀바른. 「(試藥).
re·a·gent [ri:éidʒənt] *n.* C 시약
†**re·al**[rí:əl, ríəl] *a.* ① 실재[실존]하는, 현실의. ② 진실한; 진정한. ③ 부동산의(cf. personal); 〖數〗 실수(實數)의. **~ *life*** 실생활. — *ad.*《美口》=REALLY. ***~·ism**[rí:əlìzəm/ríəl-] *n.* U 현실[사실]주의; 현실성; 〖哲〗 실재론. ***~·ist**[rí:əlist/ríəl-] *n.* †**~·ly** *ad.* 실제로; 정말로.
***réal estàte** 부동산.
***re·al·is·tic**[rì:əlístik] *a.* 사실[현실·실제]적인. **-ti·cal·ly** *ad.*
:re·al·i·ty[ri:ǽləti] *n.* ① U 진실[실제]임; 실재(함); 현실성(actuality). ② C 사실, 현실. ③ U,C 〖哲〗 실체. ***in* ~** 실제로는(in fact); 참으로(truly).
:re·al·ize[rí:əlàiz] *vt.* ① 실현하다; 사실적으로 표현하다; 현실같이 보이게 하다. ② 실감하다, (절실히) 깨닫다. ③ (증권·부동산을) 현금으로 바꾸다, (…에) 팔리다. **-iz·a·ble** *a.* ***-i·za·tion**[⌐–izéiʃən/-laiz-] *n.*
:realm[relm] *n.* C ① 〖法〗 왕국(kingdom). ② 영토, 범위. ③ 분야, 부문, 영역.
réal McCóy[-məkɔ́i] (the ~)《英口》 진짜.
réal móney 현금.
réal númber 〖컴〗 실수(實數)《유리수와 무리수의 총칭》.
re·al·po·li·tik[reiá:lpɔ̀uliti:k] *n.* (G.) U 현실 정책.
réal próperty 부동산.
réal tíme 〖컴〗 실(實)시간.
réal-tíme *a.* 〖컴〗 실시간의(~ *processing* 즉시[실시간] 처리/~ *system* 즉시[실시간] 체계).
re·al·tor[rí:əltər] *n.* C 《美》 부동산 중매인.
re·al·ty[rí:əlti] *n.* U 부동산.
réal wáges 실질 임금(opp. nominal wages).
ream[1][ri:m] *n.* C 연(連)《20 quires(=480 장 또는 500 장)에 상당하는 종이의 단위》.
ream[2] *vt.* (구멍을) 크게 하다. **⌐·er** *n.* C 구멍을 넓히는 송곳.
re·an·i·mate[rì:ǽnəmèit] *vt.* 소생[회생]시키다; 기운을 북돋우다.
:reap[ri:p] *vt.* ① 베다, 베어[거두어] 들이다. ② 획득하다; 얻다, (행위의 결과로서) 거두다. **~ *as* [*what*] *one has sown*** 뿌린 씨를 거두다《자업 자득》. ***⌐·er** *n.* C 베(어 들이)는 사람; 수확기(機). **⌐·ing** *a.*
réaping hòok (추수용의) 낫.
réaping machìne 자동 수확기.
***re·ap·pear**[rì:əpíər] *vi.* 다시 나타나다; 재발하다. **~·ance**[-əpíərəns] *n.* C 재현, 재발.
re·ap·point[rì:əpɔ́int] *vt.* 다시 임명하다, 복직[재선]시키다.
re·ap·prais·al[rì:əpréizəl] *n.* U,C 재평가.
re·ap·praise[rì:əpréiz] *vt.* (…을) 재평가하다.
***rear**[1][riər] *vt.* ① 기르다, 키우다; 사육하다; 재배하다. ② 올리다(lift), 일으키다(raise); 세우다(~ *a temple*). — *vi.* (말이) 뒷발로 서다. **⌐·er** *n.* C 양육자; 사육자; 재배자; 뒷다리로 서는 버릇이 있는 말.
:rear[2] *n.* ① (the ~) 뒤, 뒷면, 배후; 〖軍〗 후위. ② C 《口》 변소; 《口》 궁둥이. ***bring* [*close*] *up the* ~** 후위를 맡다, 맨 뒤에 오다. — *a.* 뒤[후방]의; 배후(로부터)의, 뒷면의(*a* ~ *window* 뒤창); 〖軍〗 후위의. — *vi.* 《英俗》 변소에 가다.
réar ádmiral 해군 소장.
réar énd 후부; 후미(後尾); 《口》 엉덩이.
réar guárd 후위(군).
re·arm[ri:á:rm] *vi., vt.* 재무장하다[시키다]; 재군비하다. **re·ár·ma·ment** *n.*
réar·mòst *a.* 맨 뒤의.
***re·ar·range**[rì:əréindʒ] *vt.* 재정리[재배열]하다; 배치 전환하다; 다시 정하다. **~·ment** *n.*
réar síght (총의) 가늠자.
réar·vìew mírror[ríərvjù:-] (자동차의) 백미러.
rear·ward[ríərwərd] *ad., a.* 뒤로(의), 후부의[에]. **~s** *ad.* 뒤로.
***rea·son**[rí:zən] *n.* ① U,C 이유, 동기. ② U 사리; 이성, 제정신, 분

R

별. ***as ~ was*** 이성에 따라서. ***be restored to ~*** 제정신으로 돌아오다. ***bring to ~*** 사리를 깨닫게 하다. ***by ~ of*** …때문에, …의 이유로. ***hear* 〔*listen to*〕 *~*** 도리에 따르다. ***in ~*** 사리에 맞는. ***lose one's ~*** 미치다. ***practical* 〔*pure*〕 *~*** 실천〔순수〕 이성. ***stand to ~*** 사리에 맞다. ***with ~*** (충분한) 이유가 있어서. — *vt.* 논하다, 추론하다 (*about, of, upon*); 설복하다. ***~ a person into* 〔*out of*〕** 사리로 타일러 …시키다〔그만두게 하다〕. ***~·ing*** *n.* Ⓤ 추론, 추리; 논증.

:rea·son·a·ble[-əbəl] *a.* ① 합리적인, 분별 있는. ② 무리 없는, 온당한; (값이) 알맞은. **~·ness** *n.* ***-bly** *ad.* 합리적으로, 온당하게; 꽤.

re·as·sem·ble[rìːəsémbəl] *vt., vi.* 다시 모으다〔모이다〕.

re·as·sert[rìːəsə́ːrt] *vt.* 거듭 단언「〔주장〕하다.

re·as·sess[rìːəsés] *vt.* 재평가하다; (…을) 다시 할당하다; (…에) 재과세하다. **~·ment** *n.*

re·as·sume[rìːəsúːm] *vt.* 다시 취하다; 다시 떠맡다; 다시 시작하다; 다시 가정하다. **-sump·tion**[rìːəsʌ́mpʃən] *n.*

***re·as·sure**[rìːəʃúər] *vt.* 안심시키다; 재보증〔재보험〕하다. **-súr·ing** *a.* 안심시키는; 믿음직한. **-súr·ance** *n.*

reave[riːv] *vt., vi.* (***reaved, reft***) 《古》 약탈하다.

re·bar, re-bar [ríːbàːr] (<***rein***forcing ***bar***) *n.* Ⓒ (콘크리트 보강용) 철근.

re·bate[ríːbeit, ribéit] *n., vt.* Ⓒ 할인(하다); 일부 환불(하다).

re·bec(k)[ríːbek] *n.* Ⓒ 중세의 2 또는 3현악기《활로 켬》. 「아내.

Re·bek·ah[ribékə] *n.* 〖聖〗 이삭의

:reb·el[rébəl] *n.* Ⓒ 반역자. — [ribél] *vi.* (**-ll-**) 모반〔반역〕하다 (*against*); 싫어하다(*at*); 반발하다 (*against*).

:re·bel·lion[ribéljən] *n.* Ⓤ,Ⓒ 모반, 반란. ***-lious**[-ljəs] *a.* 모반의; 반항적인; 다루기 어려운.

re·bind[riːbáind] *vt.* (***-bound*** [-báund]) 다시 묶다〔제본하다〕.

re·birth[riːbə́ːrθ] *n.* (*sing.*) 다시 태어남, 갱생, 재생, 부활.

re·boot[riːbúːt] 〖컴〗 *vt., vi.* 되띄우다《띄우기(bootstrap) 프로그램을 다시 올리다(load)》. — *n.* 되띄우기.

re·born[riːbɔ́ːrn] *a.* 재생한, 갱생한.

re·bound[ribáund] *vi., n.* 되튀다, Ⓒ 되튀기; (감정 따위의) 반발, 반동 (reaction); 〖籠〗 리바운드를 잡다, 리바운드.

re·broad·cast [riːbrɔ́ːdkæ̀st, -kɑ̀ːst] *n., vt., vi.* (~(***ed***)) Ⓤ,Ⓒ 재〔중계〕방송(하다).

re·buff[ribʌ́f] *n., vt.* Ⓒ 거절(하다), 박참, 박차다; 좌절(시키다).

re·build[riːbíld] *vt.* (***-built***[-bílt]) 재건하다, 다시 세우다.

:re·buke[ribjúːk] *n., vt.* Ⓤ,Ⓒ 비난(하다), 징계(하다).

re·bus[ríːbəs] *n.* Ⓒ 그림 수수께끼 《손(hand)·모자(cap)의 그림으로 'handicap'을 나타내는 따위》.

re·but[ribʌ́t] *vt.* (**-tt-**) 반박〔반증〕하다(disprove). **~·tal** *n.*

rec[rek] *n.* =RECREATION.

rec. receipt; received; recipe; record(er); recorded; recording.

re·cal·ci·trant[rikǽlsətrənt] *a., n.* Ⓒ 반항적인 (사람), 복종하지 않는, 다루기 힘든, 어기대는 (사람). **-trance, -tran·cy** *n.*

re·ca·lesce[rìːkəlés] *vi.* 〖冶〗 (뜨거워진 쇠가 냉각 중) 다시 뜨거워지다, 재열(再熱)하다. **-lés·cence** *n.* 〖冶〗 Ⓤ 재열. **-lés·cent** *a.*

:re·call[rikɔ́ːl] *vt.* ① 다시 불러 들이다; (외교관 따위) 소환하다. ② 취소하다; (일반 투표로) 해임하다. ③ 생각나(게 하)다, 상기시키다. — *n.* Ⓤ 다시 불러들임, 소환; 취소; (결함 상품의) 회수; 해임; 상기; 〖컴〗 (입력한 정보의) 되부르기. ***beyond* 〔*past*〕 *~*** 돌이킬 수 없는. **~·a·ble** *a.* **~·ment** *n.*

re·cant[rikǽnt] *vt.* 취소하다, 철회하다. — *vi.* 자설(自說)〔앞서 말한 것〕의 철회를 공포하다. **re·can·ta·tion**[rìːkæntéiʃən] *n.*

re·cap[ríːkæ̀p] *vt.* (**-pp-**) (타이어 표면을 가류(加硫) 처리하고 고무조각을 대서) 재생시키다(cf. retread). — [´-`] *n.* Ⓒ (고무 댄) 재생 타이어.

re·ca·pit·u·late[rìːkəpítʃəlèit] *vt.* 요점을 되풀이하다; 요약하다. **-la·tion**[`-`-`-léi-] *n.* Ⓤ,Ⓒ 요약; 〖生〗 발생 반복《선조의 발달 단계의, 태내에서의 요약적 되풀이》; 〖樂〗 (소나타 형식의) 재현부.

***re·cap·ture**[riːkǽptʃər] *n., vt.* Ⓤ 탈환(하다).

re·cast[ríːkæ̀st, -kɑ̀ːst] *n.* Ⓒ 개주(改鑄); 개작; 배역〔캐스트〕 변경; 재계산. — [´-`] *vt.* (***recast***) recast 하다.

rec·ce[réki] *n.* Ⓤ,Ⓒ 《軍口》 정찰 (reconnaissance).

recd. received.

***re·cede**[risíːd] *vi.* ① 물러나다〔서다〕, 멀리 물러가다; 쑥 들어가다, 움츠리다. ② 손을 떼다(*from*); (가치가) 떨어지다, 쇠퇴하다.

:re·ceipt[risíːt] *n.* ① Ⓤ 수령, 수취. ② Ⓒ 영수증; (*pl.*) 영수액. ③ Ⓒ 《古》 처방, 제법(recipe). ***be in ~ of*** 〖商〗 …을 받다. — *vt.* 영수필(畢)이라고 쓰다; 영수증을 떼다.

†re·ceive[risíːv] *vt.* ① 받다, 수취하다; 수령하다. ② (공격·질문 따위를) 받아 넘기다, 수신(受信)하다; 수용하다; 맞이하다; 대접〔접대〕하다 (entertain). ③ 이해〔용인〕하다. ④ 〖컴〗 수신하다. **~d**[-d] *a.* 일반적으로 인정된, 용인된. **:re·céiv·er** *n.* Ⓒ 수취인; 받는 그릇; 수신〔수화〕기;

〖컴〗 수신기. **re·céiv·ing** *a.* 수신(용)의.
Recéived Pronunciátion 《英》 표준 발음《생략 R.P.》.
Recéived Stándard (**Éng-lish**) 공인 표준 영어.
recéiving ènd 받는 쪽, 희생자. ***be at*** 〔***on***〕 ***the*** ~ 받는 쪽이다; 공격의 표적이 되다.
recéiving lìne 손님을 맞는 주최자·주빈들의 늘어선 줄.
recéiving òrder 《英》 (파산 재산의) 관리 명령(서).
recéiving sèt 수신기; 수상기(受像機).
:re·cent[rí:sənt] *a.* 최근의(late); 새로운. **:~·ly** *ad.* 요사이, 최근(lately). **~·ness, ré·cen·cy** *n.* Ⓤ (사건 따위) 새로움.
:re·cep·ta·cle[riséptəkəl] *n.* Ⓒ 용기(容器); 저장소.
:re·cep·tion[risépʃən] *n.* ① Ⓤ 받아들임, 수령, 수리(受理); 수용. ② Ⓒ 응접, 접대, 환영(의 모임). ③ Ⓤ 입회 (허가). ④ Ⓤ 평판; 시인; 수신(상태). **~·ist**[-ʃənist] *n.* Ⓒ 응접계원, 접수계원.
recéption àrea 피난 지역.
recéption cènter 《英》 살 곳을 잃은 가족을 위한 공공 수용 시설.
recéption dèsk 접수부; (호텔의) 프런트.
recéption òrder 《英》 (정신 병원에의) 입원 허가〔명령〕.
recéption ròom 응접실; 접견실.
***re·cep·tive**[riséptiv] *a.* 잘 받아들이는(*of*), 민감한. **-tiv·i·ty**[-ˊ-tívəti, rì:sep-] *n.*
re·cep·tor[riséptər] *n.* Ⓒ 〖生〗 수용기(受容器); 감각 기관〔세포〕.
:re·cess[rí:ses, risés] *n.* ① Ⓤ,Ⓒ 휴식; 쉬는 시간; (대학 따위의) 휴가; (의회의) 휴회. ② (보통 *pl.*) 깊숙한〔후미진〕 곳; (마음) 속; 은거지, 구석; 벽에 움푹 들어간 선반(niche); 방안의 후미져 구석진 곳(alcove). — *vt.* (벽에) 움푹 들어간 선반을 만들다, 구석에 두다, 감추다; 뒤로 물리다. — *vi.* 《美》 휴업하다, 쉬다.
***re·ces·sion**¹[riséʃən] *n.* ① Ⓤ 퇴거, 퇴장(receding). ② Ⓒ (경기 등의) 후퇴(기). ③ Ⓒ (벽 등의) 움푹 들어간 선반(recess). **~·al**[-ʃənəl] *a., n.* Ⓒ 퇴장할 때 부르는 (찬송); 휴회〔휴정〕의.
re·ces·sion² *n.* Ⓤ (점령지 등의) 반환.
re·ces·sive[risésiv] *a.* 퇴행의, 역행의; 〖遺傳〗 열성(劣性)의.
re·cher·ché[rəʃɛ́ərʃei] *a.* (F.) 정선된(choice), 꼼꼼한, 정성들인.
re·cid·i·vism[rísídəvìzəm] *n.* Ⓤ 상습적 범행, 반복 범죄 성향. **-vist** *n.* Ⓒ 누범자, 상습범.
:rec·i·pe[résəpi:] *n.* Ⓒ 처방; 요리법; 방법(*for*).
re·cip·i·ent[risípiənt] *a., n.* Ⓒ 받아들이는 (사람), 수취인.
***re·cip·ro·cal**[risíprəkəl] *a.* 상호의, 호혜적(互惠的)인; 역(逆)의(*a ~ ratio* 역비). — *n.* Ⓒ 상대되는 것; 〖數〗 역수(《1/5과 5 따위》). **~·ly** [-kəli] *ad.*
re·cip·ro·cate[-rəkèit] *vt., vi.* 교환하다; 보답하다, 답례하다(*with*); 〖機〗 왕복 운동시키다〔하다〕. **-ca·tion**[-ˋ-kéiʃən] *n.*
recíprocating èngine 왕복 기관, 피스톤식 기관.
rec·i·proc·i·ty[rèsəprásəti/-ɔ́-] *n.* Ⓤ 교호 작용; 호혜주의. 「소.
re·ci·sion[risíʒən] *n.* Ⓤ 취소, 말
***re·cit·al**[risáitl] *n.* Ⓒ ① 암송; 상술(詳述); 이야기. ② 독주〔독창〕(회).
***rec·i·ta·tion**[rèsətéiʃən] *n.* ① Ⓤ,Ⓒ 자세한 이야기; 암송, 낭독; Ⓒ 암송문. ② Ⓤ,Ⓒ 《美》 (예습 과목의) 암송; 그 수업.
rec·i·ta·tive[rèsətətí:v] *n.* Ⓒ (가극의) 서창(敍唱)부〔조〕《노래와 대사와의 중간의 창영(唱詠)법》.
:re·cite[risáit] *vt., vi.* ① 암송〔음송〕하다. ② (자세히) 이야기하다, 말하다(narrate).
reck[rek] *vt., vt.* 《詩·雅》 주의하다; 개의하다; (…에 대하여) 중대하다.
:reck·less[ˊlis] *a.* 무모한; 개의치 않는(*of*). **~·ly** *ad.* **~·ness** *n.*
:reck·on[rékən] *vt.* ① 세다, 계산하다. ② 평가하다; 단정하다(*that*); 생각하다, 간주하다(regard)(*as, for; to* be). ③ 돌리다(*to*). — *vi.* 세다, 계산하다; 《美》 생각하다; 기대하다(*on, upon*); 고려에 넣다, (…와) 셈〔청산〕하다(*with*). **~·er** *n.* ***~·ing** *n.* Ⓤ,Ⓒ 계산(서), 셈; 청산, 측정; 청산일; 최후의 심판일. ***out in one's ~ing*** 기대가 어긋나서.
re·claim**[rikléim] *vt.* ① (…의) 반환을 요구하다; 되찾다. ② 교화〔교정〕하다; 《古》 (매사냥의 매를) 길들이다. ③ 개척하다; 매립(埋立)하다. — *n.* Ⓤ 교화, 개심(의 가능성). ***past ~ 회복〔교화〕의 가망이 없는.
rec·la·ma·tion[rèkləméiʃən] *n.* Ⓤ,Ⓒ 개간, 매립; 개선, 교정.
***re·cline**[rikláin] *vi., vt.* 기대(게)하다(*on*); (*vi.*) 의지하다(rely)(*on, upon*).
re·cluse[riklú:s, réklu:s; *a.* riklú:s] *a., n.* 속세를 버린; Ⓒ 속세를 떠난 사람. 「쓸쓸한.
re·clu·sive[riklú:siv] *a.* 은둔한,
:rec·og·ni·tion[rèkəgníʃən] *n.* Ⓤ,Ⓒ ① 인식, 승인. ② 표창. ③ 아는 사이; 인사(greeting). ***in ~ of*** …을 인정하여; …의 보수〔답례〕로서.
re·cog·ni·zance [rikágnəzəns/-ɔ́-] *n.* Ⓤ,Ⓒ 〖法〗 서약(서); 보증〔보석〕금.
:rec·og·nize[rékəgnàiz] *vt.* ① 인정하다; 인식〔인지〕하다. ② 승인하다; (사람을) 알아보다; (아무개로) 알아보고 인사하다. ③ 《美》 (의회에서) 발언을 허가하다. **-niz·a·ble** *a.*
***re·coil**[rikɔ́il] *n., vi.* Ⓤ 튀어 되돌아

R

옴〔오다〕, 반동(하다); (공포·혐오 따위로) 뒷걸음질(치다)(*from*); 움츠리다; 퇴각하다(*from, at, before*).
re·coil[ri:kɔ́il] *vt., vi.* 다시 감다〔감기다〕.
re·coin[ri:kɔ́in] *vt.* 개주(改鑄)하다.
:rec·ol·lect[rèkəlékt] *vt.* 회상하다. **:-léc·tion** *n.* U,C 회상; 기억.
re-col·lect[ri:kəlékt] *vt.* 다시 모으다; (마음을) 가라앉히다(compose).
re·com·bi·nant [ri:kɑ́mbənənt/-ɔ́-] *n.* C 〖生化〗 재(再)결합된 개체.
re·com·bi·na·tion[rì:kɑ̀mbənéiʃən/-kɔ̀m-] *n.* U 〖生化〗 (유전자의) 재결합.
:rec·om·mend[rèkəménd] *vt.* ① 추천하다. ② 권고〔충고〕하다(*to* do; *that*). ③ 좋은 느낌을 갖게 하다(*Her elegance ~s her.* 그녀는 품위가 있어 호감을 준다). **~·a·ble** *a.* 추천할 수 있는, 훌륭한.
:rec·om·men·da·tion[rèkəmendéiʃən] *n.* U 추천; C 추천장; U 권고; C 장점. **-mend·a·to·ry**[-méndətɔ̀:ri/-təri] *a.* 추천의; 장점이 되는; 권고적인.
re·com·mit[rì:kəmít] *vt.* (*-tt-*) 다시 행하다〔범하다〕; 다시 투옥하다; (의안 따위를 위원회에) 다시 회부하다. **~·ment, ~·tal** *n.*
:rec·om·pense[rékəmpèns] *n., vt.* 갚다; U,C 보답(하다); 보상(하다).
:rec·on·cile[rékənsàil] *vt.* ① 화해시키다(*to, with*). ② 단념시키다. ③ 조화〔일치〕시키다(*to, with*). **~ *oneself to*** …에 만족하다, 단념하고 …하다. **~·ment, *-cil·i·a·tion**[⌐–sìliéiʃən] *n.* U,C 조정; 화해; 조화, 일치. ***-cil·i·a·to·ry**[⌐–síliətɔ̀:ri/-təri] *a.*
re·con·dite[rékəndàit, rikɑ́ndait/rikɔ́n-] *a.* 심원한; 난해한; 숨겨진.
re·con·fig·ure[rì:kənfígjər/-gər] *vt.* (항공기·컴퓨터의) 형〔부품〕을 교체하다.
:re·con·nais·sance [rikɑ́nəsəns/-ɔ́-] *n.* U,C 정찰(대).
recónnaissance sàtellite 정찰 「위성.
re·con·noi·ter, 《英》 **-tre**[rèkənɔ́itər, rì:-] *vt.* (적정(敵情)을) 정찰하다; (토지를) 조사〔답사〕하다.
***re·con·sid·er**[rì:kənsídər] *vt., vi.* 재고하다; 〖議會〗 재심하다. **~·a·tion**[⌐–sidəréiʃən] *n.*
:re·con·struct[rì:kənstrʌ́kt] *vt.* 재건〔개조〕하다. **:-strúc·tion** *n.* **-tive** *a.*
re·con·vert[rì:kənvə́:rt] *vt.* 복당(復黨)〔재개종·재전환〕시키다. **-vér·sion**[-ʃən, -ʒən] *n.* U 복당; (평화산업으로의) 재전환.
†re·cord[rikɔ́:rd] *vt.* 기록하다. — [rékərd/-kɔ:rd] *n.* C ① 기록; (경기의) (최고) 기록. ② 음반, 레코드(disc). ③ 이력; (학교의) 성적. ④ 〖컴〗 레코드《file의 구성 요소가 되는 정보의 단위》. ***on*** 〔***off***〕 ***the ~*** 공식〔비공식〕으로. **:~·er**[-ər] *n.* C 기록원〔기〕; 녹음기.
récord-brèaking *a.* 기록 돌파의, 공전의.
récord brèaker 기록 경신자.
récord film 기록 영화.
récord hòlder (최고) 기록 보유자.
***re·cord·ing**[-iŋ] *a.* 기록〔녹음〕하는, 기록용의, 기록계원의. — *n.* U,C 기록, 녹음; C 녹음 테이프, 음반.
recórding ángel 〖宗〗 인간계(界)를 기록하는 천사.
Récord Òffice 《英》 (런던의) 공문서 보관소.
:récord plàyer 레코드 플레이어.
recórd·tỳing *a.* 타이〔동점〕 기록의.
***re·count**[rikáunt] *vt.* (자세히) 이야기하다.
re-count[rí:kàunt] *n.* C 재(再)계산. — [⌐⌐] *vt.* 다시 계산하다.
re·coup[rikú:p] *vt.* 벌충하다, 보상하다; 메우다. **~ *oneself*** 손실(등)을 회복하다.
re·course**[rí:kɔ:rs, rikɔ́:rs] *n.* ① U,C 의지(가 되는 것). ② U 〖法〗 상환 청구. ***have ~ to …에 의지하다, …을 사용하다.
:re·cov·er[rikʌ́vər] *vt.* ① 되찾다, 회복하다. ② 회복시키다. ③ 보상하다, 벌충하다. ④ 〖컴〗 복구시키다《경미한 상태에서 정상 상태로 돌림》. — *vi.* 회복〔완쾌〕하다; 소생하다; 소송에 이기다; 〖컴〗 복구하다. **~ *oneself*** 소생하다; 제정신〔냉정〕을 되찾다. **:~·y**[-vəri] *n.* U,C 회복, 완쾌; 되찾음, 회수; 승소; 〖컴〗 복구.
re-cov·er[ri:kʌ́vər] *vt.* …덮개〔표지〕를 갈아 붙이다.
rec·re·ant[rékriənt] *a.* 겁많은, 비겁한; 불성실한. — *n.* C 비겁자; 변절자. **-an·cy** *n.*
rec·re·ate[rékrièit] *vt., vi.* 휴양시키다〔하다〕, 기운나게 하다(refresh); 즐기(게 하)다.
re-cre·ate[rì:kriéit] *vt.* 재창조하다; 개조하다.
†rec·re·a·tion[rèkriéiʃən] *n.* U,C 휴양, 보양, 기분 전환, 오락.
***rec·re·a·tion·al**[rèkriéiʃənəl] *a.* 오락적인, 기분 전환이 되는; 휴양의.
recreátion gròund 《英》 운동장, 유원지.
recreátion ròom 〔**hàll**〕 오락실.
re·crim·i·nate[rikrímənèit] *vi.* 되받아 비난하다, 응수하다. **-na·tion**[–⌐–néiʃən] *n.*
réc ròom 〔**hàll**〕 《口》 =RECREATION ROOM.
re·cru·desce[rì:kru:dés] *vi.* 재발하다, 재연하다《병, 아픔, 불평 등이》.
re·cru·des·cence[rì:kru:désns] *n.* U,C 재발(再發).
***re·cruit**[rikrú:t] *vt.* ① (신병·신회원을) 모집하다; (…에) 신병(등)을 넣다; 보충하다. ② (수를) 유지하다, 증가하다; 원기를 북돋우다. — *vi.* 신병을 모집하다; 보충하다; 보양하

다, 원기가 회복되다. — *n.* Ⓒ 신병, 신입 사원, 신회원; 신참자.
rect. receipt; rectified; rector; rectory.
rec·tal[réktl] *a.* 〖解〗 직장의.
*__rec·tan·gle__[réktæŋgəl] *n.* Ⓒ 직사각형. *__-gu·lar__[-´gjələr] *a.* 직사각형의.
rec·ti-[rékti, -tə] '바른, 곧은'의 뜻의 결합사.
rec·ti·fy[réktəfài] *vt.* 고치다, 바로잡다(correct); 수정하다; 〖電〗 정류(整流)하다. ~*ing tube* 〔*valve*〕 정류관. **-fi·er** *n.* **-fi·ca·ti·on**[˵-fikéiʃən] *n.* Ⓤ 시정; 수정; 정류.
rècti·línear *a.* 직선의〔을 이루는〕, 직선으로 둘러싸인.
rec·ti·tude[réktətjù:d] *n.* Ⓤ 정직, 성실(integrity).
rec·to[réktou] *n.* (*pl.* ~*s*) Ⓒ (책의) 오른쪽 페이지; (종이의) 표면 (opp. verso).
*__rec·tor__[réktər] *n.* Ⓒ ① 〖英國敎〗 교구 사제; 〖監督敎會〗 교구 목사; 〖가톨릭〗 (수도)원장. ② 교장, 학장, 총장. ~**·ship**[-ʃip] *n.* **rec·to·ry** [réktəri] *n.* Ⓒ rector의 저택〔수입〕. **rec·to·ri·al**[rektɔ́:riəl] *a.*
rec·tum[réktəm] *n.* (*pl.* **-ta**[-tə]) Ⓒ 직장(直腸).
re·cum·bent[rikʌ́mbənt] *a.* 가로누운, 기댄; 경사진; 활발하지 못한. **-ben·cy** *n.*
re·cu·per·ate[rikjú:pərèit] *vt., vi.* (건강·원기 따위를) 회복시키다〔하다〕. **-a·tion**[-˵-éiʃən] *n.* **-a·tive** [-rèitiv, -rə-] *a.*
*__re·cur__[rikə́:r] *vi.* (**-rr-**) (이야기가) 되돌아가다(*to*); 회상하다; (생각이) 다시 떠오르다; 재발하다; 되풀이하다.
re·cur·rent [rikə́:rənt, -ʌ́-] *a.* 회귀〔재발·순환〕하는. **-rence** *n.*
recúrrent féver 〖病〗 회귀열(回歸熱).
recúrring décimal 〖數〗 순환소수.
re·cur·sion[rikə́:rʒən] *n.* Ⓤ 회귀; 〖數〗 귀납; 〖컴〗 되부름.
recúrsion fòrmula 〖數〗 귀납식, 회귀 공식.
re·cur·sive[rikə́:rsiv] *a.* 〖컴〗 반복적인, 회귀적인; 〖數〗 귀납적인.
re·cy·cle[ri:sáikəl] *vt., vi.* (불용품을) 재생하다, 원상으로 하다. **-cling** *n.* Ⓤ 재생 이용.
†**red**[red] *a.* (**-dd-**) ① 빨간; 작열하는. ② 피에 물든, 잔인한(*a* ~ *vengeance*). ③ (정치적) 적색의, 혁명적인, 공산주의의, 과격한(radical); (R-) 러시아의. ***turn*** ~ 붉어지다; 적화하다. — *n.* ① Ⓤ,Ⓒ 빨강 (물감); Ⓤ 붉은 옷. ② (종종 R-) Ⓒ 공산당원. ③ (the ~) 적자(opp. black). ***in the*** ~ 적자를 내어(in debt). ***see*** ~ 격노하다. ***the Reds*** 적군(赤軍).
re·dact [ridǽkt] *vt.* 작성하다 (draft); 편집하다(edit); (원작을) 축소하다. **re·dác·tion** *n.* Ⓤ,Ⓒ 편집, 교정, 개정(판).
réd alért (공습의) 적색 경보; 긴급 비상 사태.
Réd Ármy 적군(赤軍), 옛 소련군.
réd·blìnd *a.* 적색 색맹의.
réd blóod cèll 〔**còrpuscle**〕 적혈구.
réd·brèast *n.* Ⓒ 울새(robin); (미국산) 도요새의 일종.
réd·brìck *a.* 《英》 (대학이) 역사가 짧은, 신설 대학의.
réd·càp *n.* Ⓒ 《美》 (역의) 짐꾼; (R-) 《英口》 헌병.
réd cárpet 정중〔성대〕한 대우, 환대; (고관을 맞는) 붉은 융단.
réd cént 《美》 1센트 동전; 피천; 보잘것 없는 액수〔양〕.
réd córpuscle 적혈구(red blood cell).
*__Réd Cróss, the__ 적십자(사); (r- c-) 성(聖)조지 십자장(章)《영국 국장》.
Réd Cróss Socìety, the 적십자사.
*__red·den__ [rédn] *vt., vi.* 붉게 하다, 붉어지다.
*__red·dish__[rédiʃ] *a.* 불그스름한.
réd-dòg *vt., vi.* (**-gg-**) 〖美式蹴〗 (…으로) 스크럼선을 넘어 돌진하다.
*__re·deem__[ridí:m] *vt.* ① 되사다, 되찾다, 회복하다. ② 속죄하다; 구조하다(rescue). ③ (약속을) 이행하다 (fulfill). ④ 보상하다; (결점을) 보충하다. ⑤ 태환(兌換)하다; (국채 따위를) 상환하다. ⑥ (몸값을 치르고) 구해 내다. ~**·a·ble** *a.* 되살〔되받을〕 수 있는; 상환〔태환〕할 수 있는; 속죄할 수 있는. ~**·er** *n.* Ⓒ 환매(還買)하는 사람; (저당물을) 찾는 사람; 구조자. ***the Redeemer*** 예수, 구세주.
re·deem·ing[-iŋ] *a.* 벌충하는, 명예 회복의(*a* ~ *point* (다른 결점을 벌충하는) 장점).
*__re·demp·tion__[ridémpʃən] *n.* Ⓤ ① 되사기, 되받기(redeeming). ② (속전을 내고) 죄인을 구제함; 상각(償却); 구출(rescue). ③ (예수에 의한) 속죄, 구원(salvation). ④ 벌충.
re·de·ploy[rì:diplɔ́i] *vt.* (부대 따위를) 전진〔이동〕시키다; (노동력을) 재배치하다. ~**·ment** *n.*
réd flág 적기(赤旗)《위험 신호기·혁명기》; (the R- F-) 적기가(歌); 성나게 하는 물건.
Réd Guárd 홍위병《중국 문화 혁명 때의》.
réd-hánded *a.* 잔인한; 현행범의.
réd hàt 추기경(의 붉은 모자).
réd·hèad *n.* Ⓒ 빨간 머리의 사람; 〖鳥〗 흰죽지류(類)의 새.
réd hérring 훈제(燻製) 청어; 사람의 주의를 딴 데로 돌리게 하는 것〔도구, 수단〕.
*__réd-hót__ *a.* ① 빨갛게 단. ② 열의에 찬; 격렬한(violent). ③ (뉴스가) 새로운, 최신의.
re·dif·fu·sion[rì:difjú:ʒən] *n.* Ⓤ

R

공개〔재〕방송; (영화관에서의) 텔레비전 프로 상영〔중계〕. 「언.

Réd Índian 아메리카 토인, 인디

red·in·gote[rédiŋgòut] (<*riding coat*) *n.* Ⓒ 인버네스 비슷한 옛날의 남자 외투; (그와 비슷한 지금의) 여자 코트.

réd ínk 붉은 잉크; 《口》 적자, 손실. 「다〕.

réd-ínk *vt.* 붉은 잉크로 기입하다〔쓰

red·in·te·grate[redíntəgrèit] *vt., vi.* (완전히) 원상 복구하다(reestablish). **-gra·tion**[-ˊ-ˋ-gréiʃən] *n.*

re·di·rect[rì:dirékt, -dai-] *vt.* 방향을 고치다; 수신인 주소를 고쳐 쓰다. — *a.* 〖法〗 재(再)직접의. ~ ***examination*** 재직접 심문.

re·dis·trict[ri:dístrikt] *vt.* 《美》 (주·군(郡)을) 재구분하다; 선거구를 재구획하다.

red·i·vi·vus[rèdəváivəs] *a.* 되살아난(*a Napoleon* ~ 나폴레옹의 재래).

réd lámp (병원·약방의) 붉은 외등; 정지〔위험〕 신호.

réd láne 《見》 목.

réd léad 연단(鉛丹).

réd-létter *a.* 붉은 글자의, 기념할 만한(*a* ~ *day* 경축일).

réd líght (교통의) 붉은 신호; 위험 신호. ***see the*** ~ 위험을 느끼다, 겁내다.

réd-líght dìstrict 홍등가.

réd màn =RED INDIAN.

réd mèat 붉은 고기《소·양고기 등》.

réd·nèck *n.* Ⓒ 《美·蔑》 (남부의) 촌사람, (가난한) 백인 농장 노동자.

red·o·lent[rédələnt] *a.* 향기로운; (…의) 향기가 나는; (…을) 생각나게 하는(suggestive)(*of*); (…을) 암시하는. **-lence** *n.* ~**·ly** *ad.*

***re·dou·ble**[ri:dʌ́bəl] *vt., vi.* 강화하다〔되다〕; 배가하다; 《古》 되풀이하다(repeat); 〖브리지〗 (상대가 배액을 걸 때) 다시 그 배액을 걸다.

re·doubt[ridáut] *n.* Ⓒ 〖築城〗 (요충지의) 각면 보루(角面堡壘); 요새.

re·doubt·a·ble[-əbəl] *a.* 무서운; 존경할 만한. **-bly** *ad.*

re·dound[ridáund] *vi.* (…에) 기여하다(contribute)(*to*); (결과로서) …이 되다; 되돌아오다(*upon*).

réd pépper 고추(가루)(cayenne pepper).

***re·dress**[ridrés] *vt., n.* Ⓤ,Ⓒ (부정 따위를) 바로잡다〔바로잡음〕; 개선〔구제〕(하다); 배상(하다). ~**·a·ble** *a.* ~**·er, re·drés·sor** *n.*

re-dress[ri:drés] *vt.* 다시 입히다〔손질하다〕; 붕대를 고쳐 감다.

Réd Séa, the 홍해(紅海).

réd·shìrt *n.* Ⓒ 《美》 1년 유급하여 선수 생활을 연장하는 대학생. — *vt.* 유급 선수이므로 1년간 출전을 안 시키다.

réd-shòrt *a.* 〖冶〗 열을 가하면 무른《유황분이 많은 쇠 등》.

réd·skìn *n.* =RED INDIAN.

Réd Squáre (모스크바의) 붉은 광장.

Réd Stár 국제적 동물 애호 단체.

réd tápe 〔**tápism**〕 (공문서 매는) 붉은 띠; 관공서식, 형식〔관료〕주의, 번문욕례(煩文縟禮).

réd tíde 적조(赤潮)《미생물 때문에 바닷물이 붉게 보이는 현상》.

réd·tòp *n.* Ⓒ 흰겨이삭《목초》.

:**re·duce**[ridjú:s] *vt.* ① 줄이다, 축소하다. ② (어떤 상태로) 떨어뜨리다. ③ 말라빠지게 하다. ④ 진압하다, 항복시키다. ⑤ 변형시키다, 간단히 하다; 분류〔분해〕하다. ⑥ 격하시키다(degrade); 영락〔약화〕시키다; (페인트 등을) 묽게 하다(dilute); 퇴화시키다. ⑦ 〖化〗 환원하다; 〖數〗 환산하다, 약분하다; 〖冶〗 제련하다; 〖外〗 (탈구 따위를) 정복(整復)하다. — *vi.* 줄다; (식이요법으로) 체중을 줄이다. ~**d**[-t] *a.* 감소〔축소〕한, 할인한; 영락한; 환원한. **re·dúc·er** *n.* **re·dúc·i·ble** *a.*

redúcing àgent 〖化〗 환원제.

re·duc·ti·o ad ab·sur·dum [ridʌ́ktiòu æd æbsə́:rdəm] (L.) = REDUCTION to absurdity.

:**re·duc·tion**[ridʌ́kʃən] *n.* ① Ⓤ 변형. ② Ⓤ,Ⓒ 감소(액), 축소. ③ Ⓤ 저하, 쇠미. ④ Ⓤ 정복, 정골(整骨). ⑤ Ⓤ 〖化〗 환원. ⑥ Ⓤ 〖數〗 환산, 약분. ⑦ Ⓤ,Ⓒ 〖論〗 환원법. ~ ***to absurdity*** 〖論〗 귀류법.

redúction divísion 〖生〗 감수분열.

redúction gèar 감속 기어〔장치〕.

re·dun·dant[ridʌ́ndənt] *a.* 쓸데없는, 군; 장황한; 번거로운. ~**·ly** *ad.* **-dance, -dan·cy** *n.* Ⓤ,Ⓒ 과잉, 여분; 〖컴〗 중복(*redundancy check* 중복 검사).

re·du·pli·cate[ridjú:pləkèit] *vt.* 이중으로 하다, 배가하다; 되풀이하다. — [-kit] *a.* 중복된. **-ca·tion** [-ˋ-ˊ-kéiʃən] *n.* Ⓤ,Ⓒ 이중화, 배가; 반복; 〖言〗 (문자·음절의) 중복《(동모음) *murmur*; (이모음) *zigzag*》.

réd wíne 붉은 포도주.

réd·wìng *n.* Ⓒ 〖鳥〗 개똥지빠귀의 일종.

réd·wòod *n.* Ⓒ 미국 삼나무; Ⓤ 붉은색의 목재.

re·ech·o[ri(:)ékou] *n.* (*pl.* ~*es*), *vt., vi.* Ⓒ 다시 반향(하다).

:**reed**[ri:d] *n.* Ⓒ ① 갈대. ② (피리의) 혀. ③ 《詩》 갈대 피리; 전원시; 화살. ***a broken*** ~ 믿지 못할 사람. **ˊ·y** *a.* 갈대 같은〔가 많은〕; 갈대 피리 비슷한 소리의; (목소리가) 새된.

réed òrgan 리드 오르간《보통의 풍금》(cf. pipe organ).

re·ed·u·cate[ri:édʒukèit] *vt.* 재교육하다, 세뇌하다.

***reef**¹[ri:f] *n.* Ⓒ 암초(*strike a* ~ 좌초하다); 광맥.

reef² *n., vt.* Ⓒ 〖海〗 (돛의) 축범부(縮帆部); 축범하다, 줆게 하다. **ˊ·er**

n. Ⓒ 돛 줄이는 사람; (선원 등의) 두꺼운 상의; 《美俗》 마약이 든 궐련; 《美俗》 냉동차, 냉동선(船).

réef knòt 옭매듭(square knot).

reek [ri:k] *n., vi.* Ⓤ 김(을 내다); Ⓤ,Ⓒ 악취(를 풍기다); (…의) 냄새가 나다(~ *of blood* 피비린내 나다). **∠·y** *a.*

:reel¹ [ri:l] *n.* Ⓒ ① (전선·필름 따위를 감는) 얼레, 릴; 실패. ② 《映》 1권《약 1000 ft.》(*a six ~ film,* 6권 짜리). ③ (낚싯대의) 줄 감개, 릴. ④ 《컴》 릴《자기 또는 종이 테이프를 감는 틀; 또 그 테이프》. *(right) off the ~* (실 따위가) 술술 풀려; 막힘 없이《이야기하다》; 주저없이, 즉시. — *vt.* 얼레에 감다, (실을) 잣다. — *vi.* (귀뚜라미 따위가) 귀뚤귀뚤 울다.

reel² *vi.* 비틀거리다; (대오·전열이) 흐트러지다; 현기증나다.

reel³ *n.* (Scotland의) 릴(춤).

***re·e·lect** [rì:ilékt] *vt.* 재선하다. ***-léc·tion** *n.*

re·en·force [rì:enfɔ́:rs] *v.* =REINFORCE.

re·en·list [rì:enlíst] *vt., vi.* 재입대시키다[하다].

***re·en·ter** [ri:éntər] *vi., vt.* 다시 들어가다[넣다]; (우주선이) 재돌입하다. **~·a·ble** *a.* 《컴》 재입(再入) 가능한. **-try** *n.*

re·éntry còrrider (우주선의 대기권) 재돌입 회랑[통로].

***re·es·tab·lish** [rì:estǽbliʃ] *vt.* 재건하다. **~·ment** *n.*

reeve¹ [ri:v] *vt.* (*~d, rove*) 《海》 (밧줄을) 꿰다(*through*), 구멍에 꿰어 동여매다.

reeve² *n.* Ⓒ 《英史》 (고을의) 수령, (지방의) 장관; (장원(莊園)의) 감독.

re·ex·am·ine [rì:egzǽmin] *vt.* 재시험[재심리]하다. **-i·na·tion** [∸—∸ənéiʃən] *n.*

re·ex·port [rì:ikspɔ́:rt] *vt.* 재수출하다. — [ri:ékspɔ:rt] *n.* Ⓤ,Ⓒ 재수출(품). **-por·ta·tion** [∸—téiʃən] *n.*

ref. referee; reference; referred; reformation; reformed; refrain.

Ref. Ch. Reformed Church.

re·fec·tion [rifékʃən] *n.* Ⓒ 식사 (meal); Ⓤ (원기) 회복.

re·fec·to·ry [riféktəri] *n.* Ⓒ (수도원·학교 등의) 식당.

:re·fer [rifə́:r] *vt.* (**-rr-**) ① 문의[조회]하다; 참조시키다(*~ a person to a book*). ② (…에) 돌리다, (…에) 속하는 것으로 하다(attribute)(*to*). — *vi.* ① 인증(引證)하다, 참조[문의]하다(*to*). ② 관계하다, 대상으로 삼다(*to*). ③ 언급하다, 암암리에 가리키다(*to*). *~ oneself to* …에게 의뢰하다, …에게 맡기다. **~·a·ble** [réfərəbəl, rifə́:r-] *a.*

***ref·er·ee** [rèfərí:] *n., vt.* Ⓒ 중재인; 심판원, 중재[심판]하다.

:ref·er·ence [réfərəns] *n.* ① Ⓤ 참조; 참고; Ⓒ 참조문; 참고 자료. ② Ⓒ 참조 부호《* † § 따위》(~ mark); 인용문; 표제. ③ Ⓤ 언급; 관계; 《文》 (대명사가) 가리킴, 받음. ④ Ⓤ 문의; 조회; Ⓒ 조회처, 신원 보증인. ⑤ Ⓤ 위탁, 부탁. ⑥ Ⓤ 《컴》 참조(*a ~ manual* 참조 설명서). *cross ~* (같은 책 중의) 전후 참조. *frame of ~* (일관된) 몇 개의 사실; 체계적인 원리. *in* [*with*] *~ to* …에 관하여. *make ~ to* …에 언급하다. *without ~ to* …에 관계 없이, …에 불구하고.

réference bòok 참고 도서《사전·연감 등》.

réference líbrary 참고 도서관《대출은 않음》.

réference màrk =REFERENCE ②.

ref·er·en·dum [rèfəréndəm] *n.* (*pl.* **~s, -da** [-də]) Ⓒ 국민 투표.

ref·er·ent [réfərənt] *n.* Ⓒ 《言》 말이 가리키는 사물[대상].

ref·er·en·tial [rèfərénʃəl] *a.* 지시의; 지시하는; 관련한(*~ use of a word* 말의 지시적 용법).

re·fill [ri:fíl] *vt.* 다시 채우다[채워 넣다]. — [∠—] *n.* Ⓒ 다시 채워 넣기[넣은 물품].

***re·fine** [rifáin] *vt.* ① 정제[정련]하다, 순화(純化)하다. ② 세련되게 하다, 고상[우아]하게 하다, (문장을) 다듬다. — *vi.* ① 순수해지다, 세련되다, 개선되다(*on, upon*). ② 정밀[교묘]하게 논하다(*on, upon*).

:re·fined [rifáind] *a.* 정제[정련]한; 세련된, 우아한.

***re·fine·ment** [-mənt] *n.* Ⓤ ① 정제, 정련, 순화. ② 세련, 고상함, 우아. ③ 세밀한 구별[구분]; 공들임; 정교함, 극치(*~s of cruelty* 용의주도한 잔학 행위).

re·fin·er [rifáinər] *n.* Ⓒ 정제[정련]기. ***~·y** *n.* Ⓒ 제련[정련]소.

re·fit [ri:fít] *vt., vi.* (**-tt-**) (배 따위를) 수리[개장(改裝)]하다; 수리[개장]되다. — [rí:fit] *n.* Ⓒ 수리, 개장. **~·ment** *n.*

refl. reflection; reflective(ly); reflex(ive).

re·fla·tion [rifléiʃən] *n.* Ⓤ 통화 재팽창, 리플레이션(cf. deflation, inflation).

:re·flect [riflékt] *vt.* ① 반사[반향]하다; 비치다; 반영하다. ② (명예·불신 따위를) 가져오다(*on, upon*). — *vi.* ① 반사[반향]하다; 반성[숙고]하다. ② (…에) 불명예를 끼치다(*on, upon*). ③ (인물, 또는 그 미점 따위를) 이리저리 되생각하다; (숙고하여) 비난하다; 트집을 잡다; 비방하다(blame)(*on, upon*). *~ on oneself* 반성하다. ***re·fléc·tive** *a.*

reflécting tèlescope 반사 망원경.

:re·flec·tion, 《英》 **re·flex·ion** [riflékʃən] *n.* ① Ⓤ 반사(광·열); Ⓒ 반영, 영상; 빼쏜 것. ② Ⓤ 반성, 숙고(*on* [*upon*] *~* 숙고한 끝에). ③ Ⓒ (*pl.*) 감상(感想), 비난, 치욕(*on, upon*). *angle of ~* 반사각. *cast a ~ on* …을 비난하다, …의

R

수치가〔치욕이〕 되다.
*re·flec·tor[rifléktər] n. Ⓒ ① 반사물, 반사기. ② 반사(망원)경.
*re·flex[ríːfleks] a. 반사의, 반사적인, 꺾인, 반대 방향의. — n. Ⓒ ① 반사; 반사광; 영상; 반영. ② 〖生〗 반사 작용. ③ 리플렉스 수신기. *conditioned* ~ 조건 반사.
réflex cámera 리플렉스〔반사식〕 카메라.
re·flex·ion[riflékʃən] n. 《英》 =REFLECTION.
re·flex·ive[rifléksiv] a., n. Ⓒ 〖文〗 재귀의; 재귀 동사〔대명사〕 《He *behaved himself* like a man.》. ~·ly ad.
ref·lu·ent[réfluənt] a. 역류하는; (조수 등이) 물러나는.
re·flux[ríːflʌks] n. Ⓤ 역류; 썰물.
re·for·est[riːfɔ́ːrist, -á-/-ɔ́-] vt. 다시 식림(植林)하다.
:re·form[rifɔ́ːrm] vt. 개혁하다, 개정〔개량〕하다; 교정(矯正)하다(~ *oneself* 개심하다). — vi. 좋아지다; 개심하다. — n. Ⓤ,Ⓒ 개정, 개량; 교정, 감화. ~·a·ble a. *~·er n.
re-form[riːfɔ́ːrm] vt., vi. 고쳐〔다시〕 만들다. re-for·ma·tion[⌐—méiʃən] n. Ⓤ 재구〔편〕성.
*ref·or·ma·tion [rèfərméiʃən] n. ① Ⓤ,Ⓒ 개정, 개혁, 혁신. ② (the R-) 종교 개혁.
re·form·a·tive[rifɔ́ːrmətiv] a. 개혁의; 교정의.
re·form·a·to·ry [rifɔ́ːrmətɔ̀ːri/-təri] a. =⇧. — n. Ⓒ 《美》 감화원, 소년원.
Refórm Bìll, the 〖英史〗 (1832년의) 선거법 개정안.
refórm schòol 《美》 감화원, 소년원.
re·fract[rifrǽkt] vt. 〖理〗 굴절시키다. re·frác·tive a. 굴절의, 굴절하는. re·frác·tion n. Ⓤ 굴절 (작용) (*the index of refraction* 굴절률). re·frác·tor n. Ⓒ 굴절 매체〔렌즈, 망원경〕.
refrácting tèlescope 굴절 망원경.
refráctive índex 굴절률.
re·frac·to·ry[rifrǽktəri] a. 다루기 힘든, 고집이 센; (병이) 난치의; 용해〔가공〕하기 어려운.
:re·frain[1][rifréin] vi. 그만두다, 자제〔억제〕하다(*from*).
:re·frain[2] n. Ⓒ (노래의) 후렴 (문구); 상투 문구(常套文句).
re·fran·gi·ble [rifrǽndʒəbəl] a. 굴절성의.
:re·fresh[rifréʃ] vt., vi. ① 청신하게 하다〔되다〕, 새롭게 하다〔되다〕(renew). ② 원기를 회복하다〔시키다〕. ③ 〖컴〗 (화상이나 기억 장치의 내용을) 재생하다(~ *memory* 재생 기억 장치). ~ *oneself* 음식을 들다. ~·er n., a. Ⓒ 원기를 북돋우는 것; 청량음료; 보습과(補習科); 보습〔복습〕의. *~·ing a. 상쾌하게 하는.
refrésher cóurse 재교육 과정, 보습과.
:re·fresh·ment [-mənt] n. ① Ⓤ 원기 회복, 휴양. ② Ⓒ 원기를 북돋우는 것. ③ (흔히 *pl.*) (간단한) 음식물, 다과.
refréshment càr 식당차.
refréshment ròom (역·회관 등의) 식당.
Refréshment Súnday 사순절(Lent) 중의 제 4 일요일(cf. Mid-Lent Sunday).
re·frig·er·ant[rifrídʒərənt] a., n. 냉각시키는; Ⓒ 청량제; 냉각〔냉동〕제.
re·frig·er·ate[rifrídʒərèit] vt. 차게하다(cool); 냉동〔냉장〕하다. -a·tion[—⌐—éiʃən] n. Ⓤ 냉각, 냉동, 냉장. *-a·tor n. Ⓒ 냉장고; 냉동기〔장치〕.
refrígerating machìne 〔èngine〕 냉동기, 냉동 장치.
refrígerator cár (철도의) 냉동차.
reft[reft] v. reave의 과거 (분사).
re·fu·el[riːfjúːəl] vt., vi. (…에) 연료를 보급하다.
:ref·uge[réfjuːdʒ] n. ① Ⓤ 피난; 은신, 도피. ② Ⓒ 피난처; 은신〔도피〕처. ③ Ⓒ 의지가 되는 물건〔사람〕. ④ Ⓒ 핑계, 구실. ⑤ Ⓒ (가로의) 안전 지대((safety) island).
*ref·u·gee[rèfjudʒíː, ⌐—⌐] n. Ⓒ 피난자, 망명자, 난민.
refugée càpital 도피 자본.
re·ful·gent[rifʌ́ldʒənt] a. 찬란하게 빛나는(radiant). -gence n. Ⓤ 광휘.
*re·fund[1][riːfʌ́nd] vt., vi. 환불〔상환〕하다. — [⌐—] n. Ⓒ 환불, 상환. ~·ment n.
re·fund[2][riːfʌ́nd] vt. (채무·공채 등을) 차환(借換)하다.
re·fur·bish[riːfə́ːrbiʃ] vt. 다시 닦다, 일신하다.
re·fur·nish[riːfə́ːrniʃ] vt., vi. 새로 갖추다; (…에) 새로 설치하다.
:re·fus·al [rifjúːzəl] n. ① Ⓤ,Ⓒ 거절, 사퇴. ② (the ~) 우선 선택권, 선매권(先買權).
†re·fuse[1][rifjúːz] vt., vi. ① (부탁·요구·명령·청혼 등을) 거절〔사퇴〕하다. ② (말이) 안 뛰어넘으려 하다. re·fús·er n.
ref·use[2][réfjuːs, -z] n., a. Ⓤ 폐물(의), 지질한 (물건).
réfuse dùmp (도시의) 쓰레기 폐기장.
re·fute[rifjúːt] vt. (설·의견 따위를) 논파〔반박〕하다. re·fu·ta·ble[-əbəl, réfjə-] a. ref·u·ta·tion[rèfjutéiʃən] n.
reg. regent; regiment; register; regular.
*re·gain[rigéin] vt. ① 되찾다, 회복하다. ② (…로) 되돌아가다.
*re·gal[ríːgəl] a. 국왕의; 국왕다운; 당당한.
re·gale[rigéil] vt. 대접하다; 즐겁게 하다(entertain)(*with*). — vi. 성찬을 먹다(*on*); 크게 기뻐하다. ~ *oneself* 먹다, 마시다.

re·ga·li·a[rigéiliə, -ljə] *n. pl.* 왕위를 나타내는 보기(寶器)《왕관·홀(scepter) 따위》; 《집합적》(회·계급을 표시하는) 기장(emblems).
re·gal·ism[rí:gəlìzəm] *n.* Ⓤ 제왕교권설《국왕의 교회 지배를 인정하는》.
re·gal·i·ty[rigǽləti] *n.* Ⓤ 왕권.
†**re·gard**[rigɑ́:rd] *vt.* ① 주시하다; 중시〔존중〕하다. ② (…로) 간주하다(*as*); 관계하다. — *vi.* 유의하다. ***as ~s*** …에 관하여는. — *n.* ① Ⓤ 주의, 관심(*to*), 배려, 걱정(care)(*for*). ② Ⓤ,Ⓒ 존경, 호의. ③ Ⓤ 관계. ④ Ⓤ 점(*in this ~* 이 점에 관하여). ⑤ (*pl.*) (안부 전해주십시오라는) 인사(*Give my kindest ~s to your family.* 여러분에게 안부 전해주십시오). ***in*** 〔***with***〕 ***~ to*** …에 관하여. ***without ~ to*** …에 관계〔상관〕 없이. **~·a·ble** *a.* **~·er** *n.* **~·ful** *a.* 주의 깊은; (…을) 존중하는(*of*). **:~·ing** *prep.* …에 관하여, …한 점에서는. ***~·less** *a., ad.* 부주의한; (…에) 관계〔상관〕없는〔없이〕; 《口》(비용에) 개의치 않고; (결과야) 어쨌든.
***re·gat·ta**[rigǽtə] *n.* Ⓒ 레가타《보트 경조(競漕)(회)》.
re·gen·cy[rí:dʒənsi] *n.* Ⓤ 섭정 정치〔시대〕; 섭정의 지위; Ⓒ 섭정 기간.
***re·gen·er·ate**[ridʒénərèit] *vt., vi.* 갱생〔재생〕시키다〔하다〕. — [-rit] *a.* 개심〔갱생〕한; 쇄신된. **-a·cy** *n.* **-a·tive** *a.* **-a·tion**[-–-éiʃən] *n.*
re·gen·er·a·tor[ridʒénərèitər] *n.* Ⓒ ① 갱생자; 갱신자, 개혁자. ② 〖機〗 축열기〔실〕《엔진 등의》, 열교환기; 〖電〗 재생기.
re·gent[rí:dʒənt] *n., a.* Ⓒ (*or* R-) 섭정(의). ***Prince*** 〔***Queen***〕 ***R-*** 섭정 황태자〔왕후〕.
re·ger·mi·nate[ri:dʒə́:rmənèit] *vi.* 다시 싹트다.
reg·i·cide[rédʒəsàid] *n.* Ⓤ 국왕 시해(弑害), 대역; Ⓒ 국왕 시해자, 대역 죄인.
re·gild[ri:gíld] *vt.* 다시 도금(鍍金)「하다.
***re·gime, ré·gime**[reiʒí:m] *n.* Ⓒ 정체, 정권; 정부; (사회) 제도; =⇩.
reg·i·men[rédʒəmən, -mèn] *n.* Ⓒ 〖醫〗 섭생(법), 식이 요법, 양생; 〖文〗 지배; (Jespersen의 문법에서, 전치사의) 목적어.
***reg·i·ment**[rédʒəmənt] *n.* Ⓒ 연대; (보통 *pl.*) 많은 무리. — [-mènt] *vt.* 연대〔단체〕로 편성하다, 조직화하다, 통제하다.
reg·i·men·tal[rèdʒəméntl] *a., n.* 연대의(*the ~ colors* 연대기); (*pl.*) 군복.
reg·i·men·ta·tion[-məntéiʃən] *n.* Ⓤ (연대) 편성; 조직화; 통제.
Re·gi·na[ridʒáinə] *n.* (L.) 현여왕《생략 R.; 보기 E.R. =Elizabeth Regina》.
:re·gion[rí:dʒən] *n.* Ⓒ ① (*pl.*) 지방, 지구. ② (신체의) 부위. ③ 범위, 영역. ④ 〖컴〗 영역《기억 장치의 구역》. ***in the ~ of*** …의 부근에. ***the airy ~*** 하늘. ***the upper*** 〔***lower, nether***〕 ***~s*** 천국〔지옥〕. ***~·al** *a.* 지방의(*~ government* 지방 자치체).
régional edítion 〖出版〗 지역판.
régional líbrary 《美》 지역 도서관《보통 같은 주의 근린 지역 공동의 공립 도서관》.
re·gion·al·ism[rí:dʒənəlìzəm] *n.* Ⓤ 지방(분권)주의, 지역주의; (문학상의) 지방주의; 지방색, 지방 사투리.
:reg·is·ter[rédʒəstər] *n.* ① Ⓒ 기록〔등록〕부, 표시기, 자동 기록기, 금전 등록기. ② Ⓒ (난방의) 환기〔통풍〕 장치. ③ Ⓤ,Ⓒ 〖樂〗 성역(聲域), 음역, (풍금의) 음전(音栓). ④ Ⓤ 〖印〗 (선·색 등의) 정합(整合). ⑤ 〖컴〗 기록기《소규모의 기억 장치》. — *vt., vi.* ① 기록〔등록·등기〕하다, 기명(記名)하다, 등기우편으로 하다; (계기가) 나타내다. ② (…의) 표정을 짓다(*Her face ~ed joy.*). ③ 〖印〗 (선·난·색 따위를〔가〕) 바르게 맞(추)다. **~ed**[-d] *a.* 등록한; 등기 우편의.
régistered máil 《美》 등기 우편.
régistered núrse 《美》 공인 간호사.
régister òffice 등기소(registry); 《美》 직업 소개소.
régister(ed) tònnage 〖海〗 (배의) 등록 톤수.
reg·is·trant[rédʒəstrənt] *n.* Ⓒ (상표 등의) 등록자.
reg·is·trar[rédʒəstrɑ̀:r, ⌐–⌐] *n.* Ⓒ 기록〔등록〕계원; 등기 관리; (대학의) 사무관《학적부 등을 기록》.
***reg·is·tra·tion**[rèdʒəstréiʃən] *n.* ① Ⓤ 기입, 등기, 등록; (우편물의) 등기. ② Ⓒ 《집합적》 등록자수. ③ Ⓒ (온도계 등의) 표시.
registrátion nùmber 〔**màrk**〕 (자동차의) 등록 번호, 차량 번호.
registrátion plàte (자동차의) 번호판.
reg·is·try[rédʒəstri] *n.* Ⓤ 기입; 등기, 등록; Ⓒ 등기소, 등록소.
re·glaze[ri:gléiz] *vt.* (창의) 깨진 유리를 갈아 끼우다.
reg·nal[régnəl] *a.* 치세의; 왕국의; 국왕의(*in the third ~ year* 치세 제3년에). ***the ~ day*** 즉위 기념일.
reg·nant[régnənt] *a.* 통치하는; 우세한; 유행의. ***Queen R-*** 여왕.
re·gorge[ri:gɔ́:rdʒ] *vt., vi.* 게우다, 토하다; (물이) 역류하다.
re·gress[ri(:)grés] *vi.* 복귀하다, 퇴보〔역행〕하다. — [rí:gres] *n.* Ⓤ 복귀; 퇴보, 역행. **re·gres·sion**[ri(:)gréʃən] *n.* =REGRESS. **-sive** *a.*
:re·gret[rigrét] *n., vt.* (***-tt-***) Ⓤ 유감(으로 생각하다), 애석(하게 여기다); 후회(하다); 아쉬움(을 느끼다) (~

R

one's happy days 즐거웠던 때를 못내 아쉬워하다); (*pl.*) 《美》 (초대·안내 따위의) 사절(장)(*Please accept my ~s.*). ***express ~ for*** 변명을 늘어놓다, 사과하다. ***to my ~*** 유감스럽게도. **~·ful** *a.* 유감스러운; 후회하고 있는. **~·ful·ly** *ad.*

***re·gret·ta·ble**[rigrétəbəl] *a.* 유감스러운, 섭섭한; 아까운, 분한.

regt. regent; regiment.

:reg·u·lar[régjələr] *a.* ① 규칙적인; 정례(定例)의. ② 정연한, 계통이 선. ③ 정식의, 정규의, 상비의(*the ~ soldier* 정규병). ④ 일상의, 통례의. ⑤ 면허증이 있는, 본직의. ⑥ 〖美政〗 공인된. ⑦ 〖文〗 규칙 변화의. ⑧ 본격적인; 《口》 완전한, 틀림 없는(*a ~ rascal* 철저한 악당). ⑨ 정해 놓은(*his ~ joke* 늘 하는 농담). ⑩ 《美》 충실한(*a ~ Democrat*). ***keep ~ hours*** 규칙적인 생활을 하다. ***~ fellow*** 호한(好漢). ***~ holiday*** 정기 휴일. — *n.* Ⓒ 정규병(cf. volunteer); 상용 고용인; 《美》 충실한 당원. **~·ize**[-àiz] *vt.* 규칙 바르게 하다, 질서를 세우다. **~·i·za·tion** [⌐--rizéiʃən/-rai-] *n.* **: ~·ly** *ad.* 규칙 바르게; 정식으로; 《俗》 아주. **~·i·ty**[⌐-lǽrəti] *n.*

Régular Ármy 《美》 정규〔상비〕군.

régular conjugátion 〖文〗 규칙 활용.

reg·u·late**[régjəlèit] *vt.* ① 규칙바르게 하다. ② 규정〔통제·단속〕하다. ③ 조절하다. **-la·tor** *n.* Ⓒ 조절기〔장치〕; (시계의) 조정기; 표준 (시계). ***-la·tion**[⌐-léi-] *n., a.* Ⓒ 규칙(의), 규정(의)(*a regulation uniform* 제복); 보통의, 통례의. ***traffic regulations 교통 법규.

re·gur·gi·tate[rigə́:rdʒətèit] *vi., vt.* (세차게) 역류하다; 토하다, 게우다. **-ta·tion**[-⌐-téiʃən] *n.*

re·ha·bil·i·tate[rì:həbílətèit] *vt.* 원상태대로 하다; 복권〔복위·복직〕시키다; (…의) 명예를 회복하다. ***-ta·tion**[⌐-⌐ətéiʃən] *n.*

re·hash[ri:hǽʃ] *vt.* 다시 저미다〔굽다〕; 개작하다《특히 문학적 소재를》; 바꿔 말하다. — [⌐⌐] *n.* Ⓒ (*sing.*) 재탕, 개작.

re·hear[ri:híər] *vt.* (***-heard***) 다시 듣다; 〖法〗 재심(再審)하다.

re·hears·al**[rihə́:rsəl] *n.* Ⓤ,Ⓒ (연극·음악 등의) 연습, 리허설. ***dress ~ (실제 의상을 입고 하는) 최종 연습.

***re·hearse**[rihə́:rs] *vt., vi.* 복창하다; (예행) 연습을 하다; (…을) 되풀이하다; 암송〔복창〕하다.

Reich[raik, raiç] *n.* (G.) (the ~) 독일 (국가). ***the Third ~*** (나치의) 제 3 제국《1933-45》.

reichs·mark[ráiksmὰ:rk] *n.* (G.) 독일의 화폐 단위 (1925-48).

re·i·fy[rí:əfài] *vt.* 실체화하다《추상 관념을》.

:reign[rein] *n.* Ⓤ 통치, 지배; 권세; Ⓒ 치세, 성대(聖代). — *vi.* 군림〔지배〕하다(*over*); 널리 퍼지다(*Silence ~ed.* 침묵이 깔려 있었다).

re·im·burse[rì:imbə́:rs] *vt.* 변상〔상환·환불〕하다. **~·ment** *n.*

re·im·port[rì:impɔ́:rt] *vt.* 재〔역〕수입하다. — [⌐-⌐] *n.* Ⓤ,Ⓒ 재〔역〕수입(품). **-por·ta·tion**[⌐--téiʃən] *n.*

re·im·pose[rì:impóuz] *vt.* (폐지된 세금을) 다시 부과하다.

rein**[rein] *n.* Ⓒ (보통 *pl.*) 고삐; 권력; 억제 (수단). ***draw ~ (말을 멈추기 위해) 고삐를 당기다; 속력을 늦추다; 그만두다. ***give ~*** 〔***the ~s***〕 ***to*** (말을) 마음대로 가게 하다; 자유를 주다. ***hold a ~ on*** …을 억제〔제어〕하다.

re·in·car·nate [rì:inkɑ́:rneit] *vt.* (영혼에게) 다시 육체를 주다, 다시 태어나게 하다, 화신(化身)시키다. **-na·tion**[⌐--néiʃən] *n.* Ⓒ 재생, 환생, 화신.

***rein·deer**[réindìər] *n.* Ⓒ *sing.* & *pl.* 순록(馴鹿).

***re·in·force**[rì:infɔ́:rs] *vt.* 보강〔증강〕하다, 강화하다; 증원(增員·增援)하다.

reinfórced cóncrete 철근 콘크리트.

re·in·force·ment[-mənt] *n.* Ⓤ 보강; Ⓒ (보통 *pl.*) 증원군〔함선〕. ***~ bar*** 〔***iron***〕 (콘크리트용) 철근.

re·in·state[rì:instéit] *vt.* 원상태로 하다; 회복〔복위·복직·복권〕시키다. **~·ment** *n.*

re·in·sure [rì:inʃúər] *vt.* 재보험하다. **-súr·ance** *n.*

re·in·vig·or·ate[rì:invígərèit] *vt.* (…을) 다시 활기 띠게 하다, 되살리다, 소생시키다.

re·is·sue[ri:íʃu:/-ísju:] *n., vt.* Ⓒ 재발행(하다); 〖映〗 신판.

re·it·er·ate[ri:ítərrèit] *vt.* (행위·요구 등을) 되풀이하다. **-a·tion**[-⌐-éiʃən] *n.*

reive[ri:v] *vi.* 《Sc.》 습격하다, 약탈하다.

:re·ject[ridʒékt] *vt.* ① 물리치다, 거절하다(refuse). ② 토하다(vomit). ***re·jéc·tion** *n.*

rejéction slìp 출판사가 원고에 붙여 저자에게 보내는 거절 쪽지.

re·jig[ridʒíg] *vt.* (***-gg-***) (공장에) 다시 설비를 하다.

:re·joice[ridʒɔ́is] *vi.* 기뻐하다(*at, in, over; to* do); 즐기다; 축하하다. — *vt.* 기쁘게 하다. ***~ in*** …을 향유하다, …을 누리고 있다(*I ~ in health*). ***re·jóic·ing**(**·ly**) *n.* (*ad.*)

re·join[1][ri:dʒɔ́in] *vi., vt.* 재결합〔재합동〕하다〔시키다〕.

re·join[2][ridʒɔ́in] *vt.* 대답하다. **~·der** *n.* Ⓒ 답변, 대꾸(retort); (원고의 답변에 대한) 피고의 항변.

re·ju·ve·nate[ridʒú:vənèit] *vt., vi.* 다시 젊어지(게 하)다; 원기를 회복하다〔시키다〕. **-na·tor** *n.* **-na·tion** [-⌐-néiʃən] *n.*

re·kin·dle[rikíndl] *vt., vi.* 다시 점

화시키다〔하다〕, 다시 불붙다.
rel. relating; relative; relatively; released; religion; religious.
re-laid[ri:léid] *v.* re-lay²의 과거(분사).
re·lapse[rilǽps] *n., vi.* Ⓒ (나쁜 길로) 되돌아감〔가다〕, 타락(하다); (병이) 재발(하다).
:re·late[riléit] *vt.* 이야기〔말〕하다; 관계〔관련〕시키다(*to, with*); 친척으로 삼다(*to*). ― *vi.* 관계가 있다(*to, with*). ***re·lat·ed**[-id] *a.* 관계 있는(*to*).
:re·la·tion[riléiʃən] *n.* ① Ⓤ,Ⓒ 관계, 관련. ② Ⓤ 친척 관계, 연고(緣故); Ⓒ 친척. ③ Ⓒ 이야기(account); Ⓤ 진술. ***in ~ to*** …에 관(련)하여. ***~·ship**[-ʃìp] *n.* Ⓤ,Ⓒ 관계; 친척 관계.
re·la·tion·al[riléiʃənəl] *a.* 관계가 있는; 친족의; 〖文法〗 문법 관계를 나타내는, 상관적인(*a ~ data base* 〖컴〗 관계 자료틀).
:rel·a·tive[rélətiv] *a.* ① 관계 있는, 관련된(*to*). ② 상대〔비교〕적인; 비례한(*to*). ③〖文〗 관계를 나타내는. ***~ merits*** 우열(優劣). ― *n.* Ⓒ 친척; 〖文〗 관계사. ***~·ly** *ad.* 상대〔상관〕적으로, 비교적으로.
rélative ádjective 관계 형용사.
rélative áddress 〖컴〗 상대(相對)번지《다른 번지〔기준 번지〕로부터 떨어진 거리로써 표현된 번지》.
:rélative ádverb 관계 부사.
réative cláuse 관계사절.
:rélative prónoun 관계 대명사.
rel·a·tiv·ism[rélətivìzəm] *n.* Ⓤ 〖哲〗 상대론, 상대주의. **-ist** *n.* Ⓒ 상대론자, 상대주의자; 상대성 원리 연구자.
rel·a·tiv·i·ty[rèlətívəti] *n.* Ⓤ 관련성; 상호 의존; 〖理〗 상대성(원리).
:re·lax[rilǽks] *vi., vt.* 늦추(어지)다, 긴장을 풀(게 하)다; 편히 쉬(게 하)다; 관대해지다〔하게 하다〕; 약해지다, 약하게 하다.
***re·lax·a·tion**[rì:lækséiʃən] *n.* ① Ⓤ 느즈러짐, 이완; 경감. ② Ⓤ 긴장을 풂; 기분 전환; Ⓒ 소창거리, 오락.
reláxed thróat 인후 카타르.
***re·lay**[rí:lei] *n.* ① Ⓒ 갈아 타는 말, 역말. ② Ⓒ 갈아 쓰는 재료 (공급). ③ Ⓒ 교대자, 새 사람. ④ Ⓒ 계주(繼走). ⑤ Ⓤ 〖放〗 중계. ⑥ Ⓒ 〖컴〗 계전기(繼電器). ― [⌐―, riléi] *vt.* 중계로 전하다; 교체시키다; 〖放〗 중계하다.
re-lay[ri:léi] *vt.* (***-laid***) 바꿔 놓다; 고쳐 칠하다; (세금을) 다시 부과하다.
rélay bróadcast 중계 방송(rebroadcast).
rélay hòrse 갈아 타는 말.
rélay ràce 역전 경주; 계주; 릴레이 경주.
rélay stàtion 〖無電〗 중계국.
:re·lease[rilí:s] *n., vt.* Ⓤ 해방〔석방〕(하다)(*from*); 해제〔면제〕(하다)(*from*); (권리를) 포기(하다), 양도(하다); Ⓤ (폭탄을) 투하(하다); Ⓒ 〖寫〗 릴리즈; 〖電〗 안전기; Ⓤ 공연, 공개, 판매; 〖映〗 개봉(하다); 〖컴〗 배포《하드웨어나 소프트웨어 신제품을 시장에 내놓음》.
re-lease[ri:lí:s] *vt.* (토지·가옥을) 갱신 계약하여 빌려주다; 전대(轉貸)하다; 〖法〗 양도하다.
rel·e·gate[réləgèit] *vt.* 좌천하다; 추방하다(banish); (사건 등을) 위탁〔이관〕하다(hand over). **-ga·tion** [⌐–géiʃən] *n.*
***re·lent**[rilént] *vt.* 누그러지다, 상냥해지다, 측은하게〔가엾게〕 생각하다(*toward*). **~·ing·ly** *ad.* 상냥하게. **~·less** *a.* 무자비한. **~·less·ly** *ad.*
***rel·e·vant**[réləvənt] *a.* 관련된; 적절한(*to*). **-vance, -van·cy** *n.*
re·li·a·bil·i·ty[rilàiəbíləti] *n.* Ⓤ 확실성; 신빙성; 〖컴〗 믿음성, 신뢰도.
***re·li·a·ble**[riláiəbəl] *a.* 신뢰할〔믿을〕 수 있는, 확실한. **-bly** *ad.*
***re·li·ance**[riláiəns] *n.* Ⓤ 신뢰; 의지. **-ant** *a.*
***rel·ic**[rélik] *n.* Ⓒ ① (*pl.*) 유물, 유적. ② 유습, 유풍. ③ (성인·순교자의) 유물, 유보(遺寶); 기념품. ④ (*pl.*) 《古·詩》 유골.
rel·ict[rélikt] *n.* Ⓒ 〖生態〗 잔존 생물; 《古》 미망인, 과부.
:re·lief[rilí:f] *n.* ① Ⓤ 구조, 구출; (고통·걱정 따위의) 제거, 경감. ② Ⓤ 안심, 기분 전환; 소창, 휴식. ③ Ⓤ 구제금, 보조금. ④ Ⓤ 교체, 증원; Ⓒ 교대자. ⑤ Ⓤ (토지의) 기복, 고저. ⑥ Ⓤ 돋을새김; Ⓒ 부조(浮彫)(세공), 릴리프. ⑦ Ⓤ (그림의) 윤곽의 선명, 현저, 탁월. ***bring into ~*** 두드러지게〔뚜렷하게〕 하다. ***give a sigh of ~*** 한숨 돌리다. ***high ~*** 높은 돋을새김. ***in*** (***bold***) ***~*** 부조되어서, 또렷하게.
re·lief·er[rilí:fər] *n.* Ⓒ 〖野〗 구원투수; 《美口》 생활 보호를 받고 있는 사람.
relíef fùnd 구호 기금.
relíef màp 모형 지도《지형의 기복을 돋을새김한 것》.
relíef prìnting 활판 인쇄.
relíef ròad (혼잡 완화를 위한) 우회 도로.
relíef vàlve 〖機〗 안전판(安全瓣).
relíef wòrks 실업자 구제 사업.
:re·lieve[rilí:v] *vt.* ① 구제〔구출〕하다; (고통·걱정 등을) 경감하다, 덜다(ease); (근심을) 덜어주다(*of, from*); 안심시키다. ② 교대하다; 쉬게 하다; 해직〔해임〕하다(*of, from*). ③ 단조로움을 깨뜨리다, 변화를 주다. ④ 돋보이게 하다; 대조시키다. ***be ~d*** (***to hear***)(…라 듣고) 안심하다. ***~ nature*** 〔***oneself***〕 대변〔소변〕을 보다. ***~ one's feelings*** (울거나 고함쳐서) 후련하게 하다. ***~*** (***a person***) ***of*** (아무에게서) …을 없애〔제거해〕 주다; 《諧》 훔치다, 빼앗다.
relíeving òfficer 빈민 구제 임원.
re·lie·vo[rilí:vou] *n.* Ⓤ 〖美〗 부조(浮彫).

:**re·li·gion**[rilídʒən] *n.* Ⓤ 종교; 신앙(심). ***make (a) ~ of*** (do*ing*), or ***make it ~ to*** (do) 반드시 …하다.

re·lig·i·os·i·ty [rilìdʒiásəti/-ɔ́-] *n.* Ⓤ 광적인 신앙, 신앙이 깊은 체함.

:**re·li·gious**[rilídʒəs] *a.* ① 종교상(의), 종교적인; 종단(宗團)에 속하는. ② 신앙 깊은; 양심적인; 엄정한(strict). ***with ~ care*** 세심한 주의를 기울여. **~·ly** *ad.* **~·ness** *n.*

*__re·lin·quish__[rilíŋkwiʃ] *vt.* ① 포기하다; 양도하다. ② 놓아주다(let go). **~·ment** *n.*

rel·i·quar·y[réləkwèri/-əri] *n.* Ⓒ 유물〔유골〕함(函).

rel·ique[rélik] *n.* 《古》 =RELIC.

*__rel·ish__[réliʃ] *n.* ① Ⓤ 풍미(flavor), 향기. ② Ⓤ 식욕, 흥미, 의욕, 기호(*for*). ③ Ⓤ,Ⓒ 조미료, 양념. ④ Ⓤ 기미, 소량(*of*). ***with ~*** 맛있게; 재미있게. — *vt.* 맛보다; 좋아하다; 즐기다; 맛을 들이다. — *vi.* 맛이〔풍미가〕 있다(*of*); 기미가 있다, 냄새가 나다(*of*). **~·a·ble** *a.* **~·er** *n.* **~·ing·ly** *ad.*

re·live[riːlív] *vt.* (상상 속에서) 재생하다; (…을) 다시 체험하다. — *vi.* 되살아나다.

re·load[riːlóud] *vt., vi.* (…에) 다시 짐을 쌓다〔싣다〕; 다시 탄약을 재다.

re·lo·cate[riːlóukeit] *vt.* ① 다시 배치하다; (주거·공장 등을) 새 장소로 옮기다. ② 〖컴〗 다시 배치하다.

re·lo·ca·tion[rìːloukéiʃən] *n.* Ⓤ 재배치; 《美》(적(敵) 국민의) 강제 격리 수용.

*__re·luc·tant__[rilʌ́ktənt] *a.* 마지못해 하는, 마음이 내키지 않는(unwilling); 《詩》 다루기 힘든. **~·ly** *ad.* *__-tance__ *n.* Ⓤ 싫어함; 본의 아님.

:**re·ly**[rilái] *vi.* 의지하다, 기대를 걸다, 믿다(depend)(*on, upon*).

REM[1][rem](<*r*apid *e*ye *m*ovement) *n.* (*pl.* **~s**) Ⓒ 〖心〗 꿈을 꿀 때의 급격한 안구 운동.

REM[2] 〖컴〗 설명《BASIC어(語); 프로그램중의 첫머리에 쓰이어 연산과 관계 없이 프로그램 작성의 주의 사항으로 삽입하는 것》.

rem[rem] *n.* (*pl.* **~**) Ⓒ 〖理〗 렘《인체에의 피해 정도에 입각한 방사선량의 단위》.

†**re·main**[riméin] *vi.* ① 남다, 살아남다. ② 머무르다(*at, in, with*). ③ …한 채로〔대로〕이다. ④ 존속하다, (업적 등이) 현존하다. ***I ~ yours faithfully.*** 돈수(頓首), 경구(敬具)《편지의 끝맺음 말》. ***~ with*** (…의) 수중에 있다, (…에) 속하다. — *n.* (*pl.*) ① 잔존물; 유해, 유골. ② 유물, 유적; 화석.

*__re·main·der__[riméindər] *n.* ① (the ~) 나머지; Ⓒ 〖數〗 잉여; 〖컴〗 나머지. ② Ⓒ 잔류자; (팔다가 철지난) 남은 책. — *vt.* 남은 책을 싸게 처분하다.

re·make[riːméik] *vt.* (**-made**) 고쳐〔다시〕 만들다, 개조하다.

re·man[riːmǽn] *vt.* (**-nn-**) (…에) 새로이 승무원을 태우다.

re·mand[rimǽnd, -áː-] *n., vt.* Ⓤ 재구류(하다); 송환(하다).

:**re·mark**[rimáːrk] *n.* ① Ⓤ 주의, 주목, 관찰. ② Ⓒ 의견, 비평. ③ Ⓒ 〖컴〗 설명. ***make ~s*** 의견을 말하다; 비난하다. ***pass a ~*** 의견을 말하다. ***pass without ~*** 묵과하다. — *vt.* 알아채다, 주의하다, (한마디) 말하다. — *vi.* 유의하다; 비평하다(*on, upon*).

:**re·mark·a·ble**[-əbəl] *a.* 주목할 만한, 현저한, 비범한, 보통이 아닌. *__-bly__ *ad.* 현저하게, 눈에 띄게.

re·mar·ry[riːmǽri] *vi., vt.* (…와) 재혼하다〔시키다〕.

Rem·brandt[rémbrænt], (**Harmenszoon**) **van Rijn**(1606-69) 네덜란드의 화가.

re·me·di·a·ble[rimíːdiəbəl] *a.* 치료〔구제〕할 수 있는.

re·me·di·al[rimíːdiəl] *a.* 치료〔구제〕하는; 바로잡을 수 있는.

:**rem·e·dy**[rémədi] *n.* Ⓤ,Ⓒ ① 의약; 의료(법); 구제〔교정〕(법)(*for*). ② 배상, 변상. — *vt.* 치료〔구제·교정·배상〕하다.

†**re·mem·ber**[rimémbər] *vt.* ① 기억하고 있다; 생각해 내다. ② 선물〔팁〕을 주다. ③ 안부를 전하다, 전언하다(*R- me kindly to* …에게 안부 전해 주시오). — *vi.* 생각해 내다; 기억하고 있다; 기억력이 있다.

:**re·mem·brance**[-brəns] *n.* ① Ⓤ,Ⓒ 기억(memory); 회상; Ⓤ 기념. ② Ⓒ 기념품(souvenir); (*pl.*) 전언.

re·mem·branc·er[-brənsər] *n.* Ⓒ 생각나게 하는 사람〔것〕; 비망록; 기념품. ***King's*** 〔***Queen's***〕 ***R-*** 《英》 왕실 채권 집행관.

re·mil·i·ta·rize [riːmílitəràiz] *vt.* 재군비하다. **-ri·za·tion** [⌐----ri-zéiən/-rai-] *n.*

:**re·mind**[rimáind] *vt.* 생각나게 하다, 깨우치다(~ *him of; to* do; *that*). * **~·er** *n.* Ⓒ 생각나게 하는 사람〔것〕; 조언; 〖商〗 독촉장.

rem·i·nisce[rèmənís] *vt., vi.* 추억에 잠기다〔을 이야기하다〕.

*__rem·i·nis·cence__[rèmənísns] *n.* ① Ⓤ 회상, 추억. ② (*pl.*) 회상록, 경험담. *__-cent__ *a.* 추억의, 회상적인; (…을) 생각나게 하는(*of*).

re·miss[rimís] *a.* 부주의한; 태만한(negligent); 무기력한(languid).

re·mis·si·ble[rimísəbəl] *a.* 용서〔면제〕할 수 있는.

re·mis·sion[rimíʃən] *n.* Ⓤ 면제; 사면; Ⓤ,Ⓒ (일시적인) 경감.

:**re·mit**[rimít] *vt.* (**-tt-**) ① (돈·짐 따위를) 보내다. ② (죄·세금을) 면제〔경감〕하다; (노염·고통을) 누그러뜨리다. ③ (소송을) 하급 법원에 환송하다; 조회하다(*to*); (사건의 결정을

다른 곳에) 의뢰하다; (재조사를 위해) 연기하다. ④《古》 다시 투옥하다. ― *vi.* 송금하다, 지불하다; 경감하다. **~·tance**[-əns] *n.* Ⓤ 송금; Ⓒ 송금액. **~·ter** *n.* Ⓒ 송금인.

re·mit·tent[rimítənt] *a.* (열이) 오르내리는.

*__rem·nant__[rémnənt] *n.* Ⓒ ① 나머지; 자투리; 찌꺼기, 끄트러기. ② 유물, 유풍.

re·mod·el [ri:mádl/-ɔ́-] *vt.* (《英》 *-ll-*) 개조〔개축〕하다, 모델을 고치다.

re·mold, 《英》 **-mould**[ri:móuld] *vt.* 개조〔개작〕하다; 개주(改鑄)하다.

re·mon·e·tize[ri:mánətàiz, -ʌ́-] *vt.* (…을) 다시 통용〔법적〕 화폐로 사용하다.

re·mon·strance[rimánstrəns/-ɔ́-] *n.* Ⓤ,Ⓒ 항의, 반대; 충고. **-strant** *a., n.* Ⓒ 항의〔반대·충고〕하는 (사람).

re·mon·strate[rimánstreit/-ɔ́-] *vt., vi.* 항의〔반대〕하다(*against*); 충고하다(~ *with him on a matter*). **-stra·tion**[rì:mɑnstréiʃən/rì:mɔn-] *n.* **re·món·stra·tive** *a.* **re·món·stra·tor** *n.*

rem·o·ra[rémərə] *n.* Ⓒ 〖魚〗 빨판상어; 《古》 방해(물).

*__re·morse__[rimɔ́:rs] *n.* Ⓤ (심한) 회한, 후회, 양심의 가책. **~·ful** *a.* **~·ful·ly** *ad.* **~·less(·ly)** *a.* (*ad.*) 무정한(무정하게도).

:**re·mote**[rimóut] *a.* ① 먼, 아득한; 멀리 떨어진, 궁벽한, 외딴. ② (혈연이) 먼. ③ 미미한, 근소한. **~·ly** *ad.* **~·ness** *n.*

remóte bátch sýstem 〖컴〗 원격 일괄 시스템.

remóte contról 〖機〗 원격 조작 〔제어〕.

remóte jób èntry 〖컴〗 원격 작업 입력《생략 RJE》.

remóte sénsing (레이더 등에 의한) 지형 원격 측정법.

re·mount [ri:máunt] *vi., vt.* 다시 (말을) 타다; 다시 오르다; 말을 갈아타다; 갈아 끼우다〔대다〕; 되돌아가다, 거슬러 올라가다. ― [ㅅㅅ] *n.* Ⓒ 갈아 탈 말.

re·mov·a·ble[rimú:vəbəl] *a.* 옮길〔제거할〕 수 있는; 해임할 수 있는.

*__re·mov·al__[rimú:vəl] *n.* Ⓤ,Ⓒ ① 이사, 이동. ② 제거, 살해. ③ 해임, 해직.

†**re·move**[rimú:v] *vt.* ① (…을) 옮기다. ② 없애다, 치우다; 죽이다. ③ 벗(기)다, 끄르다. ④ 떠나게〔물러가게〕 하다; 해임〔해직〕하다. ― *vi.* 옮기다, 이사하다; 떠나다. **~ *oneself*** 물러가다. ― *n.* Ⓒ ① 이전, 이동. ② 간격, 거리. ③ 단계(*It is but one ~ from beggary.* 거지꼴이나 매한가지다); 촌수(寸數). ④ 진급. *__~d__[-d] *a.* 떨어진, 먼; 관계가 먼; …촌(寸)의. ***first cousin once*** 〔***twice***〕 ***~d*** 사촌의 자녀〔손자〕, 양친〔조부모〕의 사촌.

RÉM slèep 〖生〗 렘수면《빠른 안구운동이 수반되는 수면으로, 꿈을 꾸는 것은 이 때임》.

re·mu·ner·ate[rimjú:nərèit] *vt.* 보수를 주다, 보상〔보답〕하다(reward). **-a·tive**[-rèitiv/-rə-] *a.* 보답이 있는; 유리한. **-a·tion**[-ㅅ-éiʃən] *n.*

Re·mus[rí:məs] *n.* 〖로神〗 이리의 젖으로 길러진 쌍둥이의 하나(cf. Romulus).

*__ren·ais·sance__[rènəsá:ns, -zá:-/rinéisəns] *n.* ① Ⓒ 부활, 재생; 부흥. ② (the R-) (14-16세기의) 문예 부흥, 르네상스.

re·nal[rí:nəl] *a.* 신장의, 콩팥의.

re·name[ri:néim] *vt.* 개명〔개칭〕하다. ― *n.* 〖컴〗 새이름《파일 이름의 변경》.

re·nas·cent[rinǽsənt] *a.* 재생하는; 부흥하는. **-cence**[-səns] *n.*

*__rend__[rend] *vt., vi.* (***rent***) 째(지)다, 찢(기)다(tear); 쪼개(지)다, 갈라지다(split); (*vt.*) (마음을) 괴롭히다; 잡아떼다, 강탈하다(*away, off*).

:**ren·der**[réndər] *vt.* ① 돌려주다(*R- unto Caesar the things that are Caesar's.* 〖聖〗 가이사의 것은 가이사에게 돌리라). ② 지불하다. ③ 돌보다, 진력하다(give). ④ 제출하다(submit). ⑤ 표현〔묘사〕하다; 번역하다(*into*); 연출〔연주〕하다. ⑥ …으로 만들다(make), 바꾸다. ⑦ (기름을) 녹이다, 녹여서 정제(精製)하다. **~·a·ble**[-dərəbəl] *a.*

*__ren·dez·vous__ [rándivù:/-ɔ́-] *n.* (*pl.* ~ [-z]) (F.) Ⓒ ①〖軍〗 집결지; 만날 약속(을 한 장소), 회합. ② (우주선의) 궤도 회합, 랑데부. ― *vi., vt.* 집합하다〔시키다〕; 약속한 장소에서 만나다.

ren·di·tion[rendíʃən] *n.* Ⓒ 번역; 연출, 연주(rendering).

ren·e·gade[rénigèid] *n.* Ⓒ 배교자(背教者); 변절자, 탈당원. ― *a.* 저버린; 배반의.

re·nege[riníg, -nég/-ní:g] *vi.* 〖카드〗 선의 패와 똑같은 패를 (가지고 있으면서) 내지 않다; 약속을 어기다.

:**re·new**[rinjú:] *vt.* ① 개신〔갱신〕하다. ② 되찾다, 회복하다. ③ 재개(再開)하다; 되풀이하다; (계약서 따위를) 고쳐 쓰다; 바꾸다. *__~·al__ *n.* Ⓤ,Ⓒ 재개; 갱신. **~ed**[-d] *a.* 갱신한, 새로운.

re·nin[rénin] *n.* Ⓤ 〖生化〗 레닌《고혈압 따위의 원인이 된다는 신장(腎臟)내 단백질》.

ren·net[rénit] *n.* Ⓤ 레닛《송아지의 위벽에 있는 rennin 함유 물질, 치즈 따위를 만드는 데 씀》.

ren·nin [rénin] *n.* Ⓤ 레닌《우유를 엉기게 하는 위액 속의 효소》.

Re·no[rí:nou] *n.* Nevada 주의 도시《이혼이 쉬운 곳으로 알려짐》.

Re·noir [rénwɑ:r], **Pierre Auguste** (1841-1919) 프랑스 인상파의 대표 화가.

*__re·nounce__[rináuns] *vt., vi.* 포기

하다, 양도〔단념〕하다; 부인〔거절〕하다; (저)버리다, 관계를 끊다(~ *a friend*/~ *friendship*); 의절하다(disown). ~·**ment** *n.*
ren·o·vate[rénəvèit] *vt.* 혁신〔개선〕하다; 회복하다. **-va·tion**[⌐—véiʃən] *n.*
*__re·nown__ [rináun] *n.* Ⓤ 명성(fame). * ~**ed**[-d] *a.* 유명한.
:**rent**[1] [rent] *n.* Ⓤ 지대(地代), 집세, 방세, 빌리는 삯. ***For*** ~. 《美》 셋집〔셋방〕 있음(《英》 to let). — *vt.* (…에) 지대〔집세〕를 물다; 빌려 주다, 임대(賃貸)〔임차(賃借)〕하다. — *vi.* 임대되다. *∠·**al** *n.* Ⓤ 임대료. ∠·**er** *n.* Ⓒ 차지인(借地人), 세든 사람.
rent[2] *n.* Ⓒ (구름의) 갈라진 틈; 균열; 골짜기; 대립, 분열.
rent[3] *v.* rend의 과거(분사).
rent-a-car[réntəkɑ̀:r] *n.* Ⓒ 렌터카《차를 세놓는 회사 또는 세놓는〔얻은〕 자동차》.
rent·al[réntl] *n.* Ⓒ ① 임대〔임차〕료; 임대료 수입. ②《美》 셋집, 셋방, 렌터카. ③ 임대. ④『컴』 임차(賃借). — *a.*《美》 임대의.
réntal càr 렌터카.
réntal lìbrary《美》(유료) 대출 도서관(cf. reference library).
rént chàrge 대지료(貸地料), 지대.
re·nun·ci·a·tion[rinʌ̀nsiéiʃən, -ʃi-] *n.* Ⓤ,Ⓒ 포기, 부인, 단념(renouncing).
*__re·o·pen__[ri:óupən] *vt., vi.* 다시 열다, 재개(再開)하다.
*__re·or·gan·ize__ [ri:ɔ́:rgənàiz] *vt., vi.* 재편성하다, 개혁하다; 정리하다. *-**i·za·tion**[—⌐—nizéiʃən] *n.*
re·o·ri·ent[ri:ɔ́:riènt] *vt.* 새로 순응시키다; 재교육하다. **-en·ta·tion** [—⌐—entéiʃən] *n.*
rep[1][rep] *n.* Ⓤ 골지게 짠 천.
rep[2] *n.* Ⓤ《俗》 평판, 명성(reputation).
rep[3] *n.* Ⓒ《俗》 난봉꾼, 타락한 사람(reprobate).
rep[4] *n.* Ⓒ《美俗》 대표(representative).
rep[5] *n.* (*pl.* ~) Ⓒ『理』 렙《방사선 조사량의 단위》.
Rep. Representative; Republic(an). **rep.** repeat; report; reported. 「(분사).
re·paid [ri:péid] *v.* repay의 과거
:**re·pair**[1][ripέər] *n., vt.* Ⓤ 수선〔수리〕(하다); 회복〔교정(矯正)〕(하다); 배상〔보상〕(하다). ***under*** ~***s*** 수리중. ~·**a·ble**[-əbl] *a.*
re·pair[2] *vi.* 가다; 종종 다니다; 찾아가다.
re·pa·per[ri:péipər] *vt.* (…에) 벽지를 갈아 붙이다; 종이로 다시 싸다.
rep·a·ra·ble[répərəbəl] *a.* 수리〔배상〕할 수 있는; 돌이킬 수 있는.
*__rep·a·ra·tion__[rèpəréiʃən] *n.* ① Ⓤ 배상; 보상. ② (*pl.*) 배상금. ③ Ⓤ 수리. **re·par·a·tive**[ripǽrətiv] *a.*
rep·ar·tee[rèpɑ:rtí:] *n.* Ⓒ 재치 있는 즉답; Ⓤ 재치, 기지.
re·past [ripǽst, -ɑ́:-] *n.* Ⓒ 식사(meal).
re·pat·ri·ate[ri:péitrièit/-ǽ-] *vt., n.* (포로 따위를) 본국에 송환하다; Ⓒ 송환〔귀환〕자. **-a·tion**[—⌐—éiʃən] *n.*
:**re·pay**[ri:péi] *vt.* (***-paid***) 갚다; 보답하다. ~·**ment** *n.*
*__re·peal__[ripí:l] *n., vt.* 무효로 하다; Ⓤ 폐지〔철폐〕(하다).
:**re·peat**[ripí:t] *n.* Ⓒ 반복, 되풀이;『樂』 반복절〔기호〕. — *vt.* ① 되풀이하다; 암송하다. ②《美》 이중 투표하다《선거의 부정 행위》. ~ ***oneself*** 같은 말을 되풀이하다. * ~·**ed**[-id] *a.* 되풀이된, 종종 있는. * ~·**ed·ly** *ad.* 되풀이하여, 몇번이고. ~·**er** *n.* Ⓒ 되풀이 하는 물건〔사람〕; 연발총; (불법적) 이중 투표자.
repéating décimal 순환 소수.
repéating rìfle 연발총.
repéat kèy『컴』 되돌이키.
*__re·pel__[ripél] *vt.* (***-ll-***) ① 쫓아버리다, 격퇴〔거절·반박〕하다. ②『理』 반발하다. ③ 불쾌〔혐오〕감을 주다.
re·pel·lent[-ənt] *a.* 튀기는, 반발하는; 느낌이 나쁜, 싫은. — *n.* Ⓤ,Ⓒ 방충제; 방수 가공제;『醫』(종기 따위를) 삭게 하는 약.
:**re·pent**[ripént] *vi., vt.* 후회하다(regret)(*of*). *~·**ance** *n.* Ⓤ 후회, 회개. ~·**ant** *a.*
re·per·cus·sion[rì:pərkʌ́ʃən] *n.* Ⓤ,Ⓒ 되튀기(recoil), 되찌름; 반동; 반향; Ⓒ (보통 *pl.*) 영향.
rep·er·toire[répərtwɑ̀:r] *n.* Ⓒ 레퍼토리, 연예〔상연〕 목록.
rep·er·to·ry [répərtɔ̀:ri/-təri] *n.* Ⓒ (지식 등의) 축적; 저장(소), 보고(寶庫); =REPERTOIRE.
répertory còmpany〔**thèater**〕 레퍼토리 극단〔극장〕.
:**rep·e·ti·tion**[rèpətíʃən] *n.* Ⓤ,Ⓒ 반복, 되풀이; Ⓒ 암송문; 복사. **re·pet·i·tive**[ripétətiv] *a.*
re·pine[ripáin] *vi.* 불평을 말하다, 투덜거리다(*at, against*).
:**re·place**[ripléis] *vt.* ① 제자리에 놓다, 되돌리다; 돌려 주다. ② 복직〔복위〕시키다. ③ (…에) 대신하다, 교대시키다(*by, with*). — *n.* Ⓤ『컴』 새로바꾸기. * ~·**ment** *n.* Ⓤ 반환; 교체;『컴』 대체.
re·plant[ri:plǽnt/-ɑ́:-] *vt.* 이식(移植)하다.
re·plen·ish[ripléniʃ] *vt.* 보충〔추가〕하다; 다시 채우다(*with*). ~**ed** [-t] *a.* 가득해진. ~·**ment** *n.*
re·plete[riplí:t] *a.* 가득 찬, 충분한; 포식한(*with*). **re·plé·tion** *n.*
rep·li·ca[réplikə] *n.* (It.) Ⓒ 모사(模寫), 복제(複製)(facsimile).
rep·li·cate[réplikèit] *vt.* 되풀이하다; 복제하다; 사본을 뜨다; 되접다.
rep·li·ca·tion[rèpləkéiʃən] Ⓤ,Ⓒ ① 답; 대답에 대한 응답;『法』 원고

의 재항변. ② 복사, 모사. ③ 반향. ④ 〖統計〗 실험의 반복.

†**re·ply**[riplái] *n., vi., vt.* Ⓒ 대답〔대꾸〕(하다)(answer), 응답(하다); 응전(하다); 반향(反響)(하다).

réply càrd 왕복 엽서.

réply còupon 반신권《우표와 교환이 가능》.

†**re·port**[ripɔ́:rt] *n., vt., vi.* ① Ⓒ 보고〔보도〕(하다); Ⓤ,Ⓒ 소문(내다). ② (보고하기 위해) 출두하다, 신고하다. ③ Ⓒ (보통 *pl.*) 판결〔의사〕록. ④ Ⓒ 총성, 포성, 폭음. ⑤ Ⓒ 〖컴〗 보고서. ~ ***oneself*** 신고하다, 출두하다; 도착을 알리다. ***R- to the Nation*** (영국 정부가 2주일마다 일류 신문에 발표하는) '국민에의 보고'. ***through good and evil*** ~ 평판이 좋든 나쁘든. ~·**ed·ly**[-idli] *ad.* 보도〔세평·전하는 바〕에 의하면. *~·**er** *n.* Ⓒ 통신〔보도〕원, 탐방 기자; 보고〔통보〕자; 의사〔판결〕 기록원; 기관지.

re·port·age[ripɔ́:rtidʒ, rèpɔ:rtá:ʒ] *n.* (F.) Ⓤ 보고 문학, 르포르타주 (문체).

repórt càrd (학교) 성적표.

repórted spéech 〖文〗 간접화법 (indirect narration).

repórt stàge (영국 하원의) 보고 위원회, 제 3 독회.

:**re·pose**[1][ripóuz] *vt.* 쉬게 하다, 눕히다(*on, in*). — *vi.* 쉬다, 눕다, 자다, 놓여 있다(*in, on*); 영면하다. — *n.* Ⓤ ① 휴식, 안면; 영면(永眠); 휴지(休止). ② 침착; 조화. ~·**ful** *a.* 평온한. ~·**ful·ly** *ad.*

re·pose[2] *vt.* (신뢰·희망을) 두다, 걸다(set, place)(*in*).

re·pos·it[ripázit/-pɔ́z-] *vt.* 저장〔보존〕하다. **re·po·si·tion**[rì:pəzíʃən, rèp-] *n.*

re·pos·i·to·ry [ripázitɔ̀:ri/-pɔ́zitəri] *n.* Ⓒ 창고; 용기(容器); (지식 등의) 보고(寶庫); 납골당(納骨堂); 믿을 수 있는 사람(confidant).

re·pos·sess[rì:pəzés] *vt.* 되찾(게 하)다.

re·pous·sé[rəpu:séi/-⌐-⌐] *a., n.* (F.) (금속 따위의 안쪽을 쳐서) 도드라지게 한 (무늬의); Ⓤ 돋을무늬 세공; Ⓒ 돋을무늬 세공품.

repp[rep] *n.* =REP[1].

rep·re·hend[rèprihénd] *vt.* 꾸짖다, 비난하다. **-hén·sion** *n.* **-hén·si·ble** *a.* 비난당할 만한.

:**rep·re·sent**[rèprizént] *vt.* ① 묘사하다, 나타내다; 의미하다. ② 말하다, 기술하다, 단언하다. ③ 상연〔연출〕하다. ④ 대표하다; (…의) 대표자〔대의원〕이다. ⑤ (…에) 상당하다 (correspond to). ***~ed*** SPEECH. *-**sen·ta·tion**[∸--téiʃən] *n.* Ⓤ 표현, 묘사; 〖컴〗 표현; Ⓒ 설명; 진술; (*pl.*) 진정; Ⓤ,Ⓒ 상연, 연출; Ⓤ 대표(권).

:**rep·re·sent·a·tive** [rèprizéntətiv] *a.* ① 대표〔전형〕적인. ② 대리의; 대의제의. ③ 표현하는(*of*). ~ ***government*** 대의 정체. — *n.* Ⓒ ① 대표자, 대리인, 대의원. ② 상속인. ③ 대표물, 견본; 전형. ***the House of Representatives*** 《美》 하원; 민의원.

***re·press**[riprés] *vt.* 억제하다 (restrain); 억압하다, 억누르다; 진압하다. **re·prés·sion** *n.* **-sive** *a.*

re·pres·sor [riprésər] *n.* Ⓒ 억압자; 〖生〗 억제 물질.

re·prieve[riprí:v] *n., vt.* Ⓒ (…형의) 집행 유예〔일시적 연기〕(를 하다)(cf. probation).

rep·ri·mand[réprəmæ̀nd/-mà:nd] *n., vt.* Ⓤ,Ⓒ 징계(하다).

***re·print**[rí:prìnt] *n.* Ⓒ 재판(再版), 번각(飜刻). — [∸⌐] *vt.* 재판〔번각〕하다. 「무력 행사.

re·pris·al[ripráizəl] *n.* Ⓤ,Ⓒ 보복;

re·prise[ripráiz] *n.* Ⓒ ① (보통 *pl.*) 〖英法〗 토지 수입에서 지불되는 연간 경비《차지료·연금 따위》. ② 〖樂〗 (소나타 형식의) 재현부, 반복. ***beyond*** 〔***above, besides***〕 ***~s*** 제 경비를 지불한 나머지의.

:**re·proach**[ripróutʃ] *n.* Ⓤ 비난; 불명예. — *vt.* 비난하다; 체면을 손상시키다. ~·**ful** *a.* 책망하는, 책망하는 듯한, 비난하는; 부끄러운. ~·**ful·ly,** ~·**ing·ly** *ad.* ~·**less** *a.* 더할 나위 없는.

rep·ro·bate[réprəbèit] *vt.* 비난하다; (신이) 저버리다. — *a., n.* Ⓒ 구제할 길 없는 (무뢰한); 신에게 버림 받은 (사람). **-ba·tion**[∸-béiʃən] *n.* Ⓤ 비난, 거절; (신의) 저버림.

re·proc·ess [ri:práses/-próus-] *vt.* (폐품 따위를) 재생하다.

***re·pro·duce**[rì:prədjú:s] *vt.* 재생〔재현〕하다; 복사하다, 모조〔복제〕하다; 재연〔재판〕하다; 생식〔번식〕하다. **-duc·i·ble**[-əbəl] *a.* 재생〔복제〕할 수 있는.

***re·pro·duc·tion** [rì:prədʌ́kʃən] *n.* ① Ⓤ 재생, 재현; 재건; 재생산. ② Ⓤ 모조, 복제; Ⓒ 모조〔복제〕품. ③ Ⓤ 생식 (작용). **-dúc·tive** *a.*

reprodúction pròof 〖印〗 전사지.

re·prog·ra·phy [ri:prágrəfi/-prɔ́g-] *n.* Ⓤ (문헌 등의) 복사술《전자 카피 등에 의한》.

***re·proof**[riprú:f] *n.* Ⓤ 비난(rebuke), 질책; Ⓒ 비난의 말.

***re·prove**[riprú:v] *vt.* 비난하다.

:**rep·tile**[réptil, -tail] *n.* Ⓒ 파충류; 비열한(漢). — *a.* 파행성의, 기어다니는; 비열한. **rep·til·i·an**[reptíliən] *a., n.*

:**re·pub·lic**[ripʌ́blik] *n.* Ⓒ 공화국. ***R- of Korea*** 대한민국《생략 ROK》. ***R- of South Africa*** 남아프리카 공화국.

re·pub·li·can**[ripʌ́blikən] *a.* 공화국〔정체·주의〕의. ***the R- Party 《美》 공화당. — *n.* Ⓒ 공화론자; (R-) 《美》 공화당원. ~·**ism**[-ìzəm] *n.* Ⓤ 공화주의, 공화 정치, 공화제.

re·pu·di·ate[ripjú:dièit] *vt.* 의절

R

(義絶)하다; 거절〔거부〕하다; 부인하다. **-a·tion**[ㅡㅗ-éiʃən] *n.*

re·pug·nance[ripʌ́gnəns] *n.* Ⓤ 반감, 증오(aversion). **-nant** *a.*

***re·pulse**[ripʌ́ls] *n., vi.* (*sing.*) 격퇴〔논박·거절〕(하다). **re·púl·sion** *n.* Ⓤ 반감, 증오; 격퇴; 거절; 〖理〗 반발 (작용). **re·pul·sive**[-siv] *a.* 몹시 불쾌한; 쌀쌀한; 〖理〗 반발하는.

rep·u·ta·ble[répjətəbəl] *a.* 평판 좋은, 명성 있는; 훌륭한.

:**rep·u·ta·tion**[rèpjətéiʃən] *n.* Ⓤ 평판; 명성.

:**re·pute**[ripjúːt] *n.* Ⓤ 세평, 평판; 명성(good fame), 호평. — *vt.* 《보통 수동》 …라 평〔생각〕하다, …로 보다(*He is ~d as* 〔*to be*〕 *honest.*). **re·put·ed**[-id] *a.* 평판이 좋은; …라고 일컬어지는(*the ~d author* 저자(著者)라는 사람). **re·put·ed·ly**[-idli] *ad.* 세평으로는.

:**re·quest**[rikwést] *vt.* 바라다; 요구하다, (신)청하다(ask for). — *n.* Ⓤ,Ⓒ ① 요구, 소원, 의뢰, 간청. ② 수요. ***by*** 〔***at the***〕 ***~ of*** …의 요구〔요청〕에 따라. ***much in ~*** (인기가 있어) 사방에서 끄는.

req·ui·em, R- [rékwiəm, ríː-] *n.* Ⓒ 〖가톨릭〗 진혼 미사(곡); 진혼곡, 레퀴엠.

†**re·quire**[rikwáiər] *vt.* 요구하다, 구하다; (…을) 필요로 하다; 명하다. :**~·ment** *n.* Ⓒ 요구; 필요물〔조건〕; 자격.

***req·ui·site**[rékwəzit] *a., n.* Ⓒ 필요한 (물건), 요건.

req·ui·si·tion[rèkwəzíʃən] *n.* Ⓤ 요구; 수요, 징발, 징용; Ⓒ (전시의) 징발〔징집〕 명령(서). — *vt.* 징발〔징용·접수(接收)〕하다; (문서로) 요구하다.

re·quit·al[rikwáitl] *n.* Ⓤ 보답; 보상; 보복.

re·quite[rikwáit] *vt.* 보답〔답례〕하다; 보상하다; 보복하다. **~·ment** *n.*

re·ra·di·a·tion [rìːreidiéiʃən] *n.* Ⓤ 〖理〗 (전자의) 재복사, 2차 전자 복사.

rere·dos[ríərdɑs/-dɔs] *n.* Ⓒ (제단 뒤의) 장식벽〔가리개〕.

re·route[riːrúːt, -ráut] *vt., vi.* (…의) 여정을 변경하다.

re·run [riːrʌ́n] *vt.* (***-ran; -run; -nn-***) 재상연하다; 〖컴〗 (…을) 다시 실행하다. — [ㅗㅡ] *n.* Ⓒ 재상연; 〖컴〗 재실행.

re·scind [risínd] *vt.* 폐지하다(repeal); 무효로 하다; 취소하다. **~·ment** *n.*

re·scis·sion[risíʒən] *n.* Ⓤ 폐지, 취소, 무효로 함; (계약 등의) 해제.

re·script[ríːskrìpt] *n.* Ⓒ 칙답서(勅答書); 칙어.

:**res·cue**[réskjuː] *n., vt.* Ⓤ,Ⓒ 구조〔구제〕(하다); Ⓤ (불법으로) 탈환(하다). **rés·cu·er** *n.* Ⓒ 구조〔구원〕자.

résCue sùit (특히 소방관의) 내열〔내화〕복.

:**re·search**[risə́ːrtʃ, ríːsəːrtʃ] *n.* Ⓤ (종종 *pl.*) 연구, 조사(*after, for*). — *vi.* 연구〔조사〕하다(*into*). ***~·er** *n.*

reséarch lìbrary 학술 도서관.

reséarch profèssor 연구 (전문) 교수.

re·seat[riːsíːt] *vt.* 다시 놓다〔앉히다〕; 복위〔복직〕시키다; (의자를) 새 천으로 갈아 대다.

re·sect[risékt] *vt.* 〖醫〗 (뼈 따위를) 절제하다, 깎아내다.

re·sec·tion[rísékʃən] *n.* Ⓤ 〖醫〗 절제(술).

:**re·sem·ble**[rizémbəl] *vt.* (…와) 비슷하다. ***-blance** *n.* Ⓤ,Ⓒ 유사, 닮음, 비슷함(*between, to, of*); Ⓒ 초상.

***re·sent**[rizént] *vt.* (…을) 분개하다; 원망하다. **~·ful**(**·ly**) *a.* (*ad.*) * **~·ment** *n.* Ⓤ 노함, 분개; 원한.

re·ser·pine[risə́ːrpi(ː)n] *n.* Ⓤ 〖藥〗 레세르핀《혈압 강하제》.

res·er·va·tion**[rèzərvéiʃən] *n.* ① Ⓤ,Ⓒ 보류, 삼가함; 조건, 제한. ② Ⓤ,Ⓒ (좌석 따위의) 예약. ③ Ⓒ 《美》 (인디언) 보호 지역. ***without ~ 거리낌〔기탄〕없이; 무조건으로.

:**re·serve**[rizə́ːrv] *vt.* ① 보류하다; (따로) 떼어 두다; 보존〔보유〕하다. ② (좌석을) 예약하다; 따로 해 두다; 운명짓다. ③ (토론·판결 등을) 연기하다; 삼가해 두다. ***All rights ~d.*** (일체의) 판권 소유. ***~ oneself for*** …에 대비하여 정력을 길러두다. — *n.* Ⓤ 보류, 유보, 보존; 예비; 〖컴〗 예약; Ⓒ 예비품, (은행의) 예비〔적립〕금; 예비 선수; (the ~) 예비 부대, 예비〔후비〕병; Ⓒ 특별 보류지 (*a game ~* 금렵 지역); Ⓤ 제한; 사양. ***in ~*** 따로 떼어(둔); 예비〔보결〕의. ***without ~*** 거리낌〔기탄〕없이, 털어놓고; 무제한〔무조건〕으로. ***~d**[-d] *a.* 겸양하는, 수줍어하는; 예약된; 보류한. **re·serv·ed·ly** [-idli] *ad.* 조심스레, 터놓지 않고.

resérve bànk 《美》 준비 은행《연방 준비 은행제에 의한》.

resérve cíty 《美》 준비금시(準備金市)《국립 은행 조례에 의하여 정해진 금융 중심 도시의 하나》.

resérved wórd 〖컴〗 예약어.

resérve prìce 경매의 한정〔최저〕 가격.

re·serv·ist[-ist] *n.* Ⓒ 예비병; 재향 군인.

***res·er·voir**[rézərvwàːr, -vwɔ̀ːr] *n.* Ⓒ 저장소; 저수지; 석유〔가스〕 탱크; (램프의) 기름통; (지식·경험의) 축적.

re·set[riːsét] *vt.* (*~; -tt-*) 다시 놓다〔맞추다, 끼우다, 짜다〕; 〖컴〗 재시동〔리셋〕하다. — [ㅗㅡ] *n.* Ⓒ 바꾸기; 〖컴〗 재시동, 리셋(*a ~ key* 재시동키).

re·shuf·fle[riːʃʌ́fəl] *vt., n.* Ⓒ (카드패를) 다시 치다〔침〕; 개각(改閣)(하다); (인원의) 배치 변경; 전환(시키다).

R

:re·side[rizáid] *vi.* ① 살다, 주재하다(*at, in*). ② 존재하다, 있다(*in*).

:res·i·dence[rézidəns] *n.* Ⓤ 거주, 주재; Ⓒ 주재 기간; 주택, 저택. **-den·cy** *n.* Ⓤ 전문의의 실습 기간; 관저.

:res·i·dent[-dənt] *a.* ① 거주하는; 숙식〔입주〕하는. ② 고유의, 내재하는(inherent); 〚컴〛 상주의. — *n.* Ⓒ 거주〔주재〕자; 레지던트《병원에서의 전문의(專門醫)실습생》; 〚컴〛 상주. ***foreign ~s*** 재류(在留) 외국인. ***~ minister*** 변리 공사. ***~ tutor*** 입주 가정 교사.

˙res·i·den·tial[rèzidénʃəl] *a.* 거주(지)의; 주택용의.

residéntial hotél 거주용 호텔, 호텔식 아파트.

résident prògram 〚컴〛 상주(常駐) 프로그램.

re·sid·u·al[rizídʒuəl] *n., a.* Ⓒ 나머지〔잉여〕(의); (*pl.*) (출연자에게 주는) 재방송료. ***~ property*** 잔여 재산.

re·sid·u·ar·y [-èri/-əri] *a.* 〚法〛 잔여 (재산)의. ***~ legatee*** 잔여 재산 수증자(受贈者).

res·i·due[rézidjùː] *n.* Ⓒ 〚法〛 잔여 (재산); 〚數〛 잉여.

re·sid·u·um [rizídʒuəm] *n.* (*pl.* ***-sidua***) Ⓒ 잔여, 나머지 (물건); 찌꺼기; 〚數〛 나머지, 오차; 최하층민, 인간 쓰레기.

:re·sign[rizáin] *vt.* (직을) 사임하다; 포기〔단념〕하다. — *vi.* 사직하다(*from*). ***be ~ed,*** or ***~ oneself*** 체념하다; 몸을 맡기다(*to*). **~ed** [-d] *a.* 복종적인; 체념한; 사직한. **~·ed·ly**[-idli] *ad.*

˙res·ig·na·tion[rèzignéiʃən] *n.* Ⓤ,Ⓒ 사직; 양위, 물러남; Ⓒ 사표; Ⓤ 체념(*to*); 포기.

re·sil·ient[rizíljənt, -liənt] *a.* 되튀는; 탄력성 있는. **-ience, -ien·cy** *n.*

˙res·in[rézin] *n.* Ⓤ,Ⓒ 수지(樹脂), 송진; 합성 수지. **~·ous**[rézənəs] *a.* 수지질의, 진이 있는.

:re·sist[rizíst] *vt.* 저항〔반항〕하다(oppose); 방해하다; 무시하다; 참다; 격퇴하다. **:~·ance**[-əns] *n.* Ⓤ 저항, 반항; 반대. **~·ant** *a.* **~·er** *n.* Ⓒ 저항자; 반정부주의자. **~·less** *a.* 저항하기〔억누르기〕 어려운. **re·sís·tor** *n.* Ⓒ 〚電·컴〛 저항기.

re·sis·tiv·i·ty [rìːzistívəti] *n.* Ⓤ 저항력; 〚電〛 저항률.

re·sole[riːsóul] *vt.* 구두 창을 갈다.

re·sol·u·ble [rizáljəbəl, rézə-/rizɔ́-] *a.* 용해할 수 있는; 해결할 수 있는.

˙res·o·lute[rézəlùːt] *a.* 굳은 결의의, 단호한. **~·ly** *ad.* **~·ness** *n.*

:res·o·lu·tion[rèzəlúːʃən] *n.* ① Ⓒ 결심; 과단; 결의(안). ② Ⓤ 분해, 분석(*into*); 해결, 해답(solution). ③ Ⓤ 〚컴〛 해상도.

:re·solve[rizálv/-ɔ́-] *vt.* ① 분해〔분석〕하다; 해체하다; 변체(變體)〔변형, 변모〕시키다. ② (분석하여) 해결하다; 결심〔각오〕하다. ③ 결정〔표결〕하다, 의결하다. ④ (종기를) 삭게 하다. — *vi.* 결심〔결정〕하다(*on, upon*); 분해하다; (결국 …이) 되다, (…로) 귀착하다(*into*); (종기가) 삭다; 〚法〛 무효로 되다. — *n.* Ⓤ,Ⓒ 결심, 결의; Ⓤ 불굴. **˙~d** *a.* 결의한, 단호한. **re·solv·ed·ly**[-idli] *ad.*

res·o·nance[rézənəns] *n.* Ⓤ 공명; 〚電〛 공진(共振). **-nant** *a.*

res·o·na·tor[-nèitər] *n.* Ⓒ 공명〔공진〕기.

re·sorb[risɔ́ːrb] *vt.* 재흡수하다.

res·or·cin·ol [rezɔ́ːrsənɔ̀(ː)l/-ɑ̀ːl] *n.* Ⓤ 〚化·藥〛 레조르시놀, 레조르신《염색·약제용》.

:re·sort[rizɔ́ːrt] *vi.* ① 자주 가다, 모여들다(*to*). ② 의지하다(*to*), 힘을 빌리다. — *n.* ① Ⓒ 유흥지; 사람이 많이 모이는 장소, 번화가; 드나드는〔자주 가는〕 장소. ② Ⓤ 의지; Ⓒ 수단(recourse). ***health*** 〔***summer, winter***〕 ***~*** 보양〔피서·피한〕지. ***in the last ~*** 최후 수단으로, 결국에는.

˙re·sound[rizáund] *vi., vt.* 울리다, 울려퍼지다; 반향하다; 평판이 자자해지다〔하게 하다〕.

:re·source[ríːsɔːrs, rizɔ́ːrs] *n.* ① Ⓒ (보통 *pl.*) 자원; 물자; 재원, 자력(資力); 〚컴〛 자원. ② Ⓒ 수단, 방법; 무료를 달래기; Ⓤ 기략(機略). **~·ful** *a.* 자력〔기략〕이 풍부한. **~·less** *a.* 기략〔자력〕이 부족한.

†re·spect[rispékt] *n.* ① Ⓤ 존경(esteem) (*for*). ② (*pl.*) 경의, 인사; 전언. ③ Ⓤ 주의, 관심, 고려. ④ Ⓤ,Ⓒ 관계; 점. ***give one's ~s to*** …에게 안부 전하다. ***have ~*** (…을) 존경하다(*for*); (…에) 관계가 있다, (…을) 고려하다(*to*). ***in no ~*** 아무리〔어느 모로〕 보아도 …아니다. ***in ~ of*** …에 관하여. ***in ~ that***《古》…인 고로, …때문에. ***in this ~*** 이 점에서. ***~ of persons*** 편벽된 특별 대우, 편애. ***without ~ to*** 〔***of***〕 …을 고려치 않고. ***with ~ to*** …에 관하여. — *vt.* 존경〔존중〕하다; 고려〔관계〕하다. ***as ~s*** …에 관하여(는), …에 대하여는. ***~ oneself*** 자중하다. ***~ persons*** 사람을 차별 대우하다, 편애하다. **˙~·ful(·ly)** *a.* (*ad.*) 정중한〔하게〕. **~·ing** *prep.* …에 관하여.

:re·spect·a·ble[-əbəl] *a.* 존경할 만한, 훌륭한; 신분〔평판〕이 좋은; 품위 있는; 보기 흉치 않은; 상당한. ***~ minority*** 소수이지만 무시할 수 없는 수(의 사람들). **-bly** *ad.* **-bil·ity**[-⌐-bíləti] *n.* Ⓤ 존경할 만한 일; 체면;《단·복수 취급》훌륭한 사람들, 명사들; (*pl.*) 인습적 의례〔관습〕.

˙re·spec·tive[rispéktiv] *a.* 각자의; 각각〔각기〕의. **˙~·ly** *ad.* 각각, 각기《흔히 문미에서》.

˙res·pi·ra·tion [rèspəréiʃən] *n.* Ⓤ 호흡 (작용).

res·pi·ra·tor[réspərèitər] *n.* Ⓒ (인공 호흡용) 마스크; 인공 호흡기;

R

《英》 방독면.
re·spir·a·to·ry[réspərətɔ̀:ri, rispáiərə-/rispáiərətəri] *a.* 호흡의.
re·spire[rispáiər] *vi., vt.* 호흡하다.
res·pite[réspit] *n., vt.* U,C 연기(하다); (사형 집행을) 유예(하다); 휴식(시키다).
re·splend·ent[rispléndənt] *a.* 찬연한, 눈부신. **-ence, -ency** *n.*
:**re·spond**[rispánd/-ɔ́-] *vi.* 대답하다; 응하다; 감응이 있다. ~**·ent** *a., n.* C 대답〔응답〕하는 (사람); 〖法〗(이혼 소송 따위의) 피고(의).
:**re·sponse**[rispáns/-ɔ́-] *n.* U,C 응답; C (보통 *pl.*) (교회에서의) 응답송; U,C 감응; 〖컴〗 응답. ***in ~ to*** …에 응하여〔따라〕.
respónse tìme 〖컴〗 응답 시간.
:**re·spon·si·bil·i·ty** [rispànsəbíləti/-pɔ̀n-] *n.* U,C 책임; 책무(*of, for*); 책임 대상《가족, 부채 따위》.
:**re·spon·si·ble**[rispánsəbəl/-ɔ́-] *a.* 책임 있는; 책임을 져야 할(*to* a person; *for* a thing); (지위가) 중대한; 책임을 다할 수 있는, 신뢰할 수 있는(reliable). **-bly** *ad.* ~**·ness** *n.*
re·spon·sive** [rispánsiv/-ɔ́-] *a.* 대답하는; 감응〔감동〕하기 쉬운(*to*). ***cast a ~ glance 눈으로 대답하다. ~**·ly** *ad.* ~**·ness** *n.*
†**rest**[1][rest] *n.* ① U,C 휴식, 휴양(*take a ~*); 수면; 죽음, 영면; U 안심. ② C 휴식〔숙박〕처(*for*). ③ C 대(臺), 지주(支柱). ④ C 〖樂〗 휴지(부), 쉼표. ***at ~*** 휴식〔안심〕하고, 잠들어; 영면하여. ***day of ~*** 안식일, 일요일. ***go to ~*** 자다, 죽다. ***lay to ~*** 매장하다. — *vi., vt.* ① 쉬(게 하)다, 정지(靜止)하다〔시키다〕. ② 눕다, 눕히다, 기대(게 하)다(*on, upon, against*). (이하 *vi.*) ③ 자다; 영면하다. ④ 의지하다(*in, on, upon*); (…에) 있다(*It ~s with you to decide.* 결정은 네게 달려 있다). ***be ~ed*** 쉬다. ***~ in peace*** (지하에) 고이 잠들다. ***~ on one's arms*** 무장한 채 쉬다; 방심하지 않다. **∠·ful** *a.* 마음을 편안케 하는; 편안한, 평온한.
:**rest**[2] *n.* (the ~) 나머지, 그 밖의 것〔사람들〕. ***among the ~*** 그 중에서도 (특히); 그 중에 끼어서. ***for the ~*** 그 외는, 나머지는. — *vi.* …인〔한〕 채이다〔로 있다〕. ***~ assured*** 〔***satisfied, content***〕 안심〔만족〕하고 있다.
rést àrea 《英》 (고속도로 따위의) 대피소(《英》 lay-by).
re·state[ri:stéit] *vi.* 재진술하다, 고쳐 말하다. ~**·ment** *n.*
:**res·tau·rant** [réstərənt, -rà:nt/-rɔ̃:ŋ] *n.* (F.) C 요리〔음식〕점.
res·tau·ra·teur [rèstərətə́:r/-tɔ:r-] *n.* (F.) C 요리점 주인.
rést cùre 〖醫〗(정신병 등의) 안정 요법.
rést dày 휴일; 안식일.
rést hòme 요양소, 보양소.
rést hòuse 여행자 숙박소; 《美》 (충분한) 보양 시설.
résting plàce 휴게소; (계단의) 「층계참.
res·ti·tute[réstət*j*ù:t] *vt.* (…을) 원상태로 되돌리다.
res·ti·tu·tion[rèstət*j*ú:ʃən] *n.* U 반환, 상환, 배상; 회복; 복직; 〖理〗 복원. ***make ~*** 배상하다.
res·tive[réstiv] *a.* 침착하지 못한, 불안해 하는(uneasy); 다루기 힘든, 고집 센; (말 따위가) 앞으로 나아가려 않는, 어거하기 힘든.
:**rest·less**[réstlis] *a.* 침착하지 않은; 불안한; 부단한, 끊임없는; 쉬지 않는; 잠잘 수 없는; 활동적인. ~**·ly** *ad.* ~**·ness** *n.*
rést màss 〖理〗 정지 질량(靜止質「量).
re·stock[ri:sták/-stɔ́k] *vt., vi.* (…을) 새로 사들이다; (농장에) 다시 가축을 들이다; (…을) 보급하다.
re·stor·a·ble[ristɔ́:rəbəl] *a.* 회복될 수 있는; 본래대로 될 수 있는.
***res·to·ra·tion**[rèstəréiʃən] *n.* U 회복; 복구; 복고; 복위; 복원; (the R-) 〖英史〗(Charles Ⅱ의) 왕정 복고(시대)《1660-88》.
re·stor·a·tive[ristɔ́:rətiv] *a., n.* C 원기를 회복하는 (약), 강장제.
:**re·store**[ristɔ́:r] *vt.* 본래대로 하다, 복구하다; 회복〔부흥〕하다; (건강 등을) 되찾다; 복위시키다; 돌려주다; 〖컴〗 되깔기하다. **re·stór·er** *n.* **re·stór·ing** *a.*
:**re·strain**[ristréin] *vt.* 억제〔제지·억압〕하다; 구속〔감금〕하다(confine). ***~ oneself*** 자제하다. *~**ed** *a.* 온당한; 구속〔억제〕된. ~**·ed·ly**[-idli] *ad.*
restráining òrder 〖法〗 가처분「명령.
re·straint**[ristréint] *n.* ① U,C 억제. ② U 구속, 속박, 감금; 검속. ③ U,C 자제, 삼감; 제한. ***~ of trade 거래 제한. ***without ~*** 거리낌없이.
***re·strict**[ristríkt] *vt.* 제한하다(*to, within*). *~**·ed** *a.* ***re·stríc·tion** *n.* U,C 제한; 구속. ***re·stric·tion·ism**[-ìzəm] *n.* U (무역·이민 등의) 제한주의. **-ist** *n.* ***re·stríc·tive** *a., n.* 제한하는; 〖文〗 제한적(용법)인; 한정적인; C 〖文〗 한정사.
restrícted área 《美》 (군인의) 출입 금지 구역; 《英》 (자동차의) 속도 제한 구역.
restríction ènzyme 〖生化〗 제한 효소《세포에 침입해 들어오는 DNA를 절단 배제하는 효소》.
rést ròom 휴게실; 변소.
rést stòp =REST AREA.
†**re·sult**[rizʌ́lt] *n.* U,C 결과; C (보통 *pl.*) (시험의) 성적; C (계산의) 답. — *vi.* (결과로서) 생기다, 일어나다(*from*); (…에) 귀착하다, (…이) 되다(*in*). *~**·ant**[-ənt] *n., a.* C 결과(로서 발생하는); 〖理〗 합성적인; 합력; 〖數〗 종결식.
:**re·sume**[rizú:m/-z*j*ú:m] *vt.* ① 다시 시작하다; 다시 잡다(~ *one's*

R

seat 자리에 돌아오다). ② 되찾다; (건강을) 회복하다. ③ (다시 초들어) 요약하다(summarize). ***re·sump·tion**[rizʌ́mpʃən] *n.* U,C 재개시.
***ré·su·mé**[rézuméi, ╌╌] *n.* (F.) C 적요(摘要); 이력서.
re·sur·face[riːsə́ːrfis] *vi.* (잠수함이) 떠오르다.
re·surge[risə́ːrdʒ] *vi.* 재기하다; 부활하다, 되살아나다; 재현하다. **re·sur·gence**[-dʒəns] *n.* U 재기, 부활. **re·sur·gent**[-dʒənt] *a.*
res·ur·rect[rèzərékt] *vt.* 소생[부활]시키다; 다시 소용되게 하다; 파내다. ***-réc·tion** *n.* U 부활; (the R-) 예수의 부활; (시체) 발굴.
re·sus·ci·tate[risʌ́sətèit] *vi., vt.* 소생[부활]하다[시키다]. **-ta·tion** [-╌-téiʃən] *n.*
re·sus·ci·ta·tor[risʌ́sətèitər] *n.* C 부활하는[시키는] 사람; 인공 호흡기, 소생실.
***re·tail**[ríːteil] *n., a.* U 소매(小賣)(의). — *ad.* 소매로. — [riːtéil] *vt., vi.* 소매하다[되다]; [ritéil] (이야기를) 받아 옮기다. **~·er** *n.*
:re·tain[ritéin] *vt.* ① 보유하다, 보지[유지]하다. ② 계속 실행하다; 기억하고 있다. ③ (변호사·하인을) 고용해 두다. **~·er** *n.* C 보유자; 〖史〗 부하, 종자, 가신(家臣); =RETAINING FEE.
retáined óbject 〖文〗 보류 목적어《She was given a *doll.* A doll was given *her.*》.
retáining fèe (고용 변호사의) 고용료, 변호사 수당.
retáining fòrce 〖軍〗 견제(牽制) 「부대.
retáining wàll 옹벽(擁壁).
re·take [*v.* riːtéik: *n.* ╌] *vt.* (*-took; -taken*), *n.* 다시 취(取)하다; 되찾다; C 〖寫·映〗 재촬영(하다); 재시험.
re·tal·i·ate[ritǽlièit] *vt., vi.* 앙갚음[보복]하다. **-a·tion**[-╌-éiʃən] *n.* **-a·tive** *a.* **-a·to·ry**[-tɔ̀ːri/-təri] *a.*
re·tard[ritáːrd] *vt., vi.* 늦게 하다, 늦어지다, 늦추다, 늦추어지다; (*vt.*) 방해하다. — *n.* U,C 지연; 방해.
re·tar·da·tion[rìːtɑːrdéiʃən] *n.* U,C 지연; 방해(물); 〖理〗 감속도.
re·tar·date[ritáːrdeit] *n.* C 《美》 지능이 낮은 사람.
re·tard·ed[ritáːrdid] *a.* 지능이 뒤진, 지진의《IQ 70~85정도》(*a* ~ *child* 지진아).
retch[retʃ] *n., vi.* C 구역질(나다).
re·tell[riːtél] *vt.* (*-told*) 다시 이야기하다; 되풀이하다; 다시 세다.
re·ten·tion[riténʃən] *n.* U 보지(保持), 보유, 유지; 기억(력); 〖醫〗 (요(尿))폐색. **-tive** *a.* 보지하는(*of*), 보지력이 있는; 기억력 좋은.
ret·i·cence[rétəsəns], **-cen·cy** [-si] *n.* U,C 침묵, 과묵; 삼감. **-cent** *a.* **-cent·ly** *ad.*
re·tic·u·late[ritíkjəlit] *a.* 그물 모양의. — [-lèit] *vt., vi.* 그물 모양으로 하다[되다]. **-la·tion**[-╌-léiʃən] *n.* U (종종 *pl.*) 망상(網狀)(물·조직).
ret·i·cule[rétikjùːl] *n.* C (그물 모양의) 핸드백.
ret·i·na[rétənə] *n.* (*pl.* *~s, -nae* [-nìː]) C 〖解〗 망막(網膜).
ret·i·no·scope[rétənəskòup] *n.* C 검안경.
ret·i·nue[rétənjùː] *n.* C 《집합적》 수행원.
re·tir·a·cy[ritáiərəsi] *n.* U,C 《美》 퇴직, 은퇴.
:re·tire[ritáiər] *vi.* 물러나다, 퇴각하다(*from, to*); 자다; 퇴직[은퇴]하다. — *vt.* 물러나게 하다; (지폐 따위를) 회수하다; 〖野·크리켓〗 아웃시키다(put out). ***~d**[-d] *a.* 퇴직[은퇴]한; 궁벽한, 외딴(secluded). ***~·ment** *n.* U,C 퇴직, 퇴역; 퇴각. ***re·tír·ing** *a.* 은퇴하는, 물러나는; 수줍은, 내성적인, 겸손한.
retírement pènsion 《英》 (국민 보험의) 퇴직 연금.
retíring àge 퇴직 연령, 정년.
re·told[riːtóuld] *v.* retell의 과거(분사).
re·tool[riːtúːl] *vt.* (공장의) 기계를 재정비하다; (기계·설비를) 재편성하다. — *vi.* 기계[설비]를 갱신하다.
***re·tort**[1][ritɔ́ːrt] *n., vi., vt.* U,C (…라고) 말대꾸(하다), 대갚음(하다); 역습(을 가하다); 보복(하다)(*on, upon, against*).
re·tort[2] *n.* C 〖化〗 레토르트《증류기》. 「다).
re·touch[riːtʌ́tʃ] *n., vt.* C 수정(하
re·trace[ritréis] *vt.* 근본[근원]을 찾다; 거슬러 올라가(서 조사하)다; 회고하다; (왔던 길을) 되돌아가다, 되물러나다. ~ *one's steps* 되돌아가다; 다시 하다.
re·tract[ritrǽkt] *vt.* 뒤로 물리다, 움츠러들이다; 철회[취소]하다. **~·a·ble** *a.* **re·trac·tá·tion** *n.* **re·trac·tile**[ritrǽktil, -tail] *a.* 움츠릴 수 있는. **re·trác·tion** *n.* **re·trác·tive** *a.* 「부의.
re·tral[ríːtrəl] *a.* 배부(背部)의, 후
re·tread[riːtréd] *vt.* (*~ed*) (타이어의) 바닥을 갈아 대다(cf. recap). — [╌] *n.* C 재생 타이어; 《美俗》 재소집병.
:re·treat[ritríːt] *n.* ① U,C 〖軍〗 퇴각(의 신호); 귀영 나팔[북](소리). ② C 은퇴[피난](처). ③ U,C 〖敎會〗 묵상(시간), 정수(精修). *beat a* ~ 퇴각하다; 사업을 그만두다. — *vi., vt.* 물러나(게 하)다, 퇴각하다.
re·trench[ritréntʃ] *vt., vi.* 삭제[단축]하다, 절약하다. **~·ment** *n.*
re·tri·al[riːtráiəl] *n.* U,C 〖法〗 재심.
ret·ri·bu·tion[rètrəbjúːʃən] *n.* U 보복; 벌; 응보. **re·trib·u·tive**[ritríbjətiv] *a.* **re·trib·u·to·ry**[-tɔ̀ːri/-təri] *a.*
re·triev·al[ritríːvəl] *n.* U 만회; 〖컴〗 (정보의) 검색.

R

retríeval sỳstem 〖컴〗 정보 검색 시스템.

***re·trieve**[ritríːv] *vt.* ① (잃어버린 명예·신용 따위를) 회복하다, (손해본 것을) 되찾다. ② 정정(訂正)하다; (과실을) 보상〔벌충〕하다. ③ 구하다 (*from, out of*); 생각해 내다. ④ 〖컴〗 (정보를) 검색하다. ── *vi.* (사냥개가) 잡은 것을 찾아서 가져오다. ── *n.* Ⓤ 회복, 되찾음. **re·tríev·a·ble** *a.* **re·tríev·al** *n.* **re·tríev·er** *n.* Ⓒ retrieve하는 사람; 사냥개(의 일종).

ret·ro-[rétrou, -rə] *pref.* '뒤로, 거꾸로, 거슬러, 재복귀의' 등의 뜻.

rètro·áctive *a.* 소급하는. ~ ***law*** 〔***tax***〕 소급법〔세〕.

ret·ro·cede[rètrəsíːd] *vi.* 돌아가다, 물러가다(recede); 〖醫〗 내공(內攻)하다. **-ces·sion**[-séʃən] *n.* Ⓤ 후퇴; 내공.

rétro-èngine *n.* =RETROROCKET.

rétro·fire *vt.* (역추진 로켓에) 점화하다. ── *vi.* 역추진 점화하다. ── *n.* Ⓤ (로켓의) 역추진 점화.

ret·ro·flex(ed)[rítrəflèks(t)] *a.* 뒤로 휜〔굽은〕; 〖醫〗 후굴한; 〖音聲〗 반전음(反轉音)의.

ret·ro·grade[rétrəgrèid] *vi.* 후퇴〔퇴보·역행〕하다; 쇠퇴〔악화〕하다. ── *a.* 후퇴〔퇴보·쇠퇴〕하는.

ret·ro·gress[-grès, ⌐-⌐] *vi.* 후퇴〔퇴보·퇴화·악화〕하다. **-gres·sion**[⌐-gréʃən] *n.* **-grés·sive** *a.*

rétro·ròcket *n.* Ⓒ (천체 착륙이 가능한) 역추진 로켓.

ret·ro·spect[rétrəspèkt] *n., vt., vi.* Ⓤ 회고〔회상〕(하다). ***in*** ~ 회상하여(보면). **-spec·tion**[⌐-spékʃən] *n.* **-spéc·tive** *a.*

re·trous·sé[rètruːséi/rətrúːsei] *a.* (F.) 들창코의(turned up).

ret·ro·vert[rètrəvə́ːrt] *vt.* (…을) 뒤로 굽히다, 후굴시키다《특히 자궁을》.

re·try[riːtrái] *vt.* 재심하다; 다시 시도하다.

†**re·turn**[ritə́ːrn] *vi.* 돌아가〔오〕다, 되돌아가〔오〕다; 대답하다. ── *vt.* ① 돌려주다, 되돌리다; 반사하다. ② 보답〔대갚음〕하다; 대답하다, 답신〔보고〕하다. ③ (이익 따위를) 낳다. ④ (선거구가, 국회의원을) 뽑다. ── *n.* ① U,C 돌아옴〔감〕; 반환; 대갚음. ② U,C 복귀, 회복; (병의) 재발; 〖컴〗 복귀. ③ (보통 *pl.*) 이익, 보고서; (*pl.*) 통계표. ④ Ⓒ 국회의원 당선. ⑤ Ⓒ 왕복표. ***by*** ~ ***of post*** (편지 답장을) 되짚어 곧, 지급으로. ***in*** ~ 보수〔보답·답례〕로서, 그 대신으로(*for*). ***Many happy*** ~***s*** (***of the day***)! 축하합니다《생일 따위의 축사》. ***secure a*** ~ (국회의원에) 선출되다. ~**ed**[-d] *a.* 돌아온.

retúrn addréss (우편의) 발신인 주소; 〖컴〗 복귀 번지.

retúrn cárd (보통 상업용의) 왕복엽서(cf. reply card).

re·turn·ee[ritə̀ːrníː] *n.* Ⓒ 귀환〔반송(返送)〕자; 복학자.

retúrn gáme 〔**mátch**〕 설욕전.

retúrning òfficer 《英》 선거 관리관.

retúrn kèy 〖컴〗 복귀(글)쇠.

retúrn tícket 《英》 왕복표.

***re·un·ion**[riːjúːnjən] *n.* Ⓤ 재결합; Ⓒ 친목회.

re·u·nite[riːjuːnáit] *vi., vt.* 재결합〔화해〕하다〔시키다〕.

Reu·ters[rɔ́itərz] *n.* (영국의) 로이터 통신사.

rev[rev] (<*rev*olution) *n., vt., vi.* (**-vv-**) Ⓒ 《口》 발동기의 회전(을 증가시키다)(*up*).

Rev. Revelation; Reverend.

rev. revenue; reverse(d); review(ed); revise(d); revision; revolution; revolving.

re·val·ue[riːvǽljuː] *vt.* 재평가하다. **-u·a·tion**[⌐-⌐-éiʃən] *n.*

re·vamp[riːvǽmp] *vt.* 조각을〔새 갑피를〕 대(고 깁)다; 수선하다; 개작〔개선〕하다; 쇄신하다.

re·vanch·ism[rəvɑ́ːnʃizəm, -tʃi-] *n.* (F.) Ⓤ 실지 회복 운동〔주의〕. **-ist** *n., a.*

Revd. Reverend.

‡**re·veal**[rivíːl] *vt.* 들추어내다; 나타내다; 보이다; (신이) 계시하다. ~ ***itself*** 드러〔나타〕나다; 알려지다. ~ ***oneself*** 이름을 밝히다. ~**·ment** *n.* Ⓤ 폭로; 계시.

rev·eil·le[révəli/rivǽli] *n.* (F.) Ⓤ (종종 the ~) 기상 나팔〔북〕 소리.

rev·el**[révəl] *n., vi.* (《英》 **-ll-**) U,C 술잔치(를 베풀다, 를 베풀고 법석 대다); 한껏 즐기다(*in*). ~ ***it 술마시며 떠들다. ~**·(l)er** *n.*

***rev·e·la·tion**[rèvəléiʃən] *n.* ① Ⓤ (비밀의) 폭로, 누설; 발각; Ⓒ 뜻밖의 새 사실(*What a* ~*!* 천만 뜻밖인데!). ② Ⓤ 〖神〗 (신의) 묵시, 계시(cf. reveal); (the R-, (the) Revelations) 〖聖〗 요한 계시록.

rev·el·ry[révəlri] *n.* Ⓤ (또는 *pl.*) 술잔치, 주연, 술마시고 법석댐.

rev·e·nant[révənənt] *n.* Ⓒ 죽음의 세계〔추방〕에서 돌아온 자; 망령.

‡**re·venge**[rivéndʒ] *n., vi.* U,C 앙갚음〔복수〕(하다); 원한(을 풀다). ***have*** 〔***take***〕 ***one's*** ~ 원한을 풀다. ***in*** ~ ***for*** 〔***of***〕 …의 앙〔대〕갚음으로서. ── *vt.* (…의) 복수를 하다 (*She* ~*d her husband.* 남편의 원수를 갚았다); 《수동 또는 재귀적》 원한을 풀다(*She was* ~*d* 〔*She* ~*d herself*〕 *on* 〔*upon*〕 *her husband.*). ~**·ful** *a.* 앙심 깊은; 복수의.

‡**rev·e·nue**[révənjùː] *n.* ① Ⓤ (국가의) 세입; 수익; 수입원〔항목〕; (*pl.*) (국가·개인의) 총수입, 소득 총액. ② (the ~) 국세청, 세무서.

révenue cùtter (세관의) 밀수 감시선.

révenue expènditure 〖商〗 수익 지출《수익을 얻기 위한 지출》.

révenue òfficer 《美》 밀수 감시관.
rev·e·nu·er[révənjùːər] *n.* Ⓒ 세무관, (세관의) 감시정(艇).
révenue stàmp 수입 인지.
révenue táriff 수입 관세.
révenue tàx 수입세.
re·ver·ber·ate [rivə́ːrbərèit] *vi., vt.* 반향〔반사〕하다〔시키다〕. **-ant** *a.* **-a·to·ry**[-tɔ̀ːri/-təri] *a.* 반향〔반사〕의. **-a·tion** [–∸–réiʃən] *n.* 「(爐).
revérberating fúrnace 반사로
re·ver·ber·a·tor [rivə́ːrbərèitər] *n.* Ⓒ 반사기(器), 반사경, 반사등, 반사로(爐).
re·vere[1][rivíər] *vt.* 존경하다.
re·vere[2] *n.* =REVERS.
*__rev·er·ence__[révərəns] *n.* Ⓤ 존경; Ⓒ 존경심(deep respect) (*We hold him in* ~.); 경례(deep bow); (R-) 님《성직자에 대한 경칭》(*his* 〔*your*〕 *R-*).
*__rev·er·end__[-d] *a.* 존경할 만한, 존귀한; (보통 the R-) …신부《경칭; 생략 Rev.》; 성직의. ***Right*** 〔***Most***〕 ***R-*** bishop 〔archbishop〕의 존칭. — *n.* Ⓒ 《口》 성직자, 목사.
rev·er·ent[-t] *a.* 경건한. **~·ly** *ad.*
rev·er·en·tial[rèvərénʃəl] *a.* = ⇧. **~·ly** *ad.* 「상.
rev·er·ie [révəri] *n.* Ⓤ,Ⓒ 몽상, 공
re·vers [rivíər, -vέər] *n.* (*pl.* ~[-z]) (F.) Ⓒ (옷깃·소매 등의) 접어 젖힌 단. 「반전.
re·ver·sal[rivə́ːrsəl] *n.* Ⓒ 역전,
:**re·verse**[rivə́ːrs] *vt.* 거꾸로 하다, 뒤집다; 역전〔역류〕하다; 〖法〗 취소〔파기〕하다. — *vi.* 거꾸로 되다〔돌다〕, 되돌아가다. — *a.* 거꾸로〔역(逆)〕의; 뒤〔이면〕의. — *n.* (the ~) 반대; (화폐·메달 등의) 뒷면(opp. obverse); Ⓤ,Ⓒ 역(회전); Ⓒ 불행. **~·ly** *ad.* 「어.
revérse géar (자동차의) 후진 기
re·vers·i·ble[rivə́ːrsəbəl] *a.* 거꾸로 할〔뒤집을〕 수 있는; 취소할 수 있는.
re·ver·sion[rivə́ːrʒən, -ʃən] *n.* Ⓤ,Ⓒ 역전, 복귀; 귀속; 격세(隔世) 유전; Ⓒ 〖法〗 복귀권; 상속권. **~·al** [-əl], **~·ar·y**[-èri/-əri] *a.*
*__re·vert__[rivə́ːrt] *vi.* ① 본래〔예전〕상태로 돌아가다, 되돌아가다; 〖法〗 복귀〔귀속〕하다(*to*). ② 회상하다(*to*). ③ 격세 유전하다(*to*). **~·i·ble** *a.*
rev·er·y[révəri] *n.* =REVERIE.
re·vet[rivét] *vt.* (***-tt-***) 돌·콘크리트 등으로 덮다《제방·벽 등의 겉을》. **~·ment** *n.* Ⓒ 〖土〗 기슭막이, 호안(護岸), 옹벽.
:**re·view**[rivjúː] *n., vt.* ① Ⓤ,Ⓒ 재검토(하다); Ⓒ 검열〔검사·사열〕(하다); 사열식. ② Ⓒ 평론, 비평(하다); 평론 잡지(*the Edinburgh R-*). ③ Ⓒ 복습(하다); 연습 (문제). ④ Ⓤ,Ⓒ 관찰(하다); 회고(하다). ⑤ Ⓤ,Ⓒ 〖法〗 재심(리)(하다). ***court of*** ~ 재심 법원. ***naval*** ~ 관함식(觀艦式). ***pass in*** ~ 검사하다, 검사받다. — *vi.* 평론을 쓰다. **~·al** *n.* **~·er** *n.* Ⓒ 평론가; 검열자.
*__re·vile__[riváil] *vt., vi.* 욕(설)하다.
*__re·vise__[riváiz] *vt.* 개정(改訂)〔교정(校訂)〕하다; 교정(校正)하다. ***~d edition*** 개정판. — *n.* Ⓒ 개정〔교정〕(판); 교정〔재교〕쇄(刷). **re·vís·er** *n.*
Revísed Stándard Vérsion, the 개정 표준 성서.
Revísed Vérsion (of the Bíble), the 개역(改譯) 성서.
*__re·vi·sion__[rivíʒən] *n.* Ⓤ,Ⓒ 개정, 교정; Ⓒ 개정판.
re·vis·it[riːvízit] *n., vt.* Ⓒ 재방문〔재유(再遊)〕(하다).
re·vi·so·ry[riváizəri] *a.* 개정의.
*__re·viv·al__[riváivəl] *n.* Ⓤ,Ⓒ 재생; 부활; 부흥; 신앙 부흥; (R-) 문예 부흥; (극·영화 따위의) 재상연. ***R- of Learning*** =RENAISSANCE. **~·ist** *n.* Ⓒ 신앙 부흥 운동자.
:**re·vive**[riváiv] *vi., vt.* 부활하다〔시키다〕. 「다.
re·viv·i·fy [riːvívəfài] *vt.* 부활시키
rev·o·ca·ble[révəkəbəl] *a.* 폐지〔취소〕할 수 있는(cf. irrevocable).
re·voke[rivóuk] *vt., n.* 폐지하다; 취소하다; Ⓒ 〖카드〗 낼 수 있는 패를 갖고 있으면서 딴 패를 내다〔냄〕.
rev·o·ca·tion[rèvəkéiʃən] *n.*
:**re·volt**[rivóult] *n., vi.* Ⓤ,Ⓒ 반란〔폭동〕(을 일으키다) (*against*); 반항(하다); Ⓤ 반감(을 품다), 구역질나다(*at, against, from*). — *vt.* 구역질나게 하다, 비위를 거스르다, 반감을 품게 하다. **~·ing** *a.* 구역나는, 싫은.
:**rev·o·lu·tion**[rèvəlúːʃən] *n.* Ⓤ,Ⓒ 혁명; Ⓒ 회전; Ⓤ 주기(cycle). AMERICAN REVOLUTION. ***English R-*** 영국 혁명(1688). ***French R-*** 프랑스 혁명(1789-99; 1830). *__~·ar·y__ [-nèri/-nəri] *a.* 혁명적인. **~·ist** [-ʃənist] *n.* Ⓒ 혁명가. **~·ize** [-ʃənàiz] *vt.* 혁명을 일으키다.
Revolútionary Wár =AMERICAN REVOLUTION.
*__re·volve__[riválv/-ɔ́-] *vi., vt.* 회전하다〔시키다〕(*about, round*); (*vt.*) 궁리〔숙고〕하다. ***re·vólv·er*** *n.* Ⓒ 연발권총.
re·volv·ing[riválviŋ/-ɔ́-] *a.* 회전하는, 선회하는; 회전식의, 윤전식의. ***a ~ chair*** 회전 의자. ***a ~ door*** 회전 도어. ***~ credit*** 〖商〗 회전 신용장《소정액 한도내에서 계속 이용이 되는》. ***~ fund*** 회전 자금《대출과 회수의 이행으로 자금을 회전시키는》.
re·vue[rivjúː] *n.* (F.) Ⓤ,Ⓒ (본디, 프랑스의) 시사(時事) 풍자극; 레뷔《경쾌한 음악·무용극》.
re·vul·sion[rivʌ́lʃən] *n.* Ⓤ (감정 따위의) 격변; (자본 따위의) 회수.
:**re·ward**[riwɔ́ːrd] *n., vt.* Ⓤ,Ⓒ 보수〔상여·사례금〕(을 주다); 보답하다. **~·ing** *a.* (…할) 보람이 있는.

:re·write [riːráit] *vt.* (**-wrote; -written**) 다시〔고쳐〕 쓰다.
Reyn·ard [rénərd, réinɑːrd] *n.* (중세 동물 이야기의) 여우의 이름; (r-) Ⓒ 여우(cf. chanticleer).
Reyn·olds [rénəldz], **Sir Joshua** (1723-92) 영국의 초상 화가.
RF 〖컴〗 radio-frequency modulator 아르에프 변조기. **rf.** 〖野〗 right fielder. **R.F.** *République Française;* Reserve Force; Royal Fusiliers. **r.f.** radio frequency; range finder; rapid fire. **R.F.A.** Royal Field Artillery. **RFC** Reconstruction Finance Corporation. **R.F.C.** Royal Flying Corps; Rugby Football Club. **RFD., R.F.D.** 《美》 Rural Free Delivery. **rg., r.g.** 〖美式蹴〗 right guard. **R.G.A.** Royal Garrison Artillery.
RGB mònitor 〖컴〗 3원색 화면기.
RGB vìdeo 〖컴〗 3원색 영상〔비디오〕.
R.G.S. Royal Geographic Society. **Rgt.** regiment. **Rh** rhesus; 〖化〗 rhodium. **R.H.** Royal Highlanders 영국 고지 연대병; Royal Highness; right hand. **R.H.A.** Royal Horse Artillery.

R

Rhae·to-Ro·man·ic [rìːtouroumǽnik] *a., n.* Ⓤ 레토로만어(의)《스위스 남부, Tyrol과 이탈리아 북부에서 사용되는 일련의 로망스어》.
rhap·so·dy [rǽpsədi] *n.* Ⓒ (고대 그리스의) 서사시의 음송부(吟誦部); 광상시〔문〕, 열광적인 말; 〖樂〗 광상곡. **-dize** [-dàiz] *vt., vi.* 열광적으로 쓰다〔얘기하다〕; 광상곡을 짓다.
rhap·sod·ic [ræpsɑ́dik/-ɔ́-], **-i·cal** [-əl] *a.*
rhe·a [ríːə] *n.* Ⓒ (남미산) 타조.
Rhen·ish [réniʃ, ríːn-] *a.* Rhine 강(지방)의. ── *n.* Ⓤ 《英》 라인 포도주. 「늄《기호 Re》.
rhe·ni·um [ríːniəm] *n.* Ⓤ 〖化〗 레
rhe·ol·o·gy [riːɑ́lədʒi/-ɔ́-] *n.* Ⓤ 변형 유체학(變形流體學).
rhe·om·e·ter [riːɑ́mitər/-ɔ́-] *n.* Ⓒ 〖電〗 전류계; 〖醫〗 혈류계.
rhe·o·stat [ríːəstæ̀t] *n.* Ⓒ 〖電〗 가감(加減) 저항기, 리어스탯.
rhe·o·tax·is [rìːətǽksis] *n.* Ⓤ 〖生〗 주류성(走流性).
rhe·sus [ríːsəs] *n.* Ⓒ 〖動〗 원숭이의 일종《북인도산; 의학 실험용》.
Rhésus báby 리서스 베이비《모친의 혈액이 Rh 음성인데도, Rh 양성 때문에 용혈 현상을 일으킨 태아》.
Rhésus fàctor =RH FACTOR.
***rhet·o·ric** [rétərik] *n.* Ⓤ 수사(修辭)(학); Ⓤ,Ⓒ 미사(美辭).
rhe·tor·i·cal [ritɔ́(ː)rikəl, -tɑ́r-] *a.* 수사(修辭)적인.
rhetórical quéstion 수사(修辭)적 의문, 반어(反語)《*Who knows?* =No one knows》.
rhet·o·ri·cian [rètəríʃən] *n.* Ⓒ 수사가.
rheum [ruːm] *n.* Ⓤ 〖醫〗 점막 분비물《눈물·코·침 따위》; 카타르, 감기. **∠·y** *a.* 점액을 분비하는, 코카타르에 걸린. 「류머티스의 (환자).
rheu·mat·ic [rumǽtik] *a., n.* Ⓒ
:rheu·ma·tism [rúː(ː)mətìzəm] *n.* Ⓤ 류머티스.
rhéu·ma·toid arthrítis [-tɔ̀id-] 류머티스성 관절염.
Rh fáctor 〖生化〗 리서스 인자(因子)(Rhesus factor)《인간이나 rhesus의 적혈구 속의 응혈소; 이것이 없는 사람(Rh^-)이, 있는 사람(Rh^+)에게서 수혈을 받으면 위험한 용혈(溶血) 반응을 일으킴》.
rhi·nal [ràinl] *a.* 코의(nasal).
***Rhine** [rain] *n.* (the ~) 라인강《독일 서부를 꿰뚫고 북해로 흘러듦》.
rhine·stone [∠stòun] *n.* Ⓤ,Ⓒ (유리의) 모조 다이아몬드. 「주.
Rhíne wìne 라인 지방산의 흰포도
rhi·no [ráinou] *n.* (*pl.* **~s**) Ⓒ 《英俗》 돈; =⇩.
***rhi·noc·er·os** [rainɑ́sərəs/-nɔ́s-] *n.* (*pl.* **~, ~es**) Ⓒ 〖動〗 무소.
rhi·no·plas·ty [ráinəplæ̀sti] *n.* Ⓤ 〖醫〗 코 성형술.
rhi·zoid [ráizɔid] *a.* 뿌리 같은.
rhi·zome [ráizoum] *n.* Ⓒ 〖植〗 뿌리줄기, 땅속줄기.
rho [rou] *n.* Ⓤ,Ⓒ 그리스어 알파벳의 열일곱째 글자《*P*, *ρ*; 영어의 R, r에 해당》. 「부의 주《생략 R.I.》.
Rhòde Ísland [roud-] 미국 북동
Rho·de·si·a [roudíːʒiə] *n.* 아프리카 남부의 백인 국가《1965년 일방적인 독립 선언을 함》.
rho·di·um [róudiəm] *n.* Ⓤ 〖化〗 로듐《금속 원소; 기호 Rh》.
rho·do·den·dron [ròudədéndrən] *n.* Ⓒ 〖植〗 철쭉속의 식물《만병초 따위》.
rhomb [rɑm*b*/rɔm] *n.* =RHOMBUS.
rhom·bic [rɑ́mbik/-ɔ́-] *a.* 마름모꼴의.
rhom·boid [rɑ́mbɔid/-ɔ́-] *n., a.* Ⓒ 마름모꼴(의). **~·al** [∠́l] *a.* =RHOMBOID.
rhom·bus [rɑ́mbəs/-ɔ́-] *n.* (*pl.* **~·es, -bi** [-bai]) Ⓒ 마름모꼴.
rhu·barb [rúːbɑːrb] *n.* ① Ⓤ 〖植〗 대황〔장군풀〕(뿌리《하제(下劑)용》); 대황 소스. ② Ⓒ 격론, 말다툼.
rhum·ba [rʌ́mbə] *n.* =RUMBA.
rhyme** [raim] *n.* Ⓤ 운(韻), 각운(脚韻), 압운(押韻); Ⓒ 동운어(同韻語); Ⓒ 압운시(詩), 시; Ⓤ 운문. ***double 〔***female, feminine***〕 **~** 여성운, 이중운《보기: *mountain, fountain*》. ***eye*** 〔***printer's, sight, spelling, visual***〕 **~** 시각운(視覺韻)《발음과 관계 없는, 철자만의 압운; 보기: *nasal, canal*》. ***nursery*** **~** 자장가. ***single*** 〔***male, masculine***〕 **~** 남성운, 단운(單韻)《보기: eagle *eyes,* surm*ise*》. ***without*** **~** ***or***

reason 영문 모를. — *vi.* 시를 짓다; 운이 맞다(*to, with*). — *vt.* 시로 만들다; 운이 맞게 하다(*with*).
rhyme·ster[⌐stər] *n.* Ⓒ 엉터리〔변변치 못한〕 시인.
⁑**rhythm**[ríðəm, ríθ-] *n.* Ⓤ,Ⓒ 율동, 리듬; 운율.
rhýthm and blúes 리듬 앤드 블루스《흑인 음악의 일종; 생략 R&B》.
*__rhyth·mic__[ríðmik] *a.* 율동적인; 운율이 있는; 규칙적으로 순환하는.
rhýthm mèthod 주기 피임법.
R.I. Rhode Island; Royal Institution 왕립 과학 연구소.
ri·al·to[riǽltou] *n.* (*pl.* **~s**) ① (R-) (예전의) 베니스의 상업 지구; (the R-) 베니스 대운하의 대리석 다리. ② Ⓒ (뉴욕의 Broadway 같은) 극장가; (증권 등) 거래소.
⁑**rib**[rib] *n.* Ⓒ ①〖解〗갈빗대; 갈비(에 붙은 고기). ②〖造船〗(배의) 늑재(肋材);〖植〗주엽맥(主葉脈); (곤충의) 시맥(翅脈); (우산의) 살. ③ (논·밭의) 두렁, 둑, 이랑, (피륙의) 골. ④《諧》아내《신이 아담의 갈빗대로 이브를 창조했다는 데에서》. ***poke*** 〔***nudge***〕 ***a person in the ~s*** 아무의 옆구리를 살짝 찔러 주의시키다. — *vt.* (**-bb-**) (…에) 갈빗대를 붙이다, (우산의) 살을 대다; 이랑을 만들다; 놀리다, 조롱하다(tease).
rib·ald[ríbəld] *a., n.* Ⓒ 입이 더러운 (사람); 상스러운 (사람). **~·ry** *n.* Ⓤ 야비한 말.
rib·(b)and[ríbənd] *n.* 《古》 =⇩.
⁑**rib·bon**[ríbən] *n., vi.* Ⓤ,Ⓒ 끈(을 달다), 리본(으로 꾸미다). **~ed**[-d] *a.* 리본을 단.
ríbbon buìlding 《英》 대상(帶狀) 건축《고속 도로변에 점포나 주택이 세워져 가는 일》.
ríbbon devèlopment 《英》 (교외 도시의) 대상(帶狀) 발전(cf. ⇧).
ríbbon pàrk 대상 녹지(帶狀綠地).
ri·bo·fla·vin[ráibouflèivin, ⌐—⌐—] *n.* Ⓤ〖生化〗리보플라빈《비타민 B_2(=G)》.
ri·bo·nu·clé·ic ácid[ràibənjuːklíik-/-nju-]〖生化〗리보 핵산(核酸)《생략 RNA》.
ri·bose[ráibous] *n.* Ⓤ〖化〗리보오스《여러 핵산 속에 포함되는 당의 일종》.
Ri·car·do [rikáːrdou], **David** (1772-1823) 영국의 경제학자.
†**rice**[rais] *n.* Ⓤ 쌀; 벼; 밥(*boil* 〔*cook*〕 ~ 밥을 짓다). — *vt.* 《美》 (삶은 감자 따위를) ricer로 뽑아내다. **ríc·er** *n.* Ⓒ 라이서《다공(多孔) 압착기로서 삶은 감자 따위를 쌀톨만한 크기로 뽑아내는 취사용구》.
ríce bòwl 미작 지대.
ríce field 논.
ríce flòur 쌀가루.
ríce pàper 라이스 페이퍼, 얇은 고급 종이.
ríce wàter 미음.
†**rich**[ritʃ] *a.* ① 부자의, 부유한. ② …이 풍부한(*in*); 풍요한(*a ~ harvest* 풍작). ③ (토지가) 비옥한. ④ 값진, 귀중한; (복장 따위가) 훌륭한, 사치한. ⑤ 맛〔자양〕 있는; 진한, 짙은 맛이 있는(*~ wine*). ⑥ (빛깔이) 선명한; (소리·목소리가) 잘 울리는. ⑦《口》재미있는; 우스운, 당치도 않은(*That's a ~ idea.*). ***the ~*** 부자(들). ⁑**rich·es**[⌐iz] *n. pl.* 《보통 복수 취급》부(富), 재산, 재보. ⁑**⌐·ly** *ad.* *__⌐·ness__ *n.*
Rich·ard[rítʃərd] *n.* 남자 이름. ***~ I***(=*Richard the LionHearted*) (1157-99) 사자왕 리처드 1세(재위 1189-99).
Ríchard Róe〖法〗(본디) 피고의 가명(假名);《一般》소송의 어느 한 쪽의 가명(cf. John Doe).
Rích·ter scàle[ríktər-] 지진의 진도 눈금《magnitude 1-10》.
rick[rik] *n., vt.* Ⓒ (비를 피하기 위해 풀로 이엉을 해 씌운) 건초·짚 따위의 가리; (볏)가리(로 하다).
rick·ets[ríkits] *n. pl.* 《단수 취급》〖病〗구루병(佝僂病)(rachitis), 곱사등. **rick·et·y** [ríkiti] *a.* 구루병의; 쓰러지기 쉬운, 비슬비슬하는, 약한.
rick·ett·si·a [rikétsiə] *n.* (*pl.* **-siae**[-ìː], **~s**) Ⓒ 리케차《발진티푸스 따위의 병원체》.
rick·ey[ríki] *n.* Ⓤ,Ⓒ 《美》 라임 과즙(lime juice)에 진(gin)·탄산수 등을 탄 음료.
rick·shaw[ríkʃɔː], **-sha**[-ʃɑː] *n.* (Jap.) Ⓒ 인력거.
ric·o·chet[ríkəʃèi] *vi., vt., n.* Ⓒ 튀어서〔물을 차고〕 날다〔날기〕; 도탄(跳彈)(하다).
⁑**rid**[rid] *vt.* (***rid, ~ded; -dd-***) 제거하다, 면하게 하다(*of*). ***be*** 〔***get***〕 ***~ of,*** or ***~ oneself of*** …을 면하다; 쫓아버리다. **⌐·dance** *n.* Ⓤ 면함; 쫓아버림. ***make clean ~dance of*** …을 일소하다.
⁑**rid·den**[rídn] *v.* ride의 과거 분사.
⁑**rid·dle**[1][rídl] *n., vi.* Ⓒ 수수께끼(를 내다). — *vt.* (수수께끼를) 풀다(unriddle).
rid·dle[2] *n.* Ⓒ 어레미, 도드미. — *vt.* ① 체질해 내다(sift). ② 정사(精査)하다. ③ (총알로) 구멍 투성이를 만들다.
†**ride**[raid] *vi.* (***rode,*** 《古》 ***rid; ridden,*** 《古》 ***rid***) ① (말·차·기차 따위를) 타고 가다, 타다(*~ in* 〔*on*〕 *a train*). ② 걸터 타다, 말을 몰다; (말·차 따위가) 태우고 가다(*This camel ~s easily.* 편하게 탈 수 있다《순하다》). ③ 탄 기분이 …하다. ④ (물위·하늘에) 뜨다(*~ at anchor* 정박하다). — *vt.* ① (…을) 타다, 탈 수 있게 되다. ② 말을〔차를〕 타고 지나가다〔건너다〕. ③ 지배하다;《俗》괴롭히다《보통 p.p.형: cf. bedridden, hagridden》. ④《俗》놀리다. ⑤ 태우고 가다〔나르다〕. ***let ~*** 《俗》 방치하다. ***~ down*** (말 따위를) 지

나치게 타서 기진맥진케 하다; 말을 타고 뒤쫓다; 넘어뜨리다; 이기다 (overcome). ~ ***for a fall*** 《口》 무모한 짓을 하다. ~ ***herd on*** 카우보이로서 일하다. ~ ***no hands*** 양손을 놓고 자전거를 타다. ~ ***out*** (폭풍우·곤란 따위를) 헤쳐 나아가다. ~ ***over*** 짓밟다, 압도하다. ~ ***up*** (셔츠·넥타이 따위가) 비어져 올라가다〔내밀다〕(move up). —— *n.* Ⓒ 탐, 말〔기차·배〕로 가는 여행; 말길. ***have*** 〔***give***〕 ***a*** ~ (말·차에) 타다〔태우다〕.

:rid·er[⌐ər] *n.* Ⓒ 타는 사람, 기수(騎手); 추가 조항. ~**·less** *a.* 탈 사람이 없는.

:ridge[ridʒ] *n., vt., vi.* Ⓒ 산마루, 산등성이, 분수선(分水線); 산맥; (지붕의) 마룻대(를 대다); 이랑(을 짓다, 지다).

rídge bèam 〔**pìece, pòle**〕 마룻대, 들보, (천막) 기둥.

***rid·i·cule**[rídikjù:l] *n., vt.* Ⓤ 비웃음, 비웃다.

:ri·dic·u·lous[ridíkjələs] *a.* 우스운, 어리석은. ~**·ly** *ad.* ~**·ness** *n.*

rid·ing[1][ráidiŋ] *n.* Ⓤ 승마; 승차; 말길.

rid·ing[2] *n.* Ⓒ 《英》 (York 주 따위의 행정) 구(區).

ríding hàbit 여자용 승마복.

ríding làmp 〔**lìght**〕 〖海〗 정박등.

ríding màster 마술(馬術) 교관.

rife[raif] *a.* 유행하는, 한창(*with*).

riff[rif] *n.* Ⓒ 〖樂〗 리프, 반복 악절〔선율〕《재즈에서》.

rif·fle[rífəl] *n., vi., vt.* Ⓒ 《美》 여울(을 흐르다, 이 되다); 〖카드〗 양손에 나눠 쥔 패를 튀기며 한데 섞다〔섞기〕.

riff·raff[rífræ̀f] *a., n.* (the ~) 《복수 취급》 하찮은 (물건·사람들); Ⓤ 쓰레기, 폐물.

:ri·fle[ráifəl] *n.* Ⓒ 강선총(腔線銃), 라이플총; (*pl.*) 소총부대. —— *vt.* ① (총·포신의 내부에) 강선(腔線)을 넣다; 소총으로 쏘다. ② 강탈하다; 훔치다; 발가벗기다. ~**·man** *n.* Ⓒ 소총사수(射手). **rí·fling** *n.* Ⓤ 강선을 넣음.

rífle grenàde 〖軍〗 총류탄.

rift[rift] *n., vt., vi.* Ⓒ (벌어〔갈라〕진) 틈, 균열(을 만들다, 이 생기다).

***rig**[1][rig] *n., vt.* (*-gg-*) Ⓒ 선구(船具)를 장치하다〔함〕, 의장(艤裝)(하다), 범장(帆裝)(하다); 《口》 차려 입히다(*out*); 날림〔임시변통〕으로 짓다(*up*); 《美》 말을 맨 마차. ⌐**·ging** *n.* 《집합적》 삭구(索具).

rig[2] *n., vt.* (*-gg-*) Ⓤ,Ⓒ 장난; 속임수〔농간〕(부리다). ~ ***the market*** 시세(時勢)를 조종하다.

Ri·ga[rí:gə] *n.* Latvia 공화국 수도·항구.

rig·ger[rígər] *n.* Ⓒ 장비원; 〖空〗 조립정비공; 〖建〗 (공사장의 낙하물 방지용) 바깥 비계.

†right[rait] *a.* ① 곧은(*a ~ line*), 올바른, 정당〔당연〕한; 직각의. ② 적절한; 바람직한; 건강한; 제정신인. ③ 정면의, 바깥쪽의. ④ (물건을 오른손으로 잡는 것이 바르다고 보아) 오른쪽(손)의. ***at ~ angles with*** …와 직각으로. ***do the ~ thing by*** …에(게) 의무를 다하다. ***get it ~*** 올바르게 이해하다〔시키다〕. ***get on the ~ side of*** …의 마음에 들다. ***get*** 〔***make***〕 ~ 바르게 되다〔하다〕, 고치다, 고쳐지다. ***one's ~ hand*** 오른팔《미더운 사람》. ***on the ~ side of*** (*fifty*)(50세) 이하로. ***put*** 〔***set***〕 ~ 고치다, 바르게 하다. ***R-*** (***you are***)***!*** 맞았어; 알았어. ~ ***as rain*** 매우 건강하여. ***the ~ man in the ~ place*** 적재 적소. ***the ~ way*** 올바른 방법(으로), 바르게. —— *ad.* 바르게; 정당하게, 당연히; 적당하게; 아주, 꼭, 곧; 오른쪽에〔으로〕; 매우. ***come ~*** 바르게 되다. ***Eyes ~!*** 《구령》 우로 봐! ***go ~*** 잘 돼가다. ***if I remember ~*** 분명히《기억이 '분명'치 않을 때에도 말함》. ***It serves*** 〔《俗》 ***Serve***〕 ***him ~.*** 그래 싸다, 꼴 좋다. ***R- about!*** 뒤로 돌아! ~ ***along*** 《美》 쉬지 않고, 잇따라. ~ ***and left*** 좌우로, 사방으로〔에서〕; 닥치는 대로. ~ ***away*** 〔***now, off, straight***〕 《美口》 곧, 당장, 즉시. ***R- dress!*** 《구령》 우로 나란히! ~ ***here*** 《美》 바로 여기서〔곧〕. ***R- turn!*** 《구령》 우향우! ***turn ~ round*** 한바퀴 빙 돌다〔돌리다〕. —— *n.* ① Ⓤ 정의, 공정; (*pl.*) (올)바른 상태; (*pl.*) 진상. ② Ⓤ,Ⓒ (종종 *pl.*) 권리, (주주의) 신주(新株) 우선권. ③ Ⓤ 오른쪽; (the R-) 우익, 우파. ***be in the ~*** 옳다. BILL[1] ***of Rights. by*** 〔***of***〕 ~(***s***) 당연히, 의당히; 본래 같으면(if rights were done). ***by*** 〔***in***〕 ~ ***of*** …에 의하여, …의 권한으로. ***civil ~s*** 공민권. ***do a person ~s*** 공평히 다루다〔평하다〕. ***get*** 〔***be***〕 ***in ~ with*** …의 마음에 들(어 있)다. ***in one's*** 〔***own***〕 ~ 자기의 정당한 요구로서; 부모에게서 물려받은〔받아〕(*a peeress in her own ~* (결혼에 의해 된 것이 아닌) 귀족 부인). ~ ***of way*** (남의 토지내의) 통행권; 우선권. ***to ~s*** 《口》 정연하게. ***to the ~*** 오른쪽에. —— *vt.* 곧바로 세우다〔일으키다〕; 바르게 하다, 바로 잡다 (adjust); (방 따위를) 정돈하다; 구(救)하다. —— *vi.* 똑바로 되다, (기울어진 배 따위가) 제 위치로 돌아가다. ~ ***itself*** 원상태로 돌아가다, 똑바로 되다. ~ ***oneself*** (쓰러질 듯한) 몸의 균형을 바로 잡다.

ríght·abòut-fáce *n.* Ⓒ 뒤로 돌아(의 구령); 방향 전환.

ríght alígnment 〖컴〗 오른줄 맞춤.

:ríght ángle 직각.

ríght-ángled *a.* 직각의.

right·eous**[ráitʃəs] *a.* 바른, 공정한, 고결한; 당연한. ~**·ly** *ad.* **~**·ness** *n.*

ríght fíeld 〖野〗 우익(右翼).
*__right·ful__[´fəl] *a.* 올바른, 합법의, 정당한. ~**·ly** *ad.*
*__ríght-hánd__ *a.* 오른쪽(손)의, 우측의; 의지가 되는, 심복의.
ríght-hánded *a.* 오른손잡이의; 오른손으로 한; 오른손용의; 오른쪽으로 도는《시계와 같은 방향의》.
right·ist[´ist] *a., n.* Ⓒ 우익〔우파〕의 (사람), 보수파의 (사람).
*__right·ly__[ráitli] *ad.* ① 바르게, 틀림없이. ② 공정하게; 정당하게. ③ 적절히.
ríght-mínded *a.* 공정한 (의견을 가진); 마음이 바른.
right·o[ráitòu] *int.* 《주로 英口》 = 좋다(ALL right!).
ríght-ón *a.* 《美俗》 바로 그대로의; 정보에 정통한; 현대적인; 시대의 첨단을 가는; 세련된.
ríght tríangle 직각 삼각형.
ríght wíng 우파, 우익.
ríght-wíng *a.* 우익의. ~**er** *n.* Ⓒ 우파〔우익〕의 사람.
*__rig·id__[rídʒid] *a.* 굳은; 엄정한, 엄(격)한; (비행선이) 경식(硬式)인. ~**·ly** *ad.* ~**·ness, ri·gíd·i·ty** *n.*
rig·ma·role[rígmərðul] *n.* Ⓤ 지지한 소리, 조리 없이 긴 글.
*__rig·or,__ 《英》 **-our** [rígər] *n.* Ⓤ 엄하기, 엄격함(severity); 굳음(stiffness).
rígor mór·tis[-mɔ́ːrtis] 〖生〗 사후 경직(死後硬直).
*__rig·or·ous__[rígərəs] *a.* 엄한; 엄격〔엄정〕한. ~**·ly** *ad.* ~**·ness** *n.*
ríg-òut *n.* Ⓒ 《英俗》 준비, 장비《여행 채비 따위의》.
Rig-Ve·da[rigvéidə; *英* -víːdə] *n.* 리그베다《인도 최고(最古)의 성전(聖典)》.
R.I.I.A. 《英》 Royal Institute of International Affairs.
rile[rail] *vt.* 《주로 美》 흐리게 하다; 성나게 하다.
Ril·ke[rílkə], **Rainer Maria** (1875-1926) 독일의 시인.
*__rill__[ril] *n.* Ⓒ 시내.
:**rim**[rim] *n., vt.* (*-mm-*) Ⓒ 가장자리〔테·림〕(를 대다).
rime[1][raim] *n., v.* =RHYME.
rime[2] *n., vt.* Ⓤ 서리; 흰 서리(로 덮다).
rime·ster [ráimstər] *n.* = RHYMESTER.
rim·less[rímlis] *a.* 테 없는.
Rim·sky-Kor·sa·kov [rímskikɔ́ːrsəkɔ̀ːf/-kɔ̀f], **Nikolai Andreevich** (1844-1908) 러시아의 작곡가.
*__rind__[raind] *n.* Ⓤ,Ⓒ (과일의) 껍질(peel); 나무껍질(bark); (치즈의) 굳은 껍질.
rin·der·pest[ríndərpèst] *n.* (G.) Ⓤ 〖獸醫〗 우역(牛疫).
†**ring**[1][riŋ] *vi.* (*rang,* 《稀》 *rung; rung*)(방울·종 따위가) 울리다, 울려퍼지다(*out*); (초인종을 울려서) 부르다(*for*); 평판이 자자하다; …처럼 들리다(sound). ── *vt.* (방울·종 따위를) 울리다, 치다; 울려서 부르다; 울려퍼지게 하다. ~ ***again*** 반향하다, 메아리치다. ~ ***in*** 〔***out***〕 종을 울려서 맞이하다〔보내다〕《새해·묵은 해를》. ~***ing frost*** 밟으면 소리가 나는 서리. ~ ***in one's ears*** 〔***heart***〕 귀〔기억〕에 남다. ~ ***off*** 전화를 끊다. ~ ***up*** …에 전화를 걸다; 금전등록기의 키를 눌러 (어떤 금액)을 꺼내다. ── *n.* Ⓒ (벨 따위의) 울리는 소리, 울림; 전화 호출; 〖컴〗 링. ***give a person a*** ~ 《口》 전화를 걸다. ∠**·er**[1] *n.* Ⓒ 울리는 사람; 아주 비슷한 사람(*for*).
:**ring**[2] *n.* Ⓒ ① 고리; 반지, 귀〔코〕고리, 팔찌. ② 나이테, 연륜; 고리 모양의 물건; 빙 둘러 앉은〔선〕 사람들; (*pl.*) 물결무늬. ③ 경마장; 경기장; 권투장. ④ (the ~)(현상 붙은) 권투(prize fighting); 경쟁, 선거전. ⑤ 《美》 도당(徒黨), 한패. ***be in the*** ~ ***for*** 경쟁에 나서다. ***have the*** ~ ***of truth*** 사실처럼 들리다. ***make a*** ~ (상인이) 동맹을 맺어 시장을 좌우하다. ***make*** 〔***run***〕 ~***s round a person*** 《口》 아무보다 훨씬 빨리 달리다〔하다〕. ***ride*** 〔***run, tilt***〕 ***at the*** ~ 〖史〗 말을 달려 높이 매단 고리를 창으로 찔러 떼다《옛날의 서양식 무술》. ***win the*** ~ 《古》 상을 받다, 이기다. ── *vt.* (~***ed***) 둘러싸다(*about, in, round*); 반지〔코고리〕를 끼다. ∠**·er**[2] *n.*
Ríng·er's solùtion 〔**flùid**〕 [riŋərz-] 링거액.
ríng fínger 약손가락, 무명지.
ríng·lèader *n.* Ⓒ 장본인, 괴수.
ring·let[ríŋlit] *n.* Ⓒ 작은 고리; 고수머리(curl).
ríng·màster *n.* Ⓒ (곡마단 등의) 조련사《단장이 아님》.
ríng·sìde *n.* (the ~) (서커스·권투 등의) 링사이드, 맨 앞 자리.
ríng·wòrm *n.* Ⓤ 〖醫〗 윤선(輪癬), 백선(白癬).
rink[riŋk] *n.* Ⓒ (빙판의, 또는 롤러스케이트의) 스케이트장.
*__rinse__[rins] *vt., n.* Ⓒ 헹구다〔기〕, 가시다〔기〕(*away, out*).
Ri·o de Ja·nei·ro[ríːou dei ʒənέərou, -də dʒəníər-] 브라질의 수도.
:**ri·ot**[ráiət] *n.* ① Ⓒ 폭동, 소동. ② Ⓤ 야단 법석; 방탕. ③ (a ~) 색채〔음향〕의 난무(*The garden was a* ~ *of color.* 정원은 울긋불긋 몹시 아름다웠다). ***read the*** ~ ***act*** (소요(騷擾) 단속령을 낭독하여) 폭도의 해산을 명령하다. ***run*** ~ 난동을 부리다; 널리 (뻗어) 퍼지다, (온갖 꽃이) 만발하다. ── *vi.* (술마시고) 떠들다, 폭동을 일으키다. ── *vt.* 법석대며 보내다. ~**·ous** *a.* 폭동의; 소란스러운; 분방한.
Ríot Àct, the 〖英法〗 소요 단속령.
ríot gùn (폭동 진압용) 단(短) 총신 연발 산탄총.

R

ríot squàd 〔**polìce**〕 폭동 진압대, 경찰 기동대.
*__rip__[1][rip] *vt.* (*-pp-*) 찢다, 쪼개다; 베어내다, (칼로) 갈라 헤치다; 난폭하게 말하다(*out*). — *vi.* 찢어지다, 터지다, 쪼개지다; 돌진하다. ***Let him ~.*** 말리지 마라, 내버려 둬라. — *n.* Ⓒ ① 잡아찢기, 터짐; 찢긴〔터진, 갈라진〕 데. ② =RIPSAW. ③ 《英俗》 돌진, 스피드.
rip[2] *n.* Ⓒ (두 개의 조류가 만나는) 거센 물결〔파도〕.
R.I.P. *requiesca(n)t in pace*(L.= May he 〔she, they〕 rest in peace.).
ri·par·i·an [ripέəriən, rai-/raipέər-] *a.* 강변의; 강기슭에 사는.
ríp còrd 〖空〗 (낙하산을) 펼치는 줄.
:**ripe**[raip] *a.* 익은; 잘 발달된, 원숙한, 풍만한, 나이 지긋한; (종기가) 푹 곪은; …할 때인(ready)(*for*). ***man of ~ years*** 나이 지긋한 사람. ***~ age*** 고령(高齡). ***~ beauty*** 여자의 한창때.
*__rip·en__[ráipən] *vi., vt.* 익(히)다, 원숙하(게 하)다.
ríp·òff *n.* Ⓒ 《美俗》 도둑; 횡령, 착취; 사취, 엉터리 상품.
rip·per[rípər] *n.* Ⓒ 잡아 찢는 사람〔도구〕; 《英俗》 훌륭한〔멋진〕 것〔사람〕; 《美方》 쌍썰매.
rip·ping[rípiŋ] *a., ad.* 《英俗》 멋진; 멋지게. **~·ly** *ad.*
:**rip·ple**[rípəl] *n., vi., vt.* Ⓒ 잔 물결(이 일다, 을 일으키다); (머리 따위) 웨이브(가 되다, 를 만들다); (*pl.*) 찰랑찰랑〔수런수런〕(소리 나다, 소리내다)(*a ~ of laughter*). **-ply** *a.*
rip-roar·ing[ríprɔ̀:riŋ] *a.* 《口》 큰 소동의.
ríp·sàw *n.* Ⓒ 내릴톱.
Rip Van Win·kle[rìp væn wíŋkəl] 미국의 작가 W. Irving 작 *The Sketch Book* 중의 한 주인공; 시대에 뒤떨어진 사람.
†**rise**[raiz] *vi.* (***rose; risen***) ① 일어나다, 일어서다. ② (탑·산이) 우뚝 솟다. ③ 오르다; 솟다, 높아지다, 증대〔증수(增水)〕하다. ④ 등귀하다; 부풀다. ⑤ 떠오르다; 날아오르다, 이륙하다. ⑥ 발(생)하다(*from*); 봉기하다, 반란을 일으키다(rebel)(*against*). ⑦ 자리를 뜨다, 떠나다, 산회(散會)하다, 철퇴하다. ⑧ 향상〔승진〕하다. ***~ in arms*** 무장 궐기 하다. ***~ in the world*** 출세하다. ***~ to one's feet*** 일어서다. — *n.* Ⓒ 상승, 오르막길; 대지(臺地); 증대, 등귀; 승진, 출세; (계단의) 높이; Ⓤ 발생, 기원. ***give ~ to*** …을 일으키다. ***on the ~*** 증가하여, 올라서. ***take ~*** 발(생)하다(*from, in*). **rí·ser** *n.* Ⓒ 일어나는 사람(*an early riser*); (계단의) 층뒤판《디딤판에 수직된 부분》.
*__ris·en__[rízn] *v.* rise의 과거 분사.
ris·i·ble[rízəbəl] *a.* 웃음의, (잘) 웃는; 웃기는, 우스운(funny). **ris·i·bíl·i·ty** *n.* Ⓤ 우스움.
*__ris·ing__[ráiziŋ] *a.* 올라가는, 오르는; 오르막(길)의; 증대〔증수〕하는; 승진하는. ***the ~ generation*** 청년(층). — *n.* Ⓤ 상승; 등귀; 기립, 기상; Ⓒ 반란. — *prep.* 《方》 (나이가) …에 가까운; 《口》 …이상의(*of*).
:**risk**[risk] *n.* ① Ⓤ 위험, 모험. ② Ⓒ 〖保險〗 위험률; 보험 금액, 피보험자〔물〕; 위험 분자. ***at all ~s*** 만난을 무릅쓰고, 반드시, 꼭. ***at the ~ of*** …을 걸고. ***run a*** 〔***the***〕 ***~,*** or ***run ~s*** 위험을 무릅쓰다. — *vt.* 위태롭게 하다; 걸다; 대담하게 해 보다. **∠·y** *a.* 위험한; =RISQUÉ.
rísk càpital 〖經〗 투하 자본.
risk·ful[rískfəl] *a.* 위험한, 위험이 많은.
rísk mòney (은행 등에서 출납계에게 주는) 부족금 보상 수당.
ri·sot·to [risɔ́:tou/-sɔ́t-] *n.* (It.) Ⓤ,Ⓒ 쌀이 든 스튜.
ris·qué[riskéi/∠-] *a.* (F.) 문란한, 외설의. 「게.
rit. *ritardando* (It.) 〖樂〗 점점 느리
ri·tar·dan·do [rì:tɑ:rdɑ́:ndou] *a., ad.* (It.) 〖樂〗 리타르단도, 점점 느리게〔느린〕.
*__rite__[rait] *n.* Ⓒ 의식(儀式); 전례(典禮); 관습.
*__rit·u·al__[rítʃuəl] *n., a.* Ⓒ 의식서(書); Ⓤ 의식(의). **~·ism**[-ìzəm] *n.* Ⓤ 의식 존중〔연구〕. **~·ist** *n.* Ⓒ 의식 존중주의자.
:**ri·val**[ráivəl] *n.* Ⓒ 경쟁 상대, 적수; 호적수, 맞수, 필적자(equal). — *a.* 경쟁 상대의. — *vt., vi.* (《英》 *-ll-*) (…와) 경쟁〔필적〕하다. * **~·ry** *n.* Ⓤ,Ⓒ 경쟁, 대항.
rive[raiv] *vi., vt.* (***~d; ~d, riven*** [rívən]) 찢(기)다; (*vi.*) 잡아뜯다〔떼다〕.
†**riv·er**[rívər] *n.* Ⓒ 강. ***sell a person down the ~*** 《美》 =DOUBLE-CROSS.
ríver bàsin 유역(流域).
ríver bèd 강바닥, 하상(河床).
ríver·hèad *n.* Ⓒ 수원(水源).
riv·er·ine[rívəràin] *a.* 강의; 강변의; 강 기슭의.
ríver nòvel =ROMAN-FLEUVE.
*__ríver·sìde__ *n., a.* (the ~) 강변(의).
*__riv·et__[rívit] *n., vt.* Ⓒ 대갈못〔리벳〕(으로 죄다, 을 박다); (애정을) 굳게 하다, 두텁게 하다; (마음·시선을) 집중하다(*on, upon*). 「계.
rívet gùn (자동식) 리벳을 박는 기
Riv·i·er·a[rìviέərə] (보통 the ~) 남프랑스의 Nice에서 북이탈리아의 Spezia에 이르는 피한지(避寒地).
*__riv·u·let__[rívjəlit] *n.* Ⓒ 개울, 시내(brook).
R.L.S. Robert Louis Stevenson. **R.M.** Resident Magistrate; Royal Mail; Royal Marines. **RM., r.m.** reichsmark(s). **rm.** (*pl.* ***rms.***) ream; room. **R.M.A.** Royal Marine

Artillery; Royal Military Academy. **R.M.C.** Royal Military College. **R.M.L.I.** Royal Marine Light Infantry. **R.M.S.** Railway Mail Service; Royal Mail Service; Royal Mail Steamer 〔Steamship〕. **Rn.** 〖化〗 radon. **R.N.** Registered Nurse; Royal Navy. **RNA** ribonucleic acid. **R.N.A.S.** Royal Naval Air Service《현재는 R.A.S.》. **R.N.D.** Royal Naval Division. **R.N.R.** Royal Naval Reserve.

roach[1][routʃ] *n.* =COCKROACH.

roach[2] *n.* (*pl.* **~es,** 《집합적》 ~) Ⓒ 〖魚〗 붕어·황어류의 민물고기.

†**road**[roud] *n.* Ⓒ 도로, 가로; 방도; 방법(*to*); 《美》 =RAILROAD; (*pl.*) =ROADSTEAD. ***be in one's*** 〔***the***〕 ~ 방해가 되다. ***be on the*** ~ 여행하고 있다. ***get out of one's*** 〔***the***〕 ~ 길을 비켜주다. ***hit the*** ~ 《俗》 여행을 떠나다, 여행을 계속하다. ***on the*** ~ (상용) 여행 중에; 순회 공연 중에. ***take to the*** ~ 여행을 떠나다; 《古》 노상 강도가 되다.

róad àgent 《美古》 노상 강도.

róad·bèd *n.* Ⓒ (보통 *pl.*)(철도의) 노반(路盤).

róad·blòck *n.* Ⓒ 〖軍〗 노상방책(防柵)(barricade); 장애물.

róad·bòok *n.* Ⓒ 도로 안내서.

róad còmpany 지방 순회 극단.

róad gàme (야구·농구 등의) 순회〔원정〕시합.

róad gàng 도로 수리반; 도로 수리 죄수들.

róad hòg 타차선으로 나와 다른 차의 통행을 방해하는 운전사, 마구 자동차〔자전거〕를 달리는 사람.

róad·hòlding *n.* Ⓤ 자동차의 주행 안정성.

róad·hòuse *n.* Ⓒ (운전사 상대의) 여인숙(inn).

róad màp 도로 지도.

róad mètal 《英》 포장용 자갈.

róad rùnner (미국 서부산의) 뻐꾸기 비슷한 새.

***róad·shòw** *n., vt.* Ⓒ 순회 흥행; 〖映〗 특별 흥행, 로드쇼(로서 상영하다).

***róad·sìde** *n., a.* (the ~) 길가(의).

róad·stèad *n.* Ⓒ 〖海〗 정박지.

road·ster[∠stər] *n.* Ⓒ 탈것《말·수레·자동차 등》; 로드스터《좌석이 한 개인 무개(無蓋) 자동차》; 도보 여행(자).

róad-tèst *n., vt.* (차를 노상에서) 시운전하다; Ⓒ 그 시운전.

***róad·wày** *n.* (the ~) 도로; 차도.

róad·wòrk *n.* Ⓤ (운동 선수 등의) 로드워크; (*pl.*) 도로 공사.

:**roam**[roum] *vi., vt., n.* Ⓒ 돌아다니다〔다님〕, 배회(하다).

roan[roun] *a., n.* Ⓒ 황회색 또는 적갈색 바탕에 회색 또는 흰 얼룩이 섞인 (말·소 따위).

:**roar**[rɔːr] *vi.* ① (맹수가) 포효하다, 으르렁거리다. ② 와자그르르 웃다; 울리다, 반향하다(*again*). — *vt.* 소리쳐 말하다, 외치다. — *n.* Ⓒ 포효; 노호; 폭소. * **~·ing**[∠iŋ] *a.* 포효〔노호〕하는, 짖는; 떠들썩한; 경기가 좋은.

:**roast**[roust] *vt.* ① (고기를) 굽다; (오븐으로) 익히다; 볶다; 데우다. ② 《口》 놀리다(chaff), 조롱하다(banter). — *vi.* (생선이〔고기가〕) 구워지다; 뜨거워지다. ~ ***oneself*** 불을 쬐다. — *a.* 불고기로 한. ~ ***beef*** (소의) 불고기. — *n.* Ⓤ 굽기; 불고기; 《口》 조롱, 놀림. ***rule the*** ~ 주인 노릇을 하다; 지배하다. **∠·er** *n.* Ⓒ 굽는〔볶는〕 기구〔사람〕.

:**rob**[rab/-ɔ-] *vt.* (**-bb-**) 강탈하다 (~ *him of his purse*); 훔치다; (…의) 속을 뒤져 훔치다(~ *a house*). — *vi.* 강도질을 하다. :**∠·ber** *n.* Ⓒ 도둑, 강도. ***∠·ber·y** *n.* Ⓤ,Ⓒ 강탈.

:**robe**[roub] *n.* Ⓒ 길고 품이 큰 겉옷; (*pl.*) 의복; 예복, 법복; 긴 유아복. ***the*** (***long***) ~ 법복, (성직자의) 법의. — *vt., vi.* (…에게) 입히다; 법복을〔법의를〕 입다.

Rob·ert[rábərt/-ɔ́-] *n.* 로버트《남자 이름; 애칭은 Bert, Bob, Dob, Robin 등》.

:**rob·in**[rábin/-ɔ́-] *n.* Ⓒ ① 울새(~ redbreast). ② 큰 개똥지빠귀.

Róbin Hòod ⇨HOOD.

rób·in's-egg blúe [rábinzèg-/rɔ́-] 녹색을 띤 청색.

Rób·in·son Crúsoe[rábinsən-/-ɔ́-] ⇨CRUSOE.

ro·bomb [róubam/-bɔm] *n.* = ROBOT BOMB.

ro·bot [róubət, ráb-/róubɔt, rɔ́b-, -bət] *n.* Ⓒ 인조 인간, 로봇(같은 사람).

róbot bòmb 무인 제트 폭격기.

ro·bot·ics[roubátiks/-bɔ́t-] *n.* Ⓤ 로봇 공학.

róbot lànguage 〖컴〗 로봇 언어.

róbot pìlot 자동 조종 장치.

róbot revolùtion 로봇 혁명《산업혁명과 비교하여 쓰는 말》.

:**ro·bust**[roubʌ́st, róubʌst] *a.* 억센, 튼튼한(sturdy), 정력적인; (연습 따위가) 격심한; 조야한.

roc[rak/-ɔ-] *n.* Ⓒ (아라비아 전설의) 큰 괴조(怪鳥).

R.O.C. 《英》 Royal Observer Corps.

†**rock**[1][rak/-ɔ-] *n.* Ⓤ,Ⓒ 바위, 암석; Ⓒ 《美》 돌(any piece of stone); Ⓤ 암반; (*sing.*) 견고한 기초〔버팀〕; Ⓒ 암초; 화근. ***on the ~s*** 《口》 난파〔좌초〕하여; 《口》 빈털터리가 되어; (몇개의) 얼음덩어리 위에 (부은)《위스키 따위》. ***sunken*** ~ 암초. ***the R- of ages*** 예수.

:**rock**[2] *vt.* 흔들어 움직이다; 흔들다. — *vi., n.* Ⓒ 흔들리다〔림〕. **~*ing chair*** 〔***horse***〕 흔들 의자〔목마〕. **∠·er** *n.* Ⓒ 흔들 의자〔목마〕(의 다리).

rock·a·bil·ly[rákəbìli/rɔ́k-] *n.* Ⓤ

로커빌리《열광적인 리듬의 재즈 음악》.
róck and róll ⇨ROCK-'N'-ROLL.
róck bóttom 맨 밑바닥; 기저(基底); 깊은 속, 진상; 불행의 씨.
róck-bóttom *a.* 맨밑바닥의; (값이) 최저인.
róck-bòund *a.* 바위가 많은[에 둘러싸인].
róck cáke 겉이 딱딱하고 꺼칠한 「쿠키.
róck cándy 《美》 얼음사탕.
róck-clìmbing *n.* Ⓤ 암벽 등반, 록클라이밍.
róck crỳstal 수정.
róck drill 착암기.
Rock·e·fel·ler [rάkəfèlər/rɔ́k-], **John D.** (1839-1937) 미국의 석유왕.
Róckefeller Cénter, the 록펠러 센터《New York 시 중심지에 있는 상업·오락 지구》.
†**rock·et** [rάkit/-ɔ́-] *n., vt.* ① Ⓒ 봉화[화전(火箭)](를 올리다). ② Ⓒ 로켓(을 쏴 올리다). ③ (a ~) 《英俗》 심한 질책. ***get a*** ~ 《軍俗》 크게 혼나다. — *vi.* (새가) 훌쩍 날아오르다; (값이) 갑자기 뛰어오르다; 급속도로 출세하다; (로켓처럼) 돌진하다. **~·ry** *n.* Ⓤ 로켓 공학[실험].
rócket bàse 로켓 기지.
rócket bòmb 로켓 폭탄.
rock·e·teer [rὰkitíər/rɔ̀k-] *n.* Ⓒ 로켓 기사[사수, 조종사].
rócket èngine [**mòtor**] (초음속 비행기 등의) 로켓 엔진.
rócket làuncher 로켓포.
rócket plàne 로켓 비행기.
rócket-propélled *a.* 로켓 추진식의.
rócket propùlsion (비행기의) 로켓 추진.
rócket rànge 로켓 시사장(試射「場).
róck·fèst *n.* Ⓒ 《美》 로큰롤 음악제, 록 뮤직 페스티벌.
róck gàrden 암석 정원; 석가산(石假山)이 있는 정원.
róck·hòund *n.* Ⓒ 《美口》 지질학자; 돌 수집가.
rócking chàir [**hòrse**] ⇨ ROCK².
rock-'n'-roll [rάkənróul/rɔ́k-] *n.* Ⓤ 로큰롤《박자가 격렬한 재즈곡; 그 「춤》.
róck òil 《주로 英》 석유.
róck-ríbbed *a.* 완고한.
róck sàlt 암염(岩鹽).
róck wòol 암면(岩綿)《절연재》.
:**rock·y**¹ [´-i] *a.* ① 바위의[같은, 많은]; 암석질의. ② 완고한, 냉혹한. ***the Rockies*** 로키 산맥.
rock·y² *a.* 흔들흔들하는(skaky); 《口》 비슬거리는.
ro·co·co [rəkóukou] *n., a.* Ⓤ 로코코 양식《18세기 전반(前半)에 유행한 화려한 건축 양식》(의).
:**rod** [rad/-ɔ-] *n.* Ⓒ 장대, 긴 막대, 낚싯대; 작은 가지; 지팡이, 회초리; 권표(權標); 권력; 로드《길이의 단위, 약 5m》; 《美俗》 권총; 간균(桿菌). ***kiss the*** ~ 벌을 달게 받다. ***Spare the ~ and spoil the child.*** 《속담》 귀한 자식 매로 키워라.
:**rode** [roud] *v.* ride의 과거.
ro·dent [róudənt] *a., n.* 갉는, Ⓒ 설치류(齧齒類)의 (동물).
ro·de·o [róudiòu, roudéiou] *n.* (*pl.* **~s**) Ⓒ 《美》 (카이보이들의 승마술·올가미 던지기 따위의) 경기대회; 소떼를 몰아 모음.
Ro·din [roudǽn], **Auguste** (1840-1917) 프랑스의 조각가.
rod·o·mon·tade [rὰdəmantéid, -tά:d/rɔ̀dəmɔn-] *n., vi.* Ⓤ 호언장담(하다). — *a.* 허풍떠는.
roe¹ [rou] *n.* Ⓤ,Ⓒ 물고기의 알, 곤이. ***soft*** ~ 이리.
roe² *n.* Ⓒ 노루의 일종《~ deer라고도 함》.
roe·buck [róubʌ̀k] *n.* Ⓒ 노루의 수「컷.
Roent·gen [réntgən/rɔ́ntjən, rʌ́ntgən], **Wilhelm K.** (1845-1923) 뢴트겐선을 발명한 독일 물리학자.
roent·gen·o·gram [réntgənəgræ̀m/rɔntgénə-, rɔ́ntjənə-] *n.* Ⓒ 뢴트겐[X선] 사진.
Róentgen ràys 뢴트겐[X]선.
ro·ga·tion [rougéiʃən] *n.* Ⓒ 〖로史〗 (호민관 등이 인민에게 제출하는) 법률안; 또 그 (안의) 제출; (*pl.*) 〖宗〗 예수 승천 축일 전 3일간 계속하는 기도, 기원절의 의식.
Rogátion Dàys 승천 축일 전의 3일간.
rog·er [rάdʒər/-ɔ́-] *int.* 《美俗》 좋아; 알았어!
:**rogue** [roug] *n.* Ⓒ 악한(rascal); 개구쟁이, 장난꾸러기; 녀석《애칭》; 무리에서 따로 떨어진 동물[코끼리].
ro·guer·y [´-əri] *n.* Ⓤ,Ⓒ 나쁜짓; 장난. **ro·guish** [´-iʃ] *a.* 깡패의; 장난치는.
rógues' gállery 전과자 사진첩.
roil [rɔil] *vt.* 휘젓다, 휘정거리다; 성나게 하다.
rois·ter [rɔ́istər] *vi.* 술마시며 떠들다. **~·er** *n.*
ROK [rak/-ɔ-] Republic of Korea; 《俗》 Korean soldier. **ROKA** Republic of Korea Army.
Ro·land [róulənd] (=It. *Orlando*) *n.* Charlemagne 대제의 12용사 중의 한 사람. ***a ~ for an Oliver*** 막상막하, 대갚음.
:**role, rôle** [roul] *n.* (F.) Ⓒ 구실, 역할, 역(役).
róle-plàying *n.* Ⓤ 〖心〗 역할 연기《심리극 따위에서》.
†**roll** [roul] *vt., vi.* ① 굴리다; 구르다. ② (눈알을) 희번덕거리다. ③ 둥그렇게 하다, 동그래지다(*in, into, up*), 휘감(기)다, 휘말(리)다. ④ (*vt.*) 혀를 꼬부려 발음하다. ⑤ (*vi.*) (파도·들판 따위가) 굽이치다, 완만하게 기복(起伏)하다. ⑥ (구름·안개·연기가) 뭉게뭉게 피어 오르다, 하늑거리며 오르다(*The mist ~ed away.* 안개가 걷혔다). ⑦ (*vt.*) 롤러로 (판판하게) 밀(어 늘이)다. ⑧ (배·비행기를) 옆질하(게 하)다(cf. pitch²).

⑨ 허리를 좌우로 흔들며 걷다《뱃사람의 걸음걸이》. ⑩ (*vt.*) 숙고하다. ⑪ (북 따위를[가]) 둥둥 울리다, (천둥이) 울리다. ⑫ 떠는 소리로 울다[노래하다], (목소리를) 떨다. ⑬ (*vt.*) 《俗》 (만취된 사람 등의) 주머니를 털다. ⑭ (*vi.*) 《口》 쌔고쌨다(*She is ~ing in money.*). **~ back** 되돌리다; (통제에 의해 물가를) 원래대로 내리다. **~ in** 꾸역꾸역 모여 들다. **~ on** 굴러 나아가다; 세월이 흐르다. **~ up** (휘)감다, 휘말다; 동그래지다; 감아 올리다, 감기어 올라가다; 피어 오르다; (돈이) 모이다; 나타나다. — *n.* Ⓒ ① 회전, 구르기. ② 굽이침. ③ 두루마리, 한 통[필], (말린) 한 개(*a ~ of bread*). ④ 롤빵; 롤러. ⑤ (원래는 갖고 다니기 위해 둘둘 만) 기록; 표, 명부(*call the ~* 점호하다). ⑥ 울림. ⑦ 〖海〗 옆질. ⑧ 〖空〗 횡전(橫轉). ⑨ 《美俗》 돈 뭉치, 자본. ***on the ~s*** 명부에 올라. ***on the ~s of fame*** 역사에 이름을 남기어. ***~ of hono(u)r*** 전사자 명부. ***strike off the ~s*** 제명하다.

Rol·land[rɔːlǽŋ, rɔlɑ̃], **Romain** (1866-1944) 프랑스의 소설가·음악평론가·극작가《1915년 노벨 문학상》.

róll·bàck *n.* Ⓒ 〖政〗 롤백 (통제에 의한) 물가 인하 (정책); 반격전술 (*a ~ policy*); 〖컴〗 주기억장치로 데이터를 되돌림.

róll bóok 출석부, 출근부. 「호」.

róll càll 점호, 〖軍〗 점호 나팔[신

:roll·er[ˊ-ər] *n.* Ⓒ (땅고르기·인쇄·압연용) 롤러; 큰 놀; 〖鳥〗 롤러카나리아.

róller bèaring 〖機〗 롤러 베어링.

róller blàde 롤러 블레이드《롤러가 한 줄로 박힌 롤러 스케이트》.

róller còaster 《美》 (스릴을 즐기는) 환주차(環走車).

róller·dròme *n.* Ⓒ 《美》 롤러스케이트장(場).

róller skàte 롤러 스케이트 (구두).

róller-skàte *vi.* ⇧로 스케이트 타다. 「에 걸어서 씀》.

róller tòwel 환상(環狀) 타월《롤러

rol·lick[rάlik/-ɔ́-] *vi.* 시시덕거리다 (frolic). **~·ing, ~·some** *a.* 쾌활한, 명랑하게 떠드는.

:roll·ing[róuliŋ] *a., n.* 구르는; Ⓤ 구르기, 굴리기[하기]. ***A ~ stone gathers no moss.*** 《속담》 우물을 파도 한 우물을 파라.

rólling mìll 판금[압연(壓延)]공장.

rólling pìn 밀방망이.

rólling stóck 《집합적》 철도 차량 《기관차·객차》.

Rolls-Royce[róulzrɔ́is] *n.* Ⓒ 〖商標〗 롤스로이스《영국제 고급 자동차》.

róll-tòp désk 접는 뚜껑이 달린 책상.

róly-póly *a., n.* Ⓒ 토실토실한 (아이); Ⓤ,Ⓒ 《주로英》 짜배기 푸딩.

Rom[roum/rɔm] *n.* (*pl.* **~a**[ˊ-ə]) 남자 집시, 집시 소년.

ROM 〖컴〗 read only memory 롬 《늘 기억 장치》.

Rom. Roman; Romania(n); Romanic; 〖新約〗 Romans. **rom.** 〖印〗 Roman type.

Ro·ma·ic[rouméiik] *n., a.* Ⓤ 현대 그리스어(語)(의). 「일종.

ro·maine [rouméin] *n.* Ⓤ 상치의

†Ro·man[róumən] *a.* 로마(사람)의; (로마) 가톨릭교의; 로마(숫)자의. — *n.* Ⓒ 로마 사람; Ⓒ (*pl.*) 가톨릭[천주]교도; Ⓤ 〖印〗 로마체 (활자). (***The Epistle of Paul the Apostle to the***) **~s** 〖新約〗 로마서.

ro·man à clef [rɔmɑ̃ːn ɑː kléi] (F.) 실화 소설.

Róman álphabet 로마자.

Róman cándle 꽃불의 일종.

Róman Cátholic 가톨릭교의 (교도).

Róman Cathólicism 천주교, (로마) 가톨릭교; 그 교의·의식.

:ro·mance [roumǽns, róumæns] *n.* Ⓒ 중세 기사 이야기, 전기(傳奇)소설, 연애[모험] 소설, 정화(情話); 소설적인 사건, 로맨스(love affair); Ⓤ,Ⓒ 꾸며낸 이야기, 공상 (이야기); Ⓤ (R-) 로만스어(파). — *a.* (R-) 로망스말의. — *vi.* 꾸며낸 이야기를 하다; 거짓말하다(lie); 공상하다.

ro·mánc·er *n.* Ⓒ 전기 소설 작가; 공상[과장]가; 꾸며낸 이야기를 하는 사람.

Rómance lánguages, the 로망스어《프랑스·스페인·이탈리아어 따위의 라틴 계통의 여러 말》.

Róman Cúria, the 로마 교황청.

Róman Émpire, the (고대) 로마 제국《27 B.C. – A.D. 395》.

Ro·man·esque [ròumənésk] *n., a.* Ⓤ (중세 초기의) 로마네스크 건축 양식《아치 꼭대기가 둥금》(의).

ro·man-fleuve[roumɑ́ːŋflə́ːv] *n.* (F.) Ⓒ 대하(大河) 소설(river novel) 《몇대에 걸친 인물을 묘사하는 장편소설》(cf. saga).

Ro·ma·ni·a [rouméiniə, -njə] *n.* =RUMANIA.

Ro·man·ic[roumǽnik] *n., a.* Ⓤ 로망스어(의).

Ro·man·ize[róumənàiz] *vt., vi.* 로마화하다; 로마 글자로 쓰다; 가톨릭교도로 하다[가 되다]. **-i·za·tion**[ˋ--izéiʃən/-naiz-] *n.*

Róman létter [**týpe**] 로마체 활자(cf. Gothic, italic).

Róman nóse 매부리코(cf. aquiline).

Róman númerals 로마숫자《Ⅰ, Ⅱ, Ⅴ, Ⅹ, L(50), C(100), D(500), M(1000), MCMLXIX(1969) 따위》.

Róman schòol 로마[라파엘라]파.

:ro·man·tic[roumǽntik, rə-] *a.* 전기(傳奇)(소설)적인, 공상[비현실]적인; 로맨틱한; 낭만주의의. ***R-Movement*** (19세기 초엽의) 낭만주의 운동. **~ *school*** 낭만파. — *n.* Ⓒ 낭만파의 예술가[시인]; (*pl.*) 낭

만적 사상.

ro·man·ti·cism[roumǽntəsìzəm] *n.* Ⓤ 낭만적 정신; 낭만주의《형식을 배제하고 분방한 상상력을 중시하는 18세기 말부터 19세기 초엽의 사조》(cf. classicism, realism). **-cist** *n.* Ⓒ 낭만주의자.

Rom·a·ny[rámәni/-5-] *n., a.* Ⓤ 집시말(의); Ⓒ 집시(의).

†**Rome**[roum] *n.* 로마; 고대 로마시(市)〔국가〕. ***Do in ~ as the Romans do.*** 《속담》 입향 순속(入鄕循俗).

Rom·ish[róumiʃ] *a.* (로마) 가톨릭의《흔히 경멸조를 내포》.

romp[ramp/-ɔ-] *vi.* 까불(며 놀)다, 뛰놀다(frolic)(*about*). ── *n.* Ⓤ 까붊; Ⓒ 까불며 뛰노는 아이. **∠·ers** *n. pl.* 놀이옷, 롬퍼스.

Rom·u·lus [rámjələs/-5-] *n.* 〖로神〗 REMUS의 동생《로마의 창건자, 초대의 왕》.

ron·deau [rándou/-5-] *n.* Ⓒ 10「〔13〕행시(詩).

ron·do [rándou/-5-] *n.* (*pl.* **~s**) (It.) Ⓒ 〖樂〗 론도, 회선곡(回旋曲).

Röntgen ràys =ROENTGEN RAYS.

rood[ru:d] *n.* Ⓒ 십자가 (위의 예수상); 《英》 루드《면적 단위= ¼ acre (약 1단=300평)》. ***by the R-*** 신에 맹세코.

†**roof**[ru:f] *n.* (*pl.* **~s;** 때로 ***rooves*** [-vz]), *vt.* Ⓒ 지붕(을 달다); 집. ***~ of the mouth*** 입천장, 구개. ***~ of the world*** 높은 산맥, (특히) Pamir 고원. ***under the parental ~*** 부모슬하에서. **∠·er** *n.* **∠·ing** *n.* Ⓤ 지붕이기; 지붕이는 재료. **∠·less** *a.*

róof gàrden 옥상 정원.

rook[1] [ruk] *n., vi., vt.* Ⓒ 〖鳥〗 (유럽산) 띠까마귀; (카드놀이에서) 속임수 쓰다〔쓰는 사람〕. **∠·er·y** *n.* Ⓒ 띠까마귀 (따위)가 떼지어 사는 곳; 빈민굴.

rook[2] *n.* Ⓒ 〖체스〗 성장(城將)(castle)《장기의 차(車)에 해당》.

rook·ie[rúki] *n.* Ⓒ 《俗》 신병, 신참, 풋내기.

†**room**[ru(:)m] *n.* Ⓒ 방(의 사람들); (*pl.*) 셋방, 하숙(lodgings); Ⓤ 장소, 여지(*for; to* do). ***in the ~ of*** …의 대신으로. ***make ~*** 자리를 양보하다, 장소를 만들다(*for*). (***There is***) ***no ~ to turn in.*** 비좁다, 답답하다. ── *vt., vi.* 방을 주다, 숙박시키다; 유숙하다(*at, with, together*). **∠·er** *n.* Ⓒ 《美》 세든 사람, 하숙인. **~·étte** *n.* Ⓒ 《美》 (Pullman car의) 개인용 침실. **~·ful**[∠fùl] *n.* Ⓒ 방(하나) 그득(한 사람·물건). **∠·ie** *n.* Ⓒ 동숙자. **∠·y** *a.* 널찍한 (spacious). 「객실계.

róom clèrk 호텔의 프런트접수계,

róoming hòuse 《美》 하숙집.

róom-màte *n.* Ⓒ 《美》 한 방(을 쓰는) 사람, 동숙자.

róom sèrvice (호텔 등의) 룸서비스; 룸서비스계.

Roo·se·velt[róuzəvèlt, róuzvəlt], **Franklin Delano** (1882-1945) 미국 32대 대통령(1933-45)《생략 F. D.R.》; **Theodore**(1858-1919) 미국 26대 대통령(1901-09).

:**roost** [ru:st] *n.* Ⓒ (닭장의) 홰 (perch); 휴식처, 잠자리. ***at ~*** 취침중에. ***Curses, like chickens, come home to ~.*** 《속담》 누워서 침뱉기. ***go to ~*** 잠자리에 들다. ***rule the ~*** 《口》 마음대로 하다. ── *vi., vt.* (홰에) 앉다; 보금자리에 들다. ***∠·er** *n.* Ⓒ 《美》 수탉(《英》 cock).

:**root**[1] [ru:t] *n.* Ⓒ ① 뿌리; (*pl.*) 근채(根菜), 지하경. ② 근본; 근저(根底), 근거. ③ 근원; 선조; 〖聖〗 자손; 본질. ④ 〖文〗 어간(stem); 〖言〗 어근; 〖數〗 근; 〖樂〗 기음(基音)《기초화음》. ⑤ 〖컴〗 뿌리. ***pull up by the ~s*** 뿌리째 뽑다. ***~ and branch*** 전부 완전히. ***strike*** 〔***take***〕 ***~*** 뿌리 박히다, 정착하다. ── *vi., vt.* ① 뿌리박(게 하)다; 정착하다〔시키다〕. ② 뿌리째 뽑다, 근절하다(*up, out*). ***~·ed**[∠id] *a.* **∠·let** *n.* Ⓒ 가는 뿌리.

root[2] *vt., vi.* (돼지가) 코로 파헤집다; 찾다.

root[3] *vi.* 《美俗》 요란스레 응원하다(*for*). **∠·er** *n.* Ⓒ 응원자.

róot bèer 탄산수의 일종《sassafras 등의 뿌리로 만듦》.

róot cròp 근채(根菜) 식물《감자·순무 등》.

róot dirèctory 〖컴〗 뿌리(자료)방.

róot hàir 〖植〗 뿌리털(根毛).

róot·stòck *n.* Ⓒ 뿌리 줄기(根莖); (접목의) 접본; 근원.

†**rope**[roup] *n.* ① ⓊⒸ (밧)줄, 새끼. ② (the ~) 교수형(絞首刑)(용 밧줄). ③ Ⓒ (*pl.*) 둘러친 장소《권투장 등》의 밧줄. ④ Ⓒ (*pl.*) 비결, 요령. ***a ~ of sand*** 못믿을 것. ***come to the end of one's ~*** 진퇴유곡에 빠지다. ***give*** (***a person***) ***~*** (***enough to hang himself***) 멋대로 하게 내버려 두(어 자업자득이 되게 하)다. ***on the high ~s*** 사람을 얕〔깔〕보아; 의기 양양하여, 뽐내어. ***on the ~*** (등산가들이) 로프로 몸을 이어 매고. ── *vt.* (밧)줄로 묶다〔잇다, 당기다〕; 올가미를 던져 잡다. ── *vi.* (끈끈하여) 실같이 늘어지다. ***~ in*** 《俗》 끌어〔꾀어〕 들이다.

róp·y *a.* 밧줄 같은; 끈끈한, 실이 늘어지는.

rópe·dàncer, rópe·wàlker *n.* Ⓒ 줄타기 광대.

rópe·dàncing, rópe·wàlking *n.* Ⓤ 줄타기.

rópe làdder 줄사닥다리.

rópe skìpping 줄넘기.

rópe·wày *n.* Ⓒ (화물 운반용) 삭도; (사람을 나르는) 공중 케이블.

Roque·fort[róukfərt/rɔ́kfɔ:r] *n.* Ⓒ 〖商標〗 로크포르《염소 젖으로 만든 냄새가 강한 프랑스 치즈》.

Ror·schach (tèst) [rɔ́ːrʃɑːk(-)] *n.* Ⓒ 〖心〗 로르샤흐 검사《잉크 얼룩 같은 여러 도형을 해석시켜 성격을 판단함》.

ror·ty [rɔ́ːrti] *a.* 《英俗》 유쾌한; 멋있는; 즐거운.

ro·sa·ry [róuzəri] *n.* Ⓒ 〖가톨릭〗 묵주, 로자리오; 장미원.

†**rose**[1] [rouz] *n.* ① Ⓒ 장미(꽃)《영국의 국화》. ② Ⓤ 장미빛. ③ Ⓒ 장미 무늬〔매듭〕; 원화창(圓花窓). ④ (*pl.*) 발그레한 얼굴빛. ⑤ Ⓒ 미인. ***Alpine*** **~** 〖植〗 석남. ***bed of ~s*** 안락한 지위〔신분〕. ***gather (life's) ~s*** 환락을 일삼다. ***~ of Sharon*** 무궁화; 〖聖〗 샤론의 장미《실체는 미상(未詳)》. ***under the ~*** 비밀히(<L. *sub rosa*). ***Wars of the Roses*** 〖英史〗 장미 전쟁《York 가(家)(흰 장미의 문장)와 Lancaster가(家)(붉은 장미의 문장)의 싸움(1455-85)》. — *a.* 장미빛의.

†**rose**[2] *v.* rise의 과거.

ro·se·ate [róuziit] *a.* 장미빛의(rosy); 밝은, 행복한; 낙관적인 (optimistic).

rose·bay [róuzbèi] *n.* Ⓒ 〖植〗 협죽「도; 만병초.

róse bèetle 〔**bùg**〕 투구벌레의 일종《장미를 해침》.

***róse·bùd** *n.* Ⓒ ① 장미 봉오리. ② 아름다운 소녀.

róse·bùsh *n.* Ⓒ 장미나무〔덩굴〕.

róse còlo(u)r 장미빛, 도화색; 유망, 호황(好況).

róse-còlo(u)red *a.* 장미〔연분홍〕 빛의; 편한; (전망이) 밝은, 유망한; 낙관적인.

róse gàrden 장미 화원.

róse lèaf 장미의 잎〔꽃잎〕.

rose·mar·y [∠mὲəri] *n.* Ⓒ 〖植〗 로즈메리《상록 관목(灌木); 정절 등의 상징》.

róse mòss 〖植〗 채송화.

Ro·sét·ta stòne [rouzétə-] 로제타석(石)《1799년 이집트의 Rosetta 에서 발견되어 상형 문자 해독의 열쇠가 된 비석》.

ro·sette [rouzét] *n.* Ⓒ 장미 매듭(의 리본); 장미꽃 장식; 〖建〗 원화창(圓花窓).

róse wàter 장미 향수; 겉발림말.

róse wíndow 원화창(圓花窓).

róse·wòod *n.* Ⓒ 자단(紫檀)《콩과의 나무; 열대산》; Ⓤ 그 재목.

ros·i·ly [róuzili] *ad.* 장미빛으로, 붉어져; 유망하게, 밝게.

ros·in [rázən, -ɔ́(ː)-] *n., vt.* Ⓤ 수지(樹脂)《송진 따위》(를 바르다).

Ros·set·ti [rouséti, -z-/rɔséti], **Dante Gabriel** (1828-82) 영국의 시인·화가; **Christina G.** (1830-94) 그의 여동생, 시인.

Ros·si·ni [rɔːsíːni/rɔ-], **Gioacchino Antonio** (1792-1868) 이탈리아의 작곡가.

ros·ter [rástər/rɔ́s-] *n.* Ⓒ (근무) 「명부.

ros·tral [rástrəl/-ɔ́-] *a.* 주둥이의〔가 있는〕; 뱃부리 장식이 달린.

ros·trum [rástrəm/-ɔ́-] *n.* (*pl.* **~s, -tra** [-trə]) Ⓒ 연단(演壇)(platform).

‡**ros·y** [róuzi] *a.* ① 장미빛의, 불그스름한; 장미로 꾸민. ② 유망한. ③ 밝은 (기분의)(cheerful).

ROT rule of thumb 주먹구구.

***rot** [rɑt/-ɔ-] *vi., vt.* (**-tt-**) 썩(게 하)다; 썩어 문드러지(게 하)다. — *n.* Ⓤ 부패, 썩음; 《俗》 케케묵은 농담 (*Don't talk ~!* 허튼 수작 그만둬!).

Ro·tar·i·an [routέəriən] *n.* Ⓒ 로터리 클럽 회원.

***ro·ta·ry** [róutəri] *a.* 회전하는. — *n.* Ⓒ 윤전기; 환상 교차점; 〖電〗 회전 변류기.

Rótary Clùb, the 로터리 클럽《사회 봉사를 목적으로 하는 실업가 등의 사교 단체》.

rótary préss 윤전기(輪轉機).

ro·tate** [róuteit/-∠] *vi., vt.* 회전하다〔시키다〕; 교대하다〔시키다〕. ***~ crops 윤작하다. ***ro·tá·tion** *n.* Ⓤ,Ⓒ 회전; 교대(*by* 〔*in*〕 ***rotation*** 교대로, 차례로); 돌려짓기; 〖컴〗 회전《컴퓨터 그래픽에서 모델화된 물체가 좌표계의 한 점을 중심으로 도는 것》. **ro·tá·tion·al** *a.* 회전의; 순환의. **ró·ta·tor** *n.* Ⓒ 회전하는 것, 회전기. **ro·ta·to·ry** [róutətɔ̀ːri/-təri] *a.*

ROTC, R.O.T.C. Reserve Officer's Training Corps (*or* Camp).

rote [rout] *n.* Ⓤ 기계적인 방식〔암기〕. ***by ~*** 암기하여, 기계적으로.

ro·to·gra·vure [ròutəgrəvjúər] *n.* Ⓤ 사진 요판(凹版). 「전자.

ro·tor [róutər] *n.* Ⓒ (발전기의) 회

ro·to·vate [ròutəvéit] *vi.* 《英》 (땅을) 경운기로 갈다.

‡**rot·ten** [rátn/-ɔ́-] *a.* 부패한; 약한, 부서지기 쉬운(*a ~ ice*); 《俗》 나쁜, 더러운(nasty). ***R- Row*** 런던의 Hyde Park의 승마길(the Row).

rot·ter [rátər/-ɔ́-] *n.* Ⓒ 《주로 英俗》 변변찮은 녀석, 보기싫은 녀석.

Rot·ter·dam [rátərdæ̀m/rɔ́t-] *n.* 네덜란드 남서부의 항구.

ro·tund [routʌ́nd] *a.* 토실토실 살찐; 낭랑한. **ro·tún·di·ty** *n.*

ro·tun·da [routʌ́ndə] *n.* Ⓒ 〖建〗 (둥근 지붕의) 원형 건물; 둥근 천장의 큰 홀.

Rou·ault [ruːóu], **Georges** (1871-1958) 루오《프랑스의 야수파 화가》.

rou·ble [rúːbəl] *n.* =RUBLE.

rou·e [ruːéi, ∠-] *n.* (F.) Ⓒ 방탕자 (rake). 「지(를 바르다).

***rouge** [ruːʒ] *n., vi., vt.* Ⓤ (입술) 연

†**rough** [rʌf] *a.* ① 거친, 껄껄〔울퉁불퉁〕한. ② 텁수룩한(shaggy). ③ 거센, 파도가 높은. ④ 사나운, 난폭한; 예의없는. ⑤ (보석 따위) 닦지 않은; 가공되지 않은. ⑥ 개략(概略)〔개산〕의. ⑦ 서투른; 불친절한, 냉혹한 (*on*). ⑧ (소리가) 귀에 거슬리는. ⑨ (술맛이) 떫은〔나쁜〕. ⑩ = ASPIRATE. ***have a ~ time*** 되게 혼나다, 고생하다. ***~ rice*** 현미(玄米).

~ ***work*** 고된〔거친〕 일. ― *ad.* 거칠게; 대충. ― *n.* ⓊⒸ 거칠음, 거친 물건; Ⓒ《주로 英》 난폭한〔우악스런〕 사람; Ⓤ 〖골프〗 불량 지역; 학대. ***in the*** ~ 미가공〔미완성〕의; 대체로. ― *vt.* 거칠게 하다, 껄껄〔우툴두툴〕하게 하다; 난폭하게 다루다; 대충 해내다〔모양을 만들다〕. ~ ***it*** 비참한〔고된〕 생활에 견디다; 난폭한 짓을 하다. ~ ***out*** 대충 마무르다. ‡**ˊ·ly** *ad.* 거칠게; 대강. ***~ly estimated*** 개산(概算)으로, 대충잡아. ***~ly speaking*** 대충 말해서.

rough·age[rʌ́fidʒ] *n.* Ⓤ 거친 물건〔재료〕; 섬유질 식품.

róugh-and-réady *a.* 즉석의; (인품이) 세련되지 못한, 무무한.

róugh-and-túmble *a., n.* 뒤범벅이 된, 어지러운; ⓊⒸ 난투.

róugh·càst *vt.* 러프코트로 마무리하다; (…의) 대체적인 줄거리를 세우다. ― *n.* Ⓤ 러프코트《회반죽과 자갈을 섞어 바른 벽》; 대체적인 줄거리.

róugh cóat(**ing**)＝ROUGHCAST *n.*

róugh-drý *vt.* (말리기만 하고) 다림질은 안 하다.

rough·en[rʌ́fən] *vi., vt.* 거칠게 되다〔하다〕.

róugh-héw *vt.* (***~ed; -hewn, ~ed***) 대충 자르다〔깎다〕, 건목치다.

róugh-héwn *a.* 대충 깎은, 건목친; 조야한.

róugh·hòuse *n., vt., vi.* (*sing.*) (특히 옥내에서의) 법석(을 떨다); (농삼아) 거칠게 다루다.

róugh·nèck *n.* Ⓒ《美口》 우락부락한 사람, 난폭자.

róugh·rìder *n.* Ⓒ 사나운 말을 잘 다루는 기수, 조마사.

róugh·shód *a.* (말이) 못이 나온 편자를 신은. ***ride ~ over*** 난폭하게〔야멸치게〕 다루다.

róugh-spóken *a.* 말을 거칠게 하는.

rou·lette[ruːlét] *n.* Ⓤ 룰렛《공굴리기 도박》.

Rou·ma·ni·a[ruːméiniə, -njə] *n.* ＝RUMANIA.

†**round**[raund] *a.* ① 둥근. ② 토실토실 살찐. ③ 한바퀴〔일주〕의. ④ 완전한(*a ~ lie* 새빨간 거짓말). ⑤ 대강의, 끝수〔우수리〕가 없는(*a ~ number* 개수, 어림수《500·3,000따위》). ⑥ 상당한(*a good ~ sum*). ⑦ 잘 울리는, 낭랑한. ⑧ 활발한. ⑨ 솔직한(frank). ⑩ 〖音聲〗 입술을 동그랗게 한. ― *n.* Ⓒ ① 원(형); 둥근 물건; (조각의) 환조(丸彫); (빵의) 둥글게 썬 조각; 사닥다리의 가로장《둥글린 것》(rung[1]). ② 한바퀴, 순회(지구)(*go* 〔*make*〕 *one's ~s* 순회하다). ③ 회전, 주기. ④ 범위. ⑤ (승부의) 한판(*play a ~*). ⑥ 연속. ⑦ (탄약의) 한 발분, 일제 사격. ⑧ 원무(圓舞), 윤창(輪唱). ***daily ~*** 매일의 일〔근무〕. ***in the ~*** 모든 점으로 보아(*Seoul in the ~* 서울의 전모). ― *ad.* 돌아서; 둘레에; 둥글게; 가까이; 차례차례로. ***all ~*** 널리 미치게. ***all the year ~***, 1년 내내. ***ask*** (*a person*) ~ (아무를) 초대하다. ***come ~*** 돌아오다; 회복하다. ***come ~ to a person's view*** 의견에 동의하다. ~ ***about*** 원을 이루어, 둘레에; 멀리 빙 돌아서; 반대쪽에. ~ ***and*** ~ 빙빙; 사방에 널리 미쳐서. ***win*** (*a person*) ~ 자기편으로 끌어들이다. ― *prep.* ① …을 돌아서, …의 둘레에. ② …의 근처〔주변·일대〕에. ③ …을 꼬부라져서, 모퉁이를 돈 곳에(*~ the corner*). ***come ~*** (*a person*) 꾀로 앞지르다〔넘기다〕; 감언으로 속이다. ― *vi., vt.* 둥글게 되다〔하다〕; 돌다; (*vt.*) 완성하다; (*vi.*) 토실토실 살찌다, 원숙해지다. ~ ***down*** (수·금전 등의) 우수리를 잘라 버리다. ~ ***off*** 둥글게 하다; (모진 것을) 둥글리다; 잘 다듬어 마무르다; 원숙하게 하다. ~ ***on*** (친구 등을) 역습하다, 끽 소리 못하게 하다; 고자질〔밀고〕 하다. ~ ***out*** 둥글게 하다; 살찌게 하다; 완성하다. ~ ***up*** 동그랗게 뭉치다; 숫자를 우수리가 없게 하다; 몰아 대다〔모으다〕; 《口》 검거하다. ― *n.* Ⓒ 원; 〖컴〗 맺음.

***róund·abòut** *a., n.* Ⓒ 멀리 도는; 에움길, 에두름; 에두르는; 사내아이의 짧은 웃옷; 《英》 회전 목마; 《英》 환상 십자로, 로터리.

róund ángel 360°의 각도.

róund dànce 윤무(輪舞); 원무(圓舞).

róund dòwn 〖컴〗 잘라버림.

round·ed[ˊid] *a.* 둥글게 한〔만든〕.

roun·del[ráundl] *n.* Ⓒ 고리, 둥근 것, 원반; 〖空〗 (날개의) 둥근 마크.

roun·de·lay[ráundəlèi] *n.* Ⓒ 후렴이 있는 짧은 노래; 원무(圓舞)의 일종.

róund·er *n.* Ⓒ 순회자; 주정뱅이; 상습범; (*pl.*) 구기(球技)의 일종.

róund-éyed *a.* (깜짝 놀라) 눈을 둥그렇게 뜬.

Róund·hèad *n.* Ⓒ 〖英史〗 원두당원(圓頭黨員)《1642-52의 내란 당시 머리를 짧게 깎은 청교도 의원; Charles Ⅰ에 반항》.

róund·hòuse *n.* Ⓒ 〖海〗 후갑판 선실; 원형 기관 차고.

round·ish[ˊiʃ] *a.* 둥그스름한.

round·ly[ˊli] *ad.* 둥글게; 완전히, 충분히, 솔직하게; 단호히; 몹시; 기운차게; 대충.

round·ness[ˊnis] *n.* Ⓤ 둥글음, 완전함, 솔직함; 호됨.

róund òff 〖컴〗 반올림.

róund róbin 사발통문의 탄원서; 원탁회의; 리그전; 연속.

róund-shóuldered *a.* 새우등의.

rounds·man[ˊzmən] *n.* Ⓒ《英》 주문 받으러 다니는 사람, 외무원; 《美》 순찰 경관.

róund-tàble *a.* 원탁의(*~ conference* 원탁 회의).

róund-the-clóck *a.* 24시간 연속(제)의.

róund-the-wórld *a.* 세계 일주의.

róund tríp 왕복 여행; 주유(周遊)

여행.
róund-tríp *a.* 《美》 왕복(여행)의 (～ *ticket* 왕복표).
róund-trípper *n.* Ⓒ 《野俗》 홈런.
róund·ùp *n.* Ⓒ 가축을 몰아 한데 모으기; (범인 등의) 일제 검거.
róund vówel 원순(圓脣)모음(ɔ, u, œ, ø, y 따위).
róund·wòrm *n.* Ⓒ 회충.
:rouse[rauz] *vt.* 일으키다; 날아오르게 하다; 격려하다; 성나게 하다; 휘젓다. ― *vi., n.* 일어나다, 잠이 깨다; U,C 눈뜸, 각성; 분발(하다), (감정이) 격해지다. **róus·er** *n.* Ⓒ 환기〔각성〕시키는 사람. **róus·ing** *a.* 격려하는; 활발한; 터무니없는.
Rous·seau[ru:sóu/ ́–], **Jean Jacques** (1712-78) 프랑스의 사상가·저술가.
roust[raust] *vt.* 《美口》 두드려 깨우다(*up*); (…을) 쫓아내다(*out*).
roust·a·bout [ráustəbàut] *n.* Ⓒ 《美》 부두 노무자.
***rout**[1][raut] *n.* U,C 패배; 무질서한 군중(mob). ― *vt.* 패주시키다.
rout[2] *vt., vi.* (돼지가) 코로 파헤집다 (root)(*up*); (사람을 잠자리·집에서) 끌어내다(force out).
:route[ru:t, raut] *n.* Ⓒ 길, 노선, 노정; 항로; 《美》 (신문 등의) 배달구역. ***go the*** ～ (임무 따위를) 끝까지 해내다; 완투하다. ― *vt.* (…의) 길〔노선〕을 정하다; 발송하다.
route·man[́mən] *n.* 《美》 = ROUNDSMAN.
:rou·tine[ru:tí:n] *n.* C,U 상례적인 일, 판에 박힘, 정해짐, 정해진 순서; 〖컴〗 루틴《어떤 작업에 대한 일련의 명령군(群); 완성된 프로그램》. ― *a.* 일상의, 판에 박힌. 「일률.
rou·tin·ize[ru:tí:naiz] *n.* Ⓤ 천편
roux[ru:] *n.* (F.) U,C 〖料理〗 루《녹인 버터와 밀가루를 섞은 것》.
:rove[1][rouv] *vi.* 헤매다, 배회하다 (wander)(*over*). ― *n., vt.* Ⓤ 유력(遊歷)〔유랑〕(하다), 배회(하다); (R-) 개 이름. ***on the*** ～ 배회하고.
rove[2] *v.* reeve[1]의 과거(분사).
rove[3] *n.* Ⓒ 거칠게 자은 실. ― *vt.* 실을 거칠게 잣다.
rov·er**[róuvər] *n.* Ⓒ 배회자; 해적; 월면차(月面車). ***at ～s 막연히.
rov·ing[róuviŋ] *a.* 헤매는; 이동하는; 산만한; 두리번거리는.
róving ambássador 〔**mínis-ter**〕 순회〔무임소〕 대사〔공사〕.
:row[1][rou] *n.* Ⓒ 열, 줄; 죽 늘어선〔줄지은〕 집; 거리; 가로수; (the R-) 《英》 =ROTTEN ROW; 〖컴〗 행. ***a hard*** 〔***long, tough***〕 ～ ***to hoe*** 《美》 힘든〔지긋지긋한〕 일, 큰 일.
:row[2] *vt.* (배를) 젓다, 저어서 운반하다; (…으로) 젓다. ― *vi., n.* (a ～) 젓다; 젓기; 경조(競漕)(하다). ～ ***down*** 저어서 따라 미치다. ～***ing boat*** 《英》 =ROWBOAT. ～ ***over*** 상대방의 배를 앞지르다. ́**·er** *n.* ́**·ing** *n.*
:row[3][rau] *n.* ① U,C 《口》 소동, 법석. ② Ⓒ 꾸짖음(*get into a* ～ 꾸지람 듣다). ③ Ⓒ 《口》 말다툼. ***make kick up a*** ～ 법썩을 일으키다; 항의하다. ― *vt., vi.* 《口》 욕질하다; 《口》 떠들다, 말다툼하다.
row·an [róuən, ráu-] *n.* Ⓒ 〖植〗 마가목의 일종; 그 열매.
rów·bòat[róu-] *n.* Ⓒ (손으로 젓는) 배, 노젓는 배, 상앗대배.
row·dy[ráudi] *n., a.* Ⓒ 난폭자; 난폭한. ～**·ism**[-ìzəm] *n.*
row·dy·dow·dy[-dáudi] *a.* 시끄러운; 야비한.
row·el[ráuəl] *n., vt.* (《英》 **-ll-**) Ⓒ (박차의) 톱니바퀴(를 대다).
rów hòuse[róu-] 《美》 (줄지어 선) 규격이 같은 주택(의 한 채분).
row·lock [rálək, rʌ́-/rɔ́-] *n.* Ⓒ 《英》 (보트의) 노걸이, 노받이.
:roy·al[rɔ́iəl] *a.* 왕〔여왕〕의; 국왕에 의한; 왕가의; 왕자(王者)다운; 훌륭한, 당당한(*a* ～ *game*); 장엄한; 왕립의; 칙허(勅許)의; 거창한. ***have a*** ～ ***time*** 굉장히 즐겁게 지내다. ***His*** 〔***Her***〕 ***R- Highness*** 전하〔비(妃)전하〕. ～ ***assent*** (의회를 통과한 법안에 대한) 국왕의 재가. ～ ***household*** 왕실. ～ ***touch*** 연주창 환자에게 왕이 손을 댐《왕이 손을 대면 낫는다고 생각됐음》. ***the R- Air Force*** 영국 공군. ***the R- Marines*** 영국 해병대. ***the R- Navy*** 영국 해군. ～**·ist** *n.* Ⓒ 왕당파; (R-) 왕당원(cf. Roundhead). ～**·ly** *ad.* 왕답게, 당당하게.
Róyal Acádemy, the 《英》 왕립 미술원.
róyal blúe 진한 청색.
Róyal Exchánge, the (런던의) 왕립 증권 거래소《생략 R.E.》.
róyal flúsh (포커에서) 같은 마크의 최고점 패로부터 연속된 5장.
roy·al·ism[rɔ́iəlìzəm] *n.* Ⓤ 왕당주의; 군주주의.
róyal pálm 종려 나무의 일종.
róyal púrple 짙푸른 자줏빛.
***róyal róad** 왕도(王道); 지름길.
Róyal Society, the 영국 학술원.
róyal stándard 《英》 왕기(旗).
***roy·al·ty**[rɔ́iəlti] *n.* ① Ⓤ 왕〔여왕〕임; 왕권; (보통 *pl.*) 왕의 특권; 왕족, 황족. ② Ⓒ (본래는 왕실에 진납된) 상납금; 채굴권; 인세; (희곡의) 상연료; 특허권 사용료.
RP Radiopress. **R.R.** 《英》 received pronunciation. **RPG** 〖컴〗 Report Program Generator 보고서 프로그램 생성(生成)루틴. **rpm, r.p.m.** revolutions per minute. **r.p.s.** retail price survey 소매 가격 조사; revolutions per second. **rpt.** report.
R-rat·ed[á:rrèitid] *a.* 《俗》 준성인 영화의.
RSC 〖拳〗 referee stop contest. **R.S.P.C.A.** Royal Society for the Prevention of Cruelty to

R

Animals. **R.S.V.P.** *Répondez s'il vous plaît*(F.=please reply). **rt.** right. **Rt. Hon.** Right Honourable. **RTL** 〖컴〗 resistor-transistor logic 저항 트랜지스터 논리. **RTO** Railway Transportation Office. **Ru** 〖化〗 ruthenium. **R.U.** Rugby Union.

:**rub**[rʌb] *vt., vi.* (**-bb-**) ① 문지르다, 마찰하다; 닦다. ② (*vt.*) 문질러〔비벼〕 지우다〔없애다〕. ③ (*vt.*) 초조하게 만들다. ④ (*vi.*) 문질리다. ⑤《口》 그럭저럭 살아 나가다(*along, on, through*). ～ **down** 문질러 없애다; 마사지하다; 몸을 훑어서 조사하다. ～ **in**《俗》 되풀이 말하다. ～ **off** 문질러 없애다〔떼다〕. ～ **one's hands** 두 손을 비비다《득의·만족을 나타냄》. ～ **up** 닦다; 복습하다(～ *up Latin*); 한데 개다〔섞다〕(mix). ── *n.* (a ～) 문지름, 마찰; (the ～) 장애, 곤란; 빈정거림, 욕설. **～s and worries of life** 인생의 고초. **There's the ～.** 그것이 골치아픈〔위태로운〕 점이다《Sh(ak)》. **∠·bing** *n.* Ⓤ,Ⓒ 마찰; 연마; 마사지; 탁본.

rub. ruble.

rub-a-dub[rʌ́bədʌ̀b] *n.* Ⓒ 둥둥《북소리》.

ru·ba·to[ru:bɑ́:tou] *a., n.*(It.) Ⓒ 〖樂〗 루바토(의)《음부 길이를 적절히 증감한 (템포)》.

:**rub·ber**[1][rʌ́bər] *n.* ① Ⓤ 고무; Ⓒ 고무 제품; 고무 지우개(*India* ～); (*pl.*)《美》 고무신. ② Ⓒ 문지르는〔비비는〕 사람, 안마사; 칠판 지우개. ③ Ⓒ 숫돌, 줄. ── *vt.* (천에) 고무를 입히다. ── *vi.*《美古俗》 목을 늘이(고 보)다, 뒤돌아보다. **～·ize** [-ràiz] *vt.* (…에) 고무를 입히다〔대다〕. **～·ly** *a.* 고무같은, 탄력 있는.

rub·ber[2] *n.* Ⓒ 3판 승부(의 결승전).

rúbber bánd 고무 밴드.

rúbber cemént 고무풀《접착제》.

rúbber chéck《美口》 부도 수표.

rúbber-fàced *a.* 얼굴 표정을 계속 바꾸는.

rúbber·nèck *vi., n.* Ⓒ 보고 싶어서 목을 늘이다〔늘이는 사람〕, 무엇이나 알고 싶어하다〔하는 사람〕, 호사가(好事家); 관광객. **～er** *n.*

rúbber plànt 〔**trèe**〕 고무 나무.

rúbber stámp 고무 도장.

rúbber-stámp *vt.* (…에) 고무도장을 찍다;《口》 무턱대고 도장을 찍다〔받아 들이다〕.

***rub·bish**[rʌ́biʃ] *n.* Ⓤ 쓰레기; 잡꼬대, 허튼 소리. **～·y** *a.*

rub·ble[rʌ́bəl] *n.* Ⓤ 잡석, 밤자갈.

rúb·dòwn[rʌ́bdàun] *n.* =MASSAGE.

rube[ru:b] *n.* Ⓒ《美俗》 (순진한) 시골 뜨기.

ru·bel·la[ru:bélə] *n.* Ⓤ 〖醫〗 풍진(風疹)(German measles).

Ru·bens[rú:bənz, -binz], **Peter Paul**(1577-1640) Flanders의 화가.

Ru·bi·con [rú:bikàn/-kən] *n.* (the ～) 이탈리아 중부의 강. **cross the ～** 결행하다.

ru·bi·cund[rú:bikʌ̀nd/-kənd] *a.* (얼굴 따위가) 붉은(ruddy).

ru·bid·i·um[ru:bídiəm] *n.* Ⓤ 〖化〗 루비듐《금속 원소》.

ru·ble[rú:bəl] *n.* 루블《러시아의 화폐 단위; =100 kopecks; 기호 R, r》.

ru·bric[rú:brik] *n.* Ⓒ 주서(朱書), 붉은 인쇄〔글씨〕; 예배 규정.

***ru·by** [rú:bi] *n., a.* Ⓒ 홍옥, 루비(빛의); Ⓤ 진홍색(의); 〖拳〗 피; Ⓤ《英》〖印〗 루비(⇨agate).

ruche[ru:ʃ] *n.* Ⓒ (레이스 따위) 주름끈〔장식〕. **rúch·ing** *n.* Ⓤ《집합적》 주름 장식.

ruck[rʌk] *n.* Ⓒ 다수; 대중; 잡동사니.

ruck·sack[rʌ́ksæ̀k, -ú-] *n.* Ⓒ 륙색, 배낭.

ruck·us[rʌ́kəs] *n.* Ⓤ,Ⓒ《美口》 야단 법석.

ruc·tion[rʌ́kʃən] *n.* Ⓤ,Ⓒ《口》 소동, 싸움, 난투.

***rud·der**[rʌ́dər] *n.* Ⓒ (배의) 키; 〖空〗 방향타(舵). **～·less** *a.* 키가 없는; 지도자가 없는.

rúdder·pòst *n.* Ⓒ 〖船〗 키를 장치하는 고물의 기둥.

rud·dle[rʌ́dl] *n., vt.* Ⓤ 적토(赤土)(로 붉게 칠하다).

***rud·dy**[rʌ́di] *a.* 붉은; 혈색이 좋은.

:**rude**[ru:d] *a.* ① 버릇없는, 난폭한. ② (날씨 따위가) 거친, 거센. ③ 자연 그대로의. ④ (어림 따위) 대강의(rough). **be ～ to** …을 욕뵈다. **say ～ things** 무례한 말을 하다. **∠·ness** *n.*

***rude·ly**[rú:dli(:)] *ad.* 거칠게; 버릇없게; 서투르게.

ru·di·ment[rú:dəmənt] *n.* (*pl.*) 기본, 초보; Ⓒ 발육 불완전 기관. **-men·tal**[̀--méntl], **-men·ta·ry** [-təri] *a.* 초보의; 〖生〗 발육 부전의; 흔적의.

rue[1][ru:] *vt., vi.* 뉘우치다, 슬퍼하다, 한탄하다. ── *n.* Ⓤ《古》 회한, 비탄. **∠·ful(·ly)** *a.* (*ad.*)

rue[2] *n.* Ⓤ 운향(芸香)《노란꽃이 핌》.

ruff[rʌf] *n.* Ⓒ (16세기경 남녀 옷의) 수레바퀴 모양의 주름 옷깃. **～ed** [-t] *a.* 주름 옷깃이 있는.

***ruf·fi·an**[rʌ́fiən, -fjən] *n., a.* Ⓒ 악한, 불량배; 흉악한. **～·ism** [-ìzəm] *n.* **～·ly** *a.* 흉악한.

***ruf·fle**[1][rʌ́fəl] *vt.* ① 물결을 일으키다, (깃털을) 세우다. ② 교란시키다, 속타게〔초조하게〕하다. ③ (물결 모양의) 주름 가장자리를 달다. ④ (트럼프 패를) 쳐서 뒤섞다. ── *vi.* 물결이 일다; 속타다; 뽐내다. ～ **it** 뽐내다. ── *n.* ① Ⓒ 주름 가장자리〔장식〕. ② Ⓒ 잔 물결. ③ Ⓒ,Ⓤ 동요; 속탐, 화(냄).

ruf·fle[2] *vi.* 북을 나직이 둥둥 치다. ── *n.* Ⓒ 북을 나직이 둥둥 치는 소리.

:**rug**[rʌg] *n.* Ⓒ 깔개, 융단, 양탄자; 《주로 英》 무릎 덮개.

rúg·by (**fóotball**)[rʌ́gbi(-)] *n.* (종종 R-) Ⓤ 럭비(축구).

:**rug·ged**[rʌ́gid] *a.* 울퉁불퉁한, 껄껄

한(rough); 엄격한; 험악한(~ *weather*); 괴로운; 조야한; 단단한; 귀에 거슬리는; 튼튼한(*a* ~ *child*). ~**·ly** *ad.* ~**·ness** *n.*

rug·ger[rʌ́gər] *n.* Ⓤ《英俗》럭비.

:ru·in[rú:in] *n.* (*pl.*) 폐허; Ⓤ 파멸(의 상태); 몰락; 파산; 황폐; 손해. ***be the ~ of*** (…의) 파멸의 원인이 되다. ***bring to ~*** 실패시키다. ***go to ~*** 멸망하다. — *vt., vi.* 파괴하다, 파멸시키다; 영락시키다〔하다〕. ~**·a·tion**[∸–éiʃən] *n.* ~**·ous** *a.* 파괴적인, 파멸을 가져오는; 황폐한; 영락한.

†rule[ru:l] *n.* ① Ⓒ 규칙, 표준, 법칙. ② Ⓒ 관례, 정례. ③ Ⓤ 지배, 통치. ④ Ⓒ 규준; 자(ruler). ⑤ Ⓒ 괘(罫), 괘선(罫線). ***as a ~*** 대개, 일반적으로. ***by ~*** 규칙으로〔대로〕. ***hard and fast ~*** 까다로운 표준〔규정〕. ***make it a ~ to*** 하는 것을 상례로 하다, 늘 …하기로 하고 있다. ***~ of the road*** 교통 규칙. ***~ of three*** 비례. ***~ of thumb*** 개략의 측정, 개산(概算); 실제 경험에서 얻은 법칙. — *vt.* 규정하다; 통치〔지배〕하다; 판정하다; 자로 줄을 긋다; 억제하다. — *vi.* 지배하다(*over*); 판정하다; 〖商〗 보합(保合)을 이루다(*Prices ~ high.* 높은 시세에 머물러 있다). ***~ out*** 제외〔배제〕하다. **∠·less** *a.* 규칙이 없는; 지배되지 않는.

:rul·er[rú:lər] *n.* Ⓒ 통치〔지배〕자, 주권자.

:rul·ing[rú:liŋ] *a.* 통치〔지배〕하는; 우세한; 일반의. — *n.* Ⓤ 지배; Ⓒ 판정; 선(긋기). ***~ class*** 지배 계급. ***~ passion*** (행동의 근원이 되는) 주정(主情). ***~ price*** 시세, 시가. ~**·ly** *ad.*

***rum**[1][rʌm] *n.* Ⓤ 럼주《당밀 따위로 만듦》; 《美·一般》 술.

rum[2] *a.* (**-mm-**) 《英俗》 이상한, 별스런(odd). ***feel ~*** 기분이 나쁘다.

Rum. Rumania(n).

Ru·ma·n·ia [ru:méiniə, -njə] *n.* 루마니아. **-n** *n., a.* Ⓒ 루마니아 사람(의); Ⓤ 루마니아말(의).

rum·ba[rʌ́mbə, rú(:)m-] *n., vi.* (Sp.) Ⓒ 룸바《본디 쿠바 토인의 춤》(를 추다).

***rum·ble**[rʌ́mbəl] *n.* (*sing.*) 우르르 소리, 덜커덕〔요란한〕 소리; =∠ **sèat** (구식 자동차 후부의) 접었다 폈다 하는 식의 좌석; 소문; 불평. — *vi.* 우르르 울리다; 덜커덕덜커덕 소리가 나다.

rúmble-túmble *n.* Ⓒ 털털이(차(車)); 몹시 흔들림.

ru·men[rú:min/-mən] *n.* Ⓒ (반추동물의) 첫째 위(胃).

ru·mi·nant[rú:mənənt] *a., n.* Ⓒ 되새기는; 심사〔묵상〕하는; 반추 동물《소·양·낙타 따위》.

ru·mi·nate[rú:mənèit] *vi., vt.* 되새기다; 심사〔묵상〕하다(ponder) (*about, of, on, over*). **-na·tion**[∸–néiʃən] *n.* Ⓤ 반추; 생각에 잠김, 묵상.

rum·mage[rʌ́midʒ] *vt., vi.* 뒤적거리며〔뒤져〕 찾다; 찾아내다(*out, up*). — *n.* (a ~) 샅샅이 뒤짐; Ⓤ 잡동사니, 허섭스레기(odds and ends).

rúmmage sàle 자선 바자; 재고품 정리 판매. 「(rum[2]).

rum·my[1] [rʌ́mi] *a.* 《英俗》 야릇한

rum·my[2] *n.* Ⓤ 카드놀이의 일종.

rum·my[3] *n.* Ⓒ 《美俗》 주정뱅이.

:ru·mor, 《英》 **-mour**[rú:mər] *n., vt.* Ⓤ,Ⓒ 풍문, 소문(을 내다).

rúmo(u)r-mònger *n.* Ⓒ 소문을 퍼뜨리는 사람.

***rump**[rʌmp] *n.* Ⓒ (사람·새·짐승의) 궁둥이; 《英》 (쇠고기의) 엉덩이살; 나머지; 잔당, 잔류파.

rum·ple[rʌ́mpəl] *vt.* 구기다, 주름지게 하다; 헝크러뜨리다.

rum·pus[rʌ́mpəs] *n.* (*sing.*) 《口》 소음, 소란(row[3]).

rúm·rùnner *n.* Ⓒ 《美口》 주류 밀수입자〔선〕. 「판매점.

rúm-shòp *n.* Ⓒ 《美口》 술집, 주류

†run[1][rʌn] *vi.* (*ran; run; -nn-*) ① 달리다; 급하게 가다. ② 달아나다(~ *for one's life*). ③ 다니다, 왕복하다. ④ 나아가다. ⑤ 기다(creep), (담쟁이 덩굴·포도 따위가) 휘감겨 오르다(climb). ⑥ 대강 훑어보다. ⑦ (때가) 지나다. ⑧ 뻗다, 퍼지다. ⑨ 번지다(spread). ⑩ (강 따위가) 흐르다; 콧물이〔고름·피가〕 나오다, 흘러나오다(*My nose ~s.*); 흘리고 있다(*You're ~ning at the nose.*). ⑪ …이〔하게〕 되다(~ *dry* 말라붙다/~ *hard* 몹시 궁색하다/~ *low* 적어지다). ⑫ (모양·크기 등이) …이다(*These apples ~ large.*). ⑬ 계속하다(last). ⑭ 일어나다, 행해지다. ⑮ (기억이) 떠오르다. ⑯ 〖法〗 효력이 있다. ⑰ (경기·선거 등에) 나가다(*for*); (경주·경마에서) …등이 되다. ⑱ 수월하게〔스르르〕 움직이다. ⑲ 말은〔문구는〕 …이다. ⑳ 멋대로 행동하다, 어거하기 힘들다(~ *wild*). ㉑ (물고기떼가) 이동하다. ㉒ 풀리다(ravel); 녹다. ㉓ 달하다(*to*). — *vt.* ① 달리게 하다(~ *a horse*); (길을) 가다(~ *a course*). ② 뒤쫓다, 몰다(~ *a hare*); 알아내다(~ *the rumor to its source*). ③ (…와) 경쟁하다(*I'll ~ him a mile.*); (말을) 경마에 내보내다. ④ (아무를) 출마시키다(~ *him for the Senate* 상원의원에 입후보시키다). ⑤ (칼로) 꿰찌르다(*into*). ⑥ 꿰매다. ⑦ (…을) 흐르게 하다(flow with)(*The streets ran blood.* 거리는 온통 피바다였다). ⑧ (어떤 상태로) 만들다. ⑨ 무릅쓰다(~ *a risk*). ⑩ 지장없이 움직이다. ⑪ 경영하다. ⑫ 빠져나가다. ⑬ 밀수(입)하다(smuggle). ⑭ 《美》 (광고·기사 따위를) 내다, 발표하다(~ *an ad in The Times* 타임즈지(紙)에 광고를 내다). ~

R

about 뛰어다니다. ~ ***across*** 뜻밖에 만나다. ~ ***after*** …을 뒤쫓다; 추구하다. ~ ***against*** 충돌하다; 뜻하지 않게 만나다. ~ ***away*** 도망치다. ~ ***away with***《口》…을 가지고 달아나다; …와 사랑의 도피를 하다; 지레짐작하다. ~ ***close*** 바싹 뒤쫓다; 육박하다. ~ ***down*** (*vi.*) 뛰어내려가다; (아무를 방문하러) 시골에 가다; (태엽이 풀려서 시계가) 서다; 줄다, 쇠약해지(게 하)다; (*vt.*) 바싹 뒤따르다[뒤쫓다]; 부딪쳐 넘어뜨리다, 충돌하다; 찾아내다;《口》헐뜯다. ~ ***for*** 부르러 가다; …의 후보로 나서다(~ *for Congress*). ~ ***for it*** 도망치다. ~ ***in*** (*vi.*) 잠깐 들르다; 일치[동의]하다; (*vt.*)〖印〗행을 바꾸지 않고 이어 짜다;《俗》체포하여 교도소에 집어 넣다. ~ ***into*** 뛰어들다; 빠지다(~ *into debt* 빚을 지다); (강물이 바다로) 흘러 들어가다; …에 충돌하다; 딱 마주치다; …으로 기울다; 달하다. ~ ***off*** (용케) 도망치다; (이야기가) 갑자기 탈선하다; 유출하다[시키다]; 거침없이 [줄줄] 쓰다[낭독하다];《美》(연극을) 연속 공연하다; 인쇄하다. ~ ***a*** (*person*) ***off his legs*** 지치게 하다. ~ ***on*** 계속하다; 도도하게 말을 계속하다;〖印〗이어짜다; 경과하다; (…에) 미치다; 좌초하다. ~ ***out*** 뛰어[흘러]나오다, 새다; 끝나다, 다하다; 만기가 되다; (시계가) 서다; (원고를 인쇄하였을 때) 예정 이상으로 늘어나다;〖野〗러너를 아웃시키다; (밧줄을) 풀어내다. ~ ***out of*** 다 써버리다. ~ ***over*** (차가 사람 등을) 치다; 넘치다, 피아노를 빨리 치다. ~ ***through*** 꿰찌르다; 대강 훑어 읽다; 소비하다; (글씨를) 줄을 그어 지우다. ~ ***up*** (*vi.*) 뛰어 오르다; 증가하다, 부쩍부쩍 자라다; 달하다(*to*); (*vt.*) 올리다; 증가하다; 급조(急造)하다. ── ***n.*** ① Ⓒ 달림; 한달음,〖軍〗구보(cf. double time); 경주. ② (a ~) 여행. ③ (a ~) 진행, 행정(行程). ④ Ⓤ 흐름; 유출; Ⓒ 시내; 수관(水管), 파이프. ⑤ (the ~) 유행, 주문 쇄도; (은행의) 지불 청구의 쇄도(*on*). ⑥ (the ~) 방향, 추세; 형세, 경향(trend). ⑦ (a ~) 흐름과 같이 잇따름; 한 연속; 연속. ⑧ Ⓒ 보통(의 것), 종류, 계급(class). ⑨ Ⓒ 도로. ⑩ Ⓒ 방목장, 사육장(*a chicken* ~). ⑪ (the ~) 사용[출입]의 자유. ⑫ (the ~) 조업[운전](시간); 작업량. ⑬ Ⓒ〖野〗생환(生還)《1점》;〖크리켓〗득점; 1점. ⑭ Ⓒ 급주(急奏). ⑮ Ⓒ (양말의) 전선(傳線)(《英》ladder)(*in*); Ⓤ 떼지어 이동하는 물고기. ⑯〖컴〗실행. ***at a*** ~ 구보로. ***by the*** ~, or ***with a*** ~ 갑자기, 왈칵. ***common*** ~ ***of people*** 보통의 사람, 대중. ***have a good*** ~ 굉장한 인기를 얻다. ***have a*** ~ ***for one's money*** 노력[지출]한 만큼의 보람이 있다;《美》이익을 얻고자 기를 쓰다. ***have the*** ~ ***of one's teeth*** (노동의 보수로서) 식사를 제공받다. ***in the long*** ~ 마침내, 결국(은). ***keep the*** ~ ***of***《美》뒤[빠]지지 않다. ***let*** (*a person*) ***have his*** ~ 자유를 주다, 마음대로 하게 하다. ***on the*** ~《口》도주하여; 뛰어 다니며. ~(***s***) ***batted in***〖野〗타점《생환 득점; 생략 r. b. i.》.

†**run**² [rʌn] *v.* run¹의 과거분사.

rún·abòut *n.* Ⓒ 떠돌이, 부랑자; 소형 자동차[발동선].

run·a·gate [⌐əgèit] *n.* Ⓒ《古》부랑자.

rún·aròund *n.* (the ~)《口》회피, 도피; 어물쩍거림, 핑계.

***rún·awày** *n., a.* Ⓒ 도망(자), 달아난 (말), 사랑의 도피; 눈맞아 도피한; (경주에서) 쉽게 이긴.

rún chàrt〖컴〗실행 절차도.

run·down [*a.* ⌐dáun; *n.* ⌐⌐] *a., n.* 몹시 지친; 파손[황폐]된; (시계 따위가) 선; Ⓒ 적요; 감수(減數), 감원.

rune [ruːn] *n.* Ⓒ (보통 *pl.*) 룬 문자《북유럽의 고대 문자》; 룬 문자의 시; 신비로운 기호. **rú·nic** *a., n.* 룬 문자의; Ⓒ 루닉체의 활자.

rung¹ [rʌŋ] *n.* Ⓒ (사닥다리의) 가로장. 「거).

‡**rung**² *v.* ring¹의 과거분사[《稀》과

rún-ìn *a., n.* Ⓒ〖印〗이어짜는 (부분); 추가의 (원고·교정);《美口》말다툼.

run·let [rʌ́nlit], **run·nel** [rʌ́nl] *n.* Ⓒ 시내, 개울.

‡**run·ner** [rʌ́nər] *n.* Ⓒ ① 달리는 사람, 경주자[말]. ② (스케이트·썰매의) 활주면. ③ 좁고 길쭉한 테이블보[융단]. ④〖植〗덩굴. ⑤ (양말의) 전선(ladder). ⑥《美》유객(誘客)꾼; 밀수업자; 심부름꾼.

rúnner-úp *n.* (*pl.* ***-s-up***) Ⓒ (경기 따위의) 차점자[팀].

‡**run·ning** [rʌ́niŋ] *n.* Ⓤ 달리기, 경주, 운전; 유출, 고름이 나옴. ***be in*** [***out of***] ***the*** ~ 경주·경쟁에 참가[불참]하다; 승산이 있다[없다]. ***take up the*** ~ 앞장서다, 솔선하다. ── ***a.*** 달리는, 흐르는; 잇다른, 연속하는(*for six days* ~ 연(連) 6일간); 미끄러운, 원활하게 되어가는[나아가는]; (덩굴 따위가) 뻗는.

rúnning accòunt 당좌 계정.

rúnning bóard (자동차의) 발판.

rúnning cómmentary (스포츠 프로 등의) 실황 방송; 필요에 따라 수시로 하는 설명[해설].

rúnning dòg《蔑》〖政〗추종자, 주구(走狗), 앞잡이.

rúnning fíre〖軍〗(움직이면서 하는) 연속 급사격; (질문 따위의) 연발.

rúnning hánd (글씨의) 흘림(체).

rúnning héad(**line**) 난외(欄外) 표제. 「기면 죄어짐》.

rúnning knót 던짐올가미 매듭《당

rúnning màte 짝지은 입후보자 중 하위의 사람《부통령 등》.

rúnning títle =RUNNING HEAD.

rúnning wáter 수도; 급수; 유수

R

(流水).
run·ny[rʌ́ni] *a.* 액체 비슷한, 점액을 분비하는(*a* ~ *nose*).
rún·òff *n.* ① U,C 흘러 없어지는 것; (도로의) 배수(排水)(기). ② C (동점자의) 결승전.
rún-of-(the-)míll *a.* 보통의.
rún-òn *n., a.* C 추가(한); 〖韻〗 다음 행에 계속(되는).
rún·pròof *a.* (양말의) 올이 안 풀어지는; (염색이) 번지지〔배지〕 않는.
runt[rʌnt] *n.* C 송아지; 《蔑》 난쟁이; 작은 동물〔식물〕. **∠·y** *a.*
rún-thròugh *n.* C 통독(通讀); 예행 연습.
rún-tìme *n.* C 〖컴〗 실행 시간.
rún-ùp *n.* C 도움닫기.
***rún·wày** *n., vt.* C 주로(走路); 활주로(를 만들다); (동물의) 다니는 길; (재목 등을 굴러내리는) 비탈길.
ru·pee[ru:píː] *n.* C 루피《인도·파키스탄·스리랑카의 화폐 단위; 생략 r, R, Re》; 루피 은화.
rup·ture[rʌ́ptʃər] *n.* U 파열; U,C 결렬; 불화; C 헤르니아, 탈장(脫腸). — *vt., vi.* 깨뜨리다; 찢(어지)다, 터뜨리다, 터지다; 헤르니아에 걸리(게 하)다.
:ru·ral[rúərəl] *a.* 시골풍의, 전원의. **~·ize**[-àiz] *vt., vi.* 전원화하다.
rúral delívery sèrvice 《美》 지방 우편 배달.
ru·ral·i·ty [ruərǽləti] *n.* U 시골티; 전원 생활; C 시골 풍습.
rur·ban[rə́ːrbən] *a.* 교외 주택지의, 전원 도시의. **~·i·za·tion**[ㅗ–izéiʃən/-naiz-] *n.* U 도비화(都鄙化) 《도시와 농촌이 교류하여 공통적 양상이 나타나는 일》.
Rus. Russia(n).
ruse[ru:z] *n.* C 계략(stratagem).
†rush[1][rʌʃ] *vi.* 돌진〔돌격〕하다(*on, upon*); 급행하다. — *vt.* 돌진시키다, 재촉하다, 몰아치다; 돌격하다; (공을) 급송구하다; 《美口》 (여자와) 뻔질나게 교제하다. — *n.* ① C 돌진, 돌격. ② (*sing.*) 몰려듦, 답지(遝至). ③ (a ~) 쇄도. ④ C 《美大學》 (울타리·보도(步道)·막대기 따위를 다투어 빼앗는 학급간의) 난투. ⑤ C (보통 *pl.*) 《美》 〖映〗 (제작 도중의) 편집용 프린트. ***in a ~*** 갑자기, 와아하고. ***~ hour*** (교통이) 한창 붐비는 시간. ***with a ~*** 돌격〔쇄도〕하여, 와아하고 (한꺼번에). — *a.* 돌진하는; 지급(至急)의.
rush[2] *n.* C 등심초, 골풀; 하찮은 물건. ***not care a ~*** 아무렇지도 않게 생각하다. **∠·y** *a.* 등심초가 많은〔로 만든〕.
rúsh·càndle, rúsh·lìght *n.* C 등심초 양초; 약한 빛; 실력 없는 교사.
rusk[rʌsk] *n.* C 러스크《살짝 구운 비스킷》; 오븐(oven)으로 토스트한 빵〔과자〕.
Rus·kin[rʌ́skin], **John**(1819-1900) 영국의 미술 비평가, 사회개량가.
Russ[rʌs] *a., n.* 《古》 *sing. & pl.* = RUSSIAN.
Russ. Russia(n).
Rus·sell[rʌ́səl], **Bertrand**(1872-1970) 영국의 수학자·저술가; 노벨 문학상 수상(1950).
rus·set[rʌ́sət] *n., a.* U 황〔적〕갈색(의); 황갈색의 천《농부용》; C 황〔적〕갈색 사과의 일종.
:Rus·sia[rʌ́ʃə] *n.* 러시아; (r-) = **∠ léather** 〔**cálf**〕 러시아 가죽. **:Rús·sian** *a., n.* 러시아의; C 러시아 사람(의); U 러시아 말(의).
Rússian roulétte 탄환이 1개 든 권총의 탄창을 회전시켜 총구를 자기 머리에 대고 방아쇠를 당기는 무모한 내기; 생사를 건 무서운 짓.
Rus·so-[rʌ́sou, -sə] '러시아(사람)의' 뜻의 결합사.
Rússo-Koréan *a.* 한러의.
:rust[rʌst] *n.* U 녹(슨 빛); 〖植〗 녹병; 무위(無爲). ***gather ~*** 녹슬다. ***keep from ~*** 녹슬지 않게 하다. — *vi., vt.* 녹슬(게 하)다; 녹병에 걸리(게 하)다; 둔해지다. **∠·less** *a.* 녹슬지 않는.
:rus·tic[rʌ́stik] *a.* ① 시골(풍)의, 전원(생활)의(rural). ② 조야한, 우락부락한. ③ 소박한, 순수한. ④ 통나무로 만든(*a* ~ *bridge*). — *n.* C 시골뜨기. **rús·ti·cal·ly** *ad.*
rus·ti·cate[rʌ́stəkèit] *vi.* 시골에 가다; 시골살이하다. — *vt.* 시골살이 시키다; 시골풍으로 하다; 《英》 (대학에서) 정학(停學)을 명하다. **-ca·tion**[ㅗ–kéiʃən] *n.*
rus·tic·i·ty[rʌstísəti] *n.* U 시골풍, 전원 생활; 소박함; 예모없음.
:rus·tle[rʌ́səl] *vi., vt.* 바스락바스락〔와삭와삭〕 소리나다〔소리내다〕; 《美口》 기운차게 하다〔일하다〕; (가축을) 훔치다. — *n.* U,C 살랑〔바스락〕거리는 소리; 옷 스치는 소리; 《美口》 도둑질. ***~ in silks*** 비단옷을 입고 있다〔걷다〕. **rús·tler** *n.* C 《美口》 활동가; 가축 도둑. ***rús·tling** *a., n.*
rúst·pròof *a.* 녹 안나게 한.
:rust·y[1][rʌ́sti] *a.* 녹슨, 부식한, 녹빛의, 퇴색한; 낡아빠진; (목) 쉰; 〖植〗 녹병의.
rust·y[2] *a.* =RANCID.
rust·y[3] *a.* 완고한; 반항적인. ***ride*** 〔***turn***〕 ***~*** 《俗》 완고하게〔반항적으로〕 굴다.
rut[1][rʌt] *n.* C 바퀴 자국; 상례(*get into a ~* 틀에 박히다). — *vt.* (*-tt-*) 바퀴 자국을 남기다. **rut·ted** [∠id] *a.* **rút·ty** *a.*
rut[2] *n.* U (동물의) 발정(기), 암내남. ***at*** 〔***in***〕 ***the ~*** 발정기가 되어. ***go to*** (***the***) ***~*** 암내를 내다. — *vi.* (*-tt-*) 발정기가 되다.
ru·ta·ba·ga[rùːtəbéigə] *n.* C 황색 큰 순무의 일종.
Ruth[ru:θ] *n.* 〖聖〗 룻《Boaz의 아내; 시어머니 Naomi에 대한 효도로 유명》; 〖구약〗 룻기(記).
ru·the·ni·um[ru:θíːniəm, -njəm] *n.* U 〖化〗 루테늄《금속 원소; 기호

Ru; 번호 44》.

*__ruth·less__[rú:θlis] *a.* 무정한(pitiless); 잔인한(cruel). **~·ly** *ad.*

ru·tile[rú:ti:l, -tail] *n.* Ⓤ 〖鑛〗 금홍석(金紅石).

rut·tish[rʌ́tiʃ] *a.* 발정한; 호색의.

R.V. recreation vehicle; reentry vehicle 재돌입 우주선; Revised Version (of the Bible).

Rwan·da[ruá:ndə] *n.* 아프리카 중동부의 공화국.

Rx[á:réks] *n.* (*pl.* *~'s, ~s*) Ⓒ 약, 치료법; 대책.

Ry., ry. railway.

-ry[ri] *suf.* 《명사어미》 ① 상태·성질: bigot*ry*, rival*ry*. ② 학술: chemist*ry*. ③ 행위: mimic*ry*. ④ 총칭: jewel*ry*, peasant*ry*.

*__rye__[rai] *n.* Ⓤ 호밀《빵 원료·가축 사료》; 호밀 위스키.

rýe brèad (호밀로 만든) 흑빵.

rýe gràss 독보리《사료용》.

ry·ot[ráiət] *n.* Ⓒ 《印》 농부(peasant), 소작인.

Ryu·kyu[rjú:kjú:] *n.* 류큐(琉球) 열도.

S

S, s[es] *n.* (*pl.* ***S's, s's***[ˊiz]) Ⓒ S자 모양의 것.

S Shelter; subject; sulfur. **S.** Saturday; Senate; Sunday. **S., s.** saint; school; south; southern. **s.** second; section; shilling; son.

:$, $ dollar(s).

SA support assistance. **S.A.** Salvation Army; (G). *Sturm Abteilung* (나치) 돌격대(원); South Africa; South America; South Australia.

Saar[sɑ:r, (G.) zɑ:r] *n.* (the ~) (독일 서부의) 자르 강[지방].

*__Sab·bath__[sǽbəθ] *n., a.* (the ~) 안식일(~ day)《기독교에서는 일요일, 유대교에서는 토요일》(의).

Sábbath brèaker 안식일을 안 지키는 사람.

Sab·bat·i·cal [səbǽtikəl] *a.* 안식일의.

Sabbátical léave 《美》 연구 휴가 《대학 교수가 7년마다 얻는 1년간의 휴가》.

Sabbátical yéar (이스라엘 사람이 경작을 쉰 7년마다의) 안식년; =⇧.

*__sa·ber,__ 《英》 **-bre**[séibər] *n., vt.* Ⓒ (특히 기병의) 군도(軍刀); 사브르(로 베다, 죽이다); 〖美空軍〗 F-86형 제트 전투기.

sáber ràttling 무력의 과시; 무력에 의한 위협.

sáber sàw 소형 전기톱의 일종.

Sa·bine[séibain/sǽ-] *n., a.* Ⓒ (옛날 이탈리아 중부에 살던) 사빈 사람(의); Ⓤ 사빈 말(의).

Sá·bin vàccine[séibin-] 세이빈 백신《소아마비 생(生)백신》.

*__sa·ble__[séibəl] *n., a.* Ⓒ 〖動〗 검은 담비; Ⓤ 그 가죽; 《詩》 〖紋〗 흑색(의), 암흑(의).

SABMIS sea-based antiballistic missile intercept system 해저[잠수함] 요격 미사일망 (체제) 《통칭 Sea-based ABM system》.

sab·ot[sǽbou] *n.* (F.) Ⓒ 프랑스[벨기에] 농민의 나막신[목화(木靴)]; 두꺼운 나무굽을 댄 가죽 구두[신].

sab·o·tage[sǽbətɑ̀:ʒ, -tidʒ] *n. vi., vt.* (F.) Ⓤ 사보타주《노동쟁의 중, 고의로 생산·작업을 방해하는 일》(하다); (패전국 국민의 점령군에 대한) 반항 행위(를 하다).

sab·o·teur[sæ̀bətə́:r] *n.* (F.) Ⓒ sabotage하는 사람.

SAC Strategic Air Command 《美》 전략 공군 총사령부.

sac[sæk] *n.* Ⓒ (동·식물의) 주머니 모양의 부분, 낭(囊).

sac·cate[sǽkeit] *a.* 낭상(囊狀)의; 유낭(有囊)의.

sac·char·i·fy[səkǽrəfài] *vt.* (녹말을) 당화(糖化)하다.

sac·cha·rim·e·ter[sæ̀kərímitər] *n.* Ⓒ 검당계(檢糖計).

sac·cha·rin [sǽkərin] *n.* Ⓤ 사카린.

sac·cha·rine [sǽkəràin, -rin] *a.* (목소리 등이) 감미로운; 당질(糖質)의. — [-rin, -ri:n] *n.* =⇧.

sac·er·do·tal[sæ̀sərdóutl] *a.* 성직자의; 성직자 같은(priestly); 사제(司祭)(제)의. **~·ism**[-təlizəm] *n.* Ⓤ 성직자[사제]제(制)[기질].

SACEUR, SAC Eur Supreme Allied Commander, Europe.

sa·chem[séitʃəm] *n.* Ⓒ (북아메리카 토인의) 추장.

sa·chet[sæʃéi/ˊ–] *n.* (F.) Ⓒ 작은 주머니; 향낭(香囊).

:sack[1][sæk] *n.* Ⓒ ① 마대, 부대, 큰 자루. ② 《美·一般》 주머니 부대(bag). ③ 《野俗》 누(壘). ④ 《美俗》 침낭(寢囊), 잠자리. ⑤ =SACQUE. ⑥ 《俗》 해고; 퇴짜. ***get*** [***give***] ***the*** ~ 《俗》 해고되다[하다] (cf. send (a person) PACK[1]ing). ***hold the*** ~ 《美口》 남의 뒤치닥거리나 하다, 억지로 책임을 지다. — *vt.* ① 자루[부대]에 넣다. ② 《俗》 목자르다, 해고하다. ③ 《俗》 (경기에서) 패배시키다. ~ ***out*** 《美俗》 잠자리에 들다, 눕다.

sack[2] *n., vt.* Ⓤ (the ~) 약탈(품); 약탈하다.

sack[3] *n.* Ⓤ 흰포도주《sherry 등》.

sack·but[sǽkbʌ̀t] *n.* Ⓒ 트롬본 비

슷한 중세의 관악기.
sáck·clòth *n.* Ⓤ 즈크, 두꺼운 삼베; (뉘우치는 표시로 입던) 거친 삼베옷. **~ *and ashes*** 회오(悔悟), 비탄.
sáck còat 《美》 신사복 상의.
sáck drèss 색드레스《여성용의 풍신한 겉옷》. 「득(한 분량).
sack·ful[ˊ-fùl] *n.* Ⓒ 자루〔부대〕 가
sack·ing[ˊ-iŋ] *n.* Ⓤ 즈크지(地)〔감〕(<sack[1]); 약탈(<sack[2]).
sáck ràce 자루뛰기 경주《두 다리를 자루에 넣고 껑충껑충 뜀》.
sacque[sæk] *n.* Ⓒ 여자·어린이용의 헐렁한 상의.
sac·ra·ment[sǽkrəmənt] *n.* Ⓒ 〖宗〗 성예전(聖禮典), 성사《신교에서는 세례와 성찬; 가톨릭 및 동방교회에서는 영세, 견진, 성체, 고해, 혼배, 신품, 종부의 7성사(聖事)》; (the ~, the S-) 성체성사(용의 빵), 성체(聖體); 신성한 물건; 상징; 선서(oath). **-men·tal**[ˋ-méntl] *a.*
Sac·ra·men·to[sæ̀krəméntou] *n.* 미국 California주의 주도.
:sa·cred[séikrid] *a.* ① 신성한; (신에게) 바친, (신을) 모신. ② (…에게) 바쳐진(*to*). ③ 종교적인; 신성 불가침의. **~·ly** *ad.* **~·ness** *n.*
Sácred Cóllege, the 〖가톨릭〗 추기경단《교황의 최고 자문 기관》.
sácred ców 인도의 성우(聖牛); 《비유》 신성 불가침의 일〔물건〕.
sácred íbis 〖鳥〗 (옛 이집트에서 영조(靈鳥)로 삼던) 따오기.
:sac·ri·fice[sǽkrəfàis, -ri-] *n., vt., vi.* ① Ⓒ 제물. ② Ⓒ,Ⓤ 희생(으로 하다), 헌신. ③ Ⓒ 투매(投賣)(하다); 그로 인한 손실. ④ Ⓒ 〖野〗 (*vi.*) 희생타(를 치다); (*vt.*) 희생타로 진루(進壘)시키다. ***at a ~*** 손해를 보고, 싸구려로. **-fi·cial**[sæ̀krəfíʃəl] *a.*
sácrifice búnt 〔**hít**〕 〖野〗 희생번트, 희생타.
sácrifice flý 〖野〗 희생 플라이.
sac·ri·lege[sǽkrəlidʒ] *n.* Ⓤ (성물·성소 따위에 대한) 불경, 모독. **-le·gious**[ˋ-lídʒəs] *a.*
sac·ris·tan[sǽkristən] *n.* Ⓒ (교회의) 성물(聖物) 관리인, 성당지기.
sac·ris·ty[sǽkristi] *n.* Ⓒ 성물실(聖物室), 성물 안치소.
sac·ro·sanct[sǽkrousæ̀ŋkt] *a.* 신성 불가침의, 지성(至聖)의. **-sanc·ti·ty**[-təti] *n.*
sa·crum [séikrəm, sǽk-] *n.* (*pl.* **~*s*, *-cra***[-krə]) Ⓒ 〖解〗 천골(薦骨).
†sad[sæd] *a.* (**-dd-**) ① 슬픈; 슬퍼하는. ② (빛깔이) 어두운, 우중충한. ③ 《口》 지독한, 어이없는. ④ 《古》 진지한. ⑤ 《方》 (빵이) 설구워진. ***a ~der and a wiser man*** 고생을 맛본 사람. ***in ~ earnest*** 《古》 진지하게. **~ *to say*** 불행하게도, 슬프게도. **:ˊ·ly** *ad.* **:ˊ·ness** *n.*
sad·den[sǽdn] *vt., vi.* 슬프게 하다〔되다〕; 우중충하게 하다〔해지다〕.
:sad·dle[sǽdl] *n.* Ⓒ ① (말·자전거 따위의) 안장. ② (양 따위의) 등심고기; 안장 모양의 물건. ③ 산등성이. ***in the ~*** 말을 타고; 권력을 쥐고. **—** *vt., vi.* ① (…에) 안장을 놓다. ② (…에게) (부담·책임을) 짊어지우다.
sáddle·bàg *n.* Ⓒ 안낭(鞍囊).
sáddle·bòw *n.* Ⓒ 안장 앞고리.
sáddle·clòth *n.* Ⓒ 안장 밑받침.
sáddle hòrse 승용말.
sad·dler[sǽdlər] *n.* Ⓒ 마구상(商), 마구 파는〔만드는〕 사람. **~·y** *n.* Ⓤ 《집합적》 마구; Ⓤ 마구 제조〔판매〕업; Ⓒ 마구상.
sáddle shòes 《美》 새들신《구두끈 있는 등 부분을 색이 다른 가죽으로 씌운 Oxford shoes》.
sáddle sòap 가죽 닦는 비누.
sáddle·sòre *a.* (말탄 후에) 몸이 아픈〔뻐근한〕; (말이) 안장에 쓸린.
sáddle stìtch 〖製本〗 주간지처럼 책 등을 철사로 박는 제본 방식.
sáddle·trèe *n.* Ⓒ 안장틀.
sád dòg 난봉꾼, 깡패.
Sad·du·cee[sǽdʒəsìː, -djə-] *n.* Ⓒ 사두개 교도. **-ce·an**[ˋ-síːən] *a.*
sad·i·ron[sǽdàiərn] *n.* Ⓒ 다리미, 인두.
sad·ism[sǽdizəm, séid-] *n.* Ⓤ 가학 변태 성욕; (일반적으로) 잔학(행위)(opp. masochism). **sád·ist** *n.* Ⓒ 가학성 변태 성욕자.
sad·o·mas·o·chism [sæ̀doumǽzəkìzəm, sèid-, -mǽs-] *n.* Ⓤ 가학 피학성(被虐性) 변태성욕.
sád sàck 《美口》 머저리 군인.
S.A.E., s.a.e. 《英》 stamped addressed envelope 회신(回信)용 봉투. 「서의) 사냥 여행.
sa·fa·ri [səfáːri] *n.* Ⓒ (아프리카에
†safe[seif] *a.* ① 안전한(*from*), 무사한. ② 틀림 없는; 몹시 조심하는; 믿을 수 있는. ③ (죄수 등) 도망할〔난폭의〕 우려가 없는. ***from a ~ quarter*** 확실한 소식통으로부터. ***on the ~ side*** 만일을 염려하여, 안전을 기하여. **~ *and sound*** 무사히. **~ *hit*** 〖野〗 안타. **—** *n.* Ⓒ ① 금고. ② 파리장. **:ˊ·less** *ad.*
sáfe·blòwing *n.* Ⓤ (폭약에 의한) 금고털이《행위》.
sáfe·brèaker *n.* Ⓒ 금고터는 도둑.
sáfe-cónduct *n.* Ⓤ (전시의) 안전통행증; Ⓒ 그 통행권.
sáfe·cràcker *n.* =SAFEBREAKER.
sáfe-depòsit *a.* 안전 보관의(***a ~ box*** 대여 금고).
***sáfe·guàrd** *n., vt.* Ⓒ 보호(하다), 호위(하다); 보호〔방호〕물; =SAFE-CONDUCT. 「호위.
sáfe·kéeping *n.* Ⓤ 보호, 보관;
:safe·ty[séifti] *n.* Ⓤ 안전; Ⓒ 안전기(器)〔판(瓣)〕. ***in ~*** 안전〔무사〕히. ***play for ~*** 안전을 기하다.
sáfety bèlt 구명대(帶); 〖空〗 (좌석의) 안전 벨트.
sáfety càtch (총포의) 안전 장치.

S

sáfety cùrtain (극장의) 방화막.
sáfety fìlm 불연성(不燃性) 필름.
sáfety fìrst 안전 제일.
sáfety glàss 안전 유리.
sáfety ìsland 〔**ìsle**〕 (가로의) 안전 지대(safety zone).
sáfety hàt 안전모《작업용 헬멧》.
sáfety làmp (광부용의) 안전 램프.
sáfety màtch 안전 사냥.
sáfety nèt (서커스 등의) 안전망; 《비유》 안전책.
sáfety pìn 안전핀.
sáfety ràzor 안전 면도(날).
sáfety vàlve 안전판(瓣).
sáfety zòne (도로 위의) 안전 지대.
saf·flow·er[sǽflàuər] *n.* Ⓒ 〖植〗 잇꽃; Ⓤ 잇꽃물감《주홍》.
***saf·fron**[sǽfrən] *n., a.* Ⓒ 〖植〗 사프란; Ⓤ 사프란색(의), 샛노란색(의) (orangeyellow).
S. Afr. South Africa(n).
***sag**[sæg] *vi.* (**-gg-**) ① (밧줄 따위가) 축 처지다〔늘어지다〕, 휘다, 굽다, 기울다. ② (땅이) 두려빠지다. ③ (물가가) 내리다; 하락하다. ④ (의기 따위가) 약해지다. ⑤ 〖海〗 표류하다(drift). — *n.* Ⓒ (a ~) 처짐, 늘어짐, 휨; 침하(沈下); 하락; 표류.
sa·ga[sɑ́:gə] *n.* Ⓒ (북유럽의) 무용 전설; 계도(系圖) 소설, 대하 소설(*roman-fleuve*).
***sa·ga·cious**[səgéiʃəs] *a.* 현명한; 명민한. **~·ly** *ad.* **~·ness** *n.*
***sa·gac·i·ty**[səgǽsəti] *n.* Ⓤ 총명, 현명.
sága nòvel =ROMAN-FLEUVE.
SAGE [seidʒ] Semi-Automatic Ground Environment 반자동 방공망(cf. BADGE).
***sage**[1][seidʒ] *a., n.* 현명한, 어진; 현인인 체하는; Ⓒ 현인.
sage[2] *n.* Ⓒ 〖植〗 샐비어(잎)《요리·약용》.
ságe·brùsh *n.* Ⓤ 〖植〗 산쑥 무리.
ságe chéese 치즈의 일종《sage[2]로 조미한》.
ságe grèen 샐비어 잎의 빛깔《회녹색》.
ságe gròuse (*fem.* ***sage hen***) 〖鳥〗 뇌조의 일종《북아메리카 서부의 산쑥(sagebrush)이 많은 지방에 삶》.
sag·gy[sǽgi] *a.* 밑으로 처진.
Sa·ghal·ien[sǽgəlì:n, ⌐–⌐] *n.* = SAKHALIN.
Sag·it·ta·ri·us [sæ̀dʒitɛ́əriəs] *n.* 〖天〗 궁수자리, 인마궁.
sa·go[séigou] *n.* (*pl.* **~s**) Ⓤ 〖植〗 사고《사고야자의 녹말》.
ságo pàlm (동인도산의) 사고야자.
Sa·har·a[səhɑ́:rə, -hɛ́ərə] *n.* (the ~) 사하라 사막; (s-) Ⓒ 황야, 불모의 땅.
sa·hib[sɑ́:*h*ib] *n.* Ⓒ 《印英》 나리; (S-) 각하, 선생님.
†**said**[sed] *v.* say의 과거 (분사). — *a.* 전기(前記)한, 앞서 말한.
Sai·gon[saigɑ́n/-ɔ́-] *n.* 사이공《구 베트남의 수도》.
†**sail**[seil] *n.* ① Ⓒ 돛. ② Ⓒ 돛배; …척의 배. ③ (a ~) 범주(帆走), 항정(航程); 범주력. ④ Ⓒ (풍창의) 날개. ***in*** ~ 범선(帆船)을 타고. ***make*** ~ 출범하다; 돛을 늘려 급히 가다. ***set*** ~ 출범하다(*for*). ***strike*** ~ 돛을 내리다. ***take in*** ~ 돛을 줄이다; 이상을 억누르다. ***take the*** WIND[1] ***out of a person's ~s of.*** ***under*** ~ 항해중. — *vi., vt.* ① 범주〔항행〕하다. ② (*vi.*) (수중을) 미끄러지듯 나가다. ③ (하늘을) 날다; 선드러지게 걷다. ④ (*vt.*) (배를) 달리다. ***~ close to the wind*** 바람을 옆으로 받으며 범주하다; (법망을 뚫으며) 위태롭게 처세하다. ***~ in*** 입항하다; 《俗》 마음을 다져먹고 착수하다. ***~ into*** 《俗》 공격하다, 나쁘게 말하다; 대담하게 시작하다.
sáil·bòat *n.* Ⓒ 요트, 범선.
sáil·clòth *n.* Ⓤ 범포(帆布), 즈크.
sáil·er *n.* Ⓒ 《형용사와 함께》 …배〔선〕(*a good* 〔*fast*〕 ~ 쾌속선/*a bad* ~ 느린 배).
sáil·fìsh *n.* Ⓒ 〖魚〗 돛새치.
‡**sáil·ing** *n.* ① Ⓤ 범주(帆走). ② Ⓤ 항행(력). ③ Ⓤ 항해(술). ④ Ⓤ,Ⓒ 출범. ***plain*** 〔***smooth***〕 ~ 평탄한 항해; (일의) 순조로운 진행.
sáiling bòat 《英》 범선, 요트.
sáiling màster 선장; 항해장.
sáiling shìp 〔**vèssel**〕 범선, 돛배.
†**sail·or**[⌐ər] *n.* Ⓒ 선원, 수부, 수병. ***bad*** 〔***good***〕 ~ 뱃멀미하는〔안하는〕 사람. **~·ing** *n.* Ⓤ 선원 생활; 선원의 일. **~·ly** *a.* 뱃사람다운〔에 적합한〕.
sáil·plàne *n.* Ⓒ 〖空〗 글라이더.
‡**saint**[seint] *n.* (*fem.* **~ess**) Ⓒ ① 성인, 성도. ② (S-) [英+ sənt, sint] 성(聖) … 《생략 St.》 (*St. Paul* 성도 바울). — *vt.* 성인으로 하다, 시성(諡聖)하다. **⌐·ed** *a.* 성인이 된; 덕이 높은. **⌐·ly** *a.* 성인〔성도〕같은, 거룩한. **⌐·hòod** *n.* Ⓤ 성인의 지위; 《집합적》 성인, 성도.
Sáint Bernárd (**dòg**) 세인트 버너드 (개)《본래 알프스의 성베르나르 고개의 수도원에서 기르던 구명견》.
Sàint Mártin's sùmmer (St. Martin's Day (11월 11일)경의) 화창한 날씨.
Sàint Pátrick's Dáy 성패트릭의 축일《3월 17일》.
Saint-saëns[sɛ̃ŋsɑ́:ŋ], **Charles Camille** (1835-1921) 프랑스의 작곡가.
Sáint's dày 성인〔성도〕 축일.
Sàint Válentine's Dày ⇨VALENTINE.
Sàint Ví·tus's dànce[-váitəsiz-] 무도병(舞蹈病).
saith[seθ] *v.* says의 고체(古體).
‡**sake**[seik] *n.* Ⓤ 위함, 목적, 이유. ***for convenience'*** ~ 편의상. ***for God's*** 〔***goodness', heaven's, mercy's***〕 ~ 부디, 제발. ***for his name's*** ~ 그의 이름을 생각해서〔보

아], (명성의) 덕분으로. ***for old ~'s ~*** 옛정을[옛 정분을] 생각하여[해서]. ***for the ~ of*** (…을) 위하여, (…을) 생각해서. ***Sakes (alive)!*** 《美》 이거 놀랐는걸.

Sa·kha·lin[sæ̀kəlíːn] *n.* 사할린(섬).

sal[1][sæl] *n.* 〖化·藥〗 염(鹽). **~ *ammoniac*** 염화 암모늄. **~ *soda*** 탄산[세탁] 나트륨. **~ *volatile*** [vəlǽtəli] 탄산 암모니아수(水)《각성제》.

sal[2][sɑːl] *n.* (Hind.) 사라쌍수(沙羅雙樹)(~ tree라고도 함).

sa·laam[səlɑ́ːm] *n., vt., vi.* Ⓒ (회교도가 오른손을 이마에 대고 허리를 굽히는) 인사(를 하다).

sal·a·ble[séiləbəl] *a.* 팔기에 알맞은, 팔림새가 좋은; (값이) 적당한. **-bil·i·ty**[ㅡ-bíləti] *n.*

sa·la·cious[səléiʃəs] *a.* 호색적인(lewd); 외설한. **sa·lac·i·ty**[-lǽs-] *n.*

「샐러드용 야채.

:sal·ad [sǽləd] *n.* U,C 샐러드; Ⓤ

sálad dàys 풋내기[청년] 시절.

sálad drèssing 샐러드용 흰소스.

sálad òil 샐러드유(油).

sal·a·man·der[sǽləmæ̀ndər] *n.* Ⓒ 〖動〗 도롱뇽, 영원; 〖傳說〗 불도마뱀; 불의 정(精); 휴대용 난로.

sa·la·mi [səlɑ́ːmi] *n. pl.* (*sing.* ***-me***[-mei]) U,C 살라미《이탈리아산의 훈제(燻製) 소시지》.

sa·lar·i·at(e)[səlέəriət] *n.* Ⓒ 봉급 생활자 (계층).

sal·a·ried[sǽlərid] *a.* 봉급을 받는[타는], 유급의.

:sal·a·ry[sǽləri] *n., vt.* U,C (…에게) 봉급(을 주다, 지불하다)(cf. wages).

sálary càp 〖野〗 샐러리 캡《선수의 연봉 급등을 억제하기 위해 팀의 총연봉을 정하여 그 한도에서 각 선수에게 분배하는 것》.

†sale[seil] *n.* ① U,C 판매, 매각. ② (*pl.*) 매상고. ③ Ⓒ 팔림새. ④ Ⓒ (보통 *pl.*) 특매(特賣). ***a bill of ~*** 〖法〗 매매 증서. ***... for ~*** 팔려고 내놓은. ***on ~*** =for ~; 《美》 특가로. ***~ on credit*** 외상 판매.

sale·a·ble[séiləbəl] *a.* =SALABLE.

sales·clerk[séizklə̀ːrk/-klɑ̀ːk] *n.* Ⓒ 《美》 판매원, 정원.

「자.

sáles èngineer 판매 전문 기술

sáles·gìrl *n.* Ⓒ 《美》 여점원.

sáles·làdy *n.* Ⓒ 《美》 여점원.

:sales·man[séilzmən] *n.* Ⓒ ① 점원. ② 《美》 세일즈맨, 외판원. **~·shìp** *n.* Ⓤ 판매(술).

sáles·pèrson, -pèople *n.* Ⓒ 판매원.

「동].

sáles promòtion 판매 촉진법[활

sáles representàtive 외판원[부].

sáles resìstance 판매 저항《구매자의 구매 거부》.

「장.

sáles·ròom *n.* Ⓒ (판)매장; 경매

sáles slìp 매상 전표.

sáles tàlk 상담(商談); 설득력 있는 권유[의론].

sáles tàx 물품 판매세.

sáles·wòman *n.* Ⓒ 여점원.

sal·i·cýl·ic ácid[sæ̀ləsílik-] 살리실산(酸).

sa·li·ent[séiliənt, -ljə-] *a.* 현저한; 돌출한, 철각(凸角)의. — *n.* Ⓒ 철각; (참호 등의) 돌출부. **~·ly** *ad.* **-ence** *n.*

sa·line[séilain] *a.* 소금의, 소금[염분]을 함유한, 짠. — [英+səláin] *n.* Ⓤ 식염제. **sa·lin·i·ty**[səlínəti] *n.*

sal·i·nom·e·ter[sæ̀lənɑ́mitər] *n.* Ⓒ 염분(鹽分)계.

Salis·bur·y[sɔ́ːlzbèri/-bəri] *n.* 영국 Wiltshire주의 도시; 짐바브웨이의 수도. ***plain as ~*** 아주 명백한.

Sálisbury Pláin, the 영국 남부 Salisbury 북쪽의 넓은 고원 지대《Stonehenge가 있음》.

sa·li·va[səláivə] *n.* Ⓤ 침, 타액.

sal·i·var·y[sǽləvèri/-vəri] *a.* 침[타액]의.

sal·i·vate[sǽləvèit] *vi., vt.* 침을 흘리다; (수은을 써서) 침이 많이 나오게 하다. **-va·tion**[ㅡ-véiʃən] *n.* Ⓤ 타액 분비; 유연증(流涎症).

Sálk vàccine [sɔ́ːlk-] 소크 백신《소아마비 예방용》.

***sal·low**[1][sǽlou] *a.* 누르스름한; 혈색이 나쁜. — *vt., vi.* 창백하게 하다[되다].

sal·low[2] *n.* Ⓒ 땅버들(가지).

:sal·ly[sǽli] *n.* Ⓒ ① (농성군(軍)의) 출격. ② 외출; 소풍, 여행. ③ (감정·기지 따위의) 용솟음; 경구(警句), 익살. — *vi.* 출격하다, 여행길을 떠나다; 튀어[뿜어]나오다.

sal·ma·gun·di [sæ̀lməgʌ́ndi] *n.* U,C (고기·양파·달걀 따위의) 잡탕요리; Ⓒ 뒤범벅, 잡탕; 잡록(雜錄).

:salm·on[sǽmən] *n.* (*pl.* **~s,** 《집합적》 ~), *a.* Ⓒ 연어(의); Ⓤ 연어살빛(의).

sal·mo·nel·la [sæ̀lmənélə] *n.* (*pl.* ~(***s***), ***-lae***[-néliː]) Ⓒ 살모넬라균(菌).

sálmon tròut 송어.

Sa·lo·me[səlóumi] *n.* 〖聖〗 살로메《춤을 잘 추어 그 상으로 헤롯에게 청하여 세례 요한의 머리를 얻은 소녀; 마태복음 14 : 6-11》.

***sa·lon**[səlɑ́n/sǽlɔːn] *n.* (F.) Ⓒ ① 객실, 응접실; 명사의 모임; 상류사회. ② 미술 전람회장.

***sa·loon**[səlúːn] *n.* Ⓒ ① 큰 방, 홀. ② (여객기의) 객실; (배 등의) 사교실. ③ 《美》 바, 술집; 《英》 =⇩.

salóon bàr 고급 바[술집].

salóon càbin 일등 선실.

salóon càr 《英》 특별 객차; 세단형 승용차.

salóon kèeper 《美》 술집 주인.

salóon pàssenger 일등 선객.

salóon pìstol [**rífle**] 《英》 옥내 사격장용 권총[소총].

S

Sal·op[sǽləp] *n.* 영국 서부 Shropshire주의 고친 이름《1974년 개정》.
sal·si·fy[sǽlsəfi, -fài] *n.* Ⓤ 〖植〗 선모(仙茅)《뿌리는 식용》.
SALT[sɔːlt] Strategic Arms Limitation Talks 전략 무기 제한 협정.
†**salt**[sɔːlt] *n.* ① Ⓤ 소금, 식염. ② Ⓒ 〖化〗 염(鹽)(류). ③ (*pl.*) 염제(鹽劑). ④ Ⓤ 자극, 흥미; 풍자, 기지. ⑤ Ⓒ 식탁용 소금 그릇. ⑥ Ⓒ (노련한) 뱃사람. ***eat*** (*a person's*) ~ …의 손님〔식객〕이 되다. ***in*** ~ 소금을 친〔뿌린〕; 소금에 절인. ***not worth one's*** ~ 봉급만큼의 일을 못하는. ***the*** ~ ***of the earth*** 〖聖〗 세상의 소금《마태복음 5:13》; 사회의 건전한 사람들, 중견. ***take*** (*a person's words*) ***with a grain of*** ~ (아무의 이야기를) 에누리하여 듣다. ― *a.* 짠, 소금에 절인. ― *vt.* ① 소금에 절이다, 소금으로 간을 맞추다. ② (사람을 속이기 위해) 다른 물건을 섞다. ~ ***a mine*** (비싸게 팔아넘기고자) 광산에 딴 광산의 질좋은 광석을 섞어 넣다. ~ ***away*** 〔***down***〕 소금에 절이다; 《口》 저축해〔모아〕두다; (증권을 안전히) 투자하다(store away). **~·ed**[⌐id] *a.* 짠맛의; 소금에 절인. **⌐·ish** *a.* 소금기가 있는, 짭짤한.
sal·ta·tion[sæltéiʃən] *n.* Ⓤ 뜀, 도약; 급변; 〖生〗 돌연변이; 〖農〗 도류(跳流).
sált·cèllar *n.* Ⓒ (식탁용) 소금 그릇.
salt·ern[⌐ərn] *n.* Ⓒ 염전; 제염소.
salt·ine[sɔːltíːn] *n.* Ⓒ 《美》 짭짤한 크래커.
Sált Làke Cíty 미국 Utah주의 주도; Mormon교의 메카.
sált lìck 짐승이 소금을 핥으러 오는 곳《말라붙은 염호(鹽湖) 따위》.
sált mìne 〔**pìt**〕 (암(岩))염갱(鹽坑).
sált·pàn *n.* Ⓒ 염전; 소금 가마.
salt·pe·ter, 《英》 **-tre**[sɔ̀ːltpíːtər/ ⌐⌐⌐] *n.* Ⓤ 초석(硝石); 칠레 초석.
sált·shàker *n.* Ⓒ 식탁용 소금 그릇《윗 부분에 구멍이 뚫린》.
sált-wáter *a.* 소금물의, 바닷물 속에 사는.
sált·wòrks *n. pl.* Ⓒ 제염소.
***salt·y**[sɔ́ːlti] *a.* ① 소금기가 있는; 바다 냄새가 풍기는; 짜릿한; 기지에 찬. ② (말이) 신랄한.
sa·lu·bri·ous[səlúːbriəs] *a.* 건강에 좋은. **-bri·ty** *n.*
sal·u·tar·y[sǽljətèri/-təri] *a.* 유익한; 건강에 좋은.
***sal·u·ta·tion**[sæljətéiʃən] *n.* Ⓤ 인사; Ⓒ 그 말.
sa·lu·ta·to·ri·an[səlùːtətɔ́ːriən] *n.* Ⓒ 《美》 (졸업식에서) 인사말을 하는 학생.
sa·lu·ta·to·ry[səlúːtətɔ̀ːri/-təri] *n., a.* Ⓒ 《美》 (졸업생 대표가 내빈을 환영하는) 인사(말); 인사〔환영〕의.
‡**sa·lute**[səlúːt] *n., vi., vt.* Ⓒ ① 인사(하다, 하여 맞이하다). ② 경례(하다); 받들어 총(을 하다), 예포. ③ (광경이) 비치다; (소리가) 들리다. ***fire a*** ~ 예포를 쏘다.
Salv. Salvador.
sal·va·ble[sǽlvəbəl] *a.* 구제〔구조〕할 수 있는.
Sal·va·dor [sǽlvədɔ̀ːr] *n.* ⇨EL SALVADOR.
Sal·va·do·ran[⌐-dɔ́ːrən] *a., n.* Ⓒ 엘살 바도르 공화국의 (국민).
***sal·vage**[sǽlvidʒ] *n.* Ⓤ ① 해난〔화재〕 구조, 재산 구조. ② 구조 화물〔재산〕, 구조료. ③ 폐물 이용, 폐품 수집. ― *vt.* 구조하다.
sal·va·tion**[sælvéiʃən] *n.* Ⓤ 구조; Ⓒ 구조자〔법〕; Ⓤ (죄의) 구제. ***find ~ 개종하다. **~·ist** *n.* Ⓒ 구세군 군인.
Salvátion Ármy, the 구세군.
salve[1][sæ(ː)v, sɑːv/sælv] *n., vt.* Ⓤ,Ⓒ 《詩》 연고(軟膏); Ⓒ 덜어주는 것, 위안(*for*); 위안하다, 가라앉히다; 《古》 연고를 바르다.
salve[2][sælv] *vt.* =SALVAGE.
sal·ver[sǽlvər] *n.* Ⓒ (금속의 둥근) 쟁반(tray).
sal·vi·a[sǽlviə] *n.* Ⓒ 〖植〗 샐비어.
sal·vo[sǽlvou] *n.* (*pl.* ~(***e***)***s***) Ⓒ 일제 사격; 〖空〗 (폭탄의) 일제 투하(cf. stick[1]); (일제히 하는) 박수 갈채.
Salz·burg[sɔ́ːlzbəːrg/sǽlts-] *n.* 잘츠부르크《오스트리아 서부의 도시, Mozart의 탄생지》.
SAM[sæm] surface-to-air missile 지대공(地對空) 미사일; 〖컴〗 sequential access method 순차 접근 방식. **Sam.** 〖舊約〗 Samuel.
S.Am. South America(n).
sam·a·ra[sǽmərə] *n.* Ⓒ (단풍나무·느릅나무 따위의) 시과(翅果).
Sa·mar·i·tan[səmǽrətn] *a., n.* Ⓒ 〖聖〗 사마리아(사람)의; 사마리아 사람. ***good*** ~ 착한 사마리아인(人); 자선가《누가복음 10 : 30-37》.
Sa·mar·i·um[səmɛ́əriəm, -mǽr-] *n.* Ⓤ 〖化〗 사마륨《희토류 원소의 하나; 기호 Sm》.
sam·ba[sǽmbə] *n.* Ⓒ 삼바《아프리카 기원의 브라질 댄스곡》.
sam·bo[sǽmbou] *n.* (*pl.* ~(***e***)***s***) Ⓒ 흑인과 인디언(또는 mulatto)과의 튀기.
Sám Brówne (**bèlt**) [sæm bráun(-)] 장교의 혁대.
†**same**[seim] *a.* (the ~) ① 같은, 동일한, 마찬가지의, 똑같은(*as*). ② 《종종 蔑》 전술한, 예의. ③ 다름 없는; (the 없이) 단조로운. ― *ad.* (the ~) 마찬가지로. ALL (*ad.*) ***the*** ~. ***at the*** ~ ***time*** 동시에; 그러나, 그래도. ***the*** ~ ***... that*** …과 동일한 …. ***the very*** ~ 바로 그. ― *pron.* (the ~) 동일인(同一人), 그 사람〔것, 일〕; (the 없이) 〖法·商〗 《卑》 동인(同人)(들); 동건(同件); 그 물건〔것〕. **⌐·ness** *n.* Ⓤ 동일, 일률.
S. Amer. South America(n).
Saml. 〖舊約〗 Samuel.

S

sam·let[sǽmlit] *n.* Ⓒ 연어과의 물고기 새끼. 「군도.
Sa·mo·a[səmóuə] *n.* 남서 태평양의
SAMOS satellite anti-missile observation system.
sam·o·var[sǽmouvàːr, ⌐–⌐] *n.* Ⓒ 사모바르《러시아의 물 끓이는 주전자》.
Sam·o·yed[sæ̀məjéd/sǽmɔiéd] *n.* Ⓒ 사모예드 사람《시베리아의 몽고족》; Ⓤ 사모예드어(語); [英+səmɔ́ied] Ⓒ 사모예드 개.
samp[sæmp] *n.* Ⓤ 《美》 (맷돌에) 탄 옥수수(죽).
sam·pan[sǽmpæn] *n.* Ⓒ 삼판《중국의 거룻배》.
:sam·ple[sǽmpl/-ɑ́ː-] *n., a.* Ⓒ 견본〔표본〕(의); 〖컴〗 표본, 본보기, 샘플. — *vt.* (…의) 견본을 뽑다, 시식(試食)하다. **-pler** *n.* Ⓒ 견본 검사원; 견본 채취구; 시식〔시음〕자; (여학생의) 자수 견본 작품.
sam·pling**[-iŋ] *n.* Ⓤ 견본 추출; Ⓒ 추출 견본; 〖컴〗 표본 조사. ***random ~ 〖統〗 무작위 추출법.
Sam·son[sǽmsn] *n.* 〖聖〗 헤브라이의 역사(力士); Ⓒ 힘센 장사.
***Sam·u·el**[sǽmjuəl] *n.* 〖聖〗 헤브라이의 사사(士師)·예언자; 사무엘기(記).
san·a·tive[sǽnətiv] *a.* 병을 고치는; 치료력이〔약효가〕 있는.
***san·a·to·ri·um**[sæ̀nətɔ́ːriəm] *n.* Ⓒ 요양소〔지〕.
san·a·to·ry[sǽnətɔ̀ːri/-təri] *a.* = SANATIVE.
sanc·ti·fy**[sǽŋktəfài] *vt.* 성별(聖別)〔성화〕하다, 신성하게 하다; 정화하다(purify); 정당화하다. ***sanctified airs 성자연하는 태도. **-fi·ca·tion**[⌐–fikéiʃən] *n.*
sanc·ti·mo·ni·ous[sæ̀ŋktəmóuniəs, -njəs] *a.* 신성한 체하는; 신앙이 깊은 체하는. **~·ness** *n.*
sanc·ti·mo·ny [sǽŋktəmòuni/-mə-] *n.* Ⓤ 신앙 깊은 체하기.
***sanc·tion**[sǽŋkʃən] *n.* ① Ⓤ 인가, 재가; 지지. ② (도덕률 등의) 구속(력). ③ Ⓒ 제재, 상벌; 처벌; 국제적 제재(制裁). — *vt.* 인가〔재가·시인〕하다.
***sanc·ti·ty**[sǽŋktəti] *n.* Ⓤ 신성(함); (*pl.*) 신성한 의무〔감정〕.
***sanc·tu·ar·y**[sǽŋktʃuèri/-tʃuəri] *n.* Ⓒ 성소(聖所), 신전, 성당; (교회당의) 지성소; (법률이 미치지 않는) 성역, 피난처; Ⓤ 보호.
sanc·tum[sǽŋktəm] *n.* Ⓒ 성소; 서재, 사실(私室).
sánctum sanc·tó·rum[-sæŋktɔ́ːrəm] (L.) 지성소; 밀실, 사실, 서재.
†sand[sænd] *n.* ① Ⓤ 모래; (*pl.*) 모래알. ② (*pl.*) 모래벌판, 백사장《바닷가 등의》; 모래톱. ③ (*pl.*) (모래시계의) 모래(알); 《비유》 시각; 수명(壽命). ④ Ⓤ 《美俗》 용기(grit). ⑤ Ⓤ 《俗》 설탕. ***man of*** ~ 용기 있는 사람. — *vt.* (…에) 모래를 뿌리다〔섞다, 로 닦다, 속에 파묻다〕.
:san·dal[sǽndl] *n.* Ⓒ (보통 *pl.*)(고대 로마 등의) (짚신 같은) 가죽신; (여자·어린이용의) 샌들(신); 《美》 운두가 얕은 덧신.
sándal·wòod *n.* Ⓒ 〖植〗 백단향; Ⓤ 그 재목. ***red*** ~ 자단(紫檀).
sánd·bàg *n., vi., vt.* (*-gg-*) Ⓒ 모래 주머니(로 틀어막다); (흉기용의) 모래 부대(로 치다).
sánd·bànk *n.* Ⓒ (하구 따위의) 모래톱; 사구(砂丘). 「톱.
sánd·bàr *n.* Ⓒ (하구 따위의) 모래
sánd·blàst *n.* Ⓒ (연마용의) 모래 뿜는 기구, Ⓤ 분사(噴砂).
sánd·bòx *n.* Ⓒ 모래통《기관차의 미끄럼 방지용》; (어린이의) 모래놀이통; 모래 거푸집.
sánd·bòy *n.* Ⓒ 모래 파는 소년《다음 구로만 씀》. (***as***) ***jolly*** 〔***happy***〕 ***as a*** ~ 아주 명랑한.
sánd dòllar 〖動〗 섬게의 일종《미국 동해안산》.
sánd dùne 사구(砂丘).
sánd·flỳ *n.* Ⓒ 〖蟲〗 눈에놀이《피를 빪》. 「glass).
sánd·glàss *n.* Ⓒ 모래시계(hour-
sánd hìll 사구(砂丘).
sánd·hòg *n.* Ⓒ (잠함 등에서 일하는) 지하〔수중〕 작업원.
Sand·hurst[sǽndhəːrst] *n.* 영국 육군 사관학교의 소재지《Berkshire 의》. 「대부.
S & L savings and loan 저축
sánd·lòt *n.* Ⓒ 《美》 빈터; (특히 아이들) 놀이터. 「ochism.
S and 〔&〕 M sadism and mas-
sánd·màn *n.* (the ~) 잠귀신《모래를 어린이 눈에 뿌려 졸음이 오게 한다는》.
sánd pàinting (북아메리카 인디언의) 주술적(呪術的)인 색채 모래 그림. 「(로 닦다).
sánd·pàper *n., vt.* Ⓤ 사포(砂布)
sánd·pìper *n.* Ⓒ 〖鳥〗 도욧과의 새《삑삑도요·깝작도요 따위》.
sánd pìt 모래 채취장, 사갱(砂坑).
sánd shòe (보통 *pl.*) 《英》 테니스화; 즈크제·고무 바닥의 신.
sánd·stòne *n.* Ⓤ 사암(砂岩).
sánd·stòrm *n.* Ⓒ 모래 폭풍.
sánd tràp 《美》 〖골프〗 벙커(《英》 bunker)《모래땅의 장애 구역》.
:sand·wich[sǽndwitʃ/sǽnwidʒ, -tʃ] *n.* Ⓤ,Ⓒ 샌드위치. — *vt.* 사이에 끼우다.
sándwich bàr (보통 카운터식의) 샌드위치 전문의 간이 식당.
sándwich bòard 샌드위치맨이 걸치는 광고판.
sándwich còin 《美》 샌드위치 경화《양쪽에 은을 입힌 25센트 경화 따위》.
sándwich còurse 《英》 샌드위치 코스《실업 학교 따위에서 실습과 이론 연구를 3개월 내지 6개월씩 번갈아 하는 교육 제도》.

S

Sándwich Íslands 하와이 제도의 구칭.
sándwich màn 샌드위치맨《몸 앞뒤에 광고판을 걸치고 다님》.
***sand·y**[sǽndi] *a.* 모래(빛)의; 모래투성이의; 불안정한.
sánd yácht 사상(砂上) 요트《바퀴 셋이 달린》.
***sane**[sein] *a.* 제정신의; (사고방식이) 건전한, 분별이 있는; 합리적인. **⌐·ly** *ad.* **⌐·ness** *n.*
San·for·ize[sǽnfəràiz] (<Sanford 고안자의 이름) *vt.* 《美》 샌포라이즈 가공하다.
:San Fran·cis·co[sæ̀n frænsískou] 샌프란시스코《California주의 항구 도시》.
†sang[sæŋ] *v.* sing의 과거.
sang-froid[sɑːŋfrwɑ́ː, sæŋ-] *n.* (F. =cold blood) Ⓤ 냉정, 침착.
san·gui·nar·y [sǽŋgwənèri/-nəri] *a.* 피비린내 나는; 잔인한.
***san·guine**[sǽŋgwin] *a.* ① 명랑한; 희망에 찬, (…을) 확신하는(*of*); 혈색이 좋은(ruddy). ② =SANGUINARY.
san·guin·e·ous[sæŋgwíniəs] *a.* 피의; 피빛의; 다혈질의; 낙천적인.
san·i·tar·i·an[sæ̀nətέəriən] *a., n.* 위생의; Ⓒ 위생학자.
***san·i·tar·i·um** [sæ̀nətέəriəm] *n.* (*pl.* **~s, -ia**[-iə]) 《美》 =SANATORUIM.
:san·i·tar·y[sǽnətèri/-təri] *a., n.* 위생(상)의, 청결한; Ⓒ 공중 변소.
sánitary bèlt 월경대.
sánitary córdon =CORDON SANITAIRE.
sánitary engineér 위생 기사; 배관공; 《美俗》 쓰레기 청소〔수집〕원.
sánitary nápkin 〔**bélt**〕 월경대.
san·i·tate[sǽnətèit] *vt.* (…을) 위생적으로 하다; (…에) 위생 시설을 하다.
***san·i·ta·tion**[sæ̀nətéiʃən] *n.* Ⓤ 위생 (시설); 하수구 설비.
san·i·tize [sǽnətàiz] *vt.* =SANITATE.
san·i·ty[sǽnəti] *n.* Ⓤ 정신이 건전함, 온건, 건전.
San Jo·sé [sɑ́ːn *h*ouzéi] Costa Rica의 수도.
:sank[sæŋk] *v.* sink의 과거.
San Ma·ri·no[sæ̀n məríːnou] 이탈리아 동부의 작은 공화국; 그 수도.
sans [sænz; F. sɑ̃] *prep.* 《古》 =WITHOUT.
Sans. Sanskrit.
San Sal·va·dor[sæn sǽlvədɔ̀ːr] El Salvador의 수도.
sans-cu·lotte[sæ̀nzk*j*ulɑ́t/-lɔ́t] *n.* (F.) Ⓒ 과격 공화당원《프랑스 혁명 당시 귀족식의 반즈봉을 입지 않은 공화당원을 일컫는 말》; 과격파의 사람. **-cu·lót·tism** *n.*
San·skrit, -scrit[sǽnskrit] *n., a.* Ⓤ 산스크리트〔범어〕(의).
†San·ta Claus[sǽntə klɔ̀ːz/⌐-⌐] (<*St. Nicholas*) 산타클로스.
San·ta Fe[sǽntə féi, ⌐-⌐] 미국 New Mexico주의 주도.
Sánta Fé Tráil Santa Fe와 (Missouri주의) Independence간의 교역로(交易路), 19세기의 미국 발전사상의 중요 도로.
San·ta·ya·na[sæ̀ntiǽnə, -tiɑ́ːnə], **George** (1863-1952) 스페인 태생의 미국의 시인·철학자.
San·ti·a·go[sæ̀ntiɑ́ːgou] *n.* 칠레의 수도.
San·to Do·min·go[sæ̀ntou dəmíŋgou] 도미니카 공화국의 수도.
san·to·nin(e)[sǽntənin] *n.* Ⓤ 산토닌.
São Pau·lo[sɑ̃uŋ páulu:] 상파울루《브라질 남부의 도시》.
:sap¹[sæp] *n.* ① Ⓤ 수액(樹液); 기운, 생기, 원기, 활력. ② Ⓒ 《美俗》 바보(saphead). **⌐·less** *a.* 시든, 활기 없는; 재미 없는.
sap² *n., vt., vi.* (**-pp-**) Ⓒ 〖軍〗 (성내(城內) 적군 안으로의) 대호(對壕)(를 파서 공격하다); (신앙·신념 따위를) 점점 무너뜨리다〔무너지다〕; Ⓤ 그 무너짐; 점점 약화시키다.
sáp·hèad *n.* Ⓒ 《俗》 바보.
sap·id[sǽpid] *a.* 풍미 있는(savory); 흥미진진한(opp. insipid).
sa·pi·ent[séipiənt, -pjə-] *a.* 현명한, 영리한. **-ence, -en·cy** *n.* Ⓤ 아는 체하는 태도, 아는 체함.
sa·pi·en·tial[sèipiénʃəl] *a.* 지혜의. ***the ~ books*** 지혜의 서《구약성서 중의 잠언, 전도서, 아가 등》.
***sap·ling**[sǽpliŋ] *n.* Ⓒ 어린 나무, 묘목; 젊은이.
sap·o·dil·la[sæ̀pədílə] *n.* Ⓒ 〖植〗 사포딜라《열대 아메리카산의 상록수》; 그 열매.
sap·o·na·ceous[sæ̀pənéiʃəs] *a.* 비누 같은(soapy), 비누질의; 구변 좋은, 잘 얼러맞추는.
sa·pon·i·fy[səpɑ́nəfài/-pɔ́n-] *vt.* 비누화시키다. **-fi·ca·tion**[-⌐-fikéiʃən] *n.* Ⓤ 비누화.
sap·per [sǽpər] *n.* Ⓒ 《英》 공병(工兵).
Sap·phic[sǽfik] *a., n.* Sappho (풍)의; (*pl.*) 사포풍의 시.
***sap·phire**[sǽfaiər] *n., a.* Ⓤ,Ⓒ 사파이어, 청옥(靑玉); Ⓤ 사파이어 빛깔(의).
sápphire wédding 결혼 45주년 기념.
Sap·pho[sǽfou] *n.* 600 B.C. 경의 그리스 여류 시인.
sap·py[sǽpi] *a.* 수액(樹液)이 많은; 싱싱한, 기운 좋은; 《俗》 어리석은.
sap·suck·er[sǽpsʌ̀kər] *n.* Ⓒ 딱따구리의 일종《북아메리카산》.
sáp·wòod *n.* Ⓤ (목재의) 백목질, 변재(邊材)《나무껍질과 심재(心材) 중간의 연한 부분》.
sar·a·band[sǽrəbæ̀nd] *n.* Ⓒ (스페인의) 사라반드 춤(곡).
Sar·a·cen[sǽrəsən] *n.* Ⓒ 사라센 사람《십자군에 대항한 이슬람교도》. **~·ic**[⌐-sénik] *a.*
Sar·ah[sέərə] *n.* 〖聖〗 사라《Abra-

ham의 아내, Isaac의 어머니》.
sa·ran[sərǽn] *n.* Ⓤ 사란《고온에서 가소성(可塑性)을 갖는 합성 수지의 일종》; (S-) 그 상표 이름.
sar·casm[sɑ́ːrkæzəm] *n.* Ⓤ 빈정댐, 비꼼, 풍자; Ⓒ 빈정대는〔비꼬는〕 말. ***sar·cas·tic**[sɑːrkǽstik] *a.*
sarce·net[sɑ́ːrsnit] *n.* =SARSENET.
sar·co·ma[sɑːrkóumə] *n.* (*pl.* **~s, ~ta**[-tə]) Ⓤ,Ⓒ 〖醫〗 육종(肉腫).
sar·coph·a·gus[sɑːrkɑ́fəgəs/-ɔ́-] *n.* (*pl.* **-gi**[-gài, -dʒài], **~es**) Ⓒ 석관(石棺).
sard[sɑːrd] *n.* Ⓤ,Ⓒ 〖鑛〗 홍옥수(紅玉髓)《보석》.
sar·dine**[sɑːrdíːn] *n.* Ⓒ 〖魚〗 정어리. ***packed like ~s 빽빽이〔꽉〕 들어차서.
Sar·din·i·a[sɑːrdíniə, -njə] *n.* 이탈리아 서쪽 지중해에 있는 섬《이탈리아령》. **~n** *a., n.* Ⓒ 사르디니아 섬의 (사람).
sar·don·ic[sɑːrdɑ́nik/-ɔ́-] *a.* 냉소적인, 빈정대는. **-i·cal·ly** *ad.*
sar·don·yx[sɑːrdɑ́niks/sɑ́ːdəniks] *n.* Ⓤ,Ⓒ 〖鑛〗 붉은 줄무늬 마노(瑪瑙).
sar·gas·so[sɑːrgǽsou] *n.* (*pl.* **~(e)s**) Ⓒ 모자반《해초》.
Sargásso Séa, the 조해(藻海)《북대서양, 서인도 제도 북동부의 해초가 많은 잔잔한 해역》.
sarge[sɑːrdʒ] *n.* 《美口》 =SERGEANT.
sa·ri[sɑ́ːri(ː)] *n.* Ⓒ (인도 여성의) 사리《휘감는 옷》.
sa·rin[sɑ́ːrin] *n.* Ⓤ 〖化〗 사린《독성이 강한 신경 가스》.
sa·rong[sərɔ́ːŋ, -ɑ́-/-ɔ́-] *n.* Ⓒ 사롱《말레이 제도 원주민의 허리 두르개》; Ⓤ 사롱용의 천.
sar·sa·pa·ril·la[sɑ̀ːrsəpərílə] *n.* Ⓒ 청미래덩굴속의 식물《열대 아메리카산의 약초》; Ⓤ 그 뿌리《강장제》; 그 뿌리를 가미한 탄산수.
sarse·net[sɑ́ːrsnit] *n.* Ⓤ (안감용) 얇은 비단.
sar·to·ri·al[sɑːrtɔ́ːriəl] *a.* 재봉〔바질〕의, 양복장이의.
Sar·tre[sɑ́ːrtrə], **Jean Paul** (1905-80) 프랑스의 실존주의 작가·철학자.
SAS[sæs] Scandinavian Airlines System. **SASE** 《美》 selfaddressed stamped envelope 자기 주소를 적은 반신용 봉투.
***sash**¹[sæʃ] *n.* Ⓒ 장식띠; (여성·어린이의) 허리띠, 어깨띠.
sash² *n.* Ⓤ,Ⓒ (내리닫이 창의) 새시, 창틀. — *vt.* (…에) 새시를 달다.
sa·shay[sæʃéi] *vi.* 《美口》 미끄러지듯이 나아가다; 움직이다, 돌아다니다.
sásh còrd〔**lìne**〕 (내리닫이 창의) 도르래 줄.
sásh wíndow 내리닫이 창(cf. casement window).
sas·sa·fras[sǽsəfræ̀s] *n.* Ⓒ 사사프라스《북아메리카산 녹나무과의 교목》; Ⓤ 그 뿌리의 말린 껍질《향료·강장제》.
sas·sy[sǽsi] *a.* 《口》 =SAUCY.
SAT Scholatic Aptitude Test 학력 적성 검사.
†**sat**[sæt] *v.* sit의 과거(분사).
***Sat.** Saturday; Saturn.
***Sa·tan**[séitən] *n.* 사탄, 마왕. **sa·tan·ic**[seitǽnik, sə-] *a.*
S.A.T.B. soprano, alto, tenor, bass.
***satch·el**[sǽtʃəl] *n.* Ⓒ (멜빵이 달린) 학생 가방; 손가방.
sate¹[seit] *vt.* 물리게〔넌더리 나게〕 하다(*with*).
sate²[seit, sæt] *v.* 《古》 sit의 과거.
sa·teen[sætíːn] *n.* Ⓤ 면〔모〕수자(綿〔毛〕繻子).
***sat·el·lite**[sǽtəlàit] *n.* Ⓒ ① 〖天〗 위성. ② 종자(從者). ③ 위성국, 위성 도시. ④ 인공 위성.
sátellite cìty〔**tòwn**〕 위성 도시; 신흥 주택 도시.
sátellite stàtion (인공 위성의) 우주 정거장, 우주 기지.
sátellite télephone 위성 전화《인공 위성을 이용하는 이동 전화》.
sa·ti·a·ble[séiʃiəbəl/-ʃjə-] *a.* 물리게 할 수 있는, 만족시킬 수 있는.
sa·ti·ate[séiʃièit] *vt.* 물리게〔넌더리 나게〕 하다, 물릴 정도로 주다. **-a·tion**[⌐–éiʃən] *n.*
sa·ti·e·ty[sətáiəti] *n.* Ⓤ 포만, 만끽; 과다(*of*).
***sat·in**[sǽtən] *n., a.* Ⓤ 새틴, 견수자(絹繻子)(의, 비슷한), 매끄러운 (smooth and glossy). **~·ly** *a.*
sat·i·net(te)[sæ̀tənét] *n.* Ⓤ 모조 수자(繻子).
sátin·wòod *n.* Ⓒ 〖植〗 (동인도산의) 마호가니류(類); Ⓤ 그 재목.
***sat·ire**[sǽtaiər] *n.* Ⓤ 풍자(문학); Ⓒ 풍자시〔문〕; Ⓤ 비꼼(*on*). **sa·tir·ic**[sətírik], **-i·cal**[-əl] *a.* **sat·i·rize**[sǽtəràiz] *vt.* 풍자하다; 빗대다.
sat·is·fac·tion**[sæ̀tisfǽkʃən] *n.* ① Ⓤ 만족(*at, with*); 만족시킴; Ⓒ 만족시키는 물건. ② Ⓤ 이행; 변제(辨濟). ③ Ⓤ 사죄; 결투(duel). ④ Ⓤ 〖神〗 속죄. ***demand ~ 사죄를 요구하다; 결투를 신청하다. ***give ~*** 만족시키다; 사죄하다; 결투 신청에 응하다. ***in ~ of*** …의 보상으로. ***make ~ of*** …을 변제〔배상〕하다.
***sat·is·fac·to·ry**[sæ̀tisfǽktəri] *a.* 만족한, 더할 나위 없는. ***-ri·ly** *ad.*
sat·is·fy**[sǽtisfài] *vt.* ① (욕망 따위를) 만족시키다, 채우다, 이루다. ② (부채 따위를) 지불하다, 갚다. ③ (아무를) 안심시키다, (걱정·불안을) 가라앉히다. ④ (의심·의문을) 풀게 하다. ***be satisfied 만족하다, 기뻐하다(*with; with* do*ing; to* do); 납득〔확신〕하다(*of; that*). ***rest satisfied*** 만족하고 있다. ***~ oneself*** 만

S

족〔납득〕하다; 확인하다(*of; that*). *~·ing *a.*

sat·rap[séitræp, sǽt-/sǽtrəp] *n.* Ⓒ (고대 페르시아의) 태수; (독재적인) 총독, 지사.

***sat·u·rate**[sǽtʃərèit] *vt.* ① 적시다, 배어들게 하다, 흠뻑 적시다(soak). ② (전통·편견 따위를) 배어들게 하다(*with, in*). ③ 〖化〗 포화시키다(*with*). ④ 집중 폭격하다.

sáturated solútion 포화용액.

sat·u·ra·tion[sæ̀tʃəréiʃən] *n.* Ⓤ 침윤(浸潤); 포화; (밝기에 대한) 채도(彩度)《색의 포화도》.

sàturation bòmbing 〖軍〗 집중 폭격.

sàturation pòint 포화점; 인내〔참을성〕의 한계점.

†**Sat·ur·day**[sǽtərdèi, -dı] *n.* Ⓒ 《보통 무관사》 토요일.

***Sat·urn**[sǽtərn] *n.* ① 〖로神〗 농사의 신. ② 〖天〗 토성.

Sat·ur·na·li·a[sæ̀tərnéiliə, -ljə] *n.* (고대 로마에서 12월에 지낸) 농신제(農神祭); (s-)(*pl.* **~s, ~**) Ⓒ (야단) 법석. **-li·an** *a.*

sat·ur·nine[sǽtərnàin] *a.* 〖占星〗 토성의 정기를 받은〔받아 태어난〕; 뚱한, 음침한.

sa·tyr[sǽtər, séi-] *n.* (종종 S-) 〖그神〗 사티로스《반인 반수의 숲의신, Bacchus의 종자》; Ⓒ 호색한(漢). **~·ic**[sətírik] *a.*

‡**sauce**[sɔːs] *n.* ① Ⓤ,Ⓒ 소스. ② Ⓤ 《美》 과일의 설탕 조림(apple ~). ③ Ⓤ,Ⓒ 흥미를 더하는 것. ④ Ⓤ《口》 건방짐. ***Hunger is the best ~.*** 《속담》 시장이 반찬. ***None of your ~!*** 건방진 소리 마라! ***What's ~ for the goose is ~ for the gander.*** 《속담》 남잡이가 제잡이; (말다툼에서) 그것은 내가 할 말이다. ── *vt.* ① 맛을 내다(season). ② 《口》 (…에게) 무례한 말을 하다.

sáuce·bòat *n.* Ⓒ 배 모양의 소스 그릇.

sáuce·bòx *n.* Ⓒ 《口》 건방진 놈.

***sáuce·pàn** *n.* Ⓒ 손잡이 달린 속깊은 냄비, 스튜 냄비.

‡**sau·cer**[sɔ́ːsər] *n.* Ⓒ 받침접시.

sáucer-éyed *a.* 눈이 큰.

sáucer éyes 쟁반같이 둥근 눈.

sau·cer·man[-mæ̀n] *n.* Ⓒ 비행접시의 승무원; 우주인.

***sau·cy**[sɔ́ːsi] *a.* 건방진(pert); 멋진, 스마트한. **sáu·ci·ly** *ad.* **sáu·ci·ness** *n.*

Sa·ú·di Arábia[sɑːúːdi-, sáu-] 사우디아라비아《아라비아 반도의 회교 왕국》.

sauer·kraut[sáuərkràut] *n.* (G.) Ⓤ 소금절이 양배추.

Saul[sɔːl] *n.* 〖聖〗 사울《이스라엘의 초대왕》; 사도 바울의 처음 이름.

sau·na[sáunə] *n.* Ⓒ (핀란드의) 증기욕〔탕〕.

saun·ter[sɔ́ːntər] *vi., n.* 산책하다, 어정거리다, (a ~) 어슬렁어슬렁 거닐다〔거닐기〕.

sau·ri·an[sɔ́ːriən] *a., n.* Ⓒ 도마뱀 무리의 (동물).

‡**sau·sage**[sɔ́ːsidʒ/sɔ́s-] *n.* ① Ⓤ,Ⓒ 소시지, 순대. ② 〖空〗 소시지형 계류 기구《관측용》.

sáusage-dòg *n.* 《口》 =DACHSHUND.

sau·té[soutéi, sɔː-/∠-] *a., n.* (F.) Ⓤ,Ⓒ 기름에 살짝 튀긴 (요리). ***pork ~*** 포크소테.

sau·terne[soutə́ːrn] *n.* Ⓤ (프랑스의 Sauterne 산의) 흰 포도주.

sauve qui peut [sóuv kìː pə́ː] (F.) 궤주(潰走), 총퇴각, 총붕괴(cf. stampede).

‡**sav·age**[sǽvidʒ] *a., n.* 야만적인; 사나운; Ⓒ 잔인한 (사람), 야만인. **~·ly** *ad.* **~·ry**[-əri] *n.* Ⓤ 만행; 잔인.

***sa·van·na(h)**[səvǽnə] *n.* Ⓤ,Ⓒ (특히 열대·아열대의) 대초원.

sa·vant[səvɑ́ːnt/sǽvənt] *n.* Ⓒ (대)학자, 석학.

sa·vate[səvǽt] *n.* Ⓤ 사바트《손·발도 쓰는 프랑스식 권투》.

†**save**[1][seiv] *vt.* ① (…에서) 구해내다, 구조하다, 살리다. ② (죄에서) 건지다, 제도(濟度)하다(*from*). ③ (금전·곤란·노고 따위를) 덜다, 면케 하다. ④ 절약〔저축〕하다, 모으다, (버리지 않고) 떼어 두다. ── *vi.* 구하다; 모으다; 절약하다; (음식·생선 따위가) 오래 가다. ***A stitch in time ~s nine.*** 《속담》 제때의 한 땀은 아홉 수고를 던다. ***(God) ~ 〔defend〕 me from my friends!*** 부질없는 참견〔걱정〕 마라! ***~ one's breath*** 쓸데 없는 말을 않다. ***~ oneself*** 수고를 아끼다. ***~ one's face*** 면목〔체면〕이 서다. ***S- the mark!*** 《삽입구》 이거참 실례(의 말을 용서하십시오). ***~ up*** 저축하다. ── *n.* Ⓒ (축구 등에서) 상대편의 득점을 막음; 〖컴〗 갈무리, 저장, 세이브.

‡**save**[2] *prep.* …을 제외하고, …은 별도로 치고(except). ── *conj.* …을 제외하고, …외에는.

sáve-as-you-éarn *n.* Ⓤ 《英》 급료 공제 저금.

sav·er[∠ər] *n.* Ⓒ 구조자; 절약가.

‡**sav·ing**[séiviŋ] *a.* ① 구(제)하는. ② 절약하는. ③ …을 더는, 보상〔벌충〕이 되는. ④ 〖法〗 제외하는. ── *n.* Ⓤ,Ⓒ 구조, 구제; 저축, (*pl.*) 저금; 절약. ***~ clause*** 단서. ── *prep.* …을 제외하고, …에 대하여 실례지만. ***~ your presence 〔reverence〕*** 당신 앞에서 실례입니다만. ── *conj.* …외에는.

sávings accòunt 보통 예금 계좌(cf. checking account).

sávings and lóan associàtion 《美》 저축 대부 조합.

sávings bànk 저축 은행.

sávings bònd (미국의) 저축 채권.

sávings certíficate 국채의 일종.

***sav·ior, 《英》 -iour**[séivjər] *n.* Ⓒ 구조자, 구제자; (the S-) 구세주《예

S

수》. ~·hòod, ~·shìp *n.*
sa·voir-faire [sæ̀vwɑːrfέər] *n.* (F.) Ⓤ 재치, 수완(tact).
sa·voir-vi·vre [-víːvrə] *n.* (F.) Ⓤ 예절바름, 교양 있음.
*__sa·vor,__ 《英》 **-vour** [séivər] *n.* Ⓤ 맛, 풍미; 향기; 기미(*of*); 《古》 명성. — *vt., vi.* (…에) 맛을 내다; (…의) 맛이 나다, (…한) 기미가 있다. ~·**ous** *a.* 맛이 좋은.
sa·vor·y[1], 《英》 **-vour·y**[1] [séivəri] *a.* 맛좋은, 풍미 있는; 평판 좋은. — *n.* Ⓒ 《英》 (식사 전후의) 싸한 맛이 나는 요리, 입가심 요리.
sa·vor·y[2], 《英》 **-vour·y**[2] *n.* Ⓤ 꿀풀과의 요리용 식물.
Sa·voy [səvɔ́i] *n.* 프랑스 남동부의 지방; 이탈리아의 왕가(1861-1946).
sav·vy [sǽvi] 《美俗》 *vt., vi.* 알다, 이해하다. — *n.* Ⓤ 상식, 이해, 재치.
†**saw**[1] [sɔː] *v.* see[1]의 과거.
saw[2] *n.* Ⓒ 격언, 속담.
‡**saw**[3] *n., vt.* (*~ed; ~n* [sɔːn], 《稀》 *~ed*) Ⓒ 톱(으로 자르다, 으로 켜서 만들다). — *vi.* 톱질하다; 톱으로 켜지다. ~ *the air* 팔을 앞뒤로 움직이다.
sáw·bònes *n.* Ⓒ 《俗》 외과의사 (surgeon).
sáw·bùck *n.* Ⓒ 《美》 톱질 모탕 (sawhorse); 《美俗》 10달러 지폐.
sáw·dùst *n.* Ⓤ 톱밥. ***let the ~ out of*** (인형 속에서 톱밥을 끄집어 내듯) 약점을 들춰내다; 콧대를 꺾어 놓다.
sáw·fìsh *n.* Ⓒ 〖魚〗 톱상어.
sáw·hòrse *n.* Ⓒ 톱질 모탕.
*__sáw·mìll__ *n.* Ⓒ 제재소.
*__sawn__ [sɔːn] *v.* saw[3]의 과거분사.
sáw-tóothed *a.* 톱니 모양의, 들쭉날쭉한.
saw·yer [sɔ́ːjər] *n.* Ⓒ 톱장이.
sax [sæks] *n.* Ⓒ 《口》 색소폰(saxophone).
Sax. Saxon; Saxony.
sax·horn [sǽkshɔ̀ːrn] *n.* Ⓒ 색스혼 《금관 악기》.
sax·i·frage [sǽksəfridʒ] *n.* Ⓤ 〖植〗 범의귀.
*__Sax·on__ [sǽksn] *n., a.* Ⓒ (앵글로) 색슨 사람(의); (독일의) Saxony 사람(의); Ⓤ 색슨 말(의). ~ ***word*** (외래어에 대해) 본래의 영어《보기: *dog, father, glad, house, love, &c.*》.
Sax·o·ny [sǽksəni] *n.* 남부 독일의 지방; (S-) Ⓤ 위 지방산의 양털[모직물].
sax·o·phone [sǽksəfòun] *n.* Ⓒ 색소폰《목관 악기》.
†**say** [sei] *vt., vi.* (***said***) ① 말하다. ② (기도를) 외다; 암송하다(~ *one's lessons*). ③ 이를테면, 글쎄(*Call on me tomorrow, ~, in the evening.* 내일 저녁께라도 와주게). ④ 《美口》 이봐, 저어, 잠깐(《英》 I say). ***have nothing to ~ for oneself*** 변명하지 않다. ***hear ~*** 소문[풍문]에 듣다. ***I ~!*** 《英口》 이봐; 저어; 그래 (놀랐는걸); 《강조》 …라니깐; 《반복》 지금 말했듯이. ***It goes without ~ing*** (***that***) …은 말할 것(까지)도 없다. ***let us ~*** 예컨대, 이를테면, 글쎄. ***not to ~*** …라고는 말할 수 없을지라도. ***~ for oneself*** 변명하다. ***~ out*** 속을 털어놓다. ***~ over*** 되풀이해 말하다; 건성으로 말하다. ***~s I*** 《俗》 …라고 내가 말했단 말야. ***~ something*** 간단한 연설을 하다; =say GRACE. ***This is ~ing a great deal.*** 그거 큰일이군. ***that is to ~*** 즉, 말하자면; 적어도. ***though I ~ it*** (***who should not***) 내 입으로 말하기는 쑥스럽지만[뭣하지만]. ***to ~ nothing of*** …은 말할 것도 없고. ***What ~ you*** [***do you ~***] ***to …?*** …할 마음은 없나. ***You don't ~ so!*** 설마(하니)! — *n.* ① Ⓤ 할 말, 주장. ② Ⓤ 발언의 차례[기회], 발언권. ③ 《美》 (the ~) (최종) 결정권. ***have*** [***say***] ***one's ~*** 할 말[주장]을 말하다, 발언하다. *__∠·ing__ *n.* Ⓒ 격언; 속담; 말.
S.A.Y.E. 《英》 =SAVE-AS-YOU-EARN.
say·(e)st [séi(i)st] *vt., vi.* 《古》 say의 2인칭 단수 현재《thou를 주어로 함》.
say-so [séisòu] *n.* (*sing.*) 《美口》 독단(적 성명); 최종 결정권.
Sb stibium. **sb., s.b.** 〖野〗 stolen base(s). **SBA** Small Business Administration 《美》 중소기업청.
S-bànd *n.* Ⓒ S밴드《1550-5200 메가헤르츠의 초단파대(帶)》.
SbE south by east 남미동.
SbW south by west 남미서.
Sc. 〖化〗 scandium. **Sc.** science; Sotch; Scots; Scottish.
sc. scale; scene; science; screw; scilicet. **S.C.** Security Council (of the U.N.); South Carolina; Supreme Court.
s.c. 〖印〗 small capitals.
scab [skæb] *n.* ① Ⓒ 딱지; Ⓤ 붉은 곰팡이 병; Ⓤ 검은별 무늬병. ② Ⓒ 비조합원 노동자; 《俗》 파업 파괴자, 배반자; 무뢰한. — *vi.* (***-bb-***) ① (상처에) 딱지가 앉다. ② 파업을 깨다. ∠·**by** *a.* 딱지투성이인; 붉은 곰팡이 병에 걸린; 천한, 비열한, 더러운.
*__scab·bard__ [skǽbərd] *n., vt.* Ⓒ 칼집(에 꽂다, 넣다).
sca·bies [skéibiiːz, -biːz] *n.* Ⓤ 〖醫〗 옴, 개선(疥癬).
scab·rous [skǽbrəs/skéi-] *a.* 껄껄[울퉁불퉁]한; 다루기 어려운; =RISQUÉ.
scad [skæd] *n.* (*pl.*) 《美俗》 많음; 거액(巨額); 경화(coin).
*__scaf·fold__ [skǽfəld, -fould] *n., vt.* Ⓒ 〖建〗 비계(를 만들다); 교수대(에 매달다); (야외의) 관객석. ~·**ing** *n.* Ⓤ 비계 (재료).

S

scag[skæg] *n.* 《美俗》 =HEROIN.
scagl·io·la[skæljóulə] *n.* Ⓤ (장식용) 인조 대리석.
sca·lar[skéilər] *a.* 층계를 이루는, 단계적인; 눈금의 수치로 나타낼 수 있는《이를 테면 온도》. — *n.* Ⓒ 〖數〗 스칼라.
scal·a·wag, 《英》 **scal·la-**[skǽləwæ̀g] *n.* Ⓒ 《口》 무뢰한, 깡패.
*__scald__[1][skɔːld] *vt.* ① (뜨거운 물·김에) 화상을 입히다. ② 데치다, 삶다. — *n.* ① Ⓒ (뜨거운 물 따위에) 뎀, 화상. ② Ⓤ (더위로) 나뭇잎이 시들시들함; (과일의) 썩음.
scald[2] *n.* =SKALD.
scálding téars (비탄의) 뜨거운 눈물, 피눈물.
:**scale**[1][skeil] *n.* Ⓒ ① 눈금, 척도(尺度); 비율; 축척(縮尺); 자. ② 〖樂〗 음계. ③ 진법(進法); 등급, 계급; 순차로 비교된 크기. ④ 규모, 스케일. ⑤ (물가·임금 등의) 비율, 율(*to a* ~ 일정한 비율로). ⑥ 《廢》 사닥다리, 계단. ⑦ 〖컴〗 크기 조정, 스케일. ***a*** ~ ***of one inch to one mile,*** 1마일 1인치의 축척. ***decimal*** ~ 십진법. ***folding*** ~ 접자. ***on a large*** ~ 대규모로. ***play*** 〔***sing***〕 ***one's*** ~***s*** 음계를 연주〔노래〕하다. ***out of*** ~ 일정한 척도에서 벗어나, 균형을 잃고. ***social*** ~ 사회의 계급. — *vt.* 사다리로 오르다, 기어오르다; 축척으로 제도하다; (비율에 따라) 삭감〔증대〕하다(*down, up*); 적당히 판단하다.
:**scale**[2] *n.* Ⓒ 천칭(天秤)의 접시; (종종 *pl.*) 저울, 천칭, 체중계; (the Scales) 〖天〗 천칭자리〔궁〕. ***hold the*** ~***s even*** 공평하게 판가름하다. ***throw one's sword into the*** ~ 힘〔무력〕에 의하여 요구를 관철하다. ***tip the*** ~***s*** 한쪽을 우세하게 하다; 무게가 …나가다. ***turn the*** ~ ***at*** (*...pounds*) (…파운드)의 무게가 나가다. — *vt., vi.* 천칭으로 달다; 무게가 …이다.
:**scale**[3] *n.* ① Ⓒ 비늘(모양의 것); 〖植〗 인편(鱗片). ② Ⓤ 물때; 버캐; 쇠똥; 이똥. ③ =⁓**insect** 개각충(介殼蟲), 깍지진디. ***remove the*** ~***s from a person's eyes*** 아무의 눈을 뜨게 하다. ***Scales fell from his eyes.*** 잘못을 깨달았다《사도행전 9:18》. — *vt.* (…의) 비늘을 벗기다; 비늘로 덮다; 껍데기〔물때·이똥〕를 떼다. — *vi.* 비늘이 떨어지다; 작은 조각이 되어 떨어지다.
scále·bòard *n.* Ⓒ (액자·거울의) 뒤판; 〖印〗 얇은 목제 인테르.
scaled[skeild] *a.* 비늘이 떨어진, 껍질이 벗겨진; 비늘 모양의.
sca·lene[skeilíːn] *a., n.* 부등변(不等邊)의; Ⓒ 부등변 삼각형.
scal·ing[skéiliŋ] *n.* Ⓤ 〖理〗 스케일링, 비례 축소; 〖컴〗 크기 조정.
scáling làdder 공성(攻城)〔소방〕 사다리.
scal·lion[skǽljən] *n.* Ⓒ 골파 (shallot), 부추(leek).
scal·lop[skáləp, -ǽ-/-ɔ́-] *n., vt.* Ⓒ 가리비(의 조가비), 속이 얕은 냄비(에 요리하다); 부채꼴(로 하다, 로 자르다).
*__scalp__[skælp] *n.* Ⓒ ① (털이 붙은 채로의) 머릿가죽; (적의 머리에서 벗긴) 머릿가죽. ② 승리의 징표, 전리품. — *vt.* (…의) 머릿가죽을 벗기다; 《美口》 (증권·표 등을) 이문 남겨 팔다; 작은 이문을 남기다; 혹평하다. ⁓**er** *n.* Ⓒ (주식 매매로) 약간의 이문을 남기는 사람, 암표상.
scal·pel[skǽlpəl] *n.* Ⓒ 〖外〗 메스.
scal·y[skéili] *a.* 비늘이 있는, 비늘 모양의; 《俗》 천한; 인색한.
scam[skæm] *n.* Ⓒ 《美俗》 사기, 야바위.
scamp[skæmp] *n.* Ⓒ 무뢰한, 깡패. — *vi.* (일을) 되는 대로 해치우다. ⁓**ish** *a.* 망나니 같은.
*__scamp·er__[skǽmpər] *n., vi.* 급히 내닫다〔도주하다〕; Ⓒ 급한 여행; 급하게 훑어 읽기.
scam·pi[skǽmpi] *n.* (*pl.* ~, ~***es***) Ⓒ 참새우; Ⓤ 참새우나 작은 새우를 기름에 튀긴 이탈리아 요리.
*__scan__[skæn] *vt.* (***-nn-***) ① (시의) 운율을 고르다〔살피다〕. ② 자세히 조사하다. ③ (책 등을) 죽 훑어 보다. ④ 〖TV·레이더〗 주사(走査)하다; 〖컴〗 훑다, 주사하다.
Scan., Scand. Scandinavia(n).
:**scan·dal**[skǽndl] *n.* ① Ⓤ,Ⓒ 추문, 의옥(疑獄); Ⓒ 치욕(이 되는 물건·일). ② Ⓒ (추문에 대한 세상의) 반감, 분개. ③ Ⓤ 중상, 욕. ~**·ize** [-dəlàiz] *vt.* 분개시키다; 중상하다. ***be*** ~***ized*** 분개하다(*at*). *~**·ous** *a.* 명예롭지 못한, 못된; 중상적인.
scándal·mònger *n.* Ⓒ 추문을 퍼뜨리는 사람.
scándal shèet 《美》 가십 신문〔잡지〕.
Scan·di·na·vi·a [skæ̀ndənéiviə] *n.* 스칸디나비아; 북유럽. *~**n** *a., n.*
scan·di·um [skǽndiəm] *n.* Ⓤ 〖化〗 스칸듐《금속 원소; 기호 Sc》.
scan·ner[skǽnər] *n.* Ⓒ 정밀히 조사하는 사람; 〖TV〗 주사기(走査機)〔판(板)〕; 주사 공중선; 〖컴〗 훑개, 주사기, 스캐너.
scan·ning[skǽniŋ] *n.* =SCANSION; Ⓤ 정사(精査); 〖TV·컴〗 스캐닝; 주사(走査).
scánning dìsk 〖TV〗 주사 원판.
scánning lìne 〖TV〗 주사선.
scan·sion[skǽnʃən] *n.* Ⓤ (시의) 운율 분석(scanning); 율독(律讀)(법).
*__scant__[skænt] *a., vt.* 불충분한, 모자라는(*of*); 가까스로의; 인색한; 인색하게 굴다. ⁓**ly** *ad.*
scan·ties[skǽntiz] *n. pl.* 짧은 팬티.
scant·ling[skǽntliŋ] *n.* Ⓒ (5인치각 이하의) 각재(角材), 오리목; Ⓤ 《집합적》 각재류.

S

:scant·y[skǽnti] *a.* 부족〔결핍〕한, 모자라는(*of*). **scánt·i·ly** *ad.* **scánt·i·ness** *n.*

SCAP Supreme Commander for the Allied Powers. **S.C.A.P.A.** Society for Checking the Abuses of Public Advertising.

scape·goat[skéipgòut] *n.* Ⓒ 〖聖〗 (사람 대신의) 속죄의 염소; 남의 죄를 대신 짊어지는 사람.

scape·grace[skéipgrèis] *n.* Ⓒ 깡패; 개구쟁이.

s. caps. 〖印〗 small capitals.

scap·u·la[skǽpjələ] *n.* (*pl.* **-lae** [-lìː]) Ⓒ 견갑골(肩胛骨). **~r** *a.*

:scar[skɑːr] *n., vt.* (**-rr-**) Ⓒ 상처(를 남기다); (마음의) 상처. — *vi.* 흉터를 남기고 낫다.

scar·ab[skǽrəb] *n.* Ⓒ 투구벌레의 일종; 그 모양으로 조각한 보석《부적》.

scar·a·mouch[skǽrəmùːʃ, -màutʃ] *n.* Ⓒ 허세 부리는 겁쟁이; 망나니.

:scarce[skɛərs] *a.* ① 결핍한, 부족한(*of*). ② 드문, 희귀한. ***make oneself*** **~** 《口》 가만히 떠나(가)다; 결석하다. **~ *books*** 진서(珍書). — *ad.* 《古》 =⇩. **∠·ness** *n.*

:scarce·ly[∠li] *ad.* 겨우; 거의〔좀처럼〕 …아니다. **~ *any*** 거의 아무것도 없다. **~ *... but*** …하지 않는 일은 좀처럼 없다. **~ *ever*** 좀처럼 …(하지) 않다. **~ *less*** 거의 같게. **~ *... when*** 〔***before***〕 …하자마자.

***scar·ci·ty**[skɛ́ərsəti] *n.* Ⓤ,Ⓒ 결핍, 부족, 기근; Ⓤ 드묾.

scárcity vàlue 희소 가치(稀少價値).

:scare[skɛər] *vt., vi.* 으르다; 겁을 집어먹다; 깜짝 놀라(게 하)다. **~ *the pants off*** 《口》 놀래다. — *n.* (a ~) 놀람, 겁냄; Ⓒ 깜짝 놀라(게 하)는 일.

scáre bùying 〖經〗 비축(備蓄) 구입.

:scáre·cròw *n.* Ⓒ 허수아비; 넝마를 걸친 사람; 말라깽이.

scared·y-cat[skɛ́ərdikæ̀t] *n.* Ⓒ 《口》 겁쟁이.

scáre·mònger *n.* Ⓒ 유언비어를 퍼뜨리는 사람.

scáre(d) tràp 《美俗》 (가선공·비행기 등의) 안전 벨트.

:scarf[skɑːrf] *n.* (*pl.* **~s, scarves**) Ⓒ ① 스카프, 목도리, 어깨걸이. ② 넥타이. ③ 《美》 테이블〔피아노·장농〕보.

scárf·pìn *n.* Ⓒ 《英》 넥타이 핀.

scárf·skìn *n.* (the ~) (손톱의) 표피(表皮).

scar·i·fi·er[skǽrəfàiər] *n.* Ⓒ 흙 긁기용 농기구; 노면(路面) 파쇄기.

scar·i·fy[skǽrəfài] *vt.* 〖外〗 (…에서) 피부를 벗겨〔베어〕 내다; 혹평하다, 괴롭히다; (밭을) 일구다. **-fi·ca·tion**[skæ̀ərəfikéiʃən] *n.*

scar·la·ti·na[skɑ̀ːrlətíːnə] *n.* = SCARLET FEVER.

:scar·let[skɑ́ːrlit] *n., a.* Ⓤ 주홍색(의 옷·천); 주홍의; (죄악을 상징하는) 주홍빛.

scárlet féver 성홍열.

scárlet lády 행실이 나쁜〔바람기 있는〕 여자.

scárlet létter 주홍 글자《옛날 간통자의 가슴에 꿰매 달게 한 붉은 헝겊의 A(=adultery) 자》.

scárlet rúnner 붉은꽃강낭콩.

scárlet ságe =SALVIA.

scárlet tánager 〖鳥〗 (북미산의) 풍금새.

scarves[skɑːrvz] *n.* scarf의 복수.

scar·y [skɛ́əri] *a.* 《口》 겁많은(timid); 무서운(dreadful).

scat[1][skæt] *vi.* (**-tt-**) 《口》 《명령형》 빨리 가〔꺼져〕!, 쉿《고양이를 쫓는 소리》. — *vt.* 쉿(Scat!)하여 쫓아 버리다.

scat[2] *n., vi.* (**-tt-**) Ⓤ 무의미한 음절의 재즈송(을 부르다).

scath·ing[skéiðiŋ] *a.* 해치는, 호된.

sca·tol·o·gy[skətɑ́lədʒi/-ɔ́-] *n.* Ⓤ 외설 연구〔취미〕; 대변학(大便學).

:scat·ter[skǽtər] *vt., n.* Ⓤ 흩뿌리다〔기〕; 쫓아버리다〔기〕. ***~·ed**[-d], **~·ing**[-iŋ] *a.* 산재한, 흩어진, 성긴.

scátter·bràin *n.* Ⓒ 덤벙이는〔차분하지 못한〕 사람.

scátter cùshion 《美》 (소파용의) 쿠션.

scátter·gòod *n.* Ⓒ 낭비가(spendthrift).

scátter·gùn *n.* Ⓒ 산탄총, 기관총 (machinegun).

scátter rùg 소형 융단.

scáup dùck[skɔ́ːp-] 〖鳥〗 홍머리오리(widgeon).

scaur[skɑːr, skɔːr] *n.* 《Sc.·Ir.》= SCARE.

scav·enge[skǽvəndʒ] *vt., vi.* (시가를) 청소하다. **scáv·en·ger** *n.* Ⓒ 가로 청소인; 썩은 고기를 먹는 동물.

Sc. D. *Scientiae Doctor* (L. = Doctor of Science).

sce·na[ʃéinə] *n.* (It.) Ⓒ (오페라의) 한 장면; 극적 독창곡.

sce·nar·i·o[sinɛ́əriòu, -nɑ́ːr-] *n.* (*pl.* **~s**) (It.) Ⓒ 〖劇〗 극본(劇本); 〖映〗 각본, 시나리오. **sce·nar·ist** [sinɛ́ərist, -nɑ́ːr-] *n.*

†scene[siːn] *n.* Ⓒ ① (극의) 장(場) 《생략 sc.》(cf. act). ② (무대의) 배경이나 세트. ③ (사건 따위의) 장면; 사건; 큰 소동, 추태. ④ (한 구획의) 경치(cf. scenery). ⑤ (*pl.*) 광경, 실황(實況). ***behind the ~s*** 무대 뒤에서; 몰래, 음으로, 은밀히. ***change of ~*** 장면의 전환〔변화〕; 전지(轉地). ***make a ~*** 활극〔큰 소동〕을 벌이다; 언쟁하다. ***make the ~*** 《美俗》 (행사·활동에) 참가하다, 나타나다. ***on the ~*** 그 자리〔현장〕에서. ***quit the ~*** 퇴장하다; 죽다.

scene·man[∠mən] *n.* Ⓒ 〖劇〗 무대 장치계.

scéne pàinter 배경 화가.

:scen·er·y[síːnəri] *n.* Ⓤ 《집합적》 ① 〖劇〗 무대 배경(화), 세트. ② 경치, 풍경.

S

scéne·shìfter *n.* =SCENEMAN.
***sce·nic**[sí:nik, sén-] *a.* ① 무대의, 극의; 배경의. ② 풍경의.
scénic dríve 《美》 경치가 아름다운 길임을 알리는 도로 표지.
scénic ráilway (유원지의) 꼬마 철도《꼬마 열차가 달림》.
sce·no·graph[sí:nəgræf/-ɑ̀:-] *n.* Ⓒ 원근도, 배경도.
:scent[sent] *vt.* ① 냄새 맡다, 알아채다(*out*). ② 냄새를 풍기다; 향수를 뿌리다. ── *n.* ① Ⓒ 향기; 냄새. ② Ⓤ 《주로 英》 향수. ③ Ⓒ (사냥 짐승이 지나간) 냄새자취, 흔적; 실마리. ***follow up the ~*** 뒤를 쫓다. ***put*** 〔***throw***〕 ***a person off the ~*** 뒤쫓는 사람을 따돌리다, 자취를 감추다. **∠·less** *a.* 무취의; 냄새 자취를 남기지 않는.
***scep·ter,** 《英》 **-tre**[séptər] *n., vt.* Ⓒ (왕이 가지는) 홀(笏); (the ~) 왕권(을 주다). **~ed**[-d] *a.* 홀을 가진; 왕위에 있는. 「&c.
scep·tic[sképtik], **&c.** =SKEPTIC,
:sched·ule[skédʒu(:)l/ʃédju:l] *n.* Ⓒ ①《美》 예정(표), 계획(표); 『컴』 일정 스케줄; 시간표. ② (본문에 딸린) 별표, 명세표. ***on ~*** 예정〔시간〕대로. ── *vt.* ① 표를〔목록을〕 만들다, 표〔목록〕에 올리다. ② 예정하다, 정하다.
schéduled flíght (비행기의) 정기편(定期便).
Sche·her·a·za·de [ʃəhèrəzá:də, -hìər-] *n.* (아라비안 나이트에 나오는) 인도 왕의 아내《매일밤 이야기를 하여 상심한 왕을 위로함》.
sche·ma[skí:mə] *n.* (*pl.* **~*ta***[-tə]) Ⓒ 개요; 설계(도); 도표, 도식; (칸트 철학의) 선험적(先驗的) 도식.
sche·mat·ic[ski(:)mǽtik] *a.* 도해(圖解)의〔에 의한〕; 개요의.
sche·ma·tize[skí:mətàiz] *vt.* 도식화하다, 모형적으로 나타내다.
:scheme[ski:m] *n.* Ⓒ ① 안(案), 계획, 방법. ② 획책, 음모. ③ 조직, 기구. ── *vt., vi.* 계획하다; 획책〔음모〕하다(*for; to* do). **schém·er** *n.* **schém·ing** *a.*
scher·zan·do [skɛərtsá:ndou] *ad., a.* (It.) 『樂』 스케르찬도, 익살스러운〔스럽게〕.
scher·zo [skɛ́ərtsou] *n.* (It.) Ⓒ 『樂』 해학곡, 스케르초.
Schíck tèst[ʃík-] 『醫』 (디프테리아 면역의 유무를 보는) 시크 시험.
Schil·ler [ʃílər], **Johann Christoph Friedrich von** (1759-1805) 독일의 극작가·시인.
schil·ling[ʃíliŋ] *n.* Ⓒ 오스트리아의 화폐 단위《생략 S》.
schism[sízəm] *n.* Ⓤ,Ⓒ 분열; (교회의) 분립, 분파. **schis·mat·ic**[sizmǽtik] *a., n.* 분열의; Ⓒ 분립론자.
schist[ʃist] *n.* Ⓤ 편암(片岩).
schiz·o·gen·e·sis [skìzədʒénəsis] *n.* Ⓤ 『生』 분열 생식.
schiz·oid[skítsɔid] *a.* 정신 분열증의〔비슷한〕.
schiz·o·phre·ni·a[skìtsəfrí:niə, skìzə-] *n.* Ⓤ 정신 분열증. **-phrénic** *a., n.* Ⓒ 정신 분열증의 (환자).
schle·miel[ʃləmí:l] *n.* Ⓒ 《美俗》 바보; 운이 나쁜 녀석.
schlock[ʃlɑk/-ɔ-] *a., n.* Ⓒ 《美俗》 싸구려의 (물건); 값싼 (물건).
schmal(t)z [ʃmɑ:lts] *n.* (G.) Ⓤ 《口》 (음악·문학 따위의) 극단적 감상주의.
Schmídt cámera[ʃmít-] 슈미트 카메라《천체 촬영용의 초광각(超廣角) 카메라》.
schmo(e) [ʃmou] *n.* (*pl.* ***schmoes***) Ⓒ 《美俗》 얼간이. 「이.
schmuck[ʃmʌk] *n.* Ⓒ 《美俗》 얼간
schnap(p)s[ʃnæps] *n.* Ⓤ,Ⓒ 네덜란드 진《술》; 독한 술.
schnau·zer[ʃnáuzər] *n.* Ⓒ 독일종의 테리어(개).
schnook[ʃnuk] *n.* Ⓒ 《美俗》 얼간이, 머저리.
schnor·kel[ʃnɔ́:rkəl] *n.* =SNORKEL. 「지.
schnor·rer[ʃnɔ́:rər] *n.* Ⓒ 《俗》 거
:schol·ar[skálər/-ɔ́-] *n.* Ⓒ ① 학자. ② 학도, 학생. ③ 장학생. ***~·ly** *a., ad.* 학자다운〔답게〕; 학문을 좋아하는; 학식이 있는. ***~·ship**[-ʃìp] *n.* Ⓤ 학식; 장학생의 자격; Ⓒ 장학금.
scho·las·tic**[skəlǽstik] *a.* ① 학교(교육)의. ② 학자〔학생〕의; 학자연하는. ③ 스콜라 철학(풍)의. ***~ year 학년. ── *n.* (종종 S-) Ⓒ 스콜라 철학자; 현학〔형식〕적인 사람. **-ticism**[-təsìzəm] *n.* (종종 S-) Ⓤ 스콜라 철학《중세의 사변(思辨)적 종교 철학》; 방법(론)의 고수(固守).
scho·li·ast[skóuliæ̀st] *n.* Ⓒ (고전의) 주석자.
Schön·berg[ʃɔ́:nbə(:)rg], **Arnold** (1874-1951) (미국에 거주한) 오스트리아의 작곡가.
school[1][sku:l] *n., vi.* Ⓒ (물고기 따위의) 떼(를 이루다).
†school[2] *n.* ① Ⓤ 학교《교육》, 수업(시간)(*after ~* 방과 후). ② Ⓒ 학교《건물》, 교사(校舍), 교실(*the fifth-form ~* 《英》 5학년 교실). ③ (the ~)《집합적》 전교 학생. ④ Ⓒ 양성소, 학관. ⑤ Ⓒ (대학의) 학부, 대학원. ⑥ Ⓒ 학파, 유파(流派). ⑦ Ⓒ 『樂』 (대위법) 교(칙)본. ***of the old ~*** 구식의; 고결한. ── *vt.* 훈련하다, 교육하다.
schóol àge 학령(學齡); 의무 교육 연한.
schóol·bàg *n.* Ⓒ (통학용) 가방.
schóol bèll 수업 (개시·종료) 벨, 학교종.
schóol bòard 교육 위원회.
schóol·bòok *n.* Ⓒ 교과서.
†schóol·bòy *n.* Ⓒ 남학생.
schóol bùs 통학 버스.
schóol commìssioner 《美》 장학관, 장학사.

schóol dày 수업일; (*pl.*) 학교 시절.
schóol dìstrict 학구.
schóol fèe(s) 수업료.
schóol·fèllow *n.* Ⓒ 동창생, 학우.
schóol fìgure (피겨스케이트의) 규정 도형(圖形).
†**schóol·gìrl** *n.* Ⓒ 여학생.
schóol hòur 수업 시간.
:**schóol·hòuse** *n.* Ⓒ 교사(校舍).
***schóol·ing**[ㅗ-iŋ] *n.* Ⓤ 교육(비).
schóol inspèctor 장학관[사].
schóol·kìd *n.* Ⓒ《口》 학동, 아동.
school·ma'am[ㅗmæ̀m, -mæ̀m], **-marm** [-mɑ̀:*r*m] *n.* 《口》 = SCHOOLMISTRESS; Ⓒ 학자연하는 여자.
:**schóol·màster** *n.* Ⓒ 교사; 교장; 〖魚〗 도미의 일종.
school·man [ㅗmən] *n.* (*or* S-) Ⓒ 중세의 (신학) 교수, 스콜라 철학자; 《美》 교사, 선생.
***schóol·màte** *n.* Ⓒ 학우(學友).
schóol mèal 학교 급식.
schóol·mìstress *n.* Ⓒ 여교사[교장].
:**schóol·ròom** *n.* Ⓒ 교실; (가정의) 공부방.
schóol·tèacher *n.* Ⓒ (초·중등 학교의) 교사.
schóol·tìme *n.* Ⓤ 수업 시간; (보통 *pl.*) 학교 시절.
schóol·wòrk *n.* Ⓤ 학업 (성적).
schóol·yàrd *n.* Ⓒ 교정(校庭).
schóol yéar 학년도《미·영에서는 9월에서 6월까지》.
***schoon·er**[skú:nə*r*] *n.* Ⓒ 스쿠너《쌍돛의 종범(縱帆)식 돛배》; 《美口》 포장 마차; 《美口》 큰 맥줏잔.
Scho·pen·hau·er[ʃóupənhàuə*r*], **Arthur**(1788-1860) 독일의 철학자.
Schu·bert[ʃú:bə:*r*t], **Franz** (1797-1828) 오스트리아의 작곡가.
Schu·mann [ʃúmɑ:n], **Robert** (1810-56) 독일의 작곡가.
Schum·pe·ter [ʃúmpeitə*r*], **Joseph Alois**(1883-1950) 오스트리아 태생의 미국 경제학자.
schuss[ʃu(:)s] *n., vi.* Ⓒ 〖스키〗 직활강(하다).
schwa[ʃwɑ:] *n.* Ⓒ 〖音聲〗 쉬와《애매한 모음 [ə]의 기호명; 헤브라이어의 *shĕ wa*에서 옴》. ***hooked* ~** 갈고리 쉬와《[ɚ]의 기호 이름; 이 사전에서는 [ə*r*]로 표시》.
Schweit·zer [ʃváitsə*r*], **Albert** (1875-1965) 프랑스의 철학자·의사·오르가니스트《아프리카에서 흑인의 치료·교화에 헌신했음》.
sci. science; scientific.
sci·at·ic[saiǽtik] *a.* 좌골(座骨)의, 볼기의.
sci·at·i·ca[-ə] *n.* Ⓤ 좌골 신경통.
†**sci·ence**[sáiəns] *n.* ① Ⓤ (자연) 과학. ② Ⓤ,Ⓒ …학《개개의 학문 분야》. ③ Ⓤ (권투 따위의) 기술. ④ (S-) =CHRISTIAN SCIENCE. ***natural*** [***social***] **~** 자연[사회] 과학.
scíence fíction 공상 과학 소설《생략 SF》.
:**sci·en·tif·ic**[sàiəntífik] *a.* ① 과학의. ② 과학적인; 학술상의; 정확한. ③ 기량이 있는, 숙련된(*a* ~ *boxer*). **-i·cal·ly** *ad.*
:**sci·en·tist**[sáiəntist] *n.* Ⓒ ① (자연) 과학자. ② (S-) Christian Science의 신자.
sci-fi[sáifái] *a., n.* Ⓒ 《美》 공상 과학 소설(science fiction)(의).
scil. scilicet.
scil·i·cet[síləsèt] *ad.* (L.) 즉, 곧 (namely)《생략 sc., scil.》.
scim·i·tar, -e·tar[símətə*r*] *n.* Ⓒ (아라비아인 등의) 언월도(偃月刀).
scin·ti·gram [síntəgræ̀m] *n.* Ⓒ 〖醫〗 신티그램《트레이서를 사용한 체내 방사능의 자동적 기록》.
scin·tig·ra·phy[sintígrəfi] *n.* Ⓤ 섬광 계수법《방사성 물질 추적법의 하나》.
scin·til·la[sintílə] *n.* (a ~) (…의) 미량(微量), 극히 소량(*of*).
scin·til·late[síntəlèit] *vi.* 불꽃을 내다; 번쩍이다. **-lant** *a.* **-la·tion** [ㅗ-léiʃən] *n.* Ⓤ 불꽃을 냄; 번쩍임; 재기의 번득임; 신틸레이션《형광체에 방사선을 쬐었을 때의 섬광》.
scintillátion cóunter 신틸레이션 계수관.
sci·o·lism[sáiəlìzəm] *n.* Ⓤ 어설픔, 데앎, 천박한 지식. **-list** *n.*
sci·o·man·cy[sáiəmæ̀nsi] *n.* Ⓤ 영매술(靈媒術).
sci·on[sáiən] *n.* Ⓒ (접목의) 접지(椄枝); (귀족 등의) 자손.
scis·sion[síʒən, -ʃən] *n.* Ⓤ 절단, 분할, 분열.
scis·sor[sízə*r*] *vt.* 가위로 자르다 [도려[베어]내다](*off, out*).
:**scis·sors**[-z] *n. pl.* ① 《보통 복수 취급》 가위(*a* ~, *a pair of* ~ 가위 한 개). ② 《단수 취급》 〖레슬링〗 가위 조르기. **~ *and paste*** 풀칠과 가위질(의 편집).
scíssors kìck 〖水泳〗 다리를 가위질하듯 놀리기.
SCLC Southern Christian Leadership Conference.
scle·rom·e·ter [sklərɑ́mətə*r*/ skliərɔ́mi-] *n.* Ⓒ (광물용) 경도계(硬度計).
scle·ro·sis[sklərόusis, skliər-] *n.* Ⓤ,Ⓒ 〖醫〗 경화(硬化)(증).
S.C.M. State Certified Midwife; Student Christian Movement.
***scoff**[skɔ:f, -ɑ-/-ɔ-] *vi., vt., n.* 비웃다(*at*); Ⓒ 비웃음; (the ~) 웃음거리(*of*). **ㅗ·er** *n.* **ㅗ·ing** *a.* **ㅗ·ing·ly** *ad.* 냉소적으로.
scóff·làw *n.* Ⓒ《口》 규칙 위반자. ***traffic* ~** (상습적) 교통 위반자.
:**scold**[skould] *vt.* 꾸짖다. — *vi., n.* 쨍쨍[앙앙]거리다(*at*); Ⓒ 그런 여자. ***common* ~** (이웃을 안 꺼리고) 쨍쨍거리는 여자. **ㅗ·ing** *n., a.* Ⓤ,Ⓒ 잔소리(가 심한).
scol·lop[skɑ́ləp/-ɔ́-] *n., v.* =SCAL-

S

LOP.

sconce[1][skɑns/-ɔ-] *n.* Ⓒ (벽의) 쑥 내민 촛대.

sconce[2] *n., vt.* Ⓒ 보루(堡壘)(를 만들다); 《諧·俗》 머리; Ⓤ 분별.

scone[skoun/-ɔn] *n.* Ⓒ,Ⓤ 납작한 빵.

***scoop**[sku:p] *n.* Ⓒ ① (밀가루·설탕을 뜨는) 작은 삽, (아이스크림 따위를 뜨는 반구(半球)형의) 큰 숟갈, 스쿱. ② 한 삽[숟갈]. ③ 구멍; 움푹 팬 곳. ④《口》〖新聞〗 스쿠프, 특종. ⑤《口》 큰 벌이, 크게 벎. ── *vt.* 푸다, 뜨다(*up*); 도려내다(*out*); 《口》 (타사(他社)를) 특종으로 앞지르다; 크게 벌다. **~·ful**[∠fùl] *n.* Ⓒ 한 삽[숟갈]분.

scoot[sku:t] *vi., vt.* 《口》 획 달리(게 하)다. **∠·er** *n.* Ⓒ 스쿠터《한쪽 발로 땅을 차며 나아가는 어린이용 핸들 달린 스케이트》; (모터) 스쿠터《소형 오토바이》; 《美》 빙상 겸용 활주 범선.

:scope[skoup] *n.* Ⓤ ① (능력·지식의) 범위; 〖컴〗 유효 범위. ② (발휘할) 기회, 여지; 배출구. ③ 안계; 시계, 시야. ***give a person (ample [full]) ~*** (충분한) 활동의 자유를 주다(*to*). ***seek ~*** 배출구를 찾다(*for*).

sco·pol·a·mine [skəpɑ́ləmì:n, skòupəlǽmin] *n.* Ⓤ 스코폴라민《무통 분만용 마취제》.

scor·bu·tic[skɔ:*r*bjú:tik] *a.* 괴혈병(scurvy)의[에 걸린].

:scorch[skɔ:*r*tʃ] *vt., vi.* ① 그슬리다, 태우다; 그을다, 타다. ② (가뭄으로) 말리다, 시들(게 하)다. ③ (*vt.*) (적이 오기 전에) (…을) 초토화하다. ④ 독이 오르다. ⑤ (*vi.*) 《口》 (차가) 질주하다. ── *n.* Ⓒ 탐, 그을음, 눌음. **~ed**[-t] *a.* 탄. **∠·er** *n.* Ⓒ 태우는 물건[사람]; (a ~) 《口》 몹시 뜨거운 날, 맹렬한 비난, 혹평; 《口》 (엔진이 과열될 정도로) 질주시키는 사람. **∠·ing(·ly)** *a.* (*ad.*)

scórched éarth pólicy 초토 전술.

:score[skɔ:*r*] *n.* Ⓒ ① 벤 자리[자국], 상처(자국); (기록·셈을 위한) 새긴 금. ② 계산; (술값 따위의) 셈, 빚. ③ 득점(표)(*win by a ~ of 2 to 0,* 2대 0으로 이기다). ④ (*pl.* ~) 20(개)《옛날 셈할 때 20까지 막대에 금을 새긴 데서》(*three ~ and ten* (인생) 70년); (*pl.*) 다수. ⑤ 성공; 행운; 멋진 응수. ⑥ 이유, 근거(*on that ~* 그 때문에; 그 점에서). ⑦ 《口》 진상. ⑧ 〖樂〗 총보(總譜), 악보 (*in ~*). ⑨ (경기의) 출발선. ***by [in] ~s*** 몇 십이나 되게, 많이. ***go off at ~*** 전속력으로 달리기 시작하다, (좋아하는 일을) 힘차게 시작하다; 신이 나게 이야기하다. ***keep the ~*** 점수를 매기다. ***know the ~*** 사실을 알고 있다; 일을 낙관하지 않다. ***settle [clear, pay off] old ~s,*** or ***quit the ~s*** 원한을 풀다 (*with*). ***What a ~!*** 운이 억세게 좋기도 하군! ── *vt.* ① 눈금[벤[칼]자국]을 내다. ② 계산하다, (숫자를) 기록하다. ③ (원한을) 가슴 속에 새기다. ④ 득점하다, (승리를) 얻다, (성공을) 거두다. ⑤ 《美》 말로 해내다, 윽박지르다. ⑥ (곡을) 총보에 기입하다. ── *vi.* 채점하다; 득점하다; 이기다(*against*). **~ *off*** 《英》 윽박지르다, 해내다. **~ *out*** 지우다, 삭제하다. **~ *under*** …글자 밑에 줄을 긋다. **~ *up*** 기록[기입]하다; 외상으로 달아놓다. **scór·er** *n.* Ⓒ 득점 기록원; 득점자.

***scóre·bòard** *n.* Ⓒ 득점판.

scóre·bòok *n.* Ⓒ 득점 기입장(帳), 스코어북.

scóre·kèeper *n.* Ⓒ 기록원.

:scorn[skɔ:*r*n] *n.* Ⓤ 경멸, 비웃음; (the ~) 경멸의 대상. ***hold [think] it ~ to*** (do) …하는 일을 떳떳하게 여기지 않다. ***laugh (a person) to ~*** 냉소하다. ***think ~ of*** …을 경멸하다. ── *vt., vi.* 경멸하다; 떳떳하게 여기지 않다(*to* do).

***scorn·ful**[skɔ́:*r*nfəl] *a.* 경멸하는, 비웃는. ***~·ly** *ad.* 경멸하여.

Scor·pi·o[skɔ́:*r*piòu] *n.* 〖天〗 전갈(全蠍)자리, 천갈궁(天蠍宮).

***scor·pi·on** [skɔ́:*r*piən] *n.* Ⓒ ① 〖動〗 전갈; 도마뱀의 일종. ② 음흉한 사나이. ③ 〖聖〗 전갈 채찍. ④ (the S-) =SCORPIO.

scórpion gràss =FORGET-ME-NOT.

***Scot**[skɑt/-ɔ-] *n.* Ⓒ 스코틀랜드 사람.

scot *n.* 《다음 성구로》 ***pay one's ~ and lot*** 분수에 맞는 세금을 내다.

Scot. Scotch; Scotland; Scottish.

:Scotch[skɑtʃ/-ɔ-] *a.* 스코틀랜드(사람·말)의. ── *n.* ① Ⓤ 스코틀랜드말[방언]; Ⓤ,Ⓒ 스카치 위스키. ② (the ~) 《집합적》 스코틀랜드 사람.

scotch *n., vt.* Ⓒ 얕은 상처(를 입히다); 반죽음시키다; 바퀴 멈추개(로 멎게 하다).

Scótch càp ⇨ GLENGARRY, TAM-O'-SHANTER.

Scótch coúsin 먼 친척.

Scótch fír 유럽소나무(cf. fir).

Scotch·man[∠mən] *n.* Ⓒ 스코틀랜드 사람.

Scótch míst (스코틀랜드 산지의) 안개비.

Scótch tápe 〖商標〗 셀로판 테이프

Scótch térrier 짧은 다리·거친 털의 테리어의 일종.

Scótch whísky 스코틀랜드산 위스키, 스카치 위스키.

Scótch wóodcock 달걀과 anchovy 페이스트를 바른 토스트.

scot-free[skɑ́tfrí:/-ɔ́-] *a.* 처벌을[피해를] 모면한; 면세(免稅)의.

Sco·tia[skóuʃə] *n.* 《詩》 =SCOTLAND.

:Scot·land[skɑ́tlənd/-ɔ́-] *n.* 스코틀랜드《대브리튼의 북부》.

S

Scótland Yárd 런던 경찰청(의 수사과).
scot·o·graph[skɑ́təgræ̀f, -grɑ̀ːf/ skɔ́t-] *n.* Ⓒ 맹인용〔암중(暗中)〕 사자기(寫字器); 뢴트겐 사진기.
Scots[skɑts/-ɔ-] *a., n.* (the ~) 《집합적》 스코틀랜드 사람; Ⓤ 스코틀랜드의 (말). 「드 사람.
Scots·man[⌐mən] *n.* Ⓒ 스코틀랜
Scott [skɑt/-ɔ-], **Walter**(1771-1832) 스코틀랜드의 소설가·시인.
Scot·ti·cism[skɑ́tisìzəm/-ɔ́-] *n.* Ⓒ 스코틀랜드 어법〔사투리, 말투〕.
***Scot·tish**[skɑ́tiʃ/skɔ́t-] *a., n.* = SCOTCH.
***scoun·drel** [skáundrəl] *n.* Ⓒ 악당, 깡패.
***scour**[1][skauər] *vt., vi., n.* (a ~) 문질러 닦다〔닦기〕, 갈다, 갈기; 물로 씻어내다〔내기〕, 일소〔청소〕하다〔하기〕. **⌐·ings** *n. pl.* 오물, 찌꺼기.
scour[2] *vi., vt.* 급히 찾아 다니다; 찾아 헤매다; 질주하다.
scour·er[skáuərər] *n.* Ⓒ 《특히》 나일론 수세미.
***scourge**[skəːrdʒ] *n.* Ⓒ ① 매, 채찍. ② 천벌《유행병·기근·전쟁 따위》. — *vt.* 매질하다; 벌하다; 몹시 괴롭히다.
:**scout**[1][skaut] *n.* Ⓒ ① 정찰병〔기·함〕. ② 소년〔소녀〕단원. ③ 《口》 녀석; (경기·예능 따위에서) 신인을 물색하는 사람. — *vi., vt.* 정찰하다; 소년〔소녀〕단원으로서 일하다(*for*); (신인을) 물색하다.
scout[2] *vt., vi.* 코웃음치다, 물리〔뿌리〕치다; (의견 등을) 거절하다.
scóut càr 〖美軍〗 (8인승의) 고속 정찰용 장갑차.
scóuting plàne 정찰기.
scóut·màster *n.* Ⓒ 소년단 단장; 정찰 대장.
scow[skau] *n.* Ⓒ 평저(平底) 대형 화물선.
***scowl**[skaul] *n., vi.* Ⓒ 찌푸린 얼굴(을 하다), 오만상(을 하다) (*at, on*); 잔뜩 찌푸린 날씨(가 되다).
scrab·ble[skrǽbəl] *n., vi., vt.* Ⓒ (*sing.*) 갈겨 쓰기〔쓰다〕, 손으로〔발로〕 비비다〔긁다〕; 손으로〔발로〕 비빔〔긁음〕; 손톱으로 할퀴〔할퀴다〕; (S-) 〖商標〗 글씨 채우기 게임.
scrag[skræg] *n., vt.* (**-gg-**) Ⓒ 말라빠진 사람〔동물〕; 마른〔가는〕 부분; 《俗》 (…의) 목을 조르다. **⌐·gy** *a.* 말라빠진; 울퉁불퉁한.
scrag·gly[skrǽgli] *a.* 불규칙한; 고르지 않은, 삐죽삐죽한; 단정치 못한.
scram[skræm] *vi.* (**-mm-**) 《口》 도망하다; 《주로 명령형》 (나)가다.
:**scram·ble**[skrǽmbəl] *vi.* ① 기다, 기어 오르다. ② 서로 다투어 빼앗다(*for*). ③ 퍼지다; 불규칙하게 뻗다. — *vt.* ① (카드패 따위를) 뒤섞다; 그러모으다(*up*). ② 우유〔버터〕를 넣어 휘저어 익히다. ***~d eggs*** 우유·버터를 섞어 지진 달걀; 《英口》 장교 군모의 챙을 장식하는 금 몰. ***~ on*** 〔***along***〕 그럭저럭 해나가다. ***~ through*** 간신히 지내다. — *n.* Ⓒ (*sing.*) 기어오름; 쟁탈(전) (*for*). **-bler** *n.* Ⓒ scramble하는 사람〔물건〕; (비밀 통신의) 주파수대 변환기.
scrám·jèt (< *s*upersonic *com*bustion *ramjet*) *n.* Ⓒ 초음속 기류를 이용하여 연료를 태우는 램제트.
:**scrap**[1][skræp] *n.* ① Ⓒ 작은 조각, 나부랑이, 파편. ② (*pl.*) 남은 것. ③ (*pl.*) (신문 등의) 오려낸 것, 스크랩. ④ Ⓤ 《집합적》 폐물, 잡동사니; (*pl.*) 쇠부스러기, 파쇠. ***a ~ of paper*** 종잇조각; 《比》 휴지나 다름없는 조약. — *vt.* (**-pp-**) 폐기하다, 부스러기로 하다.
scrap[2] *n., vi.* (**-pp-**) Ⓒ 《口》 주먹다짐〔싸움〕(하다). **⌐·per** *n.* Ⓒ 《口》 싸움꾼.
***scráp·bòok** *n.* Ⓒ 스크랩북.
:**scrape**[skreip] *vt.* ① 문지르다, 비벼 떼다〔벗기다〕(*away, off*). ② 면도하다; 문질러 만들다. ③ 긁어모으다; (돈을) 푼푼이 모으다. ④ (악기를) 켜다, 타다. — *vi.* ① 문질러지다(*against*); 스치며 나아가다(*along, past*). ② (악기를) 타다〔켜다〕. ③ 푼푼이 모으다. ④ 오른발을 뒤로 빼고 절하다. ⑤ 근근이 살아가다(*along*). ***~ an acquaintance*** …의 환심을 사고자 억지로 가까워지다(*with*). ***~ and screw*** 인색하게 절약하다. ***~ down*** 발을 구르며 야유하다; 반반하게 하다. ***~ through*** 간신히 통과〔합격〕하다. — *n.* Ⓒ ① 문지르는〔비비는〕 일, 문지른〔비빈〕 자국. ② 발을 뒤로 빼는 절. ③ 스치는〔비비적거리는〕 소리; 곤경《특히, 자초(自招)한》. ***get into a ~*** 곤경에 빠지다. **scráp·er** *n.* Ⓒ 스크레이퍼, 깎는〔긁는〕 도구; 신흙털개; 가죽 벗기는 기구; 구두쇠; 《蔑》 이발사.
scráp héap 쓰레기 더미, 쓰레기 버리는 곳.
scra·pie[skréipi] *n.* Ⓤ (양(羊)의) 적리(赤痢)《전염병》.
scráp ìron 파쇠, 고철.
scrap·ple[skrǽpəl] *n.* Ⓤ 《美》 잘게 썬 돼지고기 플라이.
scrap·py[1][skrǽpi] *a.* 부스러기〔나부랑이〕의; 남은 것의; 단편적인, 지리멸렬한.
scrap·py[2] (<scrap[2]) *a.* 《口》 싸움을 좋아하는; 콧대가 센.
:**scratch**[skrætʃ] *vt., vi.* ① 긁(히)다, 긋다. ② 우비어 (구멍을) 파다. ③ 지우다, 말살하다. ④ 갈겨 쓰다. ⑤ 근근히 살아가다. ⑥ 그러모으다 (*together, up*). ***~ about*** 뒤져 찾다(*for*). — *n.* Ⓒ ① 긁는 일〔소리〕; 긁힌〔할퀸〕 상처, 찰과상. ② 〖撞〗 어쩌다 맞기. ③ (핸디가 붙는 경주에서, 핸디도 벌칙도 적용되지 않는 자의) 스타트선〔시간〕; 영(零), 무(無). ④ 휘갈겨 쓰기〔씀〕. ***come (up) to the ~*** 《口》 출발 준비가 되다; 소정의 규준에 달하다. ***from ~*** 최초부터; 영〔무〕에서. ***~ the sur-***

S

face of …의 겉을 만지다《핵심에 닿지 않다》. ***up to*** ~ 표준(역량)에 달하여. — *a.* 급히〔부랴부랴〕 그러모은; 급조한; 핸디 없는(*a ~ race*). **∠·er** *n.* **∠·y** *a.* 날림의; 갈겨 쓴; (펜 따위가) 긁히는; 주워〔그러〕모은.

scrátch·bàck *n.* Ⓒ 등긁이.

scrátch còat 초벽, 초벽 바르기.

scrátch hìt 〖野〗 우연히 때린 안타.

scrátch lìne (경기의) 출발선.

scrátch pàd 《美》 떼어 쓰게 된 (메모) 용지(《英》 scribbling block); 〖컴〗 임시 저장용 기억 장소.

scrátch pàper 메모 용지.

scrátch tèst 〖醫〗 피부 반응 시험《알레르기 반응을 시험하는》.

*__scrawl__[skrɔːl] *n., vi., vt.* Ⓒ (보통 *sing.*) 갈겨씀; 갈겨쓰다; (…에) 낙서하다.

scrawn·y [skrɔ́ːni] *a.* 야윈, 말라빠진.

:**scream**[skriːm] *vi., vt.* 소리치다; 깔깔대다, 날카로운 소리를 지르다〔로 말하다〕. — *n.* Ⓒ 외침; 깔깔대는 소리, 날카로운 소리; 《口》 매우 익살스러운 사람〔물건〕. **∠·er** *n.* Ⓒ scream 하는 사람; 《口》 깜짝 놀라게 하는 것《읽을거리 등》; 《美俗》 〖新聞〗 큼직한 표제(*~er bomb* 음향폭탄). **∠·ing** *a.*

*__screech__[skriːtʃ] *vt., vi.* 날카로운 소리를 지르다; (끼하는 자동차의) 급정거 소리를 내다. — *n.* Ⓒ 날카로운 소리; 비명. **∠·y** *a.*

scréech òwl 〖鳥〗 부엉이의 일종.

screed[skriːd] *n.* Ⓒ (보통 *pl.*) 긴 이야기〔편지〕.

:**screen**[skriːn] *n.* Ⓒ ① 병풍; 칸막이, 장지, 칸막이 커튼. ② 막(幕); 영사막; (the ~) 영화. ③ 〖TV·컴〗 화면(*~ dump* 화면퍼내기/ *~ editing* 〔*editor*〕 화편 편집〔편집기〕). ④ 망(網); 어레미. ⑤ 전위 부대〔함대〕. ***folding ~*** 병풍. ***mosquito ~*** 방충망. — *vt.* ① 가리다, 가로막다, 두둔하다(*from*); 칸막다. ② (모래·석탄 따위를) 체질하여 가려내다; (적격) 심사하다. ③ 영사〔상영〕하다, 촬영〔영화화〕하다. — *vi.* 영화에 맞다(*She ~s well.* 그녀는 화면에 잘 맞는다); 상영할 수 있다.

screen·ing[∠iŋ] *n.* Ⓤ,Ⓒ 체질하기; 심사; 가리기, 차폐; (*pl.*) (*sing. & pl.*) 체질한 찌끼.

scréen·plày *n.* Ⓒ 〖映〗 시나리오, 영화 대본.

scréen tèst 스크린 테스트《영화배우의 적성〔배역〕 심사》.

scréen·wìper *n.* 《英》 =WINDSHIELD WIPER.

scréen·wrìter *n.* Ⓒ 시나리오 작가(scenarist).

:**screw**[skruː] *n.* Ⓒ ① 나사(못); 한 번 비틀기〔죔〕. ② (배의) 스크루, 추진기. ③ (보통 the ~) 압박, 강제. ④ 구두쇠. ***a ~ loose*** 느즈러진 나사, 고장. ***put the ~ on,*** or ***apply the ~ to*** …을 압박하다, 괴롭히다. — *vt.* ① 비틀어〔꽉〕 죄다. ② (용기 따위를) 분발시키다; 굽히다. ③ (얼굴을) 찡그리다. ④ (값을) 억지로 깎다(*down*); 무리하게 거두다〔이야기시키다, 단념시키다〕. ⑤ 괴롭하다. 「괴짜.

scréw·bàll *n.* Ⓒ 〖野〗 곡구; 《美俗》

scréw·drìver *n.* ① Ⓒ 드라이버, 나사돌리개. ② Ⓤ,Ⓒ 칵테일의 일종.

screwed[skruːd] *a.* ① 나사로 고정시킨. ② 《俗》 엉망인. ③ 《英俗》 술 취한.

scréw jàck (나선) 잭, 간이 기중기.

scréw propèller (배·항공기 따위의) 추진기, 스크루.

scréw tàp 수도 꼭지.

scréw-tòpped *a.* 돌리는 마개용의 나삿니 달린《병 따위》.

scréw wrènch 〔**spànner**〕 (자재) 나사돌리개, 스패너.

screw·y[∠i] *a.* 《美俗》 머리가 돈.

*__scrib·ble__[skríbl] *n., vt., vi.* Ⓤ,Ⓒ 갈겨 씀〔쓰다〕; Ⓒ 낙서(하다)(*No scribbling.* 낙서 금지《게시》). **-bler** *n.* Ⓒ 갈겨 쓰는 사람; 잡문 쓰는 사람.

scribe[skraib] *n.* Ⓒ 필기자; 〖史〗 서기; 저술가; 《戱》 야구 기자.

scrim[skrim] *n.* Ⓤ 올이 성긴 무명〔삼베〕《커튼용》.

scrim·mage[skrímidʒ] *n., vi., vt.* Ⓒ 격투(를 하다), 드잡이(하다); 〖럭비〗 스크럼(을 짜다) (scrummage).

scrimp[skrimp] *vt.* 긴축하다; (음식 등을) 바짝 줄이다. — *vi.* 인색하게 굴다, 아끼다. **∠·y** *a.* 부족한; 인색한.

scrip [skrip] *n.* ① Ⓒ 종이 쪽지; 《美》 메모, 적요. ② Ⓤ 《집합적》 가(假)주권, 가증권; Ⓒ 영수증. ③ Ⓤ 점령군의 군표. ④ Ⓒ 〖美史〗 1달러 이하의 소액 지폐.

scrip·sit[skrípsit] (L. =he 〔she〕 wrote) …씀《원고의 끝, 필자의 서명 뒤에 씀》.

:**script**[skript] *n.* ① Ⓤ 손으로 쓴 것, 필기(글씨), 필기체 활자. ② Ⓒ 〖法〗 원본, 정본(cf. copy). — *vt.* 각색하다, (이야기를) 시나리오화하다. **∠·er** *n.* =SCENARIST.

scrípt gìrl 〖映〗 스크립트 걸《감독의 비서》.

*__scrip·ture__[skríptʃər] *n.* Ⓤ 경전(經典), 성전. (***Holy***) ***S-, the Scriptures*** 성서(聖書)(the Bible). **-tural** *a.* 성서의.

scrípt·wrìter *n.* Ⓒ (영화·방송의) 대본 작가.

scrive·ner[skrívnər] *n.* Ⓒ 《古》 대서인(代書人); 공증인(公證人).

scrof·u·la[skrɔ́ːfjulə, -ɑ́-/-ɔ́-] *n.* Ⓤ 〖醫〗 연주창. **-lous** *a.* 연주창에 걸린; 타락한.

*__scroll__[skroul] *n.* Ⓒ ① 두루마리, 족자. ② 소용돌이 장식〔무늬〕. ③ 수결(手決). ④ 〖컴〗 두루마리(*~ bar/ Scroll Lock key* 두루마리 걸쇠).

scróll sàw 실톱.

S

scróll·wòrk *n.* Ⓤ 소용돌이 장식, 당초(唐草) 무늬.
Scrooge [skru:dʒ] *n.* 스크루지《C. Dickens 작품의 한 주인공 이름》; Ⓒ (보통 s-) 수전노.
scroop [skru:p] *vi.* 끼익끼익하다. — *n.* Ⓒ 끼익끼익하는 소리.
scro·tum [skróutəm] *n.* (*pl.* **-ta** [-tə]) Ⓒ 〖解〗 음낭(陰囊).
scrounge [skraundʒ] *vi., vt.* 후무리다(pilfer), 훔치다.
:**scrub**[1] [skrʌb] *vt., vi.* (**-bb-**), *n.* 박박 문지르다(비비다, 닦다); Ⓤ 그렇게 하기; Ⓒ 뼈빠지게 일하다(하는 사람); Ⓤ 〖로켓〗 미사일 발사(를) 중지(하다).
scrub[2] *n., a.* Ⓤ 덤불, 관목(숲); Ⓒ 자잘한 (것, 사람); Ⓒ《美口》 2류의 (선수). **∠·by** *a.*
scrub·ber [skrʌ́bər] *n.* Ⓒ ① 청소원; 갑판 청소원. ② 솔, 수세미, 걸레; 가스 정제 장치.
scrúb brùsh 세탁솔, 수세미.
scrúb·lànd *n.* Ⓤ 관목 지대.
scrúb·wòman *n.* =CHARWOMAN.
scruff [skrʌf] *n.* Ⓒ 목덜미(nape).
scrum [skrʌm], **scrum·mage** [skrʌ́midʒ] *n., v.* =SCRIMMAGE.
scrump·tious [skrʌ́m*p*ʃəs] *a.*《口》 멋진, 훌륭한.
*__scru·ple__ [skrú:pl] *n.* ① Ⓤ,Ⓒ 망설임; 주저. ② Ⓒ《약의 양 단위》 스크루플(=20 grains =1/3 dram = 1.296g). ③ Ⓒ 미량(微量). ***make no ~ to*** do 예사로 …하다. ***man of no ~s*** 못된 짓을 예사로 하는 사람. ***without ~*** 예사로, 태연히. — *vt., vi.* 주저하다(hesitate)(*to* do).
*__scru·pu·lous__ [skrú:pjələs] *a.* ① 고지식한; 양심적인. ② 빈틈없는, 주의 깊은, 신중한; 정확한. **~·ly** *ad.* **~·ness** *n.*
scru·ti·neer [skrù:təníər] *n.* Ⓒ《주로 英》 검사자;《英》 (특히) 투표 검사인(《美》 canvasser).
*__scru·ti·nize__ [skrú:tənàiz] *vt., vi.* ① 자세히 조사하다. ② (사람을) 뚫어지게[빤히] 보다.
*__scru·ti·ny__ [skrú:təni] *n.* Ⓤ,Ⓒ 정밀 검사, 음미; 유심히 보는 일.
scu·ba [skú:bə] (<*s*elf-*c*ontained *u*nderwater *b*reathing *a*pparatus) *n.* Ⓒ 잠수 호흡기, 스쿠버.
scúba dìve 스쿠버 다이빙하다.
scúba dìver 스쿠버 다이버.
scúba dìving 스쿠버 다이빙.
scud [skʌd] *n., vi.* (**-dd-**) Ⓒ 질주(하다); Ⓤ 지나가는 비.
Scúd mìssile 스커드 미사일《구 소련제 지대지 미사일》.
scuff [skʌf] *vi.* 발을 질질 끌며 걷다; (구두 따위를) 닳도록 신다. — *n.* Ⓒ 발을 질질 끌며 걷는 걸음; 그 소리; 슬리퍼.
scuf·fle [skʌ́fl] *n., vi.* 격투[난투](하다); =⇩.
scuf·fler [skʌ́flər] *n.* Ⓒ 경운기.
scug [skʌg] *n.* Ⓒ《英學生俗》 존재가 희미한 학생.
scull [skʌl] *n.* Ⓒ 고물에 달아 좌우로 저어 나아가는 외노; 스컬《혼자서 양손에 하나씩 쥐고 젓는 노; 그것으로 젓는 경조(競漕) 보트》. **∠·er** *n.*
scul·ler·y [skʌ́ləri] *n.* Ⓒ (부엌의) 그릇 씻어 두는 곳.
sculp·sit [skʌ́lpsit] (L. =he [she] sculptured) …조각함《조각자의 서명 다음에 씀》.
sculp(t). *sculpsit.* (L. =he (*or* she) carved it); sculptor; sculpture.
*__sculp·tor__ [skʌ́lptər] *n.* (*fem.* **-tress** [-tris]) Ⓒ 조각가.
*__sculp·ture__ [skʌ́lptʃər] *n., vt.* Ⓤ 조각(술); Ⓒ 조각품; 조각하다. **~d** [-d] *a.* 조각된. **scúlp·tur·al** *a.*
sculp·tur·esque [skʌ̀lptʃərésk] *a.* 조각[조상(彫像)]과 같은.
scum [skʌm] *n., vi., vt.* (**-mm-**) Ⓤ (표면에 뜨는) 찌끼, 더껑이(가 생기다, 를 건져내다); 찌꺼기; Ⓒ 인간 쓰레기. **∠·my** *a.* 뜬 찌끼투성이의, 찌꺼기의; 비열한.
scup·per [skʌ́pər] *n.* Ⓒ (보통 *pl.*) (갑판의) 배수구.
scurf [skə:rf] *n.* Ⓤ 비듬; 때. **∠·y** *a.*
scur·ril·ous [skə́:rələs/skʌ́r-] *a.* 쌍스러운, 입이 건[사나운]. **~·ly** *ad.* **~·ness** *n.* **-ril·i·ty** *n.*
*__scur·ry__ [skə́:ri, skʌ́ri] *vi., vt., n.* (a ~; the ~) 서두르다[름]; (특히 말타고) 달림; 달리다.
scur·vy [skə́:rvi] *n.* Ⓤ 괴혈병. — *a.* 상스러운, 야비한.
scut [skʌt] *n.* Ⓒ (토끼 따위의) 짧은 꼬리;《美俗》 비열[야비]한 사람.
scutch·eon [skʌ́tʃən] *n.* =ESCUTCHEON.
*__scut·tle__[1] [skʌ́tl] *n.* Ⓒ (실내용) 석탄 그릇[통].
scut·tle[2] *vi.* 허둥지둥 달리다[도망치다]. — *n.* Ⓤ (또는 a ~) 급한 걸음; 줄행랑.
scut·tle[3] *n.* Ⓒ (뱃전·갑판·지붕·벽 등의) 작은 창(의 뚜껑). — *vt.* 구멍을 내어 (배를) 침몰시키다; (희망·계획을) 포기하다.
scuz·zy [skʌ́zi] *a.*《美俗》 던적스러운, 초라한.
Scyl·la [sílə] *n.* 큰 소용돌이 CHARYBDIS를 마주 보는 이탈리아 남단의 큰 바위《전설에서 의인화된 여괴(女怪)》. ***between ~ and Charybdis*** 진퇴 양난하여.
*__scythe__ [saið] *n., vt.* Ⓒ (자루가 긴) 큰낫(으로 베다); 〖로史〗 (chariot의) 수레바퀴에 단 낫.
Scyth·i·an [síðiən, -θ-] *a.* (흑해 북부의 옛나라) 스키티아(Scythia) (사람·말)의. — *n.* Ⓒ 스키티아 사람; Ⓤ 스키티아 말.
S/D sight draft. **S.D.** *Scientiae Doctor* (L.=Doctor of Science).
S.D., s.d. standard deviation 〖統〗 표준 편차. **s.d.** *sine die.*

S.D., S. Dak. South Dakota.
'sdeath[zdeθ] *int.* 《古》 에이, 염병을 할!; 에이 지겨워!
SDI Strategic Defense Initiative 전략 방어 구상. **SDP** Social Democratic Party. **SDR** special drawing rights (IMF의) 특별 인출권.
Se 〖化〗 selenium. **SE, S.E., s.e.** southeast.
†**sea**[si:] *n.* ① Ⓒ 바다. ② Ⓒ 큰 물결; 놀(*a high* ~). ③ (the ~) 호수(*the S- of Galilee*). ④ Ⓒ (광대한) 퍼짐, …바다; 일대, 온통, 다량, 다수(*a* ~ *of blood, troubles, faces, &c.*). ***at*** ~ 항해 중에; 할 바를 모르고. ***by*** ~ 배〔바닷길〕로. ***follow the*** ~, or ***go to*** ~ 선원〔뱃사람〕이 되다. ***full*** ~ 만조. ***half*(-)*seas*(-)*over*** 항정(航程)의 절반을 끝내고〔마치어〕; 《俗》 얼근히 취하여. ***keep the*** ~ 제해권을 유지하다. ***on the*** ~ 배를 타고, 해상에(서), 해변에. ***put*** (***out***) ***to*** ~ 출범〔출항〕하다. ***the seven*** ~***s*** 칠대양.
séa anémone 〖動〗 말미잘.
séa bàss 〖魚〗 돗돔류의 물고기.
séa bàthing 해수욕.
séa·bèach *n.* Ⓒ 해변.
séa·bèd *n.* (the ~) 해저.
Sea·bee[sí:bì:] (<*C.B.* (=construction battalion)) *n.* Ⓒ 《美》 해군 건설대원.
séa bìrd 바닷새, 해조.
séa·bòard *n.* Ⓒ 해안(선), 해안 지방. 「난).
séa·bòrn *a.* 바다에서 태어난〔생겨
séa·bòrne *a.* 배로 운반된; 해상 수
séa brέam 도미(류). └송의.
séa brέeze (시원한) 바닷바람.
séa càlf 〖動〗 바다표범.
séa chànge 바다〔조수〕에 의한 변화; 변화, 변모. ***suffer a*** ~ 변화〔변모〕하다《Sh., *Tempest*》.
séa chéstnut =SEA URCHIN.
·**séa·còast** *n.* Ⓒ 해안(선).
séa·còpter *n.* Ⓒ 수륙양용 헬리콥
séa còw 〖動〗 듀공; 해마. └터.
séa cùcumber 해삼.
séa·cùlture *n.* Ⓤ 해산물의 양식(養殖).
séa dòg 바다표범의 일종; 노련한 선원; 해적.
séa-èar *n.* Ⓒ 〖貝〗 전복.
séa èlephant 〖動〗 해마.
séa·fàrer *n.* Ⓒ 뱃사람. **-fàring** *a., n.* Ⓤ 선원을 직업으로 하는 (일), 선원 생활; Ⓤ,Ⓒ 바다 여행.
séa fàrming 수산물 양식.
séa fìght 해전.
séa·fòod *n.* Ⓤ,Ⓒ 해산물(생선·조개류); 어개(魚介).
séa·fòwl *n.* =SEA BIRD.
séa·frònt *n.* Ⓤ,Ⓒ (도시·건물의) 바다로 향한 면; 해안 거리.
séa·gìrt *a.* 바다로 둘러싸인.
séa·gòing *a.* 배로 가는; 원양 항해에 알맞은.
séa grèen 바다빛, 청녹색.
séa-grέen *a.* 청녹색의.
séa gùll 갈매기.
séa hòg 〖動〗 돌고래.
séa hòrse 〖神話〗 해마(海馬); 〖魚·動〗 해마. 「안산》.
séa kàle 십자화과의 식물《유럽 해
séa kìng (중세 북유럽의) 해적왕.
:**seal**[1][si:l] *n.* Ⓒ 바다표범, 물개, 강치; Ⓤ 그 털가죽. ***fur*** ~ 물개. — *vi.* 바다표범 사냥을 하다.
:**seal**[2] *n.* Ⓒ ① 인(印), 인장; 도장. ② 봉인(지); 입막음, 함구. ③ 확증, 보증; 표시, 징후. ***break the*** ~ 개봉하다. ***Lord*** (***Keeper of the***) ***Privy S-*** 국새 상서(國璽尙書). ***put*** 〔***set***〕 ***one's*** ~ 날인〔인가·보증〕하다 (*to*). ~ ***of love*** 사랑의 표시《입맞춤·결혼 따위》. ***set the*** ~ ***on*** … 을 결정적인 것으로 하다. ***the Great S-*** 국새. ***under*** 〔***with***〕 ***a flying*** ~ 개봉하여. — *vt.* ① (…에) 날인〔조인〕하다; 확인〔보증·검인〕하다. ② (봉랍(封蠟) 따위로) 봉인〔밀폐〕하다 (*up*); 에워싸다, 움직이지 못하게 하다. ③ (아무의 입을) 틀어막다. ④ 확정하다. 「험실.
Sea·lab[sí:læ̀b] *n.* Ⓒ 《美》 해저 실
séa làne 항로. 「封劑).
seal·ant[sí:lənt] *n.* Ⓤ,Ⓒ 밀봉제(密
séa làws 해사(海事) 법규.
séa làwyer 〖海〗 말 많은〔이론을 내세우는〕 선원; 성가신 사람(cf. ⇧).
sealed[si:ld] *a.* 봉인한. 「비밀.
séaled bóok 내용 불명의 책〔일〕;
séaled órders 봉함 명령.
séa lègs (*pl.*) 배가 흔들려도 예사로 걷기.
seal·er[1][sí:lər] *n.* Ⓒ 바다표범잡이 어부〔어선〕.
seal·er[2] *n.* Ⓒ 날인자; 검인자; 봉인자; 도량형 검사관.
séa lèvel 해면(*above* ~ 해발).
séa lìly 〖動〗 갯나리.
seal·ing[sí:liŋ] *n.* Ⓒ 봉인(함), 날인(함).
séaling wàx 봉랍(封蠟).
séa lìon 〖動〗 강치《태평양산》.
séal rìng 도장이 새겨진 반지.
séal·skìn *n.* Ⓤ 바다표범 가죽; Ⓒ 그것으로 만든 의복.
Sea·ly·ham[sí:lihæ̀m] *n.* Ⓒ 테리어 개의 일종.
:**seam**[si:m] *n.* Ⓒ ① 솔기; 갈라진 틈. ② 상처 자국. ③ 〖解〗 봉합선(線); 얇은 층. — *vt., vi.* 꿰매(이어) 맞추다; 틈〔금〕을 내다〔이 생기다〕, (…에) 솔기를 내다. **∠·less** *a.*
séa-màid, -màiden *n.* Ⓒ 《詩》 인어; 바다의 요정.
:**sea·man**[sí:mən] *n.* Ⓒ 뱃사람, 수병. **~·like, ~·ly** *a.* **~·ship**[-ʃìp] *n.* Ⓤ 항해 기술. 「수병.
séaman apprέntice 《美》 1등
séaman recrúit 《美》 2등 수병.
séa·màrk *n.* Ⓒ 항로 표지; 만조선(線), 해안선; 위험 표지. 「복수.
·**sea·men**[sí:mən] *n.* seaman의
séa mèw 갈매기.

S

séa mìle =NAUTICAL MILE.
séa·mòunt *n.* Ⓒ 〖地〗 해산(海山).
seam·stress [sí:mstris/sém-] *n.* Ⓒ 여자 재봉사, 침모.
seam·y [sí:mi] *a.* 솔기가 있는[드러난]; 보기 흉한; 이면의. ***the ~ side*** (옷의) 안; (사회의) 이면, 암흑면《Sh., *Othello*》.
se·ance, sé·ance [séiɑ:ns] *n.* (F.) Ⓒ (개회 중인) 회(會); (특히) 강신술(降神術)의 회.
séa òtter 〖動〗 해달.
séa pàrrot 바다오리의 일종(puffin).
séa·pìece *n.* Ⓒ 바다 그림.
séa-pìg *n.* Ⓒ 돌고래; 듀공(dugong).
séa pìnk 〖植〗 아르메리아.
séa·plàne *n.* Ⓒ 수상 비행기.
séa plànt 해초.
:**séa·pòrt** *n.* Ⓒ 항구; 항구 도시.
séa pòwer 해군력; 해군국(國).
sear [siər] *vt., vi.* 태우다, 타다, 그을(리)다; (양심 따위) 마비시키다[되다]; 시들(게 하)다. — *n.* Ⓒ 탄[눌은] 자국. — *a.* 시든, 말라 죽은. ***the ~ and yellow leaf*** 노경, 늘그막《Sh., *Macb.*》.
:**search** [sə:rtʃ] *vt.* ① 찾다; 뒤지다, 조사하다. ② (상처를) 찾다, (마음을) 탐색하다[떠보다]. — *vi.* 찾다 (*after, for*). ***S- me!*** 《口》 =I don't know. ***~ out*** 찾아 내다. — *n.* Ⓒ 수색, 탐색; 〖컴〗 검색(*~ key* 검색 키). ***in ~ of*** …을 찾아. **∠·er** *n.* Ⓒ 탐색자; 검사관; 〖醫〗 탐침(探針).
séarch-and-destròy *a.* 게릴라를 이 잡듯 소탕하는(*~ operation* 수색 섬멸 작전).
search·ing** [sə́:rtʃiŋ] *a.* 수색하는; 엄중[엄격]한; 날카로운; (찬 바람 등이) 스며드는. — *n.* Ⓤ 수색, 음미. ***~s of heart 양심의 가책.
séarch·lìght *n.* Ⓒ 탐조등.
séarch pàrty 수색대.
séarch wàrrant 가택 수색 영장.
séa ròbber 해적.
séa ròute 해로.
séa ròver 해적(선).
séa·scàpe *n.* Ⓒ 바다 풍경(화).
séa·scòut *n.* Ⓒ 해양 소년단원; (*pl.*) 해양 소년단.
séa sèrpent 큰바다뱀《가상적인 동물》; 물뱀.
séa shèll 조가비.
:**sea·shore** [∠ʃɔ̀:r] *n.* Ⓤ 해안.
***séa·sìck** *a.* 뱃멀미하는. **~ness** *n.* Ⓤ 뱃멀미.
:**sea·side** [∠sàid] *n., a.* (the ~) 해변(의). ***go to the ~*** (해수욕하러) 해변에 가다.
†**sea·son** [sí:zən] *n.* Ⓒ ① 철, 계절. ② 한물, 제철, 한창 때; 호기. ③ 《英口》 정기권(season ticket). ***at all ~s*** 1년 내내. ***close*** [***open***] ~ 금[수]렵기. ***dead*** [***off***] ~ 제철이 아닌 시기, 비철. ***for a ~*** 잠시. ***in good ~*** 때마침; 제때에 맞춰. ***in ~*** 마침 알맞은 때의, 한물의, 한창의; 사냥철인. ***in ~ and out of ~*** 항상. ***out of ~*** 제철이 아닌, 철 지난; 호기를 놓치어; 한물이 간[지난]; 금렵기인. ***the London ~*** 런던의 사교 계절《초여름》. — *vt.* ① 익히다; 단련하다; (재목을) 말리다. ② (…에) 간을 맞추다(*highly ~ed dishes* 매운 요리). ③ (…에) 흥미를 돋구다. ④ 누그러뜨리다. — *vi.* ① 익숙해지다, 익다. ② (재목 등이) 마르다. **~ed** [-d] *a.* 익은, (목재 따위) 말린; 익숙한, 단련한; 풍미를 곁들인; 조절[가감]한.
sea·son·a·ble [sí:zənəbəl] *a.* 계절[철]에 맞는; 때에 알맞은; 순조로운.
***sea·son·al** [sí:zənəl] *a.* 계절의; 때에 맞는; 계절에 의한. **~·ly** *ad.* 계절적으로.
sea·son·er [sí:zənər] *n.* Ⓒ 양념치는 사람; 조미료; 양념.
sea·son·ing [sí:zəniŋ] *n.* Ⓤ 조미; Ⓒ 조미료; 양념; 가미(加味)(물); Ⓤ 완화제; 건재(乾材)(법).
séason tícket 《英》 정기권.
séa stàr =STARFISH.
†**seat** [si:t] *n.* Ⓒ ① 자리, 좌석. ② 의자; (의자의) 앉는 부분, (바지의) 궁둥이. ③ 예약석(席), 의석; 의원의 지위. ④ 왕위, 왕권. ⑤ (말)타기. ⑥ 소재지(*the ~ of war* 싸움터); 중심지; 별장. — *vt.* ① (자리에) 앉게 하다; 좌석을[지위를] 주다. ② …사람분의 좌석을 가지다(*The theater will ~ 1,200.*), …명분의 설비를 하다(*The Public Hall is ~ed for 3,000.*). ***be ~ed*** 앉다 (*Pray be ~ed.* 앉아 주십시오); 앉아 있다. ***keep one's ~*** 자리에 앉은 채로 있다; 지위를 유지하다. ***~ oneself*** 착석하다. **∠·er** *n.* Ⓒ …인승(人乘)(*a four-seater,* 4인승). **∠·ing** *n.* Ⓤ 착석(시킴); 수용력; 의자의 재료; 승마 자세.
séat bélt (여객기의) 좌석 벨트.
séat·màte *n.* Ⓒ (탈것 등의) 옆자리 사람, 동석자.
SEATO [sí:tou] *n.* 동남아시아 조약기구(cf. NATO).
Se·at·tle [si:ǽtl] *n.* 미국 Washington주의 항구 도시.
séa ùrchin 〖動〗 성게.
séa wàll (해안의) 방파벽(防波壁).
***sea·ward** [sí:wərd] *a., ad.* 바다쪽의[으로].
sea·wards [∠wərdz] *ad.* =SEAWARD.
séa wàter 바닷물.
séa·wày *n.* Ⓤ,Ⓒ 항로; 항행; 거친 바다(*in a ~* 파도에 시달려).
***séa·wèed** *n.* Ⓤ,Ⓒ 해초, 바닷말.
séa·wòrthy *a.* (배가) 항해에 알맞은, 내항성(耐航性)이 있는.
se·ba·ceous [sibéiʃəs] *a.* 기름의[이 많은]; 지방(질)의.
SEbE southeast by east 남동미동. **SEbS** southeast by south 남동미남. **SEC** Securities and Exchange Commission 《美》 증권

거래 위원회.
sec[1] [sek] *n.* Ⓒ《口》 초(秒).
sec[2] *a.* (F.) 맛이 쓴(dry)《포도주 따위》.
sec. secant; second(s); secretary; section(s).
se·cant [síːkənt, -kænt] *n.* Ⓒ 〖幾〗 할선(割線); 〖三角〗 시컨트《생략 sec.》.
sec·a·teurs [sékətə̀ːrz] *n. pl.* 《주로 英》 (한 손으로 쓰는) 전정 가위.
se·cede [sisíːd] *vi.* 탈퇴〔분리〕하다 (*from*).
se·cern [sisə́ːrn] *vt.* 구별하다.
se·ces·sion [siséʃən] *n.* Ⓤ,Ⓒ 탈퇴, 분리(*from*); (S-) Ⓤ 〖美史〗 (남북 전쟁의 원인이 된) 남부 11주의 분리. **~·ism** [-ìzəm] *n.* Ⓤ (종종 S-) 〖美史〗 분리론〔주의〕; 〖建〗 시세션식《인습 탈피에 의한 직선 (존중) 주의》. **~·ist** *n.*
***se·clude** [siklúːd] *vt.* 격리하다; 은퇴시키다. **se·clud·ed(·ly)** [-id(li)] *a.,* (*ad.*) 인가에서 멀리 떨어진〔져〕, 외진〔외져〕; 은퇴한〔하여〕. ***se·clu·sion** [-ʒən] *n.* Ⓤ 격리; 은퇴. **se·clú·sive** *a.*
†**sec·ond**[1] [sékənd] *a.* ① 제 2의, 두번째의, 2등의, 2위의, …다음〔의 버금〕가는, 부수적인(*to*). ② (*a* ~) 또 하나의, 다른. ③ 다음의, 보조〔대용〕의. ***a* ~ *time*** 다시. ***every* ~ *day*** 하루 걸러. ***in the* ~ *place*** 둘째로. (***be***) **~ *to none*** 누구〔무엇〕에도 못(하)지 않은. — ***ad.*** 둘째로. — ***n.*** ① Ⓒ (보통 *sing.*) 두 번째, 둘째(의 것); 2등〔차점〕의 것; 제2의 것, 부본; 이등차. ② Ⓒ 조수; (결투·권투의) 입회자, 세컨드; 다른 사람, 후원자. ③ (*pl.*) 2급품, 2급 밀가루(의 빵); Ⓤ 2루(壘). ④ Ⓤ,Ⓒ 〖樂〗 2도 (음정); (흔히) 알토. **~ *of exchange*** (환의) 제2 어음. — ***vt., vi.*** ① 보좌하다; (권투 선수 등의) 입회하다. ② (제안에) 찬성하다.
†**sec·ond**[2] *n.* Ⓒ 초《시간·각도의 단위》. ***in a* ~** 삽시간에.
Sécond Ádvent 예수의 재림.
‡**sec·ond·ary** [sékəndèri/-dəri] *a.* ① 둘째의, 제2(위)의. ② 부(副)의; 보조의. ③ 중등의. — ***n.*** Ⓒ ① 둘째의 사람. ② 보조자, 대리자. ③ 〖文〗 2차어《형용사 상당어(구): *school* boy》.
sécondary áccent 〔**stréss**〕 제2악센트.
sécondary educátion 중등 교육.
sécondary índustry 제 2차 산업.
sécondary schòol 중등 학교.
sécondary stórage 〖컴〗 보조 기억 장치.
sécond bállot 결선 투표.
sécond báse 《보통 무관사 단수》 〖野〗 2루.
sécond-bést *a., n.* Ⓒ 둘째로 좋은 (것), 제2위의 (것). ***come off* ~** 2위가 되다.
sécond bírth 재생.
sécond chámber 상원(上院).
sécond chíldhood 망령, 노망.
sécond-cláss *a., ad.* 2등의〔으로〕; 이류의.
Sécond Cóming =SECOND ADVENT.
sécond cróp 그루갈이, 이작(裏作).
sec·ond·er [sékəndər] *n.* Ⓒ 후원자; (동의의) 찬성자.
sécond estáte 《英》 (상원) 귀족 의원; (프랑스의) 귀족.
sécond fíddle 제2 바이올린; 보좌역. ***play* ~** 보좌하다.
sécond flóor 《美》 2층; 《英》 3층.
sécond-generátion *a.* 2세의; 〖컴〗 제2세대의《고체 소자(素子) 반도체를 쓰는 컴퓨터에 대해》.
***sécond hànd** (시계의) 초침.
***sec·ond·hand** [-hǽnd] *a.* ① 두 번째의; 간접의, 전해〔얻어〕들은, (남의 학설·의견을) 되팔아 먹는. ② 중고의, 헌; 헌 물건을 파는.
sécondhand smóke 간접 흡연《비흡연자가 본의 아니게 흡연자의 담배 연기를 마시는 일》.
Sécond Lády, the 《美》 부통령 부인.
sécond lieuténant 소위.
***sec·ond·ly** [sékəndli] *ad.* 둘째〔두번째〕로.
sécond náture 제2의 천성《습성》.
sécond pápers 《美》 제 2차 서류《미국에 귀화하는 최종 신청서》.
sécond pérson 〖文〗 (제)2인칭.
sécond-ráte *a.* 2류의, …만 못한.
sécond séx, the 제2의 성(性), 《집합적》 여성.
sécond síght 천리안; 선견지명.
sécond-síghted *a.* 선견지명이 있는.
sécond-stóry màn 《口》 =CAT BURGLAR.
sécond-stríke *a.* 최초 반격용의《핵무기가 숨겨져 있어서 핵공격의 보복용이 되는》.
sécond-strínger *n.* Ⓒ 《口》 2류쯤 되는 선수; 시시한 것〔사람〕; 대안(代案), 차선책.
sécond thóughts 재고(再考).
sécond wínd (격심한 운동 뒤의) 되돌린 숨, 원기의 회복.
‡**se·cre·cy** [síːkrəsi] *n.* Ⓤ 비밀(성); 기밀 엄수 (능력).
†**se·cret** [síːkrit] *a.* ① 비밀〔기밀〕의; 비밀을 지키는. ② 숨은, 외딴, 으슥한. ③ 신비스러운. — ***n.*** Ⓒ ① 비밀, 기밀(*in* ~ 비밀히). ② (the ~) 비법, 비결. ③ (종종 ~s) (대자연의) 신비, 기적. ④ (*pl.*) 음부. ***be in the* ~** 기밀을 알고 있다. ***let a person into the* ~** 비밀을 밝히다; 비법을 가르치다. ***open* ~** 공공연한 비밀. ***~·ly** *ad.* 비밀로〔히〕.
sécret ágent 첩보원, 정보원, 간첩.
sec·re·tar·i·al [sèkrətέəriəl] *a.* secretary의.
sec·re·tar·i·at(e) [-tέəriət] *n.* Ⓒ

서기(관)의 직; 장관직; 비서과, 문서과, 총무처; (S-) (유엔) 사무국.
:sec·re·tar·y[sékrətèri/-tri] *n.* Ⓒ ① 비서(관), 서기(관); (회의) 간사. ② 장관. ③ 사자대(寫字臺). ***Home S-*** 내상(內相). ***S- of State*** 국무 대신; 《美》 국무장관. **～·ship** [-ʃip] *n.* Ⓤ secretary의 직[임기].
sécretary bìrd 뱀독수리《뱀을 먹음》.
sécretary-géneral *n.* Ⓒ 사무 총장[국장].
sécret bállot 비밀 투표.
se·crete[sikríːt] *vt.* 비밀로 하다, 숨기다; 『生』 분비하다. **se·cré·tion** *n.* Ⓤ 분비; Ⓒ 분비물[액]. **se·cre·to·ry**[-təri] *a., n.* 분비하는; 분비선(腺).
se·cre·tin[sikríːtin] *n.* Ⓤ 『醫』 세크레틴《호르몬의 일종》.
se·cre·tive[síːkrətiv, sikríː-] *a.* 비밀의, 숨기는, 솔직하지 않은; 분비(성)의, 분비를 촉진하는. **～·ly** *ad.*
sécret párts =PRIVATE PARTS.
sécret políce 비밀 경찰.
sécret sérvice (국가의) 첩보 기관; 첩보 활동; (S- S-) 《美》 재무부 비밀검찰부《대통령 호위, 위폐범 적발 등을 담당》.
sécret socíety 비밀 결사.
:sect[sekt] *n.* Ⓒ 종파, 교파; 당파.
sect. section.
sec·tar·i·an [sektέəriən] *a., n.* Ⓒ 종파[당파]적인 (사람). **～·ism** [-ìzəm] *n.* Ⓤ 당파심; 학벌.
sec·tile[séktəl, -tàil] *a.* 절단 가능한《광물》.
:sec·tion[sékʃən] *n.* Ⓒ ① 절개(切開), 절단. ② 단면(도); 절단면; 단편; 부분(품). ③ 부(문), 과(課); 구분, 구(區), 구역, 구간. ④ (당)파; 마디, 절(節), 단락; 악절; 분대(分隊). ***in ～s*** 해체[분해]하여. — *vt.* ① 해체[구분]하다. ② 단면도를[박편(薄片)을] 만들다.
sec·tion·al[sékʃənəl] *a.* 부분[구분·단락]의[이 있는]; 지방[부분]적인; 조립식의. **～·ism**[-ìzəm] *n.* Ⓤ 지방주의; 당파심, 파벌주의. **～·ly** *ad.*
Séction Éight 《美》 부적격자로서의 제대(자); 정신이상자.
séction màrk 절표, 마디표(§).
séction pàper 《英》 모눈종이, 방안지(《美》 graph paper).
***sec·tor**[séktər] *n.* Ⓒ ① 『幾』 부채꼴. ② 『數』 함수척(尺). ③ 부문, 분야. ④ 부채꼴의 전투 지역. ⑤ 『컴』 (저장)테조각, 섹터.
***sec·u·lar**[sékjələr] *a.* ① 세속의, 현세의. ② 한 세기 한 번의; 백년마다의, 백년 계속되는, 불후의 (*the ～ bird* 불사조). — *n.* Ⓒ 재속(在俗) 신부, 속인. **～·ism**[-rìzəm] *n.* Ⓤ 현세주의; 종교 분리교육론[주의]. **～·ize**[-ràiz] *vt.* 환속시키다; 속용(俗用)으로 제공하다; (…을) 종교에서 분리시키다. **～·i·za·tion**[ㅅ-- izéiʃən] *n.*
sec·u·lar·i·ty [sèkjulǽrəti] *n.* Ⓤ 세속주의; 번뇌; Ⓒ 속사(俗事).
se·cun·dus[sikʌ́ndəs] *a.* 제2의 (cf. primus, tertius).
se·cur·a·ble[sikjúərəbəl] *a.* 확보[입수]할 수 있는, 안전히 할 수 있는.
:se·cure[sikjúər] *a.* ① 안전한. ② 확실한. ③ 튼튼한(*against, from*). ④ 확신[안심]하는(*of*). — *vt.* ① 안전[확실]히 하다. ② 획득하다, 구하다(*from*). ③ 보증하다; 보험에 들다(*against*). ④ 단단히 잠그다[채우다]; 가두다, 붙들어매다(*to*). — *vi.* 안전하게 되다. **～·ly** *ad.*
:se·cu·ri·ty[sikjúərəti] *n.* ① Ⓤ 안전; 안심; 확실. ② Ⓤ,Ⓒ 보호; 보장; 보증(금·인); 담보(물); 차용증(*for*). ③ (*pl.*) 증권, 증서, 채권. ***give*** [***go***] ***～ for*** …의 보증인이 되다. ***government securities*** 공채, 국채. ***in ～ for*** …의 담보로서.
secúrity ànalyst 증권 분석가.
secúrity assístance 《美》 안전 보장 원조《미국 정부의 안전 보장을 위한 대외 원조》.
Secúrity Còuncil, the (유엔) 안전 보장 이사회《생략 SC》.
secúrity pàct 안전 보장 조약.
secúrity políce 비밀 경찰.
secúrity rìsk (치안상의) 위험 인물.
secy., sec'y. secretary.
se·dan[sidǽn] *n.* Ⓒ 세단형 자동차; =ㅅ **chàir** 가마, 남여(籃輿).
se·date[sidéit] *a.* 침착한; 진지한; 수수한. **～·ly** *ad.*
sed·a·tive[sédətiv] *a., n.* 가라앉히는; Ⓒ 진정제.
sed·en·tar·y**[sédəntèri/-təri] *a.* 줄곧 앉아 있는, 앉아서 일하는; 『動』 정주성(定住性)의. ***～ occupation 앉아서 일하는 직업.
sedge[sedʒ] *n.* Ⓤ 사초속(屬)의 식물. **sédg·y** *a.* 사초 같은[가 무성한].
***sed·i·ment**[sédəmənt] *n.* Ⓤ 앙금, 침전물. **-men·tal**[sèdəméntl], **-men·tar·y** *a.* **-men·ta·tion**[ㅅ-məntéiʃən] *n.* Ⓤ 침전 (작용), 침강.
se·di·tion[sidíʃən] *n.* Ⓤ 난동 선동, 치안 방해, 폭동 교사(행위). **-tious** *a.* 선동적인.
***se·duce**[sid*j*úːs] *vt.* ① (여자를) 유혹하다, 꾀어내다. ② 부추기다; 황홀케 하다. **～·ment** *n.* **se·dúc·er** *n.* **se·duc·tion**[sidʌ́kʃən] *n.* **se·dúc·tive** *a.*
sed·u·lous[sédʒuləs] *a.* 부지런한; 애써 공들인. **～·ly** *ad.* **～·ness** *n.* **se·du·li·ty**[sid*j*úːləti] *n.*
†see[1][siː] *vt.* (***saw; seen***) ① 보다; 구경하다. ② 식별하다, 이해하다; 조사하다; 알다. ③ 만나다; 방문하다(*～ the doctor*). ④ 경험하다; 의견을 갖다, 생각하다. ⑤ 묵인하다. ⑥ 유의하다. — *vi.* ① 보이다, 보다, 물체를 보다. ② 알다(*Well, I ～.*). ③ 주의하다; 돌보다. ***have seen*** (***one's***) ***better*** [***best***] ***days***

S

좋은〔떵떵거리던〕 때도 있었다. ***let me*** ~ 글쎄; 가만 있자. ~ ***about*** 정신 차리다, 조심하다; 고려하다. ~ ***after*** 돌보다. ~ ***a person home*** 집에까지 바래다 주다. ~ ***... done*** …이 …되는 것을 확인〔목격〕하다; 틀림없이 …되도록 하다. ***See here!*** 《美》 어이, 이봐, 여보세요(《英》 I say!; Look here!). ***Seeing is believing.*** 《속담》 백문이 불여일견. ~ ***into*** 조사〔간파〕하다. ~ ***much*** 〔***something, nothing***〕 ***of*** (…을) 자주 만나다〔더러 만나다, 거의 만나지 않다〕. ~ (*a person*) ***off*** 배웅하다. ~ ***out*** 현관까지 배웅하다; 끝까지 보다; 완수하다, 해내다; 《口》 이기다. ~ ***over*** 검사〔시찰〕하다. ~ ***that*** …하도록 주선〔주의〕하다. ~ ***things*** 환시(幻視)를〔환각을〕 일으키다(*You're* ~*ing things!* 꿈이라도 꾸고 있는게지). ~ ***through*** 간파하다. ~ (*a thing*) ***through*** 끝까지 해내다. ~ (*a person*) ***through*** 도와서 완수시키다. ~ ***to*** …에 주의하다. ~ ***to it that*** …하도록 노력〔배려〕하다. ***you*** ~ 이봐, 아시겠죠. ***You shall*** ~. 후에 얘기하자, 차차 알게 될 게다. **∠·a·ble** *a.*

see² *n.* Ⓒ bishop의 지위〔교구〕; =DIOCESE. ***the Holy S-*** 로마 교황의 지위; 교황청.

†**seed**[si:d] *n.* (*pl.* ~***s***, ~) ① Ⓤ,Ⓒ 씨, 종자. ② Ⓤ (물고기의) 알; (동물의) 정액. ③ (흔히 *pl.*)《집합적》 자손(*of*); 근원(*of*). ***go*** 〔***run***〕 ***to*** ~ 꽃이 지고 열매를 맺다, 장다리가 돋아나다; 초췌해지다. ***raise up*** ~ 자식을 낳다. ***sow the good*** ~ 복음을 전하다. — *vi.* ① 씨를 뿌리다〔가 생기다〕. ② 성숙하다. — *vt.* ① (…에) 씨를 뿌리다. ② 〖競〗 시드하다《우수 선수끼리 처음부터 맞붙지 않도록 대진표를 짜다》. ~ ***down*** …에 씨를 뿌리다.

séed·bèd *n.* Ⓒ 묘상(苗床), 모판.

séed·càse *n.* Ⓒ 〖植〗 씨주머니; =SEED VESSEL.

séed còrn 씨앗용 곡식〔옥수수〕.

seed·er[∠ər] *n.* Ⓒ 씨뿌리는 사람; 파종기; 채종기(採種器); (인공 강우의) 모립(母粒) 살포 장치.

seed·i·ly[∠ili] *ad.* ⇨SEEDY.

seed·ing[∠iŋ] *n.* Ⓤ 파종; 인공 강우 모립(母粒) 살포.

séed machìne 파종기.

séed lèaf 떡잎, 자엽.

***seed·ling**[sí:dliŋ] *n.* Ⓒ 실생(實生) 식물; 모종, 묘목.

séed mòney 《美》 (새 사업의) 착수 자금.

séed òyster (양식용) 종자굴.

séed pèarl 알이 작은 진주《1/4 grain 이하》.

séed plànt 종자 식물.

séed plòt =SEEDBED.

seeds·man[sí:dzmən] *n.* Ⓒ 씨뿌리는 사람; 씨앗 장수.

séed·tìme *n.* Ⓤ 파종기(期).

séed vèssel 〖植〗 과피(果皮).

seed·y[sí:di] *a.* 씨 많은; 야윈, 초라한, 기분이 좋지 않은. **séed·i·ly** *ad.*

***see·ing**[sí:iŋ] *prep., conj.* …이〔하〕므로, …인 사실〔점〕을 생각하면.

Séeing Éye (New Jersey주에 있는) 맹도견(盲導犬) 협회. ~ ***dog*** 맹도견, 장님의 길안내를 하는 개.

†**seek**[si:k] *vt.* (***sought***) ① 찾다, 구하다. ② 하고자 하다. ③ (…에) 가다(~ *one's bed* 취침하다). — *vi.* 찾다, 탐구하다(*after, for*). ~ ***a person's life*** 아무의 목숨을 노리다. ~ ***out*** 찾아내(려고 하)다, …와의 교제를 바라다. — *n.* (열·소리·광선 등의) 목표물 탐색; 〖컴〗 자리찾기 (~ *time* 자리 찾기 시간). **∠·er** *n.* Ⓒ 탐구자; (미사일의) 목표물 탐색 장치; 그 장치를 한 미사일.

†**seem**[si:m] *vi.* ① …로 보이다, …(인 것) 같다. ② 생각이 들다, 있을 것〔…한 것〕처럼 보이다(*There* ~*s no point in going.* 갔댔자 아무 소용도 없을 것 같다). ***it*** ~***s ...*** …인 것 같다〔처럼 생각되다〕. ***It*** ~***s to me that ...*** 생각컨대. ***it should*** 〔***would***〕 ~ =it ~s. ***∠·ing** *n., a.* Ⓤ 겉모〔외관〕(의), 겉보기(만의). ***∠·ing·ly** *ad.* **∠·ly** *a., ad.* 적당한〔히〕; 점잖은〔게〕; =HANDSOME.

†**seen**[si:n] *v.* see¹의 과거분사.

seep[si:p] *vi.* 스며나오다, 새다. **∠·age** *n.* Ⓤ 스며나옴, 삼출(滲出).

se·er**[sí:ər] *n.* (*fem.* ~ess***[sí(:)ris/síər-]) Ⓒ ① 보는 사람. ② [síər] 예언자; 환상가; 점쟁이.

seer·suck·er[síərsʌ̀kər] *n.* Ⓤ 아마 또는 면으로 짠 인도산 피륙.

:**see·saw**[sí:sɔ̀:] *n.* ① Ⓤ 시소놀이; Ⓒ 시소판. ② Ⓤ,Ⓒ 동요, 변동; 일진일퇴. — *a.* 위아래로 움직이는, 동요하는. ~ ***game*** 접전, 백중전.

seethe**[si:ð] *vi.* (~d***, 《古》 ***sod***; ~***d***, 《古》 ***sodden***) 끓어 오르다, 뒤끓다; 소연해지다. **seeth·ing**[∠iŋ] *a.*

see-through[sí:θrù:] *a.* (옷이) 내비치는. — *n.* Ⓒ 내 비치는 옷.

***seg·ment**[ségmənt] *n.* Ⓒ ① 조각, 부분, 분절(分節). ② 〖生〗 환절(環節); 〖幾〗 호(弧). ③ 〖컴〗 칸살. — *vt., vi.* 〖生〗 분열하다〔시키다〕; (*vt.*) 분할하다. **seg·men·tal**[segméntl] *a.* **seg·men·ta·tion**[≻—téiʃən] *n.* Ⓤ 〖컴〗 세그멘테이션.

segméntal phóneme 〖言〗 분절음소(音素).

sé·go (líly)[sí:gou(-)] *n.* Ⓒ (미국 남서부 산의) 백합.

seg·re·gate[ségrigèit] *vt., vi.* 분리〔격리〕시키다〔하다〕(*from*); 인종차별 대우를 하다; (*vi.*) 〖結晶〗 분결(分結)하다. — [-git] *a.* 분리한. **-ga·tion**[≻—géiʃən] *n.*

sei·gneur[si:njə́:r/séi-], **seign·ior**[sí:njər/séi-] *n.* Ⓒ 영주(領主).

S

군주; 《존칭》 …님. 「센강.
*__Seine__[sein] *n.* (the ~) (Paris의)
seine[sein] *n., vt., vi.* Ⓒ 후릿그물, 예인망(曳引網)(으로 고기잡이하다).
sei·sin[sí:zin] *n.* =SEIZIN.
seis·mic[sáizmik] *a.* 지진의. ~ ***center*** 〔***focus***〕 진원(震源)(지).
seis·mo·gram[sáizməgræ̀m] *n.* Ⓒ 지진 기록.
seis·mo·graph [sáizməgræ̀f, -grɑ̀:f] *n.* Ⓒ 지진계(計). **seis·mog·ra·phy**[-mágrəfi/-ɔ́-] *n.* Ⓤ 지진 관측(법).
seis·mol·o·gy [saizmálədʒi/-ɔ́-] *n.* Ⓤ 지진학. **-gist** *n.* **seis·mo·log·i·cal**[≻məládʒikəl/-ɔ́-] *a.*
seis·mom·e·ter [saismámitər/-ɔ́-] *n.* Ⓒ 지진계.
:__seize__[si:z] *vt.* ① (붙)잡다; 압류하다. ② 이해〔파악〕하다; (병이) 침범하다. ③ 〖海〗 잡아〔동여〕매다. — *vi.* 움켜쥐다, 잡다. ***be ~d of*** …을 가지고 있다. ***be ~d with*** (*a fever*) (열병)에 걸리다. ***~ on*** 〔***upon***〕 홱 붙잡다; 이용하다.
sei·zin[sí:zin] *n.* Ⓤ 〖法〗 (토지) 점유; 점유지〔물〕, 재산.
*__sei·zure__[sí:ʒər] *n.* ① Ⓤ (붙)잡음. ② Ⓤ 강탈; 압류. ③ Ⓒ 발작.
se·lah[sílə] *n.* 셀라《구약 '시편'에 나오는 헬라어 표현; 감탄어 또는 음악 부호로 추측됨》.
:__sel·dom__[séldəm] *ad.* 드물게, 좀처럼 …않는. ***not ~*** 때때로, 흔히.
:__se·lect__[silékt] *vt.* 고르다, 뽑다, 뽑아〔가려〕내다. — *a.* ① 뽑아〔가려〕낸, 극상의. ② 선택에 까다로운 (*in*); (호텔 등) 상류 계급을 위한. **~·man** [silék*t*mən] *n.* Ⓒ《美》 (New England의) 도시 행정 위원.
seléct commíttee 특별 위원회.
se·lect·ee[silèktí:] *n.* Ⓒ 《美》 (선발 징병 제도에 의한) 응소병.
:__se·lec·tion__[silékʃən] *n.* ① Ⓤ,Ⓒ 선택(물); 선발, 발췌; 가려〔골라〕냄. ② Ⓤ 도태(淘汰). ③ 〖컴〗 선택(~ *sort* 선택 정렬). ***artificial*** 〔***natural***〕 ~ 인위〔자연〕 도태.
*__se·lec·tive__[-tiv] *a.* ① 선택적인, 선택한, 도태의. ② 〖無電〗 분리식의.
Seléctive Sérvice 《美》 의무 병역.
se·lec·tiv·i·ty[silèktívəti] *n.* Ⓤ 선택(성); 〖無電〗 분리성.
se·lec·tor[səléktər] *n.* Ⓒ 선택자; 선택기; 〖無電〗 분리 장치.
Se·le·ne[səlí:ni:] *n.* 〖그神〗 달의 여신.
sel·e·nite[sélənàit] *n.* Ⓤ 투명 석고; 〖化〗 아(亞)셀렌산염(酸鹽).
se·le·ni·um[silí:niəm, -njəm] *n.* Ⓤ 〖化〗 셀레늄, 셀렌《기호 Se.》.
sel·e·nog·ra·phy [sèlənágrəfi/-ɔ́-] *n.* Ⓤ 월리학(月理學), 태음(太陰) 지리학.
sel·e·nol·o·gy [sèlənálədʒi/-ɔ́-] *n.* Ⓤ 월학(月學).

:__self__[self] *n.* (*pl.* ***selves***) ① Ⓤ,Ⓒ 자기, 자신; Ⓤ 〖哲〗 자아, 나(ego). ② Ⓤ 진수(眞髓). ③ Ⓤ 사욕, 이기심. ④ Ⓤ 〖商〗 본인; 《諧·卑》 나〔당신〕 자신. ***your good selves*** 〖商〗 귀점(貴店), 귀사. — *a.* (성질·색·재료 따위가) 단일의. **∠-abándoned** *a.* 자포 자기의. **∠-abándonment** *n.* Ⓤ 자포 자기; 방종. **∠-abásement** *n.* Ⓤ 겸비, 겸손. **∠-abhórrence** *n.* Ⓤ 자기 혐오. **∠-ábnegátion** *n.* Ⓤ 헌신, 희생. **∠-absórbed** *a.* 여념이 없는; 자기 중심의. **∠-absórption** *n.* Ⓤ 몰두, 자기 도취. **∠-abúse** *n.* Ⓤ 자기 비난; 수음(手淫). **∠-accusátion** *n.* Ⓤ 자책(의 마음). **∠-ácting** *a.* 자동의. **∠-addréssed** *a.* 반신용의, 자기 앞으로의 〔쓴〕. **∠-adhésive** *a.* 풀기 있는《봉투 따위》. **∠-adjústing** *a.* 자동 조절의. **∠-análysis** *n.* Ⓤ 자기 분석. **∠-appláuse** *n.* Ⓤ 자화자찬. **∠-assérting** *a.* 자기(권리)를 주장하는. **∠-assértion** *n.* Ⓤ 주제넘게 나섬, 자기 주장. **∠-assértive** *a.* 자기를 주장하는, 주제넘은. **∠-assúrance** *n.* Ⓤ 자신(自信). **∠-betráyal** *n.* Ⓤ 자기 배신〔폭로〕. **∠-bínder** *n.* Ⓤ 자동 수확 묶음기. **∠-búrning** *n.* Ⓤ 분신 자살. **∠-céntered,** 《英》 **-céntred** *a.* 자기 중심의. **∠-cólo(u)red** *a.* 단색의; 자연색의. **∠-commánd** *n.* Ⓤ 자제, 침착. **∠-complácence, -cency** *n.* Ⓤ 자기 만족〔도취〕. **-cent** *a.* **∠-compósed** *a.* 침착한(calm). **∠-concéit(ed)** *n., a.* Ⓤ 자부심(이 센), 자만(하는). **∠-condémned** *a.* 자책의, 양심의 가책을 받은. **∠-cónfidence** *n.* Ⓤ 자신. **∠-cónfident** *a.* *__∠-cónscious__ *a.* 자의식이 있는〔센〕; 남의 앞을 꺼리는, 수줍어하는. **∠-cónsequence** *n.* Ⓤ 자존, 자존심. **∠-consístent** *a.* 조리가 선, 자기 모순이 없는. **∠-cónstituted** *a.* 스스로 정한, 자임(自任)의. **∠-contáined** *a.* 말 없는, 속을 털어 놓지 않는; 자기 충족의; 〖機〗 그 자체만으로 완비한; 독립한 (아파트 등). **∠-contémpt** *n.* Ⓤ 자기 경멸. **∠-contént** *n.* Ⓤ 자기 만족. **∠-contradíction** *n.* Ⓤ 자가당착, Ⓒ 자기모순의 진술. **∠-contradíctory** *a.* 자가당착의. *__∠-contról__ *n.* Ⓤ 자제, 극기(克己). **∠-críticism** *n.* Ⓤ 자기 비판. **∠-cúlture** *n.* Ⓤ 자기 수양. **∠-decéit** *n.* =SELF-DECEPTION. **∠-decéption** *n.* Ⓤ 자기 기만. **∠-decéptive** *a.* **∠-deféating** *a.* 자기 파멸로 이끄는; 의도와 반대로 작용하는. *__∠-defénse,__ 《英》 **-fénce** *n.* Ⓤ 자위. **∠-defénsive** *a.* **∠-deníal** *n.* Ⓤ 자제, 극기. **∠-denýing** *a.* 금욕의. **∠-depéndence** *n.* Ⓤ 독립(독행). **∠-depreciátion** *n.* Ⓤ 자기 경시, 비하. **∠-destrúction** *n.* Ⓤ 자멸, 자살. **∠-destrúctive** *a.* **∠-determinátion** *n.* Ⓤ (남 지시에 의하지

S

않은) 자기 결정; 민족 자결. **∠-detérmining** *a.* 스스로 정하는, (민족) 자결의. **∠-devélopment** *n.* Ⓤ 자기 발전〔개발〕. **∠-devótion** *n.* Ⓤ 헌신. **∠-díscipline** *n.* Ⓤ 자기 훈련〔수양〕. **∠-dóubt** *n.* Ⓤ 자기 회의. **∠-dríve** *a.* 《英》 렌터카의. **∠-édit** *vt.* (신문 따위가) 자기 규제〔검열〕하다. **∠-éducated** *a.* 독학의; 자학자습의. **∠-educátion** Ⓤ 독학; 자기 교육. **∠-effácement** *n.* Ⓤ 표면에 나서지 않음, 자기 말살. **∠-emplóyed** *a.* 자가(自家) 경영의, 자영의. **∠-estéem** *n.* Ⓤ 자부(심), 자존(심). **∠-evaluátion** *n.* Ⓤ 자기 평가. ***∠-évident** *a.* 자명한. **∠-examinátion** *n.* Ⓤ 자기 반성. **∠-éxile** *n.* Ⓤ 자진 망명. **∠-exístent** *a.* 자존(自存)하는. **∠-expláining, ∠-explanátory** *a.* 자명한. **∠-expréssion** *n.* Ⓤ 자기 표현. **∠-féeder** *n.* Ⓒ (사료 따위의) 자동 보급 장치. **∠-féeding** *a.* 자동 보급식의. **∠-fertilizátion** *n.* Ⓤ 〖植〗 자화수정(自花受精). **∠-fílling** *a.* 자동 주입식의. **∠-forgétful, -forgétting** *a.* 사리(私利)를 돌보지 않는. **∠-góverned** *a.* 자치의; 자제의. **∠-góverning** *a.* 자치의(~*-governing colonies* 자치 식민지/~*-governing dominion* 자치령). ***∠-góvernment** *n.* Ⓤ 자치; 자제. **∠-hárdening** *a.* 〖冶〗 자경성(自硬性)의. **∠-háte, ∠-hátred** *n.* Ⓤ 자기혐오. ***∠-hélp** *n.* 자조, 자립. **∠-impórtant** *a.* 젠체하는. **∠-impórtance** *n.* **∠-impósed** *a.* 스스로 과한; 자진해서 하는. **∠-impróvement** *n.* Ⓤ 수양, 정진. **∠-indúced** *a.* 〖電〗 자기 유도의. **∠-indúlgence** *n.* Ⓤ 방종. **-gent** *a.* **∠-inflícted** *a.* 스스로 초래한〔부른〕. ***∠-ínterest** *n.* Ⓤ 사리(私利). **∠-ínterested** *a.* 자기 본위의. **∠-invíted** *a.* 불청객의. **∠-knówledge** *n.* Ⓤ 자각. **∠-lóve** *n.* Ⓤ 자애(自愛), 이기심〔주의〕. **∠-máde** *a.* 자력으로 출세〔성공〕한. **∠-mástery** *n.* Ⓤ 극기, 자제. **∠-mortificátion** *n.* Ⓤ 금욕. **∠-móving** *a.* 자동의. **∠-múrder** *n.* Ⓤ 자해, 자살. **∠-opínioned, -opínionated** *a.* 자부하고 있는; 완고한, 외고집의. **∠-percéption** *n.* Ⓤ 자각. **∠-píty** *n.* Ⓤ 자기 연민. **∠-póised** *a.* 평형을 얻은; 침착한. **∠-pollinátion** *n.* Ⓤ 〖植〗 자화 수분(受粉). **∠-pollútion** *n.* Ⓤ 자위(自慰) 행위. **∠-pórtrait** *n.* Ⓒ 자화상. **∠-posséssed** *a.* 침착한. **∠-posséssion** *n.* Ⓤ 침착, 냉정. **∠-práise** *n.* Ⓤ 자찬. **∠-preservátion** *n.* Ⓤ 자기 보존. **∠-príde** *n.* Ⓤ 자만(심). **∠-prófit** *n.* Ⓤ 자신의 이익. **∠-protéction** *n.* Ⓤ 자기방위, 자위. **∠-ráising** *a.* =SELF-RISING. **∠-realizátion** *n.* Ⓤ 자기 완성. **∠-recórding** *a.* 자동 기록의. **∠-regárd** *n.* =SELF-LOVE. **∠-régistering** *a.* 자기(自記)의, 자동기록의《기압계 따위》. **∠-régulating** *a.* 자동 조절의. **∠-relíance** *n.* Ⓤ 독립 독행, 자립. **∠-renunciátion** *n.* Ⓤ 자기 포기〔희생〕, 헌신. **∠-repróach** *n.* Ⓤ 자책(自責). ***∠-respéct(ing)** *n., a.* Ⓤ 자존(심)(이 있는). **∠-restráint** *n.* Ⓤ 자제. **∠-ríghteous** *a.* 독선적인. **∠-ríghting** *a.* 자동적으로 복원하는, 자동으로 일어나는 식의《구명정 따위》. **∠-rísing** *a.* 이스트를 넣지 않고 저절로 부푸는. ***∠-sácrifice** *n.* Ⓤ,Ⓒ 자기 희생, 헌신. **-ficing** *a.* ***∠-satisfáction** *n.* Ⓤ 자기 만족. **∠-sátisfied** *a.* 자기 만족의. **∠-schóoled** *a.* 독학의. **∠-séaling** *a.* (타이어가) 자동 펑크 방지식의; (석유 탱크 따위가) 자동 방루(防漏)식의. **∠-séeker** *n.* Ⓒ 이기주의자. **∠-séeking** *n., a.* Ⓤ 이기주의(의), 제멋대로(의). **∠-sérvice** *n., a.* Ⓤ (식당 등) 자급(自給)식(의). **∠-sláughter** *n.* Ⓤ 자살, 자멸. **∠-stárter** *n.* Ⓒ 자동 시동기. **∠-stýled** *a.* 자임하는, 자칭의. **∠-sufficiency** *n.* Ⓤ 자급 자족; 자부. **∠-suffícient, -suffícing** *a.* (자급) 자족의; 자부심이 강한. **∠-suggéstion** *n.* Ⓤ 자기 암시. **∠-suppórt(-ing)** *n., a.* Ⓤ 자각(이 있는), 자급(의), 자활(하는). **∠-surrénder** *n.* Ⓤ 자기 포기, 인종(忍從). **∠-sustáining** *a.* 자립〔자활〕의. **∠-táught** *a.* 독학의. **∠-tímer** *n.* Ⓒ 《美》 〖寫〗 자동 셔터. **∠-wíll** *n.* Ⓤ 아집(我執), 억지, 고집. **∠-wílled** *a.* **∠-wínding** *a.* 자동적으로 감기는.

:self·ish[sélfiʃ] *a.* 이기적인, 자기 본위의, 제멋대로의. **~·ly** *ad.* **~·ness** *n.*

sélf·less *a.* 사심〔이기심〕 없는. **~·ly** *ad.* **~·ness** *n.*

self·same[∠sèim] *a.* 꼭〔아주〕 같은, 동일한.

†sell[sel] *vt.* (**sold**) ① 팔다; 장사하다. ② 선전하다. ③ 배신하다; 《口》 속이다(*Sold again!* 또 속았다!). ④ 납득〔수락, 승낙〕시키다, 강제하다. ── *vi.* 팔리다. ***be sold on*** 《美》 …에 열중해 있다. ***~ a game*** 〔***match***〕 뇌물을 먹고 경기에서 져주다. ***~ off*** 싸구려로 처분하다. ***~ one's life dearly*** 적에게 손해를 입히고 전사하다. ***~ out*** 매진하다; 《美口》 배반하다. ***~ up*** 《英》 경매에 부치다. ── *n.* ① Ⓤ 판매 전술. ② Ⓒ 《俗》 속임(수). ③ Ⓤ 《口》 실망. **∠·òut** *n.* Ⓒ 매진; (흥행물 따위의) 초만원; 배신.

:sell·er[sélər] *n.* Ⓒ 파는 사람; 팔리는 물건. ***best ~*** 날개 돋친 듯 잘 팔리는 물건〔책〕, 베스트셀러.

séllers' màrket 매주(賣主) 시장《수요에 비해 공급이 딸려 매주에게 유리한 시황(市況)》.

***sell·ing**[séliŋ] *a.* 판매하는〔의〕, 판매에 종사하는; (잘) 팔리는. ── *n.* Ⓤ 판매, 매각.

S

séll-òff *n.* Ⓤ (주식·채권 따위의) 급락.
Sel·lo·tape [sélətèip] *n.* Ⓤ 〖商標〗 셀로테이프.
Sélt·zer (**wàter**)[séltsər(-)] *n.* Ⓤ 셀처 탄산수《독일에서 나는 광천》.
sel·vage, -vedge[sélvidʒ] *n.* Ⓒ 피륙의 변폭(邊幅)〔식서(飾緖)〕.
selves[selvz] *n.* self의 복수.
se·man·teme[simǽnti:m] *n.*〖言〗의의소(意義素)《*Tom's sister is singing*.의 사체(斜體)의 부분》(cf. morpheme).
se·man·tic[simǽntik] *a.* 의의(意義)에 관한. **~s** *n.* Ⓤ〖言〗어의론(語義論), 의미론. **-ti·cist** *n.*
sem·a·phore[séməfɔ̀:r] *n., vt., vi.* Ⓤ 수기(手旗)〔까치발〕 신호(로 신호하)다.
se·ma·si·ol·o·gy[simèisiálədʒi/-ɔ́-] *n.* =SEMANTICS.
se·men[sí:mən/-men] *n.* Ⓤ 정액.
·**se·mes·ter**[siméstər] *n.* Ⓒ (2학기 제도의) 학기(*the first ~*, 1학기).
sem·i-[sémi, -mai/-mi] *pref.* '반, 얼마간'의 뜻. **~·ánnual** *a.* 반년마다의, 연(年) 2회의, 반기(半期)의. **~·ánnually** *ad.* **~·árid** *a.* 강수량 과소의. **~·automátic** *a.* 반자동식의《기계·총 따위》. **~·barbárian** *a., n.* 반미개의; Ⓒ 반미개인. **∠·brève** *n.* Ⓒ〖樂〗온음표. **∼·centénnial** *a.* 50년 마다의. **∠·cìrcle** *n.* Ⓒ 반원. **∼·círcular** *a.* 반원(형)의(*~circular canals* (귀의) 삼반규관(三半規管)). **~·cívilized** *a.* 반문명의. **:∠·còlon** *n.* Ⓒ 세미콜론(;). **∼·condúctor** *n.* Ⓒ〖電·컴〗반도체. **∼·cónscious** *a.* 의식이 반 있는〔불완전한〕. **∼·detáched** *a.*〖建〗반분리식의. **∼·devéloped** *a.* 반쯤 발달한, 발육 부전(不全)의. **∼·documéntary** *n.* Ⓒ〖映〗반기록영화《기록 영화를 극영화식으로 구성한 것》. **∠·fìnal** *n., a.* Ⓒ 준결승(의). **∼·flúid, ∼·líquid** *n., a.* Ⓤ,Ⓒ 반액체(의). **∼·lúnar** *a.* 반월형의(*~lunar valve*〖解〗반월판). **∠·made** *a.* 자력으로 만든〔성공한〕. **∼·manufáctures** *n.* Ⓒ 반〔중간〕제품. **∼·mónthly** *a., ad., n.* 반달〔보름〕마다(의); 월 2회(의); Ⓒ 월 2회의 출판물. **∼·offícial** *a.* 반관(半官)적인. **∼·párasite** *n.*〖生〗반기생(半寄生). **∼·pérmeable** *a.*〖生〗반투성(半透性)의《막 따위》. **∼·précious** *a.* 약간 귀중(貴重)한, 준(準)보석의. **∠·pro, ~·proféssional** *a., n.* Ⓒ 반직업적인 (선수). **∠·quàver** *n.* Ⓒ〖樂〗16분 음표(♪). **∼·sólid** *n., a.* Ⓒ 반고체(의). **∠·tòne** *n.* Ⓒ 반음. **∼·transpárent** *a.* 반투명의. **∼·trópical** *a.* 아열대의. **∠·vòwel** *n.* Ⓒ 반모음《w, j따위》. **∼·wéekly** *ad., a., n.* Ⓒ 주(週) 2회(의); 주 2회 간행물. **∼·yéarly** *ad., a., n.* Ⓒ 연2회(의); 연2회 간행물.
sem·i·nal[sémənl, sí:m-] *a.* 정액의;〖植〗배자(胚子)의, 종자의; 생식의; 발전성이 있는.
:sem·i·nar[sémənà:r, ∸-∠] *n.* Ⓒ 《집합적》(대학의) 세미나; 연습; 연구실.
·**sem·i·nar·y**[sémənèri/-nə-] *n.* Ⓒ (고등학교 이상의) 학교;〖가톨릭〗신학교; 온상. **-nar·i·an**[∸-nέəriən/-nέər-] *n.* Ⓒ 신학교의 학생.
sem·i·na·tion [sèmənéiʃən] *n.* Ⓤ,Ⓒ 씨뿌리기, 파종; 전파, 보급.
sem·i·nif·er·ous[-nífərəs] *a.* 종자가 생기는; 정액을 만드는, 수정(輸精)의.
Sem·i·nole[sémənòul] *n., a.* Ⓒ (북아메리카 인디언의 한 종족) 세미놀 사람(의).
se·mi·ol·o·gy[sì:miálədʒi/-ɔ́l-] *n.* Ⓤ 기호학;〖醫〗증후학(症候學).
Sem·ite[sémait/sí:m-] *n.* Ⓒ 셈어족(語族)의 사람. **Se·mit·ic**[simítik] *a., n.* Ⓒ 셈 사람〔족〕의; Ⓤ 셈말(의).
「기울.
sem·o·li·na [sèməlí:nə] *n.* Ⓤ 밀
sem·pi·ter·nal[sèmpitə́:rnəl] *a.* 《雅》영원한, 구원(久遠)의.
semp·stress[sémpstris] *n.* Ⓒ 여자 재봉사, 침모.
Sen., sen. senate; senator; senior.
sen·a·ry[sénəri] *a.* 6의.
:sen·ate[sénət] *n.* Ⓒ ① (고대 로마의) 원로원. ② 입법부, 의회. ③ (S-) (미국·프랑스의) 상원. ④ (대학의) 평의원회, 이사회.
:sen·a·tor[sénətər] *n.* Ⓒ 원로원 의원; (S-)《美》상원 의원; 평의원, 이사. **~·ship**[-ʃip] *n.* Ⓤ ~의 직〔지위〕. **-to·ri·al**[∸-tɔ́:riəl] *a.*
†**send**[send] *vt.* (**sent**) ① 보내다; 가게 하다; 차례로 돌리다. ② 내다, 발하다, 쏘다, 던지다. ③ (신이) 베풀다, 주시다, 내리다; 빠지게 하다, …되게〔되도록〕 하다, …시키다(*S- him victorious.* 그를〔왕을〕 이기게 해 주소서《영국 국가의 구절》). ④〖電〗전도하다(transmit). — *vi.* 심부름꾼〔사람〕을 보내다(*for*), 편지를 부치다. ~ ***a person about his business*** 쫓아내다, 해고하다. ~ ***away*** 해고하다, 내쫓다. ~ ***back*** 돌려주다. ~ ***down*** 하강〔하락〕시키다;〖英大學〗정학〔퇴학〕을 명하다. ~ ***for*** 부르러〔가지러〕 보내다. ~ ***forth*** 보내다, 내다, 발〔방출〕하다; 파견하다. ~ ***in*** 보내다, 제출하다. ~ ***off*** (편지·소포를) 발송하다, 내다; 쫓아버리다; 배웅하다. ~ ***on*** 회송(回送)하다. ~ ***out*** 파견하다, 보내다, 내다; (싹 따위가) 돋아나다. ~ ***over*** 파견하다; 방송하다. ~ ***round*** 돌리다, 회송하다. ~ ***up*** 올리다; 제출하다; (공을) 보내다;《美俗》교도소에 처넣다. ~ ***word*** 전언하다, 알리다. ·**∠·er** *n.* Ⓒ 발송인; 발신〔송신, 송화〕기.
sénd-òff *n.* Ⓒ《口》송별, 배웅;

(첫) 출발(*a* ~ *party* 송별회).
sénd-ùp *n.* Ⓒ《英口》 흉내, 비꼼.
Sen·e·ca[1][sénikə] *n.* Ⓒ (아메리카 원주민의) 세니커족(族)(의 한 사람).
Sen·e·ca[2] *n.* (4?B.C.-65A.D.) 고대 로마의 철학자·비극 작가.
Sen·e·gal[sèniɡɔ́:l] *n.* 아프리카 서부의 공화국《수도 Darkar》.
se·nes·cent[sinésənt] *a.* 늙은, 노쇠한. **-cence** *n.* Ⓤ 노후, 노쇠.
sen·e·schal[sénəʃəl] *n.* Ⓒ (중세 귀족의) 집사(執事).
se·nile[sí:nail, sén-] *a.* 고령(高齡)의; 노쇠의〔에 의한〕. **se·nil·i·ty** [siníləti] *n.*
‡**sen·ior**[sí:njər] (cf. junior) *a.* ① 나이 많은, 연장(年長)의, 나이가 위인, 나이 더 먹은 (쪽의)《생략 sen., Sr. (*John Jones, Sr.*)》. ② 선임의, 상급의, 윗자리의. ③《美》 최고 학년의. —*n.* Ⓒ 연장자; 선배; 선임자;《英》 상급생;《美》 최상급생.
sénior cítizen《美》 65세 이상의 시민; 연금 생활자.
sénior cóllege《美》(junior college에 대하여) 4년제 대학.
sénior hígh schòol《美》 고등학교《보통 제 10·11·12학년》.
sen·ior·i·ty[si:njɔ́:riti, -njár-] *n.* Ⓤ,Ⓒ 연장, 고참(권), 선임(임).
sénior màn 〖英大學〗 상급생.
sénior pártner (합명 회사의) 사장.
sénior sèrvice, the《英》 해군.
sen·na[sénə] *n.* Ⓒ 〖植〗 센나; Ⓤ 그 잎《완하제(緩下劑)》.
se·ñor[seinjɔ́:r/se-] *n.* (*pl.* ~*es* [-njɔ́:reis])(Sp.) …군〔님〕, … 씨; Ⓒ 신사. **se·ño·ra**[-rə] *n.* …부인〔여사〕; Ⓒ 숙녀; 귀부인. **se·ño·ri·ta**[sèinjərí:tə, sì:-] *n.* …양〔아가씨〕; Ⓒ 영양.
senr. senior.
sen·sate[sénseit] *a.* 감각을 지니고 있는; 감각으로 파악되는.
‡**sen·sa·tion**[senséiʃən] *n.* ① Ⓤ 감각; Ⓒ 느낌; 기분(feeling). ② Ⓤ,Ⓒ 감동, (대)인기(의 것), 센세이션(*the latest* ~ 최근 평판이 된 사건〔연극 (따위)〕).
***sen·sa·tion·al**[-ʃənəl] *a.* ① 감각의〔이 있는〕. ② 감동적인; 선풍적 인기의, 선정적인; 대평판의. ~**·ly** *ad.* ~**·ism**[-ìzəm] *n.* Ⓤ 선정주의; 〖哲〗 감각론. ~**·ist** *n.* Ⓒ 선정적 작가; 선동 정치가; 감각론자.
†**sense**[sens] *n.* ① Ⓒ 감각(기관), 관능; 느낌, 의식, 육감, 감수력. ② (*pl.*) 제정신. ③ Ⓤ 분별(*a man of* ~ 지각 있는 사람). ④ Ⓒ 의미. ⑤ Ⓤ 다수의 의견, 여론(*the* ~ *of the meeting* 회(會)의 의향). ***come to one's*** ~***s*** 제정신으로 돌아오다. ***common*** ~ 상식. ***five*** ~***s*** 오감(五感). ***good*** ~ 양식. ***in a*** ~ 어떤 의미로는. ***in one's (right)*** ~***s*** 제정신으로. ***make*** ~ (아무의 말이) 사리에 맞다. ***make*** ~ ***of*** …의 뜻을 이해하다. ***out of one's*** ~***s*** 제정신을 잃어. ***stand to*** ~ 이치에 맞다. ***take leave of one's*** ~***s*** 제정신을 잃다. ***talk*** 〔***speak***〕 ~ 조리에 맞는 말을 하다. — *vt.* 느껴 알다,《美口》 알다, 납득하다; 〖컴〗 (데이터·테이프·펀치 구멍을) 읽다.
sénse-dàtum *n.* Ⓒ 〖心〗 (감각적 자극에 의한) 감각 자료《잔상·격통 등》; 〖哲〗 감각여건《대상에서 얻는 제 1차적 자료》.
sénse·less** *a.* 무감각한, 무의식의; 무분별한. ***fall ~ 졸도하다. ~**·ly** *ad.* ~**·ness** *n.*
sénse òrgan 감각 기관.
***sen·si·bil·i·ty** [sènsəbíləti, -sibíli-] *n.* ① Ⓤ 감각(력), 감성; 감도. ② (종종 *pl.*) 감정, 민감; (*pl.*)(예술 등에 대한) 감수성; 의식.
‡**sen·si·ble**[sénsəbəl] *a.* ① 지각할 수 있는; 느낄 정도의. ② 알아채고, 깨닫고, 알고(*of*). ③ 분별있는, 현명한. * **-bly** *ad.*
‡**sen·si·tive**[sénsətiv, -si-] *a.* ① 느끼기 쉬운; 민감한; 성 잘내는; 반응하는; 감광성(感光性)의. ② (정부 기밀 등) 극비에 부쳐야 할, 절대적 충성을 요하는. ~**·ly** *ad.* ~**·ness** *n.*
sénsitive ìtems 요주의 품목(要注意品目)《수입 제한을 해제하면 국내업자에게 손해를 입힐 품목》.
sénsitive pàper 〖寫〗 감광지, 인화지.
sénsitive plànt 〖植〗 함수초.
***sen·si·tiv·i·ty**[sènsətívəti] *n.* Ⓤ,Ⓒ 민감(성), 감(수)성; 〖寫〗 감광도; 〖컴〗 민감도.
sensitívity tràining 집단 감수성 훈련.
sen·si·tize[sénsətàiz] *vt.* 민감하게 하다; 감광성(感光性)을 주다. ~***d paper*** 인화지. **-tiz·er**[-tàizər] *n.* 증감제(增減劑).
sen·si·tom·e·ter[sènsətámitər/-tɔ́mi-] *n.* Ⓒ 〖寫〗 감광도계(感光度計).
sen·sor[sénsər] *n.* Ⓒ 〖機·컴〗 감지기《빛·온도·방사능 따위의》.
sen·so·ri·um[sensɔ́:riəm] *n.* (*pl.* ~***s, -ria***[-riə]) Ⓒ 감각 중추.
sen·so·ry [sénsəri], **sen·so·ri·al**[sensɔ́:riəl] *a.* 지각의, 감각의; 감관(感官)의. — *n.* Ⓒ 감각 기관.
sénsory córtex (대뇌의) 감각〔지각〕 피질(皮質).
***sen·su·al**[sénʃuəl/-sju-] *a.* ① 관능적인(~ *pleasures*); 육욕의, 호색의. ② 감각의. ~**·ism**[-ìzəm] *n.* Ⓤ 쾌락〔육욕〕주의. ~**·ist** *n.* ~**·i·ty** [⌐-ǽləti] *n.* Ⓤ 호색. ~**·ize**[-àiz] *vt.* 호색하게 만들다, 타락시키다.
sen·su·ous[sénʃuəs/-sju-] *a.* 감각적인; 민감한; 미적(美的)인.
†**sent**[sent] *v.* send의 과거(분사).
†**sen·tence**[séntəns] *n.* ① Ⓒ 〖文〗 문장, 글(*a simple* 〔*compound, complex*〕 ~ 단〔중, 복〕문). ② Ⓒ 결정, 의견. ③ Ⓤ,Ⓒ 판결, 선고, 형벌. ④ Ⓒ《古》 격언. ⑤ Ⓒ 〖樂〗 악

구. ***pass*** ~ …에게 판결을 내리다 (*upon*). ***serve one's*** ~ 형을 살다. ── *vt.* 판결[선고]하다(*He was ~d to death by hanging.* 교수형을 선고 받았다). **-tén·tial** *a.* 「型).
séntence páttern 〖文〗 문형(文
sen·ten·tia [sentén∫iə] *n.* (*pl.* ***-tiae***[-∫iìː]) Ⓒ 격언, 금언.
sen·ten·tious[sentén∫əs] *a.* 격언이 많은[을 잘 쓰는]; 간결한; 교훈조의, 짐짓 젠체하는. **~·ly** *ad.*
sen·tient[sén∫ənt] *a.* 감각[지각]력이 있는; 지각하는(*of*). **sen·tience, sen·tien·cy** *n.*
:sen·ti·ment[séntəmənt, -ti-] *n.* ① Ⓤ,Ⓒ 감정, 정(*a man of* ~ 감상적인 사람); 정서(cf. emotion); Ⓤ 정취, 다감. ② Ⓤ,Ⓒ 감상; 의견.
***sen·ti·men·tal**[ㅗ–méntl] *a.* 감정의; 다감한; 감상적인. **~·ism**[-təlìzəm] *n.* Ⓤ 감상주의[벽(癖)], 다정다감. **~·ist** *n.* **~·ize** *vt.* **~·ly** *ad.*
sen·ti·men·tal·i·ty [sèntəmentǽləti] *n.* =SENTIMENTALISM.
sen·ti·nel**[séntinl] *n.* Ⓒ 보초, 파수병. ***stand ~ 보초서다. ***keep*** ~ 파수[망]보다.
sen·try[séntri] *n.* Ⓒ 보초, 감시병.
séntry bòx 보초막, 파수병막.
séntry gò 보초 근무 (구역).
Se·oul[sóul] *n.* 서울. **~·ite**[-ait] *n., a.* Ⓒ 서울 사람[시민](의).
se·pal[síːpəl] *n.* Ⓒ 꽃받침 조각.
sep·a·ra·ble[sépərəbl] *a.* 분리할 수 있는.
:sep·a·rate[sépərèit] *vt., vi.* 가르다; 갈라지다; 분리하다; 별거시키다[하다]; (*vt.*) 식별하다; 불화하게 하다. ── [sépərit] *a.* 갈라진, 분리한; 따로따로의, 단독의. ~ ***but equal*** 《美》 (흑인에 대한) 차별 평등 병행(주의)《차별은 하지만 교육·교통 기관 따위의 이용은 평등으로 하자는 주장》. ── [sépərit] *n.* Ⓒ 분책(分冊); 발췌 인쇄; (*pl.*) 〖服飾〗 세퍼레이츠. ***~·ly**[sépəritli] *ad.* 따로따로, 하나하나. **-ra·tor** *n.* Ⓒ (우유의) 지방 분리기.
séparate estáte 〖法〗 (아내의) 별도 소유 재산.
séparate máintenance (남편이 아내에게 주는) 별거 수당.
séparate pèace 단독 강화.
:sep·a·ra·tion[sèpəréi∫ən] *n.* Ⓤ,Ⓒ ① 분리, 이탈. ② 별거, 이혼. ③ 〖化〗 석출(析出).
separátion allòwance 별거 수당《특히 출정 군인의 아내가 받는》.
sep·a·ra·tism[sépərətìzəm] *n.* Ⓤ (정치·종교의) 분리주의(opp. unionism). **-tist** *n.*
sep·a·ra·tive[sépərèitiv, -rət-] *a.* 분리적 경향이 있는, 분리성의; 독립적인.
Se·phar·dim[səfáːrdim/se-] *n. pl.* (*sing.* ***-di***[-di]) Ⓒ 스페인[포르투갈]계 유대인.
se·pi·a[síːpiə, -pjə] *n., a.* Ⓤ 오징어의 먹물; 세피아 (그림물감), 세피아색《고동색》(의). 「(兵).
se·poy [síːpɔi] *n.* Ⓒ 인도 토민병
Sépoy Mútiny [**Rebéllion**] 세포이의 반란(1857-59). 「[작용].
sep·sis[sépsis] *n.* Ⓤ 〖醫〗 패혈증
***Sep(t).** September; Septuagint.
†Sep·tem·ber[septémbər, səp-] *n.* 9월.
sep·te·nar·y[séptənèri/septíːnəri] *a., n.* Ⓒ 7(의); 7개로 된; 7년간(의); 7년 1회의.
sep·tet, 《주로 英》 **-tette**[septét] *n.* Ⓒ 칠중주(곡); 7부 합창(곡); 일곱개 한조, 7인조.
sep·t(i)-[sépt(ə)] '7' 의 뜻의 결합사.
sep·tic[séptik] *a.* 〖醫〗 부패(성)의.
sep·ti·ce·mi·a, -cae-[sèptəsíːmiə] *n.* Ⓤ 패혈증. **-mic** *a.*
séptic tànk 오수 정화조(淨化槽).
sep·til·lion [septíljən] *n.* 《美·프》 천(千)의 8제곱; 《英》 백만의 7제곱.
sep·ti·mal[septəməl] *a.* 7의.
sep·tu·a·ge·nar·i·an [sèpt∫uədʒənέəriən, -tjuː-] *a., n.* Ⓒ 70세[대]의 (사람).
Sep·tu·a·gint [séptjuədʒìnt, -t∫uː-] *n.* (the ~) 70인 역(譯) 성서《가장 오래된 그리스어 성서》.
sep·tum[séptəm] *n.* (*pl.* ***-ta***[-tə]) Ⓒ 격벽(隔壁); 〖生〗 격막, 중격(中隔).
sep·tu·ple[séptupl, septjúː-/séptju-] *n., a.* Ⓒ 7배(의). ── *vt., vi.* 7배하다[가 되다].
sep·ul·cher,** 《英》 **-chre**[sépəlkər] *n.* Ⓒ 무덤, 매장소. ***the (***Holy***) ***S-*** 성묘《예수의 무덤》. ***whited*** ~ 회칠한 무덤, 위선자《마태복음 23 : 27》. ── *vt.* 매장하다.
se·pul·chral[sipʌ́lkrəl] *a.* 무덤의; 음침한.
sep·ul·ture[sépəlt∫ər] *n.* Ⓤ 매장; Ⓒ 《古》 무덤(sepulcher).
seq., seqq. *sequentia* (L. =the following)《보기 : p. 10 (et) seq (q). 10페이지 이하》.
se·quel[síːkwəl] *n.* Ⓒ 계속, 연속, 후편(*to*); 결과(*to*). ***in the*** ~ 결국, 뒤에.
se·que·la[sikwíːlə] *n.* (*pl.* ***-lae***[-liː]) Ⓒ 〖醫〗 후유증.
:se·quence[síːkwəns] *n.* ① Ⓤ 연속, 연쇄. ② Ⓤ (계속되는) 순서, 차례. ③ Ⓒ,Ⓤ 결과. ④ Ⓒ 〖카드〗 순서로 된 동종의 패의 한 조. ⑤ 〖컴〗 순서. ***in reqular*** ~ 차례대로. ~ ***of tenses*** 〖文〗 시제의 일치. ── *vt.* 〖컴〗 (자료를) 배열하다. **sé·quent** *n., a.* Ⓒ 귀결, 결과; 잇단, 잇달아 일어나는; 필연적인 결과로서 일어나는(*on, upon*).
se·quen·tial[sikwén∫əl] *a.* 잇달아 일어나는; 결과로서 따르는(*to*); 〖컴〗 축차(逐次)의. ── *n.* 〖컴〗 순차 (~ *file* 순차(기록)철). **~·ly** *ad.*
sequéntial accéss 〖컴〗 순차 접

S

근(~ *method* 순차 접근 방법).

se·ques·ter**[sikwéstər] *vt.* ① 떼어놓다; 은퇴시키다. ② (재산을) 압류〔몰수〕하다. ~ ***oneself 은퇴하다. **~ed**[-d] *a.* 은퇴한; 깊숙이 틀어박힌, 외딴.

se·ques·trate[sikwéstreit] *vt.* 몰수하다;《古》=⇧. **-tra·tion**[sì:kwestréiʃən] *n.* Ⓤ 압류, 몰수; 은퇴.

se·quin[sí:kwin] *n.* Ⓒ 옛 이탈리아·터키의 금화; 옷장식용의 둥근 금속판.

se·quoi·a[sikwɔ́iə] *n.* Ⓒ 세쿼이아《미국 Calif. 주산의 삼나뭇과의 거목》.

Sequóia Nátional Párk 미국 Calif. 주 중부의 국립 공원.

ser. series.

se·ragl·io[siræ̀ljou/serɑ́:liòu] *n.* (*pl.* **~s**) Ⓒ (터키 Sultan의) 궁정; 후궁, 도장방(harem).

se·ra·pe[sərɑ́:pi/-pei] *n.* Ⓒ (멕시코 사람의) 화려한 숄〔무릎 덮개〕.

ser·aph[sérəf] *n.* (*pl.* **~s, ~im**) Ⓒ 3쌍 날개의 천사(cf. cherub). **se·raph·ic**[səræ̀fik/se-] *a.*

Serb[sə:rb] *n., a.* Ⓒ,Ⓤ 세르비아 사람〔말〕(의); 세르비아의.

Ser·bi·a[sɔ́:rbiə, bjə] *n.* 세르비아《구 유고의 일부, 본디 왕국》. **-an** *a., n.*

sere[siər] *a.*《詩》=SEAR.

***ser·e·nade**[sèrənéid, -ri-] *n.* Ⓒ 소야곡, 세레나데《사랑하는 여인 집 창 밑에서 연주〔노래함〕》. — *vt., vi.* (…에게) 세레나데를 들려주다〔노래하다〕.

:se·rene[sirí:n] *a.* (하늘이) 맑게 갠(clear); 고요한, 온화〔잔잔〕한(*a ~ smile*); 평화로운. ***Your S- Highness***(***es***) 전하《호칭》. **~·ly** *ad.* ***se·ren·i·ty**[sirénəti] *n.*

serf[sə:rf] *n.* Ⓒ 농노(農奴)《토지와 함께 매매되는》; 혹사당하는 사람. **∠·age, ∠·dom, ∠·hood** *n.*

Serg. Sergeant.

***serge**[sə:rdʒ] *n.* Ⓤ 서지, 세루《피륙》.

:ser·geant[sɑ́:rdʒənt] *n.* Ⓒ 하사관, 중사, 상사《생략 Sergt., Sgt.》; 경사(警査); =**∠ at árms**《英》(왕실·의회의) 수위. **~·ship**[-ʃip] *n.*

sérgeant fírst cláss〖美軍〗상사.

sérgeant májor 원사.

Sergt. Sergeant.

***se·ri·al**[síəriəl] *a.* 연속(물)의;〖컴〗(자료의 전송·연산이) 직렬의. — *n.* Ⓒ (신문·잡지·영화 따위의) 연속물, 정기 간행물, 분책(分冊);〖컴〗직렬. **~·ist** *n.* Ⓒ 연속물 작가. **~·ly** *ad.*

sérial ínput/óutput〖컴〗직렬 입·출력.

sérial ínterface〖컴〗직렬 접속기.

se·ri·al·ize[síəriəlàiz] *vi.* 연재하다, 연속물로서 방영하다.

sérial móuse〖컴〗직렬 마우스《serial port를 개재하여 컴퓨터에 접속되는 마우스》.

sérial nùmber 일련 번호.

sérial pórt〖컴〗직렬 단자〔포트〕.

se·ri·ate[síəriit] *vt.* 연속시키다〔배열하다〕. — *a.* 연속적인. **-a·tion**[∸-éiʃən] *n.* Ⓤ 연속 배치.

se·ri·a·tim[sìəriéitim] *ad.* 연속하여, 순차로.

ser·i·cul·ture[sérikʌ̀ltʃər] *n.* Ⓤ 양잠(업)(養蠶業). **-tur·al**[∸-∠tʃərəl] *a.* **-tur·ist** *n.* Ⓒ 누에치는 사람.

:se·ries[síəri:z] *n. sing. & pl.* ① 일련, 연속, 계열. ② 총서, 시리즈. ③〖數〗수열, 급수;〖化〗열(列);〖地〗통(統)《system(계)보다 하위의 지층(地層) 단위》;〖電〗직렬;〖樂〗(12음 음악의) 음렬(音列). ***arithmetical*** 〔***geometrical***〕 ~ 등차〔등비〕급수.

séries-wòund *a.*〖電〗직렬로 감은.

ser·if[sérif] *n.* Ⓒ〖印〗세리프《H, I 따위의 아래위 가늘고 짧은 선》.

se·rig·ra·phy[sirígrəfi] *n.* Ⓤ〖印〗실크 스크린 인쇄(법)《등사 인쇄의 일종》.

se·ri·o·com·ic [sìərioukɑ́mik/sìərioukɔ́m-] *a.* 진지하면서도 우스운.

:se·ri·ous[síəriəs] *a.* ① 엄숙한, 진지한; (얼굴 등) 짐짓 위엄을 차린. ② 중대한; (병·상처가) 중한(opp. mild). **:~·ly** *ad.* **:~·ness** *n.*

ser·jeant[sɑ́:rdʒənt] *n.*《英》=SERGEANT.

:ser·mon[sɔ́:rmən] *n.* Ⓒ 설교; 잔소리. ***the S- on the Mount*** 산상수훈(山上垂訓)《마태복음 5:7》. **~·ize**[-àiz] *vt.* 설교하다.

se·rol·o·gy[siərɑ́lədʒi/-ɔ́l-] *n.* Ⓤ 혈청학.

se·ro·sa[siróusə] *n.* Ⓒ〖解·動〗장액막(腸液膜).

se·ro·to·nin [sìərətóunin] *n.* Ⓒ〖生〗세로토닌《혈액 속에 포함되는 혈관 수축 물질》.

se·rous[síərəs] *a.* 혈장(血漿)(serum)의〔같은〕; 물 같은.

:ser·pent[sɔ́:rpənt] *n.* Ⓒ ① (큰) 뱀. ② 음험한 사람. ③ (S-)〖天〗뱀자리. ***the*** (***Old***) ***S-***〖聖〗악마, 유혹자.

ser·pen·tine[sɔ́:rpəntàin, -tì:n] *a.* 뱀의〔같은〕; 꾸불꾸불한, 음험한. — *n.* Ⓤ〖鑛〗사문석(蛇紋石).

ser·rate[sérit], **-rat·ed**[séreitid/∸∸-] *a.* 톱니 모양의.

ser·ried[sérid] *a.* 밀집한, 빽빽이 들어찬.

se·rum[síərəm] *n.* (*pl.* **~s, -ra**[-rə]) Ⓤ,Ⓒ 장액(漿液); 혈청.

†serv·ant[sɔ́:rvənt] *n.* Ⓒ ① 하인, 머슴, 고용인. ② 봉사자(*the ~s of God* 목사). ***civil*** ~ 공무원, 문관. ***public*** ~ 공복(公僕), 공무원.

sérvant gìrl 〔**màid**〕 하녀.

sérvants' háll 하인 방.

†serve[sə:rv] *vt.* ① (…을) 섬기다, 봉사하다; 시중들다, 접대하다; (음식을) 차려내다, 제공하다. ② (…의) 소용에 닿다, 충분하다; (…에) 도움

되다; 만족시키다; 돕다(aid). ③ 다루다, 대(우)하다; 보답〔보복〕하다. ④ 근무하다; (형기·연한 등을) 보내다. ⑤ (영장 따위) 송달하다(deliver); 〖테니스〗 서브하다. ⑥ 〖海〗 감다; (대포등을) 조작〔발사〕하다. — *vi.* ① 섬기다, 봉사〔근무, 복역〕하다, (손님을) 시중들다. ② 소용〔도움〕되다. ③ 서브하다. ***as memory ~s*** 생각났을 때에. ***as occasion ~s*** 기회 있는대로. ***Serve(s) him* 〔*you*〕 *right!*** 《口》 꼴 좋다! ***~ one's time*** 임기〔연한, 형기〕를 (끝)마치다. ***~ out*** 분배하다; 복수하다. — *n.* U,C 서브(방법, 차례). ***sérv·er** *n.* 「BIAN.

Ser·vi·an [sə́:rviən] *a., n.* =SER-

†**serv·ice**¹ [sə́:rvis] *n.* ① (종종 *pl.*) 봉사, 공헌, 애씀; U 유용, 조력. ② U,C 근무, 직무, 공무; 군무(*enter the ~*); (관청의) 부문, …부. ③ U 고용(살이). ④ C,U 예배(식). ⑤ U 시중, 서비스. ⑥ C 식기〔다구(茶具)〕 한벌(*a tea ~* 차세트). ⑦ C,U 기차편(便), 선편, 운행; (우편·전화·가스·수도 등의) 시설; 사업. ⑧ U (영장의) 송달; U,C 〖테니스〗 서브. ⑨ 〖海〗 감는 밧줄. ***be at a person's ~*** …의 마음대로, 임의로(*I am at your ~*. 무엇이든 말씀만 하십시오). ***have seen ~*** 실전(實戰)의 경험이 있다; 써서 낡았다. ***in active ~*** 재직중. ***in the ~*** 《英》 군무에 종사하고. ***of ~*** 도움이 되는, 유용한. ***on his* 〔*her*〕 *Majesty's ~*** 《英》 공용(公用)《공문서에 O.H.M.S.로 생략》. ***on ~*** 재직〔현역〕(의). ***take into one's ~*** 고용하다. ***take ~ with* 〔*in*〕** …에 근무하다. ***the Civil S-*** 문관. ***water ~*** (수도) 급수. — *vt.* ① (가스·수도 등을) 공급하다. ② 무료로 수리하다; (…을) 수리하다. ③ (수컷이 암컷과) 교미하다. — *a.* ① 실용의. ② 고용인용의. ③ 일상용의(cf. fulldress). ***~·a·ble** *a.* 쓸모 있는, 소용에 닿는(*to*); 오래 쓸 수 있는.

serv·ice² *n.* =SERVICE TREE.

sérvice áce 〖테니스〗 서비스 에이스(ace).

sérvice àrea 〖放〗 (TV·라디오의) 시청 가능 구역.

sérvice bòok 기도서.

sérvice càp (차양달린) 군모.

sérvice cèiling 〖空〗 실용 상승한도. 「수료.

sérvice chàrge 서비스 요금, 수

sérvice clùb 사회 봉사 단체《로타리 클럽 따위》.

sérvice còurt 〖테니스〗 서비스 코트《서브 공을 넣는 자리》.

sérvice drèss 《英》 군인의 평상복, 보통 군복. 「공.

sérvice engineèr 수리기사, 수리

sérvice èntrance 종업원 출입구.

sérvice flàt 《英》 식사제공 아파트.

sérvice hàtch 《英》 (주방에서 식당으로) 요리를 내보내는 창구.

sérvice lìne 〖테니스〗 서브 라인.

sérvice·màn *n.* C (현역) 군인; 현역병; 《美》 수리공.

sérvice màrk (세탁소 등 서비스업자의) 등록 번호.

sérvice mèdal 《美》 종군 기장.

sérvice mòdule 〖宇宙〗 기계선(機械船)《생략 SM》.

sérvice pìpe (가스·수도의) 옥내관.

sérvice rìfle 군용총.

sérvice ròad 지선(支線)〔구내(構內)〕 도로.

sérvice stàtion 주유소; 수리소.

sérvice strìpe 〖美軍〗 (군복 소매에 붙이는) 정근장(精勤章).

sérvice trèe 〖植〗 마가목.

sérvice ùniform 〖軍〗 평상복.

sérvice wìre 〖電〗 옥내선.

sérvice·wòman *n.* C 여군. 「KIN.

ser·vi·ette [sə̀:rviét] *n.* =NAP-

***ser·vile** [sə́:rvi:l, -vail] *a.* 노예의; 천한, 야비한, 굴욕적인, 자주성이 없는. **ser·víl·i·ty** *n.* U 노예 상태〔근성〕; 굴종; 예속.

sérvil wòrks 〖가톨릭〗 육체 노동《일요일엔 안 함》.

ser·vi·tor [sə́:rvətər/-vi-] *n.* C 《古·詩》 하인; (Oxf. 대학의) 근로장학생. 「C 하녀.

ser·vi·tress [sə́:rvətris/-vi-] *n.*

***ser·vi·tude** [sə́:rvətjù:d/-vitjù:d] *n.* U ① 노예 상태. ② 고역, 복역.

ser·vo [sə́:rvou] *n.* ① =SERVOMOTOR. ② =SERVOMECHANISM.

sérvo·mèchanism *n.* U 서보 기구, 자동 제어 장치.

sérvo·mòtor *n.* C 서보모터, 간접조속(調速) 장치.

ses·a·me** [sésəmi] *n.* C 참깨(씨). ***Open ~! 열려라 참깨!《주문》.

ses·qui·cen·ten·ni·al [sèskwisenténiəl, -njəl] *n., a.* C 150년(제(祭))(의).

ses·sile [sésil, -sail] *a.* 〖植〗 무병(無柄)의; 〖動〗 정착(성)의.

‡**ses·sion** [séʃən] *n.* ① U,C 개회〔개정〕(기)(*in ~* 개회〔개정, 회의〕중). ② C 수업(시간), 학기. ③ 〖컴〗 작업 시간. ***Court of S-*** 《Sc.》 최고 민사 법원. ***petty ~s*** 《英》 (치안 판사에 의한) 즉결 심판. **~·al** *a.*

ses·tet [sestét] *n.* C 6중창〔주〕; sonnet의 마지막 6행.

†**set** [set] *vt.* (*set; -tt-*) ① (…에) 두다, 놓다, 자리잡아 놓다(place); 끼우다; 심다, (씨를) 뿌리다; 세우다; 갖다 대다, 접근시키다; (활자를) 짜다. ② 향하다; (눈길·마음 따위를) 쏟다; (돛을) 올리다(*~ sail* 출범하다). ③ (도장을) 찍다; (불을) 붙이다; (암탉에게) 알을 안기다. ④ (값을) 매기다; (모범을) 보이다; (문제를) 내다. ⑤ (뼈를) 잇다, 접골하다; (톱의) 날을 세우다; (시계를) 맞추다; 덫〔함정〕을 놓다. ⑥ 고정시키다; (머리칼을) 길들이다, 잠재우다. ⑦ 종사시키다(*to*), 집중하다(*on*). ⑧

S

정하다; 약속하다; (가사에) 곡조를 붙이다. ⑨ …하게 하다, …상태로 하다; …시키다(make)(~ *the bell ringing* 종을 울리다). — *vi.* ① (해·별 등이) 지다, 기울다. ② 굳어지다, 고정하다; 여물다, 익다. ③ 종사하다, 착수하다(~ *to work*). ④ 흐르다, 향하다; (흐름이 …로) 향하다(tend)(*to*). ⑤ 꺾꽂이하다. ⑥ (옷이) 맞다. ⑦ (사냥개가) 멈춰 서서 사냥감을 가리키다. (cf. setter); (암탉이) 알을 품다(brood). ***be hard ~*** 곤궁한 처지에 있다. ***~ about*** 시작하다(~ *about doing*); 《英》 말을 퍼뜨리다. ***~ against*** 비교〔대조〕하다; 균형잡다; 대항시키다, 이간하다. ***~ apart*** 따로 떼어〔남겨〕 두다(reserve). ***~ aside*** 치우다, 남겨두다; 버리다, 폐기하다. ***~ at*** …을 덮치다, 부추기다. ***~ back*** 저지하다; (시계 바늘을) 뒤로 돌리다. ***~ bread*** 〖料理〗 빵을 이스트로 부풀리다. ***~ by*** 곁에 두다〔놓다〕, 치우다; 저축하다; 존중하다. ***~ down*** (내려) 놓다; (차에서) 내리게 하다; 정하다; 적어넣다; (…의) 탓〔원인〕으로 돌리다(ascribe)(*to*); (…라고) 생각하다(*as*). ***~ forth*** 진술〔말〕하다, 설명하다; 출발하다; 《廢》 발포〔발행〕하다. ***~ forward*** 《古》 촉진하다. ***~ in*** 밀물지다, (조수가) 밀다; 밀어닥치다, (계절이) 시작되다, 정해지다, 확정되다. ***~ light*** 〔***little***〕 ***by*** …을 경시하다 (cf. ~ by). ***~ off*** 구획짓다, 가르다; (대조로) 드러나게〔두드러지게〕 하다, 꾸미다, 강조하다; 에끼다(against); 발사하다, (꽃불을) 올리다; 크게 칭찬하다; 폭발〔폭소〕시키다; 출발시키다〔하다〕. ***~ on*** 부추기다; 덮치다, 공격하다; 착수〔출발〕하다. ***~ on foot*** 시작하다. ***~ oneself against*** …에 대적하다. ***~ out*** 표시하다, 발포하다, 진술〔말〕하다, 설명하다; 구획짓다, 분계(分界)하다, 측정하다, 할당하다, 제한하다; 진열하다, 〖土木〗 (계획 위치를) 현장(現場)에 설정하다, (돌을) 쑥 내밀게 놓다, (간격을 두고 나무를) 심다; 〖印〗 활자 사이를 띄어 짜다; (여행)길을 떠나다, 착수하다; (조수가) 빠지다. ***~ over*** …위에 놓〔두〕다; 양도하다; 지배하다. ***~ to*** 시작하다. ***~ up*** 세우다, 일으키다, 올리다; 설립하다; 개업하다; 공급하다, (마련하여) 내다; 《俗》 한턱하다; (소리를) 높이다; 제출〔신고〕하다; 보이다; 입신〔출세〕시키다; 원기를 북돋우다, 취하게 하다; (활자를) 짜다. ***~ up for*** …라고 〔…을〕 자칭하다, …을 자처하다. ***~ upon*** 공격하다. — *a.* ① 고정된; (눈길 따위가) 움직이지 않는; 단호한. ② 규정된〔대로의〕, 정식의; 예정〔지정〕된(*at the ~ time*). ③ 일부러 지은〔꾸민〕, 어색한(*a ~ smile* 억지웃음). ***all ~*** 《口》 만반의 준비를 갖추어. ***of*** 〔***on, upon***〕 ***~ purpose*** 일부러. ***~ phrase*** 성구(成句), 상투어구. ***with ~ teeth*** 이를 악물고. — *n.* ① Ⓤ 《詩》 (해가) 짐, 저묾, 일몰. ② Ⓒ (한) 세트, 한 벌(*a radio* 〔*TV*〕 *~* / *a ~ of dishes*); (책·잡지의) 한 질; (서적의) 부; 〖컴〗 설정, 집합, 세트. ③ Ⓒ 〖테니스〗 세트. ④ Ⓒ 〖鑛〗 (측벽의) 동발; 어린 나무, 모〔꺾꽂이〕나무. ⑤ (*sing.*) 《집합적》 (둥지 속의) 한 배에 낳은 알; 동아리, 한 패(거리), 동무; 사람들(*the literary ~* 문단인). ⑥ (*sing.*) 추세, 경향(drift); 정해진 변형; 휨, 굽음; (the ~) 모양(새), 태도. ⑦ Ⓒ 무대 장치, 대도구, 세트. ⑧ 〖獵〗 = **déad ∠** (사냥개가) 사냥물을 발견하고 멈춰섬. ⑨ Ⓒ 〖數·論〗 집합. ***best ~*** 상류 사회.

se·ta[síːtə] *n.* (*pl.* **-tae**[-tiː]) Ⓒ 강모(剛毛), 가시.

sét·bàck *n.* Ⓒ 좌절, 차질; 퇴보, 역류(逆流); 〖建〗 (고층 빌딩 상부의) 단형(段形) 물림.

sét-ìn *a.* 끼워넣는, 붙박이의.

sét·òff *n.* Ⓒ 에낌, 상쇄; 돋보이게 하는 물건, 장식.

sét·òut *n.* Ⓤ 출발, 개시; Ⓒ (식기의) 한 벌; 상차리기.

sét pìece 〖劇〗 소품(小品).

sét pòint 〖테니스〗 세트 포인트《세트의 승패를 정하는 한 점》.

sét scène 무대 장치, 세트.

sét·screẁ *n.* Ⓒ 멈춤나사.

sét squàre 삼각자(triangle).

set·tee[setíː] *n.* Ⓒ (등널이 있는) 긴 의자.

set·ter[sétər] *n.* Ⓒ ① set하는 사람. ② 세터《사냥물을 가리키는 사냥개》. ③ 식자공; 선동자; 밀고자.

***set·ting**[sétiŋ] *n.* ① Ⓤ 둠, 놓음, 붙박아둠; (보석) 박아넣기; Ⓒ 박아 넣는 대. ② Ⓤ (톱) 날세움. ③ Ⓤ 작곡; Ⓒ (작곡된) 곡. ④ Ⓒ 〖劇〗 장치, 배경; 환경. ⑤ Ⓤ (해·달의) 짐. ⑥ Ⓒ (새의) 한 배의 알. ⑦ Ⓤ 〖印〗 식자.

sétting cìrcle (망원경 따위의) 지표환(指標環).

sétting còat (벽 따위의) 덧칠, 마무리칠.

sétting lòtion 세트 로션《머리 세트용 화장수》.

sétting pòint 빙점, 응고점.

sétting rùle 〖印〗 (식자용) 금속자.

sétting stìck 〖印〗 (식자용) 스틱.

sétting-úp èxercises 유연(柔軟) 체조, 미용체조.

†**set·tle**[1][sétl] *vt.* ① (…에) 놓다, 정치(定置)〔설정〕하다; 자리잡게 하다, 안정〔정주, 취업〕시키다, 식민하다. ② 결정하다; 해결하다, 조정하다, 결말짓게 하다. ③ 진정시키다; 맑게 하다, 침전시키다; 굳어지게 하다. ④ 결산〔청산〕하다; 정돈〔정리〕하다. ⑤ (유산·연금 따위를) 주다, 넘겨〔물려〕 주다(*on, upon*). — *vi.* ① 자리잡다, 정주(定住)하다; 안정되다. ② 결심하다; 결말짓다, 해결〔처리〕되다. ③ 가라앉다; 침하(沈下)〔침전〕하다, 맑아지다. ④ (새 따위가)

앉다. ⑤ 기울다. ~ ***accounts with a person*** 아무에게 셈을 치르다, 아무와 셈을 청산하다. ~ ***down*** (흥분 따위가) 가라앉다, 조용해지다; 침전하다; 정주하다; 자리잡다, 이주하다; (일 따위를) 본격적으로 대들어 하다. ~ ***in*** 정주〔거류〕하다; 식민하다; (새 집에) 자리잡게 하다. ~ ***into shape*** 모양〔윤곽〕이 잡히다. ~ ***on*** 〔***upon***〕 (법적으로) 정하다; (재산을) 물려주다. ~ ***one's affairs*** 유언을 써 (만사를 정해) 두다. ~ ***oneself*** 거처를 정하다〔잡다〕; 자리잡다; 털썩 앉다. ~ ***up*** 처리〔해결〕하다; 지불하다. ~ ***with*** …와 화해〔사화〕하다; 결말〔타결〕을 짓다; 결제하다. *~**d**[-d] *a.*

set·tle[2] *n.* Ⓒ (팔걸이가 있고, 등널이 높은) 긴 벤치.

:set·tle·ment[-mənt] *n.* ① Ⓒ 낙착, 결말, 해결, 화해, 결정. ② Ⓤ 정주(定住); 생활의 안정, 자리잡음; Ⓒ 정주지. ③ Ⓤ 침전. ④ Ⓒ 변제, 결산; 〖法〗 (권리·재산 등의) 수여, 양도; 증여 재산. ⑤ Ⓤ 이민; Ⓒ 식민〔거류〕지; 《美》 부락. ⑥ Ⓒ 인보(隣保) 사업단《빈민가 개선 사업단》. ***Act of S-*** 〖英史〗 왕위 계승령(令).

:set·tler[sétlər] *n.* Ⓒ ① 식민하여 사는 사람. ② 식민자. ③ 해결자; 침전기. ④ 《口》 마지막 결말을 짓는 것; 이주자.

set·tling[⌐iŋ] *n.* Ⓤ settle[1]하기; (*pl.*) 침전물, 앙금(sediment).

séttling dày 《英》 (주식 거래의) 결제〔청산〕일.

séttling tànk 침전 탱크.

sét-tò *n.* (a ~) 《口》 주먹다짐〔싸움〕; 말다툼, 시비.

***sét·ùp** *n.* Ⓒ ① (기계 따위의) 조립; 구성; 기구, 조직; 설비. ② 자세, 몸가짐. ③ 《美口》 짬짜미 경기. ④ 《美》 (술에 필요한) 소다수·얼음·잔 등의 일습. ⑤ 〖컴〗 준비, 세트업.

Seu·rat[sərɑ́ː], **Georges**(1859–91) 프랑스의 화가《신인상파의 시조》.

†sev·en[sévən] *n., a.* Ⓤ,Ⓒ 일곱(의), 7(의); Ⓤ 일곱시. ***seventy times*** ~ 〖聖〗 몇 번이고《마태복음 18:22》.

séven·fòld *a., ad.* 7배〔겹〕의〔(으)로〕; 7부로 된.

Séven Hílls, the 로마의 일곱 언덕.

séven-league bóots 〖童話〗 (한 걸음에) 7 리그나 갈 수 있는 구두, 마술 신.

séven séas, the ⇨SEA.

Séven Sísters, the 〖天〗 묘성칠성(昴星七星).

séven stárs 북두 칠성; =⇧.

†sev·en·teen[-tíːn] *n., a.* Ⓤ,Ⓒ 17(의). ***sweet*** ~ 묘령. **:~th** *n., a.* Ⓤ 열일곱(번)째(의); Ⓒ 17분의 1(의).

†sev·enth[-θ] *n., a.* Ⓤ 일곱째(의); Ⓒ 7분의 1(의).

Séventh Dáy, the 주(週)의 제7일《안식일》.

séventh héaven, the 제 7 천국, 최고천(天); 최상의 행복.

†sev·en·ty[sévənti] *n., a.* Ⓤ,Ⓒ 70(의). ~ ***times*** SEVEN. ***the seventies*** (나이의) 70대; 70년대. **-ti·eth**[-iθ] *n., a.* Ⓤ 70번째(의); Ⓒ 70분의 1(의).

séven-year ítch 〖醫〗 옴; (결혼 7년째의) 바람기, 권태.

sev·er**[sévər] *vt.* 절단〔분할, 분리〕하다. — *vi.* 떨어〔잘라, 끊어〕지다. ~ ***one's connection with …와 관계를 끊다.

†sev·er·al[sévərəl] *a.* ① 몇몇의, 몇 개〔사람〕의. ② 여러 가지의(various); 각기〔각자, 각각〕의. ***S- men,*** ~ ***minds.*** 《속담》 각인 각색. — *pron.* 몇몇, 몇 개〔사람〕. ~**·fold** [-fòuld] *a., ad.* 몇 겹의〔으로〕, 몇 배의〔로〕. ~**·ly** *ad.* 각각, 제각기; 따로따로.

sev·er·al·ty[-ti] *n.* Ⓤ 별개임, 각자, 각각; 〖法〗 단독 소유(지).

sev·er·ance[sévərəns] *n.* Ⓤ,Ⓒ 분리; 단절; 해직.

séverance pày 해직 수당.

:se·vere[sivíər] *a.* ① 엄한, 호된, 모진, 가혹한. ② 격렬한; (병이) 중한; 중대한; 곤란한. ③ 엄숙한; (추론(推論) 따위) 엄밀한. ④ (문체가) 군더더기 없는, 수수한; (건축 양식이) 간소한. ~**·ness** *n.*

:se·vere·ly[sivíərli] *ad.* ① 호되게; 격심하게; 간소하게.

***se·ver·i·ty**[sivérəti] *n.* Ⓤ ① 엄격, 가혹; 엄중; 통렬함. ② 간소, 수수함.

Sev·ern[sévəːrn] *n.* (the ~) 잉글랜드 남서부의 강.

:sew[sou] *vt.* (~***ed; sewn,*** ~***ed***) 꿰매다, 박다, 깁다; 꿰매어 붙이다 (*on*). — *vi.* 바느질하다. ~ ***in*** 꿰매〔박아〕 넣다. ~ ***up*** 꿰매〔박아〕 잇다, 꿰매 붙이다.

sew·age[súːidʒ/sjúː(ː)-] *n.* Ⓤ 시궁창, 하수 오물.

***sew·er**[1][súːər/sjúːər] *n.* Ⓒ 하수구(溝). ~**·age** *n.* Ⓤ 하수 설비.

sew·er[2][sóuər] *n.* Ⓒ 꿰매는〔바느질 하는〕 사람, 재봉사.

***sew·ing**[sóuiŋ] *n.* Ⓤ 재봉.

séwing còtton (무명의) 재봉실.

séwing machìne 재봉틀.

***sewn**[soun] *v.* sew의 과거분사.

:sex[seks] *n.* ① Ⓤ 성(性). ② Ⓒ (보통 the ~) 《집합적》 남성, 여성. ③ Ⓤ 성교, 성욕. ***the fair*** 〔***gentle(r), softer, weaker***〕 ~ 여성. ***the rough*** 〔***sterner, stronger***〕 ~ 남성.

sex-[seks] '여섯, 6'의 뜻의 결합사.

sex·a·ge·nar·i·an[sèksədʒinέəriən] *a., n.* Ⓒ 60세〔대〕의 (사람).

sex·ag·e·nar·y [səksǽdʒənèri/-nəri] *a., n.* Ⓒ 60(세, 대)의 (사람).

sex·a·ges·i·mal[sèksədʒésiməl] *a.* 60의; 60을 단위로 하는, 60진법의. — *n.* Ⓒ 60분수(~ fraction)

S

《분모가 60 또는 그 배수인 분수》.
sex·an·gu·lar [seksǽŋgiələr] *a.* 「6각형의.
séx appèal 성적 매력.
sex·cen·te·nar·y [seksséntənèri] *a., n.* 600의; 600년의; Ⓒ 600년제(의).
séx chròmosome 〖生〗 성염색체.
séx educàtion 성교육.
séx hòrmone 성호르몬.
séx hỳgiene 성위생(학).
sex·ism [séksizəm] *n.* Ⓤ 남녀 차별(주의). 「가씨.
séx kìtten 《口》 성적 매력 있는 아
sex·less [sékslis] *a.* 무성(無性)의.
séx lìnkage 〖生〗 반성(伴性) 유전.
sex·ol·o·gy [seksɑ́lədʒi/-ɔ́-] *n.* Ⓤ 성과학.
sex·pot [sékspɑ̀t/-ɔ̀-] *n.* Ⓒ 《美俗》 성적 매력이 넘치는 여자.
sex·tan [sékstən] *a.* 〖醫〗 육일열(六日熱)의, 엿새마다 일어나는.
sex·tant [sékstənt] *n.* Ⓒ 〖海〗 육분의(六分儀); 《稀》 원의 6분의 1.
sex·tet(te) [sekstét] *n.* Ⓒ 6중창[주]; 여섯(개) 한 짝[조].
sex·ton [sékstən] *n.* Ⓒ 교회 관리인, 교회의 사찰.
sex·tu·ple [sekstjú:pəl, sékstju-] *a.* 6배[겹]의, 6부로 된; 〖樂〗 6박자의. — *vt., vi.* 6배하다[가 되다].
:sex·u·al [sékʃuəl/-sju-] *a.* ① 성(性)의. ② 〖生〗 유성(有性)의. ~ ***appetite*** [***intercourse***] 성욕[성교]. ~ ***generation*** 〖生〗 유성(有性) 세대. **~·ly** *ad.* ***~·i·ty** [sèkʃuǽləti/-sju-] *n.* Ⓤ 성별; 성적임; 성욕.
sèxual selèction 자웅 도태.
sex·y [séksi] *a.* 《口》 성적인; 성적 매력이 있는.
Sey·chelles [seiʃélz] *n.* 세이셸《인도양 서부의 군도로 이룩된 공화국》.
sez you [sèz jú:] 《美俗》 말은 그렇지만 글쎄 어떨지.
S.F. science fiction; sinking fund. **Sfc.** sergeant first class. 「PHERICS.
sfer·ics [sfériks] *n. pl.* =ATMOS-
sfor·zan·do [sfɔ:rtsɑ́:ndou/-ǽ-] *a., ad.* (It.) 〖樂〗 센; 세게.
S.F.R.C. Senate Foreign Relations Committee (미국) 상원 외교위원회. **SG.** security guard.
S.G. Solicitor General. **s.g.** specific gravity. **sgd** signed.
Sgt. Sergeant. **sh.** shilling(s).
:shab·by [ʃǽbi] *a.* ① 초라한; (선물 따위가) 쩨쩨한. ② 입어서 낡은. **-bi·ly** *ad.* **-bi·ness** *n.*
shábby-gentéel *a.* 영락했으나 체모 차리는.
shack [ʃæk] *n.* Ⓒ (초라한) 오두막. — *vi.* 살다, 머무르다. ~ ***up*** 《美俗》 동서(同棲)하다; 숙박하다.
***shack·le** [ʃǽkəl] *n., vt.* Ⓒ (보통 *pl.*) 수갑, 차꼬, 쇠고랑(을 채우다); 속박(하다), 방해(하다). 「(類).
shad [ʃæd] *n. sing. & pl.* 청어류
shad·ber·ry [ʃǽdbèri/-bəri] *n.* Ⓒ 〖植〗 채진목(열매). 「무).
shad·bush [ʃǽdbùʃ] *n.* Ⓒ 채진목(나
shad·dock [ʃǽdək] *n.* Ⓒ 〖植〗 왕귤나무(열매).
†shade [ʃeid] *n.* ① Ⓤ (종종 the ~) 그늘; 응달; 〖컴〗 그늘, 음영(陰影). ② (*pl.*) (해질녘의) 어둠, 땅거미. ③ Ⓒ 차양, 커튼, 차일. ④ Ⓒ (명암의 도에 따른) 색조, 색의 뉘앙스. ⑤ Ⓒ 미미한 차; (a ~) 약간, (마음에) 좀(*a ~ larger* 좀 큰 듯싶음). ⑥ Ⓒ 망령(亡靈); (*pl.*) 저승(Hades). ***cat*** [***put, throw***] ***into the ~*** 무색게 하다. ***without light and ~*** (그림·문장이) 단조로운. — *vt.* ① 그늘지게 하다, …으로부터 빛을 막다, 가리다, 어둡게 하다. ② 바림하다; (그림에) 음영[그늘]을 나타내다. ③ 조금씩 변화시키다. — *vi.* (색조·의미 따위가) 조금씩 변해[달라져]가다(*into, off, away*). **shád·ing** *n.* Ⓤ 그늘지게 하기; (그림의) 명암[음영]법; (빛깔·명암 따위의) 미세한[점차적인] 변화. **∠·less** *a.*
shàde trèe 그늘을 짓는 나무.
:shad·ow [ʃǽdou] *n.* ① Ⓒ 그림자; 영상(映像). ② Ⓒ 명목뿐인 것; 곡두, 환영, 유령. ③ Ⓒ 미행자; 종자(從者). ④ (the ~s) 어둠, 땅거미. ⑤ Ⓒ (명성 등에 던지는) 어두운 그림자; 우울. ⑥ (*sing.*) 흔적, 자취, 조금, 약간. ⑦ Ⓒ 조짐, 징조. ***be worn to a ~*** 몹시 수척하다. ***catch at ~s*** 헛수고하다. ***live in the ~*** 세상에 알려지지 않고 살다. ***quarrel with one's own ~*** 하찮은 일에 화를 내다. ***the ~ of a shade*** 환영(幻影). ***the ~ of night*** 야음. ***under*** [***in***] ***the ~ of*** …의 보호 밑에; …의 바로 곁에. — *a.* 《英俗》 (다급할 때 댈 수 있도록) 대강 모양이 된. — *vt.* ① 가리다, 어둡게 하다; 덮다; 그림자를 만들다; 《古》 보호하다. ② (그림처럼) 붙어 다니다, 미행하다. ③ 조짐을 보이다(*forth*). ④ 우울하게 하다.
shádow·bòxing *n.* Ⓤ 〖拳〗 단독연습. 「각.
shádow càbinet 야당[예비] 내
shádow fàctory 군수 공장으로 전환할 수 있는 공장.
shádow pìcture [**plày, shòw**] 그림자놀이.
***shad·ow·y** [ʃǽdoui] *a.* ① 그림자 있는, 어두운; 몽롱한, 어렴풋한. ② 유령과 같은; 공허한, 덧없는.
shad·y** [ʃéidi] *a.* ① 그늘[응달]의, 그늘을 이루는; 희미한. ② 《口》 뒤가 구린, 수상한, 좋지 않은. ***keep ~ 《美俗》 비밀로 하다. ***on the ~ side of*** (***forty***) (사십)의 고개를 넘어. **shád·i·ly** *ad.* **shád·i·ness** *n.*
SHAEF, Shaef [ʃeif] Supreme Head-quarters Allied Expeditionary Force 연합국 파견군 최고 사령부.
:shaft [ʃæft, -ɑ-] *n.* Ⓒ ① 화살대, 창자루; 화살, 창. ② 샤프트, 굴대,

축(軸); 깃대; (수레의) 채; 굴뚝; 〖植〗 나무 줄기; 〖動〗 (새의) 깃촉; 〖建〗 기둥몸. ③ (엘리베이터의) 통로; 〖鑛〗 수갱(竪坑); 배기 구멍. ④ 광선. ⑤ (비웃음 따위의) 화살.

shag[1] [ʃæg] *n.* Ⓤ 더부룩한 털, 거친 털; 보풀(일게 짠 천); 거친 살담배. ― *vt.* (**-gg-**) 더부룩하게 하다.

shag[2] *vt.* 추적하다; 《野俗》 (공을) 주워 되던지다.

shag·bark [´-bɑ̀ːrk] *n.* Ⓒ 《美》 hickory의 일종; 그 열매; Ⓤ 그 재목.

***shag·gy**[´-i] *a.* 털북숭이의, 털이 더부룩한〔많은〕. **-gi·ly** *ad.* **-gi·ness** *n.*

shággy-dóg stòry 듣는 이에겐 지루한 얼빠진 이야기; 말하는 동물 이야기.

sha·green[ʃəgríːn, ʃæ-] *n.* Ⓤ (무두질 않은) 껄끄러운 가죽.

shah[ʃɑː] *n.* (Per.) Ⓒ 이란 국왕의 칭호.

Shak. Shakespeare.

:**shake**[ʃeik] *vt.* (**shook; shaken**) ① 흔들다, 떨다, 진동시키다. ② 흩뿌리다; 휘두르다; 흔들어 깨우다(*up*); 흔들어 떨어뜨리다; 떨어버리다(*from; out of*). ③ 놀래다(*be* ~*n at* …에 흠칫 놀라다). ④ 흔들리게 하다. ― *vi.* ① 떨다, 진동하다; 흔들리다. ② 〖樂〗 전음(顫音)을 쓰다. ③ 악수하다. ~ ***a foot*** 〔***a leg***〕 바삐 걷다, 댄스하다. ~ (*a person*) ***by the hand*** 악수하다. ~ ***down*** 흔들어 떨어뜨리다; 자리잡(히게 하)다; 동료와〔환경에〕 익숙해지다; 《美俗》 돈을 빼앗다, 등치다. ~ ***hands with*** 악수하다. ~ ***in one's shoes*** 전전긍긍하다, 벌벌 떨다. ~ ***off*** 떨어 버리다, 쫓아 버리다; (버릇·병 따위를) 고치다. ~ ***oneself together*** 용기를 내다. ~ ***one's head*** 고개를 가로 젓다《거절·비난》. ~ ***one's sides*** 배를 움켜쥐고 웃다. ~ ***out*** (속의 것을) 흔들어 떨다; (기 따위를) 펼치다. ~ ***up*** 세게 흔들다, (액체를) 흔들어 섞다; (베개를) 흔들어 모양을 바로잡다; 깨게 하다; 편달하다; 섬뜩하게 하다. ― *n.* Ⓒ ① 흔들림, 동요; 《口》 지진; (the ~s) 《口》 오한. ② 《美》 흔들어 만드는 음료(*a milk* ~ 밀크 셰이크). ③ 순간. ④ (땅 따위의) 균열, (목재의) 갈라진 틈. ⑤ 〖樂〗 전음. ***all of a*** ~ 덜덜 떨어. ***be no great*** ~***s*** 《俗》 대단한 일〔것〕이 못 되다. ***give a*** ~ 흔들다; 내쫓다. ***in the*** ~ ***of a lamb's tail,*** or ***in two*** ~***s*** 눈 깜짝할 사이에, 삽시간에.

sháke·dòwn *n., a.* Ⓒ 조정; 가〔임시〕침대; 이잡듯하는 수색; Ⓤ,Ⓒ 《美俗》 등침, 강취(強取), 수회(收賄); 성능 테스트의〔를 위한〕《항해·비행 따위》.

sháke·hand grìp 〖卓〗 탁구채를 악수하듯이 쥐는 법.

:**shak·en**[ʃéikən] *v.* shake의 과거분사.

shak·er[ʃéikər] *n.* Ⓒ ① 흔드는 사람〔도구〕; 교반기. ② 후춧가루병, 소금담. ③ (S-) 진교도(震敎徒)《미국 기독교의 일파》(cf. Quaker).

:**Shake·speare, Shakspe(a)re** [ʃéikspiər], **William** (1564-1616) 영국의 극작가·시인. ***-spé(a)r·e·an, -i·an** *a., n.* 셰익스피어(시대·풍)의; Ⓒ 셰익스피어 학자.

sháke-ùp *n.* Ⓒ 급변화, 쇄신; (인사의) 대이동.

shake·o[ʃǽkou] *n.* (*pl.* **~s**) Ⓒ (꼬꼬마 달린) 군모.

shak·y**[ʃéiki] *a.* 흔들리는, 떠는; 비슬비슬하는, 위태로운, 불확실한. ***look ~ 얼굴빛이 나쁘다.

shale[ʃeil] *n.* Ⓤ 혈암(頁岩), 이판암(泥板岩).

shále òil 혈암유(油).

†**shall**[強 ʃæl, 弱 ʃəl] *aux. v.* (p. ***should***) ① 1인칭에서 단순 미래를〔예정을〕 나타냄(*I* ~ *be at home tomorrow.*) 《美口語에서는 이 때에도 will이 보통》. ② 2〔3〕인칭에서 말하는 사람의 의사를 나타냄(*You* ~ *have it.* 자네에서 주겠네/*He* ~ *come.* 그를 오게 하시오). ③ 1인칭에서 특히 강한 의사를 나타냄(*I* ~ [強 ʃǽl] *go.* 무슨 일이 있어도 간다). ④ 각 인칭을 통해서 의무·필요·예언 따위를 나타냄(*Rome* ~ *perish.* 로마는 망하리라). ⑤ 《의문문》 1〔3〕인칭에서 상대의 의사를 물음(*S- I do it?; S- she sing?* 그 여자에게 노래를 시킬까요); 2인칭에서 상대의 예정을 물음《단순미래》(*S- you be at home tomorrow?*): ⇨should.

shal·loon[ʃəlúːn] *n.* Ⓤ 셜룬 모직.

shal·lop[ʃǽləp] *n.* Ⓒ 조각배, 강배. 「류.

shal·lot[ʃəlɑ́t/-5-] *n.* Ⓒ 〖植〗 골파

:**shal·low**[ʃǽlou] *a., n.* 얕은; 천박한; Ⓒ (보통 *pl.*) 여울. ― *vt., vi.* 얕게 하다〔되다〕.

shállow-bráined, -héaded, -páted *a.* 머리가 나쁜; 어리석은.

sha·lom[ʃɑːlóum] *int.* 안녕(하십시까)《유대인의 인사》.

shalt[強 ʃælt, 弱 ʃəlt] *aux. v.* 《古》 shall의 2인칭 단수·직설법 현재.

sham[ʃæm] *n., a.* Ⓤ 가짜(의), 속임(의); Ⓒ 협잡꾼, 사기꾼. ~ ***fight*** 모의전, 군사 연습. ― *vt., vi.* (**-mm-**) 짐짓 …하는 체하다〔시늉을 하다〕, (…을) 가장하다.

sha·man[ʃɑ́ːmən, ʃǽm-] *n.* Ⓒ 샤먼, 무당; 《一般》 주술사. 「즘.

sha·man·ism[-ìzəm] *n.* Ⓤ 샤머니

sham·ble[ʃǽmbəl] *n., vi.* Ⓒ 비틀걸음; 비슬비슬 걷다.

sham·bles[ʃǽmbəlz] *n. sing.* & *pl.* ① Ⓒ 도살장. ② (a ~) 수라장; 대혼란.

:**shame**[ʃeim] *n.* ① Ⓤ 부끄럼, 수치; 불명예; 치욕. ② (a ~) 창피〔지독〕한 일(*What a* ~*!* 이거 무슨 창피인가!; 그건 너무하다). ***cannot do ... for very*** ~ 너무 부끄러워서 …할 수 없다. ***from*** 〔***for, out of***〕 ~ 부끄러워. ***life of*** ~ 부끄럽고 더

러운 생활, 추업(醜業). ***past* [*dead to*] ~** 부끄럼을[수치를] 모르는. ***put a person to* ~** 창피를 주다. ***S-* (*on you*)!, *For* ~!,** or ***Fie, for* ~!** 아이구, 부끄럽지도 않으냐!; 그게 무슨 망신이냐! ***think* ~** 수치로 알다(*to* do). — *vt.* 부끄럽게 하다; 부끄러워 …하게 하다(*into; out of* do*ing*); 모욕하다.

sháme·fàced *a.* 부끄러워[수줍어]하는; 스스러워하는, 숫기 없는. **~·ly** *ad.* **~ness** *n.*

***shame·ful**[∠fəl] *a.* 부끄러운, 창피한. **~·ly** *ad.* **~·ness** *n.*

***shame·less**[∠lis] *a.* 부끄럼을 모르는, 파렴치한.

sháme-máking *a.* 《口》 수치를 보이는. 「사람, 사기꾼.

sham·mer [ʃǽmər] *n.* Ⓒ 속이는

sham·my[ʃǽmi] *n.* =CHAMOIS.

***sham·poo**[ʃæmpúː] *vt.* (비누·샴푸로 머리를) 감다, 씻다; 《古》 마사지하다. — *n.* (*pl.* **~s**) Ⓒ 머리감기; [U,C] 세발제, 샴푸.

sham·rock[ʃǽmrɑk/-rɔk] *n.* [U,C] 토끼풀, 클로버.

sha·mus[ʃɑ́ːməs, ʃéi-] *n.* Ⓒ 《美俗》 사립 탐정, 순경.

shan·dry·dan[ʃǽndridæ̀n] *n.* Ⓒ 털털이 차[마차]; 포장 달린 경마차.

shan·dy(**·gaff**) [ʃǽndi(gæ̀f)] *n.* [U,C] 맥주와 진저에일의 혼합주. 「海).

Shang·hai [ʃæŋhái] *n.* 상하이(上

shang·hai[ʃæŋhái/∠–] *vt.* 《海俗》 (억지로 뱃사람을 만들고자) 의식을 잃게 하여 배에 납치하다.

Shan·gri-La[ʃǽŋgrilɑ̀ː] *n.* (가공적) 이상향(鄕)(James Hilton의 소설 *Lost Horizon*에서).

shank[ʃæŋk] *n.* Ⓒ 정강이; 다리; 손잡이, 자루, 긴 축(軸); 활자의 몸체[인쇄 안 되는 부분]; 구두창의 땅 안 밟는 부분; 《美口》 끝, 마지막, 나머지(*the* ~ *of the evening* 저녁 무렵). ***ride* [*go on*] *Shank's mare*** 걸어서 가다, 정강말 타다.

***shan't**[ʃænt, -ɑː-] shall not의 단축. 「집; 《濠》 선술집.

shan·ty[1][ʃǽnti] *n.* Ⓒ 오두막, 판잣

shan·ty[2] *n.* Ⓒ 뱃노래(chant(e)y).

SHAPE [ʃeip] Supreme Headquarters of Allied Powers in Europe 유럽 연합군(=NATO군) 최고 사령부.

†**shape**[ʃeip] *n.* ① [U,C] 모양, 형상; Ⓒ 형(型), 꼴. ② Ⓤ 자태, 꼴, 모습; Ⓒ 어렴풋한 모습(*a* ~ *of fear* 무서운 모습, 유령). ③ Ⓤ 상태, 형편. ***get* [*put*] *into* ~** 모습[꼴]을 갖추다, 형태를 이루다; 구체화하다. ***take* ~** 구체화하다, 실현하다. — *vt.* ① 모양짓다, 형태를 이루다. ② 맞추다(*to*); (진로 등을) 정하다, 방향짓다. ③ 말로 표현하다(~ *a question*). — *vi.* ① 형태를[모양을] 취하다, 모양이 되다. ② 다 되다, 구체화하다; 발전하다. **~ *up*** 《口》 일정한 형태[상태]가 되다; 잘 되어가다 (*Everything is shaping up well.* 만사가 잘 되어 간다); 동조하다; 좋다; 몸의 상태를 조절하다. * **∠·less** *a.* **∠·ly** *a.* 모양이 좋은.

shard[ʃɑːrd] *n.* Ⓒ 사금파리; 파편, 단편; (딱정벌레의) 겉날개, 시초.

†**share**[1][ʃɛər] *n.* ① (*sing.*) 몫, 할당; 분담. ② Ⓤ 역할. ③ Ⓒ 주(株)(식). ***go* ~*s*** 똑같이 나누다[분담하다](*in, with*). ***on* ~*s*** 손익을 공동으로 분담하여. **~ *and* ~ *alike*** 등분하여; 똑같이 나누어. — *vt.* 분배[등분, 배당]하다; 함께 하다; 분담하다(*in, with; between, among*).

shár·er *n.*

share[2] *n.* Ⓒ 보습의 날.

sháre·cròp *vi.* (**-pp-**) 《美》 소작하다. **~per** *n.* Ⓒ 《美》 소작인.

sháre·hòlder *n.* Ⓒ 주주(株主).

sháre-òut *n.* (*sing.*) 분배, 할당.

sháre·wàre *n.* Ⓤ 〖컴〗 맛보기, 나눠쓸모《저작권이 있는 소프트웨어로 무료·명목적 요금으로 사용할 수 있으나 계속 사용할 때는 유료로 하는 것》.

sha·ri·a[ʃəríːə] *n.* Ⓒ 이슬람법, 성법(聖法), 샤리아.

‡**shark**[ʃɑːrk] *n., vt., vi.* Ⓒ 상어; 사기꾼; 《美俗》 수완가; 속여 빼앗다; 사기하다. 「킨《얇은 레이온》.

shárk-skìn *n.* Ⓤ 상어가죽; 샤크스

‡**sharp**[ʃɑːrp] *a.* ① 날카로운. ② 예민한, 빈틈없는, 교활한; (물매가) 가파른. ③ 매서운, 통렬한(~ *words*); 살을 에는 듯한, 차가운. ④ 또렷한, 선명한; 활발한, 빠른(*a* ~ *walk*); 《俗》 멋진. ⑤ 새된, 드높은(*a* ~ *voice*); 〖樂〗 반음 높은(opp. flat); 〖音聲〗 무성음의《p, t, k, 따위》. ***as* ~ *as a needle*** 몹시 야무진, 빈틈없는. ***Sharp's the word!*** 자 빨리, 서둘러라! **~ *practices*** 사기. **~ *tongue*** 독설. — *ad.* ① 날카롭게. ② 갑자기; 꼭, 정각(*at two o'clock* ~). ③ 기민하게, 날쌔게 (*Look* ~! 조심해!; 빨리!); 빈틈 없이. ④ 〖樂〗 반음 높게. — *n.* Ⓒ ① 〖樂〗 샤프, 올림표(♯). ② 《口》 사기꾼. ③ 《口》 전문가.

shárp-cút *a.* 또렷한. 「밝은.

shárp-éared *a.* 귀가 뾰족한; 귀가

shárp-édged *a.* 예리한; 빈틈없는.

***sharp·en**[∠ən] *vt., vi.* 날카롭게 하다[되다], 갈다. **~·er** *n.* Ⓒ 가는 사람; 가는[깎는] 기구.

sharp·er[∠ər] *n.* Ⓒ 사기꾼. 「운].

shárp-éyed *a.* 눈이 날카로운[매서

‡**sharp·ly**[ʃɑ́ːrpli] *ad.* ① 날카롭게. ② 세게, 호되게. ③ 급격하게; 날쌔게. ④ 빈틈없이. ⑤ 뚜렷이.

shárp-póinted *a.* 끝이 뾰족한.

shárp-sét *a.* 굶주린.

shárp·shòoter *n.* Ⓒ 사격의 명수, 명사수, 저격병.

shárp-síghted *a.* 눈이 날카로운.

shárp-tóngued *a.* 바른말 하는, 말이 신랄한, 독설의.

shárp-wítted *a.* 빈틈 없는, 약빠른, 기지가 날카로운.

S

:shat·ter[ʃǽtər] *vt.* ① 부수다, 분쇄하다. ② (손)상하다, 파괴하다. — *n.* (*pl.*) 파편, 엉망이 된 상태.
shátter·pròof *a.* (깨어져도) 조각나 흩어지지 않는《유리 따위》.
:shave[ʃeiv] *vt.* (*~d; ~d, shaven*) ① 면도하다; 깎다; 밀다. ② 스쳐 지나가다, 스치다. — *vi.* 수염을 깎다. — *n.* Ⓒ ① 면도; 깎음; 깎은 부스러기, 깎는 연장. ② 스칠듯 말듯한 통과, 가까스로의 탈출. ***be*** 〔***have***〕 ***a close ~*** (***of it***) 아슬아슬하게 모면하다. ***by a*** (***close, narrow, near***) ***~*** 하마터면, 아슬아슬하게. **sháv·er** *n.* Ⓒ 깎는〔면도하는〕 사람; 이발사; 대패질하는 사람; 면도기구; 《口》 꼬마, 풋내기.
sháve·tàil *n.* Ⓒ 《俗》 『美陸軍』 풋내기〔신출내기〕 소위; (길들이기 시작한) 복마용(服馬用) 노새.
Sha·vi·an[ʃéiviən] *a., n.* Bernard Shaw(류)의; Ⓒ Shaw 숭배자.
·shav·ing[ʃéiviŋ] *n.* ① Ⓤ 면도함〔질〕, 깎음. ② Ⓒ (보통 *pl.*) 깎아낸 부스러기, 대팻밥.
sháving brùsh 면도용 솔.
sháving crèam 면도용 크림.
Shaw[ʃɔː], **George Bernard** (1856-1950) 영국의 극작가·비평가.
·shawl[ʃɔːl] *n.* Ⓒ 숄, 어깨 걸치개.
shay[ʃei] *n.* 《古·卑·方》 =CHAISE.
†she[ʃiː, 弱 ʃi] *pron.* 그 여자(는, 가)《배·국가·도시 따위도 가리킴》. — *n., a.* Ⓒ 여자, 아가씨; 암컷(의) (*a ~ cat* 암고양이/*a ~ goat* 암염소/*two ~s and a he*).
s/he[ʃíːhíː] *pron.* =he or she, she or he.
sheaf [ʃiːf] *n.* (*pl.* ***sheaves*** [ʃiːvz]) Ⓒ (벼·화살·책 따위의) 묶음, 다발. — *vt.* 다발〔단〕짓다, 묶다.
·shear[ʃiər] *vt., vi.* (*~ed,* 《方·古》 ***shore; ~ed, shorn***) ① (가위로) 잘라내다(*off*), 베다, 깎다; 《詩》 (칼로) 베다. ② (…에게서) 빼앗다, 박탈하다. — *n.* (*pl.*) 큰가위; 전단기(剪斷機); Ⓒ (양털의) 깎는 회수; (양의) 나이(year); Ⓤ 『機』 전단; 변형.
shear·ing[ʃíəriŋ] *n.* Ⓤ 양털깎기; 깎은 양털; 전단(剪斷) 가공.
·sheath[ʃiːθ] *n.* (*pl.* ***~s***[-ðz, -θz]) Ⓒ ① 칼집, 씌우개. ② 『植』 엽초(葉鞘); (벌레의) 시초(翅鞘).
sheathe[ʃiːð] *vt.* 칼집에 꽂다〔넣다〕; 덮다, 싸다.
sheath·ing[ʃíːðiŋ] *n.* Ⓤ 덮개, 피복물(被覆物); 홈막이; 『電』 외장(外裝); 『建』 지붕널.
sheave[1][ʃiːv] *n.* Ⓒ (도르래 같은) 활차 바퀴.
sheave[2] *vt.* (밀 따위를) 단〔다발〕짓다(make into sheaves).
sheaves[ʃiːvz] *n.* sheaf, sheave[1]의 복수.
She·ba[ʃíːbə] *n.* 『聖』 세바《아라비아 남부의 옛 왕국》; 《美口》 성적 매력이 많은 여자.
she·bang[ʃibǽŋ] *n.* Ⓒ 《美口》 (조직·계략·사건 등) 구성; 오두막, 집; 도박장.
·shed[1][ʃed] *n.* Ⓒ 헛간, 의지간; 격납〔기관〕고.
:shed[2] *vt.* (***shed; -dd-***) ① (눈물·피를) 흘리다; (빛을) 내(쏘)다, 발하다. ② (껍질·껍데기 따위를) 벗(어버리)다, (뿔·깃털·이를) 갈다. — *vi.* 탈피〔탈모(脫毛)〕하다, 깃털을 갈다. ***~ the blood of*** …을 죽이다, …을 상처입히다.
:she'd[ʃiːd, 弱 ʃid] she had 〔would〕의 단축.
sheen[ʃiːn] *n.* Ⓤ 빛남; 광채, 광택, 윤. **∠·y** *a.*
†sheep[ʃiːp] *n. sing. & pl.* ① Ⓒ 양; Ⓤ 양가죽. ② Ⓒ 온순한〔기가 약한〕 사람; 어리석은 사람. ③ 《집합적》 교구민, 신자. ***cast*** 〔***make***〕 ***~'s eyes*** 추파를 보내다(*at*). LOST ***~. One may as well be hanged for a ~ as a lamb.*** 《속담》 기왕 내친 걸음이면 끝까지(cf. *In for the lamb, in for the ~.* 새끼양을 훔쳐 사형이 될 바에는 아예 어미양을 훔쳐 당하는 게 낫겠다). ***separate the ~ from the goats*** 『聖』 선인과 악인을 구별하다《마태복음 25:32》.
shéep·còte, -fòld *n.* Ⓒ 양사(羊舍).
shéep dòg 양지기 개.
shéep-fàrmer, -màster *n.* Ⓒ 《英》 목양업자.
shéep·hèrder *n.* Ⓒ 양치는 사람〔목동〕.
shéep·hòok *n.* Ⓒ (자루 끝이 굽은) 목양 지팡이.
sheep·ish[∠iʃ] *a.* 기가 약한, 수줍어하는, 겁많은; 어리석은.
sheep·man[∠mæ̀n, -mən] *n.* Ⓒ 목양업자; =SHEEPHERDER.
shéep rànge 〔**rùn**〕 양 방목장.
shéep·skìn *n.* Ⓤ 양가죽; 양피지; Ⓒ 《美口》 졸업증서.
shéep sòrrel 『植』 애기수영.
:sheer[1][ʃiər] *a.* ① 순전한(*~ nonsense*). ② 속이 비치는, (천이) 얇은. ③ 가파른; 수직의. — *ad.* 전혀, 아주; 수직으로. **∠·ly** *ad.*
sheer[2] *vi.* 『海』 침로를 바꾸다; 벗어나다.
:sheet[ʃiːt] *n.* Ⓒ ① 시트, 홑이불《깔개·침구 등의 커버》. ② 한 장(의 종이); 편지, 《口》 신문. ③ (쇠·유리의) 얇은 판; 펴진〔질펀한〕 면, 온통 …의 바다(*a ~ of water* 〔*fire*〕 온통 물〔불〕바다). ④ 《詩》 돛; 『海』 돛의 아딧줄; (*pl.*) (이물〔고물〕의) 공간. ***be*** 〔***have***〕 ***a ~*** 〔***three ~s***〕 ***in the wind***('***s eye***) 《俗》 거나하게〔억병으로〕 취하다. ***between the ~s*** 잠자리(속)에 들어. ***in ~s*** 얇은 판이 되어; 억수같이 퍼부어; 인쇄한 채로 제본되지 않고. ***pale as a ~*** 새파랗게 질리어. — *vt.* (…에) 시트로 덮다. **∠·ing** *n.* Ⓤ 시트 감; 『土』 판자틀; 판금 (가공).
shéet ànchor 『海』 (비상용) 큰

S

닻; 최후의 의지(가 되는 사람·물건).
shéet glàss 판유리.
shéet ìron 철판.
shéet lìghtning 막을 친 듯한 번개.
shéet mètal 판금.
shéet mùsic (책으로 철하지 않은) 낱장 악보.
shéet stèel 박판(薄板) (강철).
Shef·field[ʃéfiːld] *n.* 잉글랜드 중부의 공업 도시.
shé-góat *n.* Ⓒ 암염소(opp. he-goat).
sheik(h)[ʃiːk/ʃeik] *n.* Ⓒ (아라비아 사람의) 추장, 족장(族長), 촌장; (회교도의) 교주; 《俗》(여자를 호리는) 난봉꾼. **∠·dom** *n.* Ⓒ ~의 영지(領地).
shek·el[ʃékəl] *n.* Ⓒ 세켈《옛 유대의 무게 단위·은화; 이스라엘의 통화 (단위)》; (*pl.*) 《俗》=MONEY.
shel·drake[ʃéldrèik] *n.* Ⓒ 〖鳥〗 혹부리오리.
:shelf[ʃelf] *n.* (*pl.* ***shelves***[ʃelvz]) Ⓒ ① 선반, 시렁; 선반 모양의 장소; 바위턱(ledge). ② 모래톱, 암초. ***on the*** **~** 《俗》(선반에 얹힌 채) 돌아보지 않아〔팔리지 않아〕, 묵살되어.
shélf ìce 빙붕(氷棚).
shélf lìfe (포장 식품 따위의) 보존 기간.
shélf màrk (도서관의) 서가 기호(書架記號).
:shell[ʃel] *n.* Ⓒ ① 껍질, 껍데기, 외피, 깍지, 조가비; (거북의) 등딱지. ② 약협(藥莢), 파열탄(彈), 포탄. ③ 외관. ④ 가벼운 보트《경조용》. ⑤ 《美》여성용의 소매 없는 헐렁한 블라우스. ⑥ 〖理〗 (원자의) 각(殼). ⑦ 〖컴〗 조가비, 셸. — *vt.* (…을) 껍데기〔껍질, 깍지〕에서 빼내다, (…에서) 껍질을〔껍데기를, 깍지를〕 벗기다; 알맹이를 떼내다. — *vi.* 벗겨〔벗어〕지다, 까〔빠〕지다. **~ *off*** 벗겨〔떨어〕지다. **~ *out*** 《俗》(돈을) 지불하다, 넘겨 주다.
†she'll[ʃiːl, 弱 ʃil] she will 〔shall〕의 단축.
shel·lac[ʃəlǽk] *n., vt.* (***-ck-***) Ⓤ 셸락《칠》(을 칠하다); 《美俗》(느닷없이) 때리다, 참패시키다. **-lácking** *n.* Ⓒ (보통 *sing.*) 《俗》 채찍질(의 벌); 때려눕힘; 대패.
shéll còmpany 매수호가(買收呼價)의 대상이 되었던 2류 회사.
shéll ègg (분말로 하지 않은) 보통 달걀.
Shel·ley[ʃéli], **Percy Bysshe** [biʃ] (1792-1822) 영국의 시인.
shéll·fire *n.* Ⓒ 포화(砲火).
***shéll·fish** *n.* Ⓤ,Ⓒ 조개; 갑각(甲殼) 동물《새우·게 따위》.
shéll hèap 〔**mòund**〕 조개무지, 패총.
shéll·pròof *a.* 방탄(防彈)의.
shéll shòck 전쟁성(性) 정신 이상.
shéll·wòrk *n.* Ⓤ 조가비 세공.
shell·y[ʃéli] *a.* 껍질〔조개〕 많은〔같은〕.
:shel·ter[ʃéltər] *n.* ① Ⓒ 은신처, 피난〔도피〕처(*from*); 방공호. ② Ⓤ 차폐, 보호; Ⓒ 차폐물, 보호물(*from*). — *vt., vi.* 보호하다; 피난하다. **~ed**[-d] *a.* **~·less** *a.*
shélter·bèlt *n.* Ⓒ 방풍림(防風林).
shélter tènt (2인용) 개인 천막.
***shelve**[1][ʃelv] *vt., vi.* (…에) 선반을 달다; 선반에 얹다, 처박아 두다, 묵살하다, 깔아뭉개다.
shelve[2] *vi.* 완만히 물매〔경사〕지다.
***shelves**[ʃelvz] *n.* shelf의 복수.
shelv·ing[ʃélviŋ] *n.* Ⓤ 선반에 얹기; 묵살, 연기; 면직; 선반 재료.
she·nan·i·gan[ʃinǽnigən] *n.* Ⓒ (보통 *pl.*) 《美口》 허튼소리; 사기, 속임수.
She·ol[ʃíːoul] *n.* (Heb.) Ⓤ 저승; (s-) =HELL.
:shep·herd[ʃépərd] *n.* (*fem.* **~*ess***) Ⓒ 양 치는 사람; 목사(pastor). ***the Good S-*** 예수. — *vt.* (양을) 지키다; 이끌다.
shépherd dòg 양 지키는 개.
shépherd's chéck 〔**pláid**〕 흑백 격자 무늬(의 천).
shépherd's cróok (끝이 굽은) 목양 지팡이.
shépherd's-púrse *n.* Ⓤ,Ⓒ 냉이.
sher·bet[ʃə́ːrbit] *n.* Ⓒ,Ⓤ 셔벗《빙과의 일종》; Ⓤ,Ⓒ 《英》 찬 과즙 음료.
sherd[ʃəːrd] *n.* =SHARD.
she·reef, she·rif[ʃeríːf] *n.* Mohammed의 자손; Morocco 왕; Mecca의 장관.
Sher·i·dan[ʃérədn], **Richard Brinsley** (1751-1816) 아일랜드 태생의 극작가·정치가.
:sher·iff[ʃérif] *n.* Ⓒ ① 《英》 주(州) 장관. ② 《美》 보안관《county의 치안 책임자》.
sher·lock[ʃə́ːrlɑk/-lɔk] *n.* (*or* S-) Ⓒ 《口》 사설 탐정; 명탐정《Conan Doyle의 추리 소설의 주인공 Sherlock Holmes에서》.
Sher·pa[ʃɛ́ərpə, ʃə́ːr-] *n.* Ⓒ 셰르파《히말라야 남쪽 지대의 주민》.
sher·ry[ʃéri] *n.* Ⓤ,Ⓒ 셰리《스페인산 흰 포도주》.
Shér·wood Fórest[ʃə́ːrwùd-] 영국의 Nottinghamshire에 있던 옛 왕실 소유림《Robin Hood의 전설로 유명》.
†she's[ʃiːz, 弱 ʃiz] she is 〔has〕의 단축.
Shét·land Íslands[ʃétlənd-] 스코틀랜드 북쪽의 군도.
Shétland póny Shetland 군도 원산의 힘센 조랑말.
shew[ʃou] *v.* 《古》 =SHOW.
SHF, S.H.F., s.h.f. superhigh frequency 초고주파.
Shi·ah[ʃíːə] *n.* =SHIITE.
shib·bo·leth [ʃíbəliθ/-lèθ] *n.* (Heb.) Ⓒ (인종·계급·층성 따위를 간파하기 위해) 시험해 보는 물음말; (당파의) 구호, 표어.
:shield[ʃiːld] *n.* Ⓒ 방패; 보호물〔자〕; (방패 모양의) 무늬. — *vt.* 수호〔보호〕하다. **∠·er** *n.* Ⓒ 방호자〔물〕.
:shift[ʃift] *vt.* 바꾸다, 옮기다, 제거

하다. ── *vi.* ① 바뀌다, 옮다, 움직이다. ② 이리저리 변통하다〔둘러대다〕, 꾸려나가다; 속이다. ③ (자동차의) 기어를 바꿔 넣다. ~ ***about*** 방향이 바뀌다. ── *n.* Ⓒ ① 변경, 변화, 바꿔 넣음, 교대. ② (보통 *pl.*) 수단, 방책, 이리저리 변통함. ③ 속임. ④ 〖컴〗 이동, 시프트. ***for a*** ~ 임시변통으로. ***make (a)*** ~ 이리저리 변통하다. ***one's last*** ~ 마지막 수단. ~ ***of crops*** 돌려짓기, 윤작(輪作). **∠·er** *n.*

shift kèy 〖컴〗 시프트 키, 윗(글)쇠.

shift·less[∠lis] *a.* 주변머리 없는, 무능한; 게으른. **~·ly** *ad.* **~·ness** *n.*

shift·y[∠i] *a.* 책략〔두름성〕이 풍부한; 잘 속이는(tricky).

shig·el·lo·sis [sìgəlóusis] *n.* Ⓤ 〖病〗 적리(赤痢).

Shi·ite[ʃíːait] *n.* Ⓒ 시아파 사람《이슬람교의 일파》.

shill[ʃil], **shil·la·ber**[ʃíləbər] *n.* Ⓒ 《俗》 미끼꾼, 야바위패.

:shil·ling[ʃíliŋ] *n.* Ⓒ 실링《영국의 화폐 단위; 1파운드의 20분의 1; 생략 s.; 1971년 2월 폐지》; 1실링 은화. CUT ***off with a*** ~. ***take the (King's*** 〔***Queen's***〕) ~ 《英》 입대하다.

shil·ly-shal·ly[ʃíliʃæ̀li] *n., a., ad., vi.* Ⓤ,Ⓒ 망설임; 망설이는; 망설여; 망설이다.

shi·ly[ʃáili] *ad.* =SHY¹ly.

***shim·mer**[ʃímər] *vi., n.* 가물가물〔어렴풋이〕 비치다; Ⓤ 희미한 빛.

shim·my[ʃími] *n., vi.* Ⓒ 《美》 몸을 흔드는 재즈춤(을 추다); 몹시 흔들리다〔흔들림〕; 《口》 =CHEMISE.

***shin**[ʃin] *n., vt., vi.* (**-nn-**) Ⓒ 정강이(를 차다); 기어오르다.

shín·bòne *n.* Ⓒ 정강이뼈, 경골(脛骨)(tibia).

shin·dig[ʃíndìg] *n.* Ⓒ 《美口》 시끄러운〔즐거운〕 모임, 댄스 파티.

shin·dy[ʃíndi] *n.* Ⓒ 《口》 야단법석, 소동; =SHINDIG.

†shine[ʃain] *vi.* (***shone***) ① 빛나다, 반짝이다, 비치다. ② 빼어나다, 두드러지다. ── *vt.* ① 비추다, 빛내다. ② (p. & p.p. ***shined***) (구두를) 닦다. ~ ***up to*** 《俗》 …에게 환심을 사려고 하다. ── *n.* Ⓤ ① 햇빛, 일광, (날씨의) 맑음(***rain or*** ~ 비가 오건 날씨가 맑건간에). ② 빛; 빛남, 반짝임, 윤기. ③ (신 따위를) 닦음. ④ 《俗》 좋아함, 애착. ⑤ (보통 *pl.*) 《口》 장난; 《俗》 법석(***make*** 〔***kick up***〕 ***no end of a*** ~ 큰법석을 떨다). **shín·er** *n.* Ⓒ 빛나는 물건, 번쩍 띄는 인물; 《美》 은빛의 작은 담수어; 《俗》 퍼렇게 멍든 눈; 《英俗》 금화; (*pl.*) 돈.

***shin·gle**¹[ʃíŋgəl] *n., vt.* Ⓒ 지붕널(로 이다); (여성 머리의) 치깎기〔깎다〕.

shin·gle² *n.* Ⓤ 《英》 《집합적》 (바닷가 따위의) 조약돌. **shín·gly** *a.*

shin·gles[ʃíŋgəlz] *n. pl.* Ⓒ 〖醫〗 대상포진(帶狀疱疹).

shín guàrd 정강이받침.

shin·ing[ʃáiniŋ] *a.* 빛나는; 화려한; 뛰어난.

shin·ny[ʃíni] *n., vi.* Ⓤ 시니《하키의 일종》(를 하다).

***shin·y**[ʃáini] *a.* ① 빛나는, 번쩍이는, 윤이 나는; (때 묻은 옷 따위) 번들거리는. ② 햇빛이 쬐는.

†ship[ʃip] *n.* Ⓒ 배, 함(艦); 《집합적》 (함선의) 전승무원. ~ ***of the line*** 〖史〗 전열함(戰列艦). ***take*** ~ 승선하다, 배로 가다. ***when one's*** ~ ***comes home*** 운이 트이면, 돈이 생기면. ── *vt.* (**-pp-**) ① (…을) 배에 싣다〔태우다〕; 수송하다; 《口》 쫓아버리다. ② 선원으로 고용하다. ③ 파도를 뒤집어 쓰다(~ ***a sea***). ④ (배에) 설비하다. ── *vi.* 배에 타다; 선원〔뱃사람〕으로 근무하다.

-ship[ʃìp] *suf.* 명사나 형용사에 붙여 '상태, 역할, 직책, 신분, 술(術)' 따위를 나타냄: sportsman*ship*; hard*ship*.

shíp bìscuit 〔**brèad**〕 (선원용) 건빵(hardtack).

shíp·bòard *n.* Ⓤ 배(*go on* ~ 승선하다).

shíp·buìlder *n.* Ⓒ 조선(造船) 기사, 배 목수.

shíp·buìlding *n.* Ⓤ 조선.

shíp canàl 선박용 운하.

shíp chàndler 선구상(船具商).

shíp·lòad *n.* Ⓒ 배 한 척분의 적하(積荷)(량), 한 배분.

shíp·màster *n.* Ⓒ 선장.

shíp·màte *n.* Ⓒ 동료 선원.

***ship·ment**[∠mənt] *n.* ① Ⓤ,Ⓒ 선적. ② Ⓒ (배·철도·트럭 따위의) 적하(積荷)(량), 적송품.

shíp mòney 〖英史〗 건함세(建艦稅).

shíp·òwner *n.* Ⓒ 배 임자, 선주.

shíp·per *n.* Ⓒ 선적인, 화주.

:shíp·ping *n.* Ⓤ ① 배에 싣기, 선적, 실어 보내기, 출하(出荷). ② 해운업; 《美》 수송. ③ 《집합적》 선박; 선박 톤수(total tonnage).

shípping àgent 해운업자.

shípping àrticles =SHIP'S ARTICLES.

shípping bìll 적하(積荷) 명세서.

shípping màster 《英》 (선원의 고용 계약 따위에 입회하는) 해원(海員) 감독관.

shíp's árticles 선원 계약서.

shíp's bòat 구명정.

shíp·shàpe *ad., a.* 정연히〔한〕.

shíp's húsband 선박 관리인.

shíp's pápers 〖海〗 선박 서류《배의 국적 증명서, 항해 일지, 선원 명부, 승객 명부 따위》.

shíp-to-shíp *a.* (미사일 따위) 함대함(艦對艦)의.

shíp·wòrm *n.* Ⓒ 〖貝〗 좀조개.

shíp·wrèck** *n., vi., vt.* Ⓤ,Ⓒ 파선, 난파; Ⓒ 난파선; Ⓤ 파멸(make*** ~ ***of*** …을 잃다); 파선하다〔시키다〕; 파멸하다〔시키다〕.

S

shíp·wrìght *n.* Ⓒ 배 목수, 조선공.
***shíp·yàrd** *n.* Ⓒ 조선소.
shire[ʃáiər] *n.* (영국의) 주(county).
shíre hòrse 《英》 짐말, 복마.
shirk[ʃəːrk] *vt., vi.* (책임을) 피하다, 게을리하다. — *n.* =SHIRKER. **∠·er** *n.* Ⓒ 게으름뱅이, 회피자.
shirr[ʃəːr] *n.* Ⓤ,Ⓒ 《美》 주름잡기; =SHIRRING. — *vt.* (…에) 주름을 잡다; (달걀을) 접시 익힘으로 하다. **∠·ing** *n.* Ⓤ (폭이 좁은) 장식 주름.
†**shirt**[ʃəːrt] *n.* Ⓒ 와이셔츠; 셔츠. ***keep one's ~ on*** 《俗》 냉정하다, 성내지 않다. **∠·ing** *n.* Ⓤ,Ⓒ 와이셔츠 감. **∠·y** *a.* 《英》 기분이 언짢은, 성난.
shírt frònt 와이셔츠의 앞가슴《풀 먹인》.
shírt-slèeve *a.* 와이셔츠 바람의 (*in one's ~* 웃옷을 벗고); 소탈한, 평이한, 비공식의; 평범한.
shírt·wàist *n.* Ⓒ (와이셔츠식 여성) 블라우스.
shish ke·bab[ʃíʃ kəbɑ̀ːb] 꼬치에 고기와 야채를 번갈아 끼워 구운 요리.
shit[ʃit] *n., vi.* (*~; -tt-*) Ⓤ 《卑》 똥(누다). — *int.* 염병할, 빌어먹을.
shiv[ʃiv] *n., vt.* (*-vv-*) Ⓒ 《俗》 면도날; 나이프(로 찌르다).
Shi·va[ʃíːvə] *n.* =SIVA.
:**shiv·er**[1][ʃívər] *n., vi., vt.* Ⓒ 부들부들떪[떨(게 하)다]. ***give a person the ~s*** 오싹하게 하다. **~·y** [-vəri] *a.*
shiver[2] *n.* Ⓒ (보통 *pl.*) 파편, (깨진) 조각. — *vt., vi.* 부수다; 부서지다.
***shoal**[1][ʃoul] *n., vi., a.* Ⓒ 모래톱, 여울목(이 되다), 얕아지다; 얕은. **∠·y** *a.* 여울이 많은.
shoal[2] *n., vi.* Ⓒ 무리; 떼; 다수; 어군; 떼를 짓다[지어 유영하다]. ***~s of*** 많은.
shoat[ʃout] *n.* Ⓒ 새끼 돼지.
†**shock**[1][ʃɑk/-ɔ-] *n.* Ⓤ,Ⓒ ① 충격, 충돌, 격동; 진동. ② (정신적) 타격, 쇼크. — *vt.* (…에게) 충격을[쇼크를] 주다. — *vi.* 충돌하다. **∠·er** *n.* Ⓒ 오싹하게 하는 것; 《英口》 선정적인 소설. ***∠·ing** *a., ad.* 충격적인, 오싹[섬뜩]하게 하는, 무서운; 지독한, 망측한; 《口》 지독하게.
shock[2] *n.* Ⓒ 헝클어진 머리; 부스스한[더부룩한] 것.
shock[3] *n.* Ⓒ (옥수수·밀 따위의) 낟가리. — *vt., vi.* (낟가리를) 가리다.
shóck absòrber 완충기(器)[장치].
shóck àction 〖軍〗 충격 (작전).
shóck dòg 삽살개.
shóck·héaded *a.* 머리가 텁수룩한, 난발의.
shóck·pròof *a.* 충격에 견디는.
shóck stàll 〖空〗 (비행기의 속도가 음속에 가까워질 때 일어나는) 충격파(波) 실속(失速).
shóck tàctics (장갑 부대 등의) 급습 전술; 급격한 행동.
shóck thèrapy (정신병의) 충격[전격] 요법.
shóck tròops 특공대.
shóck wàve 〖理〗 충격파(波).
shod[ʃɑd/-ɔ-] *v.* shoe의 과거(분사).
shod·den[ʃɑ́dn/-ɔ́-] *v.* shoe의 과거 분사.
shod·dy[ʃɑ́di/-ɔ́-] *n.* Ⓤ 재생 털실; 재생 나사; 가짜, 위조품. — *a.* (헌 털실) 재생의; 가짜의, 굴퉁이의 (pretentious).
†**shoe**[ʃuː] *n.* (*pl.* ***~s,*** 《古》 ***shoon***) Ⓒ ① 《美》 신, 구두; 《英》 단화. ② 편자; (지팡이 등의) 끝쇠; (브레이크의) 접촉부; 타이어의 외피(外皮). DIE[2] ***in one's ~s. look after*** [***wait for***] ***dead men's ~s*** 남의 유산(등)을 노리다. ***Over ~s, over boots.*** 《속담》 이왕 내친 걸음이면 끝까지. ***stand in another's ~s*** 아무를[남을] 대신하다, 남의 입장이 돼보다. ***That's another pair of ~s.*** 그것과는 전혀 별문제. ***The ~ is on the other foot.*** 형세가 역전되었다. ***where the ~ pinches*** 곤란한[성가신] 점. — *vt.* (***shod; shod, shodden***) 신을[구두를] 신기다; 편자[끝쇠]를 대다.
shóe·blàck *n.* Ⓒ 구두닦이.
shóe·brùsh *n.* Ⓒ 구둣솔.
shóe bùckle 구두의 죔쇠.
shóe·hòrn *n.* Ⓒ 구둣주걱.
shóe·làce *n.* Ⓒ 구두끈.
shóe lèather 구두가죽; 《俗》 구두, 신.
***shóe·màker** *n.* Ⓒ 구두 만드는[고치는] 사람, 제화공.
shóe pòlish 구두약.
shóe·shìne *n.* Ⓒ 《美》 신을 닦음; 닦인 신의 겉면.
shóe·strìng *n.* Ⓒ 구두끈; 《口》 영세 자금.
shóestring majórity 간신히 넘은 과반수.
shóe trèe 구두의 골.
Sho·lo·khov [ʃóuloukɔːf, -kɑf/-kɔf], **Mikhail** (1905-84) 러시아의 소설가《Nobel 문학상 수상(1965)》.
:**shone**[ʃoun/ʃɔn] *v.* shine의 과거(분사).
shoo [ʃuː] *int., vt., vi.* 쉿(하고 쫓다).
shoo·fly[∠flài] *n.* Ⓒ 《美》 임시 도로[선로]; 《美》 경관의 행위를 조사하는(사복) 경관; 《美》 흔들의자《백조·말 따위의 동물의 모습으로 만든 목마》. ***~ pie*** 당밀을 반죽한 가루와 겹쳐 구운 파이.
shóo-ìn[ʃúːìn] *n.* Ⓒ 《口》 당선[우승]이 확실한 후보자[경쟁자].
:**shook**[ʃuk] *v.* shake의 과거.
shóok-úp *a.* 《美俗》 몹시 흥분[동요]한.
shoon[ʃuːn] *n.* 《古》 shoe의 복수.
†**shoot**[ʃuːt] *vt.* (***shot***) ① 발사하다; (활·총을) 쏘다; 쏴 죽이다; 던지다; (질문을) 퍼붓다. ② 쑥 내밀다(*~ out one's tongue*). ③ (공을) 슈트하다. ④ (급류를) 내려가다. ⑤ 〖映〗

촬영하다(cf. shot[1]). ⑥ (대패로) 곧게 밀다〔깎다〕, (금·은실을) 짜넣다 (*silk shot with gold*). ⑦ (육분의로) 고도를 재다(~ *the sun*). — *vi.* ① 쏘다, 내쏘다; 사출하다; 질주하다. ② (털이) 나다; (싹이) 나오다, 싹을 내다; 돌출하다(*up*). ③ 들이쑤시다. ***be shot through with*** …로 그득 차 있다. ***I'll be shot if ...*** 결단코 …아니다. ~ ***down*** (적기를) 격추하다; …의 꿈이 깨지다; (논쟁 등에서) 윽박지르다, 말로 해내다; 실망시키다. ~ ***out*** 무력으로 해결하다. ~ ***the moon*** 《英俗》 야반 도주하다. ~ ***the works*** 《美俗》 전력을 다하다; 전재산을 걸다. — *n.* Ⓒ ① 사격(회); 《俗》 주사. ② 급류. ③ 어린 가지. ④ 물건을 미끄러져 내리는 장치(chute). **∠·er** *n.*

shoot-'em-up [ʃúːtəmʌ̀p] *n.* Ⓒ 《口》 총싸움·유혈장면이 많은 영화.

:shoot·ing [∠iŋ] *n.* ① Ⓤ 사격, 발사; 총사냥, 수렵(권). ② Ⓤ 사출; (영화) 촬영. ③ Ⓤ,Ⓒ 격통. 「막.

shóoting bòx 〔**lòdge**〕 《英》 사냥

shóoting ìron 《美口》 총, 권총.

shóoting rànge 사격장.

shóoting scrìpt 〖映〗 촬영 대본.

shóoting stàr 유성.

shóoting wár 실전(實戰), 무력 전쟁(cf. cold war).

†shop [ʃɑp/-ɔ-] *n.* Ⓒ ① 《英》 가게 《미국에서는 보통 store》. ② 공장, 작업장. ③ 일터, 직장, 근무처. ***all over the*** ~ 《俗》 사방팔방으로; 어수선하게 흩뜨려, 엉망으로. ***talk*** ~ 장사〔전문〕 얘기만 하다. ***the other*** ~ 경쟁 상대가 되는 가게. — *vi.* (**-pp-**) 물건을 사다, 물건 사러〔장보러〕 가다.

shóp assìstant 《英》 점원.

shóp chàirman 〔**dèputy**〕 = SHOP STEWARD.

shóp flóor (공장 등의) 작업장; (the ~) 《집합적》 공장 근로자.

shóp·gìrl *n.* Ⓒ 여점원.

shóp·kèeper *n.* Ⓒ 《英》 가게 주인. ***the nation of ~s*** 영국(민) 《Napoleon이 경멸적으로 이렇게 불렀음》.

shóp·kèeping *n.* Ⓤ 소매업.

shóp·lìfter *n.* Ⓒ 들치기《사람》.

shóp·lìfting *n.* Ⓤ 들치기《행위》.

shop·man [∠mən] *n.* Ⓒ 점원.

shóp·per *n.* Ⓒ (물건) 사는 손님.

†shop·ping [∠iŋ] *n.* Ⓤ 물건사기, 쇼핑. ***go*** ~ 물건 사러 가다.

shópping bàg 〔**bàsket**〕 장바구니. 「(街).

shópping cènter 《美》 상점가

shópping màll 보행자 전용 상점가.

shóp·sòiled *a.* =SHOPWORN.

shóp stèward 《주로 英》 (노조의) 직장 대표. 「문) 용어.

shóp·tàlk *n.* Ⓤ 장사〔직업〕상의 (전

shóp·wàlker *n.* Ⓒ 《英》 =FLOORWALKER.

shóp·wìndow *n.* =SHOW WINDOW. 「내놓아 찌든.

shóp·wòrn *a.* (점포에) 오랫동안

shor·an [ʃɔ́ːræn] (<*Sh*ort *Ra*nge *N*avigation) *n.* (*or* S-) Ⓤ 〖空〗 단거리 무선 항법 장치.

†shore[1] [ʃɔːr] *n.* Ⓒ (강·호수의) 언덕; Ⓒ 해안; Ⓤ 뭍, 육지. ***in*** ~ 해안 가까이. ***off*** ~ 해안을 (멀리) 떨어져. ***on*** ~ 육지〔뭍〕에서, 육지로.

shore[2] *n., vt.* Ⓒ 지주(支柱)(로 버티다)(*up*). **shór·ing** *n.* 《집합적》 지주.

shore[3] *v.* 《方》 shear의 과거.

shóre lèave 〖海軍〗 상륙 허가 (시간).

shóre·lìne *n.* Ⓒ 해안선.

shóre patròl 〖美海軍〗 헌병《생략 SP》. 「〔육지〕 쪽으로〔의〕.

shore·ward [∠wərd] *ad., a.* 해안

shorn [ʃɔːrn] *v.* shear의 과거분사.

†short [ʃɔːrt] *a.* ① 짧은; 키가 작은; 간단한. ② (길이·무게 따위가) 부족한, 모자라는; 〖商〗 공매(空賣)하는, 물품 부족의. ③ (짤막하고도) 퉁명스런(*a* ~ *answer*). ④ 무른, 깨지기 쉬운; 부서지기 쉬운, 헤식은, 푸석푸석한(cf. shorten)(*This cake eats* ~. 입에 대면 파삭파삭한다). ⑤ 독한《술 따위》. ⑥ 〖音聲〗 짧은 음의(~ *vowels*). ***be*** ~ ***of*** …에 미치지 못하다〔않다〕. ***be*** ~ ***with*** …에게 대하여 상냥하지 않다. ***in the*** ~ ***run*** 요컨대. ***little*** ~ ***of*** …에 가까운. ***make*** ~ ***work of*** 재빨리 처리하다. ***nothing*** ~ ***of*** 참으로〔아주〕 …한. ***run*** ~ 부족〔결핍〕하다. ***to be*** ~ 요컨대, 간단히 말하면. — *ad.* 짧게; 부족하여; 갑자기; 무르게; 무뚝뚝하게. ***bring*** 〔***pull***〕 ***up*** ~ 갑자기 멈추다〔서다〕. ***come*** 〔***fall***〕 ~ ***of*** 미달하다, 미치지 못하다, (기대에) 어긋나다. ***jump*** ~ 잘못 뛰다. ***run*** ~ 없어지다, 바닥나다(*of*). ***sell*** ~ 공매(空賣)하다. ~ ***of*** …이 아닌 한, …을 제외하고(~ *of lying* 거짓말만은 빼고/ ~ *of that* 게까지는 못 간다 하더라도). ***stop*** ~ 갑자기 그치다, 중단하다. ***take*** (*a person*) ***up*** ~ 이야기를 가로막다. — *n.* ① Ⓤ 짧음, 간결, 간단. ② (the ~) 요점. ③ Ⓒ 결손, 부족; 짧은 것. ④ Ⓒ 단음; 단편 소설; (*pl.*) 반바지. ⑤ Ⓒ 〖野〗 유격수. ***for*** ~ 약(略)하여. ***in*** ~ 요컨대, 결국. — *vt., vi.* 〖電〗 단락(短絡)〔쇼트〕하다. **:∠·ly** *ad.* 곧, 멀지 않아; 짤막하게, 쌀쌀〔무뚝뚝〕하게. **∠·ness** *n.*

:short·age [∠idʒ] *n.* Ⓤ,Ⓒ 부족, 결핍, 동이 남; Ⓒ 부족액〔량〕.

shórt ànd =AMPERSAND.

shórt bìll 단기 어음.

shórt·brèad, -càke *n.* Ⓤ,Ⓒ 쇼트케이크.

shórt-chánge *vt.* 《口》 (…에게) 거스름돈을 덜 주다; 속이다.

shórt círcuit 〖電〗 누전, 쇼트.

shórt-círcuit *vt., vi.* 〖電〗 단락(短絡)〔쇼트, 합선〕시키다〔하다〕; 간략히 하다.

***shórt·còming** *n.* Ⓒ (보통 *pl.*) 결점; 결핍.
shórt cómmons 식량의 (공급) 부족, 불충분한 식사.
shórt cùt 지름길. 「따위).
shórt·dàted *a.* 〖經〗 단기의《어음
***short·en**[∠n] *vt., vi.* 짧게 하다, 짧아지다; (*vt.*) 무르게〔푸석푸석하게〕하다. **~·ing** *n.* Ⓤ 단축; 쇼트닝《빵·과자를 눅지게 하는 것; 버터 따위》.
shórt·fàll *n.* Ⓒ 부족액, 적자.
:shórt·hànd *n., a.* Ⓤ 속기(의).
shórt-hánded *a.* 일손〔사람〕 부족의. 「우).
shórt·hòrn *n.* Ⓒ 뿔이 짧은 소《육
shórt-líved *a.* 단명의, 덧없는, 일시적인.
shórt òrder (식당의) 즉석 요리.
shórt sále 《美》 〖商〗 단기 예측 매각, 공매(空賣).
***shórt-shórt** *n.* Ⓒ 장편(掌篇) 소설.
shórt shríft (사형 직전에 주는) 짧은 참회의 시간; 짧은 유예, 무자비. ***give* ~ *to*** 재빨리 해치우다.
shórt síght 근시; 단견(短見).
:shórt-síghted *a.* 근시의, 선견지명이 없는. **~ness** *n.*
shórt-spòken *a.* 말씨가 간결한; 무접없는.
shórt·stòp *n.* Ⓒ 〖野〗 유격수.
shórt stóry 단편 소설.
shórt supplý 공급 부족.
shórt témper 성마름.
shórt-témpered *a.* 성마른.
shórt-tèrm *a.* 단기의.
shórt tíme 〖經〗 조업 단축.
shórt tón ⇨TON.
shórt tráck spèed skáting 쇼트 트랙《한 바퀴가 111.12 미터인 오벌 트랙에서 행하는 스피드 스케이트 경기》.
shórt-wáisted *a.* 허리둘레선이 높은《어깨와 허리 사이가 평균보다 짧은 옷을 말함》.
shórt wáve 단파.
shórt-wáve *a., vt.* 단파의; 단파로 보내다. 「이는.
shórt-wínded *a.* 숨가빠하는, 헐떡
short·y[ʃɔ́:*r*ti] *n.* Ⓒ 《口》 꼬마《사람, 물건》.
Sho·sta·ko·vich [ʃɑ̀stəkóuvitʃ/-ʃɔ̀-], **Dimitri D.** (1906-75) 러시아의 작곡가.
:shot[1] [ʃat/-ɔ-] *n.* (*pl.* **~(*s*)**) ① Ⓒ 탄환, 포탄; Ⓤ 《집합적》 산탄(散彈); Ⓒ,Ⓤ 〖競〗 (16파운드 (이상)의) 포환. ② Ⓒ 발포, 발사; 사정(射程); 겨냥, 저격; 사격수(*a good* ~). ③ Ⓒ 《俗》 (약의) 한 번 복용; (1회의) 주사. ④ Ⓒ 〖映〗 촬영 거리. ***big* ~** 《美》 거물, 명사. ***have a* ~** 시도하다, 해보다(*at, for*); 노리다, 겨누다(*at*). ***like a* ~** 곧. ***long* ~** 원사(遠寫); 어림 짐작; 곤란한 기도(企圖). ***put the* ~** 포환을 던지다. **—** *vt.* (**-tt-**) …에 탄알을 재다, 장탄하다.
shot[2] *v.* shoot의 과거(분사). **—** *a.* (직물이) 보기에 따라 빛이 변하게 짠, 양색(兩色)의(~ *silk*).
shote[ʃout] *n.* =SHOAT.
shót efféct, the 〖電子〗 (진공관의 음극에서 방사되는 열전자의) 산탄(散彈) 효과.
shót·gùn *n.* Ⓒ 새총, 산탄총.
shótgun márriage 〔**wédding**〕 (임신으로 인한) 강제적 결혼.
shót-pròof *a.* 방탄의.
shót-pùt *n.* (the ~) 투포환. **~·ter** *n.* Ⓒ 투포환 선수.
†should[強 ʃud, 弱 ʃəd] *aux. v.* ① shall의 과거; 《간접화법에서 표면상의 과거》 …할〔일〕것이다(*He said he* ~ *be at home.* =He said, "I *shall* be at home."). ② 《조건문에서, 인칭에 관계없이》 (*If I* 〔*he*〕 ~ *fail* 만일 실패한다면). ③ 《조건문의 귀결의 단순미래》 (*If he should do it, I* ~ *be angry.* 만약 그가 그런 일을 한다면 나는 화낼걸세). ④ 《의무·책임》 당연히 …해야한다(*You* ~ *do it at once.*). ⑤ 《이성적·감정적 판단에 수반하여》 (*It is only natural that you* ~ *say so.; It is a pity he* ~ *be so ignorant.; Why* ~ *he be so stubborn?*). ⑥ 《완곡한 표현을 수반하여》 …하겠죠, …일〔할〕 테지요(*I* ~ *think so.* 그러리라 생각합니다(만)). ***I* ~ *like to*** …하고 싶다〔싶습니다만〕. ***It* ~ *seem*** …인것〔한 것〕 같습니다, …처럼 생각되다 《It seems …보다 정중한 말투》.
†shoul·der[ʃóuldə*r*] *n.* Ⓒ 어깨, 어깨고기《앞발의》(*the cold* ~ *of mutton* 양의 냉동 견육(肩肉); 어깨에 해당하는 부분(*the* ~ *of a bottle; the* ~ *of a road* 도로 양쪽 변두리); 〖軍〗 어깨에 총의 자세. ***have broad* ~*s*** 튼튼한 어깨를 가지고 있다. ***put*** 〔***set***〕 ***one's* ~ *to the wheel*** 노력〔전력〕하다. ***rub* ~*s with*** …와 사귀다《유명 인사 따위》. **~ *to* ~** 밀집하여; 협력하여. ***straight from the* ~** (욕설·타격 따위가) 곧장, 정면〔정통〕으로, 호되게. ***turn*** 〔***give***〕 ***the cold* ~ *to*** … (전에 친했던 사람)에게 냉담히 굴다. **—** *vt.* 짊어지다; 지다, 떠맡다; 밀어 헤치며 나아가다. ***S- arms!*** 《구령》 어깨에 총!
shóulder bàg 어깨에 걸고 다니는 핸드백.
shóulder bèlt (자동차 좌석의) 안전 벨트.
shóulder blàde 〔**bòne**〕 〖解〗 견갑골, 어깨뼈.
shóulder hòlster 권총 장착용 어깨띠.
shóulder knòt 〖軍〗 (정장의) 견장(肩章).
shóulder lòop 《美軍》 (장교의) 견장.
shóulder màrk 《美》 해군 장교의 견장.
shóulder stràp 견장. 「단축.
†should·n't [ʃúdnt] should not의
shouldst [ʃudst] *aux. v.* 《古》 =

SHOULD《주어가 thou 일 때》.
†**shout**[ʃaut] *vi.* 외치다, 소리치다, 부르짖다, 큰소리로 말하다(*at*); 고함치다(*for, to*); 떠들어대다(*for, with*) (*All is over but the ~ing.* 승부는 났다《남은 것은 갈채뿐》). — *vt.* 외쳐[큰소리로] 말하다. — *n.* Ⓒ 외침, 소리침, 큰소리; (*sing.; one's ~*) 《俗》 한 턱낼 차례(*It's my ~.*). **∠·er** *n.* Ⓒ 외치는 사람; 《美》 열렬한 지지자.
*****shove**[ʃʌv] *vt., vi., n.* 밀(치)다; 찌르다; Ⓒ (보통 *sing.*) 밀기; 찌르기. **~ off** (배를) 밀어내다; 저어 나아가다; 《口》 떠나다, 출발하다.
:shov·el[ʃʌ́vəl] *n.* Ⓒ 삽; 큰 순갈. — *vt.* (《英》 **-ll-**) 삽으로 푸다[만들다]. 「BOARD.
shóvel·bòard *n.* =SHUFFLE-
shóvel hàt (주로 영국에서 목사가 쓰는) 모자의 일종.
†**show** [ʃou] *vt.* (*~ed; ~n,* 《稀》 *~ed*) ① 보이다, 나타내다. ② 알리다, 가리키다. ③ 진열[출품]하다. ④ 안내하다; 설명하다. ⑤ (감정을) 나타내다, (호의를) 보이다(*~ mercy*). — *vi.* ① 보이다, 밖에 나오다(*Pardon, your slip is ~ing.* 실례입니다만 부인의 슬립(자락)이 밖으로 비져 나왔군요). ② 《口》 얼굴을 내밀다. ③ 《美》 (경마에서) 3착이내에 들다. ④ 흥행하다. **~ (*a person*) over** 안내하며 돌아다니다. **~ off** 자랑해 보이다; 잘 보이다, 드러나게[돋보이게] 하다. **~ up** 폭로하다, 본성을 드러내다; 두드러지다; 나타나다. — *n.* ① Ⓒ 보임, 표시. ② Ⓒ 전람(회), 구경(거리), 연극, 쇼; 영화; 웃음거리. ③ Ⓤ,Ⓒ 겉꾸밈, 과시. ④ Ⓒ 징후, 흔적; Ⓤ 외관. ⑤ Ⓒ (*sing.*) 《口》 기회(*He hasn't a ~ of winning.* 이길 가망은 없다). ⑥ Ⓤ 《美》 (경마에서) 3착. **for ~** 자랑해 보이려고. **give away the ~** 내막을 폭로하다; 마각[약점]을 드러내다; 실언하다. **in ~** 표면은. **make a ~ of** …을 자랑해 보이다. **make a ~ of oneself** 웃음거리가 되다. **no ~** 결석객(客)《여객기의 좌석 예약을 취소 안한 채의》. **~ of hands** (찬부의) 거수(擧手). **with some ~ of reason** 그럴듯하게. **shów·er**[1] *n.*
shów·bìll *n.* Ⓒ 포스터, 광고 쪽지; 진행 순서표. 「NESS.
shów·bìz *n.* 《美俗》 =SHOW BUSI-
shów·bòat *n.* Ⓒ 연예선(演藝船).
shów bùsiness 흥행업.
shów càrd 광고 쪽지; 상품견본이 붙은 카드.
shów·càse *n.* Ⓒ 진열장.
shów·dòwn *n.* Ⓒ (보통 *sing.*) 폭로; 대결.
:show·er[2][ʃáuər] *n.* Ⓒ ① 소나기. ② (눈물이) 쏟아짐; (탄알 따위가) 빗발 치듯함, 많음. ③ 《美》 (결혼식 전의 신부에의) 선물 (증정회). ④ = SHOWER BATH. — *vt.* 소나기로 적시다; 뿌리다. — *vi.* 소나기가 쏟아지다; 빗발치듯 내리다[오다]. **~·y** *a.*
shówer bàth 샤워; 샤워 장치.
show·ing[ʃóuiŋ] *n.* Ⓒ 전시; 진열, 꾸밈; 전람[전시]회; (보통 *sing.*) 외관, 모양새; 성적; 주장. **make a good ~** 모양새가 좋다; 좋은 성적을 올리다. **on your own ~** 당신 자신의 변명에 의하여.
shów jùmping 〖馬〗 장애물 뛰어넘기《경기》.
show·man[ʃóumən] *n.* Ⓒ 흥행사. **~·ship**[-ʃip] Ⓤ 흥행술, 흥행적 수완[재능].
:shown[ʃoun] *v.* show의 과거분사.
shów-òff *n.* Ⓤ 자랑해 보임, 과시; Ⓒ 자랑해 보이는 사람.
shów·pìece *n.* Ⓒ (전시용의) 우수견본, 특별품.
shów·plàce *n.* Ⓒ 명승지.
shów·ròom *n.* Ⓒ 진열실.
shów·stòpper *n.* Ⓒ (무대 진행을 중단시킬 정도의) 대갈채를 얻은 것《노래·가수·배우 등》.
shów wìndow 진열창.
*****show·y**[ʃóui] *a.* 화려한; 허세를[허영을] 부리는.
*****shrank**[ʃræŋk] *v.* shrink의 과거.
shrap·nel[ʃrǽpnəl] *n.* Ⓤ 《집합적》 〖軍〗 유산탄(溜散彈) (파편).
*****shred**[ʃred] *n.* Ⓒ (보통 *pl.*) 조각, 끄트러기, 단편; 소량. — *vt., vi.* (*~ded, shred; -dd-*) 조각조각으로 하다[이 되다].
shred·der[ʃrédər] *n.* Ⓒ 강판; 문서 절단기.
shrew[ʃru:] *n.* Ⓒ 앙알[으드등]거리는 여자; =SHREWMOUSE. **∠·ish** *a.*
:shrewd[ʃru:d] *a.* ① 빈틈없는, 기민한, 약빠른. ② 모진, 심한. **∠·ly** *ad.* **∠·ness** *n.* 「쥐.
shréw·mòuse *n.* Ⓒ 〖動〗 뾰족뒤
:shriek[ʃri:k] *n., vi.* Ⓒ 비명(을 지르다), 새된 소리를 지르다; 그 소리.
shriev·al·ty[ʃrí:vəlti] *n.* Ⓤ,Ⓒ 《英》 주 장관의 직[권한, 임기].
shrift[ʃrift] *n.* Ⓤ,Ⓒ 《古》 참회, 뉘우침.
shrike[ʃraik] *n.* Ⓒ 〖鳥〗 때까치.
:shrill[ʃril] *a., n.* Ⓒ 날카로운 소리(의); 강렬한. — *ad., vt., vi.* 높은 소리로 (말하다), 새된[날카로운] 소리로 (소리치다); 날카롭게 (울리다). **shríl·ly** *ad.*
*****shrimp**[ʃrimp] *n.* Ⓒ 작은 새우; 난쟁이, 얼간이.
:shrine[ʃrain] *n.* Ⓒ ① 감실(龕室), 성체 용기. ② 사당, 신전(神殿), 묘(廟). — *vt.* 감실[사당]에 모시다.
:shrink[ʃriŋk] *vi.* (*shrank, shrunk; shrunk(en)*) 줄어[오므라, 움츠러]들다; 뒷걸음질 치다(*away, back, from doing*). — *vt.* 줄어들게 하다, 움츠리다. — *n.* Ⓒ 수축; 뒷걸음질; 《美俗》 정신과 의사. **~·age** [∠idʒ] *n.* Ⓤ 수축(량); 감소, 하락.
shrínking víolet 수줍음을 타는

S

내성적인 사람.
shrínk-resìstant *a.* 줄지 않는, 방축(防縮)의.
shrive[ʃraiv] *vt.* (***shrove, ~d; shriven, ~d***) 《古》 (신부가) 참회를 듣고 죄를 용서하다. — *vi.* 《古》 참회를 듣다; 참회하다, 뉘우치다.
shriv·el[ʃrívəl] *vi., vt.* (《英》 ***-ll-***) 시들[이울](게 하)다.
Shrop·shire[ʃrápʃiər/-ɔ́-] *n.* 영국 Salop주의 구칭; Ⓒ (영국산) 뿔 없는 양《식육용》.
shroud[ʃraud] *n., vt.* Ⓒ 수의(壽衣)(를 입히다); 덮개(로 가리다[싸다]); (*pl.*) 〖海〗 양옆 뱃전에 버틴 돛대줄.
shrove[ʃrouv] *v.* shrive의 과거.
Shrove·tide[´-tàid] *n.* 참회절《DENT전의 3일간》.
:shrub[ʃrʌb] *n.* Ⓒ 관목(bush). **´-ber·y** *n.* Ⓒ 관목 심은 곳; Ⓤ 《집합적》 관목숲. **´-by** *a.* 관목의[이 우거진]; 관목성(性)의.
·shrug[ʃrʌg] *vt., vi.* (***-gg-***), *n.* Ⓒ (보통 *sing.*) (어깨를) 으쓱하다[하기]. ~ ***one's shoulders*** (양손바닥을 위로 하여) 어깨를 으쓱하다《불쾌·불찬성·절망·경멸 따위의 기분을 나타냄》.
·shrunk[ʃrʌŋk] *v.* shrink의 과거분사.
shrunk·en[ʃrʌ́ŋkən] *v.* shrink의 「과거분사.
shuck[ʃʌk] *n., vt.* Ⓒ 껍질[껍데기, 꼬투리](을 벗기다); 《美》 조금(*I don't care a ~.* 조금도 상관 없다).
shucks[-s] *int.* 《口》 쳇!, 빌어먹을!《불쾌·초조·후회 등을 나타냄》.
:shud·der[ʃʌ́dər] *n., vi.* Ⓒ 떪; 떨다.
·shuf·fle[ʃʌ́fl] *vt., vi.* ① 발을 질질 끌다; 〖댄스〗 발을 끌며 나아가다. ② 뒤섞다, (트럼프를) 섞어서 떼다(cf. cut). ③ 이리저리 움직이다; 속이다. ④ (옷 따위를) 걸치다, 벗다 (*into, out of*). ~ ***off*** (벗어) 버리다. — *n.* Ⓒ ① (보통 *sing.*) 발을 질질 끄는 걸음; 〖댄스〗 발끌기. ② 뒤섞음; 트럼프패를 쳐서 뗌[떼는 차례]. ③ 잔재주. ④ 속임, (말을) 어물거림[꾸며댐]. **~r** *n.* Ⓒ shuffle하는 사람.
shúffle·bòard *n.* Ⓤ (갑판 위에서 하는) 원반 치기 게임.
·shun[ʃʌn] *vt.* (***-nn-***) (기)피하다 (avoid).
'shun[ʃʌn] *int.* 차렷!《Attention의 단축형》.
shunt[ʃʌnt] *vt.* 옆으로 돌리다[비키다]; 제거하다; 〖鐵〗 측선(側線)에 넣다, 전철(轉轍)[입환]하다. — *vi., n.* Ⓒ (보통 *sing.*) 한쪽으로 비키다[비킴]; 측선으로 들어가다 [들어가기]; Ⓒ 전철(기(器)); 〖電〗 분로(分路).
†shut[ʃʌt] *vt., vi.* (***shut; -tt-***) 닫(히)다; 잠그다, 잠기다. ~ ***away*** 격리하다, 가두다. ~ ***down*** 닫다; 《口》 (일시적으로) 휴업[폐쇄]하다. ~ ***in*** 가두다; (가로) 막다. ~ ***into*** …에 가두다; (도어 따위에 손가락이) 끼이다. ~ ***off*** (가스·물 따위를) 잠그다, (소리 따위를) 가로막다; 제외하다(*from*). ~ ***one's teeth*** 이를 악물다. ~ ***out*** 내쫓다, 들이지 않다; 가로막다; 영패시키다. ~ ***to*** (문 따위를) 꼭 닫다, 뚜껑을 덮다; (문이) 닫히다. ~ ***up*** (집을) 아주 닫다 [폐쇄하다]; 감금[투옥]하다; 《口》 침묵하다[시키다]. — *n.* Ⓤ 닫음, 닫는 시간; 끝; 〖音聲〗 폐쇄음《[p] [b] 따위》. — *a.* 닫은, 잠근, 둘러싸인; 폐쇄음의; (음절이) 자음으로 끝나는.
shút·dòwn *n.* Ⓒ 공장 폐쇄, 휴업; 〖컴〗 중단.
shút-ìn *a., n.* Ⓒ (집에 꼭) 간힌[병자].
shút·òff *n.* Ⓒ (막아 잠그는) 고동, 마개.
shút·òut *n.* Ⓒ 내쫓음, 공장폐쇄; 「영패.
:shut·ter[ʃʌ́tər] *n., vt.* Ⓒ 덧문(을 달다, 닫다); 〖寫〗 셔터.
shútter·bùg *n.* Ⓒ 《美俗》 〖寫〗 사진광(狂).
·shut·tle[ʃʌ́tl] *n., vi.* Ⓒ (베틀의) 북(처럼 움직이다); 왕복 운동[운전](하다); 우주 왕복선.
shúttle bómbing 연속 왕복 폭격.
shúttle·còck *n., vt., vi.* Ⓒ (배드민턴의) 깃털공(치기 놀이); (깃털공을) 서로 받아 치다; 이리저리 움직이다.
shúttle diplòmacy (특사·고관 등에 의한) 왕복 외교.
shúttle sèrvice (근거리) 왕복 운「행.
shúttle tráin 근거리 왕복 열차.
:shy[1][ʃai] *a.* ① 내성적인, 수줍어[부끄러워]하는. ② 겁많은. ③ 조심성 많은(*of*). ④ 《俗》 부족한(*of, on*). ***fight ~ of*** (…을) 피하다. ***look ~*** (…을) 의심하다(*at, on*). — *n., vi.* Ⓒ 뒷걸음질(치다); (말이) 놀라 물러서다[물러섬]. ***´·ly** *n.* ***´-ness** *n.*
shy[2] *vt., vi., n.* Ⓒ (몸을 틀어) 홱 (내) 던지다[기]; 《口》 냉소.
Shy·lock[ʃáilɑk/-lɔk] *n.* 샤일록 《Sh(ak). 작 *The Merchant of Venice*의》; Ⓒ 냉혹한 고리 대금업자.
shy·ster[ʃáistər] *n.* Ⓒ 《美口》 악덕 변호사.
si[siː] *n.* Ⓤ,Ⓒ 〖樂〗 시《장음계의 제7「음》.
Si 〖化〗 silicon.
SI Système International d'Unité (=International System of Units) 국제 단위. **S.I.** (Order of) the Star of India; Sandwich Islands; Staten Island.
Si·am[saiǽm, ´-] *n.* 샴《공식 이름 Thailand》.
Si·a·mese[sàiəmíːz] *a., n.* 샴의; Ⓒ 샴사람(의); Ⓤ 샴 말(의).
sib[sib] *a., n.* Ⓒ 일가(붙이)(의); 친척; 형제.
Si·be·li·us [sibéiliəs, -ljəs], **Jean** (1865-1957) 핀란드의 작곡가.
·Si·be·ri·a[saibíəriə] *n.* 시베리아.

-an *a., n.*
sib·i·lant[síbələnt] *a., n.* 쉬쉬 소리를 내는(hissing); Ⓒ 〖音聲〗 치찰음(齒擦音)《[s] [z] [ʃ] [ʒ] 따위》.
sib·i·la·tion[sìbəléiʃən] *n.* Ⓤ 마찰음 발성; 식식거림.
sib·ling[síbliŋ] *a., n.* Ⓒ 형제의 (한 사람).
sib·yl[síbil] *n.* Ⓒ (옛 그리스·로마의) 무당, 여자 예언자〔신탁자〕; 마녀. **~·line**[síbəlìːn, -làin] *a.*
sic[sik] *vt.* 공격하다, 덤벼들다《특히 개에 대한 명령》(*S- him!*); 추기다.
sic[sik] *ad.* (L.) (원문) 그대로 (so, thus).
***Sic·i·ly**[sísəli] *n.* 시칠리아섬. **Si·cil·i·an**[sisíliən, -ljən] *a., n.*
†**sick**[1][sik] *a.* ① 병의(《英》 ill); 병자용의(*a* ~ *room* 병실). ②《주로 英》 욕지기가 나는(*feel* ~). ③ 싫증이 나는, 물린; 넌더리나는(*of*). ④ 아니꼬운, 역겨운(*at*). ⑤ 그리워하는, 호노는(~ *for home*). ⑥ (색·빛이) 바랜, 창백한; 상태가〔몸이〕 좋지 않은; (술맛이) 변한; 〖農〗 (땅이) (…의 생장에) 맞지 않는(*clover*-~). ***be ~ at heart*** 비관하다. ***fall*** 〔***get***〕 ~ 병에 걸리다. ***go*** 〔***report***〕 ~ 〖軍〗 병결근 신고를 내다.
sick[2] *vt.* =SIC.
sìck bày (군함의) 병실.
síck·bèd *n.* Ⓒ 병상(病床).
sìck bènefit 《英》 질병 수당.
***sick·en**[síkən] *vt., vi.* ① 병나게 하다, 병이 되다. ② 역겹게 하다, 역겨워하다(*at*). ③ 넌더리〔싫증〕 나게 하다, 넌더리〔싫증〕내다(*of*). **~·ing** *a.*
sick·en·er[-ər] *n.* Ⓒ 진절머리 나게 하는 것.
sìck héadache 편두통(migraine) 《구역질이 나는》.
sick·ish[⌐iʃ] *a.* 좀 느글거리는, (몸이) 좋지 않은.
sick·le**[síkəl] *n.* Ⓒ (작은) 낫. ~ ***cell anemia 〖醫〗 겸형(鎌形) 적혈구 빈혈증.
sìck lèave 병가(病暇).
sìck lìst 환자 명부.
***sick·ly**[síkli] *a.* ① 골골하는, 병약한, 창백한. ② 몸에 나쁜(*a* ~ *season*). ③ 감상적〔병적〕인. ④ 역겹게 하는. — *ad.* 병적으로. — *vt.* 창백하게 하다. **-li·ness** *n.*
sick-màking *a.* 《口》 토할 것 같은; 병에 걸릴 것 같은.
⁑**sick·ness**[⌐nis] *n.* ① Ⓤ,Ⓒ 병; 병태. ② Ⓤ 《英》 역겨움, 구역질.
síckness bàg =DISPOSAL BAG.
síck·òut *n.* Ⓒ 병을 구실로 하는 비공식 파업.
sìck pày 병가(病暇) 중의 수당.
síck·ròom *n.* Ⓒ 병실.
†**side**[said] *n.* ① Ⓒ 곁, 옆. ② Ⓒ 사면, (물체의) 측면, 쪽; 면(面). ③ Ⓒ 옆〔허〕구리(고기). ④ Ⓒ (적과 자기편의) 편, 조(組), 자기편. ⑤ Ⓒ 가, 끝, 변두리(*the* ~ *of the river* 강변, 강가); 뱃전. ⑥ Ⓒ (보통 *sing.*) (아버지쪽·어머니쪽의) 쪽, 계(系), 혈통. ⑦ Ⓤ 《英俗》 젠체〔잘 난체〕하기(*He has lots of* ~. 굉장히 뽐내는 기세다). ***by the ~ of*** …의 곁〔옆〕에; …와 비교하여. ***change ~s*** 변절하다. ***hold*** 〔***shake***〕 ***one's ~s for*** 〔***with***〕 ***laughter*** 배를 움켜쥐고 웃다. ***on all ~s*** 사면팔방에. ***on the large*** 〔***small, high***〕 ~ 좀 큰〔작은, 높은〕 편인. ***on the right*** 〔***better, bright***〕 ~ ***of*** (*fifty*), (50세) 전인. ***on the wrong*** 〔***shady***〕 ~ ***of*** (*fifty*), (50)의 고개를 넘어. ***put on*** ~《俗》 젠체하다, 뽐내다; 〖撞〗 공을 틀어치다. ~ ***by*** ~ 나란히(*with*). ***split one's ~s*** 배를 움켜쥐고 웃다. ***take ~s*** 〔***a*** ~〕 편들다(*with*). — *a.* 한〔옆〕쪽의; 옆〔곁〕(으로부터)의(*a* ~ *view* 측면도); 그다지 중요치 않은; 부〔이〕차적인(*a* ~ *issue* 지엽적인 문제). — *vi.* 편들다, 찬성하다(*with*). — *vt.* 치우다, 밀어젖히다; 측면을 붙이다 (~ *a house*).
síde àrms 휴대 무기《권총·검 따위》.
***síde·bòard** *n.* Ⓒ 살강, 식기 선반.
síde·bùrns *n. pl.* 짧은 구레나룻.
síde·càr *n.* Ⓤ,Ⓒ (오토바이의) 사이드카.
síde dìsh (주요리에) 곁들여 내는 「요리.
síde effèct 부작용.
síde-glànce *n.* Ⓒ 곁눈질; 짧은 언급.
síde hòrse 〖體操〗 안마.
síde ìssue 지엽적인 문제.
síde·kìck(er) *n.* Ⓒ (한) 동아리, 짝패(partner); 친구.
síde lìght 측면광(光); 옆창; 우연한 정보.
síde lìne 측선(側線); 〖競〗 사이드라인; (*pl.*) 사이드라인의 바깥쪽; 부업, 내직.
síde·lìne *vt.* 《口》 (병·부상으로, 선수에게) 참가를 안 시키다.
síde·lòng *a., ad.* 옆의〔으로〕, 곁에〔으로〕, (엇)비스듬한〔히〕.
síde mèat 《美南部·中部》 =BACON.
síde òrder 별도 주문(의)《좀 더 먹고 싶을 때의 주문》.
síde·pìece *n.* Ⓒ (보통 the ~)(물건의) 측면부(wing).
si·de·re·al[saidíəriəl] *a.* 별의, 항성(恒星)의; 별자리의, 성좌의.
sidéreal dáy 항성일(恒星日)《24시간보다 약 4분 짧음》.
sid·er·ite[sídəràit] *n.* Ⓤ 능철광.
síde·sàddle *n.* Ⓒ (여자용의) 모로 앉게 된 안장.
síde shòw 여흥; 지엽적 문제.
síde·slìp *n., vi.* (**-pp-**) Ⓒ 옆으로 미끄러짐〔미끄러지다〕.
síde·splìtting *a.* 포복절도할〔의〕.
síde stèp (한걸음) 옆으로 비키기; (책임 따위의) 회피.
síde-stèp *vi., vt.* (**-pp-**) (한 걸음)

옆으로 비키다; 회피하다《책임을》.
síde strèet 옆길, 뒷골목.
síde·stròke *n.* Ⓤ (보통 the ~) 〖水泳〗 모재비헤엄, 사이드스트로크.
síde·swìpe *n., vt., vi.* Ⓒ 옆을 (스쳐) 치기〔치다〕.
síde·tràck *n., vt.* Ⓒ 〖鐵〗 측선〔대피선〕(에 넣다); 피하다.
:síde·wàlk *n.* Ⓒ 《美》 보도, 인도 (《英》 pavement).
síde·wàrd *a., ad.* 옆(으로)의; (*ad.*) =**sídewards** 옆에, 곁으로.
síde·wày *n.* Ⓒ 옆길; 인도.
:síde·wàys[-z], **síde·wìse** *a., ad.* 옆에(서), 옆의; 옆으로〔옆을〕 향한.
síde-whèel *a.* 〖海〗 (기선이) 외륜식(外輪式)의.
síde wìnd 옆바람; 간접적인 것《공격·방법·영향 등》.
síde·wìnder *n.* Ⓒ 《口》 옆으로부터의 일격; 《美》 방울뱀의 일종; 《美》 〖軍〗 공대공 미사일.
sid·ing[sáidiŋ] *n.* Ⓒ 〖鐵〗 측선(側線); 대피선; Ⓤ 《美》 (가옥의) 미늘판벽; 편들기, 가담.
si·dle[sáidl] *vi.* 옆걸음질하다; (가만히) 다가들다.
***Sid·ney**[sídni], **Sir Philip**(1554–86) 영국의 군인·시인·정치가.
SIDS sudden infant death syndrome 유아 돌연사 증후군.
:siege[si:dʒ] *n.* Ⓒ,Ⓤ 포위(공격). ***lay ~ to*** …을 포위하다, 줄기차게 공격하다. ***raise the ~ on*** …에 대한 포위를 풀다. ***stand a ~*** 포위(공격)에 굴하지 않다.
Siég·fried Lìne[sí:gfri:d-] 지크프리트선《제2차 대전에 앞서 독일이 구축한 서부 일대의 요새선》.
Sien·kie·wicz [ʃenkjéivitʃ], **Henryk**(1846–1916) 폴란드의 소설가《주저(主著) *Quo Vadis*(1896)》.
si·en·na[siénə] *n.* Ⓤ 시에나 색, 황갈색(의 그림물감).
si·er·ra[siérə] *n.* Ⓒ (보통 *pl.*) 톱니처럼 솟은 산맥.
Siérra Le·ó·ne[-lióuni] 아프리카 서부의 영연방내의 공화국《수도 Freetown》.
si·es·ta[siéstə] *n.* (Sp.) Ⓒ 낮잠.
***sieve**[siv] *n., vt.* Ⓒ 체(질하다); 거르다.
:sift[sift] *vt.* 체질하다, 받다; (증언 따위를) 정사(精査)〔음미〕하다. — *vi.* 체를 빠져 (나오듯) 떨어지다; (빛이) 새어들다. **∠·er** *n.*
:sigh[sai] *n., vi.* ① Ⓒ 탄식, 한숨〔짓다〕. ② Ⓒ (바람이) 살랑거리다〔거리는 소리〕. ③ 그리(워 하)다(*for*). ④ 슬퍼하다(*over*). — *vt.* 한숨쉬며 말하다(*out*); (…을) 슬퍼하다.
†sight[sait] *n.* ① Ⓤ 시각, 시력. ② Ⓤ 시계(視界). ③ Ⓤ 봄, 일견, 힐끗 봄(glimpse), 목격, 관찰. ④ Ⓒ 구경거리, 웃음거리. ⑤ Ⓒ 광경; (*pl.*) (*the* ~) 명승지; 경치; Ⓤ 일람(一覽). ⑥ Ⓤ 보기, 견해. ⑦ Ⓒ (총의) 가늠쇠〔자〕. ⑧ Ⓒ 《口》 많음. ***a (long) ~ better*** 《口》 훨씬 좋은〔나은〕. ***a ~ for sore eyes*** 《口》 보기만 해도 반가운 것《귀한 손님·진품》. ***at first ~*** 한 번 보아; 일견한 바로는. ***at*** 〔***on***〕 ***~*** 보자 곧, 보자마자; 보는 대로〔즉시〕. ***catch*** 〔***get***〕 ***~ of*** …을 발견하다. ***in a person's ~*** 아무의 눈 앞에서; …의 눈으로 보면. ***in ~*** (***of***)(…에서) 보이는〔보일 정도로 가까운 곳에〕. ***keep in ~*** …의 모습을〔자태를〕 놓치지 않도록 하다. ***know by ~*** 안면이 있다. ***lose ~ of*** …의 모습을 잃다〔놓치다〕. ***out of ~*** 안 보이는 곳에. ***Out of ~, out of mind.*** 《속담》 헤어지면 마음조차 멀어진다. ***see*** 〔***do***〕 ***the ~s*** 명소를 구경하다. ***take a ~ of*** …을 보다〔바로보다〕. ***take ~*** 노리다, 겨누다. — *vt.* 보다, 목격하다; 관측하다; 겨누다, 조준하다; 일람(一覽)시키다. **∠·less** *a.* 보지 못하는, 맹목의. **∠·ly** *a.* 보기 싫지 않은; 전망이〔경치가〕 좋은.
síght bìll 〔**dràft**〕 〖商〗 일람불 어음〔환어음〕.
síght-rèad *vt., vi.* (~ [-red]) 〖樂〗 악보를 보고 거침없이 연주하다, 시주〔시창〕(視奏〔視唱〕)하다.
:síght-sèeing *n., a.* Ⓤ 관광〔구경〕(의). ~ ***bus*** 관광 버스.
***síght·sèer** *n.* Ⓒ 관광객.
síght·wòrthy *a.* 볼 만한.
sig·ma[sígmə] *n.* 그리스어 알파벳의 열여덟째 글자《Σ, σ, (어미에서는 ς); 로마자의 S, s에 해당》.
†sign[sain] *n.* Ⓒ ① 기호, 부호. ② (신호의) 손짓, 사인; 암호. ③ 간판, 길잡이. ④ 증거, 표시, 징후; 흔적, 자취. ⑤ 〖聖〗 기적(*seek a ~* 기적을 찾다). ⑥ 〖天〗 (12궁(宮)의) 궁(宮). ***make no ~*** (기절하여) 꿈쩍않다. ***~ manual*** (국왕 등의) 친서, 서명. ***~s and wonders*** 기적. — *vt., vi.* ① 신호〔군호〕하다. ② 서명〔조인〕하다. ③ (*vt.*) (상대에게) 서명시켜 고용〔계약〕하다. ④ (*vt.*) 기호를 달다. ⑤ (*vi.*) 서명하여 고용되다(*She ~ed for a year.*). ***~ away*** 〔***over***〕 (서명한 다음) 양도하다. ***~ off*** 방송이 끝남을 알리다; 서명하고 …을 끊다《술 따위》. ***~ on*** 계약서에 서명시키고 고용하다〔서명을 하고 고용되다〕. ***~ on the dotted line*** 사후(事後) 승낙을 강요당하다; 상대방의 조건을 묵인하다. ***~ up*** 《口》 (계약서에) 서명하고 고용되다; 참가하다.
Si·gnac[sinjǽk], **Paul**(1863–1935) 프랑스 신인상파의 화가.
:sig·nal[sígnəl] *n.* Ⓒ 신호, 군호; 도화선(*for*); 〖카드〗 짝패에게 보내는 암호의 수. — *a.* 신호(용)의; 뛰어난, 훌륭한. — *vi., vt.* (《英》 ***-ll-***) 신호〔군호〕로 알리다; (*vt.*) (…의) 전조가〔조짐이〕 되다. **~·(l)ing** *n.* Ⓒ 신호. **~·ly** *ad.*
sígnal-bòx *n.* Ⓒ 《英》 (철도의) 신

호소.
Sígnal Còrps〖美陸軍〗통신단.
sig·nal·ize[-àiz] *vt.* 두드러지게 〔눈에 띄게〕 하다; 신호하다.
sígnal·man[-mən, -mæ̀n] *n.* Ⓒ (철도 따위의) 신호수.
sig·nal·ment[sígməlmənt] *n.* Ⓒ 인상서(人相書).
sig·na·to·ry[sígnətɔ̀:ri/-təri] *a., n.* 서명〔조인〕한; Ⓒ 서명인, 조인국.
sígnal tòwer《美》(철도의) 신호소.
:sig·na·ture[sígnətʃər] *n.* Ⓒ ① 서명. ②〖樂〗(조·박자) 기호. ③〖印〗 접지 번호, (번호 매긴) 전지(全紙). ④ (방송 프로 전후의) 테마 음악.
síign·bòard *n.* Ⓒ 간판.
sig·net[sígnit] *n.* Ⓒ 인발, 인장 (small seal).
sígnet rìng 인장을 새긴 반지.
:sig·nif·i·cance[signífikəns] *n.* Ⓤ 의미(심장), 중대성. **:-cant** *a.* 의미 심장한; 중대한; …을 뜻하는 (*of*). **-cant·ly** *ad.*
sig·ni·fi·ca·tion [sìgnəfikéiʃən] *n.* Ⓤ 의미, 의의, Ⓒ 어의; Ⓤ,Ⓒ 표시, 지시. **sig·nif·i·ca·tive**[signífəkèitiv/-kətiv] *a.* 나타내는(*of*); 뜻이 있는.
***sig·ni·fy**[sígnəfài] *vt., vi.* 나타내다, 의미〔뜻〕하다; 예시하다; 중대하다.
sígn lànguage 수화(手話), 지화법(指話法); 손짓〔몸짓〕말.
sígn-òff *n.* Ⓤ 방송 종료.
si·gnor[si:njɔ́:r, sí:njɔ:r] *n.* (It.) (*pl.* ***-ri***[-ri:]) =MR., SIR.
si·gno·ra[sinjɔ́:rə] *n.* (It.)(*pl.* ***-re*** [-re]) =MRS., LADY.
si·gno·ri·na[sì:njɔ:rí:nə] *n.* (It.) (*pl.* ***-ne***[-ne]) =MISS.
si·gno·ri·no[sìnjɔ:rí:nou] *n.* (It.) (*pl.* ***-ni***[-ni]) =MASTER.
sígn·pòst *n.* Ⓒ 길잡이, 도표(道標).
Sikh[si:k] *n., a.* Ⓒ 시크교도(의). **~·ism**[´izəm] *n.* Ⓤ 시크교《인도 북부의 종교》.
Sik·kim[síkəm] *n.* 시킴《Nepal과 Bhutan 중간에 위치한 인도 보호령》.
si·lage[sáilidʒ] *n., vt.* =ENSILAGE.
†si·lence[sáiləns] *n.* ① Ⓤ 침묵; 정적. ② Ⓤ,Ⓒ 무소식(*Excuse me for my long ~.*). ③ Ⓤ 망각(*pass into ~* 잊혀지다); 침묵을 지킴, 비밀; 묵살. ***keep ~*** 침묵을 지키다. ***put to ~*** 윽박질러 침묵시키다, 잠잠하게 하다. — *vt.* 침묵시키다. — *int.* 조용히!; 입닥쳐! **sí·lenc·er** *n.* Ⓒ 침묵 시키는 사람〔것〕; 소음(消音)장치.
†si·lent[sáilənt] *a.* ① 침묵하는, 무언의. ② 조용한; 활동하지 않는. ③ 익명의. ④〖音聲〗묵음의. **:~·ly** *ad.* 무언으로, 잠자코; 조용히.
Sílent Majórity《특히 美》그다지 의견을 말하지 않는 국민의 대다수; 일반 대중.
sílent pártner《美》익명 조합원 (《英》 sleeping partner).
sílent sóldier《軍俗》지뢰(地雷).
sílent spríng 공해나 살충제에 의한 자연 파괴.
Si·le·sia[sailí:ʃə, sil-, -ʒə] *n.* 체코와 폴란드에 걸친 지방; (s-) Ⓤ 실레지아 천.
Si·lex[sáileks] *n.*〖商標〗사일렉스《내열(耐熱) 유리의 진공 커피 끓이개》; (s-) =SILICA.
***sil·hou·ette**[sìlu(:)ét] *n.* Ⓒ 실루엣, 그림자(그림); (옆얼굴의) 흑색 반면 영상(半面影像); 영상. — *vt.* 실루엣으로 하다(*a tree ~d against the blue sky* 파란 하늘을 배경으로 검게 보이는 나무).
sil·i·ca[sílikə] *n.* Ⓤ〖化〗실리카, 규토(珪土), (무수) 규산.
sílica gèl〖化〗실리카 겔《흡습·건조제》.
sil·i·cate[síləkit, -kèit] *n.* Ⓤ,Ⓒ〖化〗규산염.
si·li·ceous[silíʃəs] *a.* 규산의; 규토(질)의.
si·líc·ic ácid[silísik-]〖化〗규산.
sil·i·con[sílikən] *n.* Ⓤ〖化〗규소.
sil·i·co·sis[sìləkóusis] *n.* Ⓤ〖醫〗규폐증(珪肺症). **sil·i·cot·ic**[-kátik/-ɔ́-] *a.* 규폐증의.
†silk[silk] *n.* Ⓤ ① 비단, 견사(絹絲) (*raw ~* 생사). ② (*pl.*) 견직물, 비단옷. ③《英口》왕실 변호사(의 제복). ***hit the ~***《美空軍俗》낙하산으로 뛰어 내리다. ***take*** (***the***) ***~*** 왕실 변호사가 되다. ***You cannot make a ~ purse out of a sow's ear.***《속담》돼지 귀로 비단 염낭은 만들 수 없다; 콩심은 데 콩나고 팥 심은 데 팥 난다.
***silk·en**[´ən] *a.* 비단의〔으로 만든〕; 비단 같은 (윤이 나는), 반드러운; 비단옷을 입은, 사치스런.
sílk gówn (barrister가 입는) 비단 가운(cf. stuff gown).
sílk hát 실크 해트.
Sílk Róad, the 실크 로드, 비단길《장안(長安)·돈황(敦煌)·바그다드·로마를 잇는 고대의 교역로》.
sílk-scrèen *a.* 실크 스크린의. ***~ print*** 〔***process***〕 실크 스크린 인쇄 〔날염법〕.
sílk-stócking *n., a.* Ⓒ 비단 양말 (을 신은); 사치스런 (사람).
sílk·wòrm *n.* Ⓒ 누에.
silk·y [´i] *a.* 비단의〔같은〕; 반드러운.
sill[sil] *n.* Ⓒ 문지방, 창턱.
sil·li·man·ite [síləmənàit] *n.* Ⓤ〖鑛〗규선석(硅線石).
:sil·ly[síli] *a.* ① 어리석은; 바보 같은. ②《古》단순한, 천진한. ③《古》아연한(stunned), 아찔한(dazed). — *n.* Ⓒ《口》바보. **síl·li·ness** *n.*
si·lo[sáilou] *n.* (*pl.* ***~s***[-z]), *vt.* Ⓒ (목초 저장용의) 사일로(에 저장하다);《美》사일로《발사 준비된 미사일 지하 격납고》.
silt[silt] *n., vt., vi.* Ⓤ 침니(沈泥)(로 막다·막히다)(*up*).

S

sil·van[sílvən] *a.* =SYLVAN.
†**sil·ver**[sílvər] *n.* Ⓤ 은; 은화; 은그릇; 은실; 질산은; 은백, 은빛. — *a.* 은의; 은색의, 은으로 만든, 은방울 굴리는 듯한, 낭랑한, 소리가 맑은. — *vt.* (…에) 은을 입히다, 은도금(鍍金)하다; 질산은을 칠하다; 백발이 되게 하다.
sílver áge, the 백은 시대《로마 문학의 황금 시대에 버금가는 시대; Martial, Tacitus, Juvenal 등이 활약; 영문학에서는 Anne 여왕 시대》.
sílver·fish *n.* Ⓒ《一般》(각종) 은빛의 물고기; 〚蟲〛 반대좀.
sílver fòil 〔**lèaf**〕 은박(銀箔).
sílver fóx 은빛 여우(의 털가죽).
sílver-gráy *a.* 은백색의.
sílver-háired *a.* 은발의, 백발의.
sílver íodide 요오드화은(銀).
sílver líning 검은 구름의 은빛 언저리; 불행이 행복으로 바뀔 기미, (앞날의) 광명; 밝은 면.
sílver nítrate 〚化〛 질산은(銀).
sílver pàper 은박지, 은종이; 〚寫〛 은감광지.
sílver pláte 《집합적》 은(銀)식기.
sílver-pláted *a.* 은을 입힌, 은도금한.
sílver sálmon 〚魚〛 은연어.
sílver scréen, the 영화; 은막.
sílver·smìth *n.* Ⓒ 은세공장이.
sílver stàndard 은본위제.
Sílver Stár Mèdal 〚美陸軍〛 은성 훈장.
sílver stréak, the 영국 해협.
sílver-tóngued *a.* 웅변의, 구변이 좋은, 설득력이 있는. 「품.
sílver·wáre *n.* Ⓤ 《집합적》 은제
sílver wédding 은혼식《결혼 25주년의 축하식》.
***sil·ver·y**[-i] *a.* 은과 같은; 은빛의.
sil·vi·cul·ture[sílvikʌ̀ltʃər] *n.* Ⓤ 산림 육성, 식림법.
sim·i·an [símiən] *n., a.* Ⓒ 원숭이(의, 같은).
:sim·i·lar[símələr] *a.* 유사한, 닮은꼴의. **:~·ly** *ad.* 똑같이.
***sim·i·lar·i·ty**[sìmələ́rəti] *n.* Ⓤ 비슷함, 유사, 상사.
sim·i·le[síməlì:/-li] *n.* Ⓤ,Ⓒ 〚修〛 직유(直喩)《보기 : as busy *as a bee*》(cf. metaphor).
si·mil·i·tude[simílətjù:d] *n.* Ⓤ 유사; Ⓒ 비슷한〔닮은〕 얼굴, 상(像); =SIMILE.
sim·i·tar[símətər] *n.* =SCIMITAR.
sim·mer**[símər] *vi., vt.* ① (…에) 부글부글 끓다, (끓어 오르기 전에) 픽픽 소리나(게 하)다. ② 몽글 불로 익히다. ③(격노를 참느라고 속을〔이〕) 지글지글 끓(이)다; (웃음을) 지그시 참다. **~ *down 천천히 식다, 가라앉다. — *n.* (*sing.*) simmer 하기.
si·mo·le·on[səmóuliən] *n.* Ⓒ 《美俗》 달러.
si·mon-pure[sáimənpjúər] *a.* 진짜의, 정말의. ***the real S- P-*** 진짜.
si·mo·ny[sáiməni, sím-] *n.* Ⓤ,Ⓒ 성직 매매(의 죄).
si·moom[simú:m, sai-] *n.* Ⓒ 시뭄《아라비아 지방의 열풍》. 「TON.
simp [simp] *n.* 《美俗》 =SIMPLE-
sim·per[símpər] *n., vi., vt.* Ⓒ 억지〔얼빠진〕 웃음(을 짓다, 지어 말하다), 선웃음(치다).
†**sim·ple**[símpəl] *a.* ① 단순한, 간단한, 쉬운. ② 간소한, 질박한, 수수한. ③ 자연스러운; 솔직한. ④ 티없는, 천진한; 유치한. ⑤ 하찮은; 신분이 낮은. ⑥ 순연한, 순전한. ⑦ 〚植〛 (잎이) 갈라지지 않은; 〚化〛 단체(單體)의(*a ~ eye*). ***pure and ~*** 순전한. — *n.* Ⓒ 단순한 것; 단체(單體); 바보; 《古》 약초(medicinal plant). **~·ness** *n.* =SIMPLICITY.
símple equátion 〚數〛 일차 방정식.
símple-hèarted *a.* 순진한, 성실한.
símple ínterest 〚商〛 단리(單利).
símple machíne 〚機〛 간단한 기계《나사·지레·도르래·쐐기·바퀴와 축·사면(斜面)의 6가지 중의 하나》.
símple-mínded *a.* 순진한; 단순한; 어리석은; 정신 박약의.
símple séntence 〚文〛 단문(單文).
sim·ple·ton[símpltən] *n.* Ⓒ 바보.
sim·plex[símpleks] *a.* 단순한, 단일의; 〚通信〛 단신(單信) 방식의(*~ telegraphy* 단신법(單信法)). — *n.* (*pl.* **~es, -plices**[-pləsì:z], **-plicia**[simplíʃiə]) 〚文法〛 단일어, 단순어; 〚通信〛 단신법(單信法); 〚數〛 단체(團體); 〚컴〛 단(單)방향.
:sim·plic·i·ty[simplísəti] *n.* Ⓤ 단순; 평이; 간소; 소박; 순진; 무지.
sim·pli·fi·ca·tion[sìmpləfikéiʃən] *n.* Ⓤ,Ⓒ 단일화; 간소화; 평이화.
sim·pli·fied[símpləfàid] *a.* 간이화한.
***sim·pli·fy**[símpləfài] *vt.* 단일〔단순〕하게 하다; 간단〔평이〕하게 하다.
:sim·ply[símpli] *ad.* 솔직히; 단순히; 다만; 어리석게; 전혀, 순전히.
sim·u·la·crum[sìmjuléikrəm] *n.* (*pl.* **-cra**[-krə], **~s**) Ⓒ 모습, 환영(幻影); 상(像); 가짜.
***sim·u·late**[símjulèit] *vt.* (…으로) 가장하다〔겉꾸미다〕, (짐짓) (…인) 체하다(pretend); 흉내내다. — [-lit, lèit] *a.* 짐짓 꾸민, 가장한; 의태(擬態)의. **-lant** *a.* **-la·tion**[~-léiʃən] *n.* Ⓤ,Ⓒ 가장, 흉내; 꾀병; 〚컴·宇宙〛 시뮬레이션, 모의 실험. **-lative** *a.* **-la·tor** *n.*
si·mul·cast [sáiməlkæ̀st, sím-, -kɑ̀:st] *n., vt., vi.* Ⓤ,Ⓒ 〚TV·라디오〛 동시 방송(하다).
***si·mul·ta·ne·ous**[sàiməltéiniəs, sim-] *a.* 동시의〔에 일어나는〕. ***~·ly** *ad.* **~·ness** *n.* **-ne·i·ty**[-təní:əti] *n.*
simultáneous equátions 연립 방정식. 「동시 통역.
simultáneous interpretátion
:sin[1][sin] *n.* Ⓤ,Ⓒ (도덕상의) 죄(cf. crime); Ⓒ 잘못; 위반(*against*). ***for my ~s*** 《諧》 무엇에 대한 벌인

지. *like* ~ 《俗》 몹시. *the seven deadly ~s* 〖宗〗 7가지 큰 죄, 칠죄종(七罪宗). — *vi., vt.* (*-nn-*) (죄를) 짓다(*against*). ~ *one's mercies* 행운에 감사하지 않다. ⌐́·less *a.*

sin²[sain] *n.* =SINE.

Si·nai[sáinai, -niài], **Mt.** 시내산《모세가 십계를 받은》.

Sin·an·thro·pus [sinǽnθrəpəs] *n.* 〖人類〗 베이징 원인.

†**since**[sins] *ad.* 그 후, 그 아래; (지금부터 몇 해·며칠) 전에. *ever* ~ 그 후 쭉〔내내〕. *long* ~ 훨씬 이전에〔전부터〕. *not long* ~ 바로 최근. — *prep.* …이래. — *conj.* …(한) 이래; …이〔하〕므로(because).

:**sin·cere**[sinsíər] *a.* 성실한, 진실의.

:**sin·cere·ly**[sinsíərli] *ad.* 성실하게; 충심으로. *Yours* ~, or *Sincerely yours* 돈수(頓首), 경구(敬具)《편지의 끝맺음말》.

*__sin·cer·i·ty__[sinsérəti] *n.* Ⓤ 성실; 성의; 정직.

Sin·clair[sinklέər, síŋklεər], **Upton** (1878-1968) 미국의 소설가·사회 비평가. 「sin》.

sine [sain] *n.* Ⓒ 〖數〗 사인《생략

si·ne·cure[sáinikjùər, síni-] *n.* Ⓒ (명목뿐인) 한직(閑職).

si·ne di·e [sáini dáii] (L.) 무기한으로〔의〕.

si·ne qua non [-kwei nάn/-ɔ́-] (L.) 필요 조건〔자격〕.

*__sin·ew__[sínju:] *n.* Ⓤ,Ⓒ 힘줄; (*pl.*) 근육; 힘(의 원천). *the ~s of war* 군자금; 돈. — *vt.* 건(腱)으로 잇다; 근력을〔원기를〕 북돋우다. ~·**ly** *a.* 근골이 늠름한.

sin·fo·niet·ta [sìnfounjétə] *n.* (It.) Ⓒ 〖樂〗 소교향악(단).

*__sin·ful__[sínfəl] *a.* 죄있는, 죄많은; 버릇없는. ~·**ly** *a.* ~·**ness** *n.*

†**sing**[siŋ] *vi., vt.* (**sang,** 《古》《稀》 **sung; sung**) 노래하다, 울다, 지저귀다; (*vi.*) 울리다, (벌레·바람·미사일 따위가) 윙윙거리다; (주전자 물이 끓어) 픽픽거리다. ~ ***another song*** 〔***tune***〕 (가락을〔태도를〕 바꾸어) 겸손하게 나오다(cf. ~ *the same old song* 같은 일을 되풀이 하다). ~ ***out*** 《口》 큰소리로 부르다, 소리치나. ~ ***small*** 《口》 풀이 죽다. — *n.* Ⓒ 노랫소리, 우는 소리; (탄환·바람의) 윙윙소리. :⌐́·**er** *n.*

sing. single; singular.

sing·a·long[síŋəlɔ̀:ŋ/-lɔ̀ŋ] *n.* Ⓒ 노래 부르기 위한 모임.

Sin·ga·pore[síŋgəpɔ̀:r/⌐́-⌐] *n.* 싱가포르《말레이 반도 남단의 섬·공화국, 1965년 독립》.

singe[sindʒ] *vt., vi.* 태워 그스르다〔그을다〕, (*vt.*) (새나 돼지 따위의) 털을 그스르다. ~ ***one's feathers*** 〔***wings***〕 명성을 손상하다; 실패하다. — *n.* Ⓒ (조금) 탐, 눌음.

Sin·gha·lese[sìŋgəlí:z, -lís] *n., a.* Ⓒ Ceylon(섬)의 사람; Ⓤ 그 말(의).

:**sing·ing**[síŋiŋ] *n.* Ⓤ 노래하기; 노랫소리; 지저귐; 귀울림.

†**sin·gle**[síŋgəl] *a.* ① 단 하나의. ② 혼자의, 독신의. ③ 《英》 편도의(*a ~ ticket*). ④ 단식의, 홑의, 단식 시합의. ⑤ 〖植〗 외겹(꽃)의. ⑥ 성실한; 일편단심의(~ *devotion*). ⑦ 일치한, 단결한. ~ ***blessedness*** 《諧》 독신《Sh.》. ~ ***combat*** (단 둘의) 맞상대 싸움. ***with a ~ eye*** 성심성의로. — *n.* Ⓒ 한개, 단일, 〖野〗 단타(單打); (*pl.*) 〖테니스〗 단식 시합, 싱글. — *vi.* 단타를 치다.

síngle-ácting *a.* 〖機〗 단동(單動)식의, 한 방향으로만 움직이는.

síngle-bréasted *a.* (윗도리·외투가) 싱글의, 외줄 단추의. 「도(의).

síngle-dènsity *n., a.* Ⓤ 〖컴〗 단밀

single éntry 〖野〗 단식 부기.

síngle-éyed *a.* 홀눈의, 단안(單眼)의; 한마음의, 성실한.

síngle fíle 일렬 종대(로).

síngle-hánded *a., ad.* 한 손〔사람〕의; 한마음의, 성실한; 단독으로.

síngle-héarted *a.* 성실한.

síngle-lóader *n.* Ⓒ 단발총.

síngle-mínded *a.* 성실한.

sin·gle·ness[síŋgəlnis] *n.* Ⓤ 단일, 단독; 성의. 「親」 가정.

síngle párent fàmily 편친(片

síngle-phàse *a.* 〖電〗 (모터가) 단상(單相)인. 「자동차.

síngle séater 단좌 비행기; 1인승

síngle stándard 〖經〗 단(單)본위제; (남녀 평등의) 단일 도덕률.

síngle·stìck *n.* Ⓒ 목도(木刀); Ⓤ (한손으로 하는) 목검술.

síngle tàx 〖經〗 단일세; 지조(地組).

sin·gle·ton[síŋgəltən] *n.* Ⓒ 외동이, 한 개의 것; 〖카드〗 (달리 낼 패가 없는) 한 장(패).

síngle·trèe *n.* Ⓒ 물추리 막대《마구의 끄는 줄을 매는 가로대》.

*__sin·gly__[síŋgli] *ad.* 혼자서, 단독으로; 하나씩; 제 힘으로. 「도소.

Síng Sìng 미국 N.Y. 주에 있는 교

sing·song[síŋsɔ̀:ŋ/-sɔ̀ŋ] *n., a., vt., vi.* (a ~) 단조(로운); Ⓒ 《英》 즉흥 노래〔성악〕 대회; 단조롭게 노래〔얘기〕하다.

:**sin·gu·lar**[síŋgjələr] *a.* ① 단 하나의, 개개의; 각각의; 〖文〗 단수의. ② 독특한; 훌륭한, 멋진; 이상〔기묘〕한, 현저한. — *n.* (the ~) 〖文〗 단수(형). ***all and*** ~ 모조리. ~·**ly** *ad.* -**lar·i·ty**[⌐-lǽrəti] *n.* Ⓤ 이상, 기이; 기이한 버릇; 비범; 단독; 단일.

*__sin·is·ter__[sínistər] *a.* ① 불길한; 사악한, 음험한, 부정직한; 불행한. ② 〖紋〗 방패의 왼쪽《마주 보아 오른쪽》의; 왼쪽의. ~·**ly** *ad.*

sin·is·tral[sínistrəl] *a.* 왼쪽의; 왼손잡이의; 왼쪽으로 말린《고둥 따위》.

:**sink**[siŋk] *vi.* (**sank, sunk; sunk, sunken**) ① 가라앉다, 침몰하다. ② (해·달 등이) 지다; 내려앉다. ③ 쇠약해지다; 몰락〔타락〕하다. ④ 스며들

S

다(*in, into, through*). ⑤ 우묵[홀쭉]해지다, 쑥 빠지다; 처지다, 낮아지다, (바람이) 잔잔해진다. — *vt.* ① 가라앉히다, 침몰시키다. ② 낮추다, 숙이다, 떨어뜨리다. ③ 약하게 하다; 낮게 하다; 줄이다. ④ (재산을) 잃다; (자본을) 무익하게 투자하다. ⑤ 조각하다, 새겨 넣다; 파다. ⑥ (국채를) 상환하다. ⑦ (이름·신분을) 숨기다; 무시하다. **~ *oneself*** 사리(私利)를 버리(고 남을 위하)다. **~ *or swim*** 운을 하늘에 맡기고, 성패간에. **~ *the shop*** 직업[전문]을 숨기다. — *n.* Ⓒ (부엌의) 수채; 하수구(溝), 구정물통; 소굴(*a* ~ *of iniquity* 악한의 소굴). **∠·er** *n.* Ⓒ sink 하는 사람[것]; 《美俗》 도넛; 〖野〗 '싱커' 《드롭시키는 투구(投球)》.

sink·ing[síŋkiŋ] *n.* Ⓤ,Ⓒ 가라앉음; 침하; 투자; 저하; 무기력.

sínking fùnd 감채(減債) 기금.

sínk ùnit 부엌 설비《수채, 찬장, 조리대》(kitchen unit).

sin·less[sínlis] *a.* 죄 없는. 「인.

*__sin·ner__[sínər] *n.* Ⓒ (도덕상의) 죄

Sinn Fein [ʃín féin] 신페인당(黨) 《아일랜드 독립당》.

Si·no-[sáinou, -nə, sín-] '중국'의 뜻의 결합사.

Sìno-Koréan *a.* 한중의, 한국과 중국에 관한. — *n.* Ⓤ 한국어 속의 중국어.

Si·nol·o·gy[sainálədʒi, si-/-ɔ́-] *n.* Ⓤ 중국학. **-gist** *n.*

sin·u·ous[sínjuəs] *a.* 꾸불꾸불한; 빙퉁그러진; 복잡한. **~·ly** *ad.*

si·nus[sáinəs] *n.* (*pl.* **~*es*;** ~) Ⓒ 우묵한 곳; 〖解〗 동(洞), 두(竇), (특히) 정맥동; 〖醫〗 누(瘻).

si·nus·i·tis [sàinəsáitis] *n.* Ⓤ 〖醫〗 정맥동염(靜脈洞炎); 부비강염(副鼻腔炎).

Si·on[sáiən] *n.* =ZION.

Sioux[su:] (*pl.* ~[su:z]) *a., n.* (the ~) 수족《북미 인디언의 한 종족》(의). **Síou·an** *a., n.* Ⓒ 수족(의).

:**sip**[sip] *n.* Ⓒ 한 모금, 한번 홀짝임[마심]. — *vt., vi.* (***-pp-***) 홀짝홀짝 마시다[빨다].

*__si·phon__[sàifən] *n., vt., vi.* Ⓒ 사이펀(으로 빨아올리다, 을 통하다).

SIPRI Stockholm International Peace Research Institute 스톡홀름 국제 평화 연구소.

†**sir**[強 sə:r, 弱 sər] *n.* ① 님, 선생(님), 나리. ② 이봐!《꾸짖을 때 따위》. ③ (*pl.*) 《상용문》 각위(各位), 여러분. ④ 《英》 (S-) 경(卿)《knight 또는 baronet의 이름 또는 성에 붙임》.

*__sire__[saiər] *n.* Ⓒ ① 노년자; 장로. ② 폐하, 전하《군주에의 경칭》. ③ 《詩》 아버지, 부조(父祖). ④ 씨말. — *vt.* (씨말이) 낳다(beget).

*__si·ren__[sáiərən] *n.* ① (S-) 〖그神〗 사이렌《아름다운 노랫소리로 뱃사람을 유혹하여 난파시켰다는 요정》. ② Ⓒ 미성(美聲)의 가수; 인어. ③ Ⓒ 경적, 사이렌. — *a.* 매혹적인. 「옷.

síren sùit 《英俗》 (몸에 맞는) 가죽

si·ri·a·sis [siráiəsis] (*pl.* ***-ses*** [-si:z]) *n.* Ⓤ 〖醫〗 일사병.

Sir·i·us [síriəs] *n.* 〖天〗 시리우스, 천랑성(天狼星).

sir·loin[sə́:rlɔin] *n.* Ⓤ,Ⓒ (소의 윗부분의) 허리고기.

si·roc·co[sirákou/-ɔ́-] *n.* (*pl.* **~*s***) Ⓒ 시로코 바람; (기분이 나쁜) 열풍.

sir·(r)ee[sərí:] *int.* 《美》 sir의 강조형《yes, no의 뒤에 붙음》.

*__sir·up__[sírəp, sə́:rəp] *n.* =SYRUP.

sis[sis] *n.* 《口》 =SISTER.

sí·sal (hèmp)[sáisəl(-), sís(-)] *n.* Ⓤ 사이잘삼《로프용》.

sísal·kràft *n.* Ⓤ 사이잘크라프트지(紙)《튼튼한 판지》.

sis-boom-bah[sísbù:mbá:] *int.* 후레이후레이. — *n.* Ⓤ 《美俗》 보는 스포츠《특히 풋볼》.

sis·sy[sísi] *n.* Ⓒ 소녀; 《口》 여자 같은[나약한] 사내(아이).

†**sis·ter**[sístər] *n.* Ⓒ ① 자매, 언니, 누이《누나·여동생》. ② 여자 친구[회원]. ③ 〖가톨릭〗 수녀. ***be like ~s*** 매우 다정하다. — *a.* 자매의[와 같은]; 짝[쌍]의. **~ *language*** 자매어. ***the three Sisters*** 〖그神〗 운명의 3여신. **~·hood**[-hùd] *n.* Ⓤ 자매의 관계[정]; Ⓒ (종교적인) 여성 단체, 부인회. **~·ly** *ad.*

síster-gérman *n.* (*pl.* ***sisters-german***) Ⓒ 같은 부모를 가진 자매, 친자매.

*__síster-in-làw__ *n.* (*pl.* ***sisters-***) Ⓒ 올케·시누이·형수·계수·처남댁·처형·처제 등.

síster shíp 자매선《같은 설계로 건조된 동형선》.

Sis·y·phe·an[sìsəfí:ən] *a.* 〖그神〗 Sisyphus 왕의; 끝없는(~ *labor* 끝없는 헛수고).

Sis·y·phus[sísəfəs] *n.* 〖그神〗 그리스의 못된 왕《죽은 후 지옥에 떨어져, 벌로서 큰 돌을 산꼭대기에 옮기게 되었으나 끝내 이루지 못했음》.

†**sit**[sit] *vi.* (***sat,*** 《古》 ***sate; sat; -tt-***) ① 앉다, 걸터 앉다, 착석하다. ② (선반 따위의) 얹혀 있다. ③ (새가) 앉다; 알을 품다. ④ (옷이) 맞다(~ *well* [*ill*] *on him*). ⑤ (바람이) 불다. ⑥ 출석하다. ⑦ 의석을 갖다; 의원이 되다(~ *in Congress*). ⑧ 개회[개정]하다. — *vt.* 착석시키다; (말을) 타다. ***make*** (*a person*) **~ *up*** 《俗》 깜짝 놀라게 하다; 고생시키다. **~ *at home*** 죽치다, 칩거하다. **~ *back*** (의자에) 깊숙이 앉다; 일을 피하다; 아무 일도 하지 않고 일이 일어나기를 기다리다. **~ *down*** 앉다; 착수하다(*to*); (모욕을) 감수하다(*under*). **~ *for*** (시험을) 치르다; (초상화를) 그리게 하다, (사진을) 찍게 하다; (선거구를) 대표하다. **~ *heavy on*** (*a person*) 먹은 것이 얹히다, 징건하다; 괴롭히다. **~ *in***

S

judgment on …을 (멋대로) 비판하다. ～ ***light on*** 부담[고통]이 되지 않다. ～ ***loosely on*** (의견·주의 등이) 중요시 되지 않다, 아무래도 좋다. ～ ***on*** [***upon***] (위원회 따위의) 일원이다; 심리하다; 《口》 윽박지르다. ～ ***on one's*** HANDS. ～ ***on the fence*** 형세[기회]를 관망하다. ～ ***out*** (댄스 따위에서) 축에 끼지 않다; (음악회·시험장에서) 마지막까지 남다; (딴 손님보다) 오래 앉아 있다. ～ ***under*** …의 설교를 듣다. ～ ***up*** 일어나다; 상반신을 일으키다; 자지 않고 있다(～ *up late* 밤 늦게까지 안 자다); 깜짝 놀라다, 깜짝 놀라 정신차리다. ***sít·ter** *n.* Ⓒ sit하는 사람, 착석자; BABY-SITTER; 《俗》 수월한 일. ***sit·ting**[sítiŋ] *n.* Ⓤ 착석; Ⓒ 한 차례 일; 회기; 개정(기간). ***at a*** [***one***] ***sitting*** 단숨에.

SITC Standard International Trade Classification 표준 국제 무역 분류.

sit·com[sítkɑ̀m/-ɔ̀-] *n.* 《美俗》 = SITUATION COMEDY.

sít-dòwn (strìke)[⌐dàun(-)] *n.* Ⓒ 농성 파업.

:site[sait] *n.* Ⓒ 위치, 장소; 용지, 부지.

sít-ìn *n.* Ⓒ 연좌 (농성) 항의《특히 미국의 인종차별에 대한》.

si·tol·o·gy[saitɑ́lədʒi/-tɔ́l-] *n.* Ⓤ 영양학, 식품학.

sítting dúck 손쉬운 표적(easy target); 봉.

†sítting ròom 거실.

sit·u·ate[sítʃuèit] *a.* 《古》 =⇩.

:sit·u·at·ed[sítʃuèitid] *a.* 있는, 위치한(*at, on*); 입장에 놓인.

:sit·u·a·tion[sìtʃuéiʃən] *n.* Ⓒ ① 위치, 장소. ② 형세; 입장, 처지. ③ 지위, 직(職). ④ (연극의) 아슬아슬한 고비.

situátion còmedy 〖TV〗 연속 코미디.

situátion ròom 전황 보고실.

sít·ùp *n.* Ⓒ 반듯이 누웠다가 상체만 일으키는 복근(腹筋) 운동.

sitz·krieg[sítskrì:g] *n.* (G.) 지구전(持久戰)(cf. *blitzkrieg*).

Si·va[sí:və, ʃí:-] *n.* 〖힌두敎〗 시바, 대자재천(大自在天)《파괴의 신》.

†six[siks] *n., a.* Ⓤ,Ⓒ 6(의). ***at ～es and sevens*** 혼란하여; 불일치하여. ***gone for ～*** 〖英軍〗 전투중 행방불명되어. ***It's ～ of one and half-a-dozen of the other.*** 오십보 백보다. **⌐·fòld** *a., ad.* 6배의[로], 6겹의[으로].

síx-fóoter *n.* Ⓒ 《口》 키가 6피트인 사람, 키다리.

***síx·pènce** *n.* Ⓒ 《英》 6펜스; 6펜스 은화《1971년 2월 폐지》.

síx·pènny *a.* 《英》 6펜스의; 값싼, 시시한.

síx-shóoter *n.* Ⓒ 《口》 6연발 권총.

†six·teen[síkstí:n] *n., a.* Ⓤ,Ⓒ 16(의). ***sweet ～*** =sweet SEVENTEEN. **:～th** *n., a.* Ⓤ 열여섯(번)째(의); 16분의 1(의)(*a sixteenth note* 〖樂〗 16분음표).

†sixth[siksθ] *n., a.* Ⓤ 여섯째(의); 6분의 1(의); 〖樂〗 제 6도(음정); 《英》 6학년(sixth form).

síxth cólumn 제 6 열《FIFTH COLUMN을 도와 패배주의적 선전을 하는 그룹》.

síxth sénse 제 6 감, 직감.

†six·ty[síksti] *n., a.* Ⓤ,Ⓒ 60(의) **:-ti·eth** *n., a.* Ⓤ 60(번)째(의); 60분의 1(의).

síxty-fòur-dóllar quéstion 《美口》 가장 중요한 문제《라디오 퀴즈 프로에서》.

síxty-fòurth nòte 〖樂〗 64분 음표.

siz·a·ble[sáizəbəl] *a.* 꽤 큰.

†size[1][saiz] *n.* ① Ⓤ,Ⓒ 크기, 치수; Ⓒ (모자·구두 따위의) 사이즈, 형. ② (the ～) 《口》 실정. ***be of a ～*** 같은 크기다(*with*). — *vt.* 어느 크기로 짓다; (…을) 크기별로 가르다; (…의) 치수를 재다. ～ ***down*** 점차 작게 하다. ～ ***up*** 《口》 치수를 어림잡다; (남을) 평가하다; 어떤 크기[표준]에 달하다.

size[2] *n., vt.* Ⓤ 반수(礬水)(를 칠하다); 풀(먹이다).

siz·er[sáizər] *n.* Ⓒ 치수 측정기; (과일 등의 대소별) 선별기.

siz·zle [sízəl] *vi.* 지글지글하다. — *n.* (*sing.*) 지글지글하는 소리.

S.J. Society of Jesus.

skald[skɔ:ld] *n.* Ⓒ 옛 스칸디나비아의 음송(吟誦) 시인.

†skate[1][skeit] *n., vi.* Ⓒ 스케이트 구두(의 날); 롤러 스케이트; 스케이트를 지치다. ***get*** [***put***] ***one's ～ on*** 《口》 서두르다. ～ ***over*** (이야기 중에서) 잠깐 언급하다[비추다]. ***skát·er** *n.* Ⓒ 스케이트 타는 사람.

skate[2] *n.* Ⓒ 〖魚〗 홍어.

skáte·bòard *n.* Ⓒ 스케이트보드《바퀴 달린 길이 60cm 정도의 활주판, 그 위에 타고 서서 지침》.

†skat·ing[⌐iŋ] *n.* Ⓤ 스케이트.

skáting rìnk 스케이트장.

skee·sicks, -zicks[skí:ziks] *n.* Ⓒ 《美》 부랑자, 깡패, 쓸모 없는 사람.

skeet[ski:t] *n.* Ⓤ 트랩 사격의 일종.

skein[skein] *n.* Ⓒ 타래 다발; 엉클림; (기러기 따위의) 떼.

skel·e·tal[skélətl] *a.* 골격의; 해골의[같은].

:skel·e·ton[skélətn] *n.* Ⓒ 골격, 해골; 여윈 사람[동물]; 뼈대, 골자. — *a.* 해골의; 여윈. ***family ～,*** or ***～ in the cupboard*** (남에게 숨기고 싶은) 집안의 비밀. ～ ***at the feast*** 좌흥을 깨드리는 것. **～·ize** [-àiz] *vt.* 해골로 하다; 개요를 적다 (summarize); 인원을 대폭 줄이다.

skéleton clòck 투시 시계《기계 내부가 보이는 시계》.

skéleton crèw 〖海〗 기간 정원(基幹定員).

skéleton kèy (여러 자물쇠에 맞는) 결쇠.

skep·tic, 《英》 **scep-**[sképtik] *n.* Ⓒ 의심 많은 사람, 회의론자. —

S

a. =⇩. **skep·ti·cism**[-təsìzəm] *n.* Ⓤ 회의주의.
*__skep·ti·cal__[sképtikəl] *a.* 의심이 많은, 회의적인.
:**sketch**[sketʃ] *n.* Ⓒ 스케치; 사생화; 애벌〔대충〕 그림; 초안. ― *vt., vi.* (…의) 약도〔스케치〕를 그리다; 사생하다, (…의) 개략을 진술하다.
skétch·bòok *n.* Ⓒ 사생첩, 스케치북; 소품〔단편, 수필〕집.
skétch màp 약도, 겨냥도.
sketch·y[⌐i] *a.* 사생(풍)의; 개략〔대강〕의.
skew [skju:] *a.* 비스듬한, 굽은; 〖數〗 비대칭의. ― *n.* Ⓤ,Ⓒ 비뚤어짐, 휨; 잘못. ― *vi., vt.* 비뚤어진〔일그러지〕(게 하)다; 굽다, 구부리다.
skew·er[skjúːər] *n., vt.* Ⓒ 꼬챙이(에 꽂다)《고기를》.
skéw-èyed *a.* 《英》 곁눈질의, 사팔눈의. 「져.
skéw-whìff *a., ad.* 《英口》 비뚤어
†**ski**[skiː] *n.* (*pl.* ~(*s*)), *vi.* Ⓒ 스키(를 타다). **⌐·er** *n.* †**⌐·ing** *n.* Ⓤ 스키(를 타기); 스키술.
ski·ag·ra·phy[skáiəgræfi/-grὰ:f] *n., vt.* Ⓒ (…의) X선 사진(을 찍다).
ski·a·scope [skáiəskòup] *n.* Ⓒ 〖醫〗 (눈의 굴절을 판정하는) 검영기(檢影器).
skí-bòrne *a.* (부대 등이) 스키로 이동하는.
skid[skid] *n., vi.* (a ~) (*-dd-*) 옆으로 미끄러지기〔지다〕《차가》; 옆으로 미끄러짐을 막다; 미끄럼막이; 《美俗》 (the ~s) 몰락의 길.
skid·dy[skídi] *a.* (도로가) 옆으로 미끄러지기 쉬운. 「배.
skiff[skif] *n.* Ⓒ (혼자 젓는) 작은
ski·ffle[skífəl] *n.* Ⓤ 재즈와 포크송을 혼합한 음악의 일종《냄비·손 따위도 즉석에서 이용함》.
ski·jor·ing[skíːdʒɔ̀ːriŋ] *n.* Ⓤ (말 따위에 끌리는) 스키 놀이.
skí jùmp 스키 점프(장).
:**skil·ful**[skílfəl] *a.* =SKILLFUL.
skí lìft 스키어 운반기《케이블 의자》, 리프트.
:**skill**[skil] *n.* Ⓤ 숙련, 교묘, 솜씨(*in, to* do). *~·**ed**[-d] *a.* 숙련된.
:**skil(l)·ful**[⌐fəl] *a.* 숙련된, 교묘한. ***skíll·ful·ly** *ad.*
skil·let[skílit] *n.* Ⓒ 《美》 프라이팬; 《英》 스튜 냄비.
:**skim**[skim] *vt.* (*-mm-*) ① (찌끼 따위를) 떠〔걷어〕내다(*off*). ② (표면을) 스쳐 지나가다, 미끄러져 나가다. ③ 대충 훑어 읽다. ― *vi.* 스쳐 지나가다(*along, over*); (살얼음·찌끼)로 덮이다. **~ *the cream off*** …의 노른자위를 빼내다. **⌐·mer** *n.* Ⓒ skim하는 사람〔것〕; 그물 국자.
skím mílk 탈지유.
ski·mo·bile[skíːmoubìːl] *n.* Ⓒ 설상차(雪上車).
skimp[skimp] *vt., vi.* 찔름찔름〔감질나게〕 주다; 바싹 줄이다〔조리차하다〕, 검약하다; (일을) 날림으로 하다.
†**skin**[skin] *n.* ① Ⓤ,Ⓒ 피부, 가죽. ② Ⓤ,Ⓒ 가죽 제품; (술의) 가죽 부대. ③ Ⓒ 《美俗》 구두쇠; 사기꾼. ***be in*** (*a person's*) **~** (아무의) 입장이〔처지가〕 되다. ***by*** 〔***with***〕 ***the ~ of one's teeth*** 가까스로, 간신히. ***have a thick*** 〔***thin***〕 **~** 둔감〔민감〕하다. ***in*** 〔***with***〕 ***a whole ~*** 《口》 무사히. ***jump out of one's ~*** (기쁨·놀람 따위로) 펄쩍 뛰다. ***save one's ~*** 《口》 부상을 안 입다. ― *vt.* (*-nn-*) ① 가죽〔껍질〕을 벗기다; 살가죽이 벗어지게〔까지게〕 하다. ② 가죽으로 덮다(*over*). ③ 《俗》 사취하다, 속이다. 「한.
skín-déep *a.* 얇은, 피상적인; 천박
skín-dìve *vi.* 스킨다이빙을 하다.
:**skín-dìver** *n.* Ⓒ 스킨다이빙하는 사람.
:**skín dìving** 스킨다이빙.
skín effèct 〖電〗 (주파수 전도체의) 표피 효과.
skín flìck 《美俗》 포르노 영화.
skín·flìnt *n.* Ⓒ 구두쇠.
skín fòod 크림류(類), 미안수.
skin·ful[skínfùl] *n.* (a ~) 가죽 부대 하나 가득; 《口》 배불리, 잔뜩.
skín gàme 《美口》 사기, 협잡.
skín gràfting 〖外〗 피부 이식(술).
skín·hèad *n.* Ⓒ 《英俗》 스킨헤드족《장발족에 대항하여 머리를 빡빡 깎은 전투적 보수파 청년》.
skín hòuse 《美俗》 스트립 극장, 포르노 영화관. 「뱀.
skink[skiŋk] *n.* Ⓒ (모래땅의) 도마
skin·ner[skínər] *n.* Ⓒ 가죽 상인; 가죽 벗기는 사람; 사기꾼; 《美口》 (트랙터 따위의) 운전사. 「마른.
skin·ny[⌐i] *a.* 가죽과 같은; 바싹
skínny-dìp 《美口》 *vi.* (*-pp-*), *n.* Ⓒ 알몸으로 수영하다〔수영함〕.
skín-pòp *vt., vi.* (*-pp-*) 《美俗》 (마약을) 피하 주사하다.
skín tèst 〖醫〗 피부 시험.
skín·tíght *a.* 몸에 꼭 끼는.
:**skip**[skip] *vi.* (*-pp-*) ① 뛰다, 줄넘기하다; 뛰놀다, 뛰어다니다. ② 거르다, 빠뜨리다(*over*). ③ 《口》 급히 떠나다. ― *vt.* ① 가볍게 뛰다; (물을 차고) 스쳐가다(~ *stones on a pond*). ② (군데군데) 건너 뛰다, 빠뜨리다. ― *n.* Ⓒ 도약(跳躍); 줄넘기; 건너뜀; 〖컴〗 넘김, (행·페이지의) 뒤로 물림.
skíp bòmbing 저공 폭격.
skí-plàne *n.* Ⓒ 설상 비행기.
*__skip·per__[1][⌐ər] *n.* Ⓒ skip하는 사람〔것〕; 팔딱팔딱 뛰는 곤충; 〖蟲〗 팔랑나비.
skip·per[2] *n., vt.* Ⓒ (어선·(작은) 상선 따위의) 선장(으로 근무하다); (팀의) 주장; 〖美空軍〗 기장(機長).
skípper's dàughter 높은 흰 파
skípping ròpe 줄넘기줄. 〔도.
skíp-stòp *n., a.* (버스·엘리베이터 따위) 정거하지 않음〔않는〕, 통과(의).
skíp tràcer 《口》 행방 불명자 수색인, (특히 보험 회사 등에 고용되어

있는) 행방 불명 채무자 수색원(員).
skíp zòne 〖通信〗 도약대(帶), 불감(不感) 지대.
skirl[skəːrl] *n., vi., vt.* 《Sc.》 (*pl.*) 날카로운〔새된〕 소리(를 내다, 로 말하다).
***skir·mish**[skə́ːrmiʃ] *n., vi.* Ⓒ 작은 충돌(을 하다). **~·er** *n.* Ⓒ 〖軍〗 척후병; 산병(散兵).
:skirt[skəːrt] *n.* ① Ⓒ (옷의) 자락; 스커트. ② (*pl.*) 가장자리, 변두리; 교외(outskirts). ③ Ⓒ 《俗》 계집(애). ― *vt.* (…에) 자락을〔스커트를〕 달다; (…과) 경계를 접하다. ― *vi.* 변두리〔경계〕에 있다〔살다〕; 가를 따라 (나아)가다(*along*).
skí sùit 스키복.
skit[1][skit] *n.* Ⓒ 풍자문(文), 희문(戲文); 익살극.
skit[2] *n.* 《口》 떼, 군중; (*pl.*) 다수(lots).
skit·ter·y[⊿əri] *a.* =⇩.
skit·tish[skítiʃ] *a.* (말 따위) 잘 놀라는; 변덕스러운(fickle); 수줍어하는(shy).
skit·tles[skítlz] *n. pl.* 구주희(九柱戲). ***beer and ~*** 마시며 놀며 (하는 태평 생활). ***S-!*** 시시하게!
skoal[skoul] *int., vi.* 축배! 건배하다. ― *n.* Ⓒ 축배, 건배.
Skr., Skt. Sanskrit.
skú·a (gúll)[skjúːə(-)] *n.* Ⓒ 〖鳥〗 큰갈매기; 도둑갈매기.
skul·dug·ger·y[skʌldʌ́gəri] *n.* Ⓤ 《美口》 부정 행위, 사기, 속임수.
skulk[skʌlk] *vi.* 슬그머니〔몰래〕 달아나다〔숨다〕(*behind*); 기피하다; = **⊿·er** skulk하는 자; 이리떼.
skull**[skʌl] *n.* Ⓒ 두개골; 머리; 두뇌. ***have a thick ~ 둔감하다.
skúll and cróssbones (죽음의 상징인) 해골 밑에 대퇴골을 열십자로 짝지은 그림《해적기, 독약의 표지》.
skúll·càp *n.* Ⓒ 테 없는 모자.
skúll cràcker 건물 철거용 철구(鐵球).
***skunk**[skʌŋk] *n.* Ⓒ (북미산) 스컹크; Ⓤ 그 털가죽; Ⓒ 《口》 역겨운 녀석. ― *vt.* 《美俗》 〖競〗 영패시키다.
†sky[skai] *n.* Ⓒ (종종 *pl.*) 하늘; (the ~) 천국; (종종 *pl.*) 날씨. ***laud*** 〔***praise***〕 ***to the skies*** 몹시 칭찬하다〔치살리다〕. ***out of a clear ~*** 갑자기, 느닷없이.
ský àrmy 〔**tròops**〕 《美》 공수 부대.
ský-blúe *a.* 하늘색의.
ský·bòrne *a.* 공수의.
ský·càp *n.* Ⓒ 《美》 공항 포터.
ský·dìving *n.* Ⓤ 스카이 다이빙.
ský·flàt 고층 아파트.
ský-hígh *a., ad.* 까마득히 높은〔높게〕.
skýhook ballòon 고도 우주선 관측기구.
ský·jàck *vt.* (비행기를) 탈취하다.
Sky·lab [⊿læb] *n.* Ⓒ 우주 실험실《지구 선회 위성》.
:ský·làrk *n.* Ⓒ 종달새; 《口》 야단법석. ― *vi.* 법석대다, 희롱거리다.
ský·lìght *n.* Ⓒ 천창(天窓).
***ský·lìne** *n.* Ⓒ 지평선; 하늘을 배경으로 한 윤곽《산·나무 따위의》.
***ský·lòunge** *n.* Ⓒ 스카이 라운지 차《시내를 돌아 승객을 태운 채로, 크레인이 달린 헬리콥터에 매달아 공항으로 운반함》.
sky·man[⊿mən] *n.* Ⓒ 《口》 공수 부대의 병사; 비행사.
ský màrshal 항공 보안관《비행기 납치 등을 방지하기 위한 미국 연방 정부의 단속관》.
ský nèt 영국의 군사용 통신 위성.
ský pìlot 《俗》 비행사; 목사, 성직자.
ský·ròcket *n., vi., vt.* Ⓒ 쏴올리는 꽃불(처럼 높이 솟구치다), 폭등하다〔시키다〕; 갑자기 유명하게 하다.
***ský·scràper** *n.* Ⓒ 마천루, 고층 건축물.
ský scrèen 미사일 탄도의 옆방향으로의 궤도 일탈 탐지용 광학 장치.
ský sìgn 공중〔옥상〕 광고.
sky·tel[skaitél] *n.* Ⓒ 전세기·자가용기를 위한 작은 호텔.
Ský tràin 스카이트레인《영국 항공의 점보기의 애칭》.
ský trùck 《口》 대형 화물 수송기.
ský·wàlk *n.* Ⓒ (빌딩 사이의) 고가도로.
ský·ward *ad., a.* 하늘 위로(의). 「**~s** *ad.*
ský·wày *n.* Ⓒ 《口》 항공로; 고가식 고속 도로.
ský·wrìting *n.* Ⓤ (비행기가 연기 따위로) 공중에 글씨 쓰기.
slab**[slæb] *n., vt.* (-bb-***) Ⓒ 석판(石版), 두꺼운 판〔평판(平板)〕(으로 하다); (고기의) 두껍게 벤 조각.
slack**[1][slæk] *a.* ① 느슨한, 느즈러진, 늘어진. ② 기운 없는, 느른한; 긴장이 풀린, 느린. ③ 침체된, (날씨가) 좋지 못한; 경기가 없는. ― *n.* ① Ⓤ,Ⓒ 느즈러진 곳, 느즈러짐. ② Ⓒ 불황기. ③ (*pl.*) 슬랙스《느슨한 바지》. ― *vi., vt.* ① 느슨해〔느즈러〕지다, 늦추다. ② 약해지다, 약하게 하다. ③ 게으름 부리다. ***~ off 늦추다; 게으름피다. ***~ up*** 속력을 늦추다. ***⊿·en** *vi., vt.* =SLACK. **⊿·er** *n.* Ⓒ 게으름뱅이; 병역 기피자. **⊿·y** *ad.* **⊿·ness** *n.*
slack[2] *n.* Ⓤ 분탄(粉炭).
slacks[slæks] *n., pl.* ⇨SLACK[1].
slag[slæg] *n., vt., vi.* (***-gg-***) Ⓤ (광석의) 용재(溶滓)〔슬래그〕(로 만들다, 가 되다).
***slain**[slein] *v.* slay의 과거분사.
slake[sleik] *vt.* (불을) 끄다, (갈증을) 풀다, (노여움을) 누그러뜨리다, (원한을) 풀다; (석회를) 소화(消和)하다. ― *vi.* 꺼지다, 풀리다, 누그러지다; (석회가) 소화되다.
sláked líme 소석회(消石灰).
sla·lom [slάːləm, -loum] *n.* (Norw.) Ⓤ (보통 the ~) 〖스키〗 회전 경기.
slam**[slæm] *n., vt., vi.* (-mm-***) Ⓒ (보통 *pl.*) 쾅(하고 닫다, 닫히다);

쿵(하고 내던지다); (*vt.*)《美口》혹평(하다); 〖카드〗전승(하다).
slám-báng《口》*ad.* 퉁하고, 탕하고; 맹렬히. — *a.* 시끄러운; 맹렬한; 힘찬; 썩 좋은.
slám dùnk〖籠〗강력한 덩크슛.
***slan·der**[slǽndər, -ɑ́ː-] *n., vt.* Ⓤ,Ⓒ 중상(하다); 〖法〗비훼(誹毁)하다. **~·er**[-ər] *n.* **~·ous**[-əs] *a.* 중상적인, 헐뜯는. **~·ous·ly** *ad.*
:slang¹[slæŋ] *n.* Ⓤ 속어. — *vi.* 속어를〔야비한 말을〕쓰다. **∠·y** *a.*
slang² *v.*《古》sling의 과거.
slank[slæŋk] *v.*《古》slink의 과거.
:slant[slænt, -ɑː-] *n., vi., vt.* (*sing.*) 물매〔경사〕(지다, 지게 하다); Ⓒ 경향(이 있다); 기울(게 하)다, (*vt.*) 편견으로 말하다〔쓰다〕; Ⓒ《美口》(특수한) 견지. **∠·ing(·ly)** *a.* (*ad.*) **∠-wise** *ad., a.* 비스듬히〔한〕.
:slap[slæp] *n., ad., vt.* (**-pp-**) Ⓒ 철썩(하고); 손바닥으로 때림〔때리다〕; 모욕; 털썩〔쾅〕(놓다, 던지다); 《口》갑자기; 정면으로.
sláp-báng, sláp·dàsh *ad., a.* 무턱대고〔댄〕; 엉터리로(인).
sláp·hàppy *a.*《口》(펀치를 맞고) 비틀거리는; 머리가 둔한.
sláp·jàck *n.*《美》=GRIDDLE-CAKE; Ⓤ 카드놀이의 일종.
sláp·shòt *n.* Ⓒ〖아이스하키〗(puck의) 강타(함).
sláp·stìck *n., a.* Ⓒ (어릿광대의) 끝이 갈라진 타봉(打棒); Ⓤ 익살극(의).
***slash**[slæʃ] *n., vt.* Ⓒ ① 휙 내리쳐 벰〔베다〕, 난도질(치다); 깊숙이 베다〔벰〕. ② 홱홱 채찍질하다〔함〕. ③ (옷의 일부의) 터놓은 자리(를 내다). ④ 삭제〔삭감〕(하다). ⑤ 혹평(하다). ⑥ 사선《/》. **∠·ing** *a.* 맹렬한, 신랄한; 《口》멋진, 훌륭한.
slat[slæt] *n., vt.* (**-tt-**) Ⓒ (나무·금속의) 얇고 좁은 조각(을 대다).
S. Lat. south latitude.
:slate¹[sleit] *n., vt.* ① Ⓒ 슬레이트(로 지붕을 이다); Ⓤ 점판암(粘板岩). ② Ⓒ 석판(石板)〔예정표〕(에 적다); Ⓤ 석판색(청회색). ③ Ⓒ《美》후보자 명부(에 등록하다). ***clean*** ~ 훌륭한 기록〔경력〕. ***clean the*** ~ (공약·의무 등을) 일체 백지로 돌리다, 과거를 청산하(고 새 출발하)다.
slate² *vt.*《英口》혹평하다.
sláte clùb《英》(매주 소액의 돈을 부어나가는) 공제회.
sláte péncil 석필.
slat·ing[sléitiŋ] *n.* Ⓤ 슬레이트로 지붕 이기; Ⓒ (지붕 이는) 슬레이트.
slat·tern[slǽtərn] *n.* Ⓒ 칠칠치 못한〔홀게늦은〕계집. **~·ly** *a.*
***slaugh·ter**[slɔ́ːtər] *n., vt.* Ⓤ 도살(하다); Ⓤ,Ⓒ (대량) 학살(하다). **~-ous**[-əs] *a.* 잔학한.
sláughter hòuse 도살장; 수라장.
Slav[slɑːv, slæv] *n., a.* Ⓒ 슬라브인(의); 슬라브어의; (the ~s) 슬라브민족(의).
:slave[sleiv] *n., vi.* Ⓒ 노예(처럼 일하는 사람); 뼈빠지게 일하다(*at.*)
sláve drìver 노예 감독인; 무자비하게 부리는 주인.
sláve·hòlder *n.* Ⓒ 노예 소유자.
sláve·hòlding *n., a.* Ⓤ 노예 소유(의). 「노예(무역)선.
slav·er¹[sléivər] *n.* Ⓒ 노예상(인);
slav·er²[slǽvər] *n., vi., vt.* Ⓤ 침(을 흘리다, 으로 더럽히다); 낯간지러운 아첨(을 하다).
:slav·er·y[sléivəri] *n.* Ⓤ 노예의 신분; 노예 제도; 고역, 중노동.
sláve shìp 노예(무역)선.
sláve tràde 노예 매매. 「매자.
sláve tràder 노예 상인, 노예 매
Slav·ic[slɑ́ːvik, -ǽ-] *n., a.* Ⓤ 슬라브어(의); 슬라브 민족의.
slav·ish[sléiviʃ] *a.* 노예적인; 비열한, 비굴한, 천한; 독창성이 없는. **~·ly** *ad.*
Sla·vo·ni·an[sləvóuniən] *a., n.* Ⓒ (유고 북부의) Slavonia의 (사람); Ⓤ 슬라브어.
Sla·von·ic[sləvɑ́nik/-ɔ́-] *a., n.* =SLAVONIAN; Ⓤ 슬라브어파.
slaw[slɔː] *n.* Ⓤ《美》양배추샐러드.
:slay[slei] *vt.* (***slew; slain***)《詩》끔찍하게 죽이다, 학살하다, 죽이다(kill); 파괴하다.
SLBM satellite-launched ballistic missile; submarine-launched ballistic missile.
slea·zy[slíːzi] *a.* (천 따위) 여린, 얄팍한.
***sled**[sled] *n., vi., vt.* (**-dd-**) Ⓒ 썰매(로 가다, 로 나르다).
sled·ding[∠iŋ] *n.* Ⓤ 썰매로 나름〔에 탐〕. ***hard*** ~《美》불리한 상태, 난국. 「《英》=SLEIGH.
***sledge**¹[sledʒ] *n., vi., vt.* =SLED;
sledge² *n., vt.* Ⓒ 큰 망치(로 치다).
***sleek**[sliːk] *a.* (털이) 야드르르하고 부드러운, 함함한; 단정한(tidy); 말솜씨가 번드르한. — *vt.* 매끄럽게 하다, 매만지다; 단정히 하다. **∠·ly** *ad.*
†sleep[sliːp] *vi., vt.* (***slept***) ① 자다; 묵다, 숙박시키다; 《口》이성과 자다. ② (*vi.*) 마비되다; (팽이가) 서다. ~ ***around***《俗》아무하고나 자다, (성적으로) 헤프다. ~ ***away*** 잠을 자며 보내다; (두통 따위를) 잠을 자서 고치다. ~ ***off*** 잠을 자 잊어버리다〔고치다〕. ~ ***on*** 〔***over, upon***〕《口》…을 하룻밤 자며 생각하다, 내일까지 미루다. ~ ***out*** 자며 보내다; 잠을 자 술을 깨우다(~ ***out the whisk(e)y, wine, &c.***); 외박하다; (고용인이) 통근하다. — *n.* ① (a ~) 수면 (시간); Ⓤ 잠듦, 영면; 동면(冬眠). ② Ⓤ 마비; 정지(靜止) (상태). ***go to*** ~ 잠자리에 들다, 자다. ***one's last*** 〔***long***〕~ 죽음. ***∠·er** *n.* Ⓒ 자는 사람; 침대차; 《英》침목(tie); 《美口》뜻밖에 성공하는 사람. **∠·less** *a.*
sléep-ìn *n.* Ⓒ 철야 농성 데모.
:sleep·ing[∠iŋ] *n., a.* Ⓤ 수면〔휴지

(休止)〕(충의). 「낭(寢囊).
sléeping bàg (등산·탐험용의) 침
sléeping càr 〔《英》 **càrriage**〕 침대차. 「제.
sléeping dràught (물약인) 수면
sléeping mòdule 각 방이 우주 로켓의 캡슐 모양인 간이 호텔.
sléeping pártner 《英》 익명 조합원〔관계자〕. 「제.
sléeping pìll (정제·캡셀의) 수면
sléeping pòwder 수면제.
sléeping sìckness 〖醫〗 수면병.
sléep lèarning 수면 학습.
sléep·wàlker *n.* Ⓒ 몽유병자.
sléep·wàlking *n., a.* Ⓤ 〖醫〗 몽유병(의).
:sleep·y[slíːpi] *a.* 졸린; 졸음이 오는 듯한. **sléep·i·ly** *ad.* **sléep·i·ness** *n.*
***sléepy·hèad** *n.* Ⓒ 잠꾸러기.
***sleet**[sliːt] *n., vi.* Ⓤ 진눈깨비(가 내리다). **∠·y** *a.*
:sleeve[sliːv] *n., vt.* Ⓒ 소매(를 달다). ***have ... up*** 〔***in***〕 ***one's ~*** (…을) 몰래〔가만히〕 준비하다. ***laugh in*** 〔***up***〕 ***one's ~*** 속으로 웃다〔우스워하다〕. **∠·less** *a.* 소매 없는.
sléeve·bòard *n.* Ⓒ (소매 다리는) 다림질판.
sléeve lìnk (보통 *pl.*) 《英》 커프스단추(cuff link).
:sleigh[slei] *n., vi., vt.* Ⓒ (대형) 썰매(로 가다, 로 나르다). **∠·ing** *n.* Ⓤ 썰매 타기.
sleight[slait] *n.* Ⓤ,Ⓒ 책략, 술수, 솜씨. **~ *of hand*** 재빠른 손재주; 요술.
:slen·der[sléndər] *a.* ① 가느다란, 가냘픈, 마른(slim). ② 빈약한, 얼마 안 되는, 미덥지 못한(*a ~ meal, hope, ground, &c.*). **~·ize**[-ràiz] *vt., vi.* 가늘게 하다〔되다〕; (*vt.*) 여위게 하다, 날씬하게 하다.
†slept[slept] *n.* sleep의 과거(분사). 「(으로서 일하다).
sleuth[sluːθ] *n., vi.* Ⓒ 《美口》 탐정
sléuth·hòund *n.* Ⓒ 경찰견; 《美口》 탐정.
S lèvel 《英》 대학 장학금 과정 《*S*cholarship *level*의 단축형》.
***slew**[1][sluː] *v.* slay의 과거.
slew[2] *v.* =SLUE[1].
slew[3] *n.* 《美·캐나다》 =SLUE[2].
slew[4] *n.* (a ~) 《口》 많음(slue[3]).
:slice[slais] *n.* Ⓒ ① (빵·고기 등의) 베어낸 한 조각, (생선의) 한 점. ② 부분; 몫(share[1]). ③ 얇게 저미는 식칼, 얇은 쇠주걱(spatula). ④ 〖골프〗 곡구(曲球)《오른손잡이면 오른쪽으로, 왼손잡이면 왼쪽으로 날아감》. — *vt., vi.* 얇게 베다〔베어내다〕; 나누다; 〖골프〗 곡구로 치다.
slick**[slik] *a.* ① 매끄러운; 버드르르한. ②《口》 말솜씨가 번지르르한; 교활한(sly); 교묘한. ③《美俗》 최상의. — *n.* Ⓒ 매끄러운 곳; 《口》 (광택지를 사용한) 잡지. — *ad.* ① 매끄럽게; 교묘하게; 교활하게. ② 바로, 정면으로. ***run ~ into …과 정면 충돌하다. **∠·er** *n.* Ⓒ《美》 레인코트; 《美口》 사기꾼; 도시 출신의 세련된 사람.
***slid**[slid] *v.* slide의 과거(분사).
***slid·den**[slídn] *v.* slide의 과거분사.
slide**[slaid] *vi., vt.* (slid; slid,*** 《美》 ***slidden***) 미끄러지(게 하)다; 미끄러져 가다〔지나가다〕; (수렁·죄악 따위에) 스르르 빠져들다(*into*). ***let things ~*** 일이 되어가는 대로 내버려두다. — *n.* Ⓒ ① 미끄러짐, 활주, 〖野〗 슬라이딩. ② 단층(斷層), 사태(沙汰). ③ (화물용의) 미끄러 떨어뜨리는 대(臺). ④ 슬라이드《환등·현미경용의》.
slíde fàstener 지퍼(zipper).
slíde projèctor 슬라이드 영사기.
slíde rùle 계산자. 「화하는.
slid·ing[sláidiŋ] *a.* 미끄러지는; 변
slíding dóor 미닫이.
slíding scále 〖經〗 슬라이딩 스케일, 종가 임금(從價賃金) 제도; 《古》 =SLIDE RULE.
:slight[slait] *a.* 근소한, 적은; 모자라는; 가냘픈, 홀쭉한; 약한, 하찮은. — *n., vi.* Ⓒ 경멸(*to, upon*); 얕〔깔〕보다. **∠·ly** *ad.* 조금, 약간. **∠·ing·ly** *ad.*
sli·ly[sláili] *ad.* =SLYLY.
slim**[slim] *a.* (-mm-***) 홀쭉한; 호리호리한; 약한; 빈약한; 부족한; 하찮은. — *vi., vt.* (***-mm-***) 가늘어〔홀쭉해〕지(게 하)다. **∠·ly** *ad.*
slime[slaim] *n.* Ⓤ 찰흙; (물고기 따위의) 점액(粘液). — *vt.* 찰흙〔점액〕을 칠하다〔벗기다〕. **slím·y** *a.* 끈적끈적한, 질척질척한; 흙투성이인; 더러운; 굽실굽실하는. 「균.
slíme mòld 〔《英》 **mòuld**〕 변형
slím·ming *n.* Ⓤ 슬리밍《살빼기 위한 감식(減食)·운동》.
sling**[sliŋ] *n.* Ⓒ 투석(기); 삼각 붕대; (총의) 멜빵; 매다는 사슬. — *vt.* (slung,*** 《古》 ***slang; slung***) 투석기로 던지다; 매달아 올리다; 매달다.
slíng·shòt *n.* Ⓒ《美》 (고무줄) 새총, 투석기.
slink[sliŋk] *vi.* (***slunk,*** 《古》 ***slank; slunk***) 살금살금〔가만가만〕 걷다, 가만히〔살며시〕 도망치다(sneak).
slink·y[∠i] *a.* 살금살금하는, 사람 눈을 피하는; (여성복이) 부드럽고 몸에 꼭 맞는; 날씬하고 우미한.
:slip[1][slip] *vi.* (**~*ped,*** 《古》 ***slipt; ~ped; -pp-***) ① (쪼르르) 미끄러지다; 살짝〔가만히〕 들어가다〔나가다〕. ② 모르는 사이에 지나가다(*by*). ③ 깜빡 틀리다(*in*). ④ 스르르 빠지다〔벗어지다, 떨어지다〕. ⑤ 몰래〔슬그머니〕 달아나다. — *vt.* ① (쪼르르) 미끄러뜨리다; 쑥 집어넣다(*into*). ② 쑥 걸쳐 입다〔신다〕(*on*); 벗다(*off*), 뽑다(*from*). ③ 풀어 놓다. ④ (기회를) 놓치다; …할 것을 잊다. ⑤ 무심

S

코 입밖에 내다. ⑥ (가축이) 조산하다. ***let*** **~** 얼결에 지껄이다〔이야기하다〕. **~ *along*** 《俗》 황급히 가다. **~** (*a person*) ***over on*** 《美口》 속여서 …에 이기다. **~ *up*** 헛디디다; 틀리다, 실수〔실패〕하다. ── ***n.*** Ⓒ ① 미끄러짐. ②〖地〗사태, 단층(斷層). ③ 과실, 실패. ④ 쑥〔훌렁〕 벗어지는〔빠지는〕 물건, 베갯잇, (여성용의) 슬립, 속옷. ⑤ 개의 사슬〔줄〕. ⑥ 조선대(造船臺); (양륙용) 사면. ***give*** (*a person*) ***a*** **~** (아무의 눈을 속여) 자취를 감추다.

slip[2] ***n.*** Ⓒ 나뭇조각, 지저깨비, 전표, 쪽지, 부전(付箋); 꺾꽂이, 가지접붙이기; 호리호리한 소년〔소녀〕. ── ***vt.*** (***-pp-***) (…의) 가지를 자르다《꺾꽂이용으로》.

slíp còver (의자 따위의) 커버.

slíp·knòt ***n.*** Ⓒ 풀매듭.

slíp-òn ***a., n.*** 입거나 벗기가 간단한; Ⓒ 머리로부터 입는 식의 (스웨터).

slíp·òver ***a., n.*** =⇧.

:slip·per[slípər] ***n.*** Ⓒ (보통 ***pl.***) 실내화; (마차의) 바퀴멈춤개. ***bed*** **~** 환자용 변기. ── ***vt.*** (어린이를 징계하기 위해) slipper로 때리다.

slip·per·y**[slípəri] ***a. 미끄러운; 믿을 수 없는; 속임수의; 불안정한.

slíppery élm (북미산) 느릅나무의 일종; 그 (미끌미끌한) 속껍질《진통제》.

slíp·shòd ***a.*** 뒤축이 닳은 신을 신은; 단정치 못한(slovenly); (문장 등) 엉성한.

slipt[slipt] ***v.*** 《古》 slip[1]의 과거.

slíp-ùp ***n.*** Ⓒ 《口》 잘못, 실책.

slit**[slit] ***n., vt. (***slit; -tt-***) Ⓒ 길게 벤자리(를 만들다), 틈〔금〕(을 만들다).

slith·er[slíðər] ***vi., n.*** Ⓒ 주르르 미끄러지다〔짐〕. **~·y**[-i] ***a.*** 매끄러운, 미끌미끌한.

slít trènch〖軍〗개인호(cf. fox-hole).

sliv·er[slívər] ***vt., vi.*** 세로 짜개(지)다〔갈라지다〕, 찢(어지)다. ── ***n.*** Ⓒ 찢어〔짜개〕진 조각; 나뭇조각;〖紡〗소모(梳毛), 소면(梳綿).

slob[slab/-ɔ-] ***n.*** Ⓒ 《口》 얼간이, 추레한 사람.

slob·ber[slábər/-ɔ́-] ***n.*** Ⓤ 침; Ⓒ 우는 소리; Ⓒ 퍼붓는 키스. ── ***vi., vt.*** 침을 흘리다; 우는 소리를 하다. **~·ly** ***a.***

sloe[slou] ***n.*** Ⓒ (미국산의) 야생 자두(열매); =BLACKTHORN.

slóe gín 자두로 맛들인 진.

slog[slag/-ɔ-] ***n., vi., vt.*** (***-gg-***) Ⓒ 강타(하다); Ⓤ 무거운 발걸음으로 걷다〔걸음〕; 꾸준히 일하다〔일함〕.

:slo·gan[slóugən] ***n.*** Ⓒ 함성(war cry); 슬로건, (선전) 표어.

SLOMAR Space, Logistics, Maintenance and Repair 우주 병참 계획.

sloop[slu:p] ***n.*** Ⓒ〖海〗외대박이 돛배.

slop[1][slap/-ɔ-] ***n.*** Ⓤ 엎지른 물, 흙탕물; (***pl.***) (부엌의) 찌꺼기《돼지 등의 사료》; (***pl.***) 유동물(流動物)〔식(食)〕. ── ***vt., vi.*** (***-pp-***) 엎지르다, 엎질러지다. **~ *over*** 넘쳐 흐르다; 《口》 재잘거리다, 감정에 흐르다.

slop[2] ***n.*** Ⓒ 《英俗》 순경; (***pl.***) 싸구려 기성복; (***pl.***) 세일러복, 수병의 침구.

slóp bàsin 《英》 차 버리는 그릇《마시다 남은 차 따위를 버리는 그릇》.

:slope[sloup] ***n., vi., vt.*** Ⓒ 경사면; Ⓤ,Ⓒ 경사(도); Ⓤ,Ⓒ 비탈; 경사〔물매〕지(게 하)다.

slóp pàil 구정물통.

slop·py[slápi/-ɔ́-] ***a.*** 젖은, 젖어서 더러워진; 질척질척한; 단정치 못한, 너절한(slovenly); 조잡한; 《口》 무척 감상적인.

slóppy Jóe 헐렁헐렁한 스웨터《여성용》.

slops[slaps/-ɔ-] ***n. pl.*** (싸구려) 기성복.

slóp·shòp ***n.*** Ⓒ 기성복점.

slóp sìnk (병원의) 오물용 수채.

slosh[slaʃ/-ɔ-] ***n.*** Ⓤ 《口》 묽은 음료; =SLUSH. ── ***vi., vt.*** 물〔진창〕 속을 뛰어다니(게 하)다; 철벅철벅 휘젓다〔씻다〕; (***vi.***) 배회하다.

slot[slat/-ɔ-] ***n., vi.*** (***-tt-***) Ⓒ 가늘고 긴 구멍(을 내다); 요금 (넣는) 구멍;〖컴〗슬롯.

slót càr 《美》 슬롯 카《원격 조정으로 홈이 파인 궤도를 달리는 작은 장난감 자동차》.

sloth**[slouθ, slɔ:θ] (<slov+-TH) ***n. ① Ⓤ 나태, 게으름. ② Ⓒ〖動〗나무늘보. **∠·ful** ***a.*** 게으른.

***slót machìne** 《英》 자동 판매기; 《美》 자동 도박기, 슬롯머신.

slót ràcing 《美》 슬롯 카의 경주.

slouch[slautʃ] ***vi., n.*** Ⓒ (앞으로) 수그리다〔기〕, 구부리다〔기〕, 구부정하게 서다〔앉다, 걷다〕; 그렇게 서기〔앉기, 걷기〕; 《口》 너절한 사람, 게으름뱅이; (모자챙이) 늘어지다; =⇩. ── ***vt.*** 늘어뜨리다. **∠·y** ***a.***

slóuch hát 챙이 처진 (중절) 모자.

slough[1][slau] ***n.*** Ⓒ 수렁, 진창; 타락(의 구렁텅이); [slu:] 《美·캐나다》 진구렁(slue[2]). **∠·y**[1] ***a.***

slough[2][slʌf] ***n.*** Ⓒ (뱀의) 벗은 허물; 딱지. ── ***vi., vt.*** 탈피하다; (딱지등이) 떨어지다, 떼다. **∠·y**[2] ***a.***

Slo·vak[slóuvæk] ***n., a.*** Ⓒ 슬로바키아 사람(의); Ⓤ 슬로바키아말(의).

Slo·va·ki·a [slouvá:kiə, -vǽk-] ***n.*** 슬로바키아《유럽 중부의 공화국》.

Slo·va·ki·an[slou*vá*:kiən, -vǽ-] ***n., a.*** =SLOVAK.

slov·en[slʌ́vən] ***n.*** Ⓒ 단정치 못한 사람. ***~·ly** ***a., ad.*** 단정치 못한〔하게〕; 되는 대로(의).

Slo·ve·ni·a [slou*ví*:niə, -njə] ***n.*** 슬로베니아《옛 유고슬라비아 연방에서 독립한 공화국》. **~n** ***a.***

†slow[slou] ***a.*** ① 느린, 더딘; (시계가) 늦은. ② 둔한; 좀처럼〔여간해서〕 …않는(*to* do). ③ 재미없는(dull). ── ***ad.*** 느리〔더디〕게, 느릿느릿. ── ***vt., vi.*** 더디게〔느리게〕 하다〔되다〕 (*down, up, off*). **†∠·ly** ***ad.***

slów còach 멍청이; 시대에 뒤떨어진 사람.
*__slów·dòwn__ *n.* Ⓒ 감속; (공장의) 조업 단축; 《美》 태업(《英》 go-slow).
slów mátch 도화선; 화승(火繩).
slów-mótion *a.* 느린, 굼뜬; 〖映〗 고속도 촬영의.
slów·pòke *n.* Ⓒ 《俗》 머리회전이나 행동이 느린 사람, 굼벵이.
slów-wave slèep =S SLEEP.
slów-wítted *a.* 머리가 나쁜.
sludge[slʌdʒ] *n.* Ⓤ 진흙, 진창; 질척질척한 눈; 작은 부빙(浮氷)〔성엣장〕.
slue[1][slu:] *vt., vi.* 돌(리)다; 비틀(리)다.
slue[2] *n.* Ⓒ 늪, 수렁.
slue[3] *n.* =SLEW[4].
*__slug__[1][slʌg] *n.* Ⓒ ① 행동이 느린〔굼뜬〕 사람〔말, 차 따위〕. ② 〖動〗 괄태충; (느린) 잎벌레. ③ (구식총의 무거운) 산탄(霰彈); 작은 금속 덩어리. ④ 〖印〗 대형의 공목; (라이노타이프의) 1행(분의 활자).
slug[2] *n., vt., vi.* (*-gg-*) Ⓒ 《美口》 강타(하다).
slug·fest[slʌ́gfèst] *n.* Ⓒ 《口》 (권투의) 난타전; (야구의) 타격전.
slug·gard[slʌ́gərd] *n., a.* Ⓒ 게으름뱅이; 게으른.
slug·ger[slʌ́gər] *n.* Ⓒ 《美口》 (야구의) 강타자.
*__slug·gish__[slʌ́giʃ] *a.* 게으른, 게으름 피우는; 느린; 활발치 못한; 불경기인. **~·ly** *ad.* **~·ness** *n.*
sluice[slu:s] *n., vi.* Ⓒ 수문(水門); 봇물, 분류(奔流)(하다). — *vt.* 수문을 열고 흘려보내다; (…에) 물을 끼얹다; 〖採〗 (감흙을) 유수(流水)로 일다; (통나무를) 물에 띄워 보내다.
slúice gàte 수문.
slúice·wày *n.* Ⓒ (수문이 있는) 방수로, 인공 수로.
slum[slʌm] *n., vi.* (*-mm-*) Ⓒ (*pl.*) (더러운) 뒷거리; (the ~s) 빈민굴〔촌〕(을 방문하다).
:__slum·ber__[slʌ́mbər] *n., vi., vt.* Ⓒ,Ⓤ (종종 *pl.*) 잠(자다, 자며 보내다); 휴지(休止)하다. **~·ous**[-əs] *a.* 졸린(듯한); 졸음이 오게 하는; 조용한.
slúmber pàrty 《美》 파자마파티《10대의 여자가 여자 친구 집에 모여 잠옷 바람으로 밤새워 노는 모임》.
slum·lord[slʌ́mlɔ̀:rd] *n.* Ⓒ 《美俗》 빈민가의 셋집 주인.
slump[slʌmp] *n., vi.* Ⓒ (가격·인기 따위) 폭락(하다); 부진, 슬럼프.
*__slung__[slʌŋ] *v.* sling의 과거(분사).
slunk[slʌŋk] *v.* slink의 과거(분사).
slur[slə:r] *vt.* (*-rr-*) 가볍게 다루다, 대충 훑어보다, 소홀히〔되는 대로〕하다(*over*); 분명치 않게 계속 말하다〔쓰다〕; 〖樂〗 계속해서 연주〔노래〕하다; 모욕〔중상〕하다, 헐뜯다. — *n.* Ⓒ 또렷치 않은 연속 발음; 〖樂〗 연결 기호, 슬러《또는》; 모욕, 중상(*on, at*).
slur·ry[slə́:ri] *n.* Ⓤ 슬러리《물에 점토, 시멘트 등을 혼합한 현탁액》.
slush[slʌʃ] *n.* Ⓤ 눈석임, 진창, 곤죽; 푸념; 윤활유(grease); 《美俗》 뇌물; 위조 지폐. **∠·y** *a.*
slúsh fùnd 《美》 부정 자금, 뇌물〔매수〕 자금; (배·군함의 승무원·봉급자 따위의).
slut[slʌt] *n.* Ⓒ 흘게늦은〔칠칠지 못한〕 계집; 몸가짐이 헤픈 여자, 계명워리, 《美》 매춘부; 《諧》 계집애; 암캐. **∠·tish** *a.* 단정치 못한.
:__sly__[slai] *a.* ① 교활한, 음흉한. ② 은밀한. ③ (눈·윙크 등) 장난스러운, 익살맞은. ***on the ~*** 은밀히, 몰래. ***~ dog*** 교활한 자식. **∠·ly** *ad.* 교활하게; 음험하게; 익살맞게.
SM service module. **Sm** 〖化〗 Samarium. **S.M.** *Scientiae Magister*(L. =Master of Science); Sergeant Major; Soldier's Medal.
*__smack__[1][smæk] *n.* Ⓒ 맛, 풍미; (a ~) 기미. — *vi.* 맛이〔기미가〕 있다(*of*).
*__smack__[2] *n., vt., vi.* Ⓒ 혀차기, 입맛다심; 혀를 차다, 입맛을 쩍쩍 다시다; 찰싹 때리다; (입술을) 쪽하고 소리내다; 쪽하는 키스(를 하다). — *ad.* 《口》 찰싹; 갑자기, 정면〔정통〕으로. **∠·ing** *a.* 입맛다시는; 빠른; 강한.
smack[3] *n.* Ⓒ 《美》 활어조(活魚槽)가 있는 어선.
smack·er[smǽkər] *n.* Ⓒ 입맛 다시는 사람; 철썩 때리는 일격; 《美俗》 달러; 《英俗》 파운드; 《英》 굉장한 물건, 일품.
†__small__[smɔ:l] *a.* 작은; 좁은; (수입 따위) 적은; 시시한, 하찮은, 인색한(*a man of ~ mind* 소인(小人)); 떳떳지 못한, 부끄러운. ***and ~ wonder*** …이라고 해서 놀랄 것은 못 된다. ***feel ~*** 떳떳지 못하게〔부끄럽게〕 여기다. ***look ~*** 풀이 죽다. ***no ~*** 적지 않은, 대단한. — *ad.* 작게, 잘게; 작은 (목)소리로. ***sing ~*** 겸손하다. — *n.* (the ~) 작은 부분〔물건〕, 소량; 세부; (*pl.*) 《英口》 (자잘한) 빨래. ***a ~ and early*** 빨리 파해버리는 적은 인원의 만찬회. ***in ~*** 작게, 소규모로. ***the ~ of*** …의 가장 가는 부분(*the ~ of back* 잔허리).
smáll árms 휴대용 무기.
smáll béer 《英古》 약한 맥주; 《집합적》 《英口》 하찮은 것〔사람〕.
smáll cápital 〔**cáp**〕 〖印〗 소형〔작은〕대문자.
smáll chánge 잔돈; 시시한 이야기〔소문〕.
smáll frý 《집합적》 어린애들, 갓난애, 작은 동물, 동물의 새끼, 작은 물고기, 시시한 친구들〔것〕.
smáll hólder 《英》 소(小)자작농.
smáll hólding 《英》 소자작 농지.
smáll hóurs 한밤중《1·2·3시경》.
smáll-mínded *a.* 도량이 좁은, 비열한, 째째한.
small·ness[smɔ́:lnis] *n.* Ⓤ 미소(微小); 미소(微少); 빈약.

S

smáll potátoes 《美口》 시시한 것〔사람들〕.
ˈ**smáll·pòx** *n.* Ⓤ 〖醫〗 천연두.
smáll ràin 부슬비, 이슬비(fine rain). 「《지도》.
smáll·scále *a.* 소규모의; 소축척의
smáll tàlk 잡담, 세상 이야기.
smáll tíme (하루에 몇 번씩 상연하는) 싸구려 연예〔연극〕(cf. big-time).
smáll-tíme *a.* 《口》 시시한, 보잘것없는, 삼류의.
smáll·wáres *n. pl.* 《英》 방물, 잡화, 일용품.
smarm[smɑːrm] *vt.* 《英口》 (기름쳐) 매끄럽게 하다; 뒤바르다; 빌붙다. **∠·y** *a.* 《英口》 몹시 알랑대는.
ː**smart**[smɑːrt] *a.* ① 약삭빠른, 똑똑한. ② 멋진, 스마트한; 유행의. ③ 빈틈없는, 교활한, 방심할 수 없는. ④ 야발스러운, 깜찍한, 건방진. ⑤ 욱신욱신 쑤시는; 날카로운, 강한. ⑥ 돌돌한, 재빠른, 날랜; 활발한. ⑦ 머리가 빨리 도는. ⑧ 《口·方》 (금액·사람 수 따위) 꽤 많은〔상당한〕. ***a ~ few*** 꽤 많음〔많은〕. — *n.* Ⓒ 아픔, 격통; 고통, 비통, 분개. — *vi.* 욱신욱신 아프다; 괴로워하다, 분개하다(***under***); 대갚음을 받다. ***~ for*** …때문에 벌받다. **∠·ness** *n.*
smárt àl·eck 〔**àl·ec**〕 [-ǽlik] 《口》 건방진〔잘난 체하는〕 녀석.
smárt bómb 《美軍俗》 스마트 폭탄《레이저 광선에 의하여 목표에 명중하는》.
smart·en[smɑ́ːrtn] *vt., vi.* smart하게 하다〔되다〕.
smart·ly[smɑ́ːrtli] *ad.* 세게; 호되게; 재빠르게.
smárt móney 《英》 부상 수당; 〖法〗 위약〔손해, 징벌적〕 배상금; 《美》 직업적인 노름꾼(의 판돈).
smárt sèt 《집합적》 유행의 첨단을 걷는 사람들, 최상류 계급.
ˈ**smash**[smæʃ] *vt., vi.* ① 분쇄하다, 박살내다〔나다〕. ② (사업의) 실패〔파멸, 파산〕시키다〔하다〕. ③ 대패시키다. ④ 충돌시키다〔하다〕; (*vi.*) 맹렬히 나아가다. ⑤ 〖테니스〗 스매시하다, 맹렬하게 내리치다(*vt.*). — *n.* Ⓒ ① 깨뜨려 부숨. ② 쨍그렁하고 부서지는 소리. ③ 대패; 파산. ④ 충돌. ⑤ 스매시. ⑥ 《美》 (음악회·극장의) 대성공, 대만원. ***go to ~*** 《口》 부서지다; 파산〔완패〕하다. — *ad.* 철썩; 쨍그렁; 정면〔정통〕으로. **∠·ing** *a.* 맹렬한; (상황(商況)이) 활발한; 《口》 굉장한.
smash·er[smǽʃər] *n.* Ⓒ 《俗》 ① 맹렬한 타격〔추락〕; 찍소리 못하게 하는 의론. ② 분쇄자; 〖테니스〗 스매시를 잘하는 선수. ③ 《英》 멋진 사람〔것〕.
smásh·ùp *n.* Ⓒ (기차 따위의) 대충돌; 대실패, 파멸, 파산.
smat·ter·ing[smǽtəriŋ] *n.* (a ~) 어설픈〔선부른〕 지식.
smaze[smeiz] (<*sm*oke+h*aze*) *n.* Ⓤ 연하(煙霞)(thin smog).
ˈ**smear**[smiər] *vt.* (기름 따위를) 바르다; (기름 따위로) 더럽히다; 문질러 더럽히다; (명성·명예 등을) 손상시키다; 《美俗》 철저하게 해치우다. — *vi.* 더럽혀지다. — *n.* Ⓒ 얼룩, 더럼; 중상. **~·y**[smíəri] *a.* 더러워진; 얼룩이 진. 「방.
sméar wòrd 남을 중상하는 말, 비
†**smell**[smel] *vt.* (***smelt, ~ed***) 냄새맡다; 맡아내다, 알아〔낌새〕채다(***out***). — *vi.* 냄새맡다, 맡아보다(***at***); 악취가 나다; 냄새맡고 다니다; (…의) 냄새〔낌새〕가 나다(***of***). — *n.* Ⓒ 냄새맡음; Ⓤ 후각(嗅覺); Ⓒ,Ⓤ 냄새; Ⓤ 낌새.
smélling bòttle smelling salts를 넣는 병.
smélling sàlts 정신들게 하는 약《탄산암모니아가 주제(主劑)로 된》.
ː**smelt**[1] [smelt] *v.* smell의 과거(분사).
smelt[2] *n.* Ⓒ 〖魚〗 빙어.
smelt[3] *vt., vi.* 〖冶〗 용해하다, 제련하다. **∠·er** *n.* Ⓒ 용광로; 제련소.
Sme·ta·na[smétənə], **Bedrich** (1824-84) 체코의 작곡자.
smid·gen, -gin[smídʒin] *n.* (a ~) 《美口》 소량, 미량.
smi·lax[smáilæks] *n.* Ⓒ 〖植〗 청미래 덩굴(류).
†**smile**[smail] *n., vi.* Ⓒ 미소(하다), 방긋거림〔거리다〕; 냉소(하다)(***at***); 은혜〔호의〕(를 보이다). ˈ**smíl·ing** *a.* 방글거리는, 명랑한.
smirch[sməːrtʃ] *vt., n.* (이름을) 더럽히다; Ⓒ 오점.
smirk[sməːrk] *n., vi., vt.* Ⓒ 능글〔충글〕맞은 웃음(을 웃다).
ˈ**smite**[smait] *vt.* (***smote, smit; smitten,*** 《古》 ***smit***) ① 《文語》 때리다, 강타하다; 죽이다. ② (병이) 덮치다; (욕망이) 치밀다; (마음을) 괴롭히다; 매혹하다(***with***). — *vi.* 때리다, 부딪치다(***on***).
ˈ**smith**[smiθ] *n.* Ⓒ 대장장이; 금속세공장(匠)(cf. goldsmith).
Smith[smiθ], **Adam**(1723-90) 영국의 경제학자·윤리학자.
smith·er·eens[smìðəríːnz] *n. pl.* 《口》 산산조각, 파편.
smith·y[smíθi, -ði] *n.* Ⓒ 대장간.
smit·ten[smítn] *v.* smite의 과거분사.
ˈ**smock**[smɑk/-ɔ-] *n.* Ⓒ 작업복, 스목《작업용, 부인·어린이용의 덧옷》. — *vt.* 스목을 입히다; 장식 주름을 내다. **∠·ing** *n.* Ⓤ 장식 주름. 「복.
smóck fròck (유럽 농부의) 작업
ː**smog**[smɑg, -ɔ(ː)-] *n.* Ⓤ 스모그, 연무(煙霧)(<*sm*oke+f*og*). — *vt.* (***-gg-***) 스모그로 덮다. **∠·gy** *a.* 스모그가 많은.
†**smoke**[smouk] *n.* ① Ⓤ 연기(같은 것)《안개·먼지 따위》. ② Ⓤ,Ⓒ 실체가 없는 것, 공(空). ③ Ⓒ 흡연, 한 대 피움〔피우는 시간〕. ④ Ⓒ (보통 *pl.*) 궐련, 여송연. ⑤ Ⓒ 모깃불. ***end in ~*** (중도에) 흐지부지되다.

from ~ into smother 갈수록 태산. *like ~* 《俗》 순조롭게; 곧, 당장. — *vi.* 연기를 내다, 잘 타지 않고 연기를 내다; 김이 나다; 담배를 피우다; 얼굴을 붉히다; 《俗》 대마초를 피우다. — *vt.* 그을리다; 훈제(燻製)로 하다; 연기를 피워 구제(驅除)〔소독〕하다; (담배 따위를) 피우다; 담배를 피워 …하다. *~ one's time away* 담배를 피우며 시간을 보내다. *~ out* 연기를 피워 몰아내다; (탐지하여) 폭로하다.
smóke bàll 〖軍〗 연막탄; 〖野〗 강속구; 〖植〗 알불버섯.
smóke bòmb 〖軍〗 발연탄.
smoked[smoukt] *a.* 훈제(燻製)의; 유연(油煙)으로 그을린.
smóke-drìed *a.* 훈제의, 훈제한.
smóke-filled róom 《美》 (정치적) 막후 협상실.
smóke hélmet 소방모(帽), (소방용) 방독면.
smóke·hòuse *n.* Ⓒ 훈제장(場).
smóke·less *a.* 연기 없는. 「화약.
smókeless pówder 무연(無煙)
***smok·er** [∠ər] *n.* Ⓒ 흡연자(*a heavy ~*); 흡연실〔차〕; 《美》 남자만의 흡연 담화회.
smóker's héart 흡연 과다로 인한 심장병(tobacco heart).
smóke scrèen 연막; 《비유》 위장.
smóke·stàck *n.* Ⓒ (공장·기관차·기선 따위의) 큰 굴뚝. — *a.* (철강·화학·자동차 등의) 중공업의.
:**smok·ing**[∠iŋ] *n.* Ⓤ 흡연. *No ~.*
smóking càr 〔《英》 **càrriage**〕 (열차의) 흡연칸.
smóking compàrtment (열차의) 흡연실.
smóking còncert 《英》 흡연 자유의 음악회.
smóking jàcket (남자들의) 헐렁한 평상복.
smóking ròom 흡연실.
smóking stànd 스탠드식 재떨이.
***smok·y**[∠i] *a.* 연기 나는, 매운; 연기와 같은; 거무칙칙한, 그을은.
smóky quártz 〖鑛〗 연수정(煙水晶)(cairngorm).
smol·der, 《英》 **smoul-**[smóuldər] *vi.* 연기 나다, (내)내다; (불만이) 쌓이다. — *n.* Ⓒ (보통 *sing.*) 내는 불; 연기 남〔피움〕.
Smol·lett[smálit/-ɔ́-], **Tobias** (1721-71) 영국의 소설가.
SMON[smɑn/-ɔ-] *n.* Ⓤ 스몬병, 아급성 척수 시신경증.
smooch[1][smu:tʃ] *n., vi.* (a ~)《口》 키스(하다), 애무(하다).
smooch[2] *n., v.* =SMUDGE.
smooch·y[smú:tʃi] *a.* 《美》 더러운.
:**smooth**[smu:ð] *a.* ① 반드러운; 수염 없는; 매끄러운. ② 유창한; 귀에 거슬리지 않는, (소리가) 부드러운; 온화한, 매력으로〔비위 맞춰〕 남을 끄는, (말 따위가) 번지르한. ③ (바다가) 잔잔한. ④ (음료가) 입에 당기는. ⑤ 《美俗》 멋진. *in ~ water* 장애를 돌파하여. *make things ~* 장애를 제거하고 일을 쉽게 만들다. *~ things* 걸발림말. — *vt.* 반드럽게 하다, 편편하게 고르다, 다리다; 매만지다; 잘 보이다; 달래다, 가라앉히다. — *vi.* 반드러워〔평온해〕지다. *~ away* 〔*off*〕 (장애·곤란 등을) 없애다, 반드럽게 하다. — *n.* (a ~) 반드럽게 함; 반드러운 부분; Ⓒ 평지; 《美》 초원. *take the rough with the ~* 곤경에 처해도 태연하게 행동하다. **∠·ness** *n.*
smóoth·bòre *n.* Ⓒ 활강총(滑降銃)〔포〕.
smóoth-fáced *a.* 얼굴을 깨끗이 면도한; 호감을 주는; 양의 탈을 쓴.
smóoth ìron 다리미, 인두.
:**smooth·ly**[smú:ðli] *ad.* 매끈하게; 유창하게; 평온하게; 꺼리낌없이.
smóoth múscle 〖解〗 평활근.
smóoth·spóken, -tóngued *a.* 말솜씨가 좋은.
smor·gas·bord, smör·gas- [smɔ́:rgəsbɔ̀:rd] *n.* (Sw.) Ⓤ 여러가지 전채(前菜)가 나오는 스웨덴식 식사《때로는 50접시에 이름》.
***smote**[smout] *v.* smite의 과거.
***smoth·er**[smʌ́ðər] *vt.* (…에게) 숨막히게 하다, 질식시키다; (재를 덮어) 끄다, (불을) 묻다; (친절·키스 따위를) 퍼붓다; (하품을) 눌러 참다; 쓱싹〔쉬쉬〕하다, 묵살하다; 찜으로 하다. — *n.* (a ~) 자욱한 연기〔먼지, 물보라〕; 대혼란, 야단법석.
smudge[smʌdʒ] *n., vt., vi.* Ⓒ 얼룩(을 묻히다), 오점(을 찍다), 더럽히다(더러움); 《美》 모깃불(을 피우다). **smúdg·y** *a.* 더럽혀진; 선명치 못한; 매운.
smug[smʌg] *a.* (*-gg-*) 혼자 우쭐대는, 젠체하는; 말쑥한(neat). **∠·ly** *a.* **∠·ness** *n.* Ⓒ 새침뗌, 젠체함.
***smug·gle**[smʌ́gəl] *vt., vi.* 밀수(입·출)하다(*in, out, over*); 밀항〔밀입국〕하다. ***smúg·gler** *n.* Ⓒ 밀수자〔선〕. **smúg·gling** *n.* Ⓤ 밀수.
smut[smʌt] *n.* Ⓤ,Ⓒ 그을음, 검댕(soot); 탄(炭)가루; 얼룩; Ⓤ 흑수병, 깜부기병; 외설한 이야기〔말〕. — *vt., vi.* (*-tt-*) 더럽히다〔혀지다〕, 검게 하다〔되다〕; 깜부기병에 걸리(게 하)다. **∠·ty** *a.* 그을은, 더럽혀진; 깜부기병의; 외설한.
smutch[smʌtʃ] *v., n.* =SMUDGE.
SMV slow-moving vehicle. **SN** service number 군번; serial number. **S/N** 〖商〗 shipping note.
Sn 〖化〗 *stannum*(L. =tin).
snack[snæk] *n.* Ⓒ 가벼운 식사, 간식; 맛, 풍미(smack[1]); 몫. *go ~s* (몫을) 반분하다. *Snacks!* 똑같이 나눠라!
snáck bàr 〔《英》 **còunter**〕 《美》 간이 식당. 「이블.
snáck tàble 접을 수 있는 작은 테
snaf·fle[snǽfəl] *n., vt.* Ⓒ (말의) 작은 재갈(로 제어하다); 《英俗》 훔치다, 후무리다(pinch).

S

sna·fu[snæfú:] *n., a.* Ⓒ《俗》 혼란된 (상태). ── *vt.* 혼란시키다.
snag[snæg] *n.* Ⓒ 꺾어진 가지; 가지 그루터기; 빠진〔부러진〕 이, 뻐드렁니; 물에 쓰러진〔잠긴〕 나무《배의 진행을 방해》; 뜻하지 않은 장애. ***strike a* ～** 장애에 부딪치다. ── *vt.* (*-gg-*) 방해하다; 잠긴 나무에 걸리게 하다〔를 제거하다〕. **∠·gy** *a.*
snag·gle-tooth[snǽgəltù:θ] *n.* Ⓒ 뻐드렁니.
:snail[sneil] *n.* Ⓒ 달팽이; 《비유》 굼벵이, 느리광이. ***at a* ～*'s pace* 〔*gallop*〕** 느릿느릿.
:snake[sneik] *n.* Ⓒ 뱀; 《비유》 음흉한 사람. ***raise* 〔*wake*〕 ～*s*** 소동을 일으키다. ***see* ～** 《美口》 알코올 중독에 걸려 있다. ***～ in the grass*** 숨어 있는 적〔위험〕. ***Snakes!*** 빌어먹을! ***warm* 〔*cherish*〕 *a* ～ *in one's bosom*** 믿는 도끼에 발등 찍히다《은혜를 원수로 갚받다》. ── *vt.* 꿈틀거리다, 뒤틀다; 《美口》 잡아 끌다. ── *vi.* 꿈틀꿈틀 움직이다.
snák·y *a.* 뱀과 같은; 뱀이 많은; 음흉한.
snáke·bìrd *n.* Ⓒ 〚鳥〛 가마우지의 일종.
snáke·bìte *n.* Ⓒ 뱀에게 물린 상처.
snáke chàrmer 뱀 부리는 사람.
snáke dànce (Hopi족 인디언의) 방울뱀 춤; (우승 축하 데모의) 지그재그 행진.
snáke·skìn *n.* Ⓒ 뱀 가죽; Ⓤ 무두질한 뱀 가죽.
SNAP systems for nuclear auxiliary power 원자력 보조 전원(電源).
:snap[snæp] *vt., vi.* (*-pp-*) 덥석 물다, 물어뜯다(*at*); 달려들다; 뚝 꺾다〔부러지다〕, 툭 끊다〔끊어지다〕, 쾅 닫(히)다; (탁) 퉁기다, 딸깍 소리 내다; (권총을) 쏘다; 《口》 딱딱거리다; 버럭 소리치다(*out*); 잡아채다; 스냅 사진을 찍다; (*vi.*) (총이) 불발로 그치다; 번쩍 빛나다; (신경 따위가) 못 견디게 되다; 재빨리 움직이다. ***～ at*** 달려들다; 쾌히 응낙하다. ***～ into it*** 《美口》 본격적으로 시작하다. ***～ one's fingers at*** …을 경멸하다, 무시하다. ***～ short*** 뚝 부러지다, 툭 끊어지다; (이야기를) 가로막다. ***～ up*** 덥석 물다; 잡아채다; 버릇없이 남의 말을 가로막다. ── *n.* Ⓒ 덥석 물음; 버럭 소리침; 뚝부러짐 (따위), 찰깍 하는 소리; 똑딱 단추; (날씨의) 급변, 갑작스런 추위; 스냅 사진; 〚野〛 급투(急投); Ⓤ 《口》 활기, 민활함, 정력, 활력; Ⓒ 《口》 수월한 일〔과목〕; 허둥대는 식사; 《英方》 (노동자·여행자의) 도시락. ***in a* ～** 곧. ***not care a* ～** 조금도 상관치 않다. ***with a* ～** 뚝〔탁〕하고. ── *a.* 재빠른, 급한; 《俗》 쉬운. **∠·per** *n.* Ⓒ 딱딱거리는 사람; ＝**snápping tùrtle** (북아메리카의) 큰 자라.
snáp·dràgon *n.* Ⓒ 금어초(金魚草).
snáp fàstener 똑딱단추.
snap·pish[snǽpiʃ] *a.* (개 따위가) 무는 버릇이 있는; 딱딱거리는; 걸핏하면 성내는.
snap·py[snǽpi] *a.* 짤깍짤깍〔바지직바지직〕 소리나는; 《口》 활기 있는; (추위가) 살을 에는 듯한; 스마트한; ＝⇧.
snáp·shòot *vt.* 스냅 사진을 찍다.
snáp·shòt *n., vt.* Ⓒ 속사(速射); 스냅 사진(을 찍다).
***snare**[snɛər] *n., vt.* Ⓒ 덫〔함정〕(에 걸리게 하다); 유혹(하다); (보통 *pl.*) (북의) 향현(響絃)《장선(腸線)의 일종》.
snáre drùm (잘 울리게 향현을 댄) 작은 북.
***snarl**[1][snɑ:rl] *vi.* (개가 이빨을 드러내고) 으르렁거리다; 고함치다. ── *vt.* 호통치다, 소리지르며 말하다. ── *n.* Ⓒ 으르렁거림, 고함; 으르렁거리는 소리.
snarl[2] *n., vi., vt.* Ⓒ 엉클어짐; 엉클리다, 엉클어지게 하다; 혼란(하다, 시키다).
snárl-ùp *n.* Ⓒ (교통의) 정체.
:snatch[snætʃ] *vt.* 와락 붙잡다, 잡아채다, 급히 먹다(*away, off*); 용하게〔운좋게〕 얻다; 간신히 손에 넣다〔구해내다〕(*from*); 《俗》 (어린이를) 유괴하다(kidnap). ── *vi.* 잡으려고 하다, 움켜잡으려들다(*at*); (제의에) 기꺼이〔냉큼〕 응하다(*at*). ***～ a kiss*** 갑자기 키스하다. ***～ a nap*** 한숨 자다. ***～ up*** 홱 잡아채다. ── *n.* Ⓒ 잡아챔, 강탈; 《俗》 유괴; (보통 *pl.*) 작은 조각, 단편, (음식의) 한 입; 단시간(*a ～ of sleep* 한잠); Ⓒ 《美俗》 여자의 성기, 성교. ***by ～es*** 때때로 (생각난 듯이). **∠·y** *a.* 단속적(斷續的)인, 불규칙한; 이따금씩의.
snaz·zy[snǽzi] *a.* 《美》 멋진, 일류의; 매력적인.
SNCC 《美》 Student Nonviolent Coordinating Committee 학생 비폭력 조정 위원회.
sneak**[sni:k] *vi., vt.* 슬그머니 움직이다〔달아나다, 들어가다, 나가다〕(*away, in, out*); 《口》 후무리다; (*vi.*) 《英學生俗》 고자질하다; 《英俗》 굽실거리다(*to*). ***～ out of …을 슬쩍〔가만히〕 빠져나가다. ── *n.* Ⓒ 비겁한 사람, 고자질꾼. **∠·er** *n.* Ⓒ 비열한 사람; (고무 바닥의) 즈크신. **∠·ing** *a.* 슬금슬금〔몰래〕하는〔달아나는〕; 비열한.
snéak thìef 좀도둑; 빈집털이.
***sneer**[sniər] *n., vi.* 비웃다; Ⓒ 조소(하다)(*at*). ── *vt.* 비웃어 말하다.
sneeze**[sni:z] *n., vi.* Ⓒ 재채기(하다); 《口》 업신여기다(*at*). ***not to be ～d at 《口》 깔볼수 없는, 상당한.
snick[snik] *n., vt.* Ⓒ (…에) 눈금〔칼자국〕(을 내다); 〚크리켓〛 (공을) 깎아치다〔침〕.
snick·er[sníkər] *n., v.* ＝SNIGGER.
snide[snaid] *a.* (보석 따위가) 가짜의; (사람이) 비열한.

:sniff [snif] *vt.* 코로 들이쉬다(*in, up*); 냄새맡다. — *vi.* 킁킁 냄새 맡다(*at*); 콧방귀 뀌다(*at*). — *n.* Ⓒ sniff 함; 코웃음; 콧방귀. **∠·y** *a.*
snif·fle [snífəl] *n., v.* =SNUFFLE. ***the ~s*** 코막힘, 코감기; 훌쩍이며 욺.
snig·ger [snígər] *n., vi.* Ⓒ《주로 英》킬킬거리며 웃음[웃다].
snip [snip] *vt., vi.* (**-pp-**) 가위로 싹둑 자르다. — *n.* Ⓒ 싹둑 자름; 끄트러기, 자투리; 조금; (*pl.*) 함석 가위; Ⓒ《美口》하찮은 인물; 풋내기.
snipe [snaip] *n.* Ⓒ〖鳥〗도요새; 〖軍〗저격(狙擊);《美俗》담배 꽁초. — *vt., vi.* 도요새 사냥을 하다; 저격하다. **snip·er** *n.* Ⓒ 저격병.
snip·pet [snípit] *n.* Ⓒ 단편;《美口》하찮은 인물.
snip·py [snípi] *a.* 그러모은; 단편적인;《口》무뚝뚝한(curt), 푸접없는, 건방진(haughty).
snitch[1] [snitʃ] *vt.*《俗》잡아채다, 후무리다. — *n.* Ⓤ 절도.
snitch[2] *vt., vi., n.*《俗》고자질하다; Ⓒ 밀고자, 통보자.
sniv·el [snívəl] *vi.* (《英》**-ll-**) 콧물을 흘리다; 훌쩍이며 울다; 우는 소리를 하다. — *n.* Ⓤ 콧물; Ⓒ 우는 소리; 코멘 소리.
snob [snɑb/-ɔ-] *n.* Ⓒ (신사연하는) 속물(俗物); 금권(金權)주의자; 윗사람에게 아첨하고 아랫사람에게 교만한 인간;《英》동맹파업 불참 직공. **∠-ber·y** *n.* Ⓤ 속물 근성; Ⓒ 속물적 언동. **∠·bish** *a.*
snood [snu:d] *n., vt.* Ⓒ (스코틀랜드·북부 영국에서 처녀가 머리를 동이던) 머리띠 리본; 그것으로 동이다;《美》헤어네트, 네트모(帽).
snook [snu(:)k] *n.* Ⓒ《俗》엄지손가락을 코끝에 대고 다른 네 손가락을 펴보이는 경멸의 몸짓. ***cut*** [***cock***] ***a ~ at***《口》냉소하다, 조롱하다.
snoop [snu:p] *vi., n.* Ⓒ《口》(못된 짓을 할 목적으로) 기웃거리며 서성대다[서성대는 사람, 서성대기].
snoop·y [snú:pi] *a.* 엿보고 다니는; 호기심이 강한, 참견이 심한.
snoot [snu:t] *n.* Ⓒ《美俗》코(cf. snout); (경멸적인) 오만상;《美口》속물(snob).
snoot·y [snú:ti] *a.*《口》우쭐거리는, 건방진.
snooze [snu:z] *n.* (a ~)《口》겉잠. — *vi., vt.* 꾸벅꾸벅 졸다; 빈둥거리며 시간을 보내다.
***snore** [snɔ:r] *n., vi., vt.* Ⓒ 코골;《英》(한) 잠; 코를 골다.
***snor·kel** [snɔ́:rkəl] *n.* Ⓒ 스노클《잠수함의 환기 장치; 잠수용 호흡 기구》.
***snort**[1] [snɔ:rt] *vi., vt.* (말이) 콧김을 뿜다; (사람이) 씨근거리(며 말하)다《경멸·노염의 표시》; (엔진이) 썩썩 소리내다. — *n.* Ⓒ 콧김; (엔진의) 배기음.
snort[2] *n.*《英》=SNORKEL.
snot·ty [snɑ́ti/snɔ́ti] *a.* ①《卑》콧물투성이의; 추레한. ②《俗》어쩐지 싫은, 하찮은《이상은 **∠ nòsed** 라고도 함》. ③《俗》건방진, 역겨운.
snout [snaut] *n.* Ⓒ (돼지·개·악어 따위의) 주둥이; (사람의) 크고 못생긴 코; 바위끝; =NOZZLE.
snóut bèetle 바구밋과의 곤충.
†snow [snou] *n.* Ⓤ 눈(내림); Ⓤ,Ⓒ 강설; Ⓤ《詩》순백, 백발;《俗》코카인[헤로인] 가루;〖TV〗화면에 나타나는 흰 반점. — *vi.* 눈이 내리다(*It ~s.*); 눈처럼 내리다. — *vt.* 눈으로 파묻히게[갇히게] 하다(*in, up*); 눈같이 뿌리다; 백발로 하다. ***be ~ed under*** 눈에 묻히다;《美俗》압도되다(be overwhelmed).
***snów·bàll** *n., vt., vi.* Ⓒ 눈뭉치(를 던지다);《英》차례차례 권유시키는 모금(募金)(법); 눈사람식으로 붇다;〖植〗불두화나무(guelder-rose).
snów·bànk *n.* Ⓒ 눈더미《특히 언덕이나 골짜기의》.
snów·bèrry *n.* Ⓒ〖植〗(북아메리카의) 인동덩굴과의 관목.
snów·bìrd *n.* Ⓒ〖鳥〗흰멧새;《美俗》코카인 중독자.
snów-blìnd *a.* 설맹(雪盲)의.
snów·bòund *a.* 눈에 갇힌.
snów bùnny《俗》〖스키〗초심자《특히 여성》.
snów·càp *n.* Ⓒ 산정의 눈. 「로 덮인.
snów-càpped *a.* (산 따위가) 눈으
snów·drìft *n.* Ⓒ 휘몰아쳐 쌓인 눈.
snów·dròp *n.* Ⓒ〖植〗눈 꽃; 아네모네;《美軍俗》헌병.
***snów·fàll** *n.* Ⓒ 강설; Ⓤ 강설량.
snów fìeld 설원(雪原), 만년설.
***snów·flàke** *n.* Ⓒ 눈송이.
snów jòb《美俗》(그럴듯한) 발림말, 기만적인 진술.
snów lìne [**lìmit**] 설선(雪線)《만년설의 최저선》.
***snów·màn** *n.* Ⓒ 눈사람; (히말라야의) 설인(雪人)《보통 *the abominable ~*》.
snów·mobìle *n.* Ⓒ (앞바퀴 대신 썰매를 단) 눈자동차, 설상차(雪上車).
snów·plòw, 《英》**-plòugh** *n.* Ⓒ (눈 치우는) 넉가래, 제설기.
snów·shèd *n.* Ⓒ (철도변의) 눈사태 방지 설비.
***snów·shòe** *n., vi.* Ⓒ (보통 *pl.*) 설화(雪靴)(로 걷다).
snów·slìde *n.* Ⓒ 눈사태.
***snów·stòrm** *n.* Ⓒ 눈보라.
snów·sùit *n.* Ⓒ (어린이용) 방한복.
snów tìre 스노 타이어.
***snów-whíte** *a.* 눈같이 흰, 순백의.
:snow·y [snóui] *a.* ① 눈의, 눈이 오는, 눈이 많은. ② 눈이 쌓인, 눈으로 덮인. ③ 눈 같은, 순백의, 깨끗한, 오점이 없는.
SNS Social Networking Service 온라인 사회관계망 서비스.
snub [snʌb] *n., vt.* (**-bb-**) Ⓒ 몰아세움; 몰아세우다; 냉대(하다); (말·배 등) 급정거(시키다). — *a.* 들창코의; 코웃음치는.

S

snub·by[snʌ́bi] *a.* 사자코의; 냉정히 대하는.
snúb-nòsed *a.* 들창코의.
snuff[1][snʌf] *n., vt.* Ⓤ (까맣게 탄) 양초의 심지(를 잘라 밝게 하다); (촛불을) 끄다. ~ ***out*** (촛불을) 끄다, 소멸시키다; 《口》 죽다.
*__snuff__[2] *vt.* 냄새맡다. — *vi.* 코로 들이쉬다, 냄새 맡아보다(*at*); 코를 킁킁거리다. — *n.* Ⓒ 냄새; 코로 들이쉼; Ⓤ 코담배. ***in high ~*** 의기양양하게. ***up to ~*** 《英俗》 빈틈없는; 《口》 원기 왕성하게, 좋은 상태로.
snúff·bòx *n.* Ⓒ 코담배갑.
snúff-còlo(u)red *a.* 황갈색의.
snuff·er[snʌ́fər] *n.* Ⓒ 촛불 끄개; (보통 *pl.*)(양초의) 심지 자르는 가위.
snuf·fle[snʌ́fəl] *n., vi., vt.* Ⓒ 콧소리(가 되다, 로 노래하다); (the ~s) 코감기, 코가 멤〔메다〕; 코를 킁킁거리다.
*__snug__[snʌg] *a.* (**-gg-**) (장소가) 아늑한(*a ~ corner*); 깨끗한, 조촐〔아담〕한; 넉넉한; 숨은; (배가) 잘 정비된. ***as ~ as a bug in a rug*** 매우 편안하게, 포근히. ***lie ~*** 숨어서 보이지 않는. **∠·ly** *ad.* **∠·ness** *n.*
snug·ger·y[∠əri] *n.* Ⓒ 《英》 아늑〔아담〕한 집〔방〕.
snug·gle[snʌ́gəl] *vi., vt.* 다가붙다〔들다〕; 끌어안다(*up, to*).
†**so**[sou] *ad.* 그렇게; 그와 같이; 마찬가지로(*So am I.*); 맞았어, (당신의 말) 그대로(*"They say he is honest." "So he is."*); 그만큼; 그정도로; 《口》 매우; 그래서, 그러므로; 《문두에서》 그럼. ***and so*** 그리고 (…하였다); 그래서. ***as ... so*** …과 같이 또한. ***It so happened that ...*** 때마침〔공교롭게도〕 …이었다. ***or so*** … 만큼. (*not*) ***so ... as*** …만큼 (…은 아니다). ***so ... as to*** …할 만큼. ***so as to*** (do) …하기 위하여, …하도록. ***So be it!*** 그렇다면 좋다 《승낙·단념의 말투》. ***so*** FAR. ***so far as*** …만으로는, …하는 한(에서는). ***so far as from doing*** …하기는 커녕. ***So long!*** 《口》 안녕. ***so long as*** …하는 한에는, …이면. ***So many men, so many minds.*** 《속담》 각인 각색. ***so so*** 《口》 그저 그렇다, 이럭저럭. ***so that*** …하기 위하여, …하도록; 따라서, 그러므로; 만일 …이면, …하기만 한다면. ***so ... that*** 대단히 …이〔하〕므로; …한 식으로, 공교롭게도 …하게. ***so to say*** 〔***speak***〕 말하자면. ***So what?*** 《美口》 《반문》 그래서 어쨌다는 거야. — *conj.* …할 만큼; 그러므로, 따라서; 《古》 …하기만 한다면. — *int.* 설마; 됐어; 그대로 (가만히)!; 정말이냐! — *pron.* 《say, think, tell 따위의 목적어로서》 그렇게, 그같이(*I suppose so.*); 정도, 가량, 쯤(*a mile or so,* 1마일 가량).
So. south; southern. **S.O.** seller's option; shipping orders; staff officer; Standing Order; sub-office.

S

‡**soak**[souk] *vt.* (물에) 잠〔담〕그다, 적시다; 흠뻑 젖게 하다; 스며들게 하다; 빨아들이다(*in, up*); 《비유》 (지식 등을) 흡수하다; (술을) 많이 마시다; 《俗》 벌하다, 때리다; 《俗》 우려내다, 중세(重稅)를 과하다. — *vi.* 잠기다; 담기다; (흠뻑) 젖다; 스며들다〔나오다〕(*in, into, through; out*); 많은 술을 마시다. ***be ~ed*** 〔***~ oneself***〕 ***in*** …에 몰두하다. ***~ up*** 흡수하다; 이해하다. — *n.* Ⓒ (물에) 잠금, 젖음; 흠뻑 젖음; 큰비; 《俗》 술잔치; 《俗》 술고래.
*__só-and-sò__ *n.* (*pl.* **~s**) Ⓒ,Ⓤ 아무개, 누구 누구, 무엇 무엇. — *a.* 지겨운(damned).
‡**soap**[soup] *n.* Ⓤ 비누; Ⓒ 《俗》 금전; (특히 정치적) 뇌물. — *vt., vi.* (…에) 비누를 칠하다〔로 씻다〕. **∠·y** *a.* 비누의; 비누투성이의〔를 함유한〕; 《俗》 낯간지러운 겉발림말의.
sóap bòiler 비누 제조업자.
sóap·bòx *n., vi.* Ⓒ 《美》 비누 상자 《포장용》; 빈 비누 궤짝《가두 연설의 연단으로 씀》; 가두 연설하다.
sóapbox órator 가두 연설가.
sóap bùbble 비눗방울; 굴퉁이.
sóap flàkes 〔**chìps**〕 (선전용의) 작은 비누.
sóap·less sóap [∠lis-] 중성 세제.
sóap òpera 《美口》 〖라디오·TV〗 (주부들을 위한 낮의) 연속 가정극《원래 비누 회사 제공》.
sóap pòwder 가루 비누.
sóap·stòne *n.* Ⓤ 동석(凍石)《비누 비슷한 부드러운 돌》.
sóap·sùds *n. pl.* 거품이 인 비눗물, 비누 거품.
‡**soar**[sɔːr] *vi.* ① 높이〔두둥실〕 올라가다. ② (희망·사상 등이) 치솟다, 부풀다. ③ (물가가) 폭등하다. ④ 〖空〗 일정한 높이를 활공하다.
*__sóar·ing__ *n.* Ⓤ 높이 날기; 우뚝 솟음, 상승. — *a.* 높이 나는; 우뚝 솟은〔솟는〕; (희망이) 고원한.
sóaring flìght (글라이더의) 활공비행.
‡**sob**[sɑb/-ɔ-] *vi.* (**-bb-**) 흐느끼다; (바람 따위가) 흐느끼는 듯한 소리를 내다. — *vt.* 훌쩍이면서 이야기하다(*out*); 흐느껴 …이 되게 하다. — *n.* Ⓒ 흐느끼는 울음. — *a.* 《美俗》 《한정적》 눈물을 자아내는.
S.O.B., s.o.b. 《俗》 son of a bitch.
‡**so·ber**[sóubər] *a.* 취하지〔술 마시지〕 않은, 맑은 정신의; 진지한; 냉정한, 분별 있는; 과장 없는; (빛깔이) 수수한. ***appeal from Philip drunk to Philip ~*** 상대방이 술 깬 뒤에 다시 이야기하다. — *vt.* (…의) 술 깨게 하다; 마음을 가라앉히다(*down*). — *vi.* 술이 깨다(*up, off*); 마음이 가라앉다(*down*). **~·ly** *ad.* **~·ness** *n.*
sóber-mínded *a.* 냉정한, 분별 있는, 진지한.
sóber·sìdes *n.* (*pl.* ~) Ⓒ 침착한 사람, 고지식한 사람.

so·bri·e·ty[soubráiəti] *n.* Ⓤ 절주(節酒); 제정신, 진지함, 근엄. 「명.
so·bri·quet [sóubrikèi] *n.* Ⓒ 별
sób sìster 《美》 (비극, 미담 등) 감상적 기사 전문의 여기자; 감상적 자선가.
sób stòry 〔**stùff**〕 《美口》 감상적인 애기, 애화(哀話); 상대의 동정을 얻으려는 변명.
SOC 〖經〗 social overhead capital; Space Operations Center (NASA 의) 유인 우주 스테이션.
Soc., soc. socialist; society; sociology.
so·ca[sóukə] (< *so*ul *ca*lypso) *n.* Ⓒ 소카《칼립소에 솔 음악적 요소를 가미한 댄스 음악》. 「위.
:**so-called**[sóukɔ́:ld] *a.* 이른바, 소
***soc·cer**[sákər/-ɔ́-] *n.* Ⓤ 축구.
***so·cia·ble**[sóuʃəbəl] *a.* 사교적인, 사교를 좋아하는; 사귀기 쉬운, 붙임성 있는. — *n.* Ⓒ 《美》 친목회; (마주 보는 좌석이 있는) 4륜 마차; (S 자형) 소파. **-bly** *ad.* 사교적으로, 상냥하게. **-bil·i·ty**[᷅-bíləti] *n.* Ⓤ 사교성, 사교적임.
:**so·cial**[sóuʃəl] *a.* 사회의〔에 관한〕; 사회〔사교〕적인; 붙임성 있는; 사교계의; 사회 생활을 영위하는; 〖動·植〗 군거(群居)〔군생〕하는; 사회주의의; 성교의〔에 의한〕. — *n.* Ⓒ 친목회.
so·ci·al·i·ty[sòuʃiǽləti] *n.* Ⓤ 사교〔군거〕성. ~**·ly** *ad.* 「가.
sócial clímber 출세주의자, 야심
sócial cóntract 〔**cómpact**〕, **the** (루소 등의) 사회 계약(설), 민약론.
Sócial Crédit 〖經〗 사회 채권설.
sócial demócracy 사회 민주주의.
Sócial Démocratic Párty, the (영국의) 사회 민주당《생략 SDP》.
sócial disèase 사회병《결핵 등》; 성병. 「족, 계급간의》.
sócial dístance 사회적 거리《민
sócial dynámics 사회 역학.
sócial engineéring 사회 공학《사회 구조 개선의 연구》.
sócial évil 사회악. 「회.
sócial gáthering 〔**párty**〕 친목
sócial hýgiene 성(性)위생.
sócial insúrance 사회보험《실업·후생 연금·건강 보험 따위》.
***so·cial·ism**[sóuʃəlìzəm] *n.* Ⓤ 사회주의. ***-ist** *n.* Ⓒ 사회주의자, 사회당. **-is·tic**[᷅-ístik] *a.*
so·cial·ite[sóuʃəlàit] *n.* Ⓒ 사교계의 명사(名士).
so·cial·ize**[sóuʃəlàiz] *vt.* 사회〔사교〕적으로 하다; 사회주의화하다; 국영화하다. ***~d medicine 의료 사회화 제도. ***-i·za·tion**[᷅—izéiʃən] *n.*
sócial órgainism 사회 유기체.
sócial óverhead cápital 〖經〗 사회 간접 자본《생략 SOC》.
Sócial Régister 〖商標〗 《美》 명사록.
sócial scíence 사회 과학.
sócial secúrity 사회 보장 (제도).
sócial sérvice 〔**wòrk**〕 사회 (복지) 사업.
sócial stùdies 사회과《학교의 교과》. 「사업.
sócial wélfare 사회 복지; 사회
sócial wòrker 사회 사업가.
:**so·ci·e·ty**[səsáiəti] *n.* ① Ⓤ 사회; 세상, 세인. ② Ⓤ 사교계; 상류사회(의 사람들). ③ Ⓤ,Ⓒ (특정한) 사회, 공동체. ④ Ⓤ 사교; 교제; 남의 앞. ⑤ Ⓒ 회, 협회, 조합. ***S- of Friends*** 프렌드〔퀘이커〕 교회. ***S- of Jesus*** 예수회(cf. Jesuit).
so·ci·o-[sóusiou, -siə, -ʃi-] '사회, 사회학' 의 뜻의 결합사.
sòcio·biólogy *n.* Ⓤ 생물 사회학.
sòcio·cúltural *a.* 사회 문화적인.
sòcio·económic *a.* 사회 경제적
sociol. sociology. ㄴ인.
sòcio·linguístics *n.* Ⓤ 사회 언어학.
***so·ci·ol·o·gy** [sòusiálədʒi, -ʃi-/ -ɔ́l-] *n.* Ⓤ 사회학. ***-gist** *n.* Ⓒ 사회학자. **-o·log·i·cal**[sòusiəládʒikəl, -ʃi-/-lɔ́dʒ-] *a.*
so·ci·om·e·try[sòusiámətri/-ɔ́-] *n.* Ⓤ 〖社〗 사회 측정(학); 사회 계량학. 「스, 짧은 양말.
:**sock**[1][sak/-ɔ-] *n.* Ⓒ (보통 *pl.*) 속
sock[2] *vt., n.* Ⓒ (보통 *sing.*) 《俗》 강타(強打)(하다). 「=SOCCER.
sock·er [sákər/-ɔ́-] *n.* 《주로 英》
***sock·et**[sákit/-ɔ́-] *n.* Ⓒ (꽂는) 구멍, (전구) 소켓. — *vt.* 소켓에 끼우다; 접속하다.
sock·o[sákou/-ɔ́-] *a.* 《美俗》 멋진.
***Soc·ra·tes**[sákrətì:z/-ɔ́-] *n.* 소크라테스《그리스 철학자; 469-399 B.C.》. 「라테스(철학)의.
So·crat·ic [səkrǽtik/sɔ-] *a.* 소크
sod**[1][sad/-ɔ-] *n.* Ⓤ,Ⓒ 잔디, 뗏장. ***under the ~ 지하에 묻혀, 저승에서. — *vt.* (**-dd-**) 잔디로 덮다.
sod[2] *v.* 《廢》 seethe의 과거.
sod[3] (<sodomite) *n.* Ⓒ 《英俗》 비역쟁이.
:**so·da**[sóudə] *n.* ① Ⓤ 소다《(중)탄산소다·가성 소다 등》. ② Ⓤ,Ⓒ 소다수(水), 탄산수.
sóda àsh 소다회(灰)《공업용 탄산소다》. 「〔판매장〕.
sóda fòuntain 소다수(水) 탱크
sóda lìme 소다 석회.
so·dal·i·ty[soudǽləti] *n.* Ⓤ 교우(交友), 우애; Ⓒ 조합, 협회; 〖가톨릭〗 형제회.
sóda pòp 《美口》 소다수《병이나 캔에 넣은 청량 음료》.
sóda wàter 소다수.
sod·den[1][sádn/-ɔ́-] *a.* 흠뻑 젖은 (*with*); 물기를 빨아들여 무거운; (빵이) 설구워진; 술에 젖은; 멍청한, 얼빠진. — *vt., vi.* (물에) 잠그다, 잠기다, 흠뻑 젖(게 하)다(*with*); 붇(게 하)다. 「사.
sod·den[2] *v.* 《廢》 seethe의 과거분
***so·di·um**[sóudiəm] *n.* Ⓤ 〖化〗 나트륨《금속 원소; 기호 Na》.
sódium bicárbonate 〖化·藥〗 중

S

탄산나트륨. 「금.
sódium chlóride 염화나트륨, 소
sódium flúoride 〖化〗 플루오르화 나트륨《소독·방부제》.
sódium hydróxide 수산화나트륨, 가성소다.
sódium nítrate 질산나트륨.
sódium péntothal 〖藥〗 펜토탈 나트륨《마취·최면약용》.
Sódium-vapor làmp 〖電〗 나트륨 등《금속 증기 방전관의 일종》.
Sod·om[sádəm/sɔ́d-] *n.* 〖聖〗 소돔《죄악 때문에 신에 의해 멸망당했다는 도시》; Ⓒ 죄악이 판치는 곳.
sod·om·y[sádəmi/-ɔ́-] *n.* Ⓤ 비역, 남색(男色); 수간(獸姦). **-om·ite** [-əmàit] *n.* Ⓒ 남색가; 수간자.
so·ev·er[souévər] *ad.* 아무리 …이라도; 《부정문에서》 아무리, 조금도 (…않다).
-so·ev·er [souévər] *suf.* what, who, whom, how, where 등에 붙여 '비록 …일지라도'의 뜻을 강조하는 결합사.
:so·fa[sóufə] *n.* Ⓒ 소파, 긴 의자.
So·fi·a[sóufiə, soufí:ə] *n.* 불가리아의 수도. 「omon.
S. of Sol. 〖舊約〗 Song of Sol-
†soft[sɔ(:)ft, sɑft] *a.* ① (유)연한, 부드러운; 매끈한. ② (윤곽이) 흐릿한; (음성이) 조용한, (광선이) 부드러운; (기후가) 상쾌한, 온난한. ③ 온화한, 상냥한; 약한, 나약한; 어리석은; 관대한. ④ 《英》 (날씨가) 누진, 구중중한; (물이) 연성(軟性)의; 알코올분(分)이 없는. ⑤ 수월한, 손쉬운. ⑥ 〖音聲〗 연음(連音)의《*gem*의 *g*, *cent*의 *c* 따위》. ― *ad.* 부드럽게, 조용하게, 상냥하게. ― *n.* Ⓒ 부드러운 물건〔부분〕. ― *int.* 《古》 쉿!, 잠깐! ~ ***glances*** 추파. ~ ***news*** 중요하지 않은 뉴스. ~ ***nothings*** (잠자리에서의) 사랑의 속삭임. ~ ***thing*** 〔***job***〕 수월하게 돈 벌 수 있는 일. ~ ***things*** 겉발림말; (잠자리에서의) 사랑의 말. ***the*** ~(***er***) ***sex*** 여성. **:∠·ly** *ad.* **∠·ness** *n.*
sóft·bàll *n.* Ⓤ 연식 야구; Ⓒ 그 공.
sóft-bóiled *a.* 반숙(半熟)의.
sóft cóal 역청탄(瀝青炭), 유연탄.
sóft còpy 〖컴〗 화면 출력, 소프트 카피《인쇄 용지에 기록한 것을 hard copy라고 하는 데 대해 기록으로 남지 않는 화면 표시 출력을 이름》.
sóft-córe *a.* (성묘사가) 그리 노골적인 아닌《포르노》; 온순한(cf. hard-core). 「(책).
sóft-còver *a., n.* Ⓒ 종이 표지의
sóft cúrrency 연화(軟貨)《달러와 교환할 수 없는 화폐: cf. hard currency》.
sóft drínk 청량 음료. 「위》.
sóft drúg 약한 마약《마리화나 따
:sof·ten[sɔ́(:)fən, sáfən] *vt., vi.* 부드럽게 하다〔되다〕; 연성(軟性)으로 하다〔되다〕; 상냥〔온화〕하게 하다〔되다〕; (*vt.*) (폭격 따위로 적의) 저항력을 약화시키다(*up*).
sóft fòcus 〖寫〗 연초점(軟焦點), 연조(軟調). 「hard goods).
sóft gòods 〔**wàres**〕 직물류 (cf.
sóft-héaded *a.* 투미한, 멍청한.
sóft-héarted *a.* 마음씨가 상냥한.
sóft-lànd *vt., vi.* 연착륙하다.
sóft-lànder *n.* Ⓒ 연착륙선.
sóft lánding 연착륙.
sóft lìne 온건 노선.
sóft pálate 연구개(軟口蓋).
sóft·pédal *vi.* (피아노의) 약음 페달을 밟다. ― *vt.* 《口》 (태도·어조를) 부드럽게 하다. 「문〕 과학.
sóft scíence 사회 과학, 행동〔인
sóft séll, the 온건한 판매술.
sóft shóulder 비포장 갓길.
sóft sóap 물비누; 《口》 아첨.
sóft-sóap *vt., vi.* 《口》 아첨하다; 물비누로 씻다. **~er** *n.* Ⓒ 《口》 아첨꾼, 빌붙는 사람. 「득력 있는.
sóft-spóken *a.* 말씨가 상냥한; 설
sóft tóuch 《俗》 (금전 문제에) 잘 속는 사람; 쉽게 지는 사람〔팀〕.
***soft·ware**[∠wɛ̀ər] *n.* Ⓤ 〖컴〗 소프트웨어《프로그램 체계의 총칭》; (로켓·미사일의) 설계, 연료 (따위).
sóftware pàckage 〖컴〗 소프트웨어 패키지.
sóft wáter 단물, 연수(軟水).
sóft·wòod *n.* Ⓤ 연목(재); Ⓒ,Ⓤ 침엽수 (목재).
soft·y, -ie[∠i] *n.* Ⓒ 《口》 감상적인〔무기력한〕 남자; 바보, 얼간이.
sog·gy[sági/-ɔ-] *a.* 물에 적신, 흠뻑 젖은; (빵이) 덜 구워져 눅눅한; 둔한.
SOHO Small Office Home Office. 「지; 생육지; 나라.
:soil[1] [sɔil] *n.* Ⓤ 흙, 토양; Ⓤ,Ⓒ 토
***soil**[2] *vt.* 더럽히다, (…에) 얼룩〔오점〕을 묻히다; (가명(家名) 따위를) 더럽히다; 타락시키다. ― *vi.* 더러워지다. ― *n.* Ⓤ 더럼, 오물; 거름, 비료. **~ed**[-d] *a.* 더러워진.
sóil conditioner 토질 개량제.
sóil scìence 토양학.
soi·ree, *soi·rée*[swɑ:réi/∠–] *n.* (F.) Ⓒ 야회(夜會).
***so·journ**[sóudʒə:rn/sɔ́-] *n., vt.* Ⓒ 체재(하다), 머무르다.
Sol[sɑl/-ɔ-] *n.* 〖로神〗 태양신; 태양.
sol[soul/sɔl] *n.* Ⓤ,Ⓒ 〖樂〗 솔.
Sol. solicitor; Solomon.
***sol·ace**[sáləs/sɔ́l-] *n., vt., vi.* Ⓤ 위안, 위로(를 주다, 가 되다); Ⓒ 위안물.
so·lan[sóulən] *n.* =GANNET.
:so·lar[sóulər] *a.* 태양의〔에 관한〕; 태양에서 오는, 햇빛〔태양열〕을 이용한; 태양의 운행에 의해 측정한.
sólar báttery 〔**céll**〕 태양 전지.
sólar cálendar 태양력(曆).
sólar colléctor 태양열 집열기.
sólar cýcle 〖天〗 태양 순환기, 28 주년.
sólar eclípse ⇨ECLIPSE.
sólar énergy 태양 에너지.
sólar fláre 태양면 폭발.
sólar hóuse 태양열 주택.

so·lar·i·um[soulέəriəm] *n.* (*pl.* **-ia**[-riə]) Ⓒ 일광욕실; 해시계(sundial).
so·la·ri·za·tion[sòulərizéiʃən] *n.* Ⓤ 〖寫〗 솔라리제이션《과도 노출로 영상의 흑백을 반전시키는 방법》.
so·lar·ize[sóulərὰiz] *vt., vi.* 햇볕에 쐬다, 감광시키다; (집에) 태양열 이용 설비를 설치하다; 〖寫〗 (…에) 솔라리제이션을 행하다.
sólar pánel 태양 전지판.
sólar pléxus 〖解〗 태양 신경총(叢).
sólar sỳstem 〖天〗 태양계.
sólar wínd, the 태양풍.
sólar yéar 〖天〗 태양년《365일 5시간 48분 46초》.
†**sold**[sould] *v.* sell의 과거(분사).
sol·der[sάdər/sɔ́ldər] *n.* Ⓤ 땜납; Ⓒ 결합물. ***soft* ~** 아첨. — *vt.* 납땜하다; 결합하다; 수선하다. **~*ing iron*** 납땜 인두.
†**sol·dier**[sóuldʒər] *n.* Ⓒ (육군의) 군인; (officer에 대하여) 사병; (역전의) 용사; 전사(戰士). **~ *of fortune*** (돈이나 모험을 위해 무엇이든 하는) 용병(傭兵). — *vi.* 군대에 복무하다; 《口》 빤들거리다, 꾀부리다. **~·ing** *n.* Ⓤ 군대 복무. **~·like, ~·ly** *a.* 군인다운, 용감한. **~·y**[-i] *n.* Ⓤ 《집합적》 군인; 군사 교련〔지식〕.
:**sole**[1][soul] *a.* 유일한; 독점적인; 단독의; 〖法〗 미혼의. **~ *agent*** 총대리점. **:∠·ly** *ad.* 단독으로; 오로지, 단지, 전혀.
***sole**[2] *n.* Ⓒ 발바닥; 신바닥(가죽); 밑부분, 밑바닥. — *vt.* (…에) 구두 밑창을 대다.
sole[3] *n.* Ⓒ 〖魚〗 혀넙치, 혀가자미.
sol·e·cism[sάləsìzəm/-ɔ́-] *n.* Ⓒ 문법〔어법〕 위반; 예법에 어긋남; 잘못, 부적당.
:**sol·emn**[sάləm/-ɔ́-] *a.* 엄숙한; 격식 차린, 진지한(체하는); 종교상의, 신성한; 〖法〗 정식의. ***S- Mass*** = HIGH MASS. ***~·ly** *ad.* **~·ness** *n.*
***so·lem·ni·ty**[səlémnəti] *n.* Ⓤ 엄숙, 장엄; 점잔뺌; Ⓒ (종종 *pl.*) 의식.
sol·em·nize[sάləmnὰiz/-ɔ́-] *vt.* (특히, 결혼식을) 올리다; (식을 올려) 축하하다; 장엄하게 하다. **-ni·za·tion**[∸−−zéiʃən] *n.*
so·le·noid[sóulənɔ̀id] *n.* Ⓒ 〖電〗 솔레노이드《원통꼴 코일》.
sol-fa [sòulfά/sɔ̀l-] *n., vt., vi.* Ⓤ 〖樂〗 계명 창법(으로 노래하다).
sol·feg·gio [sɑlfédʒou, -dʒiòu/sɔlfédʒiòu] *n.* Ⓤ,Ⓒ 〖樂〗 솔페지오 창법, 계명으로 노래하기.
:**so·lic·it**[səlísit] *vt., vi.* (일거리·주문 따위를) 구하다, 찾다(*for*); 간청〔간원〕하다(*for*); (매춘부가 남자를) 끌다, (나쁜 짓을) 교사하다. **-i·ta·tion**[səlìsətéiʃən] *n.*
***so·lic·i·tor**[səlísətər] *n.* Ⓒ 간청하는 사람; 《美》 외판원; 〖英法〗 (사무) 변호사; 《美》 (시·읍의) 법무관.
solícitor géneral (*pl.* **-s *general***) 《英》 법무 차관, 차장 검사; 《美》 수석 검사.
so·lic·i·tous[səlísətəs] *a.* 걱정하는(*for, about*); 열심인; 열망하는(*to* do). **~·ly** *ad.*
so·lic·i·tude[səlísətjùːd] *n.* Ⓤ 걱정; 열망, 갈망; (*pl.*) 걱정거리.
:**sol·id**[sάlid/-ɔ́-] *a.* ① 고체의; 속이 비지 않은. ② 〖數〗 입방의, 입체의. ③ 짙은, 두꺼운. ④ 꽉 찬(*with*); 견고한, 튼튼한; 똑같은; 순수한. ⑤ 완전한; 단결된; (학문이) 착실한; 진실의, 신뢰할 수 있는; 분별 있는; (재정적으로) 견실한. ⑥ 연속된; (복합어가) 하이픈 없이 된《보기 : *softball*》; 〖印〗 행간을 띄지 않고 짠. ⑦ 《美口》 사이가 좋은; 《美俗》 훌륭한, 멋진. — *n.* Ⓒ 고체; 〖數〗 입(방)체. **~·ly** *ad.*
sol·i·dar·i·ty[sὰlədǽrəti/-ɔ̀-] *n.* Ⓤ 단결; 연대 책임.
sólid fúel (로켓의) 고체 연료.
sólid geómetry 입체 기하(학).
so·lid·i·fy[səlídəfὰi] *vt., vi.* 응고(凝固)시키다〔하다〕; 단결시키다〔하다〕. **-fi·ca·tion**[−∸−fikéiʃən] *n.*
so·lid·i·ty[səlídəti] *n.* Ⓤ 단단함; 고체성; 견고; 견실; 고밀도.
sólid méasure 부피, 체적, 용적.
sólid-státe *a.* 〖電〗 솔리드스테이트의《트랜지스터 따위가 고정된 회로로 전류 조정을 할 수 있는》.
sol·i·dus[sάlidəs/-ɔ́-] *n.* (*pl.* **-di**[-dὰi]) Ⓒ 고대 로마의 금화; (실링을 표시하는) 빗금, 사선《/》.
so·lil·o·quy[səlíləkwi] *n.* Ⓤ,Ⓒ 혼잣말; Ⓒ (연극의) 독백. **-quize**[-kwὰiz] *vi.* 혼잣말〔독백〕하다.
sol·i·taire[sάlətὲər/sɔ́l-] *n.* Ⓒ (반지에) 한 개 박은 보석; Ⓤ 혼자 하는 카드놀이.
:**sol·i·tar·y**[sάlitèri/sɔ́litəri] *a.* ① 혼자의, 단독의; 단일의. ② 고독한, 외로운. ③ 쓸쓸한. — *n.* Ⓒ 혼자 사는 사람; 은둔자. **-tar·i·ly** *ad.* **-tar·i·ness** *n.*
sólitary confínement 독방 감금.
:**sol·i·tude**[sάlitjùːd/sɔ́li-] *n.* Ⓤ 고독; 외로움, 쓸쓸함; Ⓒ 쓸쓸한 장소.
***so·lo**[sóulou] *n.* (*pl.* **~s, -li**[-liː]) Ⓒ 독주(곡), 독창(곡); 독무대; 단독 비행; 〖카드〗 whist의 일종. — *a.* 독주〔독창〕의; 독주부를 연주하는; 단독의. — *vi.* 단독 비행하다. **~·ist** *n.* Ⓒ 독주〔독창〕자.
Sol·o·mon**[sάləmən/-ɔ́-] *n.* 〖聖〗 기원전 10세기의 이스라엘 왕; Ⓒ 현인. ***the SONG ***of* ~.**
Sólomon Íslands, the 솔로몬 군도《남태평양 New Guinea 동쪽에 있는 섬들; 1975년 독립》.
Sólomon's séal 〖植〗 죽대; 육성형(六星形)《삼각형 두 개를 엇걸어 포갠 꼴; 신비의 힘이 있다고 함》.
So·lon [sóulən] *n.* (638?-559? B.C.) 아테네의 입법가; Ⓒ 《美口》 국

S

회의원.

sol·stice[sɑ́lstis/-ɔ́-] *n.* Ⓒ 〖天〗 지(至). ***summer*** 〔***winter***〕 ~ 하〔동〕지.

***sol·u·ble**[sɑ́ljəbəl/-ɔ́-] *a.* 용해될 수 있는; 해결할 수 있는. **-bil·i·ty** [sɑ̀ljəbíləti/-ɔ̀-] *n.* Ⓤ 가용성(可溶性). 「질.

sol·ute[sɑ́lju:t/sɔ́l-] *n.* Ⓒ 〖化〗 용

:so·lu·tion[səlú:ʃən] *n.* ① Ⓤ 해결, 해명. ② Ⓤ,Ⓒ 용해 (상태); 용액. **~·ist** *n.* Ⓒ (신문·텔레비전 따위의) 퀴즈 해답 전문가.

:solve[sɑlv/-ɔ-] *vt.* 해결하다; 설명하다. **sólv·a·ble** *a.* 해결할 수 있는.

***sol·vent**[sɑ́lvənt/-ɔ́-] *a.* 용해력이 있는; 지불 능력이 있는; 마음을 누그러지게 하는. — *n.* Ⓒ 용제(溶劑), 용매(*of, for*); 약화시키는 것. **sól·ven·cy** *n.* Ⓤ 용해력; 지불 능력.

So·ma·li·a[soumɑ́:liə, -ljə] *n.* 소말리아《이디오피아에 인접한 공화국》.

so·mat·ic[soumǽtik] *a.* 신체의; 〖解·動〗 체강(體腔)(벽)의.

***som·ber,** 《英》 **-bre**[sɑ́mbər/-ɔ́-] *a.* 어둠침침한; 거무스름한; 음침한, 우울한.

som·bre·ro [sɑmbrέərou/sɔm-] *n.* (*pl.* **~s**) (Sp. =hat) Ⓒ 챙 넓은 중절모《멕시코 모자》.

†some[sʌm, 弱 səm] *a.* 어느, 어떤; 얼마(간)의《수·양》; 누군가의; 대략; 《口》 상당한, 대단한. ***in ~ way*** (***or other***) 이럭저럭 해서. ***~ day*** 언젠가, 머지 않아. ***~ one*** 어떤 사람, 누군가; 어느 것인가 하나(의); 누구인가 한 사람(의). ***~ time*** 잠시; 언젠가, 뒷날. ***~ time or other*** 머지 않아서, 조만간. — *pron.* 어떤 사람들〔물건〕; 얼마간, 다소. — *ad.* 《口》 얼마쯤, 다소; 《美俗》 상당히.

†some·bod·y [sʌ́mbɑ̀di, -bədi/-bɔ̀di] *pron.* 어떤 사람, 누군가. — *n.* Ⓒ 상당한 인물.

:some·how[sʌ́mhàu] *ad.* ① 어떻게든지 하여, 그럭저럭; 어떻든지, 좌우간. ② 웬일인지. ***~ or other*** 이럭저럭; 웬일인지.

†some·one[sʌ́mwʌ̀n, -wən] *pron.* =SOMEBODY. 「WHERE.

sóme·plàce *ad.* 《美口》 =SOME-

som·er·sault** [sʌ́mərsɔ̀:lt], **som·er·set**[≤-sèt] *n., vi.* Ⓒ 재주넘기, 공중제비(하다). ***turn a ~ 재주넘다.

†some·thing[sʌ́mθiŋ] *pron., n.* 어떤 물건〔일〕, 무엇인가; 얼마간; 다소; Ⓤ 가치 있는 물건〔사람〕. ***be ~ of a*** 조금〔좀〕 …하다, 좀 …한 데가 있다. ***take a drop of ~*** 한 잔하다. ***That is ~.*** 그것은 다소 위안이 된다. ***There is ~ in it.*** 그건 일리가 있다. ***think ~ of oneself*** (시원찮은데도) 자기를 상당한 인물로 여기다. — *ad.* 얼마쯤, 다소; 꽤.

:some·time[sʌ́mtàim] *ad., a.* 언젠가, 조만간; 이전(의).

†some·times [sʌ́mtàimz, səmtáimz] *ad.* 때때로, 때로는, 이따금.

:some·what[sʌ́m*h*wɑ̀t/-*h*wɔ̀t] *ad.* 얼마간, 다소. — *pron.* 어느 정도.

†some·where[sʌ́m*h*wὲər] *ad.* 어딘가에, 어디론가; 어느땐가(~ *in the last century*).

som·nam·bu·late [sɑmnǽmbjəlèit/sɔm-] *vi., vt.* 잠결에 걸어다니다, 몽유(夢遊)하다.

som·nam·bu·lism[-lìzəm] *n.* Ⓤ 몽유병. **-list** *n.* Ⓒ 몽유병자.

som·nif·er·ous[sɑmnífərəs/sɔm-] *a.* 최면의; 잠〔졸음〕이 오(게 하)는.

som·no·lent[sɑ́mnələnt/-ɔ́-] *a.* 졸린; 최면(催眠)의. **-lence** *n.*

†son[sʌn] *n.* ① Ⓒ 아들; 사위, 양자; (보통 *pl.*) (남자의) 자손. ② Ⓒ (…의) 아들, 계승자. ③ Ⓒ《호칭》 젊은이. ④ (the S-) 예수. ***his father's ~*** 아버지를 빼쏜 아들(cf. CHIP of the old block). ***~ of a bitch*** 《蔑》 개자식, 병신 같은 놈, 치사한 놈.

so·nant[sóunənt] *a.* 소리의〔가 있는〕; 울리는; 〖言〗 음절의〔을 나타내는〕; 〖音聲〗 유성음의. — *n.* Ⓒ 음절 주음(主音); 〖音聲〗 유성음.

so·nar[sóunɑ:*r*] *n.* Ⓒ 《美》 수중 음파 탐지기(《英》 asdic).

***so·na·ta**[sənɑ́:tə] *n.* Ⓒ 〖樂〗 소나타, 주명곡(奏鳴曲).

sonáta fòrm 소나타 형식.

son·a·ti·na[sɑ̀nətí:nə/-ɔ̀-] *n.* (*pl.* **-ne**[-nei]) Ⓒ 〖樂〗 소나티나, 소(小)주명곡. 「기상 측정기, 존데.

sonde[sɑnd/-ɔ-] *n.* Ⓒ 〖로켓〗 고층

†song[sɔ(:)ŋ, -ɑ-] *n.* Ⓒ 노래, 창가, 가곡; 가창; 시; Ⓤ (새의) 지저귐, (시냇물의) 졸졸 소리. ***for a*** (***mere***) ***~,*** or ***for an old ~*** 아주 헐값으로. ***make a ~ about*** 《英俗》 …을 자랑〔자만〕하다. ***~ and dance*** 《美口》 (거짓말 등을 섞은) 이야기, 설명, 변명. ***the S- of Solomon,*** or ***the S- of Songs*** 〖舊約〗 아가(雅歌)(Canticles).

sóng·bìrd *n.* Ⓒ 명금(鳴禽); 여자가수. 「리.

sóng spàrrow (북미산의) 멧종다

***song·ster**[≤stər] *n.* Ⓒ 가수(singer); 가인(歌人), 시인; 명금(鳴禽).

song·stress[≤stris] *n.* ⇧의 여성.

sóng thrùsh 〖鳥〗 (유럽산) 지빠귀; 《美》 =WOOD THRUSH. 「속의.

son·ic[sɑ́nik/-ɔ́-] *a.* 음(파)의; 음

sónic báng =SONIC BOOM.

sónic bárrier 〔**wàll**〕 음속 장벽《비행기 따위의 속도가 음속과 일치하는 순간의 공기 저항》.

sónic bóom 충격 음파《항공기가 음속을 돌파할 때 내는 폭발음과 비슷한 소리》.

sónic míne 〖軍〗 음향 기뢰《스크루의 진동으로 폭발하는 장치》.

sónic spéed 음속.

so·nif·er·ous[souníf ərəs] *a.* 소리를 내는〔전하는〕.

són-in-làw *n.* (*pl.* ***sons-in-law***) Ⓒ 사위.

***son·net**[sánət/-ɔ́-] *n., vi.* Ⓒ 〖韻〗 소네트, 14행시(를 짓다). **~·eer** [∸-íər] *n.* Ⓒ 소네트 시인.

son·ny[sʌ́ni] *n.* Ⓒ 《口》 아가, 얘야 《애칭》.

so·nor·i·ty[sənɔ́:rəti, -ά-] *n.* Ⓤ 울려퍼짐; 〖音聲〗 (음의) 들림.

***so·no·rous**[sənɔ́:rəs] *a.* 울려퍼지는, 낭랑한; 당당한, (표현이) 과장된.

†**soon**[su:n] *ad.* 이윽고, 이내, 곧; 빨리; 기꺼이. ***as* 〔*so*〕 *~ as*** …하자 마자 (곧). ***as ~ as possible*** 될 수 있는 대로 빨리. ***no ~er than*** …하자 마자. ***~er or later*** 조만간. ***would* 〔*had*〕 *~er ... than*** …보다는 차라리 … 하고 싶다.

***soot**[sut, su:t] *n., vt.* Ⓤ 그을음, 검댕(으로 덮다, 더럽히다). ***∠.y** *a.* 그을은.

sooth[su:θ] *n., a., ad.* Ⓤ 《古》 진실(의); 참으로. ***in* (*good*) *~*** 실로, 참으로.

‡**soothe**[su:ð] *vt.* 위로하다; 가라앉히다; (고통 등을) 완화시키다(relieve); 달래다.

sóoth·sàyer *n.* Ⓒ 예언자, 점쟁이.

sop[sap/-ɔ-] *n.* Ⓒ (우유·수프 따위에 적신) 빵 조각; 뇌물. — *vt.* (**-pp-**) (빵 조각을) 적시다(*in*); 흠뻑 적시다; 빨아들이다(*up*), 닦아〔훔쳐〕 내다. — *vi.* 스며들다; 흠뻑 젖다.

SOP Standard Operating Procedure 관리 운용 규정; Study Organization Plan《시스템 설계법의 하나》.

soph·ism[sáfizəm/-ɔ́-] *n.* Ⓤ,Ⓒ 궤변; Ⓤ 옛 그리스의 궤변학파 철학. **-ist** *n.* Ⓒ (종종 S-) 소피스트《고대 그리스의 수사(修辭)·철학·윤리 등의 교사》; 궤변학자; 궤변가. **so·phís·tic, -ti·cal** *a.* 궤변적인. **-ti·cal·ly** *ad.*

so·phis·ti·cate[səfístəkèit] *vt.* 궤변으로 현혹시키다; (원문을) 멋대로 뜯어고치다; 세파에 닳고닳게 하다; (술 따위에) 섞음질하다; (취미·센스를) 세련되게 하다. — *vi.* 궤변 부리다. ***-cat·ed**[-id] *a.* 세파에 닳고닳은; 억지로 끌어댄; 섞음질한; (작품·문체가) 몹시 기교적인; 고도로 세련된. **-ca·tion**[-∸-kéiʃən] *n.*

soph·ist·ry[sáfistri/-ɔ́-] *n.* Ⓤ,Ⓒ (고대 그리스의) 궤변술; 궤변, 구차한 억지 이론.

Soph·o·cles[sáfəklì:z/-ɔ́-] *n.* (495?-406?B.C.) 그리스의 비극 시인.

***soph·o·more** [sáfəmɔ̀:r/sɔ́f-] *n.* Ⓒ 《美》 (고교·대학의) 2년생.

soph·o·mor·ic [sàfəmɔ́:rik/sɔ̀fəmɔ́r-], **-i·cal**[-əl] *a.* 《美》 2년생의; 무식하면서 짐짓 재는; 머리가 미숙한.

sop·o·rif·er·ous [sàpəríf ərəs/sɔ̀p-] *a.* 최면의, 최면 작용이 있는.

sop·o·rif·ic[sàpərífik/sɔ̀p-] *a., n.* 최면의; 졸린; Ⓒ 수면제.

sop·ping[sápiŋ/-ɔ́-] *a.* 흠뻑 젖은.

sop·py[sápi/-ɔ́-] *a.* 젖은, 흠뻑 젖은.

so·pra·no** [səprǽnou/-rά:-] *n.* (*pl.* **~*s*, -*ni[-ni:]) Ⓤ 소프라노; 소프라노부(部); Ⓒ 소프라노 가수. — *a.* 소프라노의〔로 노래하는〕, 소프라노용의.

sorb[sɔ:rb] *vt.* 흡착〔흡수〕하다.

sor·cer·er [sɔ́:rsərər] *n.* (*fem.* ***-ceress***) Ⓒ 마술사, 마법사.

sor·cer·y[sɔ́:rsəri] *n.* (cf. ⇧) Ⓤ 마법, 마술.

***sor·did** [sɔ́:rdid] *a.* 더러운; 야비한.

‡**sore**[sɔ:r] *a.* 아픈, 따끔따끔 쑤시는, 얼얼한; 슬픈; 성마른; 성난; 고통을〔분노를〕 일으키는; 격심한, 지독한. — *n.* Ⓒ 상처, 진무른데; 고통거리, 비통; 옛 상처, 언짢은 추억. — *ad.* 《古·詩》 아프게, 심하게. ***∠.ly** *ad.* **∠.ness** *n.*

sóre·hèad *n.* Ⓒ 《口》 툭하면 화내는 사람, 성마른 사람.

sóre spót 〔**póint**〕 아픈 곳, 약점, 남의 감정을 상하게 하는 점.

sóre thróat 후두염, 목의 아픔.

sor·ghum[sɔ́:rgəm] *n.* Ⓤ 수수; 사탕수수의 시럽.

so·ror·i·ty [sərɔ́:rəti, -ά-] *n.* Ⓒ 《英》 여성 종교 단체; 《美大學》 여학생회(cf. fraternity).

sor·rel[1] [sɔ́:rəl, -ά-] *n., a.* Ⓤ 밤색(의); Ⓒ 구렁말.

sor·rel[2] *n.* Ⓒ 〖植〗 참소리쟁이·수영·괭이밥류(類).

‡**sor·row**[sárou, sɔ́:r-] *n.* ① Ⓤ 슬픔(의 원인). ② Ⓤ,Ⓒ (종종 *pl.*) 고난, 불행. — *vi.* 슬퍼〔비탄〕하다(*for, at, over*). ‡**~·ful** *a.* 슬픈; 슬퍼 보이는; 애처로운, 가슴아픈.

†**sor·ry**[sári, sɔ́:ri] *a.* 유감스러운, 미안한(*for; that, to* do); 후회하는; 《한정적》 슬픈; 가엾은, 딱한.

†**sort**[sɔ:rt] *n.* Ⓒ ① 종류. ② 품질, 성질. ③ 어떤 종류의 사람〔것〕. ④ 정도, 범위; 방식, 방법. ⑤ 〖컴〗 차례짓기, 정렬. ***a ~ of*** …과 같은 물건, 일종의. ***in* 〔*after*〕 *a ~*** 얼마간, 다소. ***in some ~*** 어느 정도. ***of a ~*** 일종의, 신통찮은. ***of ~s*** 여러 가지 종류의; 그저 그만한. ***of the ~*** 그러한. ***out of ~s*** 《口》 기분〔건강〕이 언짢은. ***~ of; ~er*** 《口》 얼마간; 말하자면; …같은(*She ~ of smiled.* 웃은 것 같았다). — *vt.* 분류하다(*over, out*); 구분하다(*out*).

sort·er[sɔ́:rtər] *n.* Ⓒ 분류하는 사람, 분류기.

sor·tie[sɔ́:rti:] *n.* Ⓒ (농성군의) 반격, 출격; 〖空軍〗 단기(單機) 출격.

sórt procédure 〖컴〗 정렬 과정.

‡**SOS**[ésòués] *n.* Ⓒ (무전) 조난 신호; 《一般》 구조 신호, 구원 요청.

so-so, so·so[sóusòu] *a.* 좋지도 나쁘지도 않은, 그저 그렇고 그런. — *ad.* 그저 그만하게, 그럭저럭.

sot[sat/-ɔ-] *n.* Ⓒ 주정뱅이, 모주

(drunkard). ∠·tish *a.*
sot·to vo·ce [sátou vóutʃi/sɔ́t-] *ad.* (It.) 낮은 소리로; 방백(傍白)으로(aside); 비밀히.
sot-weed [sátwì:d/sɔ́t-] *n.* Ⓒ 《口》 담배.
sou [su:] *n.* (*pl.* **~s**) (F.) Ⓒ 수《5 상팀 상당의 구(舊) 프랑스 화폐》; (a ~) 하찮은 물건.
sou·brette [su:brét] *n.* (F.) Ⓒ (희극이나 가극에 나오는) 시녀; 그 역을 맡은 여배우[가수].
souf·flé [su:fléi/∠–] *n.* Ⓤ,Ⓒ 수플레《오믈렛의 일종, 달걀을 거품 내서 구운 요리》. ― *a.* 부푼.
sough [sau, sʌf] *vi., n.* 윙윙거리다, 쏴아하다; Ⓒ 그 소리.
‡**sought** [sɔ:t] *v.* seek의 과거(분사).
†**soul** [soul] *n.* Ⓒ 영혼, 정신; 혼; Ⓤ 기백, 열정; Ⓒ (*sing.*) 정수(精髓); Ⓒ (the ~) 전형; 화신(化身); Ⓒ 사람. ***by* [*for*] *my* ~** 정말이지, 단연코. ***for the* ~ *of me*** 아무리 해도. ***keep* ~ *and body together*** =keep BODY and ~ together. ***upon my* ~** 맹세코, 확실히. ∠·**ful** *a.* 감정어린, 감정적인. ∠·**less** *a.* 영혼[정신]이 없는; 기백없는; 무정한.
sóul bròther [**sìster**] 《美》 형제《흑인끼리의 호칭》.
sóul fòod 《美口》 흑인 특유의 음식.
sóul màte 《특히》 (이성의) 마음의 친구; 애인, 정부(情夫, 情婦); 지지자.
sóul mùsic 《美口》 흑인 음악《rhythm and blues의 일종》.
†**sound**[1] [saund] *n.* Ⓤ,Ⓒ 소리, 음향; Ⓤ 소음, 잡음; 음조; 들리는 범위; Ⓤ,Ⓒ 〖音聲〗 음(phone); Ⓒ (목소리의) 인상, 느낌. ― *vi.* 소리 나다, 울리다; 울려퍼지다; 소리를 내다, 들리다; 생각되다. ― *vt.* 소리나게 하다; (북 따위로) 군호[명령]하다; 알리다; 발음하다; 타진하다.
†**sound**[2] *a.* 건전[건강]한; 상하지[썩지] 않은; 확실한, 안전한, 견실한; 올바른, 합리적인; 철저[충분]한; 〖法〗 유효한. ― *ad.* 충분히(*sleep* ~). ∠·**ly** *ad.* ∠·**ness** *n.*
‡**sound**[3] *vt.* (측연(測鉛)으로 물의) 깊이를 측량하다; 〖醫〗 소식자(消息子)로 진찰하다(종종 *out*); (사람의) 의중[속]을 떠보다(*on, about; as to*). ― *vi.* 수심을 재다; (고래 따위가) 물밑으로 잠기다. ― *n.* Ⓒ 〖醫〗 소식자.
sound[4] *n.* Ⓒ 해협; 후미; (물고기의) 부레.
sóund arrèster 〖機〗 방음 장치.
sóund bàrrier 음속 장벽(sonic barrier).
sóund·bòard *n.* =SOUNDING BORAD.
sóund bòx (악기·축음기의) 사운드 박스.
sóund càmera (영화의) 녹음용 카메라.
sóund-condìtion *vt.* (…의) 음량 조절을 하다.
sóund effècts 음향 효과.
sóund enginéer 〖放〗 음향 조정 기사.
sóund film 발성 영화(용 필름).
sound·ing[1] [∠iŋ] *a.* 소리를 내는; 울려 퍼지는; 거창하게 들리는, 과장된.
sound·ing[2] *n.* Ⓤ,Ⓒ (종종 *pl.*) 측심(測深); (*pl.*) (측량된) 수심; (*pl.*) 측연선(測鉛線)으로 잴 수 있는 곳《깊이 600피트 이내》.
sóunding bòard (악기의) 공명판 (soundboard).
sóunding lèad [-lèd] 측연(測鉛).
sóunding lìne 측연선(線).
sóunding ròcket (기상) 탐사[관측] 로켓.
sóund·less[1] *a.* 소리나지 않는.
sóund·less[2] *a.* 깊이를 헤아릴 수 없는, 아주 깊은.
sóund mìxer 음량 음색 조절기.
sóund múltiplex bròadcast 음성 다중 방송.
sóund pollùtion 소음 공해.
sóund·pròof *a., vt.* 방음의; (…에) 방음 장치를 하다.
sóund recòrding 녹음.
sóund tràck 〖映〗 (필름 가장자리의) 녹음띠.
sóund trùck (선전용) 확성기 달린 트럭.
sóund wàve 〖理〗 음파.
‡**soup**[1] [su:p] *n.* Ⓤ 수프 《종류에서는 Ⓒ》; (the ~) 《俗》 짙은 안개. ***from* ~ *to nuts*** 처음부터 끝까지, 일일이. ***in the* ~** 《俗》 곤경에 빠져. ∠·**y** *a.* 수프와 같은.
soup[2] *vt.* 《俗》 《~ ***up*** 의 형태뿐임》 (모터의) 마력을 늘리다; 〖空〗 속력을 늘리다; (…에) 활기를 주다.
soup·çon [su:psɔ́:ŋ/∠–] *n.* (F.) (a ~) 소량; 기미(氣味)(*of*).
sóup plàte 수프 접시.
‡**sour** [sauər] *a.* 시큼한, 신; 산패(酸敗)한; 발효한; 시큼한[쉰] 냄새가 나는; 까다로운, 찌무룩한; (날씨가) 냉습한; (토지가) 불모의. **~ *grapes*** 기벽(機癖), 오기(傲氣)《이솝의 여우 이야기에서》. **~ *gum*** 《美》 =TUPELO. ― *ad.* 찌무룩[지르퉁]하게. ― *vt., vi.* 시게 하다[되다]; 지르퉁하게 하다[되다]. ― *n.* Ⓒ 신 것; (the ~) 싫은 것, 불쾌한 일; Ⓤ,Ⓒ 《美》 사워《산성 알코올 음료》.
‡**source** [sɔ:*r*s] *n.* Ⓒ 수원(지), 근원, 원천; 출처, 출전(出典); 원인; 〖컴〗 바탕, 원천, 소스.
sóurce bòok 원전(原典).
sóurce còde 〖컴〗 바탕[원천] 부호, 소스 코드.
sóurce dàta 〖컴〗 원시 데이터, 소스 데이터.
sóurce dìsk 〖컴〗 원시 디스크, 소스 디스크.
sóurce file 〖컴〗 원시 파일, 소스 파일.
sóurce lánguage 〖컴〗 원시언어《번역 처리의 입력(入力)이 되는 본디의 프로그램 언어》.
sóurce matèrial 연구 자료.
sóurce prògram 〖컴〗 원시 프로그램, 소스 프로그램《바탕 언어로 나타낸 프로그램》.

sóur crèam 사워크림, 산패유(酸敗乳).
sóur·dòugh *n.* Ⓒ 알래스카〔캐나다〕의 탐광〔개척〕자.
sou·sa·phone[sú:zəfòun] *n.* Ⓒ 수자폰《tuba의 일종》.
souse[saus] *vt.* 물에 담〔잠〕그다(*in, into*), 흠뻑 적시다; 식초〔소금물〕에 담그다; 《俗》 취하게 하다. — *vi.* 물에 담기다; 흠뻑 젖다; 《俗》 취하다. — *n.* Ⓒ 물에 담그기, 흠뻑 젖음; Ⓤ (절임용) 소금물; 돼지 대가리〔귀·다리〕의 소금절임; Ⓒ 《美俗》 주정뱅이, 모주꾼. — *ad.* 첨벙, 풍덩. **~d** *a.* 《俗》 몹시 취한(*get ~d*).
sou·tane[su:tá:n] *n.* Ⓒ 〖가톨릭〗 수단《사제의 평복》.
†**south**[sauθ] *n.* (the ~) 남(쪽); 남부(지방); (S-) 《美》 남부 제주(諸州). ***in* 〔*on, to*〕 *the ~ of*** …의 남부에〔남쪽에 접하여, 남쪽에〕. ***~ by east* 〔*west*〕** 남미동(南微東)〔서〕. — *a.* 남(향)의; 남쪽에 있는; 남쪽에서의; (S-) 남부의. — *ad.* 남(쪽)으로〔에, 에서〕. ***∠.ward*** *a., ad., n.* 남(향)의; 남쪽에 있는; (the ~) 남(쪽)으로〔에〕; 남방. **∠·ward·ly** *ad., a.* 남(쪽)으로(의); (바람이) 남으로부터(의). **∠·wards** *ad.* = SOUTHWARD.
Sòuth África 남아프리카 공화국.
Sòuth Áfrican Dútch 남아프리카의 공용 네덜란드말(Afrikanns).
‡**Sóuth América** 남아메리카.
South·amp·ton[sauθhǽmptən] *n.* 영국 남부의 항구 도시.
*__Sóuth Chína Séa, the__ 남중국해.
*__Sóuth Dakóta__ 미국 중서부의 주《생략 S. Dak.》.
‡**south·east** [sàuθí:st: (海) saui:st] *n.* (the ~) 남동(지방). ***~ by east* 〔*south*〕** 남동미(微)동〔남〕. — *a.* 남동(향)의; 남동에 있는; 남동에서의. — *ad.* 남동으로〔에, 에서〕. **~·er** *n.* Ⓒ 남동풍. **~·er·ly** *ad., a.* 남동으로〔에서〕(의). ***~·ern*** *a.* 남동(으로, 에서)의. **~·ward** *n., a., ad.* (the ~) 남동(에 있는); 남동으로(의). **~·ward·ly** *ad., a.* 남동으로(부터)(의). **~·wards** *ad.* = SOUTHEASTWARD.
south·er[sáuðər] *n.* Ⓒ 마파람, 남풍.
south·er·ly[sʌ́ðərli] *ad., a.* 남쪽으로(부터)(의). — *n.* Ⓒ 남풍.
‡**south·ern**[sʌ́ðərn] *a.* 남쪽의; 남쪽으로(부터)의; 남쪽에 있는; (S-) 《美》 남부 제주(諸州)의. — *n.* Ⓒ 남부 사람. **~·er** *n.* Ⓒ 남쪽〔남국〕 사람; (S-) 《美》 미국 남부의 사람. **~·mòst** *a.* 남단의.
Sóuthern Cróss, the 〖天〗 남십자성.
Sóuthern Hémisphere, the 남반구(南半球).
Sóuthern Líghts, the 〖天〗 남극광(南極光).
Sou·they[sáuði, sʌ́ði], **Robert** (1774-1843) 영국의 계관(桂冠) 시인.
Sóuth Frígid Zóne, the 남한대(南寒帶).
south·ing[sáuðiŋ] *n.* Ⓤ 남진(南進); 〖海〗 남항(南航).
Sóuth Ísland 뉴질랜드의 가장 큰 섬.
sóuth·lànd *n.* Ⓒ 남국; 남부 지방.
sóuth·pàw *a., n.* Ⓒ 《口》 〖野〗 왼손잡이의 (투수).
Sóuth Póle, the 남극.
Sóuth Sèa Íslands, the 남양제도.
Sóuth Séas, the 남태평양.
sóuth-sòuth-éast 〔**-west**〕 *a., n.* (the ~) 남남동〔서〕(의).
‡**south·west**[sàuθwést; (海) sàuí:st] *n.* (the ~) 남서(지방); (S-) 《美》 남서부 지방. ***~ by west* 〔*south*〕** 남서미(微)서〔남〕. — *a.* 남서(향)의; 남서에 있는; 남서에서의. — *ad.* 남서로〔에, 에서〕. **~·er** *n.* Ⓒ 남서(열(烈))풍. **~·er·ly** *ad., a.* 남서로(부터)(의). ***~·ern*** *a.* 남서(로, 에서)의. **~·ward** *n., a., ad.* (the ~) 남서(에 있는); 남서로(의). **~·ward·ly** *a., ad.* 남서로(부터)(의). **~·wards** *ad.* = SOUTHWESTWARD.
Sóuth-West África 남서 아프리카《남아연방의 위임 통치령》.
Sóuth Yémen 남예멘《아라비아 남단의 공화국; 수도 Aden; 1967년 독립》.
*__sou·ve·nir__[sù:vəníər, ∠-∠] *n.* Ⓒ 기념품, 선물.
souvenír shèet 기념 우표 시트.
sou'·west·er[sàuwéstər] *n.* = SOUTHWESTER; Ⓒ (수부(水夫)가 쓰는 챙 넓은) 폭풍우용 방수모(帽).
‡**sov·er·eign**[sávərin/sɔ́v-] *n.* Ⓒ 군주, 주권자; 영국의 옛 1파운드 금화. — *a.* 주권이 있는; (지위·권력이) 최고의; 자주〔독립〕의; 최상의; (약 따위가) 특효 있는. ***~ power*** 주권. ***~·ty*** *n.* Ⓤ 주권; 주권자의 지위; Ⓒ 독립국.
‡**so·vi·et**[sóuvièt] *n.* (Russ.) Ⓒ 회의, 평의회; (종종 S-) 소비에트《소련의 평의회》. — *a.* 소비에트〔평의회〕의; (S-) 소비에트 연방의. **~·ize** [-tàiz] *vt.* 소비에트화(化)하다.
So·vi·e·tol·o·gy [sòuviətálədʒi/-tɔ́l-] *n.* Ⓤ 소비에트(정체) 연구.
Sóviet Rússia 소연방《⇩의 통칭》.
Sóviet Únion, the 소연방《정식 명칭은 Union of Soviet Socialist Republics》.
‡**sow**[1][sou] *vt.* (*~ed; sown, ~ed*) (씨를) 뿌리다; (…에) 씨를 뿌리다; 흩뿌리다, 퍼뜨리다. — *vi.* 씨를 뿌리다. **∠·er** *n.* Ⓒ 씨 뿌리는 사람, 파종기.
sow[2][sau] *n.* Ⓒ (성장한) 암퇘지.
sów·bèlly[sáu-] *n.* Ⓒ 《美口》 돼지고기 절임, 절인 베이컨.
*__sown__[soun] *v.* sow[1]의 과거분사.
sox[saks/sɔks] *n. pl.* 짧은 양말(socks).
soy[sɔi], **soy·a**[sɔ́iə] *n.* Ⓤ 간장(~ sauce); =∠ **bèan** 콩.

S

sóy sàuce 간장.
SP shore patrol (police) 해군 헌병; Submarin Patrol. **Sp.** Spain; Spaniard; Spanish. **sp.** special; specific; specimen; spelling; spirit.
spa[spɑ:] *n.* Ⓒ 광천(鑛泉), 온천(장).
†**space**[speis] *n.* ① Ⓤ 공간. ② Ⓤ 우주 (공간), 대기권밖. ③ Ⓒ 구역, 공지. ④ Ⓤ 여지, 빈 데, 여백. ⑤ Ⓤ,Ⓒ 간격, 거리; 시간《특정한 거리의》. ⑥ Ⓤ 〖라디오·TV〗 (스폰서를 위한) 광고 시간. ⑦ Ⓒ 〖印〗 행간, 어간(語間). ⑧ Ⓤ,Ⓒ (악보의) 줄사이. ⑨ Ⓤ (기차·비행기 등의) 좌석. ⑩ 〖컴〗 사이, 스페이스. ***blank* ~** 여백. ***open* ~** 빈 터, 공지. — *vt., vi.* (…에) 간격을 두다; (행간을) 띄우다.
spáce-air vèhicle 우주 대기 겸용선.
spáce bàr 〖컴〗 사이 띄(우)개, 스페이스 바.
spáce-bòund *a.* 우주로 향하는.
spáce bùs 우주 버스. 「기밀실).
spáce càpsule 우주캡슐《우주선의
spáce chàracter 〖컴〗 사이 문자 《space bar에 의해 입력되는 문자 사이의 공백》.
space·craft[ˊkræ̀ft, -krɑ̀:ft] *n.* Ⓒ =SPACESHIP.
spáced-óut *a.* 《美俗》 마약을 써서 멍해진.
spáce engineéring 우주 공학.
spáce flìght 우주 비행〔여행〕.
spáce hèater 실내 난방기.
spáce làb 우주 실험실.
‡**spáce·màn** *n.* Ⓒ 우주 비행사.
spáce mèdicine 우주 의학.
‡**space·ship**[ˊʃìp] *n.* Ⓒ 우주선, 우주 여행기(機)(spacecraft).
spáce shùttle 우주 왕복선.
‡**spáce stàtion** 우주 정거장.
spáce sùit 우주복.
‡**spáce tràvel** 우주 여행.
spáce·wàlk *n., vi.* Ⓒ 우주 유영(하다).
spáce wèapon 우주 병기.
spáce wrìter (원고의 길이에 따라 원고료를 받는) 필자.
spac·ing[spéisiŋ] *n.* Ⓤ 간격을 두기; 〖印〗 간격, 어간(語間), 행간.
*__spa·cious__[spéiʃəs] *a.* 넓은, 널찍한.
*__spade__¹[speid] *n.* Ⓒ 가래, 삽; 〖軍〗 포미(砲尾)박기《발사시의 후퇴를 막음》; (고래를 째는) 끌. ***call a* ~ *a* ~** 직언(直言)하다. — *vt.* 가래로〔삽으로〕 파다. **~·ful**[ˊfùl] *n.* Ⓒ 한 삽 가득, 한 삽(분).
*__spade__² *n.* Ⓒ 〖카드〗 스페이드 패; (*pl.*) 스페이드 한 벌; Ⓒ 《俗》 흑인.
spáde·wòrk *n.* Ⓤ 삽질; 힘드는 기초 공작〔연구〕.
spa·dix [spéidiks] *n.* (*pl.* **~es, -dices**[speidáisi:z]) Ⓒ 〖植〗 육수(肉穗) 꽃차례.
spa·ghet·ti[spəgéti] *n.* (It.) Ⓤ 스파게티.
‡**Spain**[spein] *n.* 스페인.
spake[speik] *v.* 《古·詩》 speak의 과거.
Spam[spæm] *n.* Ⓤ 〖商標〗 (미국제의) 돼지고기 통조림.
‡**span**¹[spæn] *n.* Ⓒ ① 한 뼘《보통 9인치》; 경간(徑間)《다리·아치 따위의 지주(支柱) 사이의 간격》. ② 짧은 길이〔거리·시간〕; 전장(全長). ③ 〖空〗 (비행기의) 날개길이. ④ 〖컴〗 범위. — *vt.* (**-nn-**) 뼘으로 재다; (강에 다리 따위를) 놓다(*with*); (다리가 강에) 걸쳐 있다; (…에) 걸치다, 미치다.
span² *n.* Ⓒ (한 멍에에 매인) 한 쌍의 말 (따위).
span³ *v.* 《古》 spin의 과거.
span·dex[spǽndeks] *n.* Ⓤ 스판덱스《신축성이 풍부한 합성 섬유》.
spang[spæŋ] *ad.* 《美口》 당장에, 직접; 정확히; 완전히.
*__span·gle__[spǽŋgəl] *n.* Ⓒ 스팽글《무대 의상 따위에 다는 번쩍이는 장식》; 번쩍번쩍 빛나는 작은 조각《별·운모·서리 따위》. — *vt.* 스팽글로 장식하다; 번쩍번쩍 빛나게 하다; (반짝이게) 뿌려 깔다〔박다〕(*with*). — *vi.* 번쩍번쩍 빛나다.
Span·glish[spǽŋgliʃ] *n.* Ⓤ 스페인 영어《미국 남서부나 라틴아메리카의 영어》. 「사람.
‡**Span·iard**[spǽnjərd] *n.* Ⓒ 스페인
span·iel[spǽnjəl] *n.* Ⓒ 스패니얼《털이 길고 귀가 늘어진 개》; 비굴한 알랑쇠.
†**Span·ish**[spǽniʃ] *n.* (the ~) 《집합적》 스페인 사람; Ⓤ 스페인어(語). — *a.* 스페인의, 스페인풍의; 스페인 사람〔말〕의.
Spánish América 스페인어권 아메리카.
Spánish Armáda, the (스페인의) 무적 함대.
Spánish Inquisítion, the (15-16세기의) 스페인 종교 재판《극히 잔혹했음》.
Spánish Máin, the 〖史〗 카리브해 연안 지방; (지금의) 카리브해.
Spánish móss 〖植〗 소나무겨우살이의 일종.
*__spank__¹[spæŋk] *vt., n.* Ⓒ (엉덩이를 손바닥 따위로) 철썩 갈기다〔갈김〕. **ˊ·ing**¹ *n.* Ⓤ,Ⓒ 손바닥으로 볼기치기.
spank² *vi.* 질주하다. **ˊ·er** *n.* Ⓒ 〖海〗 맨 뒷 돛대의 세로 돛; 《口》 날랜 말, 준마; 《方》 근사한 사람〔물건〕. **ˊ·ing**² *a.* 빠르며 활발한; (바람이) 거센; 《口》 멋진.
span·ner[spǽnər] *n.* Ⓒ 손뼘으로 재는 사람; 《주로 英》 스패너《공구》.
SPAR, Spar[spɑ:r] *n.* Ⓒ 《美》 연안 경비 여성 예비 대원.
spar¹[spɑ:r] *n.* Ⓒ 〖海〗 원재(圓材) 《돛대·활대 따위》; 〖空〗 익형(翼桁). — *vt.* (**-rr-**) (배에) 원재를 대다.
spar² *vi.* (**-rr-**) (권투 선수등이) 주

먹으로 치고 받다; (닭이) 서로 차다; 말다툼하다. — *n.* Ⓒ 권투; 투계(鬪鷄); 언쟁.
spar[3] *n.* Ⓤ 〖鑛〗 철평석(鐵平石)《판상(板狀)의 결이 있는 광석의 총칭》. ***calcareous*** ~ 방해석(方解石).
spár dèck 〖海〗 (배의) 상갑판.
:spare[spɛər] *vt.* 아끼다, 절약하다; 없는 대로 지내다〔넘기다〕; (어떤 목적에) 떼어두다; 나누어 주다; (시간 따위를) 할애하다(*for*); 《英古》 억누르다, 삼가다; 용서하다, 살려주다; (수고 따위를) 끼치지 않다; (아무를) …한 변을 당하지 않게 하다. — *vi.* 검약하다; 용서하다. — *a.* 여분의; 예비의; 야윈; 부족한, 빈약한. — *n.* Ⓒ 예비품. **spár·ing** *a.* 검약하는, 아끼는(*of*); 인색한. **spár·ing·ly** *ad.* 아껴서, 삼가서.
spáre-part súrgery 이식 수술; 인공 장기 이식 수술.
spáre·rìb *n.* (보통 *pl.*) 돼지 갈비.
spáre ròom 객실.
:spark[1][spɑːrk] *n.* Ⓒ 불꽃, 불똥; 〖電〗 스파크; (내연 기관의) 점화 장치; 섬광; 생기, 활기; 《종종 부정문에》 극히 조금, 흔적. ***as the ~s fly upward*** 필연적으로. — *vi., vt.* 불꽃을 튀기다; 번쩍이다; 활기를〔자극을〕 주다. (…의) 도화선이 되다.
spark[2] *n.* Ⓒ 멋쟁이(beau), 색골; 정부, 연인. — *vt., vi.* 《口》 미남인 체하다; 구애(求愛)하다.
spárk arrèster (굴뚝 따위의) 불똥막이. 「점화 코일.
spárk còil 〖電〗 (내연 기관 등의)
spárk dischàrge 〖電〗 불꽃 방전.
:spar·kle[spɑ́ːrkəl] *n., vi., vt.* Ⓤ,Ⓒ 불꽃(을 튀기(게 하)다); 번쩍임; 번쩍이다; 광휘(를 발하다), 빛나다; 생기(가 있다). ***-kling** *a.*
spar·kler[-ər] *n.* Ⓒ 불꽃을 내는 물건; 미인, 재사(才士); 불꽃; 번쩍이는 보석, (특히) 다이아몬드; 《口》 반짝이는 눈.
spárk plùg (내연 기관의) 점화전(點火栓); 《口》 (일·사업의) 중심 인물; 지도자.
spar·ring[spɑ́ːriŋ] *n.* Ⓤ 권투, 복싱; 언쟁, 논쟁.
spárring pàrtner (권투의) 연습 상대; (우호적인) 논쟁 상대.
:spar·row[spǽrou] *n.* Ⓒ 참새.
***sparse**[spɑːrs] *a.* ① (머리털이) 성긴. ② (인구 따위) 희소한, 희박한. ③ 빈약한. **∠·ly** *ad.*
***Spar·ta** [spɑ́ːrtə] *n.* 스파르타. ***-tan** *a., n.* Ⓒ 스파르타(식)의 (사람); 검소하고 굳센 (사람).
spasm[spǽzəm] *n.* Ⓤ,Ⓒ 〖醫〗 경련; Ⓒ 발작(fit[2]).
spas·mod·ic [spæzmɑ́dik/-ɔ́-], **-i·cal**[-əl] *a.* 경련(성)의; 발작적인; 흥분한. **-i·cal·ly** *ad.*
spas·tic[spǽstik] *a.* 〖病〗 경련(성)의〔에 의한〕. — *n.* Ⓒ 경련〔뇌성 마비〕 환자.
spat[1][spæt] *v.* spit[1]의 과거(분사).
spat[2] *n., vi.* (**-tt-**) Ⓒ 가벼운 싸움(을 하다); 가볍게 때림〔때리다〕; (비 따위가) 후두두 뿌리다.
spat[3] *n.* Ⓒ (보통 *pl.*) 짧은 각반.
spat[4] *n.* Ⓒ 조개〔굴〕의 알.
spate[speit] *n.* Ⓒ 《英》 홍수; 큰비; (a ~)(감정의) 격발.
spathe[speið] *n.* Ⓒ 〖植〗 불염포(佛焰苞).
***spa·tial**[spéiʃəl] *a.* 공간의; 공간적인; 장소의; 우주의.
spa·ti·og·ra·phy [spèiʃiɑ́grəfi/-ɔ́g-] *n.* Ⓤ 우주(宇宙) 지리학.
***spat·ter**[spǽtər] *vt.* 튀기다, 뿌리다(*with, on*); (욕설을) 퍼붓다(*with*). — *vi.* 튀다, 흩어지다. — *n.* Ⓒ 튀김, 튀긴 것; 빗소리, 먼데서의 총소리.
spátter dàsh (승마용의 진흙막이) 긴 각반.
spat·u·la[spǽtʃulə/-tju-] *n.* Ⓒ (보통, 쇠로 된) 주걱; 〖醫〗 압설자(壓舌子).
spav·in[spǽvin] *n.* Ⓤ,Ⓒ 〖獸醫〗 (말의) 비절내종(飛節內腫).
***spawn**[spɔːn] *n.* Ⓤ ① 《집합적》 (물고기·개구리·조개 따위의) 알. ② 〖植〗 균사(菌絲). ③ 《蔑》 우글거리는 아이들; 산물, 결과. — *vt., vi.* (물고기 따위가) (알을) 낳다.
spay[spei] *vt.* (동물의) 난소(卵巢)를 떼내다.
S.P.C.A. Society for the Prevention of Cruelty to Animals. **S.P.C.C.** Society for the Prevention of Cruelty to Children. **S.P.C.K.** Society for Promoting Christian Knowledge.
†speak[spiːk] *vi.* (***spoke,*** 《古》 ***spake; spoken***) 이야기〔말〕하다〔걸다〕; 연설하다; (의견·감정을) 표명〔전〕하다; 탄원하다; (대포·시계 따위가) 울리다; (개가) 짖다. — *vt.* 이야기〔말〕하다; 알리다; (말을) 쓰다; 나타내다(*His conduct ~s a small mind.* 행동만 보아도 알 수 있듯이 소인(小人)이다). ***generally ~ing*** 대체로 말하면. ***properly*** 〔***roughly, strictly***〕 ***~ing*** 정당히〔대충, 엄밀히〕 말하면. ***not to ~ of*** …은 말할 것도 없고, 물론. ***so to ~*** 말하자면. ***~ by the book*** 정확히〔딱딱하게〕 말하다. ***~ for*** 대변〔변호〕하다; 요구〔주문〕하다. ~(***well, ill***) ***of*** (…을) (좋게, 나쁘게) 말하다. ***~ out*** 〔***up***〕 큰 소리로 이야기하다; 거리낌 없이 말하다. ***~ to*** 이야기 걸다; 언급하다; 꾸짖다; 증명하다. **:∠·er** *n.* Ⓒ 이야기하는 사람; 연설자, 변사; (S-) (영·미의) 하원 의장; 확성기.
spéak·eàsy *n.* Ⓒ 주류 밀매점, 무허가 술집.
:speak·ing[∠iŋ] *n.* Ⓤ 말하기, 담화, 연설; 정치적 집회. — *a.* 이야기하는; 이야기하기에 적합한; 이야기를 할 정도의(~ *knowledge of English* 말할 정도의 영어 지식); 말이라도 할 듯한(*a ~ likeness* 꼭 닮

은 초상화); 생생한. ***on* ~ TERMS.** ~ ***acquaintance*** 만나면 말을 주고받는 정도의 교분.
spéaking trùmpet 확성기; 메가폰.
spéaking tùbe 통화관.
:spear[1][spiər] *n., vt.* Ⓒ 창(으로 찌르다).
spear[2] *n., vi.* Ⓒ (식물의) 싹; 어린 가지(shoot); 싹이 트다.
spéar gùn 작살(총).
spéar·hèad *n.* Ⓒ 창끝; (공격·사업 따위의) 선두, 선봉.
spear·man [⌐mən] *n.* Ⓒ 창병(槍兵).
spéar·mìnt *n.* Ⓤ 〖植〗 양(洋)박하.
spéar sìde 부계(父系), 아버지쪽 (cf. spindle side).
spec[spek] *n.* Ⓤ,Ⓒ 《英口》 투기(speculation). ***on* ~** 투기적으로, 요행수를 바라고.
†spe·cial[spéʃəl] *a.* 특별〔특수〕한; 전문의; 특별한 기능〔목적〕을 가진; 특정의; 예외적인; 각별한. — *n.* Ⓒ ① 특별한 사람〔것〕; 특파원. ② 특별 시험; 특별 열차; (신문의) 호외; 특별 요리, 특제품. ***~·ist** *n.* Ⓒ 전문가〔의(醫)〕(*in*). **:~·ly** *ad.*
Spécial Bránch 《英》 (런던 경시청의) 공안부(公安部).
spécial correspóndent 특파원.
spécial delívery 《美》 속달 우편(물)(《英》 express delivery); 속달 취급인(印).
Spécial Dráwing Rìghts (IMF의) 특별 인출권《생략 SDR(s)》.
spécial efféts (영화·TV의) 특수 효과; 특수 촬영.
spécial eléction 보궐 선거.
spécial hándling 《美》 소포 속달.
***spe·ci·al·i·ty**[spèʃiǽləti] *n.* 《英》 =SPECIALTY.
:spe·cial·ize[spéʃəlàiz] *vt., vi.* 특수화하다; 한정하다; 상설(詳說)하다; 전문적으로 다루다, 전공하다(*in*). ***-i·za·tion**[⌐-izéi-/-lai-] *n.*
spécial lícense 결혼 특별 허가증.
spécial púrpose compúter 특수 목적 컴퓨터《한정된 분야의 문제만 처리할 수 있는》.
***spe·cial·ty**[spéʃəlti] *n.* Ⓒ 전문, 전공; 특질; 특제품; 특별 사항; 〖法〗 날인증서.
spe·ci·a·tion[spìːʃiéiʃən] *n.* Ⓤ 〖生〗 종분화(種分化).
spe·cie[spíːʃi(ː)] *n.* Ⓤ 정금(正金), 정화(正貨).
:spe·cies [-z] *n. sing. & pl.* Ⓒ 〖生〗 종(種)(*the Origin of S-*); 종류(kind[2]); 〖論〗 종(種)개념; 〖가톨릭〗 (미사용의) 빵과 포도주; (the ~) 인류.
***spe·cif·ic**[spisífik] *a.* 특수〔특정〕한; 독특한; 명확한; 〖生〗 종(種)의; 〖醫〗 특효 있는. — *n.* Ⓒ 특효약(*for*); (*pl.*) 세목; 명세. **-i·cal·ly** *ad.* 특히; 특효적으로.
spec·i·fi·ca·tion[spèsəfikéiʃən] *n.* Ⓤ 상술, 상기; 〖컴〗 명세; Ⓒ 명세 사항; (보통 *pl.*) (공사·설계 따위의) 명세서.
specífic dúty 〖商〗 종량세(從量稅).
specífic grávity 〖理〗 비중.
specífic héat 〖理〗 비열.
***spec·i·fy**[spésəfài] *vt.* 일일이 들어 말하다; 명세서에 적다.
:spec·i·men[spésəmin, -si-] *n.* Ⓒ 견본, 표본; 《口》 (특이한) 인물, 괴짜.
spe·cious[spíːʃəs] *a.* 허울좋은, 그럴듯한. **~·ly** *ad.*
***speck**[spek] *n.* Ⓒ 작은 반점(斑點); 얼룩; 극히 작은 조각. — *vt.* (…에) 반점을 찍다. **⌐·less** *a.* 얼룩〔반점〕이 없는.
***speck·le**[spékəl] *n.* Ⓒ 반점, 얼룩; (피부의) 기미. — *vt.* (…에) 작은 반점을 찍다. **~d** *a.* 얼룩진.
specs[speks] *n. pl.* 《口》 안경.
:spec·ta·cle[spéktəkəl] *n.* Ⓒ (눈으로 본) 광경; 장관(壯觀); 구경거리; (*pl.*) 안경. **~d**[-d] *a.* 안경을 쓴.
***spec·tac·u·lar**[spektǽkjələr] *a.* 구경거리의; 장관인, 눈부신.
:spec·ta·tor[spékteitər, ⌐⌐-] *n.* Ⓒ 구경꾼; 관찰자, 목격자; 방관자.
spéctator spórt 관객 동원력이 있는 스포츠.
***spec·ter,** 《英》 **-tre**[spéktər] *n.* Ⓒ 유령.
***spec·tra**[spéktrə] *n.* spectrum의 복수.
***spec·tral** [spéktrəl] *a.* 유령의〔같은〕; 〖理〗 스펙트럼의〔에 의한〕.
spec·trom·e·ter [spektrámitər/-trɔ́mi-] *n.* Ⓒ 〖光〗 분광계(分光計).
spec·tro·scope[spétrəskòup] *n.* Ⓒ 〖光〗 분광기.
spec·tros·co·py [spektráskəpi/-ɔ́-] *n.* Ⓤ 분광학〔술〕.
***spec·trum**[spéktrəm] *n.* (*pl.* **~s, -tra**) Ⓒ 〖理〗 스펙트럼, 분광; (눈의) 잔상(殘像); 〖라디오〗 가청 전파.
***spec·u·late**[spékjəlèit] *vi.* 사색하다(*on, upon*); 추측하다(*about*); 투기(投機)를 하다(*in, on*). — *vt.* (…의) 투기를 하다. **:-la·tion**[⌐-léiʃən] *n.* Ⓤ,Ⓒ 사색, 추측; 투기(*in*).
***spec·u·la·tive**[spékjəlèitiv, -lə-] *a.* 사색적인; 순이론적인; 위험을 내포한; 투기의, 투기적인. **~·ly** *ad.*
***spec·u·la·tor**[spékjəlèitər] *n.* Ⓒ 사색가; 투기(업)자; 암표상.
spec·u·lum[spékjələm] *n.* (*pl.* **-la**[-lə], **~s**) Ⓒ 금속경(鏡); 검경(檢鏡).
:sped[sped] *v.* speed의 과거(분사).
†speech[spiːtʃ] *n.* ① Ⓤ 말, 언어; 국어, 방언; 표현력. ② Ⓤ 이야기, 담화; 말투; 말〔얘기〕하기; 언어 능력. ③ Ⓒ 연설; Ⓤ 연설법; 〖文〗 화법. ***direct* 〔*indirect, represented*〕 ~** 직접〔간접·묘출〕 화법. **~·i·fy** [⌐əfài] *vi.* 《諧·蔑》 연설하다, 열변을 토하다. ***⌐·less** *a.* 말을 못하는, 잠자코 있는.
spéech clìnic 언어 장애 교정소.
spéech dày 《英》 (학교) 졸업식날.

spéech rèading (농아자의) 독화법(讀話法), 독순술(讀唇術).
spéech sòund 언어음《보통의 소리·기침·재채기 따위에 대하여》.
spéech thèraphy 언어장애 교정(술).
†**speed**[spi:d] *n.* ① Ⓤ 신속, 빠르기; Ⓤ,Ⓒ 속도, 속력; Ⓒ 〖機〗 변속 장치. ② Ⓤ《古》 성공, 번영. ③ Ⓤ《俗》 각성[흥분]제(methamphetamine). ***at full*** ~ 전속력으로. ***wish good*** ~ 성공을 빌다. — *vi.* (***sped,*** ~***ed***) 급히 가다, 질주하다 (*along*); (자동차로) 위반 속도를 내다; 진행하다; 해[살아]나가다; 《古》 성공하다. — *vt.* 서두르게 하다; 속력을 빨리하다; 촉진하다; 《古》 성공시키다, 돕다(*God* ~ *you!*《古》 성공을 빕니다); 성공을[도중 무사를] 빌다(wish Godspeed to). ~ ***up*** 속도를 내다.
spéed·bòat *n.* Ⓒ 쾌속정. 「찰.
spéed còp 《俗》 속도 위반 단속 경
spéed·er *n.* Ⓒ 스피드광(狂); 차량 속도 위반자; 속도 조절 장치.
spéed·ing *n.* Ⓤ 속도 위반. — *a.* (차가) 속도를 위반한.
spéed lìmit 제한 속도.
speed·om·e·ter [spi:dámitər/-ɔ́mi-] *n.* Ⓒ 속도계.
spéed tràp 속도 감시 구역.
***spéed-ùp** *n.* Ⓤ,Ⓒ 가속(加速); 생산 증가, 능률 촉진.
spéed·wày *n.* Ⓒ 《美》 고속 도로; 오토바이 경주장. 「종.
spéed·wèll *n.* Ⓒ 〖植〗 꼬리풀의 일
:**speed·y**[spí:di] *a.* 민속한, 재빠른, 조속한, 즉시의. ***spéed·i·ly** *ad.*
spe·l(a)e·ol·o·gy [spì:liálədʒi/-ɔ́l-] *n.* Ⓤ 동굴학.
:**spell**[1] [spel] *vt.* (***spelt,*** ~***ed***) (낱말을) 철자하다; 철자하여 …라 읽다; 의미하다, (…의) 결과가 되다. — *vi.* 철자하다. ~ ***out*** (어려운 글자를) 판독하다; 상세[명료]하게 설명하다; (생략 않고) 다 쓰다. ∠·**er** *n.* Ⓒ 철자하는 사람; 철자 교본.
:**spell**[2] *n.* Ⓒ 주문(呪文), 주술; 마력(魔力), 매력. ***cast a*** ~ ***on*** …에 마술을 걸다, …을 매혹하다. ***under a*** ~ 마술에 걸려, 매혹되어. — *vi.* 주문으로 얽어매다; 매혹하다.
***spell**[3] *n.* Ⓒ 한 바탕의 일; (날씨 따위의) 한 동안의 계속; 한 동안; 《美口》 병의 발작, 기분이 나쁜 때; 교대. — *vt.* 《주로 美》 일시 교대하다; 《濠》 (…에) 휴식을 주다.
spéll·bìnd *vt.* (***-bound***) 주문으로 꼼짝못하게 얽다; 호리다.
spéll·bòund *a.* 주문에 걸린; 홀린; 넋을 잃은. 「자법.
:**spell·ing**[spéliŋ] *n.* Ⓒ 철자; Ⓤ 철
spélling bèe 철자 경기.
spélling bòok 철자(법) 교본.
spélling chècker 〖컴〗 맞춤법 검사기.
spélling pronunciàtion 철자 발음《boatswain[bóusn]을 [bóutswèin]으로 읽는 따위》.
spelt[spelt] *v.* spell[1]의 과거(분사).
Spen·cer [spénsər], **Herbert** (1820-1903) 영국의 철학자.
†**spend**[spend] *vt.* (***spent***) ① (돈을) 쓰다(*in, on, upon*); (노력 따위를) 들이다, 바치다, (시간을) 보내다. ② 다 써버리다, 지쳐빠지게 하다. — *vi.* 돈을 쓰다; 낭비하다.
spénd·ing *n.* Ⓤ 지출; 소비.
spénding mòney 용돈.
spénd·thrìft *n.* Ⓒ 낭비가; 방탕자. — *a.* 돈을 헤프게 쓰는.
Speng·ler[spéŋglər], **Oswald** (1880-1936) 독일의 철학자·문명비평가.
Spen·ser[spénsər], **Edmund**(1552?-99) 영국의 시인《*The Faerie Queene*》. 「사).
†**spent**[spent] *v.* spend의 과거(분
sperm[1] [spə:rm] *n.* Ⓒ 정충, 정자; Ⓤ 정액.
sperm[2] *n.* =SPERM WHALE; =SPERM OIL; =SPERMACETI.
sper·ma·cet·i[spə̀:rməséti, -sí:ti] *n.* Ⓤ 경랍(鯨蠟); 경뇌유(鯨腦油).
sper·mat·ic[spə:rmǽtik] *a.* 정액의, 생식의; 정낭(精囊)의.
sper·ma·to·zo·on [spə:rmǽtəzóuən/spə́:rmətə-] *n.* (*pl.* ***-zoa*** [-zóuə]) Ⓒ 〖生〗 정충.
spérm òil 향유고래 기름.
spérm whàle 향유고래.
spew[spju:] *vt., vi.* 토하다, 게우다.
sp.gr. specific gravity.
sphag·num[sfǽgnəm] *n.* (*pl.* ***-na*** [-nə]) Ⓤ 물이끼.
:**sphere**[sfiər] *n.* Ⓒ ① 구(球), 구체(球體), 구면(球面). ② 천체; 별; 지구본, 천체의(儀); 하늘, 천공(天空). ③ 활동 범위, 영역.
***spher·i·cal**[sférikəl] *a.* 구형의, 구(球)(면)의. 「학.
sphérical geómetry 구면 기하
sphérical tríangle 구면 삼각형.
sphérical trigonómetry 구면 삼각법.
spher·ics[sfériks] *n.* Ⓤ 구면 기하학[삼각법].
sphe·roid[sfíərɔid] *n., a.* Ⓒ 〖幾〗 구형(球形)체(의); 회전 타원체. **sphe·roi·dal** *a.*
sphinc·ter[sfíŋktər] *n.* Ⓒ 〖解〗 괄약근(括約筋).
:**sphinx** [sfiŋks] *n.* (*pl.* ~***es,*** ***sphinges***[sfíndʒi:z]) ① (the S-) 〖그神〗 스핑크스《여자 머리, 사자 몸에, 날개를 가진 괴물》; (카이로 부근에 있는) 사자 몸·남자 얼굴의 스핑크스 석상(石像). ② Ⓒ 스핑크스의 상; 수수께끼의 인물.
sphyg·mo·graph [sfígməgræ̀f, -grɑ̀:f] *n.* Ⓒ 〖醫〗 맥박 기록기.
sphyg·mus[sfígməs] *n.* Ⓒ 맥박, 고동(pulse).
spic·ca·to[spikɑ́:tou] *a., ad.* 〖樂〗 스피카토의[로].
:**spice**[spais] *n., vt.* Ⓒ,Ⓤ 조미료,

향신료(를 치다)(*with*); 정취를 (곁들이다); (a ~)《古》 기미(*of*). ***S- Islands*** =MOLUCCAS.
spic·i·ly[spáisili] *ad.* 향기롭게; 얼얼[통쾌]하게; 비꼬아서; 생생하게; 외설한 표현으로, 상스럽게.
spick-and-span[spíkənspǽn] *a.* 아주 새로운; 말쑥한, 산뜻한.
spic·ule[spíkju:l, spáik-] *n.* Ⓒ 침상체(針狀體); 〖動〗 (해면 따위의) 침골; 〖植〗 소수상(小穗狀) 꽃차례.
spic·y[spáisi] *a.* 향료 같은[를 넣은]; 방향이 있는; 싸한; 《口》 생기가 있는; 상스런.
:spi·der[spáidər] *n.* Ⓒ 〖蟲〗 거미(비슷한 것); 계략을 꾸미는 사람; 프라이팬; 삼발이. **~·y**[-i] *a.* 거미(집) 같은; 아주 가느다란.
spíder màn 고층 건물 따위의 높은 데서 일하는 사람.
spíder mònkey 거미원숭이《라틴 아메리카산》.
spíder wèb 거미줄.
spiel[spi:l] 《口》 *n.* Ⓤ,Ⓒ (손님을 끌기 위한) 너스레, 수다. — *vi.* 떠벌리다.
spiel·er[spí:lər] *n.* Ⓒ 《俗》 수다꾼; (시장 따위의) 여(마)리꾼; 야바위꾼.
spiff·y[spífi] *a.* 《俗》 말쑥한(trim), 스마트한.
spig·ot[spígət] *n.* Ⓒ (통 따위의) 주둥이, 마개, 꼭지(faucet).
spik[spik] *n.* Ⓒ 《美口·蔑》 스페인계 미국인, (특히) 멕시코인.
***spike**[1][spaik] *n., vt.* Ⓒ 큰 못(을 박다); (신바닥의) 스파이크(로 상처를 입히다); 방해하다; 《美俗》 (음료에) 술을 타다.
spike[2] *n.* Ⓒ 이삭; 수상(穗狀) 꽃차례.
spíke héel 스파이크힐《여자 구두의 끝이 가늘고 높은 뒷굽》.
spike·let[⌐lit] *n.* Ⓒ 소수상(小穗狀) 꽃차례, 작은 이삭.
spike·nard[spáiknɑ:rd, -nərd] *n.* Ⓤ 〖植〗 감송(甘松)(향).
spik·y[spáiki] *a.* ① (철도의) 큰 못 같은, 끝이 뾰족한; 큰 못 투성이인. ② 《英口》 골치 아픈《상대 따위》, 완강한, 성마른.
spile[spail] *n., vt.* Ⓒ 나무마개, 꼭지(를 꽂다); 《美》 (수액(樹液)을 채집하기 위한) 삽관(揷管)(을 달다).
spill**[1][spil] *vt.* (spilt, ~ed***) ① (액체·가루를) 엎지르다, (피를) 흘리다; 흩뿌리다. ② 《口》 (차·말에서) 내동댕이 치다. ③ 〖海〗 (돛의) 바람을 새게 하다. ④ 《俗》 지껄이다, 누설하다. — *vi., n.* 엎질러지다. Ⓒ 엎질러짐; 《口》 (가격 따위의) 급락.
spill[2] *n.* Ⓒ 지저깨비, 나뭇조각; 불쏘시개《유황을 발랐음》, 점화용 심지.
spíll·òver *n.* Ⓤ 유출; Ⓒ 유출량; 과잉.
spíll·wày *n.* Ⓒ (저수지의) 방수로, 여수구(餘水口).
***spilt**[spilt] *v.* spill[1]의 과거(분사).
:spin[spin] *vt., vi.* (***spun,*** 《古》 ***span; spun; -nn-***) 잣다, 방적(紡績)하다; (선반 따위를) 회전시켜 만들다; (실을) 토하다; (거미가) (집을) 짓다; (팽이 따위) 뱅글뱅글 돌(리)다; 《英俗》 낙제시키다[하다]; (*vi.*) 질주하다; (*vi.*) 눈이 핑 돌다, 어질어질하다. ***send a person ~-ning*** 힘껏 후려쳐 비틀거리게 하다. ***~ a yarn*** 장황하게 말을 늘어놓다. ***~ out*** (시간을) 질질 끌다. — *n.* Ⓤ,Ⓒ 회전; (a ~)(자전거·말 따위의) 한번 달리기; Ⓒ 〖空〗 나선식 강하(降下); (a ~)(물가 따위의) 급락.
***spin·ach**[spínitʃ/-nidʒ, -nitʃ] *n.* Ⓤ 시금치.
spi·nal[spáinl] *a.* 가시의; 〖解〗 등뼈의, 척추의.
spínal còlumn 〖解〗 등마루, 척추(backbone).
spínal còrd 척수(脊髓).
***spin·dle**[spíndl] *n.* Ⓒ 방추(紡錘); 물렛가락; 굴대. — *vi.* 가늘게 길어지다. **spín·dling** *a., n.* Ⓒ 껑충한 (사람·것). **spín·dly** *a.* 껑충한.
spíndle-lègged, -shànked *a.* 다리가 가늘고 긴.
spíndle·lègs, -shànks *n. pl.* 가늘고 긴 다리(를 가진 사람).
spíndle sìde 모계(母系), 어머니쪽(cf. spear side).
spíndle trèe 〖植〗 화살나무.
spín drìer (세탁기의) 탈수기.
spín·drìft *n.* Ⓤ (파도의) 물보라.
spín-drý *vt.* (탈수기에서 빨래를) 원심력으로 탈수하다.
***spine**[spain] *n.* Ⓒ 등뼈, 척주; 〖植·動〗 가시; (책의) 등. **~d**[-d] *a.* 척주가 있는. **⌐·less** *a.* 척주[가시]가 없는; 무골충의.
spi·nel[spinél] *n.* Ⓤ 〖鑛〗 첨정석(尖晶石).
spin·et[spínit, spinét] *n.* Ⓒ 하프시코드 비슷한 옛 악기; 소형 피아노.
spin·na·ker[spínikər] *n.* Ⓒ 〖海〗 (요트의) 이물 삼각돛.
***spin·ner**[spínər] *n.* Ⓒ 실 잣는 사람; 방적기(機); 거미. **~·et**[-nərèt] *n.* Ⓒ (누에 따위의) 방적돌기.
spin·ner·y[spínəri] *n.* Ⓒ 방적 공장.
spin·ney[spíni] *n.* Ⓒ 《英》 잡목숲.
:spin·ning[spíniŋ] *n., a.* Ⓤ 방적(의); 방적업(의).
spínning jènny (초기의) 방적기.
spínning machìne 방적기.
spínning mìll 방적 공장.
spínning whèel 물레.
spín·òff *n.* ① Ⓤ 모회사가 주주에게 자회사의 주를 배분하는 일. ② Ⓤ,Ⓒ 부산물, 파생물.
spi·nose[spáinous] *a.* 가시가 있는[많은]; 가시 모양의.
Spi·no·za[spinóuzə], **Baruch** or **Benedict de**(1632-77) 네덜란드의 철학자.
***spin·ster**[spínstər] *n.* Ⓒ 미혼 여성; 노처녀(old maid); 실 잣는 여자. **~·hood**[-hùd] *n.*
spin·y[spáini] *a.* 가시가 많은[와 같은]; 어려운.

spíny rát 고슴도치.
spi·ra·cle[spáiərəkl, spír-] *n.* Ⓒ 공기구멍; (곤충의) 숨구멍; (고래의) 분수공(噴水孔).
:spi·ral[spáiərəl] *a., n.* Ⓒ 나선형의 (것), 나선(용수철); 〖空〗 나선 비행; 〖經〗 (악순환에 의한) 연속적 변동. ***inflationary* ~** 악(순환)성 인플레. ― *vt., vi.* 나선형으로 하다[이 되다]. **~·ly** *ad.*
spíral nébula 〖天〗 와상 성운(渦狀星雲).
spíral stáircase 나선형 계단.
spi·rant [spáiərənt] *n., a.* Ⓒ 〖音聲〗 마찰음(의).
:spire[spaiər] *n., vt.* Ⓒ 뾰족탑(을 세우다); (식물의) 가는 줄기[싹]. ― *vi.* 쑥 내밀다; 싹 트다.
spi·ril·lum [spaiərílǝm] *n.* (*pl.* **-rilla**[-rílə]) Ⓒ 〖生〗 나선균.
†spir·it[spírit] *n.* ① Ⓤ (사람의) 정신, 영혼. ② (the S-) 신, 성령. ③ Ⓒ 신령, 유령, 악마. ④ Ⓤ 원기; 생기; 기개; (*pl.*) 기분. ⑤ Ⓒ (정신면에서 본) 사람, 인물. ⑥ Ⓤ (사람들의) 기풍, 기질; Ⓒ 시대 정신; (입법 따위의) 정신. ⑦ Ⓤ 알코올, 주정; Ⓒ (보통 *pl.*) (독한) 술; 알코올 용액. ***catch a person's* ~** 의기에 감동하다. ***give up the* ~** 죽다. ***in high* [*low, poor*] *~s*** 원기 있게[없이], 기분이 좋아[언짢아]. ***in ~s*** 명랑[발랄]하게. ***in* (*the*) *~*** 내심, 상상으로. ***people of ~*** 패기 있는 사람들. ***~ of the staircase*** = ESPRIT D'ESCALIER. ***~ of wine*** 주정(酒精), (에틸)알코올. ― *vt.* 북돋다(*up*); 채가다, (아이를) 유괴하다(*away, off*). **~·less** *a.* 생기 없는.
***spir·it·ed**[spíritid] *a.* 원기 있는, 활기찬; …정신의. **~·ly** *ad.*
spir·it·ism[spíritìzəm] *n.* Ⓤ 강신(降神)술.
spírit làmp 알코올 램프.
spírit lèvel 주정 수준기(水準器).
spi·ri·to·so[spìrətóusou] *a., ad.* (It.) 〖樂〗 힘찬, 힘차게, 활발한[히].
:spir·it·u·al[spíritʃuəl/-tju-] *a.* 영적인, 정신의[적인]; 신성한; 종교[교회]의. ***~ father*** 신부(神父); 〖가톨릭〗 대부(代父). ― *n.* Ⓒ (미국 남부의) 흑인 영가. **~·is·tic**[⌐---ístik] *a.* 유심론적; 강신술적.
spir·it·u·al·i·ty [spìritʃuǽləti/-tju-] *n.* Ⓤ,Ⓒ 영성(靈性).
spir·it·u·al·ize [spíritʃuəlàiz/-tju-] *vt.* 정신적으로 하다, 영화(靈化)하다; 마음을 정화(淨化)하다. **-i·za·tion**[⌐---izéiʃən/-lai-] *n.*
spi·ri·tu·el[spìritʃuél/-tju-] *a.* (F.) (*fem.* ***-elle***) 우아[고상]한, 세련된.
spir·it·u·ous[spíritʃuəs/-tju-] *a.* 알코올을 함유한; (발효가 아니고) 증류(蒸溜)시켜 만든.
spi·ro·ch(a)ete [spáiərəkì:t/spàiərəkí:t] *n.* Ⓒ (매독의) 스피로헤타, 나선상 균.
spi·rom·e·ter [spaiərámitər/spàiərɔ́mi-] *n.* Ⓒ 폐활량계(肺活量計).
spirt[spə:rt] *n., v.* =SPURT.
:spit[1][spit] *vt., vi.* (***spat,*** 《古》 ***spit; -tt-***) ① (침을) 뱉다(*at*); 《俗》 내뱉듯이 말하다(*out*). ② (*vi.*) (고양이가) 성나서 그르렁거리다. ③ (비가) 후두두후두두 내리다, (눈이) 한두송이씩 흩날리다. ― *n.* Ⓤ 침(을 뱉음); (곤충의) 게거품. ***the* (*very, dead*) *~ of*** 《口》 …을 꼭 닮음, …을 빼쏨.
spit[2] *n., vt.* (**-tt-**) Ⓒ 굽는 꼬챙이(에 꿰다); (사람을) 꿰찌르다(stab); 곶, 돌출한 모래톱.
spít·bàll *n.* Ⓒ 종이를 씹어서 공처럼 뭉친 것; 〖野〗 스피트볼.
:spite[spait] *n.* Ⓤ 악의, 원한. ***in ~ of*** …에도 불구하고; …을 돌보지 않고. ***in ~ of oneself*** 저도 모르게. ***out of ~*** 분풀이로, 앙심으로. ― *vt.* (…에) 짓궂게 굴다. **⌐·ful** *a.* 악의 있는, 짓궂은. **⌐·ful·ly** *ad.*
spít·fire *n.* Ⓒ 화포(火砲); 불뚱이《사람》; (S-) 《英》 스피트파이어기(機)《제 2차 대전의》.
spit·tle[spítl] *n.* Ⓤ 침.
spit·toon[spitú:n] *n.* Ⓒ 타구(唾具).
spitz[spits] *n.* Ⓒ 스피츠《포메라니아 종(種)의 애완용 개》.
spiv[spiv] *n.* Ⓒ 《英口》 암거래꾼, 「건달.
:splash[splæʃ] *vt., vi.* ① (물·흙탕물을) 튀기다; 튀기며 가다. ② (*vt.*) 흩뿌린 것 같은 무늬로 하다. ③ (*vi.*) 튀다. ***~ down*** (우주선이) 착수(着水)하다. ― *n.* Ⓒ 튀김, 철벅철벅, 첨벙; 반점(斑點). ***make a ~*** 철벅하고 소리내다; 《口》 큰 호평을 얻다. **⌐·y** *a.* 튀는; 철벅철벅 소리내는; 반점[얼룩]투성이의. 「받기.
spläsh·bòard *n.* Ⓒ (자동차의) 흙
splásh·dòwn *n.* Ⓒ (우주선의) 착수(着水).
splásh guàrd (자동차의) 흙받기.
splat[splæt] *n.* Ⓒ (특히, 의자의) 등널.
splat·ter[splǽtər] *vi., vt., n.* Ⓒ (물·진흙 따위를) 튀기다[튀김].
splay[splei] *vt., vi.* (창틀 따위) 바깥쪽으로 벌어지(게 하)다, 외면 경사로 하다. ― *a.* 바깥으로 벌어진; 모양새 없는. ― *n.* Ⓒ 〖建〗 바깥쪽으로 벌어짐; 빗면.
spláy·fòot *n.* Ⓒ 평발, 편평족(扁平足). **~ed** *a.*
spláy·mòuth *n.* Ⓒ 메기입.
spleen[spli:n] *n.* Ⓒ 비장(脾臟), 지라; Ⓤ 언짢음, 노여움, 원한(*against*); 《古》 우울. **⌐·ful** *a.* **⌐·ish** *a.*
:splen·did[spléndid] *a.* 화려[장려]한; 빛나는, 훌륭한, 굉장한; 《口》 근사한. **~·ly** *ad.* **~·ness** *n.*
splen·dif·er·ous[splendífərəs] *a.* 《口》 멋진, 호화로운.
:splen·dor, 《英》 **-dour**[spléndər] *n.* Ⓤ (종종 *pl.*) 광휘, 광채; 화려;

S

훌륭함; (명성이) 혁혁함.
sple·net·ic[splinétik] *a.* 비장(脾臟)의, 지라의; 성마른, 까다로운.
splen·ic[splí:nik, splén-] *a.* 비장의.
splice[splais] *n., vt.* Ⓒ (밧줄의 가닥을) 꼬아 잇기[잇다]; 《俗》 결혼시키다.
spline[splain] *n., vt.* Ⓒ 자재 곡선자; (바퀴와 굴대의 동시 회전을 위한) 키홈(을 만들다).
splint[splint] *n., vt.* Ⓒ 〖外〗 부목(副木)(을 대다); 얇은 널조각; 비골(腓骨).
***splin·ter**[splíntər] *n.* Ⓒ 지저깨비; 파편. — *vt., vi.* 쪼개(지)다, 찢(기)다, 깎이다. — *a.* 분리된. **~·y** *a.* 찢어[쪼개]지기 쉬운, 파편의, 파편투성이인.
splínter gròup [**pàrty**] 분파, 소수파.
:split[split] *vt., vi.* (**~; -tt-**) ① 분열[분리]시키다[하다](*away*), 쪼개[빼개](지)다(*up*). ② 《俗》 밀고하다(peach²). **~ hairs** [**straws**] 지나치게 세세한 구별을 짓다. **~ one's sides** 배를 움켜 쥐고 웃다. **~ one's vote** [**ticket**](같은 선거에서) 별개의 당[후보자]에게 (연기(連記)) 투표하다. **~ the difference** 타협[접근]하다. — *a.* 쪼개[찢어]진, 갈라진, 분리[분할]된. — *n.* Ⓒ ① 분할, 분리; 《口》 몫; 갈라진 금, 균열. ② 불화. ③ 《俗》 밀고자. ④ (종종 *pl.*) 양다리를 일직선으로 벌리고 앉는 곡예. ⑤ 《口》 (술·음료의) 반 병, 작은 병. ⑥ 《口》 얇게 썬 과일에 아이스크림을 곁들인 것. **∠·ting** *a.* 빼개지는듯한, 심한(*a ~ting headache*).
splít decísion 〖拳〗 레퍼리·심판 전원 일치가 아닌 판정.
splít infínitive 〖文〗 분리 부정사 《보기 : He has began *to* really *understand* it.》.
splít mínd 정신 분열증.
splít personálity 정신 분열증; 이중 인격.
splít shíft 분할 근무, 분할 시프트.
splít tícket [**vóte**] (각기 다른 정당 후보자에게의) 분할(연기(連記)) 투표.
splít-ùp *n.* Ⓒ 분리, 분열, 해체, 분해; 이혼; 주식 분할.
splodge[splɑdʒ/-ɔ-] *n., v.* = SPLOTCH.
splosh[splɑʃ/-ɔ-] *n., v.* = SPLASH; Ⓤ 《英俗》 돈.
splotch [splɑtʃ/-ɔ-] *n., vt.* Ⓒ 큰 얼룩(을 묻히다). **∠·y** *a.* 얼룩진.
splurge [splə:rdʒ] *n., vt., vi.* Ⓒ 《美口》 과시(誇示)(하다).
splut·ter[splʌ́tər] *v., n.* =SPUTTER.
:spoil[spɔil] *vt., vi.* (***spoilt, ~ed***) ① 망치다, 못쓰게 되다[하다], 손상케 하다; (*vi.*) (음식이) 상하다. ② 약탈하다. ③ (*vi.*) 아이를 응석받이로 키우다(*a ~ed child* 버릇 없는 아이). ***be ~ing for*** …이 하고 싶어 좀이 쑤시다. — *n.* ① Ⓤ (또는 *pl.*) 약탈품; (수집가의) 발굴물. ② (*pl.*) 《美》 (여당이 얻는) 관직, 이권.
spoil·age[∠idʒ] *n.* Ⓤ 못쓰게 함[됨], 손상(물); (음식의) 부패.
spóiler pàrty 《美》 방해 정당《2대 정당의 한쪽을 선거에서 방해하기 위해 결성된 정당》.
spoils·man[∠zmən] *n.* Ⓒ 《美》 이권[엽관] 운동자.
spóils sỳstem 《美》 엽관 제도《여당이 차지하는》. 「사).
spoilt[spɔilt] *v.* spoil의 과거(분
†**spoke**[1] [spouk] *v.* speak의 과거.
spoke**[2] *n.* Ⓒ (수레바퀴의) 살; (사닥다리의) 가로장; 바퀴 멈추개. ***put a ~ in a person's wheel 남의 일에 해살놓다. — *vt.* (…에) 살을 달다.
†**spo·ken**[spóukən] *v.* speak의 과거분사. — *a.* 입으로 말하는, 구두[구어(口語)]의. **~ *language*** 구어.
***spokes·man**[spóuksmən] *n.* Ⓒ 대변인.
spoke·wise[spóukwàiz] *a., ad.* 방사형의[으로].
spo·li·a·tion[spòuliéiʃən] *n.* Ⓤ 강탈; 약탈《특히 교전국에 의한 중립국 선박의》.
spon·dee[spándi:/-ɔ́-] *n.* Ⓒ 〖韻〗 (고전시의) 장장격(長長格); (영시(英詩)의) 양양격(揚揚格)《∠∠》.
:sponge[spʌndʒ] *n.* ① Ⓤ,Ⓒ 해면(海綿); 해면 모양의 물건《빵·과자 따위》. ② Ⓒ 〖動〗 해면동물; 《口》 식객; 술고래. ***pass the ~ over*** 해면으로 닦다; …을 아주 잊어버리다. ***throw*** [***chuck***] ***up the ~*** 〖拳〗 졌다는 표시로 해면을 던지다; 패배를 자인하다. — *vt.* ① 해면으로 닦다[문지르다](*down, over*); 해면에 흡수시키다(*up*). ② 《口》 우려내다, 등치다. — *vi.* ① 흡수하다. ② 해면을 따다. ③ 기식(寄食)하다(*on, upon*).
spónge bàg 화장품 주머니.
spónge bìscuit [**càke**] 카스텔라의 일종.
spónge cúcumber [**góurd**] 〖植〗 수세미외, 그 제품.
spong·er[∠ər] *n.* Ⓒ 《口》 객식구, 식객.
spónge rúbber 스펀지 고무.
***spon·gy**[spʌ́ndʒi] *a.* 해면질[모양]의, 구멍이 많은, 흡수성의, 푹신푹신한.
:spon·sor[spánsər/-ɔ́-] *n.* Ⓒ ① 대부(代父), 대모(代母). ② 보증인; 후원자; (방송의) 광고주, 스폰서. — *vt.* ① 보증하다, 후원하다. ② 방송 광고주가 되다. ③ (신입 회원을) 소개하다. ***~·ship**[-ʃip] *n.*
spon·ta·ne·ous** [spɑntéiniəs/spɔn-] *a.* 자발적인; 자연 발생적인; 천연의; (문장이) 시원스러운. **~ *combustion 자연 발화(發火). **~·ly** *ad.* **~·ness** *n.* **-ne·i·ty**[≻təní:əti] *n.* Ⓤ 자발[자연]성; Ⓒ 자발 행위.

S

spontáneous generátion 〖生〗 자연발생(설).
spoof[spu:f] *vt., vi., n.* Ⓒ 《俗》 장난으로 속이다〔속임〕; 놀리다; 흉내(내다).
spook[spu:k] *n.* Ⓒ 《口》 유령. **∠·y** *a.* 《口》 유령 같은; 무시무시한; 겁많은.
spool[spu:l] *n., vt.* Ⓒ 실패(에 감다); (테이프 등의) 릴, 스풀.
spool·er[spú:lər] *n.* Ⓒ 〖컴〗 스풀러.
spool·ing[spú:liŋ] *n.* Ⓤ 〖컴〗 스풀링.
‡**spoon**[spu:n] *n.* Ⓒ ① 숟가락 (모양의 물건). ② 높이치기용(用)의 골프채의 일종《끝이 나무로 됨》. ③ (낚시의) 미끼쇠. ***be born with a silver* 〔*gold*〕 *~ in one's mouth*** 부잣집에 태어나다. ***be ~s on*** … 에 반하다. ***hang up the ~*** 《俗》 죽다. ── *vt., vi.* ① 숟가락으로 뜨다 (*out, up*). ② 《俗》 새롱거리다, 애무하다. **∠·fùl** *n.* Ⓒ 한 술.
spóon·bìll *n.* Ⓒ 〖鳥〗 노랑부리 저어새.
spóon·drìft *n.* Ⓤ (파도의) 물보라.
spóon-fèd *a.* 숟가락으로 음식을 받아먹는; 과잉 보호의; (산업 따위가) 보호 육성된.
spóon·fèed *vt.* (**-fed**) (…에게) 숟가락으로 떠먹이다; 떠먹이듯 가르치다; 너무 어하다.
spóon fòod 〔**mèat**〕 유동식(流動食).
spoon·y[spú:ni] *n., a.* Ⓒ 《주로 英》 얼간이(의); 《口》 여자에 무른 (남자) (*on, upon*). 「(짚다).
spoor[spuər] *n., vt., vi.* Ⓤ,Ⓒ 자귀
spo·rad·ic[spərǽdik], **-i·cal** [-əl] *a.* 산발적인; 산재(散在)하는, 드문드문한; 돌발적인. **-i·cal·ly** *ad.*
***spore**[spɔ:r] *n., vi.* Ⓒ 〖植〗 홀씨〔포자·종자〕(가 생기다).
spor·ran[spárən/-ɔ́-] *n.* Ⓒ (정장한 스코틀랜드 고지 사람이 kilt 앞에 차는) 털가죽 주머니.
†**sport**[spɔ:rt] *n.* ① Ⓤ 오락; 운동, 경기. ② (*pl.*) 운동〔경기〕회. ③ Ⓤ 농담, 장난, 희롱; Ⓒ 웃음〔조롱〕거리; (돌연) 변종(變種); (the ~) 농락당하는 것(*the ~ of the fortune*). ④ Ⓒ 운동가, 사냥꾼; 《口》 노름꾼; 좋은 녀석; 시원시원한 남자. ***for* 〔*in*〕 *~*** 농으로. ***make ~ of*** (…을) 놀리다. ── *vi.* 놀다, 장난치다; 까불다, 희롱하다(*with*). ── *vt.* 낭비하다; 《口》 과시하다. ***∠·ing** *a.* 스포츠맨다운, 경기를 좋아하는, 스포츠용의; 정정당당한; 모험적인.
spórting hòuse 《美口》 도박장; 갈보집.
spor·tive[spɔ́:rtiv] *a.* 장난치는, 장난의, 까부는.
spórt(s) càr 스포츠카.
spórts·càst *n.* Ⓒ 스포츠 방송.
‡**sports·man** [∠mən] *n.* (*fem* **-woman**) Ⓒ 스포츠맨, 운동가, 사냥꾼; 정정당당히 행동하는 사람; 《美古》 도박사. **~·like**[-làik] *a.* ‡**~·ship**[-ʃìp] *n.*
spórts·wèar *n.* Ⓤ 《집합적》 운동복; 간이복.
sport·y[spɔ́:rti] *a.* 《口》 운동가다운; 발랄한; (복장이) 멋진, 스포티한 (opp. dressy); 화려한; 태도가 괄괄한.
†**spot**[spɑt/-ɔ-] *n.* Ⓒ ① 점, 얼룩, 반점; 〖天〗 (태양의) 흑점. ② 오점, 결점, 오명. ③ (어떤) 지점, 장소. ④ (a ~) 《口》 조금. ⑤ 《美俗》 1달러(*a ten ~*, 10달러 지폐). ⑥ 집비둘기의 일종; 〖魚〗 조기류(類). ⑦ (*pl.*) 〖商〗 현물. ***hit the ~*** 《口》 만족하다, 꼭 알맞다, 더할 나위 없다. ***on* 〔*upon*〕 *the ~*** 즉석에서, 당장; 그 장소에(서); 《俗》 빈틈없이, 준비가 되어; 《俗》 곤경에 빠져; 《俗》 위험에 노출되어(*be put on the ~* 피살되다). ── *vt.* (**-tt-**) ① (…에) 반점〔얼룩·오점〕을 묻히다; 얼룩지게 하다. ② 산재(散在)시키다. ③ 《口》 (우승자·범인 등을) 점찍다, 알아내다, 발견하다. ── *a.* 당장의, 현금(거래)의; 현장인도(現場引渡)의; 〖TV·라디오〗 현지(중계) 프로의.
spót annòuncement 짧은 (삽입) 광고 방송.
spót càsh 현금.
spót chèck 〔**tèst**〕 《美》 무작위〔임의〕 견본 추출; 불시 점검(點檢).
***spót·less** *a.* 얼룩〔결점〕이 없는; 결백한.
***spót·lìght** *n., vt.* Ⓒ 〖劇〗 스포트라이트(를 비추다); (the ~) (세인의) 주시.
spót màrket 현물 시장.
spót néws 긴급〔임시〕 뉴스.
spót-òn *a., ad.* 《英口》 정확한〔히〕, 확실한〔히〕.
spot·ted[∠id] *a.* 반점〔오점〕이 있는, 얼룩덜룩한; (명예를) 손상당한.
spótted féver 텍사스열(熱); 뇌척수막염. 「한결같지 않은.
spot·ty[∠i] *a.* 얼룩〔반점〕 투성이의;
***spouse**[spaus, -z/-z] *n.* Ⓒ 배우자; (*pl.*) 부부.
spout[spaut] *vt., vi.* ① 내뿜다. ② (으스대며) 도도히 말하다. ③ (*vt.*) 《俗》 전당잡히다. ── *n.* Ⓒ ① (주전자·펌프 등의) 주둥이, 꼭지. ② 분출, 분류; 회오리, 물기둥. ③ (옛날 전당포의) 전당물 반송(搬送) 승강기. ④ 《英俗》 전당포. ***up the ~*** 《英俗》 전당잡혀; 곤경에 놓여.
S.P.Q.R. *Senatus Populusque Romanus* (L. =the Senate and People of Roman); small profits and quick returns.
S.P.R. Society for Physical Research. 「을) 삠; 삐다.
sprain [sprein] *n., vt.* Ⓒ (손목 등
‡**sprang**[spræŋ] *v.* spring의 과거.
sprat[spræt] *n.* Ⓒ 〖魚〗 청어속(屬)의 작은 물고기. ***throw a ~ to catch a herring*** 새우로 잉어를 낚다《작은 밑천으로 큰 것을 바라다》.
***sprawl**[sprɔ:l] *vi., vt., n.* Ⓒ (보통 *sing.*) 큰대자로 드러눕다〔누움〕, 큰

S

대자로 때려 눕히다〔눕힘〕; 마구 퍼지다〔퍼짐〕.

:spray[sprei] *n.* ① Ⓤ 물보라. ② Ⓒ 흡입기(吸入器), 분무기. ③ Ⓒ (잎·꽃·열매 등이 달린) 작은 가지, 가지 무늬〔장식〕. ── *vt., vi.* ① 물보라를 일으키다〔일게 하다〕, 안개〔살충제〕를 뿜다〔*upon*〕. ② 산탄(散彈)을 퍼붓다(*upon*). **∠·er** *n.* Ⓒ 분무기, 흡입기.

spráy càn 스프레이통.

spráy gùn (도료·살충제의) 분무기.

†spread[spred] *vt., vi.* (∼) ① 펴다, 펼치다, 퍼뜨리다, 퍼지다, 유포(流布)하다. ② (*vt.*) 흩뿌리다, 바르다(∼ *bread with jam* 빵에 잼을 바르다). ③ 배치하다; (식사를) 차리다(∼ *for dinner;* ∼ *the table;* ∼ *tea on the table*). ④ 뻗(치)다. ⑤ (*vi.*) 걸치다, 미치다, 열리다, 피다, 번지다. ∼ ***oneself*** 퍼지다, 뻗다; 《口》 자신을 잘 보이려고 노력하다; 분발하다; 충분히 실력을 나타내다; 자랑하다. ── *n.* ① Ⓤ 폭, 퍼짐, 범위. ② (*sing.*) (보통 the ∼) 유포(流布); 유행, 보급. ③ Ⓒ《口》 성찬. ④ Ⓒ 시트, 식탁보. ⑤ Ⓤ,Ⓒ (빵에) 바르는 것《치즈·잼 따위》. ⑥ Ⓒ 《美》 (신문의) 큰 광고, 큰 기사, 2페이지에 걸친 삽화. ⑦ Ⓤ,Ⓒ 허리통이 굵어짐.

spréad éagle 날개를 펼친 독수리 《미국의 국장(國章)》; 자랑꾼.

spréad-èagle *a., vt.* 날개를 편 독수리 형태의〔로 하다〕; 《美口》 (특히 미국이) 제나라 자랑을 하는.

spréad·shèet *n.* Ⓒ ① 〖會計〗 매트릭스 정산표. ② 〖컴〗 스프레드시트, 펼친 셈판, 확장 문서.

spree[spri:] *n.* Ⓒ 법석댐, 흥청거림; 술잔치. ***on the*** ∼ 들떠서.

sprig[sprig] *n., vt.* (**-gg-**) Ⓒ 어린 가지(를 치다); (도기·천에) 잔가지(무늬)(를 넣다); 《蔑》 애송이.

***spright·ly**[spráitli] *a., ad.* 쾌활한〔하게〕.

†spring[spriŋ] *n.* ① Ⓒ (종종 *pl.*) 샘(*a hot* ∼ 온천); 원천, 원동력. ② Ⓒ 기원, 근원, 시작. ③ Ⓤ 봄. ④ Ⓤ,Ⓒ 청춘 (시절). ⑤ Ⓒ 도약(跳躍). ⑥ Ⓤ 반동; 탄력. ⑦ Ⓒ 용수철, 태엽, 스프링. ── *vi.* (***sprang, sprung; sprung***) ① (근원을) 발하다, 싹트다, 생기다, 일어나다. ② 도약하다, 뛰다, 튀다; 튀기다(*off*); 우뚝 솟다. ③ (판자가) 휘다, 굽다. ── *vt.* ① 뛰어 넘다, 뛰어오르게 하다. ② 찢다, 가르다; 휘게 하다; 폭발시키다. ③ 용수철을 되튀기게 하다, 용수철을 달다. ④ 느닷없이 꺼내다(*He sprang a surprise on me*). ⑤ 날아가게 하다. ⑥ 《美俗》 석방하다. ∼ ***a leak*** 물샐 구멍이 생기다. ∼ ***a mine*** 지뢰를 폭발시키다. ∼ ***a somersault*** 재주 넘다. ∼ ***on*** 〔***upon***〕 …에 덤벼 들다.

spríng bálance 용수철 저울.

spríng·bòard *n.* Ⓒ 뜀판.

spríng·bòk *n.* Ⓒ (남아프리카의) 영양(羚羊)의 일종.

spríng chícken 영계, 햇닭; 《俗》 「풋내기.

spríng-cléan *vt.* 춘계 대청소를 하다. ∼**ing** *n.*

springe[sprindʒ] *n.* Ⓒ 덫(trap[1]).

spring·er[spríŋər] *n.* Ⓒ 뛰는 것 《사람·개·물고기 따위》, (특히) 범고래; 햇닭. 「춘수(春愁).

spríng féver 초봄의 나른한 느낌,

spríng gùn (동물이 닿으면 발사되는) 용수철 총(set gun).

spríng·hàlt *n.* =STRINGHALT.

spríng·hèad *n.* Ⓒ 근원, 원천.

spríng lòck 용수철 자물쇠.

spríng tíde 한사리; 분류.

spríng·tìde *n.* =⇩.

:spríng·tìme *n.* Ⓤ (the ∼) 봄; 청춘. 「泉).

spríng wàter 용수(湧水), 용천(湧

spring·y[spríŋi] *a.* 용수철 같은, 탄력 있는; 경쾌한; 샘이 많은, 습한.

:sprin·kle[spríŋkəl] *vt.* (물·재 따위를) 끼얹다, 붓다, 뿌리다. ── *vi.* 물을 뿌리다; 비가 뿌리다(*It* ∼*s.*). ── *n.* Ⓒ ① 흩뿌림. ② 부슬비. ③ (*sing.*) 드문드문함, 소량. ***-kling** *n.* Ⓤ 흩뿌리기, 살수; Ⓒ (비 따위가) 뿌림; 조금, 드문드문함(*a sprinkling of gray hairs* 희끗희끗한 머리).

sprin·kler[-ər] *n.* Ⓒ 살수기〔차〕; 스프링쿨러, 물뿌리개. 「장치.

sprínkler sỳstem 자동 살수 소화

sprint[sprint] *n., vi.* Ⓒ 단거리 경주; 단시간의 대활동; 단거리를 질주하다. **∠·er** *n.* Ⓒ 단거리 선수.

sprit[sprit] *n.* Ⓒ 〖船〗 사형(斜桁)《돛을 펼치는 활대》.

sprite[sprait] (<spirit) *n.* Ⓒ 요정(妖精); 도깨비, 유령; 〖컴〗 쪽화면.

sprít·sàil *n.* Ⓒ 사형범(斜桁帆).

sprock·et[sprákit/-ɔ́-] *n.* Ⓒ 사슬톱니바퀴(∼ wheel)《자전거 등의》.

***sprout**[spraut] *n.* Ⓒ 눈, 새싹; (*pl.*) 싹양배추(Brussels sprouts). ── *vi.* 싹이 트다; 갑자기 자라다. ── *vt.* ① 싹트게 하다. ② (뿔·수염을) 기르다. ③ (…의) 싹〔순〕을 따다.

***spruce**[1][spru:s] *n.* Ⓒ,Ⓤ 가문비나무속(屬)의 나무; Ⓤ 그 재목.

spruce[2] *a.* 말쑥한(trim). ── *vt., vi.* (옷차림을) 말쑥하게〔맵시 있게〕 하다(*up*). **∠·ly** *ad.*

:sprung[sprʌŋ] *v.* spring의 과거(분사). 「ble).

spry[sprai] *a.* 활발한; 재빠른(nim-

spt. seaport.

spud[spʌd] *n., vt.* (**-dd-**) Ⓒ 작은 가래(로 파다; 로 제거하다); 《口》 감자.

spue[spju:] *v.* =SPEW.

spume[spju:m] *n., vi.* Ⓤ 거품(이 일다)(foam). **spúm·y** *a.*

spu·mo·ne[spu:móuni, spə-] *n.* (It.) Ⓤ (잘게 썬 과일·호두가 든 이탈리아식) 아이스크림.

:spun[spʌn] *v.* spin의 과거(분사). ── *a.* 자은; 실 모양으로 한; 잡아늘

인; 지쳐빠진.
spún gláss 유리 섬유.
spún góld 금실.
spunk[spʌŋk] *n.* Ⓒ《口》용기; 부싯깃(tinder). ***get one's ~ up*** 《口》용기 백배하다. **∠·y** *a.*《口》씩씩한, 용기 있는; 성마른.
spún ráyon 방적 인견.
spún sílk 방적 견사(絹絲).
spún súgar 솜사탕.
spún yárn 〖海〗 꼰 밧줄.
:spur[spəːr] *n.* Ⓒ ① 박차. ② 격려. ③ (새의) 며느리발톱. ④ 짧은 가지; (바위·산의) 돌출부. ⑤ (등산용) 아이젠. ***give the ~*** 격려[자극]하다. ***on the ~ of the moment*** 얼떨결에, 앞뒤 생각 없이, 순간적인 …로. ***win one's ~s*** 〖史〗 (황금의 박차와 함께) knight 작위를 받다; 이름을 떨치다. — *vt., vi.* (**-rr-**) (…에) 박차를 가하다[달다]; 격려[자극]하다. ***~ a willing horse*** 필요 이상으로 재촉하다.
spúr gèar 평(平)톱니바퀴.
spu·ri·ous[spjúəriəs] *a.* 가짜의(false); 그럴싸한; 사생아의.
spúr-of-the-móment *a.*《口》즉석의, 순간의.
***spurn**[spəːrn] *vt., vi.* 쫓아버리다; 걷어차다; 일축하다. — *n.* Ⓒ 걷어차기; 일축; 퇴짜, 자빡.
***spurt**[spəːrt] *n., vi., vt.* Ⓒ 분출(하다); 한바탕 분발(하다), 역주(力走)(하다).
spúr whèel 〖機〗 평(平)톱니바퀴.
Sput·nik[spútnik, -ʌ́-] (<Russ. =satellite) *n.* Ⓒ 스푸트니크《구소련의 인공 위성》.
***sput·ter**[spʌ́tər] *vi., vt.* 침을 튀기다[튀기며 말하다]; (불똥 등이) 탁탁 튀다. — *n.* Ⓤ 입에서 튀김[튀어나온 것]; 빨리 말함; 탁탁하는 소리.
spu·tum [spjúːtəm] *n.* (*pl.* ***-ta*** [-tə]) Ⓤ,Ⓒ 침(saliva); 담, 가래.
:spy[spai] *n.* Ⓒ 스파이, 탐정. — *vt., vi.* 탐정[염탐]하다(*on*); 찾아내다(*out*); 면밀히 조사하다(*into*).
spý·glàss *n.* Ⓒ 작은 망원경.
spý-hòle *n.* Ⓒ (문에 설치한 방문자 확인용의) 내다보는 구멍.
spý rìng 간첩단(團).
Sq. Squadron. **sq.** sequence; *sequens*(L.=the following one); square. **sq. in.** square inch(es).
SQL[síːkwəl] 〖컴〗 structured query language 표준 질문 언어.
sq. mil. square mile(s). **sqq.** *sequentia* (L. =the following ones).
squab[skwɑb/-ɔ-] *n., a.* Ⓒ (날개가 아직 돋지 않은) 새끼 비둘기; 뚱뚱한 (사람); 《英》쿠션.
squab·ble[skwɑ́bəl/-ɔ́-] *n., vi.* Ⓒ (사소한 일로) 싸움(을 하다)(*with*).
***squad**[skwɑd/-ɔ-] *n.* Ⓒ《집합적》〖軍〗 분대, 반; 팀.
squád càr (경찰의) 순찰차.
***squad·ron**[∠rən] *n.* Ⓒ《집합적》 기병 대대《120-200 명》; 소함대; 비행 중대; 집단. 「장《소령》.
squádron lèader 《英》비행 중대
squal·id[skwɑ́lid/-ɔ́-] *a.* 더러운, 너저분한(filthy); 천한(mean²). **~·ly** *ad.* **~·ness** *n.* **squa·líd·i·ty** *n.*
***squall**¹[skwɔːl] *n.* Ⓒ 돌풍, 질풍, 스콜; 《口》싸움, 소동. — *vi.* 질풍이 휘몰아치다. **∠·y** *a.* 돌풍의; 《口》험악한.
squall² *n., vi., vt.* 꽥꽥 떠들다, 소리치다; …라고 말하다; Ⓒ 그 소리. **∠·er** *n.*
squal·or[skwɑ́lər/-ɔ́-] *n.* Ⓤ 불결함; 비참함; 비열.
squa·mous[skwéiməs] *a.* 비늘 모양의; 비늘로 덮인. 「비하다.
squan·der [skwɑ́ndər] *vt., vi.* 낭
†square[skwɛər] *n.* Ⓒ ① 정사각형. ② (사각) 광장, (시가의) 한 구획. ③ T자, 곱자. ④ 평방, 제곱《생략 sq.》. ⑤ 방진(方陣)(*a magic ~* 마(魔)방진). ***by the ~*** 정밀하게. ***on the ~*** 직각으로; 《口》정직[공평]하게. ***out of ~*** 직각을 이루지 않고; 비스듬히; 《口》불규칙[부정확]하게. — *a.* ① 정사각형[네모]의. ② 모난; 튼튼한. ③ 정직한, 꼼꼼한; 공평한. ④ 수평의; 평등의, 대차(貸借)가 없는. ⑤ 평방의(*six feet ~*, 6피트 평방/*six ~ feet*, 6평방 피트). ⑥《口》(식사 따위) 충분한. ***get (things) ~*** (일을) 정돈하다. ***get ~ with*** …와 대차(貸借) 없이 되다, 비기다, 보복[대갚음]하다. — *vt.* ① 정사각형[직각·수평]으로 하다. ② (대차 관계를) 결산[청산]하다(settle). ③ 시합의 득점을 동점으로 하다. ④ 일치[조화]시키다. ⑤ 〖數〗 제곱하다. ⑥ (어깨를) 펴다. ⑦ 《俗》매수하다. — *vi.* ① 직각을 이루다. ② 일치하다. ③ 청산하다. ***~ accounts*** 결산[대갚음]하다(*with*). ***~ away*** 〖海〗 순풍을 받고 달리다. ***~ off*** 자세를 취하다. ***~ oneself*** 《口》(과거의 잘못을) 청산하다, 보상하다. ***~ the circle*** 불가능한 일을 꾀하다. — *ad.* ① 직각[사각]으로. ② 정통[정면]으로. ③ 공정[정직]하게. ***∠·ly** *ad.* 정사각형[사각·직각]으로; 정직[공정]하게; 정면으로; 단호히. **∠·ness** *n.*
squáre-bàshing *n.* Ⓤ《英軍俗》군사 교련. 「《[ ]》.
squáre bráckets 〖印〗 꺽쇠괄호
squáre dànce 스퀘어댄스.
squáre déal 공평한 처사.
squáred páper 모눈종이, 방안지.
squáre-éyed *a.*《諧》(눈이) 텔레비전을 너무 본.
squáre knòt =REEF KNOT.
squáre méasure [**númber**] 〖數〗 제곱적(積)[수].
spuáre mátrix ① 〖數〗 사각형 행렬, 정방(正方) 행렬. ② 〖컴〗 정방행렬《행과 열이 같은 수인》. 「의.
squáre-rígged *a.* 〖海〗 가로 돛식
squáre róot 제곱근.

squáre sàil 가로돛.
squáre shóoter 《口》 정직한 사람.
squáre-shóuldered *a.* 어깨가 딱 벌어진.
squáre-tóed *a.* (구두의) 끝이 네모진; 구식인; 꼼꼼한(prim).
squar·ish[skwέəriʃ] *a.* 네모진.
*****squash**[1][skwɑʃ/-ɔ-] *vt., vi.* ① 으깨다; 으끄러〔으스러〕지다; 호물호물하게 하다〔되다〕. ② 억지로 밀어넣다, 〔헤치고 들어가다〕(*into*). ③ (*vt.*) 진압하다, 《口》 꼼소리 못하게 하다. ~ ***hat*** 소프트 (모자). — *n.* ① C,U 짜그러짐〔뜨림〕; 와싹하는 소리. ② C 으스러져 호물호물한 물건. ③ C 《英》 과즙 음료. ④ U 정구 비슷한 공놀이, 스쿼시. **∠·y** *a.* 으스러지기 쉬운; 호물호물한; 모양이 찌그러진.
squash[2] *n.* C 호박류(類).
squásh rácquets 〔ràckets〕 스쿼시《사방이 벽으로 둘러싸인 코트에서 자루가 긴 라켓과 고무공으로 하는 구기》.
squásh tènnis 《美》 스쿼시테니스 《스쿼시 비슷한 구기》.
*****squat** [skwɑt/-ɔ-] *vi.* (***~ted, squat; -tt-***) 웅크리다, 쭈그리다; 《口》 펄썩 앉다; 공유지〔남의 땅〕에 무단히 거주하다. — *a.* 웅크린(*a ~ figure*); 땅딸막한. — *n.* U 웅크리기; 쭈그린 자세. **∠·ter** *n.* **∠·ty** *a.* 땅딸막한.
squaw[skwɔː] *n.* C 북아메리카 토인의 여자〔아내〕; 《諧》 마누라.
squawk[skwɔːk] *vi.* (물새 따위가) 꽥꽥〔깍깍〕거리다; 《美俗》 (큰 소리로) 불평을 하다. — *n.* C 꽥꽥〔깍깍〕하는 소리; 불평.
squáwk bòx 《美口》 사내〔구내〕 방송용 스피커.
*****squeak**[skwiːk] *vi., vt.* (쥐 따위가) 찍찍 울다, 끽끽거리다; 삐걱거리다; 꽥꽥하는 소리로 말하다; 《英俗》 밀고하다. — *n.* C 찍찍〔끽끽〕거리는 소리; 밀고. ***narrow ~*** 《俗》 위기 일발. **∠·y** *a.* 끽끽하는, 삐걱거리는. **∠·er** *n.* C 끽끽거리는 것; 꽥꽥거리는 사람; 《英俗》 밀고자.
squeal[skwiːl] *vi., vt.* 끽끽 울다; 비명을 울리다; 《俗》 밀고하다. — *n.* C 끽끽 우는 소리; 비명; 밀고. **∠·er** *n.* C 끽끽 우는 동물; 《俗》 밀고자.
squeam·ish[skwíːmiʃ] *a.* (퍽)까다로운, 결벽한; 곧잘 느글거려지는; 점잔빼는.
squee·gee[skwíːdʒi, −∠/∠∠, −∠] *n., vt.* C (물기를 닦아내는) 고무 걸레(로 훔치다).
:squeeze[skwiːz] *vt.* ① 굳게 쥐다〔악수하다〕, 꼭 껴안다. ② 밀어〔틀어〕넣다(*in, into*); 압착하다; 짜내다(*out, from*). ③ 착취하다. ***~d orange*** 즙을 짜낸 찌끼; 더 이상 이용 가치가 없는 것. — *vi.* ① 압착되다, 짜지다. ② 밀어 헤치고 나아가다(*in, into, out, through*). — *n.* C ① 꼭 쥠〔껴안음〕. ② 압착, 짜냄. ③ (*a ~*) 혼잡, 붐빔. ④ 짜낸 (소량의) 과일즙 (따위). ⑤ 곤경. ⑥ 본뜨기.
squéez·er *n.* C 압착기.
squéeze plày 〖野〗 스퀴즈플레이; 〖카드〗 으뜸패로 상대방의 중요한 패를 내놓게 하기.
squelch[skweltʃ] *vt.* 짓누르다, 찌부러뜨리다; 진압하다; 《口》 끽소리 못하게 하다. — *vi.* 철벅철벅하는 소리를 내다. — *n.* C (보통 *sing.*) 철벅철벅하는 소리; 찌부러진 물건; 《口》 끽소리 못하게 하기.
squib[skwib] *n.* C 폭죽, 도화 폭관(導火爆管); 풍자. — *vt., vi.* (***-bb-***) 풍자하다; (폭죽을) 터뜨리다.
squid[skwid] *n.* C 오징어.
squif·fy[skwífi] *a.* 《英俗》 거나하게 취한; 일그러진, 비스듬한.
*****squint**[skwint] *n.* C 흑보기, 사팔눈〔뜨기〕; 곁눈질, 《口》 흘낏 보기, 일별; 경향(*to, toward*). — *vi.* 사팔눈이다; 곁눈질로〔눈을 가늘게 뜨고〕 보다(*at, through*); 얼핏 보다(*at*); 경향이 있다. — *vt.* 사팔눈으로 하다; (눈을) 가늘게 뜨다.
squínt-èyed *a.* 사팔눈의; 편견을 가진.
:squire[skwaiər] *n.* C 《英》 시골 유지, (지방의) 대(大)지주; 《美》 치안〔지방〕 판사; 기사의 종자(從者); 여자를 모시고 다니는 신사. — *vt.* (주인·여자를) 모시고 다니다.
squir(e)·ar·chy[skwáiərɑːrki] *n.* C (the ~) (영국의) 지주 계급; U 지주 정치.
squirm[skwəːrm] *vi., n.* C 꿈틀〔허위적〕거리다〔거림〕; 몸부림치다〔침〕; 머뭇거리다〔거림〕; 어색해 하다〔하기〕. **∠·y** *a.*
:squir·rel[skwəːrəl/skwír-] *n.* C 다람쥐; U 그 털가죽.
squirt[skwəːrt] *n., vt., vi.* C 분출(하다); 분수; 주사기; 《口》 건방진 젊은이(upstart).
sq. yd. square yard(s). **Sr** 〖化〗 strontium. **Sr.** Senior; *Señor;* Sir; Sister. **SRAM** short-range attack missile. **SRBM** short-range ballistic missile.
Sri Lan·ka[sríː lɑ́ːŋkə] *n.* 스리랑카《Ceylon의 고친 이름》.
S.R.O. STANDING ROOM Only. **SS** *Sancti* (L. =Saints); Saints; steamship. **S.S.** Silver Star; Sunday School; *Schutzstaffel* 나치스 독일의 친위대. **SSA** Social Security Act. **S.S.A.F.A.** 《英》 Soldiers', Sailors' and Airmen's Families Association. **SSCAE** 《美》 Special Senate Committee on Atomic Energy. **SSE** south southeast. **S.Sgt** staff sergent.
S slèep 〖生〗 서파(徐波) 수면(slow-wave sleep)《렘수면과 번갈아 일어나는 안정된 깊은 수면으로, 이때 꿈은 거의 꾸지 않음; cf. REM sleep》.
SSM surface-to-surface missile.
S.S.R.C. 《英》 Social Science

Research Council. **SSS** 《美》 Selective Service System. **SST** supersonic transport. **SSW** south-southwest.

:St.[1] [seint, sənt, sin*t*] *n.* =SAINT.

:St.[2] Strait; stratus; Street. **st.** stanza; stet; stitch; stone; stumped.

:stab [stæb] *vt.* (**-bb-**), *n.* (푹) 찌르다; Ⓒ (푹) 찌름; 중상(하다); 《口》 기도(企圖). — *vi.* 찌르며 덤벼들다(*at*). ～ (*a person*) ***in the back*** (아무를) 중상하다. ∠**·ber** *n.* Ⓒ 찌르는 것; 자객.

:sta·bil·i·ty [stəbíləti, -li-] *n.* Ⓤ 안정; 고정, 불변; 착실.

***sta·bi·lize** [stéibəlàiz] *vt.* 안정시키다; (…에) 안정 장치를 하다. **-liz·er** *n.* Ⓒ 안정시키는 사람〔것〕; 안정 장치. ***-li·za·tion** [⌐–lizéiʃən/-lai-] *n.* Ⓤ 안정, 고정.

:sta·ble[1] [stéibl] *a.* 안정된, 견고한; 〖理·化〗 안정(성)의; 영속성의; 착실한; 복원력(復原力)이 있는.

***sta·ble**[2] *n.* Ⓒ ① (종종 *pl.*) 마구간, 외양간. ②《집합적》(마구간의) 말. ③ 〖競馬〗 말 조련장〔기수〕. ④《俗》《집합적》(한 사람의 감독 밑의) 사람들〔권투선수, 매춘부들〕. — *vt., vi.* 마구간에 넣다〔살다〕.

stáble·bòy *n.* Ⓒ 마부《특히 소년》.

sta·ble·man [-mən] *n.* Ⓒ 마부.

stac·ca·to [stəkɑ́:tou] *ad., a.* (It.) 〖樂〗 단음적(斷音的)으로; 단음적인.

stack** [stæk] *n.* Ⓒ ① (건초·밀짚 등의) 더미; 낟가리. ② 〖軍〗 걸어총. ③ (*pl.* 또는 a ～) 《口》 다량, 많음. ④ 조립 굴뚝; (기차·기선의) 굴뚝. ⑤ (*pl.*) 서가(書架). ⑥ 〖컴〗 스택, 동전통. ***S- arms! 걸어총. — *vt.* ① 낟가리를 쌓다. ② 걸어총하다. ③ 〖空〗 (착륙 대기 비행기를) 고도차를 두어 대기시키다. ④ 〖카드〗 부정한 수로 카드를 치다. ***have the cards ～ed against one*** 대단히 불리한 입장에 놓이다.

stacked [stækt] *a.* 《美俗》 (여성이) 육체미 있는.

stáck ròom (도서관의) 서고(書庫).

:sta·di·um [stéidiəm, -djəm] *n.* (*pl.* **～s, *-dia*** [-diə]) Ⓒ ① 육상 경기장, 스타디움. ② 〖古그〗 경주장.

:staff [stæf, -ɑ:-] *n.* (*pl.* **～s, *staves***) Ⓒ ① 지팡이, 막대기, 장대. ② 지탱, 의지. ③ 권표(權標). ④ (창 따위의) 자루. ⑤ (이하 *pl.* **～s**) 직원, 부원; 〖軍〗 참모. ⑥ 〖樂〗 보표. ***be on the ～*** 직원〔간부〕이다. ***editorial ～*** 《집합적》 편집국(원). ***general ～*** 일반 참모; 참모부. ***～ of old age*** 노후의 의지. ***～ of life*** 생명의 양식. — *vt.* (…에) 직원을 두다.

stáff cóllege 〖英軍〗 참모 대학.

stáff òfficer 참모.

Staf·ford·shire [stǽfərdʃiər, -ʃər] *n.* 영국 중부의 주《생략 Staffs.》.

stáff sérgeant 〖軍〗 하사.

***stag** [stæg] *n.* Ⓒ (성장한) 수사슴; (거세한) 수짐승; 《美》 (파티에서) 여자를 동반치 않은 남자; =STAG PARTY. — *a.* 남자들만의.

†stage [steidʒ] *n.* Ⓒ ① 무대; (the ～) 연극; 배우업(業). ② 활동 무대. ③ 연단, 마루; 발판. ④ 역, 역참(驛站); (역참간의) 여정; 역〔승합〕마차. ⑤ (발달의) 단계. ***by easy ～s*** 천천히, 쉬엄쉬엄. ***go on the ～*** 배우가 되다. — *vt.* 상연하다; 연출하다; 계획〔꾀〕하다. — *vi.* 상연에 알맞다.

***stáge·còach** *n.* Ⓒ 역마차, (정기의) 승합 마차.

stáge·cràft *n.* Ⓤ 극작〔연출〕법.

stáge crèw 무대 뒤에서 일하는 사람.

stáge desìgner 무대 장치가.

stáge dirèction 연출; 각본(脚本)에서의 지시서《생략 S.D.》.

stáge dirèctor 무대 감독, 연출자.

stáge effèct 무대 효과.

stáge fright (배우의) 무대 공포증.

stáge·hànd *n.* Ⓒ 무대 담당.

stáge mànager 무대 조감독.

stág·er *n.* Ⓒ 경험자, 노련한 사람. ***an old ～*** 노련가.

stáge right (극의) 상연권, 흥행권.

stáge sèt(**ting**) 무대 장치.

stáge-strùck *a.* 무대 생활을 동경하는.

stáge whìsper 〖劇〗 큰 소리로 하는 속삭임.

stág fílm 남성용 영화《도색·괴기 영화》.

stag·fla·tion [stæ̀gfléiʃən] *n.* Ⓤ 〖經〗 스태그플레이션《불황 속의 물가고》.

:stag·ger [stǽgər] *vi., vt.* ① 비틀거리(게 하)다, 흔들리(게 하)다. ② 망설이(게 하)다, 주춤하(게 하)다. ③ (이하 *vt.*) 깜짝 놀라게 하다. ④ 충격을 주다. ⑤ 서로 엇갈리게 배열하다; (시업 시간·휴식 시간 따위를) 시차제로 하다. — *n.* Ⓒ ① 비틀거림. ② (*pl.*) 현기, 어지러움. ③ (*pl.*) 《단수 취급》 (양·말의) 훈도증(暈倒症). ④ 엇갈림(의 배열), 시차(時差) 방식. **～·er** *n.* Ⓒ 비틀거리는 사람; 대사건, 난문제. ***～·ing** *a.* 비틀거리(게 하)는, 깜짝 놀라게 하는. **～·ing·ly** *ad.*

stágger sỳstem (출퇴근 시간 따위의) 시차제(時差制).

stag·ing [stéidʒiŋ] *n.* Ⓤ (건축물의) 비계; Ⓤ,Ⓒ (연극의) 상연; Ⓤ 역마차 여행; 역마차업(業); Ⓤ 〖宇宙〗 (로켓의) 다단식(多段式).

stáging àrea 〖軍〗 (전지에로의) 집결 기지.

stáging pòst 〖空〗 중간 착륙지.

stág mòvie =STAG FILM.

***stag·nant** [stǽgnənt] *a.* 흐르지 않는, 괴어 있는; 활발치 못한, 불경기의. **-nan·cy** *n.* **～·ly** *ad.*

stag·nate [stǽgneit] *vi., vt.* 괴다; 괴게 하다; 침체하다〔시키다〕; 불경기가 되(게 하)다. **stag·ná·tion** *n.*

stág pàrty 남자만의 연회.

S

stag·y[stéidʒi] *a.* 연극의[같은], 연극조의, 과장된. **stág·i·ness** *n.*
staid[steid] *a.* 침착한, 차분한; 착실한. ― *v.* 《古》 stay¹의 과거(분사).
:stain[stein] *vt.* ① (얼룩을) 묻히다, 더럽히다(*with*). ② (명예를) 손상시키다, 더럽히다. ③ (유리 따위에) 착색하다. ― *vi.* 더러워지다, 얼룩지다. *~ed glass* 착색 유리, 색유리. ― *n.* Ⓒ 얼룩(*on, upon*); 흠, 오점; Ⓤ,Ⓒ 착색(제). **∠·less** *a.* 더럽혀지지 않은; 녹슬지 않는; 흠 없는; 스테인리스(제)의.
stáinless stéel 스테인리스(강(鋼)).
:stair[stɛər] *n.* Ⓒ (계단의) 한 단; (*pl.*) 계단. *below ~s* 지하실[하인방]에(서). *flight* [*pair*] *of ~s* (한 줄로 이어진) 계단.
***stáir·càse** *n.* Ⓒ 계단.
***stáir·wày** *n.* =⇧.
:stake¹[steik] *n.* Ⓒ 말뚝; 화형주(火刑柱); (*pl.*) 화형. *pull up ~s* 《美口》 떠나다, 이사[전직]하다. ― *vt.* 말뚝에 매다; 말뚝으로 둘러치다(*out, off, in*).
stake² *n.* Ⓒ 내기; 내기에 건 돈; (*pl.*) (경마 따위의) 상금; (*sing.*) 내기 경마; (내기돈을 건 것 같은) 이해관계. *at ~* 문제가 되어서; 위태로워져서. ― *vt.* 걸다; 재정적으로 원조하다; 《口》(수익(受益) 계약에 의하여 탐광자(探鑛者)에게) 의식을 공급하다(grubstake).
stáke·hòlder *n.* Ⓒ 내기 돈을 맡는 사람.　「복.
stáke·òut *n.* Ⓒ 《美口》 (경찰의) 잠
Sta·kha·nov·ism[stəkɑ́:nəvizəm] *n.* Ⓤ 스타하노프제도《구 소련의 능률 보상에 의한 생산 증강법》. **-ite** [-àit] *n.* Ⓒ (이 제도 밑에서 생산을 증강하고 보상을 받은) 노동자.
sta·lac·tite[stǽləktàit, stəlǽktait] *n.* Ⓤ 종유석(鍾乳石).
sta·lag·mite[stəlǽgmait, stǽləgmàit] *n.* Ⓒ 〖鑛〗 석순(石筍).
***stale**[steil] *a.* ① (음식물이) 신선하지 않은, (빵이) 굳어진; (술이) 김빠진. ② 케케묵은, 시시한. ③ (연습으로) 피로한. ― *vt., vi.* stale하게 하다[해지다]. **∠·ly** *ad.*
***stale·mate**[stéilmèit] *n., vt.* Ⓤ,Ⓒ 〖체스〗 수가 막힘[막히게 하다]; 막다름; 막다르게 하다.
Sta·lin[stɑ́:lin], **Joseph**(1879-1953) 구 소련 정치가.
Sta·lin·ism[-ìzəm] *n.* Ⓤ 스탈린주의. **-ist** *n.*
:stalk¹[stɔ:k] *n.* Ⓒ 〖植〗 대, 줄기, 꽃꼭지, 잎꼭지; 〖動〗 경상부(莖狀部).
***stalk**² *vi.* ① (적·사냥감에) 몰래 접근하다. ② (병이) 퍼지다(*through*). ③ 유유히[뽐내며] 걷다, 활보하다. ― *vt.* (적·사냥감에) 몰래 다가가다. ― *n.* Ⓒ 몰래 접근[추적]함; 활보(imposing gait).
stálking-hòrse *n.* Ⓒ 숨을 말《사냥꾼이 몸을 숨기어 사냥감에 몰래 접근하기 위한 말, 또는 말 모양의 물건》; 구실, 핑계.
:stall¹[stɔ:l] *n.* Ⓒ ① 축사, 마구간[외양간]의 한 구획. ② 매점, 노점. ③ (교회의) 성가대석, 성직자석; (the ~s) 《英》 (극장의) 아래층 정면의 일등석. ④ 〖空〗 실속(失速). ― *vt.* ① (마구간[외양간]에) 칸막이를 하다. ② (말·마차를 진창[눈구덩이] 속에서) 오도가도[꼼짝] 못하게 하다; 저지하다. ③ (발동기를) 멈추게 하다. ④ 〖空〗 실속시키다. ― *vi.* ① 마구간[외양간]에 들어가다. ② 진창[눈구덩이] 속에 빠지다, 오도가도 못하다. ③ (발동기가) 서다. ④ 〖空〗 실속하다.
stall² *n.* ① Ⓒ 《口》 구실, 속임수. ② (*pl.*) (소매치기·도둑의) 한 동아리. ― *vi., vt.* (추격자·요구 따위를) 요리조리 (회)피하다; (경기에서) 일부러 힘을 다내지 않다.
stáll-fèd *v.* stall-feed의 과거(분사). ― *a.* (고기를 연하게 하기 위하여, 방목하지 않고) 우리 속에서 살찌운.　「러 살찌우다.
stáll-fèed *vt.* (*-fed*) 우리 속에서 길
stáll·hòlder *n.* Ⓒ 《英》 (시장의) 노점상.　「말, 종마.
stal·lion [stǽljən] *n.* Ⓒ 씨말, 수
***stal·wart**[stɔ́:lwərt] *a., n.* Ⓒ 튼튼한[억센] (사람); 용감한 (사람); 충실한 (지지자·당원).
***sta·men**[stéimən/-men] *n.* (*pl.* *~s, stamina*¹[stǽmənə]) Ⓒ 〖植〗 수술.
stam·i·na² [stǽmənə] *n.* Ⓤ 정력, 스태미너; 인내(력).
:stam·mer[stǽmər] *vi., vt.* 말을 더듬다; 더듬으며 말하다(*out*). ― *n.* Ⓒ (보통 *sing.*) 말더듬기.
†stamp[stæmp] *n.* Ⓒ ① 발을 구름. ② 〖鑛〗 쇄석기(碎石機)(의 해머). ③ 타인기(打印器); 도장; 소인(消印), 스탬프. ④ 표, 상표. ⑤ 인상, 표정. ⑥ 특징, 특질. ⑦ 종류, 형(型). ⑧ 우표, 수입 인지. ― *vt.* ① 짓밟다(*~ one's foot* 발을 구르다《성난 표정》). ② 깊이 인상짓다. ③ 분쇄하다. ④ (형(型)을) 찍다, 눌러 자르다(*out*). ⑤ 표시하다; 도장[소인]을 찍다. ⑥ (…에) 우표[인지]를 붙이다. *of the same ~* 같은 종류의. *put to ~* 인쇄에 부치다. ― *vi.* 발을 구르다; 발을 구르며 걷다. *~ down* 짓밟다. *~ out* (불을) 밟아 끄다; (폭동·병을) 누르다, 가라앉히다, 진압하다.
stámp àlbum 우표 앨범, 우표첩.
stámp collèctor 우표 수집가.
stámp dùty [**tàx**] 인지세.
***stam·pede**[stæmpí:d] *vi., vt., n.* Ⓒ (가축 떼가) 후닥닥 도망치다[침]; (군대·동물떼의) 궤주(潰走)(하다); 쇄도(하다, 시키다).
stamp·er[stǽmpər] *n.* Ⓒ stamp하는 사람; 《英》 (우체국의) 소인 찍는 사람; 압인기(押印器).
***stance**[stæns] *n.* Ⓒ (보통 *pl.*) 선

S

자세; 위치; (공을 칠 때의) 발의 위치.

***stanch**[1][stɔ:ntʃ, -ɑ:-] *vt.* (상처를) 지혈하다; (물의) 흐름을 막다.

stanch[2] *a.* 굳은, 견고한; 신조에 철두철미한, 충실한, 확고한; 방수(防水)의.

stan·chion[stǽntʃən/stɑ́:nʃən] *n.* Ⓒ (창·지붕 따위의) 지주(支柱); (가축을 매는) 칸막이 기둥.

†**stand**[stænd] *vi.* (**stood**) ① 서다; 멈춰 서다. ② 일어서다(*up*); 일어서면 높이가 …이다; 서 있다. ③ 놓여 있다; 위치하다, (…에) 있다. ④《보어·부사(구)를 수반하여》어떤 위치[상태]에 있다(*I* ~ *his friend.* 그 사람 편이다); 변경되지 않다, 그대로 있다(*It* ~*s good.* 여전히 유효하다). ⑤ (물이) 괴다; (눈물이) 어리다(*on, in*). ⑥ (배가 어떤 방향으로) 침로(針路)를 잡다. — *vt.* ① 세우다, 세워 놓다. ② (입장을) 고수하다; 참다; 받다, 오래 가다. ③《口》비용을 치러 주다, 한턱 내다. ④ (배가 침로를) 잡다. ***as things*** [***matters***] ~ 현상태로는. ~ ***a chance*** 기회가 있다, 유망하다. ***S- and deliver!*** 가진 돈을 모조리 털어 내놓아라!《강도의 말》. ~ ***aside*** 비켜서다; 동아리에 끼지 않다. ~ ***at ease*** [***attention***] 쉬어[차려] 자세를 취하다. ~ ***by*** 곁에 서다; 방관하다; 지지하다, 돕다; 고수하다; 준비하다. ~ ***clear*** 멀어져 가다. ~ ***corrected*** 잘못의 수정을 인정하다. ~ ***for*** …을 나타내다; …에 입후보하다; (주의 따위를) 제창하다, 옹호하다; …에 편들다;《口》참다, 견디다;〖海〗…로 향하다, …의 방향으로 나아가다. ~ ***good*** 진실[유효]하다. ~ ***in*** …에 참가하다;《口》…와 사이가 좋다;《俗》돈이 들다. ~ ***in for*** …을 대표하다. ~ ***in with*** …에 편들다; …을 지지하다; …의 배당몫을 가지다. ~ ***off*** 멀리 떨어져 있다; 멀리하다. ~ ***on*** …에 의거하다, …에 의지하다; 요구[주장]하다. ~ ***out*** 튀어 나오다; 두드러지다; 끝까지 버티다. ~ ***over*** 연기하다[되다]. ~ ***pat*** (포커에서) 돌라준 패 그대로를 가지고 하다; (개혁에 대하여) 현상 유지를 주장하다; 끝까지 버티다. ~ ***to*** (조건·약속 등을) 지키다, 고집하다. ~ ***treat*** 한턱 내다. ~ ***up*** 일어서다; 지속하다; 두드러지다. ~ ***up to*** …에 용감히 맞서다. ~ ***well with*** …에게 평판이 좋다. — *n.* Ⓒ 기립; 정지; 입장, 위치, 방어, 저항; (보통 *sing.*) 관람석, 스탠드; 대(臺), …세우개, …걸이; 매점;《美》(법정의) 증인석; 주차장; (순회 중인) 흥행지; (어떤 지역의) 입목(立木), 작물. ***bring*** [***come***] ***to a*** ~ 정지시키다[하다]. ***make a*** ~ 멈춰 서다(*at*); 끝내 버티고 싸우다.

stánd-alóne *a.*〖컴〗(주변 장치가) 독립(형)의(~ *system* 독립 시스템).

:**stand·ard**[stǽndərd] *n.* Ⓒ ① (지배자의 상징인) (군)기, 기치(旗幟). ② (본디 지배자가 정한) 도량형의 원기(原器), 기본 단위, 표준, 모범. ③ 수준. ④《英》(초등 학교의) 학년. ⑤〖造幣〗본위(本位)(*the gold* [*silver*] ~ 금[은] 본위제). ⑥《동사 'stand'의 의미와 함께》똑바로 곧은 지주(支柱), 남포대; (장미 따위의) 입목. ⑦ (곧바로) 자연목《특히 과수(果樹)》. ⑧〖컴〗표준. ~ ***of living*** 생활 수준. ***under the*** ~ ***of*** …의 기치 아래서. ***up to the*** ~ 합격하여. — *a.* ① 표준의, 모범적인. ② 일류의, 권위 있는. ~ ***coin*** 본위 화폐.

stándard-bèarer *n.* Ⓒ〖軍〗기수(旗手); 지도자.

stándard deviátion〖統〗표준 「편차.

Stándard Énglish 표준 영어.

stándard gàuge〖鐵〗표준 궤간.

stándard I/O device〖컴〗표준 입·출력 장치.

***stand·ard·ize**[-àiz] *vt.* 표준에 맞추다; 규격화[통일]하다;〖化〗표준에 의하여 시험하다. **-i·za·tion**[ˌ---zéiʃən] *n.*

stándard làmp《英》플로어 스탠드《바닥에 놓는 전기 스탠드》.

stándard pláy 표준판, SP판《1분에 78회전하는 레코드판》.

stándard tìme 표준시.

stánd-bỳ** *n.* Ⓒ 의지가 되는 사람[것]; 구급선; 대기의 구령[신호]. ***on ~ 대기하고 있는.

stand·ee[stændí:] *n.* Ⓒ《口》(열차·극장의) 입석 손님.

***stánd-ìn** *n.* Ⓒ《口》유리한 지위;〖映〗대역(代役).

:**stand·ing**[stǽndiŋ] *a.* ① 서 있는, 선 채로의. ② 베지 않은, 입목(立木)의. ③ 움직이지 않는; (물 따위) 괴어 있는(~ *water* 흐르지 않는 물); 고정된. ④ 영구적인. ⑤ 상비[상치(常置)]의. ⑥ 정해진, 일정한, 판에 박힌(*Enough of your* ~ *joke!*). — *n.* Ⓤ 섬, 서 있음, 서는 곳; 지위, 명성; 존속.

stánding ármy 상비군.

stánding commìttee 상임 위원 「(회).

stánding órder 군대 내무 규정; (의회의) 의사 규칙.

stánding ròom 서 있을 만한 여지; (극장의) 입석(立席)(*S- R- Only* 입석뿐임《생략 S.R.O.》).

stánding stárt〖競技〗서서 출발.

stánding wáve〖理〗정상파(定常波).

stánd·òff *a., n.* Ⓤ 떨어져 있는[있음]; 냉담(한); Ⓒ (경기의) 동점, 무승부.

stand·off·ish[ˌɔ́(:)fiʃ, -ɑ́f-] *a.* 쌀쌀한, 냉담한; 불친절한.

stánd·òut《美口》*n.* Ⓒ 두드러진 사람[것]; 걸출한 사람; 완고함. — *a.* 걸출한, 탁월한.

stánd·pàt *a., n.* Ⓒ《美口》현상유지를 고집하는 (사람). **~ter** *n.* Ⓒ《美口》개혁 반대파의 (정당) 사람.

S

stánd·pìpe *n.* Ⓒ 배수탑(塔), 급수 탱크.

:**stánd·pòint** *n.* Ⓒ 입장, 입각점; 관점, 견지.

stánd·stìll *n.* Ⓒ,Ⓤ 정지, 휴지, 막힘.

stánd-ùp *a.* 서 있는, 곧추 선; 선 채로의; 정정당당한.

stan·hope[stǽnəp, -hòup] *n.* Ⓒ (2륜·4륜의) 포장 없는 1인승 경마차.

stank[stæŋk] *v.* stink의 과거.

stan·nic[stǽnik] *a.* 〖化〗 (제 2) 주석의; 4가(價)의 주석을 함유하는.

stan·nous[-nəs] *a.* (제 1) 주석의; 2가(價)의 주석을 함유하는.

stan·num[stǽnəm] *n.* Ⓤ 〖化〗 주석.

***stan·za**[stǽnzə] *n.* Ⓒ (시의) 절, 연(聯).

sta·pes[stéipiːz] *n.* Ⓒ 〖解〗 (귀의) 등골(鐙骨).

staph·y·lo·coc·cus [stæ̀fəloukɑ́kəs/-kɔ́k-] *n.* (*pl.* **-cocci** [-sai]) Ⓒ 〖菌〗 포도상구균.

***sta·ple**[1][stéipəl] *n.* ① Ⓒ (보통 *pl.*) 주요 산물〔상품〕. ② Ⓒ 주성분. ③ Ⓤ 원료. ④ Ⓤ (솜·양털 따위의) 섬유. — *a.* 주요한; 대량 생산의. — *vt.* (섬유를) 분류하다. **∠r**[1] *n.* Ⓒ 양털 선별공〔상(商)〕.

sta·ple[2] *n., vt.* Ⓒ U자형의 거멀못(을 박다); 스테이플, 서류철쇠(로 철(綴)하다). ***stapling machine*** 호치키스《종이 철하는 기구》. **∠r**[2] *n.* Ⓒ 철하는 기구, 호치키스.

stáple fíber 〔**fíbre**〕 인견(사), 스프(사).

stáple fóod 주식.

stáple próduct 주요 산물.

†**star**[stɑːr] *n.* Ⓒ ① 별, 항성; (the ~) 《詩》 지구. ② 별 모양(의 것), 별표 훈장; 별표(《*》)(asterisk). ③ 인기 있는 사람, 대가; 인기 배우, 스타. ④ (보통 *pl.*) 〖占星〗 운성(運星), 운수, 운. ⑤ (마소 이마의) 흰 점. ***see ~s*** (얻어 맞아) 눈에서 불꽃이 튀다. ***the Stars and Stripes*** 성조기. — *vt.* (**-rr-**) 별로 장식하다; 별표를 달다; (…을) 주역으로 하다. — *vi.* 뛰어나다; 주연(主演)하다. — *a.* 별의; 주요한; 스타의.

stár·bòard *n., ad.* Ⓤ 〖海〗 우현(右舷)(으로). — *vt.* (키를) 우현으로 돌리다, (진로를) 오른쪽으로 잡다.

***starch**[stɑːrtʃ] *n.* ① Ⓤ,Ⓒ 전분, 녹말, 풀. ② (*pl.*) 전분질 음식물. ③ Ⓤ 딱딱함, 형식차림. ④ Ⓤ 《口》 정력, 활기. — *vt.* (의류에) 풀을 먹이다. **~ed**[-t] *a.* 풀 먹인; 딱딱한. **∠·y** *a.* 전분(질)의; 풀을 먹인, 빳빳한; 딱딱한.

Stár Chàmber, the 〖英史〗 성실청(星室廳)《전단(專斷) 불공정하기로 유명한 민사 법원, 1641년 폐지》; (s- c-) 불공정한 법정〔위원회〕.

star·dom[stɑ́ːrdəm] *n.* Ⓤ 스타의 지위; 《집합적》 스타들.

stár dùst ① 소성단(小星團), 우주진(塵). ② 《口》 (티 없는) 황홀감.

:**stare**[stɛər] *vi.* 응시하다, 빤히 보다(*at, upon*); (색채 따위가) 두드러지다. — *vt.* 응시하다, 노려보아 … 시키다. **~ *a person down*** 〔***out of countenance***〕 아무를 빤히 쳐다보아 무안하게 하다. **~ *a person in the face*** 아무의 얼굴을 빤히 쳐다보다; (죽음·위험 따위가) 눈앞에 닥치다. — *n.* Ⓒ 응시. ***stár·ing** *a.* 응시하는; (색채가) 혼란한, 야한.

stár·fìsh *n.* Ⓒ 〖動〗 불가사리.

stár·gàze *vi.* 별을 보다〔관찰하다〕; 몽상에 빠지다. **~r** *n.* Ⓒ 별을 쳐다보는 사람; 천문학자; 몽상가.

***stark**[stɑːrk] *a.* ① (시체 따위가) 빳빳해진. ② 순전한, 완전한. ③ 강한, 엄한. — *ad.* 순전히; 빳빳해져서.

stark·ers[stɑ́ːrkərz] *a.* 《英俗》 모두 벗은; 아주 미친 짓의.

stárk-náked *a.* 홀랑 벗은, 전라의.

stár·less *a.* 별 없는.

star·let[∠lit] *n.* Ⓒ 작은 별; 신진 여배우.

***stár·lìght** *n., a.* Ⓤ 별빛(의).

stár lìghting 가로등을 어둡게 하기; 어둡게 한 거리.

stár·lìke *a.* 별 모양의〔같은〕, 별처럼 빛나는.

star·ling[∠liŋ] *n.* Ⓒ 〖鳥〗 찌르레기.

star·lit[∠lìt] *a.* 별빛의.

stár màp 별자리표, 성좌표.

***star·ry**[stɑ́ːri] *a.* 별의; 별이 많은; 별빛의; 별처럼 빛나는; 별 모양의.

stárry-èyed *a.* 공상적인.

stár shèll 조명탄.

stár-spàngled *a.* 별을 점점이 박은. ***the S- Banner*** 성조기; 미국 국가.

†**start**[stɑːrt] *vi.* ① 출발하다(*on, for, from*); (기계가) 움직이기 시작하다; 시작하다(*on*). ② 일어나다; 생기다(*at, in, from*). ③ (놀람·공포로 눈 따위가) 튀어나오다(*out, forward*), 펄쩍 뛰다, 흠칫 놀라다(*at, with*). ④ (눈물 따위가) 갑자기 나오다. ⑤ 뛰어 비키다〔물러나다〕(*aside, away, back*), 뛰어 오르다(*up, from*). ⑥ (선재(船材)·못 따위가) 느슨해지다. — *vt.* ① 출발시키다. ② 운전시키다; 시작하(게 하)다. ③ (사냥감을) 몰아내다. ④ (선재·못 따위를) 느슨하게 하다. **~ *in*** 〔***out, up***〕 =START. — *n.* ① Ⓒ 출발(점); 개시. ② Ⓤ,Ⓒ 움찔하기. ③ Ⓒ (보통 *sing.*) 뛰어 오르기. ④ Ⓒ (경주의) 선발권, 출발. ⑤ Ⓤ,Ⓒ 유리. ⑥ (*pl.*) 발작; 충동. ***at the ~*** 처음에는, 최초에. ***get a ~*** 흠칫 놀라다. ***get*** 〔***have***〕 ***the ~ of*** …의 기선을 제압하다. ***∠·er** *n.* Ⓒ 시작하는 사람〔것〕; (경주·경마 따위의) 출발 신호원; (기차 따위의) 발차계원; 〖機〗 시동 장치.

START Strategic Arms Reduction Talks 전략 무기 감축 회담.

stárting blòck 〖競技〗 스타팅 블록, 출발대(臺).

:**stárting pòint** 출발점, 기점.

:star·tle[stáːrtl] *vt.* 깜짝 놀라게 하(여 …시키)다. — *vi.* 깜짝 놀라다(*at*). — *n.* Ⓒ 놀람. **-tler** *n.* Ⓒ 놀라게 하는 사람〔것〕; 놀라운 사건.
***stár·tling** *a.* 놀랄 만한.
***star·va·tion**[stɑːrvéiʃən] *n.* Ⓤ 굶주림; 아사(餓死).
starvátion wàges 기아(飢餓) 임금.
:starve[stɑːrv] *vi.* 굶주리다, 아사하다; 《口》 배고프다; 갈망하다(*for*). — *vt.* 굶주리게 하다; 굶겨죽이다; 굶주려 …하게 하다. ~ ***out*** 굶주리게 하다. ∠·**ling** *a., n.* Ⓒ 굶주려서 야윈 (사람·동물).
Stár Wàrs 《美》 별들의 전쟁《SDI의 속칭》.
stash[stæʃ] *vt., n.* 《美俗》 따로 떼어〔감춰, 간수해〕 두다; Ⓒ 그 물건.
sta·sis [stéisis] *n.* (*pl.* ***-ses*** [-siːz]) Ⓤ,Ⓒ 〖病〗 혈행 정지, 울혈(鬱血); 정체, 정지.
stat. statics; statuary; statute(s).
†state[steit] *n.* ① Ⓒ (보통 *sing.*) 상태, 형세. ② Ⓒ 계급; 지위, 신분; 고위(高位). ③ Ⓒ (*or* S-) 국가, 나라. ④ Ⓒ 《口》 근심, 흥분〔불만〕 상태. ⑤ Ⓤ 위엄, 당당함; 장관; 의식. ⑥ Ⓒ (보통 S-) (미국·오스트레일리아의) 주(州)(cf. territory). ⑦ (the States) 미국. ⑧ 〖컴〗 (컴퓨터를 포함한 automation의) 상태 (~ *table* 상태표). ***Department*** 〔***Secretary***〕 ***of S-*** 《美》 국무부〔장관〕. ***in*** ~ 공식으로, 당당히. ***lie in*** ~ (매장 전에) 유해가 정장(正裝) 안치되다. ***S- of the Union message*** 《美》 대통령의 연두 교서. ***States Rights*** 《美》 (중앙 정부에 위임치 않은) 주의 권리. — *a.* 국가의〔에 관한〕; (*or* S-) 《美》 주(州)의; 의식용의. ~ ***criminal*** 국사범(犯). ~ ***property*** 국유 재산. ~ ***socialism*** 국가 사회주의. (***turn***) ~***'s evidence*** 《美》 공범 증언(을 하다). ***visit of*** ~ 공식 방문. — *vt.* 진술〔주장〕하다; (날짜 등을) 지정하다, 정하다; (문제 등을) 명시하다. **stat·ed**[∠id] *a.* 진술된; 정해진. ∠·**hood** *n.* Ⓤ 국가의 지위; 《美》 주(州)의 지위.
státe·cràft *n.* Ⓤ 정치적 수완.
Státe Depàrtment, the 《美》 국무부.
státe flówer 《美》 (주를 상징하는) 주화(州花).
Státe·hòuse *n.* Ⓒ 《美》 주(州) 의회 의사당.
státe·less *a.* 국적〔나라〕 없는; 《英》 위엄이 없는.
:state·ly[∠li] *a.* 위엄 있는, 장엄한.
státe·li·ness *n.* Ⓤ 위엄, 장엄.
státe médicine =SOCIALIZED medicine.
:state·ment[∠mənt] *n.* ① Ⓤ,Ⓒ 진술, 성명. ② Ⓒ 진술서, 성명서; 〖商〗 보고〔계산〕서. ③ 〖컴〗 명령문.
Stát·en Ísland [stǽtn-] New York만 안의 섬(=Richmond 구(區)).
státe-of-the-árt *a.* 최신식의, 최신기술을 도입한.
státe pàpers 공문서.
státe·ròom *n.* Ⓒ (궁전의) 큰 응접실; (기차·기선의) 특별실.
státe-rùn *a.* 국영의.
:states·man[stéitsmən] *n.* (*fem.* ***-woman***) Ⓒ 정치가. ~·**like**[-làik], ~·**ly** *a.* 정치가다운. ~·**ship**[-ʃip] *n.* Ⓤ 정치적 수완.
státe(s)·sìde *a., ad.* 《美口》 미국의〔에서, 에서는〕.
státe sócialism 국가 사회주의.
státe univérsity 《美》 주립 대학.
státe·wíde *a.* 《美》 주(州) 전체의〔에 걸친〕.
***stat·ic**[stǽtik], **-i·cal**[-əl] *a.* 정지(靜止)한, 정직인; 정체(靜體)의; 〖電〗 정전〔공전(空電)〕의; 〖컴〗 정적(靜的)《재생하지 않아도 기억 내용이 유지되는》. — *n.* (-ic) Ⓤ 정전기, 공전 (방해). **stát·ics** *n.* Ⓤ 정역학(靜力學).
státic electrícity 정전기.
státic mémory 〖컴〗 정적(靜的) 기억장치.
státic préssure 정압(靜壓), 정상(定常) 압력.
státic RAM[-rǽːm] 〖컴〗 정적(靜的) 램.
†sta·tion[stéiʃən] *n.* Ⓒ ① 위치, 장소. ② 정거장, 역. ③ …국(局), …소(所). ④ (경찰의) 파출소. ⑤ (군대의) 주둔지. ⑥ 방송국. ⑦ 지위, 신분. ⑧ 〖컴〗 국《네트워크를 구성하는 각 컴퓨터》.
státion àgent 《美》 역장.
***sta·tion·ar·y**[stéiʃənèri/-nəri] *a.* 정지(靜止)한; 고정된.
státionary frónt 〖氣〗 정체 전선(停滯前線).
státionary órbit 〖理〗 정상(定常) 궤도, 정지(靜止) 궤도.
státionary státe 〖理〗 정상(定常) 상태.
státionary wáve 〖理〗 정상파(正常波).
státion brèak 《美》 〖라디오·TV〗 (방송국명·주파수 따위를 알리는) 프로와 프로 사이의 토막 시간.
sta·tion·er[stéiʃənər] *n.* Ⓒ 문방구상. ***~·y**[-nèri/-nəri] *n.* Ⓤ 문방구, 문구.
státion hòuse 경찰서; 정거장; 소방서.
státion·màster *n.* Ⓒ 역장.
státion wàg(g)on 《美》 좌석을 젖혀 놓을 수 있는 상자형 자동차(《英》 estate car).
stat·ism[stéitizəm] *n.* Ⓤ (정치·경제의) 국가 통제.
stat·ist [stéitist] *n.* =STATISTICIAN.
sta·tis·tic[stətístik], ***-ti·cal**[-əl] *a.* 통계의, 통계학(상)의. — *n.* (-tic) Ⓒ 통계 항목(의 하나). **-ti·cal·ly** *ad.*
statístical mechánics 통계 역학.
stat·is·ti·cian[stæ̀tistíʃən] *n.* Ⓒ 통계학자.
:sta·tis·tics[stətístiks] *n.* Ⓤ 통계

S

학;《복수 취급》 통계(자료).
sta·tor[stéitər] *n.* Ⓒ 〖電〗 고정자(固定子)《발전기 등의》.
stat·u·ar·y[stǽtʃuèri/-tjuəri] *n.* Ⓤ《집합적》 조상(彫像)(군(群)); 조상술; Ⓒ《稀》 조상가. ── *a.* 조상(용)의. 「(像), 조상(彫像).
:stat·ue [stǽtʃu:, -tju:] *n.* Ⓒ 상
stat·u·esque[stæ̀tʃuésk/-tju-] *a.* 조상 같은, 윤곽이 고른; 위엄이 있는. 「소상(小像).
stat·u·ette[stæ̀tʃuét/-tju-] *n.* Ⓒ
:stat·ure[stǽtʃər] *n.* Ⓤ 신장(身長); (심신의) 성장, 발달.
˙sta·tus[stéitəs, stǽt-] *n.* Ⓤ,Ⓒ ① 상태; 지위; 〖法〗 신분. ② 〖컴〗 (입출력 장치의 동작) 상태. **~ (*in*) *quo*** (L.) 현황. **~ *quo ante*** 이전의 상태.
státus sỳmbol 신분의 상징《소유물·재산·습관 따위》.
stat·u·ta·ble[stǽtʃutəbəl/-tju:-] *a.* =STATUTORY. 「령; 규칙.
˙stat·ute[stǽtʃu(:)t/-tju:t] *n.* Ⓤ 법
státute bòok 법령 전서.
státute làw 성문법.
státute mìle 법정(法定) 마일《1609.3m》.
stat·u·to·ry[stǽtʃutɔ̀:ri/-tjutəri] *a.* 법령의; 법정의; 법에 저촉되는.
St. Au·gus·tine[sèint ɔ́:gəstì:n/ sənt ɔ:gʌ́stin] ⇨AUGUSTINE.
˙staunch[stɔ:ntʃ, -ɑ:-] *v., a.* = STANCH[1, 2].
˙stave[steiv] *n.* Ⓒ 통널; (사닥다리의) 디딤대; 막대; 장대; (시가의) 절, 연(聯); 시구; 〖樂〗 보표(譜表). ── *vt.* (**~*d*, *stove***) 통널을 붙이다; (통·배 따위에) 구멍을 뚫다(*in*). ── *vi.* 깨지다, 부서지다. **~ *off*** 간신히 막다. 「복수.
staves[steivz] *n.* stave, staff 의
†stay[1][stei] *vi.* (**~*ed*,**《英古·美》***staid***) ① 머무르다; 체재하다(*at, in, with*). ② 묵다, 멈춰서다; 기다리다. ③ …인 채로 있다; 견디다, 지탱하다, 지속하다. ④《古》 굳게 서 있다. ── *vt.* ① 막아내다, 방지하다. ② (식욕 따위를) 만족시키다. ③ (판결 따위를) 연기하다. ④ 지속하다. ***come to* ~** 계속되다, 영속적인 것으로 되다. **~ *away*** (집을) 비우다(*from*). ── *n.* ① Ⓒ (보통 *sing.*) 체재 (기간). ② Ⓤ,Ⓒ 억제, 방해. ③ Ⓤ,Ⓒ 〖法〗 연기, 중지. ④ Ⓤ《口》 끈기, 지구력. **∠·*er*** *n.* Ⓒ 체재자; 끈기 있는 사람〔동물〕; 지지자〔물〕.
stay[2] *n.* Ⓒ 지주(支柱); (*pl.*)《주로 英》 코르셋. ── *vt.* 버티다.
stay[3] *n.* Ⓒ (돛대·굴뚝 따위를 버티는) 버팀줄. ── *vt.* 버팀줄로 버티다; (배를) 바람 불어오는 쪽으로 돌리다.
stáy-at-hòme *a., n.* Ⓒ 집에만 틀어박혀 있는 (사람).
stáy-dówn strìke (탄갱의) 갱내 농성 파업.
stáying pòwer 내구력, 인내력.
stáy-ìn (strìke)《英》=SIT-DOWN (strike).
stáy·sàil *n.* Ⓒ 지삭범(支索帆).
S.T.C. Senior Training Corps.
S.T.D. *Sacrae Theologiae Doctor* (L. =Doctor of Sacred Theology).
Ste. *Sainte* (F.=*fem.* of 'saint').
:stead[sted] *n.* ① Ⓤ 대신(***in his* ~** 그 대신에). ② Ⓒ 이익; 장소. ***in* (*the*) ~ *of*** =INSTEAD of. ***stand* (*a person*) *in good* ~** (아무에게) 도움이 되다.
˙stead·fast[stédfæ̀st, -fəst/-fəst] *a.* 견실〔착실〕한; 부동〔불변〕의. **~·ly** *ad.* **~·ness** *n.*
stead·ing[stédiŋ] *n.*《Sc.·英北部》=FARMSTEAD.
stead·y[stédi] *a.* ① 흔들리지 않는; 견고한, 안정된. ② 한결같은; 꾸준한, 간단 없는. ③ 규칙적인. ④ 침착한; 착실한. ⑤ 〖海〗 (침로·바람 따위) 변치 않는. ── *vt., vi.* 견고하게 하다〔해지다〕, 안정시키다〔되다〕. ── *n.* Ⓒ《美俗》 이미 정해진 친구〔애인〕. **:stéad·i·ly** *ad.* 견실하게; 착실히, 꾸준히. **stéad·i·ness** *n.*
stéady-góing *a.* 착실한.
stéady-státe *a.* (성질, 구조가) 정상인, 비교적 안정한. ***the* ~ *theory*** 정상 우주론.
:steak[steik] *n.* Ⓒ,Ⓤ (쇠고기·생선의) 베낸 고깃점; 불고기, (비프) 스테이크. 「식당.
stéak·hòuse *n.* Ⓒ 스테이크 전문
†steal[sti:l] *vt.* (***stole; stolen***) 훔치다; 몰래〔가만히〕 …하다; 몰래〔슬쩍〕 손에 넣다; 〖野〗 도루하다. ── *vi.* 도둑질하다; 몰래 가다〔침입하다, 나가다〕; 조용히 움직이다. ── *n.* Ⓒ《口》 도둑질; 훔친 물건; 〖野〗 도루; 횡재, 싸게 산 물건. **∠·*er*** *n.* Ⓒ 도둑. ***∠·*ing*** *n.* Ⓤ 훔침; Ⓒ 〖野〗 도루; (*pl.*) 훔친 물건.
˙stealth[stelθ] *n.* Ⓤ 비밀. ***by* ~** 몰래. ── *a.* (종종 S-) 레이더 포착 불능의.
˙stealth·y[stélθi] *a.* 비밀의, 몰래한. **stéalth·i·ly** *ad.*
:steam[sti:m] *n.* Ⓤ (수)증기, 김; 《口》 힘, 원기. ***at full* ~** 전속력으로. ***by* ~** 기선으로. ***get up* ~** 증기를 올리다, 김을 내다; 기운을 내다. ***let off* ~** 여분의 증기를 빼다; 울분을 풀다. ***under* ~** (기선이) 증기로 움직여져; 기운〔힘〕을 내어. ── *vi.* 증기〔김〕을 내다; 증발하다; 증기로 움직이다; 김이 서려 흐리다. ── *vt.* 찌다; (…에) 증기를 쐬다. **~ *along* 〔*ahead, away*〕**《口》 힘껏 일하다, 착착 진척되다. **~*ing hot*** 몹시 뜨거운. **∠·*ing*** *a., n.* 김을 내뿜는〔내뿜을 만큼〕; Ⓤ 김쐬기; 기선 여행(거리). **∠·*y*** *a.* 증기〔김〕의, 김이 오르는; 안개가 짙은.
stéam bàth 증기탕.
:stéam·bòat *n.* Ⓒ 기선.
stéam bòiler 기관(汽罐), 증기 보

일러.
***stéam èngine** 증기 기관(機關).
:steam·er[ˊ-ər] *n.* Ⓒ ① 기선. ② 증기 기관. ③ 찌는 기구.
stéam fìtter 스팀 장치 설비[수리].
stéam hàmmer 증기 해머.
stéam héat 증기열(량).
stéam-héated *a.* 증기 난방의.
stéam ìron 《美》 증기 다리미.
stéam ràdio 《英口》 (텔레비전과 구별하여) 라디오.
stéam ròller (땅 고르는 데 쓰는) 증기 롤러; 강압 수단.
stéam·ròller *vt.* 강행[압도]하다.
:stéam·shìp *n.* Ⓒ 기선.
stéam shòvel 증기삽.
stéam tùrbine 증기 터빈.
stéam whìstle 기적(汽笛).
ste·ap·sin[stiǽpsin] *n.* Ⓤ 스테압신 《췌장에서 분비되는 지방 분해 효소》.
ste·a·rin[stí:ərin/stíə-] *n.* Ⓤ 〖化〗 스테아르; 스테아르산《양초 제조용》.
ste·a·tite[stí:ətàit/stíə-] *n.* Ⓤ 〖鑛〗 동석(凍石). **-tit·ic**[ˋ--títik] *a.*
sted·fast[stédfæ̀st, -fəst/-fəst] *a.* =STEADFAST.
***steed**[sti:d] *n.* Ⓒ 《詩·諧》 (승용)말; 기운찬 말.
:steel[sti:l] *n.* ① Ⓤ 강철. ② 《집합적》 검(劍). ③ Ⓤ 강철 같은 단단함[세기·빛깔]. ***cast*** [***forged***] ~ 불림강철, 주강(鑄鋼), 단강(鍛鋼). ***cold*** ~ 도검, 총검 (따위). ***draw one's*** ~ 칼[권총]을 뽑아들다. ***grip of*** ~ 꽉 쥐기. (*foe*) ***worthy of one's*** ~ 상대로서 부족이 없는 (적). ── *a.* 강철로 만든; 강철같이 단단한; 강철 빛의. ── *vi.* ① 강철로 날을 만들다; 강철을 입히다; 강철같이 단단하게 하다. ② 무감각[무정]하게 하다. **ˊ·y** *a.* 강철의[같은], 강철로 만든; 단단한; 무정한.
stéel bánd 〖樂〗 스틸 밴드《드럼통을 이용한 타악기 밴드; Trinidad에서 시작됨》.
stéel blúe 강철빛.
stéel-clád *a.* 갑옷으로 무장한, 강철을 입힌.
stéel gráy [《英》 **gréy**] 푸른빛이 도는 잿빛[회색].
stéel mìll 제강 공장.
stéel wóol 강모(鋼毛)《금속 연마재》.
stéel·wòrk *n.* Ⓒ 강철 제품; (~s) *sing. & pl.* 제강소.
stéel·wòrker *n.* Ⓒ 제강소 직공.
stéel·yàrd *n.* Ⓒ 대저울.
steen·bok[stí:nbɑ̀k, stéin-/-bɔ̀k] *n.* Ⓒ 아프리카산 영양(羚羊)의 일종.
:steep[1][sti:p] *a.* 험한, 가파른; 《口》 엄청난. ── *n.* Ⓒ 가풀막, 절벽.
***steep**[2] *vt.* (…에) 적시다, 담그다 (*in*); 몰두시키다(*in*). ── *n.* Ⓤ,Ⓒ 담금, 적심; Ⓤ 담그는 액체.
steep·en[stí:pən] *vt., vi.* 험하게 [가파르게] 하다[되다].
***stee·ple**[stí:pəl] *n.* Ⓒ (교회의) 뾰족탑. **~d** *a.*
stéeple·chàse *n.* Ⓒ 교외 횡단 경마[경주]; 장애물 경주.
stéeple·jàck *n.* Ⓒ (뾰족탑·높은 굴뚝 따위의) 수리공.
***steep·ly**[stí:pli] *ad.* 가파르게, 험준하게.
:steer[1][stiər] *vt.* (…의) 키를 잡다, 조종하다; (어떤 방향으로) 돌리다; 인도하다. ── *vi.* 키를 잡다; 향하다, 나아가다(*for, to*). ~ ***clear of*** …을 피하다; …에 관계하지 않다. ── *n.* Ⓒ 《美口》 조언, 충고.
steer[2] *n.* Ⓒ (2-4살의) 어린 수소; 식육용의 불깐 소.
steer·age[-idʒ] *n.* Ⓤ (상선의) 3등 선실; 고물, 선미; 조타(操舵)(법), 조종.
stéerage·wày *n.* Ⓤ 〖海〗 키효율 속도《키를 조종하는 데 필요한 최저 속도》.
stéering commìttee 《美》 운영위원회.
stéering gèar 조타 장치.
stéering whèel (자동차의) 핸들; (배의) 타륜(舵輪).
steers·man[stíərzmən] *n.* Ⓒ 키잡이.
steg·o·saur[stègəsɔ́:r] *n.* (*pl.* ***-sauri***[-sɔ́:rai]) Ⓒ 〖古生〗 검룡(劍龍).
stein[stain] *n.* Ⓒ 맥주용 큰 컵《오지로 만듦》.
Stein·beck[stáinbek], **John Ernst** (1902-68) 미국의 소설가.
ste·le[stí:li] *n.* (*pl.* ***-lae***[-li:], **~s** [-li:z]) Ⓒ 〖考〗 (비문·조각 따위가 있는) 돌기둥, 비석.
stel·lar[stélər] *a.* 별의[같은]; 주요한.
stel·late[stélit, -leit], **-lat·ed** [-leitid] *a.* 별 모양의.
stel·li·form[stéləfɔ̀:rm] *a.* 별 모양의; 방사상의.
:stem[1][stem] *n.* Ⓒ ① (초목의) 대, 줄기, 꽃자루, 잎자루[꼭지], 열매꼭지. ② 줄기 모양의 부분, (연장의) 자루, (잔의) 굽, (파이프의) 축(軸). ③ 종족, 혈통. ④ 〖言〗 어간(語幹) 《변하지 않는 부분》. ⑤ 〖海〗 이물. ***work the*** ~ 《美俗》 구걸하다. ── *vt.* (***-mm-***) (과일 따위에서) 줄기를 떼다. ── *vi.* 《美》 발(發)하다, 생기다, 일어나다(*from, in; out of*). **ˊ·less** *a.* 대[줄기, 자루, 축] 없는.
stem[2] *vt.* (***-mm-***) 저지하다, 막다; (바람·파도를) 거슬러 나아가다; 저항하다.
stem cell 줄기세포
stem·winder [ˊwàindər] *n.* Ⓒ 용두 태엽 시계.
stench[stentʃ] *n.* Ⓒ (보통 *sing.*) 악취(를 풍기는 것).
sten·cil[sténsil] *n., vt.* Ⓒ 스텐실[형판(型板)](으로 형을 뜨다); 등사 원지; 등사하다.
Sten·dhal[stændɑ́:l, sten-] *n.* (1783-1842) 프랑스의 소설가.
Stén (gùn)[sten(-)] *n.* Ⓒ 경기관총의 일종.
***ste·nog·ra·pher** [stənɑ́grəfər/-ɔ́-] *n.* Ⓒ 속기사.
***ste·nog·ra·phy** [stənɑ́grəfi/-ɔ́-]

n. Ⓤ 속기(술). **sten·o·graph·ic** [stènəgrǽfik] *a.*

sten·o·type [sténətàip] *n.* Ⓒ 속기용 타이프라이터; (그것에 쓰는) 속기 문자. **-typ·y** [-tàipi] *n.* Ⓤ 보통의 문자를 쓰는 속기술.

Sten·tor [sténtɔːr] *n.* 50명몫의 목소리를 냈다고 하는 그리스의 전령; (s-) Ⓒ 목소리가 큰 사람. **sten·to·ri·an** [stentɔ́ːriən] *a.* 우레같은 목소리의.

†**step** [step] *n.* ① Ⓒ 걸음. ② Ⓒ 한 걸음, 일보(의 거리); 짧은 거리. ③ Ⓒ,Ⓤ 걸음걸이; (댄스의) 스텝, 추는 법; 보조. ④ (*pl.*) 보정(步程). ⑤ Ⓒ 디딤판; (사닥다리의) 단(段); (*pl.*) 발판 사닥다리, 발판. ⑥ Ⓒ 발소리; 발자국. ⑦ Ⓒ 진일보(進一步), 수단, 조치. ⑧ Ⓒ (사회 계층 중 하나의) 계급; 승급. ⑨ Ⓒ 〖樂〗 (온)음정. ***in a person's*** ~ 아무의 전례를 따라. ***in*** 〔***out of***〕 ~ 보조를 맞추어〔흩뜨리어〕. ~ ***by*** ~ 한걸음 한걸음; 착실히. ***watch one's*** ~ 《美》 조심하다. — *vi.* (《詩》 ***stept; -pp-***) 걷다, 가다, 일정한 걸음거리로 나아가다; (자동차의 스타터 따위를) 밟다(*on*); 《口》 급히 가다; (좋은 일 따위에) 얻어 걸리다(*into*). — *vt.* 걷다; (…을) (춤)추다; 보측(步測)하다(*off, out*). ~ ***down*** 내리다; (전압 따위를) 낮추다. ~ ***in*** 들어가다; 간섭하다; 참가하다. ~ ***on it*** 《口》 서두르다. ~ ***out*** 《美口》 놀러 나가다. ***S- this way, please.*** 이리로 오십시오. ~ ***up*** 접근하다, 다가가다(*to*); 《美口》 빠르게 하다.

step- [step] *pref.* '배다른, 계(繼)…'의 뜻. **∠·brὸther** *n.* Ⓒ 이부(異父)〔이복〕 형제. **∠·chìld** *n.* (*pl.* ***-children***) Ⓒ 의붓 자식. **∠·dàugh·ter** *n.* **~·fàther** *n.* *****∠·mòther** *n.* **∠·mótherly** *a.* **∠·párent** *n.* **∠·síster** *n.* **∠·són** *n.*

stép-by-stép *a.* 단계적인.

stép-dòwn *a.* (기어가) 감속의; 〖電〗 전압을 내리는.

Ste·phen·son [stíːvənsn], **George** (1781-1848) 증기 기관차를 완성한 영국 사람.

stép-ìn *a.* (여성의 속옷·신 따위) 발을 꿰어 넣어 입는〔신는〕.

stép·làdder *n.* Ⓒ 발판 사닥다리, 발판.

stép-òff *n.* Ⓒ 헛디딤.

steppe [step] *n.* (the S-s) 스텝 지대; Ⓒ (나무가 없는) 대초원.

stépped-úp *a.* 증가된, 강화된.

step·per [stépər] *n.* Ⓒ (특수한) 걸음걸이를 하는 사람〔동물〕.

stépping stòne 디딤돌, 징검돌; 수단.

stép ròcket 다단식(多段式) 로켓.

stept [stept] *v.* 《詩》 step의 과거(분사).

stép-ùp *a.* 증가된, 강화된; 〖電〗 전압을 올리는.

stép·wìse *a., ad.* 계단식의〔으로〕; 한 걸음씩.

***ster·e·o** [stériòu, stíər-] *n.* Ⓤ 입체 음향, 스테레오; Ⓒ 스테레오 전축, 재생 장치; =STEREOTYPE.

ster·e·o·graph [stériəgræ̀f/stíəriəgrɑ̀ːf] *n., vt.* Ⓒ 입체 사진(을 작성하다); 입체경(鏡)용의 사진.

ster·e·og·ra·phy [stèriɑ́grəfi/stìəriɔ́g-] *n.* Ⓤ 입체〔실체〕 화법. **-o·graph·ic** [∸–əgrǽfik/-ɑ́ː-] *a.*

ster·e·o·phon·ic [stèriəfɑ́nik/stìəriəfɔ́n-] *a.* 입체 음향(효과)의.

stereophónic sòund sýstem 스테레오 전축.

ster·e·oph·o·ny [stèriɑ́fəni/stìəriɔ́f-] *n.* Ⓤ 입체 음향 (효과).

ster·e·o·scope [stériəskòup/stíər-] *n.* Ⓒ 입체〔실체〕경.

***ster·e·o·type** [stériətàip/stíər-] *n.* Ⓒ ① 〖印〗 연판(鉛版) (제조법); 연판 제조〔인쇄〕. ② 판에 박은 문구; 상투〔항용〕 수단. — *vt.* 연판으로 하다〔인쇄하다〕; 판에 박다. **~d** [-t] *a.* 연판으로 인쇄한; 판에 박은. **-typ·y** *n.* Ⓤ 연판 인쇄술〔제조법〕.

***ster·ile** [stéril/-rail] *a.* (opp. fertile) 균 없는, 살균한; 메마른, 불모의; 자식을 못 낳는(*of*); 효과 없는(*of*). **ste·ril·i·ty** [stəríləti] *n.*

ster·i·lize [stérəlàiz] *vt.* 살균〔소독〕하다; 불모로〔불임케〕 하다; 무효로〔무익하게〕 하다. **-liz·er** *n.* Ⓒ 소독기. **-li·za·tion** [∸–lizéiʃən/-lai-] *n.*

ster·ling** [stə́ːrliŋ] *n., a.* Ⓤ 영화(英貨)〔파운드〕(의); (순은(純銀) 92.5%를 함유하는) 표준량의; 표준은으로 만든; 순수한, 훌륭한, 신뢰할 만한. ~ ***area 〔***bloc, zone***〕 파운드 지역. ~ ***silver*** 순은, 표준은.

⁑**stern**[1] [stəːrn] *a.* 엄격한, 준엄한; 단호한, 굳은; 쓸쓸한, 황량한. **∠·ly** *ad.* **∠·ness** *n.*

⁑**stern**[2] *n.* Ⓒ ① 고물, 선미(船尾). ② 《一般》 뒷부분; (동물의) 엉덩이. ***down by the*** ~ 〖海〗 고물이 물속에 내려 앉아.

Sterne [stəːrn], **Laurence** (1713-68) 영국의 소설가.

ster·num [stə́ːrnəm] *n.* (*pl.* ***-na*** [-nə], **~*s***) Ⓒ 〖解〗 흉골(胸骨).

ster·nu·ta·tion [stə̀ːrnjətéiʃən] *n.* Ⓤ 재채기.

stérn·ward *a., ad.* 고물의〔로〕, 후부의〔로〕. **~s** *ad.* =STERNWARD.

stérn·wày *n.* Ⓤ 배의 후진.

stérn·whèeler *n.* Ⓒ 〖海〗 선미 외륜(外輪) 기선.

ster·oid [stérɔid] *n.* Ⓒ 〖生化〗 스테로이드.

ster·to·rous [stə́ːrtərəs] *a.* 〖醫〗 코고는 소리가 큰; 숨이 거친.

stet [stet] *vi., vt.* (***-tt-***) 〖校正〗 살리라, 생(生)(《'지운 부분을 살리라'》); 살리다.

steth·o·scope [stéθəskòup] *n.* Ⓒ 〖醫〗 청진기.

ste·ve·dore [stíːvədɔ̀ːr] *n.* Ⓒ 부

두 일꾼.

Ste·ven·son[stíːvənsn], **Robert Louis** (1850-94) 스코틀랜드의 신낭만주의의 소설가·시인·수필가.

stew**[stjuː/stjuː] *vt., vi.* 뭉근한 불로 끓이다[에 끓다](*The tea is ~ed.* 차가 너무 진해졌다); (*vt.*) 스튜 요리로 하다; 《口》 마음 졸이(게 하)다. ***~ in one's own juice 자업 자득으로 고생하다. — *n.* ① Ⓤ,Ⓒ 스튜. ② (a ~) 《口》 근심, 초조. ***get into a ~*** 속이 타다, 마음 졸이게 되다. ***in a ~*** 《口》 마음 졸이며.

***stew·ard**[stjúːərd/stjú(ː)əd] *n.* Ⓒ 집사; (클럽·병원 따위의) 식사 담당원; (기선·여객기 따위의) 급사, 여객계원; (연회·쇼 따위의) 간사.

***stew·ard·ess**[-is] *n.* Ⓒ 여자 steward; (기선·여객기 따위의) 여자 안내원, 스튜어디스. **~·ship** *n.* Ⓤ ~의 직.

stewed[stjuːd] *a.* 뭉근한 불로 끓인; 스튜로 한; 《英》 (차가) 너무 진한.

stéw·pàn *n.* Ⓒ 스튜 냄비.

St. Ex. Stock Exchange. **stg.** sterling.

St. He·le·na [sèint həlíːnə/sèntilíː-] 대서양 남부의 영국령의 섬 《나폴레옹의 유배지(流配地)》.

stib·i·um[stíbiəm] *n.* Ⓤ 〖化〗 안티몬.

†**stick**[1][stik] *n.* Ⓒ ① 나무 토막, (나무에서 쳐낸, 꺾은, 또는 주워 모은) 잔가지, 물거리. ② 단장, 지팡이; 막대 모양의 물건; (야구의) 배트; (하키의) 스틱; 〖空〗 조종간(桿). ③ 〖英空〗 연속 투하 폭탄(cf. salvo). ④ 〖印〗 식자용 스틱. ⑤ 《口》 멍청이. ⑥ (the ~s) 《美口》 오지(奧地), 시골. ***get*** [***have***] (***hold of***) ***the wrong end of the ~*** (이론·이야기 등을) 오해하다, 잘못 알다. ***in a cleft ~*** 진퇴 유곡에 빠져. — *vt.* 막대기로 버티다.

:**stick**[2] *vt.* (***stuck***) ① (…으로) 찌르다, 꿰찌르다(*into, through*). ② 찔러 죽이다; 찔러 넣다(*in, into*); 찔러 붙박다[꽂다], 꿰뚫다(*on*); 불쑥 내밀다(*out*). ③ 붙이다, 들러붙게 하다(*on*); 고착시키다. ④ 걸리게 하다(*My zipper's stuck.* 지퍼 멈추개가 걸려 움직이지 않는다). ⑤ 막다르게[꼼짝 못하게] 하다; 《口》 난처[당황]하게 하다; 《俗》 (손해 따위로) 큰 곤란을 겪게 하다. ⑥ 《俗》 엄청난 값을 부르다, 탈취하다, 속이다. ⑦ 《俗》 참다. — *vi.* ① 찔리다. ② 불쑥 내밀다. ③ 들러붙다, 점착하다(*on, to*). ④ 빠져서 박히다. ⑤ 고집하다, 충실하다(*to, by*). ⑥ 멈추다. ⑦ 《口》 난처하게 되다, 망설이다. ***be stuck on*** 《口》 …에 홀딱 반하다. ***~ around*** 《口》 옆에서 기다리다. ***~ at*** …을 열심히 하다, 파고들다; …에 구애되다; 망설이다. ***~ fast*** 고착하다; 막다르다. ***~ out*** 튀어 나오다, 불쑥 내밀다; 《美口》 두드러지다; 좀처럼 들어주지 않다; 끝까지 버티다. ***~ up*** 솟아 나와 있다, 곧추 서다; 《俗》 곤란하게 하다; 《俗》 (강도 따위가) 흉기로 위협하다, 강탈하다. ***~ up for*** 《口》 …을 지지[변호]하다. — *n.* Ⓒ 한번 찌름. **∠·er** *n.* Ⓒ 찌르는 사람[연장]; 《美》 풀 묻힌 레테르, 스티커; 《美》 밤송이, 가시; 《口》 수수께끼.

stíck·bàll *n.* Ⓤ 《美》 (좁은 장소에서 하는) 약식 야구.

stícking plàce [**pòint**] 발판; 나사가 걸리는 곳. ***screw one's courage to the ~*** 단행할 결의를 굳히다.

stícking plàster 반창고.

stíck-in-the-mùd *a., n.* Ⓒ 《口》 고루한 (사람), 시대에 뒤진 (사람), 굼뜬 (사람).

stick·le[stíkəl] *vi.* 하찮은 일에 이의를 말하다, 완고하게 주장하다; 망설이다. **-ler** *n.* Ⓒ 까다로운 사람 (*for*). 「기.

stíckle·bàck *n.* Ⓒ 〖魚〗 큰가시고

stíck·pìn *n.* Ⓒ 《美》 넥타이핀.

stick-to-it·ive[stìktúːitiv] *a.* 《美口》 끈질긴, 끈덕진. **~·ness** *n.*

stíck·ùp *n.* Ⓒ 《美俗》 (특히, 권총) 강도, 강탈.

***stick·y**[stíki] *a.* 끈적끈적한, 점착성의; 《口》 이의를 말하는; 무더운; 《口》 귀찮은. **stíck·i·ly** *ad.*

stícky bómb 점착 폭탄《투하 후 명중한 목적물에 들러붙어, 나중에 폭발함》.

stícky-fíngered *a.* 《美俗》 손버릇이 나쁜, 도벽이 있는.

:**stiff**[stif] *a.* ① 뻣뻣한, 경직(硬直)한; 잘 움직이지 않는, 빡빡한. ② (밧줄 따위) 팽팽한. ③ 반죽이 되게 된. ④ 딱딱한, 거북한, 격식을 차린. ⑤ (바람 따위) 심한. ⑥ 곤란한. ⑦ 완고한. ⑧ (술 따위) 독한. ⑨ 《口》 비싼. ⑩ 〖商〗 강세(強勢)의. — *n.* Ⓒ 《俗》 시체; 《俗》 딱딱한 사람; 《俗》 뒤틈바리. * **∠·ly** *ad.* **∠·ness** *n.*

***stiff·en**[∠ən] *vt., vi.* ① 뻣뻣[딱딱]하게 하다; 뻣뻣[딱딱]해지다. ② 세게 하다, 세어지다. ③ 강경하게 하다, 강경해지다. 「완고한.

stíff-nécked *a.* 목덜미가 뻣뻣한;

sti·fle**[stáifəl] *vt.* 질식시키다; 숨막히게 하다; (불을) 끄다; 억[짓]누르다; 진압하다; 숨겨 두다. — *vi.* 질식하다; (연기가) 나다. ***~ … in the cradle 채 자라기 전에 …을 없애다.

stí·fling *a.* 숨 막히는.

stig·ma**[stígmə] *n.* (*pl.* ***~s, -mata [-mətə]) Ⓒ ① 《古》 (노예나 죄수에게 찍던) 낙인. ② 오명, 치욕. ③ 눈에 띄게 하기 위한 기호. ④ 〖植〗 암술머리. ⑤ 〖動〗 기공(氣孔), 숨구멍. ⑥ 〖醫〗 (피부의) 소적반(小赤斑). **stig·mat·ic**[stigmǽtik] *a.* 낙인이 찍힌; 명예롭지 못한; 암술머리[기공, 소적반]의.

stig·ma·tize[∠tàiz] *vt.* (…에) 낙인을 찍다; (…에) 오명을 씌우다, 비

S

난하다(*as*). **-ti·za·tion**[⌐—tizéiʃən/-tai-] *n.*

***stile**[stail] *n.* Ⓒ (사람은 넘을 수 있으나 가축은 다닐 수 없게, 울타리 따위에 만든) 층계; =TURNSTILE.

sti·let·to[stilétou] *n.* (*pl.* ~(*e*)*s*), *vt.* Ⓒ 가는 단검(으로 찌르다, 죽이다).

†**still**[1][stil] *a.* ① 고요한; 정지(靜止)한, 움직이지 않는. ② (목소리가) 낮은. ③ 물결이 일지 않는; (포도주 따위) 거품이 일지 않는. ~ ***small voice*** 양심의 속삭임. — *ad.* ① 상금, 아직, 여전히. ② 더욱 더, 더 한층; 그럼에도 불구하고, 그래도. ③ 조용히. ④《古·詩》늘. ~ ***less*** 《부정구 다음에》하물며〔더군다나〕…않다(*He does not know English, ~ less Latin.* 영어도 모르거늘 하물며 라틴어 따위를 알 턱이 있나). ~ ***more***《긍정구 다음에》더군다나 …이다, 하물며 …에 있어서랴(*He knows Latin, ~ more English.* 라틴어도 알고 있다. 영어 따위는 말할 것도 없다). — *vt., vi.* 고요〔조용〕하게 하다, 진정시키다, 잠잠〔고요〕해지다; 누그러뜨리다, 누그러지다. — *n.* ① (the ~) 침묵, 고요. ② Ⓒ 정물(靜物) 사진; (영화에 대하여) 보통의 사진; (영화의) 스틸. — *conj.* 그럼에도 불구하고. ***∠·ness** *n.* Ⓤ 고요, 침묵; 정지(靜止). **~·y**[1][stíli] *a.*《詩》고요한. **stil·ly**[2][stílli] *ad.* 고요히.

still[2] *n.* Ⓒ 증류기(蒸溜器); 증류소(所).

「사산아(兒).

stíll·bìrth *n.* Ⓤ,Ⓒ 사산(死産); Ⓒ

stíll·bòrn *a.* 사산(死産)의.

stíll hùnt《美》사냥감에 몰래 다가가기; 몰래 하기; 암약.

stíll-hùnt *vi., vt.* 매복시키다; 비밀공작을 하다; 몰래 다가가다.

stíll lífe (*pl.* **~s**) 정물(靜物)(화).

Stíll·son wrènch[stílsən-]〖商標〗파이프렌치, L자형 나사돌리개.

stilt[stilt] *n.* Ⓒ (보통 *pl.*) 죽마(竹馬). **~·ed**[∠id] *a.* 죽마를 탄; (문체 따위) 과장한; 딱딱한.

***stim·u·lant**[stímjələnt] *a.* 자극성의, 흥분시키는. — *n.* Ⓤ,Ⓒ 자극(물), 흥분제.

:**stim·u·late** [stímjəlèit] *vt.* ① 자극하다; 격려하다. ② 술로 기운을 북돋우다, 취하게 하다. ③ 흥분시키다. — *vi.* 자극이 되다. **-la·tive**[-lèitiv/-lə-] *a.* 자극하는. **-la·tor**[-lèitər] *n.* Ⓒ 자극〔격려〕하는 사람〔것〕. ***-la·tion**[⌐—léi-] *n.*

***stim·u·lus**[stímjələs] *n.* (*pl.* **-li** [-lài]) Ⓤ 자극, 흥분; Ⓒ 자극물, 흥분제.

sti·my[stáimi] *n., v.* =STYMIE.

:**sting**[stiŋ] *vt.* (***stung,***《古》***stang; stung***) ① (바늘 따위로) 찌르다, 쏘다. ② 얼얼하게〔따끔따끔 쑤시게〕하다; 괴롭히다; (혀 따위를) 자극하다; 자극하여 …시키다(*into, to*). ③《俗》속이다, 엄청난 값을 부르다. — *vi.* ① 찌르다, 바늘이〔가시가〕돋치다(*a ~ing tongue* 독설). ② 얼얼하다(*Mustard ~s.*); 욱신욱신 쑤시다. — *n.* Ⓒ ① 찌르기; 찔린 상처. ②〖動·植〗바늘, 가시(털); 독아(毒牙). ③ 격통, 고통(거리). ④ 비꼼; 자극물(物). **∠·er** *n.* Ⓒ 쏘는 동물〔식물〕; 침, 가시;《口》빈정거림; 빈정거리는 사람.

「한 맥주.

stin·go[stíŋgou] *n.* Ⓤ,Ⓒ《英俗》독

stíng·rày *n.* Ⓒ〖魚〗가오리.

stin·gy[stíndʒi] *a.* 인색한; 부족한, 빈약한.

stink**[stiŋk] *n., vi., vt.* (stank, stunk; stunk***) Ⓒ 악취(惡臭)(를 풍기다, 풍기게 하다); (*vi.*) 평판이 나쁘다; (*vt.*) 악취를 풍겨 내쫓다(*out*); (*vt.*)《俗》(…의) 냄새를 맡아내다. **∠·ing** *a.* (고약한) 냄새나는, 구린.

stínk bòmb 악취탄.

stínk·bùg *n.* Ⓒ〖蟲〗노린재의 무리; 악취를 풍기는 벌레.

stínk·wèed *n.* Ⓒ 악취 식물.

stint**[stint] *vt.* 바싹 줄이다, 절약하다. — *n.* Ⓤ 제한, 절약, 내기 아까워함; Ⓒ 정량(定量), 할당(된 일). ***without ~ 아낌없이.

stipe[staip], **sti·pes**[stáipi:z] *n.* Ⓒ〖植〗줄기, 잎꼭지〔자루〕.

sti·pend[stáipend] *n.* Ⓒ 급료(cf. wages). **sti·pen·di·ar·y**[staipéndièri/-diəri] *a., n.* 유급(有給)의; Ⓒ 유급자;《英》유급 치안 판사.

stip·ple[stípəl] *vt.* 점화(點畫)〔점각(點刻)〕하다; 점채(點彩)하다. — *n.* Ⓤ 점화〔점각·점채〕법; Ⓒ 점화. **-pler** *n.*

stip·u·late[stípjəlèit] *vt.* (계약서 따위에) 규정하다; 계약의 조건으로서 요구하다. — *vi.* 계약〔규정〕하다, 명기하다(*for*). **-la·tion**[⌐—léiʃən] *n.* Ⓤ 약정; 규정; Ⓒ 조건. **-la·tor** [-lèitər] *n.* Ⓒ 계약자; 규정자.

stip·ule[stípju:l] *n.* Ⓒ〖植〗턱잎, 탁엽(托葉).

:**stir**[1][stə:r] *vt., vi.* (**-rr-**) ① 움직이다; 휘젓다, 뒤섞(여지)다. ② 흥분〔분발〕시키다〔하다〕(*up*). ③ (이하 *vi.*) 활동하다; 유통하다, 전해지다. ***S- your*** STUMPS***!*** — *n.* ① Ⓒ 움직임, 활동; 휘젓기, 뒤섞기. ② Ⓤ 혼란, 큰 법석; 흥분. ③ Ⓒ 찌르기. ***make a*** ~ 평판이 나다. ~ ***and bustle*** 큰 법석. **∠·rer** *n.* Ⓒ 휘젓는 사람; 교반기(器); 활동가. ***∠·ring** *a.* 활동적인; 감동시키는, 북돋우는.

stir[2] *n.* Ⓒ,Ⓤ《俗》형무소.

Stir. Stirling《스코틀랜드의 도시》.

***stir·rup**[stírəp, stə́:rəp] *n.* Ⓒ 등자(鐙子); 등자 줄〔가죽〕.

stírrup bòne =STAPES.

「술잔.

stírrup cùp (마상에서의) 작별의

stírrup pùmp 수동식(手動式) 소화 펌프.

:**stitch**[stitʃ] *n.* ① Ⓒ 한 바늘〔땀, 뜸〕; 꿰매는〔뜨는〕법, 스티치; (실) 땀, (뜨개질의) 코. ② Ⓒ (a ~) (천

따위의) 조각. ③ (a ~)《口》약간. ④ (a ~) (옆구리 따위의) 격통. — *vt., vi.* 깁다, 꿰매다; 꿰매어 꾸미다; (책을) 철하다, 매다.

St. Mo·ritz [sèint mərí:ts/-mɔ́:rits] 세인트 모리츠《스위스 남동부의 휴양지; 스키·스케이트가 성함》.

stoat [stout] *n.* Ⓒ 〖動〗 (특히, 여름철 털이 갈색인) 담비; 족제비.

:stock [stɑk/-ɔ-] *n.* ① Ⓒ (초목의) 줄기; 《古》 그루터기; (접목의) 대목(臺木). ② Ⓒ (기계·연장의) 대(臺), 자루; (총의) 개머리. ③ (the ~s) 〖史〗 (죄인의) 망신 차꼬대. ④ (*pl.*) 조선대(造船臺). ⑤ Ⓤ 가계(家系), 혈통, 가문. ⑥ Ⓤ,Ⓒ 증권, (자본) 주식, 공채(증서). ⑦ Ⓒ,Ⓤ 저축; Ⓤ 저장품; 재고품, 스톡. ⑧ Ⓤ《집합적》 가축. ⑨ Ⓤ (공업의) 원료; (수프나 소스 재료의) 삶아낸 국물. ⑩ Ⓒ 〖劇〗 레퍼토리식 전속 극단. ⑪ Ⓒ 바보, 비웃음의 대상. ⑫ Ⓒ,Ⓤ 〖植〗 자라난화(紫羅欄花). ***dead*** ~ 농기구. ***farm*** ~ 농장 자산《농구·가축·작물 따위》. ***in*** 〔***out of***〕 ~ (상품이) 재고가 있는〔품절되어〕. ***live*** ~ 가축. ***on the ~s*** (배가) 건조중; 계획중. ~ ***in trade*** 재고품; (목수 등의) 연장; 필요 수단. ~ ***of knowledge*** 쌓아올린 지식. ***~s and stones*** 목석, 무정한 사람. ***take*** ~ 재고품을 조사하다; 평가하다. ***take ~ in*** 《口》 …에 흥미를 가지다, …을 존중〔신용〕하다. ***take ~ of*** …을 검사하다. — *a.* ① 수중에 있는, 재고의. ② 보통의, 흔한. ③ 가축 사육의. ④ 주〔공채〕의. — *vt.* ① 사들이다. ② 저장하다, 공급하다(*with*). ③ (…에) 대(臺)를 달다. ④ (농장에) 가축을 넣다. ⑤ (…에) 씨를 뿌리다(*with*). — *vi.* 사들이다(*up*).

˙stock·ade [stɑkéid/-ɔ-] *n.* Ⓒ 방책(防柵); 울타리를 둘러 친 곳, 가축 울; 〖美軍〗 영창. — *vt.* 울타리를 둘러치다〔막다〕.

stóck·brèeder *n.* Ⓒ 목축업자.

stóck·brèeding *n.* Ⓤ 목축업.

stóck·bròker *n.* Ⓒ 증권 중매인.

stóck càr 가축 운반 화차.

stóck certìficate 《美》 주권; 《英》 공채 증서.

stóck còmpany 《美》 주식회사; (극장 전속의) 레퍼토리 극단.

stóck dìvidend 주식 배당.

stóck exchànge 증권 거래소; 증권 매매인 조합.

stóck fàrmer 목축업자.

stóck fàrming 목축업.

stóck·fish *n.* Ⓒ 건어, 어물(魚物).

˙stóck·hòlder *n.* Ⓒ 《美》 주주(株主)(《英》 shareholder).

Stock·holm [stɑ́khoulm/stɔ́khoum] *n.* 스웨덴의 수도.

stock·i·nette, stock·i·net [stɑ̀kənét/-ɔ̀-] *n.* Ⓤ 《주로 英》 (속옷용의) 메리야스.

:stock·ing [stɑ́kiŋ/-ɔ́-] *n.* Ⓒ (보통 *pl.*) 스타킹, 긴 양말 (모양의 것). (*six feet*) ***in one's ~s*** 〔~ ***feet***〕 양말만 신고, 구두를 벗고 (키가 6피트, 따위). **~·less** *a.*

stóck·jòbber *n.* Ⓒ 《美》 증권 중매인; 《英》 투기업자.

stock·man [ˊ-mən] *n.* Ⓒ 《美》 목축업자; 창고 계원.

˙stóck màrket 증권 시장〔매매, 시세〕; 가축 시장.

stóck phràse 판에 박은 문구.

stóck·pìle *n., vt., vi.* Ⓒ (긴급용 자재의) 축적; 재고; 핵무기 저장; 비축하다.

stóck ràising 목축(업).

stóck·ròom *n.* Ⓒ 저장소〔실〕, 창고; 상품 (견본) 진열실.

stóck-stìll *a.* 움직이지 않는.

stóck·tàking *n.* Ⓤ 시재(時在) 조사, 재고(품) 조사; (사업 따위의) 실적 조사.

stóck tìcker (전신에 의한) 증권 시세 표시기.

stock·y [ˊi] *a.* 땅딸막한, 단단한.

stóck·yàrd *n.* Ⓒ 가축 수용장.

stodg·y [stɑ́dʒi/-ɔ́-] *a.* (음식이) 진한; 소화가 잘 안 되는; (책이) 재미 없는(dull); (문체 따위가) 답답한; 진부한.

sto·gie, -gy [stóugi] *n.* Ⓒ 갸름한 싸구려 여송연(呂宋煙).

Sto·ic [stóuik] *n.* Ⓒ (아테네의) 스토아 철학자; (s-) 금욕주의자. — *a.* 스토아 학파의; (s-) =STOICAL.

Sto·i·cism [ˊ-sìzəm] *n.* Ⓤ 스토아 철학; (s-) 금욕주의, 견인(堅忍)(patient endurance); 냉정.

sto·i·cal [-əl] *a.* 금욕의; 냉정한. **~·ly** *ad.*

stoke [stouk] *vt.* (불을) 쑤셔 일으키다; (난로 따위의) 불을 때다. — *vi.* 불을 때다. **stók·er** *n.* Ⓒ 화부; 자동 급탄기(給炭機).

stóke·hòld *n.* Ⓒ (기선의) 기관실.

stóke·hòle *n.* Ⓒ (기관의) 화구(火口); =STOKEHOLD.

STOL [stoul, éstoul] (<*s*hort *t*ake *o*ff and *l*anding aircraft) *n.* Ⓒ 단거리 이착륙기.

:stole[1] [stoul] *v.* steal의 과거.

stole[2] *n.* Ⓒ (끝을 앞으로 늘어뜨리는) 여자용 어깨걸이; 〖宗〗 영대(領帶) 《성직자가 목에 둘러 앞으로 늘이는 갸름한 천》. 「사. — *a.* 훔친.

:sto·len [stóulən] *a.* steal의 과거분

stol·id [stɑ́lid/-ɔ́-] *a.* 둔감한, 멍청한. **~·ly** *ad.* **sto·lid·i·ty** [stəlídəti/stɔ-] *n.*

sto·lon [stóulɑn/-lɔn] *n.* Ⓒ 〖植〗 포복경(匍匐莖), 기는 줄기.

sto·ma [stóumə] *n.* (*pl.* ***-mata*** [-mətə]) Ⓒ 〖動·植〗 기공(氣孔).

:stom·ach [stʌ́mək] *n.* ① Ⓒ 위(胃); 배. ② Ⓤ 식욕(*for*). ③ Ⓤ 욕망, 기호, 기분(*for*). — *vt.* 삼키다; 먹다, 소화하다; (모욕 따위를) 참다(bear).

˙stómach·àche *n.* Ⓤ,Ⓒ 복통.

stom·ach·er [stʌ́məkər] *n.* Ⓒ

S

(15-16세기 경의) 여성용 삼각형의 가슴 장식.

stom·ach·ic [stəmǽkik] *a., n.* 위의, 소화를 돕는; Ⓒ 건위제(劑).

stómach pùmp 〖醫〗 위세척기.

sto·ma·ti·tis [stòumətáitis] *n.* Ⓤ 〖醫〗 구내염(口內炎).

sto·ma·to·l·o·gy [stòumətálədʒi] *n.* Ⓤ 구강병학.

stomp [stɑmp/stɔmp] 《口》 *vt.* (…을) 짓밟다; 쿵쿵 밟다. — *vi.* 쿵쿵 발을 구르다; (…을) 짓밟다(*on*). — *n.* Ⓒ 쿵쿵 밟음; 스톰프《세게 마루를 구르는 재즈 댄스의 일종》.

†**stone** [stoun] *n.* ① Ⓒ 돌; Ⓤ 석재(石材). ② Ⓒ 묘비; 숫돌, 맷돌. ③ Ⓒ 보석(*a nineteen* ~ *watch* 19석 시계). ④ Ⓒ 〖醫〗 결석(結石)(병). ⑤ Ⓒ (굳은) 씨, 핵(核). ⑥ (*sing.* & *pl.*) 《英》 스톤《중량의 단위, 14 파운드》. ***at a ~'s cast* [*throw*]** 아주 가까운 곳에. ***cast the first ~*** 맨 먼저 비난하다. ***cast* [*throw*] *~s* [*a ~*] *at*** …을 비난하다. ***leave no ~ unturned*** 온갖 수단을 다하다(*to* do). — *a.* 돌의, 석조(石造)의; 막사기그릇의. — *vt.* (…에) 돌을 깔다[놓다]; (…에) 돌을 던지다[던져 쫓다, 던져 죽이다]; (…의) 씨를 빼다. **∠·less** *a.* 돌[씨] 없는.

Stóne Àge, the 석기 시대.

stóne-blìnd *a.* 아주 눈이 먼.

stóne·brèaker *n.* Ⓒ (도로 표면을 마무리하기 위해서) 돌 깨는 사람; 쇄석기.

stóne-bróke *a.* 《俗》 무일푼의.

stóne brùise 돌을 밟아 생긴 (발바닥의) 상처.

stóne-cóld *a.* 돌같이 차가운.

stóne·cùtter *n.* Ⓒ 석공, 석수; 돌 깨는 기계.

stóne-déad *a.* 완전히 죽은.

stóne-déaf *a.* 전혀 못 듣는.

stóne fénce 《美俗》 칵테일의 하나《위스키와 사과주》.

stone frùit 핵과(核果).

Stone·henge [∠hèndʒ/∠∠] *n.* 영국 Wiltshire의 Salisbury 평원에 있는 거대한 석주군(石柱群).

stóne·màson *n.* Ⓒ 석공, 석수.

stóne òil 석유(petroleum).

stóne pìt 채석장.

stóne's cást [**thrów**] 돌을 던지면 닿을 만한 거리《약 50-150 야드》.

stóne·wàll *n., a.* Ⓒ 돌담(같이 튼튼한). — *vt., vi.* 〖크리켓〗 신중히 타구하다; 《英》 (의사를) 방해하다(filibuster).

stóne·wàlling *n.* Ⓤ 《美俗》 거짓말을 우김; 《英》 〖政〗 의사 방해; 입을 다문 채 버팀. 「릇.

stóne·wàre *n.* Ⓤ 석기; 막사기그

stóne·wórk *n.* Ⓤ 돌세공; 〖建〗 석조 부분, 석조(건축)물.

stonk [stɑŋk/-ɔ-] *n., vt.* Ⓒ 맹폭격(하다).

:**ston·y** [stóuni] *a.* 돌의, 돌 같은, 돌이 많은; 무정한; 무표정한.

stóny-bróke *a.* 《俗》 =STONE-BROKE. 「사).

†**stood** [stud] *v.* stand의 과거(분

stooge [stuːdʒ] *n., vi.* Ⓒ 《俗》 어릿광대의 보조[얼간이] 역(을 하다); 보조역[보좌역](을 하다); 조수; 남의 뜻대로 하는 사람, 꼭두각시; 떠어[날아] 다니다, (비행기로) 선회하다(*about, around*).

:**stool** [stuːl] *n.* ① Ⓒ (등·팔걸이 없는) 걸상. ② Ⓒ 발판, 무릎 받치는 궤. ③ Ⓒ 걸상 비슷한 물건; 실내용 변기; 변소. ④ Ⓤ (대)변(*green* ~ 녹변). ***fall between two ~s*** 욕심 부리다 모두 실패하다.

stóol pìgeon 후림 비둘기; 한통속; (경찰의) 끄나풀.

:**stoop**[1] [stuːp] *vi.* ① 몸을[허리를] 굽히다(*over*); 허리가 굽다. ② (나무·벼랑 등이) 구부러지다. ③ 자신을 낮추어[굽히어] …하다(*to* do); (…으로) 전락하다(*to*). — *vt.* (머리·등 따위를) 굽히다. ~ ***to conquer*** 굴욕을 참고 목적을 이루다. — *n.* (a ~) 앞으로 몸을 굽힘; 새우등; 굴종, 겸손.

stoop[2] *n.* Ⓒ 《美》 현관의 툇마루.

†**stop** [stɑp/-ɔ-] *vt.* (***-pp-***) ① 멈추다, 그만두다, 세우다. ② 중지하다; 그만두게 하다, 방해하다. ③ (교통을) 스톱하다; 막다. ④ (속이 궤져 나오는 것을) 멈추게 하다, 마개를 하다, 틀어 막다. ⑤ 〖拳〗 K.O.시키다. — *vi.* ① 서다, 멈추다, 중지하다, (비 따위가) 멎다. ② 《口》 묵다. ~ ***down*** 〖寫〗 렌즈를 조르다. ~ ***off*** 《美口》 단기간 머무르다. ~ ***over*** 《美》 도중 하차하다; =STOP OFF. ~ ***to think*** 천천히 생각하다. — *n.* Ⓒ ① 멈춤, 멎음, 중지, 휴지(休止). ② 정류소. ③ 장애물. ④ 〖機〗 멈추개. ⑤ 체재; 종지(終止); 구두점(*a full* ~ 종지부). ⑥ 〖樂〗 (오르간의) 스톱, 음전(音栓). ⑦ 〖音聲〗 폐쇄음《p, t, k; b, d, g 등》. ⑧ 〖컴〗 멈춤. ***put a ~ to*** …을 그치게[끝내게] 하다.

stóp-and-gó *a.* 조금 가다가 서는, (교통) 신호 규제의.

stóp·còck *n.* Ⓒ (수도 따위의) 꼭지, 고동.

stope [stoup] *n., vt., vi.* Ⓒ 채굴장(에서 채굴하다).

stóp·gàp *n., a.* Ⓒ 임시 변통(의), 빈 곳 메우기(에 쓰는).

stóp-go sígn 《英口》 교통 신호.

stóp·lìght *n.* Ⓒ 정지 신호; (자동차 뒤의) 스톱라이트, 정지등.

stóp·òut *n.* Ⓒ 《美》 일시 휴학생.

stóp·òver *n.* Ⓒ 도중 하차.

stop·page [∠idʒ] *n.* Ⓤ,Ⓒ 정지, 중지; 장애.

stóp páyment 〖商〗 (수표의) 지불정지 지시.

stóp·per *n., vt.* Ⓒ 멈추는[막는] 사람[것]; 마개(를 하다, 로 막다).

stóp·ping *n.* Ⓤ,Ⓒ 중지, 정지; 메우개.

stop·ple[stápəl/-ɔ́-] *n., vt.* Ⓒ 마개(를 하다).

stóp prèss 《英》(윤전기를 멈추고 삽입하는) 최신 뉴스.

stóp·wàtch *n.* Ⓒ 스톱워치.

***stor·age**[stɔ́:ridʒ] *n.* ① Ⓤ,Ⓒ 보관; 저장(소), 창고. ② Ⓤ 보관료. ③ Ⓤ,Ⓒ 〖컴〗 기억 (장치).

stórage bàttery 축전지.

stórage cèll 축전지; 〖컴〗 기억 단위.

stórage règister 〖컴〗 기억 레지스터.

†**store**[stɔ:*r*] *n.* ① Ⓒ (종종 *pl.*) 비축, 저장, 준비; (지식 따위의) 축적; 다량(*of*). ② (*pl.*) 필수품; 저장소; 창고. ③ Ⓒ 《美》 상점. ④ (*pl.*) 《英》 백화점. ⑤ Ⓒ 〖컴〗 기억《데이터를 기억 장치에 저장하는 것》. ***in*** **~** 저장하여, 마침 가지고 있어, 준비하여(*for*); (재난 따위가) 기다리고 있어(*for*). ***set*** (***great***) **~** ***by*** 〔***upon***〕 …을 (크게) 존중하다. — *vt.* ① 저축〔저장〕하다(*up*); 떼어두다. ② 창고에 보관하다; 공급하다(*with*); 넣을 여지가 있다. ③ 〖컴〗 (정보를) 기억시키다.

stóre·frònt *n.* Ⓒ 《美》 (길거리에 면한) 점포〔빌딩〕의 정면(이 있는 방〔건물〕). 「보고.

***stóre·hòuse** *n.* Ⓒ 창고; (지식의)

***stóre·kèeper** *n.* Ⓒ ① 《美》 가게 주인. ② 창고 관리인.

stóre·ròom *n.* Ⓒ 저장실.

‡**sto·rey**[stɔ́:ri] *n.* 《英》 =STORY[2].

sto·ried[1][stɔ́:rid] *a.* 이야기〔역사·전설〕로 유명한; 역사〔전설〕화(畫)로 장식한. 「은, …층의.

sto·ried[2], **-reyed** *a.* …층으로 지

sto·ri·ette[stɔ̀:riét] *n.* Ⓒ 장편(掌編) 소설, 짧은 이야기.

sto·ri·ol·o·gy[stɔ̀:riálədʒi/-ɔ́l-] *n.* Ⓤ 민화〔전설〕 연구.

***stork**[stɔ:*r*k] *n.* Ⓒ 황새《갓난아이는 이 새가 갖다 주는 것이라고 아이들은 배움》.

†**storm**[stɔ:*r*m] *n.* Ⓒ ① 폭풍우; 큰비〔눈〕; 심한 천둥. ② 빗발치듯 하는 총알〔칭찬〕; 우레 같은 박수; (노여움 따위의) 폭발, 격정. ③ 강습(強襲). ***a*** **~** ***in a teacup*** 헛소동, 집안 싸움. ***the*** **~** ***and stress*** 질풍 노도 《18세기 후반의 독일 문예 운동 (시대); <G. *Sturm und Drang*》. — *vi.* ① (날씨가) 험악해지다. ② 돌진하다; 날뛰다. ③ 호통치다(*at*). — *vt.* 강습〔쇄도〕하다.

stórm-bèaten *a.* 폭풍우에 휩쓸린.

stórm bòat 〖軍〗 상륙용 배.

stórm·bòund *a.* 폭풍우로 갇힌.

stórm cèllar 폭풍 대피용 지하실.

stórm cènter 폭풍의 중심; 난동의 중심 인물〔문제〕.

stórm clòud 폭풍우를 동반한 먹구름; 동란의 조짐. 「문.

stórm dòor 비바람을 막기 위한 덧

stórming pàrty 〖軍〗 습격대, 공격부대.

stórm sìgnal 폭풍우 신호.

stórm tròoper (특히) 나치 돌격대원.

stórm tròops (Nazi의) 돌격대.

stórm wàrning 폭풍우 주의보.

stórm wìndow (비바람을 막기 위해) 창에 단 덧문.

‡**storm·y**[⌐i] *a.* ① 폭풍우의, 날씨가 험악한. ② 격렬한, 소란스러운.

stórmy pétrel 바다제비(storm petrel); 분쟁을 일으키는 사람.

†**sto·ry**[1][stɔ́:ri] *n.* ① Ⓒ 설화, 이야기; 소설; Ⓤ 전설. ② Ⓒ 신상 이야기; 경력; 전기 일화; 소문. ③ Ⓒ 《口》 꾸며낸 이야기; 거짓말. ④ Ⓤ (소설·극의) 줄거리. ⑤ Ⓒ (신문) 기사. ***to make a long*** **~** ***short*** 간단히 말하면. — *vt.* (이야기·사실(史實))로 꾸미다.

‡**sto·ry**[2] *n.* Ⓒ (집의) 층. ***the upper*** **~** 위층; 두뇌.

stóry·bòok *n.* Ⓒ 얘기〔소설〕책.

stóry·tèller *n.* Ⓒ 이야기꾼; 소설가; 《口》 거짓말쟁이.

stóry·tèlling *n.* Ⓒ 이야기하기; 《口》 거짓말하기.

stóry·wrìter *n.* Ⓒ 소설가, 이야기 작가.

stoup[stu:p] *n.* Ⓒ 물 따르는 그릇, 큰 컵; (교회 입구의) 성수반(聖水盤).

‡**stout**[staut] *a.* ① 살찐, 뚱뚱한. ② 억센, 튼튼한; 용감한. — *n.* ① Ⓤ 흑맥주. ② Ⓒ 살찐 사람; (*pl.*) 비만형의 옷. **⌐·ly** *ad.* **⌐·ness** *n.*

stóut-héarted *a.* 용감한.

‡**stove**[1][stouv] *n.* Ⓒ 스토브; 난로.

stove[2] *v.* stave의 과거(분사).

stóve·pìpe *n.* Ⓒ 난로의 굴뚝; 《美口》 실크해트.

stóve plànt 온실 식물.

stow[stou] *vt.* 챙겨〔꼭꼭 채워, 집어〕 넣다(*in, into*); 가득 채워넣다(*with*). **~** ***away*** 치우다; 밀항하다. ***S- it!*** 《俗》 입닥쳐!, 그만둬! **~·age**[⌐idʒ] *n.* Ⓤ 쌓아 넣기〔넣는 장소〕; 적하(積荷)(료(料)).

stów·awày *n.* Ⓒ 밀항자; 무임 승객; 숨는 장소.

Stowe[stou], **Harriet Beecher** (1811-96) 미국 작가《*Uncle Tom's Cabin*(1852)》.

STP standard temperature and pressure; Scientifically Treated Petroleum 가솔린 첨가제; 《美》 환각제의 일종.

St. Pe·ters·burg [sèint pí:tə*r*zbə̀:*r*g] 러시아 북서부의 도시《옛 이름 Leningrad》.

str. streamer; strait; string(s).

stra·bis·mal[strəbízməl], **-mic** [-mik] *a.* 사팔눈의, 사시의.

stra·bis·mus[strəbízməs] *n.* Ⓤ 사팔눈, 사시(斜視).

strad·dle[strǽdl] *vi., n.* 두 다리를 벌리다, 다리를 벌리고 걷다〔서다, 앉다〕; Ⓒ 그렇게 하기; 《口》 두길마보다〔보기〕, 양다리 걸치기; 〖英海軍〗 협차(夾叉) 포격(하다)(bracket).

— vt. (걸터) 타다, 걸치다; 《口》 (…에 대해) 두길마보다, 양다리 걸치다 (~ *a question*).
Strad·i·va·ri·us [strӕdəvɛ́əriəs, -vɑ́:r-] n. Ⓒ 스트라디바리우스《이탈리아의 Antonius Stradivarius (1644-1737)가 제작한 바이올린·첼로 따위의 악기》.
strafe [streif, -rɑ:f] (<G.) vt. (지상의 적을) 기총소사[폭격]하다; 맹사격[맹폭격]하다; 《俗》 벌주다.
strag·gle [strǽgl] vi. 뿔뿔이[산산이] 흩어지다; 무질서하게 나아가다; (일행에서) 뒤떨어지다; (어지럽게) 뻗쳐 퍼지다, 우거지다(gad); 산재하다. **-gler** n. Ⓒ 낙오[부랑]자; 우거져 퍼지는 풀[가지]. **-gling, -gly** a.
†**straight** [streit] a. ① 곧은, 일직선의; 곧추 선. ② 솔직한; 올바른; 정연한. ③ 《口》 틀림없는(~ *news, tips, &c.*). ④ 《美》 철저한. ⑤ (음료가) 순수한, 섞음질하지 않은(~ *whiskey*). ⑥ 연속의(~ *A's* (성적이) 전수(全秀)); 〖포커〗 다섯 장 연속의(*a ~ flush* 같은 짝 패의 5장 연속《ace, king, queen, jack, ten》). ⑦ 에누리 없는. ***get*** [***make, put, set***] ***things ~*** 물건을 정돈하다. ***~ angle*** 평각. — ad. ① 곧게, 일직선으로; 곧추 서서. ② 직접적으로; 솔직하게. ③ 연속하여; 원작대로. ***~ away*** [***off***] 즉시, 곧. ***~ out*** 솔직하게. — n. (the ~) 직선; 〖競馬〗 (최후의) 직선 코스; Ⓒ 〖포커〗 5장 연속. ***out of the ~*** 비뚤어져.
stráight·awày n., a. Ⓒ 〖競馬〗 직선 코스(의).
stráight·brèd a. 순종의.
:**straight·en** [´-n] vt., vi. ① 똑바르게 하다[되다]. ② 정돈하다.
stráight-fáced a. 무표정한, 진지한 얼굴을 한.
stráight fíght 《英》 두 후보자의 맞대결.
***stráight·fórward** a., ad. ① 똑바로 (향하는). ② 솔직한[하게], 간단한[하게]. **~s** [-z] ad. =STRAIGHTFORWARD.
stráight-óut a. 《美口》 철저한, 완전한.
stráight tìme 규정 노동 시간(에 대한 임금).
***stráight·wày** ad. 곧, 당장.
:**strain**[1] [strein] vt. ① 잡아당기다, 팽팽하게 켕기다. ② 긴장시키다; 힘껏 …하게 하다《눈을 크게 뜨다, 목소리를 짜내다, 따위》. ③ 너무 써서 손상시키다; (힘줄 따위를) 접질리다, 삐다; 곡해하다; 남용하다. ④ 꼭 껴안다. ⑤ 거르다, 걸러내다(*out, off*). — vi. ① 잡아당기다, 켕기다(*at*). ② 긴장하다; 노력하다(*after; to* do). ③ 스며나오다. ***~ a point*** 억지로 갖다 붙이다. ***~ at a*** GNAT. — n. ① U,C 당기기, 켕김, 긴장. ② U,C 큰 수고; 과로; Ⓒ 《口》 무거운 부담. ③ U,C 어긋남, 삠. ④ U,C 변형, 찌그러짐. ⑤ (종종 pl.) 선율, 노래; 가락(*in the same ~*), 말투. ***at*** (***full***) ***~,*** or ***on the ~*** 긴장하여. **~ed** [-d] a. 긴장한; 무리한, 부자연한. **´-er** n. Ⓒ 잡아당기는[켕기는] 사람[기구]; 여과기(濾過器).
strain[2] n. Ⓒ 종족, 혈통; (a ~) 특징, 기미; 기풍, 경향.
:**strait** [streit] a. 《古》 ① 좁은. ② 엄중한. ***the ~ gate*** 〖聖〗 좁은 문《마태복음 7:14》. — n. ① Ⓒ 해협《고유명사로는 보통 pl.》. ② (보통 pl.) 궁핍, 곤란. ***Straits Settlements, the*** 해협 식민지.
strait·en [´-n] vt. 궁핍하게 하다; 제한하다; 《古》 좁히다. **~ed** [-d] a. 궁핍한.
stráit jàcket (미치광이나 난폭한 죄수 등에 입히는) 구속복(拘束服) (camisole).
stráit-làced a. 엄격한.
stráit-wáistcoat n. 《英》 =STRAIT JACKET.
***strand**[1] [strænd] n. Ⓒ 《詩》 물가, 바닷가. — vt., vi. 좌초시키다[하다]; 궁지에 빠지(게 하)다.
strand[2] n. Ⓒ (밧줄·철사 따위의) 가닥, 꼮; (한 가닥의) 실, 줄. — vt. (밧줄의) 가닥을 끊다; 꼬다.
†**strange** [streindʒ] a. ① 이상한, 묘한. ② 모르는, 눈[귀]에 선; 생소한, 익숙하지 못한, 경험이 없는(*to*); 낯선; 서먹서먹한. ③ 《古》 타국의. — ad. 《口》 묘하게. :**´-ly** ad. **´-ness** n.
:**stran·ger** [stréindʒər] n. Ⓒ ① 낯선 사람; 새로 온 사람. ② 제삼자, 문외한, 무경험자. ③ 손님. ④ 《古》 외국인. ***make a*** [***no***] ***~ of*** …을 쌀쌀하게[친절하게] 대하다.
***stran·gle** [strǽŋgəl] vt. ① 교살하다; 질식시키다. ② 억압[묵살]하다.
stránglé hòld 〖레슬링〗 목조르기; 자유 행동[발전 등]을 방해하는 것.
stran·gu·late [strǽŋgjəlèit] vt. 목 졸라 죽이다; 〖醫〗 괄약(括約)하다. **-la·tion** [≻-léiʃən] n.
:**strap** [stræp] n., vt. (**-pp-**) ① 가죽끈(으로 묶다, 때리다). ② 가죽 손잡이. ③ 가죽 숫돌(로 갈다). **´-ping** a., n. 《口》 몸집이 큰(*a ~ping girl*); U,C 매질, 채찍질; Ⓤ 반창고.
stráp·hànger n. Ⓒ 《口》 가죽 손잡이에 매달려 있는 승객.
stra·ta [stréitə, -ǽ-] n. stratum 의 복수.
***strat·a·gem** [strǽtədʒəm] n. U,C 전략; 계략.
***stra·te·gic** [strətí:dʒik], **-gi·cal** [-əl] a. ① 전략(상)의; 전략상 중요한. ② 국외 의존의 군수품 원료의. ③ 전략 폭격(용)의(cf. tactical). **-gi·cal·ly** ad. **-gics** n. Ⓤ 전략, 병법.
Stratégic Àir Commànd 《美》 전략 공군 사령부《생략 SAC》.
Stratégic Defénse Initiative

전략 방어 구상《생략 SDI》.
stratégic matérials (주로 외국에 의존하는) 전략 물자.
***strat·e·gy**[strǽtidʒi] *n.* Ⓤ,Ⓒ ① 용병학, 병법. ② 전략; 교묘한 운용. **-gist** *n.* Ⓒ 전략가.
Strat·ford-on-A·von[strǽtfərd-ɑnéivən/-ɔn-] *n.* 잉글랜드 중부 도시; Shakespeare의 탄생·매장지.
strath[stræθ] *n.* Ⓒ《Sc.》넓은 골짜기.
strat·i·fi·ca·tion[strӕ̀təfikéiʃən] *n.* Ⓤ,Ⓒ 〖地〗 성층(成層), 〖生〗 (조직의) 층(層) 형성; 사회 계층.
strat·i·fy[strǽtəfài] *vt., vi.* 층을 이루(게 하)다.
stra·tig·ra·phy[strətígrəfi] *n.* Ⓤ 층위학(層位學).
strat·o-[stréitou, strǽ-, -tə] '층운(層雲), 성층권'의 뜻의 결합사.
stra·toc·ra·cy [strətɑ́krəsi/-ɔ́-] *n.* Ⓤ 군정, 군인 정치.
strat·o·cruis·er[strǽtoukrù:zər] *n.* Ⓒ 성층권 비행기.
strat·o·sphere[strǽtəsfìər] *n.* (the ~) 성층권; 최고(위).
strat·o·vi·sion[strǽtəvìʒən] *n.* Ⓤ (비행기에 의한) 성층권 TV 방송.
stra·tum** [stréitəm, -ǽ-] *n.* (*pl.* ***-ta[-tə], **~*s***) Ⓒ 층; 지층; 사회 계층.
stra·tus[stréitəs] *n.* (*pl.* ***-ti***[-tai]) Ⓒ 안개구름.
Strauss[straus], **Johann**(1804-49; 1825-99) 오스트리아의 작곡가 부자(父子); **Richard**(1864-1949) 독일의 작곡가.
Stra·vin·sky[strəvínski], **Igor Fëdorovich**(1882-1971) 러시아 태생의 미국 작곡가.
:straw[strɔ:] *n.* ① Ⓤ 짚, 밀짚. ② Ⓒ 짚 한 오라기; (음료용) 빨대. ③ Ⓒ 밀짚모자. ④ Ⓒ 하찮은 물건. ***a ~ in the wind*** 풍향〔여론〕을 나타내는 것. ***catch*** 〔***snatch***〕 ***at a ~*** 〔***two ~s***〕 조금도 개의치 않다. ***make bricks without ~*** 불가능한 일을 꾀하다. ***man of ~*** 짚 인형; 가공 인물; 재산 없는 사람; 믿을 수 없는 사람. ***the last ~*** (끝내 파멸로 이끄는) 최후의 사소한 일. — *a.* ① (밀)짚의, 짚으로 만든. ② 하찮은. ③ 가짜의.
:straw·ber·ry[strɔ́:bèri/-bəri] *n.* Ⓤ,Ⓒ 양딸기.
stráwberry blónde 불그레한 금발머리(의 여인).
stráw·bòard *n.* Ⓤ 마분지.
stráw-còlo(u)red *a.* 밀짚 빛깔〔담황색〕의.
stráw-hàt *n., a.* Ⓒ 밀짚모자;《美》여름 연극(의). 「사.
stráw pòll《美》비공식적인 여론조
stráw vòte《美》(여론 조사를 위한) 비공식 투표.
straw·y[strɔ́:i] *a.* 짚의; 짚 같은, 짚 모양의; 짚으로 만든; 짚으로 인.
:stray[strei] *vi.* ① 길을 잃다; 헤매다, 방황하다. ② 옆길로 빗나가다, 못된 길로 빠지다. — *a.* ① 길 잃은, 일행에서 뒤처진. ② 뿔뿔이 흩어진; 고립한; 드문. — *n.* Ⓒ 길 잃은 가축; 집〔길〕 잃은 아이. **~ed**[-d] *a.* 길 잃은; 일행에서 뒤처진.
:streak[stri:k] *n.* Ⓒ ① 줄, 줄무늬; 광맥. ② 성향(性向), 기미(*a ~ of genius* 천재성의 번득임). ③《美口》단기간. ***like a ~*** (***of lightning***) 전광석화와 같이; 전속력으로. — *vt.* ① (…에) 줄을 긋다, 줄무늬를 넣다. ② 질주하다. ③ 나체로 대중 앞을 달리다. **∠·er** *n.* Ⓒ 스트리킹하는 사람. **∠·ing** *n.* Ⓤ 스트리킹《나체로 대중 앞을 달리기》. **∠·y** *a.* 줄이〔줄무늬가, 얼룩이〕 있는.
†stream[stri:m] *n.* Ⓒ ① 흐름, 시내. ② (사람·물건의) 흐름, 물결. ③ 경향, 풍조. ④ 〖컴〗 정보의 흐름. ~ ***of*** CONSCIOUSNESS. — *vi.* ① 흐르다, 끊임없이 잇따르다. ② 펄럭이다, 나부끼다. — *vt.* ① 흘리다, 유출시키다. ② 펄럭이게 하다. ③ (학생을) 능력별로 편성하다.
***stream·er**[∠ər] *n.* ① 기(旗)드림; (펄럭이는) 장식 리본; (배가 출발할 때 던지는) 테이프. ② (북극광 따위의) 사광(射光), 유광(流光). ③《美》(신문의) 전단(全段) 표제.
stream·let[∠lit] *n.* Ⓒ 작은 시내.
stréam·lìne *n., a., vt.* Ⓒ 유선(流線), 유선형(의, 으로 하다); 간소화〔합리화〕하다. ***~d** *a.* 유선형의, 날씬한; 근대〔능률〕화한. **-lìner** *n.* Ⓒ 유선형 열차.
†street[stri:t] *n.* ① Ⓒ 가로, 거리《미국의 큰 도시에서는, 특히 동서로 뚫린 길》(cf. avenue). ② Ⓒ 차도(車道); …가(街), …로(路). ③ (the ~)《집합적》한 구역〔동네〕 사람들. ***not in the same ~ with***《口》…에는 도저히 못 미치는. ***the man in the ~*** 보통 사람.
stréet Àrab ⇨ARAB.
:stréet·càr *n.* Ⓒ《美》시가 전차.
stréet clèaner 가로 청소부.
stréet crìes (행상인의) 외치는 소리.
stréet dòor 길쪽에 면한 문.
stréet làmp 가로등.
stréet ràilway (전차·버스 등의) 노선; 그 경영 회사.
stréet·scàpe *n.* Ⓒ 가두 풍경.
stréet ùrchin 부랑아.
stréet·wàlker *n.* Ⓒ 매춘부.
†strength[streŋkθ] *n.* ① Ⓤ 힘; 강하기, 강도; 농도. ② Ⓤ 저항〔내구〕력. ③ Ⓤ 병력. ④ Ⓤ 효력. ⑤ Ⓤ,Ⓒ 힘이 되는 것, 의지. ***on the ~ of*** …을 의지하여〔믿고〕.
:strength·en[∠ən] *vt., vi.* ① 강하게 하다; 강해지다. ② 기운을 돋우다; 기운이 나다.
***stren·u·ous**[strénjuəs] *a.* 분투적인; 정력적인. **~·ly** *ad.*
strep·to·coc·cus[strèptəkɑ́kəs/-ɔ́-] *n.* (*pl.* ***-cocci***[-kɑ́ksai/-ɔ́-]) Ⓒ 연쇄상 구균.

S

strep·to·my·cin[strèptoumáisən] *n.* Ⓤ 스트렙토마이신《항생물질》.

:stress[stres] *n.* ① Ⓤ 압력, 압박; 강제; 긴장(*times of* ~ 비상시). ② Ⓤ 노력. ③ Ⓤ,Ⓒ 강조; 중요성; 강세, 악센트. ***lay*** ~ 중점을 두다(*on*). ***under*** ~ ***of*** …때문에, …에 몰려〔쪼들려〕. —— *vt.* ① (…에) 압력을 가하다. ② 중점〔역점〕을 두다, 강조하다. ③ 강세를 두다.

stréss disèase 〖醫〗 (자극·긴장으로 일어난다는) 스트레스병(cf. ⇩).

stréss thèory 〖醫〗 (캐나다의 H. Selye 교수 주창의) 스트레스 학설.

:stretch[stretʃ] *vt.* ① 뻗치다, 잡아당기다〔늘이다〕; 펴다, 펼치다. ② 크게 긴장하다; 억지로 갖다붙이다; 남용하다. —— *vi.* ① 뻗다, 퍼지다. ② 기지개를 켜다, 손발을 뻗다; 손을 내밀다(*out*). ③ (선의) 길이가 …이다; (토지가 …에) 미치다, 뻗치다. ④ 〖TV〗(시간을 끌기 위해) 천천히 하다. ~ ***a point*** 도를 넘치다, 무리한 해석을〔양보를〕하다. ~ ***oneself*** 기지개를 켜다. —— *n.* ① Ⓒ (보통 *sing.*) 신장(伸張), 확장, 퍼짐. ② Ⓒ 긴장. ③ Ⓒ 뻗침, 한동안의 시간〔일, 노력〕; 범위. ④ Ⓒ (보통 *sing.*) 《俗》 징역. ⑤ Ⓒ 견강부회; 남용. ⑥ Ⓒ (경마장 양쪽의) 직선 코스. ***at a*** ~ 단숨에. ***on the*** ~ 긴장하여.

***stretch·er**[strétʃər] *n.* Ⓒ ① 뻗는〔펴는, 펼치는〕 사람〔도구〕. ② (화포(畫布)를 켕기는) 틀. ③ 들것.

strétcher-bèarer *n.* Ⓒ 들것 메는 사람.

strew**[stru:] *vt.* (~ed***; ***strewn***, ~***ed***) ① 흩뿌리다. ② 흩뿌려 뒤덮다(*with*).

stri·a[stráiə] *n.* (*pl.* **-ae**[-ráii:]) Ⓒ (평행한) 가는 줄; 〖地〗 줄자국.

stri·at·ed [stráieitid/–⌐–], **stri·ate**[stráieit] *a.* 줄〔홈이〕 있는. **stri·á·tion** *n.* Ⓤ 줄〔홈〕을 침; 줄무늬〔자국〕, 가는 홈.

:strick·en[stríkən] *v.* 《古》 strike 의 과거분사. —— *a.* ① (탄환 등에) 맞은, 다친. ② (병·곤란 따위가) 덮친(*with*). ~ ***in years*** 나이 먹은.

strick·le [stríkəl] *n.* Ⓒ 평미레; (낫 가는) 숫돌.

:strict[strikt] *a.* ① 엄(격)한. ② 정확한. ③ 절대적인. **:⌐·ly** *ad.* **⌐·ness** *n.*

stric·ture[stríktʃər] *n.* Ⓒ (보통 *pl.*) 비난, 혹평(*on, upon*); 〖醫〗 협착.

:stride[straid] *vi.* (***strode***; ***stridden***, 《古》 ***strid***) ① 큰걸음으로 걷다, 활보하다. ② (…을) 성큼 (뛰어) 넘다(*over, across*). —— *vt.* 성큼 (뛰어) 넘다. —— *n.* Ⓒ ① 큰 걸음. ② 한걸음(의 폭). ***hit one's*** ~ 《口》 가락을〔페이스를〕 되찾다. ***make great*** 〔***rapid***〕 ~***s*** 장족의 진보를 이루다; 급히 가다. ***take*** (*a thing*) ***in one's*** ~ 뛰어넘다; 쉽사리 헤어나다.

stri·dent[stráidənt] *a.* 귀에 거슬리는, 삐걱〔끽끽〕거리는; (빛깔 등이) 야한. **-den·cy** *n.*

strid·u·late[strídʒəlèit] *vi.* (매미·귀뚜라미 따위가) 맴맴〔귀뚤귀뚤〕 울다.

:strife[straif] *n.* Ⓤ,Ⓒ 다툼, 투쟁, 싸움.

:strike[straik] *vt.* (***struck***; ***struck***; 《美》 ***stricken***) ① 치다, 때리다, 두드리다; (타격을) 가하다; 공격하다. ② 부딪다, 맞히다; 푹 찌르다; (화폐 따위를) 찍어내다; (성냥을) 긋다. ③ 뜻밖에 만나다, 발견하다; (…에) 충돌하다; 인상지우다. ④ (시계가 시간을) 치다. ⑤ 갑자기 …하게 하다; (공포 따위를) 느끼게 하다, (병에) 걸리게 하다, 괴롭히다(cf. stricken). ⑥ 생각나다, 발견하다. ⑦ 삭제하다. ⑧ (태도를) 취하다; (식물을) 뿌리박게 하다; (되의 곡물을) 평미레로 밀어 고르다. ⑨ 결산하다; (결)정하다. ⑩ (돛·기를) 내리다, (천막을) 거두다; (일을) 그만두다. ⑪ (물고기를) 낚아 채다. —— *vi.* ① 치다, 때리다, 두들기다. ② 충돌하다, 좌초하다(*against, on*). ③ 불붙다; (빛이) 닿다, (소리가) 귀를 때리다. ④ (새 방향으로) 향하다; 갑자기〔뜻밖에〕 만나다(*on, upon*). ⑤ 꿰뚫다(*through, into*); (식물이) 뿌리박다. ⑥ (시계가) 치다; (항복·인사의 표시로) 기를 내리다. ⑦ 동맹파업을 하다. ~ ***a balance*** 수지를 결산하다. ~ ***at*** …에게 치고 덤비다. ~ ***home*** 치명상을 입히다. 급소를 찌르다. ~ ***in*** 불쑥 말참견하다; 방해하다; (병이) 내공(內功)하다. ~ ***into*** 꿰찌르다; 갑자기 …하기 시작하다. ~ ***it rich*** 《美》 (부광(富鑛)·유전 따위를) 발견하다; 뜻하지 않게 성공하다. ~ ***off*** (목 따위를) 쳐서 떨어뜨리다; 삭제하다; 인쇄하다; (길을) 옆으로 벗어나다, 떨어지다. ~ OIL. ~ ***out*** (불꽃을) 쳐내다; …하기 시작하다; 손발로 물을 헤치며 헤엄치다; 생각해 내다, 발견하다; 삭제하다; 〖野〗 삼진하다〔시키다〕. ~ ***up*** 노래〔연주〕하기 시작하다; (교제를) 시작하다. —— *n.* Ⓒ ① 치기, 타격. ② 파업, 스트라이크(*They are on* ~. 파업중/*go on* ~ 파업을 하다)(cf. lockout). ③ 〖野·볼링〗 스트라이크. ④ 《美》 (부광(富鑛)·유전의) 발견; 대성공. ***call a*** ~ 파업을 일으키다.

stríke·bòund *a.* 파업으로 기능이 정지된.

stríke·brèaker *n.* Ⓒ 파업 파괴자; 파업을 깨뜨릴 직공을 주선하는 사람.

stríke·brèaking *n.* Ⓤ 파업 파괴.

stríke fàult 〖地〗 주향(走向) 단층.

stríke-òut *n.* Ⓒ 〖野〗 삼진.

stríke pày (조합으로부터의) 파업 수당.

strik·er[⌐ər] *n.* Ⓒ 치는 사람〔것〕; 동맹 파업자; 《美》 잡역부; 당번병.

:strik·ing[⌐iŋ] *a.* ① 치는. ② 파업중인. ③ 현저한, 두드러진; 인상적인. **~·ly** *ad.*

stríking dìstance 공격 유효 거리.
Strind·berg [stríndbəːrg], **August** (1849-1912) 스트린드베리 《스웨덴의 극작가·소설가》.
:string [striŋ] *n.* ① Ⓤ,Ⓒ 실, 끈. ② Ⓒ 실에 꿴 것. ③ Ⓒ (활·악기 따위의) 현(弦); (*pl.*) 현악기; (the ~s) (관현악단의) 현악기부(部)(cf. the winds). ④ Ⓒ 〖植〗 섬유, 덩굴; 일련(一連), 일렬. ⑤ (*pl.*) 《美口》 부대 조건, 단서(但書). ⑥ Ⓒ 〖컴〗 문자열(文字列). ***attach ~s*** 조건을 붙이다. ***get*** 〔***have***〕 ***a person on a ~*** 아무를 마음대로 조종하다. ***on a ~*** 허공에 떠서, 아슬아슬 하여; (남이) 시키는 대로. ***pull the ~s*** 배후에서 조종하다, 흑막이 되다. — *vt.* (***strung***) ① 실에 꿰다; 끈으로 묶다; 현〔줄〕을 달다; (…의) 현을 조르다. ② (기분을) 긴장시키다(*up*); 흥분시키다. ③ (콩 따위의) 덩굴손을 없애다. ④ 일렬로 늘어세우다(*out*). ⑤ 《美俗》 속이다. — *vi.* ① 실이 되다. ② 줄지어 나아가다. **~ *out*** 《美口》 늘이다, 펼치다. **~ *up*** 《口》 목 졸라 죽이다. **~ed** [-d] *a.* 현(弦)이 있는; 현악기의〔에 의한〕.
stríng àlphabet (맹인용) 끈 문자《매듭 방법으로 글을 나타냄》.
stríng bànd 현악단.
stríng bèan 깍지를 먹는 콩《어떤 종류의 강낭콩·완두 등》; 그 깍지.
stríng devèlopment =RIBBON DEVELOPMENT.
strin·gen·do [strinʒéndou] *ad.* (It.) 〖樂〗 스트린젠도《점점 빠르게》.
strin·gent [stríndʒənt] *a.* (규칙 따위가) 엄중한; (금융 사정이) 절박〔핍박〕한, 돈이 잘 안 도는; (의론 따위) 설득력이 있는, 유력한. **-gen·cy** *n.* **~·ly** *ad.*
string·er [stríŋər] *n.* Ⓒ (활의) 시위 메우는 장색(匠色); (철도의) 세로 침목; (배의) 종통재(縱通材); 〖建〗 세로 도리; 《美·Can.》 (신문·잡지 따위의) 지방 통신원; …급 선수(*a second ~*) 2군〔보결〕 선수).
string·halt [stríŋhɔ̀ːlt] *n.* Ⓤ 〖獸醫〗 (말의) 절름증.
stríng quartét(te) 현악 4중주 「(단).
string·y [stríŋi] *a.* 실의, 실 같은; (액체가) 실오리처럼 늘어지는, 끈적끈적한; 섬유질의; 힘줄이 많은.
:strip¹ [strip] *vt.* (***-pp-***) 벌거숭이로 만들다; (…의) 덮개를 없애다, 벗기다; (배·포(砲) 따위의) 장비를 떼다; 나삿니를 마멸시키다. — *vi.* 옷을 벗다. **~ *off*** 벗기다, 빼앗다. **∠·per** *n.*
:strip² *n., vt.* (***-pp-***) Ⓒ ① 길고 가는 조각(으로 만들다). ② (신문·잡지의) 연재 만화(comic strip). ③ 활주로; (떼어낼 수 있게 된) 철판 활주로.
:stripe¹ [straip] *n.* Ⓒ ① 줄; 줄무늬. ② 〖軍〗 수장(袖章). ③ 종류, 형(型). — *vt.* (…에) 줄무늬를〔줄을〕 달다. **˚~d** [-t] *a.*
stripe² *n.* Ⓒ 《古》 매〔채찍〕질; 채찍〔맷〕자국.
stríp·lìghting *n.* Ⓤ (가늘고 긴) 형광등에 의한 조명.
strip·ling [∠liŋ] *n.* Ⓒ 청년, 젊은이.
stríp mìning 노천 채광(採鑛).
stríp·tèase *n.* Ⓤ,Ⓒ 《美》 스트립쇼.
stríp·tèaser *n.* Ⓒ 스트리퍼.
:strive [straiv] *vi.* (***strove; striven***) ① 애쓰다, 노력하다(*to* do; *for, after*). ② 싸우다; 겨루다(*against, with*).
stro·bo·scope [stróubəskòup] *n.* Ⓒ 요지경의 일종; 스트로보스코프《급속히 회전〔운동〕하는 물체를 관찰〔촬영〕하는 장치》.
stro·bo·tron [stróubətràn/-ɔ̀n] *n.* Ⓒ 가스가 든 전자관(管).
strode [stroud] *v.* stride의 과거.
Strog·a·noff, s- [strágənɑf/strɔ́gənɔf] *a.* 스트로가노프(요리)의 《얇게 저민 고기 등을 sour cream, *bouillon*, mushrooms 따위를 넣어 끓인》(*beef ~* 비프 스트로가노프).
:stroke¹ [strouk] *n.* Ⓒ ① 침, 때림, 일격. ② (시계의) 치는 소리(*on the ~ of six,* 6시를 치자). ③ (a ~) (운명의) 도래, 우연한 운(*a ~ of good luck*). ④ (심장의) 고동, 맥박. ⑤ (수영의) 한 번 손발 놀리기; 날개치기; 붓의 일필; 한 칼, 한 번 새김, (손이나 기구의) 한 번 움직임〔놀림, 내휘두름〕. ⑥ (a ~) 한바탕 일하기, 한 차례의 일; 수완. ⑦ (병의) 발작; 졸도. ⑧ (보트의) 한 번 젓기; 정조수(整調手). ⑨ 〖컴〗 스트로크; (키보드상의 키) 누르기, 치기(자판). ***at a ~*** 일격으로, 단번에. ***finishing ~*** 최후의 일격〔마무리〕. ***keep ~*** 박자를 맞추어 노를 젓다. — *vt.* (…에) 선을 긋다; (보트의) 정조수 노릇을 하다.
stroke² *vt., n.* Ⓒ 쓰다듬다〔듬기〕; 어루만지다〔기〕.
stróke fònt 〖컴〗 스트로크 폰트《선의 조합으로 인쇄되는》.
stróke òar (보트의) 정조수(整調手)가 젓는 노; 정조(수).
:stroll [stroul] *vi.* ① 어슬렁어슬렁 거닐다, 산책하다. ② 방랑〔순회 공연〕하다. — *vt.* (…을) 어슬렁어슬렁 거닐다. ***~ing company*** 순회 공연 극단. — *n.* Ⓒ 어슬렁어슬렁 거닐기, 산책. **∠·er** *n.* Ⓒ 어슬렁거리는〔산책하는〕 사람; 순회 배우; 간편한 유모차, (유아의) 보행기.
†strong [strɔːŋ/-ɔŋ] *a.* ① 강한, 힘찬; 튼튼한; (성격이) 굳센; 견고한. ② 잘 하는(*~ in mathematics*); (의론 따위가) 유력한. ③ 인원〔병력 등〕이 …인. ④ (목소리가) 큰; (차가) 진한; (맛 따위) 매운; (술 따위) 독한; 고약한 맛〔냄새〕의; (말씨가) 격렬한, 난폭한. ⑤ 열심인; 강렬한. ⑥ 〖文〗 강변화〔불규칙 변화〕의; 〖音聲〗 강음(強音)의; 〖商〗 강세(強勢)의. ***be ~ against*** …에 절대 반대다. ***have a ~ head*** 〔***stomach***〕 (사람이) 술이 세다. **~ *meat*** 어려운 교의

(敎養)(opp. milk for babies). ***the ~er sex*** 남성. — ***ad.*** (힘)세게, 힘차게; 격렬하게. 「폭력.
stróng àrm (특히, 권총에 의한)
stróng·àrm *a.* 《口》 완력〔폭력〕을 쓰는. — *vt.* (…에게) 폭력을 쓰다; (…에게서) 강탈하다.
stróng·bòx *n.* Ⓒ 금고.
stróng fórce, the 스트롱포스《원자핵 속에서 중성자·양자를 결합하고 있는 힘》. 「계급 9》.
stróng gále 〖氣〗 큰 센바람《풍력
***stróng·hòld** *n.* Ⓒ 요새; 본거지.
:strong·ly[strɔ́(ː)ŋli, strɑ́ŋ-] *ad.* 강하게; 튼튼하게; 열심히.
stróng màn 독재자, 유력자.
stróng-mínded *a.* 마음이 굳센, 과단성〔결단력〕 있는; (여자가) 기벽 있는, 오기 있는.
stróng pòint 장점; 거점, 요지.
stróng·ròom *n.* Ⓒ 금고실, 귀중품실; 광포한 정신병자 수용실.
stron·ti·um[strɑ́nʃiəm, -ti-/-ɔ́-] *n.* Ⓤ 스트론튬《금속 원소; 기호 Sr》.
strop[strɑp/-ɔ-] *n., vt.* (***-pp-***) Ⓒ 가죽숫돌, 혁지(革砥)(에 갈다).
stro·phan·thin[stroufǽnθin] *n.* Ⓤ 〖藥〗 스트로판틴《강심·혈압 강하제》.
stro·phe[stróufi] *n.* Ⓒ (고대 그리스 합창 무용단의) 좌향 선회; 그때 노래하는 가장(歌章); 〖韻〗 절(節), 연(聯).
strop·py[strɑ́pi/-ɔ́-] *a.* 《英俗》 잔뜩 골이 나 있는, 기분이 언짢은; (거칠어) 다루기 어려운.
***strove**[strouv] *v.* strive의 과거.
strow[strou] *v.* 《古》 =STREW.
STRTAC Strategic Army Corps 《美》 전략 육군 병단.
:struck[strʌk] *v.* strike의 과거(분사). — ***a.*** 파업으로 폐쇄된〔영향을 받은〕.
***struc·tur·al**[strʌ́ktʃərəl] *a.* ① 구조(상)의, 조직(상)의. ② 건축의. **~·ly** *ad.* **~·ism** *n.* Ⓤ 구조주의.
strúctural fórmula 〖化〗 구조식.
strúctural linguístics 구조 언어학. 「리학.
strúctural psychólogy 구조 심
:struc·ture[strʌ́ktʃər] *n.* ① Ⓤ 구조; 조직, 조립; 〖컴〗 구조. ② Ⓒ 구조〔건조〕물. 「적 언어.
strúctured lánguage 〖컴〗 구조
strúctured prógramming 〖컴〗 구조화 프로그래밍.
stru·del[strúːdl] *n.* Ⓒ,Ⓤ 과일이나 치즈에 밀가루를 입혀 구운 과자.
:strug·gle[strʌ́gl] *vi.* ① 허위적〔버둥〕거리다(*to*); 고투(苦鬪)하다, 싸우다(*against, with*). ② 노력하다(*to* do, *for*). ③ 밀어 헤치고 나아가다 (*along, in, through*). ***~ to one's feet*** 간신히 일어나다. — *n.* Ⓒ ① 버둥질. ② 노력. ③ 고투, 격투. ***~ for existence*** 생존 경쟁. ***~ for life*** 필사적인 노력. **strúg·gling** *a.* 허위적거리는; 고투하는, (특히) 생활난과 싸우는.

strum[strʌm] *vt., vi.* (***-mm-***) (악기를) 서투르게〔되는 대로〕 울리다〔타다〕 (*on*). — *n.* Ⓒ (악기를) 서투르게 타기; 그 소리.
stru·ma [strúːmə] *n.* (*pl.* ***-mae*** [-miː]) Ⓒ 〖醫〗 갑산선종; 〖植〗 (이끼 따위의) 혹 모양의 돌기. 「부.
strum·pet[strʌ́mpit] *n.* Ⓒ 매춘
strung**[strʌŋ] *v.* string의 과거(분사). ***highly ~ 몹시 흥분하여.
strúng-òut *a.* 《俗》 마약 중독의; 마약이 떨어져 괴로워하는.
strut**[1][strʌt] *vi.* (-tt-***), *n.* 점잔빼며 걷다(*about, along*); Ⓒ 점잔뺀 걸음.
strut[2] *n., vt.* (***-tt-***) Ⓒ 〖建〗 버팀목(을 대다), 지주(支柱)(를 받치다).
'struth[struːθ] *int.* 《口》 아아, 분해, 제기랄《God's truth의 간약형》.
strych·nine[stríknain -ni(ː)n], **-nin**[-nin] *n.* Ⓤ 〖藥〗 스트리키닌.
S.T.S. Scottish Text Society.
Stu·art[stjúːərt] *n.* (보통 the ~s) 스튜어트가(家)《1371-1603년간 스코틀랜드, 1603-1714년간 잉글랜드와 스코틀랜드를 통치한 왕가》. ***Mary ~*** (1542-87)(*Mary, Queen of Scots*) 스코틀랜드의 여왕(재위 1542-67); 사촌인 Elizabeth I를 배반, 처형됨.
stub**[stʌb] *n.* Ⓒ ① 그루터기. ② (연필·양초 따위의) 토막, 동강; 담배꽁초; (이의) 뿌리. ③ 《美》 (수표장(帳)의) 지닐〔베낌〕벌, 부본. ④ 유달리 짧은 물건. — *vt.* (-bb-***) ① (…을) 그루터기로 하다; 그루터기를 뽑아내다. ② (발부리를 그루터기·돌부리 등에) 부딪치다. **∠·by** *a.* 그루터기 같은〔가 많은〕; 땅딸막한; (털 등이) 짧고 뻣뻣한.
***stub·ble**[stʌ́bəl] *n.* Ⓤ ① (보리 따위의) 그루터기. ② 짧게 깎은 머리〔수염〕. **stúb·bly** *a.* 그루터기투성이의〔같은〕; 뭉구리의.
:stub·born[stʌ́bərn] *a.* ① 완고한; 말 안 듣는, 완강한. ② 다루기 어려운. **~·ly** *ad.* **~·ness** *n.*
stuc·co[stʌ́kou] *n.* (*pl.* ~(***e***)***s***), *vt.* Ⓤ 치장 벽토(를 바르다); 그 세공.
:stuck[stʌk] *v.* stick[2]의 과거(분사).
stúck-úp *a.* 《口》 거만한.
stud**[1][stʌd] *n.* Ⓒ ① 장식 징〔못〕. ② (남자 셔츠의) 장식 단추; (기계에 박는) 볼트, 나사; 마개. ③ 〖建〗 샛기둥. — *vt.* (-dd-***) ① 장식못을 박다. ② 점점이 박다. ③ 산재시키다. ④ 샛기둥을 세우다. ***be ~ded with*** …이 점재하다; …이 점점 박혀 있다.
stud[2] *n.* Ⓒ ① 《집합적》 (번식·사냥·경마용으로 기르는) 말들. ② 씨말; 《口》 호색한(漢).
stúd·bòok *n.* Ⓒ (말의) 혈통 대장.
†stu·dent[stjúːdənt] *n.* Ⓒ (대학·고교 등의) 학생; 연구가, 학자.
stúdent bòdy 대학의 학생 전체.
stúdent cóuncil 《美》 학생 자치회.
stúdent intérpreter 수습 통역관; 외국어 연수생.

stúdent·shìp *n.* Ⓤ 학생 신분; Ⓒ《英》대학 장학금.
stúdent téacher 교육 실습생, 교생.
stúdent ùnion 학생 회관.
stúd fàrm 종마(種馬) 사육장.
stúd·hòrse *n.* Ⓒ 종마.
stud·ied[stʌ́did] *a.* 일부로 꾸민, (문체가) 부자연스러운; 심사 숙고한; 《古》박식한, 정통한.
:stu·di·o[stjúːdiòu] *n.* (*pl.* **~s**) Ⓒ ① (화가·사진사 등의) 작업장, 아틀리에. ② 영화 촬영소. ③ (방송국의) 방송실, 스튜디오.
stúdio apàrtment 거실 겸 침실·부엌·욕실로 된 아파트.
stúdio còuch 침대 겸용 소파.
stu·di·ous[stjúːdiəs] *a.* 공부하는, 공부 좋아하는; 열심인; 애쓰는 (*of*); 주의 깊은. **~·ly** *ad.*
†stud·y[stʌ́di] *n.* ① Ⓤ 공부. ② Ⓤ,Ⓒ 조사; 연구. ③ Ⓒ 연구 대상[과목]; (*sing.*) 연구할[볼] 만한 것. ④ Ⓒ 습작; 스케치, 시작(試作); 연습곡 (*étude*). ⑤ Ⓒ 서재, 연구실, 공부방. ⑥ Ⓒ 〖劇〗 대사 암송이 …한 배우(*a slow* [*quick*] ~ 대사 암송이 느린[빠른] 배우). ― *vt.* ① 연구[공부]하다, 잘 조사하다, 유심히[눈여겨] 보다. ② 고려[꾀]하다. ③ (대사 등을) 암기하다. ― *vi.* ① 연구[공부]하다. ② 애쓰다. ③《美》숙고하다.
:stuff[stʌf] *n.* Ⓤ ① 원료. ② 요소, 소질. ③《주로 英》(모)직물; (불특정의) 물건, 물질. ④《口》소지품. ⑤ 잡동사니; 잠꼬대, 허튼 소리[생각]. ***doctor's ~***《口》약. ***Do your ~!***《美俗》네 생각대로 (말)해 버려라! ***S-*** (***and nonsense***)! 바보 같은 소리. ― *vt.* ① (…에) 채우다; 《俗》배불리 먹다[먹이다]. ②《美》(투표함을) 부정 투표로 채우다. ③ (귀·구멍 따위를) 틀어막다(*up*); 〖料理〗 소를 넣다; 메워[틀어, 밀어]넣다 (*into*); 박제(剝製)로 하다. ― *vi.* 게걸스럽게[배불리] 먹다. **∠·ing** *n.* Ⓤ 채워넣기; (가구 따위에) 채워 넣는 깃털[솜]; 요리의 소[속].
stúffed bírd 박제한 새.
stúffed shírt《美俗》(하찮은 주제에) 뽐내는 사람.
stúff gòwn《英》나사 가운《barrister가 되기 전에 입음; cf. silk gown》.
stuff·y[∠i] *a.* 통풍이 안 되는; 답답한, 나른한; (머리가) 무거운; 딱딱한; 성난, 부루퉁한.
stul·ti·fy[stʌ́ltəfài] *vt.* 어리석어 보이게 하다, 무의미하게 하다; (나중의 모순된 행위로써) 무효가 되게 하다. **-fi·ca·tion**[⌐–fikéiʃən] *n.*
stum[stʌm] *n.* Ⓤ (미(未)발효의) 포도즙(must²). ― *vt.* (**-mm-**) (…의) 발효를 방부제로 그치게 하다; 미발효 포도즙을 넣어 발효를 촉진하다.
:stum·ble[stʌ́mbəl] *vi.* ① 헛딛어 곱드러지다(*at, over*); 비틀거리다. ② 말을 더듬다, 더듬거리다(*through, over*), 망설이다. ③ 잘못을 저지르다, (도덕상의) 죄를 범하다. ④ 우연히 만나다, 마주치다(*across, on, upon*). ― *vt.* 비틀거리게 하다, 망설이게 하다. ― *n.* Ⓒ 비틀거림; 실책, 실수.
stúmble·bùm *n.* Ⓒ《美俗》비틀거리는[서투른] 복서; 무능한[바보짓만 하는] 사람.
stúmbling blòck 장애물, 방해물; 고민거리.
stu·mer[stjúːmər] *n.* Ⓒ《英俗》위조 수표, 가짜 돈[물건]; 사기.
:stump[stʌmp] *n.* Ⓒ ① 그루터기; (부러진 이의) 뿌리, (손이나 발의) 잘리고 남은 부분; (연필 따위의) 쓰다 남은 몽당이, (담배, 양초의) 꼬투리. ② 의족(義足); (*pl.*)《俗·諧》다리. ③ 똥똥한 사람; 무거운 발걸음[발소리]. ④ 〖크리켓〗 (삼주문의) 기둥(cf. bail²); (정치 연설할 때 올라서는) 나무 그루터기, 연단. ⑤《美口》감행, 도전. ***on the ~*** 정치 운동을 하여. ***Stir your ~s!*** 빨리 서둘러라. ***up a ~***《美口》꼼짝달싹 못하게 되어, 곤경에 빠져. ― *vt.* ①《口》괴롭히다, 난처하게 하다(*I am ~ed.* 난처하게 됐다). ②《美》(지방을) 유세하다. ③《美口》도전하다. ― *vi.* 의족[무거운 발걸음]으로 걷다;《美》유세하다. **∠·er** *n.* Ⓒ 난문(難問); =STUMP ORATOR. **∠·y** *a.* 그루터기가 많은; 땅딸막한.
stúmp òrator [**spèaker**] 선거[정치] 연설자.
stúmp spèech 선거[정치] 연설.
***stun**[stʌn] *vt.* (**-nn-**) ① (때려서) 기절시키다. ② 귀를 먹먹하게 하다; 어리벙벙하게 하다, 간담을 서늘케 하다. **∠·ner** *n.* Ⓒ 기절시키는 사람[것·타격];《口》멋진 사람; 근사한 것. ***∠·ning** *a.* 기절시키는; 간담을 서늘케 하는;《口》근사한, 멋진.
***stung**[stʌŋ] *v.* sting의 과거(분사).
stún gàs 착란 가스《최루 가스의 일종》.
stunk[stʌŋk] *v.* stink의 과거(분사).
stunt¹[stʌnt] *vt.* 발육을 방해하다, 주접들게 하다. ― *n.* Ⓒ 주접들기; 주접든 동식물. **∠·ed** *a.* 발육 부전의; 지지러진.
***stunt²** *n., vi., vt.* Ⓒ 묘기, 곡예(를 하다), 스턴트; 곡예 비행[운전](을 하다).
stúnt màn 〖映〗 스턴트맨《위험한 장면의 대리역》.
stu·pa[stúːpə] *n.* Ⓒ 〖佛〗 사리탑.
stupe¹[stjuːp] *n.* Ⓒ 습포(濕布).
stupe² *n.* Ⓒ《俗》멍텅구리, 바보.
stu·pe·fa·cient [stjùːpəféiʃənt] *a.* 마취시키는. ― *n.* Ⓒ 마취제 (narcotic).
***stu·pe·fy**[stjúːpəfài] *vt.* 마취시키다; (…의) 지각을 잃게 하다; 멍하게 하다. **-fac·tion**[⌐–fǽkʃən] *n.*
***stu·pen·dous**[stjuːpéndəs] *a.* 엄청난, 굉장[거대]한. **~·ly** *ad.*
:stu·pid[stjúːpid] *a.* 어리석은; 시

시한; 멍청한, 무감각한; 《英方》 고집 센. ~·ly *ad.*
*__stu·pid·i·ty__[stju:pídəti] *n.* Ⓤ 우둔; Ⓒ (보통 *pl.*) 어리석은 짓.
stu·por[stjú:pər] *n.* Ⓤ 무감각, 혼수; 망연.
*__stur·dy__[stə́:rdi] *a.* 억센; 건전한; 완강한; 불굴의. **stúr·di·ly** *ad.* **stúr·di·ness** *n.*
stur·geon[stə́:rdʒən] *n.* Ⓒ,Ⓤ 〖魚〗 철갑상어.
stut·ter[stʌ́tər] *vi., n.* Ⓒ 말을 더듬다(더듬기), 말을 떠듬(우물)거리다(거림). ― *vt.* 떠듬적거리다(*out*). ~·**er** *n.*
St. Válentine's Dày ⇨VALENTINE.
St. Vítus('s) dánce[-váitəs(iz)-] 무도병(chorea).
sty[1][stai] *n.* Ⓒ 돼지우리; 더러운 집(장소).
sty[2], **stye**[stai] *n.* Ⓒ 〖眼科〗 다래끼.
Styg·i·an[stídʒiən] *a.* 삼도(三途)내의, 하계(下界)의; 지옥의; 어두운, 음침한.
:**style**[stail] *n.* 《원뜻 : 첨필(尖筆)》 ① Ⓒ 첨필; (해시계의) 바늘. ② Ⓤ,Ⓒ 문체, 말투. ③ Ⓤ,Ⓒ 스타일; 양식, 형(型), 유행; 〖컴〗 모양새, 스타일《그래픽에서 선분이나 글씨의 그려지는 형태 지정》. ④ Ⓒ (특수한) 방법, 방식. ⑤ Ⓤ 고상함, 품위. ⑥ Ⓒ 호칭, 칭호, 직함. ⑦ Ⓒ 역법(曆法). ⑧ Ⓒ 〖植〗 화주(花柱). ***in good ~*** 고상하게. ***in ~*** 화려하게. ***the New (Old) S-*** 신(구)력(新(舊)曆). ― *vt.* 이름 짓다, 부르다.
stýle·bòok *n.* Ⓒ 〖印〗 활자 견본책; 철자·약자·구두점 따위의 해설서(書); (유행옷의) 스타일북.
sty·let[stáilit] *n.* Ⓒ 단검(短劍); 〖外科〗 탐침(探針), 소식자.
styl·ist[ˊ-ist] *n.* Ⓒ 문장가, 명문가(名文家); (의복·실내 장식의) 의장가(意匠家). **sty·lís·tic** *a.* 문체(상)의; 문체에 공들이는. **sty·lís·tics** *n.* Ⓤ 문체론.
styl·ize[stáilaiz] *vt.* 스타일에 순응시키다, 양식에 맞추다; 인습적으로 하다.
sty·lo[stáilou] *n.* (*pl.* ~*s*) 《口》 =⇩.
sty·lo·graph[stáiləgræ̀f, -grɑ̀:f] *n.* Ⓒ 연필 모양의 만년필.
sty·lus[stáiləs] *n.* Ⓒ 첨필(尖筆), 철필; 축음기 바늘, (레코드 취입용) 바늘.
sty·mie, -my[stáimi] *n.* Ⓒ 〖골프〗 방해구《자기 공과 홀과의 사이에 상대방의 공이 있고, 두 공의 거리가 6인치 이상인 상태》; 그 공(위치). ― *vt.* 방해구로 방해하다; 훼방놓다, 좌절시키다, 어찌 할 도리가 없게 하다.
styp·tic[stíptik] *a.* 출혈을 멈추는; 수렴성(收斂性)의. ― *n.* Ⓒ 지혈제.
stýptic péncil 립스틱 모양의 지혈제《가벼운 상처에 바름》.
sty·rene [stáiəri(:)n, stír-] *n.* Ⓤ 〖化〗 스티렌《합성 수지·합성 고무의 원료》.
Styx[stiks] *n.* 〖그神〗 지옥(Hades)의 강, 삼도(三途)내.
sua·sion[swéiʒən] *n.* Ⓤ 설득, 권고(persuasion). **sua·sive**[swéisiv] *a.* 설득하는.
suave[swɑ:v] *a.* 상냥한, 유순한, 정중한. ˊ·**ly** *ad.* ˊ·**ness** *n.*
suav·i·ty[swɑ́:vəti, -ǽ-] *n.* Ⓤ 온화; Ⓒ (보통 *pl.*) 정중한 태도.
sub[sʌb] *n.* Ⓒ 보충원, 보결 선수; 잠수함; 중위, 소위. ― *a.* 하위(下位)의. ― *vi.* (**-bb-**) 대신하다; 대리를 보다.
sub[sʌb] *prep.* (L.) …의 아래(밑)에.
sub. subaltern; submarine; substitute; suburb(an); subway.
sub-[sʌb, səb] *pref.* '아래·하위(下位)·아(亞)·부(副)·반·조금' 따위의 뜻.
sùb·ácid *a.* 조금 신.
sùb·ágency *n.* Ⓒ 보조 기관; 부(副)대리점.
sùb·ágent *n.* Ⓒ 부대리인.
sùb·álpine *a.* 아(亞)고산대의.
sub·al·tern[səbɔ́:ltərn/sʌ́bltən] *n.* Ⓒ 차관, 부관; 〖英陸軍〗 대위 이하의 사관. ― *a.* 하위의; 속관의; 〖英陸軍〗 대위 이하의.
sub·a·que·ous[sʌ̀béikwiəs] *a.* 수중(水中)(용)의.
sùb·árctic *a.* 아(亞)북극(지방)의.
sùb·átom *n.* Ⓒ 아원자(亞原子)《양자·전자 따위》. ~·**ic**[sʌ̀bətɑ́mik/-ɔ́-] *a.*
súb·chàser *n.* Ⓒ 구잠정(驅潛艇).
súb·clàss *n.* Ⓒ 〖生〗 아강(亞綱).
sùb·commíssioner *n.* Ⓒ 분과위원.
súb·commìttee *n.* Ⓒ 분과(소)위원회.
sùb·cónscious *n., a.* (the ~) 잠재 의식(의), 어렴풋이 의식하고 있는(의식하기). ~·**ly** *ad.* ~·**ness** *n.*
sub·con·tract[sʌ̀bkɑ́ntrækt/-ɔ́-] *n.* Ⓒ 하청(계약). ― [sʌ̀bkəntrǽkt] *vt., vi.* 하청(계약)하다. **-trac·tor**[sʌ̀bkɑ́ntræktər/-kɔntrǽkt-] *n.* Ⓒ 하청인.
súb·cùlture *n.* Ⓤ 〖社〗 소(小)문화, 하위 문화.
súb·cùrrent *n.* Ⓒ (사상 등의) 부수적 사조; 저류(底流), 심층.
sùb·cutáneous *a.* 피하(皮下)의.
sùb·déacon *n.* Ⓒ 〖宗〗 차부제(次副祭), 부집사.
sub·deb[sʌ́bdèb] *n.* 《美口》 =⇩ (cf. debutante).
sùb·débutante *n.* Ⓒ 아직 사교계에 나서지 않은 15, 16세의 처녀; =TEENAGER.
sùb·diréctory 〖컴〗 아랫(자료)방 《다른 자료방(directory) 아래에 있는 자료방》.
sùb·divíde *vt., vi.* 재분(再分)(세분)하다. ***-divísion** *n.* Ⓤ 재분, 세분; Ⓒ (세분한) 일부; 분할 부지.
sub·dóminant *a., n.* Ⓒ 〖樂〗 버금딸림음(의).
:**sub·due**[səbdjú:] *vt.* ① 정복하다,

이기다; 복종시키다, 회유하다. ② 억제하다. **~d**[-d] *a.* (빛·색·가락 따위) 차분한, 부드러운(*a color of subdued tone* 차분한 빛깔); (목소리를) 낮추는, 누그러뜨리는. **sub-dú·al** *n.*

sùb·édit *vt.* 《英》 (…의) 부(副)주필 일을 보다. **-éditor** *n.*

súb·èntry *n.* Ⓒ 소표제(어).

súb·fàmily *n.* Ⓒ 〖生〗 아과(亞科).

sub fi·num[sʌb fáinəm] (L.) (참조할 장(章)·절(節) 따위의) 말미(末尾)에《생략 s.f.》.

sùb·fréezing *a.* 빙점하의.

súb·gènus *n.* (*pl.* ***-genera***[-dʒènərə], ***~es***) Ⓒ 〖生〗 아속(亞屬).

súb·gròup *n.* Ⓒ (무리를 나눈) 작은 무리, 하위군(群); 〖化·數〗 부분군(群).

súb·hèad(**ing**) *n.* Ⓒ 작은 표제《표제의 세분》.

sùb·húman *a.* 인간 이하의; 인간에 가까운.

subj. subject; subjective(ly); subjunctive.

sub·ja·cent[sʌ̀bdʒéisənt] *a.* 아래〔밑〕의, 아래에 있는.

†**sub·ject**[sʌ́bdʒikt] *a.* ① 지배를 받는, 종속하는(*to*). ② 받는, 받기〔걸리기〕 쉬운(*to*). ③ (…을) 받을 필요 있는(*This treaty is ~ to ratification.* 이 조약은 비준이 필요하다); (…을) 조건으로 하는, …여하에 달린(*~ to changes*). — *n.* Ⓒ ① 권력〔지배〕하에 있는 사람; 국민, 신하. ② 학과, 과목. ③ 주제, 화제; 〖文〗 주어, 주부; 〖論〗 주사(主辭); 〖哲〗 주체, 주관, 자아; 〖樂·美術〗 주제, 테마. ④ 피(被)실험자, 실험 재료. ⑤ …질(質)의 사람, (…성) 환자. ***on the ~ of*** …에 관하여. — [səbdʒékt] *vt.* ① 복종시키다(*to*); 받게〔걸리게〕 하다(*to*). ② 제시하다, 맡기다(*to*). ***sub·jéc·tion** *n.* Ⓤ 정복; 복종.

súbject-hèading *n.* Ⓒ (도서의) 사항〔타이틀〕 색인.

***sub·jec·tive**[səbdʒéktiv, sʌb-] *a.* ① 주관의, 주관적인; 개인적인. ② 〖文〗 주격의. **~·ly** *ad.* **-tiv·i·ty** [sʌ̀bdʒektívəti] *n.* Ⓤ 주관(성).

súbject màtter 주제, 내용.

sub·join[səbdʒɔ́in] *vt.* (말미에) 추가하다.

sub ju·di·ce[sʌb dʒú:disi] (L.) 심리 중의, 미결의.

sub·ju·gate[sʌ́bdʒugèit] *vt.* 정복하다; 복종시키다. **-ga·tor** *n.* **-ga·tion**[ㄴ-géiʃən] *n.*

sub·junc·tion[səbdʒʌ́ŋkʃən] *n.* Ⓤ 첨가, 증보; Ⓒ 추가〔첨가〕물.

:**sub·junc·tive**[-tiv] *a.* 〖文〗 가정〔가상〕법의. — *n.* (the ~) 가정〔가상〕법; Ⓒ 가정법의 동사《보기: *ware* I a bird; if it *rain;* God *save* the Queen.》 (cf. imperative, indicative). 「가상법.

subjúnctive móod 〖文〗 가정법,

súb·lèase *n.* Ⓒ 전대(轉貸). — [-ㄹ] *vt.* 전대하다.

sub·les·see[sʌ̀blesí:] *n.* Ⓒ 전차인(轉借人). 「인(轉貸人).

sub·les·sor[sʌblésɔ:r] *n.* Ⓒ 전대

sùb·lét *vt.* (~; **-tt-**) 다시 빌려주다; 하청시키다.

sub·lieu·ten·ant [sʌ̀blu:ténənt/-lət-] *n.* Ⓒ 《英》 해군 중위.

sub·li·mate[sʌ́bləmèit] *vt.* 순화(純化)하다; 〖化·心〗 승화시키다. — [-mit] *a., n.* 순화된; 승화(昇華)된; Ⓒ 승화물. **-ma·tion**[ㄴ-méiʃən] *n.* Ⓤ 순화; 승화.

:**sub·lime**[səbláim] *a.* ① 고상〔숭고〕한. ② 장엄〔웅대〕한. — *n.* (the ~) 숭고(함), 장엄. — *vt., vi.* ① 〖化〗 승화시키다〔하다〕. ② 고상하게 하다〔되다〕. **~·ly** *ad.* **sub·lim·i·ty** [-líməti] *n.* Ⓤ 숭고, 장엄; Ⓒ 숭고한 사람〔물건〕.

sub·lim·i·nal[sʌ̀blímənəl] *a.* 〖心〗 식역하(識閾下)의, 잠재 의식의.

sub·lu·nar·y[-lú:nəri], **-nar** [-nər] *a.* 월하(月下)의; 지상의, 이 세상의.

sub·ma·chíne gùn[sʌ̀bməʃí:n-] 《美》 (휴대용) 소형 기관총.

sùb·márginal *a.* (토지가) 경작 한계에 달한.

:**sub·ma·rine**[sʌ́bmərì:n, ㄴ-ㄹ] *n.* Ⓒ 잠수함. — *a.* 바다 속의〔에서 쓰는〕; 잠수함의; 잠수함으로 하는.

súbmarine càble 해저 전선.

súbmarine chàser 구잠정(驅潛艇)《잠수함 추격용》.

súbmarine pèn (지하의) 잠수함 대피소《그냥 'pen'이라고도 함》.

súbmarine tènder 잠수모함(母艦).

sub·max·il·lar·y[sʌ̀bmǽksəlèri/-ləri] *a.* 〖解〗 하악(下顎)(골)의.

sub·merge**[səbmə́:rdʒ] *vt.* ① 물속에 가라앉히다. ② 물에 잠그다. ③ 감추다. — *vi.* (잠수함 등이) 가라앉다, 잠항하다. ***the ~d tenth 사회의 맨밑바닥 사람들. **sub·mér·gence** *n.* Ⓤ 침몰, 잠항; 침수, 관수(冠水).

sub·merse[-mə́:rs] *vt.* =SUBMERGE. **sub·mer·sion**[-ʒən, -ʃən] *n.* =SUBMERGENCE.

sub·mers·i·ble[səbmə́:rsəbəl] *a.* 수중에 가라앉힐 수 있는; 잠수〔잠항〕할 수 있는. — *n.* Ⓒ 잠수〔잠항〕정, 잠수함.

***sub·mis·sion**[-míʃən] *n.* ① Ⓤ,Ⓒ 복종, 항복. ② Ⓤ 순종(*to*). ③ Ⓒ (의견의) 개진(開陳), 제안. **-sive** *a.* 순종하는, 유순한.

:**sub·mit**[-mít] *vt.* (**-tt-**) ① 복종시키다(*to*). ② 제출하다(*to*). ③ 부탁하다, 공손히 아뢰다(*that*). — *vi.* 복종하다(*to*).

sub·mon·tane[sʌ̀bmɑ́ntein/-ɔ́-] *a.* 산 밑〔기슭〕의.

sùb·nórmal *a., n.* 정상 이하의; Ⓒ 정신 박약의 (사람).

sùb·núclear *a.* 원자핵내의.

S

sùb·núcleon *n.* Ⓒ 〖理〗 핵자(核子) 구성자.
sùb·oceánic *a.* 해저의〔에 있는〕 (*a* ~ *oil field* 해저 유전).
sùb·órbital *a.* 〖解〗 안와(眼窩) 밑의; 궤도에 오르지 않는.
súb·òrder *n.* Ⓒ 〖生〗 아목(亞目).
***sub·or·di·nate**[səbɔ́:rdənit] *a.* ① 하위〔차위〕의; 부수하는. ② 〖文〗 종속의. — *n.* Ⓒ 종속하는 사람〔것〕, 부하. — [-nèit] *vt.* 하위에 두다; 경시하다(*to*); 종속시키다(*to*). **-na·tive**[-nèitiv, -nə-] *a.* **-na·tion** [-⌒-néiʃən] *n.* 「절.
subórdinate cláuse 〖文〗 종속
subórdinate conjúnction 종속 접속사《*as, because, if, since, etc.*》.
sub·orn[səbɔ́:rn/sʌb-] *vt.* 거짓 맹세〔위증〕시키다; 매수하다, 나쁜 일을 교사하다. **~·er** *n.* **sub·or·na·tion** [sʌ̀bɔ:rnéiʃən] *n.* 「줄거리.
súb·plòt *n.* Ⓒ (극·소설의) 부가적
sub·poe·na, -pe-[səbpí:nə] *n., vt.* Ⓒ 〖法〗 소환장; 소환하다.
sùb·pólar *a.* 극지에 가까운, 북〔남〕극에 가까운.
súb·prògram *n.* Ⓒ 〖컴〗 서브프로그램.
súb·règion *n.* Ⓒ 〖生〗 (동식물 분포의) 아구(亞區).
Sub·roc[sʌ́brɑ̀k/-rɔ̀k] *n.* 서브록《대잠 미사일》(<*sub*marine+*roc*ket).
sub·ro·gate[sʌ́brəgèit] *vt.* 〖法〗 대위(代位)〔대리〕하다. **-ga·tion**[⌒-géiʃən] *n.* Ⓤ 대위(변제). 「히.
sub ro·sa [sʌb róuzə] (L.) 비밀
súb·routìne *n.* Ⓒ 〖컴〗 서브루틴.
***sub·scribe**[səbskráib] *vt.* ① 서명하다; (기부금 등에) 서명하여 동의하다, 기부하다. ② (신문·잡지 등을) 예약하다. ③ (주식 등에) 응모하다. — *vi.* ① 서명〔기부〕하다(*to*); 기부자 명부에 써넣다. ② 찬성하다(*to*). ③ 예약〔구독〕하다; (주식 등에) 응모하다(*for*). ***sub·scríb·er** *n.* Ⓒ 기부자; 구독〔예약〕자; 응모〔서명〕자.
sub·script[sʌ́bskript] *a., n.* Ⓒ 아래〔밑〕에 쓴 (숫자·문자)《H_2O의 2, $\Sigma\lambda\kappa$의 κ 따위》; 〖컴〗 첨자(添字). ***~ed variable*** 〖컴〗 첨자 변수.
***sub·scrip·tion** [səbskrípʃən] *n.* ① Ⓒ 서명(승낙). ② Ⓤ 기부; Ⓒ 기부금. ③ Ⓤ 예약 구독료〔구독 기간〕; 예약, 응모.
subscríption cóncert 예약(제) 음악회.
subscríption télevision 〔**T́V**〕 (유선으로 송신되는) 유료 텔레비전.
sub·sec·tion[sʌ̀bsèkʃən] *n.* Ⓒ (section의) 세분, 소부(小部).
***sub·se·quent**[sʌ́bsikwənt] *a.* 뒤〔다음〕의; 뒤이어〔잇따라〕 일어나는 (*to*). **~·ly** *ad.* **-quence** *n.*
sub·serve[səbsə́:rv] *vt.* 돕다, (…에) 도움이 되다, 촉진하다.
sub·ser·vi·ent[-sə́:rviənt] *a.* 복종하는; 도움이 되는(*to*); 비굴한. **-ence** *n.*
súb·sèt *n.* Ⓒ 〖數〗 부분 집합.
***sub·side**[-sáid] *vi.* ① 가라앉다, (건물 따위가) 내려앉다; 침전하다. ② (홍수 따위가) 빠다; (폭풍·소동 따위가) 잠잠해지다. **sub·sid·ence** [səbsáidəns, sʌ́bsə-] *n.*
***sub·sid·i·ar·y**[-sídièri] *a.* ① 보조의; 보충적인. ② 종속〔부차〕적인. ③ 보조금의〔을 받을〕. — *n.* Ⓒ 보조물; 보조자; 자(子)회사. 「사.
subsídiary cómpany 자(子)회
sub·si·dize[sʌ́bsidàiz] *vt.* 보조금을 주다; 돈을 주어 협력을 얻다, 매수하다. 「성금.
sub·si·dy[⌐sidi] *n.* Ⓒ 보조금, 조
***sub·sist**[səbsíst] *vi.* ① 생존하다, 생활하다(*on, by*). ② 존재하다. — *vt.* 밥〔양식〕을 대다, 급양하다.
***sub·sist·ence**[-sístəns] *n.* Ⓤ ① 생존, 현존, 존재. ② 생활; 생계; 생활 수단.
subsístence allòwance 〔**mòn-ey**〕 (여비 따위의) 특별 수당.
subsístence fàrming 자급(自給) 농업.
subsístence lèvel, the 최저 생활 수준.
sub·sist·ent[-sístənt] *a.* 생존하는; 실재하는; …에 고유한.
subsísting fàrming 《美》 자급 농업.
súb·sòil *n.* Ⓤ (보통 the ~) 하층토(土), 저토(底土).
sùb·sónic *a.* 음속 이하의(cf. son-ic). 「種).
súb·spècies *n.* Ⓒ 〖生〗 아종(亞
:sub·stance[sʌ́bstəns] *n.* ① Ⓒ 물질; (어떤 종류의) 물건. ② Ⓤ 〖哲〗 실체, 본질. ③ (the ~) 요지; 실질; 알맹이; (직물의) 바탕. ④ Ⓤ 재산. ***in*** ~ 대체로; 실질적으로, 사실상.
sùb·stándard *a.* 표준 이하의.
:sub·stan·tial [səbstǽnʃəl] *a.* ① 실질의; 실재하는, 참다운. ② 〖哲〗 실체〔본체〕의. ③ 다대한, 중요한, 충분한. ④ 실질〔본질〕적인, 내용〔알맹이〕 있는; 견고한; 사실상의. ⑤ 자산이 있는, 유복한. ***~·ly**[-ʃəli] *ad.* **-ti·al·i·ty**[-⌒ʃiǽləti] *n.* Ⓤ 실질(이 있음); 실재성; 실체; 견고.
sub·stan·ti·ate[-stǽnʃièit] *vt.* 입증하다; 실체화하다. **-a·tion**[-⌒-éiʃən] *n.*
sub·stan·tive[sʌ́bstəntiv] *a.* 〖文〗 (실(實))명사의, 명사로 쓰인; 존재를 나타내는; 독립의; 현실의; 본질적인. — *n.* Ⓒ 〖文〗 (실)명사. **-ti·val**[⌐-táivəl] *a.* (실)명사의.
súb·stàtion *n.* Ⓒ 지서(支署), 출장소.
:sub·sti·tute[sʌ́bstitjù:t] *n.* Ⓒ 대리인; 대체물, 대용품; 〖컴〗 바꾸기. — *vt.* 바꾸다, 대용하다, 대체하다, 대리시키다. — *vi.* 대리를 하다. — *a.* 대리의. ***-tu·tion**[⌐-⌐ʃən] *n.* Ⓤ,Ⓒ 대리; 교체; 〖化〗 치환; 〖數〗 대입(법).
sùb·strátosphere *n.* (the ~) 아

성층권《성층권의 하부》.
sub·stra·tum[sʌ́bstrèitəm, -ræ̀-] *n.* (*pl.* **-ta**[-tə], **~s**) Ⓒ 하층(토); 기초.
súb·strìng *n.* Ⓒ 〖컴〗 아랫문자열.
súb·strùcture *n.* Ⓒ 기초 공사.
súb·sỳstem *n.* Ⓒ 하부 조직.
sub·teen[⌐tíːn] *n., a.* Ⓒ teenage 이하의 (아이); 13세 이하의 소녀.
sub·tem·per·ate[sʌ̀btémpərit] *a.* 아온대(亞溫帶)의.
sùb·ténant *n.* Ⓒ (토지·가옥 따위의) 전차인(轉借人).
sub·tend[səbténd] *vt.* 〖幾〗 (현(弦)이 호(弧)에, 변이 각에) 대(對)하다.
sub·ter·fuge[sʌ́btərfjùːdʒ] *n.* Ⓒ 구실; Ⓤ 속임수.
sub·ter·mi·nal[sʌ̀btə́ːrmənl] *a.* 종말〔말단〕 가까운 (곳에 있는).
sub·ter·ra·ne·an[sʌ̀btəréiniən], **-ne·ous**[-réiniəs, -njəs] *a.* 지하의; 비밀의, 숨은.
sub·til(e)[sʌ́tl, sʌ́btil] *a.* 《古》 = SUBTLE.
sub·til·i·ty[sʌbtíləti] *n.* =SUBTLETY.
sub·til·ize[sʌ́btəlàiz] *vt.* 희박하게 하다; 섬세하게 하다; 미세하게 구별하다. **-i·za·tion**[⌐–izéiʃən/sʌ̀tilai-] *n.*
sub·til·ty[sʌ́btilti] *n.* 《古》 =SUBTLETY.
súb·tìtle *n.* Ⓒ (책의) 부제(副題); (*pl.*) 〖映〗 설명 자막.
:sub·tle[sʌ́tl] *a.* ① 포착하기〔잡기〕 어려운, 미묘한, 미세한. ② (약·독 따위) 서서히 효과가 나타나는; (미소·표정 따위) 신비스런. ③ 예민한; 교묘한. ④ 음흉한, 교활한. ⑤ 희박한. ***~·ty** *n.* 희박(함); 예민; 세밀한 구별. **súb·tly** *ad.*
sub·to·pi·a [sʌbtóupiə] *n.* Ⓤ,Ⓒ 《英·蔑》 (교외의) 난(亂)개발 지역.
sùb·tótal *n.* Ⓒ 소계(小計).
***sub·tract**[səbtrǽkt] *vt.* 〖數〗 덜다, 빼다(~ *2 from 7*, 7에서 2를 빼다)(cf. deduct). **~·er** *n.* Ⓒ 〖컴〗 뺄셈기; 공제자. ***sub·trác·tion** *n.* Ⓤ,Ⓒ 감법(減法), 뺄셈. **sub·trác·tive** *a.*
sub·treas·ur·y[sʌ́btrèʒəri] *n.* Ⓒ (금고의) 분고(分庫); 〖美〗 재무성의 분국(分局).
sùb·trópic, -ical *a.* 아열대의.
sùb·trópics *n. pl.* 아열대 지방.
:sub·urb[sʌ́bəːrb] *n.* ① Ⓒ (도시의) 변두리 지역, 교외. ② (*pl.*) 주변; (the ~s) 변두리 주택 지역. ***sub·ur·ban**[səbə́ːrbən] *a.* 교외의; 교외〔변두리〕에 사는; 교외(의 주민) 특유의. **sub·ur·ban·ite**[-bənàit] *n.* Ⓒ 교외 거주자.
sub·ur·bi·a[səbə́ːrbiə] *n.* Ⓤ 《집합적》 교외 거주자; 교외 생활 양식.
sub·ven·tion[səbvénʃən] *n.* Ⓒ 보조금.
sub·ver·sion[səbvə́ːrʒən] *n.* Ⓤ 전복〔파괴〕(하는 것).
sub·ver·sive[səbvə́ːrsiv] *a.* 전복하는, 파괴하는(*of*). — *n.* Ⓒ 파괴〔불온〕분자.
sub·vert[səbvə́ːrt] *vt.* (국가·정체 따위를) 전복시키다, 파괴하다; (주의·주장을) 뒤엎다, 타락시키다.
sub vo·ce[sʌb vóusi] (L.) …의 항(項)에.
:sub·way[sʌ́bwèi] *n.* Ⓒ (보통 the ~) 《美》 지하철; 《英》 지하도.
sùb-zéro *a.* (특히 화씨의) 영도 이하의; 영하 기온용의.
:suc·ceed[səksíːd] *vt.* ① (…에) 계속하다. ② (…의) 뒤를 잇다. — *vi.* ① 계속되다, 잇따라 일어나다(*to*); 계승〔상속〕하다(*to*). ② 성공하다(*in*); (좋은) 결과를 가져오다. ③ 입신(출세)하다.
***suc·ceed·ing**[-iŋ] *a.* 계속되는, 다음의.
†suc·cess[səksés] *n.* Ⓤ 성공, 행운; 출세; Ⓒ 성공자. **:~·ful** *a.* 성공한, 행운의. **:~·ful·ly** *ad.*
:suc·ces·sion[-séʃən] *n.* ① Ⓤ 연속; Ⓒ 연속물. ② Ⓤ 상속, 계승(권); 상속 순위; 《집합적》 상속자들. ***in ~*** 연속하여. ***the law of ~*** 상속법.
succéssion dùty 〔**tàx**〕 상속세.
:suc·ces·sive[-sésiv] *a.* 연속적인, 잇따른. **~·ly** *ad.*
:suc·ces·sor[-sésər] *n.* Ⓒ 뒤를 잇는 사람; 후임〔후계〕자; 상속인.
suc·cinct[səksíŋkt] *a.* 간결한.
suc·cor, 《英》 **-cour**[sʌ́kər] *n., vt.* Ⓤ 구조(하다).
suc·co·tash [sʌ́kətæ̀ʃ] *n.* Ⓤ,Ⓒ 《美》 옥수수와 콩 등으로 만든 요리.
suc·cu·lent[sʌ́kjələnt] *a.* (과일 따위) 즙이 많은; 흥미진진한; 〖植〗 다육(多肉)의. **-lence** *n.*
***suc·cumb**[səkʌ́m] *vi.* ① 굴복하다, 지다(*to*). ② (…으로) 죽다(*to*).
†such[強 sʌtʃ, 弱 sətʃ] *a.* ① 이〔그〕러한, 이〔그〕와 같은; 같은. ② 《~ **...as**의 형식으로》 …과 같은; …하는 것과 같은 그러한. ③ 앞서 말한, 상기(上記)의. ④ 훌륭한; 대단한, 심한(*He's ~ a liar!*). ***~ and ~*** 이러이러한. — *pron.* ① 그러한〔이러한〕 사람〔물건〕. ② 〖商〗 전기한 물건. ***and ~*** 《口》 …따위. ***as ~*** 그 자격으로; 그것만으로.
súch·lìke *a., pron.* 그러한 사람〔물건〕.
:suck[sʌk] *vt.* ① 빨다; 빨아들이다 (*in, down*). ② (물·지식 따위를) 흡수하다(*in*); (이익을) 얻다, 착취하다 (*from, out of*). — *vi.* 빨다; 홀짝이다(*at*); 젖을 빨다. ***~ in*** 〔***up***〕 빨아들이다〔올리다〕, 흡수하다. — *n.* ① Ⓤ (젖을) 빨기〔빠는 소리〕; 흡인력. ② Ⓒ 《口》 한 번 빨기, 한 모금. ***at ~*** 젖을 빨고. ***give ~ to*** …에게 젖을 먹이다. ***⌐·er** *n., vt., vi.* Ⓒ 빠는 사람〔물건〕; 젖먹이; 빨판, 흡반(이 있는 물고기); 〖植〗 흡지(吸枝); 흡입관(管); 《美俗》 (잘 속는) 얼간이; 《口》 꼬챙이 사탕(lollipop); (옥수수·담배 등의) 흡지(吸枝)를 떼어버리다; 흡지가 나다. **⌐·ing** *a.* (젖을) 빠는, 흡수하는; 젖떨어지지

S

않은; 《口》 젖비린내 나는, 미숙한.
suck·le[sʌ́kəl] *vt.* (…에게) 젖을 먹이다; 기르다, 키우다. **súck·ling** *n., a.* Ⓒ 젖먹이; 어린 (짐승); 젖떨어지지 않은.
su·crose[sú:krous] *n.* Ⓤ 〖化〗 자당(蔗糖).
suc·tion[sʌ́kʃən] *n.* Ⓤ 빨기; 흡인(력). — *a.* 빨아들이게 하는; 흡인력에 의하여 움직이는.
súction pùmp 빨펌프.
Su·dan[su:dǽn, -dɑ́:n] *n.* 수단《이집트 남쪽의 독립국(1956)》.
Su·da·nese[sù:dəní:z] *a., n.* (*pl.* **-nese**) Ⓒ 수단의 (사람).
su·da·to·ri·um [sù:dətɔ́:riəm] *n.* (*pl.* **-ria**[-riə]) Ⓒ 한증막, 증기탕.
su·da·to·ry[sú:dətɔ̀:ri] *a.* 땀을 내게 하는; 발한실의. — *n.* Ⓒ 발한제; 발한실, 한증막.
†**sud·den**[sʌ́dn] *a.* 돌연한, 갑작스런. — *n.* 돌연. **on** 〔**of, all of**〕 **a ~** 갑자기. †**~·ly** *ad.* 갑자기, 돌연, 불시에. **~·ness** *n.*
súdden déath 급사; 〖競〗 연장전《먼저 득점한 쪽이 승리》.
súdden ínfant déath sỳndrome 유아 돌연사 증후군《생략 SIDS》.
su·dor·if·ic [sù:dərífik/sjù:-] *a., n.* 땀나(게 하)는; Ⓒ 발한제.
Su·dra[sú:drə] *n.* 수드라《인도 4성중 최하급》.
suds[sʌdz] *n. pl.* (거품이 인) 비눗물; (비누) 거품; 《俗》 맥주.
***sue**[su:/sju:] *vt., vi.* ① 고소하다, 소송을 제기하다(~ *for damages* 손해 배상 청구 소송을 제기하다). ② 간청하다(*to, for*). ③ 《古》 (여자에게) 구혼〔구애〕하다.
suède[sweid] (F. =Sweden) *n., a.* Ⓤ 스웨드 가죽(비슷한 천)(으로 만든).
su·et[sú:ət] *n.* Ⓤ 쇠기름, 양기름. **sú·ety** *a.* 쇠〔양〕기름 같은.
Su·ez[su:éz, ∠-] *n.* 수에즈 운하 남단의 항구 도시; 수에즈 지협(the Isthmus of ~). ***the ~ Canal*** 수에즈 운하.
suf., suff. suffix. **Suff.** Suffolk.
†**suf·fer**[sʌ́fər] *vt.* ① (고통·패전·손해를) 입다, 당하다, 겪다. ② 견디다. ③ 허용하여 …하게 하다. — *vi.* ① 괴로워하다, 고생하다(*from, for*). ② 병에 걸리다(*from*); 손해를 입다. **~·a·ble**[-rəbəl] *a.* 참을 수 있는; 허용할 수 있는. ⁑**~·er** *n.* Ⓒ 괴로워하는 사람; 피해자. ⁑**~·ing** *n.* Ⓤ 고통, 괴로움; Ⓒ (종종 *pl.*) 재해; 피해; 손해.
suf·fer·ance[sʌ́fərəns] *n.* Ⓤ 관용, 묵허(默許); 인내력. **on ~** 눈감아 주어, 덕분에.
⁑**suf·fice**[səfáis] *vi.* 충분하다, 족하다. — *vt.* (…에) 충분하다; 만족시키다. ***S- it to say that …*** …이라 하면 충분하다.
⁑**suf·fi·cient**[səfíʃənt] *a.* 충분한(*to* do, *for*). ⁑**~·ly** *ad.* **-cien·cy** *n.* Ⓤ 충분; 《古》 능력, 자격.
⁑**suf·fix**[sʌ́fiks] *n., vt.* Ⓒ 〖文〗 접미사(로서 붙이다); 첨부하다.
***suf·fo·cate**[sʌ́fəkèit] *vt.* ① (…의) 숨을 막다; 질식(사)시키다; 호흡을 곤란케 하다. ② (불 따위를) 끄다. — *vi.* 질식하다. **-ca·tion**[∸-kéiʃən] *n.*
Suf·folk[sʌ́fək] *n.* 잉글랜드 동부의 주《생략 Suff.》.
suf·fra·gan [sʌ́frəgən] *n., a.* Ⓒ 〖宗〗 부감독〔부주교〕(의); 보좌(補佐)의.
suf·frage**[sʌ́fridʒ] *n.* Ⓒ (찬성) 투표; Ⓤ 투표〔선거·참정〕권. ***manhood ~ 성년 남자 선거권. ***universal ~*** 보통 선거. ***woman ~*** 여성 선거〔참정〕권. **súf·fra·gist** *n.* Ⓒ 참정권 확장론자, (특히) 여성 참정권론자.
suf·fra·gette[sʌ̀frədʒét] *n.* Ⓒ (여자의) 여성 참정권론자.
suf·fuse[səfjú:z] *vt.* (액체·빛·빛깔 따위가) 뒤덮다, 채우다. **suf·fu·sion**[-ʒən] *n.*
Su·fi[sú:fi] *n.* Ⓒ (이슬람교의) 수피파《Sufism을 신봉함》. **Sú·fism** *n.* (이슬람교의) 범신론적 신비설.
†**sug·ar**[ʃúgər] *n.* Ⓤ 설탕; 〖化〗 당(糖)(*granulated* ~ 그래뉴당(糖), 굵은 설탕); Ⓒ 각사탕. **~ of lead** 〔**milk**〕 연당(鉛糖)〔유당(乳糖)〕. — *vt.* ① (…에) 설탕을 넣다, 설탕을 입히다〔뿌리다〕; 설탕으로 달게 하다. ② (말을) 달콤하게〔사탕발림〕 하다. ③ 《俗》《수동태로》 저주하다(*I'm ~ed!* 빌어먹을!/*Pedantics be ~ed!* 같잖게 학자인 체하네!). — *vi.* ① 당화(糖化)하다. ② 《美》 단풍당(糖)을 만들다; 당액을 바짝 졸이다(*off*). **~ed**[-d] *a.* 설탕을 뿌린〔쓴〕; (말이) 달콤한, 상냥한, 겉발림의.
súgar bàsin 《英》 =SUGAR BOWL.
súgar bèet 사탕무.
súgar bòwl 《美》 (식탁용) 설탕 그릇.
súgar càndy 《英》 얼음사탕.
sùgar càne 사탕수수.
súgar-còat *vt.* (알약 따위에) 당의(糖衣)를 입히다; 잘 보이게 하다.
súgar còrn 사탕옥수수.
súgar dàddy 《美俗》 금품 따위로 젊은 여성을 후리는 중년의 부자.
súgar diabétes 당뇨병.
súgar-frée *a.* 설탕이 들어 있지 않은, 무당(無糖)의.
súgar·hòuse *n.* Ⓒ 제당소(製糖所).
súgar lòaf (원뿔꼴의) 고체 설탕.
súgar màple 〖植〗 사탕 단풍.
súgar·plùm *n.* Ⓒ 캔디, 봉봉.
súgar tòngs 각사탕 집게.
sug·ar·y[ʃúgəri] *a.* 달콤한; 아첨의.
†**sug·gest**[səgdʒést] *vt.* ① 암시〔시사〕하다, 넌지시 비추다. ② 말을 꺼내다, 제안하다(*that*). ③ 연상시키다, 생각나게 하다. **~ itself to** …의 머리〔염두〕에 떠오르다. **~·i·ble** *a.* 암시할 수 있는; (최면술에서) 암시에 걸리기 쉬운.

S

:sug·ges·tion[səgdʒéstʃən] *n.* ① U,C 암시. ② U,C 생각남; 연상. ③ U,C 제안; 제의. ④ (*sing.*) 투, 기미(*a ~ of fatigue*). ⑤ U (최면술의) 암시; C 암시된 사물.

suggéstion bòx 건의함.

***sug·ges·tive**[səgdʒéstiv] *a.* ① 암시적인; 암시하는, 연상시키는(*of*). ② 유혹적인.

:su·i·cide[sú:əsàid] *n.* ① U,C 자살; 자멸. ② C 자살자. **-cid·al** [⌐—sáidl] *a.*

súicide pàct 정사〔동반 자살〕의 약속《두 사람 이상》.

su·i ge·ne·ris[sú:ai dʒénəris] (L. =of its own kind) 독특한, 독자적인.

†suit[su:t] *n.* 《원뜻 'follow'》 ① U,C 탄원, 청원, 간원(懇願); C 〖法〗 소송; 고소. ② U 구애(求愛), 구혼. ③ C (옷) 한 벌, 갖춤벌《특히, 남자의 상의·조끼·바지》. ④ C (카드의) 짝패 한 벌《각 13매》; (동 종류의 것의) 한 벌. ***follow ~*** (카드놀이에서) 처음 내놓은 패와 같은 짝패를 내다; 남 하는 대로 하다. — *vt.* ① (…에게 갖춤벌의) 옷을 입히다. ② (갖추게 한다는 뜻에서) 적합〔일치〕하게 하다(*to, for*). ③ 적합하다, (…에) 어울리다. ④ (…의) 마음에 들다. — *vi.* ① 형편이 좋다. ② 적합하다. ***~ oneself*** 제 멋대로 하다. ***~ the action to the word*** 대사대로 행동하다《Sh., *Ham.*》; (약속·협박 등을) 곧 실행하다. **⌐.ing** *n.* U 양복지. ***⌐.or** *n.* C 원고; 간원자; 구혼자《남자》.

:suit·a·ble[sú:təbəl] *a.* 적당한, 어울리는. **-bly** *ad.* **-bil·i·ty**[⌐—bíləti] *n.*

***suit·case**[sú:tkèis] *n.* C (소형) 여행 가방, 슈트케이스.

***suite**[swi:t] *n.* C ① 수행원, 일행; 한 벌 갖춤. ② (목욕실 따위가 있는) 붙은 방《호텔의》(*a ~ of rooms*); 한 벌의 가구. ③ 〖樂〗 조곡(組曲).

sulf-[sʌlf] '유황을 포함한'의 뜻의 결합사.

sul·fa[sʌ́lfə] *a.* 술파제의.

sul·fa·di·a·zine [sʌ̀lfədáiəzì:n, -zin] *n.* U 술파다이진《폐렴 등의 특효약》.

súlfa drùg 술파제《술파계의 약제(⇩, ⇧)의 총칭》.

sul·fa·guan·i·dine[-gwǽnədì:n, -din] *n.* U 술파구아니딘《적리(赤痢) 등의 치료제》.

sul·fa·níl·ic ácid[-nílik-] 술파닐산《물감·의약품용》.

sul·fate[sʌ́lfeit] *n., vi.* U,C 〖化〗 황산염(화하다). — *vt.* 황산과 화합시키다〔으로 처리하다〕; (축전지의 연판에) 황산염 화합물을 침전시키다.

sul·fide, -phide[sʌ́lfaid] *n.* U,C 〖化〗 황화물.

sul·fite[sʌ́lfait] *n.* C 〖化〗 아황산염.

sul·fon·a·mide [sʌlfánəmàid/-fɔ́-] *n.* C 〖藥〗 술폰아미드《세균성 질환 치료용》.

:sul·fur[sʌ́lfər] *n., a.* U 유황(색의), 황녹색(의).

sul·fu·rate[sʌ́lfjurèit] *vt.* 유황과 화합시키다, 유황으로 처리〔표백〕하다.

súlfur dióxide 이산화 유황, 아황산가스.

sul·fu·re·ous[sʌlfjúəriəs] *a.* 유황(질·모양)의; 황내 나는.

sul·fu·ret[sʌ́lfjərèt] *n.* C 황화물. — *vt.* 황화하다.

***sul·fu·ric**[sʌlfjúərik] *a.* 유황의; (6가(價)의) 유황을 함유하는.

sulfúric ácid 황산.

sul·fur·ous[sʌ́lfərəs] *a.* 유황의〔같은〕; (4가(價)의) 유황을 함유하는; 지옥불의〔같은〕.

súlfurous ácid 아황산.

sulk[sʌlk] *vi., n.* (the ~s) 시무룩해지다〔함〕; 지루퉁함, 부루퉁함.

***sulk·y**[⌐i] *a.* 찌무룩〔지르퉁〕한, 부루퉁한. — *n.* C 1인승 2륜 경마차《혼자라서, 재미가 없다는 뜻에서》. **súlk·i·ly** *ad.* **súlk·i·ness** *n.*

***sul·len**[sʌ́lən] *a.* 찌무룩한, 지르〔부루〕퉁한; (날씨가) 음산한. **~·ly** *ad.* **~·ness** *n.*

sul·ly[sʌ́li] *vt.* (명성 따위를) 더럽히다; 손상하다.

sulph- =SULF-.

súl·pha, sul·pha·guán·i·dine, súl·phate, súl·phide, súl·phite, :súl·phur, súl·phu·rate, &c,. =SULFA, &c.

***sul·tan**[sʌ́ltən] *n.* C 회교국 군주, 술탄; (the S-) 〖史〗 터키 황제.

sul·tan·a[sʌltǽnə, -ɑ́:-] *n.* C 회교국 왕비; 회교국 군주의 어머니〔자매·딸〕; 《주로 英》 포도의 한 품종; 그 포도로 만든 건포도.

sul·tan·ate[sʌ́ltənit] *n.* U,C 술탄의 지위〔권력·통치 기간·영토〕.

***sul·try** [sʌ́ltri] *a.* 무더운(close and hot), 숨막히게 더운. **súl·tri·ly** *ad.* **súl·tri·ness** *n.*

sum[sʌm] *n.* ① (the ~) 합계, 총계. ② (the ~) 개략, 요점. ③ C (종종 *pl.*) 금액. ④ C 《口》 산수 문제; (*pl.*) 계산(*do ~s* 계산하다). ⑤ 절정. ***in ~*** 요약하면. ***~ and substance*** 요점. ***~ total*** 총계. — *vt.* (**-mm-**) 합계하다(*up*); 요약(해 말)하다, (…을) 재빨리 평가하다(*up*). — *vi.* 요약(해 말)하다(*up*). ***~ to*** 합계하면 …이 되다. ***to ~ up*** 요약하면.

SUM surface-to-underwater missile.

su·mac(h) [ʃú:mæk, sjú:-] *n.* C 옻나무〔거망옻나무·붉나무〕류; U 그 마른 잎《무두질용·물감》.

Su·ma·tra [sumɑ́:trə] *n.* 수마트라 섬.

súm chèck 〖컴〗 합계 검사.

Su·me·ri·an[su:míəriən] *a.* 수메르(Sumer)의《유프라테스 하구의 고대 지명》; 수메르인〔어〕의. — *n.* C 수메르인; U 수메르어.

sum·ma cum lau·de[sʌ́mə kʌm lɔ́:di] (L.) 최우등으로.

***sum·ma·rize**[sʌ́məràiz] *vt.* 요약

S

하다, 요약하여 말하다.
:sum·ma·ry[sʌ́məri] *a.* ① 개략의, 간결한. ② 약식의; 즉결의. — *n.* Ⓒ 적요, 요약. **-ri·ly** *ad.*
súmmary cóurt 즉결 재판소.
súmmary jurisdíction 즉결 재판권.
sum·ma·tion[sʌméiʃən] *n.* Ⓤ,Ⓒ 덧셈; 합계; Ⓒ 〖法〗 (배심에 돌리기 전의 반대측 변호인의) 최종 변론.
†sum·mer[sʌ́mər] *n.* ① Ⓤ,Ⓒ 여름(철), 하계. ② (the ~) 한창때, 청춘. ③ (*pl.*) 《詩》 연령. — *a.* 여름의. — *vi.* 여름을 지내다, 피서하다 (*at, in*). — *vt.* (여름철 동안) 방목하다. **súm·mer·y** *a.* 여름의; 여름다운.
súmmer càmp (아동 등의) 여름 캠프. 「용 별장.
súmmer hòuse 정자; 《美》 피서
súmmer resórt 피서지.
sum·mer·sault[-sɔ̀ːlt], **-set** [-sèt] *n., a.* =SOMERSAULT, -SET.
súmmer schòol 하계 학교, 하계 강습회.
súmmer sólstice 하지(夏至).
súmmer squásh 호박류(類).
súmmer tìme 《英》 일광 절약 시간. 「한여름.
˚súmmer·tìme *n.* Ⓤ 여름철, 하계;
súmmer·wéight *a.* (옷 따위가) 여름용의, 가벼운.
súmming-úp *n.* Ⓒ 총합계; 요약.
:sum·mit[sʌ́mit] *n.* Ⓒ 정상, 절정; 수뇌부, 수뇌 회담.
sum·mit·eer[sʌ̀mitíər] *n.* Ⓒ 수뇌[정상] 회담 참석자.
sum·mit·ry[sʌ́mitri] *n.* Ⓤ,Ⓒ 수뇌 회담 방식.
súmmit tàlks [**mèeting, cònference**] 수뇌[정상] 회담.
:sum·mon[sʌ́mən] *vt.* ① 호출[소환]하다. ② (의회를) 소집하다. ③ (…에게) 항복을 권고하다; 요구하다. ④ (용기를) 불러 일으키다(*up*). **~·er** *n.* Ⓒ 소환자.
˚sum·mons[-z] *n.* (*pl.* **~es**) Ⓒ 소환(장), 호출(장); 소집(*serve with a* ~). — *vt.* 《口》 법정에 소환하다, 호출하다.
sum·mum bo·num [sʌ́məm bóunəm] (L.) 최고선(善).
sump[sʌmp] *n.* Ⓒ 오수(汚水)[구정물] 모으는 웅덩이; 〖鑛〗 물웅덩이; (엔진의) 기름통.
sump·ter[sʌ́mptər] *a., n.* Ⓒ《古》 짐 나르는 (말, 노새).
súmpter hòrse 《古》 짐 싣는 말, 복마(卜馬).
sump·tu·ar·y [sʌ́mptʃuèri/-əri] *a.* 비용 절약의; 사치를 금하는. **~ law** 사치 금지령.
˚sump·tu·ous[∠tʃuəs] *a.* 값진, 사치스런. **~·ly** *ad.* **~·ness** *n.*
súm tótal 총계; 실질; 요지.
súm·ùp *n.* Ⓤ 《口》 요약, 종합.
†sun[sʌn] *n.* ① Ⓤ (보통 the ~) 태양. ② Ⓤ 햇빛; 양지쪽. ③ Ⓒ (위성을 가진) 항성; 태양처럼 빛나는 것. ④ Ⓒ 《詩》 날(day), 해(year). ***from ~ to ~*** 해가 떠서 질 때까지. ***in the ~*** 양지쪽에서; 유리한 지위에서. ***see the ~*** 살아 있다. ***under the ~*** 천하에, 이 세상에; 도대체. — *vt.* (**-nn-**) 햇볕에 쬐다. — *vi.* 일광욕하다.
˚Sun. Sunday.
sún bàth 일광욕.
sún·bàthe *vi.* 일광욕을 하다.
:sún·bèam *n.* Ⓒ 햇빛, 광선.
Sún·bèlt, Sún Bèlt, the 선벨트, 태양 지대《미국 남부의 동서로 뻗은 온난지대》.
sún·blìnd *n.* Ⓒ 《주로 英》 (창밖의) 차양. 「색안경.
sún blìnkers (직사 광선을 피하는)
sún-blòck *n.* Ⓤ,Ⓒ 선블록, 햇빛 차단 크림[로션].
sún·bònnet *n.* Ⓒ (베이비 모자형의 여자용) 햇볕 가리는 모자.
˚sún·bùrn *n.* Ⓤ 볕에 탐[탄 빛깔]. — *vt., vi.* 햇볕에 태우다[타다].
sún·bùrnt *a.* 햇볕에 탄.
sún·bùrst *n.* Ⓒ 구름 사이로 갑자기 새어 비치는 햇살.
sún-cùred *a.* (고기·과일 등을) 햇볕에 말린.
Sund. Sunday.
†Sun·day[sʌ́ndei, -di] *n.* Ⓒ 《보통 무관사》 일요일; (기독교도의) 안식일. 「들이 옷.
Súnday bést [**clóthes**] 《口》 나
Súnday-gò-to-méeting *a.* 《口》 (복장·태도가) 나들이 가는.
Súnday púnch 《口》 〖拳〗 최강타.
Súnday schòol 주일학교(의 학생[직원]들).
sun·der[sʌ́ndər] *vt.* 가르다, 떼다, 찢다. — *vi.* 갈라지다, 분리되다. — *n.* 《다음 성구로만》 ***in ~*** 떨어져서, 따로따로.
sún·dèw *n.* Ⓒ 〖植〗 끈끈이주걱.
sún·dìal *n.* Ⓒ 해시계.
sún·dòg *n.* Ⓒ 환일(幻日); 작은[불완전한] 무지개.
˚sún·dòwn *n.* Ⓤ 일몰(시).
sún·drèss *n.* Ⓒ 선드레스《어깨·팔이 노출된 하복》.
sún-dríed *a.* 햇볕에 말린.
sun·dries[sʌ́ndriz] *n. pl.* 잡다한 물건, 잡동사니; 잡일, 잡비.
˚sun·dry[sʌ́ndri] *a.* 잡다한, 여러 가지의. ALL ***and ~***.
sún·fàst *a.* 볕에 바래지 않는.
SUNFED Special United Nations Fund for Economic Development.
sun·fish [sʌ́nfìʃ] *n.* Ⓒ 〖魚〗 개복치; (북아메리카산의 작은) 민물고기《식용》. 「(따위).
sún·flòwer *n.* Ⓒ 〖植〗 해바라기
†sung[sʌŋ] *v.* sing의 과거(분사).
sún·glàsses *n. pl.* 선글라스.
sún·gòd *n.* Ⓒ 태양신.
sún hèlmet 차일 헬멧.
:sunk[sʌŋk] *v.* sink의 과거(분사).

sunk·en[ˊən] *v.* sink의 과거분사. — *a.* 가라앉은; 물밑의; 내려앉은; (눈 따위) 움푹 들어간; 살이 빠진;
sún làmp (인공) 태양등(燈).
sún·less *a.* 볕이 안 드는; 어두운, 음산한.
:**sun·light**[ˊlàit] *n.* Ⓤ 일광, 햇빛.
sún·lìt *a.* 햇볕에 쬐인, 볕이 드는.
Sun·nite[súnait] *n.* (회교의) 수니파 교도.
:**sun·ny**[sʌ́ni] *a.* ① 볕 잘 드는, 양지 바른. ② 태양 같은. ③ 밝은, 명랑한. ***on the ~ side of (fifty)*** (50세)는 아직 안 된. 「지진.
súnny-sìde úp (달걀의) 한쪽만
sún pàrlor 일광욕실(sunroom).
sún pòrch 유리를 끼운 베란다, 일광욕실; 위생적인 축사(畜舍)의 일종.
sún·pròof *a.* 햇빛을 통하지 않는, 내광성(耐光性)의.
sún·rày *n.* Ⓒ 일광; (*pl.*) 태양등 광선《의료용 인공 자외선》.
:**sun·rise**[ˊràiz] *n.* Ⓤ,Ⓒ ① 해돋이, 해뜰녘. ②《비유》 초기.
súnrise ìndustry (특히 전자·통신 방면의) 신흥 산업.
sún·ròom *n.* Ⓒ 일광욕실, 선룸.
sún·sèeker *n.* Ⓒ ① (따뜻한 지역으로의) 피한객. ② (우주선·위성의) 태양 추적 장치.
:**sun·set**[ˊsèt] *n.* Ⓤ,Ⓒ ① 일몰, 해질녘. ②《비유》 말기. 「양.
sún·shàde *n.* Ⓒ (대형) 양산; 차
:**sun·shine**[ˊʃàin] *n.* Ⓤ 햇빛; 양지(陽地); 맑은 날씨; 명랑. **sun·shin·y**[ˊʃàini] *a.*
Súnshine Státe《美》 Florida주의 속칭.
sún·spòt *n.* Ⓒ 태양 흑점.
sún·stròke *n.* Ⓤ 일사병.
sún·strùck *a.* 일사병에 걸린.
sún·tàn *n.* Ⓒ 햇볕에 탐; (*pl.*) (카키색의) 군복.
sún·tràp *n.* (찬 바람이 들어오지 않는) 양지 바른 곳.
sún-ùp *n.*《美》 =SUNRISE.
sún vìsor (자동차의) 차양판.
sun·ward[ˊwərd] *a., ad.* 태양 쪽으로의[쪽으로 향하는]; 태양 쪽으로.
sun·wards[-z] *ad.* =SUNWARD.
Sun Yat-sen[sún jɑ̀:t-sén] (1866-1925) 쑨이센(孫逸仙)《중국의 혁명가·정치가인 손문(孫文)》.
sup[1][sʌp] *vi., vt.* (**-pp-**) (…에게) 저녁을 먹(이)다[내다].
***sup**[2] *vt., vi.* (**-pp-**) 홀짝홀짝 마시다; 경험하다. — *n.* Ⓒ 한 모금, 한 번 마시기.
sup. *supra* (L. =above).
su·per [sú:pər/sjú:-] *n.* Ⓒ 〖劇〗 단역(端役)(supernumerary); 여분[가외]의 것; 감독(superintendent), 지휘자; 〖商〗 특등품. — *a.* 특급품의(superfine).
su·per-[sú:pər/sjú:-] *pref.* '위에, 더욱 더, 대단히, 초(超)…' 따위의 뜻. 「는.
su·per·a·ble[-əbəl] *a.* 이길 수 있
sùper·abóund *vi.* 대단히[너무] 많다, 남아 돌다(*in, with*).
sùper·abúndant *a.* 매우 많은; 남아 돌아가는. **-abúndance** *n.*
su·per·add[-ǽd] *vt.* 더 보태다.
su·per·an·nu·ate[-ǽnjuèit] *vt.* (연금을 주어) 퇴직시키다; 시대에 뒤진다 하여 물리치다. **-at·ed**[-id] *a.* 퇴직한; 노쇠한; 시대에 뒤진. **-a·tion**[ˋ-ˋ-éiʃən] *n.* Ⓤ 노후; 노년[정년] 퇴직; Ⓒ 정년 퇴직 연금.
su·per·a·tóm·ic bómb[-ətɑ́mik-/-ɔ́-] 수소 폭탄.
***su·perb**[supə́:rb] *a.* 장려한; 화려한; 굉장한, 멋진. **~·ly** *ad.*
su·per·bomb[sú:pərbɑ̀m/sjú:pəbɔ̀m] *n.* Ⓒ 수소 폭탄.
Súper Bówl, the 슈퍼볼《1967년에 시작된, 미국 프로 미식 축구의 왕좌 결정전》.
sùper·cárgo *n.* (*pl.* **~(e)s**) Ⓒ (상선의) 화물 관리인.
súper·chàrge *vt.* (발동기 따위에) 과급(過給)하다; (…에) 과급기(機)를 사용하다; =PRESSURIZE. **-chárg·er** *n.* Ⓒ 과급기(機).
su·per·cil·i·ar·y [sù:pərsílièri/sjù:pəsíliəri] *a.* 눈 위의; 〖解〗 눈썹의. 「한.
su·per·cil·i·ous [-síliəs] *a.* 거만
súper·cìty *n.* Ⓒ 거대 도시.
su·per·co·los·sal[-kəlɑ́səl/-lɔ́-] *a.*《美口》 굉장히 큰, 초대작(超大作)의.
súper·compùter *n.* Ⓒ 슈퍼컴퓨터, 초고속 전산기.
sùper·condúctive *a.* 초전도(超傳導)의.
sùper·conductívity *n.* Ⓤ 〖理〗 초전도. 「도체.
sùper·condúctor *n.* Ⓒ 〖理〗 초전
sùper·cóol *vt., vi.* (액체를) 빙결시키지 않고 빙점하로 냉각하다.
su·per-du·per[-djú:pər] *a.*《美口》 훌륭한, 극상의.
sùper·égo *n.* Ⓒ (보통 the ~) 초자아(超自我).
sùper·éminent *a.* 매우 탁월한, 발군의. **-éminence** *n.*
su·per·er·o·ga·tion[-èrəgéiʃən] *n.* Ⓤ 직무 이상으로 근무하기. **-e·rog·a·to·ry**[-ərɑ́gətɔ̀:ri/-ərɔ́gətəri] *a.* 직무 이상으로 근무하는; 가외의.
sùper·éxcellent *a.* 탁월한.
sùper·expréss *a., n.* Ⓒ 초특급의 (열차).
:**su·per·fi·cial**[sù:pərfíʃəl/sjù:-] *a.* ① 표면의; 면적[평방]의. ② 피상적인, 천박한. **~·ly** *ad.* **-ci·al·i·ty** [-fìʃiǽləti] *n.*
su·per·fi·ci·es[-fíʃii:z, -fíʃi:z] *n.* Ⓒ 표면; 면적; 외관.
sùper·fíne *a.* 극상의; 지나치게 섬세한; 너무 점잔빼는.
***su·per·flu·ous**[supə́:rfluəs/sju-] *a.* 여분의. **-flu·i·ty**[ˋ-flú:əti] *n.* Ⓤ,Ⓒ 여분(의 것), 남아 돌아가는 돈.
sùper·héat *vt.* 과열하다; (액체를)

증발시키지 않고 비등점 이상으로 가열하다; (수증기를) 완전 기화할 때까지 가열하다.
su·per·het·er·o·dyne [sù:pər-hétərədàin/sjù:-] *n., a.* Ⓒ 〖無電〗 슈퍼헤테로다인(의), 초(超)민감 수신 장치(의).
súper·hìgh fréquency 〖無電〗 초고주파《생략 SHF》.
sùper·híghway *n.* Ⓒ (입체 교차식의) 초고속 도로.
sùper·húman *a.* 초인적인.
sùper·impóse *vt.* 위에 놓다; 덧붙이다; 〖映〗 2중 인화(印畫)하다.
su·per·in·cum·bent [-inkʌ́m-bənt] *a.* 위에 있는〔가로놓인〕; 위로부터의《압력 따위》.
su·per·in·duce [-indjú:s] *vt.* 덧붙이다, 첨가하다.
***su·per·in·tend** [-inténd] *vt., vi.* 감독〔관리〕하다. **~·ence** *n.* Ⓤ 지휘, 관리. ***~·ent** *n., a.* Ⓒ 감독〔관리〕자; 공장장; 교장; 총경; 감독〔관리〕하는.
:su·pe·ri·or [səpíəriər, su-] *a.* (opp. inferior) ① 우수한, 나은 (*to, in*). ② 양질(良質)의, 우량한; 우세한. ③ 보다 높은, 보다 고위의. ④ …을 초월한, …에 동요되지 않는 (*to*). ⑤ 거만한. ⑥ 〖印〗 어깨 글자의《x^2, 2^n의 $^{2 \cdot n}$따위의 일컬음》. **~ *person*** 《비꼬아서》 높은 양반, 학자 선생. **~ *to*** …보다 우수한; …에 동요되지 않는, 굴복하지 않는. — *n.* Ⓒ ① 윗사람, 상급자, 뛰어난 사람. ② (S-) 수도〔수녀〕원장. **~·ly** *ad.* ***~·i·ty** [-⌐-ɔ́(:)rəti, -ár-] *n.* Ⓤ 우세, 우월(*to, over*).
supérior cóurt 《美》 상급 법원.
Su·pe·ri·or, Lake 미국 5대호 중 최대의 호수. 「우월감.
superióríty còmplex 우월 복합,
súper·jèt *n.* Ⓒ 초음속 제트기.
superl. superlative.
su·per·la·tive** [səpə́:rlətiv, su:-] *a.* ① 최고의. ② 〖文〗 최상급의. — *n.* Ⓒ ① 최고의 사람〔것〕, 극치. ② 〖文〗 최상급. ***speak 〔***talk***〕 ***in ~s*** 과장하여 이야기하다.
su·per·lin·er [sú:pərlàinər/sjú:-] *n.* Ⓒ 초대형 외양 정기선.
su·per·man [-mæ̀n] *n.* Ⓒ 슈퍼맨, 초인(超人).
***su·per·mar·ket** [-mà:rkit] *n.* Ⓒ 슈퍼마켓《cash-and-carry 식임》.
su·per·mart [-mà:rt] *n.* =⇧.
sùper·mícroscope *n.* Ⓒ 초현미경《전자현미경의 일종》.
su·per·nal [supə́:rnl/sju-] *a.* 《詩》 천상의; 신의; 높은.
***sùper·nátural** *a., n.* 초자연의, 불가사의한; (the ~) 초자연적인 힘〔영향·현상〕.
sùper·nórmal *a.* 비범한; 특이한.
sùper·nóva *n.* Ⓒ 〖天〗 초신성(超新星)《갑자기 태양의 천-1억배의 빛을 냄》.
su·per·nu·mer·ar·y [sù:pərnjú:mərèri/sju:pənjú:mərəri] *a., n.* 정수(定數) 이상의; Ⓒ 가외의 (사람·것); 〖劇〗 단역.
sùper·órdinate *a., n.* Ⓒ 상위의 (사람·것).
su·per·pose [-póuz] *vt.* 위에 놓다, 겹치다(*on, upon*). **-po·si·tion** [-pəzíʃən] *n.* Ⓤ 중첩.
súper·pòwer *n.* Ⓒ 초강대국; 강력한 국제 관리 기관; Ⓤ 〖電〗 초출력.
su·per·sat·u·rate [-sǽtʃərèit] *vt.* 과도히 포화(飽和)시키다. **-ra·tion** [⌐-⌐-réiʃən] *n.*
Súper Sáver 《美》 초할인 국내 항공 운임《30일 전에 구입, 7일 이상의 여행이 조건》.
su·per·scribe [-skráib] *vt.* (…의) 위에 쓰다; (수취인) 주소 성명을 쓰다. **-script** [⌐-skrìpt] *a., n.* 위에 쓴; Ⓒ 어깨 글자〔숫자〕《a'', x^3, $''\cdot 3$ 따위》. **-scrip·tion** [⌐-skrípʃən] *n.* Ⓤ 위에 쓰기; Ⓒ 수취인 주소·성명.
***su·per·sede** [-sí:d] *vt.* ① (…에) 대신하다, 갈마들다. ② 면직시키다; 바꾸다. ③ 폐지하다.
su·per·son·ic [-sánik/-sɔ́n-] *a.* 초음파의; 초음속의, 초음속으로 나는 (cf. transsonic).
sùper·sónics *n.* Ⓤ 〖理〗 초음속학〔이론, 연구〕.
supersónic tránsport 초음속 수송기《생략 SST》.
supersónic wáves 초음파.
súper·stàr *n.* Ⓒ 슈퍼스타, 뛰어난 인기 배우.
:su·per·sti·tion [sù:pərstíʃən/sjù:-] *n.* Ⓤ,Ⓒ 미신, 사교(邪教). ***-tious** *a.* 미신적인, 미신에 사로잡힌.
súper·strùcture *n.* Ⓒ 상부 구조; (토대 위의) 건축물; 〖船〗 (중갑판 이상의) 상부 구조; 〖哲〗 원리의 체계.
súper·tànker *n.* Ⓒ 초대형 유조선. 「부가세.
súper·tàx *n.* Ⓤ,Ⓒ 《주로 英》 특별
Súper 301 provísions 슈퍼 301조《종래의 통상법 301조에 1988년 무역 자유화에 관한 우선 교섭국 특정 조항을 부여한 것》.
su·per·vene [sù:pərví:n] *vi.* 잇따라 일어나다, 병발하다. **-ven·tion** [-vénʃən] *n.*
***su·per·vise** [sú:pərvàiz/sjú:-] *vt.* 감독하다. ***-vi·sion** [⌐-víʒən] *n.* ***-vi·sor** [⌐-vàizər] *n.* Ⓒ 감독자; 〖컴〗 감독자, 슈퍼바이저. **-vi·so·ry** [⌐-váizəri] *a.* 감독의. 「내기.
súpervisor cáll 〖컴〗 감시자 불러
su·pine [su:páin] *a.* 번듯이 누운; 게으른. **~·ly** *ad.*
supp., suppl. supplement.
†sup·per [sʌ́pər] *n.* Ⓤ,Ⓒ 저녁 식사《특히, 낮에 'dinner'를 먹었을 경우의》. ***the Last S-*** 최후의 만찬.
súpper clùb 《美》 (식사·음료를 제공하는) 고급 나이트클럽.
sup·plant [səplǽnt, -á:-] *vt.* (부정 수단 따위로) 대신 들어앉다, 밀어내고 대신하다; (…에) 대신하다.

sup·ple[sʌ́pəl] *a.* 나긋나긋한, 유연한; 경쾌한; 유순한, 아첨하는. ― *vt., vi.* 유연[유순]하게 하다[되다].
:**sup·ple·ment**[sʌ́pləmənt] *n.* Ⓒ 보충, 보족(補足), 보유(補遺), 부록(*to*); 〖數〗 보각(補角). ― [-mènt] *vt.* 보충하다, 추가하다; 보유를[부록을] 달다. **-men·tal**[-méntl], *****-men·ta·ry**[-təri] *a.*
sup·ple·tion[səplíːʃən] *n.* Ⓤ 〖文〗 보충법《보기 : go-*went*-gone; bad-*worse*》.
*****sup·pli·ant**[sʌ́pliənt] *a., n.* Ⓒ 탄원[간원]하는 (사람). **-ance** *n.*
sup·pli·cant[-kənt] *n., a.* =SUPPLIANT.
*****sup·pli·cate** [sʌ́pləkèit] *vt., vi.* 탄원하다(*to, for*); 기원하다(*for*). *****-ca·tion**[∸–kéiʃən] *n.* Ⓤ,Ⓒ 탄원; 기원.
sup·pli·ca·to·ry [sʌ́plikətɔ̀ːri/-təri] *a.* 탄원하는; 기원하는.
†**sup·ply**[1][səplái] *vt.* ① 공급하다(*with*). ② 보충하다. ③ (희망·필요를) 만족시키다. ④ (지위 따위를) 대신 차지하다. ― *n.* ① Ⓤ 공급; 보급; Ⓒ (종종 *pl.*) 공급물, 저장 물자. ② Ⓒ 대리자. ③ (*pl.*) 필요 물자, 군수품. **sup·plí·er** *n.* Ⓒ supply 하는 사람[것].
sup·ply[2][sʌ́pli] *ad.* 유연[유순]하게.
supplý-sìde[səplái-] *a.* (경제가) 공급면 중시의.
†**sup·port**[səpɔ́ːrt] *vt.* ① 지탱하다, 버티다; 견디다. ② 지지[유지]하다. ③ 부양하다. ④ 원조하다. ⑤ 옹호하다. ⑥ 입증하다. ⑦ 〖軍〗 지원하다. ⑧ 〖劇〗 (맡은 역을) 충분히 연기하다; 조연[공연]하다. ― *n.* ① Ⓤ 지지; Ⓒ 지주(支柱); 지지물[자]. ② Ⓤ 원조; 부양. ③ Ⓒ 〖軍〗 지원(부대); 예비대. ④ 〖컴〗 지원. ***give ~ to*** …을 지지하다. ***in ~ of*** …을 옹호[변호]하여. **~·a·ble** *a.* 지탱할[참을] 수 있는; 지지[부양]할 수 있는. *****~·er** *n.* Ⓒ 지지자, 지지물, 버팀. **~·ing** *a.*
suppórting prògram(me) 〖映〗 보조 프로그램, 동시 상영 영화.
†**sup·pose**[səpóuz] *vt.* ① 가정하다, 상상하다, 생각하다. ② 믿다. ③ 상정(想定)하다, (…을) 필요 조건으로 하다, 의미하다. ④ 《명령형 또는 현재 분사형으로》 만약 …이라면. ⑤ 《명령형으로》 …하면 어떨까(*S- we try?*). *****sup·posed**[-d] *a.* 상상된; 가정의; 소문난. **sup·pos·ed·ly**[-idli] *ad.* 상상[추정]상, 아마. *****sup·pós·ing** *conj.* 만약 …이라면(if).
*****sup·po·si·tion**[sʌ̀pəzíʃən] *n.* Ⓤ 상상; Ⓒ 가정. **~·al** *a.*
sup·pos·i·ti·tious [səpɑ̀zətíʃəs/-pɔ̀z-] *a.* 가짜의; 상상(상)의.
sup·pos·i·to·ry [səpɑ́zətɔ̀ːri/-pɔ́zətəri] *n.* Ⓒ 〖醫〗 좌약(坐藥).
:**sup·press**[səprés] *vt.* ① (감정 따위를) 억누르다, 참다. ② (반란 따위를) 진압하다. ③ (진상 따위를) 발표하지 않다; 발표를 금지하다; 삭제하다. ④ (출혈 따위를) 막다. *****sup·prés·sion** *n.* Ⓤ 억제; 진압; 발매금지; 삭제.
sup·pres·sor[səprésər] *n.* Ⓒ 진압자; 억제자; 금지자. 「리드.
suppréssor grìd 〖電子〗 억제 그
sup·pu·rate[sʌ́pjərèit] *vi.* 곪다, 고름이 나오다. **-ra·tive** *a.* 화농성의; 화농을 촉진하는. **-ra·tion**[∸–réiʃən] *n.* Ⓤ 화농; 고름.
su·pra[súːprə] *ad.* (L.) 앞에; 위에.
su·pra-[súːprə/sjúː-] *pref.* '위의[에]'의 뜻.
sùpra·nátional *a.* 초국가적인.
sùpra·rénal *n., a.* Ⓒ 부신(副腎)의; 신장 위의.
su·pra·seg·mén·tal phóneme [-segméntl-] 〖言〗 겹친 음소.
*****su·prem·a·cy**[səpréməsi, su(ː)-] *n.* Ⓤ 지고(至高), 최상; 주권, 대권(大權), 지상권(至上權).
:**su·preme**[səpríːm, su(ː)-] *a.* 지고[최상]의; 최후의. ***make the ~ sacrifice*** 목숨을 바치다. **~·ly** *ad.*
Supréme Béing, the 신, 하느님.
Supréme Cóurt, the 《美》 (연방 또는 여러 주의) 최고 재판소.
Supréme Sóviet, the (구소련의) 최고 회의.
Supt. Superintendent. 「의 뜻.
sur-[sər, sʌr, səːr] *pref.* '위, 상(上)'
su·rah[sjúərə] *n.* Ⓤ 부드러운 능직(綾織) 비단. 「지(停止).
sur·cease [səːrsíːs] *n.* Ⓤ 《古》 정
sur·charge[sə́ːrtʃɑ̀ːrdʒ] *n.* Ⓒ 과(過) 적재; 과중; 과충전(過充電); (대금 등의) 부당[초과] 청구; 추가 요금; (우표의) 가격[날짜] 정정인(訂正印); (우편의) 부족세(稅). ― [–∸] *vt.* 지나치게 싣다[채우다]; 과충전하다; 과중한 부담을 지우다; (우표에) 가격[날짜] 정정인을 찍다.
sur·cin·gle[sə́ːrsìŋgəl] *n.* Ⓒ (말의) 뱃대끈.
sur·coat[sə́ːrkòut] *n.* Ⓒ (중세의 기사가 갑옷 위에 입던) 겉옷.
surd[səːrd] *n., a.* Ⓒ 〖數〗 무리수, 부진근수(不盡根數)(의); 〖音聲〗 무성음(의).
†**sure**[ʃuər] *a.* ① 틀림없는; 확실한; 신뢰할 수 있는. ② 자신 있는; 확신하는(*of; that*). ③ 확실히 …하는(*to* do, *to* be). ④ 튼튼한, 안전한. ***be ~*** 꼭 …하다(*to* do). ***for ~*** 확실히. ***make ~*** 확보하다; 확인하다. ***S-thing!*** 《美口》 그렇고 말고요. ***to be ~(!)*** 과연; 물론; 참말(*To be ~ he is clever.* 물론 머리는 좋지만); 저런!; 원!(따위). ***Well, I'm ~!*** 원, 놀랐는걸. ― *ad.* 《美口》 확실히, 꼭; 그렇고말고요! ***~ enough*** 《美口》 과연, 아니나 다를까; 참말로. †**∠·ly** *ad.* 확실히; 틀림없이; 반드시. 「실의.
sùre-enóugh *a.* 《美口》 진짜의, 현
súre-fìre *a.* 《美口》 확실한, (성공이) 틀림없는. 「착실한, 틀림없는.
sùre-fóoted *a.* 발디딤이 든든한;

S

sure·ty**[ˊ-ti] *n.* Ⓒ,Ⓤ 보증; 담보(물건); Ⓒ 보증인; Ⓤ《古》확실한 것, 확실성. ***of a ~ 확실히.
***surf**[səːrf] *n.* Ⓤ 밀려오는 파도.
:sur·face[sə́ːrfis] *n., a.* Ⓒ 표면(의); 외관(의), 겉보기(뿐의); 〖幾〗 면(面). — *vt.* 표면을 붙이다; 판판하게 하다; 포장(鋪裝) 하다.
súrface càr《美》노면(路面) 전차.
súrface màil (항공 우편에 대하여) 지상·해상 수송 우편.
súrface nòise (레코드의) 바늘 소리《잡음》.
súrface prìnting 블록판 인쇄〔날염〕.
súrface ríghts 지상권(地上權).
súrface ténsion 〖理〗 표면 장력(張力).
súrface-to-áir mìssile 지대공(地對空) 미사일.
súrface-to-súrface mìssile 지대지(地對地) 미사일.
súrface wàter 지표수《지하수에 대해》; 〖地〗 표면 수량.
súrf and túrf 새우 요리와 비프스테이크가 한 코스인 요리.
súrf·bòard *n.* Ⓒ 파도타기 널.
súrf·bòat *n.* Ⓒ 거친 파도를 헤치고 나아가는데 쓰는 보트《구명용》.
***sur·feit**[sə́ːrfit] *n., vt., vi.* Ⓤ,Ⓒ 과다; 과식〔과음〕(시키다, 하다)(*of, on, upon*); 식상(食傷), 포만(飽滿); 식상하(게 하)다(*with*); 물리(게 하)다(*with*).
surf·er[sə́ːrfər] *n.* Ⓒ 파도타기를 하는 사람.
súrf·ing *n.* Ⓤ 서핑, 파도타기; 미국서 생긴 재즈의 하나.
súrf-rìding *n.* Ⓤ 파도타기(surfing).
surg. surgeon; surgery; surgical.
***surge**[səːrdʒ] *vi.* 파도 치다, 밀어닥치다; (감정이) 끓어오르다. — *vt.* 〖海〗 (밧줄을) 늦추다, 풀어 주다. — *n.* Ⓒ 큰 파도, 물결 침; 굽이침; (감정의) 격동; (전류의) 파동, 서지; (바퀴 따위) 헛돌기; 〖컴〗 전기놀, 전기 파도.
:sur·geon[sə́ːrdʒən] *n.* Ⓒ 외과 의사; 군의관; 선의(船醫).
súrgeon géneral《美》의무감(監); (S- G-) 공중(公衆) 위생국 장관.
***sur·ger·y**[sə́ːrdʒəri] *n.* Ⓤ 외과(수술); Ⓒ 수술실; 《英》 의원, 진료소.
***sur·gi·cal**[sə́ːrdʒikəl] *a.* 외과(의사)의; 외과용의. **~·ly** *ad.*
súrgical bòots 〔**shòes**〕 (정형외과용의) 교정(矯正) 구두.
surg·y[sə́ːrdʒi] *a.* 크게 파도치는; 큰 파도에 의한.
Su·ri·nam[sùːrənɑ́m, -nǽm] *n.* 남아메리카 북동 해안의 독립국.
***sur·ly**[sə́ːrli] *a.* 지르퉁한, 까다로운, 무뚝뚝한. **-li·ly** *ad.* **-li·ness** *n.*
***sur·mise**[sərmáiz, sə́ːrmaiz] *n.* Ⓒ,Ⓤ 추량(推量); 추측(상의 일). — [-ˊ] *vt., vi.* 추측하다.
sur·mount[sərmáunt] *vt.* 오르다; (…의) 위에 놓다, 얹다; 극복하다, (곤란을) 이겨내다.
***sur·name**[sə́ːrnèim] *n., vt.* Ⓒ 성(姓); 별명(을 붙이다, 으로 부르다).
:sur·pass[sərpǽs, -pɑ́ːs] *vt.* …보다 낫다; (…을) 초월하다. **~·ing** *a.* 뛰어난, 탁월한.
sur·plice[sə́ːrplis] *n.* Ⓒ (성직자나 성가대원이 입는, 소매 넓은) 중백의(中白衣). **sur·pliced**[-t] *a.* 중백의를 입은.
:sur·plus[sə́ːrpləs] *n., a.* Ⓤ,Ⓒ 여분(의); 〖經〗 잉여(금).
sur·plus·age[sə́ːrpləsidʒ] *n.* Ⓤ,Ⓒ 잉여, 과잉; 쓸데없는 말; 〖法〗 불필요한 변호.
†**sur·prise**[sərpráiz] *n.* ① Ⓤ 놀람. ② Ⓒ 놀라운〔뜻 밖의〕 일. ③ Ⓤ 불시의 공격, 기습. ***by*** ~ 불시에. ***take by*** ~ 불시에 습격하여 붙잡다; 기습을 하다; 깜짝 놀라게 하다. ***to one's*** (***great***) ~ (대단히) 놀랍게도. — *vt.* ① 놀라게 하다. ② 불시에 습격하다; 불시에 쳐서 …시키다. ③ 현행(現行) 중에 붙잡다. ***be ~d at*** 〔***by***〕 …에 놀라다. — *a.* 뜻밖의, 놀라운. **:sur·prís·ing** *a.* 놀라운, 뜻밖의. ***sur·prís·ing·ly** *ad.*
surprìse attàck 기습.
surprìse ènding (소설·극의) 급전.
surprìse vìsit 불시의 방문; 임검〔(臨檢)〕.
sur·real·ism[sərí:əlìzəm] *n.* Ⓤ 〖美術·文學〗 초현실주의.
:sur·ren·der[səréndər] *vt.* ① 인도(引渡)하다, 넘겨주다; 포기하다. ② (몸을) 내맡기다, (습관 따위에) 빠지다. — *vi.* 항복하다. ~ ***oneself*** 항복하다; 빠지다(*to*). — *n.* Ⓤ,Ⓒ 인도, 단념; 항복.
sur·rep·ti·tious[sə̀rəptíʃəs/sʌ̀r-] *a.* 비밀의, 내밀〔부정〕한; 뒤가 구린.
Sur·rey[sə́ːri, sʌ́ri] *n.* 잉글랜드 남동부의 주《생략 Sy.》; Ⓒ (s-) 2석 4인승 4륜 유람 마차.
sur·ro·gate[sə́ːrəgèit, -git/sʌ́r-] *n.* Ⓒ 대리인; 〖英國國教〗 감독 대리; 《美》(어떤 주에서) 유언 검증 판사. — *vt.* 〖法〗 (…의) 대리를 하다.
:sur·round[səráund] *vt.* 둘러〔에워〕싸다, 두르다. **:~·ing** *n., a.* Ⓒ 둘러싸는 것; (*pl.*) 주위(의 상황), 환경; 둘러 싸는, 주위의.
sur·tax[sə́ːrtæ̀ks] *n., vt.* Ⓤ,Ⓒ 《美》 부가세(를 과하다); 《英》 소득세 특별 부가세.
sur·veil·lance[sərvéiləns, -ljəns] *n.* Ⓤ 감시, 감독. ***under*** ~ 감독을 받고.
sur·veil·lant[sərvéilənt] *n.* Ⓒ 감시자; 감독자. — *a.* 감시〔감독〕하는.
:sur·vey[sərvéi] *vt.* 바라다보다, 전망하다; 개관(槪觀)하다; 조사하다; 측량하다. — *vi.* 측량하다. — [sə́ːrvei, sərvéi] *n.* Ⓒ 개관; Ⓤ,Ⓒ 조사(표); 측량(도). **~·ing** *n.* Ⓤ 측량(술). ***~·or** *n.* Ⓒ 측량 기사; 《美》 (세관의) 검사관; (S-) 미국의 달 무

인(無人) 탐측 계획에 의한 인공 위성. **~*or's measure*** (60피트의 측쇄를 기준으로 하는) 측량 단위.

sur·viv·al**[sərváivəl] *n.* ① Ⓤ 잔존(殘存), 살아 남음. ② Ⓒ 생존자, 잔존물; 예부터의 풍습〔신앙〕. **~ *of the fittest 적자 생존(適者生存).

:sur·vive[sərváiv] *vt.* (…의) 후까지 생존하다, …보다 오래 살다; (…에서) 살아나다. ── *vi.* 살아 남다; 잔존하다. ***sur·ví·vor** *n.* Ⓒ 살아남은 사람, 생존자.

***sus·cep·ti·ble**[səséptəbəl] *a.* 예민하게 느끼는, 민감한; 동하기 쉬운, 정에 무른(*to*); …을 허락하는, …을 할 수 있는(*of*). **-bly** *ad.* 느끼기 쉽게. **-bil·i·ty**[-⌐-bíləti] *n.* Ⓤ 감수성(*to*); Ⓒ (*pl.*) 감정.

sus·cep·tive[səséptiv] *a.* 감수성이 강한(*of*).

:sus·pect[səspékt] *vt.* 알아채다, …이 아닐까 하고 생각하다; 의심하다, 수상쩍게 여기다(*of*). ── [sʌ́spekt] *n., pred. a.* Ⓒ 용의자; 의심스러운.

:sus·pend[səspénd] *vt.* ① 매달다. ② 허공에 뜨게 하다. ③ 일시 중지하다, 정직시키다, (…의) 특권을 정지하다. ④ 미결로 두다, 유보하다. ── *vi.* (은행 등이) 지불을 정지하다. *** ~·ers** *n. pl.* 《美》 바지 멜빵; 《英》 양말 대님.

suspénded animátion 가사(假死), 인사 불성.

***sus·pense**[səspéns] *n.* Ⓤ 걱정, 불안; (소설·영화 따위의) 서스펜스; 미결정, 이도저도 아님. ***keep a person in* ~** 아무를 마음 졸이게 하다.

sus·pen·si·ble[səspénsəbəl] *a.* 드리울 수 있는; 중지할 수 있는; 결정 않고 둘 수 있는; 부유성의.

***sus·pen·sion**[səspénʃən] *n.* ① Ⓤ 매닮; 매달림. ② Ⓒ 매다는 지주(支柱). ③ Ⓤ (특권의) 일시 정지, 정직; 중지, 미결정; 지불 정지. ④ Ⓒ 차체(車體) 버팀 장치. ⑤ Ⓒ 현탁액(懸濁液). **-sive** *a.* 중지〔정지〕의; 불안한; 이도저도 아닌.

suspénsion brìdge 조교(弔橋).

sus·pen·so·ry[səspénsəri] *a.* 매달아 두는; 중지의; 미결로 두는. ── *n.* Ⓒ 멜빵 붕대; 〖解〗 인대(靭帶), 현수근(懸垂筋).

:sus·pi·cion[səspíʃən] *n.* ① Ⓤ,Ⓒ 느낌, 낌새챔; 의심; 혐의. ② Ⓤ 소량, 미량(*a ~ of brandy*); 기미(*of*). ***above*** 〔***under***〕 **~** 혐의가 없는〔있는〕. ***on ~ of*** …의 혐의로.

:sus·pi·cious[səspíʃəs] *a.* 의심스러운, 괴이쩍은; 의심하는〔많은〕; 의심을 나타내는. **~·ly** *ad.* **~·ness** *n.*

sus·pire[səspáiər] *vi.* 《詩》 한숨을 쉬다(sigh).

Sus·sex[sʌ́siks] *n.* 잉글랜드 남동부의 구주(舊州)《생략 Suss.; 1974년 East Sussex와 West Sussex로 분리》.

:sus·tain[səstéin] *vt.* ① 버티다, 지지하다, 유지하다, 지속하다(*~ed efforts* 부단한 노력). ② 부양하다. ③ 견디다. ④ 받다, 입다. ⑤ 승인〔시인〕하다, 확인〔확증〕하다. **~·ing** *a.* 버티는, 지구적(持久的)인; 몸에 좋은; 힘을 북돋는(*~ing food*). **~*ing program*** 〖放〗 (스폰서 없는) 자주(自主) 프로, 비상업적 프로.

***sus·te·nance**[sʌ́stənəns] *n.* Ⓤ ① 생명을 유지하는 것, 음식물; 영양물. ② 생계. ③ 유지; 지지.

sus·ten·ta·tion[sʌ̀stəntéiʃən] *n.* Ⓤ 생명의 유지; 부양; Ⓤ,Ⓒ 영양물, 음식물.

su·tra[súːtrə] *n.* (Skt.) Ⓒ 〖佛〗 경(經), 경전.

su·ture[súːtʃər] *n.* Ⓒ 〖外〗 봉합(縫合), 꿰맨 자리(의 한 바늘); 〖動·植〗 봉합; 〖解〗 (두개골의) 봉합선.

su·ze·rain[súːzərin, -rèin] *n.* Ⓒ 〖史〗 영주; (속국에 대한) 종주(국). **~·ty** *n.* Ⓤ 종주권; 영주의 지위〔권력〕.

s.v. sailing vessel; *sub verbo* 〔*voce*〕 (L.=under the word).

svelte[svelt] *a.* (F.) (여자의 자태가) 미끈한, 날씬한.

SW shortwave. **SW, S.W., s.w.** southwest; southwestern. **Sw.** Sweden; Swedish.

swab[swɑb/-ɔ-] *n.* Ⓒ 자루 걸레; (소독 또는 약을 바르는 데 쓰는) 스펀지, 헝겊, 탈지면; 포강(砲腔) 소제봉(棒); 《俗》 솜씨 없는 사람. ── *vt.* (*-bb-*) 자루 걸레로 훔치다(*down*); (약을) 바르다, 약솜(등)으로 닦다.

swad·dle[swɑ́dl/-ɔ́-] *vt.* 포대기로 싸다《갓난 아기를》; 옷으로〔붕대로〕 감다.

swáddling bànds 〔**clòthes**〕 기저귀, (특히, 갓난 아기의) 배내옷; 유년기; 《비유》 자유를 속박하는 힘.

swag[swæg] *n.* Ⓤ 《俗》 장물, 약탈품, 부정 이득; Ⓒ 《濠》 (삼림 여행자의) 휴대품 보따리; 꽃줄(festoon).

***swag·ger**[swǽgər] *vi.* 거드럭거리며 걷다; 자랑하다(*about*); 으스대다, 뻐기다. ── *vt.* 을러대어 …시키다. ── *n.* Ⓤ 거드럭거리는 걸음걸이〔태도〕. ── *a.* 《英口》 스마트한, 멋진. **~·ing·ly** *ad.* 뽐내어.

swágger stìck 〔《英》 **càne**〕 (군인 등이 외출시에 들고 다니는) 단장.

Swa·hi·li [swɑːhíːli] *n.* (*pl.* **~, ~s**) 스와힐리 사람《아프리카 Zanzibar 지방에 사는 Bantu족》; Ⓤ 스와힐리 말.

swain[swein] *n.* Ⓒ 《古·詩》 시골 멋쟁이; =LOVER.

S.W.A.K., SWAK, swak [swæk] sealed with a kiss 키스로 봉한《아이들·연인이 편지에 씀》.

swale[sweil] *n.* Ⓒ 《美》 저습지(低濕地).

:swal·low[1] [swɑ́lou/-ɔ́-] *vt., vi.* ① 삼키다. ② 빨아들이다. ③ 《口》 받아들이다, 곧이듣다. ④ 참다; (노여움을) 억누르다. ⑤ (말한 것을) 취소하

다. ── *n.* Ⓒ 삼킴; 한 모금(의 양); 「식도.

:swal·low[2] *n.* Ⓒ 제비.

swállow·tàil *n.* Ⓒ 제비꼬리(모양의 것); 《口》 연미복(~ coat); 〖蟲〗 산호랑나비. **-tàiled** *a.* 제비꼬리 모양의.

:swam[swæm] *v.* swim의 과거.

swa·mi[swɑ́:mi] *n.* (*pl.* **~s**) Ⓒ 인도 종교가의 존칭.

:swamp[swɑmp/-ɔ-] *n.* Ⓒ,Ⓤ 늪, 습지. ── *vt.* (물 속에) 처박다〔가라앉히다〕; 물에 잠기게 하다; 궁지에 몰아 넣다, 압도하다. **∠·y** *a.* 늪의, 늪이 많은; 질퍽질퍽한.

swámp·lànd *n.* Ⓤ 소택지.

:swan[swɑn/-ɔ-] *n.* Ⓒ 백조; 가수; 시인. ***black ~*** (호주산) 검은 고니; 희귀한 물건〔일〕. ***the S- of Avon*** Shakespeare의 별칭.

swán dìve 〖水泳〗 (양팔을 펴고 하는) 제비식 다이빙.

swang[swæŋ] *v.* 《古·方》 swing의 과거.

swank[swæŋk] *vi., n.* Ⓤ 자랑해 보이다〔보이기〕; 허세(부리다), 뽐내며 걷다; 《俗》 멋부림; 스마트함. ── *a.* =SWANKY. **∠·y** *a.* 《口》 멋진.

swáns·dòwn, swán's- *n.* Ⓤ 백조의 솜털《옷의 가장자리 장식·분첩용》.

swán sòng 백조의 노래《백조가 죽을 때 부른다는》; 마지막 작품.

swap[swɑp/-ɔ-] *n., vt., vi.* (**-pp-**) Ⓒ (물물) 교환(하다); 《俗》 부부 교환(을 하다); 〖컴〗 교환, 갈마들임.

swáp mèet 《美》 중고품 교환회〔시장〕.

sward[swɔ:rd] *n., vt., vi.* Ⓤ 잔디(로 덮(이)다). 「거.

sware[swɛər] *v.* 《古》 swear의 과

:swarm[1][swɔ:rm] *n.* Ⓒ ① (곤충의) 떼. ② (분봉하는, 또는 벌집 속의) 꿀벌 떼. ③ 〖生〗 부유(浮遊) (단)세포군(群). ④ (물건의) 다수, 무리, 군중. ── *vi.* 떼짓다; (꿀벌이) 떼지어 분봉하다.

swarm[2] *vt., vi.* 기어 오르다(*up*).

swart[swɔ:rt], 《古》 **swarth** [swɔ:rθ] *a.* =SWARTHY.

***swarth·y**[swɔ́:rði, -θi] *a.* (피부가) 거무스레한, 거무튀튀한.

swash[swɑʃ/-ɔ-] *vt., vi., n.* Ⓒ 물을 튀기다〔튀김, 튀기는 소리〕; 좔좔《물소리》.

swásh·bùckler *n.* Ⓒ 허세부리는 사람〔군인 등〕. **-bùckling** *n., a.* Ⓤ 허세(부리는).

swas·ti·ka [swɑ́stikə] *n.* Ⓒ 만자《卍》; (나치 독일의) 갈고리 십자 기장(十字記章)《卐》.

swat[swɑt/-ɔ-] *vt.* (**-tt-**), *n.* Ⓒ 찰싹치다〔때림〕, 파리채.

SWAT, S.W.A.T.[swat/swɔt] 《美》 Special Weapons and Tactics 스와트, 특별기동대, 특수공격대.

swatch[swɑtʃ/-ɔ-] *n.* Ⓒ 견본(조각).

swath[swɔ:θ, swɑθ] *n.* (*pl.* **~s** [-θs, -ðz]) Ⓒ 한 줄의 벤 풀〔보리〕; 한 번 낫질한 넓이; 작은 조각. ***cut a wide ~*** 《美》 점잔 빼다.

swathe[1][sweið, swɑð] *vt.* 싸다, 붕대로 감다; 포위하다. ── *n.* Ⓒ 싸는 천, 붕대.

swathe[2] *n.* =SWATH.

S wàve (지진의) S파, 횡파.

:sway[swei] *vt., vi.* 흔들(리)다; 지배하다, 좌우하다. ── *n.* Ⓤ,Ⓒ 동요; Ⓤ 지배(권).

swáy·bàck *n., a.* Ⓒ (말의) 척주만곡증; =SWAYBACKED. **-bàcked** *a.* (말의) 등이 우묵한; 등을 다친.

Swa·zi·land[swɑ́:zilæ̀nd] *n.* 남아프리카의 소왕국《1968년 독립》.

SWbS, S.W.bS. southwest by south. **SWbW, S.W.bW.** southwest by west.

:swear[swɛər] *vi.* (***swore,*** 《古》 ***sware; sworn***) 맹세하다; 〖法〗 선서하다; 서약하다; 벌받을 소리를 하다, 욕지거리하다(*at*). ── *vt.* 맹세하다; 선서하다; 단언하다; 선서〔서약〕시키다; 맹세코 …한 상태로 하다. ***~ by*** (…을) 두고 맹세하다; 《口》 (…을) 크게 신용하다. ***~ in*** 선서를 시키고 취임시키다. ***~ off*** 《口》 (술 따위를) 맹세코 끊다. ***~ to*** (맹세코) 단언하다, 확언하다. ── *n.* Ⓒ 《口》 저주, 욕. **∠·ing** *n.* Ⓒ 맹세(의 말); 저주, 욕설《'Damn it!' 따위》.

swéar·wòrd *n.* Ⓒ 재수 없는 말, 욕, 저주.

:sweat[swet] *n.* ① Ⓤ 땀. ② (a ~) 발한(發汗)(작용). ③ Ⓤ,Ⓒ (표면에 끼는) 물기. ④ (a ~) 《口》 불안. ⑤ (a ~) 《口》 힘드는 일, 고역. ***by*** 〔***in***〕 ***the ~ of one's brow*** 이마에 땀을 흘려, 열심히 일하여. ***in a ~*** 땀 흘려; 《口》 걱정하여. ── *vi.* (***sweat, ~ed***[∠id]) ① 땀을 흘리다. ② 습기가 생기다; 스며 나오다; 표면에 물방울이 생기다. ③ 《口》 땀 흘려 일하다; 《口》 걱정하다. ── *vt.* ① 땀을 흘리게 하다. ② 땀으로 적시다〔더럽히다〕. ③ 습기를 생기게 하다; (공업적 제조 과정에서) 스며나오게 하다; 발효시키다. ④ 혹사하다. ⑤ 《俗》 고문하다. ⑥ (땜납을) 녹을 때까지 가열하다, 가열 용접하다; 가열하여 가용물(可熔物)을 제거하다. ***~ down*** 《美俗》 몹시 압축하다, 소형으로 하다. ***~ out*** (감기 따위를) 땀을 내어 고치다.

swéat·bànd *n.* Ⓒ (모자 안쪽의) 땀받이.

sweat·ed[swétid] *a.* 저임금 노동의. ***~ goods*** 저임금 노동으로 만든 제품. ***~ labor*** 저임금 노동.

:sweat·er[∠ər] *n.* Ⓒ 스웨터; 땀흘리는 사람; 발한제(劑); 싼 임금으로 혹사하는 고용주.

swéater gìrl 《俗》 젖가슴이 풍만한 젊은 여자.

swéat glànd 〖解〗 땀샘.

swéat shìrt (두꺼운 감의) 낙낙

S

한 스웨터.
swéat·shòp *n.* Ⓒ 노동자 착취 공장. 「흘리게 하는.
sweat·y [swéti] *a.* 땀투성이의; 땀
Swed. Sweden; Swedish.
***Swede** [swi:d] *n.* Ⓒ 스웨덴 사람《한 사람》.
***Swe·den** [swí:dn] *n.* 스웨덴.
***Swed·ish** [swí:diʃ] *a., n.* Ⓒ 스웨덴의; Ⓒ 스웨덴 사람(의); Ⓤ 스웨덴 말(의)(cf. Swede).
:sweep [swi:p] *vt.* (***swept***) ① 청소하다, 털다(*away, off, up*). ② 일소하다(*away*). ③ 홀려보내다, 날려버리다. ④ 둘러 보다. ⑤ (…을) 스칠 듯 지나가다. ⑥ 살짝 어루만지다. ⑦ (악기를) 타다. — *vi.* ① 청소하다. ② 횡 지나가다. ③ 엄습하다; 휘몰아치다. ④ 옷자락을 끌며〔사뿐사뿐, 당당히〕 걷다. ⑤ 멀리 바라다보다. ⑥ 멀리 뻗치다. ***be swept off one's feet*** (파도에) 발이 휩쓸리다; 열중하다. **~ *the board*** (내기에 이겨) 탁상의 돈을 몽땅 쓸어가다, 전승하다. **~ *the seas*** 소해(掃海)하다; 해상의 적을 일소하다. — *n.* Ⓒ ① 청소, 일소. ② 불어제침, 한 번 휘두르기. ③ 밀어 닥침. ④ (물·바람 따위의) 맹렬한 흐름. ⑤ 만곡(彎曲). ⑥ 뻗침; 범위, 시계(視界). ⑦ (*pl.*) 먼지, 쓰레기. ⑧《주로 英》 굴뚝〔도로〕 청소부. ⑨ 〖海〗 길고 큰 노. ⑩ (두레박틀의) 장대. ⑪=SWEEPSTAKE(S). ***make a clean ~ of*** …을 전폐하다. ***∠·er** *n.* Ⓒ 청소부〔기〕.
***swéep·ing** *a.* ① 일소하는; 불어제치는. ② 파죽지세(破竹之勢)의. ③ 전반에 걸친, 대충의. ④ 대대적인, 철저한. — *n.* Ⓤ,Ⓒ 청소, 일소; 불어제침, 밀어내림; (*pl.*) 쓸어모은 것, 먼지, 쓰레기. **~·ly** *ad.*
swéep·stàke(s) *n.* Ⓒ 건 돈을 독점하는 경마, 또 그 상금; 건 돈을 독점〔분배〕하는 내기.
†sweet [swi:t] *a.* ① 달콤한, 맛있는, 향기로운. ② 맛이〔냄새가〕 좋은. ③ 신선한, 기분 좋은, 유쾌한. ④ 목소리가〔가락이〕 감미로운. ⑤《美口》 수월하게 할 수 있는. ⑥ 친절한, 상냥한. ⑦ (땅이) 경작에 알맞은. ⑧《口》 예쁜, 귀여운. ***be ~ on*** 〔***upon***〕《口》 (…을) 그리워하다. ***have a ~ tooth*** 단 것을 좋아하다. — *n.* Ⓒ 단 것; 《英》 식후에 먹는 단것; (*pl.*) 사탕, 캔디; (*pl.*) 즐거움, 쾌락; 연인, 애인. — *ad.* 달게; 즐겁게; 상냥하게; 순조롭게. **:∠·ly** *ad.* **:∠·ness** *n.*
swéet a·lýs·sum [-əlísəm/-ǽlisəm] 〖植〗 향기얼리섬《원예 식물》.
swéet-and-sóur *a.* 새콤달콤하게 양념한.
swéet·brèad *n.* Ⓒ (송아지·새끼양의) 지라, 흉선(胸腺)《식용》.
swéet·brìer, -brìar *n.* Ⓒ 들장미의 일종.
swéet córn 《美》 사탕옥수수.
***sweet·en** [∠n] *vt., vi.* 달게 하다〔되다〕; (향기 따위) 좋게 하다, 좋아지다; 유쾌하게 하다, 유쾌해지다; 누그러지(게 하)다. **∠·ing** *n.* Ⓤ,Ⓒ 달게 하는 것; 감미료.
swéet flág 〖植〗 창포의 일종.
swéet gúm 〖植〗 풍향수(楓香樹); 그 나무에서 채취한 향유(香油).
:swéet·hèart *n., vi.* Ⓒ 애인, 연인; 연애하다. **~ *contract*** 〔***agreement***〕 회사와 노조가 공모하여 낮은 임금을 주는 노동 계약.
sweet·ie [swí:ti] *n.*《口》 ① Ⓒ 애인. ② (흔히 *pl.*)《英》 단 과자.
swéet·mèats *n. pl.* 사탕, 캔디, 봉봉, 설탕절임한 과일.
swéet òil 올리브유(油).
swéet pépper 피망.
swéet potàto 고구마.
swéet-scènted *a.* 향기가 좋은.
swéet shòp 《英》 과자점.
swéet-tàlk *vt., vi.* 《美口》 감언으로 꾀다; 아첨하다.
swéet-témpered *a.* 성품이 상냥한. 「카패랭이꽃.
swéet wílliam 〔**W-**〕 〖植〗 아메리
:swell [swel] *vi., vt.* (**~*ed*; ~*ed, swollen***) ① 부풀(리)다. ② 부어오르(게 하)다(*out, up*). ③ (수량이) 붇다, 늘다; (수량을) 불리다. ④ 융기하다〔시키다〕. ⑤ (소리 따위) 높아지다, 높이다. ⑥ 우쭐해지다, 우쭐대게 하다. ⑦ (가슴이) 뿌듯해지다, (가슴을) 뿌듯하게 하다(*with*). ⑧ (*vi.*) 물결이 일다. — *n.* ① Ⓤ 커짐; 증대; Ⓒ 부풂; (*sing.*) (땅의) 융기), 구릉(丘陵); 큰 파도, 놀. ② Ⓤ 높은 소리; 〖樂〗 (음량의) 증감(장치); Ⓒ 그 기호《<, >》. ③ Ⓒ《口》 명사(名士), 달인(達人)(*in, at*); (상류의) 멋쟁이. — *a.* ①《口》 맵시 있는, 멋진. ② 훌륭한, 일류의. ***∠·ing** *n., a.* Ⓤ,Ⓒ 증대; 팽창; Ⓒ 종기; 융기; 돌출부; Ⓤ,Ⓒ 놀; 부푼; (말이) 과장된.
swéll(ed) héad 잘난 체하는〔뽐내는〕 사람.
swéll·físh *n.* (*pl.* **~, ~*es***) Ⓒ 〖魚〗 복어.
swel·ter [swéltər] *vi.* 더위로 몸이 나른해지다, 더위 먹다; 땀투성이가 되다. — *n.* Ⓒ 무더움; 땀투성이.
:swept [swept] *v.* sweep의 과거(분사).
***swerve** [swə:rv] *vi., vt.* ① 빗나가(게 하)다, 벗어나(게 하)다(*from*), (공을) 커브시키다. ② 바른 길에서 벗어나(게 하)다(*from*). — *n.* Ⓒ 벗어남, 빗나감; 〖크리켓〗 곡구(曲球).
:swift [swift] *a., ad.* 빠른; 빨리; 즉석의; …하기 쉬운(*to* do). — *n.* Ⓒ 〖鳥〗 칼새. **:∠·ly** *ad.* ***∠·ness** *n.*
Swift [swift], **Jonathan** (1667-1745) 영국의 풍자 소설가《*Gulliver's Travels*》.
swíft-fóoted *a.* 발이 빠른.
swig [swig] *n., vi., vt.* (**-*gg-***) Ⓒ 《口》 꿀꺽꿀꺽 들이켬〔들이켜다〕.
swill [swil] *n., vt.* (a ~) 꿀꺽꿀꺽

S

들이켬〔들이켜다〕; 씻가시기; 씻가시다(*out*); Ⓤ 부엌찌끼《돼지먹이》.

†**swim**[swim] *vi.* (*swam,* 《古》 *swum; swum; -mm-*) 헤엄치다; 뜨다; 넘치다(*with*); 미끄러지다. ~ *with* 눈이 돌다, 어지럽다. ― *vt.* 헤엄치(게 하)다; 띄우다. ~ *the tide* 〔*stream*〕 시대 조류에 따르다. ― *n.* Ⓒ 수영, 헤엄치는 시간〔거리〕; 물고기의 부레; (the ~) 《口》 시류(時流), 정세. *be in* 〔*out of*〕 *the* ~ 실정에 밝다〔어둡다〕. ˙˙**∠·mer** *n.*

swím blàdder (물고기의) 부레.

swím fìn (잠수용) 발갈퀴(flipper).

˙˙**swim·ming**[∠iŋ] *n.* Ⓤ 수영. **~·ly** *ad.* 거침 없이, 쉽게; 일사 천리로.

swímming bàth 《英》 (보통 실내의) 수영장.

swímming bèlt (띠 모양의) 부낭(浮囊).

swímming blàdder =SWIM BLADDER.

swímming còstume 《英》 수영복.

swímming gàla 수영 경기회.

swímming pòol 《美》 수영 풀.

swímming sùit 수영복.

swímming trùnks 수영 팬츠.

˙**swin·dle**[swíndl] *vt., vi.* 속이다; 사취(詐取)하다(*out of*). ― *n.* Ⓒ 사취, 사기. **swín·dler** *n.* Ⓒ 사기꾼.

swíndle shèet 《美俗》 교제비; 접대비; 필요 경비.

˙**swine**[swain] *n.* (*pl.* ~) Ⓒ (가축으로서의) 돼지; 야비한 사람.

swíne·hèrd *n.* Ⓒ 돼지 치는 사람.

†**swing**[swiŋ] *vi.* ① 흔들거리다, 흔들리다. ② 회전하다. ③ 몸을 좌우로 흔들며 걷다. ④ 매달려 늘어지다, 그네 뛰다. ⑤《口》 교수형을 받다. ⑥《美俗》 성의 모험을 하다, 부부 교환을 하다; 실컷 즐기다. ― *vt.* ① 흔들(거리게 하)다. ② 매달다. ③ 방향을 바꾸다. ④《美口》 교묘히 처리하다; 좌우하다. ⑤ 스윙식으로 연주하다. ~ *the lead*[led] 《英軍俗》 꾀병 부리다; 게으름 피우다. ~ *to* (문이) 삐걱 소리내며 닫히다. ― *n.* ① C,U 동요, 진동(량), 진폭. ② C,U 율동, 가락. ③ Ⓒ 그네(뛰기). ④ C,U (골프·야구·정구의) 휘두르기. ⑤ Ⓒ 활보. ⑥ Ⓤ (일 따위의) 진행, 진척. ⑦ Ⓤ 활동(의 자유·범위). ⑧ Ⓤ 스윙 음악. *give full* ~ *to* (…을) 충분히 활동시키다. *go with a* ~ 순조롭게〔척척〕 진행되다. *in full* ~ 한창 진행중인, 한창인. *the* ~ *of the pendulum* 진자(振子)의 진폭; 영고 성쇠(榮枯盛衰). ― *a.* 스윙음악(식)의. ˙**swíng·ing** *a.* 흔들거리는; 경쾌한; 《美俗》 활발한.

swíng bòat 《英》 보트 모양의 그네.

swíng brìdge 선개교(旋開橋).

swíng-bỳ *n.* Ⓒ (우주선의) 혹성 궤도 근접 통과.

swíng dòor (안팎으로 열리는) 자동식 문.

swinge[swindʒ] *vt.* 《古》 매질하다; 벌하다. **∠·ing** *a.* 《英口》 최고의; 굉장한; 거대한.

swing·er[swíŋər] *n.* Ⓒ 《俗》 유행의 첨단을 걷는 사람; 스와핑(swapping)을〔프리섹스를〕 하는 사람.

swínging dòor =SWING DOOR.

swin·gle[swíŋgəl] *n., vt.* Ⓒ 타마기(打麻器)(로 두드리다).

swíngle·trèe *n.* 물추리막대.

swíng mùsic 스윙 음악.

swíng shìft 《美口》 (공장의) 반(半) 야근《보통 오후 4시-밤 12시》.

swíng wìng 〖空〗 가변익(可變翼).

swin·ish[swáiniʃ] *a.* 돼지 같은; 더러운; 욕심 많은.

swipe[swaip] *n.* Ⓒ 〖크리켓〗 강타; (두레박틀의) 장대(well sweep); 들이켜기; (*pl.*) 《英口》 싼 맥주; 《美口》 말 사육자. ― *vt., vi.* 《口》 강타하다; 《俗》 훔치다.

˙**swirl**[swəːrl] *vi.* (물·바람 따위가) 소용돌이치다; 소용돌이꼴로 되다, 휘감기다. ― *vt.* 소용돌이치게 하다. ― *n.* Ⓒ 소용돌이(꼴).

swish[swiʃ] *vt.* (지팡이를) 휘두르다; 획획 소리나게 하다; 싹 베어버리다(*off*). ― *vi.* (비단옷 스치는 소리·풀베는 소리가) 삭삭거리다; (채찍질하는 소리가) 휙하고 나다. ― *n.* Ⓒ 삭삭〔휙, 싹〕 소리; (지팡이·채찍의) 한 번 휘두르기.

˙˙**Swiss**[swis] *a.* 스위스(사람·식)의. ― *n.* Ⓒ 스위스 사람.

Swíss chárd[-tʃάːrd] 〖植〗 근대《식용》.

Swit. Switzerland.

˙˙**switch**[switʃ] *n.* ① Ⓒ 휘청휘청한 나뭇가지〔회초리〕; (회초리의) 한번 치기. ② Ⓒ (여자의) 다리꼭지. ③ (*pl.*) 〖鐵〗 전철기; 〖電〗 스위치. ④ Ⓒ 전환. ⑤ 〖컴〗 스위치. ― *vt.* 《美》 회초리로 치다; 휘두르다; 전철하다; 스위치를 끄다〔켜다〕(*off, on*); 《口》 바꾸다. ― *vi.* 회초리로 때리다; 전철〔전환〕하다. ~ *off* (*a person*) (아무의) 방송 도중에 스위치를 끄다; 《美俗》 환각 체험을 하다〔에서 깨다〕. ~ *on to* (*a person*) (아무의) 방송을 듣기 위해 스위치를 켜다.

swítch·bàck *n.* Ⓒ (등산(登山) 전차의) 갈짓자 모양의 선로, 스위치백; 《英》 (오락용의) 롤러 코스터.

swítch·blàde (**knífe**) [∠blèid(-)] *n.* Ⓒ 날이 튀어나오게 된 나이프.

˙**swítch·bòard** *n.* Ⓒ 〖電〗 배전반(配電盤); (전화의) 교환대.

switch·er·oo[switʃəruː] *n.* Ⓒ 《美俗》 (태도·지위 따위의) 갑작스러운 〔예상도 못한〕 변화.

swítch-gèar *n.* Ⓤ 《집합적》 (고압용) 개폐기〔장치〕.

swítch-hìtter *n.* Ⓒ 〖野〗 좌우 어느 쪽에서나 칠 수 있는 타자.

switch·ing[swítʃiŋ] *n.* 〖컴〗 스위칭.

swítch·man[∠mən] *n.* Ⓒ 《美》 전철수.

swítch·òver *n.* Ⓒ 전환.

swítch·yàrd *n.* Ⓒ 《美》 (철도의) 조차장(操車場).

Switz. Switzerland.

Switz·er[swítsər] *n.* Ⓒ 스위스 사람; 스위스인 용병.

:Switz·er·land [swítsərlənd] *n.* 스위스.
swiv·el [swívəl] *n.* Ⓒ 전환(轉鐶); 회전고리; 회전대(臺); (회전 의자의) 대(臺); 회전 포가(砲架), 선회포(砲).
swível chàir 회전 의자.
swiz(z) [swiz] *n.* (*pl.* **-zzes** [ˊiz]) (a ~) 《英俗》 기대밖(의 것), 실망.
swiz·zle [swízəl] *n.* Ⓒ 혼합주, 스위즐《칵테일의 일종》.
swízzle stìck 교반봉《칵테일용의》.
swob [swɑb/-ɔ-] *n., vt.* (**-bb-**) = SWAB.
:swol·len [swóulən] *v.* swell의 과거분사. — *a.* 부푼; 물이 불은; 과장된.
˙swoon [swu:n] *n., vi.* Ⓒ 기절〔졸도〕하다; 차츰 사라져가다〔쇠약해지다〕.
˙swoop [swu:p] *vi.* (맹조(猛鳥) 따위가) 위에서 와락 덮치다, 급습하다. — *vt.* 움켜잡다, 잡아채다(*up*). — *n.* Ⓒ 위로부터의 습격〔급습〕. ***at one fell*** **~** 일거에.
swop [swɑp/-ɔ-] *n., v.* (**-pp-**) = SWAP.
:sword [sɔːrd] *n.* Ⓒ 검(劍), 칼; (the ~) 무력; 전쟁. ***at the point of the*** **~** 무력으로. ***be at*** **~*'s points*** 매우 사이가 나쁘다. ***cross*** **~*s with*** …와 싸우다. ***measure*** **~*s with*** (결투 전에) …와 칼의 길이를 대보다; …와 싸우다. ***put to the*** **~** 칼로 베어 죽이다.
swórd àrm 오른팔.
swórd bèlt 검대(劍帶).
swórd càne 속에 칼이 든 지팡이.
swórd cùt 칼자국; 칼에 베인 상처.
swórd dànce 칼춤, 검무.
swórd·fìsh *n.* Ⓒ 〖魚〗 황새치.
swórd gràss 칼 모양의 잎을 가진 풀《글라디올러스 따위》.
swórd guàrd (칼의) 날밑.
swórd knòt 칼자루에 늘어뜨린 술〔끈〕.
swórd lìly =GLADIOLUS.
sword·man [ˊmən] *n.* Ⓒ 《古》 = SWORDSMAN.
swórd·plày *n.* Ⓤ 검술.
swords·man [sɔ́ːrdzmən] *n.* Ⓒ (명)검객; 《古》 군인. **~·ship** *n.* Ⓤ 검술(솜씨).
˙swore [swɔːr] *v.* swear의 과거.
˙sworn [swɔːrn] *v.* swear의 과거분사. — *a.* 맹세한; 선서〔서약〕한. ~ ***enemies*** 불구대천의 원수.
'swounds [zwaundz] (<God's *wounds*) *int.* 《古》 빌어먹을! (zounds).
Swtz. Switzerland.
:swung [swʌŋ] *v.* swing의 과거(분사). — *a.* 흔들거리는; 물결 모양의.
swúng dàsh 물결 대시《~》.
syb·a·rite [síbəràit] *n.* Ⓒ 사치·쾌락을 추구하는 이. **-rit·ic** [sìbərítik], **-i·cal** [-əl] *a.*
˙syc·a·more [síkəmɔ̀ːr] *n.* Ⓒ 《美》 플라타너스; 《英》 단풍나무의 일종; (이집트 등지의) 무화과나무.
syc·o·phant [síkəfənt] *n.* Ⓒ 아첨쟁이. **-phan·cy** *n.* Ⓤ 추종, 아첨.
˙Syd·ney [sídni] *n.* Ⓒ 시드니《오스트레일리아 동남부의 항구 도시》.
syl·la·bi [síləbài] *n.* syllabus의 복수.
syl·lab·ic [silǽbik] *a.* 〖音聲〗 음절의, 음절로 된; 음절을 나타내는, 음절적인; 음절마다 발음하는. — *n.* Ⓒ 음절 문자〔주음(主音)〕《예컨대 little[lítl]의 둘째번의 [l]이 실라빅이기 때문에 [lítl]은 두 음절이 됨》.
syl·lab·i·cate [silǽbəkèit] *vt.* 음절로 나누다, 분철하다. **˙-ca·tion** [–ˋ–kéiʃən] *n.* Ⓤ 분철(법).
syl·lab·i·fy [silǽbəfài] *vt. n.* = SYLLABICATE. **-i·fi·ca·tion** [–ˋ–fikéiʃən]
:syl·la·ble [síləbəl] *n.* Ⓒ 음절; (음절을 나타내는) 철자; 한마디, 일언. — *vt.* 음절로 나누(어 발음하)다.
syl·la·bus [síləbəs] *n.* (*pl.* **~es, -bi**) Ⓒ (강의·교수 과정의) 대요, 요목.
syl·lo·gism [sílədʒìzəm] *n.* Ⓒ 〖論〗 삼단 논법; Ⓤ 연역(법). **-gis·tic** [ˋ–dʒístik] *a.* **-ti·cal·ly** *ad.*
syl·lo·gize [sílədʒàiz] *vi., vt.* 삼단 논법으로 논하다.
sylph [silf] *n.* Ⓒ 공기의 요정(妖精); 아름다운 여자, 미소녀.
syl·van [sílvən] *a.* 삼림의; 나무가 무성한; 숲이 있는. — *n.* Ⓒ 삼림에 사는〔출입하는〕 사람〔짐승〕.
sym- [sim] *pref.* =SYN-《b, m, p의 앞에 올 때의 꼴》.
sym. symbol; symmetrical; 「symphony.
sym·bi·o·sis [sìmbaióusis] *n.* (*pl.* **-ses** [-siːz]) Ⓤ,Ⓒ 〖生〗 공생(共生), 공동 생활.
:sym·bol [símbəl] *n., vt.* Ⓒ 상징〔표상〕(하다); 기호(로 나타내다). **~·ism** [-ìzəm] *n.* Ⓤ 기호의 사용, 기호로 나타냄; 상징적 의미; 상징주의; 〖컴〗 기호. **~·ist** *n.* Ⓒ 기호 사용자; 상징주의자. ˙**~·ize** [-àiz] *vt.* 상징하다; (…의) 상징이다; 기호로 나타내다〔를 사용하다〕; 상징화하다. **~·is·tic** [ˋ–ístik] *a.* 상징주의(자)의.
˙sym·bol·ic [simbɑ́lik/-ɔ́-], **-i·cal** [-əl] *a.* 상징의; 상징적인; …을 상징하는(*of*); 기호를 사용하는. **-i·cal·ly** *ad.*
sýmbolic addréss 〖컴〗 기호 번지.
symbólic lógic 기호 논리학.
symbólic wórds 〖言〗 상징어(군)《공통의 음소와 공통의 뜻을 갖는 어군(語群); *gl*are, *gl*ance, *gl*impse, *gl*immer, &c.》.
sym·met·al·lism [simétəlìzəm] *n.* Ⓤ 〖經〗 (화폐의) 복본위제(複本位制).
˙sym·met·ric [simétrik], **-ri·cal** [-əl] *a.* (좌우) 대칭(對稱)적인, 균형잡힌. **-ri·cal·ly** *ad.*
sym·me·try [símətri, -mi-] *n.* Ⓤ 좌우 대칭; 균형; (부분과 전체의) 조화. **-trize** [-tràiz] *vt.* 대칭적으로 하

다, 균형을 이루게 하다; 조화시키다.

:**sym·pa·thet·ic**[sìmpəθétik] *a.* ① 동정적인(*to*). ② 마음이 맞는. ③ 《口》 호의적인, 찬성하는. ④ 〖生〗 교감(交感)의(*the* ~ *nerve* 교감 신경). ⑤ 〖理〗 공명하는. ~ *ink* 은현 잉크. **-i·cal·ly** *ad.* 「진, 공명.

sỳmpathetic vibrátion 〖理〗 공

:**sym·pa·thize**[símpəθàiz] *vi.* ① 동정〔공명〕하다, 동의하다(*with*). ② 조화〔일치〕하다(*with*). **-thiz·er** *n.* Ⓒ 동정〔동조·공명〕자.

:**sym·pa·thy**[símpəθi] *n.* ① Ⓤ,Ⓒ 동정, 연민(*for*). ② Ⓤ 동의, 동조, 찬성, 공명(*with*). ③ Ⓤ 조화, 일치(*with*). ④ Ⓤ 〖生〗 교감(작용).

sýmpathy strìke 동정 파업 (sympathetic strike).

sym·phon·ic [simfánik/-5-] *a.* 교향적인.

symphónic póem 교향시.

:**sym·pho·ny**[símfəni] *n.* Ⓒ 심포니, 교향곡; Ⓤ 음〔색채〕의 조화.

sýmphony órchestra 교향악단.

sym·po·si·um [simpóuziəm, -zjəm] *n.* (*pl.* ~***s***, **-*sia***[-ziə]) Ⓒ 토론〔좌담〕회; (고대 그리스의) 향연 《음악을 듣고 담론함》; (같은 테마에 관한 여러 사람의) 논(문)집.

:**symp·tom**[símptəm] *n.* Ⓒ 징후, 조짐; 〖醫〗 증후(症候). **symp·to·mat·ic**[∸–mǽtik], **-i·cal**[-əl] *a.* 징후〔증후〕가 되는〔를 나타내는〕 (*of*); 징후의, 증후에 의한.

syn-[sin] *pref.* '공(共), 동(同)'의 뜻.

syn. synonym.

***syn·a·gogue**[sínəgàg, -ɔ̀ː-/-ɔ̀-] *n.* Ⓒ (예배를 위한) 유대인 집회; 유대교 회당.

Syn·a·non [sínənən, -àn] *n.* Ⓒ 《美》 마약 상습자에 대한 갱생 지도를 하는 사설 단체.

syn·apse[sinǽps, sáinæps] *n.* Ⓒ 〖生〗 시냅스, 신경 세포 연접(부).

sync, synch [siŋk] *n.* =SYNCHRONIZATION. — *vi., vt.* =SYNCHRONIZE.

syn·chro[síŋkrou] *n.* (*pl.* ~***s***) Ⓒ 싱크로《회전 또는 병진(併進)의 변위(變位)를 멀리 전달하는 장치》. — *a.* 동시 작동의.

sỳnchro-cýclotron *n.* Ⓒ 〖理〗 싱크로사이클로트론《입자 가속 장치의 일종》.

syn·chro·flash[síŋkrəflæ̀ʃ] *n., a.* Ⓒ 싱크로플래시《섬광구 동조(閃光球同調)장치》(의).

syn·chro·mesh[síŋkrəmèʃ] *n., a.* Ⓒ (자동차의) 톱니바퀴를 동시에 맞물게 하는 장치(의).

syn·chro·nism[síŋkrənìzəm] *n.* Ⓤ 동시 발생; 동시성; Ⓒ 대조 역사 연표(年表); Ⓤ 〖美術〗 동시주의《시간의 차이를 동일 화면에 표현하는》.

***syn·chro·nize**[síŋkrənàiz] *vi.* ① 동시에 일어나다(*with*); 시간이 일치하다. ② (둘 이상의 시계가) 같은 시간을 가리키다. ③ 〖映〗 화면과 음향이 일치하다; 〖寫〗 (셔터와 플래시가) 동조(同調)하다. — *vt.* 동시에 하게 하다; (…에) 시간을 일치시키다. ~**d** [-d] *a.* **-ni·za·tion**[∸–nizéiʃən/-naiz-] *n.* Ⓤ 시간을 일치시킴; 동시에 함; 동시성; (영화의) 화면과 음향과의 일치; 동시 녹음; 〖컴〗 (동기)화. 「발레.

sýnchronized swímming 수중

syn·chro·nous[síŋkrənəs] *a.* 동시에 일어나는〔움직이는〕; 〖理·電〗 동일 주파수의, 동기(同期)의; (위성이) 정지(靜止)의; 〖컴〗 동기(同期)(적). ~**·ly** *ad.* 「도) 위성.

sýnchronous sátellite 정지(궤

syn·chro·scope [síŋkrəskòup] *n.* Ⓒ 〖電〗 동기 검정기.

syn·chro·tron[síŋkrətràn/-ɔ̀n] *n.* Ⓒ 〖理〗 싱크로트론《cyclotron의 일종》(cf. bevatron).

sýnchro ùnit 〖電〗 동기(同期) 전동기의 일종. 「사(向斜).

syn·cline[síŋklain] *n.* Ⓒ 〖地〗 향

Syn·com[síŋkàm/-kɔ̀m] (<*Syn*chronous *com*munications satellite) *n.* Ⓒ 미국의 정지형(靜止型) 통신 위성.

syn·co·pate [síŋkəpèit] *vt.* 〖文〗 (말의) 중간의 음을〔문자를〕 생략하다; 〖樂〗 절분(切分)하다, (악구에) 절분음을 쓰다. **-pa·tion**[∸–péiʃən] *n.* Ⓤ,Ⓒ 〖樂〗 절분(법); 〖文〗 =SYNCOPE.

syn·co·pe[síŋkəpi] *n.* Ⓤ 〖文〗 어중음(語中音) 생략《ever를 *e'er*로 하는 따위》; 〖樂〗 당김음법; 〖醫〗 기절.

syn·cre·tism[síŋkrətìzəm] *n.* Ⓤ ① (다른 사상, 신앙 등의) 합일, 합동, 융합. ② 〖言〗 융합《문법상 다른 기능을 갖는 둘(이상)의 형식이 동일 형식이 되는 것》.

syn·cre·tize[síŋkrətàiz] *vt., vi.* 합동〔결합, 융합〕하다〔시키다〕.

syn·det[síndet] *n.* Ⓒ 합성 세제.

syn·dic[síndik] *n.* Ⓒ (대학 등의) 평의원; 지방 행정 장관.

syn·di·cal·ism[síndikəlìzəm] *n.* Ⓤ 신디칼리즘《산업·정치를 노동 조합의 지배하에 두려는》. ~**·ist** *n.*

***syn·di·cate**[síndikit] *n.* Ⓒ 《집합적》 ① 신디케이트, 기업 연합(cf. trust, cartel). ② 신문 잡지 연맹 《뉴스나 기사를 써서, 많은 신문·잡지에 동시에 공급함》. ③ 평의원단. — [-dəkèit] *vt., vi.* 신디케이트를 만들다〔에 의하여 관리하다〕, 신문 잡지 연맹을 통하여 발표하다〔공급하다〕.

syn·drome[síndroum] *n.* Ⓒ 〖醫〗 증후군(症候群); 병적 현상. 「AGO.

syne[sain] *ad.* 《Sc.》 =SINCE; =

syn·ec·do·che[sinékdəki] *n.* Ⓤ 〖修〗 제유법(提喩法)《일부로써 전체를, 또는 그 반대를 나타내는 것, 예컨대 *sail*로 ship을 나타내는 따위》.

syn·er·gy[sínərdʒi] *n.* Ⓤ ① 협력 작용; 공력 작용. ② 상승 작용; 〖社〗 공동 작업.

syn·od[sínəd] *n.* Ⓒ 종교 회의; (장로 교회의) 대회; 회의. ~**·ic**

S

[sinádik/-ɔ́-], **-i·cal**[-əl] *a.* 종교 회의의; 〖天〗 합(合)의.
:syn·o·nym[sínənim] *n.* Ⓒ 동의어; 표시어《'letter'가 'literature'를 나타내는 따위》.
syn·o·nym·ity[sìnənímǝti] *n.* Ⓤ 동의, 유의(성).
syn·on·y·mous [sinánəməs/-nɔ́n-] *a.* 동의(어)의(*with*). **~·ly** *ad.*
syn·on·y·my[sinánəmi/-nɔ́n-] *n.* Ⓤ 동의; Ⓒ 동의어집; Ⓤ 동의어 연구; 동의어 중복 사용.
syn·op·sis[sinápsis/-ɔ́-] *n.* (*pl.* **-ses**[-si:z]) Ⓒ 적요, 대의.
syn·op·tic[sináptik/-ɔ́-], **-ti·cal**[-əl] *a.* 개관〔대의〕의; (종종 S-) 공관적(共觀的), 공관 복음서의. **-ti·cal·ly** *ad.*
syn·o·vi·tis[sìnəváitis] *n.* Ⓤ 〖醫〗 활막염(滑膜炎).
:syn·tax[síntæks] *n.* Ⓤ 〖文〗 구문론, 문장론, 통어법(統語法); 〖컴〗 구문. **syn·tac·tic**[sintǽktik], **-ti·cal** [-əl] *a.*
·syn·the·sis[sínθəsis] *n.* (*pl.* **-ses** [-sì:z]) ① Ⓤ 종합; 통합; Ⓒ 합성물. ② Ⓤ 〖化〗 합성. ③ Ⓤ 〖哲〗 (변증법에서, 정·반에 대하여) 합(合), 진테제(cf. thesis, antithesis). ④ Ⓤ 접골.
syn·the·size[sínθəsàiz] *vt.* 종합하다; 종합적으로 취급하다; 합성하다. **-siz·er** *n.* Ⓒ 종합하는 사람〔것〕; 신시사이저《음의 합성 장치》; 〖컴〗 합성기, 신시사이저.
·syn·thet·ic[sinθétik], **-i·cal**[-əl] *a.* ① 종합의, 종합적인. ② 〖化〗 합성의; 인조의. ③ 진짜가 아닌, 대용의. ④ 〖言〗 ('분석적'에 대하여) 종합적인. **~ *fiber*** 합성 섬유. **-i·cal·ly** *ad.* 종합〔합성〕적으로.
synthétic detérgent 합성 세제.
synthétic equípment 〖化〗 synthetic training에 필요한 설비.
synthétic résin 합성 수지(樹脂).
synthétic rúbber 합성〔인조〕고무.
syn·thet·ics[-s] *n. pl.* 합성 물질《약 따위》.
synthétic tráining 〖空〗 (비행사의) 종합적 지상 훈련.
syn·to·ny[síntəni] *n.* Ⓤ 〖電〗 동조(同調). **sýn·to·nous** *a.*
syph·i·lis[sífəlis] *n.* Ⓤ 〖病〗 매독. **-lit·ic**[ˌ--lítik] *a.*
sy·phon[sáifən] *n., v.* =SIPHON.
Syr. Syria(n); Syriac.
·Syr·i·a[síriə] *n.* (지금의) 시리아; (지중해 동안의) 고대 시리아. **Syr·i·ac**[síriæ̀k] *n., a.* Ⓤ 고대 시리아 말(의); (고대) 시리아의.
sy·rin·ga[səríŋgə] *n.* Ⓒ 〖植〗 고광나무; =LILAC.
sy·rin·ge[səríndʒ, ˊ-] *n.* Ⓒ 주사기; 세척기(洗滌器), 주수기(注水器), 관장기. ── *vt.* 주사〔주입·세척〕하다.
syr·inx[síriŋks] *n.* (*pl.* **syringes** [siríndʒi:z], **~es**) Ⓒ (새의) 울대; 〖解〗 이관(耳管), 유스타키오관(Eustachian tube); =PANPIPE.
:syr·up[sírəp, sə́:r-] *n.* Ⓤ 시럽; 당밀. **~·y** *a.*
sys·op[sísɑ̀p/-ɔ̀p] (<*sy*stem *op*erator) *n.* 〖컴〗《俗》 (체계) 운영자.
syst. system.
sys·tal·tic [sistɔ́:ltik, -tǽl-] *a.* 〖醫〗 번갈아 수축과 팽창을 반복하는; 심장 수축 (기능)의.
†sys·tem[sístəm] *n.* ① Ⓒ 조직; 체계; 계통; 학설; 제도. ② Ⓒ 방식, 방법. ③ Ⓤ 순서. ④ 〖天〗 계(系); 〖地〗 계(系); (the ~) 신체. ⑤ 〖컴〗 시스템.
:sys·tem·at·ic[sìstəmǽtik], **-i·cal**[-əl] *a.* 조직〔계통〕적인; 정연한; 규칙바른; 〖生〗 분류상의. **-i·cal·ly** *ad.*
sys·tem·a·tize[sístəmətàiz] *vt.* 조직을 세우다; 조직〔체계〕화하다; 분류하다. **-ti·za·tion**[ˌ--tizéiʃən/-taiz-] *n.*
sys·tem·a·tol·o·gy[sìstəmətálədʒi/-tɔ́l-] *n.* Ⓤ 체계학, 계통학.
sýstem file 〖컴〗 시스템 파일《(1) 제어 프로그램이 필요로 하며 관리하는 파일. (2) 체계 논리 장치를 할당·처리하는 파일》.
sys·tem·ic[sistémik] *a.* 조직〔계통〕의; 〖生〗 전신의.
sys·tem·ize[sístəmàiz] *vt.* = SYSTEMATIZE.
sýstem máintenance 〖컴〗 시스템 유지보수《체계가 항상 정상으로 동작하도록 검사·점검하는》.
sýstem prògram 〖컴〗 시스템 프로그램《컴퓨터 시스템을 효율적으로 움직이기 위한 관리 프로그램의 총칭》.
sýstem prògramming 〖컴〗 시스템 프로그래밍.
sýstems anàlysis (능률·정밀도를 높이기 위한) 시스템 분석.
sýstems engineèring 시스템 공학.
sys·to·le[sístəli] *n.* Ⓤ,Ⓒ 〖生〗 심장수축.
sys·to·lic[sistálik/-tɔ́l-] *a.* 심장 수축의.

T

T, t[ti:] *n.* (*pl.* **T's, t's**[-z]) Ⓒ T자 모양의 것. ***cross one's*** 〔***the***〕 ***t's,*** t자의 횡선(橫線)을 긋다; 사소한 점도 소홀히 하지 않다. ***to a T***

정확히, 꼭 들어맞게(to a nicety).
T temperature; tension. **T.** Territory; Testament; Trinity; Tuesday; Turkish (pounds). **t.** teaspoon(s); temperature; 〖文〗 tense; time; ton(s); town; 〖文〗 transitive; troy.
ta[tɑː] *int.* 《英俗·兒》 thank you 의 단축·전화(轉化).
Ta 〖化〗 tantalum. **T.A.** transaction analysis 〖心〗 교류 분석.
T.A. Territorial Army. **TAA** Technical Assistance Administration (유엔) 기술 원조국.
tab[1][tæb] *n., vt.* **(-bb-)** Ⓒ 드림〔끈·고리·휘장·찌지(tag)〕(을 달다); 《美口》 계산서; 〖컴〗 징검(돌), 태브《세트해 둔 장소로 커서를 옮기는 기능》. ***keep* ~(*s*) *on*** 《口》 …의 셈을 하다; …을 지켜보다. ***pick up the*** ~ 《美口》 셈을 치르다, 값을 지불하다.
tab[2] *n.* Ⓒ (컴퓨터 따위의) 도표 작성 장치(tabulator).
T.A.B. Typhoid-paratyphoid A and B vaccine.
tab·ard[tǽbərd] *n.* Ⓒ 〖史〗 전령사(傳令使)의 옷; (기사가 갑옷 위에 입던) 문장(紋章) 박힌 겉옷.
Ta·bas·co[təbǽskou] *n.* Ⓤ,Ⓒ 〖商標〗 고추(capsicum)로 만든 매운 소스.
tab·by[tǽbi] *n.* Ⓒ (갈〔회〕색 바탕에 검은 줄무늬의) 얼룩고양이; 암코양이; 《주로 英》 심술궂고 수다스러운 여자; =TAFFETA. ── *a.* 얼룩진(*a* ~ *cat* 얼룩고양이).
***tab·er·na·cle**[tǽbərnæ̀kəl] *n.* Ⓒ ① 가옥(假屋), 천막집. ② (이스라엘 사람이 방랑 중 성전으로 사용한) 장막(tent), 유대 성소(聖所). ③《英》 (비국교파의) 예배소. ④ 영혼의 임시 거처로서의) 육체. ⑤ 닫집 달린 감실〔제단〕. ⑥ 성궤(聖櫃), 성기(聖器) 상자. **-nac·u·lar**[tæ̀bərnǽkjələr] *a.* tabernacle 의; 비속한.
táb kèy 〖컴〗 징검(글)쇠, 테브 키.
†ta·ble[téibəl] *n.* Ⓒ ① 테이블, 탁자, 식탁; (*sing.,* 종종 Ⓤ) 음식. ② 《집합적》 식탁을 둘러싼 사람들. ③ 〖地〗 고원(高原), 대지. ④ 서판(書板)(에 새긴 글자)(cf. tablet). ⑤ (수상(手相)이 나타나 있는) 손바닥. ⑥ 표(*the* ~ *of contents* 목차), 리스트. ⑦ 〖컴〗 표, 테이블. ***at*** ~ 식사 중. ***keep a good*** ~ (언제나) 잘 먹다. ***lay on the*** ~ (심의를) 일시 중지하다, 무기 연기하다. ***lay*** 〔***set, spread***〕 ***the*** ~ 식탁을 차리다. ***learn one's*** ~***s*** 구구단을 외다. ***the Twelve Tables*** 12동판법(銅版法)《로마법 원전(451 B.C.)》. ***turn the*** ~***s*** 형세를 역전시키다, 역습하다(*on, upon*). ***wait at*** 〔《美》 ***on***〕 ~ 시중을 들다. ── *vt.* 탁상에 놓다; 표로 만들다; 《美》 (의안 등을) 묵살하다.
tab·leau[tǽblou] *n.* (*pl.* ~***s,*** ~***x*** [-z]) Ⓒ 극적 장면; 그림; 회화적 묘사; 활인화(活人畵).
tábleau cùrtains 〖劇〗 한가운데서 양쪽으로 여는 막.
tableau vi·vant[-vivǽːŋ] (F.) 활인화(活人畵).
***táble·clòth** *n.* Ⓒ 테이블 보.
ta·ble d'hôte[táːbəl dóut, tǽ-] (F.) 정식(定食).
táble·flàp *n.* Ⓒ (경첩을 달아서 접었다 폈다 할 수 있게 만든) 탁자의 판(板).
táble knìfe 식탁용 나이프.
táble·lànd *n.* Ⓒ 대지, 고원.
táble lìnen 식탁용 흰 천《테이블보, 냅킨 따위》.
táble mànners 식사 예법.
táble màt (식탁에서 뜨거운 접시 따위의 밑에 까는) 받침, 깔개.
táble mòney 《英》 (고급 장교의) 교제비.
:táble·spòon *n.* Ⓒ 식탁용 큰 스푼; =TABLESPOONFUL.
:táble·spoonfùl *n.* (*pl.* ~***s,*** ***-spoonsful***) Ⓒ 식탁용 큰 스푼 하나 가득한 분량.
:tab·let[tǽblit] *n.* Ⓒ ① (나무·상아·점토·돌 등의) 평판, 서판. ② (*pl.*) 메모장(帳), 편지지 첩. ③ 〖鐵〗 타블렛《안전 통과표》. ④ 정제(錠劑). ⑤ 〖컴〗 자리판.
táble tàlk 식탁 좌담, 다화(茶話).
táble tènnis 탁구.
táble·tòp *n.* Ⓒ 테이블의 표면. ── *a.* 탁상(용)의.
táble tùrning 심령의 힘으로 테이블을 움직이는 심령술의 일종.
táble·wàre *n.* Ⓤ 《집합적》 식탁용구, 식기류.
tàble wáter 식탁용 광천수(鑛泉水).
tab·loid[tǽblɔid] *n.* Ⓒ 타블로이드판 신문; (T-) 〖商標〗 정제(tablet). ── *a.* 요약한; 타블로이드판의.
ta·boo, -bu**[təbúː, tæ-] *n., a.* Ⓤ,Ⓒ (폴리네시아 사람 등의) 금기(禁忌)〔터부〕(의)(*a* ~ *word*); 금제(禁制)(ban)(의). ***put the ~ ***on,*** or ***put under the*** ~ 금기〔금제〕하다.
ta·bor, 《英》 **-bour**[téibər] *n.* Ⓒ (납작한) 작은 북《손으로 침》.
tab·o·ret, 《英》 **-ou-**[tǽbərit] *n.* Ⓒ 낮은 대(臺); =STOOL; 수틀; 작은 북.
tab·u·lar[tǽbjələr] *a.* 표의, 표로 한; 얇은 판자(모양)의.
ta·bu·la ra·sa[tǽbjələ ráːsə] (L. =erased tablet) 글자가 씌어 있지 않은 서판(書板)〔석판〕; 《비유》 (어린이의 마음의) 백지 상태, 때 안 묻은 마음.
tab·u·late[tǽbjəlèit] *vt.* 평판(平板) 모양으로 하다; (일람)표로 만들다. ── [-lit] *a.* 평면〔평판 모양〕의. **-la·tor** *n.* Ⓒ 도표 작성자; (컴퓨터 따위의) 도표 작성 장치. **-la·tion**[ˌ─léiʃən] *n.* Ⓤ 표로 만듦, 도표화.
TAC Tactical Air Command.
TACAN[tǽkæn] tactical air navigation 기상용(機上用) 단거리

항법 장치.

tach·o·graph[tǽkəgræ̀f, -ɑ̀ː-] *n.* Ⓒ 자기(自記)(회전) 속도계.

ta·chom·e·ter[tækɑ́mitər, tə-/tækɔ́mi-] *n.* Ⓒ 속도 기록계; 유속계(流速計).

tach·y·car·di·a[tæ̀kikɑ́ːrdiə] *n.* Ⓤ 〖醫〗 심계항진(心悸亢進), 심박급진(증).

ta·chym·e·ter[tækímitər, tə-] *n.* Ⓒ 〖測〗 시거의(視距儀).

tach·y·on[tǽkiɑ̀n/-ɔ̀n] *n.* Ⓒ 〖理〗 타키온《빛보다 빠른 가상의 소립자》.

tac·it[tǽsit] *a.* 무언의, 침묵의; 암묵(暗默)의. **~·ly** *ad.*

tac·i·turn[tǽsətəːrn] *a.* 말 없는, 과묵한. **-tur·ni·ty**[∸-təːrnəti] *n.* Ⓤ 과묵, 침묵.

·**tack**[1][tæk] *n.* ① Ⓒ (납작한) 못, 압정. ② Ⓒ 〖裁縫〗 가봉, 시침질. ③ Ⓒ 〖海〗 지그재그 항정(航程); Ⓤ,Ⓒ 돛의 위치에 따라 결정되는) 배의 침로. ④ Ⓤ,Ⓒ 방침, 정책. ***be on the wrong*** 〔***right***〕 ***~*** 방침이〔침로가〕틀리다〔옳다〕. ***~ and ~*** 〖海〗 계속적인 지그재그 항법으로. — *vt.* ① 못으로 고정시키다. ② 가봉하다, 시침질하다. ③ 덧붙이다, 부가하다(add). ④ 뱃머리를 바람쪽으로 돌려 진로를 바꾸다; 갈짓자로 나아가게 하다(*about*). ⑤ 방침을 바꾸다.

tack[2] *n.* Ⓤ 〖海〗 음식물. ***be on the ~*** 《俗》 술을 끊고 있다. ***hard ~*** 건빵.

:**tack·le**[tǽkəl] *n.* ① Ⓤ 도구(*fishing ~* 낚시 도구). ② [téikəl] Ⓤ,Ⓒ 〖海〗 테이클《선구·삭구(索具)》. ③ Ⓤ,Ⓒ 복활차(複滑車). ④ Ⓒ 〖美式蹴〗 태클. — *vt., vi.* ① (말에) 마구를 달다(harness). ② 도르래로 끌어올리다〔고정하다〕. ③ 붙잡다. ④ 태클하다. ⑤ (일에) 달려들다, 부지런히 시작하다(*to*).

tack·y[tǽki] *a.* 《美口》 초라한; 야한; 시대에 뒤진.

ta·co[tɑ́ːkou] *n.* (*pl.* **~s**[-z, -s]) Ⓒ 타코스《멕시코 요리; 저민 고기 등을 tortilla로 싼 것》.

tac·on·ite[tǽkənàit] *n.* Ⓤ 《美》 타코나이트 철광.

·**tact**[tækt] *n.* ① Ⓤ 재치; 솜씨, 요령. ② Ⓤ,Ⓒ 촉감. **∠·ful** *a.* 솜씨 좋은; 재치 있는. **∠·ful·ly** *ad.*

tac·ti·cal[tǽktikəl] *a.* 병학(兵學)의; 전술(상)의; 전술적인(cf. strategical); 책략〔술책〕이 능란한; 빈틈없는. ***T- Air Command*** 《美》 전술공군 사령부《생략 TAC》.

tac·ti·cian[tæktíʃən] *n.* Ⓒ 전술가; 책사(策士).

·**tac·tics**[tǽktiks] *n.* Ⓤ 《단·복수 취급》 전술, 용병학(cf. strategy); 《복수 취급》 책략, 술책.

tac·tile[tǽktil/-tail] *a.* 촉각의; 만져서 알 수 있는.

táct·less *a.* 재치〔요령〕이 없는, 서투른. **~·ly** *ad.* **~·ness** *n.*

tac·tu·al[tǽktʃuəl/-tjuəl] *a.* = TACTILE.

tad[tæd] *n.* Ⓒ 《美口》 꼬마《특히 사내아이》.

·**tad·pole**[tǽdpòul] *n.* Ⓒ 올챙이.

tae kwon do [táikwɑ́ndóu/-kwɔ́n-] *n.* Ⓤ 태권도.

tael[teil] *n.* Ⓒ 테일, 냥《중국의 구 화폐 단위, 또 중량 단위》.

ta'en[tein] *n.* 《古·詩》 =TAKEN.

T.A.F. Tactical Air Force.

taf·fe·ta[tǽfitə] *n., a.* Ⓤ (얇은) 호박단(琥珀緞)(의).

taff·rail[tǽfrèil] *n.* Ⓒ 〖船〗 고물의 난간; 고물의 상부.

Taf·fy[tǽfi] *n.* Ⓒ 《俗》 Wales 사람.

taf·fy[tǽfi] *n.* =TOFFEE; Ⓤ 《口》 아첨, 아부.

:**tag**[1][tæg] *n.* Ⓒ ① 꼬리표, 찌지, 정가〔번호〕표. ② 늘어뜨린 끝; 끈끝의 쇠붙이; (동물의) 꼬리. ③ (문장·연설 끝의) 판에 박힌 문구; 노래의 후렴; 〖劇〗 끝맺는 말. ④ =TAG QUESTION. ⑤ 〖컴〗 꼬리표《이것을 부착한 것의 소재를 추적하게 만든 전자 장치》. ***keep a ~ on...*** 《英口》 …을 감시하다. ***~ and rag,*** or ***~, rag and bobtail*** 야료꾼; 사회의 찌꺼기. — *vt.* (**-gg-**) tag를 달다; 잇다; 압운(押韻)하다; 《口》 붙어 다니다.

tag[2] *n.* ① Ⓤ 술래잡기(play ~). ② Ⓒ 〖野〗 터치아웃. — *vt.* ① (술래잡기에서 술래(it)가) 붙잡다. ② 〖野〗 터치아웃시키다. **~ *up*** 〖野〗 (주자가) 베이스에 이르다, 터치업하다.

Ta·ga·log[tɑːgɑ́ːlɑg, təgɑ́ːləg] *n.* Ⓒ (루손 섬의 말레이족의 한 종족) 타갈로그 인; Ⓤ 타갈로그 말.

tág dày 《美》 가두 모금일(《英》 flag day).

tág màtch 두 사람씩 편짜고 하는 레슬링(tag team wrestling).

Ta·gore [təgɔ́ːr], Sir **Rabindranath** (1861-1941) 인도의 시인.

tág quèstion 부가 의문.

tag·rag[tǽgræ̀g] *n.* =RAGTAG.

tág sàle 파치 염가 판매(장).

tág tèam 〖레슬링〗 태그팀《2인조팀》.

Ta·hi·ti[təhíːti, tɑː-] *n.* 타히티 섬《남태평양의 섬》.

t'ái chi (**ch'uàn**) [tái dʒìː (tʃwɑ̀ːn)] 태극권(太極拳)《중국의 체조식 권법》.

tai·ga[táigə, taigɑ́] *n.* (Russ.) Ⓒ (시베리아 등지의) 상록 침엽수림(지대), 타이가.

:**tail**[1][teil] *n.* Ⓒ ① 꼬리, 꽁지. ② 꼬리 모양의 것; 말미, 후부; (비행기의) 기미(機尾); 〖컴〗 꼬리. ③ 옷자락; (*pl.*) 《口》 연미복; 땋아 늘인 머리. ④ 수행원들; 군속(軍屬)들; 줄(로 늘어선 사람)(queue). ⑤ (보통 *pl.*) 화폐의 뒷면(opp. heads). ***cannot make head,*** or ***~ of*** 무슨 뜻인지 전혀 알 수 없다. ***get one's ~ down*** 작아지다, 기가 죽다. ***get one's ~ up*** 기운이 나다. ***go into ~s*** (아이가 자라서) 연미

복을 입게 되다. ***keep one's ~ up*** 기운이 나 있다. ***~ of the eye*** 눈초리. ***turn ~*** 달아나다. ***with the ~ between legs*** 기가 죽어서, 위축되어, 겁에 질려. — *vt.* (…에) 꼬리를 달다; 잇다(*on, on to*); 꼬리를〔끝을〕 자르다; (…의) 꼬리를 잡아당기다; 《口》 미행하다. — *vi.* 축 늘어뜨리다, 꼬리를 끌다; 뒤를 따르다. ***~ after*** …의 뒤를〔줄에〕 따르다. ***~ away*** 〔***off***〕 낙오하다; (뒤쳐져) 뿔뿔이 되다; 점점 가늘어지다.

tail[2] *n., a.* Ⓤ 〖法〗 계사 한정(繼嗣限定); 한사(限嗣) 상속 재산《*estate in* ~ 이라고도 함》; 한사의.

táil·bòard *n.* Ⓒ (짐마차의) 떼어낼 수 있는 뒷널.

táil·còat *n.* 연미복, 모닝코트.

táil énd 꼬리, 끝.

táil fìn (자동차 뒤끝 양측의) 수직판.

táil làmp 〔**lìght**〕 미등(尾燈).

tai·lor**[tèilər] *n.* Ⓒ 재봉사, (남성복의) 재단사. ***Nine ~s make 〔***go to***〕 ***a man.*** 《속담》 양복 직공 아홉 사람이 한 사람 구실을 한다《이로 인하여 양복 직공을 얕보아 *a ninth part of a man* (9분의 1의 사나이) 따위로 부르기도 함》. ***The ~ makes the man.*** 《속담》 옷이 날개. — *vi.* 양복점을 경영하다. — *vt.* (양복을) 짓다. **~ed**[-d] *a.* = TAILOR-MADE. **~·ing** *n.* Ⓤ 재봉업, 양복 기술.

táilor·bìrd *n.* Ⓒ 〖鳥〗 재봉새.

táilor-máde *a.* 양복점에서 지은; (특히 여성복을) 남자 옷처럼 지은, 산뜻한; 꼭맞는.

táil·pìece *n.* Ⓒ 꼬리 조각; (책의) 장말(章末)·권말의 컷.

táil·spìn *n.* Ⓒ ① 〖空〗 (비행기의) 나선식 급강하. ② 낭패, 혼란, 공황; 의기 소침.

táil wìnd 〖空〗 뒤에서 부는 바람.

taint**[teint] *vt., vi.* ① 더럽히다, 더러워지다, 오염시키다. ② 해독을 끼치다〔받다〕, 썩(히)다. — ***n. ① Ⓤ,Ⓒ 더럼, 오명. ② Ⓤ (잠재한) 병독; 감염; 타락. ③ Ⓤ (또는 a ~) 기미(氣味)(*of*). **~·ed**[ˊid] *a.* 썩은; 더럽혀진.

Tai·peh, -pei[táipéi] *n.* 타이베이 대북(臺北).

Tai·wan[táiwá:n/taiwǽn, -wá:n] *n.* 타이완(Formosa).

†**take**[teik] *vt.* (***took; taken***) ① 취하다. ② 잡다; 붙잡다. ③ 받다. ④ 획득하다(gain, win). ⑤ 섭취하다, 먹다; 마시다. ⑥ (병이) 들다(~ *cold* 감기들다). ⑦ 타다(~ *a train, plane, taxi*). ⑧ 받아들이다; 감수하다, 따르다(submit to). ⑨ 필요로 하다(*It will ~ two days.*). ⑩ 고르다, 채용하다. ⑪ (병에) 걸리다; (생명을) 빼앗다. ⑫ 빼다, 감하다(subtract). ⑬ 데리고 가다; (…으로) 통하다(lead); (여자 등을) 안내하다, 동반하다(escort). ⑭ 가지고 가다(carry)(~ *one's umbrella, lunch, &c.*). ⑮ (어떤 행동을) 취하다, 하다(~ *a walk, swim, trip*). ⑯ (사진을) 찍다, 촬영하다. ⑰ 느끼다(~ *pride, delight, &c.*). ⑱ 조사하다, 재다(~ *one's temperature* 체온을 재다). ⑲ 알다, 이해하다; 믿다; 생각하다. ⑳ 채용하다; 아내로 맞이하다. ㉑ 빌다(hire); 사다, (신문 따위를) 구독하다. ㉒ 받아 쓰다(~ *dictation*). ㉓ (윤이) 잘 나다(*Mahogany ~ a polish.* 마호가니 재목은 닦으면 윤이 난다), (색을) 흡수하다, (…에 잘) 물들다. ㉔ 끌다, (…의) 흥미를 끌다; (잘) 타고 넘다(~ *a fence*), 뚫고 나아가다. ㉕ 〖文〗 (어미·격·변화형 악센트 따위를) 취하다(*'Ox' ~s '-en' in the plural.*). — *vi.* ① 취하다, (붙)잡다. ② (장치가) 걸리다(catch); (톱니바퀴가) 맞물리다. ③ (물고기·새 등이) 걸리다, 잡히다. ④ 뿌리가 내리다. ⑤ (약이) 듣다, (우두가) 되다. ⑥ (극·책이) 호평을 받다. ⑦《口·方》 …으로 되다(become)(~ *ill* 〔*sick*〕 병들다). ⑧ 《口》 (사진으로) 찍히다. ⑨ (색 따위가) 잘 묻다, 스며들다. ⑩ 제거하다, 줄이다. ⑪ 떼내어지다, 갈라지다(*It ~s apart easily.*). ⑫ 가다(*across, down, to*). ***~ after*** …을 닮다. ***~ away*** 제거하다; 식탁을 치우다. ***~ back*** 도로찾다; 취소하다. ***~ down*** 적어두다; (집을) 헐다; (머리를) 풀다; 《口》 속이다; 코를 납작하게 만들다. ~ (A) ***for*** (B), (A를 B)로 잘못 알다. ***~ from*** 감하다(*Her voice ~s from her charm.* 그 목소리로는 매력도 반감이다). ***~ in*** 받아들이다; 수용하다, 묵게 하다; (여성을 객실로부터 식당으로) 안내하다; (배가) 화물을 싣다; (영토 등을) 합병하다; 《주로 英》 (신문 따위를) 구독하다; 포괄하다; 고려에 넣다; (옷 따위를) 줄이다; (돛을) 접다; 이해하다; 믿다; 《口》 속이다. ***~ it easy*** 《보통 명령형》 마음을 편하게 가지다, 서두르지 않고 하다, 근심하지 않다. ***~ it hard*** 걱정하다, 슬퍼하다. ***~ it out on*** 《口》 (남에게) 마구 화풀이하다. ***~ off*** (*vt.*) 제거하다, 벗다; 떼다, 옮기다; 죽이다; 목자르다, 면직시키다; 감하다; 베끼다; 《口》 흉내내다, 흉내내며 놀리다; (이하 *vi.*) 《口》 떠나다; 이륙〔이수〕하다. ***~ on*** (*vt.*) 인수하다, 떠맡다; …을 가장하다; 체하다; (형세를) 드러내다; (살이) 찌다; 고용하다; 동료로 끌어들이다; (이하 *vi.*) 《口》 흥분하다, 떠들어대다, 노하다. ***~ out*** 꺼내다, 끄집어내다, 없애다; 받다. ***~ over*** 이어받다, 떠맡다; 접수하다. ***~ to*** …이 좋아지다, …을 따르다; …을 돌보다; …의 버릇이 생기다, …에 몰두하다. ***~ up*** 집어들다; 주워 올리다; (손님을) 잡다; (제자로) 받다; 보호하다; 체포하다; 흡수하다; (시간·장소를) 차지하다; (마음·주의를) 끌다; 말을 가로막다; 비난하다; (일을) 시작하다, (이잣돈을)

빌리다; (중단된 이야기를) 계속하다; 빚을 모두 갚다; (거처를) 정하다; (옷을) 줄이다. ~ ***upon oneself*** (책임 등을) 지다; 마음먹고 …하다. ~ ***up with*** …에 흥미를 갖다; 《口》…와 사귀(기 시작하)다; 《古》…에 동의하다, 찬성하다. — *n.* [C] 포획〔수확〕(물·고); (입장권) 매상고; 촬영.

táke·awày *a., n.* 《英》=TAKEOUT.

táke-hòme (**pày**) (세금 등을 공제한) 실수령 급료.

táke-ìn *n.* [C] 《口》 사기, 협잡.

†**tak·en**[téikən] *v.* take의 과거분사.

táke-òff *n.* ① [C] 《口》 (익살스러운) 흉내(mimicking). ② [U,C] 〖空〗 이륙, 이수(離水).

táke·òut *a., n.* [C] 《美》 집으로 사가는 (요리)(《英》 takeaway).

táke·òver *n.* [U,C] 인계, 접수; 경영권 취득. 「〔것〕.

tak·er[téikər] *n.* [C] take하는 사람

tak·est[téikist] *v.* 《古》 =TAKE 《thou가 주어일 때의 형태》.

tak·eth[téikiθ] *v.* 《古》 =TAKEs.

*****tak·ing**[téikiŋ] *a.* ① 매력 있는. ② 《廢》 전염하는, 옮는. — *n.* ① [U] 취득. ② [C] (물고기 따위의) 포획고. ③ (*pl.*) 수입.

talc[tælk] *n., vt.* (~***ked,*** ~***ed;*** ~(***k***)***ing***) [U] 곱돌(로 문지르다).

tal·cum[tǽlkəm] *n.* [U] 활석(滑石), 곱돌(talc); = ∠ **pòwder** (면도 후에 바르는) 화장 분말.

:**tale**[teil] *n.* [C] 이야기; 고자질, 험담; 소문; 거짓말. ***a*** ~ ***of a tub*** 터무니 없는 이야기. ***carry*** ~***s*** 소문을 퍼뜨리고 다니다. ***tell its own*** ~ 자명하다. ***tell*** ~***s*** (***out of school***) 고자질하다, 비밀을 퍼뜨리다.

tále·bèarer, -tèller *n.* [C] 고자질쟁이; 나쁜 소문을 퍼뜨리는 사람. **-bèaring** *n.*

:**tal·ent**[tǽlənt] *n.* ① [C] 고대 그리스·헤브라이의 무게〔화폐〕 이름. ② [U] 재능(*for*). ③ [U] 《집합적》 재능 있는 사람들, 인재; [C] 연예인. ~**·ed** [-id] *a.* 재능 있는. ~**·less** *a.*

tálent scòut (운동·실업·연예계의) 인재〔신인〕 발굴 담당자.

ta·ler[tɑ́:lər] *n. sing. & pl.* 《美》 독일의 옛 은화 이름. 「보결 배심원.

ta·les·man[télizmən, -li:z-] *n.* [C]

ta·li[téilai] *n.* talus의 복수.

tal·is·man[tǽlismən, -z-] *n.* (*pl.* ~***s***) [C] 호부(護符), 부적.

†**talk**[tɔ:k] *vi.* 말〔이야기〕하다; 의논하다(~ *over a matter* = ~ *a matter over*); (종알종알) 지껄이다. — *vt.* 말〔이야기〕하다; 논하다; 이야기하여 …시키다(*into; out of*). ~ ***about*** …에 대해 말하다. ~ ***at*** …을 비꼬다. ~ ***away*** (밤·여가를) 이야기하며 보내다; 노닥거리며 보내다. ~ ***back*** 말대꾸하다. ~ ***down*** 말로 지우다, 말로 꼼짝 못하게 만들다; 〖空〗 무전 유도하다. ~ ***freely of*** …을 꺼리낌 없이 말하다. ~***ing of*** …으로 말하면, …말이 났으니 말이지. ~ ***out*** 기탄없이 이야기하다, 끝까지 이야기하다. ~ ***over*** 논하다, …의 상의를 하다; 설득하다. ~ ***round*** (*vi.*) 장황하게 이야기하여 언제까지나 결말을 못내다; (*vt.*) 설득하다. ~ ***to*** …에게 말을 걸다; 《口》 군소리하다, 꾸짖다. ~ ***to oneself*** 혼잣말하다. ~ ***up*** 큰 소리로 말하다, 똑똑히 말하다. — *n.* ① [C] 이야기, 담화; 의논. ② [U] 소문; 객담, 빈말; (the ~) 이야깃거리. ③ [U] 언어, 방언. ***make*** ~ 소문거리가 되다; 시간을 보내기 위해 그저 지껄이다. ∠**·er** *n.*

talk·a·thon[tɔ́:kəθɑ̀n/-ɔ̀n] *n.* [C] 《美》 (의사를 방해하기 위한) 지연 연설; (TV에서) 후보자와의 일문 일답.

*****talk·a·tive**[∠ətiv] *a.* 말 많은.

:**talk·ie**[tɔ́:ki] *n.* [C] 《口》 토키, 발성 영화.

:**talk·ing**[tɔ́:kiŋ] *a., n.* 말하는; 표정이 풍부한; [U] 수다(스러운); [U] 담화. 「유도 방식.

tálking-dówn sỳstem 〖空〗 무전

tálking pícture 〔**fílm**〕 발성 영화.

tálking pòint 화제. 「리.

tálking-tò *n.* [C] 《口》 꾸지람, 잔소

tálk shòw 《美》 (방송에서) 유명 인사 특별 출연 프로《토론회·인터뷰》.

†**tall**[tɔ:l] *a.* ① 키 큰, 높은(*a* ~ *man, tower, tree, &c.*). ② …높이의(*six feet* 〔*foot*〕 ~ 신장 6피트). ③ 《口》 (값이) 엄청난. ④ 《口》 과장된(~ *talk* 흰소리/*a* ~ *story* 과장된 이야기).

táll·bòy *n.* [C] 《英》 다리가 높은 장롱(cf. highboy).

*****tal·low**[tǽlou] *n., vt.* [U] 수지(獸脂)〔쇠기름〕(를 바르다); = ∠ **càndle** 수지 양초. ~**·y** *a.*

tállow-fàced *a.* 해쓱한.

tal·ly[tǽli] *n.* [C] 〖史〗 (대차(貸借) 금액을 새긴) 부신(符信); 그 눈금; 짝의 한 쪽; 일치; 물표, 표, 패(tag); 계산, 득점. — *vt.* 부신(符信)에 새기다; 계산하다(*up*); 패를 달다; 대조하다. — *vi.* (꼭) 부합하다(*with*). 「원.

tálly clèrk 화물계; (선거의) 계표

tal·ly·ho[tǽlihòu] *n.* [C] 쉭!《사냥꾼이 여우를 발견하고 개를 추기는 소리》; 《주로 英》 대형 4두 마차. — [∠∠∠] *int.* 쉭쉭!

tálly shèet 계산 기입지(記入紙); 《美》 투표수 기입지.

Tal·mud[tɑ́:lmud, tǽl-/tǽl-] *n.* (the ~) 탈무드《유대 법전 및 전설집》.

tal·on[tǽlən] *n.* [C] (맹금(猛禽)의) 발톱(claw); (*pl.*) 움켜쥐는 손.

ta·lus[téiləs] *n.* (*pl.* ***-li***[-lai]) [C] 〖解〗 거골(距骨), 복사뼈.

TAM Television Audience Measurement.

tam[tæm] *n.* =TAM-O'-SHANTER.

tam·a·ble[téiməbəl] (<tame) *a.*

길들일 수 있는, 사육할 수 있는.

tam·a·rack[tǽmərӕ̀k] *n.* Ⓒ 아메리카낙엽송; Ⓤ 그 재목.

tam·a·rind[tǽmərind] *n.* Ⓒ 타마린드《열대산 콩과(科)의 상록수》; Ⓤ 그 열매.

tam·a·risk[tǽmərisk] *n.* Ⓒ 〖植〗 위성류(渭城柳). 「(틀).

tam·bour[tǽmbuər] *n.* Ⓒ 북; 수

tam·bou·rin[tǽmbərìn] *n.* Ⓒ 탕부랭《남(南)프랑스의 무용(곡)》.

tam·bou·rine[tæ̀mbəríːn] *n.* Ⓒ 탬버린《가장자리에 방울을 단 손북》.

:tame[teim] *a.* ① 길든, 길들인; 순한. ② 무기력한. ③ 재미 없는, 따분한. — *vt., vi.* (길러) 길들(이)다; (*vt.*) 복종시키다, 누르다, 무기력하게 하다; (색을) 부드럽게 하다. **∠·less** *a.* 길들이기 힘든. **∠·ly** *ad.* **∠·ness** *n.*

Tam·er·lane[tǽmərlèin] (1336?-1405) 티무르《몽고왕》.

Tam·il[tǽmil] *n.* Ⓒ (남인도 및 Ceylon섬의) 타밀 사람; Ⓤ 타밀 말.

Tam·ma·ny[tǽməni] *n., a.* (the ~) 태머니파(의)《N.Y. 시의 Tammany Hall을 근거로 시정을 문란하게 한 미국 민주당의 일파》.

tam-o'-shan·ter [tǽməʃæ̀ntər/ ∸-∸∸] *n.* Ⓒ (큰 흑두건 비슷한) 스코틀랜드의 베레모.

ta·mox·i·fen[təmɑ́ksəfən/-mɔ́k-] *n.* Ⓤ,Ⓒ 〖藥〗 유방암 치료에 쓰이는 항(抗)에스트로겐 약.

tamp[tæmp] *vt.* (흙을) 밟아〔다져〕 단단하게 하다; (폭약을 잰 구멍을) 진흙(등)으로 틀어막다.

tam·per[tǽmpər] *vi.* 간섭하다(meddle); 만지작거리다, 장난하다 (*with*); (원문을) 함부로 변경하다 (*with*); 뇌물을 주다(*with*).

T

tam·pi·on[tǽmpiən] *n.* Ⓒ 나무마개; 포전(砲栓); (파이프오르간의) 음관전(音管栓).

***tan**[tæn] *vt.* (**-nn-**) (가죽을) 무두질하다; (피부를) 햇볕에 태우다; 《口》 매질하다(thrash). — *vi.* 햇볕에 타다. — *n., a.* Ⓤ 탠 껍질《무두질용의 나무 껍질》; 황갈색(의); Ⓒ 햇볕에 탄 빛깔(의); (*pl.*) 황갈색 옷〔구두〕.

tan, tan. tangent.

tan·a·ger[tǽnidʒər] *n.* Ⓒ (아메리카산의) 풍금조.

tán·bàrk *n.* Ⓤ 탠(tan) 껍질.

tan·dem[tǽndəm] *ad.* (한 줄로) 세로로 늘어서서. — *a., n.* Ⓒ 세로로 늘어세운 (말·마차); 2인승 자전거.

tang[1][tæŋ] *n.* (*sing.*) 싸한 맛; 톡 쏘는 냄새; 특성, 기미(氣味) (smack[1]); 슴베《칼·끌 등의》.

tang[2] *n.* Ⓒ (금속 등의) 날카로운 소리. — *vt., vi.* (종 따위) 땡하고 울〔리〕다.

Tan·gan·yi·ka[tæ̀ŋgənjíːkə] *n.* 아프리카 동부의 지역《Zanzibar와 함께 Tanzania 구성》. ***Lake* ~** 중앙 아프리카의 담수호(淡水湖).

tan·gent[tǽndʒənt] *n., a.* Ⓒ 〖數〗 탄젠트; 〖幾〗 접하는, 접선(의). ***fly* 〔*go*〕 *off at a* ~** 갑자기 옆길로 벗어나다. 「의 일종.

tan·ge·rine[tæ̀ndʒəríːn] *n.* Ⓒ 귤

***tan·gi·ble**[tǽndʒəbəl] *a.* 만져서 알 수 있는; 확실〔명백〕한. — *n.* (*pl.*) 〖法〗 유형(有形) 재산. **-bly** *ad.* **-bil·i·ty**[∸-bíləti] *n.*

***tan·gle**[tǽŋgəl] *vt., vi.* 엉키(게 하)다; 얽히(게 하)다, 빠뜨리다, 빠지다. — *n.* Ⓒ 엉킴, 분규, 혼란. **tan·gled, -gly** *a.* 엉킨.

tángle·fòot *n.* Ⓤ 《美西部俗》 (싸구려) 위스키, 독한 술. 「탱고 곡.

tan·go[tǽŋgou] *n.* Ⓒ 탱고; Ⓤ,Ⓒ

†tank[tæŋk] *n.* Ⓒ (물·가스 등의) 탱크, 통; 저수지; 〖軍〗 전차(戰車), 탱크. — *vt.* 탱크에 넣다〔저장하다〕. **~·age**[∸idʒ] *n.* Ⓤ 탱크 용량〔저장·사용량〕; (도살장의) 탱크 찌끼《비료》. **~ed**[-t] *a.* 탱크에 저장한; 《美口》 술취한. ***∠·er** *n.* Ⓒ 탱커, 유조선; 공중 급유기; 〖美軍〗 전차대원.

tank·ard[∸ərd] *n.* Ⓒ (뚜껑·손잡이 달린) 대형 맥주컵.

tánk·bùster *n.* Ⓒ 대전차포; 〖空〗 대전차포 탑재기(搭載機). 「송용》.

tánk càr 〖鐵〗 탱크차《액체·기체수

tánk destròyer 대전차포.

tánk stàtion 《美》 급수역.

tánk trùck 《美》 탱크차, 유조〔수조〕 트럭. 「산염(酸鹽).

tan·nate[tǽneit] *n.* Ⓤ 〖化〗 타닌

tan·ner[tǽnər] *n.* Ⓒ 무두장이. **~·y** *n.* Ⓒ 제혁소(製革所); 무두질 공장.

tan·nic[tǽnik] *a.* 〖化〗 탠(tan) 껍질에서 얻은; 타닌성의.

tánnic ácid 타닌산.

tan·nin[tǽnin] *n.* Ⓤ 〖化〗 =⇧.

tan·ning[tǽniŋ] *n.* Ⓤ 무두질; 햇볕에 태움〔탐〕; Ⓒ 《口》 매질.

tan·sy[tǽnzi] *n.* Ⓒ 〖植〗 쑥국화, 양톱풀《약용·요리용》.

tan·ta·lize[tǽntəlàiz] *vt.* 보여서 감질나게 하다, 주는 체하고 안 주다 (cf. Tantalus). **-li·za·tion**[∸-lizéiʃən/-lai-] *n.* **-liz·ing**(**·ly**) *a.* (*ad.*)

tan·ta·lum[tǽntələm] *n.* Ⓤ 〖化〗 탄탈《금속 원소》.

Tan·ta·lus[tǽntələs] *n.* 〖그神〗 Zeus의 아들, 그리스의 왕《신벌(神罰)로 물 속에 턱까지 잠겼는데, 물을 마시려 하면 물이 빠지고, 머리 위의 과실을 따려고 하면 가지가 뒤로 물러갔음》(cf. tantalize).

tan·ta·mount[tǽntəmàunt] *a.* (보통 *pred. a.*) 동등한, 같은(*to*).

tan·ta·ra[tǽntərə, tæntɑ́ːrə, tæntǽrə] *n.* Ⓒ 나팔〔뿔피리〕 소리 (비슷한 소리).

tan·trum[tǽntrəm] *n.* Ⓒ 울화.

Tan·za·ni·a[tæ̀nzəníːə] *n.* 아프리카 중동부의 공화국《Tanganyika와 Zanzibar가 합병》.

Tao·ism[táuizəm, tɑ́ːouìzəm] *n.*

Ⓤ (노자(老子)의) 도교(道教).

Tao·ist[táuist, tá:ou-] *n., a.* Ⓒ 도사(道士), 도교 신자(의); 도교의.

***tap**[1][tæp] *vt., vi.* (**-pp-**) ① 가볍게 치다〔두드리다〕; 똑똑 두드리다. ② (*vt.*) (구두 바닥에) 가죽을 대다. — *n.* Ⓒ ① 가볍게 치기; 그 소리. ② 창갈이 가죽. ③ (*pl.*) 〖軍〗 소등(消燈) 나팔.

tap**[2] *n.* Ⓒ ① 꼭지, 통주둥이(faucet). ② 마개(plug). ③ 〖電〗 탭, 콘센트. ④ 술의 종류〔품질〕. ⑤《英》술집. ***on ~ (언제나 마실 수 있게) 꼭지가 달려; 언제든지 쓸 수 있게 준비되어. — *vt.* (**-pp-**) ① (통에) 꼭지를 달다, (통의) 꼭지로부터 술을 따르다(~ *a cask*). ② (…의) 꼭지를 따다. ③ (나무에) 진집을 내어 수액(樹液)을 받다. ④ 〖醫〗 째고 물(따위)을 빼다. ⑤ (전기 본선에서) 지선을 끌다; (본길에서) 샛길을 내다; (전화를) 도청하다.

táp dànce 탭댄스.

táp-dànce *vi.* 탭댄스를 추다.

†**tape**[teip] *n.* ① Ⓤ,Ⓒ (납작한) 끈; 테이프. ② Ⓒ (천 또는 강철로 만든) 줄자. ③ Ⓒ 녹음 테이프, 스카치테이프 (따위). ***breast the ~*** 가슴으로 테이프를 끊다, (경주에서) 1착이 되다. — *vt.* (…에) 납작한 끈을〔테이프를〕 달다, 납작한 끈으로〔테이프로〕 묶다〔매다·철하다〕; 테이프에 녹음하다; 《俗》 (인물을) 평가하다(size up).

tápe dèck 테이프 덱《앰프·스피커가 없는 테이프 리코더》.

tápe·lìne, tápe mèasure *n.* Ⓒ 줄자.

tápe machìne 테이프 리코더; 《英》 증권 시세 표시기.

***ta·per**[téipər] *n.* Ⓒ 가는 초, 초먹인 심지; 《雅》 약한 빛; Ⓤ,Ⓒ 끝이 뾰족함〔뾰족한 모양〕. — *a.* 끝이 가는. — *vi., vt.* 점점 가늘어지다〔가늘게 하다〕, 점점 줄다(*away, off, down*). **~·ing** *a.* 끝이 가는.

tápe-recòrd *vt.* (…을) 테이프에 녹음하다.

:**tápe recòrder** 테이프 리코더, 녹음기.

tápe recòrding 테이프 녹음.

***tap·es·try**[tǽpistri] *n., vt.* Ⓤ,Ⓒ 무늬 놓은 두꺼운 천(의 벽걸이)(으로 꾸미다). **-tried** *a.*

tápe·wòrm *n.* Ⓒ 촌충.

tap·i·o·ca[tæ̀pióukə] *n.* Ⓤ 타피오카《cassava 뿌리의 전분》.

ta·pir[téipər] *n.* Ⓒ 〖動〗 맥(貊)《라틴 아메리카》.

tap·is[tǽpi:] *n.* (F.) 무늬놓은 두꺼운 테이블 보. ***on the ~*** 심의 중에.

tap·per[tǽpər] *n.* Ⓒ ① 전신기의 키, 전건(電鍵). ② (열차의) 검차원.

táp·ròom *n.* Ⓒ 《주로 英》 (호텔 따위 안의) 술집.

táp·ròot *n.* Ⓒ 〖植〗 직근(直根).

tap·ster[tǽpstər] *n.* Ⓒ (술집의) 급사《특히 남자의》.

:**tar**[tɑ:r] *n., vt.* (**-rr-**) Ⓤ (콜)타르(를 칠하다); Ⓒ 《口》 뱃사람. ***~ and feather*** 뜨거운 타르를 온몸에 칠하고 나서 새털을 꽂다《린치》.

tar·an·tel·la[tæ̀rəntélə] *n.* Ⓒ (남이탈리아의) 경쾌한 춤; 그 곡.

tar·ant·ism[tǽrəntìzəm] *n.* Ⓤ 무도병(舞蹈病).

ta·ran·tu·la[tərǽntʃələ] *n.* Ⓒ 독거미의 일종.

tar·do[tárdou/tá:-] *a., ad.* 《It.》 〖樂〗 느린; 느리게.

***tar·dy**[tá:rdi] *a.* (걸음걸이 등이) 느린(slow); 더딘(*in*); 늦은(late). **tár·di·ly** *ad.* **tár·di·ness** *n.*

tare[1][tɛər] *n.* Ⓒ 〖植〗 살갈퀴(vetch); (*pl.*) 〖聖〗 가라지; 《비유》 해독.

tare[2] *n., vt* (*sing.*) 포장 중량(을 달다, 공제하다).

:**tar·get**[tá:rgit] *n.* Ⓒ 과녁, 목표; 목표액; 〖컴〗 대상. ***hit a ~*** 과녁에 맞히다; 목표액에 달하다.

tárget compúter 〖컴〗 대상 컴퓨터.

tárget dìsk 〖컴〗 대상(저장)판.

tárget pràctice 사격 연습.

Tar·heel, t-[tá:rhì:l] *n.* Ⓒ 《美》 North Carolina의 주민〔태생 사람〕.

:**tar·iff**[tǽrif] *n.* Ⓒ ① 관세〔세율〕표. ② 관세(*on*). ③ 《英》 (여관 등의) 요금표; 《口》 운임(표). ④ 《口》 요금.

táriff wàll 관세 장벽(障壁).

tar·mac [tá:rmæk] (<*tar*+*macadam*) *n.* Ⓒ 《英》 타맥《포장용 아스팔트 응고제》; 타르머캐덤 도로〔활주로〕.

tarn[tɑ:rn] *n.* Ⓒ (산 속의) 작은 호수, 늪.

tar·nish[tá:rniʃ] *vt., vi.* 흐리(게 하)다; (명예 따위) 손상시키다〔되다〕. — *n.* Ⓤ (a ~) (광물 따위의) 흐림, 녹; 더러움, 오점. **~ed**[-t] *a.*

ta·ro[tá:rou] *n.* (*pl.* **~s**) Ⓒ 타로토란《남양산의 식용·장식용 식물》.

tar·pau·lin[tɑ:rpɔ́:lin] *n.* Ⓤ 방수포; Ⓒ 방수 외투〔모자〕.

tar·pon[tá:rpən, -pɑn/-pɔn] *n.* (*pl.* **~s,** 《집합적》 ~) Ⓒ 미국 남해안산의 큰 물고기.

tar·ry[1][tǽri] *vi.* 머무르다(stay) (*at, in*); 망설이다, 늦어지다, 기다리다. — *vt.* 《古》 기다리다.

tar·ry[2][tá:ri] *a.* 타르(질(質))의; 타르를 칠한, 타르로 더럽혀진.

tar·sus[tá:rsəs] *n.* (*pl.* ***-si***[-sai]) Ⓒ 〖解〗 (발의) 부골(跗骨); 안검 연골(眼瞼軟骨). **tár·sal** *a.*

***tart**[1][tɑ:rt] *a.* 시큼한, 짜릿한; 신랄한, 호된. **∠·ly** *ad.* **∠·ness** *n.*

tart[2] *n.* Ⓤ,Ⓒ 《英》 과일을 넣은 과자〔파이〕; Ⓒ 《英俗》 매춘부.

tar·tan[tá:rtn] *n.* Ⓒ (스코틀랜드의 고지 사람이 입는) 격자 무늬의 모직물(옷); Ⓒ 격자 무늬.

Tar·tar[tá:rtər] *n., a.* (the ～) 타타르사람(의, 같은); (t-) Ⓒ 난폭자 (*a young* ～ 다루기 힘든 아이). ***catch a*** ～ 만만치 않은 상대를 만나다.

tar·tar[tá:rtər] *n.* Ⓤ 〖化〗 주석(酒石); 치석(齒石). **～·ic**[-tǽrik] *a.* 주석의〔을 함유하는〕.

tár·tar(e) sàuce[tá:tər-] 마요네즈에 썬 오이나 올리브 등을 넣어 만든 소스.

tartáric ácid 〖化〗 주석산.

Tar·ta·rus [tá:rtərəs] *n.* 〖그神〗 (Hades 보다 훨씬 아래에 있는) 지옥 (골짜기); =HADES.

Tar·zan[tá:rzæn, -zən] *n.* 타잔《미국의 Edger Rice Burroughs 작 정글 모험 소설의 주인공》; Ⓒ (t-) 초인적 힘을 가진 사람.

:task[tæsk, -ɑ:-] *n.* Ⓒ (의무적인) 일; 직무; 작업, 사업; 고된 일; 〖컴〗 태스크《컴퓨터로 처리되는 일의 단위》. ***call*** 〔***take***〕 (*a person*) ***to*** ～ 비난하다, 꾸짖다(*for*). — *vt.* (…에) 일을 과(課)하다; 혹사하다.

tásk fòrce 《美》 〖軍〗 기동 부대; 특수 임무 부대; 특별 전문 위원회; 프로젝트 팀.

tásk·màster *n.* Ⓒ 십장, 감독.

Tass[tæs] *n.* (옛 소련의) 타스 통신사《1992년 1월 30일부터 러시아 통신사와 통합해 ITAR-TASS로 개명됨》.

***tas·sel**[tǽsəl] *n., vt.* Ⓒ 술(장식)(을 달다); (옥수수의) 수염(을 뜯다); (책의) 서표〔갈피〕 끈. — *vi.* (《英》 *-ll-*) (옥수수 따위) 수염이 나다. **～(l)ed** [-d] *a.*

†taste[teist] *vt.* (…의) 맛을 보다; 먹다, 마시다; 경험하다. — *vi.* (…의) 맛이 나다, 풍미〔기미〕가 있다 (*of*). — *n.* ① Ⓤ (a ～) 맛, 풍미. ② Ⓤ (the ～) 미각. ③ (a ～) 경험. ④ Ⓒ 시식(試食); 한 입, 한 번 맛보기. ⑤ Ⓤ,Ⓒ 취미, 기호; Ⓤ 심미안(審美眼)(*for*). ⑥ Ⓤ 풍치. ***a bad*** ～ ***in the mouth*** 개운치 않은 뒷맛, 나쁜 인상. ***in good*** 〔***bad***〕 ～ 품위 있게〔없게〕. ***to the King's*** 〔***Queen's***〕 ～ 더할 나위 없이. **tást·er** *n.* Ⓒ 맛〔술맛〕을 감정하는 사람; 〖史〗 독이 있는지 없는지 맛보는 사람. **tást·y** *a.* 맛있는; 《口》 멋진.

táste bùd 미뢰(味蕾), 맛봉오리《혀의 미각 기관》.

taste·ful[∠fəl] *a.* 풍류 있는; 품위 있는, 풍아(風雅)한. **～·ly** *ad.*

táste·less *a.* 맛 없는; 아취 없는, 품위 없는. **～·ly** *ad.*

tat[tæt] *vt., vi.* (*-tt-*) 태팅(tatting)을 하다〔으로 만들다〕.

ta-ta[tá:tá/tætá:] *int.* 《주로 英》 《兒·俗》 안녕, 빠이빠이.

Ta·tar[tá:tər] *n., a.* =TARTAR.

***tat·ter**[tǽtər] *n.* Ⓒ 넝마; (보통 *pl.*) 누더기 옷, — *vt.* 너덜너덜 해뜨리다〔찢다〕. **～ed**[-d] *a.*

tàtter·demálion *n.* Ⓒ 누더기를 걸친 사람.

tat·ting[tǽtiŋ] *n.* Ⓤ 태팅《뜨개질의 일종》; 그렇게 뜬 레이스.

tat·tle[tǽtl] *n., vi., vt.* Ⓤ 객담〔뒷공론〕(을 하다); 고자질(하다). **tát·tler** *n.*

táttle·tàle *n., a.* Ⓒ 밀고자(의).

tat·too[1][tætú:/tə-, tæ-] *n.* (*pl.* **～s**), *vi.* Ⓒ 귀영(歸營) 나팔(을 불다), 귀영북(을 치다); 똑똑 두드리다〔두드리는 소리〕. ***beat the devil's*** ～ 손가락으로 책상 등을 똑똑 두드리다《초조·기분이 언짢을 때》.

tat·too[2] *n.* (*pl.* **～s**), *vt.* Ⓒ 문신(文身)(을 넣다). 「싸구려의.

tat·ty[tǽti] *a.* 《英》 초라한, 넝마의;

tau[tɔ:, tau] *n.* Ⓤ,Ⓒ 그리스어 알파벳의 19번째글자《T, t, 영어의 T, t에 해당》. 「사).

†taught[tɔ:t] *v.* teach의 과거(분

taunt[tɔ:nt, -ɑ:-] *vt., n.* Ⓒ (보통 *pl.*) 욕설(을 퍼붓다); 조롱, 냉소; 《廢》 조롱거리; 욕하여 …시키다.

taupe[toup] *n.* Ⓤ 두더지색, 진회색. 「금우궁(金牛宮).

Tau·rus[tɔ́:rəs] *n.* 〖天〗 황소자리;

taut [tɔ:t] *a.* 〖海〗 팽팽하게 친 (tight)(*a* ～ *rope*); (옷차림이) 단정한(tidy). 「하게 켕기다.

taut·en[tɔ́:tn] *vt., vi.* (…을) 팽팽

tau·tol·o·gy[tɔ:tálədʒi/-ɔ́-] *n.* Ⓤ,Ⓒ 뜻이 같은 말의 반복《보기: *surrounding circumstances*》. **tau·to·log·i·cal(·ly)** [∸təládʒikəl(i)/-ɔ́-] *a.* (*ad.*)

***tav·ern**[tǽvərn] *n.* Ⓒ 선술집, 여인숙(inn).

taw[tɔ:] *n.* Ⓤ 돌튀기기; Ⓒ 튀김돌; Ⓒ 돌튀기기의 개시선(線).

taw·dry[tɔ́:dri] *a., n.* Ⓒ 몹시 야한; 값싼 (물건).

***taw·ny**[tɔ́:ni] *n., a.* Ⓤ 황갈색(의) 《사자의 빛깔》.

:tax[tæks] *n.* ① Ⓤ,Ⓒ 세금, 조세 (*on, upon*). ② Ⓤ (a ～) (무리한) 요구; 과로(strain[1]). — *vt.* ① (…에) 과세하다. ② 무거운 짐을 지우다, 혹사하다; 무리한 요구를 하다. ③ 청구하다. ④ 비난하다(accuse). ⑤ 〖法〗 (소송 비용 등을) 사정(査定)하다. **∠·a·ble** *a.* 과세의 대상이 되는.

:tax·a·tion[tækséiʃən] *n.* Ⓤ 과세; 세수(稅收).

táx collèctor 〔**gàtherer**〕 세무공무원.

táx dòdger 탈세자.

táx evàsion 탈세.

táx-exémpt *a.* 면세의.

táx fàrmer 세금 징수 도급인.

táx-frée *a.* =TAX-EXEMPT.

†tax·i[tǽksi] *n., vi., vt.* Ⓒ 택시(로 가다, 로 운반하다); (비행기가) 육상〔수상〕을 활주하다〔시키다〕.

táxi·càb *n.* =TAXI.

táxi dàncer (댄스홀의) 직업 댄서.

tax·i·der·mal [tǽksidə:rməl], **-mic**[-mik] *a.* 박제(剝製)(술)의.

tax·i·der·my[-də:rmi] *n.* Ⓤ 박제

T

(剝製)술. **-mist** *n.*
tax·i·man[-mən] *n.* Ⓒ 택시 운전 기사.
táxi·mèter *n.*Ⓒ 택시 요금 표시기.
táxi·plàne *n.* Ⓒ 전세 비행기.
táxi stànd 택시 승차장.
táxi·wày *n.* Ⓒ 〖空〗 (비행장의) 유도로(誘導路).
tax·on·o·my [tæksάnəmi/-ɔ́-] *n.* Ⓤ 분류(학).
***táx·pàyer** *n.* Ⓒ 납세자.
táx redùction 감세(減稅).
táx retùrn 납세〔소득세〕 신고서.
TB[tí:bí:] *n.* Ⓤ (폐)결핵(*tu*b*erculosis*).
Tb 〖化〗 terbium. **T.B., t.b.** torpedo boat; trial balance; tubercle bacillus. **tbs., tbsp** tablespoon(ful). **Tc** 〖化〗 technetium. **T.C.** Tank Corps; traveler's check. **TCBM** transcontinental ballistic missile.
T-bár (líft)[tí:bάr(-)] *n.* Ⓒ 《美》 티바 리프트《스키장의 케이블에 매달린 2인승의 스키 리프트》.
Tchai·kov·sky[tʃaikɔ́:fski, -ά-], **Peter Ilych**(1840-93) 러시아의 작곡가.
TDY temporary duty. **Te** 〖化〗 tellurium. **T.E.** table of equipment 〖軍〗 장비표.
†**tea**[ti:] *n.* ① Ⓤ 차《보통, 홍차》 (*make* ~ 차를 끓이다). ② Ⓤ《집합적》 차잎; Ⓒ 차나무. ③ Ⓤ (차 비슷한) 달인 물(*beef* ~). ④ Ⓤ,Ⓒ 《英》 티《5시경 홍차와 함께 드는 가벼운 식사》; Ⓤ 저녁 식사(supper) 《'dinner'를 낮에 들었을 때의》; Ⓤ 다과회. ***black*** 〔***green***〕 ~ 홍〔녹〕차. ***high*** 〔***meat***〕 ~ 고기 요리를 곁들인 오후의 차.
téa bàll 티 볼《작은 구멍이 뚫린 공 모양의 차를 우리는 쇠그릇》.
téa brèak 《英》 차 마시는 (휴게) 시간(cf. coffee break).
téa càddy 《英》 차통(筒).
téa càrt 〔**wàg(g)on**〕 다구(茶具) 운반대.
†**teach**[ti:tʃ] *vt.* (***taught***) 가르치다; 교수〔훈련〕하다. — *vi.* 가르치다, 선생 노릇을 하다(*at*). ***I will ~ you to*** (*tell a lie, betray us, &c.*) (거짓말을, 배반을) 하면 용서 안할 테다. †**∠·er** *n.* Ⓒ 선생, (여)교사; (도덕적) 지도자; 사표(師表). ***∠·ing** *n.* Ⓤ 교수; 교의, 가르침.
téachers còllege 교육 대학.
téach-ìn *n.* Ⓒ 티치인《대학 안에서 학생이 중심이 된 정치·사회 문제 등의 토론 집회》; 토론회.
téaching àid 교구(教具).
téaching hòspital 의과 대학 부속 병원.
téa còzy (차 끓이는 주전자의) 보온 커버.
téa·cùp *n.* Ⓒ찻잔; =TEACUP-FUL.
téacup·fùl *n.* Ⓒ 찻잔 하나 가득한 양. 「집.
téa·hòuse *n.* Ⓒ (동양의) 다방, 찻
teak[ti:k] *n.* Ⓒ 〖植〗 티크; Ⓤ 티크재(材)《가구재·조선재(造船材)》.
téa·kèttle *n.* Ⓒ 차〔물〕 끓이는 주
teal[ti:l] *n.* Ⓒ 〖鳥〗 상오리. ㄴ전자.
téa lèaf 차잎; 엽차; (*pl.*) 차찌끼.
†**team**[ti:m] *n.* Ⓒ 《집합적》 ① 팀. ② (수레에 맨) 한 떼의 짐승《소·말 등》. — *vi.* 한 떼의 짐승을 몰다; 팀이 되다. — *vt.* 한 수레에 매다; 한데 맨 짐승으로 나르다.
téam gàme 단체 경기.
téam·màte *n.* Ⓒ 팀의 일원.
téam spírit 단체〔공동〕 정신.
team·ster[tì:mstər] *n.* Ⓒ 한무리의 말·소를 부리는 사람; 트럭 운전기사; 두목, 왕초.
téam·wòrk *n.* Ⓤ 협동 (작업).
téa pàrty 다과회(茶菓會).
téa plànt 차나무.
téa·pòt *n.* Ⓒ 찻주전자.
†**tear**[1][tiər] *n.* Ⓒ 눈물; (*pl.*) 비애. ***in ~s*** 울며. ***∠·ful** *a.* 눈물어린; 슬픈. **∠·ful·ly** *ad.* **∠·less** *a.*
:**tear**[2][tεər] *vt., vi.* (***tore; torn***) ① 찢(어 지)다, 잡아뜯다, 할퀴다, 쥐어뜯다(~ *one's hair*). ② 분열시키다〔하다〕. ③ (*vt.*) 괴롭히다. ④ (*vi.*) 돌진하다, 미친듯이 날뛰다(*about, along*). **~ *away*** 잡아째다〔떼다〕; 질주하다. **~ *down*** 당겨 벗기다, 부수다. **~ *round*** 법석떨(며 돌아다니)다. **~ *up*** 잡아찢다〔뽑다〕; 근절시키다. — *n.* Ⓒ 째진〔뜯어진, 찢어진〕 곳; 돌진, 날뛰기, 격노; 《俗》 야단법석. **~ *and wear*** 소모(消耗). **∠·ing** *a.* 격렬한; 잡아 째는.
téar·awày[tέər-] *n.* Ⓒ 난폭한 사람〔동물〕; 불량배.
téar bòmb[tíər-] 최루탄.
téar·dròp[tíər-] *n.* Ⓒ 눈물방울.
téar dùct[tíər-] 누선(涙腺).
téar-gàs[tíər-] *vt.* (**-ss-**) (폭도 등에) 최루가스를 사용하다〔쏘다〕.
téar-jèrker[tíər-] *n.* Ⓒ 《口》 눈물을 짜게 하는 영화〔노래·이야기〕.
téa·ròom *n.* Ⓒ 다방.
téar smòke[tíər-] 최루 가스의 일종. 「룩진.
téar·stàined[tíər-] *a.* 눈물로 얼
téar strìp[tέər-] 《美》 (캔·담배갑 따위를 뜯기 쉽게 두른) 개봉띠.
:**tease**[ti:z] *vt.* 괴롭히다; 놀려대다; 조르다. — *n.* Ⓒ 괴롭히는 사람, 괴롭히기; 놀려대는 사람, 놀려대기; 조르는 사람, 조르기; tease 당하기.
téas·er *n.*
tea·sel[tí:zəl] *n.* Ⓒ 〖植〗 산토끼꽃; 산토끼꽃의 구과(毬果)《모직의 보풀 세우는 데 씀》; 보풀세우는 기구. — *vt.* (《英》 **-ll-**) 티즐〔보풀 세우는 기구〕로 보풀을 세우다.
téa sèrvice 〔**sèt**〕 찻그릇 한 세트, 티세트.
téa-shòp *n.* Ⓒ 다방; 《英》 경식당.
:**téa·spòon** *n.* Ⓒ 찻숟가락; =⇩.
téa·spoonfùl *n.* (*pl.* ~*s*, *-tea-*

T

spoonsful) Ⓒ 찻숟가락 하나의 양.
téa stràiner 차를 거르는 조리.
teat[ti:t] *n.* Ⓒ 젖꼭지(nipple).
téa-thìngs *n.* =TEA SERVICE.
téa tràỳ 찻쟁반.
tea·zel, -zle[tí:zl] *n., v.* =TEASEL.
Tec(h)[tek] *n.* Ⓒ《口》공예 학교, 공업〔공과〕대학〔학교〕.
tech[tek] *n., a.*《口》Ⓒ 기술자; Ⓤ 과학 기술(의).
tech·ie[téki:] *n.* Ⓒ《口》기술 특히 전자분야의 전문가·열광자.
tech·ne·ti·um[tekní:ʃiəm] *n.* Ⓤ 〖化〗테크네튬《인공 원소; 기호 Tc》.
tech·ne·tron·ic [tèknətrάnik/ -trɔ́n-] *a.* 과학기술〔전자 공학〕이 지배하는《시대, 사회》, 정보화 시대의《사회》.
***tech·nic**[tèknik] *n.* ① =TECHNIQUE. ② (*pl.*) 학술〔전문〕어, 학술〔전문〕적 사항〔법칙〕. ③ (*pl.*) 공예(학). ── *a.* =TECHNICAL.
:tech·ni·cal[téknikəl] *a.* ① 공업의, 공예의. ② 전문의; 기술(상)의; 학술의. **~·ly** *ad.*
tech·ni·cal·i·ty[tèknəkǽləti] *n.* Ⓤ 전문〔학술〕적임; Ⓒ 학술〔전문〕사항; 전문어.
téchnical knóckout 〖拳〗테크니컬 녹아웃《생략 TKO》.
téchnical schóol 공업 학교.
téchnical sérgeant 〖美陸軍〗중사《현재는 sergeant first class》.
téchnical suppórt 〖컴〗기술 지원《컴퓨터의 하드〔소프트〕웨어 판매자가 구매자에게 교육·수리·정기 점검 등의 지원을 하는 것》.
téchnical térms 술어; 전문어.
***tech·ni·cian**[tekníʃən] *n.* Ⓒ 기술자; 전문가.
Tech·ni·col·or [téknikʌ̀lər] *n.* Ⓒ〖商標〗(미국의) 테크니컬러식 천연색 촬영법(에 의한 천연색 영화).
:tech·nique[tekní:k] *n.* Ⓒ (예술상의) 기법, 기교. 「등의 결합사.
tech·no-[téknou, -nə] '기술·응용'
tech·noc·ra·cy[teknάkrəsi/-ɔ́-] *n.* Ⓤ,Ⓒ 기술자 정치, 기술 중심주의《1932년경 미국서 제창》. **tech·no·crat**[téknəkræ̀t] *n.*
tech·no·log·i·cal[tèknəlάdʒikəl/ -ɔ́-] *a.* 공예의; 공예학의. **-gist** *n.*
technológical innovátion 기술 혁신.
***tech·nol·o·gy**[teknάlədʒi/-ɔ́-] *n.* Ⓤ,Ⓒ 과학〔공업〕기술; Ⓤ 공예(학); Ⓤ 전문어.
téchno·strèss *n.* Ⓤ 테크노 스트레스《컴퓨터 기술을 중심으로 한 사회에의 적응에 실패했을 때의 증상》.
tec·ton·ics[tektάniks/-tɔ́n-] *n.* Ⓤ 축조학(築造學), 구조학; 〖地〗구조 지질학.
Ted[ted] *n.* Edward, Theodor, Theodore의 애칭; 《英口》=TEDDY BOY. 「機).
ted·der[tédər] *n.* Ⓒ 건초기(乾草
téd·dy bèar[tédi-] (특히 봉제품의) 장난감 곰.
Téddy bòy《口》(1950년대의 영국의) 반항적 청소년.
Te De·um[tí: dí:əm, téi déium] (L.) 테데움 성가《신에 대한 감사 찬가》.
:te·di·ous[tí:diəs, -dʒəs] *a.* 지루한, 장황한. **~·ly** *ad.*
te·di·um[tí:diəm] *n.* Ⓤ 권태.
tedium vi·tae[-váiti:] (L.) = ANNUI.
tee[ti:] *n., vt., vi.* Ⓒ ①〖골프〗공 자리(위에 놓다《공을》); (QUOITS 따위의) 목표; 정확한 점. ② T자형의 물건. **~ *off*** (공을) 공자리에서 치기 시작하다; (제안 따위를) 개시하다. ***to a ~***, or ***to a T-*** 정연히.
***teem**[ti:m] *vi.* 충만하다, 많이 있다 (abound)(*with*). **∠·ing** *a.*
téen-àge *a.* 10대의. **-àger** *n.* Ⓒ 10대의 소년〔소녀〕.
teen·er[∠ər] *n.* =TEEN-AGER.
teens**[ti:nz] *n. pl.* 10대(*a girl in her ~*, 10대의 소녀). ***high 〔***middle, low***〕 ~ 18-19〔15-16(또는 16-17), 13-14〕세.
tee·ny·bop·per[tí:nibὰpər/-bɔ̀-] *n.* Ⓒ 10대의 소녀; 히피의 흉내를 내거나 일시적 유행을 좇는 10대.
tee·pee[tí:pi:] *n.* =TEPEE.
tee·ter[tí:tər] *n.*《주로 美》*vi., vt.,* Ⓒ 시소(seesaw); 전후〔상하〕로 흔들어 움직이다.
†teeth[ti:θ] *n.* tooth의 복수.
teethe[ti:ð] *vi.* 이〔젖니〕가 나다.
téeth·ing *n.* Ⓤ 젖니의 발생.
tee·to·tal[ti:tóutl] *a.* 절대 금주의; 《口》절대적인, 완전한. **~·er,**《英》 **~·ler** *n.* Ⓒ 절대 금주가. 「팽이.
tee·to·tum[ti:tóutəm] *n.* Ⓒ 네모
Tef·lon[téflɑn/-lɔn] *n.* Ⓤ〖商標〗테플론《열에 강한 수지》.
t.e.g. top edge gilt〖製本〗천금(天金). 「피(外皮).
teg·u·ment[tégjəmənt] *n.* Ⓒ 외
Te·h(e·)ran[tìərά:n, -rǽn, tèhə-] *n.* 테헤란《이란의 수도》.
tel. telegram; telegraph(ic); telephone. **TEL** tetraethyl lead.
tel·au·to·gram[telɔ́:təgræ̀m] *n.* Ⓒ (⇩에 의한) 전송 서화 인쇄물.
Tel·Au·to·graph [telɔ́:təgræ̀f, -grὰ:f] *n.* Ⓒ〖商標〗서화(書畫) 전송기.
Tel A·viv[tél əví:v] *n.* 텔아비브《Israel 최대의 도시》.
tel·e-[télə], **tel-**[tel] '원거리의, 전신, 전송, 텔레비전'의 뜻의 결합사.
téle·càmera *n.* Ⓒ 텔레비전 카메라.
***tel·e·cast**[téləkæ̀st, -kὰ:-] *n., vt., vi.* (*~, ~ed*) Ⓒ 텔레비전 방송(을 하다).
téle·càster *n.* Ⓒ 텔레비전 방송자; 텔레비전 뉴스 해설자.
tel·e·cin·e[téləsìni] *n.* Ⓒ 텔레비전 영화.
tèle·communicátion *n.* Ⓤ (보통

pl.)《단수 취급》〖컴〗 원격〔전자〕 통신.
tèle·contról *n.* Ⓤ (전파 등에 의한) 원격 조작.
téle·còurse *n.* Ⓒ 텔레비전 강좌.
tel·e·di·ag·no·sis[tèlədàiəgnóusis] *n.* Ⓤ 텔레비전 (원격) 진단.
tèle·facsímile *n.* Ⓒ,Ⓤ 전화 전송.
téle·film *n.* Ⓒ 텔레비전 영화.
tel·e·gen·ic[tèlədʒénik] *a.* 텔레비전 (방송)에 알맞은(cf. photogenic).
:tel·e·gram[téləgræ̀m] *n.* Ⓒ 전보.
:tel·e·graph[téləgræ̀f, -grɑ̀:f] *n., vt., vi.* Ⓤ,Ⓒ 전신(기); 타전하다; 〖컴〗 전신. **-gra·ph·ic**[tèləgræ̀fik] *a.* 「환.
télegraph móney òrder 전신
***te·leg·ra·phy**[təlégrəfi] *n.* Ⓤ 전신(술). **-pher** *n.* Ⓒ 전신 기수.
tel·e·ki·ne·sis[tèləkiní:sis, -kai-] *n.* Ⓤ 〖心靈術〗 격동(隔動)《외력을 가하지 않고 사람, 물건을 움직이는》.
téle·lècture *n.* Ⓒ 전화 강연《전화를 이용한 마이크 방송》.
téle·màrk *n., vi.* Ⓤ 〖스키〗 텔레마크 회전(하다).
tel·e·ol·o·gy[tèliάlədʒi/-ɔ́-] *n.* Ⓤ 〖哲〗 목적론. **-o·log·i·cal**[-əlάdʒikəl/-ɔ́-] *a.* **-gist** *n.*
te·lep·a·thy[təlépəθi] *n.* Ⓤ 텔레파시, 정신 감응; 이심전심(以心傳心) 현상. **tel·e·path·ic**[tèləpǽθik] *a.* **-thist** *n.* Ⓒ 정신 감응(가능)론자.
†tel·e·phone[téləfòun] *n.* Ⓤ (종종 the ~) 전화; Ⓒ 전화기. ***by*** ~ 전화로. ~ ***booth*** 공중 전화 박스. ~ ***directory*** 전화 번호부. ~ ***exchange*** (***office***) 전화 교환국. ― *vt., vi.* (…와) 전화로 이야기하다; (…에게) 전화를 걸다(*to*), 전화로 불러내다.
télephone bòok 전화 번호부.
télephone pòle 전화선 전주.
te·leph·o·ny[təléfəni] *n.* Ⓤ 전화 통화법; 전화 통신. **tel·e·phon·ic** [tèləfάnik/-ɔ́-] *a.*
tel·e·pho·to[téləfòutou] *n., a.* Ⓒ 망원 사진(의). ~ ***lens*** 망원 렌즈.
tèle·phótograph *n., vt.* Ⓒ 망원 사진(을 찍다); 전송 사진(을 보내다). **-photográphic** *a.* **-photógraphy** *n.* Ⓤ 망원〔전송〕 사진술.
téle·plày *n.* Ⓒ 텔레비전 드라마〔극〕.
téle·prìnter *n.* 《주로 英》 =TELETYPEWRITER.
Tel·e·Promp·Ter[-prὰmptər/-ɔ̀-] *n.* Ⓒ 〖商標〗 텔레프롬프터《글씨가 테이프처럼 움직여 연기자에 대사 등을 일러주는 장치》.
tel·e·ran[télərӕn] *n.* Ⓤ 텔레란《레이다 항공술》.
téle·recòrd *vt.* 〖TV〗 녹화하다.
:tel·e·scope[téləskòup] *n., vi., vt.* Ⓒ 망원경; (충돌하여) 박(히)다; 짧아지다, 짧게 하다.
tel·e·scop·ic[tèləskάpik/-ɔ́-] *a.* 망원경의; 망원경으로 본〔볼 수 있는〕; 멀리 볼 수 있는; 뽑았다끼웠다 할 수 있는, 신축 자재의.
te·les·co·py[tiléskəpi] *n.* Ⓤ 망원경 사용〔제조〕법.
tèle·shópping *n.* 텔레쇼핑.
tel·e·text[télətèkst] *n.* Ⓤ 문자 다중(多重) 방송; 〖컴〗 텔레 텍스트.
tel·e·thon[téləθὰn/-θɔ̀n] *n.* Ⓒ (자선 등을 위한) 장시간 텔레비전 프로그램.
***tel·e·type, T-**[télətàip] *n., vt., vi.* Ⓒ 〖商標〗 텔레타이프〔전신 타자기〕(로 송신하다, 를 조작하다).
tèle·týpewriter *n.* Ⓒ 텔레타이프, 전신 타자기.
tel·e·view[télәvjù:] *vt., vi.* 텔레비전으로 보다. **~·er** *n.* Ⓒ 텔레비전 시청자.
tel·e·vise[-vàiz] *vt.* 텔레비전으로 보내다〔보다〕.
†tel·e·vi·sion[téləvìʒən] *n.* Ⓤ 텔레비전; Ⓒ 텔레비전 수상기.
tel·e·vi·sor[-vàizər] *n.* Ⓒ 텔레비전 장치.
Tel·ex[téleks] *n.* Ⓤ 텔렉스《국제 텔레타이프 자동 교환기》.
†tell[tel] *vt., vi.* (***told***) ① 말하다, 이야기하다, 언급하다. ② 고하다; 누설하다. ③ 명하다. ④ 알다(***Who can*** ~***?*** 《反語》 누가 알 수 있겠는가). ⑤ (*vt.*) 분간하다(~ ***silk from nylon*** 비단과 나일론을 분간하다). ⑥ (*vt.*) 세다(~ ***one's beads*** 염주를 세다). ⑦ (이하 *vi.*) 고자질하다 (***on, of***). ⑧ (약·말·타격이) 효력〔반응〕이 있다(take effects) (***on, upon***); 명중하다. ***all told*** 전부 다 해서. ***I*** (***can***) ~ ***you,*** or ***Let me*** ~ ***you.*** 확실히, …이다《확신의 표현》. ***Don't*** ~ ***me...*** 설마 …은 아니겠지. ***I'll*** ~ ***you what*** 할 이야기가 있다. ~ ***apart*** 식별하다. ~ ***off*** 세어서 갈라놓다; (대(隊)를) 분견하다, 일을 할당하다; …에 번호를 붙이다; (결점을 들어서) 몹시 나무라다. ~ ***on*** (***him***) (그의 일을) 고자질하다. ~ ***the world*** 단정〔공언〕하다. ***You're*** ~***ing me!*** 《俗》 알고 있네! ***´~·er** *n.* Ⓒ 이야기하는 사람; 금전 출납원; 투표 계표원. **´~·ing** *a.* 잘 듣는, 효과적인.
téll·tàle *n., a.* Ⓒ 고자질쟁이, 수다쟁이; (감정·비밀 등의) 표시, 증거; 자연히 나타나는, 숨길 수 없는.
tel·lu·ri·um[telúəriəm] *n.* Ⓤ 〖化〗 텔루르《비(非)금속 원소; 기호 Te》.
tel·ly[téli] *n.* Ⓒ 《英口》 텔레비전.
tel·pher[télfər] *n.* Ⓒ 공중 케이블(카). 「통신위성.
Tel·star[télstὰ:r] *n.* Ⓒ (미국의)
tem·blor[témblɔ:r, -blər] *n.* Ⓒ 《美》 지진. 「무모.
te·mer·i·ty[təmérəti] *n.* Ⓤ 만용,
Tém·in ènzyme[témən-] 〖生〗 테민 효소《RNA에서 DNA를 만드는 역전사(逆轉寫) 효소》.
:tem·per[témpər] *n.* ① Ⓤ (여러

가지 재료의) 알맞은 조합(調合) 정도, 적당한 정도. ② Ⓤ (마음의) 침착, 평정. ③ Ⓤ (강철의) 되불림, (회반죽의) 굳기. ④ Ⓒ 기질. ⑤ Ⓤ,Ⓒ 기분; 화. ***hot*** ~ 발끈거리는 성미. ***in a good*** [***bad***] ~ 기분이 좋아서[나빠서]. ***in a*** ~, or ***out of*** ~ 화가 나서. ***lose one's*** ~ 화내다. ***show*** ~ 화내다. — *vt.* 누이다; 달래다, 경감하다; (악기·목소리의 높이를) 조절하다; (강철 따위를) 되불리다; 단련하다; (진흙을) 반죽하다. — *vi.* 부드러워지다; (강철이) 불리어지다.

tem·per·a[témpərə] *n.* Ⓤ 템페라화(법).

***tem·per·a·ment** [témpərəmənt] *n.* Ⓤ,Ⓒ ① 기질, 성미, 체질; 격정. ②〖樂〗(12) 평균율(법). **-men·tal** [∸–méntl] *a.* 기질(상)의; 성미가 까다로운; 변덕스러운; 신경질의.

***tem·per·ance**[témpərəns] *n.* Ⓤ 절제, 삼감; 절주; 금주.

:tem·per·ate[témpərit] *a.* 절제하는, 삼가는; 온건한; 절[금]주의; (기후·계절이) 온난한.

Témperate Zóne, the 온대.

:tem·per·a·ture[témpərətʃər] *n.* Ⓤ,Ⓒ 온도; 체온. ***run a*** ~ 열이 있다, 열을 내다; 《俗》 흥분하다. ***take one's*** ~ 체온을 재다.

témperature-humídity índex 온습지수, 불쾌지수《생략 THI》.

tem·per·some[témpərsəm] *a.* 참을성이 없는.

:tem·pest[témpist] *a.* 사나운 비바람, 폭풍우[설]; 대소동.

tem·pes·tu·ous[tempéstʃuəs] *a.* 사나운 비바람의; 폭풍(우) 같은; 격렬한. ~**·ly** *ad.*

Tem·plar[témplər] *n.* =KNIGHT TEMPLAR.

tem·plate, -plet[témplit] *n.* Ⓒ (수지 등의) 형판, 본뜨는 자; 〖컴〗 순서도용 자, 템플릿.

:tem·ple[1][témpəl] *n.* Ⓒ 성당, 신전(神殿); 절; (T-) (Jerusalem의) 성전; (기독교의 어떤 종파의) 교회당.

***tem·ple**[2] *n.* Ⓒ (보통 *pl.*) 관자놀이.

Témple Bàr 런던 서쪽 끝의 문(門)《1879년 철거》.

tem·po[témpou] *n.* (It.) Ⓒ 〖樂〗 속도; 박자, 템포.

tem·po·ral**[1][témpərəl] *a.* ① 현세[뜬 세상]의; 세속의. ② 때의, 시간의. ③ 순간적인. ***lords ~, or ~ ***peers*** 《英》 (성직자 아닌) 상원 의원 (cf. LORD spiritual).

tem·po·ral[2] *a.* 관자놀이의; 〖解〗 측두의.

:tem·po·rar·y[témpərèri/-rə-] *a.* 일시의, 잠시의, 임시의; 덧없는. ***-rar·i·ly** *ad.*

témporary file 〖컴〗 임시 (기록) 「파일.

témporary stórage 〖컴〗 임시 기억 장소.

tem·po·rize[témpəràiz] *vi.* 형세에 따르다, 기회주의적 태도를 취하다; 타협하다; (시간을 벌기 위해) 꾸물거리다. **-ri·za·tion** [∸–rizéiʃən/-rai-] *n.*

:tempt[tempt] *vt.* ① 유혹하다. ② (식욕을) 당기게 하다; 꾀다(*to* do). ③ 성나게 하다. ④ 무릅쓰다(~ *a storm* 폭풍우를 무릅쓰고 가다). ⑤ 《古》 시도하다(attempt). ~ ***providence*** 모험하다. **∠·er** *n.* Ⓒ 유혹자; (T-) 악마. **∠·ing** *a.* 유혹적인, 마음을 끄는; 맛있어 보이는.

:temp·ta·tion[temptéiʃən] *n.* Ⓤ 유혹; Ⓒ 유혹물.

tempt·ress[témptris] *n.* Ⓒ 유혹하는 여자.

tem·pus fu·git[témpəs fjú:dʒit] (L =Time flies) 세월은 화살 같다.

†ten[ten] *n., a.* Ⓤ,Ⓒ 10(의); Ⓒ 열 개[사람](의). ~ ***to one*** 십중 팔구(까지). ***the best*** ~, 10걸(傑), 베스트 텐. ***the T-*** COMMAND***ments.*** ***the upper*** ~ 귀족, 상류 사회(< the upper ten thousand).

ten·a·ble[ténəbəl] *a.* (성·진지 등) 지킬 수 있는; (학설 등) 조리에 닿는. **-bly** *ad.*

te·na·cious[tinéiʃəs] *a.* 고집하는, 완고한; (기억력이) 강한; 끈기 있는 (sticky). ~**·ly** *ad.* **te·nac·i·ty** [-nǽsəti] *n.* Ⓤ 고집; 완강, 끈질김; 강한 기억력; 끈기.

ten·an·cy[ténənsi] *n.* Ⓤ (땅·집의) 임차(賃借); Ⓒ 그 기간.

:ten·ant[ténənt] *n.* Ⓒ 차지인(借地人), 차가인(借家人), 소작인; 거주자. — *vt.* 빌다, 임차하다; (…에) 살다. ~**·ry** *n.* 《집합적》 차지인, 차가인, 소작인(들).

ténant fàrmer 소작인.

ténant Fàrming 소작농.

ténant rìght 《英》 소작권, 차지권.

tén-cent stòre 《美》 10센트 균일의 상점.

:tend[1][tend] *vt.* 지키다(watch over); 돌보다, 간호하다. — *vi.* 시중들다(*on, upon*); 주의하다(*to*). **∠·ance** *n.* Ⓤ 시중; 간호.

:tend[2] *vi.* 향하다, 기울다(*to*); 경향이 있다, …하기 쉽다(be apt)(*to* do); 도움이 되다(*to*).

ten·den·cious, -tious[tendénʃəs] *a.* 경향적인, 목적이 있는, 선전적인.

:ten·den·cy[téndənsi] *n.* Ⓒ 경향(*to, toward*); 버릇; (이야기의) 취지.

ten·der[1][téndər] *n.* Ⓒ 감시인; 돌보는 사람, 간호인; 부속선(附屬船); (기관차의) 탄수차(炭水車).

:ten·der[2] *vt.* 제출[제공·제의]하다; (감사 등을) 말하다; 《美》 (접견 등을) 허용하다. — *vi.* 입찰하다(*for*). — *n.* Ⓒ 제공(물), 신청; 입찰; 법화(法貨) (legal tender).

:ten·der[3] *a.* ① (살·피부·색·빛 따위가) 부드러운. ② 허약한, 무른; 부서지기[상하기] 쉬운. ③ 민감한. ④

상냥한, 친절한. ⑤ 젊은(*of ~ age* 나이 어린), 연약한. ⑥ 미묘한; 다루기 까다로운(*a ~ problem*). ⑦ (…을) 조심〔걱정〕하는(*of, for*). **~·ly** *ad.* 상냥하게, 친절히; 유약하게; 두려워하며. **~·ness** *n.*

ténder·fòot *n.* (*pl.* **~s, -feet**) Ⓒ (미국 서부의 목장·광산 등의) 신출내기, 풋내기.

ténder·héarted *a.* 상냥한, 인정많은.

ténder·lòin *n.* Ⓤ,Ⓒ (소·돼지의) 연한 등심; (T-) (뉴욕에 있던 악덕으로 이름난) 환락가; 부패한 거리.

ténder·mínded *a.* 이상주의적인; 낙관적인; 독단적인.

ten·don[téndən] *n.* Ⓒ 〖解〗 건(腱).

ten·dril[téndril] *n.* Ⓒ 〖植〗 덩굴손.

***ten·e·ment**[ténəmənt] *n.* Ⓒ 보유물, 차지(借地), 차가(借家); 가옥.

ténement hóuse 싸구려 아파트; 연립 주택.

ten·et[ténət, tíː-] *n.* Ⓒ 신조; 주의; 교의.

tén·fòld *a., ad.* 10 배의〔로〕, 열 겹의〔으로〕.

tén-gallon hát 《美》 카우보이 모자.

Teng Hsiao-ping[téŋ sjáu píŋ] =DENG XIAOPING.

Tenn. Tennessee.

ten·ner[ténər] *n.* Ⓒ 《英口》 10파운드 지폐; 《美口》 10달러 지폐.

***Ten·nes·see**[ténəsíː] *n.* 미국 남동부의 주《생략 Tenn.》.

Ténnessee Válley Authòrity, the 테네시강 유역 개발 공사《생략 TVA》.

†**ten·nis**[ténis] *n.* Ⓤ 테니스.

ténnis còurt 테니스 코트.

ténnis èlbow 테니스 등이 원인으로 생기는 팔꿈치의 관절염.

ten·nist[ténist] *n.* Ⓒ 테니스를 하는 사람, 테니스 선수.

Ten·ny·son[ténəsən], **Alfred** (1809-92) 영국의 시인.

ten·on[ténən] *n., vt.* Ⓒ 〖木工〗 장부(를 만들다); 장부이음하다.

***ten·or**[ténər] *n.* ① (the ~) 진로; 취지, 대의. ② Ⓤ 〖樂〗 테너; Ⓒ 테너 가수.

ten·pins[ténpìnz] *n.* *pl.* 《美》《단수 취급》 십주희(十柱戱); 《복수 취급》 십주희용 핀.

***tense**[1][tens] *a.* 팽팽한; 긴장한. ── *vt.* 팽팽하게 하다; 긴장시키다. **∠·ly** *ad.* **∠·ness** *n.*

:**tense**[2] *n.* Ⓤ,Ⓒ 〖文〗 시제(時制).

ten·sile[ténsəl/-sail] *a.* 장력(張力)의; 잡아늘일 수 있는(ductile). ~ ***strength*** (항)장력((抗)張力).

ten·sil·i·ty[tensíləti] *n.*

ten·si·om·e·try[tènsiámətri/-ɔ́-] *n.* Ⓤ 장력학.

***ten·sion**[ténʃən] *n.* ① Ⓤ,Ⓒ 팽팽함, 긴장; (정신·국제 관계의) 긴장. ② Ⓤ 〖理〗 장력(*surface ~* 표면 장력); 팽창력, (기체의) 압력; 〖電〗 전압. ── *vt.* 긴장시키다.

ten·si·ty[ténsəti] *n.* Ⓤ 긴장(상태).

ten·sor[ténsər] *n.* Ⓒ 〖解〗 장근(張筋); 〖數〗 텐서.

tén-strìke *n.* Ⓒ (tenpins 게임에서) 기둥 10 개를 전부 넘어뜨리기; 《口》 대성공.

†**tent**[tent] *n., vt., vi.* Ⓒ 텐트(에서 자다), 천막으로 덮다; 주거. ***pitch*** 〔***strike***〕 ***a ~*** 텐트를 치다〔걷다〕.

ten·ta·cle[téntəkəl] *n.* Ⓒ 〖動〗 촉각, 촉수; 〖植〗 촉모(觸毛). **~d**[-d] *a.* 촉각〔촉모〕 있는.

***ten·ta·tive**[téntətiv] *a.* 시험적인, 시험삼아 하는.

tent càterpillar 천막벌레.

ten·ter·hook[téntərhùk] *n.* Ⓒ 재양틀의 갈고리. ***be on ~s*** 조바심하다.

†**tenth**[tenθ] *n., a.* ① Ⓤ (the ~) 제 10(의), 10째(의). ② Ⓒ 10분의 1(의). ③ Ⓤ (the ~) (달의) 10일. **∠·ly** *ad.* 열번째로〔에〕.

ténth-ràte *a.* (질이) 최저의.

ténT shòw 서커스.

ténT tràiler 텐트식 트레일러《이동 캠프》.

te·nu·i·ty[tenjúːəti] *n.* Ⓤ 가늚, 엷음; 희박〔빈약〕함.

ten·u·ous[ténjuəs] *a.* 가는, 얇은; 희박한; 미미한.

ten·ure[ténjuər] *n.* Ⓤ,Ⓒ (재산·지위 등의) 보유; 그 기간·조건. ***~ of life*** 수명. **ten·úr·i·al** *a.*

te·pa[tíːpə] *n.* Ⓤ 제암제(制癌劑).

te·pee[tíːpiː] *n.* Ⓒ (아메리카 토인의) 천막집.

tep·id[tépid] *a.* 미지근한, 미온의 (lukewarm). **~·ly** *ad.* **~·ness** *n.* **te·píd·i·ty** *n.*

TEPP tetraethyl pyrophosphate 《살충제》.

ter·bi·um[tə́ːrbiəm] *n.* Ⓤ 〖化〗 테르븀《금속 원소》.

ter·cen·te·nary [təːrséntənèri, ──ténəri/təːsentíːnəri] *n., a.* Ⓒ 300년(의); 300년제(祭)(의).

ter·cet[təːrsit, -sét] *n.* Ⓒ 〖韻〗 3행 (압운) 연구(聯句); 〖樂〗 3연음.

ter·gi·ver·sate[tə́ːrdʒivərsèit] *vt.* 변절〔전향, 탈당〕하다; 어물쩍거리다, 얼버무리다(evade). **-sa·tion** [∸──séiʃən] *n.*

:**term**[təːrm] *n.* 《원래의 뜻: 한계, 한정; (cf. terminus)》 ① Ⓒ 기한, 기간; 학기. ② Ⓒ (법원의) 개정기(開廷期); (지불의) 기일. ③ (*pl.*) (한정하는) 조건, 조항; (계약·지불·값 따위의) 약정. ④ (*pl.*) 요구액, 값. ⑤ (*pl.*) 친교 관계. ⑥ Ⓒ (한정된) 개념, 말, 용어(*a technical ~* 학술어). ⑦ (*pl.*) 말투. ⑧ Ⓒ 〖論〗 명사; 〖數〗 항(項). ***bring a person to ~s*** 항복시키다. ***come to ~s*** 절충이 되다, 타협하다. ***in ~s of*** …에 의해서; …의 점에서(보면). ***make ~s with*** …와 타협하다. ***not on any ~s*** 결코 …아니다. ***on good*** 〔***bad***〕 ***~s*** 사이가 좋아서〔나

빠서] (*with*). **on speaking ~s** 말을 건넬 정도의 사이인(*with*). — *vt.* 이름짓다, 부르다.
ter·ma·gant[tə́:rməgənt] *a., n.* Ⓒ 잔소리가 심한 (여자). **-gan·cy** *n.*
térm dày 계산일, 지급일; 만기일.
ter·mi·na·ble [tə́:rmənəbəl] *a.* (계약·연금 등) 기한이 있는.
***ter·mi·nal**[tə́:rmənəl] *a.* ① 끝의, 마지막의; 종점의(*a ~ station* 종착역). ② 정기(定期)의; 학기의. — *n.* Ⓒ ① 말단; 《美》 종착역(《英》 terminus). ②〖電〗단자(端子). ③ 학기말 시험. ④〖컴〗단말(端末)기, 터미널《데이터 입출력 장치》. **~·ly** *ad.* 기(期)〔학기〕마다, 정기로.
términal equípment 단말 장치《컴퓨터 본체와 떨어져 통신 회선에 의해 연결된 입출력 기기, 읽기장치나 텔레타이프 등》.
términal ínterface〖컴〗단말기 사이틀.
términal vóltage〖電〗극전압.
***ter·mi·nate**[tə́:rmənèit] *vi., vt.* ① 끝나다, 끝내다; (*vi.*) 다하다. ② (*vt.*) 한정하다, (…의) 한계를 이루다. ***-na·tion**[⌐-⌐ʃən] *n.* Ⓤ,Ⓒ 종결; 만기; 말단; 한계; Ⓒ〖文〗(굴절) 어미.
terminátion pày 해고 수당.
ter·mi·ni[tə́:rmənài] *n.* terminus 의 복수.
ter·mi·nol·o·gy [tə̀:rmənálədʒi/-mənɔ́l-] *n.* Ⓤ 술어, 용어; Ⓤ,Ⓒ 용어법. **-no·log·i·cal** [⌐-nəládʒikəl/-ɔ́-] *a.*
***ter·mi·nus**[tə́:rmənəs] *n.* (*pl.* **-ni** [-nài], **~es**) Ⓒ ① 종점; 《英》 종착역 (cf. 《美》 terminal). ② 한계; 경계(표).
ter·mite[tə́:rmait] *n.* Ⓒ 흰개미.
térm páper 학기말 리포트〔논문〕.
tern[tə:rn] *n.* Ⓒ〖鳥〗제비갈매기.
ter·na·ry[tə́:rnəri] *a.* 3의; 3원(元)의. 「펜.
ter·pene[tə́:rpi:n] *n.* Ⓤ〖化〗테르
Terp·sich·o·re[tə:rpsíkəri] *n.*〖그神〗가무(歌舞)의 여신. **Terp·si·chore·an**[⌐--rí:ən] *a., n.* Terpsichore 의; (t-) 가무의; Ⓒ《諧》댄서, 무희.
:ter·race[térəs] *n.* Ⓒ ① 대지(臺地), 높은 지대(에 늘어선 집들); (뜰 따위의) 단(段). ③ (집에 이어진) 테라스. ③ 납작한 지붕. — *vt.* 대지〔단, 테라스〕로 하다. **~d**[-t] *a.* 테라스로 된, 테라스가 있는; 계단식의.
ter·ra-cot·ta[térəkátə/-kɔ́-] *n., a.* Ⓤ 붉은 질그릇《꽃병·기와·상(像) 따위》; 적갈색(의).
ter·ra fir·ma[térə fə́:rmə] (L.) 육지; 견고한 지위.
ter·rain[təréin] *n.* Ⓤ,Ⓒ 지대, 지세;〖軍〗지형.
ter·ra in·cog·ni·ta[térə inkágnitə/-kɔ́g-] (L.) 미지의 땅〔영역〕.
Ter·ra·my·cin[tèrəmáisin] *n.* Ⓤ〖商標〗테라마이신《항생물질 약》.
ter·ra·pin[térəpin] *n.* Ⓒ (북아메리카산) 식용거북.
ter·rar·i·um[terέəriəm] *n.* Ⓒ 동물 사육장(cf. vivarium).
***ter·res·tri·al**[tiréstriəl] *a., n.* 지구의; 육지의; 육상의, 육지에 사는; 지상의; 속세의(worldly); Ⓒ 지상에 사는 것, 인간.
terréstrial glóbe 지구(본).
terréstrial gravitátion 지구 인력.
terréstrial mágnetism 지자기(地磁氣).
terréstrial plánet 태양에 가까운 네 혹성《수성·금성·지구·화성》.
†ter·ri·ble[térəbəl] *a.* 무서운; 《口》 극히 서투른. — *ad.* 《口》 몹시. **:-bly** *ad.*
***ter·ri·er**[tériər] *n.* Ⓒ 테리어《몸집이 작은 개》.
***ter·rif·ic**[tərífik] *a.* 무서운; 《口》 대단한, 굉장한.
:ter·ri·fy[térəfài] *vi.* 겁나게〔놀라게〕 하다.
ter·ri·to·ri·al**[tèrətɔ́:riəl] *a.* 영토의, 토지의; 지역적인; (T-) 《美》 준주(準州)의. **~ waters** 영해. **~ *principle〖法〗속지(屬地)주의. — *n.* Ⓒ (T-) 《英》 국방(의용)군 병사.
:ter·ri·to·ry[térətɔ̀:ri/-təri] *n.* ① Ⓤ,Ⓒ 영토, 판도(版圖). ② Ⓤ,Ⓒ (과학 따위의) 분야; 지역, 지방; (행상인의) 담당 구역. ③ Ⓒ (T-)〖美史〗준주(準州).
:ter·ror[térər] *n.* ① Ⓤ 공포, 무서움(*in ~* 무서워서). ② Ⓒ 무서운 사람〔것〕. ③ Ⓒ 《口》 성가신 녀석. ***the king of ~s*** 죽음. ***the Reign of T-*** 공포 시대《프랑스 혁명 중 1793년 5월부터 이듬해 7월까지》. **~·is·tic**[⌐-ístik] *a.* **~·ize**[-àiz] *vt.* 무서워하게 하다; 공포 정치로 누르다.
térror-strìcken, -strùck *a.* 겁〔공포〕에 질린.
tér·ry (clòth)[téri(-)] *n.* Ⓤ 테리천《보풀을 고리지게 짠 두꺼운 직물》.
térry tòwel 테리 타월.
terse[tə:rs] *a.* (문체가) 간결한 (succinct). **⌐·ly** *ad.* **⌐·ness** *n.*
ter·tian[tə́:rʃən] *a., n.* 사흘마다 일어나는, 격일의; Ⓤ〖醫〗격일열.
ter·ti·ar·y[tə́:rʃièri, -ʃə-] *a., n.* 제 3 (위)의; (T-)〖地〗제 3 기(紀)〔계(系)〕(의).
tértiary educátion 《英》 제3차 교육《중등 학교에 이어지는 직업 및 비(非) 직업 과정의 총칭》.
tértiary índustry 제 3 차 산업.
Ter·y·lene[térəli:n] *n.* Ⓤ〖商標〗테릴렌《폴리에스터 섬유》.
TESL[tesl] teaching English as a second language 제 2 외국어로서의 영어 교육.
tes·sel·late[tésəlèit] *vt.* 조각맞춤 세공을 하다, 모자이크로 하다. — [-lit] *a.* 모자이크로 한. **-lat·ed** [-id] *a.* **-la·tion**[⌐-léiʃən] *n.*

†**test**[test] *n.* Ⓒ ① 테스트, 검사, 시험(*put to the* ~ 시험하다). ② 시험물; 시약(試藥); 시금석. ③ 〖컴〗 시험, 테스트. ***stand the*** **~** 합격하다, 시험에 견디다. ── *vt.* 검사〔시험〕하다. **∠·a·ble** *a.* **∠·er** *n.*
Test. Testament.
*__tes·ta·ment__[téstəmənt] *n.* 〖聖〗 성약(聖約)(서); Ⓒ 〖法〗 유언(서); (T-) 신약성서. ***the New*** 〔***Old***〕 ***T-*** 신〔구〕약 성서.
tes·ta·men·ta·ry[∸─méntəri] *a.* 유언서의, 유언서에 의한.
tes·tate[tésteit] *a.* 유언서를 남기고 죽은.
tes·ta·tor[tésteitər, ─∠─] *n.* (*fem.* ***-trix***[-triks]; *fem. pl.* ***-trices***[-trisì:z], ***-trixes***[-triksiz]) Ⓒ 유언자.
tést bàn 핵실험 금지 협정.
tést bèd (항공기 엔진 등의) 시험대.
tést càse 테스트 케이스, 첫 시도; 〖法〗 시소(試訴).
tést-drìve *vt.* (***-drove; -driven***) (자동차에) 시승하다.
test·ee[testí:] *n.* Ⓒ (시험 등의) 수험자.
test·er[téstər] *n.* Ⓒ 시험자; 시험기.
tést-fire *vt.* (로켓·미사일 등을) 시험 발사하다.
tést flìght 시험 비행.
tést-flỳ *vt.* 시험 비행을 하다.
tes·ti·cle[téstikəl] *n.* Ⓒ (보통 *pl.*) 〖解·動〗 고환(睾丸).
:**tes·ti·fy**[téstəfài] *vi., vt.* 증명〔입증〕하다, (*vi.*) 증인이 되다(*to*); (*vt.*) 확언하다. ~ ***one's regret*** 유감의 뜻을 표하다.
tes·ti·mo·ni·al[tèstəmóuniəl] *n.* Ⓒ 증명서; 표창장; 기념품; 사례.
:**tes·ti·mony**[téstəmòuni/-məni] *n.* Ⓤ ① 증거; 증명, 증언. ② 신앙 성명. ③ 《古》 항의(*against*). ④ (*pl.*) 신의 가르침, 성서; 십계.
tes·tis[téstis] *n.* (*pl.* ***-tes***[-tì:z]) =TESTICLE.
tes·tos·ter·one[testástəròun/-ɔ́-] *n.* Ⓤ 테스토스테론《남성 호르몬》.
tést pàper 〖化〗 시험지(cf. litmus). 「형.
tést pàttern 〖TV〗 시험 방송용 도
tést pìlot (신조기(新造機)의) 시험 조종사.
tést prògram 〖컴〗 시험용 프로그램, 테스트 프로그램.
tést rùn 시운전, 〖컴〗 모의 실행.
tést tùbe 시험관.
tést-tùbe *a.* 시험관에서 만들어낸; 인공 수정의.
tést-tube bàby 시험관 아기.
tést tỳpe 테스트타이프《시력 검사표의 문자들》(cf. eye chart).
tes·ty[tésti] *a.* 성미 급한. **-ti·ly** *ad.* **-ti·ness** *n.*
tet·a·nus[tétənəs] *n.* Ⓤ 〖病〗 파상풍(cf. lockjaw).
tetch·y[tétʃi] *a.* 성미 까다로운.
tête-à-tête [téitətéit, tétətét] *ad., a., n.* (F.) 단 둘이서〔의〕; 마주 보고, 마주 앉은; Ⓒ 비밀 이야기, 밀담; 마주 앉은 두 사람; 2인용 의자.
teth·er[téðər] *n., vt.* Ⓒ (소·말의) 매는 사슬〔밧줄〕(로 매다); 한계, 범위. ***at the end of one's*** **~** 갖은 수가 다하여, 궁지에 빠져.
tet·ra-[tétrə] '넷'의 뜻의 결합사.
tet·ra·cy·cline[tètrəsáikli(:)n] *n.* Ⓤ 〖藥〗 테트라사이클린《항생제》.
tét·ra·eth·yl lèad[tétrəèθil lèd] 〖化〗 4 에틸납.
tet·ra·gon[tétrəgàn/-gən] *n.* Ⓒ 4각형. **te·trag·o·nal**[tetrǽgənəl] *a.*
tet·ra·he·dron [tètrəhí:drən/-héd-] *n.* (**~s, *-dra***[-drə]) Ⓒ 〖幾〗 4면체. **-he·dral**[-hí:drəl] *a.*
te·tral·o·gy[tetrǽlədʒi] *n.* Ⓒ 〖古그〗 4부극《세 비극과 한 풍자극으로 이루어짐》.
te·tram·e·ter [tetrǽmitər] *n.* Ⓒ 〖韻〗 사보격(四步格).
tet·ra·pod[tétrəpàd/-ɔ̀-] *n.* Ⓒ (호안(護岸) 공사용의) 테트라포드; 네발 짐승. 「포진.
tet·ter[tétər] *n.* Ⓤ 〖病〗 습진, 수
Teut. Teuton(ic).
Teu·ton [tjú:tən] *n.* Ⓒ 튜턴 사람《영국·독일·네덜란드·스칸디나비아 사람 등》; 독일 사람(German). **~·ic** [tju:tán-/-ɔ́-] *a.* 튜턴〔게르만〕 사람〔족·말〕의. **~·ism**[tjú:tənìzəm] *n.* Ⓤ 튜턴〔독일〕어법〔문화〕.
Tex. Texan; Texas.
Tex·an[téksən] *a., n.* Ⓒ 텍사스의 (사람).
*__Tex·as__[téksəs] *n.* 미국 남서부의 주《생략 Tex.》.
Téxas léaguer 〖野〗 텍사스 리거《내야수와 외야수 사이에 떨어지는 안타》. 「경관.
Téxas Rànger 《美》 텍사스 기마
Téxas tówer 해중탑《해저 유정(油井)·등대·관측 레이더용》.
:**text**[tekst] *n.* Ⓤ,Ⓒ 본문; Ⓒ 원문, 텍스트; 성구(聖句)《특히 설교 제목으로 인용되는》; 화제(topic), 논제; 〖컴〗 문서, 글월, 텍스트.
†**text·book**[∠bùk] *n.* Ⓒ 교과서.
téxt èditing 〖컴〗 텍스트 편집.
téxt edìtion 교과서판.
téxt èditor 〖컴〗 텍스트〔본문〕 편집기.
téxt file 〖컴〗 텍스트 파일.
*__tex·tile__[tékstail, -til] *a., n.* 직물의, 짠; Ⓒ 직물; 직물 원료. ~ ***fabrics*** 직물. ~ ***industry*** 직물 공업.
tex·tu·al[tékstʃuəl] *a.* 본문〔원문〕(상)의. **~·ly** *ad.*
*__tex·ture__[tékstʃər] *n.* Ⓤ,Ⓒ ① 천, 감; 직물. ② (피부의) 결; (돌·목재의) 결, 조직. ③ (문장·그림·악곡의 심리적인) 감촉. ④ 〖컴〗 그물 짜기. **téx·tur·al** *a.*
T.F. tank forces; task force; 《英》 Territorial Force. **TFT** thin

T

film transistor. **TGIF** 《美》 Thank God It's Friday 금요일 만세《'내일부터 주말이다. 휴일이다'의 기분》. **Th** 〖化〗 thorium. **Th.** Thomas; Thursday. **T.H.** Territory of Hawaii.
-th [θ], **-eth** [eθ, iθ] *suf.* '4' 이상의 서수 어미(fif*th*, sixtie*th*); 《古》 3인칭 단수·직설법 현재의 동사 어미(do*th*, doe*th*).
Thack·er·ay [θǽkəri], **William Makepeace** (1811-63) 영국의 소설가.
Thai [tai, tɑ́:i] *n.* Ⓒ 타이 사람; Ⓤ 타이 말. — *a.* 타이의; 타이 말〔사람〕의.
Thai·land [táilənd, -læ̀nd] *n.* 타이. **~·er** *n.* Ⓒ 타이 사람.
thal·a·mus [θǽləməs] *n.* (*pl.* **-mi** [-mài]) Ⓒ 〖解〗 시상(視床); 〖植〗 화탁(花托), 꽃턱. ***the optic*** **~** 시신경상(視神經床).
tha·lid·o·mide [θəlídəmàid] *n.* Ⓤ 탈리도마이드《전에 진정·수면제로 쓰이던 약》. **~ *baby*** 기형아《탈리도마이드계 수면제의 영향에 의한 기형아; cf. phocomelus》.
thal·li·um [θǽliəm] *n.* Ⓤ 〖化〗 탈륨《금속 원소; 기호 Tl》.
thal·lo·phyte [θǽləfàit] *n.* Ⓒ 〖植〗 엽상(葉狀) 식물《이끼·말·균류 따위》.
:Thames [temz] *n.* (the ~) 런던을 흐르는 강. (*He will not*) ***set the*** **~** ***on*** FIRE.
†than [強 ðæn, 弱 ðən] *conj.* ① …보다(도) (*He is taller* ~ *I* (*am*). =《口》 ... ~ *me.*). ② 《rather, sooner 등의 다음에서》 …하기보다는 (차라리) …. ③ 《other, else 등의 다음에서》 …밖에 딴, …이외에는, …과 다른. — *prep.* 《than whom 의 꼴로》 …보다.
thane [θein] *n.* Ⓒ 〖英史〗 대향사(大鄕士)《귀족의 아래》; (스코틀랜드의) (왕령(王領)) 영주.
†thank [θæŋk] *vt.* 감사하다. ***I will*** **~** ***you to*** (*shut the window*). (창문을 닫)아 주시오. ***No,*** **~** ***you.*** 아니오, 괜찮습니다 《사양》. ***T- God*** 〔***Heaven***〕***!*** 옳지 됐다! ***T- you for nothing!*** 쓸데 없는 참견이다! ***Thanking you in anticipation.*** 이만 부탁드리면서《편지》. ***T- you for that ball!*** 미안합니다!《볼을 남에게 집어 달랄 때의 상투적인 말》. ***You may*** **~** ***yourself for*** (*that*). 자업자득일세. — *n.* (*pl.*) 감사, 사의(謝意), 사례(*Thanks!* 고맙소). **~*s to*** …덕택에《반어적으로도》.
:thank·ful [∠fəl] *a.* 감사하고 있는 (*to* him *for* it). **~·ly** *ad.* **~·ness** *n.*
***thank·less** [∠lis] *a.* 감사하는 마음이 없는, 은혜를 모르는(ungrateful); 감사를 받지 못하는(*a* ~ *job* 〔*task*〕 공을 알아 주지 않는 일).
:thanks·giv·ing [θæ̀ŋksgíviŋ/∠∠–] *n.* ① Ⓤ 감사, 사은. ② (T-) =**T- Dày** 《美》 추수 감사절《보통 11월의 넷째 목요일》.
thánk-you-mà'am *n.* Ⓤ 《美》 도로의 울퉁불퉁함《차가 갈 때 타고 있는 사람의 머리가 절하듯 앞으로 숙여지므로》.
†that [強 ðæt, 弱 ðət] (*rel.*) *pron.* (*pl.* **those**) ① 저것; 그것; 저 사람〔일·것〕. ② 《this를 '후자'로 하여》 전자. ③ …의 그것. ④ (*rel. pron.*) (…하는) 바의. ***and all*** **~** 및 그런 등속; …따위〔등등〕. ***and*** **~** 게다가. ***at*** **~** 그렇다 치더라도; 《口》 게다가, 그리고 또; 《口》 이야기는〔일은〕 그쯤하고, 끝내고; 《美》 만사〔여러 가지〕를 생각하여 보고. ***in*** **~** =BECAUSE. **~ *is*** (***to say***) 즉. ***So*** **~*'s*** **~.** 《口》 이것으로 그만〔끝〕. — [ðæt] *a.* 그, 저. — [ðət] *conj.* …이라는 (것); 《이유》 …이므로(*I'm glad* (~) *you've come.*); 《목적》 …하기 위하여(*We work* ~ *we may live.*); 《결과》 …만큼, …이므로; 《판단》 …하다니(*Is he mad* ~ *he should speak so wild?* 그렇게 터무니 없는 말을 하다니 미쳤는가); 《소원》 …이면 좋으련만(*O* 〔*Would*〕 ~ *he might come soon!*); 《놀라움·절실한 느낌·분개 등》 …되다니(*T- it should ever come to this!* (아아) 일이 이 지경이 될 줄이야!). — *ad.* 《口》 그렇게(so), 그 정도로(*I can't stay* ~ *long.* / 《俗》 *I am* ~ *sad I could cry.* 울고 싶을 정도로 슬프다).
***thatch** [θætʃ] *n., vt.* Ⓤ 이엉(을 이다); 짚(으로 이다); Ⓒ 초가지붕, 짚으로 이은 지붕. **~ed** [-t] *a.* **∠·ing** *n.* Ⓤ 지붕이기, 지붕이는 재료.
Thatch·er [θǽtʃər], **Margaret** (1925-) 영국 보수당의 정치가·수상(재직 1979-90). 「축.
†that's [ðæts] that is 〔has〕의 단
thau·ma·tur·gy [θɔ́:mətə̀:rdʒi] *n.* Ⓤ 마법(magic).
***thaw** [θɔ:] *n., vi.* Ⓒ 해동, 눈이〔서리가〕 녹음, (눈·서리가) 녹다, 날씨가 풀리다; (몸이) 차차 녹다; (마음·태도가) 누그러지다, 풀리다. — *vt.* 녹이다; 녹이다; 풀리게 하다.
Th. B. (L.) Bachelor of Theology. **Th. D.** (L.) Doctor of Theology.
†the [強 ði:, 弱 ðə(자음의 앞), ði(모음의 앞)] *def. art.* 그, 저, 예(例)의. — (*rel. & dem.*) *ad.* …하면 할수록. ***T- sooner,*** **~** ***better.*** 빠르면 빠를수록 좋다. ALL **~** ***better.*** ***none*** **~** ***better for doing*** …해도 마찬가지.
:the·a·ter, 《英》 **-tre** [θí:ətər] *n.* ① Ⓒ 극장. ② Ⓤ (the ~) (연)극; 극작품; 연극계. ③ Ⓒ (계단식) 강당, 수술 교실. ④ Ⓒ 활무대(*the* ~ *of war* 전쟁터). ***be*** 〔***make***〕 ***good*** **~** (그 연극은) 상연에 적합하다.
théater·gòer *n.* Ⓒ 자주 연극을 보

러 가는 사람. **-going** *n., a.* Ⓤ 관극(의).

théater-in-the-róund *n.* Ⓒ 원형극장. 「극.

théater of the absúrd 부조리

·**the·at·ri·cal**[θiǽtrikəl] *a.* 극장의; 연극(상)의; 연극 같은. **~·ly** *ad.* **~s** *n. pl.* 연극(조의 몸짓), 소인극.

Thebes[θi:bz] *n.* 테베《(1) 이집트 Nile 강변의 옛 도시. (2) 고대 그리스의 도시 국가의 하나》. **The·ban** [θí:bən] *a.*

·**thee**[強 ði:, 弱 ði] *pron.* thou의 목적격.

:**theft**[θeft] *n.* ⓊⒸ 도둑질; 절도.

thegn[θein] *n.* =THANE.

the·in(e)[θí:i(:)n] *n.* =CAFFEIN.

†**their**[強 ðɛər, 弱 ðər] *pron.* they의 소유격. **~s** *pron.* 그들의 것.

the·ism[θí:izəm] *n.* Ⓤ 유신론. **-ist** *n.* **the·ís·tic** *a.*

†**them**[強 ðem, 弱 ðəm] *pron.* they의 목적격.

:**theme**[θi:m] *n.* Ⓒ ① 논제, 화제, 테마. ② 과제 작문. ③ 〖樂〗 주제, 주선율; 〖라디오·TV〗 주제 음악(signature).

†**them·selves**[ðəmsélvz] *pron. pl.* 그들 자신.

†**then**[ðen] *ad.* ① 그때, 그 당시. ② 그리고 나서, 이어서; 다음에(next). ③ 그러면; 그래서, 그러므로. ***and* ~** 그리고 나서, 그 위에. ***but* ~** 그러나 (또 한편으로는). ***now ... ~ ...*** 어떤 때에는 … 또 어떤 때에는 …. **~ *and there*** 그 때 그 자리에서; 즉석에서.

:**thence**[ðens] *ad.* 그러므로; 거기서부터; 그때부터. **~·fórth, ~·fórward(s)** *ad.* 그때 이래.

the·o-[θí:ə] '신(神)'의 뜻의 결합사.

the·oc·ra·cy[θi:ɑ́krəsi/θiɔ́-] *n.* Ⓤ 신정(神政); Ⓒ 신정국. **the·o·crat** [θí:əkræ̀t] *n.* Ⓒ 신정(주의)자. **the·o·crat·ic**[∸–krǽtik], **-i·cal**[-əl] *a.*

the·od·o·lite[θiɑ́dəlàit] *n.* Ⓒ 〖測〗 경위의(經緯儀).

the·og·o·ny[-gəni] *n.* Ⓤ 신통계보학(神統系譜學).

the·o·lo·gian[θì:əlóudʒiən] *n.* Ⓒ 신학자.

the·o·logue[θí:əlɔ̀:g, -lɑ̀g/-lɔ̀g] *n.* Ⓒ 《口》 신학생.

·**the·ol·o·gy**[θi:ɑ́lədʒi/θiɔ́-] *n.* Ⓤ 신학. ·**the·o·log·ic** [θì:əlɑ́dʒik/-lɔ́-], **-i·cal**[-əl] *a.* **-i·cal·ly** *ad.*

·**the·o·ret·ic**[θì:ərétik], **-i·cal** [-əl] *a.* 이론(상)의; 공론(空論)의. **-i·cal·ly** *ad.*

the·o·re·ti·cian[θì:ərətíʃən] *n.* Ⓒ (예술·과학 등의) 이론에 밝은 사람(cf. theorist).

the·o·rist[θí:ərist] *n.* Ⓒ 이론〔공론〕가.

the·o·rize[θí:əràiz] *vi., vt.* 이론을 세우다; 이론을 붙이다.

:**the·o·ry**[θí:əri] *n.* ① Ⓒ 학설, 설(說), (학문상의) 법칙. ② Ⓤ 이론; (탁상의) 공론. ③ Ⓒ 《俗》 의견.

the·o·so·ph·ic [θì:əsɑ́fik/θiəsɔ́f-], **-i·cal**[-əl] *a.* 접신(론)의, 신지학(神知學)의.

the·os·o·phy[θi:ɑ́səfi/θiɔ́-] *n.* Ⓤ 접신론〔학〕; 신지학(神知學). **-phist** *n.* Ⓒ 접신론자, 신지학자.

ther·a·peu·tic[θèrəpjú:tik] *a.* 치료(학)의. **-tics** *n.* Ⓤ 치료학〔법〕. **-tist** *n.*

ther·a·py[θérəpi] *n.* ⓊⒸ 치료.

†**there**[ðɛər] *ad.* 그곳에, 거기에서〔로〕, 저곳에(서)〔으로〕; 그 점에서(는). ***Are you ~?*** 《전화》 여보세요 (당신이요). ***be all ~*** 《俗》 정신 똑바로 차리고 있다, 제정신이다; 빈틈 없다. ***get ~*** 《俗》 성공하다. ***T- is*** 〔***are***〕... …이 있다. ***There's a good boy!*** 아아 착한 아이지. ***T- you are!*** 거봐; (물건·돈 등을 내면서) 자, 여기 있습니다. ***You have me ~!*** 졌다; 손들었네. — *n.* 《전치사 다음에》 Ⓤ 거기(*from* ~). — *int.* 자!; 야!; 저봐!; 저런!; 그것 봐라! ***T- now!*** 그것 봐라!

thère·abóut(s) *ad.* 그 근처에; 그 무렵에; 대략, …쯤.

:**thère·áfter** *ad.* 그 뒤로, 그 이후; 그것에 의해서.

thère·át *ad.* 《古》 거기서, 그것에 의해서, 그런 까닭에; 그때.

:**thère·bý** *ad.* 그것에 의해서, 그 때문에. ***T- hangs a tale.*** 거기에는 까닭이 있다.

thère·fór *ad.* 《古》 그 때문에; 그 대신에.

†**there·fore**[ðɛ́ərfɔ̀:r] *ad.* 그러므로; 그 결과.

thère·fróm *ad.* 《古》 거기서〔그것으로〕부터.

thère·ín *ad.* 《古》 그 속에, 그 점에서. 「글에.

thèrein·áfter *ad.* 아래에, 아래

thèrein·befóre *ad.* 위에, 전문(前文)에.

thère·ínto *ad.* 《古》 그 속에〔으로〕.

thère·óf *ad.* 《古》 그것에 관해서; 그것의, 거기서〔그것으로〕부터.

thère·ón *ad.* 《古》 게다가, 그 위에; 그 즉시.

†**there's**[强 ðɛərz, 弱 ðərz] there is 〔has〕의 단축.

thère·tó *ad.* 《古》 거기에, 그밖에 다시, 거기에 더하여, 또.

thère·to·fóre *ad.* 《古》 그 이전에(는), 그 때까지.

thère·únder *ad.* 《古》 그 아래서〔에〕; 거기에 따라서.

thère·únto *ad.* 《古》 =THERETO.

:**thère·upón** *ad.* 그리하여 (즉시); 그러므로; 그 위에.

thère·wíth *ad.* 《古》 그것과 함께; 그 까닭에, 그것으로써; 그리하여; 곧.

there·with·al[ðɛ̀ərwiðɔ́:l] *ad.* 그래서; 그것과 함께; 그 밖에; 또.

therm[θə:rm] *n.* Ⓒ 〖理〗 섬《열량

단위》.

***ther·mal**[θə́:rməl] *a., n.* 열(량)의; 열에 의한; 열렬한; 따뜻한; Ⓒ 상승 온난 기류.

thérmal bréeder〔**réactor**〕 열증식로(熱增殖爐).

thérmal capácity 〖理〗 열용량.

thérmal efficiency 열효율.

thérmal pollútion (원자력 발전소의 폐수 따위로 인한) 열공해.

thérmal prínter 〖컴〗 열전사 프린터.

thérmal spríng 온천.

ther·mic[θə́:rmik] *a.* =THERMAL.

therm·i·on[θə́:rmàiən, -miən] *n.* Ⓒ 〖電〗 열전자, 열이온.

therm·is·tor [θə:rmístər] *n.* Ⓒ 〖理〗 서미스터《반도체를 이용한 저항기의 일종》.

ther·mo-[θə́:rmou, -mə] '열(熱)'의 뜻의 결합사.

thèrmo·barómeter *n.* Ⓒ 비점(沸點) 기압계; 온도 기압계.

thèrmo·chémistry *n.* Ⓤ 열화학.

thèrmo·dynámics *n.* Ⓤ 열역학(熱力學). **-dynámic, -ical** *a.*

thèrmo·electrícity *n.* Ⓤ 열전기. **-eléctric** *a.*

:ther·mom·eter [θərmɑ́mitər/-mɔ́mi-] *n.* Ⓒ 온도계, 한란계, 체온계(clinical ~). **ther·mo·met·ric** [θə:rməmétrik], **-ri·cal**[-əl] *a.*

thèrmo·núclear *a.* 열핵의.

thermonúclear reàction 열핵반응.

thermonúclear wèapon 열핵무기.

thèrmo·plástic *a., n.* Ⓒ 열가소성(熱可塑性)의 (물질)《플라스틱 따위》.

thèrmo·regulátion *n.* Ⓤ 온도〔체온〕 조절〔유지〕《특히 생체내(內)의》.

ther·mos[θə́:rməs/-mɔs] *n.* Ⓒ 보온병(保溫甁). ***T- bottle***〔***flask***〕 〖商標〗 =THERMOS.

thérmo·sètting *a.* (가소물(可塑物)의) 열경화(熱硬化)성의.

ther·mo·stat[θə́:rməstæ̀t] *n.* Ⓒ (자동) 온도 조절기.

thèrmo·thérapy *n.* Ⓤ 온열 요법, 열치료.

the·sau·rus[θisɔ́:rəs] *n.* (*pl.* ***-ri*** [-rai]) Ⓒ 보고(寶庫); 사전; 백과사전; 〖컴〗 관련어집, 시소러스.

†these[ði:z] *pron., a.* this의 복수.

The·seus[θí:sju:s, -siəs] *n.* 〖그神〗 아테네의 영웅《괴물 Minotaur를 퇴치》.

the·sis**[θí:sis] *n.* (*pl.* ***-ses[-si:z]) Ⓒ ① 논제, 주제; 〖論〗 정립(定立); 〖哲〗 (변증법에서) 정(正), 테제(cf. antithesis, synthesis). ② (졸업·학위) 논문.

Thes·pi·an[θéspiən] *a., n.* 비극의, 비극적인; Ⓒ (비극) 배우.

Thess. Thessalonians.

Thes·sa·lo·ni·ans[θèsəlóuniənz] *n. pl.* 《단수 취급》 〖新約〗 데살로니가서(書)《데살로니가 사람에의 바울의 편지》.

the·ta[θéitə, θí:-] *n.* Ⓤ,Ⓒ 그리스어 알파벳의 여덟째 글자《Θ, θ, 영어의 th에 해당》.

The·tis [θí:tis, θét-] *n.* 〖그神〗 Achilles의 어머니《바다의 신 Nereus의 50명의 딸 중의 하나》.

thews[θju:z] *n. pl.* 근육, 힘줄; 근력.

†they[強 ðei, 弱 ðe] *pron.* ① he, she, it의 복수. ② (세상) 사람들. ③ (군 또는 민간의) 높은 양반; 당국자. ***T- say that ...*** …이라는 소문이다; …이라고 한다. **:~'d** they would 〔had〕의 단축. **:~'ll** they will 〔shall〕의 단축. **†~'re**[ðɛiər] they are의 단축. **†~'ve** they have의 단축.

thi·a·mine [θáiəmì:n, -min], **-min**[-min] *n.* Ⓤ 〖生化〗 티아민《그 염화물이 vitamin B_1》.

Thi·bet[tibét] *n.* =TIBET.

†thick[θik] *a.* ① 두꺼운, 굵은; 두께가 …인. ② 빽빽한, 우거진, 털 많은. ③ 혼잡한, 많은(*with*); (…로) 가득 찬, 덮인(*with*). ④ (액체가) 진한, 걸쭉한. ⑤ (연기·안개 따위가) 짙은, 흐린, 자욱한. ⑥ (목소리가) 탁한, 목쉰, 탁한 목소리의. ⑦ (머리가) 둔한, 우둔한(cf. thickhead). ⑧ 《口》 친밀한. ⑨ 《英口》 견딜 수 없는, 지독한. ***as ~ as thieves*** 매우 친밀한. ***have a ~ head*** 머리가 나쁘다. ***with honors ~ upon*** 넘치는 영광을 한몸에 받고. ― *ad.* 두껍게; 진하게; 빽빽하게; 빈번하게; 목쉰 소리로. ― *n.* (*sing.*) 가장 두꺼운〔굵은〕 부분; 우거진 수풀; (전쟁 따위의) 한창 때. ***through ~ and thin*** 좋은 때나 나쁜 때나, 만난(萬難)을 무릅쓰고. ***∠·ly** *ad.*

***thick·en**[θíkən] *vt., vi.* ① 두껍게 하다, 두꺼워지다; 굵게 하다, 굵어지다. ② 진하게 하다, 진해지다; 빽빽하게 하다, 빽빽해지다. ③ 흐리게 하다, 흐려지다; 탁하게 하다, 탁해지다; 안개를 자욱하게 하다, 안개가 자욱해지다. ④ (이야기 줄거리 따위) 복잡하게 하다, 복잡해지다. ⑤ 심하게 하다, 심해지다; 강하게 하다, 강해지다. **~·ing** *n.* Ⓤ 두껍게〔굵게, 진하게〕 하기〔한 부분〕; Ⓤ,Ⓒ 농후(濃厚) 재료.

:thick·et[θíkit] *n.* Ⓒ 덤불, 잡목숲.

thíck·hèad *n.* Ⓒ 바보. **~·ed** *a.* 머리가 둔한.

***thick·ness**[θíknis] *n.* ① Ⓤ 두께; 짙음; 농도; 밀생. ② Ⓤ 불명료; 혼탁. ③ Ⓒ 가장 두꺼운 부분. ④ Ⓤ 빈번.

thick·set[*a.* ∠sét; *n.* ∠∠] *a., n.* 울창한, 빽빽한; 땅딸막한; Ⓒ 수풀; 우거진〔울창한〕 산울타리.

thíck-skínned *a.* (살)가죽이 두꺼운; 철면피한; 둔감한.

thíck-wítted *a.* 우둔한.

:thief[θi:f] *n.* (*pl.* ***thieves***[-vz]) Ⓒ 도둑.

thieve[θi:v] *vt., vi.* 훔치다; 도둑질하다.

thiev·er·y[θí:vəri] *n.* Ⓤ 도둑질.

*__thieves__[θiːvz] *n.* thief의 복수형.
thíeves' Látin 도둑의 은어.
thiev·ish[θíːviʃ] *a.* 도벽이 있는, 도둑의, 도둑 같은; 남몰래 하는.
:**thigh**[θai] *n.* Ⓒ 넓적다리, 가랑이.
thígh·bòne *n.* Ⓒ 대퇴골(大腿骨).
thill[θil] *n.* Ⓒ (수레의) 채, 끌채.
thim·ble[θímbəl] *n.* Ⓒ (재봉용) 골무; 『機』 끼움쇠테《밧줄의 마찰 예방용》.
thim·ble·ful[-fùl] *n.* Ⓒ (술 따위의) 극소량.
thímble·rìg *n.* Ⓤ 골무 모양의 작은 잔 세 개와 작은 구슬 (또는 콩) 한 개로 하는 도박.
†**thin**[θin] *a.* (*-nn-*) ① 얇은, 가는. ② 야윈. ③ (청중이) 드문드문한, 얼마 안 되는. ④ 희박한(rare), 묽은. ⑤ (목소리가) 가는, 가냘픈; 힘 없는. ⑥ 깊이〔충실감·강도〕 없는; (변명 따위) 빤히 들여다보이는, 천박한, 빈약한. ***have a ~ time*** 《俗》 언짢은 일을 당하다. — *vt., vi* (*-nn-*) 얇게〔가늘게, 드문드문하게〕 하다〔되다〕; 야위(게 하)다; 약하게 하다, 약해지다. ***~ down*** 가늘게 하다〔되다〕. ***~ out*** (식물을) 솎다; (청중이) 드문드문해지다. **∠·ly** *ad.*
*__thine__[ðain] *pron.* 《古·詩》《thou의 소유대명사》 너의 것; 《모음 또는 h자 앞에서》 너의(*in ~ eyes*).
thín fìlm transístor 『電』 박막 트랜지스터《액정 화면 표시의 전환 장치용》.
†**thing**[θiŋ] *n.* ① Ⓒ (유형·무형의) 물건, 무생물, 일; (*pl.*) 사물(*~s Korean* 한국의 풍물). ② (*pl.*) 사정, 사태. ③ Ⓒ 말하는 것, 말; 행위, 생각, 의견. ④ Ⓒ 작품, 곡. ⑤ Ⓒ 생물, 동물; 사람, 여자《경멸·연민·애정 등을 나타내어》(*a little young ~* 계집애). ⑥ Ⓒ 사항, 점. ⑦ (*pl.*) 《口》 소지품; 의복《주로 외투》, 도구; 재산, 물건(*~s personal* 〔*real*〕 동〔부동〕산). ⑧ (the ~) 유행. ⑨ (the ~) 바른 일, 중요한 일〔생각〕. ***know a ~ or two*** 빈틈없다, 익숙하다. ***make a good ~ of*** 《口》 …으로 이익을 보다. ***Poor ~!*** 가엾어라! ***see ~s*** 착각〔환각〕을 일으키다.
thing·a·my, thing·um·my[θíŋəmi], **thing·um·a·jig**[θíŋəmədʒìg], **thing·um(·a)·bob**[θíŋəm(ə)bàb/-bɔ̀b] *n.* Ⓒ 《口》 뭐라든가 하는 사람〔것〕, 아무개.
†**think**[θiŋk] *vt.* (***thought***) ① 생각하다. ② …라고 여기다, 믿다. ③ (…으로) 생각하다, 간주하다. ④ 상상하다. ⑤ …하려고 하다(*to*). ⑥ 예기하다. ⑦ 생각하여 …하다(*into*). — *vi.* ① 생각하다, 궁리〔숙고〕하다(*over, about, of, on*)(*I'll ~ about.* 생각해 봅시다《거절》). ② 생각해 내다(*of, on*). ③ 예기하다. ***~ aloud*** 무심코 혼잣말하다. ***~*** BETTER[1] ***of.*** ***~ highly*** 〔***much***〕 ***of*** …을 존경하다. ***~ little*** 〔***nothing***〕 ***of*** …을 가볍게 보다. ***~ of*** …의 일을 생각하다; 생각해 내다; 숙고하다; …을 해볼까 생각하다(do*ing*). ***~ out*** 안출하다; 곰곰이 생각하다, 생각한 끝에 해결하다. ***~ over*** 숙고하다. ***~ through*** 해결할 때까지 생각하다. ***~ twice*** 재고하다, 주저하다. ***~ up*** 안출하다. ***~ well*** 〔***ill***〕 ***of*** …을 좋게〔나쁘게〕 생각하다. **∠·a·ble** *a.* 생각할 수 있는. *__∠·er__ *n.* Ⓒ 생각하는 사람, 사상가. :**~·ing**[∠iŋ] *n., a.* Ⓤ 생각(하는); 사려 깊은; 사고(思考).
thínk fàctory 《口》 =THINK TANK.
thínking càp 마음의 반성〔집중〕 상태.
thínk pìece (신문의) 시사 해설(기사).
thínk tànk 《口》 두뇌 집단.
thín-skínned *a.* (살)가죽이 얇은; 민감한; 성마른.
†**third**[θəːrd] *n., a.* Ⓤ 제3(의), 세번째(의); Ⓒ 3분의 1(의); (*pl.*) 『法』 남편 유산의 3분의 1《미망인에게의》; Ⓤ 『野』 3루; Ⓒ 『樂』 제3음, 3도(음정). *__∠·ly__ *ad.* 세째로.
thírd-cláss *a., ad.* 3등의〔으로〕.
thírd degrée 《美》 (경찰의) 고문(拷問), 가혹한 신문.
thírd estáte 제3계급《귀족·성직에 대한, 일반 대중》.
thírd fórce 제3세력《(1) 중도파. (2) 자유·공산 양진영의 어느 쪽에도 속하지 않은 중립국》.
thìrd-generátion *a.* 제3세대의; 집적 회로 컴퓨터의.
Thírd Internàtional, the 제3인터내셔널.
thírd màrket 《美》 상장주(上場株)의 장외 직접 거래 시장.
thírd párty 『法』 제3자. 「칭.
thírd pérson 제3자; 『文』 제3인
thírd ráil (송전용의) 제3레일.
thírd-ráte *a.* 3등의; 열등한.
thírd séx 동성애자. 「음악.
thírd stréam 재즈 수법의 클래식
Thírd Wáve, the 제3의 물결.
thírd wórld 제3세계.
:**thirst**[θəːrst] *n.* ① Ⓤ 목마름, 갈증. ②(*sing.*) 갈망(*after, for, of*). ***have a ~*** 목이 마르다; 《口》 한잔 마시고 싶다. — *vi.* 갈망하다(*after, for*).
:**thirst·y**[θə́ːrsti] *a.* 목마른; 술을 좋아하는; 건조한; 갈망하는(*for*).
thírst·i·ly *ad.* **thírst·i·ness** *n.*
†**thir·teen**[θə̀ːrtíːn] *n., a.* Ⓤ,Ⓒ 13(의). **~th** *n., a.* Ⓤ 제13(의), 열세번째(의); Ⓒ 13분의 1(의).
:**thir·ti·eth**[θə́ːrtiiθ] *n., a.* Ⓤ 제30(의); Ⓒ 30분의 1(의).
†**thir·ty**[θə́ːrti] *n., a.* Ⓤ,Ⓒ 30(의).
Thírty-nine Árticles 영국 국교의 신조.
thírty-sécond nòte 『樂』 32분음표.
†**this**[ðis] *pron.* (*pl.* ***these***) ① 이것, 이 물건〔사람〕. ② 지금, 오늘,

T

여기. ③ (that에 대해서) 후자. ***at ~*** 여기에 있어서. ***by ~*** 이 때까지에. ***~, that, and the other*** 이것 저것. — *a.* 이것의; 지금의. ***for ~*** ONCE. ***~ day week*** 지난 주〔내주〕의 오늘. — *ad.* 《口》 이 정도까지, 이만큼. ***~ much*** 이만큼(은), 이 정도(는).

:this·tle[θísl] *n.* Ⓒ 〖植〗 엉겅퀴.

thístle·dòwn *n.* Ⓤ 엉겅퀴의 관모(冠毛).

***thith·er**[θíðər, ðíð-] *ad., a.* 《古》 저쪽에〔으로〕, 저기에〔로〕; 저쪽의. **~·ward(s)** *ad.* 저쪽으로.

tho(')[ðou] *conj., ad.* 《口》 =THOUGH.

Tho. Thomas.

thole[θoul], **thole·pin**[∠pìn] *n.* Ⓒ (뱃전의) 놋좇, 노받이.

Thom·as[tάməs/-ɔ́-] *n.* 도마《예수 12사도의 한 사람》.

Tho·mism[tóumizəm] *n.* Ⓤ Thomas Aquinas(1225?-75)의 신학·철학설.

Thómp·son submachíne gùn [tάmpsn-/-ɔ́-] 톰슨식 소형 자동 기관총.

thong[θɔːŋ, θαŋ/θɔŋ] *n.* Ⓒ 가죽끈; 회초리끈.

Thor[θɔːr] *n.* 〖北歐神〗 뇌신(雷神) 《cf. Thursday(<Thor's day)》.

tho·rax [θɔ́ːræks] *n.* (*pl.* **~es, -ra·ces**[-rəsìːz]) Ⓒ 가슴, 흉부. **tho·rác·ic** *a.*

Thor·eau[θɔ́ːrou], **Henry David** (1817-62) 미국의 철인(哲人).

tho·ri·um[θɔ́ːriəm] *n.* Ⓤ 〖化〗 토륨《방사성 금속 원소; 기호 Th》.

:thorn[θɔːrn] *n.* ① Ⓒ (식물의) 가시. ② Ⓤ,Ⓒ 가시 있는 식물《산사나무 따위》. ③ (*pl.*) 고통〔고민〕거리. ***a ~ in the flesh*** 〔***one's side***〕 고생거리. ***crown of ~s*** (예수의) 가시 면류관. **∠·less** *a.*

thórn àpple 산사나무(의 열매); 흰독말풀.

Thorn·dike[θɔ́ːrndàik], **Edward Lee**(1874-1949) 미국의 심리학자·사서 편찬자.

***thorn·y**[θɔ́ːrni] *a.* 가시가 있는〔많은〕, 가시 같은; 고통스러운, 곤란한.

thor·o[θə́ːrou, θʌ́rə] *a.* 《口》 =THOROUGH.

tho·ron[θɔ́ːrαn/-rɔn] *n.* Ⓤ 〖化〗 토론《radon의 방사성 동위 원소; 기호 Tn》.

:thor·ough[θə́ːrou, θʌ́rə] *a.* 완전한, 충분한; 철저한; 순전한. **~·ly** *ad.* **~·ness** *n.*

***thor·ough·bred**[-brèd] *a., n.* Ⓒ 순종의 (말·동물); 출신이 좋은 (사람), 교양 있는; (T-) 서러브레드《말》.

***thor·ough·fare**[-fɛ̀ər] *n.* ① Ⓒ 통로, 가로; 본도. ② Ⓤ 왕래, 통행 (*No* **~.** 통행 금지).

***thórough·gòing** *a.* 철저한.

thórough-páced *a.* (말이) 모든 보조(步調)에 익숙한, 잘 조련된; 순전한(out-and-out).

Thos. Thomas.

†those[ðouz] *a., pron.* that의 복수.

thou**[ðau] *pron.* (*pl.* ***ye) 너는, 네가《현재는《古·詩》, 신에 기도할 때, 또는 퀘이커 교도간에 쓰이며, 일반적으로는 you를 씀》.

†though[ðou] *conj.* …에도 불구하고, …이지만; 설사 …라도; …라 하더라도. AS[1] **~.** ***even ~*** =EVEN[1] if. — *ad.* 《문장 끝에서》 그래도.

†thought[θɔːt] *v.* think의 과거(분사). — *n.* ① Ⓤ 사고(력), 사색; (어떤 시대·계급의) 사상, 사조. ② Ⓤ,Ⓒ 생각, 착상; (보통 *pl.*) 의견. ③ Ⓤ,Ⓒ 사려, 배려, 고려. ④ Ⓤ 의향, (…할) 작정; 기대. ⑤ (a ~) 좀, 약간. ***at the ~ of*** …을 생각하면. ***have some ~s of doing*** …할 생각이 있다. ***quick as ~*** 즉시. ***take ~ for*** …을 걱정하다. ***upon*** 〔***with***〕 ***a ~*** 즉시.

thóught contròl 사상 통제.

:thought·ful[∠fəl] *a.* 사려 깊은; 주의 깊은; 인정 있는(*of*); 생각에 잠긴. ***~·ly** *ad.*

***thought·less**[∠lis] *a.* 사려가 없는; 경솔한(*of*); 인정 없는. **~·ly** *ad.* ***~·ness** *n.*

thóught-óut *a.* 곰곰이 생각한 뒤의, 깊이 생각하고, 주도한.

thóught rèading 독심술(讀心術).

thóught transfèrence 정신 감응 (현상); 천리안(千里眼).

†thou·sand[θáuzənd] *n., a.* Ⓒ 천(의); (*pl.*) 무수(한). **(*a*)** ***~ and one*** 무수한. ***A ~ thanks*** 〔***pardons, applogies***〕. 참으로 감사합니다〔미안합니다〕. ***a ~ to one*** 거의 절대적인. ***one in a ~*** 희귀한〔뛰어난〕 것; 예외. ***~s of*** 몇 천의. **~·fold** *a., ad.* 천 배의〔로〕; 천의 부분으로 된. **~th**[-dθ/-tθ] *n., a.* Ⓤ 제 1 천(의); Ⓒ 천분의 1(의).

Thóusand Ísland dréssing 《美》 샐러드드레싱의 일종.

***thrall**[θrɔːl] *n.* Ⓒ 노예(*of, to*); =

thrál(l)·dom Ⓤ 노예의 신분; 속박.

thrash**[θræʃ] *vt.* 때리다; 채찍질하다; 도리깨질하다. — *vi.* 도리깨질하다; (고통으로) 뒹굴다(*about*). ***~ out (안을) 충분히 검토하다. ***~ over*** 되풀이하다. — *n.* (a ~) (회초리로) 때리기; Ⓒ 물장구질. **∠·er** *n.* Ⓒ 때리는 사람〔물건〕; 도리깨질하는 사람, 탈곡기(脫穀機); 환도상어; (미국산) 앵무새류. **∠·ing** *n.* Ⓒ 채찍질; Ⓤ 도리깨질, 타작.

:thread[θred] *n.* ① Ⓤ,Ⓒ 실; 섬유; 재봉실, 꼰 실. ② Ⓒ 가는 것, 줄, 섬조(纖條); 나삿니. ③ Ⓒ (이야기의) 줄거리, 연속. ④ (the 〔one's〕 ~) (인간의) 수명. ***cut one's mortal ~*** 죽다. ***hang by*** 〔***on, upon***〕 ***a ~*** 위기 일발이다. ***~ and thrum*** 모조리, 전부; 옥석 혼효(玉石混淆)《선악이 뒤섞임》. — *vt.* (바늘에) 실을 꿰다; (구슬 따위

를) 실에 꿰다; 누비듯이〔헤치며〕 지나가다; 나삿니를 내다. — *vi.* 요리조리 헤치며 가다〔지나가다〕; 〖料理〗 (시럽 따위가) 실 모양으로 늘어지다.

thréad·bàre *a.* 해어져서 실이 드러난, 입어서 다 떨어진; 누더기를 걸친; 진부한, 케케 묵은.

Thréad·néedle Stréet 런던의 거리 이름《은행이 많음》. ***the Old Lady of*** ~ 《英》 잉글랜드 은행《속칭》.

thréad·wòrm *n.* Ⓒ 요충. 「조.

:threat[θret] *n.* Ⓒ 위협, 협박; 흉

:threat·en[θrétn] *vt., vi.* ① 위협하다(*with; to* do). ② …할 듯하다, (…의) 우려가 있다; 닥치고 있다. **~·ing** *a.* 으르는; 험악한; (날씨가) 찌푸린.

†three[θri:] *n., a.* Ⓤ,Ⓒ 3(의); 《복수 취급》 세 사람〔개〕(의). **~·fold** [ˊfòuld] *a., ad.* 3배의〔로〕.

thrée-bágger *n.* 《俗》 = THREE-BASE HIT.

thrée-bàse hít 〖野〗 3루타.

thrée-cólo(u)r *a.* 3색의. ~ ***process*** 3색판.

thrée-córnered *a.* 삼각의.

three-D[ˊdí:] *a.* 입체 영화의.

thrée-décker *n.* Ⓒ 〖史〗 3층 갑판의 군함.

thrée-diménsional *a.* 3차원의; 입체(영화)의; 〖軍〗 육해공군 입체 작전의.

thrée-hálfpence *n.* Ⓤ 《英》 1펜스 반《구화폐》.

thrée-hánded *a.* 세 개의 손이 달린; (유희 등) 셋이 하는. 「*stool*).

thrée-légged *a.* 다리가 셋인(*a* ~

thrée-másted *a.* 돛대가 셋인.

thrée·máster *n.* Ⓒ 세대박이 돛배.

thrée-mìle límit 〖國際法〗 해안에서 3 마일 이내의 한계《영해》.

thrée mìnutes' sílence (사자의 영에 드리는) 묵도《시간의 장단은 관계 없음》.

three·pence[θrépəns, θríp-] *n.* 《英》 Ⓤ 3펜스; Ⓒ 3펜스 동전.

three·pen·ny[θrépəni, θríp-] *a.* 3펜스의; 시시한, 싸구려의.

thrée-plý *a.* 세 겹의; (밧줄 따위) 세 겹으로 꼰.

thrée-póinter *n.* Ⓤ 〖空〗 =THREE-POINT LANDING; 절대 확실한〔정확한〕 것.

thrée-pòint lánding 〖空〗 3점 착륙《세 바퀴가 동시에 땅에 닿는 이상적인 착륙법》.

thrée-quáter *a.* 4분의 3의; (초상화 등이) 칠분신(七分身)의; (의복이) 칠분(길이)의. — *n.* Ⓒ 칠분신 초상화〔사진〕; 〖럭비〗 스리쿼터백.

thrée R's 읽기 쓰기 셈하기《*r*eading, w*r*iting, and a*r*ithmetic》.

thrée·scóre** *n., a.* Ⓤ 60(의), 60세(의). ~ (years***) ***and ten*** (사람의 수명) 70 세. 「3인경기(자).

three·some[ˊsəm] *n.* Ⓒ 3인조;

thrée únities 〖劇〗 (때·장소·행동의) 삼일치《'하루 안에' '같은 장소에서' '옆길로 새지 않고' 진행하기》.

thrée-whéeler *n.* Ⓒ 3륜차.

threm·ma·tol·o·gy[θrèmətáləd͡ʒi/-tɔ́l-] *n.* Ⓤ 〖生〗 동식물 육성학, 사육학. 「애(도)가.

thren·o·dy[θrénədi] *n.* Ⓒ 비가,

thre·o·nine[θrí:ənì:n, -nin] *n.* Ⓤ 트레오닌《필수 아미노산의 일종》.

thresh[θreʃ] *vt., vi.* =THRASH. **ˊ·er** *n.* Ⓒ 매질하는 사람〔것〕; 타작하는 사람〔것〕; 탈곡기; =**thrésher shàrk** 〖魚〗 환도상어.

thréshing flòor (보리·밀 등의) 탈곡장.

thréshing machìne 탈곡기.

:thresh·old[θréʃ*h*ould] *n.* Ⓒ ① 문지방; 문간, 입구. ② 출발점, 시초. ③ 〖心〗 역(閾). ④ 〖컴〗 임계값. ***at*** 〔***on***〕 ***the*** ~ ***of*** …의 시초에.

:threw[θru:] *v.* throw의 과거.

:thrice[θrais] *ad.* 《古·雅》 세 번; 3배로; 매우(~ *blessed* 〔*happy, favo(u)red*〕 매우 혜택받은〔행복한〕).

***thrift**[θrift] *n.* Ⓤ ① 검약(의 습관). ② 〖植〗 아르메리아. **ˊ·less** *a.* 절약하지 않는; 낭비하는; 사치스러운. **ˊ·less·ly** *ad.*

***thrift·y**[θrífti] *a.* ① 절약하는, 검소한; 알뜰한. ② 무성하는; 번영하는. **thríft·i·ly** *ad.* **thríft·i·ness** *n.*

:thrill[θril] *n.* Ⓒ (공포·쾌감의) 오싹〔자릿자릿〕하는 느낌, 전율, 스릴; 몸떨림. — *vt., vi.* 오싹〔자릿자릿〕하(게 하)다(*with*); 떨리(게 하)다; 몸에 사무치다(*along, in, over, through*). ***ˊ·er** *n.* Ⓒ 오싹하게 하는 것〔사람〕; 선정 소설〔극〕, 스릴러. **:ˊ·ing** *a.* 오싹〔자릿자릿, 조마조마〕하게 하는. 「PENCE.

thrip·pence[θrípəns] *n.* =THREE-

:thrive[θraiv] *vi.* (***throve, ~d; thriven, ~d***) 성공하다; 번영하다; 부자가 되다; (동·식물이) 성장하다.

thrív·ing *a.* 「분사.

***thriv·en**[θrívən] *v.* thrive의 과거

thro(')[θru:] *prep., ad., a.* 《古》 = THROUGH.

:throat[θrout] *n.* Ⓒ 〖解〗 목, 기관(氣管); 목소리; 좁은 통로; (기물(器物)의) 목. ***a*** LUMP[1] ***in one's*** 〔***the***〕 **~. *clear one's*** ~ 헛기침하다. ***cut one another's ~s*** 서로 망할 짓을 하다. ***cut one's*** (***own***) ~ 자멸할 짓을 하다. ***jump down*** (*a person's*) ~ 《俗》 아무를 찍소리 못하게 만들다. ***lie in one's*** ~ 맹랑한 거짓말을 하다. ***stick in one's*** ~ 목에 걸리다; 말하기 어렵다; 맘에 들지 않다. **ˊ·y** *a.* 후음(喉音)의; 목쉰 소리의; (소·개 등이) 목이 축 늘어진.

thróat mìcrophone 목에 대는 마이크로폰《결후(結喉)에서 음성을 직접 전함》.

throb**[θrab/-ɔ-] *n., vi.* (-bb-***) Ⓒ (빠른, 심한) 동계(動悸), (빠르게, 심하게) 두근거리다(*with*); 고동(치

T

다); (맥 따위가) 뛰다[뜀]; 떨림, 떨리다.
throe[θrou] *n.* (*pl.*) 격통; 산고(産苦), 고민, 사투(死鬪).
throm·bin[θrámbin/θrɔ́m-] *n.* Ⓤ 〖生化〗 트롬빈《혈액의 응혈 작용을 하는 효소》.
throm·bo·sis[θrambóusis/θrɔm-] *n.* Ⓤ,Ⓒ 〖病〗 혈전(증)(血栓(症)).
:throne[θroun] *n.* Ⓒ 왕좌, 옥좌; (the ～) 왕위, 왕권; 교황[감독·주교]의 자리. ── *vt.* 《p.p. 이외는 시(詩)》 왕좌에 앉히다, 즉위시키다.
:throng[θrɔ:ŋ/θrɔŋ] *n.* Ⓒ 《집합적》 군중; 다수(의 사람들 따위). ── *vt., vi.* (…에) 모여들다, 쇄도하다(*about,* (*a*)*round*).
thros·tle[θrásl/-ɔ́-] *n.* Ⓒ 《英》 〖鳥〗 노래지빠귀.
throt·tle[θrátl/-ɔ́-] *n.* Ⓒ 목; 〖機〗 조절판(調節瓣)(의 레버·페달). ***at full ～ =with the ～ against the stop*** 전속력으로. ── *vt.* (…의) 목을 조르다; 질식시키다; 억압하다; 〖機〗 (조절판을) 죄다, 감속(減速)시키다.
thróttle lèver 〖機〗 스로틀 레버.
thróttle vàlve 〖機〗 조절판.
†through[θru:] *prep.* ① …을 통하여, …을 지나서. ② …의 처음부터 끝까지. ③…동안, 도처에. ④ …때문에; …에 의하여. ⑤ …을 끝내고. ── *ad.* ① 통해서. ② 처음부터 끝까지, 쭉 계속하여, …동안. ③ 완전히, 철저히; 시종 일관. ***～ and ～*** 철두 철미, 철저히. ── *a.* 쭉 통한, 직통의; 끝난.
:through·out[∸àut] *prep., ad.* 도처에; (*prep.*) …동안, 통해서.
thróugh-pùt *n.* Ⓤ,Ⓒ (공장의) 생산(고); 〖컴〗 처리율.
thróugh-stòne *n.* =BONDSTONE.
thróugh strèet 직진 우선 도로.
thróugh·wày *n.* Ⓒ 《美》 고속도로.
·throve[θrouv] *v.* thrive의 과거.
†throw[θrou] *vt.* (***threw; thrown***) ① (내)던지다(*at, after, into, on*). ② 내동댕이치다, (말이) 흔들어 떨어뜨리다. ③ (배를 암초 등에) 얹히게 하다. ④ 급히 (몸에) 걸치다(*on, round, over*), 벗다(*off*). ⑤ (어떤 상태로) 빠뜨리다. ⑥ 갑자기 움직이다; (스위치, 클러치 등의 레버를) 움직이다. ⑦ (생사를) 꼬다. ⑧ 《美口》 짜고 일부러 지다. ⑨ 《口》 (회의 등을) 열다(give). ***～ about*** 던져 흩뜨리다; 휘두르다. ***～ away*** 내버리다; 낭비하다(*upon*); 헛되게 하다. ***～ back*** 되던지다; 거절하다; 반사하다; (동·식물이) 격세유전(隔世遺傳)을 하다. ***～ cold water*** 실망시키다(*on*). ***～ down*** 던져서 떨어뜨리다[쓰러뜨리다]; 뒤집어 엎다; 《美》 박차버리다. ***～ in*** 던져 넣다; 주입[삽입]하다; 덤으로 곁들이다. ***～ off*** 던져[떨쳐]버리다; (병을) 고치다; 《口》 (시 등을) 즉석에서 짓다; 사냥을 시작하다. ***～ oneself at*** …의 사랑[우정 등]을 얻으려고 무진 애를 쓰다. ***～ oneself down*** 드러눕다. ***～ oneself on*** [***upon***] …에 몸을 맡기다, …을 의지하다. ***～ open*** 열어 젖히다; 개방하다(*to*). ***～ out*** 내던지다; 내쫓다; 내키어 증축하다; 발산하다; 부결하다. ***～ over*** 저버리다, 포기하다. ***～ up*** (창문을) 밀어 올리다; 《口》 토하다; 급조(急造)하다; 포기하다; (직책을) 사퇴하다. ── *n.* Ⓒ 던지기; 던지면 닿을 거리; (스위치·클러치의) 연결; 분리 스카프, 가벼운 두르개; (크랭크·피스톤 등의) 행정(行程). **∠·er** *n.* Ⓒ 던지는 사람[것]; (도자기 만드는) 녹로공(轆轤工); 폭뢰(爆雷) 발사관.
thrów·awày *n.* Ⓒ (광고) 삐라, 전단(傳單).
thrów·bàck *n.* Ⓒ 되던지기; 역전; (동·식물의) 격세(隔世) 유전.
:thrown[θroun] *v.* throw의 과거분사.
·thrów-òff *n.* Ⓤ (사냥·경주의) 개시.
thrów wèight (탄도 미사일의) 투사(投射) 중력《핵탄두의 파괴력을 나타냄》.
thru[θru:] *prep., ad., a.* 《美口》= THROUGH.
thrum[1][θrʌm] *vi., vt.* (***-mm-***) (현악기를) 뜯다, 타다, 퉁겨 소리내다; (책상 따위를 손가락으로) 똑똑 두드리다. ── *n.* Ⓒ 손톱으로 타기; 두드리는 소리.
thrum[2] *n.* Ⓒ 실나부랑이《직기(織機)에서 직물을 끊어낼 때에 남는》; 식서(飾緖); (*pl.*) 실보무라지.
·thrush[θrʌʃ] *n.* Ⓒ 〖鳥〗 개똥지빠귀.
:thrust[θrʌst] *vt.* (***thrust***) ① 밀다, 찌르다; 찔러넣다(*into, through*). ② 무리하게 …시키다(*into*). ── *vi.* 밀다, 찌르다; 돌진하다. ── *n.* Ⓒ 밀기, 찌르기; 공격; 돌격; 혹평; Ⓤ 〖機〗 추진력.
thrust·er[θrʌ́stər] *n.* Ⓒ 미는[찌르는] 사람; 《口》 나서기 좋아하는 사람; (우주선의) 자세 제어 로켓.
thrúst stàge 앞으로 달아낸 무대.
thrú·wày *n.* Ⓒ 《美》 고속 도로(expressway).
Thu·cyd·i·des [θju:sídədì:z/θju(:)-] *n.* (460?-400? B.C.) 투키디데스《그리스의 역사가》.
·thud[θʌd] *vi.* (***-dd-***) 털썩 떨어지다, 쾅[쿵] 울리다. ── *n.* Ⓒ 털썩[쾅, 쿵] 소리.
thug[θʌg] *n.* Ⓒ (종종 T-) (옛 인도의 종교적) 암살단원; 자객, 흉한.
thug·ger·y[θʌ́gəri] *n.* Ⓤ 폭력 행위.
Thu·le[θjú:li:] *n.* (옛날 사람이 상상하였던) 극북(極北)의 땅. ⇨ ULTIMA THULE.
thu·li·um[θjú:liəm] *n.* Ⓤ 〖化〗 툴륨《희금속 원소; 기호 Tm》.
:thumb[θʌm] *n.* Ⓒ (손·장갑의) 엄지손가락. (*His*) ***fingers are all ～s.*** 손재주가 없다. ***bite one's ～ at***

모욕하다. ***Thumb down* 〔*up*〕*!*** 안 된다〔좋다〕《엄지 손가락으로 찬부를 나타냄》. ***under*** (*a person's*) ***~,*** or ***under the ~ of*** (*a person*) (아무)의 시키는 대로 하여. — *vt.* (책의 페이지를) (엄지)손가락으로 넘겨서 더럽히다〔상하게 하다〕; (페이지를) 빨리 넘기다; 서투르게 다루다. ***~ a ride*** 엄지손가락을 세워 자동차에 태워달라고 하다(cf. hitchhike).

thúmb ìndex (페이지 가장자리의) 반달 색인.

thúmb·màrk *n.* Ⓒ (책장에 남은) (엄지) 손가락 자국.

thúmb·nàil *n., a.* Ⓒ 엄지손톱; 극히 작은 (것); 스케치(의), 소(小)논문 (따위).

thúmb-pòt *n.* Ⓒ (한 송이를 꽂는) 꽃병.

thúmb·prìnt *n.* Ⓒ 엄지손가락 지문.

thúmb·scrèw *n.* Ⓒ 나비나사; 〖史〗 엄지손가락을 죄는 형틀.

thúmb·tàck *n.* Ⓒ 《美》 압정(押釘).

***thump**[θʌmp] *vt.* ① 탁〔쿵〕 때리다〔부딪치다〕. ② 심하게 때리다. — *vi.* ① 탁 부딪치다〔소리 내다〕. ② (심장이) 두근거리다. — *n.* Ⓒ 탁〔쿵〕하는 소리.

thump·ing[⌐-iŋ] *a.* 《口》 거대한; 놀랄 만한, 터무니 없는. — *ad.* 《口》 엄청나게.

⁑**thun·der**[θʌ́ndər] *n.* ① Ⓤ 우레, 천둥; Ⓤ,Ⓒ 우레 같은 소리, 요란한 울림. ② Ⓤ 위협, 호통; 비난. (***By***) ***~!*** 이런, 제기랄, 빌어먹을! ***look like ~*** 몹시 화가 난 모양이다. ***steal*** (*a person's*) ***~*** (아무의) 생각〔방법〕을 도용하다, 장기(長技)를 가로채다. — *vi.* ① 천둥치다; 요란한 소리를 내다; 큰 소리로 이야기하다. ② 위협하다, 비난하다(*against*). — *vt.* 호통치다. **~·er** *n.* Ⓒ 호통치는 사람; (the T-) =JUPITER. **~·ing** *a.* 천둥치는; 요란하게 울리는; 《口》 엄청난. ***~·ous** *a.* 천둥을 일으키는; 우레 같은〔같이 울리는〕.

thúnder·bìrd *n.* Ⓒ 천둥새《천둥을 일으킨다고 북아메리카 인디언들이 생각한 거대한 새》.

***thúnder·bòlt** *n.* Ⓒ 뇌전(雷電), 벼락; 청천 벽력.

thúnder·clàp *n.* Ⓒ 우뢰 소리; 청천 벽력.

thúnder·clòud *n.* Ⓒ 뇌운(雷雲).

thúnder·hèad *n.* Ⓒ 소나기구름(의 한 덩어리)《이것이 모이면 뇌운》.

thúnder·shòwer *n.* Ⓒ 뇌우(雷雨).

thúnder·squàll *n.* Ⓒ 천둥치며 오는 스콜. 「풍우.

***thúnder·stòrm** *n.* Ⓒ 천둥치는 폭

thúnder·stròke *n.* Ⓒ 낙뢰(落雷).

thúnder·strùck, -strìcken *a.* 벼락 맞은; 깜짝 놀란.

thun·der·y[θʌ́ndəri] *a.* 천둥 같은, 천둥 치는; (날씨가) 고약한; (얼굴이) 험상궂은.

***Thur., Thurs.** Thursday.

†**Thurs·day**[θə́ːrzdei, -di] *n.* Ⓒ 《보통 무관사》 목요일(cf. Thor).

†**thus**[ðʌs] *ad.* ① 이와 같이, 이런 식으로. ② 따라서, 그러므로. ③ 이 정도까지. ***~ and ~*** 이러이러하게. ***~ far*** 여기〔지금〕까지는. ***~ much*** 이것만은.

thwack[θwæk] *vt., n.* Ⓒ (막대 따위로) 찰싹 때리다〔때림〕.

***thwart**[θwɔːrt] *vt.* (계획 등을) 방해하다; 반대하다, 좌절시키다. — *n.* Ⓒ 보트나 카누의 가로장《노젓는 사람이 앉음》; 카누의 창막이. — *ad., a.* 가로질러, 가로지른.

***thy**[ðai] *pron., a.* 너(thou)의 소유격.

thyme[taim] *n.* Ⓤ 〖植〗 백리향(百里香). 「里香).

thy·mol[θáimoul, -mɔːl/-mɔl] *n.* Ⓤ 〖化〗 티몰《방부제》.

thy·mus[θáiməs] *n., a.* Ⓒ 〖解〗 흉선(胸腺)(의).

thy·roid[θáirɔid] *n., a.* Ⓒ 갑상선〔갑상 연골〕(의); 갑상선제(劑); 방패 모양의(무늬의). ***~ cartilage*** 〔***gland, body***〕 갑상 연골〔선〕.

thy·rox·in[θairɑ́ksin/-ɔ́-], **-ine** [-i(ː)n] *n.* Ⓤ 〖生化〗 티록신, 갑상선 호르몬.

thyr·sus[θə́ːrsəs] *n.* (*pl.* ***-si***[-sai]) 〖그神〗 Dionysus의 지팡이.

***thy·self**[ðaisélf] *pron.* 《thou, thee의 재귀형》 너 자신.

ti[tiː] *n.* Ⓤ,Ⓒ 〖樂〗 시《음계의 제7음(si)》.

Ti 〖化〗 titanium.

Tián·an·men Squáre[tjɑ́ːnɑːn-mèn-] (the ~) (중국 북경에 있는) 톈안먼(天安門) 광장.

ti·ar·a[tiɑ́ːrə, -ɛ́ərə] *n.* Ⓒ 로마 교황의 삼중관(三重冠); (금·보석·꽃 따위를 단 부인용의) 장식관; 고대 페르시아 남자의 관(冠). 「흐르는 강.

Ti·ber[táibər] *n.* (the ~) 로마를

Ti·bet[tibét] *n.* 티베트. **~·an**[-ən] *a., n.* 티베트의; Ⓒ 티베트 사람(의); Ⓤ 티베트 말(의).

tib·i·a[tíbiə] *n.* (*pl.* ***-ae***[tíbiiː], ***~s***) Ⓒ 경골(脛骨); (옛날의) 플루트.

tic[tik] *n.* (F.) Ⓤ,Ⓒ 〖醫〗 안면(顔面) 경련.

tick**[1][tik] *n.* Ⓒ ① 똑딱 (소리). ② 《주로 英口》 순간. ③ 대조〔체크〕의 표《√따위》. — *vi.* (시계가) 똑딱거리다. — *vt.* ① 재깍재깍 가다《시계가》 (*away, off*). ② 체크를 하다, 꺾자치다(*off*). ***~ out (전신기가 전신을) 똑똑 쳐내다.

tick[2] *n.* Ⓒ 〖蟲〗 진드기.

tick[3] *n.* Ⓒ 이불잇, 베갯잇; 《口》 = **ticking** 이불잇감.

tick[4] *n., vi.* Ⓤ 《주로 英口》 신용 대부(하다), 외상(으로 사다).

tick·er[tíkər] *n.* Ⓒ 똑딱거리는 물건; 체크하는 사람〔것〕; 전신 수신 인자기(印字機); 증권 시세 표시기; 《俗》 시계; 《俗》 심장.

tícker tàpe (통신·시세가 찍혀) ticker에서 자동적으로 나오는 수신용 테이프; (환영을 위해 건물에서 던지

T

는) 색종이 테이프.
†**tick·et**[tíkit] *n.* Ⓒ ① 표, 승차〔입장〕권. ② 게시표, 정찰, 셋집 표찰(따위). ③《美口》(교통 위반의) 소환장, 딱지. ④《美》(정당의) 공천 후보자 명부. ⑤ (the ～)《口》적당한 물건〔일〕, 안성맞춤인 일. ── *vt.* (…에) 표찰을 달다;《美》표를 팔다.
tícket inspèctor《英》(열차 안의) 검표 승무원.
tícket òffice《美》출찰(出札)소, 「매표소.
tícket of léave《英》(예전의) 가출옥 허가서.
tícket-of-léave màn《英》(예전의) 가출옥자.
tícket wìndow 출찰구, 매표구.
tick·et·y·boo[tìkətibúː] *a.*《英俗》그저 그런, 괜찮은, 충분한.
*__tick·le__[tíkəl] *vt.* ① 간질이다. ② 즐겁게 하다, 재미나게 하다. ③ 가볍게 대다〔움직이다〕. ④ (송어 따위를) 손으로 잡다. ── *vi.* 간질거리다. ── *n.* Ⓤ,Ⓒ 간지럼; 간질이기. **-lish, -ly** *a.* 간지럼 타는; 다루기 어려운, 델리킷한; 불안정한; 성마른. **～r** *n.* Ⓒ 간질이는 사람〔것〕;《美》비망록.
tíckler file 비망록.
tick·tack[tíktæ̀k] *n.* Ⓒ (시계의) 똑딱똑딱.
tick-tack-toe[⌐-tóu] *n.* Ⓤ (오목(五目) 비슷한) 세목(三目)놓기 게임.
tick-tick[tíktik] *n.* Ⓒ《兒》시계.
tick·tock[tíktɑ̀k/-tɔ̀k] *n.* Ⓒ (큰 시계의) 똑딱똑딱(하는 소리).
tick·y-tack(·y)[tíkitæ̀k(i)] *a.*《美口》달라진 것 없는, 무미건조한, 따분한. ── *n.* Ⓤ《美》흔해빠진 싸구려 건재(建材)《특히, 팔려고 짓는 주택용》.
*__tid·al__[táidl] *a.* 조수의 (작용에 의한); 간만(干滿)이 있는.
tídal cùrrent 조류.
tídal flów 하루의 시간에 따라 바뀌는 사람·차의 흐름. 「치는 강.
tídal rìver 조수 간만이 상류까지 미
tídal wàve 큰 파도, (지진에 의한) 해일; 조수의 물결; (인심의) 대동요.
tid·bit[tídbìt] *n.* Ⓒ (맛있는 것의) 한 입; 재미있는 뉴스.
tid·dler[tídlər] *n.* Ⓒ《英·兒》작은 물고기, (특히) 가시고기. 「취한.
tid·dl(e)y[tídli] *a.*《英俗》얼근히
tid·dly·winks[tídliwìŋks], **tid·dle·dy·winks**[tídldi-] *n.* Ⓤ 채색한 작은 원반을 종지에 튕겨 넣는 유희.
:**tide**[taid] *n.* ① Ⓒ 조수; 조류, 흐름; 풍조, 경향; 성쇠. ②《복합어 이외는 古》Ⓤ 계절, 때(*even* ～ 저녁). ***turn the*** ～ 형세를 일변시키다. ── *vi.* 조수를 타고 가다; 극복하다. ── *vt.* ① (조수에 태워) 나르다. ② (곤란 따위를) 헤어나게 하다, (어떻게 해서든지) 견뎌내게 하다. **∠·less** *a.* 조수의 간만이 없는.
tíde·lànd *n.* Ⓤ 간석지, 개펄.
tíde rìp(s) (조류의 충돌로 생기는) 거센 파도.
tíde·wàiter *n.* Ⓒ (옛날 세관의) 감시원; 기회주의자. 「(의).
tíde·wàter *n., a.* Ⓤ 조수; 해안
tíde·wày *n.* Ⓒ 조로(潮路), 조류.
*__ti·dings__[táidiŋz] *n. pl.* 통지, 소식.
:**ti·dy**[táidi] *a.* ① 단정한, 깨끗한 것을 좋아하는. ②《口》(금액이) 상당한;《口》꽤 좋은. ── *vt., vi.* 정돈하다(*up*). ── *n.* Ⓒ ① 의자의 등씌우개. ② 자질구레한 것을 넣는 그릇. **tí·di·ly** *ad.* **tí·di·ness** *n.*
†**tie**[tai] *vt.* (***tying***) ① 매다, 동이다, 붙들어매다(*to*); (…의) 끈을 매다. ② 결합〔접합(接合)〕하다;《口》결혼시키다; 속박하다. ③ (경기에서) 동점이 되다. ④〖樂〗(음표를) 연결하다. ── *vi.* 매이다; 동점이〔타이로〕되다. ***be much ～d*** 조금도 틈이 없다. ～ ***down*** 제한하다, 구속하다. ～ ***up*** 단단히 묶다; 싸다; 방해하다, 못 하게 하다;《美》짜다, 연합하다(*to, with*); 구속하다; (재산 따위를) 자유로 사용〔처분〕못 하게 하다. ── *n.* Ⓒ ① 매듭; 끈, 구두끈, 줄, 쇠사슬 (따위). ② (*pl.*) 끈으로 매는 단화의 일종; 넥타이. ③ (*pl.*) 연분, 기반(羈絆). ④ 속박, 거추장스러운 것, 귀찮은 사람. ⑤ 동점(의 경기). ⑥〖工〗버팀목;《美》침목(枕木);〖樂〗붙임줄, 타이. ***play*** 〔***shoot***〕 ***off the*** ～ 결승 시합을 하다.
tíe bèam〖建〗이음보, 지붕들보.
tíe·brèak(er) *n.* Ⓒ (테니스 따위의) 동점 결승 경기.
tíed hóuse《英》(어느 특정 회사의 술만 파는) 주점.
tíe-dỳe *n., vt.* Ⓤ 홀치기 염색(하다); Ⓒ 그 옷.
tíe-ìn *a.* 함께 끼어 파는.
tíe-in sále 끼어 팖.
tíe·pìn *n.* Ⓒ 넥타이 핀.
tier[tiər] *n.* Ⓒ (관람석 따위의) 1단(段); 열. ── *vt., vi.* 층층으로 포개어 쌓(이)다.
*__tíe·ùp__ *n.* Ⓒ ① (스트라이크·사고 등에 의한) 교통 두절, 업무 정지. ② (철도 종업원의) 준법(遵法) 투쟁. ③ 제휴, 타이업, 협력.
tiff[tif] *n., vi.* Ⓒ 말다툼(을 하다); 기분이 언짢음〔언짢다〕; 기분을 상하다.
tif·fin[tífin] *n.* Ⓤ《印英》점심.
†**ti·ger**[táigər] *n.* Ⓒ ①〖動〗범, 호랑이. ② 포악한 사람. ③《口》(경기 따위의) 강적. ④《美》(만세 삼창(three cheers) 후의) 덧부르는 환호. **～·ish** *a.* 범 같은; 잔인한.
tíger càt 살쾡이.
tíger('s)-èye *n.* Ⓤ,Ⓒ 호안석(虎眼
tíger lìly〖植〗참나리. 石).
:**tight**[tait] *a.* ① 탄탄한, 단단히 맨, 꽉 채운; 팽팽하게 켕긴; (옷 따위) 꼭 맞는, 갑갑한. ②《方》아담한, 말쑥한(neat[2]). ③ 빈틈없는, 발이 촘촘한, (물·공기 따위가) 새지 않는; 다루기 어려운, 옴짝달싹할 수 없는.

④ 거의 막상 막하의, 접전(接戰)의. ⑤ 〖商〗 핍박한, 《口》 돈이 잘 안 도는; 《口》 인색한. ⑥ 《俗》 술취한. **be in a ~ place** 진퇴양난이다. ── *ad.* 단단히, 굳게; 푹. **sit ~** 버티다, 주장을 굽히지 않다. ── *n.* (*pl.*) 몸에 꼭 끼는 속옷, 타이츠. **:∠·ly** *ad.* **∠·ness** *n.*

-tight[tàit] *suf.* '…이 통하지 않는, …이 새지 않는'의 뜻: air*tight*, water*tight*.

:tight·en[∠n] *vt., vi.* 바싹 죄(어지)다, 탄탄하게 하다〔되다〕.

tíght-físted *a.* 인색한, 구두쇠의.

tíght-knít *a.* ① (올을) 쫀쫀하게 짠. ② 조직이 탄탄한, 단단하게 조립된.

tíght-lípped *a.* 입을 꼭 다문; 말이 「적은.

tíght·ròpe *n.* Ⓒ 팽팽한 줄. **~ dancer**〔**walker**〕 줄타기 곡예사.

tíght·wàd[-wɑ̀d/-ɔ̀-] *n.* Ⓒ 《口》 구두쇠.

ti·gon[táigən] *n.* Ⓒ 〖動〗 범사자《수범과 암사자와의 튀기》.

ti·gress[táigris] *n.* Ⓒ 암범.

Ti·gris[táigris] *n.* (the ~) (메소포타미아 동부의) 티그리스강.

T.I.H. Their imperial Highnesses.

tike[taik] *n.* =TYKE.

til·de[tíldə] *n.* Ⓒ 스페인 말의 n 위에 붙이는 파선(波線) 부호《보기: cañon》.

:tile[tail] *n.* Ⓒ ① 기와, 타일《집합적으로도》. ② 하수 토관(下水土管). ③ 《口》 실크해트. (***pass a night***) ***on the ~s*** 방탕하여 (밤을 보내다). ── *vt.* 기와를 이다, 타일을 붙이다. **tíl·er** *n.* Ⓒ 기와〔타일〕장이〔제조인〕; (Freemason의) 집회소 망꾼. **tíl·ing** *n.* Ⓤ 《집합적》 기와, 타일; 기와 이기, 타일 붙이기; 기와 지붕, 타일을 붙인 바닥〔목욕통〕 (따위).

†till[1][til] *prep., conj.* …까지, (…할 「때) 까지.

:till[2] *vt., vi.* 갈다(cf. tilth). **∠·a·ble** *a.* 경작에 알맞은. **∠·age** *n.* Ⓤ 경작 (상태); 경작지; 농작물. **∠·er**[1] *n.* Ⓒ 경작자, 농부.

till[3] *n.* Ⓒ 돈궤, 귀중품함, 서랍.

till·er[2][tílər] *n.* Ⓒ 〖海〗 키의 손잡이.

·tilt[1][tilt] *vi.* ① 기울다. ② 창으로 찌르다(*at*); 마상(馬上) 창 경기를 하다. ── *vt.* ① 기울이다(*up*). ② (창으로) 찌르다; 공격하다. ③ 〖映〗 (카메라를) 상하로 움직이다(cf. pan[2]). **~ *at windmills*** 가상의 적과 싸우다, 불가능한 일을 시도하다《Don Quixote 의 이야기에서》. ── *n.* Ⓒ ① 기울기, 경사; 기울임. ② (창의) (한 번) 찌르기; 마상 창 경기. ③ 논쟁. (***at***) ***full ~*** 전속력으로; 전력을 다하여. ***have a ~ at***〔***against***〕 …을 공격하다. ***on the ~*** 기울어.

tilt[2] *n., vt.* Ⓒ (배·수레 등의) 포장; 차일(을 치다).

tilth[tilθ] *n.* Ⓤ 경작; 경지(cf. till[2]).

tílt·yàrd *n.* Ⓤ 마상 창 경기장.

Tim. Timothy. **T.I.M.** Their Imperial Majesties.

tim·bal[tímbəl] *n.* =TIMPANI.

:tim·ber[tímbər] *n.* ① Ⓤ 재목, 용재(用材); 큰 재목. ② (*pl.*) 〖海〗 선재(船材), 늑재(肋材). ③ Ⓤ 《집합적》 (재목용의) 수목; 《美》 삼림. ④ Ⓤ 《美》 인품, 소질. ── *vt.* 재목으로 건축하다〔버티다〕. **~ed**[-d] *a.* 목조의; 수목이 울창한. **~·ing** *n.* Ⓤ 《집합적》 건축용재; 목공품.

tímber·fràme(d) *a.* 〖建〗 목골조(木骨造)의.

tímber hìtch 〖海〗 원재(圓材) 따위에 밧줄을 매는 방법.

tímber·lànd *n.* Ⓤ 《美》 삼림지.

tímber lìne (높은 산이나 극지(極地)의) 수목(樹木) 한계선.

tímber wòlf (북아메리카산의) 회색의 〔얼룩진〕 큰 이리.

tímber·yàrd *n.* Ⓒ 《英》 재목 두는 곳.

tim·bre[tǽmbər, tím-] *n.* Ⓤ,Ⓒ 음색(音色).

tim·brel[tímbrəl] *n.* = TAMBOURINE.

†time[taim] *n.* ① Ⓤ 시간, 때; 세월; 기간; 시각, 시(時), 시절; 표준시. ② (one's ~) 생애; Ⓒ (보통 *pl.*) 시대. ③ Ⓤ,Ⓒ 시기, 기회. ④ Ⓤ (복무) 연한; (one's ~) 죽을 때; 분만기; Ⓤ 《口》 형기(刑期); 근무 시간; 시간 급(給). ⑤ Ⓒ 경험, (혼났던) 일 (따위). ⑥ Ⓒ 시세; 경기. ⑦ Ⓤ 여가, 여유. ⑧ Ⓒ 번, 회(回); (*pl.*) 배(倍)(*ten ~s larger than that; Six ~s five is*〔*are*〕 *thirty.* 6×5=30). ⑨ Ⓤ 〖樂〗 박자, 음표〔쉼표〕의 길이; 〖軍〗 보조(步調). ⑩ Ⓤ 〖競技〗 소요 시간, 시작!; 그만!. AGAINST **~. *at a ~*** 한 번에; 동시에. ***at the same ~*** 동시에; 그러나, 그래도. ***at ~s*** 때때로. ***behind the ~s*** 구식의. ***for a ~*** 한때, 잠시. ***for the ~ being*** 당분간. ***from ~ to ~*** 때때로. ***gain ~*** 시간을 벌다; 여유를 얻다; 수고를 덜다. ***in good***〔***bad***〕 ***~*** 마침 좋은 때에 〔시간을 어겨〕; 곧〔늦어서〕. ***in*** (***less than***) ***no ~*** 즉시. ***in ~*** 이윽고; 시간에 대어(*for*); 장단을 맞춰(*with*). ***keep good***〔***bad***〕 ***~*** (시계가) 잘〔안〕 맞다. ***keep ~*** 장단을 맞추다(*with*). ***on ~*** 시간대로; 분할 지불로, 후불로. ***pass the ~ of day*** (아침·저녁의) 인사를 하다. ***~ after ~,*** or ***~ and again*** 여러 번. ***T- flies.*** 《속담》 세월은 쏜살같다. ***~ out of mind*** 아득한 옛날부터. ***to ~*** 시간대로. ── *vt.* ① 시간을 재다. ② (…의) 박자를 맞추다. ③ 좋은 시기에 맞추다; (…의) 시간을 정하다. ── *vi.* 박자를 맞추다, 장단이 맞다 (*with*). ── *a.* ① 때의. ② 시한(時限)의. ③ 후불의. **∠·less** *ad.* 영원한; 부정기(不定期)의. **:∠·ly** *a.* 때에 알맞은, 적시의. ── *ad.* 알맞게.

T

tíme and a hálf (시간외 노동에 대한) 50퍼센트의 초과 근무 수당.
tíme bàse 〖레이더〗 시간축(軸).
tíme bèlt =TIME ZONE.
tíme bìll 정기불 약속 어음.
tíme bòmb 시한 폭탄.
tíme càpsule 타임 캡슐《그 시대를 대표하는 기물·기록을 미래에 남기기 위해서 넣어둔 그릇》. 「시간표.
tíme càrd 집무 시간 카드; 기차
tíme chàrter 정기 용선 계약.
tíme clòck =TIME RECORDER.
tíme depòsit 정기 예금.
tíme dràft 일람불 정기 어음.
tíme-expìred *a.* 제대 만기가 된, 만기 제대의. 「진).
tíme expòsure 타임 노출(의 사
tíme fàctor 시간적 요인.
tíme fràme 《英》 (어떤 일이 행해지는) 시기, 기간.
tíme fùse 시한 신관(信管).
tíme-hòno(u)red *a.* 옛날 그대로의, 유서 깊은.
tíme·kèeper *n.* Ⓒ 계시기(計時器)〔인(人)〕; 시계.
tíme kìller 심심풀이가 되는 것.
tíme làg (두 관련된 일의) 시간적 차, 시차.
tíme-làpse *a.* 계시(繼時) 노출(촬영)의《식물의 성장처럼 더딘 경과의
tíme lìmit 시한(時限). ⌊촬영법》.
tíme lòck (어떤 시간이 되어야 열리는) 시한 자물쇠.
tíme machìne 타임 머신《과거나 미래를 여행하기 위한 상상상의 기
tíme nòte 약속 어음. ⌊계》.
tíme-óut *n.* Ⓒ 〖競技〗 (경기중 작전 협의 등을 위해 요구되는) 타임; (중간) 휴식 (시간).
tíme·pìece *n.* Ⓒ 시계.
tim·er[⌐ər] *n.* Ⓒ 시간 기록계〔원〕, 계시기(計時器); (내연 기관의) 점화 조정 장치; 〖컴〗 시계, 타이머《시간 간격 측정을 위한 장치·프로그램》.
tíme recòrder 타임 리코더.
tíme(d)-relèase *a.* (약제나 비료 따위의 효과가) 지속성의.
tíme·sàving *a.* 시간 절약의.
tíme·sèrver *n.* Ⓒ 기회주의자, 시대에 영합하는 사람.
tíme·sèrving *a., n.* Ⓤ 사대적(事大的)인, 기회주의(의).
tíme shàring 〖컴〗 시(時)분할 (~ *system* 시분할 시스템).
tíme sìgnal 〖放〗 시보(時報).
tíme sìgnature 〖樂〗 박자 기호.
tíme spìrit 시대 정신. 「장가.
Tíme Squáre New York시의 극
***time·ta·ble**[⌐tèibl] *n.* Ⓒ 시간표《특히 탈것의》.
tíme tràvel (SF의) 시간 여행.
tíme·wòrk *n.* Ⓤ 시간제 일.
tíme·wòrn *a.* 낡은.
tíme zòne (지방) 표준 시간대(帶).
:tim·id[tímid] *a.* 겁많은, 수줍어하는. **~·ly** *ad.* **~·ness** *n.* **ti·míd·i·ty** *n.*
:tim·ing[táimiŋ] *n.* Ⓤ 타이밍《음악·경기 등에서 최대의 효과를 얻기 위한 스피드 조절》.
ti·moc·ra·cy[taimɑ́krəsi/-mɔ́k-] *n.* Ⓤ 금권 정치, 명예 정치.
Ti·mor[tíːmɔːr, timɔ́ːr] *n.* 말레이 군도의 한 섬.
tim·or·ous[tímərəs] *a.* =TIMID.
Tim·o·thy[tíməθi] *n.* 〖聖〗 디모데《바울의 제자》; 〖新約〗 디모데서.
tím·o·thy (gràss)[tíməθi(-)] *n.* Ⓤ 〖植〗 큰조아재비.
tim·pa·ni[tímpəni] *n. pl.* (*sing.* **-no**[-nòu]) (단수 취급) 팀파니《바닥이 둥근 북》. **-nist** *n.*
:tin[tin] *n.* ① Ⓤ 주석; 양철. ② Ⓒ 《주로 英》 주석 그릇, 양철 깡통. — *a.* 주석으로〔양철로〕 만든. — *vt.* (*-nn-*) ① 주석을 입히다. ② 《英》 통조림하다.
tin·cal[tíŋkəl] *n.* Ⓤ 천연봉사(天然硼砂). 「함.
tín cán 양철 깡통; 《美海軍俗》 구축
tinc·ture[tíŋktʃər] *n.* (a ~) 색, 색조; 기미, …한 티〔기·기미〕; Ⓤ 〖醫〗 정기제(丁幾劑). — *vt.* 착색하다, 물들이다; 풍미를 곁들이다; (…의) 기미〔색조〕를 띠게 하다(*with*).
tin·der[tíndər] *n.* Ⓤ 부싯깃.
tínder·bòx *n.* Ⓒ 부싯깃통; 타기 쉬운 것, 성마른 사람.
tine[tain] *n.* Ⓒ (포크 따위의) 가지, (빗 따위의) 살; (사슴뿔의) 가지.
tín éar 《美口》 음치; 《俗》 재즈 음악 등을 이해하지 못하는 사람.
tín fòil 주석박(箔), 은종이.
ting[1][tiŋ] *n., vt., vi.* (a ~) 딸랑딸랑 (울리다).
ting[2] *n.* =THING.
tíng-a-lìng *n.* Ⓤ 방울 소리; 딸랑딸랑, 따르릉.
***tinge**[tindʒ] *n.* (a ~) ① 엷은 색(조). ② 기미, …기, …티. — *vt.* ① 엷게 착색하다, 물들이다. ② 가미하다, (…에) 기미를 띠게 하다(*with*); 조금 바꾸다〔변질시키다〕.
***tin·gle**[tíŋgəl] *vi., n.* (a ~) ① 따끔따끔 아프다〔아픔〕, 쑤시다, 쑤심. ② 마음 졸이다, 조마조마함, 흥분(하다). ③ 딸랑딸랑 울리다(tinkle). **-gling** *a.* 쑤시는; 오싹 소름끼치는; 부들부들떠는.
tín hát 《口》 헬멧, 철모, 안전모.
tín·hòrn *n., a.* Ⓒ 《俗》 허풍쟁이; 겉뿐인 (사람).
***tink·er**[tíŋkər] *n.* Ⓒ ① 땜장이. ② 서투른 일〔장색〕. — *vi., vt.* ① 땜장이 노릇을 하다. ② 서투른 수선을 하다(*away, at, with*); 만지작거리다.
tín kìcker 항공사고의 조사원.
***tin·kle**[tíŋkəl] *n., vi., vt.* Ⓒ (보통 *sing.*) 딸랑딸랑 (울리다); 딸랑딸랑 울리며 움직이다〔부르다, 알리다〕.
tín·kling *a., n.* Ⓒ (보통 *sing.*) 딸랑딸랑 울리는 (소리).
tín lízzie 《俗》 소형의 싸구려 자동차, 중고 자동차.
tin·man[⌐mən] *n.* Ⓒ 양철장이.
tinned[tind] *a.* 《英》 통조림의〔으로

한〕; 주석〔양철〕을 입힌.

tin·ner[tínər] *n.* Ⓒ 주석 광부; 양철장이; 《英》 통조림공〔업자〕.

tin·ni·tus[tináitəs, tínə-] *n.* Ⓤ 〖醫〗 귀울음, 이명(耳鳴).

tin·ny[tíni] *a.* 주석(tin)의〔을 함유한〕; 양철 같은 (소리의).

tín òpener 《英》 깡통따개.

tín-pan álley[tínpæn-] 《美》 음악가·유행가 작사자〔출판자〕 등이 모이는 지역.

tín plàte 양철.

tin·sel[tínsəl] *n., vt.* (《英》 *-ll-*) Ⓤ (크리스마스 따위의) 번쩍번쩍하는 장식물; 금〔은〕실을 넣은 얇은 천; 번드르르하고 값싼 물건(으로 장식하다). — *a.* 번쩍거리는; 값싸고 번드르르한.

tín·smìth *n.* Ⓒ 양철장이.

:tint[tint] *n.* Ⓒ ① 엷은 빛깔; (푸른기, 붉은 기 따위의) …기; 백색 바림 《백색을 가해서 되는 변화색》. ② 색의 농담; 색채(의 배합), 색조. ③ 〖彫刻〗 선음영(線陰影). — *vt.* (…에) 색(色)을 칠하다, 엷게 물들이다. **∠·ed**[∠id] *a.* 착색의〔한〕.

tin·tin·nab·u·la·tion[tìntənæ̀bjəléiʃən] *n.* Ⓤ,Ⓒ 딸랑딸랑, 방울 소리.

Tin·to·ret·to[tìntərétou], **Il**[il] (1518-94) 베니스파의 화가.

tín·tỳpe *n.* Ⓤ,Ⓒ 에나멜판 인화 사진.

tín·wàre *n.* Ⓤ 《집합적》 양철 세공품.

:ti·ny[táini] *a.* 아주 작은.

:tip[1][tip] *n.* Ⓒ ① 끝, 선단. ② 정상. ③ 끝에 붙이는 것. ***at the ~s of one's fingers*** 정통하여. ***on*** 〔***at***〕 ***the ~ of one's tongue*** (말이) 목구멍까지 나와. ***to the ~s of one's fingers*** 모조리, 철두철미. — *vt.* (*-pp-*) (…에) 끝을 붙이다; 끝에 씌우다.

:tip[2] *vt.* (*-pp-*) ① 기울이다; 뒤집어 엎다(*over, up*). ② 《英》 (뒤엎어) 비우다(*off, out*). ③ 인사하려고 벗다《모자를》. — *vi.* 기울다, 뒤집히다. — *n.* Ⓒ 기울임, 기울어짐, 기욺.

:tip[3] *n.* Ⓒ ① 팁, 행하. ② 내보(內報), (경마 등의) 예상; 좋은 힌트, 비결. ③ 살짝 치기, 〖野·크리켓〗 '팁'. — *vt.* (*-pp-*) (…에) 팁을 주다; 《口》 (경마나 투기에서) 정보를 제공하다; 살짝 치다; 〖野·크리켓〗 팁하다. **~ *off*** 《口》 내보하다, 경고하다.

típ-and-rún *a.* 《주로 英》 전격적인 (*a ~ raid* 기습).

típ·càrt *n.* Ⓒ (뒤를 기울여 짐을 부리는) 덤프카.

típ·càt *n.* Ⓤ 자치기《어린이 놀이》; Ⓒ 그 나뭇조각.

ti·pi[tí:pi:] *n.* (*pl.* **~s**) 《美》 = TEPEE.

típ-òff *n.* Ⓒ 《口》 내보; 경고.

tip·pet[típit] *n.* Ⓒ (끝이 앞으로 늘어진 여자용) 어깨걸이; 목도리; (특히) (성직자·재판관의) 검은 스카프; (소매·스카프 등의) 길게 늘어진 부분.

tip·ple[típəl] *vi., vt.* (술을) 잘〔습관적으로〕 마시다. — *n.* Ⓒ (보통 *sing.*) (독한) 술. **~r** *n.* Ⓒ 술고래.

tip·ster[típstər] *n.* Ⓒ 《口》 (경마·투기 따위의) 정보 제공자.

tip·sy[típsi] *a.* 기울어진; 비틀거리는; 거나하게 취한.

:tip·toe[típtòu] *n.* Ⓒ 발끝. ***on ~*** 발끝으로 (걸어서); 살그머니; 열심히. — *vi.* 발끝으로 걷다. — *a.* ① 발끝으로 서 있는〔걷는〕; 주의 깊은, 살그머니 하는. ② 크게 기대하고 있는. — *ad.* 발끝으로.

típ·tóp *n., a.* (the ~) 정상(의); 《口》 극상(極上)(의).

típ-up séat (극장 따위의) 등받이를 세웠다 접었다하는 의자.

ti·rade[táireid, –∠] *n.* Ⓒ 긴 열변; 긴 비난 연설.

:tire[1][taiər] *vt., vi.* ① 피로하게 하다, 지치다(*with, by*). ② 넌더리나게 하다(*with*); 물리다(*of*). **~ *out,*** or **~ *to death*** 녹초가 되게 하다. †**~d**[-d] *a.* 피로한(*with*); 싫증난(*of*). ***∠·less** *a.* 지치지 않는; 꾸준한, 부단한. ***∠·some** *a.* 지루한, 싫증나는; 성가신. **tír·ing** *a.* 피로하게 하는; 싫증나는.

:tire[2], 《英》 **tyre**[taiər] *n., vt.* Ⓒ (쇠·고무의) 타이어(를 달다).

ti·ro[táirou/táiə-] *n.* (*pl.* **~s**) = TYRO.

Tir·ol[tiróul, tírəl], **&c.** ⇨ TYROL, &C.

Ti·ros[táirous] *n.* Ⓒ 미국의 기상 관측 위성의 하나.

'tis[tiz] 《古·詩》 it is의 단축.

:tis·sue[tíʃu:] *n.* ① Ⓤ,Ⓒ 〖生〗 조직. ② Ⓤ,Ⓒ 얇은 직물. ③ Ⓒ (거짓말 따위의) 뒤범벅, 연속. ④ =∠ pàper 미농지.

tíssue cùlture 〖生〗 조직배양; 배양한 조직.

tit[1][tit] *n.* =TITMOUSE; Ⓒ 《一般》 작은 새.

tit[2] *n.* Ⓒ 젖꼭지.

tit[3] *n.* 《다음 성구로》 **~ *for tat*** 되받아 쏘아 붙이기, 대갚음.

Tit. Titus.

***Ti·tan**[táitən] *n.* ① (the ~s) 〖그神〗 타이탄《Olympus의 신들보다 앞서 세계를 지배하고 있던 거인족의 한 사람》. ② Ⓒ (t-) 거인, 위인; 태양신. — *a.* =TITANIC. **~·ic**[taitǽnik] *a.* 타이탄의〔같은〕; (t-) 거대한, 힘센.

Ti·ta·ni·a[titéiniə, tai-] *n.* 요정의 여왕《Skak. 작 '한 여름밤의 꿈'의》.

ti·ta·ni·um[titéiniəm] *n.* Ⓤ 〖化〗 티탄《금속 원소; 기호 Ti》.

tit·bit[títbìt] *n.* 《주로 英》 =TIDBIT.

***tithe**[taið] *n.* Ⓒ ① (종종 *pl.*) 《英》 십일조(十一租)《1년 수익의 10분의 1을 바치며, 교회 유지에 쓰임》. ② 작은 부분; 소액의 세금. — *vt.* 십일

T

조를 부과하다〔바치다〕.
Ti·tian[tíʃən] (1477?-1576) 이탈리아의 화가; (*or* t-) (*n., a.*) Ⓤ 황적색(의), 황갈색(의).
tit·il·late[títəlèit] *vt.* 간질이다; (…의) 흥을 돋우다. **-la·tion**[∸–léiʃən] *n.* Ⓤ 간질임; 기분좋은 자극, 감흥.
tit·i·vate[títəvèit] *vt., vi.* 《口》 멋부리다, 몸치장하다.
tit·lark[títlὰːrk] *n.* Ⓒ 아메리카논종다리.
:ti·tle[táitl] *n.* ① Ⓒ 표제, 제목; 책 이름; 〖映〗 자막, 타이틀. ② Ⓒ,Ⓤ 명칭; 칭호, 직함; 학위. ③ Ⓤ,Ⓒ 권리, 자격(*to, in, of; to* do); 〖法〗 재산 소유권; 권리증. ④ Ⓒ 선수권 (*a* ~ *match*). — *vt.* ① 표제를〔책 이름을〕 붙이다. ② (필름에) 자막을 넣다. ③ (…에) 칭호를〔직함을〕 주다. **tí·tled** *a.* 직함 있는.
títle dèed 〖法〗 부동산 권리 증서.
títle·hòlder *n.* Ⓒ 선수권 보유자.
títle màtch 선수권 시합.
títle pàge 타이틀 페이지《책의 속표지》.
títle pàrt 〔**ròle**〕 주제역《예를 들면 *King Lear* 중의 Lear 역》.
tit·mouse[títmàus] *n.* (*pl.* **-mice** [-màis]) Ⓒ 〖鳥〗 박새.
Ti·to[tíːtou], **Marshal** (1892-1980) 전 유고슬라비아의 대통령 (1953-1980).
Ti·to·ism[-ìzəm] *n.* Ⓤ 티토주의《국가주의적 공산주의》.
tit·ter[títər] *n., vi.* Ⓒ 킥킥 웃음, 킥킥 거리다.
tit·ti·vate *v.* =TITIVATE.
tit·tle[títl] *n.* (a ~) 조금, 미소(微少); Ⓒ (i, j 등의) 작은 점.
títtle-tàttle *n., vi.* Ⓤ 객적은 이야기(를 하다).
tit·u·lar[títʃulər] *a.* 이름뿐인; 직함이 있는; 표제〔제목〕의. **~·ly** *ad.*
Ti·tus[táitəs] *n.* 〖聖〗 디도《바울의 제자》; 〖新約〗 디도서(書)《바울의 디도에의 편지》.
tiz·zy[tízi] *n.* Ⓒ (보통 *sing.*) 《俗》 홍분(dither); 《英俗》 6펜스.
T́-jùnction *n.* Ⓒ T자(字) 길; T자꼴의 연결부.
TKO, T.K.O., t.k.o. 〖拳〗 technical knockout. **Tl** 〖化〗 thallium. **T.L.O., t.l.o.** 〖保險〗 total loss only. **Tm** 〖化〗 thulium.
T́-màn *n.* Ⓒ 《美口》 탈세 조사원 (<*Treasury-man*).
TMO telegraphic money order 전신환. **Tn** 〖化〗 thoron. **tn.** ton; train. **TNT, T.N.T.** trinitrotoluene.
·to[強 tuː 弱 tu, tə] *prep.* ① 《방향》 …으로, …에(*go to Paris*). ② 《정도》 …까지(*a socialist to the backbone*). ③ 《목적》 위해(*sit down to dinner*). ④ 《추이·변화》 …에, …으로(*turn to red*). ⑤ 《결과》 …한 〔하였던〕 것으로는, …하게도(*to my joy*). ⑥ 《적합》 …에 맞추어(*sing to the piano/It is not to my liking.* 취미에 맞지 않는다). ⑦ 《비교·대조·비율》 …에 비해서, …에 대해서(*ten cents to the dollar,* 1달러에 대하여 10센트). ⑧ 《소속》 …의 (*the key to this safe* 이 금고의 열쇠). ⑨ 《대상》 …을 위해서(*Let us drink to Helen.* 헬렌을 위해서 축배를 듭시다). ⑩ 《접촉》 …에 (*attach it to the tree*). ⑪ 《관계》 …에 대해서, 관해서(*an answer to that question/kind to us*). ⑫ 《시간》 …(분)전(*a quarter to six*). ⑬ 《부정사와 함께》(*It began to rain*). — [tuː] *ad.* 평상 상태로, 정지하여 (*The door is to.* 닫혀 있다); 앞에, 앞으로(*wear a cap wrong side to* 모자를 거꾸로 쓰고 있다). ***come to*** 의식을 회복하다. ***to and fro*** 여기저기에.
TO, T.O., t.o. table of organization; Telegraph Office; turn over.
·toad[toud] *n.* Ⓒ 두꺼비; 지겨운 놈. ***eat a person's ~s*** (아무)에게 아첨하다.
tóad·èater *n.* Ⓒ 아첨꾼.
tóad·fìsh *n.* Ⓒ 〖魚〗 아귀과의 물고기.
tóad·flàx *n.* Ⓒ 〖植〗 해란초.
tóad·stòol *n.* Ⓒ 버섯, 독버섯.
toad·y[∸i] *n., vt., vi.* Ⓒ 아첨꾼; 아첨하다. **~·ism**[-ìzəm] *n.* Ⓤ 아첨.
tò-and-fró *a.* 앞뒤로 움직이는.
:toast[1][toust] *n.* Ⓤ 토스트. — *vt., vi.* (빵을) 토스트하다, 굽다; 불로 따뜻이 하다〔따뜻해지다〕. **∠·er**[1] *n.*
·toast[2] *n.* Ⓒ 축배를 받는 사람; 축배, 축사. — *vt., vi.* (…을 위해서) 축배를 들다. **∠·er**[2] *n.*
tóast·màster *n.* Ⓒ 축배를 제창하는 사람; 축배의 말을 하는 사람; (연회의) 사회자.
:to·bac·co[təbǽkou] *n.*(*pl.* ~(**e**)**s**) Ⓤ 《종류는 Ⓒ》 담배. **~·nist**[-kənist] *n.* Ⓒ 《주로 英》 담배 장수.
tobácco pìpe 파이프, 곰방대.
tobácco plànt 담배 (나무).
tobácco pòuch 담배 쌈지.
to-bé *a.* 미래의. ***bride-~*** 미래의 신부.
to·bog·gan[təbágən/-ɔ́-] *n., vi.* Ⓒ 터보건《바닥이 판판한 썰매》 (으로 달리다); 《美》 (물가가) 폭락하다.
tobóggan chùte 〔**slìde**〕 터보건 활강장(滑降場).
toc·ca·ta[təkάːtə] *n.* (It.) Ⓒ 〖樂〗 토카타《오르간·하프시코드용의 화려한 환상곡》.
to·co[tóukou] *n.* Ⓤ 《英俗》 징계, 체벌(體罰).
to·coph·er·ol[toukάfəròul, -rὰl/-kɔ́fəròul, -rɔ̀l] *n.* Ⓤ 〖生化〗 토코페롤《비타민 E의 본체》.
toc·sin[tάksin/-ɔ́-] *n.* Ⓒ 경종(소리), 경보.
tod[tɑd/-ɔ-] *n.* 《英俗》《다음 성구

로》 **on one's** ~ 혼자서, 자신이.
TOD time of delivery 배달 시간.
†**to·day, to-day**[tədéi, tu-] *n., ad.* Ⓤ 오늘; 현재, 오늘날.
tod·dle[tádl/-ɔ́-] *n., vi.* Ⓒ 아장아장 걷기[걷다]. **-dler** *n.* Ⓒ 아장아장 걷는 사람, 유아.
tod·dy[tádi/-ɔ́-] *n.* Ⓤ 야자술[즙]; Ⓤ,Ⓒ 토디《더운 물을 탄 위스키 따위에 설탕을 넣은 음료》.
to-dó *n.* Ⓒ (보통 *sing.*) 《口》 법석(fuss), 소동.
:**toe**[tou] *n.* Ⓒ ① 발가락. ② 발끝. ③ 도구의 끝. **on one's ~s** 《口》 활기있는, 빈틈없는. **turn up one's ~s** 《俗》 죽다. — *vt.* 발가락으로 대다; (양말 따위의) 앞부리를 대다. — *vi.* 발끝을 돌리다(*in, out*). ~ **the line** [**mark, scratch**] 스타트 라인에 서다; 명령[규칙, 관습]에 따르다.
tóe dànce (발레 따위의) 토댄스.
TOEFL 《美》 Test of English as a Foreign Language.
tóe hòld 『登』 조그마한 발판; 『레슬링』 발목 비틀기.
TOEIC Test of English for International Communication 국제 커뮤니케이션 영어 능력 테스트.
tóe·nàil *n.* Ⓒ 발톱; 비스듬히 박은 못.
tof·fee, -fy[tɔ́:fi, -á-/-ɔ́-] *n.* Ⓤ,Ⓒ 《주로 英》 토피《캔디》.
tog[tag/-ɔ-] *n., vt.* (**-gg-**) Ⓒ (보통 *pl.*) 《口》 옷(을 입히다) (*out, up*).
to·ga[tóugə] *n.* (*pl.* **~s, -gae** [-dʒi:]) Ⓒ 토가《고대 로마인의 헐렁한 겉옷》; (재판관 등의) 직복(職服).
†**to·geth·er**[təgéðər] *ad.* ① 함께, 공동으로. ② 서로. ③ 동시에, 일제히. ④ 계속하여(*for days* ~). ~ **with** …에 함께.
to·geth·er·ness[-nis] *n.* Ⓤ 연대성; 연대감, 동류 의식.
tog·ger·y[tágəri/-ɔ́-] *n.* Ⓤ 《口》 의류(衣類).
tog·gle[tágəl/-ɔ́-] *n., vt.* Ⓒ 『海』 비녀장(으로 고정시키다); 『컴』 토글.
tóggle jòint 『機』 토글 이음쇠.
tóggle kèy 『컴』 토글 키.
tóggle switch 『컴』 토글 스위치.
To·go[tóugou] *n.* 서아프리카 기니 만에 임한 공화국.
To·go·lese[tòugəlí:z] *n.* Ⓒ 토고 사람.
:**toil**[1][tɔil] *n., vi.* Ⓤ 수고; Ⓒ 힘드는 일; 수고하다; Ⓤ 고생(하다)(*at, on, for*); 애써 나아가다(*along, up, through*). ~ **and moil** 뼈빠지게 일하다. **∠·er** *n.*
toil[2] *n.* (보통 *pl.*) 올가미(snare[1]); 그물.
:**toi·let**[tɔ́ilit] *n.* ① Ⓤ 화장; 복장, 의상. ② Ⓒ 화장실, 변소. **make one's** ~ 몸치장하다.
tóilet bòwl 변기.
tóilet pàper [**tìssue**] (부드러운) 휴지, 뒤지.
tóilet ròom 화장실; 《美》(변소가 붙은) 욕실.
toi·let·ry[-ri] *n.* (*pl.*) 화장품류.
tóilet sèt 화장 도구.
tóilet sòap 화장 비누.
tóilet tàble 화장대.
toi·lette[twa:lét, tɔi-] *n.* (F.) = TOILET ①.
tóilet tràining (어린이에 대한) 용변 훈련.
tóilet wàter 화장수.
toil·some[tɔ́ilsəm] *a.* 고된.
tóil·wòrn *a.* 지친, 야윈.
to·ing and fro·ing [tú:iŋ ənd fróuiŋ] 앞뒤로[이리저리] 왔다갔다하기.
To·kay[toukéi] *n.* Ⓒ,Ⓤ (헝가리의 도시) Tokay 산 포도(주).
:**to·ken**[tóukən] *n.* Ⓒ ① 표, 증거. ② 《古》 전조(前兆). ③ 기념품, 유물(keepsake). ④ 대용 화폐(*a bus* ~). ⑤ 『컴』 징표. **by the same ~,** or **by this** [**that**] ~ 그 증거로; 그것으로 생각나는데, 그 위에 (moreover). **in** [**as a**] ~ **of** …의 표시[증거]로서. **more by ~ of** 《古》 더 한층, 점점. — *a.* 명목상의, 이름만의(nominal).
tóken còin 대용 화폐《버스 요금·자동 판매기에 쓰임》.
tóken ìmport (소액의) 명목 수입.
tóken mòney 명목 화폐《보조 화폐·지폐 따위》.
tóken páyment (채권국에의) 일부 지불; (차용금 변제의) 내입금.
tóken stríke 《英》 (단시간의) 명목상의 스트라이크.
tóken vóte 《英》 (의회의) 가(假)지출 결의.
†**told**[tould] *v.* tell의 과거(분사).
To·le·do[təlí:dou] *n.* Ⓒ 톨레도 칼 《스페인 Toledo 시에서 제작》.
***tol·er·a·ble**[tálərəbəl/-ɔ́-] *a.* 참을 수 있는; 웬만한, 상당한(passable). ***-bly** *ad.*
***tol·er·ance**[tálərəns/-ɔ́-] *n.* ① Ⓤ 관용, 아량. ② Ⓤ,Ⓒ 『醫』 내약력(耐藥力). ③ Ⓤ,Ⓒ 『造幣』 공차(公差); 『機』 허용차(許容差), 여유. ④ Ⓤ,Ⓒ 『컴』 허용 한계. ***-ant** *a.*
***tol·er·ate**[-rèit] *vt.* ① 참다, 견디다(endure). ② 관대히 다루다; 묵인하다. ③ 『醫』 (…에 대해서) 내약력이 있다. **-a·tion**[∸—éiʃən] *n.* Ⓤ 관용, 묵인(indulgence); 신앙의 자유, 이교(異敎) 묵인.
***toll**[1][toul] *n., vt., vi.* (*sing.*) (죽음·장례식의) 종(을[이] 천천히 울리다).
***toll**[2] *n.* Ⓒ ① 사용료; 통행세, 통행료, 교량 통행료, 항만세; 운임, 장거리 전화료. ② (보통 *sing.*) 사상자(死傷者).
tóll bàr (tollgate의) 차단봉(棒).
tól(l)·bòoth *n.* Ⓒ (유료 도로의) 통행세 징수소.
tóll brìdge 유료교(橋).
tóll càll 《美》 장거리 전화 (통화).

tóll collèctor (통행) 요금 징수원.
tóll-frèe *a.* 《美》 무료 장거리 전화의《기업의 선전·공공 서비스 등에서 요금이 수화자 부담인》.
tóll·gàte *n.* Ⓒ 통행료 징수소(의 문).
tóll·hòuse *n.* Ⓒ 통행료 징수소.
tóll·kèeper *n.* Ⓒ 통행료 징수인.
tóll lìne 장거리 전화선.
tóll ròad 유료 도로.
tóll·wày *n.* =TOLL ROAD.
Tol·stoy[tálstɔi/-5-], **Leo** (*Russ.* **Lev**) (1828-1910) 러시아의 문호.
Tol·tec[táltek/-5-] *n.* Ⓒ 톨텍 토인《멕시코 문명의 모체가 된 선주(先住) 민족》. **∼·an** *a.*
tol·u·ene[táljuì:n/-5-] *n.* Ⓤ 〖化〗 톨루엔《물감·폭약용》.
tom[tɑm/-ɔ-] *n.* (T-) Thomas의 애칭; Ⓒ 동물의 수컷. ***T- and Jerry*** 달걀을 넣은 럼술. ***T-, Dick, and Harry*** 《口》 보통 사람; 너나없이.
tom·a·hawk[táməhɔ̀:k/-5-] *n., vt.* Ⓒ (북아메리카 토인의) 도끼, 전부(戰斧)(로 찍다). ***bury the ∼*** 화해하다.
:to·ma·to[təméitou/-má:-] *n.* (*pl.* **∼es**) Ⓒ,Ⓤ 토마토.
tomáto càn 《美》 경찰관 배지(badge).
:tomb[tu:m] *n., vt.* Ⓒ 무덤; 매장하다.
tom·boy[támbɔ̀i/tɔ́m-] *n.* Ⓒ 말괄량이.
·tómb·stòne *n.* Ⓒ 묘석.
tóm·càt *n.* Ⓒ 수고양이.
Tóm Cól·lins[-kálinz/-5-] 진럼《진에 설탕·레몬즙·탄산수 등을 섞은》.
tome[toum] *n.* Ⓒ (내용이 방대한) 큰 책(large volume).
tóm·fóol *n.* Ⓒ 바보; 어릿광대. **∼·er·y**[∸∸əri] *n.* Ⓤ,Ⓒ 바보짓.
Tom·my, t-[támi/-5-] *n.* Ⓒ 《俗》 영국 병정.
Tómmy Át·kins[-ǽtkinz] =⇧.
Tómmy gún 경기관총.
tómmy·ròt *n.* Ⓤ 《口》 허튼 소리, 바보짓.
to·mo·gram[tóuməgræ̀m] *n.* Ⓒ 〖醫〗 단층(斷層) X선 사진.
to·mo·graph [tóuməgræ̀f/-grà:f] *n.* Ⓒ 단층 사진 촬영 장치.
to·mog·ra·phy[toumágrəfi/-5-] *n.* Ⓤ 〖醫〗 단층 사진술.
†to·mor·row, to-mor·row[tə-mɔ́:rou, -á-, tu-/-5-] *n., ad.* Ⓤ 내일(은). ***the day after ∼*** 모레.
Tóm Thúmb (동화의) 난쟁이.
tom·tit[támtìt/-5-] *n.* Ⓒ 《英方》 〖鳥〗 곤줄박이(류).
tom-tom[támtàm/tɔ́mtɔ̀m] *n.* Ⓒ (인도 등지의) 큰 북(소리).
:ton[tʌn] *n.* ① Ⓒ 톤《중량 단위 : 영(英)톤(long *or* gross ton)= 2,240파운드; 미(美)톤(short *or* American ton)=2,000파운드; 미터톤(metric ton)=1,000kg》. ② Ⓒ 톤《용적 단위; 배는 100 입방 피트; 화물은 40입방 피트》. ③ Ⓒ (보통 *pl.*) 《口》 다수, 다량.
ton·al[tóunəl] *a.* 음조의, 음색의; 색조의.
to·nal·i·ty[tounǽləti] *n.* Ⓤ,Ⓒ 음조, 색조.
ton·al·ly[tóunəli] *ad.* 음조상; 음색〔색조〕에 있어.
:tone[toun] *n.* ① Ⓒ 음질, 가락, 음(조); 논조; 어조, 말투. ② Ⓒ 기풍, 품격. ③ Ⓒ 〖樂〗 온음(정). ④ Ⓤ (몸의) 호조, 건강 상태. ⑤ Ⓒ 색조, 명암. ⑥ 〖컴〗 음색, 톤《(1)그래픽 아트·컴퓨터 그래픽에서의 명도. (2)오디오에서 특정 주파수의 소리·신호》. ── *vt., vi.* ① 가락〔억양〕을 붙이다, 가락〔억양〕이 붙다. ② 조화시키다〔하다〕. ***∼ down*** 부드럽게 하다, 부드러워지다. ***∼ up*** 강해지다, 강하게 하다.
tóne àrm (전축의) 음관(音管).
tóne còlo(u)r 음색.
tóne-dèaf *a.* 음치(音痴)의.
tóne-dèafness *n.* Ⓤ 음치.
tóne quálity 음색.
tong[tɔ(:)ŋ, -ɑ-] *n.* (Chin. =당(黨)) Ⓒ 조합, 협회, 클럽; (미국에 사는 중국인의) 비밀 결사.
Ton·ga[táŋgə/-5-] *n.* 남태평양의 소왕국《1970년 영국에서 독립》.
·tongs[tɔ(:)ŋz, -ɑ-] *n. pl.* 부젓가락, 집게.
:tongue[tʌŋ] *n.* ① Ⓒ 혀; Ⓤ,Ⓒ 〖料理〗 텅《소의 혀》; Ⓒ 혀 모양의 것; 갑(岬). ② Ⓒ 말; 국어. ***coated*** 〔***furred***〕 ***∼*** 〖醫〗 설태(舌苔). ***find one's ∼*** (놀란 뒤 따위) 겨우 말문이 열리다. ***hold one's ∼*** 잠자코 있다. ***long ∼*** 수다. ***lose one's ∼*** (부끄러움 따위로) 말문이 막히다. ***on the*** TIP[1] ***of one's ∼. on the ∼s of men*** 소문이 나서. ***with one's ∼ in one's cheek*** 느물거리는 조로; 비꼬아. ── *vt., vi.* ① (플루트 따위를) 혀를 사용하여 불다. ② (*vi.*) 혀를 사용하다. ③ (혀·화염이) 널름거리다(*up*).
tóngue-tìe *n., vt.* Ⓤ 혀짤배기임; 혀가 돌아가지 않게 하다. **-tied** *a.* 혀가 짧은; (무안·당혹 따위로) 말을 못하는.
tóngue twìster 빨리 하면 혀가 잘 안 도는 말.
·ton·ic[tánik/-5-] *a.* ① (약이) 강장(強壯)용의. ② 〖醫〗 강직성의; 〖樂〗 음의, 으뜸음의; 〖音聲〗 강세가 있는. ── *n.* Ⓒ ① 강장제. ② 으뜸음.
to·nic·i·ty[tounísəti] *n.* Ⓤ 음조; (심신의) 건강, 강장; (근육의) 탄력성, 긴장 상태.
tónic sol-fá 〖樂〗 계명 창법, 계이름 부르기.
†to·night, to-night[tənáit, tu-] *n., ad.* Ⓤ 오늘밤(에).
ton·ing[tóuniŋ] *n.* Ⓤ 《英》 가락을 맞추기; 〖寫〗 조색(調色); 도금.
Ton·kin[tánkín/tɔ́n-] *n.* 베트남 북부의 지방.
·ton·nage[tʌ́nidʒ] *n.* Ⓤ,Ⓒ ① (배

의) 용적 톤수; 용적량. ② (한 나라 상선의) 총톤수; (배의) 톤세(稅). ③ (화물 따위의) 톤수. ***gross*** 〔***net***〕 ~ (상선의) 총〔순〕톤수(cf. displacement).

ton·neau[tʌnóu/tɔ́nou] *n.* (*pl.* ~***s,*** ~***x***[-z]) (F.) Ⓒ (자동차의) 뒷좌석 부분.

to·nom·e·ter[tounámitər/-nɔ́m-] *n.* Ⓒ ① 음(音) 진동 측정기, 음차, 토노미터. ②〖醫〗혈압계; 안압계.

ton·sil[tánsil/-ɔ́-] *n.* Ⓒ 편도선.

ton·sil·lec·to·my[tànsəléktəmi/tɔ̀n-] *n.* Ⓤ,Ⓒ 편도선 절제(切除)(술). 「선염.

ton·sil·li·tis[ㅗ-láitis] *n.* Ⓤ 편도

ton·so·ri·al [tansɔ́:riəl/tɔn-] *a.* 《諧》 이발(사)의.

ton·sure[tánʃər/-ɔ́-] *n.* Ⓤ〖宗〗삭발례(削髮禮); Ⓒ 삭발한 부분. — *vt.* (…의) 머리털을 밀다.

ton·tine[tánti:n, ㅡㅗ/tɔntí:n, ㅗㅡ] *n.* Ⓒ 톤티(Tonti)식 연금법《가입자가 죽을 때마다 잔존자의 배당이 늘어 마지막 사람이 전액을 수령함》.

tón-ùp *a., n.* Ⓒ 《英俗》 오토바이 폭주족(族)《시속 100마일로 폭주함》(의).

To·ny[tóuni] *n.* Ⓒ 《美》 토니상《연극의 연간 우수상; 여우 Antoinette Perry의 애칭에서》.

ton·y[tóuni] *a.* 《俗》 멋진, 멋을 낸, 우아한.

†**too**[tu:] *ad.* ① 또한, 그 위에. ② 너무, 지나치게. ③ 대단히. ***all*** ~ 너무나. ***none*** ~ 조금도 …않은, …는 커녕. ***only*** ~ 유감이나; 더할 나위 없이.

†**took**[tuk] *v.* take의 과거.

†**tool**[tu:l] *n.* Ⓒ ① 도구, 공구, 연장; 공작 기계《선반 따위》. ② 끄나풀, 앞잡이. ③〖製本〗압형기(押型器). ④〖컴〗도구《software 개발을 위한 프로그램》. — *vt.* ① (…에) 도구를 쓰다. ②〖製本〗압형기로 무늬〔글자〕를 박다. ③《英口》(마차를) 천천히 몰다. — *vi.* ① 도구를 사용하여 일하다. ②《英口》마차를 몰다(*along*). ㅗ**·ing** *n.* Ⓤ 연장으로 세공하기; 압형기로 무늬〔글자〕박기.

tóol·bòx *n.* Ⓒ 연장통.

tool·kit[tú:lkìt] *n.*〖컴〗연장 모음.

tóol·shèd *n.* Ⓒ 도구 창고.

toot[tu:t] *n., vt., vi.* Ⓒ 뚜우뚜우 (울리다).

†**tooth**[tu:θ] *n.* (*pl.* ***teeth***) Ⓒ ① 이; 이 모양의 물건, (톱의) 이. ② 맛, 좋아하는 것. ***armed to the teeth*** 완전 무장하고. ***between the teeth*** 목소리를 죽이고. ***cast*** 〔***throw***〕 ***something in a person's teeth*** (…의 일로) 책망하다. ***in the teeth of*** …의 면전에서; …을 무릅쓰고; …에도 불구하고. ***show one's teeth*** 이를 드러내다, 성내다; 거역하다. ~ ***and nail*** 필사적으로. ***to the*** 〔***one's***〕 ~ 충분히, 완전히. — *vt.* ① (…에) 톱니를 붙이다, 깔쭉깔쭉〔들쭉날쭉〕하게 하다. ② 물다. — *vi.* (톱니바퀴가) 맞물다. ~**ed**[-θt, -ðd] *a.* 이가 있는, 깔쭉깔쭉한. ㅗ**·less** *a.* 이 없는, 이가 빠진.

:**tóoth·àche** *n.* Ⓤ,Ⓒ 치통.

***tóoth·brùsh** *n.* Ⓒ 칫솔.

tóoth·còmb *n., vt.* Ⓒ 《英》 참빗(으로 머리를 빗다).

tóoth decày 충치.

tóoth·pàste *n.* Ⓤ,Ⓒ 크림 모양의 치약.

tóoth·pìck *n.* Ⓒ 이쑤시개.

tóoth pòwder 가루 치약.

tóoth·some *a.* 맛있는.

too·tle[tú:tl] *vi.* (피리 따위를) 가볍게 불다. — *n.* Ⓒ 피리 소리.

tóo-tóo *a., ad.* 굉장한〔하게〕, 지독하게.

†**top**[1][tap/-ɔ-] *n.* Ⓒ ① 정상; 위 끝; 절정. ② 표면. ③ 수위, 수석; 상석; (보트의) 1번 노잡이; 최량〔중요〕부분. ④ 지붕, 뚜껑; 머리, 두부. ⑤〖製本〗(책의) 상변(上邊)(***a gilt*** ~ 천금(天金)). ⑥ (구두의) 상부; (투구의) 털술, 섬유 다발. ⑦〖海〗장루(檣樓). ***at the*** ~ ***of*** 될 수 있는 한 …으로. ***from*** ~ ***to toe*** 〔***bottom, tail***〕 머리끝에서 발끝까지; 온통. ***on*** ~ ***of it*** 게다가(besides). ***over the*** ~ 참호에서 뛰어나와. ***the*** ~ ***of the milk*** 《口》 프로그램 중에서 가장 좋은 것, 백미(白眉). — *a.* 제일 위의, 최고의; 수석의. — *vt.* (**-*pp*-**) ① (…의) 꼭대기를〔표면을〕덮다(*with*). ② (…의) 꼭대기에 있다〔이르다〕; (…의) 위에 올라가다. ③ (…을) 넘다, (…을) 능가하다; (…의) 수위를 차지하다. ④ (식물의) 끝을 자르다. ⑤〖골프〗(공의) 위쪽을 치다. — *vi.* 우뚝 솟다. ~ ***off*** 〔***up***〕 완성하다, 매듭을 짓다.

:**top**[2] *n.* Ⓒ 팽이. ***sleep like a*** ~ 푹 자다. 「玉).

to·paz[tóupæz] *n.* Ⓤ〖鑛〗황옥(黃

tóp bòots 승마 구두; 장화.

tóp-càp *vt.* (**-*pp*-**) 타이어의 표면을 갈아 붙이다.

tóp·còat *n.* Ⓒ (가벼운) 외투.

tóp-dówn *a.* 말단까지 조직화된; 상의 하달 방식의; 전체적인 구성에서 출발하여 세부에 이르는 방식의.

tóp dráwer 맨 윗서랍; (사회·권위 등의) 최상층.

tóp-drèss *vt.* (밭에) 비료를 주다; (도로 따위에) 자갈을 깔다.

to·pee, to·pi[toupí:, ㅗㅡ/ㅗㅡ] *n.* Ⓒ (인도의) 헬멧.

top·er[tóupər] *n.* Ⓒ 술고래.

tóp·flíght *a.* 일류의.

top·gal·lant[tàpgǽlənt/-ɔ̀-] *n., a.* Ⓒ〖船〗윗돛대(의); 윗돛대의 돛.

tóp hàt 실크 해트.

tóp-héavy *a.* 머리가 큰.

To·phet(**h**)[tóufit, -fet] *n.*〖聖〗도벳; Ⓤ 지옥.

tóp·hóle *a.* 《英俗》 일류〔최고〕의.

to·pi·ar·y[tóupièri/-piəri] *a., n.* 장식적으로 전정(剪定)한 (정원); Ⓤ,Ⓒ

T

장식적 전정법.
:top·ic[tápik/-5-] *n.* Ⓒ 화제, 논제; (연설의) 제목. **:tóp·i·cal** *a.* 화제의; 제목의; 시사 문제의; 〖醫〗 국소(局所)의.
top·knot[tápnàt/tɔ́pnɔ̀t] *n.* Ⓒ (머리의) 다발; (새의) 도가머리.
tóp·less *a., n.* Ⓒ 가슴 부분을 드러낸 (옷·수영복); 매우 높은.
tóp-lével *a.* 《口》 최고[수뇌]의.
tóp·lófty *a.* 《口》 뽐내는.
tóp mánagement (기업의) 최고 경영 관리 조직.
tóp·màst *n.* Ⓒ 〖海〗 중간 돛대, 톱「마스트.
tóp·mòst *a.* 최고의, 절정의.
tóp-nòtch *a.* 《美口》 일류의, 최고의.
to·pog·ra·phy[toupágrəfi/-5-] *n.* Ⓤ 지형학; 지세; 지지(地誌). **-pher** *n.* Ⓒ 지지(地誌)학자, 풍토기(風土記)작자; 지형학자. **top·o·graph·ic** [tàpəgrǽfik], **-i·cal**[-əl] *a.*
to·pol·o·gy[təpáləd3i/-5-] *n.* Ⓤ 지세학; 풍토지(誌) 연구; 〖數〗 위상(位相) 수학. **top·o·log·i·cal**[tàpəládʒikəl/tɔ̀pəl5-] *a.* topology의.
topological psychology (인간의 구체적 행동을 생활 공간내의 위상 관계에서 해명하는 K. Lewin 일파의) 토폴로기[위상(位相)] 심리학.
top·per[tápər/-5-] *n.* Ⓒ 위[상층]의 것; (과일 따위) 잘 보이려고 위에 얹은 좋은 것; 《口》 우수한 사람[것], 뛰어난 것; 《口》 =TOP HAT; =TOPCOAT.
top·ping[tápiŋ/-5-] *a.* 우뚝 솟은; 《英口》 뛰어난.
top·ple[tápl/-5-] *vi., vt.* 쓰러지다, 쓰러뜨리다(*down, over*); 흔들거리다, 흔들리게 하다.
tóp-rànking *a.* 최고위의, 일류의.
TOPS thermoelectric outer planet spacecraft 열전기식 외행성 탐사 우주선.
tops[taps/-ɔ-] *a.* 최상의.
tóp·sàil *n.* Ⓒ 〖船〗 중간 돛대의 돛.
tóp sécret 《美》 극비.
tóp-sécret *a.* 《美》 극비의.
tóp sérgeant 《軍俗》 고참 상사.
tóp shèll 〖貝〗 소라.
tóp·sìde *n.* Ⓒ 흘수선 위의 현측(舷側).
tóp·sòil *n.* Ⓤ 표토(表土), 상층토.
top·sy-tur·vy[tápsitə́:rvi/tɔ́p-] *n., ad., a* Ⓤ 전도(轉倒), 거꾸로(된); 뒤죽박죽(으로, 의). **~·dom** *n.* Ⓤ 《俗》 전도, 뒤죽박죽, 혼란.
toque[touk] *n.* Ⓒ 테가 좁은 여성 모자.
tor[tɔ:r] *n.* Ⓒ (울퉁불퉁한) 바위산.
to·ra(h)[tɔ́:rə] *n.* (the ~)(유대교의) 율법; (the T-) 모세의 율법《구약 권두의 5서(書)》, 모세 오경(五經).
:torch[tɔ:rtʃ] *n.* Ⓒ ① 횃불. ② (연관공(鉛管工)이 쓰는) 토치 램프. ③ 《英》 막대 모양의 회중 전등. ④ (지식·문화의) 빛.
tórch·bèarer *n.* Ⓒ 횃불 드는 사람.
tórch·lìght *n.* Ⓤ 횃불빛.
:tore[tɔ:r] *v.* tear²의 과거.
tor·e·a·dor [tɔ́:riədɔ̀:r/tɔ́r-] *n.* (Sp.) Ⓒ (말탄) 투우사(cf. matador, picador).
to·re·ro[tourέərou] *n.* (*pl.* **~s**) 투우사.
:tor·ment[tɔ́:rment] *n.* Ⓤ 고통, 고민(거리); Ⓒ 그 원인. — [-⌐] *vt.* 괴롭히다, 못살게 굴다; 나무라다. **~·ing** *a.* **tor·men·ter, -tor** *n.*
:torn[tɔ:rn] *v.* tear²의 과거분사.
tor·na·do [tɔ:rnéidou] *n.* (*pl.* **~es**) Ⓒ 큰 회오리바람.
To·ron·to[tərántou/-rɔ́n-] *n.* 캐나다의 남동부 Ontario 주의 주도.
:tor·pe·do[tɔ:rpí:dou] *n.* Ⓒ ① 어뢰, 수뢰. ② 〖鐵〗 (경보용) 신호 뇌관. ③ 〖魚〗 시끈가오리. ***aerial ~*** 공뢰. — *vt.* 어뢰(따위)로 파괴하다; 좌절 시키다.
torpédo bòat 어뢰정.
torpédo-boat destròyer (어뢰정) 구축함.
torpédo càrrier [**plàne**] 뇌격기「(雷擊機).
torpédo nèt(**ting**) 어뢰 발사관.
tor·pid[tɔ́:rpid] *a.* 마비된, 무감각한; (동면 중과 같이) 활발치 않은, 둔한. **~·ly** *ad.* **~·ness** *n.* **tor·píd·i·ty** *n.*
tor·por[tɔ́:rpər] *n.* Ⓤ 마비; 활동정지; 지둔(至鈍).
torque[tɔ:rk] *n.* Ⓤ 〖機〗 비트는 힘, 우력(偶力); Ⓒ (고대 사람의) 비비꼰 목걸이.
:tor·rent[tɔ́:rənt/-5-] *n.* Ⓒ ① 분류(奔流). ② 억수같이 쏟아짐(*in ~s*). ③ (질문·욕 등의) 연발. **tor·ren·tial** [tɔ:rénʃəl, tar-/tɔr-] *a.*
·tor·rid[tɔ́:rid, -á-/-5-] *a.* (햇볕에) 탄, 염열(炎熱)의; 열렬한.
Tórrid Zòne, the 열대.
tor·sion[tɔ́:rʃən] *n.* Ⓤ 비틀림. **~·al** *a.*
tor·so[tɔ́:rsou] *n.* (*pl.* **~s, -si** [-si]) (It.) Ⓒ 토르소《머리·손발이 없는 나체 조상(彫像)》; 허리통.
tort[tɔ:rt] *n.* Ⓒ 〖法〗 불법 행위.
tor·til·la[tɔ:rtí:jə] *n.* Ⓤ,Ⓒ (납작한) 옥수수빵《멕시코인의 주식》.
:tor·toise[tɔ́:rtəs] *n.* Ⓒ 거북; 느림보.
tórtoise-shèll *n.* Ⓤ 별갑(鱉甲). — *a.* 별갑의, 별갑으로 만든; 별갑 무늬의; 삼색(三色)의.
tor·tu·ous[tɔ́:rtʃuəs] *a.* 꼬불꼬불한; 비틀린; 마음이 빙퉁그러진, 속검은. **~·ly** *ad.* **~·ness** *n.* **tor·tu·os·i·ty**[⌐-ásəti/-5-] *n.*
:tor·ture[tɔ́:rtʃər] *n.* Ⓤ 고문; Ⓤ,Ⓒ 고통. ***in ~*** 괴로운 나머지[김에]. — *vt.* ① (…을) 고문하다, 몹시 괴롭히다. ② 억지로 비틀다; 곡해하다; 억지로 갖다 붙이다(*into; out of*).
to·rus[tɔ́:rəs] *n.* (*pl.* **-ri**[-rai]) Ⓒ 〖建〗 (두리 기둥 밑의) 큰 쇠시리; 〖植〗 꽃턱, 화탁(花托); 〖解〗 융기(隆

起); 〖幾〗 원환체(圓環體).

*****To·ry**[tɔ́ːri] *n.* 〖英史〗 왕당원(王黨員)《Eton교 출신이 많았음: cf. Whig》; Ⓒ 보수당원; 〖美史〗 (미국 독립 전쟁 당시의) 영국 왕당원; (t-) 보수적인 사람. ── *a.* 왕당(원)의; 보수주의자의. **~·ism**[-ìzəm] *n.*

Tos·ca·ni·ni [tɑ̀skəníːni/tɔ̀s-], **Arturo** (1867-1957) 이탈리아 출생의 미국 심포니 지휘자.

tosh[tɑʃ/tɔʃ] *n.* Ⓤ 《英俗》 허튼〔객적은〕 소리; 〖크리켓·테니스〗 완구(緩球)느린 서브.

:toss[tɔːs/-ɔ-] *vt.* (**~ed,** 《詩》 ***tost***) ① 던져 올리다; 던지다(fling) (~ *a ball*). ② 아래위로 몹시 흔들다; (풍파가 배를) 번롱하다. ③ (아무와) 돈던지기를 하여 결정짓다 (*I'll ~ you for it.* 돈던지기로 결정하자). ④ 〖테니스〗 토스하다, 높이 쳐 올리다. ── *vi.* 흔들리다; 뒹굴다; 돈던지기를 하다. **~ *oars*** (보트의) 노를 세워 경례하다. **~ *off*** (말이) 흔들어 떨어뜨리다; 손쉽게 해 치우다; 단숨에 들이켜다. ── *n.* ① Ⓒ 던지기, 던져 올리기, 던지는〔던져 올리는〕 거리. ② (the ~) (*sing.*) 상하의 동요; 흥분. ③ Ⓒ 《英》 낙마(落馬). ④ (the ~) 돈던지기.

tóssed gréen[tɔ́ːst-, tɑ́st-/tɔ́st-] (드레싱을 쳐서 가볍게 휘저은) 야채 샐러드.

tóss·pòt *n.* Ⓒ 대주가, 주정뱅이.

tóss-ùp *n.* Ⓒ (보통 *sing.*) (승부를 가리는) 돈던지기; 《口》 반반의 가망성.

tost[tɔːst, -ɑ-/-ɔ-] *v.* 《詩》 toss의 과거(분사).

tot[1][tɑt/-ɔ-] *n.* Ⓒ 어린 아이.

tot[2] (<total) *n., vt., vi.* (**-tt-**) Ⓒ 합계(하다).

:to·tal[tóutl] *n., a.* Ⓒ ① 전체(의), 합계(의). ② 완전한(*a ~ failure*). ── *vt., vi.* 합계하다, 합계 …이 되다. **~·ize**[-təlàiz] *vt.* **~·ly**[-təli] *ad.*

tótal ábstainer 절대 금주가.

tótal ábstinence 절대 금주.

tótal eclípse 〖天〗 개기식(皆旣蝕).

to·tal·i·tar·i·an [toutæ̀lətέəriən] *a., n.* 전체주의의(*a ~ state*); Ⓒ 전체 주의자. **~·ism**[-ìzəm] *n.*

to·tal·i·ty[toutǽləti] *n.* Ⓤ 전체; Ⓒ 합계. ***in ~*** 전체로.

to·tal·i·za·tor[tóutəlizèitər] *n.* Ⓒ 도율(賭率) 표시기; 가산기.

to·tal·iz·er[tóutəlàizər] *n.* Ⓒ 도율 표시기; 합계하는 사람〔물건〕.

tótal sýstem 〖컴〗 종합 시스템.

tótal wár 〔**wárfare**〕 총력전.

tote[tout] *vt., n.* Ⓤ 《美口》 나르다, 나르기, 짊어지다, 짊어지기; Ⓒ 나른〔짊어진〕 물건. **tót·er** *n.*

to·tem[tóutəm] *n.* Ⓒ 토템《북아메리카 토인이 종족·가족의 상징을 숭배하는 동물·자연물》; 토템상(像). **~·ism**[-ìzəm] *n.*

tótem pòle 〔**pòst**〕 토템 기둥《토템을 새겨 북아메리카 토인이 집 앞에 세움》.

Tót·ten·ham pùdding[tɑ́tənəm-/-ɔ́-] 《英俗》 (부엌 찌꺼기를 처리한) 돼지 먹이, 꿀꿀이 죽.

*****tot·ter**[tɑ́tər/-ɔ́-] *vi., n.* Ⓒ 비틀거리다, 비틀거림, 뒤뚝뒤뚝 걷다〔걷기〕, 흔들리다, 흔들리기. **~·y** *a.*

tou·can[túːkæn, -kən] *n.* Ⓒ 거취조(巨嘴鳥)《남아메리카산의 부리 큰 새》.

†touch[tʌtʃ] *vt.* ① (…에) 대다, 만지다; 접촉〔인접〕하다. ② 필적하다. ③ (악기의 줄을) 가볍게 타다; 〖幾〗 접하다; 접촉시키다; 조금 해치다〔손상하다〕. ④ 감동시키다(move). ⑤ 가볍게 쓰다〔그리다〕; 색깔을 띠게 하다; 가미하다; 언급하다. ⑥ 닿다, 달하다; 《부정구문》 사용하다, 먹다, 마시다; (…에) 손을 대다, 관계하다. ⑦ (…에) 들르다, 기항(寄港)하다. ⑧ 《俗》 (아무에게) 돈을 꾸다 (~ *him for fifty dollars*). ── *vi.* ① 대다; 접하다; (…의) 감촉이 있다. ② (…에) 가깝다(*at, to, on, upon*); 기항하다(*at*). **~ *and go*** 잠깐 들렀다가〔언급하고〕 나아가다. **~ *down*** 〖美式蹴〗 터치다운하다《공을 가진자가 상대방 골 라인을 넘어서는 일》; 〖空〗 착륙하다. **~ *off*** 정확히〔솜씨 좋게〕 나타내다; 휘갈겨 쓰다; (그림에) 가필하다; 발사하다; 개시시키다. **~ *on*** 〔***upon***〕 간단히 언급하다; 대강하다; 가까와지다. **~ *out*** 〖野〗 척살(刺殺)하다. **~ *up*** (사진·그림을) 수정하다; 가볍게 치다; 상기시키다. ── *n.* ① Ⓒ 대기, 접촉; Ⓤ 〖醫〗 촉진(觸診); 촉감; 정신적 접촉, 동감; 감동. ② (a ~) 기미, 약간(*a ~ of salt*); 광기(狂氣), 가벼운 병. ③ Ⓤ 성질, 특성; 수법, 연주 솜씨; Ⓒ 가필, 일필(一筆), 필력, 솜씨. ④ Ⓤ 《美俗》 돈을 우려냄; Ⓒ 그 돈. ***keep in ~ with*** …와 접촉을 유지하다. ***put*** 〔***bring***〕 ***to the ~*** 시험하다. **~ *of nature*** 자연의 감정, 인정. **∠·a·ble** *a.* 만질〔감촉할〕 수 있는; 감동시킬 수 있는.

tóuch-and-gó *a.* 아슬아슬한, 위태로운, 불안한; 개략의.

tóuch·bàck *n.* Ⓒ 〖美式蹴〗 터치백《골 키퍼가 적의 공을 골 선상 또는 후방 지면에 대기》.

tóuch·dòwn *n.* Ⓤ,Ⓒ 〖럭비〗 터치다운(의 득점); 〖空〗 단시간의 착륙.

touched[tʌtʃt] *a.* 머리가 약간 돈; 감동한.

:touch·ing[∠iŋ] *a., prep.* ① 감동시키는, 애처로운. ② …에 관해서. **~·ly** *ad.* 비장하게, 애처롭게.

tóuch jùdge 〖럭비〗 선심, 터치 저지.

tóuch·lìne *n.* Ⓒ 〖럭비·蹴〗 측선, 터치라인.

tóuch-me-nòt *n.* Ⓒ 봉선화, 노랑 물봉선화 (따위).

tóuch pàper 도화지(導火紙).

tóuch scrèen 〖컴〗 만지기 화면《손가락으로 만지면 컴퓨터에 입력되는 표

시 장치 화면》.
tóuch·stòne *n.* Ⓒ 시금석; (시험의) 표준. 「기》.
tóuch-tòne *a.* 누름단추식의《전화
tóuch·wòod *n.* Ⓤ 부싯깃(punk); 《英》 술래잡기의 일종.
touch·y[⌐i] *a.* 성마른, 성미 까다로운; 다루기 힘든; 인화(引火)성의.
:tough[tʌf] *a.* ① 강인한, 구부려도 꺾이지 않는, (줏대가) 센; 끈기 있는; 완고한. ② 곤란한, 고된, 괴로운(hard); 《美俗》 난폭한, 다루기 힘든. **⌐·en** *vt., vi.* tough하게 하다, tough 해지다. **⌐·ly** *ad.*
tóugh-mínded *a.* 감상적이 아닌, 현실적인, 굳센.
Tou·louse-Lau·trec [tu:lú:zloutrék], **Henri Marie Raymond de** (1864-1901) 프랑스의 화가.
tou·pee, tou·pet[tu:péi/⌐–] *n.* (F.) Ⓒ 가발(假髮), 다리.
:tour[tuər] *n., vi., vt.* Ⓒ 관광〔유람〕 여행(하다); 주유(周遊)(하다), 소풍(가다). ***go on a* ~** 순유(巡遊)〔만유〕하다. ***on* ~** 만유〔순업(巡業)〕하여. **⌐·ism**[túərizəm] *n.* Ⓤ 관광 여행〔사업〕; 《집합적》 관광객.
tour de force[tùər də fɔ́:rs] (F.) 힘부림 재주, 놀라운 재주.
tour·er[túərər] *n.* 《주로 英口》 = TOURING CAR.
tóuring càr 포장형 자동차.
tóuring còmpany 지방 순업(巡業) 중인 일행.
:tour·ist[túərist] *n.* Ⓒ 관광객.
tóurist bùreau 〔**àgency**〕 여행사, 관광 안내소.
tóurist càmp 관광객용 캠프. 「등.
tóurist clàss (기선·비행기의) 2
tóurist còurt 《美》 =MOTEL.
tóurist hòme 민박 숙소.
tóurist pàrty 관광단.
tóurist tìcket 유람표.
tóurist tràp (관광) 여행자 상대로 폭리를 취하는 장사.
tour·ma·lin(e)[túərməli:n, -lin] *n.* Ⓤ,Ⓒ 전기석(電氣石).
·tour·na·ment[túərnəmənt, tɔ́:r-] *n.* Ⓒ ① (중세의) 마상(馬上) 시합. ② 시합, 경기, 승자 진출전, 토너먼트(*a chess* ~).
tour·ney[túərni, tɔ́:r-] *n., vi.* = TOURNAMENT ① (에 참가하다).
tour·ni·quet[túərnikit, tɔ́:r-] *n.* Ⓒ 지혈기(止血器).
tou·sle[táuzəl] *vt., n.* 헝클어뜨리다; (*sing.*) 헝클어진 머리. **~d**[-d] *a.* 헝클어뜨린.
tout[taut] *vi.* 《口》 성가시도록 권유하다; 강매하다(*for*); 《英》 (연습 중의 경마말의) 상태를 몰래 살피다〔정보를 제공하다〕; 《美俗》 정보 제공을 업으로 삼다. — *vt.* (…에게) 끈질기게 요구하다, 졸라대다(importune); 《英》 (말의) 상태를 살피다; 《美》 (상금의 배당에 한몫 끼려고, 말의) 정보를 제공하다. **⌐·er** *n.*
tout à fait[tù:t ɑ: féi] (F.) 아주, 완전히.
tout ensemble[tù:t ɑ̃:sɑ́:bl] (F.) 전체(적 효과).
·tow[1] [tou] *n., vt.* Ⓤ,Ⓒ ① (연안을 따라서) 배를 끌기〔끌다〕, 끌려가는 배. ② (소·개·수레 따위를) 밧줄로 끌다〔끌기〕, 끄는 밧줄. ***take in* ~** 밧줄로 끌다〔끌리다〕; 거느리다; 돌보아주다.
tow[2] *n., a.* Ⓤ 삼 부스러기(로 만든).
tów·age *n.* Ⓤ 예선(曳船)(료).
†to·ward[təwɔ́:rd, tɔ:rd] *prep.* ① …의 쪽으로, …에 대하여, …으로의, …가까이, 무렵(~ *the end of July* 7월이 끝날 무렵이 되어서). ② …을 위하여〔생각하여〕 (for). — [tɔ:rd/ tóuəd] *a.* 《古》 온순한; (*pred. a.*) 절박해 있는(*There is a wedding* ~. 곧 결혼식이 있다).
:to·wards[təwɔ́:rdz, tɔ:rdz] *prep.* 《英》 =TOWARD.
tów·awày *n., a.* Ⓤ,Ⓒ (주차 위반 차량의) 견인(철거)(의).
tówaway zòne 주차 금지 지대《위반차량은 견인함》.
tów·bòat *n.* =TUGBOAT.
tów càr 〔**trùck**〕 구난차(救難車)〔트럭〕, 레커차(wrecker).
:tow·el[táuəl] *n., vt.* (《英》 **-ll-**) Ⓒ 타월, 세수 수건(으로 닦다). ***throw*** 〔***toss***〕 ***in the* ~** 〖拳〗 (패배의 인정으로) 타월을 (링에) 던지다; 《口》 패배를 인정하다, 항복하다. **~·(l)ing** *n.* Ⓤ 타월감〔천〕.
tówel hòrse 〔**ràck**〕 타월걸이.
†tow·er[táuər] *n.* Ⓒ 탑, 성루(城樓); 성채, 요새. — *vi.* 높이 솟아오르다, 우뚝 솟다. **·~·ing** *a.* 높이 솟은; 거대한; 맹렬한. **~·y** *a.* 탑이 있는〔많은〕; 높이 솟은.
tów·hèad *n.* Ⓒ 엷은 황갈색 머리(의 사람).
tów·lìne *n.* Ⓒ (배의) 끄는 밧줄.
†town[taun] *n.* ① Ⓒ 읍(邑), 소도시; 《관사 없이》 (자기 고장) 근처의 주요 도시, 지방의 중심지; 번화가, 상가; 〖英史〗 성아래 (도시). ② 《집합적》 (the ~) 읍민, 시민. ***a man about* ~** 놀고 지내는 사람《특히 런던의》. ***go down* ~** 《美》 상가에 가다. **~ *and gown*** (Oxf. 와 Camb. 의) 시민측과 대학측.
tówn clérk (읍〔시〕사무소의) 서기.
tówn cóuncil 시〔읍〕의회.
tówn cóuncilor 읍〔시〕의회 의원.
tówn críer (옛날에 공지사항을) 알리면서 다니던 읍직원.
tówn gàs 도시 가스. 「당.
tówn háll 읍사무소, 시청, 공회
tówn hòuse 도시의 저택《시골에 country house가 있는 사람의》.
tówn méeting 읍〔시〕민 대회; 《美》 (New England의) 군구(郡區) 대표자회(의).
tówn plánning 도시 계획.
tówn·scàpe *n.* Ⓒ 도시 풍경(화); Ⓤ 도시 조경법.

T

tówns·fòlk *n. pl.*《집합적》도시 주민; 읍민.

***tówn·shìp** *n.* Ⓒ《英》읍구(邑區); 《美·캐나다》군구(郡區); 〖英史〗(교구의) 분구(分區).

***towns·man**[⌐zmən] *n.* Ⓒ 도회지 사람; 읍민, 읍내 사람; 《美》도시 행정 위원.

tówns·pèople *n., pl.* =TOWNSFOLK.

tówn tàlk 읍내의 소문; 소문의 근원.

tów·pàth *n.* Ⓒ (강·운하 연안의) 배 끄는 길.

tów·ròpe *n.* =TOWLINE.

tox·ae·mi·a, tox·e·mi·a[taksí:miə/tɔk-] *n.* Ⓤ 독혈증(毒血症).

tox·ic[táksik/-ɔ́-] *a.* (중)독의.

tox·i·col·o·gy[tàksikálədʒi/tɔ̀ksikɔ́l-] *n.* Ⓤ 독물학. **-co·log·i·cal** [⌐-kəládʒikəl/-ɔ́-] *a.* **-cól·o·gist** *n.* Ⓒ 독물학자.

tox·in[táksin/-ɔ́-] *n.* Ⓒ 독소.

†toy[tɔi] *n.* Ⓒ ① 장난감(같은 물건). ② 하찮은 것. ***make a ~ of*** 희롱하다. — *vi.* 장난하다; 희롱하다(*with*); 시시덕거리다(*with*).

Toyn·bee[tɔ́inbi], **Arnold Joseph** (1889–1975) 영국의 역사가.

tóy·shòp *n.* Ⓒ 장난감 가게.

Tr 〖化〗 terbium.

†trace[1] [treis] *n.* ① Ⓤ,Ⓒ (보통 *pl.*) 발자국; 형적, 흔적. ② (a ~) 기미, 조금(*of*). ③ Ⓒ 선, 도형. ④ 〖컴〗 뒤쫓기, 추적. (***hot***) ***on the ~s of*** (…을) 추적하여. — *vt.* ① (…의) 추적하다; 발견하다; 더듬어 가다, (…의) 유래를 조사하다. ② (선을) 긋다, (그림을) 그리다, 베끼다, 투사(透寫)하다. ③ (창문에) 장식 무늬(tracery)를 붙이다. — *vi.* 뒤를 밟다; 나아가다. ~ ***back*** 더듬어 올라가다. ~ ***out*** 행방을 찾다; 베끼다, 그리다; 획책하다. **⌐·a·ble** *a.* trace할 수 있는.

trace[2] *n.* Ⓒ (마차 말의) 봇줄. ***in the ~s*** 봇줄에 매이어; 매일의 일에 종사하여(in harness). ***kick over the ~s*** 말을 안 듣다.

tráce èlement 〖生化〗 미량(微量) 원소《체내의 미네랄 따위》.

trac·er[⌐ər] *n.* Ⓒ 추적자; 투사(透寫) 용구; 유실물 조사계; 분실물[행방불명자] 수사 연락[조회]; 〖軍〗 예광탄; 〖化·生〗 추적자(子)《유기체내의 물질의 진로·변화 등을 조사하기 위한 방사성 동위원소》; 〖컴〗 추적 루틴(routine).

trácer àtom [**èlement**] 추적자(子), 추적 원소.

trácer bùllet 예광탄.

trac·er·y[tréisəri] *n.* Ⓤ,Ⓒ 장식 무늬 창살.

tra·che·a[tréikiə/trəkí:ə] *n.* (*pl.* ***-cheae***[-kiì:], **~s**) Ⓒ 〖解〗 기관(氣管).

tra·che·i·tis [trèikiáitis/træ̀k-] *n.* Ⓤ 〖醫〗 기관염.

tra·che·ot·o·my [trèikiátəmi/træ̀kiɔ́t-] *n.* Ⓤ,Ⓒ 〖醫〗 기관 절제술.

tra·cho·ma[trəkóumə] *n.* Ⓤ 〖醫〗 트라코마.

***trac·ing**[tréisiŋ] *n.* Ⓤ 추적; 투사, 복사; Ⓒ 자동 기록 장치의 기록.

trácing pàper 투사지, 복사지.

:track[træk] *n.* ① Ⓒ 지나간 자국, 흔적; (종종 *pl.*) 발자국. ② Ⓒ 통로; (인생의) 행로; 상도(常道); 궤도, 선로; 경주로, 트랙(*a race ~*). ③ Ⓤ《집합적》육상 경기. ④ Ⓒ〖컴〗 트랙. ***in one's ~s***《口》즉석에서, 곧. ***in the ~ of*** …의 예에 따라서, …의 뒤를 따라; …의 도중에. ***keep*** [***lose***] ***~ of*** …을 놓치지 않다[놓치다]. ***make ~s***《俗》떠나다, 도망치다. ***off the ~*** 탈선하여; 주제에서 탈선해서; (사냥개가) 냄새 자취를 잃고, 잘못하여. ***on the ~*** 궤도에 올라; 단서를 잡아서(*of*); 올바르게. — *vt.* ① (…에) 발자국을 남기다; (진흙·눈 따위를) 신발에 묻혀 들이다(*into*). ② 추적하다(*down*); 찾아 내다(*out*). ③ (배를) 끌다. **⌐·er** *n.* Ⓒ 추적자; 배를 끄는 사람; 사냥 안내인. **⌐·less** *a.* 길[발자국] 없는.

track·age[⌐idʒ] *n.* Ⓤ《집합적》(어떤 철도의) 전선(로)(全線(路)); Ⓤ,Ⓒ (다른 회사) 궤도 사용권[료].

tráck and fíeld 육상 경기.

tráck bàll 〖컴〗 트랙 볼《ball을 손가락으로 이동시켜 CRT 화면상의 cursor를 이동시켜 그래픽 정보를 입력시키는 장치》.

tráck dénsity 〖컴〗 트랙 밀도.

tráck evènts 트랙 종목《러닝·허들 따위》.

trácking stàtion (인공위성) 추적소, 관측소.

tráck mèet 육상 경기회.

trácks per ínch 〖컴〗 트랙/인치《플로피 디스크 등의 트랙 밀도를 나타내는 단위》.

tráck sỳstem《美》학력별 반편성.

:tract[1] [trækt] *n.* Ⓒ ① 넓은 땅, 지역; (하늘·바다의) 넓이. ②《古》기간. ③ 〖解〗 관(管), 계통.

tract**[2] (<tractate) *n.* Ⓒ 소논문, 소책자, (종교 관계의) 팜플렛. ***Tracts for the Times, Oxford movement의 소론집.

trac·ta·ble[trǽktəbəl] *a.* 유순한; 세공하기 쉬운. **-bil·i·ty**[⌐-bíləti] *n.*

trac·tate[trǽkteit] *n.* Ⓒ (소)논문.

trac·tile[trǽktil, -tail] *a.* 잡아 늘일 수 있는. **-tíl·i·ty** *n.* Ⓤ 신장성.

trac·tion[trǽkʃən] *n.* Ⓤ 견인(력)(牽引(力)), (바퀴 따위의) 마찰(friction). **~·al** *a.* **trác·tive** *a.* 견인하는.

tráction èngine 노면(路面) 견인 기관차.

***trac·tor**[trǽktər] *n.* Ⓒ ① 끄는 도구. ② 트랙터; 견인차. ③ 앞 프로펠러식 비행기.

tráctor-tráiler *n.* Ⓒ 견인 트레일러.

T

trad[træd] *a.* 《주로 英口》 =TRADITIONAL.

†**trade**[treid] *n.* ① Ⓤ 매매, 상업; 거래(***make a good*** ~); 무역. ② Ⓒ 직업, 손일《목수·미장이 등》. ③ Ⓤ 《집합적》 (동)업자들; 고객. ④ Ⓒ 《美》 (정당간의) 거래, 타협. ⑤ (the ~s) 무역풍. ***be good for*** ~ 살 마음을 일으키게 하다. ~ ***première*** 〖映〗 (동업자만의) 내부 시사회. — *vi.* ① 장사〔거래〕하다(*in, with*); 사다; 교환하다(~ *seats*). ② (정당 등이) 뒷거래하다. — *vt.* 팔다, 매매하다. ~ ***away*** 〔***off***〕 팔아버리다. ~ ***in*** (물품을) 대가로 제공하다. ~ ***on*** (…을) 이용하다.

tráde agrèement 노동〔무역〕협정.

tráde bàlance 무역 수지.

tráde bòok 일반용〔대중용〕책.

tráde cỳcle 《英》 경기 순환.

tráde dèficit 무역 수지의 적자.

tráde dìscount 〖商〗 (동)업자간의 할인.

tráde edìtion 시중판(版), 보급판.

tráde gàp 무역의 불균형.

tráde-ìn *n.* Ⓒ 대가의 일부로서 제공하는 물품《중고차 따위》.

tráde jòurnal 업계지(誌).

tráde-làst *n.* Ⓒ 《口》 교환 조건으로의 칭찬의 말, '구수한 이야기'《이것을 상대에게 이야기해 주고 동시에 상대로부터도 제 3자가 한 칭찬의 말을 듣기로 함; 생략 TL》.

***tráde·màrk** *n.* Ⓒ (등록) 상표.

tráde mìssion 무역 사절단.

tráde nàme 상표〔상품〕명; 상호.

tráde pàct 무역 협정.

tráde prìce 도매 가격.

:**trad·er**[⌐ər] *n.* Ⓒ 상인; 상선.

tráde ròute 통상(항)로.

tráde schòol 실업 학교.

trádes·fòlk *n. pl.* =TRADESPEOPLE.

***trades·man**[⌐zmən] *n.* Ⓒ 《英》 소매상인.

trádes·pèople *n.* 《복수 취급》 상인; 《英》 《집합적》 소매상 (가족·계급).

tráde(s) únion (직업별) 노동 조합.

tráde(s) únionism 노동 조합 제도.

tráde(s) únionist 노동 조합원〔조합주의자〕.

tráde wìnd 무역풍.

tráding còmpany 〔**concèrn**〕 상사(商事) 회사.

tráding estáte 《英》 산업 지구.

tráding pòst 미개지의 교역소(交易所).

tráding stàmp 경품권《몇 장씩 모아서 경품과 교환함》.

:**tra·di·tion**[trədíʃən] *n.* Ⓤ,Ⓒ ① 전설, 구전. ② 관례, 인습, 전통. ③ 〖宗〗 (모세 또는 예수와 그 제자로부터 계승한) 성전. ~**·al,** ~**·ar·y** *a.* 전설(상)의; 전통〔인습〕적인.

tra·duce[trədjú:s] *vt.* 중상하다 (slander). ~**·ment** *n.* **tra·dúc·er** [-ər] *n.*

Tra·fal·gar[trəfǽlgər] *n.* 스페인 남서 해안의 곶(岬)《1805년 그 앞바다에서 Nelson이 프랑스·스페인 연합 함대를 격파하였음》.

Trafálgar Squáre 런던의 광장《Nelson 기념주(柱)가 있음》.

†**traf·fic**[trǽfik] *n.* Ⓤ ① (사람·수레·배의) 왕래; 교통, 운수(량). ② 거래, 무역(*in*); 교제. ③ 화물(의 양), 승객(수). ④ 〖컴〗 소통(량). — *vt., vi.* (**-ck-**) 장사〔거래〕하다, 무역하다(*in, with*); (명예를) 팔다 (*for, away*).

traf·fi·ca·tor[trǽfəkèitər] *n.* Ⓒ (자동차의) 방향 지시기.

tráffic cìrcle 《美》 원형 교차점, 로터리.

tráffic contròl 교통 정리.

tráffic contról sỳstem 〖컴〗 소통 제어 체계.

tráffic còp 《美口》 교통 순경.

tráffic còurt 교통 재판소.

tráffic ìsland (가로의) 안전지대.

tráffic jàm 교통 마비〔체증〕.

traf·fick·er[trǽfikər] *n.* 〖蔑〗 상인, 무역업자.

tráffic polìceman 교통 순경.

tráffic sìgn 교통 표지.

tráffic sìgnal 〔**lìght**〕 교통 신호(기)〔신호등〕.

tráffic tìcket 교통 위반 딱지.

tráffic wàrden 《英》 교통 지도원.

:**trag·e·dy**[trǽdʒədi] *n.* Ⓤ,Ⓒ 비극; 참사. **tra·ge·di·an**[trədʒí:diən] *n.* (*fem.* ***-dienne***[-dién]) Ⓒ 비극 배우〔작가〕.

:**trag·ic**[trǽdʒik], **-i·cal**[-əl] *a.* 비극의; 비극적인; 비참한. **trag·i·cal·ly** *ad.*

trag·i·com·e·dy[trӕdʒəkámədi/-ɔ́-] *n.* Ⓤ,Ⓒ 희비극. **-cóm·ic, -i·cal** *a.*

:**trail**[treil] *vt.* ① (옷자락 따위를) 질질 끌다, 늘어뜨리다; 끌며 〔늘어뜨리며〕 가다. ② (…의) 뒤를 쫓다 (follow); 길게 이야기하다; (풀을) 밟아서 길을 내다. — *vi.* ① 질질 끌리다; (머리카락·밧줄 따위가) 늘어지다; 꼬리를 끌다. ② (담쟁이·뱀 따위가) 기다; 옆으로 뻗치다; 발을 끌며 걷다(*along*). ③ (목소리 따위가) 점점 사라지다. — *n.* Ⓒ ① (발)자국; (사냥 짐승의) 냄새 자국. ② 오솔길; 늘어진 것; (연기·구름의) 옆으로 뻗침. ③ 단서. ***off the*** ~ 냄새 자국을 잃고, 길을 잃고. ***on the*** ~ ***of*** …을 추적하여.

†**trail·er**[⌐ər] *n.* Ⓒ ① 끄는 사람〔것〕. ② 만초(蔓草). ③ 추적자; 동력차에 끌리는 차, 트레일러. ④ 〖映〗 예고편(prevue); (필름의) 감은 끝의 공백의 부분(cf. leader). ⑤ 〖컴〗 정보 꼬리.

tráiler bùs 견인차가 달린 대형 버스.

tráiler còach 《美》 이동 주택차.

tráiler càmp 〔**còurt, pàrk**〕 이동 주택 주차지.

tráiler pùmp 이동 소방 펌프.

T

tráiling plànt 덩굴풀, 만초(蔓草).
†**train**[trein] *vt.* ① 훈련〔양성·교육〕하다; (말·개 따위를) 훈련시키다, 길들이다. ② 〖園藝〗 손질하여 가꾸다(~ *the vine over a pergola* 퍼골라에 포도 덩굴을 뻗어 나가게 하다). ③ (포를) 돌리다(*upon*). ④《古》 꾀다, 유혹하다(allure). — *vi.* ① 훈련〔연습〕하다; 몸을 단련하다(~ *for races*). ②《美俗》사이좋게 하다(*with*.) ~ ***down*** (선수가) 단련하여 체중을 줄이다. ~ ***it*** 기차로 가다. — *n.* ① Ⓒ 뒤에 끄는 것, 옷자락; (새·혜성의) 꼬리. ② Ⓒ 열차(*by* ~); 기차 여행. ③ (보통 *sing.*) 열, 행렬; 연속(되는 것). ④《집합적》 일행; 종자(從者), 수행원. ⑤ Ⓤ《古》 차례, 순서(*in good* ~ 준비가 잘 갖추어져). ***down*** 〔***up, through***〕 ~ 하행〔상행, 직통〕 열차. **∠·a·ble** *a.* ~**ed**[-d] *a.* (정식으로) 양성〔훈련〕된, 단련된. ~**·ée** *n.* Ⓒ 훈련을 받는 사람; 직업 교육을 받는 사람; 《美》 신병. **∠·er** *n.* Ⓒ 훈련자; 조교사(調教師); 지도자, 트레이너; 〖美軍〗 조준수(照準手); 〖園藝〗 덩굴 식물을 얹는 시렁, 〖英空軍〗 훈련용 비행기.
tráin·bèarer *n.* Ⓒ (의식 때) 옷자락 들어주는 사람.
tráined núrse 유자격 간호사.
tráin fèrry (열차를 실은 채 건너는) 열차 연락선.
:**train·ing**[∠iŋ] *n.* Ⓤ ① 훈련, 교련, 트레이닝; (말의) 조교(調教). ② (경기의) 컨디션. ③ 정지법(整枝法), 가지 다듬기, 가꾸기.
tráining cȯllege 《英》 교원 양성소, 교육 대학. 「훈련소.
tráining schȯol 양성소; 소년원,
tráining sèat 소아용 서양식 변기.
tráining shìp 연습선, 연습함.
tráining squàdron 연습 함대.
tráin·lòad *n.* Ⓒ 열차 적재량.
train·man[∠mən] *n.* Ⓒ《美》 열차 승무원; (특히) 제동수.
tráin òil 경유(鯨油), 어유(魚油).
tráin-spòtter (열차의 형이나 번호를 외어 분별하는) 열차 매니아.
traipse[treips] *vi.* 《口》 싸다니다, 어정거리다; 질질 끌리다《치마 등이》.
***trait**[treit] *n.* Ⓒ 특색; 특징; 얼굴 모습.
trai·tor**[tréitər] *n.* (*fem.* ***-tress[-tris]) Ⓒ 반역자, 매국노; 배반자(*to*). ~**·ous** *a.*
tra·jec·to·ry[trədʒéktəri, trǽdʒik-] *n.* Ⓒ 탄도; (혜성·혹성의) 궤도.
:**tram**[træm] *n.* Ⓒ 궤도(차); 《英》 시가 전차; 석탄차, 광차(鑛車).
:**trám·càr** *n.* Ⓒ 《英》 시가 전차(《美》 streetcar). 「《英》 전차선로.
trám·líne[∠làin] *n.* Ⓒ (보통 *pl.*)
tram·mel[trǽməl] *n.* Ⓒ 말의 족쇄《조교용(助教用)》; (보통 *pl.*) 속박, 구속(물); 물고기〔새〕 그물; (pot 따위를 거는) 만능 갈고리; (*pl.*) 타원 컴퍼스. — *vi.* (《英》 ***-ll-***) 구속하다; 방해하다. ~**·(l)ed**[-d] *a.* 구속된.
:**tramp**[træmp] *vi.* ① 짓밟다(*on, upon*); (무겁게) 쿵쿵 걷다. ② 터벅터벅 걷다; 도보 여행하다, 방랑하다. — *vt.* (…을) 걷다; 짓밟다. — *n.* ① (*sing.* 보통 the ~) 무거운 발소리. ② Ⓒ 방랑자; 방랑 생활; 긴 도보 여행. ③ Ⓒ 〖海〗 부정기 화물선. ④ Ⓒ《美俗》 매춘부. ***on*** (***the***) ~ 방랑하여. **∠·er** *n.*
:**tram·ple**[trǽmpəl] *vt., vi.* 짓밟다, 유린하다; 심하게 다루다, 무시하다(~ *down;* ~ *under foot*). — *n.* Ⓒ 짓밟음, 짓밟는 소리.
tram·po·lin(e)[trǽmpəlìːn, ⌐–∠] *n.* Ⓒ 트램펄린《쇠틀 안에 스프링을 단 즈크의 탄성을 이용하여 도약하는 운동 용구》.
trámp stéamer 부정기 화물선.
trám·ròad *n.* Ⓒ (보통 *pl.*) (특히 광산 따위의) 궤도, 광차도(道).
trám·wày *n.* =TRAMLINE.
***trance**[træns, -ɑː-] *n., vt.* Ⓒ 꿈결, 비몽 사몽, 황홀〔혼수〕 상태(로 만들다).
tran·quil**[trǽŋkwil] *a.* (《英》 ***-ll-) 조용한; 평온한. ~**·lize**[-àiz] *vt., vi.* 진정시키다〔하다〕; 조용하게 하다, 조용해지다. ~**·ly** *ad.* ~**·ness** *n.*
***tran·quíl·(l)i·ty** *n.*
trans. transitive; transportation.
trans-[træns, trænz] *pref.* '횡단; 관통(*trans*atlantic)', '초월, 저쪽(*trans*alpine)', '변화(*trans*form)' 등의 뜻.
***trans·act**[trænsǽkt, -z-] *vt.* 취급하다, 처리하다; 하다 (do). — *vi.* 거래하다(deal)(*with*). **trans·ác·tion** *n.* Ⓤ,Ⓒ 처리; 거래; (*pl.*) (학회의) 보고서, 의사록; 〖컴〗 변동 자료《생략:TA》. **-ác·tor** *n.* 「철.
transáction file 〖컴〗 변동(기록)
transáction análysis 〖心〗 교류 분석《미국의 정신과의 Eric Berne이 시작한 심리 요법; 생략 TA》.
trans·al·pine[trænsǽlpain, -z-, -pin] *a., n.* Ⓒ (이탈리아쪽에서) 알프스 저편의 (사람).
trans·at·lan·tic[trӕnsətlǽntik, -z-] *a., n.* Ⓒ (보통 유럽측에서) 대서양 건너의 (사람), 아메리카의 (사람); 대서양 횡단의 (기선).
trans·ceiv·er[træn ssíːvər] *n.* Ⓒ 라디오 송수신기.
tran·scend[trænsénd] *vt., vi.* 초월하다; 능가하다(excel). (*It*) ~***s description.*** 필설로는 다할 수 없다.
tran·scend·ence[trænséndəns], **-en·cy**[-i] *n.* Ⓤ 초월, 탁월; (신의) 초절성(超絶性). **-ent** *a., n.* 뛰어난, Ⓒ 탁월한(superior) (사람·물건); 물질계를 초월한 (신); 불가해(不可解)한; 〖칸트哲學〗 ('transcendental'과 구별하여) 초절적인.
tran·scen·den·tal[trӕnsendéntl] *a.* =TRANSCENDENT; 초자연적인; 모호한; 추상적인; 이해할 수 없

는; 〖칸트哲學〗 ('transcendent'와 구별하여) 선험적인; 〖數〗 초월 함수의. **~·ism**[-təlìzəm] *n.* Ⓤ 모호(함); 환상(성), 변덕; 불가해; (Kant의) 선험론; (Emerson의) 초절론. **~·ist**[-təlist] *n.* Ⓒ 선험론자, 초절론자.

trans·con·ti·nen·tal[trӕnskɑntənéntl, trӕnz-/trǽnzkɔ̀n-] *a.* 대륙 횡단의, 대륙 저쪽의.

***tran·scribe**[trӕnskráib] *vt.* 베끼다; 전사(轉寫)하다; (다른 악기용 따위로) 편곡하다; 녹음(방송)하다. ***tran·scríp·tion** *n.* Ⓤ 필사(筆寫), Ⓒ,Ⓤ 편곡; 녹음.

***tran·script**[trǽnskript] *n.* Ⓒ 베낀 것, 사본, 등본.

trans·duc·er [trӕnsdjú:sər] *n.* Ⓒ 〖理〗 변환기(變換器).

tráns·èarth *a.* 〖宇宙〗 지구로 향하는.

tran·sept[trǽnsept] *n.* Ⓒ 〖建〗 (십자형식 교회당의 좌우의) 수랑(袖廊)(의 총칭).

:trans·fer[trǽnsfər] *n.* ① Ⓤ,Ⓒ 전환, 이동, 전임, 전학; Ⓤ (권리의) 이전, (재산의) 양도. ② Ⓤ 치환(置換), (명의의) 변경. ③ Ⓤ 대체(對替), 환(換). ④ Ⓤ 갈아타기; Ⓒ 갈아타는 표. ⑤ Ⓤ 〖컴〗 이송, 옮김. — [trӕnsfə́:r] *vt., vi.* (*-rr-*) 옮(기)다, 나르다; 양도하다; 전사(轉寫)하다; 전임시키다〔되다〕; 갈아타다. ***transferred epithet*** 〖文〗 전이(傳移) 수식 어구《보기: a man of *hairy* strength 털 많은 힘센 남자》. **~·a·ble** *a.* **~·ee**[ˌfərí:] *n.* **~·ence** [trӕnsfə́:rəns, ˊfər-] *n.* Ⓤ,Ⓒ 이동, 전송(轉送); Ⓤ 양도; 〖精神分析〗 (어릴 때 감정의, 새 대상으로의) 전이(轉移). **~·(r)er,** 〖法〗 **~·or**[-fə́:rər] *n.*

tránsfer cómpany 《美》 근거리 운송 회사《두 터미널 역 구간 등》.

tránsfer RNÁ 〖遺傳〗 전이 RNA, 운반 RNA.

tránsfer tàble 〖鐵〗 (지상식) 천차대(遷車臺).

tránsfer tàx 상속세; 양도세.

trans·fig·u·ra·tion[trӕnsfigjəréiʃən] *n.* Ⓤ,Ⓒ 변형, 변모; (the T-) (예수의) 변형《마태 복음 17:2》, 현성용(顯聖容) 축일《8월 6일》.

trans·fig·ure[trӕnsfígjər, -gər] *vt.* 변모〔변용〕시키다; 거룩하게 하다, 이상화하다.

trans·fix[-fíks] *vt.* 꿰뚫다; (못박은 것처럼) 그 자리에서 꼼짝 못 하게 하다. **~·ion** *n.*

:trans·form[-fɔ́:rm] *vt.* ① 변형시키다, 바꾸다(*into*). ② 〖電〗 변압하다. ③ 〖컴〗 변화하다. **~·a·ble** *a.* **~·er** *n.* Ⓒ 변형〔변화〕시키는 사람〔것〕; 변압기. ***trans·for·ma·tion** [ˌfərméiʃən] *n.* Ⓤ,Ⓒ 변형, 변화; 변압; 〖컴〗 변환; Ⓒ (여자의) 다리.

trans·for·má·tion·al grámmar [trӕnsfərméiʃənəl-] 〖言〗 변형 문법.

transformátion scène (막을 내리지 않는) 빨리 변하는 장면.

transformátion thèory 〖文〗 변형설.

trans·fuse[trӕsfjú:z] *vt.* 옮겨 붓다, 갈아 넣다; 스며들게 하다(*into*); 고취하다(instill)(*into*); 〖醫〗 수혈하다. **trans·fú·sion** *n.*

***trans·gress** [trӕnsgrés, -z-] *vt.* (…의) 한계를 넘다; (법을) 범하다 (violate). — *vi.* 법률을 범하다; 죄를 범하다(sin). **-grés·sor** *n.* **-grés·sion** *n.*

tran·ship[trӕnʃíp] *v.* =TRANSSHIP.

***tran·sient**[trǽnʃənt, -ziənt] *a., n.* 일시적인, 덧없는; Ⓒ《美》 단기 체류의 (손님). **~·ly** *ad.* **~·ness** *n.* **-sence, -sien·cy** *n.*

tránsient prógram 〖컴〗 비상주 풀그림〔프로그램〕.

tran·sis·tor[trӕnzístər, -sís-] *n.* Ⓒ 〖無電〗 트랜지스터《게르마늄 따위의 반도체(半導體)를 이용한 증폭 장치》.

***tran·sit** [trǽnsit, -z-] *n.* ① Ⓤ 통과, 통행; 운송; Ⓒ 통로. ② Ⓤ,Ⓒ 〖天〗 자오선 통과. ③ Ⓤ 경과; 변천. ④ Ⓤ 〖컴〗 거쳐 보냄. — *vt.* 횡단하다; (…을) 통과하다.

tránsit cìrcle 〖天〗 =TRANSIT INSTRUMENT.

tránsit dùty 통행세.

tránsit ìnstrument 〖天〗 자오의(儀); 〖測〗 전경의(轉鏡儀), 트랜싯.

***tran·si·tion** [trӕnzíʃən, -sí-/-síʒən, -zíʃən] *n.* Ⓤ,Ⓒ 변천, 변이(變移); 과도기; 〖樂〗 (일시적) 전조(轉調)(cf. transposition). **~·al** *a.*

transítion pèriod 과도기.

:tran·si·tive[trǽnsətiv, -zi-] *a., n.* 〖文〗 타동의; Ⓒ 타동사. **~·ly** *ad.*

tránsitive vérb 〖文〗 타동사.

tran·si·to·ry [trǽnsətɔ̀:ri, -z-/-təri] *a.* 일시의, 일시적인, 오래 가지 않는, 덧없는, 무상한. **-ri·ly** *ad.*

tránsit vìsa 통과 사증.

trans·gen·ic [trӕnsdʒénik, trӕnz-] *a.* 이식 유전자의〔에 의한〕.

Trans·jor·dan [trӕnsdʒɔ́:rdn, trӕnz-] *n.* Jordan 왕국의 옛 이름.

:trans·late[trӕnsléit, -z-, ˊˊ] *vt.* 번역하다; 해석하다; 《俗》 (구두 따위를) 고쳐 만들다; 이동시키다; (행동으로) 옮기다; 〖컴〗 (프로그램·자료·부호 등을 딴 언어로) 번역하다. — *vi.* 번역하다〔되다〕. **trans·lá·tion** *n.* Ⓤ,Ⓒ 〖컴〗 번역. **trans·lá·tor** *n.* Ⓒ 번역자; 〖컴〗 번역기.

trans·lit·er·ate [trӕnslítərèit, -z-] *vt.* 자역(字譯)하다, 음역하다. **-a·tion**[-ˌˌéiʃən] *n.*

trans·lu·cent[-lú:sənt] *a.* 반투명의.

trans·mi·grate[-máigreit] *vi.* 이주하다; 다시 태어나다. **-gra·tor** *n.* **-gra·tion**[ˌˌgréiʃən] *n.* Ⓤ,Ⓒ 이주; 전생(轉生), 윤회(輪廻).

trans·mis·si·ble[-mísəbəl] *a.* 전할〔옮길〕 수 있는; 전달되는, 보내지는. **-sion** *n.* Ⓤ 전달, 송달; 전염; Ⓒ 전달되는 것; (자동차의) 전동(電動) 장치; 송신, 방송; Ⓤ 〖理〗 (빛 따위의) 전도; 〖生〗 형질(形質) 유전; 〖컴〗 전송. **-sive** *a.* 보내지는, 보내는. 「속도.
transmíssion spèed 〖컴〗 전송
***trans·mit**[-mít] *vt.* (**-tt-**) ① 보내다, 회송하다. ② 전달〔매개〕하다. ③ (빛·열을) 전도하다. ④ 송신하다, 방송하다. ⑤ (재산을) 전해 물리다; (못된 병을) 유전하다. ⑥ 〖컴〗 (정보를) 전송하다. **~·tal** *n.* **~·table** *a.* **~·tance** *n.* **~·ter** *n.* Ⓒ 회송〔전달〕자; 유전체; 송신기, 송화기; (무전) 송파기.
trans·mute[-mjú:t] *vt.* 변화〔변질〕 시키다. **trans·mu·ta·tion**[⌐—téiʃən] *n.*
trans·o·ce·an·ic[trænsouʃiǽnik, -z-] *a.* 해외의, 대양 횡단의.
tran·som[trǽnsəm] *n.* 〖建〗 상인방, 가로대; 《美》 =⌐ **wìndow** 교창(交窓).
tran·son·ic[trænsánik/-ɔ́-] *a.* = TRANSSONIC.
trans·pa·cif·ic[trænspəsífik] *a.* 태평양 횡단의; 태평양 건너편의.
:trans·par·ent[trænspέərənt] *a.* 투명한; (문체 등이) 명료한; 솔직한; (변명이) 빤히 들여다뵈는. **-ence** *n.* Ⓤ 투명(도). **-en·cy** *n.* Ⓤ 투명(도); Ⓒ 투명화(畵). **~·ly** *ad.*
trans·pierce[trænspíərs] *vt.* 꿰뚫다, 관통하다.
tran·spi·ra·tion[trænspəréiʃən] *n.* Ⓤ 증발, 발산.
trans·pire[trænspáiər] *vi., vt.* 증발〔발산〕하다〔시키다〕; 배출하다; (비밀이) 새다(become known); (일이) 일어나다.
***trans·plant**[trænsplǽnt, -plá:nt] *vt.* (식물·피부 등을) 이식하다; 이주시키다. **trans·plan·ta·tion**[⌐—téiʃən] *n.*
:trans·port[trænspɔ́:rt] *vt.* 수송하다; 도취〔열중〕케 하다; 유형(流刑)에 처하다; 《廢》 죽이다. — [⌐⌐] *n.* ① Ⓤ 수송. ② Ⓒ 수송기, 수송선, 수송기관. ③ (a ~ 또는 *pl.*) 황홀, 도취, 열중. ④ Ⓒ 유형수. **~·a·ble** *a.* **~·er** *n.* **~·ive** *a.*
:trans·por·ta·tion [trænspə:rtéiʃən/-pɔ:rt-] *n.* Ⓤ 수송; 수송료; 수송 기관; 유형(流刑).
tránsport càfe 《英》 (간선 도로변의) 장거리 운전자용 간이 식당.
transpórter brìdge 운반교(橋) 《매어단 전차 비슷한 장치로 사람이나 물건을 나르는 다리》. 「부.
Transpórt Hòuse 《英》 노동당 본
transpórt shìp 운송선.
trans·pose[trænspóuz] *vt.* (위치·순서 따위를) 바꾸어 놓다, 전치(轉置)하다; 〖數〗 이항(移項)하다; 〖樂〗 이조(移調)하다. **trans·po·si·tion** [⌐pəzíʃən] *n.* (cf. transition).
tràns·séxual *a., n.* 성전환의; Ⓒ 성전환자; 성불명자.
trans·ship[tænsʃíp] *vt.* (**-pp-**) 다른 배〔차〕로 옮기다. **~·ment** *n.*
Trans-Si·be·ri·an[trænssaibíəriən, trænz-/-bíər-] *a.* 시베리아 횡단의.
tràns·sónic *a.* 〖空〗 음속에 가까운 《시속 700-780 마일》.
tran·sub·stan·ti·a·tion [trænsəbstænʃiéiʃən] *n.* Ⓤ 변질; 〖神〗 화체(化體), 〖가톨릭〗 성변화(聖變化) 《성체성사의 빵과 포도주가 예수의 살과 피로 변질하기》.
tran·sude[trænsjú:d] *vi.* 스며나오다《막(膜) 따위를 통하여》.
trans·u·ran·ic [trænsjurǽnik, -z-] *a.* 〖理〗 초(超)우란의. ***the ~ elements*** 초우란 원소.
trans·ver·sal [trænsvə́:rsəl, -z-] *a., n.* 횡단하는(transverse); Ⓒ 〖機〗 절단선(의).
***trans·verse**[trænsvə́:rs, -z-, ⌐—/⌐—] *a.* 가로의, 횡단하는, 교차하는.
trans·ves·(ti·)tism [trænsvés(tə)tizəm, trænz-] *n.* Ⓤ 복장 도착《이성의 복장을 하는 성도착》.
trans·ves·tite[-tait] *n.* Ⓒ 복장 도착자, 이성의 복장을 하는 사람.
:trap[1][træp] *n., vt.* (**-pp-**) Ⓒ ① 덫(에 걸리게 하다), 계략(에 빠뜨리다). ② (사격 연습용) 표적 날리는 장치 (cf. trapshooting). ③ 방취(防臭) U자관(管)(을 장치하다). ④ 뚜껑문(을 달다). ⑤ 2륜 마차. ⑥ (*pl.*) 타악기류. ⑦ (옷(감) 따위가) 못에 걸려 찢긴 곳. ⑧ 《英俗》 순경; 《俗》 입. ⑨ 〖컴〗 사다리. — *vi.* 덫을 놓다; 덫 사냥을 직업으로 하다.
trap[2] *n.* Ⓒ (*pl.*) 《口》 휴대품, 수하물. 「는) 사닥다리.
trap[3] *n.* Ⓒ 발판, (다락방으로 올라가
tráp dóor (지붕·마루의) 뚜껑문.
tra·peze[træpí:z/trə-] *n.* Ⓒ (체조·곡예용) 대형 그네.
tra·pez·ist[træpí:zist] *n.* Ⓒ (서커스의) 그네 곡예사(trapeze artist).
tra·pe·zi·um[trəpí:ziəm] *n.* (*pl.* **~s, -zia**[-ziə]) Ⓒ 《英》 사다리꼴; 《美》〖幾〗 부등변 사각형.
trap·e·zoid[trǽpəzɔ̀id] *n., a.* Ⓒ 《英》 부등변 사각형(의); 《美》 사다리꼴(의).
***trap·per**[trǽpər] *n.* Ⓒ 덫을 놓는 사람, (모피를 얻기 위해) 덫으로 새·짐승을 잡는 사냥꾼(cf. hunter).
trap·pings[trǽpiŋz] *n. pl.* 장식, 장신구; 말 장식.
Trap·pist[trǽpist] *n.* 트래피스트회 《프랑스의 La Trappe 창립(1664)》의 수사《계율 엄격》.
tráp·shòoting *n.* Ⓤ 트랩 사격.
***trash**[træʃ] *n.* Ⓤ 쓰레기, 잡동사니; 객담. **⌐·y** *a.*
trásh càn 쓰레기통.
trau·ma[trɔ́:mə, tráu-] *n.* (*pl.*

-mata[-mətə]) U,C 〖醫〗 외상(성 증상). **trau·mat·ic**[-mǽtik] *a.*

***tra·vail**[trəvéil, trǽveil] *n.* U 산고(産苦), 진통(*in* ~); 고생, 노고. — *vi.* 《雅》 고생하다; 진통으로 괴로워하다.

†**trav·el**[trǽvəl] *vi.* (《英》 ***-ll-***) 여행하다; 이동하다; 팔고 다니다(*for, in*); (피스톤이) 움직이다; (생각이) 미치다. — *vt.* (…을) 걷다, 지나가다(~ *a road*); (…을) 여행하다. — *n.* U 여행; (*pl.*) 여행기, 기행(*Gulliver's Travels*). **~ed,** 《英》 **~led**[-d] *a.* 여행에 익숙한, 여행을 많이 한. **~·er,** 《英》 **~·ler** *n.* C 여행자; 순회 외교원; 이동 기중기; 〖船〗 고리도르래.

trável àgency [**bùreau**] 여행사, 여행 안내소.

trável àgent 여행 안내업자.

tráveler's chèck 여행자용 수표.

tráveler's tàle 허풍.

‡**trav·el·ing**, 《英》 **-el·ling** [trǽvliŋ] *n., a.* U 여행(의); 이동(하는).

tráveling líbrary 순회 도서관; 이동 도서관.

tráveling póst òffice 이동 우체국.

tráveling sálesman 《美》 순회 판매원, 주문 맡는 사람.

trav·e·log(**ue**)[trǽvəlɔ̀:g, -lɑ̀g/-lɔ̀g, -lòug] *n.* C (슬라이드·영화 등을 이용하는) 여행담; 기행 영화.

trável sìckness 멀미.

trável tràiler 여행용 이동 주택.

‡**trav·erse** [trǽvə:rs, trəvə́:rs] *vt.* 가로지르다, 횡단하다; 방해하다(thwart). — *vi.* 가로지르다; (산에) 지그재그 모양으로 오르다. — *n.* C 횡단(거리); 가로장; 방해(물); (돛배의) 지그재그 항로; 지그재그 등산(길). — ***a., ad.*** 횡단의, 횡단해서.

tráverse ròd (활차 달린) 커튼 레일.

tráverse tàble 〖鐵〗 천차대(遷車臺)《차를 다른 선로로 옮기는 데 쓰임》; 〖海〗 경위표(經緯表), 방위표.

trawl[trɔ:l] *n., vi., vt.* C 트롤망(網)(으로 잡다), 트롤 어업을 하다; 《美》 주낙(으로 낚다). **∠·er** *n.* C 트롤선(船)[어부].

tráwl lìne 주낙.

tráwl·nèt *n.* C 트롤망, 저인망.

‡**tray**[trei] *n.* C 쟁반; 얕은 접시[상자].

tráy àgricùlture 《美》 수경법(水耕法).

T.R.C. Thames Rowing Club.

***treach·er·y**[trétʃəri] *n.* U 배신, 배반; 반역(treason); C (보통 *pl.*) 배신 행위. **treach·er·ous** *a.* 배반[반역]의; 믿을 수 없는.

trea·cle[trí:kəl] *n.* U 《英》 당밀(糖蜜).

trea·cly[trí:kəli] *a.* 당밀 같은; (말 따위가) 달콤한; 찐득거리는.

‡**tread**[tred] *vi., vt.* (***trod,*** 《古》 ***trode; trodden, trod***) ① 밟다, 걷다, 짓밟다, 밟아 뭉개다(*on, upon*). ② (수새가) 교미하다(*with*). **~ *down*** 밟아 다지다, 짓밟다; (감정·상대를) 억누르다. **~ *in a person's steps*** 아무의 본을 받다, 아무의 전철을 밟다. **~ *lightly*** (미묘한 문제 따위를) 교묘하게 다루다(show tact). **~ *on air*** 기뻐 날뛰다. **~ *on a person's corns*** 화나게 하다. **~ *on eggs*** 미묘한 문제에 직면하다. **~ *on the neck of*** …을 정복하다. **~ *out*** (불을) 밟아 끄다; (포도를) 밟아서 짜다. **~ *on a person's toes*** 화나게 하다; 괴롭히다. **~ *the boards*** 무대를 밟다. — *n.* ① (*sing.*) 밟기, 밟는 소리; 발걸음, 걸음걸이. ② C (계단의) 디딤판, (사닥다리의) 가로장(rung¹). ③ U,C (바퀴·타이어의) 레일[지면] 접촉부. ④ C (자동차의) (좌우) 바퀴거리.

trea·dle[trédl] *n., vi., vt.* C 발판[페달](을 밟다); 발판을 밟아 움직이다《재봉틀 따위를》.

tréad·mìll *n.* C (옛날, 죄수에게 밟게 한) 답차(踏車); (the ~) 단조로운 일[생활].

Treas. Treasurer; Treasury.

trea·son**[trí:zən] *n.* U 반역(죄); 《稀》 배신(*to*). ***high ~ 반역죄. **~·a·ble, ~·ous** *a.*

†**treas·ure**[tréʒər] *n.* U 《집합적》 보배, 보물, 재보. ***spend blood and*** ~ 생명과 재산을 허비하다. — *vt.* 비장(秘藏)하다, 진중히 여기다; 명기(銘記)하다(*up*).

tréasure hòuse 보고(寶庫).

tréasure hùnt 보물찾기(놀이).

treas·ur·er**[tréʒərər] *n.* C 회계원, 출납관[원]. ***Lord High T- 〖英史〗 재무상. **~·ship**[-ʃip] *n.*

tréasure-tròve *n.* C 〖法〗 (소유자 불명의) 발굴재(發掘財)《금화·보석 따위》.

‡**treas·ur·y**[tréʒəri] *n.* C 보고, 보물; 국고; 기금, 자금; (T-) 재무성; 보전(寶典).

tréasury bìll 《英》 재무성 증권.

Tréasury Bòard 《英》 국가 재정 위원회.

tréasury bònd (보통, 장기의) 국채.

Tréasury Depàrtment, the 《美》 재무부.

tréasury nòte 《英》 1파운드 지폐, 10실링 지폐; 《美》 재무성 증권.

‡**treat**[tri:t] *vt., vi.* ① 취급하다, 다루다, 대우하다. ② 대접하다, 한턱내다(*to*). ③ (매수의 목적으로) 향응하다. ④ 논하다(*of, upon*). ⑤ (*vt.*) (…라고) 생각하다, 간주하다(regard)(*as*). ⑥ (*vi.*) (약품 따위로) 처리하다(*with*). ⑦ (*vi.*) 상담[교섭]하다(*for, with*). — *n.* C 향응; (one's ~) 한턱(낼 차례); 즐거운 일《소풍 따위》. STAND ~. ‡**∠·ment** *n.* U,C 취급, 대우, 처치, 치료; 논술.

***trea·tise**[trí:tis/-z, -s] *n.* C 논설, (학설) 논문(*on*).

‡**trea·ty**[trí:ti] *n.* C 조약, 맹약; U 계약, 교섭.

tréaty pòrt 조약항(港), 개항장(開港場).

***tre·ble**[trébəl] *n., a.* Ⓒ 3배(의), 세 겹(의); Ⓤ 〖樂〗 최고음부(의), 소프라노(의); Ⓒ 새된 (목소리·음). — *vt., vi.* 3배로 하다, 3배가 되다. **-bly** *ad.*
tréble cléf 〖樂〗 '사' 음자리표.
†**tree**[tri:] *n.* Ⓒ ① 나무, 수목(cf. shrub). ② 목제품(*shoe* ~ 구두의 골). ③ 계통수(樹), 가계도(family tree). ④ 〖컴〗 나무꼴《나무처럼 편성된 정보 구조》. ~ ***of heaven*** 가죽나무. ~ ***of knowledge*** (***of good and evil***) 〖聖〗 지혜의 나무《Adam과 Eve가 그 열매를 먹고 천국에서 추방됨》. ~ ***of life*** 〖聖〗 생명의 나무. ***up a*** ~ 《俗》 진퇴 양난에 빠져. — *vt.* ① (짐승을) 나무 위로 쫓다, 궁지에 몰아 넣다. ② (구두에) 골을 끼다. ③ 나무〔가로대·자루〕를 달다. **∠·less** *a.* **∠·like** [∠làik] *a.*
trée fèrn 〖植〗 목생(木生) 양치류.
trée fròg 〔**tòad**〕 청개구리.
trée lìne (고산·극지의) 수목 한계선(timberline).
trée-lìned *a.* (도로 따위가) 나무가 한 줄로 심어져 있는, 가로수의.
tree·nail[trí:nèil, trénəl] *n.* 나무못.
trée pèony 모란(꽃).
trée sùrgeon 수목 외과술 전문가.
trée sùrgery 수목 관리.
***trée·tòp** *n.* Ⓒ 우듬지.
trée rìng 나이테.
tre·foil[trí:fɔil, tré-] *n.* Ⓒ 클로버, 토끼풀속(屬)의 풀; 〖建〗 세 잎 장식.
trek[trek] *n., vi., vt.* (**-kk-**) Ⓒ《南阿》(달구지) 여행(을 하다); (달구지 여행의) 한 구간.
trel·lis[trélis] *n., vt.* Ⓒ 격자(로 만들다); 격자 시렁(으로 버티다), 격자울(로 두르다).
tréllis·wòrk *n.* Ⓤ 격자 세공.
trem·a·tode[trémətòud, trí:-] *n.* Ⓒ 흡충류(吸蟲類)《간디스토마 따위》.
:**trem·ble**[trémbəl] *vi., vt., n.* 떨(게 하)다, (a ~) 진동(하다, 시키다); (*vi.*) 흔들리다; (*vi.*) 전율하다, 조바심하다(*at, for*). **trem·bler** *n.* ***trem·bling** *a., n.* **trem·bly** *a.* 덜덜 떠는.
trémbling póplar 〖植〗 사시 나무「(aspen).
:**tre·men·dous**[triméndəs] *a.* ① 무서운, 무시무시한. ② 《口》 대단한; 굉장한; 멋진. ***have a*** ~ ***time*** 《口》 아주 멋지게 지내다. **~·ly** *ad.*
trem·o·lo[tréməlòu] *n.* (*pl.* **~s**) (It.) Ⓒ 〖樂〗 전음(顫音), 트레몰로.
trem·or[trémər] *n.* Ⓒ 떨림, 전율; 떨리는 목소리〔음〕; 오싹오싹하는 흥분(thrill).
***trem·u·lous**[trémjələs] *a.* 떨리는; 전율하는; 겁많은. **~·ly** *ad.*
tre·nail[trí:nèil, trénəl] *n.* = TREENAIL.
:**trench** [trentʃ] *n.* Ⓒ 도랑; 참호. — *vt.* (홈을) 새기다; (논밭을) 파헤치다; (…에) 도랑을〔참호를〕 파다. — *vi.* 참호를 만들다(*along, down*); 잠식(蠶食)〔접근〕하다(*on, upon*).
trench·ant[tréntʃənt] *a.* 찌르는 듯한; 통렬한(cutting); 효과적인, 강력한, 가차없는; 뚜렷한(clearcut) (*in* ~ *outline* 뚜렷하게). **~·ly** *ad.* **~·ness** *n.* **-an·cy** *n.*
trénch còat 참호용 방수 외투; 그 모양의 비옷.
trench·er[1][tréntʃər] *n.* Ⓒ 도랑을 파는 사람; 참호병.
trench·er[2] *n.* Ⓒ《古》 나무 접시; (빵·고기를) 써는 데 쓰는 목판.
trench·er·man[-mən] *n.* Ⓒ ①《雅》 대식가. ② 식객(食客).
trénch fèver 참호열.
trénch gùn 〔**mòrtar**〕 박격포.
trénch mòuth (참호성) 구강염.
trénch wàrfare 참호전.
***trend**[trend] *n., vi.* Ⓒ 향(向); 경향(이 있다); 향하다 (*toward, upward, downward*). 「사람.
trénd-sètter *n.* Ⓒ 유행을 만드는
trend·y[tréndi] *a., n.* 최신 유행의; Ⓒ 유행의 첨단을 가는 (사람).
tre·pan[1][tripǽn] *n., vt.* (**-nn-**) 〖外〗 둥근 톱(으로 수술하다《두개골을》); 둥글게 도려 내다.
tre·pan[2] *vt.* (**-nn-**) 《古》 함정에 빠뜨리다, 꾀다, 유인하다(*from, into*).
tre·phine[trifáin, -fí:n] *n., vt.* Ⓒ 〖外〗 자루 달린 둥근 톱(으로 수술하다). 「공포, 전율.
trep·i·da·tion[trèpədéiʃən] *n.* Ⓤ
tres·pass[tréspəs] *n., vi.* Ⓤ,Ⓒ ① 침입(하다)《남의 토지 따위에》; 침해(하다)(*on, upon*). ② 방해(하다)《남의 시간 따위를》, (호의에) 편승하다, 기회삼다(*on, upon*). ~ ***on a person's preserves*** 아무의 영역을 침범하다, 주제 넘게 굴다. **~·er** *n.*
tress[tres] *n.* Ⓒ (머리털의) 한 다발; 땋은 머리; (*pl.*) 삼단 같은 머리.
tres·tle[trésəl] *n.* Ⓒ 가대(架臺); 버팀다리, 구각(構脚).
tréstle brìdge 구각교(構脚橋).
tréstle·wòrk *n.* Ⓤ 트레슬, 구각(構脚)의 구조.
trf transfer; tuned-radio-frequency. **T.R.H** Their Royal Highnesses.
tri-[trai] *pref.* '셋, 세겹'의 뜻 (*tri*angle).
tri·ad[tráiæd, -əd] *n.* Ⓒ 3개 한 벌, 세 폭짜리; 3부작; 〖樂〗 3화음; 〖化〗 3가 원소.
:**tri·al**[tráiəl] *n.* ① Ⓤ,Ⓒ 시도, 시험. ② Ⓒ 시련, 곤란, 재난; 귀찮은 사람〔것〕. ③ Ⓤ,Ⓒ 〖法〗 재판, 심리. ***bring to*** 〔***put on***〕 ~ 공판에 부치다. ***make*** ~ ***of*** …을 시험해 보다. ***on*** ~ 시험적으로; 시험의 결과(로); 취조를 받고. ~ ***and error*** 〖心〗 시행 착오.
trìal bálance 〖簿〗 시산표(試算表).
tríal ballóon 관측 기구(氣球); (여론을 알기 위한) 시안(試案), 조금씩 내는 발표 (따위).

T

tríal hòrse 연습 상대《주로 연습 경기나 시범 경기에서 상대역을 맡는 선수》.
tríal jùry 심리 배심, 소배심(小陪審)(petty jury)《12명》.
tríal márriage 시험 결혼《합의하에 일정 기간 동서(同棲)함》.
tríal rún 〔**tríp**〕 시운전, 시승(試乘); 실험, 시행(試行).
*__tri·an·gle__[tráiæ̀ŋgəl] *n.* Ⓒ ① 삼각(형). ② 3개 한 벌, 3인조. ③ 삼각자. ④ 〖樂〗 트라이앵글. ***the eternal*** ～ 삼각 관계.
*__tri·an·gu·lar__[traiǽŋgjələr] *a.* ① 삼각형의. ② 3자간의《다툼 따위》; 3국간의《조약 따위》.
tri·an·gu·late[traiǽŋgjəlèit] *vt.* 삼각형으로 하다〔가르다〕; 삼각 측량을 하다. ── [-lit, -lèit] *a.* 삼각의 (무늬 있는); 삼각형으로 된. **-la·tion**[-⌒-léiʃən] *n.* Ⓤ 삼각 측량〔구분〕.
tri·ar·chy[tráiɑːrki] *n.* Ⓤ 삼두(三頭) 정치; Ⓒ 삼두 정치국.
Tri·as[tráiəs] *n.* 〖地〗 트라이아스기(紀)(층). 「이아스기의.
Tri·as·sic[traiǽsik] *a.* 〖地〗 트라
trib·a·dism[tríbədìzəm] *n.* Ⓤ 여성간의 동성애(lesbianism).
*__trib·al__[tráibəl] *a.* 부족의, 종족의. ～**·ism**[-bəlìzəm] *n.* Ⓤ 부족제, 부족 근성.
tri·ba·sic[traibéisik] *a.* 〖化〗 삼염기(三鹽基)의.
:**tribe**[traib] *n.* Ⓒ 《집합적》 ① 부족, 종족. ② 《蔑》 패거리. ③ 〖生〗 족(族). ***the scribbling*** ～ 문인들.
tribes·man[⌒zmən] *n.* Ⓒ 부족〔종족〕의 일원.
tri·bo·e·lec·tric·i·ty [tràibouilèktrísəti] *n.* Ⓤ 마찰 전기.
tri·bol·o·gy[traibɑ́lədʒi/-ɔ́-] *n.* Ⓤ 마찰 공학. 「고난; 시련.
trib·u·la·tion[trìbjəléiʃən] *n.* Ⓤ,Ⓒ
*__tri·bu·nal__[traibjúːnl, tri-] *n.* ① Ⓒ 재판소; 법정. ② Ⓒ (여론의) 심판. ③ (the ～) 판사석, 법관석.
trib·une[1][tríbjuːn] *n.* Ⓒ 단(壇); 연단; 설교단.
trib·une[2] *n.* Ⓒ 〖로史〗 (평민에서 선출된) 호민관(護民官); 국민의 옹호자; (the T-) [-⌒] 신문의 이름(cf. Guardian).
*__trib·u·tar·y__[tríbjətèri/-təri] *a.* 공물을 바치는; 종속하는; 보조의; 지류의. ── *n.* Ⓒ 공물을 바치는 사람; 속국; 지류.
:**trib·ute**[tríbjuːt] *n.* ① Ⓤ,Ⓒ 공물, 조세. ② Ⓒ 선물; 감사의 말〔표시〕, 찬사. 「삼륜차.
tri·car[tráikɑ̀ːr] *n.* Ⓒ《英》 오토
trice[1][trais] *vt.* 〖海〗 (밧줄로, 돛을) 끌어 올리다, 끌어 올려서 묶다(*up*).
trice[2] *n.* 《다음 성구로》 ***in a*** ～ 순식간에; 갑자기.
tri·cen·ten·ni·al [tràisenténiəl] *a., n.* =TERCENTENARY.
tri·ceps[tráiseps] *n.* (*pl.* ～(*es*)) Ⓒ 〖解〗 삼두근(三頭筋).
tri·chi·a·sis[trikáiəsis] *n.* Ⓤ 〖醫〗 첩모난생(睫毛亂生)(증)《속눈썹이 안구쪽으로 향함》.
tri·chi·na[trikáinə] *n.* (*pl.* ***-nae*** [-niː]) Ⓒ 선모충(旋毛蟲)《장(腸)·근육에 기생》. **trich·i·no·sis**[trìkənóusis] *n.* Ⓤ 선모충병.
tri·chol·o·gist[trikɑ́lədʒist/-ɔ́-] *n.* Ⓒ 양모(養毛)학자; 《美俗》 미용〔이발〕의 전문가.
tri·chord[tráikɔ̀ːrd] *n., a.* Ⓒ 3현(弦)악기; 3현의.
:**trick**[trik] *n.* Ⓒ ① 계략, 계교; 속임수, 요술; 〖映〗 트릭; (동물의) 재주(feat). ② 요령, 비결(knack). ③ (나쁜) 장난; (독특한) 버릇. ④ 《美》 장난감(같은 장식); (*pl.*) 방물. ⑤ 〖카드〗 한 바퀴(분의 패). ⑥ 교대의 근무시간; (일의) 당번. ⑦《美口》 소녀, 아이. ***do*** 〔***turn***〕 ***the*** ～ 《口》 목적을 달성하다. ***know a*** ～ ***worth two of that*** 그것보다 훨씬 좋은 방법을 알고 있다. ***not*** 〔***never***〕 ***miss a*** ～ 《口》 호기를 놓치지 않다, 주위 사정에 밝다. ***play a*** ～ ***on*** (*a person*) (아무에게) 장난을 하다. ***play*** ～***s with*** …와 장난하다, …을 놀리다. ***the whole bag of*** ～***s*** 전부. ── *vt.* 속이다; (…의) 기대를 저버리다; 모양내다(*out, up*). ── *vi.* 요술부리다; 장난하다. ～ ***a person into*** 〔***out of***〕 속여서 …시키다〔…을 빼앗다〕. **⌒·er·y** *n.* Ⓤ 책략; 속임수.
*__trick·le__[tríkəl] *vi., vt.* 똑똑 떨어지다〔떨어뜨리다〕(*along, down, out*); (비밀 따위) 조금씩 누설되다〔하다〕(*out*). ── *n.* Ⓒ (보통 a ～) 뚝뚝 떨어짐; 실개천; 소량.
tríckle-down thèory 《美》 트리클다운 이론《대기업에의 재정적 우대는 중소기업이나 소비자에게 파급 효과를 준다는 설》.
trick·ster [tríkstər] *n.* Ⓒ 사기꾼(cheat); 책략가.
trick·sy[tríksi] *a* 장난치는; 《古》 다루기 어려운; 《古》 교활한.
trick·y[tríki] *a.* 교활한(wily); 속이는; 복잡한, 까다로운; 다루기 어려운. **trick·i·ly** *ad.*
tri·col·or, 《英》 **-our** [tráikʌ̀lər/tríkə-] *a., n.* 삼색의; Ⓒ 삼색기(旗).
tri·cot[tríkou, tráikət] *n.* (F.) Ⓤ 손으로 짠 털실 편물; 그 모조품; 트리코《골이 진 직물의 일종》.
tric·o·tine[trìkətíːn] *n.* Ⓤ (능직) 모직물의 일종.
tri·cus·pid[traikʌ́spid] *a., n.* Ⓒ 세 개의 뾰족한 끝이 있는 (이).
tri·cy·cle[tráisikəl] *n.* Ⓒ 세발 자전거; 삼륜 오토바이. **-cler, -clist** *n.*
tri·dent[tráidənt] *n., a.* Ⓒ 삼지창(槍)《Neptune 이 가진 것》; 세 갈래진.
tri·den·tate[traidénteit, -tit] *a.* 이가 셋 있는, 세 갈래진.

:tried[traid] *v.* try의 과거(분사). — *a.* 시험이 끝난; 확실한.

tri·en·ni·al[traiéniəl] *a., n.* 3년 계속되는; Ⓒ 3년마다의 (축제); 3년생의 (식물). **~·ly** *ad.*

tri·er[tráiər] *n.* Ⓒ 실험자, 시험관(官)〔물〕; 심문자, 판사.

:tri·fle[tráifəl] *n.* ① Ⓒ 하찮은〔시시한〕 일〔물건〕. ② Ⓒ 소량, 조금; 푼돈. ③ Ⓒ,Ⓤ 트라이플《카스텔라류에 크림·포도주를 넣은 과자》. ***a ~*** 좀, 약간. ***not stick at ~s*** 하찮은 일에 구애를 받지 않다. — *vi.* 실떡거리다, 실없는 짓〔말〕을 하다; 소홀히 하다(*with*); 가지고 장난하다, 만지작거리다(*with*). — *vt.* (돈이나 시간을) 낭비하다(*away*).

tri·fler[tráiflər] *n.* Ⓒ 농담〔장난〕하는 사람; 시간을 낭비하는 사람.

:tri·fling[tráifliŋ] *a.* 사소한, 하찮은, 시시한; 경박한. **~·ly** *ad.*

tri·fo·li·ate[traifóuliit], **-at·ed**[-èitid] *a.* 세 잎의, 잎이 세 갈래로 갈라진; 〚建〛 삼엽(三葉) 쇠시리의.

tri·fo·ri·um[traifɔ́:riəm] *n.* (*pl.* ***-ria***[-riə]) Ⓒ 〚建〛 교회의 회중석 및 성가대석 측벽(側壁)의 아치와 clerestory 와의 사이의 부분.

trig[1][trig] *a.* (***-gg-***) 《주로 英》 말쑥한, 스마트한; 건강한. — *vt.* (***-gg-***) 《英方》 꾸미다, 모양내다(*out, up*).

trig[2] *n.* 《學生俗》 = TRIGONOMETRY.

trig. trigonometric(al); trigonometry.

tri·gem·i·nal[traidʒémənəl] *n., a.* Ⓒ 〚解〛 삼차(三叉) 신경(의); 3중의.

trig·ger**[trígər] *n.* Ⓒ 방아쇠; 〚컴〛 트리거《기계가 프로그램이 자동적으로 동작을 개시하도록 하는 것》. ***quick on the ~ 《美口》 사격이 빠른; 재빠른; 빈틈 없는.

trígger fìnger 오른손의 집게손가락.

trígger-hàppy *a.* 《口》 권총 쏘기 좋아하는; 호전〔공격〕적인.

tri·gon[tráigan/-ɔn] *n.* Ⓒ 삼각형; (옛 그리스의) 삼각금(琴).

trig·o·nom·e·try [trìgənámətri/-nɔ́-] *n.* Ⓤ 삼각법. **-no·met·ric**[-nəmétrik], **-no·met·ri·cal**[-əl] *a.* 삼각법의, 삼각법에 의한.

tri·he·dron[traihí:drən/-hé-] *n.* (*pl.* ***~s, -dra***[-drə]) Ⓒ 삼면체. **-dral** *a.*

tri·lat·er·al[trailǽtərəl] *a., n.* 〚幾〛 세 변이 있는; Ⓒ 삼각형.

tril·by[trílbi] *n.* Ⓒ 《英口》 펠트 모자의 일종; (*pl.*) 《俗》 발.

***trill**[tril] *n., vt., vi.* Ⓒ 떨리는 목소리(로 말하다, 노래하다); 지저귐, 지저귀다; 〚音聲〛 전동음(顫動音)(으로 발음하다)《r 음을》.

tril·lion[tríljən] *n., a.* Ⓒ 《英》 백만의 3제곱(의); 《美》 백만의 제곱(의), 1조(兆)의.

tril·li·um[tríliəm] *n.* (*pl.* ***~s***) Ⓒ 〚植〛 연령초(延齡草)(의 무리)《백합과(科)》.

tri·lo·bite[tráiləbàit] *n.* Ⓒ (고생대의) 삼엽충《최고(最古)의 화석 동물》.

tril·o·gy[trílədʒi] *n.* Ⓒ 3부작, 3부곡.

:trim[trim] *a.* (***-mm-***) 말쑥한, 정연한, 정돈된. — *n.* Ⓤ ① 정돈(된 상태); 정비; 준비. ② 복장, 장식; (배의) 장비. ③ 건강 상태; 기분. ④ (또는 a ~) 손질, 깎아 다듬기. ***in (good) ~*** 상태가 좋아; 〚海〛 균형이 잘 잡혀. ***into ~*** 적당한 상태로. ***in traveling ~*** 여장(旅裝)하여. ***out of ~*** 상태가 나빠. — *vt.* (***-mm-***) 말쑥하게 하다, 정돈하다; 장식하다(*with*); 깎아 다듬다; 깎아 버리다(*away, off*); 〚海·空〛 (화물·승객의 위치를 정리하여) 균형을 잡다; (돛을) 조절하다; 《口》 지우다; 《口》 야단치다. — *vi.* (두 세력의) 균형을 잡다, 기회주의적 입장을 취하다(*between*); 〚海·空〛 균형이 잡히다; 돛을 조절하다. ***~ a person's jacket*** 《俗》 때리다. ***~ in*** (목재를) 잘라 맞추다. ***~ one's course*** 돛을 조절하여 나아가다. **∠·ly** *ad.* **∠·ness** *n.* **∠·mer** *n.* Ⓒ trim하는 사람〔물건〕; 기회주의자.

trim·e·ter[trímətər] *a., n.* Ⓒ 〚韻〛 삼보격(三步格)의 (시구(詩句)).

***trim·ming**[trímiŋ] *n.* ① Ⓤ,Ⓒ 정돈; 손질, 깎아 다듬기. ② (보통 *pl.*) (요리의) 고명. ③ (보통 *pl.*) (의복·모자 등의) 장식; 잘라낸 부스러기, 가윗밥.

tri·month·ly[traimʌ́nθli] *a.* 3개월마다의.

Trin·i·dad and To·ba·go[trínədǽdəntəbéigou] 서인도 제도에 있는 영연방내의 독립국.

Trin·i·tar·i·an [trìnətɛ́əriən/-tɛ́ər-] *a., n.* 삼위 일체(설)의; Ⓒ 그 신봉자.

tri·ni·tro·ben·zene[trainàitroubénzin, -benzí:n] *n.* Ⓤ 〚化〛 트리니트로벤젠《폭약 원료; 생략 T.N.B.》.

tri·ni·tro·tol·u·ene [trainàitroutáljuì:n/-tɔ́-], **-tol·u·ol**[-táljuɔ̀:l, -òul/-tɔ́ljuɔ̀l] *n.* Ⓤ 〚化〛 트리니트로톨루엔《강력 폭약; 생략 T.N.T.》.

***trin·i·ty**[trínəti] *n.* (the T-) 〚神〛 삼위 일체《성부·성자·성신》; Ⓒ 〚美術〛 삼위 일체의 상징; 3인조, 3개 한 벌의 것.

Trínity Còllege 케임브리지 대학 최대의 학료(學寮)《Henry Ⅷ가 창설》.

Trínity Hòuse (런던의) 도선사(導船士) 조합.

Trínity Súnday 삼위 일체의 축일《Whitsunday 의 다음 일요일》.

trin·ket[tríŋkit] *n.* Ⓒ 작은 장신구; 방물; 시시한 것.

tri·no·mi·al[trainóumiəl] *n., a.* Ⓒ 〚數〛 삼항식(三項式)(의); 〚動·植〛 삼명법(三名法)(의)(cf. binomial). **~·ly** *ad.*

tri·o**[trí:ou] *n.* Ⓒ ① 《집합적》 3인조, 3개 한 벌, 세폭 한짝(triad). ② 〚樂〛 삼중주, 삼중창. ***piano ~ 피아

노 삼중주《피아노·바이올린·첼로》.
tri·ode[tráioud] *n., a.* Ⓒ 〖電〗 3극 진공관(의).
tri·o·let[tráiəlit] *n.* Ⓒ 〖韻〗 2운각(韻脚) 8행의 시, 트리올렛.
tri·ox·ide[traiάksaid/-ɔ́-], **-id** [-id] *n.* Ⓒ 〖化〗 3산화물(三酸貨物).
†**trip**[trip] *n.* Ⓒ ① (짧은) 여행, 소풍; 짧은 항해. ② 경쾌한 발걸음. ③ 실족; 과실; 실언. ④ 딴죽걸기; 곱드러짐, 헛디딤. ⑤〖機〗 벗기는 장치, 급(急) 시동. ***a round*** ~ 일주 여행; 《美》 왕복 여행. ***make a*** ~ 여행하다; 과실을 범하다. — *vi.* (*-pp-*) ① 가볍게 걷다[춤추다]. ② 실족하다(stumble), 걸려서 넘어지다, 헛디디다(*on, over*). ③ 실수하다; 잘못 말하다. — *vt.* ① 실족시키다; 헛디디게 하다. ② 딴죽걸다; (남의) 실수를 들춰 내다, 말 꼬리를 잡다. ③〖機〗 (톱니바퀴 따위의 제륜자(制輪子)를) 벗기다, 시동(始動)시키다; 〖海〗 (닻을) 떼다. ***catch*** (*a person*) ***~ping,*** or ~ ***up*** 실수를 들춰 내다, 말꼬리를 잡다. ***go ~ping***(***ly***) 착착 진행되다. ~ ***it*** 춤추다.
tri·par·tite[traipά:rtait] *a.* 3부로 나누어진; 3자간의(*a* ~ *treaty,* 3국 조약); 세 개 한 벌의, 세 폭짜리의; (정부(正副)) 3통 작성한.
tripe[traip] *n.* Ⓤ ① (식용으로 하는) 반추동물의 위. ② 《俗》 하찮은 것; 졸작.
trip·ham·mer[tríphæ̀mər] *n.* Ⓒ 〖機〗 (건축용 따위의) 스프링 해머, 동력 장치에 의해 아래위로 움직이게 된 해머.
tri·phib·i·an[traifíbiən] *a., n.* Ⓒ 입체전에 능한 (지휘관); =⇩.
tri·phib·i·ous[traifíbiəs] *a.* 육·해·공군 공동 작전의, 입체전의.
triph·thong[trífθɔ(:)ŋ, -θαŋ] *n.* Ⓒ 〖音聲〗 삼중 모음《our[auər]의 발음 따위》(cf. diphthong).
tri·plane[tráiplèin] *n.* Ⓒ 삼엽(三葉) 비행기.
:**tri·ple**[trípəl] *a., n.* Ⓒ 3 배의 (수·양), 세 겹의, 세 부분으로 된; 3루타. — *vt., vi.* 3 배로[3 겹으로] 하다[되다]; 3루타를 치다.
Tríple Allíance, the 3국 동맹《특히 러시아·프랑스에 대한 독일·이탈리아·오스트리아간(1882-83)의》.
Tríple Enténte, the (영국·프랑스·러시아) 3국 협상(1907).
tríple-héader *n.* Ⓒ 〖競〗 트리플헤더《농구 따위의 동일 경기장에서의 1일 3경기》(cf. double-header).
tríple júmp 삼단 뛰기.
tríple méasure =TRIPLE TIME.
tríple pláy 〖野〗 3중살(重殺).
tri·plet[tríplit] *n.* Ⓒ 3개 한 벌, 세 폭 한 짝(trio); 〖樂〗 3연음표; 《口》 세쌍둥이 중의 하나.
tríple thréat 세 분야에 고루 능숙한 명선수; 〖美式蹴〗 차기·패스·달리기에 고루 능숙한 명선수.
tríple tìme 〖樂〗 3박자.
trip·li·cate[tríplәkit] *a., n.* 3배의, 세 겹의, 3제곱의; 3부로 된; Ⓒ (정부(正副)) 3통의 (하나). — [-kèit] *vt.* 3배로 하다, 3중으로 하다; 3통으로 작성하다. **-ca·tion**[⌐–kéiʃən] *n.*
trip·loid[tríplɔid] *a.* 〖生〗 (염색체가) 3배수의. — *n.* Ⓒ 3배체.
tri·ply[trípli] *ad.* 3배[겹으]로.
tri·pod[tráipαd/-pɔd] *n.* Ⓒ 〖寫〗 삼각(三脚)(*a* ~ *affair* 사진 촬영); 삼각걸상.
Trip·o·li[trípəli] *n.* 트리폴리《리비아의 수도》.
tri·pos [tráipαs/-pɔs] *n.* Ⓒ (Camb. 대학의) 우등 시험, 우등 급제자 명부.
trip·per[trípər] *n.* Ⓒ trip하는 사람[것]; (톱니바퀴의) 시동기.
trip·ping[trípiŋ] *a.* 경쾌한. ~**·ly** *ad.*
trip·tane[tríptein] *n.* Ⓤ 〖化〗 트립탄《무색·액상의 탄수화물》.
trip·tych[tríptik] *n.* Ⓒ (그림·조각 따위의) 석 장 연속된 것, 세 폭짜리.
tri·reme[tráiri:m] *n.* Ⓒ 〖古그〗 3단(段) 노의 군선(軍船).
tri·sect[traisékt] *vt.* 삼(등)분하다. **tri·sec·tion**[-sékʃən] *n.*
tri·syl·la·ble[traisíləbəl] *n.* Ⓒ 3음절어. **-lab·ic**[⌐–lǽbik] *a.*
trite[trait] *a.* 진부한. ⌐**·ly** *ad.*
trit·i·um[trítiəm] *n.* Ⓤ 〖化〗 트리튬, 삼중수소《기호 T 또는 H^3》.
Tri·ton[tráitn] *n.* 〖그神〗 반인반어(半人半魚)의 바다의 신; Ⓒ (t-) 〖貝〗 소라고둥; (t-) 〖理·化〗 3중양자. ***a*** ~ ***among the minnows*** 군계일학(群鷄一鶴) 《Sh., *Coriolanus*》.
:**tri·umph**[tráiəmf] *n.* ① Ⓒ 〖古로〗 개선식; 승리(*over*); 대성공. ② Ⓤ 승리의 기쁨, 승리감. ***in*** ~ 의기양양하여. ***the*** ~ ***of ugliness*** 추악무비(醜惡無比). — *vi.* 승리를 거두다, 승리를 자랑하다, 이기다, 성공하다(*over*); 승리를[성공을] 기뻐하다.
***tri·um·phal**[traiʌ́mfəl] *a.* 승리[개선]의.
triúmphal árch 개선문.
***tri·um·phant**[traiʌ́mfənt] *a.* 승리를 거둔; 의기양양한. ~**·ly** *ad.*
tri·um·vir[traiʌ́mvər] *n.* (*pl.* ~*s, -viri*[-virài]) Ⓒ 〖古로〗 3집정관(執政官)의 한 사람.
tri·um·vi·rate[traiʌ́mvirit, -rèit] *n.* Ⓒ 삼두(三頭) 정치; 3인 관리제; 3인조.
tri·une[tráiju:n] *a.* 삼위 일체의.
tri·va·lent[traivéilənt] *a.* 3가(價)의. **-lence, -len·cy** *n.*
triv·et[trívit] *n.* Ⓒ 삼발이; 삼각대(三脚臺).
triv·i·a[tríviə] *n. pl.* 하찮은 일[것].
:**triv·i·al**[tríviəl] *a.* ① 하찮은, 보잘것 없는. ② 보통의, 평범한, 일상의. ③ (사람이) 경박한. ~**·ly** *ad.*
triv·i·al·i·ty[trìviǽləti] *n.* Ⓤ 하찮음, 평범; Ⓒ 하찮은 것[생각·작품].
tri·week·ly[traiwí:kli] *ad., a., n.* 3주마다; 3주 1회(의), 1주 3회(의); Ⓒ 그 간행물.

-trix[triks] *suf.* -tor의 여성 접미사; avia*trix* 여성 파일럿.
Tri·zone[tráizoun], **Tri·zo·ni·a** [traizóuniə] *n.* (제 2차 대전 후의) 서부 독일의 미국·영국·프랑스 3국의 점령 지구; Ⓒ (t-) 3국 지구. **Tri·zon·al, t-**[traizóunəl] *a.*
TRM trademark. **TRNA** transfer RNA.
tro·che[tróuki] *n.* Ⓒ 〖藥〗 정제(錠劑).
tro·chee[tróuki:] *n.* Ⓒ 〖韻〗 강약격(強弱格), 장단격(⏑×). **tro·cha·ic**[troukéiik] *a., n.* Ⓒ 장단격(의); (*pl.*) 장단격의 시.
tro·choid[tróukɔid] *n.* Ⓒ 〖幾〗 트로코이드.
***trod**[trɑd/-ɔ-] *v.* tread의 과거(분사).
***trod·den**[trɑ́dn/-ɔ́-] *v.* tread의 과거분사.
trode[troud] *v.* 《古》 tread의 과거.
trog·lo·dyte[trɑ́glədàit/-ɔ́-] *n.* Ⓒ 혈거인(穴居人); 은자(隱者)(hermit); 〖動〗 유인원(類人猿); 〖鳥〗 굴뚝새.
troi·ka[trɔ́ikə] *n.* (Russ.) Ⓒ 3두 마차; 옆으로 늘어선 세 마리의 말; 삼두제(三頭制); (국제 정치의) 트로이카 방식《공산권·서유럽·중립권의 3자 협조》.
***Tro·jan**[tróudʒən] *a., n.* Ⓒ Troy의 (사람); 용사; 정력가.
Trójan hórse 〖그神〗 =WOODEN HORSE; 선전 공작대, 제5열.
Trójan Wár, the 〖그神〗 트로이 전쟁《그리스와 트로이와의 전쟁, ILIAD의 주제》.
troll[1][troul] *vt., vi.* 돌림노래하다; (일하면서) 노래하다; 견지질하다; 굴리다, 굴러다니다(roll). — *n.* Ⓒ 돌림노래; 견지; 제물낚시.
troll[2] *n.* 〖北歐神話〗 트롤도깨비《땅속 굴에 사는 거인, 난쟁이》.
***trol·ley**[trɑ́li/-ɔ́-] *n.* Ⓒ 손수레, 광차; (시가 전차의 폴 끝의) 촉륜(觸輪). ***slip* 〔*be off*〕 *one's* ~** 《美俗》 머리가 돌다.
tróll̀ey bùs 무궤도 전차.
tróll̀ey càr 《美》 (트롤리식) 시가전차.
tróll̀ey lìne 전차 선로.
trol·lop[trɑ́ləp/-ɔ́-] *n.* Ⓒ 윤락 여성; 매춘부.
trom·bone[trɑ́mboun, ─́/trɔmbóun] *n.* Ⓒ 트롬본《신축식 저음 나팔》. **-bón·ist** *n.* Ⓒ 트롬본 주자.
:troop[tru:p] *n.* Ⓒ ① 떼; 일단, 무리. ② (보통 *pl.*) 군대, 군세(軍勢). ③ (소년단의) 분대《16-32명》; 기병 중대《대위가 지휘하는 60-100명; 육군의 company에 해당》. — *vi.* ① 모이다, 몰리다(*up, together*). ② 떼지어 나가다〔오다, 가다〕(*off, away*). ③ 사귀다. — *vt.* 편성하다; (대를) 수송하다. ***~ing the colour*(*s*)** 《英》 군기(軍旗) 경례 분열식. **∠·er** *n.* Ⓒ 기병; 《美》 기마 경관; 기병의 말; 수송선.
tróop càrrier 군대 수송기〔차〕.
tróop·shìp *n.* Ⓒ (군대) 수송선.
trope[troup] *n.* Ⓒ 〖修〗 비유(적용법).
tro·phol·o·gy [troufɑ́lədʒi/-ɔ́-] *n.* Ⓤ 영양학.
troph·o·plasm[trɑ́fəplæ̀zəm/-ɔ́-] *n.* Ⓤ 〖生〗 (세포의) 영양 원형질.
:tro·phy[tróufi] *n.* Ⓒ 전리품; 전승 기념물《적의 군기·무기 따위》; (경기 등의) 트로피, 상품, 상배(賞杯).
:trop·ic[trɑ́pik/-ɔ́-] *n.* Ⓒ 회귀선(回歸線); (the ~s) 열대(지방)(의). ***the ~ of Cancer* 〔*Capricorn*〕** 북〔남〕회귀선.
:trop·i·cal[trɑ́pikəl/-ɔ́-] *a.* ① 열대의; 열대적인; 열정적인. ②(<trope) 비유의, 비유적인.
trópical aquárium 열대 수족관.
trópical físh 열대어.
trop·i·cal·ize [trɑ́pikəlàiz/-ɔ́-] *vt.* 열대(지방)에서 사용하기 알맞게 하다《방습·방열 처리 등을 하여》(cf. winterize).
trópical yéar 회귀년, 태양년.
tro·pism[tróupizəm] *n.* Ⓤ 〖生〗 (자극에 대한) 향성(向性), 굴성(屈性).
trop·o·log·ic[trɑ̀pəlɑ́dʒik/trɔ̀pəlɔ́dʒ-], **-i·cal**[-əl] *a.* 비유적인. **-i·cal·ly** *ad.*
trop·o·sphere [trɑ́pəsfìər/-ɔ́-] *n.* (the ~) 대류권(對流圈)《지구 표면의 대기층》.
trop·po[trɑ́pou/-ɔ́-] *ad.* (It.) 〖樂〗 너무. ***ma non* ~** 그러나 너무 …하지 않게.
:trot[trɑt/-ɔ-] *n.* ① (a ~) (말의) 속보(速步), (사람의) 총총걸음, 빠른 운동. ② Ⓒ 《美俗》 자습서, 자습용 번역서. ③ (the ~s) 《口》 설사. ***on the* ~** 쉴새없이 움직여; 도주 중이어서. — *vi., vt.* (**-tt-**) ① 〖馬術〗 (…에게) 속보로 달리(게 하)다; (*vt.*) 총총걸음으로 걷다, 서두르며 가다. ② (*vt.*) 빠른 걸음으로 안내하다(*round, to*); (*vt.*) 《美俗》 자습서로 공부하다. **~ *about*** 분주히 뛰어다니다. **~ *out*** (말을) 끌어내어 걸려 보이다; 《口》 (물건을) 꺼내어 자랑해 보이다. **∠·ter** *n.* Ⓒ 속보로 뛰는 말; (보통 *pl.*) 《口》 (돼지·양의) 족(足) 《식용》.
troth[trɔ:θ, trouθ] *n.* Ⓤ 《古》 성실, 충절; 약속; 약혼(betrothal). ***plight one's* ~** 약혼하다. — *vt.* 《古》 약속〔약혼〕하다.
trot·line[trɑ́tlàin/-ɔ́-] *n.* Ⓒ 주낙의 일종.
Trot·sky[trɑ́tski/-ɔ́-], **Leon** (1879-1940) 러시아의 혁명가·저술자.
trou·ba·dour[trú:bədɔ̀:r, -dùər] *n.* Ⓒ (11-13세기의 남프랑스·북이탈리아 등지의) 서정 시인.
†trou·ble[trʌ́bəl] *n.* ① Ⓤ,Ⓒ 걱정(거리). ② Ⓤ 고생; 어려움; 귀찮음. ③ Ⓒ 귀찮은 일〔사람〕. ④ Ⓤ,Ⓒ 분쟁, 소동. ⑤ Ⓤ,Ⓒ 병(*I have a ~ with my teeth.* 이가 아프다); 고장, 장애. ***ask for* ~** 《俗》 곤경(困境)을 자초하다, 쓸데 없는 간섭을

T

하다. ***get into*** ~ 문제를 일으키다, 벌을 받다. ***in*** ~ 곤란해서; 욕을 먹어, 벌을 받고, 검거되어. ***It is too much*** ~. 달갑지 않은 친절이다. ***take*** ~ 수고하다, 노고를 아끼지 않다. — ***vt.*** ① 어지럽히다, 소란하게 하다. ② 괴롭히다, 부탁하다 (*May I ~ you to do it for me?* 그것을 하여 주시겠습니까); 애먹이다. — ***vi.*** ① 애먹다, 애쓰다(*Pray don't ~.* 염려[걱정]하지 마십시오). ② 걱정하다. **~d**[-d] ***a.*** 곤란한, 난처한; 거친(*~d waters* 거친 바다; 혼란 상태).

tróuble·màker ***n.*** Ⓒ 말썽 꾸러기.

tróuble·shòot ***vt.*** (*~ed, -shot*) (기계를) 수리하다; (분쟁을) 조정하다. — ***vi.*** 수리를 맡아 하다; 분쟁 조정역을 하다. **~er** ***n.*** Ⓒ 수리원; 분쟁 조정자.

:trou·ble·some[-səm] ***a.*** 귀찮은, 골치 아픈; 다루기 힘든. 「한.

trou·blous[trʌ́bləs] ***a.*** 《古》 소란

·trough[trɔ:f, trɑf/trɔf] ***n.*** Ⓒ ① (단면이 V자형인 긴) 구유, 반죽 그릇; 여물통. ② 골; 〖氣〗 기압골; 홈통, (특히) 낙수받이.

trounce[trauns] ***vt.*** 호되게 때리다 (beat); 벌주다; 《口》 (경기 등에서) 압도적으로 이기다.

troupe[tru:p] ***n.*** Ⓒ (배우·곡예사 등의) 일단(一團). **tróup·er** ***n.***

:trou·sers[tráuzərz] ***n. pl.*** 바지 (*a pair of ~* 바지 한 벌)《구어로는 'pants'》. 「펴는 기구.

tróuser strètcher 바지 주름을

trous·seau[trú:sou, —ˊ] ***n.*** (*pl.* ***~s, ~x***[-z]) Ⓒ 혼수 옷가지, 혼수감.

·trout[traut] ***n., vi.*** Ⓒ 〖魚〗 송어(를 잡다). 「하다.

trow[trou] ***vi., vt.*** 《古》 믿다, 생각

trow·el[tráuəl] ***n.*** Ⓒ 흙손; 모종삽. ***lay it on with a*** ~ 흙손으로 바르다; 극구 칭찬하다. — ***vt.*** (《英》 ***-ll-***) 흙손으로 바르다. 「도시.

·Troy[trɔi] ***n.*** 소아시아 북서부의 옛

tróy wèight 트로이형(衡), 금형(金衡)《보석·귀금속의 형량(衡量)》.

trs. transpose 〖校正〗 거꾸로[옆으로] 된 자를 바로 세울 것.

·tru·ant[trú:ənt] ***n., a.*** Ⓒ 농땡이; 무단 결석하는 (사람·학생). ***play*** ~ 무단 결석하다. — ***vi.*** 농땡이 부리다, 무단 결석하다. **tru·an·cy** ***n.***

·truce[tru:s] ***n.*** U,C 휴전; 중지.

truck[1][trʌk] ***vt., vi.*** 물물 교환하다 (barter); 거래하다. — ***n.*** Ⓤ 물물 교환; 현물 지급(제); 《口》 거래; 교제(*with*); Ⓒ 《美》 시장에 낼 야채; 하찮은 물건; Ⓒ 《口》 잡동사니. — ***a.*** 물물 교환의; 시장에 낼 야채의.

:truck[2] ***n.*** Ⓒ 손수레, 광차(鑛車); 《美》 화물 자동차, 트럭; 《英》 무개화차. **ˊ·age** ***n.*** Ⓤ (수레·트럭의) 운임; 운송. **ˊ·er** ***n.*** =TRUCKMAN.

trúck fàrm [gàrden] 《美》 시판용(市販用) 야채의 재배 농원.

trúck fàrmer 《美》 ⇧의 경영자.

truck·le[1][trʌ́kəl] ***n., vi.*** Ⓒ 작은 바퀴(로 움직이다); =TRUCKLE BED.

truck·le[2] ***vi.*** 굴종하다, 아첨하다.

trúckle bèd 바퀴 달린 낮은 침대《안 쓸 때는 보통 침대 밑에 밀어넣어 둠》. 「물.

trúck·lòad ***n.*** Ⓒ 트럭 1대 분의 화

truck·man[ˊmən] ***n.*** Ⓒ 트럭 운전사[운송업자]. 「제.

trúck sỳstem (임금의) 현물 지급

truc·u·lent[trʌ́kjələnt] ***a.*** 야만스런, 모질고 사나운, 잔인한. **-lence, -len·cy** ***n.***

·trudge[trʌdʒ] ***vi.*** 무겁게 터벅터벅 걷다. ~ ***it*** 터벅터벅 걷다. — ***n.*** Ⓒ 무거운 걸음.

†true[tru:] ***a.*** ① 참다운, 틀림없는. ② 성실[충실]한. ③ 정확한, 바른; (기계가) 정밀한. ④ 진짜의; 순종의; 합법의. ⑤ (가능성·기대 따위를) 믿을 수 있는. ⑥ (방향·힘 등이) 일정한, 변치 않는. ***come*** ~ 정말이 되다, (희망이) 실현되다. ***hold*** ~ 유효하다, 들어맞다. ***prove*** ~ 사실로 판명되다. ~ ***bill*** 〖法〗 (대배심 (grand jury)의) 공소(公訴) 인정서. ~ ***to life*** 실물 그대로. ~ ***to nature*** 핍진(逼眞)의. — ***ad.*** 진실로; 정확히. — ***n.*** (the ~) 진실; 정확한 상태; 〖컴〗 참. — ***vt.*** 바르게 맞추다.

trúe-blúe ***n., a.*** Ⓤ (퇴색 않는) 남빛(의); Ⓒ (주의에) 충실한 (사람).

trúe·bórn ***a.*** 적출(嫡出)의; 순수한.

trúe·bréd ***a.*** 순종의; 뱀뱀이가 좋은. 「×식 테스트.

trúe-fálse tèst 《美》 정오 문제, ○

trúe-héarted ***a.*** 성실한.

trúe·lòve ***n.*** Ⓒ 애인.

truf·fle[trʌ́fəl] ***n.*** U,C 송로(松露) 무리의 버섯.

trug[trʌg] ***n.*** Ⓒ 《英》 (야채·과일 등을 담는) 직사각형의 운두 낮은 나무 그릇.

tru·ism[trú:izəm] ***n.*** Ⓒ 자명한 이치; 진부한[판에 박은] 문구.

:tru·ly[trú:li] ***ad.*** 참으로; 성실[충실]히; 바르게, 정확히. ***Yours (very)*** ~ 경구(敬具)《편지의 끝맺는 말》.

Tru·man[trú:mən], **Harry S.** (1884-1972) 제 33대의 미국 대통령 (1945-53).

:trump[1][trʌmp] ***n.*** Ⓒ ① (트럼프의) 으뜸패(의 한 벌). ② 비법, 비방. ③ 《口》 믿음직한 사람. ***play a*** ~ 으뜸패를[비방을] 내놓다. ***turn up ~s*** 《口》 예상외로[순조롭게] 잘 되어 가다. — ***vt., vi.*** 으뜸패를 내놓(고 따)다; 비방을 쓰다; …보다 낫다, 지우다; 날조하다, 조작하다(*up*).

trump[2] ***n.*** Ⓒ 《古·詩》 나팔(trumpet).

trúmp càrd 으뜸패; 비법; 비방.

trúmped-úp ***a.*** 날조한《사건·범죄 등》.

trump·er·y[trʌ́mpəri] ***a., n.*** Ⓤ 《집합적》 겉만 번드르르한 (물건), 굴

통이; 하찮은 (물건); 허튼 소리, 잠꼬대.
:trum·pet[trʌ́mpit] *n.* Ⓒ 트럼펫, 나팔(소리); 나팔 모양의 물건, 나팔형 확성기. ***blow one's own*** ~ 제 자랑하다. — *vi.* 나팔 불다; (코끼리 등이) 나팔 같은 (목)소리를 내다. — *vt.* 나팔로 알리다; 퍼뜨려 알리다. **~·er** *n.* Ⓒ 나팔수; 떠벌이; 《美》 (북아메리카산의) 백조의 일종; (남아메리카산의) 두루미의 일종; 집비둘기. 「령.
trúmpet càll 소집 나팔; 긴급 명
trun·cate[trʌ́ŋkeit] *vt.* (원뿔·나무 따위의) 머리를〔끝을〕 자르다; (긴 인용구 따위를) 잘라 줄이다; 〖컴〗 끊다. — *a.* 끝을〔두부(頭部)를〕 자른; 잘라 줄인. ~ ***cone*** 〔***pyramid***〕 〖幾〗 원〔각〕뿔대. **-ca·tion**[trʌŋkéiʃən] *n.* Ⓤ 〖컴〗 끊음, 끊기.
trun·cheon[trʌ́ntʃən] *n.* Ⓒ 《주로 英》 경찰봉; 권표(權標), 지휘봉. — *vt.* 《古》 곤봉으로 때리다.
trun·dle[trʌ́ndl] *n.* Ⓒ 작은 바퀴, 각륜(脚輪); 바퀴 달린 침대〔손수레〕. — *vt., vi.* 굴리다, 구르다, 밀고가다 (*along*); 돌(리)다.
trúndle bèd =TRUCKLE BED.
:trunk[trʌŋk] *n.* Ⓒ ① 줄기, 몸통. ② (대형) 트렁크. ③ 본체(本體), 주요부. ④ (전화의) 중계선; (철도 따위의) 간선(幹線). ⑤ (코끼리의) 코. ⑥ (*pl.*) (선수·곡예사의) 짧은 팬츠. — *a.* 주요한.
trúnk càll 《英》 장거리 전화 호출.
trúnk càrrier 《美》 주요〔대형〕 항공 회사.
trúnk hòse (16-17세기의) 반바지.
trúnk lìne 간선(幹線).
trúnk ròad 《英》 간선 도로.
truss[trʌs] *n.* Ⓒ 〖建〗 가〔형〕구(架〔桁〕構), 트러스; 〖醫〗 탈장대(脫腸帶); 다발; 건초의 다발《56-60파운드》; 보릿짚 단《36파운드》; 〖海〗 하활대 중앙부를 돛대에 고정시키는 쇠붙이. — *vt.* 〖料理〗 (요리전에) 날개와 다리를 몸통에 꼬챙이로 꿰다; (교량 따위를) 형구로 버티다; 다발짓다.
:trust[trʌst] *n.* ① Ⓤ 신임, 신뢰; Ⓒ 신용(*in*). ② Ⓒ 믿는 사람〔것〕. ③ Ⓤ 희망, 확신. ④ Ⓤ 신용 대부, 외상 판매. ⑤ Ⓤ 책임; 보관; 위탁; 신탁; Ⓒ 신탁물. ⑥ Ⓒ 〖經〗 기업 합동, 트러스트(cf. cartel, syndicate). ***in*** ~ 위탁하여. ***on*** ~ 외상으로; 남의 말대로. — *a.* 신탁의. — *vt.* ① 신뢰〔신용〕하다; 의지하다; 맡기다, 위탁하다. ② (비밀을) 털어놓다(*with*). ③ 희망〔기대〕하다(*to* do; *that*); 믿다. ④ 신용대부〔외상판매〕하다. — *vi.* ① 믿다(*in*); 신뢰하다(*on*); 맡기다(*to*). ② 기대하다(*for*). ③ 외상 판매하다. **∠·a·ble** *a.* **∠·ful** *a.* 신용〔신뢰〕하고 있는. **∠·ing** *a.* 믿는.
trúst·bùster *n.* Ⓒ 《美》 트러스트〔기업 합동〕 해소를 꾀하는 사람; 반(反)트러스트법 위반 단속관.
trúst còmpany 신탁 회사; 신탁 은행.
trúst dèed 신탁 증서.
***trus·tee** [trʌstíː] *n.* Ⓒ 피신탁인, 보관인, 관재인(管財人). **~·ship** [-ʃip] *n.* Ⓤ,Ⓒ 수탁자의 직무; Ⓒ (국제 연합의) 신탁 통치 (지역).
trúst fùnd 신탁 자금〔기금〕.
trúst mòney 위탁금.
trúst tèrritòry (국제 연합의) 신탁 통치 지역.
***trust·wor·thy**[∠wə̀ːrði] *a.* 신뢰할 수 있는, 확실한. **-thi·ness** *n.*
***trust·y**[trʌ́sti] *a., n.* Ⓒ 믿을 수 있는〔충실한〕 (사람); 《美》 모범수(囚).
†truth[truːθ] *n.* (*pl.* **~s**[-ðz, -θs]) Ⓤ 진리; Ⓒ 진실, 사실; Ⓤ 성실; 정직. ***in*** ~ 실제, 사실은. ***of a*** ~ 《古》 참으로. ***to tell the*** ~, or ~ ***to tell*** 실은, 사실을 말하면.
***truth·ful**[∠fəl] *a.* 정직한; 성실한; 진실의. **~·ly** *ad.* **~·ness** *n.*
trúth sèrum 진심 토로약《먹으면 진심을 털어놓는다는 약》.
†try[trai] *vt.* ① (시험삼아) 해보다; 노력하다; 시험해 보다. ② 〖法〗 심리하다. ③ 괴롭히다, 시련을 겪게 하다. ④ 정련〔정제〕하다. — *vi.* 시도해 보다, 노력하다(*at, for*). ~ ***on*** (옷을) 입어보다; 시험해 보다. ~ ***one's hand at*** …을 해보다. ~ ***out*** …을 철저히 해보다; 엄밀히 시험하다; 《美》 자기 적성을 시험해 보다(*for*). — *n.* Ⓒ 시도, 시험; 노력. **:∠·ing** *a.* 시련의; 괴로운; 화나는.
trý-òn *n.* Ⓒ 《英口》 (속이려는) 시도; (가봉된 옷을) 입어보기, 가봉.
trý·òut *n.* Ⓒ 《美口》 적성 검사.
tryp·sin[trípsin] *n.* Ⓤ 〖生化〗 트립신《췌액 중의 소화 효소》.
try·sail[tráisèil, -səl] *n.* Ⓒ 〖船〗 작은 세로 돛.
trý squàre 곱자, 곡척(曲尺).
tryst[trist, trai-] *n., vt.* Ⓒ (…와) 만날 약속(을 하다), (약속한) 회합 (장소); 회합(시간·장소를) 정하다.
trýst·ing plàce[trístiŋ-] 데이트〔회합〕 장소.
tsar[tsɑːr, zɑːr], **tsar·e·vitch, &c.** ⇨CZAR, CZAREVITCH, &c.
Tschai·kov·sky =TCHAIKOVSKY.
tsét·se (flỳ)[tsétsi(-)] *n.* Ⓒ 체체파리《남아프리카산, 수면병의 매개체》.
T/Sgt, T.Sgt. Technical Sergeant.
T-shirt[tíːʃəːrt] *n.* Ⓒ 티셔츠.
Tshing·tao[tsíŋtáu, tʃíŋ-] *n.* 칭따오(青島)《중국 동부의 항구》.
tsp. teaspoon(ful).
T squàre T자.
T.T. 《英》 telegraphic transfer 전신환; tuberculin-tested 투베르쿨린 검사가 끝난. **TTS** teletypesetter. **Tu** 〖化〗 thulium. **Tu.** Tuesday. **T.U.** trade union 노동조합; transmission unit 〖鐵〗 전도(傳導) 장치.

T

:tub[tʌb] *n.* Ⓒ ① 통, 동이; 목욕통; 《英口》 목욕. ② 《美俗》 뚱보. ③ 한 통의 분량. ④ 《口·蔑》 느리고 모양 없는 배. — *vt., vi.* (**-bb-**) 통에 넣다[저장하다]; 《英口》 목욕시키다[하다].
tu·ba[tjú:bə] *n.* Ⓒ 저음의 (큰) 나팔통.
tub·by[tʌ́bi] *a.* 통 모양의; 땅딸막한, 뚱뚱한(corpulent).
:tube[tju:b] *n.* Ⓒ ① 관(pipe), 통(cylinder); 관[통] 모양의 물건[기관(器官)]; (치약·그림물감 등이 든) 튜브. ② (특히 런던의) 지하철. ③ 《美》 진공관. **∠·less** *a.* 튜브[관] 없는.
túbe-bàby *n.* Ⓒ 시험관 아기.
túbeless tíre 튜브 없는 타이어.
tu·ber[tjú:bər] *n.* Ⓒ 【植】 괴경(塊莖); 【解】 결절(結節). **～·cle** *n.* Ⓒ 작은 돌기, 소결절(小結節); 【醫】 결핵 결절. **tu·bér·cu·lar** *a.*
túbercle bacìllus 결핵균.
tu·ber·cu·lin[tju(:)bə́:rkjəlin] *n.* Ⓤ 투베르쿨린 주사액. 「검사.
tubérculin tèst 투베르쿨린 반응
***tu·ber·cu·lo·sis**[-ˋ-lóusis] *n.* Ⓤ 【醫】 (폐)결핵《생략 T.B.》. **tu·bér·cu·lous** *a.*
tu·ber·ose[1] [tjú:bəròus] *a.* =TUBEROUS.
tube·rose[2][tjú:bəròuz] *n.* Ⓒ 【植】 월하향(月下香).
tu·ber·ous[tjú:bərəs] *a.* 괴경(塊莖)(tuber)이 있는.
tub·ing[tjú:biŋ] *n.* Ⓤ 배관(配管); 관재료(管財料); 파이프《집합적으로도》.
túb màt 욕조(안에 까는) 매트.
túb-thùmper *n.* Ⓒ 《美》 보도관, 대변인.
tu·bu·lar[tjú:bjələr] *a.* 관 모양의; 파이프의. 「구.
túbular fúrniture 파이프식 가
TUC, T.U.C. Trades Union Congress (영국의) 노동 조합 회의.
:tuck[tʌk] *vt.* ① (옷단을) 징그다, (주름을 접어) 호다; (소매·옷자락을) 걷어 올리다. ② 말다, 싸다; 포근하게 감싸다(～ *the children in bed*). ③ (좁은 곳으로) 밀어넣다, 틀어박다(*in, into, away*). ④ 《俗》 잔뜩 먹다(*in, away*). — *vi.* 징그다, 주름을 잡다; 《俗》 (음식을) 긁어넣듯이 처먹다(*in*). ～ ***the sheets in*** 시트 끝을 요 밑으로 접어넣다. — *n.* ① Ⓒ (큰 옷을 줄이어) 징그기, (접어 넣은) 단. ② Ⓤ 《英俗》 먹을 것, 과자.
túck bòx 《英俗》 (기숙 학교의 초등 학생이 잘 가지고 다니는) 과자 상자.
tuck·er[1][∠ər] *n.* Ⓒ (옷단을) 징그는 사람; (재봉틀의) 주름잡는 기계; (17-18세기의 여성용의) 깃에 대는 천; =CHEMISETTE; 《濠俗》 음식물. ***one's best bid and*** ～ 나들이옷.
tuck·er[2] *vt.* 《美俗》 피로케 하다(*out*).
túck-ìn *n.* Ⓒ (*sing.*) 《英俗》 많은 음식, 굉장한 진수 성찬.
túck-òut *n.* =⇧.
Tu·dor[tjú:dər] *a., n.* Ⓒ (영국의) 튜더 왕가[왕조]의 (사람); 【建】 튜더 양식(의).
***Tues.** Tuesday.
†Tues·day[tjú:zdei, -di] *n.* Ⓒ 《보통 무관사》 화요일.
tu·fa[tjú:fə] *n.* Ⓤ 【地】 석회화(石灰華).
tuff[tʌf] *n.* Ⓤ 【地】 응회암(凝灰岩).
***tuft**[tʌft] *n.* Ⓒ (머리털·실 따위의) 술, 타래; 덤불; 꽃[잎]의 송이[덩이]. — *vt., vi.* (…에) 술을 달다; 송이져 나다. **～·ed**[∠id] *a.* **∠·y** *a.*
Tu Fu[tú: fú:] *n.* (712-770) 두보(杜甫)《중국 당대(唐代)의 시인》.
:tug[tʌg] *vt.* (**-gg-**), *n.* Ⓒ (힘껏) 잡아 당기다[당기기]; (배를) 끌다(tow[1]). ～ ***of war*** 줄다리기; 맹렬한 싸움.
***túg·bòat** *n.* Ⓒ 예인선(船).
***tu·i·tion**[tju:íʃən] *n.* Ⓤ 교수; 수업료. **～·al, ～·ar·y**[-èri/-əri] *a.*
tu·la·re·mi·a, -rae-[tù:lərí:miə] *n.* 《美》 =RABBIT FEVER.
†tu·lip[tjú:lip] *n.* Ⓒ 【植】 튤립.
túlip trèe (북아메리카산) 튤립나무.
tulle[tju:l] *n.* Ⓤ 튤《베일용의 얇은 비단 망사》. 「리.
tum[1][tʌm] *n.* Ⓒ (밴조 따위의) 소
tum[2] *n.* Ⓒ 《兒·諧》 배(腹).
:tum·ble[tʌ́mbəl] *vi.* ① 구르다, 넘어지다. ② 전락하다; 폭락하다. ③ 뒹굴다; 좌우로 흔들리다; 공중제비를 하다. ④ 《俗》 구르다시피 달려오다[달려나오다](*in, into, out, down, up*). ⑤ 부닥치다, 딱 마주치다(*on, into*). — *vt.* 넘어뜨리다, 뒤집어엎다, 내동댕이치다, 내던지다, 던져 흩어지게 하다(*out, in, about*); 헝클어[구겨]뜨리다(rumple); 쏘아 떨어뜨리다. — *n.* Ⓒ 전도(轉倒), 전락; 공중제비, 재주넘기; (a ～) 혼란. ***all in a*** ～ 뒤죽박죽이 되어. **-bling** *n.* Ⓤ 텀블링《매트에서 하는 곡예》.
túmble·dòwn *a.* (집이) 찌부러질 듯한; 황폐한.
***tum·bler**[-ər] *n.* Ⓒ ① 곡예사; 오뚝이《장난감》. ② 큰 컵 (하나 그득)《전에는 밑이 튀어나와서 탁자에 놓을 수 없었음》. ③ 공중제비하는 비둘기.
túmble·wèed *n.* Ⓤ 회전초《가을 바람에 쓰러져 날리는 명아주·엉겅퀴 따위의 잡초; 북아메리카산》.
tum·brel[tʌ́mbrəl], **-bril**[-bril] *n.* Ⓒ 비료차; (프랑스 혁명 때의) 사형수 호송차; 【軍】 두 바퀴의 탄약차.
tu·me·fy[tjú:məfài] *vi., vt.* 부어[부풀어] 오르(게 하)다. **tu·me·fac·tion**[ˋ-fǽkʃən] *n.* Ⓤ 부어오름; Ⓒ 종기. 「강(豆滿江).
Tu·men[tú:mʌ́n] *n.* (the ～) 두만
tu·mes·cent[tju:mésənt] *a.* 부어오르는; 종창(腫脹)성의. **-cence** *n.*
tu·mid[tjú:mid] *a.* 부은; 과장된. **～·ness, tu·míd·i·ty** *n.*
tum·my[tʌ́mi] *n.* Ⓒ 《兒》 배(腹).

T

túmmy·àche *n.* Ⓤ 《口》 배앓이, 복통.
túmmy bùtton 《口》 배꼽.
tu·mor, 《英》 **-mour**[tjú:mər] *n.* Ⓒ 종창(腫脹), 부기; 종기. **~·ous** *a.* 종양의, 종양 모양의.
***tu·mult**[tjú:mʌlt, -məlt] *n.* Ⓤ,Ⓒ (크게) 떠들썩함; 소동; 혼란; 흥분.
***tu·mul·tu·ous**[tju:mʌ́ltʃuəs] *a.* 떠들썩한; 흥분한, 혼란한. **~·ly** *ad.* **~·ness** *n.*
tu·mu·lus[tjú:mjələs] *n.* (*pl.* ***-li***[-lài]) Ⓒ 고분(古墳).
tun[tʌn] *n., vt.* (***-nn-***) Ⓒ 큰 술통(에 넣다); 턴《액량의 단위(=252갤런)》.
tu·na[tjú:nə] *n.* Ⓒ 다랑어.
tun·a·ble[tjú:nəbəl] *a.* ⇨TUNE.
tun·dra[tʌ́ndrə, tún-] *n.* Ⓤ (북시베리아 등의) 툰드라, 동토대(凍土帶).
:tune[tju:n] *n.* ① Ⓒ,Ⓤ 곡조, (노래) 곡. ② Ⓤ 장단이 맞음, 조화, 협조. ③ Ⓤ (마음의) 상태, 기분. ***in*** 〔***out of***〕 **~** 장단이 맞아서〔안맞아〕; 사이좋게〔나쁘게〕 (***with***). ***sing another*** 〔***a different***〕 **~** 논조〔태도〕를 바꾸다; 갑자기 겸손해지다. ***to the ~ of*** (***fifty dollars***) (50달러)라는 다액의. — *vt.* (악기의) 음조를 맞추다; 조율(調律)하다; 조화시키다(***to***); 《詩》 노래하다. **~ *to*** (라디오 등) 파장(波長)을 맞추다. **~ *out*** (라디오 따위를) 끄다. **~ *up*** (악기의) 음조를 정조(整調)하다; 노래하기〔연주하기〕 시작하다; 《諧》 울기 시작하다. **∠·ful** *a.* 음조가 좋은, 음악적인. **∠·ful·ly** *ad.* **∠·less** *a.* **∠·less·ly** *ad.* **tún(e)·a·ble** *a.* 가락을 맞출 수 있는. **-bly** *ad.*
túned-ín *a.* 《口》 새로운 감각에 통한, 새로운 것을 좋아하는.
tun·er[tjú:nər] *n.* Ⓒ 조율사(師); 〖라디오·TV〗 파장 조정기, 튜너.
túne·smìth *n.* Ⓒ 《美口》 (특히 대중 음악의) 작곡가.
tung[tʌŋ] *n.* (Chin.) =TUNG TREE.
túng òil 동유(桐油). 「스텐.
tung·sten[tʌ́ŋstən] *n.* Ⓤ 〖化〗 텅
túng trèe 유동(油桐)나무.
Tun·gus[tuŋgúz] *n., a.* Ⓒ 퉁구스 사람; Ⓤ 퉁구스어(의); 퉁구스족의.
tu·nic[tjú:nik] *n.* Ⓒ (고대 그리스·로마인의) 소매 짧은 윗도리; 허리에 착달라붙는 여자 저고리; (군인·경관의) 윗옷의 일종; 〖動〗 피막(被膜); 〖植〗 종피(種皮).
tun·ing[tjú:niŋ] *n.* Ⓤ 정조(整調), 조율(調律); 〖컴〗 세부 조정.
túning fòrk 소리굽쇠, 음차(音叉).
Tu·ni·sia[tju:ní(:)ʒiə] *n.* 북아프리카의 공화국.
tun·nage[tʌ́nidʒ] *n.* =TONNAGE.
:tun·nel[tʌ́nl] *n., vt., vi.* (《英》 ***-ll-***) Ⓒ 터널(을 파다); 지하도.
túnnel dìode 터널 다이오드《터널 효과를 이용한 다이오드》.
túnnel effèct 〖理〗 터널 효과.
tun·ny[tʌ́ni] *n.* Ⓒ 《주로英》 다랑어.
tun·y[tjú:ni] *a.* 《英》 음조가 좋은.
tup[tʌp] *n.* Ⓒ ① 《英》 숫양(羊). ② (말뚝박는) 증기 해머의 머리부분.
tu·pe·lo[tjú:pəlòu] *n.* (*pl.* **~s**) Ⓒ (북아메리카산의) 층층나뭇과(科)의 큰 나무; Ⓤ 그 목재《단단함》.
Tu·pi-Gua·ra·ni[tu:pí:gwà:ra:ní:] *n.* Ⓒ,Ⓤ (브라질의) 투피(과라니) 토인(말). 「PENCE.
tup·pence[tʌ́pəns] *n.* 《英》 = TWO-
tup·pen·ny[tʌ́pəni] *a., n.* 《英》 = TWOPENNY.
tuque[tju:k] *n.* Ⓒ 긴 양말 모양의 털 방한모.
***tur·ban**[tə́:rbən] *n.* Ⓒ (회교도의) 터번; 터번식 부인 모자. **~ed**[-d] *a.*
tur·bid[tə́:rbid] *a.* 흐린, 흙탕물의; 어지러운. **tur·bíd·i·ty** *n.*
tur·bi·nate[tə́:rbənit, -nèit] *a., n.* 나선형의, 소용돌이 모양의; Ⓒ 〖解〗 갑개골(甲介骨)(의). 「빈.
***tur·bine**[tə́:rbin, -bain] *n.* Ⓒ 터
tur·bo·jet[tə́:rboudʒèt] *n.* Ⓒ 〖空〗 터보 제트기; =⇧. 「진 엔진.
túrbojet èngine 터빈식 분사 추
tur·bo·lin·er[tə́:rboulàinər] *n.* Ⓒ 터빈 열차《가스 터빈 엔진을 동력으로 하는 고속 열차》.
túr·bo·prop (**èngine**)[-pràp(-)/-ɔ̀-] *n.* Ⓒ 〖空〗 터보프롭 엔진.
tur·bot[tə́:rbət] *n.* (*pl.* **~s,** 《집합적》 **~**) Ⓒ 가자미류(類).
***tur·bu·lent**[tə́:rbjələnt] *a.* (파도·바람이) 거친(furious); 광포한, 소란스러운. **-lence, -len·cy** *n.* **~·ly** *ad.*
tu·reen[tjurí:n] *n.* Ⓒ (뚜껑 달린) 수프 그릇.
turf**[tə:rf] *n.* (*pl.* **~s,** 《稀》 ***turves) ① Ⓤ 잔디, 떼. ② Ⓒ 한 장의 뗏장. ③ Ⓤ,Ⓒ 토탄(peat). ④ Ⓤ (the **~**) 경마(장). ***on the ~*** 경마를 업으로 하여. — *vt.* 잔디로 덮다. **∠·man** *n.* Ⓒ 경마팬. **∠·y** *a.*
tur·gid[tə́:rdʒid] *a.* 부은(swollen); 과장된. **~·ness, tur·gíd·i·ty** *n.*
Turk[tə:rk] *n.* Ⓒ 터키인; 난폭자, 개구쟁이.
Turk. Turkey; Turkish.
Tur·ke·stan[tə̀:rkistǽn, -tá:n] *n.* 중앙 아시아의 한 지방.
:Tur·key[tə́:rki] *n.* 터키《공화국》.
:tur·key[tə́:rki] *n.* ① Ⓒ 칠면조; Ⓤ 그 고기. ② Ⓒ 《俗》 실패; 《美俗》 (영화·연극의) 실패작. ***talk*** (***cold***) **~** 《美俗》 입바른 소리를 하다.
túrkey bùzzard (라틴 아메리카산의) 독수리의 일종《머리가 붉음》.
túrkey còck 수칠면조; 젠체하는 사람. 「=TURQUOISE.
Túrkey stòne 터키석의 일종;
:Turk·ish[tə́:rkiʃ] *a., n.* Ⓒ 터키(인·식)의; Ⓤ 터키어(의).
Túrkish báth 터키탕. 「제국.
Túrkish Émpire, the 〖史〗 터키
Túrkish tówel 보풀이 긴 타월(천).

T

Tur·ko·man[tə́:rkəmən] *n.* Ⓒ,Ⓤ 투르코만 사람〔말〕.

tur·mer·ic[tə́:rmərik] *n.* Ⓤ (인도산) 심황; 심황 뿌리(의 가루)《조미료·물감용》.

*****tur·moil**[tə́:rmɔil] *n.* Ⓤ (a ～) 혼란, 소동.

†**turn**[tə:rn] *vt.* ① 돌리다; (고동을) 틀다. ② (…을) 돌아가다(～ *the corner*). ③ 뒤집다(*back, in, up*); (책장을) 넘기다; 뒤집어 엎다. ④ 튀겨 보내다, 받아 막다(～ *a punch*). ⑤ 향하게 하다, 바꾸다(～ *water into ice*). ⑥ 번역하다. ⑦ 나쁘게 하다, (음식 따위를) 시게〔상하게〕하다(～ *his stomach* 메스껍게 하다/ *Warm weather will* ～ *milk.*). ⑧ 돌게 만들다(*His head is* ～*ed.* 머리가 돌았다). ⑨ (선반·녹로 따위로) 갈리다; 형(形)을 만들다(*Her person is well* ～*ed.* 모습이 아름답다). ⑩ 생각해〔짜〕내다, 그럴듯하게 표현하다(*She can* ～ *pretty compliments.* 겉발림말을 잘 한다). ⑪ 넘기다, 지나다(*He has* ～*ed his fourteeth year.* 저 앤 벌써 14세다 / *I'm* ～*ed of forty.* 사십고개를 넘었다). ── *vi.* ① 돌다, 회전하다. ② 구르다, 뒹굴다; 굼틀대다(*A worm will* ～.《속담》지렁이도 밟으면 꿈틀한다). ③ 방향을 바꾸다, 전향하다; 뒤돌아 보다. ④ 돌다, 구부러지다(～ *to the left*); 되돌아가다. ⑤ 기울다, 의지하다(*to*); …에 의하다(depend)(*on*). ⑥ 변하다, 일변〔역전〕하다; 단풍이 들다;《보어와 함께》…으로 변하다, …이 되다(*She* ～*ed pale.*). ⑦ (머리가) 어찔어찔하다, 핑 돌다; (속이) 메스껍다. ⑧ 선반(旋盤)을 돌리다; (선반으로 …이) 깎여지다, 만들어지다. ***make*** (*a person*) ～ ***in his grave*** 지하에서 편히 잠들지 못하게 하다〔슬퍼하게 만들다〕. ～ ***about*** 뒤돌아 보다; 방향을 바꾸다〔돌리다〕. ～ ***against*** 반항하다, 싫어하다. ～ (*a person*) ***round one's finger*** 제마음대로 다루다. ～ ***aside*** 비키다, 옆으로 피하다; 빗나가다; 외면하다. ～ ***away*** (얼굴을) 돌리다; 쫓아버리다; 해고하다; 피하다. ～ ***down*** 뒤집다, 접다; 엎어 놓다; (가스불 따위를) 낮추다, (라디오 소리를) 작게 하다; 거절하다. ～ ***in*** 안쪽으로 구부러지다〔구부리다, 향하(게 하)다〕; 들이다;《口》잠자리에 들다; 접어 넣다;《美》제출하다. ～ ***loose*** (풀어서) 놓아주다. ～ ***off*** (고동·스위치를 틀어) 멈추게 하다, 끄다; (이야기를) 딴 데로 돌리다;《주로 英》해고하다; 옆길로 들어서다, (길이) 갈라지다. ～ ***on*** (고동·스위치를 틀어) 나오게 하다, 켜다; (…에) 적대하다; (이야기가) …으로 돌아가다; …여하에 달리다(*on*). ～ ***out*** 밖으로 구부러지다〔구부리다, 향하(게 하)다〕; 뒤집다; 스트라이크를 시작하다;《口》잠자리에서 나오다; 외출〔출근〕하다; 결과가 …이 되다, …으로 판명되다(prove)(*to be; that*); 내쫓다, 해고하다; (속에 있는 물건을) 내놓다; 폭로하다; 만들어내다, 생산하다; 차려입히다, 성장(盛裝)시키다(fit out). ～ ***over*** 뒹굴리다, 돌아눕다; 넘어뜨리다; 인도(引渡)하다; (책장을) 넘기다; (…만큼의) 거래를 하다; (자금을) 회전시키다, 운전하다; 전업(轉業)하다; 숙고(熟考)하다. ～ ***round*** 기항(寄港)하다. ～ ***to*** …이 되다; 조회하다, 조사하다(refer to); …에게 조력을 구하다; 일을 착수하(게 하)다; (페이지를) 펴다(*Please* ～ *to page 10.*). ～ ***up*** 위로 구부러지(게 하)다〔향(하게)하다〕; 위를 보(게 하)다; 나타나다, 생기다; 일어나다; 접어 줄이다; (가스불 따위를) 세게 하다, (라디오 소리를) 크게 하다; (엎어놓은 트럼프 패를) 뒤집다; 파뒤집다, 찾아내다;《口》구역질나게 하다. ～ ***upon*** (…의) 여하에 달리다; …을 적대(敵對)하다. ── ***n.*** Ⓒ ① 회전; 전향, 빗나감; 구부러짐, 모퉁이, 비틀림. ② 말투. ③ (a ～) 변화, 변화점. ④ 순번, 차례. ⑤ (a ～) 경향, 기질. ⑥ 모양, 형. ⑦ 한 바탕의 일, 한 판, 한 바퀴 돌기, 한 차례의 놀이, 산책, (연극·쇼의) 한 차례. ⑧ (새끼 등의) 한 사리. ⑨ 행위(*a good* 〔*an ill*〕 ～)(*to*). ⑩《口》놀람; 어지러움. ⑪ 〖印〗 복자(伏字). ⑫ (*pl.*) 경도, 월경. ⑬ 〖樂〗 돈꾸밈임. ***About*** 〔***Left***〕 ***～!*** 뒤로 돌아〔좌향좌〕. ***at every*** ～ 어느 곳에나, 언제든지. ***by*** ～***s*** 교대로, 번갈아. ***give*** (*a person*) ***a*** ～ 놀라게하다. ***in*** ～ 차례로. ***on the*** ～《口》변하기 시작하여. ***out of*** (***one's***) ～ 순서없이, 순서에 어긋나게; 제가 나설 계제가 아닌데도《말참견하다, 따위》. ***serve one's*** ～ 소용〔도움〕이 되다. ***take a favorable*** ～ 차도가 있다. ***take*** ～***s*** 교대로 하다. ***to a*** ～ 알맞게《구워진 불고기 따위》, 충분히. ～ ***and*** ～ ***about*** 돌아가며, 윤번으로. ～ ***of speed*** 속력.

túrn·abòut *n.* Ⓒ 방향 전환; 변절, 전향; 회전 목마.

túrn·aròund *n.* Ⓒ 전환; 전향, 변절; (배 따위의) 왕복 시간.

túrnaround tìme 〖컴〗 회송 시간《일(job)을 제출하고 부터 완전한 출력이 반송되기까지의 경과 시간》.

túrn·bùckle *n.* Ⓒ 나사 조이개, 턴버클.

túrn·còat *n.* Ⓒ 변절자.

túrn·dòwn *a.* 접어 젖힌 깃의.

turned[tə:rnd] *a.* 녹로로 세공한.

turn·er[⌐ər] *n.* Ⓒ 선반공; 갈이장이. ～**·y** *n.* Ⓤ 녹로 세공, 갈이질.

:**turn·ing**[⌐iŋ] *n.* ① Ⓤ 회전, 선회; 변절; 변화; Ⓒ 굴곡. ② Ⓤ 녹로〔선반〕 세공.

túrning pòint 변환점, 전(환)기; 위기.

*****tur·nip**[tə́:rnip] *n.* Ⓒ 〖植〗 순무.

túrnip·tòps *n. pl.* 순무의 잎.

túrn·kèy *n.* Ⓒ 교도관.

túrnkey sỳstem 〖컴〗 일괄 공급 체계.

túrn·òn *n.* Ⓤ (환각제 등에 의한)

도취《상태》; 흥분〔자극〕시키는 것.
***túrn·òut** *n.* Ⓒ ① 《집합적》 (구경·행렬 따위에) 나온 사람들; 출석자. ② 대피선. ③ 생산액, 산출고. ④ 《英》 동맹 파업(자). ⑤ 《口》 마차와 구종. ⑥ 채비.
túrn·òver *n.* Ⓒ 전복; 접은 것; (노동자의) 인사 이동(異動)·배치 전환; 투하 자본 회전(율); (일기(一期)의) 총매상고. — *a.* 접어 젖힌《칼라 따위》.
***túrn·pìke** *n.* Ⓒ 유료 도로, 통행료를 받는 문〔길〕.
túrn·plàte *n.* 《英》 =TURNTABLE.
túrn-ròund *n.* Ⓒ 반환 지점; 안팎 겸용 옷.
túrn·scrèw *n.* Ⓒ 《주로 英》 나사돌리개, 드라이버.
túrn sìgnal (lìght) 방향 지시등.
túrn·spìt *n.* Ⓒ 산적 꼬챙이를 돌리는 사람; 턴스피트종의 개.
túrn·stìle *n.* Ⓒ 회전식 문.
túrn·stòne *n.* Ⓒ 꼬마물떼새.
túrn·tàble *n.* Ⓒ 〖鐵〗 전차대(轉車臺); (축음기) 회전반.
túrn·ùp *n., a.* Ⓒ 뜻밖에 나타난 사람; 돌발 사건; 《英口》 격투; 《英》 (바지 따위의) 접어 올린 (부분).
***tur·pen·tine**[tə́:rpəntàin] *n., vt.* Ⓤ 테레빈; 테레빈유(油)(를 바르다).
tur·pi·tude[tə́:rpətjù:d] *n.* Ⓤ 비열, 배덕(背德).
tur·quoise[tə́:rkwɔiz] *n., a.* Ⓤ,Ⓒ 터키옥(玉)《보석》; 청록색(의).
***tur·ret**[tə́:rit, tʌ́r-] *n.* Ⓒ ① (성벽의) 작은 탑, 망루; (선회) 포탑(砲塔). ② (전투기의) 조종석.
:tur·tle[tə́:rtl] *n.* Ⓒ 바다거북; =∠**dòve** 〖鳥〗 호도애. ***turn*** ~ (배 따위가) 뒤집히다.
túrtle·nèck *n.* Ⓒ (스웨터 따위의) 터틀넥; 터틀넥 스웨터.
túrtle shèll 별갑(鱉甲).
Tus·can[tʌ́skən] *a., n.* 토스카나(Tuscany)의; (기둥이) 토스카나식인; Ⓒ 토스카나 사람(의); Ⓤ 토스카나 말(의).
Tus·ca·ny[tʌ́skəni] *n.* 토스카나《이탈리아 중부의 지방》.
tush[tʌʃ] *int., vi.* 체! (하다).
tusk[tʌsk] *n., vt.* Ⓒ (긴) 엄니(로 찌르다).
tus·sah[tʌ́sə] *n.* Ⓒ 멧누에; Ⓤ 멧누에 명주〔실〕.
tus·sive[tʌ́siv] *a.* 〖醫〗 기침의, 기침에 의한.
tus·sle[tʌ́səl] *n., vi.* Ⓒ 격투(하다).
tus·sock[tʌ́sək] *n.* Ⓒ 풀숲, 덤불; 더부룩한 털.
tus·sore[tʌ́sɔ:r] *n.* =TUSSAH.
tut[tʌt, ɬ] *int.* 체! — [tʌt] *vi.* (*-tt-*) 혀를 차다.
tu·te·lage[tjú:təlidʒ] *n.* Ⓤ 보호〔감독〕(받음), 후견(後見)(guardianship); 교육, 지도; 피(被)후견.
tu·te·lar[tjú:tələr], **-lar·y**[-lèri/-ləri] *a., n.* 보호하는; 후견인의; Ⓒ 수호신.
:tu·tor[tjú:tər] *n.* (*fem.* ~***ess***) Ⓒ 가정 교사; 《英》 (대학·고교의) 개인 지도 교사《보통 fellow가 담당》; 〖美大學〗 강사《instructor의 아래》; 〖法〗 후견인. — *vt., vi.* 가정 교사로서 가르치다; (학생을) 지도하다; 개인 지도 교사 노릇을 하다; 억제하다; 《美口》 개인 교수를 받다. **~·age, ~·ship**[-ʃip] *n.*
tu·to·ri·al [tju:tɔ́:riəl] *a.* tutor의. — *n.* Ⓒ ① (대학에서 tutor에 의한) 특별지도 시간〔학급〕. ② 〖컴〗 지침(서).
tutórial prògram 〖컴〗 지침프로그램《사용법·새로운 기능 등을 파악할 수 있게 만든 프로그램》.
tut·ti-frut·ti[tú:tifrú:ti] *n.* (It. =all fruits) Ⓤ,Ⓒ 설탕에 절인 과일(을 넣은 아이스크림).
tu·tu[tú:tu:] *n.* (F.) Ⓒ 튀튀《발레용 짧은 스커트》.
tux[tʌks] *n.* 《美口》 =⇩.
tux·e·do[tʌksí:dou] *n.* (*pl.* ~(***e***)***s*** [-z]) Ⓒ 《美》 턱시도《남자의 약식 야회복》.
:TV[tí:ví] *n.* Ⓒ 텔레비전.
TVA Tennessee Valley Authority.
TV dínner 텔레비전 식품《가열만 하면 먹을 수 있는 냉동 식품》.
TWA Trans-World Airlines.
twad·dle[twɑ́dəl/-ɔ́-] *n., vi.* Ⓤ 객적은 소리(하다).
Twain[twein], **Mark**(1835-1910) 미국의 소설가《Samuel Langhorne Clemens의 필명》.
twain[twein] *n., a.* 《古·詩》 =TWO.
twang[twæŋ] *n., vt., vi.* Ⓒ 현(弦)의 소리, 팅 (울리게 하다, 울리다); 콧소리(로 말하다).
'twas[twɑz/-ɔ-] 《詩·古》 =it was.
tweak[twi:k] *n., vt.* Ⓒ 비틀기, 꼬집다; 왈칵〔홱〕 당김〔당기다〕; (마음의) 동요, 고통.
twee[twi:] *a.* 《英俗》 귀여운.
***tweed**[twi:d] *n.* Ⓤ 트위드《스카치 나사(羅紗)》; (*pl.*) 트위드 옷.
'tween [twi:n] *prep.* 《詩》 =BETWEEN.
tween·y[twí:ni] *n.* Ⓒ 《英口》 잡일 맡아 보는 하녀.
tweet[twi:t] *n., int., vi.* Ⓒ 짹짹(울다); 지저귀는 소리. **~·er**[∠ər] *n.* Ⓒ 고음(高音) 스피커.
tweez·ers[twí:zərz] *n. pl.* 족집게, 핀셋.
†twelfth[twelfθ] *n., a.* Ⓤ (보통 the ~) 제12(의); Ⓒ 12분의 1(의).
Twélfth Dày 주현절(Epiphany)《1월 6일; 크리스마스 후 12일째》.
Twélfth Nìght 주현절의 전야제《1월 5일》.
†twelve[twelv] *n., a.* Ⓤ,Ⓒ 12(의). ***the T-*** (예수의) 12사도. **∠·fòld** *ad., a.* 12배(의).
twelve·mo[∠mòu] *n.* =DUODECIMO.
twélve·mònth *n.* Ⓤ 12개월, 1년.
Twélve Tábles, the ⇨TABLE.

twélve-tóne *a.* 〖樂〗 12음(조직)의 (dodecaphonic).
†**twen·ty**[twénti] *n., a.* Ⓤ,Ⓒ 20(의).
*__twen·ti·eth__[-iθ] *n., a.* Ⓤ (보통 the ~) 제 20(의), 스무번째(의); Ⓒ 20분의 1(의).
'**twere**[twəːr] 《古·詩》 =it were.
twerp[twəːrp] *n.* Ⓒ 《俗》 너절한 놈.
TWI, T.W.I. Training within Industry 기업내 (감독자) 훈련.
:**twice**[twais] *ad.* 두 번, 2회; 2배로[만큼]. ***think*** ~ 재고[숙고]하다.
twic·er[twáisər] *n.* Ⓒ 《濠俗》 나쁜 놈; 배신자.
twíce-tóld *a.* 두 번 이야기한; 구문의, 진부한(~ ***tales*** 고담(古談), 옛날 이야기).
twid·dle[twídl] *vt., vi., n.* 만지작거리다, 가지고 놀다(*with*); (a ~) 가지고 놀기. ~ [***twirl***] ***one's thumbs*** (지루하여) 양손의 엄지손가락을 빙빙 돌리다. ~ ***one's thumbs*** ⇨TWIDDLE. ― *n.* Ⓒ ① 회전; 빙글빙글 돌리기. ② (펜의) 장식 글씨. **∠·er** *n.* Ⓒ 배턴걸《고적대의 선두에서 지휘봉을 돌리는 사람》.
:**twig**[1][twig] *n.* Ⓒ 잔 가지, 가는 가지. ***hop the*** ~ 《俗》 갑작스레 죽다.
twig[2] *vt., vi.* (*-gg-*) 《英俗》 이해하다, 알다; 깨닫다, 알아차리다.
:**twi·light**[twáilàit] *n.* Ⓤ 어둑새벽, 여명; 황혼, 땅거미; 희미한 빛, 여명기(期). ― *a., vt.* 어스레하게 밝은 [밝히다].
twílight slèep (무통 분만법의) 반(半)마취 상태.
twílight zòne 중간 지대, 경계 영역; 도시의 노후화 지역.
twill[twil] *n.* Ⓤ 능직(綾織), 능직물. **~ed**[-d] *a.* 능직의.
'**twill**[twil, 弱 twəl] 《古·詩》 =it will.
:**twin**[twin] *a., n.* Ⓒ 쌍둥이의 (한 사람); 닮은 (것); (*pl.*) 쌍둥이; (the Twins) 《단수 취급》 〖天〗 쌍둥이자리. ― *vt., vi.* (*-nn-*) 쌍둥이를 낳다; 《廢》 짝을 이루다(*with*).
twín béd 트윈베드《둘을 합치면 더블베드가 됨》.
Twín Cíties 《美》 Minnesota 주의 미시시피강을 사이에 둔 St. Paul 과 Minneapolis 시.
*__twine__[twain] *n., vt., vi.* Ⓤ 끈실; (실을) 꼬다, 꼬기; (사리어) 감기[감다]; 얽힘, 얽히다.
twín-éngined *a.* (비행기가) 쌍발의.
twinge[twindʒ] *n., vi., vt.* Ⓒ 쑤시는 듯한 아픔; 쑤시듯이 아프(게 하)다, 쑤시다.
:**twin·kle**[twíŋkəl] *vi., vt., n.* 빤짝빤짝 빛나(게 하)다; (눈을) 깜빡거리다; (*sing.*) 빤짝임, 깜짝임; 깜빡할 사이. **twín·kling** *a., n.*
twín sèt 《英》 cardigan과 pullover의 앙상블《여자용》.
twín tòwns 자매 도시.
twín-tráck *a.* 두 방식[입장·조건·부분]으로 된.
*__twirl__[twəːrl] *vt., vi.* 빙글빙글 돌(리)다, 손끝으로 이리저리 만지작거리다.
twirp[twəːrp] *n.* =TWERP.
:**twist**[twist] *vt., vi.* ① 비틀(리)다; 꼬(이)다; 감(기)다. ② 구부리다, 구부러지다. ③ 나사 모양으로 만들다, 소용돌이치다. ④ (*vt.*) 곡해하다, 억지로 갖다 붙이다; 왜곡하여 말하다 (misrepresent). ⑤ 누비고 나아가다. ~ ***off*** 비틀어 떼다. ~ ***up*** 꼬다, (종이 등을) 나사 모양으로 꼬다. ― *n.* ① Ⓒ 뒤틀림, 꼬임, 비틀림. ② Ⓒ 꼰 실, 새끼, 끈; 꽈배기 빵. ③ Ⓒ (성격의) 비꼬임, 기벽(奇癖), 괴팍함(kink); 《英口》 사기. ④ Ⓤ 《英》 혼합주; (the ~); 트위스트(춤). **∠·er** *n.* Ⓒ (새끼 따위를) 꼬는[비트는] 사람; 실꼬는 기계; 견강부회하는 사람; 《주로 英》 부정직한 사람; 〖球技〗 곡구(曲球); 《美》 회오리바람.
twis·ty[twísti] *a.* ① (길 따위가) 구불구불한. ② 부정직한.
twit[twit] *n., vt.* (*-tt-*) Ⓒ 문책(하다), 힐책(하다); 조소(하다)(taunt).
*__twitch__[twitʃ] *vt., vi., n.* Ⓒ 홱 잡아당기다[당기기]; 씰룩씰룩 움직이(게 하)다; 경련(하다, 시키다); (*vt.*) 잡아채다(*off*). **∠·ing(·ly)** *a.* (*ad.*)
*__twit·ter__[twítər] *n., vi., vt.* Ⓤ (보통 the ~) 지저귐, 지저귀다; Ⓒ 벌벌 떨다[떪]; 킥킥 웃다[웃음]; 안절부절 못함[못하다]; (*vi.*) 지저귀듯이 재잘거리다.
'**twixt**[twikst] *prep.* 《古·詩·方》 = BETWIXT.
†**two**[tuː] *n., a.* Ⓤ,Ⓒ 2(의), Ⓒ 두 개[사람](의). ***a day or*** ~ 하루이틀. ***by ~s and threes*** 드문드문, 삼삼오오. ***in*** ~ 두 동강으로. ***in ~s*** 《俗》 곧, 순식간에. ***put ~ and ~ together*** 이것 저것 종합하여 생각하다, 결론을 내다. ***That makes ~ of us.*** 《口》 나도 마찬가지다. ~ ***and*** ~, or ~ ***by*** ~ 둘씩. ***T- can play at that game.*** (그렇다면) 이쪽에도 각오가 있다, 반드시 그 (앙)갚음을 한다.
twó-bàgger *n.* 《野俗》 =⇩.
twó-base hít 〖野〗 2루타.
twó-bìt *a.* 《美俗》 25센트의; 근소한, 보잘것 없는.
twó-by-fòur *a., n.* 가로 2인치[피트] 세로 4인치[피트]의; 《美口》 좁은, 《俗》 작은; Ⓒ 폭 4인치 두께 2 인치의 널.
twó cénts 《美口》 하찮은 것, 시시한 것.
twó cénts wòrth (보통 one's ~) (자기의) 의견.
twó-diménsional *a.* 2차원의; 평면적인, 깊이 없는(~ ***array*** 〖컴〗 2 차원 배열).
twó-édged *a.* =DOUBLE-EDGED.
twó-fáced *a.* =DOUBLE-FACED.

two·fer[⌐fər] *n.* Ⓒ《美口》(극장 등의) 반액 할인권.
twó-físted *a.* 양주먹을 쓸 수 있는;《美口》강한, 정력적인.
twó·fòld *a., ad.* 두 배의〔로〕, 2중의〔으로〕; 두 부분이〔요소가〕 있는.
twó-fóur *a.* 〖樂〗 4분의 2박자의.
twó-hánded *a.* 양손이 있는, 양손을 쓸 수 있는; 2인용의.
two·pence[tʌ́pəns] *n.*《英》Ⓤ 2펜스; Ⓒ 2펜스 은화.
two·pen·ny[tʌ́pəni] *a., n.*《英》2펜스의, 싸구려의; Ⓤ《英》맥주의 일종; Ⓒ《英俗》머리(*Tuck in your ~!* 머리를 더 숙여라《등넘기놀이에서》). 「싸구려의.
twópenny-hálfpenny *a.* 하찮은,
twó-píece *n., a.* Ⓒ 투피스(의).
twó-plý *a.* 두 겹으로 짠; (실이) 두 겹인.
twó·séater *n.* Ⓒ 2인승 비행기〔자동차〕.
twó-síded *a.* 양면이〔표리가〕 있는.
two·some[⌐səm] *n.* Ⓒ (보통 *sing.*) 둘이 하는 경기〔댄스〕.
twó·stèp *n.* Ⓒ 2박자의 사교 댄스; 그 곡.
twó-tìme *vt., vi.*《俗》배신하다, 속이다《특히 남편, 아내, 애인을》.
twó-tóne *a.* 두 색의《같은 또는 다른 계통의 색을 배열한》.
twó-wáy *a.* 두 길의; 양면 교통의; 상호적인; 송수신 겸용의.
'twould[twud] =it would.
TWX teletypewriter exchange.
-ty[ti] *suf.* '십(十)'의 뜻(six*ty*).
Ty. Territory.
ty·coon[taikúːn] *n.* (Jap.) Ⓒ《美》실업계의 거물.
:ty·ing[táiiŋ] *v.* tie의 현재 분사. — *n.* Ⓒ 매듭; Ⓤ 매는(tie) 일.
tyke[taik] *n.* Ⓒ 똥개(dur); 개구쟁이, 아이.
tym·pa·ni[tímpəni] *n. pl.* = TIMPANI.
tym·pan·ic[timpǽnik] *a.* 고막〔중이(中耳)〕의.
tympánic mémbrane 고막.
tym·pa·nist [tímpənist] *n.* = TIMPANIST.
tym·pa·ni·tes[tìmpənáitiːz] *n.* Ⓤ 〖醫〗 고창(鼓脹).
tym·pa·ni·tis[tìmpənáitis] *n.* Ⓤ 중이염(中耳炎).
tym·pa·num[tímpənəm] *n.* (*pl.* *~s, -na*[-nə]) Ⓒ 〖解〗 고막, 중이(中耳); 큰 북; 〖建〗 (gable과 현관 위쪽 사이 따위의) 삼각형의 작은 면.
Tyn·dale[tíndəl], **William** (1492?-1536) 영국의 종교 개혁가《신약 성서를 영역(1526), 이것은 A.V.의 모체가 되었음》.
Tyne and Wear[táinən*d*wíər] 영국 북동부의 주《1974년 신설》.
†type[taip] *n.* ① Ⓒ 형(型), 유형; 양식(style). ② Ⓒ 전형, 견본, 모범; 실례(가 되는 물건·사람). ③ Ⓒ 표, 부호, 상징. ④ Ⓤ,Ⓒ 활자, 자체(字體). ⑤ Ⓒ 혈액형. ⑥ Ⓒ 〖컴〗 꼴, 유형, 타입. ***in ~*** 활자로 짠〔짜서〕. ***set ~*** 조판하다. — *vt.* 타이프라이터로 찍다(typewrite); (혈액)형을 검사하다;《稀》상징하다; (…의) 전형이 되다.
týpe·càst *vt.* (~(***ed***)) (극중 인물의 신장·목소리 따위에 맞는) 배우를 배역하다.
týpe fòunder 활자 주조공〔업자〕.
týpe mètal 활자 합금.
týpe·sètter *n.* Ⓒ 식자공.
týpe·wrìte *vt.* (***-wrote; -written***) 타이프라이터로 찍다〔치다〕. **-wrìting** *n.* Ⓤ 타이프라이터 사용(법). **:-wrìter** *n.* Ⓒ 타이프라이터; = TYPIST.
-wrìtten *a.* 타이프라이터로 찍은.
typh·li·tis[tifláitis] *n.* Ⓤ 맹장염.
·ty·phoid[táifɔid] *a., n.* Ⓤ 장티푸스(의)〔같은〕; =⌐ **féver** 장티푸스.
:ty·phoon[taifúːn] *n.* Ⓒ 태풍.
ty·phus[táifəs] *n.* Ⓤ 발진티푸스.
:typ·i·cal[típikəl] *a.* 전형적인; 대표적인; 상징적인(*of*); 특징 있는(*of*). **~·ly** *ad.*
typ·i·fy[típəfài] *vt.* 대표하다; (…의) 전형이 되다; 상징하다; 예시(豫示)하다(foreshadow).
typ·ing[táipiŋ] *n.* Ⓤ 타이프라이터 치기〔사용법〕.
:typ·ist[táipist] *n.* Ⓒ 타이피스트.
ty·po[táipou] *n.* (*pl.* **~s**) Ⓒ《口》오식(誤植)《*typo*graphic error의 단축형》.
ty·pog·ra·pher[taipágrəfər/-ɔ́-] *n.* Ⓒ 인쇄공, 식자공.
ty·po·graph·ic [tàipəgrǽfik], **-i·cal**[-əl] *a.* 인쇄(상)의(*typographic errors* 오식(誤植)).
ty·pog·ra·phy[taipágrəfi/-ɔ́-] *n.* Ⓤ 인쇄(술).
ty·pol·o·gy[taipálədʒi/-ɔ́-] *n.* Ⓤ 유형학(類型學); 활자〔인쇄〕학.
Tyr[tiər] *n.* 〖北歐神話〗 Odin의 아들, 승리의 신.
ty·ran·nic[tirǽnik, tai-], **-ni·cal** [-əl] *a.* 포학한, 무도한; 압제적인. **~·ly** *ad.*
ty·ran·ni·cide[tirǽnəsàid, tai-] *n.* Ⓤ 폭군 살해; Ⓒ 폭군 살해자.
tyr·an·nize[tírənàiz] *vi., vt.* 학정〔폭정〕을 행하다, 학대하다(*over*).
ty·ran·no·saur [tirǽnəsɔ̀ːr] **-sau·rus**[tirǽnəsɔ́ːrəs] *n.* Ⓒ 육식 공룡(肉食恐龍)의 하나.
tyr·an·nous[tírənəs] *a.* 포악한, 폭군적인. **~·ly** *ad.*
:tyr·an·ny[tírəni] *n.* ① Ⓤ,Ⓒ 전제 정치, 폭정. ② Ⓤ 포학, 학대; Ⓒ 포학한 행위. ③ Ⓤ 〖그史〗 참주(僭主)정치(cf. tyrant).
:ty·rant[táiərənt] *n.* Ⓒ ① 〖그史〗 참주(僭主)《전제 군주; 선정을 베푼이도 있었음》. ② 폭군.
Tyre[taiər] *n.* 고대 페니키아의 도시《부유함과 악덕으로 유명했음》. **Tyr·i·an**[tíriən] *a., n.*
tyre[taiər] *n., v.*《英》=TIRE[2].

T

ty·ro[táiərou] *n.* (*pl.* **~s**) Ⓒ 초심자; 신참자.
Tyr·ol[táiroul, tairóul, tiróul] *n.* (the ~) 알프스 산맥 중의 한 지방. **Tyr·o·lese**[tìrəlí:z], **Ty·ro·le·an** [tiróuliən] *a., n.*
tzar[zɑ:r, tsɑ:r], **tza·ri·na**[zɑ:rí:nə, tsɑ:-], **&c.** =CZAR, CZARINA, &c.
tzét·ze (**flỳ**) [tsétsi(-)] *n.*=TSETSE 「(FLY).

U

U, u [ju:] *n.* (*pl.* **U's, u's**[-z]) Ⓒ U자형의 물건.
U 〖化〗 uranium. **UAM** underwater-to-air missile. **U.A.R.** United Arab Republic.
UAW 《美》 United Automobile Workers.
Über·mensch[ý:bərmènʃ] *n.* (G.) Ⓒ 초인(超人).
u·biq·ui·tous [ju:bíkwətəs] *a.* (동시에) 도처에 있는, 편재(遍在)하는; 《戲》 여기저기 모습을 나타내는. **-ui·ty** *n.* Ⓤ,Ⓒ 동시 편재(의 능력).
Ú-bòat *n.* Ⓒ U보트《제1·2차 대전 중의 독일 잠수함》.
Ú bòlt U자형 볼트.
u.c. upper case 〖印〗 대문자 (사용).
ud·der[ʌ́dər] *n.* Ⓒ (소·염소 등의) 젖통.
u·dom·e·ter[ju:dámitər/-dɔ́m-] *n.* Ⓒ 우량계(雨量計).
UFO, U.F.O.[jú:fou, jú:èfóu] *n.* Ⓒ 미확인 비행 물체(< *u*nidentified *f*lying *o*bject)(cf. flying saucer).
u·fol·o·gist[ju:fálədʒist/-fɔ́l-] *n.* Ⓒ UFO 연구가.
u·fol·o·gy[ju:fálədʒi/-ɔ́-] *n.* Ⓤ 미확인 비행 물체학.
U·gan·da[*j*u:gǽndə] *n.* 아프리카 동부의 공화국.
ugh[u:x, ʌx, ʌ] *int.* 억!; 윽!《혐오·공포 따위를 나타내는 소리》.
:ug·ly[ʌ́gli] *a.* ① 추한; 못생긴. ② 불쾌한, 지겨운. ③ (날씨가) 잔뜩 찌푸린, 험악한; 위험한. ④ 《美口》 심술궂은, 괴까다로운, 싸우기 좋아하는. — *n.* Ⓒ 추한 것; 추남, 추녀; 《英》 (19세기에 유행한) 여자 모자의 챙. **úg·li·ly** *ad.* **úg·li·ness** *n.*
úgly cústomer 귀찮은 녀석, 성가신 놈, 말썽꾸러기.
úgly dúckling 미운 오리새끼《처음 집안 식구로부터 못난이 취급받다가 후에 잘되는 아이》.
uh[ʌ, ə] *int.* ① =HUH. ② 어어, 저《다음 말을 꺼내기 전에 내는 무의미한 발성; cf. huh》.
UHF, uhf 〖컴〗 ultrahigh frequency. **U.K.** United Kingdom (of Great Britain and Northern Ireland). **U.K.A.E.A.** United Kingdom Atomic Energy Authority.
u·kase [jú:keis, -keiz, ⌐⌐] *n.* Ⓒ (제정 러시아의) 칙령(勅令); 《一般》 (정부의) 법령, 포고.
U·kraine [ju:kréin, -kráin] *n.* 우크라이나《독립국 연합내의 한 공화국》.
u·ku·le·le[jù:kəléili] *n.* Ⓒ 우쿨렐레《기타 비슷한 4현(弦) 악기》.
ul·cer[ʌ́lsər] *n.* Ⓒ 〖醫〗 궤양; 병폐, 폐해. **~·ate**[-èit] *vi., vt.* 궤양이 생기(게 하)다, 궤양화(化)하다. **~·a·tion**[⌐-éiʃən] *n.* Ⓤ 궤양. **~·ous** *a.* 궤양성의, 궤양에 걸린.
ul·lage[ʌ́lidʒ] *n.* Ⓤ 〖商〗 누손(漏損)량, 부족량《통·병 따위 액체의 누출·증발로 인한》.
ul·na[ʌ́lnə] *n.* (*pl.* **-nae** [-ni:], **~s**) Ⓒ 〖解〗 척골(尺骨). **ul·nar** [-r] *a.* 척골의.
Ul·ster[ʌ́lstər] *n.* 아일랜드의 한 주(州)의 옛이름; (현재는) 아일랜드 공화국 북부의 한 주; Ⓒ (u-) 얼스터 외투《품이 넓은 긴 외투》.
ult. ultimate(ly); ultimo.
ul·te·ri·or[ʌltíəriər] *a.* 저쪽의; 장래의, 금후의; (표면에) 나타나지 않은, (마음) 속의, 이면(裏面)의.
ul·ti·ma[ʌ́ltəmə] *n.* Ⓒ 〖文〗 끝음절. — *a.* 최후의; 가장 먼.
:ul·ti·mate[ʌ́ltəmit] *a.* 최후의, 궁극적인; 최종적인; 본원적인, 근본의; 가장 먼. — *n.* Ⓒ 최종점, 결론. ***in the ~*** 최후로. ***~·ly** *ad.* 최후로, 결국.
últimate análysis 〖化〗 원소 분석.
últimate constítuent 〖言〗 종국 구성 요소《더 이상 세분될 수 없는》.
ul·ti·ma Thu·le[ʌ́ltimə θjú:li(:)] (L.) 극한; 세계의 끝, 최북단.
·ul·ti·ma·tum[ʌ̀ltəméitəm] *n.* (*pl.* **~s, -ta**[-tə]) Ⓒ 최후의 말[제의·조건], 최후 통고[통첩].
ul·ti·mo [ʌ́ltəmòu] *a.* 지난 달의《생략 ult.》.
ul·tra[ʌ́ltrə] *a.* 과격[과도]한, 극단의. — *n.* Ⓒ 과격[급진]론자.
ul·tra-[ʌ́ltrə] *pref.* '극단으로, 초(超), 과(過)' 따위의 뜻.
ùltra·céntrifuge *n., vt.* Ⓒ 〖理〗 초원심 분리기(에 걸다).
ùltra·fáshionable *a.* 극단으로 유행을 좇는.
últra·high fréquency 〖電〗 극초단파《생략 UHF, uhf》.
ul·tra·ism[ʌ́ltrəìzəm] *n.* Ⓤ 과격론, 극단주의.
ul·tra·ma·rine [ʌ̀ltrəmərí:n] *a.* 해외의(overseas); 감청색(紺青色)의. — *n.* Ⓤ 감청색; 울트라마린《감

청색 그림물감).
ùltra·míicroscope *n.* Ⓒ 〖光〗 한외(限外)〔초〕현미경.
ùltra·módern *a.* 초현대적인.
ul·tra·mon·tane [ʌ̀ltrəmɑntéin/-mɔn-] *a., n.* 산 저쪽의; 알프스 남방의; 이탈리아의; 교황 절대권의; (U-) Ⓒ 교황 절대권론자.
ùltra·nátionalism *n.* Ⓤ 초(超)국가주의. **-ist** *n.*
ùltra·réd *a.* 적외선의(infrared).
ùltra·shórt *a.* 〖無電〗 초단파의.
ùltra·sónic *a.* 〖理〗 초음파의《매초 2만회 이상으로 사람 귀에 들리지 않음》.
ùltra·sónics *n.* Ⓤ 초음파학(超音波學).
últra·sound *n.* Ⓤ 〖理〗 초음파.
ùltra·víolet *a.* 자외(紫外)(cf. infrared). — *n.* Ⓤ 자외선. ~ ***rays*** 자외선.
U·lys·ses [ju(ː)lísiːz, ユ―リ―シ―ズ] *n.* 〖그神〗 Ithaca의 왕《Homer의 시 *Odyssey*의 주인공》.
um·bel [ʌ́mbəl] *n.* Ⓒ 〖植〗 산형(繖形) 꽃차례.
um·ber [ʌ́mbər] *n.* Ⓤ 엄버《천연 안료(顏料); 원래는 갈색, 태우면 밤색이 됨》; 갈색, 암갈색, 밤색. — *a.* (암)갈색의.
um·bil·i·cal [ʌmbílikəl] *a.* 배꼽의; 《古》 중앙의. — *n.* Ⓒ 〖로켓〗 (우주선의 전력·산소 등의) 공급선; (우주 유영 때의) 생명줄.
umbílical còrd 〖解〗 탯줄; 〖로켓〗 =⇧.
um·bra [ʌ́mbrə] *n.* (*pl.* ***-brae*** [-briː]) Ⓒ 그림자; 〖天〗 본영(本影)《태양을 완전히 가리는 지구나 달의 그림자》; 태양 흑점 중앙의 암흑부; 암흑.
um·brage [ʌ́mbridʒ] *n.* Ⓤ 노여움, 화냄, 불쾌; 《古·詩》 그림자; 나무 그늘. ***take* ~ *at*** …을 불쾌히 여기다, …에 성내다. **um·bra·geous** [ʌmbréidʒəs] *a.* 그늘을 만드는, 그늘이 많은.
:um·brel·la [ʌmbrélə] *n.* Ⓒ 우산; 비호; 〖軍〗 지상군 원호 항공대; 핵(核)우산.
umbrélla shèll 삿갓조개.
umbrélla stànd 우산꽂이.
umbrélla trèe 〖植〗 (북미산) 목련속(屬)의 일종.
u·mi·ak [úːmiæ̀k] *n.* Ⓒ (에스키모의) 가죽배.
um·laut [úmlàut] *n.* (G.) 〖言〗 ① Ⓤ 움라우트, 모음 변이. ② Ⓒ 움라우트의 부호.
ump [ʌmp] *n., v.* 《口》 =⇩.
um·pir·age [ʌ́mpaiəridʒ] *n.* Ⓤ umpire의 지위〔직위, 권위〕; Ⓒ 심판, 재정.
:um·pire [ʌ́mpaiər] *n.* Ⓒ (경기의) 심판원, 엄파이어; 중재인; 〖法〗 재정인(裁定人). — *vi., vt.* 심판〔중재〕하다(*for*).
ump·teen [ʌ́mptiːn, ア―ン] *a.* 《俗》 아주 많은, 다수의.

'un [ən] *pron.* 《方》 =ONE (*a little* 〔*young*〕 ~ 아이, 젊은이).
un- [ʌn] ① 형용사 및 부사에 붙여서 '부정(否定)'의 뜻을 나타냄. ② 동사에 붙여서 그 반대의 동작을 나타냄. ③ 명사에 붙여서 그 명사가 나타내는 성질·상태를 '제거'하는 뜻을 나타내는 동사를 만듦: ***un***man.
un·a·bashed [ʌ̀nəbǽʃt] *a.* 부끄러워하지 않는, 태연한, 뻔뻔스러운.
un·a·bat·ed [ʌ̀nəbéitid] *a.* 줄지 않는, 약해지지 않는.
:un·a·ble [ʌnéibəl] *a.* …할 수 없는 (*to* do); 자격이 없는.
un·a·bridged [ʌ̀nəbrídʒd] *a.* 생략하지 않은, 완전한.
un·ac·a·dem·ic [ʌ̀nækədémik] *a.* 학구〔학문〕적이 아닌; 형식을 차리지 않는, 인습적이 아닌.
un·ac·cent·ed [ʌ̀næksέntid] *a.* 악센트〔강세〕 없는.
un·ac·com·mo·dat·ing [ʌ̀nəkɑ́mədèitiŋ/-ɔ́-] *a.* 불친절한; 융통성이 없는.
un·ac·com·pa·nied [ʌ̀nəkʌ́mpənid] *a.* 동반자가 없는, (…이) 따르지 않는; 〖樂〗 무반주의.
:un·ac·count·a·ble [ʌ̀nəkáuntəbəl] *a.* ① 설명할 수 없는, 까닭을 알 수 없는. ② 책임 없는(*for*). **-bly** *ad.*
un·ac·count·ed-for [ʌ̀nəkáuntidfɔ̀ːr] *a.* 설명이 안 된.
***un·ac·cus·tomed** [ʌ̀nəkʌ́stəmd] *a.* 익숙하지 않은(*to*); 보통이 아닌, 별난.
un·ac·quaint·ed [ʌ̀nəkwéintid] *a.* 알지 못하는, 낯선, 생소한(*with*).
un·ad·dressed [ʌ̀nədrést] *a.* (편지 따위) 수신인 주소 성명이 없는.
un·a·dopt·ed [ʌ̀nədɑ́ptid/-dɔ́pt-] *a.* ① 채용되지 않은. ② 《英》 (길이) 공도(公道)가 아닌, 사도(私道)의.
un·a·dorned [ʌ̀nədɔ́ːrnd] *a.* 꾸밈〔장식〕이 없는; 있는 그대로의.
un·a·dul·ter·at·ed [ʌ̀nədʌ́ltərèitid] *a.* 섞인 것이 없는; 순수한, 진짜의.
un·ad·vis·a·ble [ʌ̀nədváizəbəl] *a.* 권고할 수 없는, 득책이 아닌.
un·ad·vised [ʌ̀nədváizd] *a.* 분별없는. **-vis·ed·ly** [-zidli] *ad.*
un·aes·thet·ic, -es- [ʌ̀nesθétik, -iːs-] *a.* 미적(美的)이 아닌; 악취미의.
un·af·fa·ble [ʌnǽfəbl] *a.* 애교가 없는, 무뚝뚝한, 공손〔친절〕하지 않은.
un·af·fect·ed[1] [ʌ̀nəféktid] *a.* 움직이지〔변하지〕 않는; 영향을 안 받는.
un·af·fect·ed[2] *a.* 젠체하지 않는, 있는 그대로의; 꾸밈 없는, 진실한.
un·a·fraid [ʌ̀nəfréid] *a.* 두려워하지 않는(*of*).
un·aid·ed [ʌnéidid] *a.* 도움을 받지 않는. ~ ***eyes*** 육안.
un·al·loyed [ʌ̀nəlɔ́id] *a.* 〖化〗 합금이 아닌, 순수한; 《비유》 (감정 등이)

진실의.
un·al·ter·a·ble[ʌnɔ́:ltərəbəl] *a.* 변경할〔바꿀〕 수 없는. **-bly** *ad.*
un·al·tered[ʌnɔ́:ltərd] *a.* 불변의.
un·am·big·u·ous[ʌ̀næmbígjuəs] *a.* 애매하지 않은, 명백한.
un-A·mer·i·can[ʌ̀nəmérikən] *a.* (풍속·습관 따위가) 아메리카식이 아닌; 비미(非美)〔반미〕적인.
***u·nan·i·mous** [ju(:)nǽnəməs] *a.* 동의의(*for, in*); 만장일치의, 이구동성의. **~·ly** *ad.* **u·na·nim·i·ty** [jù:nənímәti] *n.* Ⓤ 이의 없음; 만장 일치.
un·an·swer·a·ble[ʌnǽnsərəbəl, -ɑ́:-] *a.* 대답할 수 없는; 논박할 수 없는; 책임 없는.
un·an·swered[ʌnǽnsərd, -ɑ́-] *a.* 대답 없는; 논박되지 않은; 보답되지 않은.
un·ap·pre·ci·at·ed[ʌ̀nəprí:ʃièitid] *a.* 진가(眞價)가 인정되지 않은; 고맙게 여겨지지 않는.
un·ap·proach·a·ble[ʌ̀nəpróutʃəbəl] *a.* 접근하기 어려운; 따르기 어려운; (태도 따위) 쌀쌀한.
un·apt[ʌ̀nǽpt] *a.* 부적당한; 둔한, 서투른(*at; to* do); …에 익숙하지 않은(*to* do).
un·arm[ʌ̀nɑ́:rm] *vt.* 무기를 빼앗다; 무장 해제하다. — *vi.* 무기를 버리다.
***un·armed**[-d] *a.* 무기가 없는; 무장하지 않은.
u·na·ry[jú:nəri] *a.* 단일체의; 〖數〗 1진법의. 「셈.
únary operàtion 〖컴〗 단항(單項)
únary operàtor 〖컴〗 단항셈 기호 《하나의 연산수를 대상으로 하는 연산자》.
un·as·cer·tain·a·ble [ʌ̀næsərtéinəbəl] *a.* 확인할 수 없는.
un·a·shamed[ʌ̀nəʃéimd] *a.* 창피를 모르는, 몰염치한, 뻔뻔스러운.
un·asked[ʌnǽskt, -ɑ́:-] *a.* 부탁〔요구〕받지 않은; 초대받지 않은.
un·as·sum·ing[ʌ̀nəsjú:miŋ] *a.* 겸손한.
un·at·tached[ʌ̀nətǽtʃt] *a.* 부속되어 있지 않은; 무소속의, 중립의; 약혼〔결혼〕하지 않은; (장교가) 무보직의(cf. attaché).
***un·at·tain·a·ble**[ʌ̀nətéinəbəl] *a.* 이룰 수 없는, 도달〔달성〕하기 어려운.
un·at·tend·ed[ʌ̀nəténdid] *a.* 수행원〔시중꾼〕이 없는; 방치된; (의사의) 치료를 받지 않은.
un·at·trac·tive[ʌ̀nətrǽktiv] *a.* 남의 눈을 끌지 않는; 매력적이 아닌.
un·au·then·tic[ʌ̀nɔ:θéntik] *a.* 출처 불명의; 불확실한.
un·au·then·ti·cat·ed [ʌ̀nɔ:θéntikèitid] *a.* 확증되지 않은.
un·au·thor·ized[ʌnɔ́:θəràizd] *a.* 권한 밖의, 공인되지 않은; 독단의.
un·a·vail·ing[ʌ̀nəvéiliŋ] *a.* 무익한; 무효의; 헛된. **~·ly** *ad.*
un·a·void·a·ble[ʌ̀nəvɔ́idəbəl] *a.* 피할 수 없는. **-bly** *ad.*
***un·a·ware**[ʌ̀nəwέər] *a.* 눈치채지 못하는, 알지 못하는(*of, that*); 《稀》 부주의한, 방심하는. — *ad.* 뜻밖에, 불의에, 갑자기; 무심히. **~s** *ad.* =UNAWARE.
un·backed[ʌ̀nbǽkt] *a.* 지지〔후원자〕가 없는; (말이) 사람을 태워본 적이 없는; (의자가) 등받이 없는.
***un·bal·ance**[ʌ̀nbǽləns] *n., vt.* Ⓤ 불균형(하게 하다); 평형을 깨뜨리다. **~d**[-t] *a.* 평형이 깨진; 불안정한; 마음〔정신〕이 혼란된.
un·bar[ʌ̀nbɑ́:r] *vt.* (**-rr-**) (…의) 빗장을 벗기다, 열다, 개방하다.
un·bark[ʌ̀nbɑ́:rk] *vt.* (…의) 나무껍질을 벗기다.
***un·bear·a·ble**[ʌ̀nbέərəbəl] *a.* 참기〔견디기〕 어려운. **-bly** *ad.*
un·beat·en[ʌ̀nbí:tn] *a.* (채찍에) 매맞지 않은; 진 적이 없는; 사람이 다닌 일이 없는, 인적 미답의.
un·be·com·ing[ʌ̀nbikʌ́miŋ] *a.* 어울리지 않는; (격에) 맞지 않는(*to, of, for*); 보기 흉한, 버릇 없는.
un·be·known[ʌ̀nbinóun] *a.* 《口》 미지(未知)의, 알려지지 않은(*to*).
un·be·lief[ʌ̀nbilí:f] *n.* Ⓤ 불신앙; 불신; 의혹.
un·be·liev·a·ble [ʌ̀nbilí:vəbəl] *a.* 믿기 어려운, 믿을 수 없는.
un·be·liev·er [ʌ̀nbilí:vər] *n.* Ⓒ 믿지 않는 사람; 불신앙자; 회의자.
un·be·liev·ing[ʌ̀nbilí:viŋ] *a.* 안 믿는; 믿으려 하지 않는; 회의적인.
un·bend[ʌ̀nbénd] *vi., vt.* (**-bent, ~ed**) (굽은 것을) 곧게 하다〔되다〕; (긴장 따위를) 풀(게 하)다, 편히 쉬게 하다; 〖海〗 (돛을) 끄르다, (밧줄·매듭을) 풀다. **~·ing** *a.* 굽지 않는, 단단한; 고집센; 확고한.
un·bi·as(s)ed[ʌ̀nbáiəst] *a.* 편견이 없는, 공평한.
un·bid·den[ʌ̀nbídn] *a.* 명령〔지시〕받지 않은, 자발적인; 초대받지 않은.
un·bind[ʌ̀nbáind] *vt.* (**-bound**) 방면〔석방〕하다; (밧줄·매듭을) 풀다, 끄르다.
un·blam·a·ble[ʌ̀nbléiməbəl] *a.* 나무랄 데 없는, 무과실의, 결백한.
un·bleached[ʌ̀nblí:tʃt] *a.* 표백하지 않은, 바래지 않은.
un·blem·ished[ʌ̀nblémiʃt] *a.* 흠이 없는; 오점이 없는; 결백한, 깨끗한.
un·blink·ing[ʌ̀nblíŋkiŋ] *a.* 눈 하나 깜짝 않는; 태연한.
un·blush·ing[ʌ̀nblʌ́ʃiŋ] *a.* 얼굴을 붉히지 않은, 뻔뻔스러운.
un·bod·ied[ʌ̀nbɑ́did/-ɔ́-] *a.* 육체를 떠난; 실체가 없는; 정신상의.
un·bolt[ʌ̀nbóult] *vt.* 빗장을 벗기다, 열다. **~·ed**[1] [-id] *a.* 빗장을 벗긴.
un·bolt·ed[2] [ʌ̀nbóultid] *a.* (밀가루 따위) 체질하지 않은.
un·born[ʌ̀nbɔ́:rn] *a.* 아직 태어나지 않은, 태내(胎內)의; 미래의, 후세의.
un·bor·rowed[ʌ̀nbɔ́:roud, -bɑ́r-/

-bɔ́r-] *a.* 모방이 아닌, 독창적인.
un·bos·om [ʌ̀nbúzəm] *vt.* (비밀 따위를) 털어놓다, 고백하다. ~ *oneself* 속을 털어놓다, 고백하다.
un·bound [ʌ̀nbáund] *v.* unbind의 과거(분사). 「(제)한의.
un·bound·ed [ʌ̀nbáundid] *a.* 무
un·bri·dled [ʌ̀nbráidld] *a.* 굴레 〔고삐〕를 매지 않은; 구속이 없는; 방일(放逸)한.
*__un·bro·ken__ [ʌ̀nbróukən] *a.* ① 파손되지 않은, 완전한. ② 중단되지〔끊기지〕 않은; 꺾이지 않은. ③ (말 따위가) 길들여지지 않은. ④ 미개간의.
un·buck·le [ʌ̀nbʌ́kəl] *vt.* (…의) 죔쇠를 끄르다〔벗기다〕.
un·build [ʌ̀nbíld] *vt.* (*unbuilt* [-bílt]) (집, 건조물 따위를) 헐다, 헐어버리다.
un·bur·den [ʌ̀nbə́:rdn] *vt.* (…의) 무거운 짐을 내리다; (마음의) 무거운 짐을 덜다, (마음을) 편하게 하다.
un·but·ton [ʌ̀nbʌ́tn] *vt.* (…의) 단추를 끄르다; 흉금을 털어놓다.
un·cage [ʌ̀nkéidʒ] *vt.* 새장〔우리〕에서 내놓다; 해방하다.
un·called-for [ʌ̀nkɔ́:ldfɔ̀:r] *a.* 불필요한, 쓸데 없는; 지나친, 주제넘은.
un·can·ny [ʌ̀nkǽni] *a.* 초자연적인, 이상하게 기분 나쁜, 괴이한.
un·cap [ʌ̀nkǽp] *vt.* (*-pp-*) 모자를〔뚜껑을〕 벗기다. ── *vi.* (경의를 표하여) 모자를 벗다.
un·cared-for [ʌ̀nkɛ́ərdfɔ̀:r] *a.* 돌보는 사람 없는; 황폐한.
un·cer·e·mo·ni·ous [ʌ̀nserəmóuniəs] *a.* 격식〔형식〕을 차리지 않는, 스스럼 없는, 무간한; 버릇〔예의〕 없는. ~**·ly** *ad.*
:**un·cer·tain** [ʌ̀nsə́:rtn] *a.* ① 불확실한; 의심스러운; 분명치 않은. ② 일정치 않은; 변하기 쉬운, 믿을 수 없는. ③ (빛이) 흔들거리는. ~**·ly** *ad.*
*__un·cer·tain·ty__ [ʌnsə́:rtnti] *n.* ① Ⓤ 반신반의; 불확정. ② Ⓒ 불명; 확신히 할 수 없는 일〔물건〕. *the ~ principle,* or *the principle of ~* 〖理〗 불확정성 원리.
un·chain [ʌ̀ntʃéin] *vt.* 사슬을 풀다; 자유를 주다, 석방하다.
un·chal·lenged [ʌntʃǽlindʒd] *a.* 도전을 받지 않는; 문제가 안 되는; 논쟁되지 않는.
un·change·a·ble [ʌntʃéindʒəbəl] *a.* 변하지 않는, 불변의. 「지 않는.
un·changed [ʌntʃéindʒd] *a.* 변하
un·charged [ʌntʃá:rdʒd] *a.* 짐을 싣지 않은; (총에) 장전이 안 된; 충전되어 있지 않은; 죄가 없는.
un·char·i·ta·ble [ʌntʃǽrətəbəl] *a.* 무자비한; (비평 등이) 가차 없는, 엄한.
un·chart·ed [ʌntʃá:rtid] *a.* 해도(海圖)에 기재돼 있지 않은; 미지의.
un·chaste [ʌntʃéist] *a.* 부정한, 외설한, 행실이 나쁜. **un·chas·ti·ty** [ʌntʃǽstəti] *n.*
un·checked [ʌntʃékt] *a.* 억제되지 않은; 조회〔검사〕받지 않은.
un·chris·tian [ʌnkrístʃən] *a.* 기독교(도)가 아닌, 비기독교적인.
un·church [ʌntʃə́:rtʃ] *vt.* (…에게서) 교회의 특권을 빼앗다.
un·ci·al [ʌ́nʃiəl] *n., a.* Ⓤ (4-9세기에 쓰였던) 언셜 자체(字體)(의).
un·cir·cum·cised [ʌnsə́:rkəmsàizd] *a.* 할례(割禮)를 받지 않은; 유대인이 아닌, 이교도의.
un·civ·il [ʌnsívəl] *a.* 예절 없는; 야만적인, 미개한. **-i·lized** [-əlàizd] *a.* 미개한, 야만적인.
un·clasp [ʌnklǽsp, -á:-] *vt.* 걸쇠를 벗기다; (쥐었던 손을) 펴다; (쥐었던 것을) 놓다.
†**un·cle** [ʌ́ŋkəl] *n.* Ⓒ 백부, 숙부, 아저씨; 《口》 (친척 아닌) 아저씨. *cry* 〔*say*〕 ~ 《美口》 졌다고 말하다.
*__un·clean__ [ʌnklí:n] *a.* 더러운, 불결한; (도덕적으로) 더럽혀진; 사악(邪惡)한, 외설한; (종교 의식상) 부정(不淨)한. ~**·ly** [-li] *ad.,* [ʌnklénli] *a.* 불결하게〔한〕; 부정(不貞)하게〔한〕.
un·clench [ʌ̀nkléntʃ] *vt., vi.* (굳게 닫힌 것을) 비집어 열다.
Úncle Sám 《美口》 미국 정부; (전형적인) 미국인.
Úncle Tóm 《美口·蔑》 백인에게 굴종하는 흑인.
Ùncle-Tóm *vi.* 《美口》 백인에게 굽실거리다.
un·cloak [ʌnklóuk] *vt., vi.* 외투를 벗기다〔벗다〕; (…의) 가면을 벗기다, 폭로하다; (계획 따위를) 공표하다.
un·close [ʌnklóuz] *vt., vi.* 열(리)다; 드러내다, 드러나다.
un·clothe [ʌnklóuð] *vt.* 옷을 벗기다; 발가벗기다; 덮개를 벗기다.
un·cloud·ed [ʌnkláudid] *a.* 구름 없는; 갠; 맑은, 환한, 명랑한.
un·co [ʌ́ŋkou] *a., ad.* 《Sc.》 낯이 선; 이상한; 기분 나쁜; 대단한〔히〕.
un·coil [ʌnkɔ́il] *vt., vi.* (감긴 것을) 풀다; 풀리다.
:**un·com·fort·a·ble** [ʌnkʌ́mfərtəbəl] *a.* 불쾌한, 불안〔부자유〕한. **-bly** *ad.*
un·com·mit·ted [ʌ̀nkəmítid] *a.* 미수의; 언질에 구속〔구애〕되지 않는; 의무가 없는; (법안이) 위원회에 회부되지 않은.
*__un·com·mon__ [ʌnkámən/-ɔ́-] *a.* 흔하지 않은, 드문, 이상〔비상〕한; 비범한. ~**·ly** *ad.* 드물게; 매우, 진귀하게.
un·com·mu·ni·ca·tive [ʌ̀nkəmjú:nəkèitiv/-kə-] *a.* 속을 털어놓지 않는; 수줍어하는, 말이 없는.
un·com·plain·ing [ʌ̀nkəmpléiniŋ] *a.* 불평하지 않는.
un·com·pro·mis·ing [ʌnkámprəmàiziŋ/-ɔ́-] *a.* 양보〔타협〕하지 않는; 강경〔단호〕한, 완고한.
un·con·cern [ʌ̀nkənsə́:rn] *n.* Ⓤ

U

무관심, 태연, 냉담. **~ed** *a.* 무관심한(*with, at*); 관계가 없는(*in*).

***un·con·di·tion·al**[ʌ̀nkəndíʃənəl] *a.* 무조건의; 절대적인. **~·ly** *ad.*

uncondítional brànch 〖컴〗 무조건 가름《다음에 행할 명령의 주소〔번지〕를 무조건 변경하고 싶을 때 쓰이는 명령》.

uncondítional jùmp 〖컴〗 무조건 건너뜀《항상 지정된 주소〔번지〕로 제어를 옮기는 동작의 명령 부호》.

un·con·di·tioned[ʌ̀nkəndíʃənd] *a.* 무조건의; 절대적인; 본능적인.

ùnconditioned respónse 〖心〗 무조건 반사.

un·con·gen·ial [ʌ̀nkəndʒíːniəl, -njəl] *a.* 성미에 안 맞는, 싫은; 부적당한, 맞지 않는.

un·con·nect·ed[ʌ̀nkənéktid] *a.* 관계가〔관련이〕 없는(*with*); (논리적으로) 앞뒤가 맞지 않는.

un·con·quer·a·ble [ʌnkɑ́ŋkərəbəl/-ɔ́-] *a.* 정복〔억제〕할 수 없는.

un·con·scion·a·ble [ʌnkɑ́nʃənəbəl/-ɔ́-] *a.* 비양심적인; 불합리한; 터무니 없는.

:un·con·scious[ʌnkɑ́nʃəs/-ɔ́-] *a.* 무의식의; 모르는(*of*); 부지중의; 의식 불명의. ── *n.* (the ~) 〖精神分析〗 무의식. **~·ly** *ad.*

un·con·sti·tu·tion·al[ʌ̀nkɑ̀nstətjúːʃənəl/-kɔ̀n-] *a.* 헌법에 위배되는, 위헌(違憲)의.

un·con·strained[ʌ̀nkənstréind] *a.* 구속받지 않는, 자유로운, 자발적인; 거북하지 않은, 편안한.

un·con·trol·la·ble[ʌ̀nkəntróuləbəl] *a.* 억제〔통제〕할 수 없는.

un·con·trolled[ʌ̀nkəntróuld] *a.* 억제되지 않는, 자유로운.

un·con·ven·tion·al [ʌ̀nkənvénʃənəl] *a.* 관습〔선례〕에 매이지 않는.

un·con·vert·i·ble[ʌ̀nkənvə́ːrtəbəl] *a.* 바꿀 수 없는; 〖經〗 (지폐가) 불환(不換)의, 태환이 안 되는.

un·con·vinced[ʌ̀nkənvínst] *a.* 납득을 않는; 모호한, 미심쩍어하는.

un·cooked[ʌnkúkt] *a.* 날것의, 요리하지 않은.

un·cork[ʌnkɔ́ːrk] *vt.* 코르크 마개를 빼다; 《口》 (감정을) 토로하다.

un·cor·rupt·ed[ʌ̀nkərʌ́ptid] *a.* 부패〔타락〕하지 않은.

***un·count·a·ble**[ʌnkáuntəbəl] *a.* 무수한, 셀 수 없는. ── *n.* Ⓒ 〖文〗 불가산(不可算) 명사.

un·count·ed[ʌnkáuntid] *a.* 세지 않은; 무수한.

un·cou·ple[ʌnkʌ́pəl] *vt.* (…의) 연결을 풀다; (개를 맨) 가죽끈을 풀다.

un·cour·te·ous[ʌnkə́ːrtiəs] *a.* 예의를 모르는, 버릇 없는.

:un·couth[ʌnkúːθ] *a.* 무무한, 거친, 서툰; 기묘한; 기분 나쁜.

:un·cov·er[ʌnkʌ́vər] *vt.* ① (…의) 덮개를 벗기다; 모자를 벗다. ② 털어놓다, 폭로하다. ── *vi.* 《古》 (경의를 표하여) 탈모하다.

UNCPUOS United Nations Committee on the Peaceful Uses of Outer Space.

un·cross [ʌnkrɔ́(ː)s, -krɑ́s] *vt.* (…의) 교차된 것을 풀다.

un·crown[ʌnkráun] *vt.* (…의) 왕위를 빼앗다. **~ed**[-d] *a.* 아직 대관식을 안 올린; 무관(無冠)의.

UNCTAD United Nations Conference on Trade and Development.

unc·tion[ʌ́ŋkʃən] *n.* Ⓤ (성별(聖別)의) 도유(塗油); (대관식의) 도유식; (바르는) 기름약, 연고 (도포(塗布)); 성유(聖油); 《비유》 달래는〔누이는, 기쁘게 하는〕 것, 감언; 종교적 열정; 겉으로만의 열심〔감동〕.

unc·tu·ous[ʌ́ŋktʃuəs] *a.* 기름〔연고〕 같은; 기름기가 도는; 미끈미끈한; 말치레가 번드레한; 짐짓 감동한 듯 싶은. **~·ly** *ad.*

un·cul·ti·vat·ed [ʌnkʌ́ltəvèitid] *a.* 미개간(未開墾)의; 교양 없는.

un·cul·tured[ʌnkʌ́ltʃərd] *a.* 개간〔재배〕되어 있지 않은; 교양이 없는.

un·cured[ʌnkjúərd] *a.* 낫지 않은, 치료〔구제〕되지 않은; (생선·고기가 절이거나 말려서) 저장〔가공〕 처리되지 않은.

UNCURK United Nations Commission for the Unification and Rehabilitation of Korea.

un·curl[ʌnkə́ːrl] *vt., vi.* (꼬불꼬불한 것, 말린 것 따위를) 펴다; (…이) 펴지다, 곧게 되다.

un·cut[ʌnkʌ́t] *a.* 자르지 않은; (책이) 도련(刀鍊)되지 않은; 삭제된 데가 없는; 《美俗》 (마약 따위가) 잡물이 안 섞인.

un·dam·aged[ʌndǽmidʒd] *a.* 손해를 받지 않은, 무사한.

un·dat·ed[ʌndéitid] *a.* 날짜 표시가 없는; 무기한의.

***un·daunt·ed**[ʌndɔ́ːntid] *a.* 겁내지 않는, 불굴의, 용감한.

un·de·ceive[ʌ̀ndisíːv] *vt.* (…을) 미몽(迷夢)에서 깨우치다, (잘못을) 깨닫게 하다.

un·de·cid·ed[ʌ̀ndisáidid] *a.* 미결의, 미정(未定)의; 우유 부단한; (날씨 따위가) 어떻게 될지 모르는.

un·de·fend·ed[ʌ̀ndiféndid] *a.* 방비가 없는; 변호인이 없는; (고소 따위) 항변이 없는.

un·de·fined[ʌ̀ndifáind] *a.* 확정되지 않은; 정의가 내려지지 않은; 〖컴〗 미정의.

un·de·lete[ʌ́ndilíːt] *n.* 〖컴〗 되살림《삭제 정보 부활 기능》.

un·de·liv·ered[ʌ̀ndilívərd] *a.* 석방되지 않은; 배달〔인도〕되지 않은.

un·dem·o·crat·ic [ʌndèməkrǽtik] *a.* 비민주적인.

***un·de·ni·a·ble**[ʌ̀ndináləbəl] *a.* 부정할 수 없는; 다툴 여지가 없는; 우수한. **-bly** *ad.*

†un·der[ʌ́ndər] *prep.* ① …의 아래

U

〔밑〕에; …의 내부에, 보다 아래를〔밑을〕. ② (연령·시간·가격·수량 등) …이하의; (지위가) …보다 아래인〔의〕. ③ (지배·영향·보호·감독·지도 등)의 밑에, …하(下)에; (의무·책임)하에 (~ *one's hand and seal* 서명 날인하여). ④ (압박·고통·형벌·수술 등)을 받고; (조건·상태) 하(下)에 (~ *the new rules*). ⑤ …때문에 (~ *the circumstances*). ⑥ …에 따라서(~ *the law*). ⑦ …에 속하는. ⑧ …중에(~ *discussion* 토의 중에). ⑨ …의 밑에 (숨어서); …을 핑계로〔빙자하여〕. — *ad.* 아래에, 종속〔복종〕하여. — *a.* 아래의, 하부의; 하급의; 부족한.

un·der-[ʌ́ndər, ⌐–] *pref.* '아래의〔에〕, 밑에서, 하급의, 보다 못한, 보다 작은, 불충분하게' 따위의 뜻.

ùnder·achíeve *vi.* 〖敎育〗 자기 지능 지수 이하의 성적을 얻다.

ùnder·áct *vt., vi.* 불충분하게 연기(演技)하다.

ùnder·áge *a.* 미성년의.

únder·bèlly *n.* Ⓒ 하복부, 아랫배. ***soft*** ~ (군사상의) 약점, 무방비 지대.

ùnder·bíd *vt.* (~; ~, ***-bidden; -dd-***) 보다 싼 값을 붙이다〔싸게 입찰하다〕.

ùnder·bréd *a.* 버릇〔본데〕 없이 자「란.

***únder·brùsh** *n.* Ⓤ (큰 나무 밑에서 자라는) 작은 나무.

ùnder·búy *vt.* (***-bought***) (정가·부르는 값보다) 싸게 사다.

únder·càrriage *n.* Ⓒ (차량의) 차대; (비행기의) 착륙 장치《바퀴와 다리》.

ùnder·chárge *vt.* 제값보다 싸게 청구하다(*for, on*); (포에) 충분히 장약(裝藥)을 않다.

únder·clàss *n.* Ⓒ (the ~) 하층 계급, 최하층 계급.

ùnder·clássman[-mən] *n.* Ⓒ 《美》 (대학의) 1, 2학년생.

únder·clòthes *n. pl.* 속옷, 내의.

únder·còver *a.* 비밀히 한, 비밀의; 첩보 활동의. ~ ***agent*** 〔***man***〕 첩보원, 스파이.

únder·cùrrent *n.* Ⓒ 저류(底流), 암류(暗流); 표면에 나타나지 않는 경향.

únder·cùt *n.* Ⓒ 소·돼지의 허리살. — [⌐–⌐] *vt.* (~; ***-tt-***) 하부를〔밑을〕 잘라〔도려〕내다; (남보다) 싼 값으로 팔다〔일하다〕.

ùnder·devéloped *a.* 개발〔발전·현상(現像)〕이 덜된, 후진(後進)의.

ùnder·dó *vt., vi.* (고기 따위를) 설익히다, 설굽다; 설익다; (일 따위를) 불충분하게 하다.

únder·dòg *n.* Ⓒ 싸움에 진 개; (생존 경쟁의) 패배자.

ùnder·dóne *a.* 설구운, 설익은.

únder·dràwers *n. pl.* 《美》 속바지, 팬츠.

ùnder·dréss *vi.* 너무 수수한 복장을 하다; (어울리지 않게) 약식의 복장을 하다.

ùnder·emplóyment *n.* Ⓤ 불완전 고용.

***ùnder·éstimate** *vt.* 싸게 어림하다; 과소 평가하다. — *n.* Ⓒ 싼 어림, 과소 평가.

ùnder·expóse *vt.* 〖寫〗 노출 부족으로 하다. **-expósure** *n.*

ùnder·féed *vt.* (***-fed***) 먹을 것을 충분히 주지 않다.

ùnder·fóot *ad.* 발 밑〔아래〕에; 《美》 가는 길에 방해가 되어; 짓밟아, 멸시하여.

únder·flòw *n.* Ⓒ 저류, 암류; 〖컴〗 아래넘침.

únder·gàrment *n.* Ⓒ 속옷, 내의.

:un·der·go[ʌ̀ndərgóu] *vt.* (***-went; -gone***) 경험하다; (시련을) 겪다, (시험·수술 따위를) 받다; (재난·위험 따위를) 당하다, 만나다; 견디다.

***un·der·grad·u·ate** [-grǽdʒuit, -èit] *n.* Ⓒ (대학의) 재학생.

:un·der·ground[ʌ́ndərgràund] *a.* 지하의〔에서 하는〕; 비밀의. — *ad.* 지하에〔에서〕; 비밀히, 몰래. — *n.* Ⓤ 지하(도); Ⓒ (보통 the ~) 《美》 지하철 (《美》 subway); 〖政〗 지하 조직〔운동〕.

únderground chúrch 기성 종교단 이외의 교회.

únderground ecónomy 지하 경제 (활동). 「운동.

únderground móvement 지하

únderground núclear tést 지하 핵실험.

únderground ráilroad 《美》 지하철(《英》 underground railway); 〖美史〗 노예 탈출을 돕던 비밀 조직.

un·der·grown [ʌ̀ndərgróun] *a.* 발육이 불충분한.

únder·gròwth *n.* Ⓤ 발육 부전; (큰 나무 밑의) 관목, 덤불.

ùnder·hánd *a.* (구기에서) 밑으로 던지는〔치는〕; 비밀의, 부정한, 뒤가 구린. — *ad.* 밑으로 던져〔쳐〕; 비밀히. **~·ed** *a.* =UNDERHAND; 일손이 부족한.

ùnder·húng *a.* 아래턱이 내민, 주걱턱의.

ùnder·láin *v.* underlie의 과거.

ùnder·láy[1] [-léi] *vt.* (***-laid***) 밑에 놓다.

ùnder·láy[2] *v.* underlie의 과거.

únder·làyer *n.* Ⓤ 하층; 기초.

ùnder·líe *vt.* (***-lay; -lain; -lying***) (…의) 밑에 있다〔가로놓이다〕; (…의) 기초를 이루다.

:un·der·line[ʌ̀ndərláin] *vt.* …의 밑에 선을 긋다; 강조하다. — [⌐–⌐] *n.* Ⓒ 밑줄; (삽화·사진의) 해설 문구.

un·der·ling[ʌ́ndərliŋ] *n.* Ⓒ 《보통 蔑》 아랫 사람, 졸때기, 졸개.

***ùnder·lýing** *a.* 밑에 있는; 기초를 이루는, 근본적인.

ùnder·méntioned *a.* 하기〔아래〕의, 다음에 말하는.

U

*ùnder·míne *vt.* (…의) 밑을 파다, 밑에 갱도를 파다; 토대를 침식하다; (명성 등을) 은밀히 손상시키다; (건강 등을) 서서히 해치다.
únder·mòst *a.* 최하(급)의.
un·der·neath [ʌ̀ndərníːθ] *prep., ad.* (…의) 밑에〔의, 을〕. — *n.* (the ~) 하부, 하면(下面).
ùnder·nóurished *a.* 영양 부족의. **-nóurishment** *n.*
ùnder·páid *a.* 박봉의.
únder·pànts *n. pl.* 하의; (남자용) 팬츠.
únder·pàss *n.* Ⓒ (철도·도로의 밑을 통하는) 지하도.
ùnder·páy *vt.* (*-paid*) (급료·임금을) 충분히 주지 않다.
ùnder·pín *vt.* (*-nn-*) (건축물의) 토대를 갈아 놓다, 기초를 보강하다; 지지하다, 입증하다. **-pínning** *n.* Ⓤ,Ⓒ 건축물의 토대, 버팀; 지주; (추가적인) 버팀대.
únder·plòt *n.* Ⓒ (극·소설 등의) 곁줄거리, 삽화; 음모.
ùnder·prépared *a.* 준비가 불충분한, 준비 부족의.
ùnder·prívileged *a.* (경제·사회적으로) 충분한 권리를 못 가진.
ùnder·próof *a.* (알코올이) 표준강도(50%) 이하의《생략 u.p.》.
***ùnder·ráte** *vt.* 낮게 평가하다; 얕보다.
ùnder·rípe *a.* 미숙한, 설익은.
un·der·score [-skɔ́ːr] *vt.* (…의) 밑에 선을 긋다; 강조하다. — *n.* [´—ˋ] Ⓒ 밑줄.
ùnder·séa *a.* 바다 속의〔에서 하는〕. — *ad.* 바다속에〔에서, 을〕. **-séas** *ad.* =UNDERSEA.
ùnder·sécretary *n.* (종종 U-) Ⓒ 차관(次官).
ùnder·séll *vt.* (*-sold*) (…보다) 싸게 팔다.
únder·sènse *n.* Ⓤ 잠재 의식; 숨은 뜻.
únder·shìrt *n.* Ⓒ 내의, 속셔츠.
ùnder·shóot *vt.* (*-shot*) 〖空〗 (활주로에) 못 미쳐 착륙하다; (총탄 등이) (…에) 이르지 못하다; (…을) 잘못 폭격하다.
únder·shòrts *n. pl.* (남자용) 팬츠.
únder·shòt *a.* (물레방아가) 하사(下射)(식)의; (개 따위) 아래턱이 쑥 내민.
un·der·sign [-sáin] *vt.* (편지·서류의) 끝에 서명하다. **~ed** [-d] *a.* 아래 기명한. — *n.* [´—ˋ] (the ~ed) 서명자, (서류의) 필자.
ùnder·sízed *a.* 보통보다 작은, 소형의.
ùnder·slúng *a.* (자동차 따위가) 굴대 밑에 테가 있는.
†**un·der·stand** [-stǽnd] *vt.* (*-stood*) ① 이해하다; 깨쳐 알다; (…의) 다루는 요령을 알고 있다. ② (학문 등에) 정통하다; 들어서 알고 있다. ③ 당연하다고 생각하다; 추측하다, (…의) 뜻으로 해석하다. ④《수동으로》 마음으로 보충 해석하다, (말을) 생략하다. — *vi.* 이해하다; 전해 듣고 있다. ~ ***each other*** 서로 양해하다; 동의하다. * **~·a·ble** *a.*
‡**un·der·stand·ing** [-sǽndiŋ] *n.* Ⓤ 이해(력); 지력(知力) 깨달음, 지식; Ⓒ (보통 *sing.*) (의견·희망 따위의) 일치, 동의, 양해. ***on the ~ that*** …라는 조건으로〔양해 아래〕. ***with this ~*** 이 조건으로.
ùnder·státe *vt.* 삼가서 말하다; 줄잡아 말하다. **~ment** *n.*
un·der·stock [-stɑ́k/-stɔ́k] *vt.* (물건을) 충분히 들여놓지 않다.
†**un·der·stood** [-stúd] *v.* understand의 과거(분사). — *a.* 이해〔양해〕된, 암시된.
únder·stùdy *vt.* 〖劇〗 대역(代役)의 연습을 하다. — *n.* Ⓒ 〖劇〗 대역(代役) 배우; 《俗》 보결 선수.
ùnder·supplý *n.* Ⓤ 공급 부족, 불충분한 양. — *vt.* 불충분하게 공급하다.
‡**un·der·take** [ʌ̀ndərtéik] *vt.* (*-took; -taken*) 떠맡다, 인수하다; 약속하다(*to* do); 보증하다; 착수하다, 기도(企圖)하다. **-ták·er** *n.* Ⓒ 인수인, 청부인; [´—ˋ—] 장의사업자. ‡**-ták·ing** *n.* Ⓒ 인수한〔떠맡은〕 일, 기업, 사업; 약속, 보증; [´—ˋ—] Ⓤ 장의사업(業).
un·der·tak·en [-téikən] *v.* undertake의 과거분사.
ùnder-the-cóunter *a.* 비밀 거래의, 암거래의; 불법의.
ùnder-the-táble *a.* 비밀〔암〕거래의.
únder·thìngs *n. pl.* 《口》 여자 속옷류.
únder·tòne *n.* Ⓒ 저음, 작은 소리; 엷은 빛깔, 다른 빛깔을 통해서 본 빛깔; 저류(底流), 잠재적 요소.
***un·der·took** [ʌ̀ndərtúk] *v.* undertake의 과거.
únder·tòw *n.* Ⓤ 해안에서 되돌아치는 물결; 해저의 역류(逆流).
ùnder·válue *vt.* 싸게〔과소〕 평가하다; 얕보다. **-valuátion** *n.*
***únder·wáter** *a.* 수중〔물속〕(용)의; 흘수선(吃水線) 밑의.
‡**únder·wèar** *n.* Ⓤ 《집합적》 내의, 속옷.
ùnder·wéight *n.* Ⓤ,Ⓒ 중량 부족〔미달〕. — *a.* 중량 부족의.
***un·der·went** [ʌ̀ndərwént] *v.* undergo의 과거.
únder·wòod *n.* Ⓤ 큰 나무 밑의 관목, 총림(叢林); 덤불.
***únder·wòrld** *n.* Ⓒ 하층 사회, 암흑가; 저승, 지옥; 이승.
ùnder·wríte *vt.* (*-wrote; -written*) 아래〔밑〕에 쓰다 《과거분사형으로》; (특히 해상 보험을) 인수하다; (회사의 발행 주식·사채(社債) 중, 응모자가 없는 부분을) 인수하다; (…의) 비용을 떠맡다. **-wríter** *n.* Ⓒ (특히 해상) 보험업자; 주식·사채 인수인.
ùnder·wrítten *v.* underwrite의 과거분사.

ùnder·wróte *v.* underwrite의 과거.
un·de·scrib·a·ble [ʌ̀ndiskráibəbəl] *a.* 형용할 수 없는, 필설로 못다 할.
un·de·served [ʌ̀ndizə́ːrvd] *a.* (받을) 가치가〔자격이〕 없는, 과분한.
un·des·ig·nat·ed [ʌndézignèitid] *a.* 지정〔지명〕되지 않은; 임명되지 않은.
un·de·signed [ʌ̀ndizáind] *a.* 고의가 아닌; 우연의.
*__un·de·sir·a·ble__ [ʌ̀ndizáirəbəl] *a., n.* Ⓒ 바람직하지〔탐탁지〕 않은 (사람·물건).
un·de·ter·mined [ʌ̀nditə́ːrmind] 「*a.* 미정의.
un·de·vel·oped [ʌ̀ndivéləpt] *a.* (심신이) 충분히 발달하지 못한; (토지가) 미개발의; 현상(現像)이 안 된.
un·did [ʌndíd] *v.* undo의 과거.
un·dies [ʌ́ndiz] *n. pl.* 《口》 (여성·아동용) 내의, 속옷.
un·dig·ni·fied [ʌndígnəfàid] *a.* 위엄이 없는.
un·di·lut·ed [ʌ̀ndilúːtid, -dai-] *a.* 물 타지 않은, 희석하지 않은.
un·di·min·ished [ʌ̀ndimíniʃt] *a.* 줄지 않은, 쇠퇴되지 않은.
un·dis·ci·plined [ʌndísəplind] *a.* 훈련이 안 된; 군기(軍紀)가 없는.
un·dis·cov·ered [ʌ̀ndiskʌ́vərd] *a.* 발견되지 않은, 미지의.
un·dis·guised [ʌ̀ndisgáizd] *a.* 있는 그대로의, 가면을 쓰지 않은, 드러낸, 숨김 없는. 「연한.
un·dis·mayed [ʌ̀ndisméid] *a.* 태
un·dis·put·ed [ʌ̀ndispjúːtid] *a.* 의심〔이의〕 없는, 확실한; 당연한.
un·dis·solved [ʌ̀ndizálvd/-ɔ́-] *a.* 분해〔해소·해제〕되지 않은.
un·dis·tin·guish·a·ble [ʌ̀ndistíŋgwiʃəbəl] *a.* 구별〔판별〕할 수 없는. **-bly** *ad.*
un·dis·tin·guished [ʌ̀ndistíŋgwiʃt] *a.* 구별되지 않는; 평범한, 유명하지 않은.
*__un·dis·turbed__ [ʌ̀ndistə́ːrbd] *a.* 방해되지 않는; 평온한.
un·di·vid·ed [ʌ̀ndiváidid] *a.* 나눌 수 없는, 연속된, 완전한; 전념하는.
*__un·do__ [ʌndúː] *vt.* (*-did; -done*) ① 원상태로 돌리다; 취소하다; 제거하다. ② 풀다, 끄르다, 늦추다; (의복 따위를) 벗기다. ③ 파멸〔영락〕시키다; 결딴내다. ④ 《古》 (수수께끼 등을) 풀다. **～·ing** *n.* Ⓤ 원상태로 돌리기; 끄름, 풂; 파멸.
un·do·mes·tic [ʌ̀ndəméstik] *a.* 가사와 관계 없는, 가정적이 아닌; 국산(품)이 아닌.
un·do·mes·ti·cat·ed [ʌ̀ndəméstəkèitid] *a.* (동물이) 길들여지지 않은.
*__un·done__ [ʌndʌ́n] *v.* undo의 과거분사. — *a.* 풀어진, 끌러진; 파멸〔영락〕한; 하지 않은, 미완성의.
*__un·doubt·ed__ [ʌndáutid] *a.* 의심할 여지 없는, 확실한. **:** **～·ly** *ad.*

UNDP United Nations Development Program 유엔 개발 계획.
un·drained [ʌndréind] *a.* 배수가 안 된, 물기가 남아 있는.
un·draw [ʌndrɔ́ː] *vt.* (*-drew; -drawn*) (커튼을) 당겨 열다.
un·dreamed-of [ʌndrémtàv, -dríːmd-/-ɔ̀v], **un·dreamt·of** [-drémt-] *a.* 꿈에도 생각 않은, 생각조차 못한, 뜻하지 않은.
*__un·dress__ [ʌndrés] *vt.* 옷을 벗기다; 장식을 떼다; 붕대를 끄르다. — *vi.* 옷을 벗다. — *n.* [⌐⌐] Ⓤ 평복, 약복(略服). — [⌐⌐] *a.* 평복의.
UNDRO United Nations Disaster Relief Organization.
*__un·due__ [ʌndjúː/-djúː] *a.* 과도한, 지나치게 많은; 부적당한; 매우 심한; (지불) 기한이 되지 않은.
un·du·lant [ʌ́ndjulənt] *a.* 파도 치는, 물결〔파도〕 모양의. 「熱).
úndulant féver 〖醫〗 파상열(波狀
un·du·late [ʌ́ndʒəlèit, -djə-] *vi.* 물결이 일다, 물결 치다; (땅이) 기복(起伏)하다, 굽이치다. — *vt.* 물결치게 하다; 기복지게〔굽이치게〕 하다. **-lat·ing** *a.* **-la·tion** [⌐-léiʃən] *n.*
un·du·la·to·ry [ʌ́ndjələtɔ̀ːri/-dʒələtəri] *a.* 파동의, 물결 치는; 놀치는, 기복하는, 굽이치는. ***the ～ theory (of light)*** 〖理〗 (빛의) 파동설.
*__un·du·ly__ [ʌndjúːli/-djúː-] *ad.* 과도하게; 부당하게.
un·dy·ing [ʌndáiiŋ] *a.* 불사(不死)의, 불멸〔불후〕의; 영원한.
un·earned [ʌnə́ːrnd] *a.* 노력하지 않고 얻은. **～ *income*** 불로 소득.
únearned íncrement (토지 등의) 자연적 가치 증가.
un·earth [ʌnə́ːrθ] *vt.* 발굴하다; (사냥감을) 굴에서 몰아내다; 발견〔적발〕하다. **～·ly** *a.* 이 세상 것이라고는 생각 안 되는; 이상한; 기분나쁜; 신비로운; 《口》 터무니 없는.
un·ease [ʌ̀níːz] *n.* Ⓤ 불안, 걱정.
:un·eas·y [ʌníːzi] *a.* 불안한, 걱정되는; 불쾌한; 힘드는; 편치 못한; 불편한, 거북한, 딱딱한 (태도 등). ***un·éas·i·ly*** *ad.* ***un·éas·i·ness*** *n.*
un·ed·u·cat·ed [ʌnédʒukèitid] *a.* 교육을 받지 못한, 무지한.
U.N.E.F. United Nations Emergency Forces 유엔 긴급군.
un·em·ploy·a·ble [ʌ̀nimplɔ́iəbəl] *a.* (노령·병 등으로) 고용 불가능한.
*__un·em·ployed__ [ʌ̀nimplɔ́id] *a.* 일이 없는, 실직한; 사용〔이용〕되고 있지 않은; 한가한.
:un·em·ploy·ment [-mənt] *n.* Ⓤ 실업(失業). 「수당.
unemplóyment bènefit 실업
unemplóyment compensàtion 《美》 실업 보상.
un·en·cum·bered [ʌ̀ninkʌ́mbərd] *a.* 방해 없는, 부담 없는, (재산이) 채무 없는.
un·end·ing [ʌnéndiŋ] *a.* 끝없는;

U

무한한, 영구한.

un·en·dur·a·ble[ʌ̀nendjúərəbəl] *a.* 견딜 수 없는.

un·en·gaged[ʌ̀ningéidʒd] *a.* 선약[약속]이 없는, 약혼하지 않은; 일이 없는, 한가한.

un-Eng·lish[ʌníŋgliʃ] *a.* 영국식이 아닌; 영국인[영어] 같지 않은.

un·en·vi·a·ble[ʌnénviəbəl] *a.* 부럽지 않은, 부러워할 것 없는.

un·en·vied[ʌnénvid] *a.* (남이) 부러워하지 않는.

un·en·vi·ous[ʌnénviəs] *a.* =⇧.

UNEP[jú:nep] United Nations Environment Program 유엔 환경 계획 기구.

***un·e·qual**[ʌní:kwəl] *a.* ① 같지 않은; 불평등[불균등]한. ②《廢》불공평한, 일방적인. ③ 한결같지 않은, 변하기 쉬운. ④ 불충분한, 감당 못하는(*to*). ~(l)**ed** *a.* 견줄 데 없는. ~·**ly** *ad.*

un·e·quiv·o·cal[ʌ̀nikwívəkəl] *a.* 모호하지 않은, 명백한.

un·err·ing[ʌnə́:riŋ] *a.* 잘못이 없는; 틀림 없는; 정확[확실]한.

UNESCO[ju:néskou] (< *U*nited *N*ations *E*ducational, *S*cientific, and *C*ultural *O*rganization) *n.* 유네스코《국제 연합 교육과학 문화 기구》.

un·es·sen·tial[ʌ̀nisénʃəl] *a.* 중요하지 않은, 본질적이 아닌.

***un·e·ven**[ʌní:vən] *a.* ① 평탄하지 않은. ② 한결같지[고르지] 않은. ③ 격차가 있는. ④ 홀수의. ~·**ly** *ad.* ~·**ness** *n.*

un·e·vent·ful[ʌ̀nivéntfəl] *a.* 평온 무사한.

un·ex·am·pled[ʌ̀nigzǽmpld/-ɑ́:-] *a.* 전례[유례] 없는; 비할 데 없는; 예외적인.

un·ex·cep·tion·a·ble [ʌ̀niksépʃənəbəl] *a.* 나무랄 데[더할 나위] 없는, 완전한.

un·ex·cep·tion·al[ʌ̀niksépʃənəl] *a.* 예외가 아닌, 보통의.

:un·ex·pect·ed[ʌ̀nikspéktid] *a.* 뜻밖의, 뜻하지 않은, 불의의. *~·**ly** *ad.* ~·**ness** *n.*

un·ex·plored[ʌ̀nikspló:rd] *a.* 아직 탐험[조사]되지 않은.

un·fail·ing[ʌnféiliŋ] *a.* 틀림[잘못]이 없는, 신뢰할 수 있는; 확실한; 다함이 없는, 끊임없는. ~·**ly** *ad.*

***un·fair**[ʌnféər] *a.* ① 불공평한, 부당한. ② 부정(不正)한.

un·faith·ful[ʌnféiθfəl] *a.* 성실[충실]하지 않은, 부정(不貞)한; 부정확한. ~·**ly** *ad.*

un·fal·ter·ing[ʌnfó:ltəriŋ] *a.* 비틀거리지 않는; 주저하지 않는, 단호한. ~·**ly** *ad.*

***un·fa·mil·iar**[ʌ̀nfəmíljər] *a.* ① 잘 알지 못하는; 진기한. ② 생소한; 익숙지 않은; 경험이 없는(*with, to*).

un·fash·ion·a·ble[ʌ̀nfǽʃənəbəl] *a.* 유행에 뒤진, 멋없는.

un·fas·ten[ʌnfǽsn/-ɑ́-] *vt., vi.* 풀다, 풀리다, 늦추다, 헐거워[느슨해]지다, 열(리)다.

un·fath·om·a·ble[ʌnfǽðəməbəl] *a.* 깊이를 헤아릴 수 없는, 불가해한.

un·fath·omed[ʌnfǽðəmd] *a.* 측량할 수 없는; 헤아릴 수 없는.

***un·fa·vor·a·ble,**《英》**-vour-** [ʌnféivərəbəl] *a.* 형편이 나쁜, 불리한; 역(逆)의; 불친절한. -**bly** *ad.*

un·feel·ing[ʌnfí:liŋ] *a.* 느낌이 없는; 무정한, 잔인한.

un·feigned [ʌnféind] *a.* 거짓 없는.

un·felt[ʌnfélt] *a.* 느끼지 않는, 느낄 수 없는.

un·fenced[ʌnfénst] *a.* 담[울]이 없는; 무방비의.

un·fet·ter[ʌ̀nfétər] *vt.* 족쇄를 풀다; 석방하다.

un·fet·tered[-d] *a.* 차꼬가[속박이] 풀린; 자유로운.

***un·fin·ished**[ʌnfíniʃt] *a.* 미완성의; 완전히 마무리(가공)되지 않은.

***un·fit**[ʌnfít] *a.* 부적당한, 적임이 아닌(*to, for*); (육체적·정신적으로) 적당치 못한. — *n.* (the ~) 부적임자. — *vt.* (-**tt**-) 부적당하게 하다, 자격을 잃게 하다(*for*).

un·fix[ʌnfíks] *vt.* 풀다, 끄르다, 늦추다.

un·flag·ging[ʌnflǽgiŋ] *a.* 쇠(衰)하지 않는, 지칠 줄 모르는.

un·flat·tered[ʌnflǽtərd] *a.* 실물대로의.

un·fledged[ʌnflédʒd] *a.* (새가) 깃털이 다 나지 않은; 덜 발달한, 미숙한; 젖비린내 나는.

un·flinch·ing[ʌnflíntʃiŋ] *a.* 움츠리지[주춤하지] 않는, 단호한.

***un·fold**[ʌnfóuld] *vt.* (접은 것을) 펴다, 열다; 나타내다, 표명[설명]하다.

unfólding hóuse 조립식 주택.

un·forced[ʌnfó:rst] *a.* 강제되지 않은, 자발적인.

un·fore·seen[ʌ̀nfo:rsí:n] *a.* 예기치 못한, 뜻밖의.

un·for·get·ta·ble[ʌ̀nfə:rgétəbəl] *a.* 잊을 수 없는.

:un·for·tu·nate[ʌnfó:rtʃənit] *a., n.* Ⓒ 불행한 (사람); (특히) 매춘부; 불길한; 유감스러운. **:**~·**ly** *ad.*

un·found·ed[ʌnfáundid] *a.* 근거 없는.

un·freeze [ʌnfrí:z] *vt.* 녹이다; 〖經〗동결을 해제하다.

un·fre·quent[ʌnfrí:kwənt] *a.* = INFREQUENT.

un·fre·quent·ed[ʌ̀nfri:kwéntid] *a.* 인적이 드문; 한적한.

***un·friend·ly**[ʌnfréndli] *a.* 우정이 없는, 불친절한, 적의 있는; 형편이 나쁜. — *ad.* 비(非)우호적으로.

un·frock[ʌnfrɑ́k/-ɔ́-] *vt.* 법의(法衣)를 벗기다; 성직[특권]을 박탈하다.

un·fruit·ful[ʌnfrú:tfəl] *a.* 열매를 맺지 않는; 효과가 없는.

U

un·furl[ʌnfə́:rl] *vt., vi.* 펼치다, 펼쳐지다; 올리다, 올라가다.
un·fur·nished[ʌnfə́:rniʃt] *a.* 공급되지 않은; 설비가 안 된; 비품이〔가구가〕 없는.
UNGA U.N. General Assembly.
un·gain·ly[ʌngéinli] *a.* 보기 흉한, 몰골스러운.
un·gen·er·ous[ʌndʒénərəs] *a.* 관대하지〔너그럽지〕 못한, 도량이 좁은, 인색한. ~·**ly** *ad.*
un·gen·tle[ʌndʒéntl] *a.* 상냥하지 않은, 점잖지 못한; 예의 없는.
un·god·ly[ʌngádli/-ɔ́-] *a.* 신앙심 없는; 죄많은; 《口》 지독한, 심한.
un·gov·ern·a·ble[ʌngʌ́vərnəbəl] *a.* 제어할 수 없는, 제어가 어려운, 어찌할 도리 없는.
un·gov·erned[ʌngʌ́vərnd] *a.* 지배〔제어〕당하지 않는.
un·gra·cious[ʌngréiʃəs] *a.* 예절 없는, 무례〔야비〕한; 불쾌한.
un·grad·ed[ʌngréidid] *a.* 등급이 매겨져 있지 않은; 《美》 (길이) 물매가 뜨지 않은.
ungráded schòol (벽지의) 단급(單級) 초등 학교《한 교사가 한 교실에서 모든 학년을 가르침》.
un·gram·mat·i·cal [ʌ̀ngrəmǽtikəl] *a.* 문법에 맞지 않는.
*__un·grate·ful__[ʌngréitfəl] *a.* ① 은혜를 모르는. ② 애쓴 보람 없는, 헛수고의; 불쾌한.
un·ground·ed[ʌngráundid] *a.* 근거〔이유〕 없는.
un·grudg·ing[ʌngrʌ́dʒiŋ] *a.* 활수한; 아끼지 않는. ~·**ly** *a.*
un·guard·ed[ʌngá:rdid] *a.* 부주의한; 방심하고 있는; 무방비의.
un·guent[ʌ́ŋgwənt] *n.* U,C 연고(軟膏).
un·gu·late[ʌ́ŋgjəlit, -lèit] *a., n.* 발굽이 있는; C 유제류(有蹄類)의 (동물).
un·hal·lowed[ʌnhǽloud] *a.* 성별(聖別)되지 않은; 신성하지 않은; 죄많은.
un·ham·pered[ʌnhǽmpərd] *a.* 차꼬를 안 채운; 방해받지 않는.
un·hand[ʌnhǽnd] *vt.* (…에서) 손을 떼다, 손에서 놓다.
un·hand·some[ʌnhǽnsəm] *a.* 잘 생기지 않은; 야비한; 인색한. ~·**ly** *ad.*
un·hand·y[ʌ̀nhǽndi] *a.* ① 손재주가 없는. ② 다루기 거북한〔힘든〕.
un·hang [ʌnhǽŋ] *vt.* (**-hung**, **~ed**) (걸린 물건을) 벗기다, 떼다.
:**un·hap·py**[ʌnhǽpi] *a.* ① 불행한, 비참한, 슬픈. ② 계제가 나쁜; 부적당한. *-**pi·ly** *ad.* *-**pi·ness** *n.*
un·harmed[ʌnhá:rmd] *a.* 무사한.
un·har·ness[ʌnhá:rnis] *vt.* (말에서) 마구를 끄르다; 《古》 갑옷을 벗기다, 무장을 해제시키다.
UNHCR United Nations High Commissioner for Refugees.
un·health·ful[ʌnhélθfəl] *a.* 건강에 해로운.
*__un·health·y__[ʌnhélθi] *a.* ① 건강하지 못한, 병약한; 건강을 해치는. ②(정신적으로) 불건전한, 유해한.
un·heard[ʌnhə́:rd] *a.* 들리지 않는; 변명이 허용되지 않는; 《古》 들은 바가 없는.
un·heard-of [ʌnhə́:rdɑ̀v/-ɔ̀v] *a.* 들은 적이 없는; 전례가 없는.
un·heed·ed[ʌnhí:did] *a.* 돌봐지지 않는, 주목되지 않는, 무시된.
un·hes·i·tat·ing[ʌnhézətèitiŋ] *a.* 망설이지 않는; 기민한. ~·**ly** *ad.*
un·hinge[ʌnhíndʒ] *vt.* (…의〔에서〕) 돌쩌귀를 떼다; 떼어놓다; (정신을) 어지럽히다.
un·hitch[ʌnhítʃ] *vt.* (말 따위를) 풀어 놓다.
un·ho·ly[ʌnhóuli] *a.* 신성치 않은, 부정(不淨)한; 신앙심이 없는; 사악한; 《口》 심한, 발칙한. -**li·ness** *n.*
un·hon·ored, 《英》 **-oured**[ʌnánərd/-ɔ́-] *a.* 존경받지 못하는; (어음이) 인수 거절된.
un·hook[ʌnhúk] *vt.* 갈고리에서 벗기다; (의복의) 훅을 끄르다.
un·hoped-for[ʌnhóuptfɔ̀:r] *a.* 뜻밖의, 예기치 않은, 바라지도 않은.
un·horse[ʌnhɔ́:rs] *vt.* 말에서 흔들어 떨어뜨리다, 낙마시키다; 실각(失脚)시키다.
un·hulled[ʌnhʌ́ld] *a.* 껍질을 벗기지 않은.
unhúlled rìce 벼.
un·hurt[ʌnhə́:rt] *a.* 다치지 않은; 무사한.
u·ni-[jú:nə] *pref.* '일(一), 단(單)'의 뜻.
u·ni·ax·i·al [jù:niǽksiəl] *a.* 〖動·植〗 단축(單軸)의, 단경(單莖)의.
u·ni·cam·er·al[jù:nəkǽmərəl] *a.* (의회가) 단원제(單院制)의.
UNICEF[jú:nəsèf] (< *U.N. I*nternational *C*hildren's *E*mergency *F*und) *n.* 유니세프《(유엔) 국제 아동 긴급 기금; 현재는 United Nations Children's Fund지만 약어는 같음》.
ùni·céllular *a.* 단세포의.
úni·còrn *n.* C 일각수(一角獸)《이마에 한 개의 뿔이 있는 말 비슷한 상상의 동물》.
un·i·den·ti·fied[ʌ̀naidéntəfàid] *a.* 동일한 것으로 확인되지 않은.
unidéntified flýing óbject 미확인 비행 물체《생략 UFO》.
un·id·i·o·mat·ic [ʌ̀nidiəmǽtik] *a.* (어법(語法)이) 관용적이 아닌.
u·ni·di·réc·tion·al bùs[jù:nədirékʃənəl-, -dai-] 〖컴〗 한 방향 버스.
UNIDO[jú:nidou] United Nations Industrial Development Organization.
u·ni·fi·ca·tion[jù:nəfikéiʃən] *n.* U 통일, 단일화.
:**u·ni·form**[jú:nəfɔ̀:rm] *a.* 일정한, 한결같은; 균일한. — *n.* C,U 제복, 유니폼. — *vt.* 제복을 입히다. ~**ed** [-d] *a.* 제복의〔을 입은〕. *~·**ly** *ad.* *~·**i·ty**[ㅗ-fɔ́:rməti] *n.* U,C 한결같음; 동일(성); 일정〔일관〕(성).

u·ni·fy[júːnəfài] *vt.* 한결같게 하다, 통일하다.
u·ni·lat·er·al[jùːnəlǽtərəl] *a.* 한쪽만의; 일방적인; 〖法〗 편무(片務)의.
un·im·ag·i·na·ble[ʌ̀nimǽdʒənəbəl] *a.* 상상할 수 없는. **-bly** *n.*
un·im·ag·i·na·tive[ʌ̀nimǽdʒənətiv] *a.* 상상력이 없는.
un·im·paired[ʌ̀nimpɛ́ərd] *a.* 손상되지 않은; 약화되지 않은.
un·im·peach·a·ble [ʌ̀nimpíːtʃəbəl] *a.* 나무랄 데 없는, 죄가 없는.
*__un·im·por·tant__[ʌ̀nimpɔ́ːrtənt] *a.* 중요하지 않은, 보잘 것 없는.
un·in·hab·it·ed[ʌ̀ninhǽbitid] *a.* 무인(無人)의; 사람이 살지 않는.
un·in·jured[ʌníndʒərd] *a.* 상해를 입지 않은; 손상되지 않은.
un·in·tel·li·gi·ble[ʌ̀nintélədʒəbəl] *a.* 이해할 수 없는; 분명치 않은.
un·in·ten·tion·al[ʌ̀nintén∫ənəl] *a.* 고의가 아닌, 무심코 한.
un·in·ter·est·ing [ʌníntərəstiŋ] *a.* 흥미없는, 시시한.
un·in·ter·rupt·ed[ʌ̀nintərʌ́ptid] *a.* 끊임없는, 연속적인.
un·in·vit·ed[ʌ̀ninváitid] *a.* 초대받지 않은; 주제넘은.
:**un·ion**[júːnjən] *n.* ① Ⓤ 결합, 연합, 합동. ② Ⓤ,Ⓒ 결혼, 화합. ③ Ⓒ 동맹, (노동) 조합. ④ Ⓒ (U-) 연방; (the U-) 아메리카 합중국; (연방을 나타내는) 연합 기장《영국의 Union Jack, 미국 국기의 별 있는 부분 따위》. ⑤ (보통 the U-)《美》 학생 클럽〔회관〕. ⑥ Ⓒ 〖機〗 접합관(管); 〖醫〗 유착(癒着), 유합. ⑦ 〖컴〗 합집합. ***trade*** 〔《英》 ***labo(u)r*** 〕 ~ 노동조합. **~·ism**[-ìzəm] *n.* Ⓤ 노동조합 주의(opp. separatism); (U-) 〖美史〗 (남북 전쟁때의) 연방주의. **~·ist** *n.* Ⓒ 노동조합주의자, 노동조합원.
únion càtalog(ue) 종합 도서 목록《둘 이상의 도서관 장서를 ABC 순으로 종합한 것》. 「Union Jack).
Únion flàg, the 영국 국기(=
un·ion·ize[júːnjənàiz] *vt., vi.* 노동조합으로 조직하다, 노동조합에 가입시키다〔가입하다〕. **-i·za·tion**[∸—izéi-/-nai-] *n.*
únion jàck 연합 국기; (the U-J-) 영국 국기.
Únion of Sòuth Àfrica, the 남아프리카 연방.
Únion of Sóviet Sócialist Repúblics, the 소비에트 사회주의 공화국 연방《1991년 해체됨; 생략 U.S.S.R.》.
únion shòp 유니언숍《비조합원도 채용 후 조합에 가입하기로 고용주와 조합간에 협정이 된 사업체》.
únion sùit 《美》 아래위가 붙은 속셔츠. 「독특한; 진기한.
:**u·nique** [juːníːk] *a.* 유일(무이)한,
u·ni·sex[júːnəsèks] *a.* 《口》 (복장 등이) 남녀 공통의. 「성(單性)의.
u·ni·sex·u·al [jùːnəsék∫uəl] *a.* 단
*__u·ni·son__[júːnəsən, -zən] *n.* Ⓤ 조화, 일치; 〖樂〗 동음, 화음, 제창(齊唱). ***in*** ~ 제창으로; 일치하여.
:**u·nit**[júːnit] *n.* Ⓒ ① 한 개, 한 사람. ② 《집합적》 (구성) 단위; 〖數〗 부대; 〖理〗 단위. ③ 〖數〗 최소 완전수《즉 1》. ④ 〖教育〗 (학과의) 단위, 단원(單元). ⑤ 〖컴〗 장치 ~ ***price*** 단가.
U·ni·tar·i·an[jùːnətɛ́əriən] *a., n.* Ⓒ 유니테리언파(派)의 (사람). **~·ism**[-ìzəm] *n.* Ⓤ 유니테리언파(派)의 교의《신교의 일파로, 신의 유일함을 주장하며 예수를 신격화하지 않음》.
u·ni·tar·y[júːnətèri/-təri] *a.* 단일의; 단위(單位)의; 〖數〗 일원(一元)의, 귀일(歸一)(법)의.
únit chàracter 〖生〗 (Mendel 법칙의) 단위 형질.
únit còst 단위 원가.
:**u·nite**[juːnáit] *vt.* 하나로 하다, 결합〔접합〕하다; 합병하다; 결혼시키다; (성실 따위를) 겸비하다; (의견 등을) 일치시키다. ── *vi.* 하나로 되다; (행동·의견 등이) 일치하다.
:**u·nit·ed**[juːnáitid] *a.* 결합〔연합〕한; 일치〔결속〕된.
Uníted Árab Emírates, the 아랍 에미리트 연방.
Uníted Árab Repúblic, the 통일 아랍 공화국《생략 U.A.R.》.
:**Uníted Nátions, the** 국제 연합《생략 U.N.》.
Uníted Préss Internátional, the 미국의 한 통신사《생략 UPI》.
†**Uníted Státes (of América), the** 아메리카 합중국, 미국《생략 U.S.(A.)》. 「인자.
únit fàctor 〖生〗 (유전상의) 단일
únit rúle 《美》 단위 선출제.
*__u·ni·ty__[júːnəti] *n.* Ⓤ 단일(성); Ⓒ 개체, 통일(체); Ⓤ 조화, 일치; 일관성; Ⓒ 〖數〗 1. ***live in*** ~ 사이좋게 살다.
Univ. Universalist; University.
univ. universal(ly); university.
UNIVAC[júːnəvæ̀k] (<*Universal Automatic Computer*) *n.* 〖商標〗 유니박《전자 계산기의 일종》.
u·ni·va·lent[jùːnəvéilənt, juːnívə-] *a.* 〖化〗 일가(一價)의.
u·ni·valve[júːnəvæ̀lv] *a.* 〖動·植〗 단판(單辦)의, 단각(單殼)의. ── *n.* Ⓒ 단각 연체 동물, 《특히》 복족류(腹足類).
:**u·ni·ver·sal**[jùːnəvə́ːrsəl] *a.* ① 우주의, 만유의, 전세계의. ② 만인의, 널리〔일반적으로〕 행해지는; 보편적인(opp. individual). ③ 만능의. ④ 〖論〗 전칭(全稱)의. ── *n.* Ⓒ 〖論〗 전칭 명제. *__~·ly__ *ad.* 일반(적)으로, 널리; 어느 곳이나. **~·i·ty**[∸—sǽləti] *n.* Ⓤ 보편성.
univérsal ágent 총대리점.
univérsal bóard 〖컴〗 범용 기판《배선용 인쇄 패턴이 같은 모양의 인쇄 기판》.
univérsal cómpasses 자재(自

在) 컴퍼스. 「람).

univérsal dónor O형 혈액(의 사

U·ni·ver·sal·ism [jù:nəvə́:rsəlìzəm] *n.* Ⓤ 〖神〗 보편 구제설(普遍救濟設)《만인은 결국 구제된다는 설》. **-ist** *n.* Ⓒ ~의 신자(信者).

Univérsal Póstal Ùnion, the 만국 우편 연합《1875년 결성; 생략 UPU》.

univérsal súffrage 보통 선거권.

univérsal tìme =GREENWICH TIME.

:u·ni·verse [jú:nəvə̀:rs] *n.* (the ~) 우주, 만물; 전세계.

U·ni·ver·si·ade [jù:nəvə́:rsiæ̀d] *n.* 유니버시아드《국제 대학생 경기 대회》.

:u·ni·ver·si·ty [jù:nəvə́:rsəti] *n.* Ⓒ 대학(교), 종합대학. ~ EXTENSION.

:un·just [ʌndʒʌ́st] *a.* 부정〔불법·불공평〕한. **~·ly** *ad.*

un·kempt [ʌnkémpt] *a.* (머리에) 빗질을 안 한; (옷차림이) 단정하지 못한.

:un·kind [ʌnkáind] *a.* 불친절한, 몰인정한, 냉혹한. **~·ly** *ad.* **~·ness** *n.*

un·know·a·ble [ʌnnóuəbəl] *a.* 알 수 없는; 〖哲〗 불가지(不可知)의.

un·know·ing [ʌnnóuiŋ] *a.* 무지한; 모르는, 알(아채)지 못하는(*of*). **~·ly** *ad.*

:un·known [ʌnnóun] *a.* 알려지지 않은; 미지의, 무명의. ***U- Soldier*** 〔《英》 ***Warrior***〕 전몰 무명 용사(勇士). **—** *n.* Ⓒ 미지의 인물〔물건〕; 〖數〗 미지수(數).

un·la·bored, 《英》 **-boured** [ʌnléibərd] *a.* 노력 없이 얻은; (땅이) 경작 안된; (문체 따위가) 자연스런.

un·lace [ʌnléis] *vt.* (구두·코르셋 따위의) 끈을 풀다〔늦추다〕.

un·la·ment·ed [ʌ̀nləméntid] *a.* 슬프게 여겨지지 않는, 슬퍼하는 사람 없는.

un·law·ful [ʌnlɔ́:fəl] *a.* 불법〔위법〕의, 비합법의; 사생(아)의. **~·ly** *ad.*

un·lead·ed [ʌ̀nlédid] *a.* 무연(無鉛)의《가솔린 등》.

un·learn [ʌnlə́:rn] *vt.* (***~ed*** [-d, -t], ***~t***) (배운 것을) 잊다; (버릇·잘못 등을) 버리다, 염두에서 없애다. **~·ed** [-id] *a.* 무식한, 무교육의; [-d] 배우지 않고 아는.

un·leash [ʌnlí:ʃ] *vt.* (…의) 가죽끈을 풀다; 해방하다.

un·leav·ened [ʌnlévənd] *a.* 발효시키지 않은; 《비유》 영향을 안받은.

†un·less [ənlés] *conj.* 만약 …이 아니면〔하지 않으면〕, …(이)외에는. **—** *prep.* …을 제외하고.

un·let·tered [ʌnlétərd] *a.* 배우지 못한, 문맹의.

un·li·censed [ʌnláisənst] *a.* 면허(장) 없는; 방종한.

:un·like [ʌnláik] *a.* 닮지 않은, 다른. **—** *prep.* …와 같지 않고, …과 달라서.

***un·like·ly** [ʌnláikli] *a.* 있을 것 같지 않은; 가망 없는, 성공할 것 같지 않은. **-li·hood** [-hùd] *n.*

un·lim·ber [ʌnlímbər] *vt., vi.* (대포의) 앞차를 떼다, 발포 준비를 하다.

***un·lim·it·ed** [ʌnlímitid] *a.* 끝없는, 무한한; 무제한의; 부정(不定)의.

un·lined [ʌnláind] *a.* 안을 대지 않은, 얇은; 선이 없는.

***un·load** [ʌnlóud] *vt.* (짐을) 부리다; (마음 따위의) 무거운 짐을 덜다; (총·포의) 탄알〔탄약〕을 빼내다; (소유주(株)를) 처분하다. **—** *vi.* 짐을 풀다.

***un·lock** [ʌnlák/-lɔ́k] *vt.* 자물쇠를 열다; (단단히 잠긴 것을) 열다; (마음속·비밀 따위를) 털어놓다. **—** *vi.* 자물쇠가 열리다.

un·looked-for [ʌnlúktfɔ̀:r] *a.* 예기치 않은, 의외의.

un·loose [ʌnlú:s], **un·loos·en** [ʌnlú:sn] *vt.* 풀다, 늦추다; 해방하다.

:un·luck·y [ʌnlʌ́ki] *a.* 불행한, 불행을 가져오는; 잘되지 않는; 불길한; 공교로운. **un·luck·i·ly** *ad.*

un·made [ʌnméid] *v.* unmake의 과거(분사).

un·make [ʌnméik] *vt.* (***-made***) 부수다, 파괴하다; 폐(廢)하다.

un·man [ʌnmǽn] *vt.* (***-nn-***) 남자다움을 잃게 하다; 용기를 꺾다. **~·ly** *a.* 사내답지 못한; 비겁한.

un·man·age·a·ble [ʌnmǽnidʒəbəl] *a.* 다루기 힘든, 제어하기 어려운.

un·manned [ʌnmǽnd] *a., ad.* 예절〔버릇〕없는〔없게〕, 무무한〔하게〕.

un·man·ner·ly [ʌnmǽnərli] *a. ad.* 예절〔버릇〕 없는〔없게〕, 무무한〔하게〕.

***un·mar·ried** [ʌnmǽrid] *a.* 미혼의.

un·mask [ʌnmǽsk/-ɑ́:-] *vt.* 가면을 벗기다; 정체를 폭로하다. **—** *vi.* 가면을 벗다.

un·match·a·ble [ʌnmǽtʃəbəl] *a.* 필적〔대항〕하기 어려운, 겨루기 어려운; 유례 없는.

un·matched [ʌnmǽtʃt] *a.* 상대가 없는, 비할〔견줄〕 데 없는.

un·mean·ing [ʌnmí:niŋ] *a.* 뜻없는, 무의미한; 멍청한, 표정없는.

un·meas·ured [ʌnméʒərd] *a.* 헤아릴〔측정할〕 수 없는; 한(정)없는; 도를넘친. 「*to* do).

un·meet [ʌnmí:t] *a.* 부적당한(*for,*

un·men·tion·a·ble [ʌ̀nménʃənəbəl] *a.* 입에 담을 수 없는; (상스럽거나 해서) 말해서는 안 될.

un·mer·it·ed [ʌnméritid] *a.* 공(功)없이 얻은, 분에 넘치는; 부당한.

un·mind·ful [ʌnmáindfəl] *a.* 마음에 두지 않는, 염두에 없는, 부주의한, 무관심한(*of; that*).

***un·mis·tak·a·ble** [ʌ̀nmistéikəbəl] *a.* 틀릴 리 없는, 명백한. **-bly** *ad.*

U

un·mit·i·gat·ed [ʌnmítəgèitid] *a.* 누그러지지 않은, 완화〔경감〕되지 않은; 순전한, 완전한. 「순수한.
un·mixed [ʌnmíkst] *a.* 섞지 않은,
un·mo·lest·ed [ʌ̀nməléstid] *a.* 곤란〔괴로움〕받지 않는; 평온한.
un·moor [ʌ̀nmúər] *vt.* 배를 맨 밧줄을 풀다, 닻을 올리다. — *vi.* 닻을 올리다.
un·mor·al [ʌnmɔ́(ː)rəl, -ɑ́-] *a.* 도덕과 관계 없는(nonmoral).
un·mount·ed [ʌnmáuntid] *a.* 말타고 있지 않은, 도보의; 대지(臺紙)에 붙이지 않은.
un·mov·a·ble [ʌnmúːvəbəl] *a.* 움직일 수 없는, 부동의.
*__un·moved__ [ʌnmúːvd] *a.* (결심 등이) 흔들리지 않는, 확고한; 냉정한.
un·muz·zle [ʌnmʌ́zəl] *vt.* (개의) 부리망을 벗기다; 언론의 자유를 주다. 「지명되지 않은.
un·named [ʌnnéimd] *a.* 무명의;
:**un·nat·u·ral** [ʌnnǽtʃərəl] *a.* ① 부자연한. ② 보통이 아닌, 이상한. ③ 인도(人道)에 어긋나는, 몰인정한. ~·**ly** *ad.* ~·**ness** *n.*
:**un·nec·es·sar·y** [ʌnnésəsèri/-səri] *a.* 불필요한, 무익한. *-**sar·i·ly** *ad.* 「기를〕 잃게 하다.
un·nerve [ʌnnə́ːrv] *vt.* 기력을〔용
*__un·no·ticed__ [ʌnnóutist] *a.* 주의를〔남의 눈을〕 끌지 않는, 눈에 띄지 않는; 돌보아지지 않는.
un·num·bered [ʌnnʌ́mbərd] *a.* 세지 않은; 헤아릴 수 없는, 무수한.
UNO, U.N.O United Nations Organization《U.N.의 구칭》.
un·ob·served [ʌ̀nəbzə́ːrvd] *a.* 관찰〔주의〕되지 않는; 지켜지지 않은.
un·ob·tru·sive [ʌ̀nəbtrúːsiv] *a.* 겸손한.
*__un·oc·cu·pied__ [ʌnɑ́kjəpàid/-ɔ́-] *a.* ① (집·토지 따위가) 임자가 없는, 사람이 살고 있지 않는. ② 일이 없는, 한가한.
un·of·fend·ing [ʌ̀nəféndiŋ] *a.* 사람을 성나게 하지 않는; 죄 없는, 해롭지 않은. 「인.
*__un·of·fi·cial__ [ʌ̀nəfíʃəl] *a.* 비공식적
un·o·pened [ʌnóupənd] *a.* 열려 있지 않은; 개봉되지 않은; 페이지가 아직 잘리지 않은(cf. uncut).
un·or·gan·ized [ʌnɔ́ːrgənàizd] *a.* 조직돼 있지 않은; 〖化〗 무기(無機)의; 《美》 노동 조합에 가입하지 않은.
un·or·tho·dox [ʌ̀nɔ́ːrθədɑ̀ks/-dɔ̀ks] *a.* 정통이 아닌, 이단적인; 파격적인.
un·pack [ʌnpǽk] *vt.* (꾸러미·짐을) 풀다; (속의 것을) 꺼내다; 〖컴〗 풀다《압축된 데이터를 원형으로 돌림》. — *vi.* 꾸러미를〔짐을〕 끄르다.
un·paid [ʌnpéid] *a.* 지불되지 않은; 무급(無給)의, 무보수의; 명예직의. ***the great*** ~ (명예직인) 치안판사.
un·pal·at·a·ble [ʌnpǽlətəbəl] *a.* 입에 맞지 않는, 맛 없는; 불쾌한.
un·par·al·leled [ʌnpǽrəlèld] *a.* 견줄〔비할〕 데 없는, 전대미문의.
un·par·don·a·ble [ʌnpɑ́ːrdənəbəl] *a.* 용서할 수 없는.
un·par·lia·men·ta·ry [ʌ̀npɑːrləméntəri] *a.* 의회의 관례〔국회법〕에 어긋나는.
un·peo·ple [ʌnpíːpəl] *vt.* (…의) 주민을 없애다, 무인지경으로 만들다. ~**d** [-d] *a.* 주민이 없는.
un·per·ceived [ʌ̀npərsíːvd] *a.* 눈치〔알아〕채이지 않은.
un·per·son [ʌnpə́ːrsən] *n.* Ⓒ 사람 대접 못받는 사람.
un·pick [ʌnpík] *vt.* (바늘 끝 따위로) 실밥을 뜯다.
un·pin [ʌnpín] *vt.* (*-nn-*) 핀을 빼어 늦추다, (옷 등의) 고정 핀을 뽑다.
un·pit·ied [ʌnpítid] *a.* 연민의 정을 받지 못하는, 동정을 받지 못하는.
un·placed [ʌnpléist] *a.* 〖競馬〗 등외의, 3등 안에 들지 않는.
:**un·pleas·ant** [ʌnplézənt] *a.* 불쾌한. ~·**ly** *ad.* ~·**ness** *n.* Ⓤ 불쾌. ***the late ~ness*** 《美諧》 남북 전쟁.
un·plumbed [ʌnplʌ́md] *a.* 측연(測鉛)으로 잴 수 없는; 깊이를 헤아릴 수 없는; 가스〔수도·하수〕관의 설비가 안된.
un·po·et·i·cal [ʌ̀npouétikəl] *a.* 시적이 아닌, 속된.
un·pol·ished [ʌnpɑ́liʃt/-pɔ́l-] *a.* 닦지 않은; 세련되지 않은, 때를 벗지 못한, 무무한.
*__un·pop·u·lar__ [ʌnpɑ́pjələr/-ɔ́-] *a.* 인기〔인망〕없는, 시세 없는.
un·prac·ti·cal [ʌnprǽktikəl] *a.* 실용적이 아닌.
un·prac·ticed, 《英》 **-tised** [ʌnprǽktist] *a.* 실용에 쓰이지 않는; 실행되지 않는; 연습을 안쌓은, 미숙한.
*__un·prec·e·dent·ed__ [ʌnprésədèntid] *a.* 선례가 없는; 신기한.
un·prej·u·diced [ʌnprédʒədist] *a.* 편견이 없는, 공평한; (권리 따위가) 침해되지 않은.
un·pre·med·i·tat·ed [ʌ̀nprimédətèitid] *a.* 미리 생각되지 않은; 고의가 아닌, 우연한; 준비 없는.
*__un·pre·pared__ [ʌ̀npripéərd] *a.* 준비가 없는, 즉석의; 각오가 안된.
un·pre·tend·ing [ʌ̀npriténdiŋ] *a.* 허세부리지 않는, 겸손한, 삼가는.
un·pre·ten·tious [ʌ̀npriténʃəs] *a.* 젠체 않는, 겸손한.
un·priced [ʌnpráist] *a.* 값이 붙어 있지 않은; 값을 매길 수 없는.
un·prin·ci·pled [ʌnprínsəpəld] *a.* 절조가 없는; 교리를 배우지 않은.
un·pro·duc·tive [ʌ̀nprədʌ́ktiv] *a.* 비생산적인; 불모(不毛)의; 헛된.
un·pro·fes·sion·al [ʌ̀nprəféʃənəl] *a.* 전문가가 아닌, 비직업적인, 풋나기의; 직업 윤리에 어긋나는.
*__un·prof·it·a·ble__ [ʌnprɑ́fitəbəl/-ɔ́-] *a.* 이익 없는; 무익한. -**bly** *ad.*
un·prop [ʌnprɑ́p/-ɔ́-] *vt.* (*-pp-*) (…에서) 버팀대를 치우다.

U

un·pro·tect·ed[ʌ̀nprətéktid] *a.* 보호(자)가 없는; 무방비의; 관세의 보호를 받지 않은.
un·pro·voked[ʌ̀nprəvóukt] *a.* 자극 받지〔되지〕 않은, 정당한 이유가〔까닭이〕 없는. **-vok·ed·ly**[-vóukidli] *ad.*
un·pun·ished[ʌnpʌ́niʃt] *a.* 벌받지 않은, 처벌을 면한.
un·qual·i·fied[ʌnkwɑ́ləfaid/-ɔ́-] *a.* 자격이 없는; 적임이 아닌; 제한 없는, 무조건의; 순전한.
un·quench·a·ble[ʌnkwéntʃəbəl] *a.* 끌 수 없는, 억제할 수 없는. **-bly** *ad.*
***un·ques·tion·a·ble**[ʌnkwéstʃənəbəl] *a.* ① 의심할 여지가 없는, 확실한. ② 더할 나위 없는. ***-bly** *ad.*
un·ques·tioned[ʌnkwéstʃənd] *a.* 문제되지 않는; 의심이 없는.
un·ques·tion·ing[ʌnkwéstʃəniŋ] *a.* 의심치 않는; 주저하지 않는; 무조건의, 절대적인. **~·ly** *ad.*
un·qui·et[ʌnkwáiət] *a.* 침착하지 못한, 들뜬, 불안한, 불온한.
un·quote[ʌnkwóut] *vi.* 인용을 끝내다.
un·rav·el[ʌnrǽvəl] *vt.* (《英》 *-ll-*) (엉힌 실 따위를) 풀다; 해명하다, (이야기의 줄거리 따위를) 해결짓다. — *vi.* 풀리다, 풀어지다.
un·read[ʌnréd] *a.* (책 등이) 읽히지 않는; 책을 많이 읽지 않은, 무식한.
un·read·a·ble[ʌnríːdəbəl] *a.* 읽을 수 없는, 읽기 어려운; 읽을 가치가 없는, 시시한. 「굼뜬.
un·read·y[ʌnrédi] *a.* 준비가 없는;
***un·re·al**[ʌnríːəl] *a.* 실재(實在)하지 않는, 공상의.
un·rea·son[ʌ̀nríːzən] *n.* Ⓤ 무분별, 이성 결여; 무질서, 혼란; 불합리.
:un·rea·son·a·ble [ʌnríːzənəbəl] *a.* 비합리적인; 부조리한; (요금 따위) 부당한, 터무니 없는. **-bly** *ad.*.
un·rea·son·ing[ʌnríːzəniŋ] *a.* 이성적으로 생각하지 않는, 사리에 맞지 않는.
un·rec·og·nized[ʌnrékəgnàizd] *a.* 인식〔인정〕되지 않은.
un·reel[ʌnríːl] *vt., vi.* (실패에서) 되풀다〔되풀리다〕.
un·re·flect·ing[ʌ̀nrifléktiŋ] *a.* 반사 않는; 반성하지 않는, 무분별한.
un·re·gard·ed[ʌ̀nrigɑ́ːrdid] *a.* 주의되지〔돌봐지지〕 않는, 무시된.
un·re·gen·er·ate[ʌ̀nridʒénərit] *a.* (정신적으로) 갱생하지 않는; 죄 많은.
un·re·lent·ing[ʌ̀nriléntiŋ] *a.* 용서 없는, 무자비한; 굽힐 줄 모르는.
***un·re·li·a·ble**[ʌ̀nriláiəbəl] *a.* 신뢰할〔믿을〕 수 없는.
un·re·mem·bered [ʌ̀nrimémbərd] *a.* 기억되지 않은, 잊혀진.
un·re·mit·ting[ʌ̀nrimítiŋ] *a.* 끊임없는; 끈질긴.
un·re·quit·ed[ʌ̀nrikwáitid] *a.* 보답받지 못한; 보복을 당하지 않는.
un·re·served[ʌ̀nrizə́ːrvd] *a.* 거리낌 없는, 솔직한(frank); 제한이 없는; 예약되지 않은. **-serv·ed·ly** [-vidli] *ad.* 「(상태).
***un·rest**[ʌnrést] *n.* Ⓤ 불안; 불온
un·re·strained[ʌ̀nristréind] *a.* 억제되지 않은, 무제한의, 제멋대로의. **-strain·ed·ly**[-stréinidli] *ad.*
un·right·eous [ʌnráitʃəs] *a.* 부정한, 사악(邪惡)한, 죄많은. **~·ly** *ad.* **~·ness** *n.* 「기 상조의.
un·ripe[ʌnráip] *a.* 익지 않은; 시
***un·ri·valed,** 《英》 **-valled** [ʌnráivəld] *a.* 경쟁자가 없는, 비할 데 없는.
un·roll[ʌnróul] *vi., vt.* (말린 것을〔것이〕) 풀(리)다, 펴다, 펼쳐지다; 나타내다.
UNRRA[ʌ́nrə] United Nations Relief and Rehabilitation Administration 유엔 구제 부흥 사업국.
un·ruf·fled[ʌnrʌ́fəld] *a.* 떠들어대지 않는, 혼란되지 않은; 물결이 일지 않는; 조용한, 냉정한.
un·ru·ly[ʌnrúːli] *a.* 제어하기〔다루기〕 어려운, 무법한. **-li·ness** *n.*
UNRWA[ʌ́nrə, -rɑː] United Nations Relief and Works Agency 국제 연합 팔레스타인 난민 구제 사업 기구.
un·sad·dle[ʌnsǽdl] *vt.* (말에서) 안장을 떼다; 낙마(落馬)시키다.
***un·safe** [ʌnséif] *a.* 위험한; 불안한, 안전하지 않은.
un·said[ʌnséd] *v.* unsay의 과거(분사). — *a.* 말하지 않는.
***un·sat·is·fac·to·ry** [ʌ̀nsætisfǽktəri] *a.* 마음에 차지 않는, 불충분한. **-ri·ly** *ad.*
un·sat·is·fied[ʌnsǽtisfàid] *a.* 만족하지 않는.
un·sa·vor·y, 《英》 **-vour·y** [ʌnséivəri] *a.* 맛없는; 맛이〔냄새가〕 나쁜; (도덕상) 불미한.
un·say [ʌnséi] *vt.* (*-said*) (한 말을) 취소하다. 「Council.
UNSC United Nations Security
un·scared[ʌnskέərd] *a.* 위협당하지 않는, 겁내지 않는.
un·scathed[ʌnskéiðd] *a.* 다치지 않은, 상처 없는.
un·schol·ar·ly[ʌnskɑ́lərli/-ɔ́-] *a.* 학문이 없는, 학자답지 않은.
un·schooled[ʌ̀nskúːld] *a.* (학교) 교육을 안 받은; 배운 것이 아닌, 타고난《재능 등》.
un·sci·en·tif·ic[ʌ̀nsaiəntífik] *a.* 비과학적인. **-i·cal·ly** *ad.*
un·scram·ble[ʌnskrǽmbəl] *vt.* (혼란에서) 원상태로 돌리다; (암호를) 해독하다.
un·screw[ʌnskrúː] *vt.* 나사를 빼다; 나사를 돌려 늦추다.
***un·scru·pu·lous** [ʌnskrúːpjələs] *a.* 거리낌 없는, 예사로 나쁜 짓을 하

U

는; 무법한, 비양심적인. ~·ly *ad.*

un·seal[ʌnsíːl] *vt.* 개봉(開封)하다; 열다.

un·search·a·ble[ʌnsə́ːrtʃəbəl] *a.* 찾아낼 수 없는; 신비한.

un·sea·son·a·ble[ʌnsíːzənəbəl] *a.* 계절에 맞지 않는, 철 아닌; 시기가 나쁜. ~·**ness** *n.*

un·seat[ʌnsíːt] *vt.* 자리에서 내쫓다, 면직시키다; (의원의) 의석(議席)을 빼앗다; 낙마시키다.

un·seem·ly[ʌnsíːmli] *a., ad.* 보기 흉한[하게], 꼴사나운, 꼴사납게, 부적당한[하게].

:un·seen[ʌnsíːn] *a.* 본 적이 없는; 보이지 않는.

***un·self·ish** [ʌnsélfiʃ] *a.* 이기적이 아닌, 욕심[사심]이 없는. ~·**ly** *ad.* ~·**ness** *n.*

un·set·tle[ʌnsétl] *vt.* 어지럽히다, 동요시키다; 침착성를 잃게 하다. — *vi.* 동요하다. ***-tled**[-d] *a.* (날씨 따위가) 변하기 쉬운; 불안정한, 동요하는; 미결제의; (문제가) 미해결의; (주소 따위가) 일정치 않은; 정주자(定住者)가 없는.

un·sex[ʌnséks] *vt.* 성적 불능으로 하다; (특히) 여자다움을 없애다.

un·shack·le[ʌnʃǽkəl] *vt.* (…의) 차꼬를 벗기다, 속박에서 풀다; 석방하다, 자유의 몸으로 하다.

un·shak·en[ʌnʃéikən] *a.* 동요하지 않는; 확고한.

un·ship[ʌnʃíp] *vt.* (**-pp-**) (짐을) 배에서 부리다, (선객을) 하선시키다.

un·shod[ʌnʃɑ́d/-ʃɔ́d] *a.* 신발을 신지 않은; (말이) 편자를 박지 않은.

un·shrink·a·ble [ʌnʃríŋkəbəl] *a.* 줄어들지 않는.

un·shrink·ing[ʌnʃríŋkiŋ] *a.* 움추리지[무춤하지] 않는, 단호한, 끄떡없는.

un·sight·ly[ʌnsáitli] *a.* 꼴사나운, 「보기 거북한[흉한].

***un·skilled** [ʌnskíld] *a.* 익숙하지[숙련되지] 못한; 숙련이 필요치 않은.

un·skill·ful, 《英》 **-skil·ful**[ʌnskílfəl] *a.* 서투른, 솜씨 없는. ~·**ly** *ad.*

un·so·cia·ble [ʌnsóuʃəbəl] *a.* 교제를 싫어하는, 비사교적인. ~·**ness** *n.* **-bly** *ad.* 「인, 비사교적인.

un·so·cial [ʌnsóuʃəl] *a.* 비사회적

un·so·lic·it·ed[ʌ̀nsəlísətid] *a.* 탄원(嘆願)을 받지 않은; 의뢰 받지도 않은, 괜한, 쓸데 없는.

un·so·phis·ti·cat·ed[ʌ̀nsəfístəkèitid] *a.* 단순한; 순진한; 섞지 않은, 순수한; 진짜의.

un·sought[ʌnsɔ́ːt] *a.* 찾지 않는; 구하지 않는.

un·sound[ʌnsáund] *a.* 건전[건강]하지 않은; 근거가 박약한; (잠이) 깊이 안 든.

un·spar·ing[ʌnspɛ́əriŋ] *a.* (물건 따위를) 아끼지 않는, 손이 큰(*of, in*); 무자비한, 호된. ~·**ly** *ad.*

***un·speak·a·ble**[ʌnspíːkəbəl] *a.* ① 이루 말할 수 없는. ② 언어 도단의; 심한. **-bly** *ad.*

un·spec·i·fied[ʌnspésəfàid] *a.* 특기[명기]하지 않은.

un·spot·ted[ʌnspɑ́tid/-ɔ́-] *a.* 반점이 없는; 오점이 없는 결백한.

***un·sta·ble**[ʌnstéibəl] *a.* 불안정한; 변하기 쉬운; 『化』(화합물이) 분해하기[다른 화합물로 변하기] 쉬운.

unstáble èlement 『理』 부정 원소(不定元素)《마지막에 방사성 isotope로 변하는 방사능 물질》.

un·stained[ʌnstéind] *a.* 더렵혀지지 않은, 오점이 없는.

***un·stead·y**[ʌnstédi] *a.* ① 불안정한; 변하기 쉬운, 미덥지 못한. ② 소행이 나쁜.

un·stick[ʌnstík] *vt.* (**unstuck** [-stʌ́k]) (붙어 있는 것을) 잡아 떼다.

un·stint·ed[ʌnstíntid] *a.* 아낌없는, 활수(滑手)한.

un·stop[ʌnstɑ́p/-stɔ́p] *vt.* (**-pp-**) (…의) 마개를 뽑다; 장애를 없애다.

un·strap[ʌnstrǽp] *vt.* (**-pp-**) (…의) 가죽끈을 끄르다[풀다].

un·stressed[ʌnstrést] *a.* (음절이) 강세[악센트]가 없는.

un·string[ʌnstríŋ] *vt.* (**-strung**) (…의) 줄을 벗기다[늦추다]; 실에서 뽑다; (신경·기운 등을) 약하게 하다.

un·strung [ʌnstrʌ́ŋ] *v.* unstring의 과거(분사). — *a.* (줄 등이) 느즈러진; (신경이) 약해진, 신경질인.

un·stud·ied[ʌnstʌ́did] *a.* 배우지 않고 알게 된; 꾸밈 없는, (문체 따위가) 자연스러운; 배우지 않은.

un·sub·dued[ʌ̀nsədjúːd] *a.* 정복[진압, 억제]되지 않은.

un·sub·stan·tial[ʌ̀nsəbstǽnʃəl] *a.* 실질[실체]없는; 허물만의; 견고하지 않은; 비현실적인.

***un·suc·cess·ful**[ʌ̀nsəksésfəl] *a.* 성공하지 못한, 잘되지 않은, 실패한. ~·**ly** *ad.*

***un·suit·a·ble**[ʌnsúːtəbəl] *a.* 부적당한, 어울리지 않은. **-bly** *ad.*

un·suit·ed[ʌnsúːtid] *a.* 부적당한 (*to, for*); 어울리지 않는.

un·sul·lied[ʌnsʌ́lid] *a.* 더럽혀지지 않은, 깨끗한.

un·sung[ʌnsʌ́ŋ] *a.* 노래되지 않은; 시가(詩歌)에 의해 찬미되지 않은.

un·sup·port·ed[ʌ̀nsəpɔ́ːrtid] *a.* 받쳐지지 않은; 지지되지 않는.

un·sur·passed[ʌ̀nsərpǽst, -ɑ́ː-] *a.* 능가할 자 없는; 탁월한.

un·sus·pect·ed[ʌ̀nsəspéktid] *a.* 의심받지 않는; 생각지도 못할.

un·sus·pi·cious[ʌ̀nsəspíʃəs] *a.* 의심[수상]스럽지 않은; 의심치 않는.

un·sweep·a·ble[ʌnswíːpəbl] *a.* (말끔히) 쓸어버릴 수 없는; 『海』 소해(掃海)할 수 없는.

un·swept[ʌnswépt] *a.* 쓸리지 않는; 『海』 소해(掃海)되지 않는.

un·sys·tem·at·ic[ʌ̀nsistəmǽtik] *a.* 조직적이 아닌, 계통이 안선; 무질서한.

U

un·taint·ed[ʌntéintid] *a.* 때묻지〔더럽혀지지〕 않은, 오점이 없는.
un·tamed[ʌntéimd] *a.* 길들지 않은, 억제〔훈련〕되지 않은.
un·tan·gle[ʌntǽŋgəl] *vt.* (…의) 엉킨 것을 풀다; (분규 등을) 해결하다.
un·tapped[ʌ̀ntǽpt] *a.* (통의) 마개를 안 뽑은; 이용〔활용〕되지 않은《자원 등》.
un·taught[ʌntɔ́:t] *a.* 배운 것이 아닌, 자연히 터득한; 배우지 못한, 무식한.
UNTC United Nations Trusteeship Council.
un·ten·a·ble[ʌnténəbəl] *a.* 옹호〔지지〕할 수 없는; (집 등이) 거주할 수 없는.
un·thank·ful[ʌnθǽŋkfəl] *a.* 감사하지 않는(*to*); 고맙지 않은, 고맙게 여기지 않는.
un·think·a·ble[ʌnθíŋkəbəl] *a.* 생각할 수 없는; 있을 성 싶지(도) 않은.
un·think·ing[ʌnθíŋkiŋ] *a.* 생각〔사려〕 없는; 부주의한.
un·thought(**-of**) [ʌnθɔ́:t(ɑ̀v)/-(ɔ̀v)] *a.* 뜻밖의.
un·thread[ʌnθréd] *vt.* (바늘 따위의) 실을 빼다; (미로(迷路) 따위를) 빠져 나오다; (수수께끼 등을) 풀다.
un·thrift·y[ʌnθrífti] *a.* 낭비하는.
un·ti·dy[ʌntáidi] *a.* 단정치 못한.
***un·tie**[ʌntái] *vt.* (**untying**) 풀다, 끄르다; 속박을 풀다; (곤란 등을) 해결하다.
†**un·til**[əntíl] *prep.* 《때》 …까지, …에 이르기까지, …이 될 때까지. ── *conj.* ① 《때》 …까지, …때까지; 마침내. ② 《정도》 …할 때까지.
un·tilled[ʌntíld] *a.* 경작되지 않은; 갈지 않은.
***un·time·ly**[ʌntáimli] *a.* 때 아닌, 철 아닌; 계제가 나쁜. ── *ad.* 때 아닌 때에; 계제가 나쁘게.
un·tir·ing[ʌntáiəriŋ] *a.* 지치지 않는, 끈질긴, 불굴의.
un·ti·tled[ʌntáitld] *a.* 칭호〔작위〕가 없는; 권리가 없는; 제목이 없는.
***un·to**[ʌ́ntu, (자음 앞) ʌ́ntə] *prep.* 《古·雅》 …에; …까지《to와 같지만 부정사에는 안 씀》.
***un·told**[ʌntóuld] *a.* 이야기되지 않은, 밝혀지지 않은; 셀 수 없는.
***un·touch·a·ble**[ʌntʌ́tʃəbəl] *a.* 만질〔손댈〕 수 없는; (손) 대면 안되는. ── *n.* Ⓒ (인도에서 최하층의) 천민.
***un·touched**[ʌntʌ́tʃt] *a.* 손대지 않은; 언급되지 않은; 감동되지 않은.
un·to·ward[ʌntóuərd, -tɔ́:rd] *a.* 운이 나쁜; 부적당한; 《古》 완고한.
un·trained[ʌntréind] *a.* 훈련되지 않은.
un·trav·eled, 《英》 **-elled** [ʌntrǽvəld] *a.* (먼 데에) 여행한 적이 없는; 인적이 드문〔끊어진〕, 여행자가 없는.
un·tried[ʌntráid] *a.* (시험)해 보지 않은; 경험이 없는; 〖法〗 미심리(未審理)의.
un·trimmed[ʌntrímd] *a.* 장식이 붙어 있지 않은; (나뭇가지 따위를) 손질〔전정〕하지 않은; (가장자리를) 치지〔다듬지〕 않은.
un·trod(**·den**) [ʌntrɑ́d(n)/-ɔ́-] *a.* 밟힌 적이 없는; 인적 미답(人跡未踏)의.
un·trou·bled[ʌntrʌ́bəld] *a.* 괴로움을 안 당하는, 근심하지 않은; 잔잔한, 조용한.
***un·true**[ʌntrú:] *a.* 진실이 아닌; 불성실한; (표준·치수에) 맞지 않는.
un·truss [ʌntrʌ́s] *vt.* 《古》 풀다; 옷을 벗기다.
un·truth[ʌntrú:θ] *n.* Ⓤ 진실이 아님, 허위; Ⓒ 거짓말. **~·ful** *a.* 진실이 아닌, 거짓(말)의. **~·ful·ly** *a.* **~·ful·ness** *n.*
un·tu·tored[ʌntjú:tərd] *a.* 교사에게 배우지 않은, 교육 받지 않은; 무무한; 소박한.
***un·used**[ʌnjú:zd] *a.* ① 쓰지 않는; 사용한 적이 없는. ② [-jú:st] 익숙하지 않은(*to*).
‡**un·u·su·al**[ʌnjú:ʒuəl, -ʒəl] *a.* 보통이 아닌; 유별난, 진기한. * **~·ly** *ad.* **~·ness** *n.*
un·ut·ter·a·ble[ʌnʌ́tərəbəl] *a.* 발음할 수 없는; 이루 말할 수 없는; 말도 안 되는. **-bly** *a.*
un·var·ied[ʌnvɛ́ərid] *a.* 변하지 않은; 끈덕진; 단조로운.
un·var·nished[ʌnvɑ́:rniʃt] *a.* 니스칠을 안 한; 꾸밈 없는; 있는 그대로의.
un·var·y·ing[ʌnvɛ́əriiŋ] *a.* 변치 않는.
un·veil[ʌnvéil] *vt.* (…의) 베일을 벗기다; (…의) 제막식을 올리다; (비밀을) 털어 놓다. ── *vi.* 베일을 벗다, 정체를 드러내다.
un·voiced[ʌnvɔ́ist] *a.* (목)소리로 내지 않는; 〖音聲〗 무성(음)의.
un·want·ed[ʌ̀nwɑ́ntid, -wɔ́(:)nt-] *a.* 바람직하지 못한, 쓸모없는; 불필요한.
un·war·rant·a·ble [ʌnwɔ́:rəntəbəl/-ɔ́-] *a.* 보증〔변호〕할 수 없는; 부당한.
un·war·rant·ed [ʌnwɔ́:rəntid/-ɔ́-] *a.* 보증되어 있지 않은; 부당한.
un·war·y[ʌnwɛ́əri] *a.* 부주의한; 경솔한.
un·washed[ʌnwɑ́ʃt, -ɔ́:-/-ɔ́-] *a.* 씻지 않은; 불결한. ***the great ~*** 하층 사회 (사람들).
un·wa·ver·ing [ʌnwéivəriŋ] *a.* 동요하지 않는, 확고한.
un·wea·ried[ʌnwíərid] *a.* 지치지 않는, 끈덕진, 불굴의.
***un·wel·come**[ʌnwélkəm] *a.* 환영받지 못하는; 달갑지 않은, 싫은.
un·well [ʌnwél] *a.* 기분이 나쁜, 건강이 좋지 않은, 불쾌한; 《口》 월경중인.
un·wept[ʌnwépt] *a.* 슬퍼해〔울어〕 주지 않는; (눈물이) 흘려지지 않는.
***un·whole·some**[ʌnhóulsəm] *a.* 건강에 좋지 않은; 불건전한, 유해

U

한. ~·**ly** *ad.* ~·**ness** *n.*

un·wield·y[ʌnwíːldi] *a.* 다루기 힘든; 부피가 큰, 모양이 없는.

‡**un·will·ing**[ʌnwíliŋ] *a.* 바라지 않는, 마음 내키지 않는. ~·**ly** *ad.* ~·**ness** *n.*

un·wind [ʌnwáind] *vt., vi.* (**-wound**) 풀(리)다, 되감(기)다.

*__un·wise__[ʌnwáiz] *a.* 슬기 없는, 약지 못한, 어리석은. ~·**ly** *ad.*

un·wished(**-for**) [ʌnwíʃt(fɔ̀ːr)] *a.* 바라지 않는.

un·wit·ting[ʌnwítiŋ] *a.* 모르는, 무의식의. ~·**ly** *ad.* 부지불식간에.

un·wont·ed[ʌnwóuntid, -wɔ́ːnt-] *a.* 보통이 아닌, 이상한; 드문; 《古》 익숙하지 않은(*to*).

un·world·ly[ʌnwə́ːrldli] *a.* 비세속적인; 정신계의.

‡**un·wor·thy**[ʌnwə́ːrði] *a.* ① 가치 없는. ② …의〔할〕 가치 없는(*of*). ③ 비열한, 부끄러운.

un·wound[ʌnwàund] *v.* unwind의 과거(분사). ― *a.* 감긴 것이 풀린; 감기지 않은.

un·writ·ten[ʌnrítn] *a.* 써 있지 않은; 불문(不文)의; 글씨가 씌어 있지 않은, 백지의.

unwrítten láw 관습법, 불문율; 면제법《가족의 정조 유린 등에는 복수할 권리가 있다는 원칙》.

un·yield·ing[ʌnjíːldiŋ] *a.* 굽지 않는, 단단한; 굴하지〔굽히지〕 않는, 단호한. ~·**ly** *ad.*

un·yoke[ʌnjóuk] *vt.* (…의) 멍에를 벗기다; 속박을 떼다, 분리하다.

un·zip[ʌnzíp] *vt.* (**-pp-**) (…의) 지퍼를 열다. ― *vi.* 지퍼가 열리다.

U. of S. Afr. Union of South Africa.

†**up**[ʌp] *ad.* ① 위(쪽으)로, 위에. ② (남에서) 북으로. ③ 일어나서, 서서(*get up*). ④ 《美》 (해가, 수평선 위로) 떠 올라서. ⑤ (값·온도 따위가) 높이 올라(서). ⑥ …쪽으로, 접근하여(*He came up to me.*). ⑦ 아주, 완전히(*The house burned up.* 집이 전소했다). ⑧ 끝나서, 다하여(*It's all up with him.* 그는 이제 글렀다). ⑨ 일어나《발생》, 나타나(*What is up?* 무슨〔웬〕 일이야). ⑩ 숙달하여(*be up in mathematics* 수학을 잘 하다). ⑪ 저장하여, 가두어(*lay up riches* 부(富)를 쌓다). ⑫ 《美》 〖野〗 타수(打數)…. ⑬ 〖골프〗 득점이 앞서, 이기어. ⑭ 《口》 〖테니스 따위〗 각(apiece). ***be up and doing*** 크게 활약하다. ***up against*** 《口》 …에 직면하여. ***up and down*** 올라갔다 내려갔다, 위 아래로; 이리 저리. ***Up Jenkins*** 동전돌리기 놀이. ***up to*** 《口》 …에 종사하여, …하려고 하여; …에 견디어, …할 수 있어; 계획 중에; …(에 이르기)까지; 《口》 …의 의무인. ***Up with it!*** 세워라!; 들어 올려라! ***Up with you!*** 일어서라!; 분발하라! ― *prep.* …의 위로〔에〕, 위쪽으로, …을 끼고〔따라서〕; (강의) 상류에, 오지(奧地)로. ***up hill and down dale*** 산 넘고 골짜기를 건너. ― *a.* 나아간, 올라간; 위의, 올라가는(*an up line*); 상상의; 가까운; 〖野〗 타수(打數) …의. ― *n.* Ⓒ 상승; 오르막; 출세, 행운. ***on the up and up*** 《美口》 성공하여; 정직하여. ***ups and downs*** 높낮이, 고저(高低), 기복; 상하, 영고 성쇠. ― *vt.* 들어 올리다; 증대하다. ― *vi.* 《口》 (갑자기) 일어서다; 치켜들다.

UP, U.P. United Presbyterian.

u.p. underproof; upper.

úp-and-cóming *a.* 《美》 진취적인, 정력적인; 유망한.

úp-and-dówn *a.* 오르내리는; 기복 있는; 성쇠가 있는.

úp-and-óver *a.* 《英》 밀어올려 수평으로 열리는《문》.

úp·bèat *n., a.* (the ~) 〖樂〗 약박(弱拍); (the ~) 상승 경향; 명랑한, 낙관적인.

up·braid[ʌpbréid] *vt.* 꾸짖다, 책하다, 비난하다. ~**ing** *n., a.* Ⓤ 비난(하는 듯한).

úp·brìnging *n.* Ⓤ 양육, (가정)교육.

UPC Universal Product Code.

úp·còming *a.* 다가오는, (간행·발표 등이) 곧 예정된.

úp·còuntry *n., a.* (the ~) 내지(內地)(의), 해안〔국경〕에서 먼. ― *ad.* 내지에〔로〕.

ùp·dáte *vt.* (기사 따위를) 아주 새롭게 하다; (…에) 극히 최근의 사건〔것〕까지 넣다〔싣다〕. ― [⌐⌐] *n.* Ⓤ,Ⓒ 〖컴〗 최신 정보, 갱신.

úp·dràft *n.* Ⓒ 기류의 상승; 상승기류.

ùp·énd *vt., vi.* 거꾸로 세우다〔하다〕; 서다; 일으켜 세우다.

ùp-frónt *a.* 정직한; 솔직한; 맨 앞줄의; 중요한; 선불의.

up·grade[ʌ́pgrèid] *n.* Ⓒ 《美》 치받이; 〖컴〗 향상《제품의 품질·성능 등이 좋아짐》. ***on the*** ~ 상승하여; 진보하여. ― [⌐⌐] *a., ad.* 치받이의〔에서〕. ― [⌐⌐] *vt.* 승격시키다; 품질을 높이다.

úp·gròwth *n.* Ⓤ 성장, 발육; 발달; Ⓒ 성장〔발달〕물.

ùp·héave *vt., vi.* (~**d, -hove**) 들어 올리다; 치오르다; 상승시키다〔하다〕. **ùp·héaval** *n.* Ⓤ,Ⓒ 들어 올림; 융기; 격변, 동란.

*__up·held__[ʌphéld] *v.* uphold의 과거(분사).

*__úp·hill__ *a.* 오르막의, 올라가는, 치받이의; 힘드는. ― *ad.* 치받이를 올라, 고개〔언덕〕 위로.

‡**up·hold**[ʌphóuld] *vt.* (**-held**) ① (떠)받치다. ② 후원〔고무〕하다; 시인하다. ③ 〖法〗 (판결 따위를) 확인하다. ~·**er** *n.* Ⓒ 지지자.

up·hol·ster[ʌphóulstər] *vt.* (방을) 꾸미다, (…에) 가구를 설비하다; (가구에) 덮개〔스프링·속 따위〕를 씌우다〔달다, 넣다〕. ~·**er**[-stərər]

n. Ⓒ 실내 장식업자, 가구상. ～·**y** *n.* Ⓤ,Ⓒ 가구의 덮개〔씌우개〕; Ⓤ《집합적》 가구류(類); 실내 장식업.
up·hove[ʌphóuv] *v.* upheave의 과거(분사)
UPI United Press International 「al.
Up Jén·kins[-dʒéŋkinz] ⇨UP.
úp·kèep *n.* Ⓤ 유지(비).
***up·land**[ʌ́plənd, -lǽnd] *n.* Ⓒ (종종 *pl.*) 고지, 산지(山地). ── *a.* 고지의, 고지에 사는〔에서 자라는〕.
***up·lift**[ʌplíft] *vt.* ① 들어 올리다. ② (정신을) 고양(高揚)하다. ③ (사회적·도덕적·지적으로) 향상시키다. ── [ˊ-ˋ] *n.* Ⓤ ① 들어 올림. ② (정신적) 고양(高揚); (사회적·도덕적) 향상(에의 노력).
úplift brássiere (유방을 위로 받쳐주기 위한) 업리프트형 브래지어.
úp·lìnk *n.* Ⓒ 업링크《지상에서 우주선이나 위성으로의》 데이터〔신호〕송신.
úp·lòad *n.* 〖컴〗 올려주기《소프트웨어·정보 등을 소형 컴퓨터에서 대형 컴퓨터로 전송함》. ── *vt.* 올려주기하다.
up·mar·ket[ʌ́pmɑ̀ːrkit] *a.* 《英》 고급품(지향)의.
up·most[ʌ́pmòust/-məst] *a.* UPPERMOST.
†**up·on**[əpɔ́ːn, -pɑ́-/-pɔ́-] *prep.* = ON.
‡**up·per**[ʌ́pər] *a.* ① (더) 위의, 상부의. ② 상위〔상급〕의. ③ (지층(地層) 따위가) 후기의(more recent). ***get*** 〔***have***〕 ***the*** ～ ***hand of*** …에 이기다. ── *n.* Ⓒ (구두의) 갑피. ***on one's*** ～***s*** 《口》 창이 다 떨어진 구두를 신은; 초라한 모습으로; 가난하여.
úpper áir 고층 대기. 「이스.
úpper cáse 〖印〗 대문자 활자 케
Úpper Chámber = UPPER HOUSE.
úpper-cláss *a.* 상류의; 《美》 (학교에서) 상급(학년)의. ～**man**[-mən] *n.* Ⓒ 《美》 (대학의) 상급생《junior(3년생) 또는 senior(4년생)》.
úpper crúst, the (파이 따위의) 겉껍질; 《口》 상류 사회.
úpper·cùt *n., vt., vi.* (***-cut; -tt-***) Ⓒ 〖拳〗 어퍼컷(으로 치다).
úpper hánd 지배, 우세.
Úpper Hóuse, the 상원(上院).
***úpper·mòst** *a.* 최상〔최고〕의; 맨먼저 마음에 떠오르는, 가장 눈에 띄는. ── *ad.* 최상에, 최고위에, 최초로〔에〕.
úpper régions, the 하늘; 천국.
úpper stór(e)y 2층, 위층; 《俗》 머리, 두뇌.
úpper tén (**thóusand**) 《英》 상류〔귀족〕 사회.
Úpper Vól·ta[-vɑ́ltə/-ɔ́-] Burkina Faso의 구칭《1984년 개칭》.
úpper wórks 〖海〗 건현(乾舷)《배가 화물을 실은 뒤 물 위로 나온 부분》.
up·pish[ʌ́piʃ] *a.* 《口》 건방진.
up·pi·ty [ʌ́pəti] *a.* 《美口》 = UPPISH. 「리다.
úp·póint *vt.* (배급품의) 수효를 늘
ùp·ráise *vt.* 들어 올리다.
ùp·réar *vt.* 일으키다, 올리다; 기르다, 키우다.
‡**up·right**[ʌ́pràit] *a.* 곧은, 곧게 선; 올바른, 정직한. ── [-ˊ] *ad.* 똑바로, 곧추 서서. ── [ˊ-] *n.* ① Ⓤ 직립(상태), 수직. ② Ⓒ 곧은 물건. ～·**ly** *ad.* ～·**ness** *n.*
úpright piáno 수형(竪型) 피아노.
ùp·ríse *vi.* (***-rose; -risen***) 일어서다〔나다〕; 오르다; 오르막이〔치받이가〕 되다; 증대하다. ── [ˊ-ˋ] *n.* Ⓒ 상승; 오르막.
up·ris·en[ʌprízn] *v.* uprise의 과거분사.
***up·ris·ing**[ʌ́pràiziŋ, -ˊ-] *n.* Ⓒ ① 일어남. ② 오르막. ③ 반란, 폭동. 「동 소음.
***up·roar**[ʌ́prɔ̀ːr] *n.* Ⓤ 큰 소란; 소
up·roar·i·ous[ʌprɔ́ːriəs] *a.* 몹시 떠들어 대는; 시끄러운. ～·**ly** *ad.*
***up·root**[ʌprúːt] *vt.* 뿌리째 뽑다; 근절시키다.
up·rose[ʌpróuz] *v.* uprise의 과거.
up·scale[ʌ́pskèil] *a.* 《美》 중류〔평균〕 이상의, 고소득층에 속하는.
‡**up·set**[ʌpsét] *vt.* (***-set; -tt-***) ① 뒤집어 엎다; (계획 따위를) 망치다. ② 마음을 뒤흔들어 놓다, 당황케 하다. ③ 몸을 해치다; 지게 하다. ── *vi.* 뒤집히다. ── [ˊ-] *n.* Ⓤ,Ⓒ 전복; 마음의 뒤흔들림; 혼란; Ⓒ 《口》 불화; 패배. ── [-ˊ] *a.* 뒤집힌; 혼란한.
úpset príce 경매 개시 가격.
úp·shòt *n.* (the ～) 결과; 결론; (의론의) 요지(gist).
‡**up·side**[ʌ́psàid] *n.* Ⓒ 위쪽, 상부. ～ ***down*** 거꾸로; 혼란하여.
***úpside-dówn** *a.* 거꾸로의.
up·sides[ʌpsáidz] *ad.* 《英口》 피장파장으로, (…와) 호각으로(***with***).
up·si·lon[júːpsilɑ̀n/juːpsáilən] *n.* Ⓤ,Ⓒ 그리스어 알파벳의 20번째 글자 《γ, ν. 영어의 Y, y에 해당》.
úp·stáge *ad.* 무대의 뒤〔안〕쪽으로〔에서〕. ── *a.* 무대 뒤〔안〕쪽의; 거만한, 뽐내는.
‡**up·stairs**[ʌ́pstɛ́ərz] *ad.* 2층에〔으로〕, 위층에〔으로〕; 《口》 〖空〗 상공에. ── *a.* 2층의. ── *n.* Ⓤ 《단수 취급》 이층, 위층.
ùp·stánding *a.* 곧추선, 직립한; 훌륭한. 「녀석.
úp·stàrt *n.* Ⓒ 벼락 출세자; 건방진
úp·státe *a.* 《美》 주(州)의 북부〔해안·도회에서 멀리 떨어진 곳〕의. ── [ˊ-] *n.* Ⓤ (특히 N.Y.) 주의 오지(奧地).
***úp·stréam** *ad., a.* 상류에〔로 향하는〕, 흐름을 거슬러 올라가(는).
up·súrge *vi.* 파도가 일다; (감정이) 솟구치다; 급증하다. ── [ˊ-] *n.* Ⓒ 솟구쳐 오름; 급증.
úp·swìng *n.* Ⓒ 위쪽으로 흔듦〔흔들

림], 상승(운동); 향상, 약진.

úp·tàke *n.* (the ~) 이해, 이해력; 흡수. ***be quick in the ~*** 이해가 빠르다.

up·thrust[ʌ́pθrʌ̀st] *n.* Ⓒ 밀어[들어]올림; 〖地〗 융기(隆起).

úp·tíght *a.* 《俗》 (경제적으로) 곤란한; 긴장하고 있는; 흥분한; 초조한.

up-to-date[ʌ́ptədéit] *a.* 최신의, 최근의 자료[정보 등]에 의거한; 최신식의, 현대적인, 시대에 뒤지지 않는, 최신의 정보에 밝은.

úp-to-the-mínute *a.* 극히 최근[최신]의, 최신식의.

úp-to-the-sécond *a.* 극히 최근[최신]의.

úp·tówn *ad.* 《美》 (도시의) 높은 지대에[로]. ── [스스] *a.* 《美》 (도시의) 높은 지대의; 주택 지구[주택가]의. ── [스스] *n.* Ⓒ 《美》 주택 지구, 주택가.

úp·tràin *n.* Ⓒ 상행 열차.

ùp·túrn *vt.* 위로 향하게 하다; 뒤집다; 파헤치다. ── [스스] *n.* Ⓒ 혼란, 격동; 상승; (경제의) 호전. **~ed** *a.* 위로 향한; 뒤집힌.

U.P.U. Universal Postal Union.

:up·ward[ʌ́pwərd] *a.* 위(쪽으)로 향하는[향한]; 상승하는.

up·ward(s)**[ʌ́pwərd(z)] *ad.* 위쪽으로, 위를 향해서; …이상. ***~ of …보다 이상.

Ur 〖化〗 uranium.

u·ra·cil[júərəsil] *n.* Ⓤ 〖生化〗 우라실《리보 핵산의 성분의 하나인 염기성 물질》.

u·rae·mi·a [juəríːmiə, -mjə] *n.* =UREMIA.

U·ral-Al·ta·ic[júərəlæltéiik] *a., n.* 우랄알타이 지방(주민)의; Ⓤ 우랄알타이 어족(語族)(의).

Úral Móuntains 우랄 산맥(the Urals).

u·ran·ic[juərǽnik] *a.* ① 하늘의; 천문의. ② 〖化〗 우라늄의, 우라늄을 함유한《특히 고(高)원자가로》.

u·ra·nite [júrənàit/júər-] *n.* Ⓤ 〖鑛〗 우라나이트《운모처럼 벗겨지는 인산(燐酸) 우라늄 광물의 총칭》.

u·ra·ni·um** [juréiniəm, -njəm/juər-] *n.* Ⓤ 〖化〗 우라늄《방사성 금속 원소; 기호 Ur》. ***enriched [***concentrated***] ~ 농축 우라늄. ***natural*** ~ 천연 우라늄. ~ ***fission*** 우라늄 핵분열. ~ ***pile*** 우라늄 원자로.

u·ra·nol·o·gy[jùərənɑ́lədʒi/-nɔ́l-] *n.* Ⓤ 천문학; Ⓒ 천체론.

U·ra·nus [júərənəs] *n.* 〖그神〗 우라누스신(神)《하늘의 화신》; 〖天〗 천왕성.

ur·ban**[ə́ːrbən] *a.* 도회(풍)의, 도시에 사는. ~ ***district 《英》 준(準)자치 도시. ~ ***renewal*** [***redevelopment***] 도시 재개발. ~ ***sprawl*** 스프롤 현상《도시의 불규칙하고 무계획적인 교외 발전》.

ur·bane[əːrbéin] *a.* 도회적인, 세련된, 예의 바른, 점잖은, 품위 있는. **ur·ban·i·ty**[-bǽnəti] *n.*

ur·ban·ite[ə́ːrbənàit] *n.* Ⓒ 도회 사람.

ur·ban·ize[ə́ːrbənàiz] *vt.* 도회화하다.

ur·ban·ol·o·gy[əːrbənɑ́lədʒi/-ɔ́-] *n.* Ⓤ 도시학, 도시 문제 연구.

ur·bi·cul·ture[ə́ːrbikʌ̀ltʃər] *n.* Ⓤ 도회지(식) 생활, 도시 문화[문제].

***ur·chin**[ə́ːrtʃin] *n.* Ⓒ 개구쟁이, 선머슴; 소년.

u·re·a[juəríːə, júəriə] *n.* Ⓤ 〖化〗 요소(尿素).

u·re·mi·a[juəríːmiə] *n.* 〖病〗 Ⓤ 요독증(尿毒症).

u·re·ter[juəríːtər] *n.* Ⓤ 〖解〗 수뇨관(輸尿管).

u·re·thra[juəríːθrə] *n.* (*pl.* ***-thrae*** [-θriː], ***~s***) Ⓒ 〖解〗 요도(尿道).

u·re·thri·tis [jùərəθráitis] *n.* Ⓤ 〖醫〗 요도염.

:urge[əːrdʒ] *vt.* ① 몰아대다, 재치다. ② 재촉하다. ③ 격려하다; 권고하다. ④ 주장하다. ⑤ 강요하다. ── *n.* Ⓒ 충동, 자극.

:ur·gent[ə́ːrdʒənt] *a.* ① 긴급한, 중요한. ② 강요하는. **~·ly** *ad.* 절박하여; 빈번히, 자꾸. ***úr·gen·cy** *n.*

u·ric[júərik] *a.* 오줌[요소]의.

úric ácid 〖化〗 요산(尿酸).

u·ri·nal[júərənəl] *n.* Ⓒ ① (남자용) 소변기. ② 요강.

u·ri·nal·y·sis[jùərənǽləsis] *n.* (*pl.* ***-ses***[-sìːz]) Ⓤ,Ⓒ 오줌 분석, 검뇨(檢尿).

u·ri·nate[júːərənèit] *vi.* 소변을 보다.

u·rine[júːərin] *n.* Ⓤ 오줌, 소변. **u·ri·nal**[-rənəl] *n.* Ⓒ 소변기, 소변소. **u·ri·nar·y**[-rənèri] *a., n.* 오줌의, 비뇨기의; Ⓒ 소변소.

***urn**[əːrn] *n.* Ⓒ ① (굽 또는 받침이 달린) 항아리. ② 납골(納骨) 단지; 무덤. ③ (따르는 꼭지가 달린) 커피 끓이개.

uro·chorme [júərəkròum] *n.* Ⓤ 〖生化〗 우로크롬《오줌의 색소 성분》.

u·ro·gen·i·tal[jùəroudʒénətl] *a.* 비뇨 생식기의.

u·rol·o·gy[juərɑ́lədʒi/juərɔ́l-] *n.* Ⓤ 비뇨기학, 비뇨과학.

u·ros·co·py[juərɑ́skəpi/juərɔ́s-] *n.* Ⓤ 검뇨(檢尿).

Úr·sa Májor [ə́ːrsə-] 〖天〗 큰곰자리.

Úrsa Mínor 〖天〗 작은곰자리.

ur·sine[ə́ːrsain, -sin] *a.* 곰의, 곰류의, 곰같은.

ur·ti·car·i·a [əːrtikέəriə] *n.* Ⓤ 〖病〗 두드러기.

Uru. Uruguay.

U·ru·guay [júərəgwèi, -gwài] *n.* 남아메리카 남동부의 공화국. **~·an** [ㅗ-gwáiən] *a., n.* Ⓒ 우루과이의 (사람).

Úruguay Róund 우루과이 라운드《1986년 우루과이의 GATT 각료회의에서 선언된 다자간 무역 협상》.

†us[強 ʌs, 弱 əs] *pron.* 《we의 목적격》 우리들을[에게].

:US, U.S. United States (of

America). **:USA, U.S.A.** Union of South Africa; United States of America; U.S. Army.
us·a·ble[jú:zəbəl] *a.* 사용할 수 있는, 사용에 적합한.
USAEC United States Atomic Energy Commission. **U.S.A.F.** U.S. Air Force. **U.S.A.F.I.** U.S. Armed Forces Institute.
:us·age[jú:sidʒ, -z-] *n.* ① Ⓤ 사용법, 취급법. ② ⓊⒸ 관습, 관용(慣用). ③ Ⓤ (언어의) 관용법, 어법(語法).
us·ance[jú:zəns] *n.* Ⓤ 〖商〗 유전스, 기한부 어음.
USCG U.S. Coast Guard. **USDA** United States Department of Agriculture.
Ú.S̀. Cóurt of Appéals 미국 연방 고등 법원.
Ú.S̀. Dístrict Cóurt 미국 연방 지방 법원.
†use[ju:s] *n.* ① Ⓤ 사용, 이용. ② Ⓤ 효용, 이익. ③ Ⓒ 사용 목적, 용도. ④ Ⓤ 사용법; 다루는 법. ⑤ ⓊⒸ 필요(*for*). ⑥ Ⓤ 사용권(*of*). ⑦ Ⓤ 습관. ⑧ Ⓤ 〖法〗 (토지 따위의) 수익권. ⑨ Ⓒ 각교회·교구 특유의 예식(禮式). ***have no ~ for*** …의 필요가 없다; 《口》 …은 싫다. ***in*** 〔***out of***〕 ~ 사용되고〔되지 않고〕, 행해져〔폐지되어〕. ***lose the ~ of*** …이 쓰지 못하게 되다. ***make ~ of*** …을 이용〔사용〕하다. ***of ~*** 쓸모 있는, 유용한. ***put to ~*** 쓰다; 이용하다. ***~ and wont*** 관습, 관례. ── [ju:z] *vt.* ① 쓰다; 소비하다; 활동시키다. ② 대우〔취급〕하다. ***~ up*** 다 써버리다; 《口》 지치게〔기진케〕 하다. **∠·a·ble** *a.* =USABLE. **:ús·er** *n.* Ⓒ 사용자.
úse-by dàte (포장 식품 따위의) 사용 유효 일부(日付) (cf. best-before date).
†used¹[ju:st, (to의 앞) ju:st] *a.* ① …에 익숙하여(*to*). ② [ju:zd] 써서〔사용하여〕 낡은(*up*), 사용한〔된〕.
†used²[ju:st] *vi.* 《口》 …하는 것이 보통이었다, …하곤 했다(*to* do).
usedn't[jú:sdnt] =used² not.
†use·ful[jú:sfəl] *a.* 유용한; 편리한; 도움이 되는. **~·ly** *ad.* **~·ness** *n.*
úseful lóad (항공기의) 적재량.
:úse·less *a.* 쓸모〔소용〕 없는; 무익한. **~·ly** *ad.*
usen't[jú:snt] =USEDN'T.
úser-defínable *a.* 〖컴〗 사용자 정의(定義) 가능한《키의 기능 등을 사용자가 정의할 수 있는》.
úser-defíned fúnction 〖컴〗 사용자 정의 함수.
úser-fríendly *a.* (컴퓨터 따위가) 쓰기 쉬운, 다루기 간단한.
úser ìnterface 〖컴〗 사용자 사이틀.
USES United States Employment Service. **USHA** United States Housing Authority.
Ú.S̀. gállon 미국 갤런《약 3.7853 리터》.
Ú-sháped *a.* U자형의.
ush·er**[ʌ́ʃər] *n.* Ⓒ ① (교회·극장 따위의) 안내인; 수위, 접수계, 전갈하는 사람. ② (결혼식장에서) 안내를 맡은 사람. ③ 《古·蔑》 (영국 사립 학교의) 조교사(助教師). ── *vt.* 안내하다; 전갈하다. ***~ in 〔***out***〕 맞아 들이다〔배웅하다〕.
ush·er·ette [ʌ̀ʃərét] *n.* Ⓒ (극장 등의) 여자 안내원.
USIA, U.S.I.A. United States Information Agency. **USIS** U.S. Information Service. **USITC** United States International Trade Commission 미국 국제 무역 위원회. **USM** underwater-to-surface missile. **U.S.M.** U.S. Mail. **U.S.M.A., USMA** United States Military Academy. **USMC, U.S.M.C.** U.S. Marine Corps. **USN, U.S.N.** U.S. Navy. **USNA** U.S. National Army; U.S. Naval Academy. **USNG** U.S. National Guard.
ús·nic ácid[ʌ́snik-] 〖生化〗 우스닌산《항생 물질로 쓰이는 황색 결정; 지의류(地衣類) 속에 존재함》.
USO, U.S.O. United Service Organization.
ÚS Ópen, the 〖골프〗 전미 오픈《세계 4대 토너먼트의 하나》.
USP, U.S.P. U.S. Pharmacopoeia.
ÚS PGÁ, the 〖골프〗 전미 프로《세계 4대 토너먼트의 하나; PGA는 *P*rofessional *G*olf *A*ssociation의 머릿글자》.
U.S.R. United States Reserves. **USS, U.S.S.** United States Ship. **U.S.S.** U.S. Senate. **USSR, U.S.S.R.** Union of Soviet Socialist Republics. **usu.** usual, usually. **USTR** United States Trade Representative 미국 통상 대표.
†u·su·al[jú:ʒuəl, -ʒəl] *a.* 보통의; 언제나의, 통상의, 일상〔평소〕의, 예(例)의. ***as ~*** 여느때처럼. **†~·ly** *ad.* 보통, 대개.
u·su·fruct [jú:zjufrʌ̀kt, -sju-] *n.* Ⓤ 〖法〗 용익권(用益權), 사용권.
u·su·rer[jú:ʒərər] *n.* Ⓒ 고리 대금업자.
u·su·ri·ous[ju:ʒúəriəs] *a.* 높은 이자를 받는; 고리(대금)의.
***u·surp** [jusə́:rp, -z-/-z-] *vt.* (권력·지위 따위를) 빼앗다, 강탈〔횡령〕하다. **u·sur·pa·tion**[⌐–péiʃən] *n.* **~·er** *n.*
u·su·ry[jú:ʒəri] *a.* Ⓤ 고리(高利); 고리 대금업.
U.S.V. United States Volunteers. **U.S.W.** ultra short wave. **Ut.** Utah. **U.T.** universal time.
***U·tah**[jú:tɑ:] *n.* 미국 서부의 주《생

략 Ut.》. **~·an** *a., n.*
:u·ten·sil[ju:ténsəl] *n.* Ⓒ (부엌·낙농장 등의) 도구, 기구, 가정용품.
u·ter·ine[jú:tərin, -ràin/-ràin] *a.* 자궁의; 동모 이부(同母異父)의.
u·ter·us [jú:tərəs] *n.* (*pl.* ***-teri*** [-tərài]) Ⓒ 〖解〗 자궁(子宮).
u·tile[jú:tail] *a.* 유용한, 쓸모 있는.
u·til·i·tar·i·an[jù:tilətέəriən] *a.* 공리적인; 실용적인; 공리주의의. — *n.* Ⓒ 공리주의자. **~·ism**[-ìzəm] *n.* Ⓤ 〖哲〗 공리설〔주의〕《유용성이 선(善)이라는 주장》.
:u·til·i·ty[ju:tíləti] *n.* ① Ⓤ 유용, 효용, 실용; 〖컴〗 도움모, 유틸리티. ② Ⓒ (보통 *pl.*) 유용물. ③ Ⓒ (보통 *pl.*) 공익 사업. ***public* ~** 공익 사업. — *a.* (옷·가구 등) 실용 본위의.
utílity àircraft 다(多)용도 항공기 《기종 U》.
utílity màn 〖劇〗 단역; 〖野〗 만능 보궐 선수; 닥치는 대로 할 수 있는 사람.
utílity pòle 전화선용 전주.
utílity prògram 〖컴〗 도움모 풀그림, 유틸리티 프로그램.
utílity ròom 허드렛방《세탁기·난방 기구 등을 두는 방》.
:u·ti·lize [jú:təlàiz] *vt.* 이용하다. **-liz·a·ble** *a.* **-li·za·tion**[ㅗ-lizéiʃən/-lai-] *n.*
:ut·most[ʌ́tmòust/-məst] *a.* 가장 먼; 최대(한도)의. — *n.* (the 〔one's〕 ~) 최대 한도, 극한. ***at the* ~** 기껏해야. ***do one's* ~** 전력을 다하다. ***to the* ~** 극도로.
·U·to·pi·a[ju:tóupiə] *n.* ① 유토피아《Thomas More의 *Utopia* 속의 이상국》. ② Ⓤ,Ⓒ (u-) 이상향(鄕); (u-) 공상적 정치〔사회〕 체제. **~n** *a., n.* Ⓒ 유토피아의 (주민); (u-) 공상적 사회 개혁론자, 몽상가.
U·tril·lo [ju:trílou], **Maurice** (1883-1955) 프랑스의 화가.
:ut·ter[1][ʌ́tər] *a.* 전적인, 완전한; 절대적인. **·~·ly** *ad.* 전혀, 아주, 전연.
:ut·ter[2] *vt.* ① 발음〔발언〕하다. ② ((목)소리 등을) 내다. ③ (생각 따위를) 말하다, 나타내다. ④ (위조 지폐 따위를) 행사하다.
·ut·ter·ance[ʌ́tərəns] *n.* ① Ⓤ 말함, 발언, 발성. ② Ⓤ 말씨, 어조, 발음. ③ Ⓒ (입 밖에 낸) 말, 언설, 소리. ***give* ~ *to*** …을 입 밖에 내다, 말로 나타내다.
·útter·mòst *a., n.* =UTMOST.
Ú tùbe U자관(字管).
Ú-tùrn *n., vi.* Ⓒ (자동차 따위의) U턴(을 하다), U자형 회전.
UUM underwater-to-underwater missile. **UV** 〖寫〗 ultraviolet.
u·vu·la[jú:vjələ] *n.* (*pl.* ***~s, -lae*** [-lì:]) Ⓒ 〖解〗 현옹(懸壅), 목젖. **-lar** *a.* 목젖의; 〖音聲〗 목젖을 진동시켜 발성하는.
ux·o·ri·ous[ʌksɔ́:riəs] *a.* 아내에게 빠진, 아내에게 무른.
Uz·bek[úzbek, ʌ́z-] *n.* Ⓒ 우즈베크 사람《우즈베키스탄에 사는 터키 민족》; Ⓤ 우즈베크 말.
Uz·bek·i·stan [uzbékistæ̀n, -stɑ̀:n] *n.* (the ~) 우즈베키스탄《중앙아시아의 공화국》.

V

V, v[vi:] *n.* (*pl.* ***V's, v's***[-z]) Ⓒ V 자형의 것; Ⓤ (로마 숫자의) 5.
V 〖化〗 vanadium; velocity; victory; *Vergeltungswaffe* (G. = reprisal weapon)《⇨V-1; ⇨V-2》. **V.** Venerable; Viscount. **v.** verb; verse; *bersus* (L.=against); *vide* (L. =see); voice; volt; voltage; volume; *von* (G. = from, of). **Va.** Virginia. **V.A.** Vice-Admiral; 《美》 Veterans Administration.
vac [væk] *n.* Ⓒ 《英口》 휴가(vacation); =VACUUM CLEANER.
·va·can·cy[véikənsi] *n.* ① Ⓤ 공허. ② Ⓒ 빈 자리, 공석, 결원(*on, in, for*). ③ Ⓒ 공백, (빈)틈. ④ Ⓒ 빈 곳〔터·방 따위〕. ⑤ Ⓤ 방심 (상태).
:va·cant[véikənt] *a.* ① 공허한, 빈. ② 비어 있는, 사람이 안 사는; 결원의. ③ 멍한, 허탈한, 한가한. **~·ly** *ad.* 멍청하게, 멍하니.
va·cate[véikeit, -ㅗ/vəkéit] *vt.* 비우다; (집 등을) 퇴거하다; (직·지위 등에서) 물러나다; 〖法〗 무효로 하다, 취소하다. — *vi.* 물러나다; 《美口》 떠나가다; 휴가를 보내다〔얻다〕.
†va·ca·tion[veikéiʃən, vək-] *n.* ① Ⓒ (학교 따위의) 휴가〔방학〕, 휴일. ② Ⓤ,Ⓒ (법정의) 휴정기(休廷期). — *vi.* 휴가를 보내다.
vacátion·lànd *n.* Ⓒ 《美》 휴가자가 많이 찾는 곳《유원지·사적 관광지 등》.
vac·ci·nal[vǽksənəl] *a.* 〖醫〗 백신〔우두〕의.
vac·ci·nate[vǽksənèit] *vt.* (…에게) 우두를 접종하다; 백신 주사〔예방 접종〕하다. **·-na·tion** [væ̀ksənéiʃən] *n.* Ⓤ,Ⓒ 종두; 백신 주사, 예방 접종.
vaccinátion scàr 우두 자국.
vac·cine[væksí:n, ㅗ-/ㅗㅗ] *n.* Ⓤ,Ⓒ 우두종; 백신.
vac·cin·i·a[væksíniə] *n.* Ⓤ 〖病〗 우두(cowpox).
vac·il·late[vǽsəlèit] *vi.* 동요하

다; (마음·생각이) 흔들리다. **-tion** [ㅡ-léiʃən] *n.*
vac·u·a[vǽkjuə] *n.* vacuum의 복수.
va·cu·i·ty[vækjú:əti] *n.* Ⓤ 공허; 빈 곳, 진공; Ⓤ (마음의) 공허, 방심; Ⓒ 얼빠진 것.
vac·u·ous[vǽkjuəs] *a.* 빈; (마음이) 공허한; 얼빠진; 무의미한.
ː**vac·u·um**[vǽkjuəm] *n.* (*pl.* **~s,** ***vacua***[vǽkjuə]) Ⓒ 진공; 빈 곳; 공허; (*pl.* **~s**) 《口》 =VACUUM CLEANER. — *vt.* 《口》 진공 청소기로 청소하다.
vácuum bòttle 〔**flàsk**〕 보온병.
vácuum bràke 진공 제동기.
vácuum clèaner 진공 청소기.
vácuum-pácked *a.* 진공 포장의.
vácuum pùmp 진공(배기) 펌프.
vácuum swèeper 전기〔진공〕 청소기.
vácuum tùbe 진공관.
va·de me·cum [véidi mí:kəm] (L. =go with me) 필휴(必携)물; 편람.
***vag·a·bond**[vǽgəbɑ̀nd/-ɔ̀-] *n.* Ⓒ 방랑〔부랑〕자; 불량배. — *a.* 방랑하는, 방랑성의; 변변찮은; 떠도는. **~·age**[-idʒ] *n.* Ⓤ 방랑 (생활); 방랑성.
va·gar·y[véigəri, vəgɛ́əri] *n.* Ⓒ (보통 *pl.*) 변덕; 취광; 색다른 생각.
va·gi·na[vədʒáinə] *n.* (*pl.* **~s,** ***-nae*** [-ni:]) Ⓒ 〖解〗 질(膣); 칼집 (같이 생긴 부분); 〖植〗 엽초(葉鞘).
***va·grant** [véigrənt] *a.* ① 방랑하는, 방랑성의; 방랑(자)의. ② 변하기 쉬운, 변덕스러운. — *n.* Ⓒ 부랑〔방랑〕자. **vá·gran·cy** *n.* Ⓤ 방랑 (생활); 환상, 공상.
ː**vague**[veig] *a.* 모호〔막연〕한; 분명치 않은. ***∠·ly** *ad.* **∠·ness** *n.*
va·gus[véigəs] *n.* (*pl.* ***-gi***[-dʒai]) Ⓒ 〖解〗 미주신경(~ nerve).
ː**vain**[vein] *a.* ① 쓸데 없는, 헛된. ② 가치 없는; 공허한. ③ 자부〔허영〕심이 강한(*of*). ***in* ~** 헛된, 헛되게; 경솔하게. ***∠·ly** *ad.*
vain·glo·ry[véinglɔ̀:ri/ㅡㅡ-] *n.* Ⓤ 자부(심), 자만; 허영, 허식. **-rious** [ㅡㅡriəs] *a.*
Vais·ya [váisjə, -ʃjə] *n.* Ⓒ 바이샤 《인도 4성(性)의 제3계급, 평민》(cf. caste).
val·ance[vǽləns, véil-] *n.* Ⓒ (침대의 주위·창의 위쪽 등에) 짧게 드리운 천.
***vale**[veil] *n.* Ⓒ 《詩》 골짜기.
val·e·dic·tion[vælədíkʃən] *n.* Ⓤ 고별.
val·e·dic·to·ri·an [vælədiktɔ́:riən] *n.* Ⓒ 《美》 (고별사를 하는) 졸업생 대표.
val·e·dic·to·ry [vælədíktəri] *a.* 고별의. — *n.* Ⓒ 《美》 (졸업생 대표의) 고별사.
va·lence [véiləns], **-len·cy** [-lənsi] *n.* Ⓒ 〖化〗 원자가(原子價).
Va·len·ci·a[vəlénʃiə, -siə] *n.* 스페인 동부의 항구; (보통 *pl.*) Ⓒ 교직 나사(交織羅紗).
val·en·tine[vǽləntàin] *n.* Ⓒ St. Valentine's Day (⇩)에 이성에게 보내는 카드·선물 등; 그날에 택한 연인.
Val·en·tine**[vǽləntàin], **St.** 3세기 로마의 기독교 순교자. ***St. ~'s Day 성(聖)발렌타인 축일《2월 14일》 (cf. ⇧).
va·le·ri·an[vəlíəriən] *n.* Ⓒ 〖植〗 쥐오줌풀속(屬)의 식물; Ⓤ 〖藥〗 그 뿌리에서 채취한 진정제.
val·et[vǽlit] *n., vt., vi.* Ⓒ (남자의 치다꺼리를 하는) 종자(從者)(로서 섬기다); (호텔의) 보이.
val·e·tu·di·nar·i·an [vælətjù:dənɛ́əriən] *a., n.* Ⓒ 병약한 (사람); 건강에 신경을 쓰는 (사람).
Val·hal·la [vælhǽlə] *n.* 〖北歐神話〗 Odin 의 전당(⇨VALKYRIE).
***val·iant**[vǽljənt] *a.* 용감한, 씩씩한. **~·ly** *ad.*
***val·id**[vǽlid] *a.* ① 근거가 확실한; 정당한. ② 〖法〗 정당한 수속을 밟은, 유효한. **~·ly** *ad.* **~·ness** *n.* ***va·líd·i·ty** *n.* Ⓤ 정당, 확실성; 유효; 〖法〗 효력.
val·i·date[vǽlədèit] *vt.* (법적으로) 유효케 하다; 확인하다; 비준하다. **-da·tion**[ㅡ-déiʃən] *n.*
va·lise[vəlí:s/-líz, -lí:s] *n.* Ⓒ 여행 가방.
Val·kyr·ie[vælkí:ri, -kəri], **Val·kyr**[vǽlkiər, -kər] *n.* 〖北歐神話〗 Odin신의 12시녀의 하나《싸움터에서 용감한 전사자를 골라 그 영혼을 Valhalla로 안내하였다고 함》.
†**val·ley**[vǽli] *n.* Ⓒ 골짜기, 계곡; 골짜기 비슷한 것; (큰 강의) 유역.
***val·or,** 《英》 **val·our**[vǽlər] *n.* Ⓤ 용기. **vál·or·ous** *a.* 용감한.
val·or·ize[vǽləràiz] *vt., vi.* 물가를 정하다; (정부가) 물가를 안정시키다. **-i·za·tion** [vælərizéiʃən/-rai-] *n.* Ⓤ (정부의) 물가 안정책.
valse[vɑ(:)ls] *n.* (F.) =WALTZ.
†**val·u·a·ble**[vǽljuəbəl] *a.* 값비싼; 가치 있는; 귀중한; 평가할 수 있는. — *n.* Ⓒ (보통 *pl.*) 귀중품.
***val·u·a·tion**[væljuéiʃən] *n.* ① Ⓤ 평가. ② Ⓒ 사정 가격.
†**val·ue**[vǽlju:] *n.* ① Ⓤ 가치, 유용성. ② Ⓤ (a ~) 평가. ③ Ⓤ,Ⓒ 값어치, 액면 금액. ④ Ⓒ 대가(對價)(물), 상당 가격(물). ⑤ Ⓒ 의의(意義). ⑥ Ⓒ 〖數〗 값. ⑦ (*pl.*)(사회적) 가치(기준)《이상·습관·제도 등》. ⑧ Ⓒ 〖樂〗 음의 장단. ⑨ Ⓒ (*pl.*) 〖美術〗 명암(明暗)의 (정)도. — *vt.* 평가〔존중〕하다. **~ *oneself*** 뽐내다 (*for, on*). **~·less** *a.* 가치가 없는, 하찮은.
vál·ue-add·ed nétwork [-ǽdid-] 〖컴〗 부가 가치 통신망《생략 VAN》.
válue-added táx 부가 가치세《생

V

략 VAT》.

val·ued[vǽlju:d] *a.* 평가된; 존중되는; (특정한) 가치를 가진.

válued pòlicy 〖保險〗 정액 보험 계약.

válue jùdg(e)ment 가치 판단.

val·u·er[vǽlju:ər] *n.* Ⓒ 평가자.

:valve[vælv] *n.* Ⓒ ① 〖機〗 판(瓣). ② 〖解〗 판(막)(瓣(膜)). ③ (쌍껍질조개의) 조가비; 〖植〗 (꼬투리, 포(苞), 깍지의) 한 조각. ④ (관악기의) 판. ⑤《英》〖電子〗 진공관.

val·vu·lar[vǽlvjələr] *a.* 판(瓣)(모양)의; 판이 달린; 판으로 활동하는; 〖醫〗 심장 판막의.

va·moose[væmú:s/və-], **-mose** [-móus] *vi., vt.* 《美俗》 물러가다, 도망치다; 행방을 감추다.

vamp[1][væmp] *n.* Ⓒ (구두의) 앞닫이《갑피의 앞 부분》; (헌 것을 새 것으로 보이기 위해 기운) 조각〔천〕, (헌 것을 감추기 위해 댄) 천. — *vt.* (구두에) 앞닫이를 대다, 새 앞닫이를 붙여서 수선하다; 조각을 대다, (낡은 것을) 새것처럼 보이게 하다.

vamp[2] *n.* Ⓒ 요부, 탕녀. — *vt.* (남자를) 호리다.

vam·pire[vǽmpaiər] *n.* Ⓒ 흡혈귀; 남의 고혈을 짜는 사람; 요부, 탕녀; (중·남아메리카산) 흡혈박쥐.

van[1][væn] *n.* (the ~) 〖軍〗 전위(前衛), 선봉, 선진(先陳); 선구; Ⓒ 선도자. ***in the ~ of*** …의 선두에 서서. ***lead the ~ of*** …의 선두에 서다.

:van[2] *n.* Ⓒ (가구 운반용) 유개(有蓋) 트럭〔마차〕; 《英》 (철도의) 유개 화차. ***guard's ~*** 차장차(cf. caboose).

VAN 〖컴〗 value-added network 부가 가치 통신망.

va·na·di·um[vənéidiəm, -djəm] *n.* Ⓤ 〖化〗 바나듐《희금속 원소; 기호 V》.

vanádium stéel 바나듐강(鋼).

Van Ál·len (radiátion) bèlt [væn ǽlən-] 〖理〗 밴앨런대(帶)《지구를 둘러싼 방사능대》.

ván convèrsion 주거 설비를 갖춘 왜건(wagon)차.

Van·cou·ver[vænkú:vər] *n.* 캐나다 남서부의 항구 도시.

Van·dal[vǽndəl] *n.* 반달 사람《5세기에 Gaul, Spain, Rome을 휩쓴 민족》; (v-) Ⓒ 문화·예술의 파괴자. — *a.* 반달 사람의; (v-) 문화·예술을 파괴하는. **~·ism**[-ìzəm] *n.* Ⓤ 반달 사람식; (v-) 문화·예술의 파괴, 만행.

Van·dal·ic[vændǽlik] *a.* 반달인(人)의; (*or* v-) 문화·예술을 파괴하는; 야만적인.

van·drag·ger[vǽndrægər] *n.* Ⓒ 《英俗》 화차 도둑. **-ging** *n.* Ⓤ 통째로 채기《화차째로 훔치기》.

Van Dyck, Van·dyke[1] [vændáik], **Sir Anthony** (1599-1641) Flanders의 초상화가《만년엔 영국서 삶》.

Van·dyke[2][vændáik] *n.* =VANDYKE BEARD 〔COLLAR〕. — [英+ ∠–] *a.* Vandyke(풍)의.

Vandýke béard 짧고 끝이 뾰족한 턱수염.

Vandýke brówn 진한 갈색(의 그림 물감).

Vandýke cóllar 가장자리가 톱니 모양의 폭넓은 레이스 칼라.

***vane**[vein] *n.* Ⓒ ① 바람개비; (풍차·추진기 따위의) 날개. ② (새의) 날갯죽지《깃털축(軸) 양쪽의》.

van·guard[vǽngɑ̀:rd] *n.* Ⓒ 《집합적》 〖軍〗 전위; (the ~) 선구; Ⓒ 선도자; 지도적 지위.

***va·nil·la** [vəníla] *n.* ① Ⓒ 〖植〗 바닐라《열대 아메리카산 난초과 식물》; 그 열매. ② Ⓤ 바닐라 에센스《아이스크림·캔디 따위의 향료》.

:van·ish[vǽniʃ] *vi.* 사라지다(*into*); 소멸하다; 〖數〗 영이 되다.

vánishing pòint 〖美術·寫〗 (투시화법에서) 소실점(消失點); 물건이 다하는 소멸점.

:van·i·ty [vǽnəti, -ni-] *n.* ① Ⓤ 공허. ② Ⓤ,Ⓒ 무가치(한 것). ③ Ⓤ,Ⓒ 무익(한 행동). ④ Ⓤ 허영(심). ⑤ =VANITY CASE. ⑥ Ⓒ (거울 달린) 화장대.

vánity bàg 〔**bòx, càse**〕 (휴대용) 화장품 케이스.

Vánity Fáir 허영의 시장《Bunyan 작 *Pilgrim's Progress* 속의 시장 이름; Thackeray의 소설의 제목》; (종종 v- f-)(허영에 찬) 이 세상; 상류 사회.

vánity plàte (자동차의) 장식된 번호판.

vánity prèss 〔**pùblisher**〕 자비 출판물 전문 출판사.

vánity sùrgery 성형 외과.

ván lìne 《美》 (대형 유개 화물 자동차를 사용하는) 장거리 이삿짐 운송 회사.

***van·quish**[vǽŋkwiʃ] *vt.* 정복하다; (…에게) 이기다.

***van·tage**[vǽntidʒ/-ɑ́:-] *n.* Ⓤ ① 우월, 유리한 지위〔상태〕. ② 《英》 〖테니스〗 밴티지《deuce 후 얻은 한 점》.

vántage gròund 유리한 지위.

van·ward[vǽnwərd] *a., ad.* 선두의, 선두로; 전방의, 전방으로.

vap·id[vǽpid] *a.* 김〔맥〕빠진; 흥미없는; 생기 없는. **~·ly** *ad.* **~·ness** *n.* **va·pid·i·ty** [væpídəti, və-] *n.*

:va·por, 《英》 **-pour**[véipər] *n.* ① Ⓤ,Ⓒ 증기, 수증기, 김, 연무(煙霧), 안개, 아지랑이. ② Ⓤ 〖理〗 (액체·고체의) 기화 가스. ③ Ⓒ 실질이 없는 물건, 공상, 환상. ***the ~s*** 《古》 우울. — *vi.* 증기를 내다; 증발하다; 뽐내다, 허세부리다. **~·ish** *a.* 증기 같은, 증기가 많은; 우울하게 된. **~·ly** *a.* =VAPOROUS.

va·por·ize[véipəràiz] *vt., vi.* 증발 시키다〔하다〕, 기화시키다〔하다〕. **-iz·er** *n.* Ⓒ 기화기, 분무기. **-i·za·tion**[vèipərizéiʃən/-rai-] *n.*

V

va·por·ous[véipərəs] *a.* 증기 같은, 증기가 많은; 안개 낀; 《古》 덧없는, 공상적인.
vápo(u)r bàth 증기욕(浴).
vápo(u)r tràil 비행운(雲)(contrail).
va·que·ro [vɑːkέərou] *n.* (*pl.* **~*s***) (Sp.) Ⓒ (미국 남서부의) 카우보이; 가축 상인.
VAR visual aural range 〖空〗 고주파(高周波)를 이용한 라디오 비행 장치. **var.** variable; variant; variation; various.
va·ri-[vɑːríː, vɑ́ːri] *pref.* '다른, 여러 가지의, 변화 있는'의 뜻.
***var·i·a·ble**[vέəriəbəl] *a.* ① 변하기 쉬운. ② 변(경)할 수 있는. ③ 〖生〗 변이(變異)하는. — *n.* Ⓒ ① 변하기 쉬운〔변화하는〕 물건〔양(量)〕. ② 〖數〗 변수(變數). ③ 〖氣〗 변풍(變風). ④ 〖컴〗 변수. **-bly** *ad.* **-bil·i·ty**[⌐--bíləti] *n.* Ⓤ 변하기 쉬움; 〖生〗 변이성(變異性).
váriable ínterest rate 〖經〗 변동 금리.
var·i·ance**[vέəriəns] *n.* Ⓤ ① 변화, 변동. ② 상위(相違), 불일치. ③ 불화, 다툼(discord). ***at ~ with …와 불화하여; …와 틀려〔달라〕. ***set at ~*** 버성기게 하다, 이간하다.
***var·i·ant**[vέəriənt] *a.* ① 상이한. ② 가지가지의. ③ 변하는. — *n.* Ⓒ ① 변형, 변체(變體). ② (동일어(語)의) 이형(異形), 다른 발음; 이문(異文). ③ 이설(異說).
:var·i·a·tion [vὲəriéiʃən] *n.* ① Ⓤ,Ⓒ 변화, 변동. ② Ⓒ 변화량〔정도〕; 변화물. ③ Ⓒ 〖樂〗 변주곡. ④ Ⓤ,Ⓒ 〖生〗 변이.
var·i·col·ored, 《英》 **-oured** [vέərikʌ̀lərd] *a.* 잡색(雜色)의; 가지각색의.
var·i·cose[vǽrəkòus] *a.* 정맥 팽창의, 정맥류(瘤)의; 정맥류 치료용의.
:var·ied[vέərid] *a.* ① 가지가지의; 변화 있는. ② 변한. **~·ly** *ad.*
var·i·e·gate[vέəriəgèit] *vt.* 잡색으로 하다; 얼룩덜룩하게 하다; (…에게) 변화를 주다. **-gat·ed**[-id] *a.* 잡색의; 다채로운, 변화가 많은.
:va·ri·e·ty[vəráiəti] *n.* ① Ⓤ 변화, 다양(성). ② Ⓤ,Ⓒ 여러 가지를 그려 모은 것. ③ (a ~) 종류. ④ (a ~) 〖生〗 변종. ⑤ Ⓤ 〖言〗 변형. ⑥ Ⓤ,Ⓒ 버라이어티쇼. ***a ~ of*** 갖가지의.
varíety mèat 잡육(雜肉), 내장.
varíety shòw 〔**entertàinment**〕 《英》 버라이어티쇼.
varíety stòre 〔**shòp**〕 잡화점.
varíety thèatre 《英》 쇼극장, 연예관.
va·ri·o·la[vəráiələ] *n.* Ⓤ 〖醫〗 천연두.
var·i·o·rum[vὲərióːrəm] *a., n.* 집주(集註)의; Ⓒ 집주판(版).
†var·i·ous[vέəriəs] *a.* ① 다른, 틀리는. ② 가지각색의. ③ 《口》 다수의. ④ 변화 많은, 다방면의. **~·ly** *ad.*
var·let[vɑ́ːrlit] *n.* Ⓒ 《古》 (기사(騎士)의) 시동(侍童); 종복; 악한.
var·mint[vɑ́ːrmint] *n.* Ⓒ 《方》 해충; 해로운 짐승〔사람〕; 무뢰한.
***var·nish**[vɑ́ːrniʃ] *n.* ① Ⓤ 《종류는 Ⓒ》 니스. ② (*sing.*) 니스를 칠한 표면; Ⓤ 겉치레; 속임. — *vt.* (…에) 니스 칠하다; 겉치레하다, 겉꾸미다.
várnish trèe 옻나무.
var·si·ty[vɑ́ːrsəti] *n.* Ⓒ 대학 등의 대표팀《스포츠의》; 《英口》 =UNIVERSITY.
***var·y**[vέəri] *vt.* ① (…에) 변화를 주다, 수정하다. ② 다양하게 하다. ③ 〖樂〗 변주하다. — *vi.* ① 변하다. ② (…와) 다르다(*from*). ③ 가지각색이다. **~·ing** *a.* 변화 있는, 다양한.
vas[væs] *n.* (*pl.* ***vase***[véisə]) Ⓒ 〖解·動·植〗 관(管), 맥관, 도관(導管).
vas·cu·lar[vǽskjələr] *a.* 맥관〔혈관〕의, 맥관〔혈관〕이 있는〔으로 된〕.
váscular plánt 관다발 식물.
vas de·fe·rens[væs défərènz] (*pl.* ***vasa deferentia***[véisə dèfərénʃiə]) 〖解·動〗 수정관(輸精管).
†vase [veis, -z/vɑːz] *n.* Ⓒ (장식용) 병, 단지; 꽃병.
vas·ec·to·my [væséktəmi] *n.* Ⓤ,Ⓒ 정관(精管) 절제(술).
vas·e·line[vǽsəliːn] *n., vt.* Ⓤ 바셀린(을 바르다); (V-) 그 상표명.
vas·o·mo·tor[væsoumóutər, vèizou-] *a.* 〖生〗 혈관 운동〔신경〕의.
***vas·sal**[vǽsəl] *n.* Ⓒ (봉건 군주에게서 영지를 받은) 가신(家臣); 종자, 노예. — *a.* 가신의〔같은〕; 예속하는. **~·age**[-idʒ] *n.* Ⓤ 가신임, 가신의 신분〔일〕; 예속; 《집합적》 (가신의) 영지.
:vast[væst, -ɑː-] *a.* 거대한, 광대한, 막대한; 《口》 대단한. ***∠·ly** *ad.* **∠·ness** *n.* **∠·y** *a.* 《古》 =VAST.
vat[væt] *n., vt.* (**-*tt-***) Ⓒ (the ~) (양조·염색용의) 큰 통(에 넣다, 속에서 처리하다).
VAT value-added tax.
***Vat·i·can** [vǽtikən] *n.* (the ~) ① 바티칸 궁전, 로마 교황청. ② 교황 정치, 교황권.
Vátican Cíty, the 바티칸시(市) 《로마 시내에 있으며, 교황이 통치하는 세계 최소의 독립국》.
***vaude·ville**[vóudəvil] *n.* Ⓤ 《美》 보드빌 쇼; 《英》 가벼운 희가극.
***vaude·vil·lian**[vòudəvíljən] *n.* Ⓒ 보드빌 배우.
:vault[1][vɔːlt] *n.* Ⓒ ① 둥근 지붕, 둥근 천장 (모양의 것). ② 둥근 천장이 있는 장소〔복도〕. ③ 푸른 하늘 (the ~ of heaven). ④ 지하(저장)실; (은행 등의) 귀중품 보관실; 지하 납골소(納骨所). — *vt.* 둥근 천장꼴로 만들다, 둥근 천장을 대다.

~·ing¹[vɔ́:ltiŋ] n. Ⓤ 둥근 천장 건축물; 《집합적》 둥근 천장.
vault² vi., n. Ⓒ (높이) 뛰다, (장대·손을 짚고) 도약(하다). ― vt. 뛰어넘다. ∠·ing² a. 도약하는, 도약용의; 과대한.
váult·ed a. 아치형 천장의(이 있는), 아치형의.
váulting hòrse (체조용의) 뜀틀.
vaunt[vɔ:nt] n., vt., vi. Ⓒ 자랑(하다). ~ ***over*** …을 뽐내다(우쭐하다).
v. aux(il). verb auxiliary. **vb.** verb(al). **V.C.** Vice-Chairman; Vice-Chancellor, Vice-Consul; Victoria Cross; Viet Cong; Volunteer Corps. **VCR** video cassette recorder 카세트 녹화기. **Vd.** vanadium. **V.D.** venereal disease. **VDT** video (visual) display terminal 화상 표시 장치, 영상 단말기. **VDU** visual display unit 브라운관 디스플레이 장치.
've[v] have의 단축(I've done it).
*__veal__[vi:l] n. Ⓤ 송아지 고기.
vec·tor[véktər] n. Ⓒ 〖理·數〗 벡터; 동경(動徑); 방향량(量); 〖컴〗 선그림《화상의 표현 요소로서의 방향을 지닌 선》. ― vt. (지상에서 전파로 비행기의) 진로를 인도하다.
Ve·da[véidə, ví:-] n. (Skt.) Ⓒ (종종 the ~s) 베다(吠陀)《브라만교의 성전》.
V-E Dày 제 2 차 세계 대전 유럽 전승 기념일《1945년 5월 8일》.
Veep[vi:p] n. 《美俗》 미국 부통령; (v-) =VICE-PRESIDENT.
veer[viər] vi. (바람의) 방향이 바뀌다; 방향(위치)를 바꾸다; (의견 따위가) 바뀌다(*round*). ~ ***and haul*** (밧줄을) 늦추었다 당겼다 하다; (풍향이) 번갈아 바뀌다. ― n. Ⓒ 방향 전환. ~·ing[ví(ː)riŋ/víər-] a. 늘 변하는, 불안정한.
veg [vedʒ] n. *sing.* & *pl.* 《英口》 (보통 요리된) 야채.
Ve·ga[ví:gə] n. 〖天〗 베가, 직녀성(星)《거문고자리의 1등성》.
†**veg·e·ta·ble** [védʒətəbəl] n. ① Ⓒ 야채, 푸성귀. ② Ⓤ 식물. ③ Ⓒ 식물 인간. ***green ~s*** 푸성귀. ― a. 식물(야채)의 (같은); 식물로 된.
végetable dìet 채식.
végetable gèlatin(e) 우무.
végetable kìngdom, the 식물계.
végetable spònge 수세미.
végetable tàllow 식물성 지방.
veg·e·tal[védʒətl] a. 식물(성)의; 성장(기능)의.
veg·e·tar·i·an[vèdʒətέəriən] n. Ⓒ 채식주의자. ― a. 채식(주의)의; 고기가 들지 않은. ~·ism[-ìzəm] n. Ⓤ 채식주의(생활).
veg·e·tate[védʒətèit] vi. 식물처럼 자라다; 무위 단조한 생활을 하다.
*__veg·e·ta·tion__[vèdʒətéiʃən, -dʒi-] n. Ⓤ ① 《집합적》 식물(plants). ② 식물의 성장.
veg·e·ta·tive[védʒətèitiv/-tət-] a. 식물처럼 성장하는; 식물(적 성장)의; 식물을 성장시키는; 무위 도식의.
*__ve·he·ment__[ví:əmənt, ví:i-] a. 열정적인, 열렬한; 격렬한. *-__mence__ n. ~·ly ad.
‡**ve·hi·cle**[ví:ikəl] n. Ⓒ ① 차량; 탈것. ② 매개물, 전달 수단. ③ 〖繪畫〗 (그림 물감을 녹이는) 용액. ④ 우주 차량《로켓·우주선 따위》. **ve·hic·u·lar**[vi:híkjələr] a.
véhicle cùrrency 국제 거래 통화.
‡**veil**[veil] n. Ⓒ ① 베일, 너울. ② 가리개, 막; 덮어 가리는 물건. ③ 구실. ***beyond the ~*** 저승에. ***take the ~*** 수녀가 되다. ***under the ~ of*** …에 숨어서. ― vt. ① (…에) 베일을 걸치다(…로 가리다). ② 싸다; 감추다. ~**ed**[-d] a. 베일로 가린; 감춰진. ∠·**ing** n. Ⓤ 베일로 가리기; 베일; 베일용 천.
‡**vein**[vein] n. ① Ⓒ 정맥(靜脈); Ⓒ 《俗》 혈관. ② Ⓒ 〖植〗 엽맥(葉脈); (곤충의) 시맥(翅脈); 나뭇결, 돌결; 줄기. ③ Ⓒ 광맥. ④ (a ~) 특질, 성격, 기질(*a ~ of cruelty* 잔학성). ― vt. (…에) 맥을(줄기를) 내다. ~**ed**[-d] a. 맥(줄기·엽맥·나뭇결·돌결)이 있는. ∠·**y** a. 정맥(심줄)이 있는(많은).
ve·lar[ví:lər] a., n. Ⓒ 〖音聲〗 연구개(음)의; 연구개 (자)음《k, g, ŋ, x》.
Ve·láz·quez [vilá:skeis, -kəθ/-lǽskwiz], **Diego Rodríguez de Silvay** (1599-1660) 스페인의 화가.
Veld(t)[velt, felt] n. Ⓒ (the ~) (남아프리카의) 초원.
vel·lum[véləm] n. Ⓤ (필기·제본용의) 고급 피지(皮紙)《새끼양·송아지 가죽》; 모조 피지, 벨럼.
ve·loc·i·pede[vilásəpì:d/-lɔ́s-] n. Ⓒ (초기의) 이(삼)륜차; (어린이용) 세발 자전거.
*__ve·loc·i·ty__[vilásəti/-ɔ́-] n. Ⓤ ① (또는 a ~) 빠르기, 속력. ② 〖理〗 속도.
ve·lo·drome[ví:lədròum] n. Ⓒ 사이클 경기장.
ve·lour(s) [vəlúər] n. Ⓤ 벨루어, 플러시 천《비단·양털·무명제(製) 벨벳의 일종》.
ve·lum [ví:ləm] n. (*pl.* **-la**[-lə]) Ⓒ (the ~) 〖解〗 연구개(軟口蓋); 〖生〗 피막(被膜).
ve·lure[vəlúər] n. ① Ⓤ 우단류(類). ② Ⓒ (실크 해트용) 비로드 솔. ― vt. 솔로 (실크 해트를) 손질하다.
‡**vel·vet**[vélvit] n. ① Ⓤ,Ⓒ 벨벳(우단) (같은 물건). ② Ⓤ 《俗》 고스란한 이익. ― a. ① 벨벳제(製)의, 우단과 같은. ② 보드라운. * ~·**y** a. 벨벳과 같은, 부드러운; (술이) 감칠 맛이 있는.
vel·vet·een[vèlvətí:n] n. Ⓤ 무명

벨벳; (*pl.*) 면 비로드의 옷.
Ven. Venerable; Venice.
ve·nal[víːnl] *a.* 돈으로 좌우되는, 돈 힘으로의; 돈으로 얻을 수 있는, 매수되기 쉬운; 타락한. **~·ly** *a.* **~·i·ty**[vi(ː)nǽləti] *n.*
vend[vend] *vt.* 팔다; 행상하다; (의견을) 말하다. 「인, 사는 사람.
vend·ee [vendíː] *n.* Ⓒ 〖法〗 매수
vend·er [véndər], **ven·dor** [véndər, -dɔːr] *n.* Ⓒ 파는 사람, 행상인; 자동 판매기.
ven·det·ta[vendétə] *n.* Ⓒ (Corsica 섬 등지의) 근친 복수《피해자의 친척이 가해자(의 친척)의 목숨을 노리는》(blood feud).
vend·i·ble[véndəbəl] *a.* 팔 수 있는, 팔리는. — *n.* Ⓒ (보통 *pl.*) 팔리는 물건.
vénding machìne 자동 판매기.
ven·dor[véndər, vendɔ́ːr] *n.* Ⓒ ① 〖法〗 매주(賣主), 매각인; 행상인, 노점상인(street ~). ② =VENDING MACHINE.
ven·due[vendjúː/-djúː] *n.* Ⓤ《美》 공매, 경매.
ve·neer[viníər] *n.* ① Ⓒ,Ⓤ 베니어 《합판(plywood)의 맨 윗거죽 판, 또는 합판 각 켜의 한 장》. ② Ⓒ 겉치레〔꾸밈〕, 허식. — *vt.* (…에) 겉꾸밈 널을 대다; 겉바르기하다; 겉치레하다.
***ven·er·a·ble**[vénərəbəl] *a.* ① 존경할 만한. ② 나이 먹어〔오래 되어〕 존엄한; 오래 되어 숭엄한. ③ 〖英國國教〗 …부주교님; 〖가톨릭〗 가경자(可敬者)…《열복(列福)에의 과정에 있는 사람에 대한 존칭》.
ven·er·ate[vénərèit] *vt.* 존경〔숭배〕하다. **-a·tion**[⌐—éiʃən] *n.*
ve·ne·re·al[vəníəriəl] *a.* 성교의, 성교에서 오는; 성병의〔에 걸린〕. ~ ***disease*** 성병《생략 V.D.》.
ve·ne·re·ol·o·gy [vinìəriɑ́lədʒi/-riɔ́l-] *n.* Ⓤ 성병학.
ven·er·y[vénəri] *n.* Ⓤ《古》 성교; 호색(好色).
***Ve·ne·tian**[viníːʃən] *a.* 베니스(사람)의, 베니스풍〔식〕의. — *n.* Ⓒ 베니스 사람; 《口》 =⌐ **blínd** 널쪽발.
Ven·e·zue·la[vènəzwéilə] *n.* 남아메리카 북부의 공화국.
:venge·ance[véndʒəns] *n.* Ⓤ 복수, 원수 갚기. ***take*** 〔***inflict, wreak***〕 ~ ***on*** …에게 복수하다. ***with a*** ~ 《口》 맹렬하게, 철저하게.
venge·ful[véndʒfəl] *a.* 복수심에 불타는. **~·ly** *ad.*
ve·ni·al [víːniəl, -njəl] *a.* (죄·과오 등이) 가벼운, 용서될 수 있는. **~·i·ty**[⌐—ǽləti] *n.* Ⓤ 경죄(輕罪).
:Ven·ice[vénis] *n.* 베니스《이탈리아 북동부의 항구 도시》.
ve·ni·re·man[vináirimən/-náiə-] *n.* Ⓒ 〖美法〗 (소집장으로 소집된) 배심원(후보자).
***ven·i·son**[vénəsən, -zən/vénizən] *n.* Ⓤ 사슴 고기.
ve·ni, ve·di, vi·ci[víːnai váidai váisai/véiniː víːdiː víːtʃiː] (L.) (내) 왔노라, 보았노라, 이겼노라 《Caesar의 전승 보고의 말》.
***ven·om**[vénəm] *n.* Ⓤ ① (뱀·거미 따위의) 독. ② 악의, 원한. ③ 독설. **~·ous** *a.* 유독한; 악의에 찬.
ve·nous[víːnəs] *a.* 정맥(속)의; 맥이〔줄기가〕 있는.
vent**[vent] *n.* Ⓒ ① 구멍, 빠지는 구멍. ② 바람 구멍, (자동차 등의) 환기용 작은 창. ③ (관악기의) 손구멍. ④ (옷의) 터진 구멍〔자리〕. ⑤ (물고기·새 등의) 항문(肛門). ⑥ (감정 등의) 배출구. ***find 〔***make***〕 ***a*** ~ ***in*** …에 배출구를 찾다, 나오다. ***give*** ~ ***to*** (감정을) 터트리다, 나타내다. — *vt.* ① (…에) 구멍을 내다; 나갈 구멍을 터주다. ② (감정 등을) 터뜨리다; 배출구를 찾아내다(*oneself*). ③ 공표하다.
vent·age[véntidʒ] *n.* Ⓒ (공기·물의) 빠지는 구멍, 새는 구멍; (관악기의) 손구멍; (감정의) 배출구.
ven·ter[véntər] *n.* Ⓒ ① 〖動〗 배, 복부; (근육·뼈 따위의) 불룩한 부분. ② 〖法〗 배(womb), 모(母).
vént hòle (가스·연기 등의) 빠지는 구멍, 새는 구멍; 환기〔바람〕 구멍.
***ven·ti·late**[véntəlèit, -ti-] *vt.* ① 환기하다. ② (혈액을) 신선한 공기로 정화하다. ③ 환기 장치를 달다. ④ (문제를) 공표하다, 자유롭게 토론하다. **-la·tor** *n.* Ⓒ 환기하는 사람〔도구〕, 환기 장치. **:-la·tion**[⌐—léiʃən] *n.* Ⓤ 통풍 (상태), 환기 (장치); (문제의) 자유 토의.
ven·tral[véntrəl] *a.* 〖動·解〗 배의, 복부의.
ven·tri·cle[véntrikəl] *n.* Ⓒ 〖解〗 실(室), 심실(心室). **ven·tric·u·lar** [—⌐kjələr] *a.*
ven·tril·o·quism [ventríləkwìzəm], **-quy**[-kwi] *n.* Ⓤ 복화(腹話)(술). **-quist** *n.* Ⓒ 복화술가.
:ven·ture[véntʃər] *n.* Ⓒ ① 모험(적 사업). ② 투기; 건 물건. ***at a*** ~ 모험적으로; 되는 대로. — *vt.* ① 위험에 직면케 하다, (내)걸다. ② 위험을 무릅쓰고〔용기를 내어〕 하다, 결행하다. ③ (의견 따위를) 용기를 내어 발표하다. — *vi.* ① 위험을 무릅쓰고 해보다(*on, upon*). ② 대담하게도 (…을) 하다. ③ 용기를 내어 가다〔오다, 나아가다〕. **~·some** *a.* 모험적인, 대담한; 위험한.
vénture càpital 위험 부담 자본, 모험 자본.
vénture càpitalist 모험 투자가.
Vénture Scòut 《英》 (보이스카우트의) 연장 소년 단원《16-20세》.
ven·tur·ous[véntʃərəs] *a.* 모험을 좋아하는, 무모한; 위험한.
ven·ue[vénjuː] *n.* Ⓒ 〖法〗 범행지(부근), 현장; 재판지; 《口》 집합지, 밀회 (장소).
***Ve·nus**[víːnəs] *n.* ① 〖로神〗 비너스《사랑과 미의 여신》; 절세의 미인.

② 〖天〗 금성.
Ve·nu·sian [vənjú:siən, -ʃiən] *a., n.* 금성의; Ⓒ (상상의) 금성인(人).
Ve·nus's-fly·trap [ví:nəsizfláitræ̀p] *n.* Ⓒ 〖植〗 파리지옥풀.
VERA Vision Electronic Recording Apparatus 텔레비전의 프로그램 수록 장치.
ve·ra·cious [vəréiʃəs] *a.* 정직한; 진실의. **~·ly** *ad.*
ve·rac·i·ty [vərǽsəti] *n.* Ⓤ 정직; 진실; 정확.
Ver·a·cruz [vèrəkrú:z] *n.* 멕시코 남동부의 주 및 항구.
:ve·ran·da(h) [vərǽndə] *n.* Ⓒ 베란다.
:verb [və:rb] *n.* Ⓒ 〖文〗 동사.
***ver·bal** [və́:rbəl] *a.* ① 말의, 말에 관한. ② 말로 나타낸, 구두의. ③ 축어적인. ④ 말뿐인. ⑤ 〖文〗 동사의, 동사적인. — *n.* Ⓒ 〖文〗 준동사 《동명사·부정사·분사》. **~·ly** *ad.*
ver·bal·ism [və́:rbəlìzəm] *n.* Ⓤ 언어적 표현; Ⓒ 형식적 문구; Ⓤ 자구(字句)에 구애되기, 자구를 캐기; 말많음, 용장(冗長). **-ist** *n.* Ⓒ 말의 선택을 잘하는 사람; 자구(字句)에 구애하는 사람; 말많은 사람.
ver·bal·ize [və́:rbəlàiz] *vt.* 말로 나타내다; 〖文〗 동사로 바꾸다. — *vi.* 말이 자나치게 많다.
ver·ba·tim [vərbéitim] *ad., a.* 축어(逐語)적인[으로].
ver·be·na [vərbí:nə] *n.* Ⓒ 마편초속(屬)의 식물, 버베나.
ver·bi·age [və́:rbiidʒ] *n.* Ⓤ 군말이 많음.
ver·bose [və:rbóus] *a.* 말이 많은, 번거로운. **ver·bos·i·ty** [-bɑ́sə-/-ɔ́-] *n.* Ⓤ 다변(多辯), 용장(冗長).
ver·bo·ten [vərbóutn, fər-] *a.* (G.) 《美·캐나다》 (법률 등에 의해) 금지된.
ver·dant [və́:rdənt] *a.* 푸른 잎이 무성한, 청청한, 미숙한. **ver·dan·cy** *n.*
Verde [vərd], **Cape** 아프리카 최서단의 곶(岬).
Ver·di [vɛ́rdi], **Giuseppe** (1813-1901) 이탈리아의 가극 작곡자.
***ver·dict** [və́:rdikt] *n.* Ⓒ ① 〖法〗 (배심원의) 답신, 평결. ② 판단, 의견.
ver·di·gris [və́:rdəgrì:s, -gris] *n.* Ⓤ 녹청(綠靑), 푸른 녹.
Ver·dun [vɛərdʌ́n/⁓–] *n.* 프랑스 북동부의 요새 도시.
ver·dure [və́:rdʒər] *n.* Ⓤ 신록(新綠); 푸릇푸릇한 초목; 신선함, 생기.
ver·dur·ous *a.* 청청한, 신록의.
verge**¹ [və:rdʒ] *n.* Ⓒ ① 가, 가장자리; (화단 등의) 가장자리. ② 끝, 경계, 한계. ***on the ~ of 막 …하려는 참에, 바야흐로 …하려고 하여. — *vi.* (…에) 직면하다; 접하다(*on*).
verge² *vi.* 바싹 다가가다(*on*); (…에) 향하다, 기울다(*to, toward*).
ver·ger [və́:rdʒər] *n.* Ⓒ 《英》 (성당·대학 따위의) 권표(權標) 받드는 사람; 사찰(司察).
Ver·gil [və́:rdʒəl/-dʒil] *n.* (70-19 B.C.) 로마의 시인.
ve·rid·i·cal [vərídikəl] *a.* 진실을 고하는, 진실한; 〖心〗 (꿈·예언 따위가) 현실로 일어나는.
ver·i·est [vériist] *a.* 《very의 최상급》 순전한, 철저한.
ver·i·fi·a·ble [vérəfàiəbəl] *a.* 입증[증명]할 수 있는.
ver·i·fi·ca·tion [vèrəfikéiʃən] *n.* Ⓤ 확인; 검증, 입증, 증언, 증명.
***ver·i·fy** [vérəfài, -ri-] *vt.* ① (…으로) 입증[증명]하다. ② 확인하다. ③ (사실·행위 따위가 예언·약속 따위를) 실증하다. ④ 〖法〗 (선서·증거에 의하여) 입증하다. ⑤ 〖컴〗 검증하다. **-fi·ca·tion** [⁓–fikéiʃən] *n.* Ⓤ 입증; 확인; 〖컴〗 검증. **-fi·er** *n.* Ⓒ 입증[증명]자, 검증자; 가스 계량기; 〖컴〗 검공기(檢孔機).
ver·i·ly [vérəli] (<very) *ad.* 《古》 참으로, 확실히.
ver·i·sim·i·lar [vèrəsímələr] *a.* 진실 같은, 있을 법한.
ver·i·si·mil·i·tude [vèrəsimílətjù:d] *n.* Ⓤ 정말 같음(likelihood), 박진(迫眞)함; Ⓒ 정말 같은 이야기[일].
***ver·i·ta·ble** [véritəbəl] *a.* 진실의.
ver·i·ty [vérəti] *n.* Ⓤ 진실(성); 진리; Ⓒ 진실한 진술.
ver·juice [və́:rdʒù:s] *n.* Ⓤ (설익은 과실로 만든) 신 과즙; 찌푸린 얼굴, 꽤까다로움, 찌무룩함.
Ver·meer [vɛərmíər], **van Delft** (1632-75) 네덜란드의 화가.
ver·meil [və́:rmil, -meil] *n.* Ⓤ 《詩》 주홍색; 금도금한 은[청동·구리].
ver·mi- [və́:rmə] '벌레, 충(蟲)'의 뜻의 결합사.
ver·mi·cel·li [və̀:rməséli, -tʃéli] *n.* (It.) Ⓤ 버미첼리《spaghetti 보다 가는 국수류(類)》.
ver·mi·cide [və́:rməsàid] *n.* Ⓤ,Ⓒ 살충제; (특히) 구충제. **-cid·al** [⁓–sáidəl] *a.* 살충(제)의.
ver·mic·u·lar [və:rmíkjələr] *a.* 연충(蠕蟲)(모양)의; 연동(蠕動)하는; 벌레 먹은 자국 같은, 꾸불꾸불한.
ver·mi·form [və́:rməfɔ̀:rm] *a.* 연충(蠕蟲)모양의, 돼지벌레 모양의 (wormlike).
vérmiform appéndix 〖解〗 충양「(蟲樣) 돌기.
ver·mi·fuge [və́:rməfjù:dʒ] *n.* Ⓤ,Ⓒ 구충제.
ver·mil·ion [vərmíljən] *n.* Ⓤ 주(朱), 진사(辰砂); 주홍색. — *a.* 진사의; 주홍색[칠]의.
ver·min [və́:rmin] *n.* Ⓤ 《집합적》 (보통 *pl.*) 해로운 짐승[새]《쥐·두더지 따위; 영국에서는 엽조(獵鳥)나 가금(家禽)을 해치는 매·올빼미·여우·족제비 따위》; 사회의 해충, 건달, 깡패. **~·ous** *a.* 벌레가 많은, 벌레로 인해 생기는, 벼룩·이가 꾄; 벌레 같은; 비열한, 해독을 끼치는.

Ver·mont [vəːrmánt/-mɔ́nt] *n.* 미국 북동부의《생략 Vt.》.

ver·mouth, -muth [vərmúːθ/və́ːməθ] *n.* Ⓤ 베르무트《맛이 달콤한 백포도주》.

·**ver·nac·u·lar** [vərnǽkjələr] *n.* Ⓒ ① (the ~) 제나라 말. ② 방언; (직업상의) 전문어. ③ (학명이 아닌) 속칭. — *a.* ① (언어가) 제나라의. ② 제고장 말로 씌어진.

ver·nal [və́ːrnl] *a.* 봄의, 봄길은; 청춘의, 싱싱한.

vèrnal équinox 춘분(春分)(점).

ver·nal·ize [vɔ́ːrnəlàiz] *vt.* 〖農·植〗 (식물을) 춘화(春化) 처리하다, 인공적으로 발육을 촉진하다.

Verne [vəːrn/vɛən], **Jules** (1828-1905) 프랑스의 과학 소설가.

ver·ni·er [və́ːrniər] *n.* Ⓒ 아들자, 부척(副尺), 유척(遊尺) (vernier scale); 〖機〗 (조정용) 보조 장치.

vérnier éngine 부(副)엔진《장거리 탄도 미사일의 방향·속도 수정용 로켓 엔진》.

vérnier rócket 소형 보조 로켓 엔진《우주선이 연(軟)착륙·도킹할 때의 속도·궤도 수정용》.

Ver·o·nal [vérənɔ̀ːl, -nl] *n.* Ⓤ 〖商標〗 진정·수면제.

ve·ron·i·ca [viránikə/-ɔ́-] *n.* (the V-) 예수의 얼굴을 그린 헝겊; Ⓤ,Ⓒ 현삼과의 식물.

ver·ru·ca [verúːkə] *n.* (*pl.* **-cae** [-rúːsiː]) Ⓒ 〖醫〗 무사마귀; 〖動·植〗 사마귀 모양의 돌기.

·**Ver·sailles** [vərsái, vɛər-] *n.* 베르사이유《파리 근교의 도시》.

·**ver·sa·tile** [və́ːrsətl/-tail] *a.* 재주가 많은, 다예한, 다방면의; 변하기 쉬운, 변덕스러운. **~·ness** *n.* **-til·i·ty** [ㅅ-tíləti] *n.*

:**verse** [vəːrs] *a.* ① Ⓤ 시(poem), 《집합적》 시가(poetry). ② Ⓒ 시의 한 행. ③ Ⓤ 시형(詩形). ④ Ⓒ (시의) 귀절. ⑤ Ⓒ (성서의) 절. ***give chapter and ~ for*** (인용구 따위의) 출처를 명백히 하다.

versed [vəːrst] *a.* 숙달〔정통〕한, …에 환한(*in*).

ver·si·cle [və́ːrsikəl] *n.* Ⓒ 짧은 시; 〖宗〗 (예배시 목사와 신도들이 번갈아 부르는) 창화(唱和)의 단구(短句).

ver·si·fi·ca·tion [vəːrsəfikéiʃən] *n.* Ⓤ 작시(법); 시형(詩形); 음문화.

ver·si·fy [və́ːrsəfài] *vi* 시를 짓다. — *vt.* 시로 말하다, 시로 만들다; (산문을) 시로 고치다. **-fi·er** *n.* Ⓒ 시인; 엉터리 시인.

·**ver·sion** [və́ːrʒən, -ʃən] *n.* Ⓒ ① 번역, 역서(譯書). ② (예술상의) 해석(*a Dali ~ of Lady Macbeth* 달리가 묘사한 맥베스 부인). ③ (개인적인〔특수한〕 입장에서 본 어떤 사건의) 설명. ④ 〖컴〗 버전.

vers li·bre [vɛ́ər líːbrə] (F.) 자유시.

ver·so [və́ːrsou] *n.* (*pl.* **~s**) Ⓒ (책의) 왼쪽 페이지; (물건의) 이면.

verst [vəːrst] *n.* 베르스타《러시아의 옛 이정(里程), 1.067km》.

·***ver·sus*** [və́ːrsəs] *prep.* (L.) (소송·경기 등의) …대(對)《생략 v., vs.》.

ver·te·bra [və́ːrtəbrə] *n.* (*pl.* ***-brae*** [-brìː], **~s**) Ⓒ 척추골, 등뼈. **-bral** *a.*

ver·te·brate [və́ːrtəbrit, -brèit] *n., a.* Ⓒ 척추 동물; 척추〔등뼈〕가 있는.

ver·tex [və́ːrteks] *n.* (*pl.* ***~es, -tices*** [-təsìːz]) Ⓒ 최고점, 절정; 〖數〗 정점.

·**ver·ti·cal** [və́ːrtikəl] *a.* ① 수직의, 직의(opp. horizontal). ② 정상의. ③ 천정(天頂)의. ④ 〖經〗 (생산 따위의) 종(縱)으로 연결한. ⑤ 〖幾〗 정점의, 대정(對頂)의. — *n.* Ⓒ 수 선〔면·권·위〕, 세로. **~·ly** *ad.*

vértical envélopment 〖軍〗 공수 부대에 의한 포위, 입체 포위 작전.

vértical fée[illegible] 〖컴〗 세로 이동.

ver·ti·cal·i·ty [[illegible]tikǽləti] *n.* Ⓤ 수직(성), 수직 상태.

vértical táke-off (항공기의) 수직 이륙《생략 VTO》.

vértical únion 산업별 노동조합 (cf. horizontal union).

ver·tig·i·nous [vəːrtídʒənəs] (<⇩) *a.* 빙빙 도는; 어지러운; 눈이 빙빙 도는 듯한; (눈이) 아찔아찔하는. **~·ly** *ad.*

ver·ti·go [və́ːrtigòu] *n.* (*pl.* ***~es, -gines*** [vəːrtídʒənìːz]) Ⓤ,Ⓒ 〖醫〗 현기증, 어지러움.

ver·tu [vəːrtúː] *n.* =VIRTU.

verve [vəːrv] *n.* Ⓤ (예술품의) 정열, 힘, 활기.

†**ver·y** [véri] *ad.* ① 대단히, 매우. ②《강조》 참말로, 아주. ***V- fine!*** 훌륭하다, 멋지다; 《反語》 훌륭하기도 해라. ***V- good.*** 좋습니다, 알았습니다. ***V- well.*** 좋아, 알았어《마지못한 승낙》. — *a.* ① 참된, 정말의. ② 순전한. ③《강조》 바로 그, 같은. ④ …까지도. ⑤ 현실로.

véry hìgh fréquency 〖電〗 초단파《생략 VHF, vhf》.

Véry lìght [**sìgnal**] (Very pistol로 쏘아올리는) 베리식 신호광(光).

véry lòw fréquency 〖電〗 초장파《생략 VLF, vlf》.

Véry pìstol 베리식 신호 권총.

ves·i·cant [vésikənt] *a., n.* 〖醫〗 발포(發疱)하다〔시키다〕; Ⓤ,Ⓒ 발포제.

ves·i·cate [vésəkèit] *vt., vi.* 〖醫〗 발포시키다〔하다〕.

ves·i·cle [vésikəl] *n.* Ⓒ 〖醫·解·動〗 수포(水疱); 〖植〗 기포(氣泡); 〖地〗 기공(氣孔).

ves·per [véspər] *n.* (V-) 개밥바라기, 태백성(太白星); Ⓒ 《詩》 저녁, 밤; 저녁 기도; 저녁에 울리는 종; (*pl.*) 〖宗〗 만도(晩禱), 저녁 기도(의

V

시각)《canonical hours의 6회째》.
vésper bèll 저녁 기도의 종.
ves·per·tine[véspərtàin, -tì:n] *a.* 저녁의; 〖植〗 저녁에 피는; 〖動〗 저녁에 나타나는; 〖天〗 (별이) 저녁에 (사라)지는.
Ves·puc·ci[vespú:tʃi], **Amerigo** (*Americus Vespucius*) (1451-1512) 이탈리아의 항해가《'America'는 그의 이름에서 유래됨》.
:ves·sel[vésəl] *n.* Ⓒ ① 용기(容器), 그릇. ② (대형의) 배. ③ 비행선. ④ 〖解·生〗 도관(導管), 맥관(脈管). **~s of wrath** [**mercy**] 〖聖〗 노여움[자비]의 그릇《하느님의 노여움을[자비를] 받을 사람들》.
:vest[vest] *n.* Ⓒ ① 조끼. ② (여성용의 V자형) 앞장식. ③ (여성용의) 속옷. — *vt.* ① 옷을 입히다, (특히 제복을) 입히다. ② (권리 따위를) 부여하다. ③ 소유[지배]권… 귀속시키다. — *vi.* ① 제복을 …다. ② (권리·재산·따위가) 귀속하다(*in*). **~ing order** 〖法〗 권리 이…명령.
Ves·ta[véstə] *n.* 〖로神〗 베스타《난로와 그 불의 여신》; Ⓒ《英》 짧은 성냥의 일종《wax match》.
ves·tal[véstl] *a.* Vesta의; vestal virgin의[에 적합한]; 순결한, 처녀의. — *n.* =VESTAL VIRGIN; Ⓒ 처녀; 수녀(nun).
véstal vírgin 고대 로마에서 Vesta를 섬기며 제단의 성화를 지킨 처녀의 한 사람; 《비유》 순결한 여성.
vest·ed[véstid] *a.* ① (재산 등의) 귀속이 정해진, 기득의《권리, 이권 등》. ② (특히) 제의(祭衣)를 입은. **~ rights** [**interests**] 기득권[권익].
vest·ee[vestí:] *n.* Ⓒ (여성복의) 앞장식.
ves·ti·bule[véstəbjù:l] *n.* Ⓒ 현관, 문간방; 《美》 (객차의) 연랑(連廊); 〖解·動〗 전정(前庭).
véstibule schòol (공장의) 신입 공원 양성소.
véstibule tràin 《美》 각 객차의 복도가 서로 통하는 열차.
·ves·tige[véstidʒ] *n.* Ⓒ ① 흔적. ② 《보통 부정어를 수반하여》 극히 조금(*of*). ③ 〖生〗 퇴화 기관(器官). ④ 《稀》 발자취. **ves·tig·i·al**[vestídʒiəl] *a.* 흔적의; 〖生〗 퇴화한.
vest·ment[véstmənt] *n.* Ⓒ (보통 *pl.*) 의복; 〖宗〗 법의(法衣), 제복.
vést-pócket *a.* 회중용의, 아주 작은.
ves·try[véstri] *n.* Ⓒ (교회의) 제복실; 교회 부속실《주일 학교·기도회 등에 쓰이는》; (영국 국교회·미국 성공회의) 교구 위원회(教區委員會). **~·man**[-mən] *n.* Ⓒ 교구민 대표자, 교구 위원.
ves·ture[véstʃər] *n.* Ⓤ 《古·雅》 의복; 덮개, 가리개(covering).
Ve·su·vi·us[visú:viəs], **Mount** 이탈리아 남서부의 활화산.
vet[1][vet] *n.* 《口》 =VETERINARIAN.
vet[2] *n.* 《美口》 =VETERAN.
vet. veteran; veterinarian; veterinary.
vetch[vetʃ] *n.* Ⓤ 〖植〗 살갈퀴《잠두속》.
:vet·er·an[vétərən] *n.* Ⓒ ① 고참병; 노련자, 베테랑. ② 《美》 퇴역[재향] 군인. — *a.* 실전의 경험을 쌓은; 노련한.
Véterans Administràtion, the 재향 군인 보훈국《생략 VA, V.A.》.
Véterans Dày 《美》 재향 군인의 날《Armistice Day의 개칭》.
vet·er·i·nar·i·an[vètərənέəriən] *n.* Ⓒ 수의(獸醫).
vet·er·i·nar·y [vétərənèri/-nəri] *n., a.* Ⓒ 수의(獸醫)(의)(*a ~ hospital* 가축 병원).
véterinary médicine 수의학.
·ve·to[ví:tou] *n.* (*pl.* **~es**) ① Ⓤ (법안에 대한 대통령·지사 등의) 거부권; 그 행사. ② Ⓒ 부재가(不裁可) 이유의 성명. ③ Ⓒ 금지; Ⓤ 금지권. **put** [**set**] **a** [**one's**] **~ upon** …을 거부[금지]하다. — *a.* 거부(권)의. — *vt.* 거부하다, 금지하다.
véto pòwer 거부권.
:vex[veks] *vt.* ① (사소한 일로) 성나게 하다, 짜증나게[속타게] 하다; 괴롭히다. ② 《古·詩》 뒤흔들리게[들썩이게] 하다, 동요시키다, (태풍 따위가) 뒤엎다. **be ~ed at** …에 성내다, …을 분해하다. **be ~ed with** (*a person*) (아무)에게 화를 내다. **~ed**[-t] *a.* 속타는, 짜증난, 성난; 말썽 있는. **~·ed·ly**[-idli] *ad.* **~·ing** *a.* 화나는, 속상한, 성가신.
·vex·a·tion[vekséiʃən] *n.* ① Ⓤ 애탐, 애태움, 화냄, 괴롭힘, 괴로움. ② Ⓤ (정신적) 고통, 고민. ③ Ⓒ 고민거리, 귀찮은 사물. **-tious** *a.* 화나는, 짜증나는, 속타는.
VF video frequency; voice frequency. **v.f.** very fair [fine]; visual field. **VFO** variable frequency oscillator. **VFR** 〖空〗 visual flight rules. **VFW, V.F.W.** Veterans of Foreign Wars (of the U.S.). **VG, vg, v.g.** very good; *verbi gratia* (L. =for example). **VGA** 〖컴〗 Video Graphics Array.
V-girl [ví:gə̀:rl] *n.* =VICTORY GIRL.
VHF, V.H.F., vhf very high frequency. **Vi** 〖化〗 virginium. **V.I.** Virgin Islands. **v.i.** verb intransitive; *vide infra* (L. =see below).
:vi·a[váiə, ví:ə] *prep.* (L.) …경유, [...을 거쳐.
vi·a·ble[váiəbəl] *a.* 생존할 수 있는; (태아·갓난애 등이) 자랄 수 있는.
vi·a·duct[váiədʌ̀kt] *n.* Ⓒ 고가교(高架橋), 육교.
vi·al[váiəl] *n.* Ⓒ 작은 유리병, 약병(phial).
via me·di·a [-mí:diə] (L.) 중도(中道).

vi·and[váiənd] *n.* (*pl.*) 《집합적》 식품; (정선된) 음식, 성찬.
vi·at·i·cum[vaiǽtikəm] *n.* (*pl.* ***-ca***[-kə], **~*s***) Ⓒ 『가톨릭』 노자 성체(路資聖體)《임종 때의》; 『古로』 공무 여행 급여물, 여비.
vib·ist[váibist] *n.* Ⓒ 《美》 비브라폰주자(奏者).
vi·brant[váibrənt] *a.* 진동하는; 울려 퍼지는; 활기찬; 『音聲』 유성(有聲)의.
vi·bra·phone[váibrəfòun] *n.* Ⓒ 비브라폰《전기 공명 장치가 붙은 철금(鐵琴)》.
:vi·brate[váibreit/-ˊ] *vi.* ① 진동하다, 떨다. ② 감동하다. ③ 마음이 떨리다, 후들거리다. ④ (진자처럼) 흔들리다. — *vt.* ① 진동시키다. ② 감동시키다. ③ 오싹하게〔떨리게, 후들거리게〕하다. ④ (진자가) 흔들어 표시하다.
vi·bra·tile[váibrətil, -tàil] *a.* 진동할 수 있는; 진동하는; 진동의.
·vi·bra·tion[vaibréiʃən] *n.* ① Ⓤ,Ⓒ 진동, 떨림. ② Ⓒ (보통 *pl.*) 마음의 동요. ③ Ⓤ,Ⓒ 『理』 진동.
vi·bra·ti·un·cle[vaibréiʃiʌ̀ŋkl] *n.* Ⓤ,Ⓒ 가벼운 진동.
vi·bra·to[vibrɑ́:tou] *n.* (*pl.* **~*s***) (It.) Ⓤ,Ⓒ 『樂』 비브라토《소리를 떨어서 내는 효과》.
vi·bra·tor[váibreitər/-ˊ-] *n.* Ⓒ 진동하는〔시키는〕 물건; 『電』 진동기.
vi·bra·to·ry[váibrətɔ̀:ri/-təri] *a.* 진동(성)의; 진동하는〔시키는〕.
vi·bur·num [vaibə́:rnəm] *n.* Ⓒ 『植』 가막살나무속의 식물; Ⓤ 그 말린 나무 껍질《약용》.
vic[vik] *n.* Ⓒ 『英空軍』 V자형 편대(비행).
Vic. Victoria(n). **vic.** vicar(age).
·vic·ar[víkər] *n.* Ⓒ ① 『英國國教』 교구 신부. ② 『美國聖公會』 회당 신부《교구 부속의 교회를 관리함》. ③ 『가톨릭』 대리 감목(監牧), 교황 대리 감목; 대리자. **~·age**[-idʒ] *n.* Ⓒ vicar의 주택〔봉급〕; Ⓤ 그 지위〔직〕.
vícar-géneral *n.* (*pl.* ***vicars-***) Ⓒ 『英國國教』 (종교 소송 따위에 있어서의) (대)감독 대리《보통 평신도가 됨》; 『가톨릭』 대목(代牧).
vi·car·i·ous[vaikέəriəs, vik-] *a.* 대신의; 대리의; 『生』 대상(代償)의. **~·ly** *ad.* **~·ness** *n.*
:vice[1][vais] *n.* ① Ⓤ,Ⓒ 악, 사악, 부도덕, 악습. ② Ⓒ (말(馬) 따위의) 나쁜 버릇. ③ Ⓒ (인격·문장 등의) 결점.
vice[2] *n., v.* 《英》 =VISE.
vice[3][váisi] *perp.* …의 대신으로〔대리로서〕.
vice-[váis, vàis] *pref.* 관직을 나타내는 명사에 붙여서 '부(副)·대리·차(次)'의 뜻을 나타냄.
více ádmiral 해군 중장.
více-ágent *n.* Ⓒ 부대리인.
více-cháirman *n.* Ⓒ 부의장〔회장·위원장〕.
více-cháncellor *n.* Ⓒ 대학 부총장.
více-cónsul *n.* Ⓒ 부영사.
vìce·gérent *n.* Ⓒ 권한 대행자; 대리인. — *a.* 권한을 대행하는; 대리의. **-gérency** *n.* Ⓤ 권한 대행자〔대리인〕의 지위〔관구〕.
více·góvernor *n.* Ⓒ 부총독, 부지사.
více-mínister *n.* Ⓒ 차관.
·více-président *n.* Ⓒ 부통령, 부총재; 부회장〔사장·총장〕.
více-príncipal *n.* Ⓒ 부교장.
vìce·régal *a.* 부왕(副王)의, 태수〔총독〕의.
vìce-régent *n.* Ⓒ 부섭정.
vice·roy[ˊrɔi] *n.* Ⓒ 부왕(副王), 태수, 총독.
více squàd (경찰의) 풍기 단속반.
vi·ce ver·sa[váisi və́:rsə] (L.) 반대〔역으〕로; 역(逆) 또한 같음.
Vi·chy[ví:ʃi, víʃi:] *n.* 프랑스 중부의 도시; =ˊ **wàter** 비시 광천수(鑛泉水)《위장병·통풍에 좋음》.
vic·i·nage[vísənidʒ] *n.* Ⓤ 근처; 인접; Ⓒ 이웃 사람들.
vic·i·nal[vísənəl] *a.* 인근의; 한 지방의.
:vi·cin·i·ty[visínəti] *n.* Ⓤ,Ⓒ ① 근처, 근방, 주변. ② 근접(*to*).
:vi·cious[víʃəs] *a.* ① 사악한, 부도덕한, 타락한. ② 악습이 있는, (말(馬) 따위) 버릇 나쁜. ③ 악의있는. ④ 부정확한; 결함이 있는. ⑤ 지독한, 심한. **~·ly** *ad.* **~·ness** *n.*
vícious círcle 〔**cýcle**〕 『經』 악순환; 『論』 순환 논법.
vícious spíral (임금 상승과 물가 앙등의 경우와 같은) 악순환.
·vi·cis·si·tude[visísətjù:d] *n.* ① Ⓒ 변화, 변천. ② (*pl.*) 흥망, 성쇠.
:vic·tim[víktim] *n.* Ⓒ ① 희생(자), 피해자(*of*). ② 밥, 봉. ③ 산 제물. ***fall a ~ to*** …의 희생이 되다.
vic·tim·ize[víktəmàiz] *vt.* 희생으로 삼다, 괴롭히다; 속이다. **-i·za·tion**[ˌtimizéiʃən/-maiz-] *n.* Ⓒ 승리자, 정복자. — *a.* 승리(자)의.
Vic·to·ri·a[viktɔ́:riə] *n.* 영국의 여왕(1819-1901); Ⓒ (v-) 2인승 4륜 마차. ***Lake ~*** 아프리카 동부의 호수.
Victória Cróss 빅토리아 훈장《영국 최고의 무공 훈장; 생략 V.C.》.
·Vic·to·ri·an[viktɔ́:riən] *a.* ① 빅토리아 여왕(시대)의. ② 빅토리아 왕조풍의. ③ 구식인. **~ *age*** 빅토리아 왕조 시대(1837-1901). — *n.* Ⓒ 빅토리아 여왕 시대의 사람《특히 문학자》. **~·ism**[-ìzəm] *n.* Ⓤ 빅토리아 왕조풍.
:vic·to·ri·ous[viktɔ́:riəs] *a.* ① 이긴, 승리의. ② 승리를 가져오는.
:vic·to·ry[víktəri] *n.* ① Ⓤ,Ⓒ 승리. ② (V-) 『古로』 승리의 여신(상).
Víctory gàrden 《美》 가정 채소밭《제2차 대전중, 정원 따위를 채소밭으로 한 것》.

V

Víctory gìrl 〖美軍〗 (직업적이 아닌) 위안부《생략 V-girl》.
Vic·tro·la [viktróulə] *n.* Ⓒ 축음기(phonograph)《상표명》.
***vict·ual** [vítl] *n.* Ⓒ (보통 *pl.*) 식료품. — *vt., vi.* (《英》 *-ll-*) (…에게) 식량을 공급하다〔싣다〕. **~·(l)er** *n.* Ⓒ (배·군대에의) 식량 공급자; 《英》 음식점〔여관〕의 주인; 식량 운송선.
vi·cu·ña [vikjú:nə, vai-] *n.* Ⓒ 〖動〗 (남아메리카산) 라마의 종류; Ⓤ 그 털로 짠 나사(vicuña cloth).
vi·de [váidi:] *v.* (L.) 보라(see)《생략 v.》 **~ *infra*** [ínfrə] 아래를 보라. **~ *supra*** [sú:prə] 위를 보라.
vi·de·li·cet [vidéləsèt] *ad.* (L.) 즉《viz.로 생략하고 보통 namely라 읽음》.
***vid·e·o** [vídiòu] *a., n.* 〖TV〗 영상 수송(용)의; Ⓤ 비디오; 텔레비전.
vídeo adàptor 〖컴〗 영상 맞춤틀.
vídeo·cònference *n.* Ⓒ 텔레비전 회의.
vídeo mònitor 〖컴〗 영상 화면기.
vídeo·phòne *n.* Ⓒ 텔레비전 전화.
Vídeo RÀM 〖컴〗 영상 램.
vídeo recòrder 테이프식 녹화기(機).
vídeo tàpe 비디오 테이프.
vídeo·tàpe *vt.* (…을) 테이프 녹화하다.
vídeo tàpe cassétte 비디오 테이프 카세트, 녹화 카세트.
vídeo tàpe recòrder 비디오 테이프 녹화기《생략 VTR》.
vídeo tàpe recòrding 비디오 테이프 녹화.
vídeo·tèx *n.* Ⓤ 〖컴〗 비디오 텍스.
vie** [vai] *vi.* (vying***) 경쟁하다, 다투다(*with*).
Vi·en·na [viénə] *n.* 빈《오스트리아의 수도; 독일 이름 Wien》.
Viénna sáusage 비엔나 소시지.
Vi·et·minh [vìetmín, vjèt-] *n.* 베트남 독립 동맹; Ⓒ 베트남 공산 운동 지지자.
Vi·et·nam, Vièt Nám [vìetná:m, vjèt-, -nǽm] *n.* 베트남《인도차이나의 공화국》.
Vi·et(-)nam·ese [vìetnəmí:z, vjèt-] *a., n.* Ⓒ 베트남〔월남〕의 (사람).
Vietnám Wár, the 베트남 전쟁 (1954-73).
Vi·et·nik [viétnik] *n.* Ⓒ 월남 반전(反戰) 운동자.
Vi·et·vet [víetvet] *n.* Ⓒ 월남전 참전 용사.
†**view** [vju:] *n.* ① Ⓒ (*sing.*) 보기, 봄. ② Ⓤ 시력, 시계. ③ Ⓒ 보이는 것, 경치, 광경. ④ Ⓒ 풍경화〔사진〕. ⑤ Ⓒ 보기, 관찰. ⑥ Ⓒ 고찰; 생각, 의견. ⑦ Ⓤ,Ⓒ 전망, 의도, 목적, 가망, 기대. ⑧ 〖컴〗 보임. ***end in ~*** 목적. ***in ~*** 보이어, 보이는 곳에; 고려하여; 목적으로서; 기대하여. ***in ~ of*** …이〔에서〕 보이는 곳에; …을 고려하여; …때문에. ***on ~*** 전시되어, 공개하여. ***point of ~*** 견지, 견해. ***private ~*** (전람회 따위의) 비공개 전람. ***take a dim*** 〔***poor***〕 ***~ of*** 비평적으로 보다, 찬성않다. ***with a ~ to*** (do*ing*, 《俗》 do) …할 목적으로, …을 기대하여. ***with the ~ of*** (do*ing*) …할 목적으로. — *vt.* ① 보다, 바라보다. ② 관찰하다; 검사〔임검(臨檢)〕하다. ③ 이리저리 생각하다, 생각하다. ④ 《口》 텔레비전을 보다. — *vi.* 《口》 텔레비전을 보다. *** **∠·er** *n.* Ⓒ 보는 사람; 텔레비전 시청자(televiewer). **∠·less** *a.* 눈에〔눈이〕 안 보이는; 의견 없는, 선견지명이 없는.
víew finder 〖寫〗 파인더.
***view·point** [∠pɔ̀int] *n.* Ⓒ ① 견해, 견지. ② 보이는 곳.
víew·pòrt *n.* Ⓒ 〖컴〗 보임창.
view·y [vjú:i] *a.* 《口》 ① 비현실적인 (생각을 가진), 공상적인. ② 이목을 끄는; 화려한, 볼 만한.
***vig·il** [vídʒil] *n.* ① Ⓤ,Ⓒ 밤샘, 철야, 불침번. ② Ⓤ 불면. ③ (the ~) 교회 축일의 전날〔전야〕; 철야로 기도하는 밤; (보통 *pl.*) 축일 전날밤의 철야 기도.
***vig·i·lance** [vídʒələns] *n.* Ⓤ ① 경계, 조심. ② 철야, 불침번, 불면. ③ 〖醫〗 불면증.
vígilance committee 《美》 자경단(自警團).
***vig·i·lant** [-lənt] *a.* 자지 않고 지키는, 경계하는; 방심하지 않는. **~·ly** *ad.*
vig·i·lan·te [vìdʒəlǽnti] *n.* Ⓒ 《美》 「자경(自警) 단원.
vigilánte còrps 《美》 자경단.
vi·gnette [vinjét] *n.* Ⓒ 당초문(唐草紋), (책의 타이틀 페이지·장(章) 머리〔끝〕 따위의) 장식 무늬; 윤곽을 흐리게 한 그림〔사진〕; 인물 스케치. — *vt.* 장식 무늬를 달다; (인물을 뚜렷이 드러내기 위해, 초상화〔사진〕의 배경을) 바림으로 하다.
:vig·or, 《英》 **-our** [vígər] *n.* Ⓤ ① 활기, 원기; 정력; 활력. ② 〖法〗 효력, 유효성.
:vig·or·ous [vígərəs] *a.* ① 원기가 있는, 활기에 찬. ② 힘찬, 기운찬. ③ 정력적인. * **~·ly** *ad.*
***Vi·king, v-** [váikiŋ] *n.* 바이킹《8-10 세기경 유럽의 스칸디나비아 해적; 《一般》 해적.
:vile [vail] *a.* ① 대단히 나쁜〔싫은〕. ② 상스러운, 야비한. ③ 부도덕한. ④ 빈약한, 하찮은, 변변찮은. ⑤ 지독한.
vil·i·fy [víləfài] *vt.* 비난하다; 중상하다. **-fi·ca·tion** [∸–fikéiʃən] *n.* Ⓤ 비난, 중상.
***vil·la** [vílə] *n.* Ⓒ (시골·교외의 큰) 별장.
†**vil·lage** [vílidʒ] *n.* Ⓒ ① 마을, 촌(락)《town보다 작음》. ② 《집합적》 (the ~) 촌민. **:víl·lag·er** *n.* Ⓒ 마을 사람, 촌민.
***vil·lain** [vílən] *n.* Ⓒ ① 악한, 악인. ② 《諧》 놈, 이 자식〔녀석〕. ③ =VILLEIN. **~·ous** *a.* 악인의; 악인〔악당〕 같은; 비열〔악랄〕한; 매우 나쁜, 지독한. **~·y** *n.* Ⓤ 극악, 무도(無道); Ⓒ 나쁜 짓.

V

vil·lein[vílən] *n.* [C] 〖史〗 농노(農奴). **~·age** *n.* [U] 농노의 신분; 농노의 토지 보유 (조건).
Vil·lon[vi:jɔ́:ŋ], **François** (1431-63?) 프랑스의 방랑 시인.
vim[vim] *n.* [U] 힘, 정력, 활기.
vi·na·ceous[vainéiʃəs] *a.* 포도(주) 빛깔의《특히 붉은 색에 대해》.
vin·ai·grette[vìnəgrét] *n.* [C] 각성제 약병〔통〕; 냄새 맡는 약병〔통〕.
Vin·ci[víntʃi], **Leonardo da** = DA VINCI.
vin·ci·ble[vínsəbəl] *a.* 극복〔정복〕할 수 있는.
vin·di·cate[víndəkèit] *vt.* (불명예·의심 따위를) 풀다, (…의) 정당함〔진실임〕을 입증하다; 변호하다; 주장하다. **-ca·tor** *n.* [C] 옹호〔변호〕자. **-ca·tion**[⌐–kéiʃən] *n.* [U,C] 변호, 변명; 증명.
vin·di·ca·to·ry [víndikətɔ̀:ri/-təri] *a.* 옹호〔변호·변명〕하는.
vin·dic·tive[vindíktiv] *a.* 복수심이 있는, 앙심 깊은.
:**vine**[vain] *n.* [C] 덩굴(식물); 포도나무.
víne·drèsser *n.* [C] 포도(밭) 가꾸는 사람.
***vin·e·gar**[vínigər] *n.* [U] (식)초.
vin·er·y[váinəri] *n.* [C] 포도 온실; 《稀》 포도밭; [U] 《집합적》 포도나무.
***vine·yard**[vínjərd] *n.* [C] 포도밭.
vin·i·cul·ture[vínəkʌ̀ltʃər] *n.* [U] 포도 재배.
vin·om·e·ter [vainámitər, vi-/-nɔ́-] *n.* [C] 포도주 주정계(酒精計).
vi·nous[váinəs] *a.* 포도주의, 포도주 같은; 술취한.
***vin·tage**[víntidʒ] *n.* ① [C] (한 철의) 포도 수확량; 거기서 나는 포도주; (포도주 양조용의) 포도 수확. ② =VINTAGE WINE. ③ [U,C] (어떤 시기·해의) 수확, 생산품.
víntage cár (자동차의 역사에 남는 우수한) 구형 자동차《1917-30년 제》.
víntage wíne (풍작인 해에 담근) 정선(精選)한 포도주《그 해의 연호를 붙여 팖》.
víntage yéar vintage wine이 양조된 해; 대성공의 해.
vint·ner [víntnər] *n.* [C] 포도주 (도매)상.
vi·nyl**[váinəl, vínəl] *n.* [U] 〖化〗 비닐기(基); [U,C] 비닐. **~ *chloride 염화 비닐. **~ *polymer*** 비닐 중합체. **~ *resin*** 〔***plastic***〕 비닐 수지.
Vi·nyl·ite[váinəlàit] *n.* 〖商標〗 비닐라이트《레코드 등 성형품 제조용》.
vi·nyl·on[vínilɑn/-ɔn] *n.* [U] 비닐론《폴리비닐 알코올계의 합성 섬유; 의복·어망 제조용》.
Vin·yon[vínjɑn/-ɔn] *n.* 〖商標〗 비니온《합성 섬유; 어망·옷 등의 원료》.
vi·ol[váiəl] *n.* [C] 중세의 현악기.
vi·o·la[1][vióulə] *n.* [C] 〖樂〗 비올라. **~ *da gamba***[də gá:mbə] viol류의 옛날 악기(bass viol).
vi·o·la[2][váiələ] *n.* [C] 제비꽃속(屬)의 식물; (V-) 여자의 이름.
vi·o·la·ble[váiələbəl] *a.* 범할〔어길〕 수 있는; 더럽힐 수 있는.
:**vi·o·late**[váiəlèit] *vt.* ① (법률·규칙 따위를) 범하다, 깨뜨리다; 어기다. ② 침입〔침해〕하다. ③ (불법으로) 통과하다. ④ (신성을) 더럽히다, 강간〔능욕〕하다. **-la·tor** *n.* [C] 위의 행위를 하는 사람. ***-la·tion**[⌐–léiʃən] *n.* [U,C] 위반; 침해; 모독; 폭행.
:**vi·o·lence**[váiələns] *n.* [U] ① 맹렬. ② 난폭, 폭력. ③ 손해, 침해. ④ 모독. ⑤ 〖法〗 폭행.
:**vi·o·lent**[váiələnt] *a.* ① 맹렬한, 격심한. ② (언사 따위가) 과격한. ③ 난폭한, 폭력에 의한. ④ 지독한. **~ *death*** 변사, 횡사. **: ~·ly** *ad.*
:**vi·o·let**[váiəlit] *n.* ① [C] 〖植〗 제비꽃(의 꽃). ② [U] 보랏빛(bluish purple). **— *a.*** 보랏빛의, 제비꽃 향기가 나는. **~ *rays*** 자선(紫線); 《오용》 =ULTRAVIOLET rays.
:**vi·o·lin**[vàiəlín] *n.* [C] ① 바이올린. ② 현악기. ③ (관현악 중의) 바이올린 연주자. ***~·ist**[-ist] *n.*
vi·ol·ist[váiəlist] *n.* [C] viol 연주자.
vi·o·lon·cel·lo[vì:ələntʃélou, vài-] *n.* (*pl.* **~*s***) =CELLO. **-cél·list** = CELLIST.
vi·o·my·cin [vàiəmáisən] *n.* [U] 〖藥〗 비오마이신《결핵 따위에 유효한 항생 물질》.
vi·os·ter·ol[vaiástərɔ̀:l/-ɔ́stərɔ̀l] *n.* [U] 〖生化〗 비오스테롤《비타민 D를 함유하는 유상물(油狀物)》.
VIP, V.I.P. [ví:àipí:] *n.* (*pl.* **~*s***) [C] 《口》 높은 양반〔사람〕, 요인, 고관 (<*v*ery *i*mportant *p*erson).
***vi·per**[váipər] *n.* [C] ① 독사, 살무사. ② 독사〔살무사〕 같은 놈〔사람〕. **~·ous**[-əs] *a.* 살무사의〔같은〕, 독이 있는; 사악한.
vi·ra·go[virá:gou, -réi-] *n.* (*pl.* **~(*e*)*s***) [C] 잔소리 많은 여자, 표독스런 계집.
vir·e·o[víriòu] *n.* (*pl.* **~*s***) [C] 미국산 명금(鳴禽).
Vir·gil[vɔ́:rdʒil] *n.* =VERGIL.
:**vir·gin**[vɔ́:rdʒin] *n.* ① [C] 처녀, 미혼녀. ② [C] 동정(童貞)인 사람. ③ (the V-) 성모 마리아. ④ (V-) = VIRGO. **— *a.*** ① 처녀의, 처녀인, 처녀다운; 순결한. ② 아직 사용되지〔밟히지〕 않은. ③ 경험이 없는, 처음의, 신선한.
vir·gin·al[vɔ́:rdʒənl] *a.* 처녀의〔같은, 다운〕; 순결한. **— *n.*** [C] 16-7세기에 사용된 방형(方形) 무각(無脚)의 소형 피아노 비슷한 악기.
vírgin bírth 〖神〗 (예수의) 처녀 탄생설.
vírgin fórest 처녀림, 원시림.
***Vir·gin·ia**[vərdʒínjə] *n.* ① 미국 동부의 주(州)《생략 Va.》. ② [U] 이 주에서 생산되는 담배.
Virgínia créeper 〖植〗 양담쟁이.
Virgínia réel 《美》 시골춤의 일종

V

《둘씩 짝지어 2열로 춤추는》; 그 곡.
Vírgin Íslands, the 서인도 제도 중의 미국령(領) 및 영국령의 군도.
vir·gin·i·ty[vərdʒínəti] *n.* Ⓤ 처녀임, 처녀성; 순결.
vir·gin·i·um[vəːrdʒíniəm] *n.* 〖化〗 버지늄《francium의 구칭; 기호 Vi》.
Vírgin Máry 〔**Móther**〕, **the** 성모 마리아.
Vírgin Quéen, the =ELIZABETH I.
vírgin sóil 처녀지, 미개간지.
vírgin wòol 미가공 양털.
Vir·go [vəːrgou] *n.* 〖天〗 처녀자리, (황도대(黃道帶)의) 처녀궁(宮).
vir·gule[vəːrgjuːl] *n.* Ⓒ 어느 쪽 뜻을 취해도 좋음을 나타내는 사선《A and/or B=A and B 또는 A or B》.
vi·ri·cide[váiərəsàid] *n.* Ⓤ,Ⓒ 살(殺)바이러스제.
vir·i·des·cent[vìrədésənt] *a.* 담녹색〔연둣빛〕의, 녹색을 띤.
vir·ile [vírəl, -rail] *a.* 성년 남자의; 남성적인; 힘찬; 생식력이 있는. **vi·ril·i·ty**[viríləti] *n.* Ⓤ 남자다움; 힘참, 정력; 생식력.
vi·ri·on [váiəriàn/-ɔ̀n] *a.* 비리온《바이러스의 최소 단위; 핵산 분자와 단백질 분자로 됨》.
vi·rol·o·gy[vaiərálədʒi, -rɔ́l-] *n.* Ⓤ 바이러스 학(學). **-gist** *n.*
vir·tu[vəːrtúː] *n.* Ⓤ (미술품 따위의) 뛰어난 가치〔훌륭함〕; 《집합적》 미술품, 골동품; 미술품 애호. ***articles*** 〔***objects***〕 ***of*** ~ 골동품.
*__vir·tu·al__[vəːrtʃuəl] *a.* ① 사실〔실질〕상의. ② 〖理·컴〗 가상의. *__~·ly__ *ad.* 사실상.
vírtual áddress 〖컴〗 가상 번지.
vírtual displácement 〖力學〗 가상 변위(變位).
vírtual fócus 〔**ímage**〕 〖理〗 허초점〔허상(虛像)〕.
vírtual mémory 〖컴〗 가상 기억 장치.
vírtual reálity 가상 현실(감)《컴퓨터가 만든 가상 공간에 들어가, 마치 현실처럼 체험하는 기술》.
:**vir·tue**[vəːrtʃuː] *n.* ① Ⓤ 도덕적 우수성, 선량; 미덕; 고결. ② Ⓤ 정조. ③ Ⓒ 미점, 장점; 가치. ④ Ⓤ 효력, 효능. ***by*** 〔***in***〕 ~ ***of*** …의 힘으로, …에 의하여. ***make a*** ~ ***of*** NECESSITY.
vir·tu·os·i·ty [vəːrtʃuásəti/-ɔ́s-] *n.* Ⓤ 예술〔연주〕상의 묘기; 미술 취미, 골동품을 보는 안식.
vir·tu·o·so[vəːrtʃuóusou/-zou] *n.* (*pl.* **~s, -si**[-siː]) Ⓒ 미술품 감정가, 골동품에 정통한 사람; 예술(특히, 음악)의 거장(巨匠).
*__vir·tu·ous__[vəːrtʃuəs] *a.* ① 선량한, 도덕적인, 덕이 있는. ② 정숙한. **~·ly** *ad.* **~·ness** *n.*
vir·u·lent[vírjulənt] *a.* 맹독의, 치명적인; 악의에 찬; (병이) 악성인. **~·ly** *ad.* **-lence, -len·cy** *n.*
*__vi·rus__[váiərəs] *n.* Ⓒ ① 바이러스, 여과성(濾過性) 병원체. ② (정신·도덕적) 해독. ③ 〖컴〗 전산균, 셈틀균《컴퓨터의 데이터를 파괴하는 등의 프로그램》.
vírus wárfare 세균전(biological warfare).
vírus X 인플루엔자 비슷한 증상을 일으키는 정체 불명의 바이러스 병독.
vis[vis] *n.* (*pl.* ***vires***[váiəriːz]) (L. =force) Ⓒ 힘.
Vis. Viscount(ess).
*__vi·sa__[víːzə] *n.* Ⓒ (여권·서류 따위의) 배서(背書), 사증(査證). ── *vt.* (여권 따위에) 배서〔사증〕하다.
vis·age[vízidʒ] *n.* Ⓒ 얼굴, 얼굴 모습.
vis-a-vis[vìːzəvíː] *a. ad.* (F.) 마주 보는〔보아〕, 마주 대하여(*to, with*). ── *n.* Ⓒ (특히 춤에서) 마주 대하고 있는 사람; 마주 보고 앉게 된 마차〔의자〕.
Visc. Viscount(ess).
vis·cer·a [vísərə] *n. pl.* (*sing.* ***vis·cus***[vískəs]) ((the) ~) 내장(內臟).
vis·cer·al[vísərəl] *a.* ① 내장〔창자〕의; 내장을 해치는《병》. ② 《美·캐나다》 뱃속에서의; 감정적인, 본능을 드러낸; 비이성적인; 도리를 모르는.
vis·cid[vísid] *a.* 점착성의; 반유동체의. **~·i·ty**[visídəti] *n.* Ⓤ 점착(성); Ⓒ 끈적끈적한 것.
vis·cose [vískous] *n.* Ⓤ 비스코스《인견·셀로판 따위의 원료》.
vis·cos·i·ty[viskásəti/-ɔ́-] *n.* Ⓤ 점착성, 점질(粘質); 점도(粘度).
*__vis·count__ [váikàunt] *n.* Ⓒ 자작(子爵). **~·cy** *n.* Ⓤ 자작의 지위. **~·ess** *n.* Ⓒ 자작 부인〔미망인〕; 여(女)자작.
vis·cous[vískəs] *a.* 끈적이는, 점착성의; 가소성(可塑性)의.
vise, 《英》 **vice** [vais] *n., vt.* Ⓒ 〖機〗 바이스(로 죄다).
vi·sé[víːzei] *n., vt.* (F.) =VISA.
Vish·nu[víʃnuː] *n.* 〖힌두敎〗 삼대신(三大神)의 하나.
:**vis·i·ble**[vízəbəl] *a.* ① 눈에 보이는. ② 명백한. ③ 면회할 수 있는. **-bly** *ad.* 눈에 띄게; 명백히. **vis·i·bil·i·ty**[≥–bíləti] *n.* Ⓤ 눈에 보이는 것〔상태〕; Ⓤ,Ⓒ 시계(視界), 시거(視距).
vísible spéech 〖音聲〗 시화(視話)(법)《음성 기호 체계의 하나》.
Vis·i·goth[vízəgàθ/-gɔ̀θ] *n.* Ⓒ 서(西)고트 사람.
:**vi·sion**[víʒən] *n.* ① Ⓤ 시력, 시각. ② Ⓒ 광경, 아름다운 사람〔광경〕. ③ Ⓤ 상상력, (미래) 투시력, 예언력. ④ Ⓒ 환영; 환상; 허깨비, 유령. ***see*** **~s** 꿈을 갖다; 미래의 일을 상상하다.
*__vi·sion·ar·y__[víʒənèri/-nəri] *a.* ① 환영의, 환영으로 나타나는. ② 공상적인, 비현실적인; 환상에 잠기는. ── *n.* Ⓒ 환영을 보는 사람; 공상가.
vísion-mixer *n.* Ⓒ 〖TV〗 영상 믹

V

서《영상을 혼합하거나 조정하는 장치〔사람〕》.

†**vis·it**[vízit] *vt.* ① 방문하다; 문병하다. ② 체재하다, 손님으로 가다. ③ 구경〔보러〕 가다; 시찰 가다; 왕진하다. ④ (병·재해 따위가) 닥치다; (재난을) 당하게〔입게〕 하다. — *vi.* ① 방문하다; 구경하다; 체재하다. ②《美口》 지껄이다, 애기하다(chat) (∼ *over the telephone* 전화로 이야기하다). ∼ ***with***《美口》 …에 체재하다. — *n.* Ⓒ ① 방문; 문병; 구경; 시찰; 왕진; 체재. ②《美口》(허물 없는) 이야기, 담화. ***pay a*** ∼ 방문하다.

vis·i·tant[vízətənt] *n.* Ⓒ 방문자; 철새. — *a.*《古》 방문하는.

˙**vis·it·a·tion**[vìzətéiʃən] *n.* ① Ⓒ 방문. ② Ⓒ(고관·고위 성직자 등의) 시찰, 순시; 선박 임검. ③ (V-) 성모 마리아의 Elizabeth 방문, 그 축일《7월 2일》. ④ Ⓒ 천벌; 천혜(天惠).

vis·it·a·to·ri·al[vìzətətɔ́ːriəl] *a.* 방문의; 순시〔시찰〕의; 임검의.

vis·it·ing[vízitiŋ] *n., a.* 방문의; Ⓤ 방문〔체재·시찰〕(하는).

vísiting-bóok *n.* Ⓒ 방문처〔내객〕 방명록.

vísiting càrd《주로 英》 명함.

vísiting dày 면회일, 접객일.

vísiting fíreman《美口》 귀한 손님〔시찰 단원〕; 돈 잘쓰는 여행자.

vísiting núrse 방문〔순회〕 간호사.

vísiting proféssor (타대학으로부터의) 객원 교수.

vísiting téacher (등교 못 하는 아동을 위한) 가정 방문 교사.

†**vis·i·tor**[vízitər] *n.* Ⓒ ① 방문자, 문병객, 체재객; 관광객. ② 순시자; (대학의) 장학사.

vísitors' bòok《英》 숙박자 명부, 내객 방명록.

vi·sor[váizər] *n.* Ⓒ (투구의) 얼굴 가리개; (모자의) 챙; 마스크, 복면.

˙**vis·ta**[vístə] *n.* Ⓒ ① (가로수·거리 따위를 통해 본 좁은) 전망, 멀리 보이는 경치; (툭 터진) 가로수 길, 거리. ② 예상; 전망.

vísta dòme (열차의) 전망대.

Vísta Vìsion〖商標〗 비스타 비전《와이드 스크린 방식의 일종》.

˙**vis·u·al**[víʒuəl] *a.* 시각의, 시각에 인식되는; 보기 위한; 눈에 보이는. ∼·**ly** *ad.*

vísual acùity 시력(視力).

vísual áids 시각 교육용 기구.

vísual displáy (ùnit)〖컴〗 영상 표시 (장치).

vísual flýing 유시계(有視界) 비행.

˙**vis·u·al·ize**[víʒuəlàiz] *vi., vt.* 눈에 보이게 하다; 생생하게 마음속에 그리다. **-i·za·tion**[⌐–əlizéiʃən] *n.* Ⓤ 구상화하기; Ⓒ 시각화한 사물.

vísual púrple〖生化〗 시홍(視紅).

vísual shòw 공개 방송.

Vi·ta·glass [váitəglæ̀s, -ɑ̀ː-] *n.*〖商標〗 바이타글라스《자외선 투과 유리》.

:**vi·tal**[váitl] *a.* ① 생명의〔에 관한〕; 생명이 있는, 살아 있는; 생명 유지에 필요한. ② 대단히 필요〔중요〕한; 치명적인. ③ 활기에 찬, 생생한. — *n.* (*pl.*) ① 생명 유지에 필요한 기관《심장·뇌·폐 따위》. ② 급소, 핵심. ∼·**ism**[-ìzəm] *n.* Ⓤ〖哲〗 활력론;〖生〗 생명력설. ˙∼·**ly** *ad.* 중대하게, 치명적으로.

vítal capácity 폐활량(肺活量).

vítal fórce 생명력, 활력.

˙**vi·tal·i·ty**[vaitǽləti] *n.* Ⓤ 생명력, 활력, 활기, 원기; 활력.

vi·tal·ize[váitəlàiz] *vt.* (…에게) 생명을 주다; (…에) 생기를 주다, 원기를 북돋우다.

Vi·tal·li·um[vaitǽliəm] *n.*〖商標〗 바이탤륨《코발트와 크롬의 합금; 치과·외과 의료, 공업 주조(鑄造)에 씀》.

vítal pówer 생명력.

vítal sígns 생명 징후《맥·호흡·체온 및 혈압》.

vítal statístics 인구 동태 통계.

vítal wòund 치명상.

:**vi·ta·min(e)**[váitəmin/vít-] *n.* Ⓒ 비타민.

vi·ta·min·ize[váitəminàiz] *vt.* (음식 등에) 비타민을 첨가(보강)하다, 강화하다.

vi·ta·min·ol·o·gy [vàitəminɑ́lədʒi/-ɔ́-] *n.* Ⓤ 비타민학.

vi·ta·scope[váitəskòup] *n.* Ⓒ (발명 초기의) 영사기.

vi·tel·lin [vitélin, vai-] *n.* Ⓤ〖化〗 난황소(卵黃素).

vi·tel·line[vitélin, vai-] *a.* 난황의; 난황색의.

vi·tel·lus [vitéləs] *n.* Ⓒ 난황, 노른자.

vi·ti·ate[víʃièit] *vt.* (…의) 질을 손상시키다, 나쁘게 하다, 더럽히다, 썩이다; 무효로 하다. **vi·ti·a·tion**[⌐–éiʃən] *n.*

vi·ti·cul·ture[vítəkʌ̀ltʃər] *n.* Ⓤ 포도 재배.

vit·i·li·go[vìtəlíːgou, -lái-] *n.* Ⓤ〖病〗 백버짐.

vit·re·ous[vítriəs] *a.* 유리의; 유리 같은; 유리질의.

vítreous húmo(u)r (눈알의) 유리액(液).

vi·tres·cent[vitrésnt] *a.* 유리질로 되는; 유리질의(glassy).

vit·ri·form[vítrəfɔ̀ːrm] *a.* 유리 모양의.

vit·ri·fy[vítrəfài] *vt., vi.* 유리화하다, 유리 모양으로 하다〔되다〕. **vit·ri·fac·tion**[⌐–fǽkʃən], **vit·ri·fi·ca·tion**[⌐–fikéiʃən] *n.* Ⓤ 유리화; 투명; Ⓒ 유리화된 것.

vit·ri·ol[vítriəl] *n.* Ⓤ〖化〗 황산염, 반류(礬類); 황산; 신랄한 말〔비꼼〕. ***blue*** 〔***copper***〕 ∼ 담반(膽礬), 황산동. ***green*** ∼ 녹반(綠礬), 황산철(鐵). ***oil of*** ∼ 황산. ***white*** ∼ 호반(皓礬), 황산아연. ∼·**ic**[⌐–ɑ́lik/-ɔ́-] *a.* 황산의〔같은〕; 황산에서 얻어지는; 통렬한.

vit·ta [vítə] *n.* (*pl.* ***-tae***[-tiː]) Ⓒ〖植〗 유관(油管);〖動〗 색대(色帶); (세로) 줄무늬.

V

vi·tu·per·ate[vaitjú:pərèit, vi-] *vt.* 욕(설)하다. **-a·tive**[-rèitiv] *a.* **-a·tion**[-⌐-éiʃən] *n.*
vi·va[váivə] *n., vt.* Ⓒ 구두 시험[시문(試問)](을 하다).
vi·va[ví:və] *int., n.* (It.) Ⓒ 만세「(소리).
vi·va·ce [vivá:tʃei] *ad., a.* (It.) 〖樂〗 비바체, 활발하게[한].
vi·va·cious[vivéiʃəs, vai-] *a.* 활발한, 명랑한. **~·ly** *ad.* **vi·vac·i·ty** [-vǽsəti] *n.*
vi·van·dière[vì:vɑ̃:ndiέər] *n.* (F.) Ⓒ (프랑스 군대의) 종군 여상인.
vi·var·i·um [vaivέəriəm] *n.* (*pl.* **~s, -ia**[-iə]) Ⓒ (자연적 서식 상태로 한) 동물 사육장, 식물 재배소.
vi·va vo·ce[váivə vóusi] (L.) 구두(口頭)로[의]; 구술 시험.
vive[vi:v] *int.* (F.) 만세.
‡**viv·id**[vívid] *a.* ① (색·빛 등이) 선명한, 산뜻한. ② (기억 따위가) 똑똑한; 생생한. * **~·ly** *ad.* **~·ness** *n.*
viv·i·fy[vívəfài] *vt.* (…에) 생기를 주다, 활기[원기]를 띠게 하다.
vi·vip·a·rous[vaivípərəs, vi-] *a.* 〖動〗 태생(胎生)의(cf. oviparous).
viv·i·sect[vívəsèkt, ⌐-⌐] *vt., vi.* 산채로 해부하다; 생체 해부를 하다. **-sec·tion**[⌐-sékʃən] *n.* Ⓤ 생체 해부. **-sec·tor** *n.* Ⓒ 생체 해부자.
vix·en[víksən] *n.* Ⓒ 암여우; 쨍쨍대는[짓궂은] 여자. **~·ish** *a.* 쨍쨍대는, 짓궂은.
Vi·yel·la[vaijélə] *n.* 〖商標〗 비옐라 《면모(綿毛) 혼방의 능직물》.
viz. *videlicet* (L. =namely).
viz·ard[vízərd] *n.* =VISOR.
vi·zi(e)r[vizíər, vízjər] *n.* Ⓒ (이슬람교 여러 나라의) 고관, 장관. ***grand*** ~ (터키 등의) 수상.
vi·zor[váizər] *n.* =VISOR.
V-J Dày (2차 대전의) 대일(對日) 전승 기념일《미국 1945년 8월 14일, 영국 8월 15일》.
V.L. Vulgar Latin.
Vla·di·vos·tok [vlæ̀divástɑk/-vɔ́stɔk] *n.* 블라디보스톡《러시아 남동부의 군항》.
V.L.F. very low frequency. **VLSI** very large scale integration 초대규모 집적 회로.
V-mail [ví:mèil] (< *Victory mail*). *n.* Ⓤ V우편《2차 대전시 미 본토와 해외 장병간의 마이크로필림을 통한 우편》.
V nèck (의복의) V 꼴 깃.
vo·ca·ble[vóukəbəl] *n.* Ⓒ (뜻을 고려 않고, 소리의 구성으로서 본) 단어집.
‡**vo·cab·u·lar·y** [voukǽbjəlèri/-ləri] *n.* ① Ⓤ,Ⓒ 어휘. ② Ⓒ (알파벳순의) 단어집.
vocábulary èntry (사전·단어집 따위의) 표제어.
‡**vo·cal**[vóukəl] *a.* ① 목소리의, 음성의[에 관한]. ② 목소리를 내는, 구두(口頭)의; (흐르는 물 등이) 속삭이는, 소리 나는. ③ 〖樂〗 성악의; 〖音聲〗 유성음의. ~ ***music*** 성악. — *n.* Ⓒ 목소리. **~·ist** *n.* **~·ly** *ad.*
vócal còrds [**chòrds**] 성대.
vo·cal·ic[voukǽlik] *a.* 모음(성)의; 모음이 많은.
vo·cal·ize[vóukəlàiz] *vt.* 목소리로 내다, 발음하다; 〖音聲〗 모음[유성]화하다. — *vi.* 발성하다, 말하다, 노래하다, 소리치다. * **-i·za·tion**[⌐-izéiʃən] *n.*
***vo·ca·tion**[voukéiʃən] *n.* ① Ⓒ 직업, 장사. ② Ⓤ 〖宗〗 신(神)의 부르심, 신명(神命). ③ Ⓤ (특정 직업에 대한) 적성, 재능. ④ Ⓒ 천직, 사명.
***vo·ca·tion·al**[-əl] *a.* 직업(상)의; 직업 보도의.
vocátional diséase 직업병.
vocátional educátion 직업 교육.「[보도].
vocátional guídance 직업 지도
voc·a·tive[vákətiv/vɔ́-] *n., a.* Ⓒ 〖文〗 호격(呼格)(의).
vo·cif·er·ant[vousífərənt] *a., n.* Ⓒ 큰 소리로 떠드는 (사람).
vo·cif·er·ous[vousífərəs] *a.* 큰 소리로 외치는, 시끄러운. **~·ly** *ad.*
vo·cod·er[vóukòudər] *n.* Ⓒ 보코더《음성을 분석·재구성하여 송신하는 장치》.
vod·ka [vádkə/vɔ́-] *n.* Ⓤ 보드카《러시아의 화주(火酒)》.
vogue**[voug] *n.* ① (the ~) 유행. ② (a ~) 인기. ***be in ~ 유행하고 있다. ***be out of*** ~ (유행·인기가) 없어지다. ***bring*** [***come***] ***into*** ~ 유행시키다[되기 시작하다].
†**voice**[vɔis] *n.* ① Ⓤ,Ⓒ (인간의) 목소리, 음성; (새의) 울음 소리. ② Ⓒ (바람·파도와 같은 자연물의) 소리. ③ Ⓤ 발성력, 발언력; 표현; (표명된) 의견, 희망. ④ Ⓤ 발언권, 투표권(*in*); Ⓒ 가수(의 능력); 〖樂〗 (성악·기악곡의) 성부(聲部). ⑤ Ⓒ 〖文〗 태(態); Ⓤ 〖音聲〗 유성음(有聲音). ***be in*** (***good***) ~ (성악가·연설가 등의) 목소리가 잘 나오다. ***find one's*** ~ 입밖에 내서 말하다, 용기를 내서 말하다. ***give*** ~ ***to*** (…을) 입밖에 내다. ***lift up one's*** ~ 소리치다; 항의하다. ***mixed*** **~s** 〖樂〗 혼성. ***raise one's*** **~s** 언성을 높이다. ***with one*** ~ 이구동성으로. — *vi.* ① 목소리를 내다, 말로 나타내다. ② 〖音聲〗 유성음으로 (발음)하다. **~d**[-t] *a.* 목소리로 낸; 〖音聲〗 유성음의.
vóice-bòx *n.* Ⓒ 후두(喉頭) (larynx).
***vóice·less** *a.* 목소리가 없는; 무음의, 벙어리의; 〖音聲〗무성음의. **~·ly** *ad.*
Vóice of América 미국의 소리 방송《생략 VOA》.
vóice-òver *n.* Ⓒ (TV 따위의 화면 밖의) 해설 소리.
vóice·prìnt *n.* Ⓒ 성문(聲紋).「식.
vóice recognítion 〖컴〗 음성 인
vóice vòte 발성 투표《찬부를 소리

의 크기에 따라 의결함》.
:void[vɔid] *a.* ① 빈, 공허한; (집·토지 따위가) 비어 있는. ② (…이) 없는, 결한(*of*). ③ 무익한; 〖法〗 무효의. — *n.* (a ~) 빈 곳; (the ~) 공간; (a ~) 공허(감). — *vt.* 무효로 하다, 취소하다; 배설하다, 비우다. **∠·a·ble** *a.* 무효로 할 수 있는; 배출〔배설〕할 수 있는.
void·er[vɔ́idər] *n.* Ⓒ 무효로 하는 사람.
voile[vɔil] *n.* Ⓤ 보일《엷은 직물》.
vol. volcano; volume; volunteer.
vo·lant[vóulənt] *a.* 나는, 날 수 있는; 〖紋〗 나는 모습의; 쾌속의.
Vo·la·pük[vòuləpjú:k, váləpùk/vɔ́ləpùk] *n.* Ⓤ 볼라퓍《1879년경 독일인 J.M. Scheleyer가 창시한 국제어》.
vol·a·tile**[válətil/vɔ́lətàil] *a.* ① 휘발성의. ② 쾌활한; 변덕스러운; 일시적인, 덧없는. ③ 〖컴〗 (기억이) 휘발성의《전원을 끄면 데이터가 소실되는》(~ ***memory 휘발성 기억 장치). **-til·i·ty**[≃–tíləti] *n.*
vol·a·til·ize [válətəlàiz/vɔlǽ-] *vt., vi.* 기화〔증발〕시키다〔하다〕. **-i·za·tion**[≃––izéiʃən] *n.*
***vol·can·ic**[valkǽnik/vɔl-] *a.* ① 화산(성)의; 화산이 있는. ② (성질 따위가) 폭발성의, 격렬한.
volcánic gláss 흑요석(黑曜石).
vol·can·ism[válkənìzəm/vɔ́-] *n.* Ⓤ 화산 활동〔현상〕.
:vol·ca·no[valkéinou/vɔl-] *n.* (*pl.* ~(*e*)*s*) Ⓒ 화산. ***active*** 〔***dormant, extinct***〕 ~ 활〔휴, 사〕화산.
vol·can·ol·o·gy [vàlkənálədʒi/vɔ̀lkənɔ́l-] *n.* Ⓤ 화산학.
vole[1] [voul] *n.* Ⓒ 들쥐류(類).
vole[2] *n.* 〖카드〗 전승(全勝). ***go the ~*** 건곤일척의 승부를 하다; 여러 가지로 해보다.
Vol·ga[válgə/vɔ́-] *n.* (the ~) 카스피해로 흘러드는 러시아 서부의 강.
vo·li·tion[vou*l*íʃən] *n.* Ⓤ 의지의 작용, 의욕; 의지력, 의지, 결의; 선택. **~·al** *a.* 의지의, 의욕적인.
Volks·lied [fɔ́:lkslì:t, -lì:d] *n.* (G.) Ⓒ 민요.
volks · wa·gen[fɔ́:lksvà:gən] (G. =folk's wagon) *n.* Ⓒ 폴크스바겐《독일(제)의 대중용 자동차》.
***vol·ley**[váli/vɔ́-] *n.* Ⓒ ① 일제 사격; 빗발치듯하는 탄환〔화살·돌〕; (질문·욕설의) 연발. ② 〖테니스·蹴〗 발리《공이 땅에 닿기 전에 치거나 차보내기》. — *vt.* ① 일제 사격하다; (질문 따위를) 연발하다. ② 발리로 되치다〔되차다〕. — *vi.* ① 일제히 발사되다. ② 발리를 하다.
:vólley·bàll *n.* Ⓤ 배구; Ⓒ 그 공.
vol·plane[válplèin/vɔ̀-] *n., vi.* Ⓒ 〖空〗 (엔진을 멈추고) 활공(하다).
vols. volumes.
Vol·stead·ism[válstedìzəm/vɔ́l-] *n.* Ⓤ 주류 판매 금지주의〔정책〕.
***volt**[voult] *n.* Ⓒ 〖電〗 볼트. **~·age** [∠idʒ] *n.* Ⓤ,Ⓒ 전압(電壓)(량).
vol·ta·ic[valtéiik/vɔl-] *a.* 유전기(流電氣)의〔를 발생하는〕.
voltáic báttery 볼타 전지.
voltáic céll 전지.
Vol·taire [valtɛ́ər, voul-/vɔl-], **François Marie Aroute de** (1694-1778) 프랑스의 풍자가·계몽사상가《*Candide* (1759)》.
vol·tam·e·ter [valtǽmitər/vɔl-] *n.* Ⓒ 〖電〗 전량계(電量計).
vólt-ámpere *n.* Ⓒ 〖電〗 볼트암페어《생략 VA》.
volte-face[vàltəfá:s, vɔ̀(:)l-] *n.* (F.) Ⓒ 방향 전환; (의견·정책 따위의) 전향.
vólt·mèter *n.* Ⓒ 전압계.
vol·u·ble [váljəbəl/vɔ́-] *a.* 수다스러운, 입심 좋은, 말 잘 하는, 유창한. **-bly** *ad.* **~·ness** *n.* **-bil·i·ty** [≃–bíləti] *n.*
:vol·ume[váljum/vɔ́-] *n.* ① Ⓒ 권(券); 책, 서적. ② Ⓤ 체적, 부피; 용적; 양(量); 음량. ③ Ⓒ 큰 덩어리, 대량. ④ Ⓤ 〖컴〗 용량, 부피, 볼륨. ***speak ~s*** 웅변으로 말하다, 의미 심장하다.
vol·u·me·nom·e·ter [vàljəmənámitər/vɔ̀ljuminɔ́mi-] *n.* Ⓒ 배수용적계〔체적계〕.
vólume-prodúce *vt.* 대량 생산하다.
vol·u·met·ric[vàljəmétrik/vɔ̀-], **-ri·cal**[-əl] *a.* 용적〔체적〕 측정의.
***vo·lu·mi·nous**[vəlú:mənəs] *a.* ① (부피가) 큰 책의; 권수가 많은; 큰 부수(部數)의. ② 저서가 많은, 다작의. ③ 풍부한; 부피가 큰.
:vol·un·tar·y[váləntèri/vɔ́ləntəri] *a.* ① 자유 의사의, 자발적인. ② 의지에 의한; 임의의, 지원〔자원〕의. ③ 〖生〗 수의적인. ~ ***muscle*** 〖解〗 수의근(隨意筋). ~ ***service*** 지원병역. — *n.* Ⓒ 자발적 행위; (교회에서 예배의 전, 중간, 후의) 오르간 독주. **-tar·i·ly** *ad.* 자발적으로. **-ta·rism**[-tərìzəm] *n.* Ⓤ 〖哲〗 주의설(主意說); 자유 지원제.
vóluntary convéyance 〔**dis·posítion**〕 〖法〗 임의〔무상〕 양도.
:vol·un·teer[vàləntíər/vɔ̀l-] *n.* Ⓒ 유지(有志), 지원자〔병〕. — *a.* 유지의; 지원병의; 자발적인. — *vt.* 자발적으로 나서다; 지원하다(*to do*). — *vi.* 자진해서 일을 맡다; 지원병이 되다(*for*).
vo·lup·tu·ar·y[vəlʌ́ptʃuèri/-əri] *n.* Ⓒ 주색〔육욕〕에 빠진 사람.
vo·lup·tu·ous[vəlʌ́ptʃuəs] *a.* 오관(五官)의 즐거움을 찾는, 관능적 쾌락에 빠진; 육욕을 자극하는; 관능적인, (미술·음악 따위) 관능에 호소하는. **~·ly** *ad.* **~·ness** *n.*
vo·lute[vəlú:t] *n., a.* Ⓒ 〖建〗 (이오니아 및 코린트식 기둥머리 장식의) 소용돌이 모양; 소용돌이(의).
***vom·it**[vámit/vɔ́-] *vt.* ① (먹은 것을) 게우다. ② (연기 따위를) 내뿜다;

V

(욕설을) 퍼붓다. — *vi.* 토하다; (화산이) 용암 따위를 분출하다. — *n.* Ⓒ 게움, 구토; Ⓤ 구토물, 게운 것; 토제(吐劑).

vom·i·to·ri·um [vàmətɔ́:riəm/vɔ̀m-] *n.* Ⓒ (고대 건축물의) 출입구.

vom·i·to·ry [vάmətɔ̀:ri/vɔ́mitəri] *a.* 《古》 구토증을 나게 하는. — *n.* Ⓒ (연기 등을) 빼내는 곳; =VOMITORIUM.

von [fan, 弱 fən/-ɔ-] *prep.* (G.) =from, of《독일인의 성(姓) 앞에 쓰이며, 흔히 귀족 출신임을 나타냄》.

V-one [ví:wʌ́n] *n.* 보복 병기 제1호《제2차 대전 때의 독일의 로켓 폭탄》.

von Néumann compùter [van njú:mən-, -nɔ́imən-] *n.* 〖컴〗 노이만형 전산기《von Neumann이 제안한 기본 구성을 지닌 컴퓨터; 현재 대개 이 형임》.

voo·doo [vú:du:] *n.* (*pl.* **~s**) Ⓤ 부두교(敎)《아프리카에서 발생하여 서인도 제도, 미국 남부의 흑인들이 믿는 원시 종교》; Ⓒ 부두 도사(道士). — *a.* 부두교의. **~·ism** [-ìzəm] *n.* Ⓤ 부두교.

vo·ra·cious [vouréiʃəs] *a.* 게걸스레 먹는, 대식(大食)하는; 대단히 열심인, 물릴 줄 모르는. **~·ly** *ad.* **~·ness** *n.* **vo·rac·i·ty** [-rǽsəti] *n.*

vor·tex [vɔ́:rteks] *n.* (*pl.* **~es, -tices** [-təsì:z]) Ⓒ (물·공기 따위의) 소용돌이; (the ~)(사회적·지적(知的) 운동 등의) 소용돌이.

vor·ti·cal [vɔ́:rtikəl] *a.* 소용돌이치는, 소용돌이 같은, 선회하는. **~·ly** *ad.*

Vos·tok [vɔ́:stak/vɔstɔ́k] *n.* (Russ. =east) 보스토크《러시아가 발사한 일련의 유인 위성》. 「여성.

vo·ta·ress [vóutəris] *n.* votary의

vo·ta·ry [vóutəri], **vo·ta·rist** [vóutərist] *n.* Ⓒ 종교적 생활을 하겠다고 맹세한 사람, 독신자; 열성가.

:vote [vout] *n.* ① Ⓒ 찬부 표시, 투표; (the ~) 투표〔선거〕권. ② Ⓒ 표결 사항; 투표수; 투표인; 투표 용지. — *vi.* 투표로 결정하다〔지지하다〕; 《口》 (세상 여론이) 평하다, 결정하다; 《口》 제의하다. ~ ***down*** (투표에 의해) 부결하다. ~ ***in*** 선거하다. ***vót·er** *n.* Ⓒ 투표자; 유권자. **vót·ing** *n.* Ⓤ 투표.

vóting machìne 자동 투표 기록 계산기.

vóting páper 《英》 투표 용지.

Vóting Ríghts Àct 《美》 (흑인 및 소수 민족의) 투표권 법안《1965년 성립》.

vo·tive [vóutiv] *a.* (맹세를 지키기 위해) 바친; 기원의.

vo·tress [vóutris] *n.* 《古》 =VOTARESS.

***vouch** [vautʃ] *vi.* 보증하다; 확증하다(*for*). **∠·er** *n.* Ⓒ 보증인; 증거물, 증빙 서류; 영수증.

vouch·safe [vautʃséif] *vt.* 허용하다, 주다, 내리다. — *vi.* …해 주시다(*to* do).

:vow [vau] *n.* Ⓒ (신에게 한) 맹세, 서약, 서원(誓願). ***take ~s*** 종교단의 일원이 되다. ***under a ~*** 맹세를 하고. — *vt., vi.* 맹세하다; (…을) 할〔줄〕 것을 맹세하다; 단언하다.

:vow·el [váuəl] *n.* Ⓒ 모음(자).

vówel gradátion 〖言〗 모음 전환.

vówel hármony 모음 조화.

vówel mutátion 〖言〗 =UMLAUT.

vówel pòint (헤브라이어·아랍어 등의) 모음 부호.

vox [vaks/-ɔ-] *n.* (*pl.* ***voces*** [vóusi:z]) (L.) Ⓒ 목소리, 음성; 말. ~ ***populi*** [pάpjəlài/-ɔ́-] 민성(民聲), 여론.

:voy·age [vɔ́iidʒ] *n.* Ⓒ (먼 거리의) 항해. — *vi., vt.* 항해하다. **vóy·ag·er** *n.* Ⓒ 항해자.

vo·ya·geur [vwὰ:jα:ʒɔ́:r] *n.* (F.) Ⓒ 캐나다 변지(邊地)를 도보〔카누〕 여행한 프랑스계(系) 캐나다인《특히 털가죽이나 사람을 운송하던 뱃사공》.

vo·yeur [vwa:jɔ́:r] *n.* (F.) Ⓒ 관음자(觀淫者).

V.P. Vice-President.

V-pàrticles *n. pl.* 〖理〗 V입자.

VR virtual reality; voltage regulator. 「소리》.

vroom [vru:m] *n.* Ⓒ 부릉부릉《엔진

vs. versus. **V.S.** Veterinary Surgeon. **v.s.** *vide supra* (L.=see above).

V-sìgn *n.* Ⓒ 승리의 사인《집게손가락과 가운뎃손가락으로 만들어 보이는 V자》.

V/STOL [ví:stoul] vertical short takeoff and landing (aircraft) 수직 단거리 이착륙(기). **Vt.** Vermont. **V-T** 《英》 video tape. **v.t., vt.** verb transitive. **VTO** vertical takeoff 수직 이륙(기).

VTOL [ví:tɔ̀:l/-tɔ̀l] *n.* Ⓤ 수직 이착륙; Ⓒ 수직 이착륙기(<*v*ertical *t*ake*o*ff and *l*anding).

V-twó *n.* 보복 병기 제2호《제2차 대전 때의 독일의 로켓 폭탄》.

VTR video tape recording 〔recorder〕. **Vul., Vulg.** Vulgate.

Vul·can [vʌ́lkən] *n.* 〖로神〗 불(火)과 대장일의 신. 「EBONITE.

vul·can·ite [vʌ́lkənàit] *n.* =

vul·can·ize [vʌ́lkənàiz] *vt.* (고무를) 유황 처리하다, 경화하다. **-i·zation** [∸-izéiʃən] *n.*

:vul·gar [vʌ́lgər] *a.* ① 상스러운, 야비〔저속〕한. ② 일반의, 통속적인; (상류 계급에 대해) 서민의; 일반 대중의. ***the ~ (herd)*** 일반 대중. **~·ism** [-ìzəm] *n.* Ⓤ 속악(俗惡), 상스러움; Ⓤ,Ⓒ 저속한 말. **~·ly** *ad.*

vul·gar·i·an [vʌlgέəriən] *n.* Ⓒ 상스러운 사람, 속인; 상스러운〔야비한〕 어정뱅이.

vul·gar·i·ty [vʌlgǽrəti] *n.* Ⓤ 속악

V

(俗惡), 상스러움, 예의 없음, 야비함.
vul·gar·i·ze[vʌ́lgəràiz] *vt.* 속되게 하다; 대중화(大衆化)하다. **-za·tion** [∸–izéiʃən/-raiz-] *n.*
Vúlgar Látin 통속 라틴어.
Vul·gate[vʌ́lgeit, -git] *n.* 불가타 성서《4세기에 된 라틴어역(譯) 성서; 가톨릭교회에서 사용》; (the v-) 통속어(通俗語).
vul·ner·a·ble[vʌ́lnərəbəl] *a.* 부상하기[다치기] 쉬운, 공격 받기 쉬운; (비난·유혹·영향 따위를) 받기 쉬운, 약점이 있는(*to*); 〖카드놀이〗(세판 승부 브리지에서 한 번 이겼기 때문에) 두 배의 벌금을 짊어질 위험이 있는 (입장의). ~ ***point*** 약점. **-bil·i·ty** [∸–bíləti] *n.*
vul·ner·ar·y[vʌ́lnərèri/-rə-] *a.* 상처에 잘 듣는.
vul·pine[vʌ́lpain] *a.* 여우의[같은] (foxy), 교활한(sly). 「심쟁이.
***vul·ture**[vʌ́ltʃər] *n.* Ⓒ 독수리; 욕
vul·tur·ine[vʌ́ltʃəràin], **vul·tur·ous**[-rəs] *a.* 독수리 같은; 탐욕스러운.
vul·va[vʌ́lvə] *n.* (*pl.* ***-vae***[-vi:], **~*s***) Ⓒ 〖解〗 음문(陰門).
V.V.S.O.P very very superior old pale《보통 25~40년 된 브랜디의 표시》.
Vy·cor[váikɔ:r] *n.* 〖商標〗 바이코어 유리《단단한 내열(耐熱) 유리이며 실험용 기구 제조 등에 쓰임》.
vy·ing[váiiŋ] (<vie) *a.* 다투는, 경쟁하는. **~·ly** *ad.*

W

W, w [dʌ́blju(:)] *n.* (*pl.* ***W's, w's*** [-z]) Ⓒ W자 모양의 것.
W watt; 〖化〗 wolfram (G. =tungsten). **W, W., w.** west(ern). **W.** Wales; Wednesday; Welsh. **w.** week(s); wide; wife; with.
W.A. West Africa. **WAAF** 《英》 Women's Auxiliary Air Force.
WAAS 《英》 Women's Auxiliary Army Service. 「BLE.
wab·ble[wɑ́bəl/-ɔ́-] *v., n.* =WOB-
WAC[wæk] (<*W*omen's *A*rmy *C*orps) *n.* Ⓒ 《美》 육군 여군 부대(원).
wack[wæk] *n.* Ⓒ 《俗》 괴이한 사람, 기인. ***off one's ~*** 《俗》 미친, 머리가 돈.
wack·y[wǽki] *a.* 《美俗》 괴팍한; 광기가 있는. 「League.
WACL World Anti-Communist
wad[wɑd/-ɔ-] *n.* Ⓒ (부드러운 것의) 작은 뭉치; 접고난 겸; (가득 찬) 뭉치, 덩어리; 채워[메워] 넣는 물건[솜]; 장전된 탄환을 고정시키는 충전물; 지폐 뭉치; 《美俗》 다액의 돈. — *vt.* (***-dd-***) 작은 뭉치로 만들다; 채워 넣다; (총에) 알마개를 틀어 넣다. **∠·ding** *n.* Ⓤ 채우는 물건[솜].
wad·dle[wɑ́dl/-ɔ́-] *vi.* (오리처럼) 어기적어기적 걷다. — *n.* (a ~) 어기적어기적 걸음; 그 걸음걸이.
:wade[weid] *vi.* ① (물 속을) 걸어서 건너다; (진창·눈 따위 걷기 힘든 곳을) 간신히 지나가다. ② 애를 써 나아가다(*through*). — *vt.* (강 따위를) 걸어서 건너다. ~ ***in*** 얕은 물속에 들어가다; 간섭하다; 상대를 맹렬히 공격하다. ~ ***into*** 《口》 맹렬히 공격하다; 힘차게 일에 착수하다. ~ ***through slaughter*** [***blood***] ***to*** (*the throne*) 살육을 해서 (왕위)를 얻다. — *n.* (a ~) 도섭(徒涉).
wád·er *n.* Ⓒ 걸어서 건너는 사람; 〖鳥〗 섭금(涉禽); (*pl.*) 《英》 (낚시꾼용) 긴 장화.
wadge [wɑdʒ/wɔdʒ] *n.* Ⓒ 《英口》 뭉친 것; 덩어리, 뭉치.
wa·di[wɑ́di/-ɔ́-] *n.* Ⓒ (아라비아·북아프리카 등지의, 우기 이외는 말라붙는) 마른 골짜기; 그 곳을 흐르는 강.
wáding bìrd 섭금(涉禽).
wáding pòol (공원 따위의) 물놀이터.
WADS Wide Area Data Service 광역 데이터 전송(傳送) 서비스.
wa·dy[wɑ́di/-ɔ́-] *n.* =WADI.
WAF 《美》 Women's Air Force.
w.a.f. 〖商〗 with all faults 손상 보증 없음.
***wa·fer**[wéifər] *n.* ① Ⓒ,Ⓤ 웨이퍼; 오블라토. ② Ⓒ 〖가톨릭〗(미사용의) 제병(祭餠)《얇은 빵》. ③ 봉함지(封緘紙). **~·ly** *a.* 웨이퍼 같은; 얇은.
wáfer-thín *a.* 아주 얇은. 「《과자》.
waf·fle[1] [wɑ́fəl/-ɔ́-] *n.* Ⓒ,Ⓤ 와플
waf·fle[2] *n., vt.* Ⓤ 《英》 쓸데 없는 소리(를 지껄이다).
wáffle ìron 와플 굽는 틀.
***waft**[wæft, -ɑ:-] *vt.* (수중·공중을) 부동(浮動)시키다, 떠돌게 하다. — *n.* Ⓒ 부동; (냄새 따위의) 풍김; (바람의) 한바탕 불기.
wag**[1] [wæg] *vt., vi.* (-gg-***) (상하·좌우로 빨리) 흔들(리)다. ~ ***the tongue*** (쉴새없이) 지껄이다. — *n.* Ⓒ 흔듦; 흔들거림.
wag[2] *n.* Ⓒ 익살꾸러기.
:wage[weidʒ] *n.* Ⓒ ① (보통 *pl.*) 임금, 급료《일급·주급 따위》. ②《古》 (보통 *pl.*) 갚음, 보답. — *vt.* (전쟁·투쟁을) 하다(*against*). ~ ***the peace*** 평화를 유지하다.
wáge clàim 임금 인상 요구.
wáge èarner 급료[임금] 생활자.
wáge frèeze 임금(賃金) 동결.

W

wáge lèvel 임금 수준.
wáge pàcket 《英》 급료 봉투(《美》 pay envelope).
*__wa·ger__[wéidʒər] *n.* Ⓒ 노름; 내기에 건 돈(물건). ~ ***of battle*** 〖史〗 결투(에 의한) 재판. ― *vt.* (내기에) 걸다.
wáge scàle 임금표(賃金表).
wáge slàve 노예 임금 노동자《악조건·싸구려 임금으로 일하는 사람》.
wáge stòp 《英》 사회 보장 급부 지급 한도.
wáge·wòrker *n.* 《美》 =WAGE EARNER.
wáge·wòrking *n., a.* Ⓤ 임금 노동(의).
wag·ger·y[wǽgəri] *n.* Ⓤ 우스꽝스러움; Ⓒ 익살, 농담; 장난.
wag·gish[wǽgiʃ] *a.* 우스꽝스러운; 익살맞은; 농담 좋아하는.
wag·gle[wǽgəl] *v., n.* =WAG[1].
Wag·ner [vá:gnər], **Richard** (1813-83) 독일의 가극 작곡가. **Wag·ne·ri·an**[-níəriən] *a.* 바그너(풍)의.
:**wag·on,** 《英》 **wag·gon**[wǽgən] *n.* Ⓒ (각종) 4륜차, 짐차; 《英》 무개화차. HITCH ***one's ~ to a star. on*** (***off***) ***the ~*** 《美俗》 술을 끊고 (또 시작하고). ― *vt.* wagon으로 나르다. **~·er** *n.* Ⓒ (짐마차의) 마차꾼.
wag·on·ette[wæ̀gənét] *n.* Ⓒ (6-8인승의) 유람 마차.
wa·gon-lit[vagɔ̃li] *n.* (F.) Ⓒ (유럽 대륙 철도의) 침대차.
wágon·lòad *n.* Ⓒ wagon 한 대분의 짐.
wágon sòldier 《美軍俗》 야전병.
wágon tràin 《美》 (특히) 군용 짐마차의 행렬(일대(一隊)).
wág·tàil *n.* Ⓒ 〖鳥〗 할미새.
Wa(h)·ha·bi[wəhá:bi, wɑ:-] *n.* (*pl.* **~s**) Ⓒ (이슬람교의) 와하비파(派)《가장 보수적임》.
wa·hi·ne[wɑ:hí:nei] *n.* Ⓒ (하와이 등지의) 소녀, 젊은 여자.
waif[weif] *n.* Ⓒ 부랑자, 부랑아; 임자 없는 물품(짐승); 표착물(漂着物). ***~s and strays*** 부랑아의 떼; 그러모은 것.
:**wail**[weil] *vi.* ① 울부짖다; 비탄하다(*over*). ② (바람이) 구슬픈 소리를 내다. ― *vt.* 비탄하다. ― *n.* ① Ⓒ 울부짖는 소리. ② (*sing.*) (바람의) 처량하게 울리는 소리.
wain[wein] *n.* Ⓒ 짐마차.
wain·scot[wéinskət, -skòut] *n., vi.* (《英》 **-tt-**) Ⓤ 〖建〗 벽판(壁板)(을 대다), 징두리널 (재료). **~(t)ing** *n.* Ⓤ 벽판, 징두리널; 그 재료.
wain·wright[wéinràit] *n.* Ⓒ 짐마차 제조자; 수레 목수.
:**waist**[weist] *n.* Ⓒ ① 허리, 요부(腰部); 허리의 잘록한 곳. ② (의복의) 허리; 《美》 (여자·어린이의) 몸통옷, 블라우스. ③ (현악기 따위) 가운데의 잘록한 곳.
wáist·bànd *n.* Ⓒ (스커트 등의) 허리띠.
wáist bèlt 벨트, 밴드.
wáist·clòth *n.* Ⓒ 허리 두르개.
*__waist·coat__[wéskət, wéistkòut] *n.* Ⓒ 《英》 조끼(《美》 vest).
wáist·déep *a., ad.* 깊이가 허리까지 차는(차게).
waist·ed[wéistid] *a.* 허리 모양을 한; 《복합어》 …한 허리의.
wáist-hígh *a.* 허리 높이의.
wáist·lìne *n.* Ⓒ 허리의 잘룩한 곳; 웨이스트 (라인), 허리통.
†**wait**[weit] *vi.* ① 기다리다(*for*). ② 시중들다(*at, on*). ③ 하지 않고 내버려 두다, 미루다. ― *vt.* ① 기다리다. ② 시중을 들다. ③ 《口》 늦추다. ~ ***on*** (***upon***) …에게 시중들다; …을 섬기다; (연장자를 의례적으로) 방문하다; (결과가) 따르다. ― *n.* Ⓒ ① 기다림, 기다리는 시간. ② (보통 *pl.*) 《英》 (크리스마스의) 성가대. ③ 〖컴〗 기다림, 대기. ***lie in*** (***lay***) ***~ for*** …을 숨어(매복해) 기다리다. **:∠·er** *n.* Ⓒ 급사, 음식 나르는 쟁반; 기다리는 사람; =DUMB-WAITER.
:**wáit·ing** *a.* ① 기다리는 대기, 시중드는. ② 〖컴〗 대기의(~ *time* 대기 시간). ― *n.* Ⓤ 기다림, 기다리는 시간; 시중듦. ***in ~*** (왕·여왕 등을) 섬기어.
wáiting gàme (게임 등에서의) 지연 작전.
wáiting lìst 순번 명부; 보궐인 명부.
wáiting màid 시녀.
wáiting ròom 대합실.
*__wait·ress__[wéitris] *n.* Ⓒ 여급사, 여급.
waive[weiv] *vt.* (권리·요구 등을) 포기하다; 그만두다; 연기(보류)하다. **wáiv·er** *n.* Ⓤ 〖法〗 포기; Ⓒ 기권 증서.
†**wake**[1][weik] *vi.* (***woke, ~d; ~d,*** 《稀》 ***woke, woken***) ① 잠깨다, 일어나다(*up*); 깨어 있다; (정신적으로) 눈뜨다(*up, to*). ② 활기 띠다; 되살아나다. ― *vt.* ① 깨우다, 일으키다(*up*). ② (정신적으로) 각성시키다; 분기시키다(*up*); 되살리다; 환기하다. ~ ***to*** …을 깨닫다. ***waking or sleeping*** 자나깨나. ― *n.* Ⓒ (헌당식(獻堂式)의) 철야제(徹夜祭); 《Ir.》 밤샘, 경야.
wake[2] *n.* Ⓒ 항적(航跡); (물체가) 지나간 자국. ***in the ~ of*** …의 자국을 따라; …에 잇따라; …을 따라.
wake·ful[wéikfəl] *a.* 잠 못이루는, 잘 깨는; 자지 않는; 방심하지 않는. **~·ly** *ad.* **~·ness** *n.*
:**wak·en**[wéikən] *vt.* ① 깨우다, 일으키다. ② (정신적으로) 눈뜨게 하다, 분기시키다. ― *vi.* 잠이 깨다, 일어나다; 깨닫다.
wake-rob·in [wéikrɑ̀bin/-ɔ-] *n.* 《美》 =TRILLIUM; =JACK-IN-THE-PULPIT.
wáke-ùp *n., a.* Ⓒ 깨우는 (것); 기상(起床).
wale[weil] *n.* Ⓒ 채찍 자국, 지렁이처럼 부르튼 곳; (피륙의) 골, 이랑.

— *vt.* (…에) 채찍〔맷〕자국을 내다, 부르트게 하다; 골지게 짜다.

:Wales[weilz] *n.* 웨일즈《Great Britain 섬의 남서부 지방》(cf. Cambria).

†walk[wɔ:k] *vi.* ① 걷다; 걸어가다; 산책하다. ② (유령이) 나오다. ③ 〖野〗 (사구(四球)로) 걸어 나가다. — *vt.* ① (길·장소를) 걷다; (말·개 따위를) 걸리다. ② 데리고 건다, 동행하다. ③ 〖野〗 (사구로) 걸리다. ④ (무거운 것을) 걸리듯 좌우로 움직여 운반하다. ⑤ (…와) 걷기 경쟁을 하다. ~ ***about*** 걸어다니다, 산책하다. ~ ***away from*** …의 곁을 떠나다; (경주 등) 쉽사리 앞지르다. ~ ***away*** 〔***off***〕 ***with*** …을 가지고 도망하다; (상 따위를) 타다. ~ ***in*** 들어가다. ~ ***into*** 《俗》 때리다, 욕하다; 《俗》 배불리 먹다. ~ ***off*** (노하여) 가버리다; (죄인 등을) 끌고 가다; 걸어서 …을 없애다(~ *off a headache*). ~ ***out*** 나다니다; 퇴장해 버리다; 갑자기 떠나다; 《口》 파업하다. ~ ***out on*** 《美口》 버리다. ~ ***over*** (대항할 말이 없어서 코스를) 보통 걸음으로 걸어 수월히 이기다. ~ ***tall*** 가슴을 펴고 걷다, 스스로 긍지를 갖다. ~ ***the boards*** 무대에 서다. ~ ***the chalk*** (취하지 않았음을 경찰관에게 보이기 위해서) 똑바로 걸어 보이다. ~ ***the hospitals*** (의학생이) 병원에서 실습하다. ~ ***the street*** 매음하다. ~ ***through life*** 세상을 살아가다. ***W- up!*** 어서 오십시오!《손님을 끄는 소리》. ~ ***upon air*** 정신 없이 기뻐하다. ~ ***up to*** …에 걸어서 다가가다. ~ ***with God*** 하느님의 길을 걷다. — *n.* Ⓒ ① (*sing.*) 걷기; 보행; 걸음걸이; (말의) 보통 걸음. ② 산책. ③ 보도; 인도; 산책길. ④ 〖野〗 사구출루(四球出壘). ⑤ (가축의) 사육장. ***a ~ of*** 〔***in***〕 ***life*** 직업; 신분. ***go for*** 〔***take***〕 ***a*** ~ 산책하(러 가)다. ***ˊ-·er** *n.* Ⓒ 보행자; 산책하는 사람; (날거나 헤엄치지 않고) 걷는 새.

wálk·awày *n.* Ⓒ 낙승(樂勝).

walk·ie-look·ie[ˊ-ilúki] *n.* Ⓒ 휴대용 텔레비전 카메라.

walk·ie-talk·ie, walk·y·talk·y [ˊ-itɔ́:ki] *n.* Ⓒ 휴대용 무선 전화기.

wálk-ìn *n.* Ⓒ 밖에서 직접 들어갈 수 있는 아파트; (선거의) 낙승; 대형 냉장고.

:walk·ing[ˊ-iŋ] *n., a.* Ⓤ 걷기; 걷는; 보행(용의).

wálking chàir =GO-CART.

wálking cráne 이동 기중기.

wálking díctionary 아는 것이 많은 사람.

wálking pàpers 《口》 해고 통지.

wálking stìck 지팡이; 대벌레.

wálking tòur 도보 유람 여행.

wálk-òn *n.* Ⓒ 〖劇〗 (대사가 없는) 단역《통행인 따위》.

wálk-òut *n.* Ⓒ 《美口》 동맹 파업; 항의하기 위한 퇴장.

wálk·òver *n.* Ⓒ 〖競馬〗 (경쟁 상대가 없을 때 코스를) 보통 걸음으로 걷기; 《口》 낙승; 부전승.

wálk-thròugh *n.* Ⓒ 〖劇〗 연기와 대사읽기를 동시에 하는 무대 연습; 〖TV〗 리허설.

wálk-ùp *a., n.* Ⓒ 《美口》 엘리베이터가 없는 (건물).

wálk·wày *n.* Ⓒ 《美口》 보도, 인도《특히 공원, 정원 등의》; (공장 내의) 통로.

†wall[wɔ:l] *n.* Ⓒ ① 벽; (돌·벽돌 등의) 담. ② (보통 *pl.*) 성벽. ③ (모양·용도 등이) 벽과 같은 것. ***drive*** 〔***push***〕 ***to the*** ~ 궁지에 몰아 넣다. ***give*** (*a person*) ***the*** ~ (아무에게) 길을 양보하다. ***go to the*** ~ 궁지에 빠지다; 지다; 사업에 실패하다. ***run one's head against the*** ~ 불가능한 일을 꾀하다. ***take the*** ~ ***of*** (*a person*) 아무를 밀어제치고 유리한 입장을 차지하다. ***with one's back to the*** ~ 궁지에 몰려서. — *vt.* 벽〔담〕으로 둘러싸다; 성벽을 두르다, 벽으로 막다(*up*). **~ed**[-d] *a.* 벽을 댄; 성벽을 두른.

wal·la·by[wɑ́ləbi/-ɔ́-] *n.* Ⓒ 〖動〗 작은 캥거루.

wal·la·roo[wɑ̀lərú:/wɔ̀l-] *n.* Ⓒ 〖動〗 큰 캥거루.

wáll·bòard *n.* Ⓤ,Ⓒ 인조 벽판(壁板).

:wal·let[wɑ́lit/-ɔ́-] *n.* Ⓒ 지갑; 《英古》 (여행용) 바랑.

wáll·èye *n.* Ⓒ 뿌옇게 흐린 눈; 눈이 큰 물고기. **~d** *a.* 각막이 뿌옇게 된, 뿌연 눈의; 사팔 눈의; (물고기의) 눈이 큰.

wáll·flòwer *n.* Ⓒ 〖植〗 계란풀; 무도회에서 상대가 없는 젊은 여자.

wáll gàme 《英》 벽면을 이용한 Eton 학교식 축구.

wáll néwspaper 벽신문, 대자보.

wal·lop [wɑ́ləp/-ɔ́-] *vt.* 《口》 때리다, 강타하다. — *n.* Ⓒ 《口》 강타, 타격력.

wal·lop·ing[-iŋ] *a.* 《口》 육중한, 커다란, 굉장히 큰; 센, 강한. — *n.* Ⓒ 강타; 완패.

wal·low[wɑ́lou/-ɔ́-] *vi.* (진창·물속 따위를) 뒹굴다, 허위적거리다; (주색 따위에) 빠지다, 탐닉하다(*in*). ~ ***in money*** 돈에 파묻혀 있다, 돈이 주체 못할 만큼 많다. — *n.* (*a* ~) 뒹굶; Ⓒ (물소 따위가 뒹구는) 수렁.

wáll pàinting 벽화.

***wáll·pàper** *n., vt.* Ⓤ (벽·방 등에) 벽지(를 바르다).

Wáll Strèet 월가(街)〔스트리트〕; 미국 금융시장.

wáll-to-wáll *a.* 바닥 전체를 덮은 《카펫 따위》; 《口》 포괄적인.

***wal·nut**[wɔ́:lnʌ̀t, -nət] *n.* Ⓒ 호두《열매·나무》; Ⓤ 그 목재; 호두색.

Wal·púr·gis Níght[vɑ:lpúərgis-, væl-] 발푸르기스의 밤《4월 30일밤; 마녀들과 마왕과의 주연》.

***wal·rus** [wɔ́(:)lrəs, wɑ́l-] *n.* Ⓒ 〖動〗 해마.

W

wálrus moustáche 팔자수염.
Wal·ton[wɔ́ltən], **Izaak**(1593-1683) 영국의 저술가.
waltz**[wɔːlts] ***n. Ⓒ 왈츠. ── ***vi.*** 왈츠를 추다; 들떠서 춤추다; (경쾌하게) 춤추듯 걷다. ~ ***off with*** 《口》 경쟁자를 쉽게 물리치고 (상을) 획득하다; 유괴하다.
wam·pum[wɑ́mpəm/-ɔ́-] ***n.*** Ⓤ 조가비 염주《옛날, 북미 토인이 화폐나 장식으로 썼음》; 《美俗》 돈.
wan**[wɑn/-ɔ-] ***a. (**-nn-**) ① 창백한, 해쓱한. ② 약한. **∠·nish** ***a.*** 좀 해쓱한.
wand**[wɑnd/-ɔ-] ***n. Ⓒ (마술사의) 지팡이; (직권을 나타내는) 관장(官杖); 〖樂〗 지휘봉; 《美》 (활의) 과녁판.
:wan·der[wɑ́ndər/-ɔ́-] ***vi.*** ① 걸어 돌아다니다, 헤매다(*about*). ② 길을 잘못 들다, 옆길로 벗어나다(*off, out, of, from*). ③ 두서〔종잡을 수〕 없이 되다; (열 따위로) 헛소리하다, (정신이) 오락가락하다. * **~·er** ***n.***
wan·der·ing**[-iŋ] ***a. ① 헤매는; 옆길로 새는. ② 두서 없는. ── ***n.*** (*pl.*) 산보, 방랑, 만유(漫遊); 헛소리. **~·ly** ***ad.***
Wándering Jéw, the 방랑하는 유대인《예수를 모욕했기 때문에, 재림의 날까지 세계를 유랑할 벌을 받은 유대인》.
wan·der·lust[-lʌ̀st] ***n.*** Ⓤ 여행열; 방랑벽.
wánder-plùg ***n.*** Ⓒ 〖電〗 만능 플러그.
wane**[wein] ***vi. ① (달이) 이지러지다; (세력·빛 따위가) 이울다. ② 종말에 가까워지다. ── ***n.*** (the ~) (달의) 이지러짐; 쇠미; 종말. ***in*** 〔***on***〕 ***the*** ~ (달이) 이지러져서; 쇠미하여, 기울기 시작하여.
wan·gle[wǽŋgəl] ***vt.*** 《口》 책략으로 손에 넣다, 술책을 쓰다, 헤어나다.
wan·na [wɔ̃ːnə, wɑ̃-] 《美口》 = WANT to.
†want[wɔ(ː)nt, wɑnt] ***vt.*** ① 없다, 모자라다(*of*). ② 바라다; 필요하다. ③ 《부정사와 더불어》 …하고 싶다, 해주기를 바라다. ④ 해야 한다, 하는 편이 낫다. ── ***vi.*** 부족하다(*in, for*); 곤궁하다. ── ***n.*** ① Ⓤ 결핍, 부족; 필요; 곤궁. ② Ⓒ (보통 *pl.*) 필요품. ***for ~ of*** …의 결핍 때문에. ***in ~ of*** …이 필요하여; …이 없어. **:∠·ing** ***a., prep.*** 결핍한; 불충분하여; …이 없는, 부족하여.
wánt àd 《美口》 (신문의) 3행 광고(란); (신문의) 구직〔구인〕 광고.
want·ed [wɔ́(ː)ntid, wɑ́nt-] ***v.*** WANT 의 과거·과거 분사. ── ***a.*** …을 요구함; 지명 수배된 (사람).
wan·ton** [wɑ́ntən, -ɔ́(ː)-] ***a. ① 까닭 없는; 악의 있는; 분방한. ② 음탕한, 바람난. ③ 《詩》 들떠 날뛰는; 변덕스러운; 개구쟁이의. ④ 《詩》 (초목 따위) 우거진. ── ***n.*** Ⓒ 바람둥이, 바람난 여자. ── ***vi.*** ① 뛰어 돌아다니다, 장난치다, 까불다. ② 우거지다. **~·ly** ***ad.*** **~·ness** ***n.***
WAP work analysis program 생산 관리 프로그램.
wap·i·ti [wɑ́pəti/-ɔ́-] ***n.*** (*pl.* **~s,** 《집합적》 ~) Ⓒ (북미산) 큰 사슴.
†war[wɔːr] ***n.*** ① Ⓤ,Ⓒ 전쟁. ② Ⓤ 군사, 전술. ③ Ⓤ,Ⓒ 싸움. ***at ~*** 교전 중인(*with*). ***declare ~*** 선전하다(*on, upon, against*). ***go to ~*** 전쟁하다(*with*). ***make*** 〔***wage***〕 ~ 전쟁을 시작하다(*on, upon, against*). ***the ~ to end ~*** 제1차 대전의 일컬음. ***W- between the States*** = CIVIL WAR. ***~ of nerves*** 신경전. ── ***vi.*** (**-rr-**) 전쟁하다, 싸우다.
War. Warwickshire《영국의 주 이름》.
wár bàby 전쟁 사생아.
war·ble**[wɔ́ːrbəl] ***vi., vt. 지저귀다; 지저귀듯 노래하다; 《美》 =YODEL. ── ***n.*** (a ~) 지저귐. **wár·bler** ***n.*** Ⓒ 지저귀는 새, 《美》 (특히 색채가 고운) 명금(鳴禽); 가수.
wár bòss 《美口》 (각 지구의) 거두, 정계의 보스.
wár brìde 전쟁 신부《점령군의 현지처》.
wár chèst (전쟁·선거전 등의) 군자금.
wár clòud 전운(戰雲).
wár còrrespondent 종군 기자.
wár crìme 전쟁 범죄.
wár crìminal 전쟁 범죄인.
wár crỳ 함성; (정당의) 표어.
:ward[wɔːrd] ***n.*** ① Ⓤ 감시, 감독; 보호; 후견. ② Ⓒ 병실, 병동; (양로원 등의) 수용실; 감방. ③ Ⓒ 〖法〗 피후견자. ④ Ⓒ (도시의) 구(區). ⑤ Ⓤ 《古》 감금. ***be in ~ to*** …의 후견을 받고 있다. ***be under ~*** 감금되어 있다. ── ***vt.*** 막다(*off*); 병실에 수용하다 《古》 보호하다.
-ward[wərd] ***suf.*** '…쪽으로' 의 뜻: north*ward*.
wár dànce (토인의) 출진(出陣)〔전승(戰勝)〕춤.
wár dèbt 전채(戰債).
war·den**[wɔ́ːrdn] ***n. Ⓒ ① 감시인, 문지기. ② 간수장; (관공서의) 장(長); 《英》 학장, 교장. ③ 교구(教區) 위원.
ward·er[wɔ́ːrdər] ***n.*** Ⓒ 지키는 사람, 감시인; 《주로 英》 간수.
wárd hèeler 《美》 (투표 따위를 부탁하며 다니는) 정계 보스의 측근자.
Wárd·our Strèet [wɔ́ːrdər-] 런던의 거리 이름; (영국) 영화업(계); (*a.*) 의고적(擬古的)인. ***~ English*** 의고문.
:ward·robe[wɔ́ːrdròub] ***n.*** ① Ⓒ 옷장; 의상실. ② 《집합적》 (개인 소유의) 의류, 의상 (전부).
wárdrobe bèd 서랍 침대《쓰지 않을 때는 접어서 양복장에 넣어 둠》.
wárd·ròom ***n.*** Ⓒ (군함의) 사관실.
-wards[wərdz] ***suf.*** 《주로 英》 = WARD.
ward·ship[wɔ́ːrdʃip] ***n.*** Ⓤ 후견, 보호; 피후견인임.
wárd sìster 《英》 병실 담당 간호사.

W

:ware¹[wεər] *n.* ① (*pl.*) 상품. ② Ⓤ《집합적》 제품; 도자기.

ware² *a.*《古·詩》 알(아 채)고 있는; 조심성 있는. ── *vt.* 주의하다, 조심하다.

***ware·house**[wέərhàus] *n.* Ⓒ ① 창고. ②《주로 英》 도매상, 큰 상점. ── [ˊhàuz, -hàus] *vt.* 창고에 넣다[저장하다]. **~·man** *n.* Ⓒ 창고업자[주]; 창고 노동자, 창고계.

***war·fare**[wɔ́ːrfὲər] *n.* Ⓤ 전투(행위), 전쟁, 교전 (상태).

wár gàme 군인 장기; 도상(圖上) 작전 연습; 『컴』 전쟁놀이.

wár·hàwk *n.* Ⓒ 매파《주전파》.

wár·hèad *n.* Ⓒ (어뢰·미사일의) 탄두(*an atomic* ~ 핵탄두).

wár-hòrse *n.* Ⓒ 군마; 《口》 노병.

***war·like**[ˊlàik] *a.* ① 전쟁[군사]의. ② 호전적인; 전투[도전]적인; 상무(尙武)의.

wár·lòck *n.* Ⓒ 남자 마술사; 요술쟁이; 점쟁이.

†warm[wɔːrm] *a.* ① 따뜻한; 몹시 더운. ② (마음씨·색이) 따뜻한; 친밀한; 마음에서 우러나는. ③ 열렬한, 흥분한. ④ 『獵』 (냄새·자취가) 생생한. ⑤《口》 (숨바꼭질 따위에서, 술래가 숨은 사람에) 가까운. ⑥ 불유쾌한. ⑦《英口》 살림이 유복한. ***getting*** **~**《口》 (숨바꼭질의 술래가) 숨은 사람 쪽으로 다가가는; 진실에 가까워지는. ***grow*** **~** 흥분하다. ***in*** **~ *blood*** 격분하여. **~ *with*** 더운 물과 설탕을 섞은 브랜디(cf. COLD without). **~ *work*** 힘드는 일. ── *vt., vi.* ① 따뜻하게 하다, 따뜻해지다. ② 열중(하게)하다; 흥분시키다[하다]. ③ 동정적으로 되(게 하)다. **~ *up*** 『競』 준비 운동을 하다. ── *n.* (a ~)《口》 따뜻하게 하기, 따뜻해지기. **ˊ·er** *n.* Ⓒ 따뜻하게 하는 사람[물건].

wárm-blóoded *a.* 온혈(溫血)의; 열혈의; 온정이 있는.

wárm bòot 『컴』 다시 띄우기.

wármed-óver *a.*《美》 (요리 등을) 다시 데운; (작품 따위의) 재탕한.

wármed-úp *a.* =⇧.

wárm frònt 『氣』 온난 전선.

wárm-héarted *a.* 친절한, 온정이 있는. 「난상기(暖床器).

wárming pàn 긴 손잡이가 달린

wárming-úp *n.* Ⓒ 『競』 워밍업, 준비 운동.

warm·ish[ˊiʃ] *a.* 좀 따스한.

***warm·ly**[wɔ́ːrmli] *ad.* 따뜻이; 다정하게; 흥분하여.

wár·mònger *n.* Ⓒ 전쟁 도발자, 주전론자. **~ing** *n.* Ⓤ 전쟁 도발 행위.

wárm restàrt 『컴』 다시 시동.

:warmth[wɔːrmθ] *n.* Ⓤ ① (기온·마음·색 따위의) 따뜻함. ② 열심, 열렬; 흥분, 화. ③ 온정.

wárm-ùp *n.* =WARMING-UP.

:warn [wɔːrn] *vt.* ① 경고하다(*against, of*); 경고하여 …시키다. ② 훈계하다; 예고[통고]하다.

wár neuròsis 전쟁 신경증.

:warn·ing[wɔ́ːrniŋ] *n.* ① ⓊⒸ 경고; 훈계. ② Ⓒ 경보; 훈계가 되는 것[사람]. ③ Ⓤ 예고, 통지. ④ Ⓒ 전조. ***take*** **~ *by*** …을 교훈으로 삼다.

wárning coloràtion 『生』 경계색.

wárning mèssage 『컴』 경고문.

wárning nèt 적(기)의 내침 탐색 경계망.

***warp**[wɔːrp] *vt.* ① (판자 따위를) 뒤둥그러지게 하다, 구부리다. ② (마음·진실 등을) 뒤틀리게 하다; 왜곡하다. ③ 『海』 (배를) 밧줄로 끌다. ── *vi.* 뒤둥그러[구부러]지다; 뒤틀리다. ── *n.* ① (the ~) (피륙의) 날실(opp. woof). ② (a ~) 뒤둥그러짐; 비뚤어짐; 뒤틀림.

wár pàint 아메리카 인디언이 출진전에 얼굴·몸에 바르는 물감; 《口》 성장(盛裝).

wár·pàth *n.* Ⓒ (북아메리카 원주민의) 출정의 길. ***on the*** **~** 싸우려고; 노하여.

wár·plàne *n.* Ⓒ 군용기.

:war·rant[wɔ́(ː)rənt, -á-] *n.* ① Ⓤ 정당한 이유, 근거; 권한. ② Ⓒ 보증(이 되는 것). ③ Ⓒ 영장(*a* ~ *of arrest* 구속 영장/*a* ~ *of* ATTORNEY); 지급 명령서; 허가증. ④ Ⓒ 『軍』 하사관 사령(辭令). ── *vt.* 권한을 부여하다; 정당화하다; 보증하다; 《口》 단언하다. ***I'll*** **~ (*you*)**《삽입구》 확실히. **~·a·ble** *a.* 보증할 수 있는; 정당한. **~·ed**[-id] *a.* 보증된; 보증하는.

war·ran·tee[wɔ̀(ː)rəntíː, -àː-] *n.* Ⓒ 피보증인.

war·rant·er [wɔ́(ː)rəntər, -áː-], **-ran·tor**[-tɔ̀ːr] *n.* Ⓒ 『法』 보증인.

wárrant òfficer 『軍』 하사관, 준위.

war·ran·ty[wɔ́(ː)rənti, -á-] *n.* Ⓒ 보증, 담보; (확고한) 이유, 근거.

war·ren[wɔ́(ː)rən, -á-] *n.* Ⓒ 양토장(養兎場); 토끼의 번식지; 사람이 몰려 들끓는 지역.

war·ring[wɔ́ːriŋ] *a.* 서로 싸우는; 적대하는; 양립하지 않는.

***war·ri·or**[wɔ́(ː)riər, -á-] *n.* Ⓒ 무인(武人); 노병(老兵), 용사. 「보험.

wár rìsk insùrance《美》 전쟁

wár ròom (군의) 작전 기밀실. 「도.

War·saw[wɔ́ːrsɔː] *n.* 폴란드의 수

Wársaw Tréaty Organizàtion, the 바르샤바 조약 기구(Warsaw Pact).

:war·ship[wɔ́ːrʃip] *n.* Ⓒ 군함(war vessel).

wár sùrplus 잉여 군수품.

wart[wɔːrt] *n.* Ⓒ 사마귀; (나무의) 옹이. **ˊ·y** *a.* 사마귀 모양의[가 많은].

wár·tìme *n., a.* Ⓤ 전시(의). 「성.

wár whòop (아메리카 토인의) 함

War·wick·shire [wɔ́(ː)rikʃiər, -á-, -ʃər] *n.* 영국 중부의 주《생략

Warks.》.

*__war·y__[wέəri] *a.* 주의 깊은(*of*). __wár·i·ly__ *ad.* __wár·i·ness__ *n.*

†__was__[wɑz, 弱 wəz/-ɔ-] *v.* be의 1인칭·3인칭 단수·직설법 과거.

†__wash__[wɑʃ, -ɔ(:)-] *vt.* ① 씻다, 빨다; 씻어내다(*off, out, away*). ② (종교적으로) 씻어 정하게 하다. ③ (물결이) 씻다, 밀려닥치다; 적시다; 떠내려 보내다, 쓸어 가다(*away, off, along, up, down*); 침식하다. ④ (색·금속 등을) 엷게 입히다, 도금하다. ⑤〚鑛〛세광(洗鑛)하다. — *vi.* ① 씻다; 세탁이 잘 되다. ②《英口》믿을 만하다. ③ 물결이 씻다(*upon, against*). **~ down** 씻어내다; (음식을) 쓸어 넣다. **~ *one's* hands** 손을 씻다;《완곡히》변소에 가다. **~ *one's* hands of** …에서 손을 떼다. **~ out** 씻어내다; 버리다. **~ up** (식후) 설거지하다. — *n.* ① (a ~) 씻기. ② (the ~) 세탁; (*sing.*) 세탁물. ③ Ⓤ (파도의) 밀려옴, 그 소리; 배 지나간 뒤의 물결, 비행기 지나간 뒤의 기류의 소용돌이. ④ Ⓤ 물기 많은 음식. ⑤ Ⓒ 세제(洗劑), 화장수. ⑥ Ⓒ (그림 물감의) 엷게 칠한 것; 도금. ⑦ Ⓤ〚鑛〛세광 원료. **∠·a·ble** *a.* 세탁이 잘 되는.

__Wash.__ Washington[1].

__wásh-and-wéar__ *a.* (직물이) 세탁 후 다리지 않고 입을 수 있는.

__wásh·bàsin__ *n.* Ⓒ《英》세숫대야.

__wásh·bòard__ *n.* Ⓒ 빨래판.

__wásh·bòwl__ *n.* Ⓒ《美》세숫대야.

__wásh·clòth__ *n.* Ⓒ 세수〔목욕용〕 수건; 행주.

__wásh·dày__ *n.* Ⓤ,Ⓒ (가정에서의 일정한) 세탁날.

__wáshed-óut__ *a.* 빨아서 바랜;《口》기운 없는.

__wáshed-úp__ *a.*《俗》실패한, 퇴짜맞은;《口》기진한.

*__wash·er__[∠ər] *n.* Ⓒ 세탁하는 사람; 세탁기; 좌철(座鐵), 와셔.

__wásher-drýer__ *n.* Ⓒ 탈수기 붙은 세탁기.

__wásher·wòman__ *n.* Ⓒ 세탁부(婦).

__wásh-hànd stànd__ =WASHSTAND.

__wásh·hòuse__ *n.* Ⓒ 세탁장, 세탁소.

:__wash·ing__[∠iŋ] *n.* Ⓤ,Ⓒ ① 빨래, 세탁. ②《집합적》세탁물; (*pl.*) 빨래(한) 물; 씻겨 나온 것《때·사금(砂金) 따위》.

__wáshing dày__ =WASHDAY.

__wáshing machìne__ 세탁기.

__wáshing sòda__ 세탁용 소다.

__wáshing stànd__ =WASHSTAND.

†__Wash·ing·ton__[1][wáʃiŋtən, -ɔ́(:)-] *n.* 미국의 수도; 미국 북서부의 주. __-to·ni·an__[≻-tóuniən] *a., n.* Ⓒ 위의 주〔시〕의 (사람).

†__Wash·ing·ton__[2], **Booker T.** (1856-1915) 미국의 흑인 교육가; **George** (1732-99) 미국 초대 대통령(재직 1789-97).

__wáshing-ùp__ *n.* Ⓤ 설거지.

__wash-leath·er__[wɔ́(:)ʃlèðər, wɑ́ʃ-] *n.* Ⓤ 유피(柔皮)《양, 영양 등의》.

__wásh·òut__ *n.* Ⓒ (도로·철도의) 유실, 붕괴; 붕괴된 곳;《俗》실패(자), 실망.

__wásh·ràck__ *n.* Ⓒ 세차장.

__wásh·ràg__ *n.* =WASHCLOTH.

__wásh·ròom__ *n.* Ⓒ《美》① 화장실. ② 세탁실. ③ 세면소.

__wásh sàle__〚證〛(시장의 활기를 가장한) 위장 매매.

__wásh·stànd__ *n.* Ⓒ《美》세면대.

__wásh·tùb__ *n.* Ⓒ 빨래통.

__wash·y__ [wáʃi, -ɔ́(:)-] *a.* 물기가 많은; 묽은; (색이) 엷은; (문체 따위) 약한, 힘 없는.

†__was·n't__[wáznt, wʌ́z-/wɔ́z-] was not의 단축.

*__wasp__[wɑsp, -ɔ(:)-] *n.* Ⓒ ①〚蟲〛장수말벌. ② 성 잘 내는 사람. **∠·ish** *a.* 말벌 같은; 허리가 가는; 성 잘 내는; 심술궂은.

__WASP, Wasp__ (< *W*hite *A*nglo-*S*axon *P*rotestant) *n.* Ⓒ《蔑》백인 앵글로색슨 신교도《미국 사회의 주류》.

__wásp-wáisted__ *a.* 허리가 가는; 코르셋을 꽉 죈.

__was·sail__[wásəl, -seil/wɔ́seil] *n.* Ⓤ《古》술잔치, 주연; 주연의 술; Ⓒ 축배의 인사. — *vi.* 주연에 나가다; 축배를 들다. — *int.* (건강을 축복하여) 축배!

__Wás·ser·mann tèst〔reàction〕__ [wáːsərmən-/wǽs-] 바서만 검사〔반응〕《매독의 혈청 진단》.

*__wast__[wɑst, 弱 wəst/wɔst] *v.*《古·詩》be의 2인칭 단수 art의 과거.

__wast·age__[wéistidʒ] *n.* Ⓤ 소모(량); Ⓤ,Ⓒ 폐물.

:__waste__[weist] *a.* ① 황폐한, 미개간의, 불모의. ② 쓸모 없는; 폐물의; 여분의. **lay ~** 파괴하다, 황폐케하다. **lie ~** (땅이) 황폐하다, 개간되지 않고 있다. — *vt.* ① 낭비하다(*on, upon*). ② 황폐시키다. — *vi.* 소모하다; 헛되이〔낭비〕되다; 쇠약해지다(*away*). — *n.* ① Ⓒ (종종 *pl.*) 황무지; 황량한 전망. ② Ⓤ 낭비. ③ Ⓤ 쇠약; Ⓤ,Ⓒ 폐물, 찌꺼기. **go 〔run〕 to ~** 헛되이 되다, 낭비되다. **∠·less** *a.* 낭비 없는.

*__wáste·bàsket__ *n.* Ⓒ 휴지통.

__wáste·bìn__ *n.* Ⓒ 쓰레기통.

__wáste cocòon__ 지스러기 고치.

*__waste·ful__[∠fəl] *a.* 낭비하는, 불경제의. **~·ly** *ad.* **~·ness** *n.*

__wáste hèat__ 여열(餘熱).

__wáste ìndustry__ 산업 폐기물 처리업.

__wáste lànd(s)__ 황무지.

__wáste màtter__ 노폐물(老廢物).

__wáste·pàper__ *n.* Ⓤ 휴지.

__wástepaper bàsket__《英》휴지통.

__wáste pìpe__ 배수관.

__wáste wàter__ (공장) 폐수, 폐액, 하수.

__wast·ing__[wéistiŋ] *a.* 소모성의, 소

모시키는; 황폐하게 하는. ~ ***disease*** 소모성 질환《결핵 등》.
wast·rel [wéistrəl] *n.* Ⓒ 낭비자; 《주로 英》 부랑자[아]; (제품의) 파치.
†**watch** [wɑtʃ, -ɔː-] *n.* 《원뜻 'wake'》 ① Ⓒ 회중[손목]시계. ② Ⓤ 지켜봄, 감시; 주의, 경계. ③ Ⓤ 〖史〗 불침번, 야경. ④ Ⓒ 〖史〗 (밤을 3[4]분한) 1구분, 경(更). ⑤ Ⓒ,Ⓤ 〖海〗 (4시간 교대의) 당직, 당직 시간, 당직원. ***be on the ~ for*** …을 감시하고 있다; 방심치 않고 있다; 대기하고 있다. ***in the ~es of the night*** 밤에 자지 않고 있을 때에. ***keep*** (***a***) ~ 감시하다. ***on*** [***off***] ~ 당번[비번]인. ***pass as a ~ in the night*** 곧 잊혀지다. ~ ***and ward*** 밤낮없는 감시; 부단한 경계. — *vt.* ① 주시하다; 지켜보다; 감시하다. ② 간호하다, 돌보다. ③ (기회를) 엿보다. — *vi.* ① 지켜보다; 주의하다. ② 경계하다; 기대하다(*for*). ③ 자지 않고 있다, 간호하다. ~ ***out*** 《美口》 조심하다, 경계하다. ~ ***over*** 감시하다; 간호하다, 돌보다. **∠·er** *n.* Ⓒ 감시인; 간호인; 《美》 투표 참관인. * **∠·ful** *a.* 주의깊은; 방심하지 않는(*of, against*). **∠·ful·ness** *n.*
wátch bòx 망보는 막사; 초소.
wátch chàin 회중 시계의 쇠줄.
wátch crýstal 《美》 시계 유리.
wátch·dòg *n.* Ⓒ 집 지키는 개; (엄한) 감시인.
wátch fire (야경의) 화톳불.
wátch glàss =WATCH CRYSTAL; (화학 실험용의) 시계 접시.
wátch guàrd 회중 시계의 줄[끈].
***wátch·màker** *n.* Ⓒ 시계 제조[수리]인.
***watch·man** [∠mən] *n.* Ⓒ 야경꾼.
wátch mèeting [**nìght**] (교회의) 제야(除夜)의 예배식.
wátch òfficer (군함의) 당직 사관; 당직 항해사.
wátch·tòwer *n.* Ⓒ 감시탑, 망루(望樓).
wátch·wòrd *n.* Ⓒ 〖史〗 암호; 표어, 슬로건.
†**wa·ter** [wɔ́ːtər, wɑ́tər] *n.* ① Ⓤ 물. ② Ⓤ 분비액《눈물·땀·침·오줌 따위》. ③ Ⓤ 물약, 화장수; (종종 *pl.*) 광천수. ④ (종종 *pl.*) 바다, 호수, 강; (*pl.*) 조수, 홍수, 물결, 놀. ⑤ (*pl.*) 영해, 근해. ⑥ Ⓤ (보석의) 품질, 등급; Ⓒ (피륙의) 물결 무늬. ⑦ Ⓒ 자산의 과대 평가 등에 의하여 불어난 자본[주식]. ***above*** ~ (경제적인) 어려움을 모면하여. ***back*** ~ 배를 후진(後進)시키다. ***bring the ~ to a person's mouth*** 군침을 흘리게 하다. ***by*** ~ 배로, 해로로. ***cast one's bread upon the ~s*** 음덕(陰德)을 베풀다. ***get into hot*** ~ 곤경에 빠져서. ***hold*** ~ (그릇이) 물이 새지 않다; (이론·학설 따위가) 정연하고 빈틈이 없다, 옳다. ***in deep*** ~(***s***) 《俗》 곤경에 빠져서. ***in low*** ~ 돈에 옹색하여, 기운이 없어. ***in smooth*** ~(***s***) 평온하게, 순조로이. ***like*** ~ 물쓰듯, 펑펑. ***make*** [***pass***] ~ 소변보다. ***of the first*** ~ (보석 따위) 최고급의; 일류의. ***take*** (***the***) ~ (배가) 진수하다; (비행기가) 착수하다. ***take*** ~ (배가) 물을 뒤집어 쓰다; 《美俗》 기운을 잃다, 지치다. ***the ~ of crystallization*** 〖化〗 결정수. ***the ~ of forgetfulness*** 〖그神〗 망각의 강; 망각; 죽음. ***throw cold ~ on*** …에 트집을 잡다. ***tread*** ~ 선헤엄치다. ***written in*** ~ 허망한. — *vt.* ① (…에) 물을 끼얹다[뿌리다, 주다]; 적시다. ② 물을 타서 묽게 하다. ③ (피륙 등에) 물결 무늬를 넣다. ④ 불입 자본을 늘리지 않고 명의상의 증주(增株)를 하다. — *vi.* ① (동물이) 물을 마시다. ② (배·기관이) 급수를 받다. ③ 눈물이 나다, 침을 흘리다.
wáter ballèt 수중 발레.
wáter Bèarer 〖天〗 =AQUARIUS.
wáter bèd 물을 넣는 매트리스.
wáter bìrd 물새.
wáter blìster (피부의) 물집.
wáter bòa =ANACONDA.
wáter bòat 급수선.
wáter-bòrne *a.* 수상 운송의; 물에 떠 있는.
wáter bòttle (세면대·식탁용의 유리로 만든) 물병; 《주로 英》 수통.
wáter bràsh 가슴앓이.
wáter bùffalo 물소.
wáter-bùs *n.* Ⓒ 수상 버스.
wáter cànnon trùck 방수차《데모 진압용》.
wáter càrt 살수차.
wáter chùte 워터슈트《보트의 활강(滑降)》.
wáter clòck 물시계.
wáter clòset (수세식) 변소.
***wáter còlo(u)r** 수채화 물감; 수채화(법).
wáter-còol *vt.* 〖機〗 수냉(水冷)(식)으로 하다.
wáter còoler 음료수 냉각기.
wáter-còurse *n.* Ⓒ 물줄기, 강; 수로.
wa·ter·craft [-kræ̀ft, -ɑ̀ː-] *n.* Ⓤ 조선술(操船術); 수상 경기의 기술; Ⓒ 배; 《집합적》 선박.
wáter crèss 〖植〗 양갓냉이.
wáter cùre 〖醫〗 수료법(水療法).
wáter·cýcle *n.* (the ~) 수상 자전거; 페달식 보트.
wáter dòg 《口》 노련한 선원, 헤엄잘치는[좋아하는] 사람.
wa·tered [wɔ́ːtərd, wɑ́t-] *a.* 관개(灌漑)된; 물결 무늬가 있는; 물을 탄. ~ ***capital*** 의제(擬制) 자본.
ː**wa·ter·fall** [-fɔ̀ːl] *n.* Ⓒ 폭포.
wa·ter·fast [-fæ̀st, -ɑ̀ː-] *a.* (물감 따위가) 내수성(耐水性)인.
wáter fòuntain 분수식의 물 마시는 곳; 냉수기.
wáter·fòwl *n.* Ⓒ 물새.
wáter·frònt *n.* Ⓒ (보통 *sing.*) 물가의 토지, 둔치; (도시의) 강가, 호수가, 해안 거리.

W

wáter gàp 《美》 (물이 흐르는) 협곡(峽谷), 계곡.
wáter gàs 〖化〗 수성 가스.
wáter gàte 수문.
wáter gàuge 수면계(水面計).
wáter glàss 물안경; 물컵; 물유리 《달걀의 방부용》; =WATER GAUGE.
wáter grùel 묽은 죽, 미음.
wáter hàmmer 수격(水擊)《관(管) 안의 물의 흐름을 급히 멈췄을 때의 충격》.
wáter hòle 물웅덩이; 얼어붙은 못·호수 따위의 얼음 구멍.
wáter ìce 《英》 =SHERBET.
wa·ter·ing[wɔ́:təriŋ, wɑ́t-] *n., a.* Ⓤ 살수〔급수〕(의); 해수욕의.
wátering càn 〔**pòt**〕 물뿌리개.
wátering càrt 살수차.
wátering hòle 《美口》 술집.
wátering plàce (마소의) 물 마시는 곳; (대상(隊商) 등을 위한) 급수장; 온천장; 해수욕장.
wáter jàcket 〖機〗 (방열용) 수투(水套).
wáter lèvel 수평면; =WATERLINE.
wáter lìly 〖植〗 수련.
wáter·lìne *n.* Ⓒ 흘수선(吃水線).
wáter·lògged *a.* (목재 등) 물이 스며든; (배가) 침수한.
Wa·ter·loo[wɔ́:tərlù:, ⌐–⌐] *n.* 워털루《벨기에 중부의 마을; 1815년 나폴레옹의 패전지》 (의 싸움); Ⓒ 대패전; 대결전. ***meet one's*** **~** 참패하다.
wáter màin 수도 본관(本管).
water·man[-mən] *n.* Ⓒ 뱃사공; 노젓는 사람.
wáter·màrk *n., vt.* Ⓒ (강의) 수위표; (종이의) 투문(透紋)(을 넣다).
***wáter·mèlon** *n.* Ⓒ 〖植〗 수박(덩굴).
wáter mìll 물레방아.
wáter nỳmph 물의 요정; 〖植〗 수련.
wáter òuzel 〖鳥〗 물까마귀.
wáter òx 물소.
wáter pàrting 분수계.
wáter pìpe 송수관; 수연통(水煙筒).
wáter plàne 수상(비행)기.
wáter plùg 소화전.
wáter pollùtion 수질 오염.
wáter pòlo 〖競〗 수구(水球).
***wáter pòwer** 수력.
***wa·ter·proof**[-prù:f] *a., n., vt.* 방수(防水)의; Ⓤ 방수 재료〔포·복〕, Ⓒ 레인코트; 방수처리(하다).
wáter·scàpe *n.* Ⓒ 물가의 풍경(화).
wáter·shèd *n.* Ⓒ 분수계; 유역.
wáter·sìde *n.* (the ~) 물가.
wáter skì 수상스키(의 용구).
wáter-skì *vi.* 수상스키를 하다.
wáter sòftener 연수제(軟水劑); 정수기.
wáter-sòluble *a.* 〖化〗 (비타민 등이) 수용성의.
wáter spàniel 워터 스패니엘《오리 사냥개》.
wáter·spòut *n.* Ⓒ 물기둥, 바다회오리; 홈통.
wáter sprìte 물의 요정.
***wáter supplỳ** 상수도; 급수(량).
wáter tàble 〖土〗 지하수면.
wáter·tìght *a.* 물을 통하지 않는; (의론 따위) 빈틈없는.
wáter tòwer 급수탑; 《美》 소화용 급수탑〔사다리차〕.
wáter vàpo(u)r 수증기.
***wáter·wày** *n.* Ⓒ 수로, 운하.
wáter whèel 수차(水車); 양수차.
wáter wìngs (수영용의) 날개형 부낭(浮囊).
wáter wìtch 《美》 수맥점(水脈占); 《英》 수맥 탐지기.
wáter·wòrks *n. pl.* 수도 설비, 급수소.
wáter·wòrn *a.* 물의 작용으로 깎인.
***wa·ter·y**[wɔ́:təri, wɑ́t-] *a.* ① 물의; 물이〔물기〕 많은; 비 올 듯한; 수중의. ② 눈물어린. ③ (액체가) 묽은, (색 따위) 엷은; 물빛의; (문장 따위) 약한, 맥빠진.
WATS Wide Area Telephone Service 광역 전화 서비스.
***watt**[wɑt/-ɔ-] *n.* Ⓒ 와트《전력의 단위》. **~·age**[⌐idʒ] *n.* Ⓤ 와트 수.
Watt[wɑt/-ɔ-], **James**(1736-1819) 증기 기관을 완성한 스코틀랜드인.
Wat·teau [wɑtóu/wɔ́tou], **Jean Antoine**(1684-1721) 와토《프랑스의 화가》.
wátt-hóur *n.* Ⓒ 〖電〗 와트시(時).
wat·tle[wɑ́tl/-ɔ́-] *n.* Ⓤ 휘추리(세공), 휘추리로 엮은 울타리; Ⓒ (닭·칠면조 따위의, 목 아래의) 늘어진 살; Ⓤ 아카시아의 일종. — *vt.* (울타리·지방 따위를) 휘추리로 엮어 만들다; 겯다. **wat·tled**[-d] *a.* 휘추리로 결어 만든; 늘어진 살이 있는.
wátt·mèter *n.* Ⓒ 전력계.
Wave[weiv] *n.* WAVES의 대원.
†**wave**[weiv] *n.* Ⓒ ① 물결, 파도. ② 《詩》 (강·바다 등의) 물, 바다. ③ 파동, 기복, 굽이침; 파상 곡선; (머리털의) 웨이브; (감정 등의) 고조. ④ 격발, 속발(續發)(*a crime* ~ 범죄의 연발). ⑤ (신호의) 한 번 흔듦, 신호. ⑥ 〖理〗 파(波), 파동. ⑦ 〖컴〗 파, 파동. ***make ~s*** 《美口》 풍파〔소동〕을 일으키다. — *vi.* ① 물결치다; 흔들리다; 너울거리다; 펄럭이다; (파상으로) 기복하다, 굽이치다. ② 흔들어 신호하다(*to*). — *vt.* ① 흔들다; 휘두르다; 펄럭이게 하다. ② 흔들어 신호하다〔나타내다〕 (*She ~d him nearer.* 손짓으로 불렀다). ③ 물결치게 하다, (머리털에) 웨이브를 내다. ~ ***aside*** 물리치다. ~ ***away*** 〔***off***〕 손을 흔들어 쫓아버리다, 거절하다.
wáve bànd 〖無電·TV〗 주파대(周波帶).
wáve bòmbing 〖軍〗 파상 폭격.
wáve guíde 〖電子〗 도파관(導波管).
wáve·lèngth *n.* Ⓒ 〖理〗 파장.

wave·let[´-lit] *n.* Ⓒ 작은 파도, 잔물결.
wáve mechànics 〖理〗 파동 역학.
wáve mòtion 파동.
***wa·ver**[wéivər] *vi.* ① 흔들리다; (빛이) 반짝이다. ② 비틀거리다; 망설이다. — *n.* Ⓤ 망설임.
WAVES [weivz] (< *W*omen's *A*ppointed for *V*oluntary *E*mergency *S*ervice) *n.* Ⓒ 《美》 해군 여자 예비 부대.
wáve tràin 〖理〗 파동열(波動列), 등(等)간격 연속파.
wav·y[wéivi] *a.* 파상의, 파도〔굽이〕치는; 파도 많은, 물결이 일고 있는.
Wávy Návy 《英口》 해군의용 예비대《소맷부리의 물결 금줄에서》.
WAWF World Association of World Federalists.
:wax¹[wæks] *n.* Ⓤ 밀랍(蜜蠟); 왁스; 납(蠟)(모양의 것). ~ ***in one's hands*** 뜻대로 부릴 수 있는 사람. — *vt.* (…에) 밀을 바르다, 밀을 입히다, 밀로 닦다. — *a.* 밀의, 밀로 만든. ~**ed**[-t] *a.* 밀을 바른. ´-**en** *a.* 밀로 만든; (밀처럼) 말랑말랑한, 부드러운, 창백한. ´-**y** *a.* 밀 같은; 밀로 만든, 밀을 입힌, 밀을 함유한; 창백한; 유연(柔軟)한.
wax² *vi.* 차차 커지다; 증대하다; (달이) 차다; …이〔하게〕 되다.
wax³ *n.* (a ~) 《口》 불끈하기, 격분. ***in a*** ~ 불끈해서.
wáx bèan 《美》 완두의 일종.
wáx càndle 양초.
wáx mỳrtle 〖植〗 소귀나무.
wáx pàper 초 먹인 종이, 파라핀 종이.
wáx·wìng *n.* Ⓒ 〖鳥〗 여샛과의 새.
wáx·wòrk *n.* Ⓒ 납(蠟) 세공〔인형〕.
†way¹[wei] *n.* ① Ⓒ 길, 가로. ② Ⓤ 진로; 진행, 전진. ③ (*sing.*) 거리; 방향; 근처, 부근, 방면(*He lives somewhere Seoul* ~.). ④ Ⓒ 방법, 수단; 풍(風), 방식; 습관, 풍습. ⑤ (종종 *pl.*) 버릇; 방침, 의향; (처세의) 길. ⑥ Ⓤ 《口》 장사(*He is in the toy* ~. 장난감 장사를 하고 있다). ⑦ Ⓒ (…한) 점, 사항; (경험·주의 따위의) 범위. ⑧ (a ~) 《口》 상태. ⑨ (*pl.*) 진수대(進水臺). ***all the*** ~ 도중 내내; 멀리(서), 일부러; 《美》 =ANYWHERE. ***a long*** ~ ***off*** 멀리 떨어져서, 먼 곳에. ***by the*** ~ 도중에; 그런데. ***by*** ~ ***of*** …을 경유하여〔거쳐〕; …로서; …을 위하여, …할 셈으로. ***by*** ~ ***of*** do***ing*** 《英口》 …하는 버릇으로; …을직업으로 하여; …으로 유명하여, …라는 상태〔지위〕로 (돼 있다)(*She's by* ~ *of being a pianist.*). ***come a person's*** ~ (아무에게) 일어나다; (일이) 잘 돼 나가다. ***find one's*** ~ …에 다다르다, 고생하며 나아가다 (*to, in, out*). ***force one's*** ~ 무리하게 나아가다. ***gather*** 〔***lose***〕 ~ 〖海〗 속력을 내다〔늦추다〕. ***get in*** 〔***into***〕 ***the*** ~ 방해가 되다. ***get out of the*** ~ 제거하다, 처분하다; 피하다, 비키다. ***get under*** ~ 진행하기 시작하다, 시작되다; 출범(出帆)하다. ***give*** ~ 무너지다, 허물어지다; 굴복하다, 물러나다, 양보하다(*to*); 참다 못해 …하다(*give* ~ *to tears* 울음을 터뜨리다). ***go a good*** 〔***long***〕 ~ 크게 도움이 되다(*to, toward*). ***go little*** ~ 그다지 도움이 안되다(*to, toward*). ***go*** 〔***take***〕 ***one's own*** ~ 자기 마음대로 하다. ***go one's*** ~ 출발하다, 떠나다. ***go out of the*** ~ 딴데를 들르다; 애초 예정에 없던 일을 하다; 일부러〔주제넘게〕 …하다. ***go the*** ~ ***of all the earth*** 〔***all flesh, all living***〕 죽다. ***have a*** ~ ***with a person*** (사람) 다룰 줄 알다. ***have one's*** 〔***own***〕 ~ 제 마음〔멋〕대로 하다. ***in a bad*** ~ 형편이 나빠져서; 경기가 나빠. ***in a great*** ~ 대규모로; 《英》 (감정이) 격해서. ***in a small*** ~ 소규모로. ***in a*** ~ 어떤 점으로는, 보기에 따라서는; 어느 정도; 《英》 (감정이) 격해서. ***in no*** ~ 결코 …아니다. ***in one's*** ~ 능사로, 전문인. (***in***) ***one*** ~ ***or another*** 〔***the other***〕 어떻게든 해서, 이럭저럭. ***in the*** ~ 도중에; 방해가 되어. ***in the*** ~ ***of*** …의 버릇이 있어; …에 대하여; …에 유망하여. ***look nine*** ~***s,*** or ***look two*** ~***s to find Sunday*** 지독한 사팔눈이다. ***make one's*** ~ 가다, 나아가다; 성공하다. ***make*** ~ 길을 열다〔양보하다〕(*for*); 나아가다, 진보하다. ***once in a*** ~ 이따금. ***on the*** ~ 도중에. ***out of one's*** ~ 자기 쪽에서 (일부러). ***out of the*** ~ 방해가 안되는 곳에; 길에서 벗어나; 이상(異常)한; 살해되어. ***pay one's*** ~ 빚지지 않고 지내다. ***put a person in the*** ~ ***of*** …할 기회를 주다. ***see one's*** ~ 할 수 있을 것으로 생각하다(*to*). ***take one's*** ~ 나아가다(*to, toward*). ***the*** ~ ***of the world*** 세상의 관습. ***under*** ~ 진행중에; 항해중에. ~***s and means*** 수단, 방법; 재원(財源).
way² *ad.* 《美口》 훨씬, 멀리(away). ~ ***back*** 훨씬 이전.
wáy·bìll *n.* Ⓒ 화물 운송장(狀).
way·far·er [´-fὲərər] *n.* Ⓒ 《雅》 (특히 도보의) 나그네.
way·far·ing [´-fὲəriŋ] *n., a.* Ⓤ 《雅》 (도보) 여행(을 하는); 여행(의).
wáy ín 《英》 입구.
way·lay[wèiléi] *vt.* (**-laid**) 숨어 기다리다; (…을) 기다리다가 말을 걸다.
wáy óut 《英》 출구; 해결법.
wáy-óut *a.* 《美俗》 이상한, 색다른; 전위적인, 탁월한.
-ways[wèiz] *suf.* '방향·위치·상태'를 보이는 부사를 만듦.
***wáy·sìde** *n., a.* (the ~) 길가(의).
wáy stàtion 《美》 (철도의) 중간

역, 작은 역.

wáy-stòp *n.* Ⓒ (버스 등의) 정류장; (도중의) 휴게소.

wáy tràin 《美》 (각 역마다 정거하는) 보통 열차.

***way·ward** [wéiwərd] *a.* ① 정도(正道)에서 벗어난. ② 제멋대로 하는; 고집 센. ③ 변덕스러운; 일정하지 않은. **~·ly** *ad.* **∠·ness** *n.*

wáy·wòrn *a.* 여행에 지친.

W/B, W.B. waybill. **WBA** World Boxing Association. **WbN** west by north. **WbS** west by south. **WBS** World Broadcasting System 세계 방송망. **W.C.** West Central (London). **w.c.** water closet; without charge. **WCC** War Crime Commission 전범 조사 위원회. **W.C.T.U.** Women's Christian Temperance Union (미국) 기독교 부인 교풍회(矯風會). **W.D.** War Department.

†**we** [wiː, 弱 wi] *pron.* ① 우리는[가]. ② 《제왕의 자칭》 짐(朕), 나. ③ (부모가 자식에게) 너, (간호사가 환자에게) 당신(*How are we today?* 오늘 좀 어떤지요).

†**weak** [wiːk] *a.* ① 약한; 힘없는; (권위·근거 등이) 박약한. ② 어리석은, 결단력이 없는. ③ (용액이) 묽은. ④ 약점 있는; 불충분한. ⑤ 〖文〗 약변화의; 〖音聲〗 (소리가) 악센트 없는, 약한. ⑥ 〖商〗 (시장이) 약세인, 내림세인. **~ *point*** [***side***] 약점. **~ *verb*** 약변화, 동사. ***∠·ly** *a., ad.* 약한, 병약한; 약하게. **:∠·ness** *n.* Ⓤ 약함; 허약, 박약; 우둔; Ⓒ 약점; 못견디게 좋아하는 것; 편애(偏愛)(*for*).

:**weak·en** [∠ən] *vt., vi.* ① 약하게 하다; 약해지다. ② 묽게 하다. ③ 결단성이 없어지다, 우유부단하게 되다.

wéaker séx, the 여성.

wéak·héarted *a.* 마음 약한.

wéak-mínded *a.* 저능(低能)한; 마음이 약한.

wéak síster 《美俗》 (그룹내의) 주체스러운 사람, 무능자.

weal[1] [wiːl] *n.* Ⓤ 《古》 복리, 행복. ***in ~ and*** [***or***] ***woe*** 화복(禍福) 어느 경우에도.

weal[2] *n.* Ⓒ 채찍 맞아 지렁이처럼 「부르튼 곳.

Weald [wiːld] *n.* (the ~) 윌드 지방《영국 남부의 삼림 지대》.

†**wealth** [welθ] *n.* ① Ⓤ 부(富); Ⓤ,Ⓒ 재산; 재화. ② Ⓤ 풍부(*of*). **:∠·y** *a.* 유복한; 풍부한.

wean [wiːn] *vt.* 젖떼다(*from*); 떼어놓다, 버리게 하다, 단념시키다(*from, of*). **∠·ling** *n.* Ⓒ 젖이 갓 떨어진 아이[동물].

:**weap·on** [wépən] *n.* Ⓒ 무기, 병기, 흉기. ***women's ~s*** (여자의 무기인) 눈물《Shak., *Lear*, II. iv. 280》. **~·ry** *n.* Ⓤ 《집합적》 무기(weapons).

†**wear** [wɛər] *vt.* (***wore; worn***) ① 몸에 지니고 있다; 입고[신고, 쓰고, 차고] 있다. ② (수염을) 기르고 있다. ③ 얼굴에 나타내다. ④ 닳게 하다; 써서 낡게 하다; 닳아서 구멍이 생기게 하다. ⑤ 지치게 하다. ⑥ 〖海〗 (배를) 바람을 등지게 돌리다. — *vi.* ① 사용에 견디다, (오래) 가다. ② 닳아서 해지다(*away, down, out, off*). ③ (때 따위가) 점점 지나다(*away, on*). **~ *away*** 닳(리)다; 경과하다. **~ *down*** 닳(게 하)다; 닳려서 낮아지(게 하)다; 지치게 하다, (반항 등을) 꺾다. **~ *off*** 점점 줄어들다[닳게 하다]. **~ *one's years well*** 젊어 뵈다. **~ *out*** 써서[입어] 낡게 하다; 닳리다; 다(하게)하다; 지치(게 하)다. — *n.* Ⓤ ① 착용. ② 옷(*everyday* ~ 평상복). ③ 입어 낡음, 닳아 해짐. ④ 지탱함. ***be in ~*** (옷이) 유행되고 있다. **~ *and tear*** 닳아해짐, 마손, 소모.

wéaring appàrel 의복.

:**wea·ry** [wíəri] *a.* ① 피로한; 싫어진, 싫증난(*of*). ② 지치게 하는; 넌더리 나는. — *vt.* 지치게 하다; 지루하게 하다. — *vi.* ① 지치다; 지루해지다, 싫증나다(*of*). ② 동경하다(*for*). ***wéa·ri·ly** *ad.* ***wéa·ri·ness** *n.* **wéa·ri·some** *a.* 피곤하게 하는; 싫증나는.

wéary wíl·lie [-wíli] 《俗》 게으른 사람; 방랑자.

wea·sel [wíːzəl] *n.* Ⓒ ① 족제비. ② 교활한 사람. ③ 수륙 양용차.

wéasel wòrds 핑계.

†**weath·er** [wéðər] *n.* Ⓤ ① 일기, 날씨. ② 황천(荒天). ***April ~*** 비가 오다 개다 하는 날씨; 울다 웃다 함. ***make heavy ~ of*** (작은 일을) 과장하여 생각하다. ***under the ~*** 《口》 몸이 편찮아; 얼근히 취하여. — *a.* 바람 불어오는 쪽의, 바람을 안은. — *vt.* ① 비바람에 맞히다; 외기(外氣)에 쐬다, 말리다; (암석을) 풍화시키다. ② 〖海〗 (…의) 바람을 거슬러 달리다. ③ (곤란 따위를) 뚫고 나아가다. — *vi.* 외기에 쐬어 변화하다, 풍화하다.

wéather-bèaten *a.* 비바람에 시달린; 햇볕에 탄.

wéather·bòard *n., vt., vi.* Ⓒ 미늘 판자(를 대다).

wéather-bòund *a.* 〖海·空〗 악천후로 출범(出帆)[출항] 못하고 있는, 비바람에 발이 묶인.

wéather brèeder 폭풍 전의 좋은 날씨.

Wéather Bùreau, the 《美》 기상국.

wéather càst 일기 예보.

wéather chàrt 일기[기상]도(圖).

***wéather·còck** *n.* Ⓒ 바람개비; 변덕쟁이.

wéather èye 기상 관측안(眼). ***keep one's ~ open*** 《俗》 방심않고 경계하다.

wéather fòrecast 일기예보.

wéather gàuge 바람 불어오는 쪽

W

의 위치; 우위(優位). 「자.
wéather gìrl 《美》 여성 일기 예보
wéather·glàss *n.* Ⓒ 청우계.
weath·er·ing[-iŋ] *n.* Ⓤ 풍화.
weath·er·ize[wèðəràiz] *vt.* (집의) 단열효과를 높이다.
*__wéather·màn__ *n.* Ⓒ 《美》 일기예보자, 예보관, 기상대 직원.
wéather·pròof *a., vt.* 비바람에 견디는〔견디게 하다〕.
wéather repòrt 일기 예보.
wéather sátellite 기상 위성.
wéather shìp 기상 관측선.
wéather-stàined *a.* 비바람에 바랜. 「측소.
wéather stàtion 측후소, 기상 관
wéather strìp 문풍지, 문틈마개.
wéather-tìght *a.* 비바람을 막는.
wéather vàne 바람개비(weathercock).
wéather·wèar *n.* Ⓒ 《英》 비옷.
wéather·wìse *a.* 일기를 잘 맞히는; 여론의 변화에 민감한.
wéather·wòrn *a.* 비바람에 상한.
:**weave** [wi:v] *vt.* (***wove,*** 《稀》 ***~d; woven,*** 〖商〗 ***wove***) ① 짜다, 엮다. ② (이야기 따위를) 꾸미다, 엮다. ***~ one's way*** 누비듯이 나아가다; (길을) 이리저리 헤치고 나아가다. — *vi.* ① 짜다. ② (좌우로) 헤치고 나아가다,《空軍俗》 적기를 누비면서 잘 피하다. — *n.* Ⓤ (a ~) 짜기, 짜는 법. *__wéav·er__ *n.* Ⓒ 짜는 사람, 직공(織工); =WEAVERBIRD.
wéaver·bìrd *n.* Ⓒ 〖鳥〗 피리새.
Web[web] *n.* =WORLD WIDE WEB.
:**web**[web] *n.* Ⓒ ① 거미집, 거미줄 모양의 것. ② 피륙; 한 베틀분의 천. ③ 꾸민 것(*a ~ of lies* 거짓말 투성이). ④ (물새의) 물갈퀴. ⑤ 한 두루마리의 인쇄용지. **~bed**[-d] *a.* 물갈퀴 있는. **∠·bing** *n.* Ⓤ (피대 따위로 쓰는 튼튼한) 띠; (깔개 따위의) 두꺼운 가장자리; 물갈퀴.
Wéb bròwser 〖컴〗 웹 브라우저.
We·ber[wéibər], **Max**(1864-1920) 독일의 경제〔사회〕학자.
we·ber[wébər, véi-, wí:-] *n.* Ⓒ 〖理〗 웨버《자속(磁束)의 단위; 기호 Wb》. 「물갈퀴 있는.
wéb-fòoted, wéb-tòed *a.* 발에
Wéb sìte 〖컴〗 웹 사이트.
Web·ster [wébstər], **Daniel** (1782-1852) 미국의 정치가·웅변가; **Noath** (1758-1843) 미국의 사전 편찬가.
Wéb tèlevision 웹 텔레비전.
*__wed__ [wed] *vt.* (***~ded; ~ded,*** 《稀》 ***wed; -dd-***) (…와) 결혼하다〔시키다〕; 결합하다(*to*). — *vi.* 결혼하다. *__~·ded__[∠id] *a.* 결혼한; 결합한; 집착한(*to*).
:**we'd** [wi:d, 弱 wid] we had 〔would, should〕의 단축.
*__Wed.__ Wednesday.
:**wed·ding**[wédiŋ] *n.* Ⓒ 결혼(식); 결혼 기념식. 「연.
wédding brèakfast 결혼 피로
wédding càke 혼례 케이크.
wédding càrd 결혼 청첩장.
wédding dày 결혼식 날; 결혼 기념일. 「레스.
wédding drèss (신부의) 웨딩드
wédding màrch 결혼 행진곡.
wédding rìng 결혼 반지.
we·deln[véidəln] *n.* (G.) Ⓤ 〖스키〗 베델른《좌우로 작게 스키를 흔들며 나가는 활주법》.
*__wedge__[wedʒ] *n.* Ⓒ 쐐기. — *vt.* ① 쐐기로 짜개다〔죄다〕. ② 무리하게 밀어 넣다(*in, into*), 밀고 나가다. ***~ away*** 〔***off***〕 밀어 제치다. 「형의.
wédge-shàped *a.* 쐐기형의; V자
wédge·wìse *ad.* 쐐기 꼴로.
wedg·ie [wédʒi] *n.* Ⓒ (흔히 *pl.*) 《美口》 쐐기꼴의 여자 구두.
wed·lock[wédlɑk/-lɔk] *n.* Ⓤ 결혼 (생활).
†**Wednes·day**[wénzdei, -di] *n.* Ⓒ 《보통 무관사》 수요일.
*__wee__[wi:] *a.* 《주로 Sc.》 조그마한.
:**weed**[1][wi:d] *n.* ① Ⓒ 잡초. ② (the ~) 《口》 담배; 엽궐련; Ⓤ 《美俗》 마리화나. ③ Ⓒ 깡마르고 못생긴 사람〔말〕. — *vt., vi.* 잡초를 뽑다. ***~ out*** 잡초를〔못 쓸 것을〕 제거하다. **∠·er** *n.* Ⓒ 제초기, 제초하는 사람. **∠·y** *a.* 잡초의, 잡초 같은; 잡초가 많은; 호리호리한.
weed[2] *n.* Ⓒ 상장(喪章); (*pl.*) (미망인의) 상복.
weed·i·cide[wí:dəsàid] *n.* =⇩.
wéed-kìller *n.* Ⓒ 제초제.
†**week**[wi:k] *n.* Ⓒ ① 주(週). ② 평일, 취업일. ***this day*** 〔***today***〕 ***~*** 전주〔내주〕의 오늘. ***~ in, ~ out*** 매주마다.
:**week·day**[∠dèi] *n., a.* Ⓒ 평일(의).
:**week·end**[∠ènd] *n., a., vi.* Ⓒ 주말《토요일 오후 또는 금요일 밤부터 월요일 아침까지》; 주말의; 주말을 보내다. **~·er** *n.* Ⓒ 주말 여행자.
week·ends[∠ènz] *ad.* 주말에.
:**week·ly**[∠li] *a.* ① 1주간의; 1주간 계속되는. ② 주 1회의, 매주의. — *ad.* 주1회, 매주. — *n.* Ⓒ 주간지 (紙·誌).
ween[wi:n] *vt., vi.* 《古》 생각하다, 믿다; 기대하다. 「=WIENER.
wee·nie, -ny[1] [wí:ni] *n.* 《美俗》
wee·ny[2] *a.* 《口》 작은, 조그마한.
:**weep**[wi:p] *vi.* (***wept***) ① 울다, 눈물을 흘리다. ② 슬퍼하다, 비탄하다(*for, over*). ③ 물방울이 듣다. — *vt.* ① (눈물을) 흘리다; 비탄하다. ② (수분을) 스며 나오게 하다. ***~ away*** 울며 지내다. ***~ oneself out*** 실컷 울다. ***~ out*** 울며 말하다. **∠·er** *n.* Ⓒ 우는 사람; (장례식에 고용되어) 우는 남자〔여자〕. * **∠·ing** *a.* 우는, 눈물을 흘리는; (가지가) 늘어진.
weep·ie [wí:pi] *n.* Ⓒ 《英俗》 슬픈 〔감상적〕 영화〔연극〕.
wéeping wíllow 〖植〗 수양 버들.
weep·y[wí:pi] *a.* 눈물 잘 흘리는.

W

wee·vil[wíːvəl] *n.* Ⓒ 〖蟲〗 바구밋과의 곤충.
wee·wee [wíːwìː] *n., vi.* Ⓒ 《俗·兒》 쉬(하다).
weft [weft] *n.* (the ~)《집합적》(피륙의) 씨실(woof).
wé-gròup *n.* =INGROUP.
:**weigh**[wei] *vt.* ① 저울에 달다, 손으로 무게를 헤아리다. ② (비교해서) 잘 생각하다. ③ (무게로) 압박하다, 내리 누르다(*down*). ④ (닻을) 올리다. — *vi.* ① 무게를 달다; 무게가 …나가다. ② 중요시되다, 존중되다(*with*). ③ 무거운 짐이 되다, 압박하다(*on, upon*); 숙고하다. ④ 〖海〗 닻을 올리다. **~ *in*** (기수가 경마 후 〔권투 선수가 시합 전〕에) 몸무게를 달다. **~ *one's words*** 숙고하여 말하다, 말을 음미하다. **~ *out*** 달아서 나누다; (기수가 경마 전에) 몸무게를 달다.
wéigh·brìdge *n.* Ⓒ 계량대(臺)《차량·가축 등을 재는, 노면과 같은 높이의 대형 저울》.
wéigh-ìn *n.* Ⓒ 기수(騎手)의 레이스 직후의 계량.
†**weight**[weit] *n.* ① Ⓤ 무게, 중량. ② Ⓒ 저울눈, 형량(衡量). ③ Ⓒ 무거운 물건, 추, 분동(分銅); 무거운 짐; 압박; 부담. ④ Ⓤ 중요성; 영향력. ⑤ Ⓤ 〖統〗 가중치. ***by ~*** 무게로. ***give short ~*** 저울 눈을 속이다. ***have ~ with*** …에 있어 중요하다. ***pull one's ~*** 자기 체중을 이용하여 배를 젓다; 제구실을 다하다. **~*s and measures*** 도량형. — *vt.* (…에) 무겁게 하다, 무게를 가하다; 무거운 짐을 지우다; 괴롭히다(*with*). ***ˊ·y** *a.* 무거운, 유력한; 중요한; 영향력이 있는; 견디기 어려운.
wéight·less *a.* 무중력 상태인.
wéight lìfter 역도 선수.
wéight lìfting 역도.
wéight wàtcher 체중에 신경 쓰는 사람.
Wei·mar[váimɑːr] *n.* 바이마르《독일 서부의 도시》.
Wéimar Cònstitution, the 바이마르 헌법《1919년 바이마르 국민의회에서 제정된 독일 공화국 헌법》.
weir [wiər] *n.* Ⓒ 둑(dam); (물고기를 잡는) 어살.
·**weird**[wiərd] *a.* 초(超)자연의; 이상한, 《口》 기묘한; 《古》 운명의. — *n.* Ⓤ,Ⓒ 《古·Sc.》 운명, (특히) 불운.
weird·ie, -y[wíərdi], **-o**[-ou] *n.* Ⓒ 《口》 괴짜.
Wéird Sísters, the 운명의 3여신(the Fates).
Weis·mann·ism [váismɑːnìzəm] *n.* Ⓤ 〖生〗 (획득형질(獲得形質)의 유전을 부정하는) 바이스만 (유전학)설.
†**wel·come** [wélkəm] *a.* ① 환영받는. ② 고마운. ③ 마음대로 …할 수 있는(*to*). ***and ~*** 그것으로 됐다. ***You are* (*quite*) *~.*** 《美》 ('Thank you.'에 대한 대답으로) 천만의 말씀. — *int.* 어서 오십쇼! — *n.* Ⓒ 환영(인사). — *vi.* 환영하다.
·**weld**[weld] *vt.* 용접(溶接)〔단접〕하다; 결합하다, 밀착시키다(*into*). — *vi.* 용접〔단접〕되다. **ˊ·ment** *n.* Ⓤ,Ⓒ 용접(한 것).
:**wel·fare**[wélfɛ̀ər] *n.* Ⓤ 행복, 후생, 복지 (사업). **~·ism** [ˊfɛ̀ərizəm] *n.* Ⓤ 복지 정책〔보조금〕.
wélfare económics 후생 경제학.
wélfare fùnd 후생 기〔자〕금.
wélfare stàte 복지 국가.
wélfare stàtism 복지 국가주의.
wélfare wòrk 복지 후생 사업.
wélfare wòrker 복지 사업가.
wel·kin[wélkin] *n.* (the ~) 《古·詩》 창공.
:**well**[1][wel] *n.* Ⓒ ① 우물. ② 샘; 원천. ③ (층계의) 뚫린 공간, (엘리베이터의) 종갱(縱坑). ④ 우묵한 곳, 책상의 잉크병 받이. — *vi.* 솟아나다(*up, out, forth*).
†**well**[2] *ad.* (**better; best**) ① 잘, 훌륭히; 만족스럽게. ② 적당히. ③ 충분히; 아주; 크게, 꽤; 상세히. ***as ~*** …도 또한, 그 위에; 마찬가지로. ***as ~ as*** …과 같이. ***may* (*as*) *~*** …하는 것이 좋다. ***might as ~*** …하는 것이나 마찬가지다. ***W- done!*** 잘한다! — *a.* ①《美口》 건강한. ② 적당한. ③ 좋은, 만족한, 형편〔운〕 좋은. ***get ~*** 좋아지다, 낫다. — *int.* ①《놀라움》 어머, 저런. ②《승인·양보》 과연; 그래 그럼. ③《기대, 이야기의 계속》 그런데; 그래서; 자. ④《항의》 그것이 어쨌단말야(***W-?***). ***W-, to be sure!*** 저런, 이것 놀랐는걸. ***W- then?*** 아하, 그래서?
†**we'll**[wiːl] we shall 〔will〕의 단축.
wéll-advísed *a.* 사려깊은, 현명한.
wéll-appóinted *a.* 충분히 장비〔설비·준비〕된.
wéll-bálanced *a.* 균형잡힌; 상식있는; 제정신의.
wéll-beháved *a.* 행실〔품행〕좋은.
·**wéll-béing** *n.* Ⓤ 복지, 안녕, 행복.
wéll·bòrn *a.* 집안이 좋은.
wéll·bréd *a.* 교양 있게 자란, 품위가 있는; (말 따위) 씨가 좋은.
wéll-búilt *a.* 잘 세워진〔만들어진〕; 《특히》 체격이 훌륭한《사람》.
wéll-chósen *a.* 정선(精選)된; (어구의) 적절한.
wéll-condítion *a.* 건강한; 행실이 바른; 선량한.
wéll-connécted *a.* 좋은 친척〔연줄〕이 있는.
wéll-dèck *n.* Ⓒ 〖海〗 오목 갑판.
wéll-defíned *a.* (정의가) 명확한; 윤곽이 뚜렷한.
wéll-dispósed *a.* 호의 있는; 선의의; 마음씨 좋은, 친절한.
wéll-dóing *n.* Ⓤ 선행.
wéll-dóne *a.* (고기가) 잘 구워진〔익은〕; 잘 한.
wéll-éarned *a.* 제 힘으로 얻은.

wéll-estáblished *a.* 기초가 튼튼한; 안정된, 확립한.
wéll-fávo(u)red *a.* 예쁜, 잘생긴.
wéll-féd *a.* 영양이 충분한; 살찐.
wéll-fíxed *a.* 《口》 유복한.
wéll-fóunded *a.* 근거〔이유〕 있는, 사실에 입각한. 「한.
wéll-gróomed *a.* 옷차림이 단정
wéll-gróunded *a.* 기본 훈련을 받은; =WELL-FOUNDED.
wéll·hèad *n.* Ⓒ 수원(水源).
wéll-héeled *a.* 《俗》 부유한, 아주 돈 많은. 「식한.
wéll-infórmed *a.* 정보에 밝은, 박
Wel·ling·ton[wéliŋtən], **Arthur Wellesley, 1st Duke of** (1769-1852) 영국의 장군·정치가.
wéll-inténtioned *a.* 선의의, 선의로 한.
wéll-képt *a.* 손질이 잘 된. 「인.
wéll-knít *a.* (체격이) 튼튼한, 째
:**wéll-knówn** *a.* 유명한; 친한.
wéll-máde *a.* 모양 좋은, 균형이 잡힌; 잘 만든. 「잖은.
wéll-mánnered *a.* 예절 바른, 점
wéll-márked *a.* 분명한, 명확한.
wéll-mátched *a.* (색이) 잘 배합된; (부부가) 어울리는.
wéll-méaning *a.* 선의의, 선의에서 나온.
wéll-méant *a.* 선의로 한.
wéll-nígh *ad.* 거의.
wéll-óff *a.* 순조로운; 유복한.
wéll-óiled *a.* 《비유》 기름진; 능률적인; 《俗》 취한.
wéll-órdered *a.* 질서 정연한.
wéll-presérved *a.* 잘 보존된; (나이에 비해) 젊게 보이는.
wéll-propórtioned *a.* 균형이 잘 잡힌. 「(*in*).
well-read[∠réd] *a.* 다독의; 박학한
wéll-régulated *a.* 잘 정돈된.
wéll-róunded *a.* (통통히) 살찐; (문체 따위가) 균형잡힌.
Wells[welz], **Herbert George** (1866-1946) 영국의 소설가.
wéll-sét *a.* (몸이) 건장한.
wéll sìnker 우물 파는 사람.
wéll-spént *a.* 뜻있게 쓰인, 유효하게 써진.
wéll-spóken *a.* 말씨가 점잖은; (표현이) 적절한.
wéll·sprìng *n.* Ⓒ 수원(水源); (무궁무진한) 원천.
wéll·stócked *a.* (상품·장서 등이) 풍부한.
wéll·súited *a.* 적절한, 편리한.
wéll swèep 방아두레박.
wéll-thóught-òf *a.* 평판이 좋은.
wéll-tímed *a.* 때를 잘 맞춘.
wéll-to-dó** *a.* 유복한. ***the ~ 부유 계급.
wéll-tríed *a.* 숱한 시련을 견뎌낸.
wéll-túrned *a.* 잘 표현된.
wéll·wìsher *n.* Ⓒ 호의를 보이는 사람.
wéll-wórn *a.* 써서 낡은; 진부한.
Wéls·bach bùrner [wélzbæk-, -ɑː-] 〖商標〗 벨스바흐 등《밝은 백열광을 발하는 가스등》.
***Welsh**[welʃ, weltʃ] *a.* 웨일스(사람·말)의. — *n.* (the ~)(*pl.*)《집합적》 웨일스 사람; Ⓤ 웨일스어(語).
welsh[welʃ, weltʃ] *vi., vt.* 《俗》 경마에 건 돈을 승자에게 치르지 않고 달아나다; 꾼 돈을 떼어먹다.
Wélsh Córgi 웨일즈 산의 작은 개.
Welsh·man[∠mən] *n.* Ⓒ 웨일즈 사람.
Wélsh rábbit 〔**rárebit**〕 녹인 치즈를 부은 토스트.
welt[welt] *n., vt.* Ⓒ 대다리《구두창에 갑피를 대고 맞꿰매는 가죽테》(를 대다); 가장자리 장식(을 붙이다); 채찍〔맷〕자국; 구타(하다).
wel·ter[wéltər] *vi.* 뒹굴다, 허위적〔버둥〕거리다(*in*); 묻히다, 잠기다, 빠지다(*in*). — *n.* (*sing.*) 뒹긂; 동요, 혼란.
wélter·wèight *n.* Ⓒ 〖競馬〗 (장애물 경주 따위에서) 말에 지우는 중량물; 웰터급 권투선수〔레슬러〕.
wen[wen] *n.* Ⓒ 혹.
wench[wentʃ] *n.* Ⓒ 《諧·蔑》 젊은 여자, 소녀; 《古》 하녀.
wend [wend] *vt.* (**~*ed,*** 《古》 ***went***) 돌리다. — *vi.* 《古》 가다.
†**went** [went] *v.* go의 과거; 《古》 wend의 과거(분사). 「사).
:**wept** [wept] *v.* weep의 과거(분
†**were** [wəːr, 弱 wər] *v.* be의 과거 《직설법 복수, 가정법 단수·복수》.
†**we're**[wiər] we are의 단축. 「축.
†**were·n't** [wəːrnt] were not의 단
wer(e)·wolf[wíərwùlf, wəːr-] *n.* (*pl.* ***-wolves***) Ⓒ (전설에서) 이리가 된 사람, 이리 인간.
Wér·ner's sýndrome [wəːr-nərz-, vɛər-] 〖醫〗 베르네 증후군 《조로증의 일종; 백발, 당뇨병, 백내장 등을 일으킴》.
wert[wəːrt, 弱 wərt] *n.* 《古》《주어가 thou인 때》 be의 2인칭·단수·직설법 및 가정법 과거.
Wes·ley [wésli, -z-], **John** (1703-91) 영국의 목사; 감리교회의 창시자. **~·an** *a., n.* 웨슬리의; Ⓒ 감리교회의 (교도).
Wes·sex[wésiks] *n.* 영국 남부의 고대 왕국; (지금의) Dorsetshire지방.
†**west**[west] *n.* ① (the ~) 서쪽, 서부 (지방). ② (the W-) 서양. ③ (the W-) (미국의) 서부지방. ***in*** 〔***on, to***〕 ***the ~ of*** (…의) 서부에 〔서쪽에 접하여, 서쪽에 위치하여〕. ***~ by north*** 〔***south***〕 서미(微) 북〔남〕. ***~-north*** 〔***-south***〕 ~ 서북〔남〕서. — *a.* 서쪽(으로)의; 서쪽에서의. — *ad.* 서쪽에〔으로, 에서〕. ***go*** ~ 서쪽으로 가다; 《俗》 죽다.
Wést Cóuntry 잉글랜드의 Southampton과 Severn 강 어귀를 잇는 선의 서쪽 지방.
Wést Énd, the (런던의) 서부 지구《상류 지역》.

W

west·er·ly[wéstərli] *a., ad., n.* 서쪽으로 향한〔향하게〕; 서쪽에서(의); Ⓒ 서풍.
:west·ern[wéstərn] *a.* ① 서쪽의, 서쪽으로 향한, 서쪽에서의. ② (W-) 서양의. ③ (W-)《美》서부 지방의. ④ (W-) 서반구의. — *n.* Ⓒ (문학의) 서부물, 서부극〔음악〕. **~·er** *n.* Ⓒ 서방에 사는 사람; (W-) (미국의) 서부 사람. **~·most**[-mòust] *a.* 가장 서쪽의.
Wéstern Chúrch 서방〔로마 가톨릭〕 교회.
Wéstern civilizátion 서양 문명.
Wéstern (**Européan**) **Únion** 서구(西歐) 연맹《영국·프랑스·Benelux의 연맹》.
wéstern frònt, the (제1차 대전의) 서부 전선.
Wéstern Hémisphere 서반구《남북아메리카 대륙》.
west·ern·ize[wéstərnàiz] *vt.* 서양식으로 하다, 서구화하다. **-i·za·tion**[⌒-izéiʃən] *n.*
Wéstern (**Róman**) **Émpire, the** 서로마 제국(395-476).
Wéstern Samóa 서사모아《서태평양 사모아 제도의 독립국》.
Wést Gérmany 서독(西獨)《1990년 10월 East Germany를 흡수하여 통일 독일 탄생》.
Wést Índies, the 서인도 제도.
Wést Í·ri·an [-íriən] 서이리안《New Guinea 서쪽 반을 차지한 인도네시아 속령(屬領)》.
Wést Mídlands 영국 중부의 주《1974년 신설》.
West·min·ster[wéstminstər] *n.* 런던시 중앙의 자치구; 영국 국회(의사당).
Wéstminster Ábbey (런던의) 웨스트민스터 성당.
Wést Póint《美》육군 사관 학교.
Wést Síde, the《美》New York 주 Manhattan 섬의 서부 지구.
Wést Virgínia 미국 동부의 주《생략 W. Va.》.
:west·ward[wéstwərd] *n., a., ad.* (the ~) 서쪽; 서쪽(으로)의; 서방에〔으로〕. **~·ly** *a., ad.* 서쪽으로의, 서쪽에; 서쪽에서의. **:~s** *ad.*
:wet[wet] *a.* (**-tt-**) ① 젖은, 축축한. ② 비의, 비가 잦은. ③《美》주류 제조 판매를 허가하고 있는. ***be all ~***《美俗》완전히 잘못되다. ***~ through*** 〔***to the skin***〕 흠뻑 젖어서. — *n.* ① Ⓤ 습기, 물기. ② (the ~) 비; 우천. ③ Ⓒ《美》주류 제조 판매에 찬성하는 사람. ④ (a ~)《英俗》(한 잔의) 술. — *vt., vi.* (***wet, wetted; -tt-***) 적시다; 젖다. ***~ the bed*** 자다가 오줌을 싸다. **∠·tish** *a.* 축축한.
wét·bàck *n.* Ⓒ《美口》(Rio Grande 강을 헤엄쳐 건너) 미국으로 밀입국한 멕시코 사람.
wét bárgain 술자리에서 맺어진 계약.
wét blánket 흥을 깨뜨리는〔탈을 잡는〕 사람〔것〕.
wét-búlb thermómeter 습구(濕球) 온도계.
wét céll〖電〗습전지.
wét dòck 습선거(濕船渠)(cf. dry dock).
wét dréam 몽정(夢精).
weth·er[wéðər] *n.* Ⓒ 불깐 숫양(羊).
wét lòok (직물의) 광택.
wét nùrse (젖을 주는) 유모(cf. dry nurse).
wét pàck 찬 찜질.
wét pláte〖寫〗습판(濕板).
wét sùit 잠수용 고무옷.
wét wàsh 젖은 빨래.
WEU Western European Union.
†we've[wiːv, 弱 wiv] we have의 단축.
w.f. wrong font〖校正〗'활자체가 틀림'. **WFTU** World Federation of Trade Unions. **W.G., w.g.** wire gauge. **W. Ger.** West GERMANIC.
whack[*h*wæk] *vt., vi.*《口》찰싹 때리다. — *n.* Ⓒ 구타; 몫; 시도. **∠·ing** *a., n.*《英口》엄청난; Ⓒ 철썩〔세게〕 치기, 강타. **∠·y** *a.* =WACKY.
whacked[*h*wækt] *a.*《주로 英口》기진맥진한.
whack·er [*h*wǽkər] *n.* Ⓒ《俗》(같은 것 중에서) 큰 사람〔물건〕; 허풍쟁이.
whack·o[*h*wǽkou] *int.*《英俗》만세《기쁨》.
:whale[1][*h*weil] *n.* Ⓒ 고래;《美口》굉장히 큰〔엄청난〕 것. — *vi.* 고래잡이에 종사하다.
whale[2] *vt.*《口》심하게 때리다; 매질하다.
whále·bàck *n.* Ⓒ 귀갑(龜甲) 갑판선.
whále·bòat *n.* Ⓒ (포경선 모양의, 노젓는) 구명 보트.
whále·bòne *n.* Ⓤ 고래 수염; Ⓒ 고래 수염 제품《코르셋 따위》.
whále fin 고래 수염.
whále fishery 포경업〔장〕.
whale·man[∠mən] *n.* Ⓒ 고래잡이《사람》.
whal·er[∠ər] *n.* Ⓒ 포경선; =⇧.
whal·ing[1][∠iŋ] *n.* Ⓤ 고래잡이《일》.
whal·ing[2] *a., n.*《美俗》=WHACKING.
wham[*h*wæm] *n* Ⓒ 꽝치는 소리; 충격. — *vt., vi.* (**-mm-**) 꽝치다, 후려갈기다.
wham·my [*h*wǽmi] *n.* Ⓒ《美俗》재수없는〔불길한〕 물건; 주문, 마력. ***put a*** 〔***the***〕 ***~ on*** (…을) 트집잡다.
whang[*h*wæŋ] *vt., vi.*《口》찰싹〔탕〕 때리다〔울리다〕. — *n.* Ⓒ 찰싹〔탕〕 때림〔울림〕; 그 소리.
:wharf [*h*wɔːrf] *n.* (*pl.* **~s, *wharves***) Ⓒ 부두, 선창. **~·age** [∠idʒ] *n.* Ⓤ 부두 사용(료);《집합적》부두.
wharf·in·ger[*h*wɔ́ːrfindʒər] *n.* Ⓒ 부두 임자.
***wharves**[*h*wɔːrvz] *n.* wharf의 복수.
†what[*h*wɑt/*h*wɔt] (*rel.*) *pron.* ①《의문사》무엇; 어떤 것〔사람〕; 얼마《금액》. ②《감탄》얼마나. ③《의문

사》 …(하는) 바의 것〔일〕; …(하는) 것〔일〕은 무엇이나(*do ~ you please* 네가 무엇을 하든); …와 같은(*He is not ~ he was.* 옛날의 그가 아니다). ***and ~ not*** 그밖의 여러 가지, …등등. ***but ~*** 《부정문에서》 …않는, …이외에는. ***I'll*** TELL ***you ~. W-about (it)?*** (그것은) 어떠한가. ***W-for?*** = WHY? ***W- if...?*** 만약 …라면〔하다면〕 어찌 될 것인가; = WHAT THOUGH? ***~ is called*** 이른바. ***~ is more*** 그 위에. ***W- of it?*** 그게 어쨌다는 건가. ***~'s ~*** 《口》 사물의 도리, 일의 진상. ***W- though ...?*** 설사 …라도 그것이 어떻단 말인가. ***~ with ..., (and) ~ with*** (…을) 하거나 또 (…을) 하거나하여, …다 …다하여. — *a.* ① 《의문사》 무슨, 어떤; 얼마의. ② 《감탄사》 정말이지, 어쩌면. ③ 《관계사》 (…하는) 바의; …할 만큼의.

***what·e'er**[*h*watɛ́ər/*h*wɔt-] (*rel.*) *pron., a.* 《詩》 = ⇩.

:**what·ev·er** [*h*watévər/*h*wɔt-] (*rel.*) *pron.* ① (…하는) 것〔일〕은 무엇이나; 무엇이 …하든지. ② 《美口》 《강조》 대체 무엇이〔을〕(*W- do you mean?* 대체 어쩔 셈이냐?). — *a.* ① 《관계사》 (비록) 어떤 …이라도; 어떤 …을 하더라도. ② 《no나 any 다음에서》 조금의 …도.

whát-fòr *n.* Ⓤ 《口》 벌, 처벌, 잔소리.

whát·nòt *n.* Ⓒ (책·장식품을) 얹어 놓는 (장식) 선반.

†**what's** [*h*wats/*h*wɔts] what is 〔has〕의 단축; 《口》 what does의 단축.

whats·is[*h*wátsiz/*h*wɔ́ts-] *n.* Ⓤ 《美口》 무엇〔누구〕인지, 무엇이라던가 하는 것〔사람〕.

what·so·e'er [*h*wàt-souɛ́ər/*h*wɔ̀t-] (*rel.*) *pron., a.* = ⇩.

***what·so·ev·er** [*h*wàt-souévər/*h*wɔ̀t-] (*rel.*) *pron., a.* 《강의어》 = WHATEVER.

wheal[*h*wi:l] *n.* Ⓒ 부르튼 채찍 자국; 뾰루지; 벌레 물린 자국.

:**wheat**[*h*wi:t] *n.* Ⓤ 밀. **∠·en** *a.* 밀의, 밀로 만든.

whéat bèlt 《美》 소맥 산출 지대.

Whéat·stone brìdge [*h*wí:t-stòun-, -stən-] 전기 저항 측정기.

whee[*h*wi:] *int.* 야아, 와아《기쁨·흥분》.

whee·dle[*h*wí:dl] *vt.* 감언으로 유혹하다(*into*); 감언이설로 속여 빼앗다(*out of*).

:**wheel** [*h*wi:l] *n.* Ⓒ ① 바퀴, 수레바퀴. ② (운명의) 수레바퀴. ③ 《美口》 자전거. ④ (자동차의) 핸들, 타륜(舵輪); 물레. ⑤ (*pl.*) 기계; 회전. ⑥ 《美俗》 《비유》 세력가, 거물. ***at the ~*** 타륜을 잡고; 지배하여. ***a turn of the ~*** 운명의 변천. ***go on ~s*** 순조롭게 나아가다. ***grease the ~s*** 바퀴에 기름을 치다; 일을 원활하게 진행시키다, 뇌물을 쓰다. ***~s within ~s*** 착잡한 사정, 복잡한 기구. — *vt.* ① (수레를) 움직이다; 수레로 나르다. ② 선회시키다. ③ 녹로로 만들다. — *vi.* 선회하다, 방향을 바꾸다(*about, round*); 자전거를 타다; (새 따위가) 원을 그리며 날다(따위). **~ed**[-d] *a.* 바퀴 있는. **∠·er** *n.* Ⓒ 수레로 나르는 사람; …륜차; (마차의) 뒷말; = WHEELWRIGHT.

whéel·bàrrow *n.* Ⓒ 외바퀴 손수레.

whéel·bàse *n.* Ⓒ 축거(軸距)《자동차 전후의 차축간의 거리》.

whéel·chàir *n.* Ⓒ (환자용의) 바퀴 달린 의자. 「완가.

whéeler-dèaler *n.* Ⓒ 《美俗》 수

whéel hòrse (마차의) 뒷말; 《美口》 일 잘하는 사람, 부지런한 사람.

wheel·man [∠mən] *n.* Ⓒ 자전거를 타는 사람; 〖海〗 = STEERSMAN.

whéel·wrìght *n.* Ⓒ 수레 목수.

wheeze [*h*wi:z] *vi., vt.* 씨근거리(며 소리내)다; 씩씩거리며 말하다. — *n.* Ⓒ 씩씩거리는 소리; (배우의) 진부한 익살; 진부한 이야기.

wheez·y[*h*wí:zi] *a.*

whelk[1][*h*welk] *n.* Ⓒ 쇠고둥《7cm 정도의 식용 고둥》.

whelk[2] *n.* Ⓒ 여드름, 뾰루지.

whelm [*h*welm] *vt.* 물에 담그다; 압도하다.

whelp[*h*welp] *n.* Ⓒ 강아지; (사자·범·곰 등의) 새끼; 《蔑》 개구쟁이, 변변치 못한 아이. — *vi., vt.* (개 따위가) 새끼를 낳다.

†**when**[*h*wen] (*rel.*) *ad.* ① 언제. ② …한 바의, …한〔하는〕 때. ③ 바로 그 때. — *conj.* ① (…할) 때에. ② …때에는 언제나. ③ …함에도 불구하고, …인데〔한데도〕. — (*rel.*) *pron.* 언제; 그때. — *n.* (the ~) 때.

when·as [-ǽz] *conj.* 《古》 = WHEN, WHILE, WHEREAS.

***whence** [*h*wens] (*rel.*) *ad.* 《雅》 ① 어디서, 어찌하여. ② …바의, …하는 그 곳으로(부터).

whence·so·ev·er[*h*wènssouév-ər] (*rel.*) *ad.* 《雅》 어디서든지; 어떤 원인이든지.

***when·e'er** [*h*wenɛ́ər] (*rel.*) *ad.* 《詩》 = ⇩.

:**when·ev·er**[-évər] (*rel.*) *ad.* …할 때에는 언제든지; 언제 …하더라도; 《口》 (도대체) 언제.

when·so·ev·er [*h*wènsouévər] (*rel.*) *ad.* 《古·雅》 《강의어》 = ⇧.

†**where**[*h*wɛər] (*rel.*) *ad.* ① 어디에〔서, 로, 에서〕, 어느 위치에〔방향으로〕, 어느 점에서. ② …하는 바의 《장소》, 그러자 거기에서, …하는 장소에〔로, 에서〕. — *n.* (the ~) 어디; 장소; 광경.

***whére·abòuts** *ad., n.* ① 어디쯤에. ② Ⓤ 《복수 취급》 소재, 있는 곳, 행방.

:**where·as** [*h*wɛərǽz] *conj.* ① …

W

인 까닭에, …을 고려하면. ② 이에 반하여, 그러나, 그런데. — *n.* Whereas(…인 까닭에)로 시작하는 문서.
***where·át** (*rel.*) *ad.* ①《古》왜, 무엇때문에. ② 그러자, 그래서.
***where·bý** (*rel.*) *ad.* ①《古》어떻게. ② 그에 의하여.
where·e'er [*h*wɛərɛ́ər] (*rel.*) *ad.* 《詩》=WHEREVER.
:whére·fòre (*rel.*) *ad.*, *n.* 어째서, 그러므로; Ⓒ (종종 ~s) 이유.
where·fróm (*rel.*) *ad.* =WHENCE.
:whère·ín (*rel.*) *ad.* ①《雅》무엇 가운데에, 어떤 점에서. ② 그 중에, 그 점에서.
whère·ínto (*rel.*) *ad.*《古》무엇속으로; 그 속으로.
***whère·óf** (*rel.*) *ad.* ①《古》무엇에 관하여, 누구의. ② 그것에 관하여.
***whère·ón** (*rel.*) *ad.* ①《雅》무엇 위에. ② 그 위에.
where're [*h*wɛ́ərər] where are의 단축.
:where's [*h*wɛərz] where is [has]의 단축.
where·so·e'er [*h*wɛ̀ərsouɛ́ər] (*rel.*) *ad.*《詩》=⇩.
whére·so·èver (*rel.*) *ad.*《강의어》=WHEREVER.
whére·tò (*rel.*) *ad.*《古》무엇에, 무슨 목적으로, 어디로, 어째서; 그것에, 그곳으로.
where·un·to [*h*wɛərʌ́ntuː, *h*wɛ̀ərʌntúː] *ad.*《古》=⇧.
***where·up·on** [*h*wɛ̀ərəpɑ́n/-pɔ́n] (*rel.*) *ad.*《雅》=WHEREON; 거기서, 그래서, 그때문에.
:wher·ev·er [*h*wɛərévər] (*rel.*) *ad.* ① 어디에든지, 어디로든지. ②《口》대체 어디에.
***where·with** [*h*wɛərwíð, -wíθ] (*rel.*) *ad.*, *n.*, *rel. pron.* ①《古》무엇으로. ②《to붙은 부정사를 수반하여》그것으로, …하기 위한; (*n.*) =⇩; (*rel. pron.*)《to 붙은 부정사를 수반하여》…하기 위한 것.
whère·withál *ad.* =WHEREWITH. — *n.* (the ~) (필요한) 자금, 수단.
wher·ry [*h*wéri] *n.* Ⓒ 나룻배; 경주용 보트;《英》(하천용) 폭넓은 돛배.
***whet** [*h*wet] *vt.* (**-tt-**) ① (칼 따위를) 갈다. ② (식욕 등을) 자극하다, 돋우다. — *n.* Ⓒ ① 갊. ② 자극(물); 식욕을 돋우는 물건. ③《方》잠시 동안.
†wheth·er [*h*wéðər] *conj.* …인지 어떤지; …인지 또는 …인지, …이든 또 …이든. ~ ***or no*** 어떻든, 하여간.
whét·stòne *n.* Ⓒ 숫돌.
whew [*h*wjuː] *int.*, *n.* 어휴!; 후! 《놀라움·실망·안도 등을 나타냄》.
whey [*h*wei] *n.* Ⓤ 유장(乳漿)《우유에서 curd를 빼 낸 나머지 액체》.
whéy·fàced *a.* (공포 따위로) 얼굴이 창백한.
†which [*h*witʃ] *n.* Ⓤ (*rel.*) *pron.* ① 어느것[쪽]. ② …하는 바의《것·일》, 어느 것이든. — (*rel.*) *n.* 어느 (쪽의); 그리고 그, 그런데 그.
:which·ev·er [-évər] (*rel.*) *pron.*, *a.* ① 어느 …이든지. ② 어느 쪽이 …하든지.
whick·er [*h*wíkər] *vi.* 말이 울다; 소리를 죽이고 웃다, 킥킥거리다.
***whiff** [*h*wif] *n.* (a ~) ① (바람 등의) 한 번 붊. ② 확 풍기는 냄새. ③ 담배의 한 모금. — *vt.*, *vi.* 훅 불다; 담배 피우다.
whif·fet [*h*wífit] *n.* Ⓒ 강아지;《美口》하찮은 사람[것].
whif·fle [*h*wífəl] *vi.* 살랑거리다; 방향이 바뀌다; 의견을 바꾸다, 아무렇게나 말하다. — *vt.* 불어 없애다.
Whig [*h*wig] *n.* 〖英史〗휘그당원(cf. Tory) ***the ~s*** Liberal Party의 전신. **~·ger·y** [ˊ-əri], **~·gism** [ˊ-izəm] *n.* Ⓤ 민권주의. **ˊ~·gish** *a.*
†while [*h*wail] *n.* (a ~) (잠시) 동안, 때, 시간. ***after a ~*** 잠시 후에. ***between ~s*** 틈틈이. ***for a ~*** 잠시 동안. ***in a little ~*** 얼마 안 있어. ***once in a ~*** 가끔. ***the ~*** 그 동안, 그렇게 하고 있는 동안에. ***worth*** (***one's***) ~ 가치 있는. — *conj.* ① …하는 동안에; …하는 동안, …하는 한(限). ② …에 대하여, 그런데, 그러나 한편. — *vt.* 빈둥빈둥 (때를) 보내다(*away*).
whiles [*h*wailz] *ad.*《Sc.》때때로; 그러는 동안에. — *conj.*《古》=WHILE.
whi·lom [*h*wáiləm] *ad.*《古》일찌기, 옛날에. — *a.* 이전의.
***whilst** [*h*wailst] *conj.*《주로 英》=WHILE.
whim** [*h*wim] *n.* Ⓒ 변덕, 일시적 기분. ***full of ~s (***and fancies***) 변덕스러운.
***whim·per** [*h*wímpər] *vi.*, *vt.* 훌쩍훌쩍 울다; (개 따위가) 낑낑거리다. — *n.* Ⓒ 흐느껴 욺, 낑낑거리는 소리. **~·er** *n.* Ⓒ 훌쩍훌쩍우는 사람. **~·ing·ly** *ad.* 훌쩍거리며, 킁킁거리며.
whim·s(e)y [*h*wímzi] *n.* Ⓤ 변덕, 색다름; Ⓒ 색다른 언동. ***whím·si·cal** *a.* 변덕스러운.
whin [*h*win] *n.* Ⓤ《주로 英》〖植〗가시금작화(gorse).
***whine** [*h*wain] *vi.*, *vt.* ① 애처롭게 울다; (개 따위가) 낑낑거리다. ② 우는 소리를 하다. — *n.* Ⓒ ① 애처럽게 우는 소리; (개 등이) 낑낑거리는 소리. ② 우는 소리.
whin·ny [*h*wíni] *vt.*, *n.* (말이 낮은 소리로) 울다; Ⓒ 우는 소리.
:whip [*h*wip] *n.* ① Ⓒ 매[채찍](질). ② Ⓒ《주로 英》마부. ③ Ⓒ〖獵〗사냥개 담당원. ④ Ⓒ《英》(의회의) 원내 총무《중대 의결을 할 때 자기 당원의 출석을 독려함》. ⑤ Ⓤ,Ⓒ 크림·달걀 따위를 거품일게 한 디저트 과자. — *vt.* (**-pp-**) ① 채찍질하다. ② 갑자기 움직이다(*away, into, off, out,*

up). ③ (달걀 따위를) 거품일게 하다. ④《口》(경기 등에서) 이기다. ⑤ 단단히 감다, 휘감다; (가장자리를) 감치다. ⑥ 낚싯대를 휙 던져 낚다(~ *a stream*). — *vi.* ① 채찍을 사용하다. ② 갑자기 움직이다(*behind; into; out of; round*). **~ away** 뿌리치다. **~ in** (사냥개 따위를) 채찍으로 불러모으다. **~ ... into shape** …을 억지를 써서 이룩하다. **~ up** (말 따위에) 채찍질하여 달리게 하다; 그러모으다; 갑자기 부여잡다; 흥분시키다.

whíp·còrd *n.* Ⓤ 채찍끈; 능직물의 일종.

whíp cràne 간이 기중기.

whíp hànd 채찍 쥔 손, 오른손; 우위(優位). ***get*** 〔***have***〕 ***the ~ of*** …을 지배〔좌우〕하다.

whíp·làsh *n.* Ⓒ 채찍끈; =⇩.

whíplash ìnjury (자동차의 충돌로 인한) 목뼈의 골절상 및 뇌진탕.

whípper·snàpper *n.* Ⓒ 시시한 인간, 건방진 녀석.

whip·pet[*h*wípit] *n.* Ⓒ 경주용 작은개《영국산》.

whip·ping[*h*wípiŋ] *n.* Ⓤ,Ⓒ 채찍질(형벌).

whípping pòst (옛날의) 태형 기둥.

whip·poor·will[*h*wípərwìl] *n.* Ⓒ 〖鳥〗 (미국 동부산) 쏙독새.

whip·py[*h*wípi] *a.* 탄력성이 있고 부드러운.

whíp-ròund *n.* Ⓒ《英》모금, 기부금 모금.

whíp·sàw *n.* Ⓒ 틀톱. — *vt.* 틀톱으로 자르다; 완전히 이기다.

whíp·stìtch *vt.* (천의 가장 자리를) 감치다. — *n.* Ⓒ 감쳐 공그르기. (***at***) ***every ~*** 이따금, 늘.

whir[*h*wəːr] *vi., vt.* (*-rr-*) 휙 날다; 휙 하다; 윙윙 돌다. — *n.* Ⓒ 휙하는 소리; 윙하고 도는 소리.

:whirl[*h*wəːrl] *vt.* ① 빙빙 돌리다. ② 차로 신속히 운반하다. — *vi.* ① 빙빙 돌다. ② 질주하다. ③ 현기증 나다. — *n.* Ⓒ ① 선회; 소용돌이. ② 잇따라 일어나는 일. ③ 혼란.

whirl·i·gig[*h*wə́ːrligìg] *n.* Ⓒ 회전하는 장난감《팽이·팔랑개비 따위》; 회전 목마; 회전 운동; 〖蟲〗 물매암이.

***whírl·pòol** *n.* Ⓒ (강·바다의) 소용돌이 (모양의 물건).

whírl·wìnd** *n.* Ⓒ ① 회오리바람, 선풍. ② 급격한 행동. ***ride (***in***) ***the ~*** (천사가) 선풍을 다스리다.

whir·ly·bird[*h*wə́ːrlibə̀ːrd] *n.* Ⓒ《俗》=HELICOPTER.

whirr[*h*wəːr] *n., v.* =WHIR.

whish [*h*wiʃ] *vi.* 쌩하고 울리다. — *n.* Ⓒ 쌩하고 울리는 소리.

***whisk**[*h*wisk] *n.* Ⓒ ① 작은 비(모양의 솔). ② 철사로 만든 거품내는 기구. ③ (총채·솔 따위의) 한 번 털기. ④ 민첩한 행동. — *vt.* ① (먼지 따위를) 털다(*away, off*). ② (달걀 따위를) 휘저어서 거품내다. ③ 급히 채가다〔데려가다〕(*away, off*). ④ 가볍게 휘두르다. — *vi.* (급히) 사라지다(*out of, into*).

whísk bròom 작은 비, 양복 솔.

***whisk·er**[*h*wískər] *n.* Ⓒ ① (보통 *pl.*) 구레나룻; (고양이·쥐 등의) 수염. ② (가느다란) 침상 결정(針狀結晶). **~ed**[-d] *a.* 구레나룻 있는.

:whis·k(e)y[*h*wíski] *n.* Ⓤ《종류는 Ⓒ》위스키.

:whis·per[*h*wíspər] *vi.* ① 속삭이다; 몰래 말하다. ② (바람·냇물 따위가) 살랑살랑〔졸졸〕 소리를 내다; 은밀히 말을 퍼뜨리다. ***~ in a person's ear*** 아무에게 귀띔하다. — *n.* Ⓒ 속삭임; 소근거림; 살랑살랑〔졸졸〕 소리.

whíspering campàign 계획적 데마 (작전).

whist[1][*h*wist] *n.* Ⓤ 휘스트《카드놀이의 일종》.

whist[2] *int.*《英》쉿!; 조용히.

:whis·tle [*h*wísəl] *vi.* ① 휘파람〔피리〕불다; 기적을 울리다. ② (탄환 등이) 팽 하고 날다. — *vt.* 휘파람을 불다〔불어 부르다, 신호하다〕. ***~ for*** …을 휘파람을 불어 부르다; 헛되이 바라다. — *n.* Ⓒ 휘파람; 호각, 경적. ***wet one's ~***《口》한 잔 하다. **~r** *n.*

whístle blòwer《美俗》밀고자.

whístle stòp (경적 신호가 있을 때만 열차가 서는) 작은 역; 작은 읍; (유세 중 작은 읍의) 단기 체류.

whit** [*h*wit] *n.* Ⓤ 조금, 미소(微少)《보통 부정할 때 씀》. ***not a ~ 조금도 …않다.

†white[*h*wait] *a.* ① 흰, 백색의, 하얀. ② 창백한; 투명한, 색없는. ③ 흰 옷의; (머리 따위) 은백색의. ④ 백색 인종의. ⑤ 결백한;《俗》공정한, 훌륭한. ⑥ 왕당파의, 반공산주의의. ⑦ 눈이 많은; 공백의. ***bleed a person ~*** (아무)에게서 (돈 따위를) 짜내다. — *n.* ① Ⓤ,Ⓒ 하양, 백색. ② Ⓤ 흰 그림 물감〔안료〕. ③ Ⓤ 흰 옷, 흰 천. — *vt.*《古》희게 하다. ***∠·ness** *n.* Ⓤ ① 흼; 백. ② 결백.

whíte alért 방공 경보《경보 해제》.

whíte ánt 흰개미(termite).

whíte bácklash《美》흑인에 대한 백인의 반발.

whíte·bàit *n.* Ⓤ 〖魚〗 정어리〔청어〕의 새끼; 뱅어.

whíte béar 백곰.

whíte bírch 자작나무.

whíte bóok (정부가 발행하는) 백서.

whíte·càps *n. pl.* 흰 물결〔파도〕.

whíte cédar《美》노송나무속(屬)의 식물《미국 동부 연안의 늪에서 생장》.

whíte clóver 토끼풀, 클로버.

whíte cóal (동력원으로서의) 물.

whíte cóffee《英口》우유를 탄 커피.

whíte-cóllar *a.* 사무 계통의, 샐러리맨의.

Whíte Cóntinent, the 남극 대륙(Antarctica).

whíte córpuscle 백혈구.

whíted sépulcher 〖聖〗 위선자.

white dwárf 〖天〗 백색 왜성.
white élephant 흰코끼리; 성가신 소유물, 무용지물.
white énsign 영국 군함기(cf. red ensign).
white féather 겁쟁이, 겁의 상징 (*show the* ~ 겁을 내다).
white·fish *n.* Ⓒ (은)백색의 담수 식용어《송어무리》; 흰 물고기.
white flág (항복·휴전의) 백기.
white gasolíne 〔**gás**〕 무연(無鉛) 가솔린.
white góld 화이트 골드《귀금속 세공용》.
White·hall [⌐hɔ̀:l] *n.* 런던의 관청가; Ⓤ 《집합적》 영국 정부(의 정책).
white-hánded *a.* 손이 하얀, 노동하지 않은; 결백한.
white héat 백열; 격노.
white hópe 《美口》 촉망되는 사람.
white-hót *a.* 백열한〔의〕; 열렬한.
***Whíte Hòuse, the** 백악관《미국 대통령 관저》; 미국 대통령의 직권; 미국 정부.
Whíte Hòuse Óffice, the 《美》 대통령 관저 사무국.
white léad 백연(白鉛).
white líe 가벼운〔악의없는〕 거짓말.
white líght 대낮의 빛; 공정한 판단.
white líghtning 《美俗》 밀조한 위스키.
white-lívered *a.* 소심한, 겁많은; 창백한.
white mán 백인.
white màtter (뇌의) 백질(白質).
***whit·en** [*h*wáitn] *vt., vi.* 희게 하다〔되다〕; 표백하다. **~·ing** *n.* Ⓤ 호분(胡粉), 백악(白堊).
white níght 백야; 잠 못 자는 밤.
white nóise 〖理〗 백색 잡음, 화이트노이즈《여러 가지 음파가 뒤섞인 소음》.
white óak (북아메리카산) 참나무의 일종.
white·òut *n.* Ⓤ,Ⓒ 〖氣〗 눈의 난반사로 백일색이 되어 방향 감각이 없어지는 극지 대기 현상.
white páper 백지; (정부의) 백서(白書).
white pépper 흰 후추.
white píne 스트로부스소나무《북아메리카 동부산》; 그 목재.
white plágue 폐결핵.
white póplar 〖植〗 흰포플러, 백양.
white potàto 감자.
white prímary 《美》 백인 예선회《미국 남부 여러 주의 백인만이 투표하던 민주당의 예비 선거》.
white ráce 백인(종).
White Rússia 백러시아; (제정 러시아 시대의) 러시아 서부 지방.
white sàle (시트·셔츠 등) 흰 (섬유) 제품의 대매출.
white sàuce 화이트소스《버터·우유·밀가루로 만듦》.
white scóurge, the 폐결핵.
White Séa 백해(白海)《러시아 북부》.
white sláve 백인 매춘부〔노예〕.
white·smìth *n.* Ⓒ 양철공.
white smóg 광(光)화학 스모그.
white suprémacy 백인 지배.
white tíe 흰 나비 넥타이; 연미복.
white trásh 가난한 백인.
white wár 무혈전(無血戰); 경제전.
***white·wàsh** *n.* ① Ⓤ 백색 도료. ② Ⓤ,Ⓒ 실패를 겉꾸림하는 일〔물건·수단〕. — *vt.* ① 백색 도료를〔회반죽을〕 칠하다. ② 실패를 겉꾸림하다; 《美口》 영패시키다.
white wáter 급류; 물보라; (여울 따위의) 흰 물결.
white wíne 백포도주.
white·y, W- [*h*wáiti] *n.* Ⓤ 《美俗·蔑》 흰둥이, 백인 (전체).
***whith·er** [*h*wíðər] (*rel.*) *ad.* 《古·雅》 ① 어디로; (…하는) 곳으로. ② (…하는) 어디로든지.
whith·er·so·ev·er [-souévər] (*rel.*) *ad.* 《古》 …하는 곳은 어디든지.
whit·ing¹ [*h*wáitiŋ] *n.* Ⓒ 〖魚〗 대구의 일종.
whit·ing² *n.* Ⓤ 호분(胡粉), 백악(白堊).
whit·ish [*h*wáitiʃ] *a.* 희읍스름한.
whit·low [*h*wítlou] *n.* Ⓤ 〖醫〗 표저(票疽).
Whit·man [*h*wítmən], **Walt** (1819–92) 미국의 시인.
Whit·sun [*h*wítsən] *a.* Whitsunday의.
Whit·sun·day [*h*wítsʌ́ndei, -di, -səndèi] *n.* Ⓤ,Ⓒ 성신 강림절《부활절 후의 제 7 일요일》.
Whit·sun·tide [*h*wítsəntàid] *n.* Ⓤ,Ⓒ 성신 강림절 주간《Whitsunday부터 1주일간, 특히 최초의 3일간》.
whit·tle [*h*wítl] *vt.* (칼로 나무를) 깎다; 깎아서 모양을 다듬다, 새기다; 삭감하다(*down, away, off*). — *vi.* (칼로) 나무를 깎다, 새기다.
whit·y [*h*wáiti] *a.* 흰빛을 띤.
***whiz(z)** [*h*wiz] *vi.* 윙윙〔핑핑〕하다, 붕 날다〔달리다〕. — *n.* Ⓒ 윙하는 소리; 《美俗》 숙련가.
WHO World Health Organization.
†**who** [hu:, 弱 hu] (*rel.*) *pron.* ① 누구, 어떤 사람. ② (…하는) 사람, 그리고 그 사람은〔사람이〕, …하는 사람(은 누구든지).
whoa [*h*wou/wou] *int.* =WO.
who'd [hu:d] who had 〔would〕의 단축.
who·dun·it [hu:dʌ́nit] (<who done it) *n.* Ⓒ 《口》 추리 소설〔극·영화〕.
who·e'er [hu(:)έər] (*rel.*) *pron.* 《詩》 =WHOEVER.
‡**who·ev·er** [hu:évər] (*rel.*) *pron.* …하는 사람은 누구든(지), 누가 …을 하더라도〔하든〕.
†**whole** [houl] *a.* ① 전체의, 전…, 완전한. ② 건강한. ③ 통째(로, 의). ④ (형제 등) 친…. ⑤ 고스란한. ⑥ 다치지 않은. ⑦ 〖數〗 정수(整數)의. ***a ~ lot of*** 《俗》 많은. ***out of ~ cloth*** 터무니없는, 날조한. — *n.* Ⓒ ① 전부, 전체. ② 완전한 것; 통일체. ***as a ~*** 전체로서. ***on*** 〔***upon***〕

W

the ~ 전체로 보아서; 대체로. **∠-ness** *n.*
whóle bròther 친형제.
whóle·còlo(u)red *a.* (온통) 일색의, 단색의.
*__whóle·héarted(ly)__ *a.* (*ad.*) 정성어린, 진심으로.
whóle hóg 《俗》 전체, 완전, 극단. 「한.
whóle-hóg *a.* 《俗》 철저한, 완전
whóle-lèngth *a.* 전장[전신]의.
whóle nòte 〖樂〗 온음표.
whóle nùmber 〖數〗 정수(整數).
whóle rèst 〖樂〗 온쉼표.
*__whole·sale__[hóulsèil] *n., vt., vi.* Ⓤ 도매(하다). ― *a.* 도매의; 대대적인; 대강의. ― *ad.* 도매로; 대대적으로; 통틀어, 완전히; 대강. **~·er** *n.*
:**whole·some** [∠səm] *a.* 건강에 좋은; 건전한, 유익한. **~·ly** *ad.* **~·ness** *n.*
whòle-sóuled *a.* =WHOLEHEARTED.
whóle stèp [**tòne**] 〖樂〗 온음정.
whóle-whéat *a.* (밀기울을 빼지 않은) 전 밀가루로 만든.
who'll[hu:l, 弱 hul] who will [shall]의 단축.
:**whol·ly**[hóu*l*li] *ad.* ① 아주, 완전히. ② 오로지.
†**whom**[hu:m, 弱 hum] (*rel.*) *pron.* who의 목적격.
whom·éver (*rel.*) *pron.* whoever의 목적격.
whòm·so·éver (*rel.*) *pron.* whosoever의 목적격.
*__whoop__[hu:p, *h*wu:p] *vi.* ① 큰 소리로 외치다. ② (올빼미가) 후우후우 울다. ③ (백일해로) 그르렁거리다. ― *vt.* 소리지르며 말하다. **~ *it up*** 《俗》 와와 떠들어대다. ― *n.* Ⓒ ① 외치는 소리. ② 후우후우 우는 소리. ③ 그르렁거리는 소리.
whoop·ee[*h*wú(:)pi:, wúpi:] *int., n.* Ⓤ 《美口》 와아《환희·흥분을 나타냄》; 야단 법석.
whóop·ing còugh [*h*ú:piŋ-] 〖醫〗 백일해.
whop[*h*wɑp/*h*wɔp] *vt., vi.* (**-pp-**) 《口》 철썩 때리다; (경기 등에서) 완패시키다; 쿵 넘어지다. ― *n.* Ⓒ 철썩 때림, 그 소리; 쿵 넘어짐, 그 소리.
whop·per[∠ə*r*] *n.* Ⓒ 《口》 엄청나게 큰 것; 엄청난 거짓말.
whop·ping[∠iŋ] *a., ad.* 《口》 터무니 없는[없이], 엄청난; 몹시.
whore[hɔ:*r*] *n.* Ⓒ 매춘부. ― *vi.* 매춘 행위를 하다; 매춘부와 놀다. ― *vt.* (여자를) 타락시키다; 갈보 취급하다.
who're[hú:ə*r*] who are의 단축.
whóre·hòuse *n.* Ⓒ 매음굴.
whorl[*h*wə:*r*l] *n.* Ⓒ 〖植〗 윤생체(輪生體); 소용돌이; 〖動〗 (고둥의) 나선, 그 한 사리; 〖解〗 (내이(內耳)의) 미로(迷路). **~ed**[-d] *a.* 나선 모양으로 된, 소용돌이가 있는.
whor·tle·ber·ry[*h*wə́:*r*tlbèri] *n.* Ⓒ 월귤나무의 일종; 그 열매.
:**who's**[hu:z] who is [has]의 단축.
†**whose**[hu:z] (*rel.*) *pron.* who [which]의 소유격.
who·so[hú:sou] (*rel.*) *pron.* 《古》 =WHO(SO)EVER.
who·so·ev·er[hù:sou*é*vər] (*rel.*) *pron.* 《강의어》 =WHOEVER.
whó's whó 유력자들; (W- W-) 인명록; 명사[신사]록.
†**why**[*h*wai] (*rel.*) *ad.* ① 왜, 어째서. ② …한 (이유), (왜 …(을) 했는)가의 (이유). ***W- not?*** 왜 안되는가. ***W- so?*** 왜 그런가. ― *n.* (*pl.*) 이유. ― *int.* ① 어마, 저런. ② 뭐. ③ 물론(*W-, yes.*).
W.I. West India(n); West Indies.
wick[wik] *n.* Ⓒ (양초·램프 따위의) 심지. **∠·ing** *n.* Ⓤ 심지의 재료.
:**wick·ed**[wíkid] *a.* ① 나쁜, 사악한. ② 심술궂은; 장난이 심한. ③ 위험한; (말 따위) 버릇이 나쁜(*a ~ horse*). **~·ly** *ad.* **~·ness** *n.*
wick·er[wíkə*r*] *n.* Ⓤ (결어 만드는) 채; 채그릇 세공. ― *a.* 채로 만든, 채그릇 세공의. 「공.
wícker·wòrk *n.* Ⓤ 고리 버들 세
wick·et[wíkit] *n.* Ⓒ 작은 문, 쪽문, 회전식 입구, 개찰구; 창구(窓口); 수문(水門); 〖크리켓〗 삼주문(三柱門), 위켓(장); (타자의) 칠 차례.
wícket dòor [**gàte**] 쪽문.
wícket·kèeper *n.* Ⓒ 〖크리켓〗 삼주문의 수비자.
wick·i·up[wíkiʌ̀p] *n.* Ⓒ 아메리카 토인의 오두막.
†**wide**[waid] *a.* ① 폭이 넓은; 폭이 …되는; 너른. ② (지식 등이) 해박한; 편견없는, 활짝[넓게] 열린. ③ (의복 등) 헐렁헐렁한, 헐거운. ④ (표적에서) 벗어난, 잘못 짚은, 동떨어진(*of*). ⑤ 〖音聲〗 개구음(開口音)의. ***~ of the mark*** 과녁을 벗어나서; 엉뚱하게 잘못 짚어. ― *ad.* 넓게; 크게 벌리고; 멀리; 빗나가, 잘못 짚어. ***have one's eyes ~ open*** 정신을 바싹 차리다. ― *n.* Ⓒ 넓은 곳; 〖크리켓〗 빗나간 공.
:**wíde-ángle** *a.* (렌즈가) 광각(廣角)의.
wíde-awáke *a., n.* Ⓒ 잠이 완전히 깬; 방심[빈틈]없는; 테가 넓은 중절모.
wíde-éyed *a.* 눈을 크게 뜬.
:**wide·ly**[wáidli] *ad.* ① 널리; 먼곳에. ② 크게, 대단히.
*__wid·en__[wáidn] *vt., vi.* 넓히다, 넓어지다.
wíde-ópen *a.* 활짝 연; (술·도박·매춘에 대해) 단속이 허술한.
wíde-scréen *a.* 〖映〗 와이드스크린의, 화면이 넓은.
*__wíde·spréad__ *a.* 널리 퍼진[미친], 일반적인, 만연한.
WIDF Women's International

W

Democratic Federation.
widg·eon[wídʒən] *n.* Ⓒ 〖鳥〗 홍머리오리.
†**wid·ow**[wídou] *n.* Ⓒ ① 미망인, 과부. ② 〖카드〗 돌리고 남은 패. ── *vt.* 과부〔홀아비〕로 만들다. **~·ed** [-d] *a.* 아내를〔남편을〕 여읜. **~·er** *n.* Ⓒ 홀아비. **~·hood**[-hùd] *n.* Ⓤ 과부신세〔살이〕.
wídow's míte 과부의 적으나마 정성어린 헌금《마가복음 12 : 41-44》.
wídow's péak 이마 중앙에 V자형으로 난 머리.
wídow's wàlk (해안 주택 지붕의) 조망대《선원의 아내가 남편의 귀항을 기다린 데서》.
wídow's wèeds 미망인의 상복.
‡**width** [widθ, witθ] *n.* ① Ⓤ,Ⓒ 넓이, 폭. ② Ⓒ (피륙 등의) 한 폭. **~·ways**[스wèiz], **~·wise**[스wàiz] *ad.* 옆(쪽)으로.
***wield**[wi:ld] *vt.* ① (칼·필봉 등을) 휘두르다. ② (권력을) 휘두르다, 지배하다.
wie·ner(**·wurst**)[wí:nər(wə̀:rst)] *n.* Ⓤ,Ⓒ 《美》 위너 소시지.
wie·nie[wí:ni] *n.* 《美口》 =⇧.
†**wife** [waif] *n.* (*pl.* ***wives***) Ⓒ ① 처. ② 《古》 여자. ***old wives' tale*** 허황된 이야기. ***take to ~*** 아내로 삼다. **~·like**[스làik], **스·ly** *a.* 아내다운; 아내에 어울리는.
‡**wig**[wig] *n.* Ⓒ 가발. ── *vt.* (**-gg-**) (…에) 가발을 씌우다; 《英口》 몹시 꾸짖다. **~ged**[-d] *a.* 가발을 쓴.
wig·gle[wígəl] *vi., vt.* (짧고 빠르게) 뒤흔들(리)다. ── *n.* Ⓒ 뒤흔듦, 뒤흔드는 선(線). **wíg·gler** *n.* Ⓒ 뒤흔드는 것〔사람〕; 장구벌레. **wíg·gly** *a.* 「사람.
wight[wait] *n.* Ⓒ 《古·方》 인간,
wig·wag[wígwæ̀g] *vt., vi.* (**-gg-**), *n.* 흔들다; Ⓤ,Ⓒ 수기(手旗) 신호(를 하다).
wig·wam[wígwɑm/-wɔm] *n.* Ⓒ (북아메리카 토인의) 오두막집.
wil·co[wílkou] (<I *will comply*) *int.* 《美》 〖無電〗 승낙.
†**wild**[waild] *a.* ① 야생의. ② (토지가) 황폐한; 사람이 살지 않는. ③ 야만의; 난폭한; 어거하기 힘든; 제멋대로의, 방탕한. ④ 소란스런; (폭풍우 따위가) 모진; 어지러운; 미친듯한, 열광적인(*with, about, for*); 《口》 열중한(*to* do). ⑤ 공상적인. ⑥ 무모한; 빗나간. ***grow ~*** 야생하다. ***run ~*** 사나워지다; 제멋대로 하다; 제멋대로 자라게 방치돼 있다. ── *n.* (the ~) 황무지, 황야; (*pl.*) 미개지. ── *ad.* 난폭하게; 되는 대로. ‡**스·ly** *ad.* 난폭하게; 황폐하여; 무턱대고. **스·ness** *n.*
wíld bóar 야생의 돼지, 멧돼지.
wíld càrd ① (카드놀이에서) 자유패, 만능패. ② 〖컴〗 만능 문자 기호 (~ *character* 와일드 카드 문자).
wíld cárrot 야생의 당근.
***wíld·càt** *n.* Ⓒ ① 살쾡이. ② 무법자. ③ 《美》 (객차·화차가 연결 안 된) 기관차. ④ (석유의) 시굴정(試掘井). ── *a.* 무모한; 당돌한; 비합법적인; (기관차 등이) 폭주(暴走)하는. ── *vt.* (석유 등을) 시굴하다.
wíldcat stríke 조합 본부의 지령 없이 지부가 멋대로 하는 파업.
wíld dúck 물오리.
Wilde[waild], **Oscar**(1856-1900) 영국의 소설가·극작가.
wil·de·beest [wíldəbi:st] *n.* 〖動〗 =GNU.
‡**wil·der·ness** [wíldərnis] *n.* ① Ⓒ 황야, 사람이 살지 않는 땅. ② Ⓤ 끝없이 넓음.
wílderness àrea 《美》 (정부 지정의) 자연보호 지역. 「한.
wíld-éyed *a.* 눈이 날카로운; 과격
wíld·fìre *n.* Ⓤ 옛날 화공(火攻)에 쓰인 화염제. ***spread like ~*** (소문 등이) 삽시간에 퍼지다.
wíld flòwer 야생의 화초; 그 꽃.
wíld fòwl 엽조(獵鳥).
wíld góose 기러기. 「도).
wíld-góose chàse 헛된 수색〔시
wíld óat (목장에 나는) 야생의 귀리《잡초》; (*pl.*) 젊은 혈기의 난봉 (*sow one's ~s* 젊은 혈기로 방탕을 하다). 「투.
wíld pítch 〖野〗 (투수의) 폭구, 폭
wíld tímes 난세(亂世).
Wíld Wést, the 《美》 (개척 시대의) 미국 서부 지방.
Wíld Wést Shòw 《美》 서부 개척 시대의 풍물을 보여주는 구경거리《사격·사나운 말타기·올가미던지기 등》.
wíld·wòod *n.* Ⓒ 자연림.
wile[wail] *n.* Ⓒ (보통 *pl.*) 책략, 간계(奸計). ── *vt.* 속이다(*away, into, from; out of*). ***~ away*** 시간을 이럭저럭 보내다. 「&c.
***wil·ful**[wílfəl], **&c.** =WILLFULL.
†**will**[1][強 will, 弱 wəl, l] *aux. v.* (p. ***would***). ① 《단순미래》 …할 것이다. ② 《의지미래》 …할 작정이다. ③ 《성질·습관·진리》 종종〔늘〕 …하다 (*People ~ talk.* 남의 입이란 시끄러운 법); 원하다; …할 수 있다(*The theater ~ hold two thousand persons.* 그 극장엔 2천명은 들어갈 수 있다). ④ 《공손한 명령》 …해 주십시오(*You ~ not play here.* 이곳에서 놀지 말아 주시오). ⑤ 《추측》 …일 것이다(*He ~ be there now.* 지금쯤은 거기 있을 것이다).
‡**will**[2][wil] *n.* Ⓤ,Ⓒ 의지(력); 결의; 소원; 목적; (사람에 대한) 감정(*good* 〔*ill*〕 *~* 선의〔악의〕); Ⓒ 〖法〗 유언(장). ***against one's ~*** 본의 아니게. ***at ~*** 마음대로. ***do the ~ of*** (…의 뜻)에 따르다. ***have one's ~*** 자기 뜻〔의사〕대로 하다. ***with a ~*** 정성껏, 열심히. ── *vt.* 결의하다; 바라다; 원하다; 의지의 힘으로 시키다; 유증(遺贈)하다. **willed**[-d] *a.* …할 의사를 가진.
***will·ful**[wílfəl] *a.* 계획적인, 고의의; 고집 센. **~·ly** *ad.* **~·ness** *n.*

W

Wil·liam[wíljəm] *n.* 남자 이름.
Wil·liams[-z], **Tennesse** (1914-83) 미국의 극작가《필명》.
wil·lies[wíliz] *n. pl.* (the ~) 《美口》 겁, 섬뜩한 느낌.
:will·ing[wíliŋ] *a.* 기꺼이 …하는(*to* do); 자진해서 하는. ***~·ly** *ad.* ***~·ness** *n.*
will-o'-the-wisp[wíləðəwísp] *n.* Ⓒ 도깨비불; 사람을 호리는 것.
:wil·low[wílou] *n.* Ⓒ 버드나무; 《口》 버드나무 제품. WEEPING ~. **~·y** *a.* 버들이 우거진; 버들 같은; 낭창낭창한; 우아한.
wíll pòwer 의지력, 정신력.
Will·son [wílsən], **Woodrow** (1856-1924) 미국 제 28대 대통령 (재직 1913-21).
wil·ly-nil·ly[wíliníli] *ad.* 싫든 좋든. — *a.* 망설이는, 우유부단한.
wilt[1][wilt] *vi., vt.* (초목이) 시들(게 하)다, 이울(게 하)다; (사람이) 풀이 죽(게 하)다. — *n.* Ⓤ 〚植〛 청고병(青枯病).
wilt[2] *aux. v.* 《古》 =will《주어가 「thou일 때》.
Wil·ton[wíltən] *n.* Ⓒ 융단의 일종.
wil·y[wáili] *a.* 책략이 있는, 교활한.
wim·ble·don[wímbəldən] *n.* 런던 교외의 도시《국제 테니스 선수권 대회 개최지》.
wimp[wimp] *n.* Ⓒ 《口》 겁쟁이.
WIMP[wimp] (< *W*indows *I*cons *M*ouse *P*ull-Down-Menus) *n.* 〚컴〛 윔프《컴퓨터 이용을 쉽게 하는 일련의 사용자 사이틀(interface)》.
wim·ple[wímpəl] *n.* Ⓒ (수녀용의, 원래는 보통 여인도 썼던) 두건; 《英》 잔 물결. — *vt.* 두건으로 싸다; 잔 물결을일으키다. — *vi.* 잔물결이 일다.
†win[win] *vt.* (*won; -nn-*) ① 쟁취하다; 획득하다; 이기다. ② 명성을 얻다; (노력하여) 이르다; 설득하다; 구워삶아서 결혼을 승낙시키다. — *vi.* 이기다; 다다르다; 소망을 이루다; (노력하여) …이 되다; (사람의 마음을) 끌다(*on, upon*). **~ *out* 〔*through*〕** 뚫고 나가다, 성공하다. **~ *over*** 자기편으로 끌어 들이다. 회유하다. — *n.* Ⓒ 승리, 성공; 번 돈; 상금.
wince[wins] *vi.* 주춤〔멈칫〕하다; 움츠리다(*under, at*). — *n.* Ⓒ (보통 *sing.*) 주춤함, 흠칫〔움찔〕함, 움츠림.
winch[wintʃ] *n.* Ⓒ 윈치, 수동(手動)식 크랭크.
Wín·ches·ter (rífle)[wíntʃèstər(-), -tʃəs(-)] *n.* Ⓒ 윈체스터 (연발)총《상표명》.
†wind[1][wind] *n.* ① Ⓤ,Ⓒ 바람; 큰 바람. ② Ⓤ 바람에 불려오는 냄새; 소문. ③ Ⓤ (위·장에 괴는) 가스 (*break* ~ 방귀 뀌다). ④ Ⓤ 숨, 호흡. ⑤ Ⓤ 객담, 빈말. ⑥ (the ~) 《집합적》 관악기(류); Ⓤ (the ~) 《단수 취급》 (오케스트라의) 관악부 (cf. the strings). ***before* 〔*down*〕 *the* ~** 〚海〛 바람을 등지고, 바람이 불어가는 쪽에. ***between* ~ *and water*** (배의) 흘수선에; 급소에. ***cast* 〔*fling*〕 *to the* ~** 내버리다, 포기하다. ***find out how the* ~ *blows* 〔*lies*〕** 풍향(風向)을 살피다; 형세를 엿보다. ***get* 〔*recover*〕 *one's* ~** 숨을 돌리다. ***get* ~ *of*** …한 풍문을 바람결에 듣다. ***in the teeth* 〔*eye*〕 *of* ~** 바람을 안고. ***in the* ~** 일어나려고 하여; 진행중에. ***kick the* ~** 《俗》 교살당하다. ***lose one's* ~** 숨을 헐떡이다. ***off the* ~** 〚海〛 바람을 등지고. ***on the* ~** 바람을 타고. ***raise the* ~** 《俗》 자금〔돈〕을 모으다. SAIL ***close to the* ~.** SECOND **~.** ***take the* ~ *of*** (다른 배의) 바람 웃녘으로 나가다; 보다 유리한 지위를 차지하다. ***take the* ~ *out of a person's sails*** (아무의) 선수를 치다, …을 앞지르다. ***the four* ~*s*** 사면 팔방. — *vt.* 바람에 쐬다, 통풍하다; 낌새 채다; 숨가쁘게 하다; 숨을 돌리게 하다.
:wind[2][waind] *vt.* (***wound***) ① (시계 태엽 등을) 감다; (털실 등을) 감아서 토리를 짓다(*into*); 휘감다. ② 구불구불 나아가다; 교묘히 들맞추다. — *vi.* 휘감기다(*about, round*); 구불구불 구부러지다, 구불구불 나아가다; (시계 태엽이) 감기다; 교묘히 들맞추다. **~ *off*** 되감다. **~ *up*** (실 등을) 다 감다; (닻을) 감아 올리다; (시계 태엽을) 감다; 긴장시키다; (연설을) 끝맺다(*by, with*); 결말을 짓다; (회사 따위를) 해산하다(*up*); 〚野〛 (투수가) 팔을 돌리다, 와인드업하다. — *n.* Ⓒ 감는 일, 한 번 감기; 굽이(침).
wind[3] [waind, wind] *vt.* (**~*ed, wound***) (피리, 나팔 등을) 불다, 불어 신호하다.
wind·age[wíndidʒ] *n.* Ⓤ,Ⓒ 유극(遊隙)《탄알과 총열과의 틈》; (바람에 의한 탄환의) 편차; (편차를 일으키는) 풍력(風力).
wínd·bàg *n.* Ⓒ (백파이프의) 공기 주머니; 《口》 수다쟁이.
wínd-blòwn *a.* 바람에 날린; (머리를) 짧게 잘라 앞에 착 붙인.
wínd-bòrne *a.* (씨앗 따위가) 바람으로 옮겨지는.
wínd·brèak *n.* Ⓒ 방풍림(林); 바람막이 (설비).
wínd·brèaker *n.* Ⓒ 《美》 스포츠용 재킷의 일종; (W-) 그 상표.
wínd-bròken *a.* 〚獸醫〛 (말이) 천식에 걸린.
wínd·bùrn *n.* Ⓤ,Ⓒ 〚醫〛 풍상(風傷)《바람에 의한 피부 염증》.
wínd·chèater *n.* =PARKA.
wínd còne (비행장의) 원뿔꼴 바람개비(wind sock).
wind·ed[wíndid] *a.* 숨을 헐떡이는; 숨이 …인〔한〕.
wínd·fàll *n.* Ⓒ 바람에 떨어진 과일; 뜻밖의 횡재《유산 등》.
wínd·flòwer *n.* =ANEMONE.

W

wínd·gàuge *n.* Ⓒ 풍력〔풍속〕계.
*__wind·ing__[wáindiŋ] *a.* 굴곡하는, 꼬불꼬불한. ～ ***sheet*** 수의(壽衣). ～ ***staircase*** 나사 층층대. ── *n.* Ⓤ 구부러짐, 굽기; 감기; Ⓒ 굴곡(부); 감은 것.
wínd ìnstrument 관악기, 취주「악기.
wind·jam·mer[wínddʒæ̀mər] *n.* Ⓒ《美口》돛배; 돛배의 선원;《俗》수다쟁이.
wind·lass[wíndləs] *n.* Ⓒ 자아틀, 윈치(winch).
wínd·less *a.* 바람 없는, 잔잔한.
:**wind·mill**[wíndmìl] *n.* Ⓒ 풍차;《俗》헬리콥터. ***fight*** 〔***tilt at***〕 ***～s*** 가상(假想)의 적과 싸우다.
†**win·dow**[wíndou] *n.* Ⓒ 창, 창구; 유리창; (우주선의) 재돌입 회랑;〖컴〗창, 윈도. ***have all one's goods in the*** (***front***) ～ 겉치레뿐이다, 피상적이다.
wíndow bòx (창가에 놓는) 화초「상자.
wíndow drèssing 진열창 장식(법); 겉꾸밈.
wíndow énvelope 투명창 봉투《수신인의 주소가 비쳐 보이는》.
wíndow fràme 창틀.
wíndow·pàne *n.* Ⓒ 창유리.
wíndow sàsh (내리닫이 창의) 창문틀.
wíndow sèat 방안의 창 밑에 붙박「이한 걸상.
wíndow-shòp *vi.* (*-pp-*) 사지 않고 진열창만 보고 다니다.
wíndow sìll 창턱.
wínd·pìpe *n.* Ⓒ〖解〗기관(氣管).
wínd pòwer generàtor 풍력 발전기.
wínd-pròof *a.* (옷 따위가) 방풍의.
wínd·ròw *n.* Ⓒ 말리기 위해 죽 널어 놓은 풀〔볏단〕; (바람에 불려서 몰린) 낙엽. ── *vt.* (건초 따위를) 늘어놓다.
wínd scàle〖氣〗풍력 계급.
wínd·shìeld,《英》**-scrèen** *n.* Ⓒ (자동차 앞의) 바람막이 유리.
wíndshield 〔《英》**wíndscreen**〕 **wìper** (자동차 따위의) 와이퍼.
wínd slèeve 〔**sòck**〕 ＝WIND CONE.
*__Wind·sor__[wínzər] *n.* 윈저가(家)《1917년 이래 현재에 이르는 영국의 왕실》. ***Duke of*** ～ ＝Edward Ⅷ.
Wíndsor cháir 다리·등 모두 가는 나무로 짠 고아(古雅)한 의자.
Wíndsor tíe (검은 비단의) 큰 나비 넥타이.
wínd·stòrm *n.* Ⓒ 폭풍.
wínd-swèpt *a.* 바람에 시달린, 바람에 노출된.
wínd·tìght *a.* 바람이 안 통하는(airtight).
wínd tùnnel〖空〗(모형 실험용) 풍동(風洞).
wínd·ùp[wáind-] *n.* Ⓒ 종결, 마무리;〖野〗와인드업《투구의 동작》.
wínd vàne 풍향계〔기〕.
wind·ward[wíndwərd] *a., ad.* 바람 불어오는 쪽의〔으로〕. ── *n.* Ⓤ 바람 불어오는 쪽. ***get to*** (***the***) ～ ***of*** (다른 배·냄새 따위의) 바람 불어오는 쪽으로 돌다; …을 앞지르다.
:**wind·y**[wíndi] *a.* 바람이 센, 바람받이의; (장(腸)에) 가스가 생기는; 수다스러운; 말뿐인; 공허한.
:**wine**[wain] *n.* ① Ⓤ 포도주; 과실주. ② Ⓒ (포도주처럼) 기운을 돋우는〔취하게 하는〕 것. ③ Ⓤ 붉은 포도줏빛. ***in*** ～ 술에 취하여. ***new*** ～ ***in old bottles*** 새 술은 새 부대에; 옛 형식으로는 다룰 수 없는 새로운 주의. ── *vt., vi.* 포도주로 대접하다; 포도주를 마시다.
wíne·bìbber *n.* Ⓒ 술고래, 모주꾼.
wíne·bìbbing *a., n.* Ⓤ 술을 많이 마시는 (일).
wíne cèllar 포도주 저장 지하실;「그 포도주.
wíne-còlo(**u**)**red** *a.* 포도줏빛의.
wíne còoler 포도주 냉각기.
wíne gállon 《美》(현행의) 표준 갤런《231입방인치; 영국은 전에 사용》.
wíne·glàss *n.* Ⓒ 포도주 잔.
wíne·gròwer *n.* Ⓒ 포도 재배 겸 포도주 양조자; (그 곳의) 일꾼.
wíne prèss(**er**) 포도 짜는 기구〔뭉개는 큰 통〕.
wíne réd 포도줏빛.
win·er·y[wáinəri] *n.* Ⓒ 포도주 양조장.
wíne·skìn *n.* Ⓒ 포도주 담는 가죽「부대.
†**wing**[wiŋ] *n.* Ⓒ ① 날개; 날개 모양을 한〔구실을 하는〕 물건. ②《口·諧》(동물의) 앞발, (사람의) 팔. ③〖建〗날개; 무대의 양 옆. ④ 비행;〖軍〗비행단;《軍口》(*pl.*) (미국 공군의) 기장. ⑤ (보통 *sing.*)〖政〗(좌익·우익의) 익. ***add*** 〔***lend***〕 ***～s to*** … 을 촉진하다. ***give*** ～(***s***) ***to*** 날 수 있게 하다. ***on the*** ～ 비행중에; 활동중에; 출발하려고 하여. ***show the ～s***〖軍〗(평시에) 시위 비행을 하다. ***take under one's ～s*** 비호하다. ***take*** ～ 날아가다. ***under the*** ～ ***of*** …의 보호 하에. ── *vt.* (…에) 날개를〔깃을〕 달다; 날 수 있게 하다; 속력을 내게 하다; 날(리)다; (새의) 날개·(사람의) 팔에 상처를 입히다. ～ ***its way*** (새가) 날아가다. **～ed** [-d] *a.* 날개 있는; 고속(高速)의; (새가) 날개를 다친; (사람이) 팔을 다친. **∠·less** *a.*
wíng càse 〔**còver, shèath**〕 (곤충의) 시초(翅鞘), 겉날개.
wíng(**ed**) **chàir** 등널의 위쪽 좌우가 날개 모양으로 내민 안락 의자.
wíng commànder 《英》공군 중령.
wing·ding[wíŋdiŋ] *n.* Ⓒ《美俗》시「끌벅적한 파티.
wíng shìp〖空〗(편대의) 선두기의 좌〔우〕후방을 나는 비행기.
wíng·spàn *n.* Ⓒ (항공기) 양 날개의 길이.
wíng·sprèad *n.* Ⓒ (곤충·새 등의 펼친) 날개 길이; ＝⇧.
:**wink**[wiŋk] *vi.* 눈을 깜박이다; 눈짓하다(*at*); 보고도 못 본 체하다(*at*); (별 등이) 반짝이다. ── *vt.* (눈을)

깜박이다; 눈짓으로 신호하다. ***like ~ing*** 《俗》 순식간에; 기운차게. — *n.* Ⓒ 눈깜박임; (별 등의) 반짝임; Ⓤ,Ⓒ 눈짓; 순간. ***forty ~s*** (식후의) 곁잠, 수잠. ***not sleep a ~,*** or ***not get a ~ of sleep*** 한숨도 못 자다. ***tip a person the ~*** 《俗》 남에게 눈짓하다. **∠·er** *n.* Ⓒ 깜박이는[눈짓하는] 사람[것]; 《口》 속눈썹.

win·kle[wíŋkəl] *n.* Ⓒ 〖貝〗 경단고둥류《식용》. — *vt.* 《口》 (조갯살 따위를) 뽑아내다(*out*).

***win·ner**[wínər] *n.* Ⓒ ① 승리자. ② 이긴 말. ③ 수상자. ④ …을 얻는 사람.

***win·ning** *a.* 결승의; 이긴; 사람의 마음을 끄는, 매력적인. — *n.* Ⓤ 승리; 성공; Ⓒ 상금, 상품.

wínning pòst (경마장의) 결승점, 결승표.

win·now[wínou] *vt.* (곡식에서) 겨를 까부르다(*away, out, from*); (진위 등을) 식별하다; (좋은 부분을) 골라[가려] 내다; 《古》 날개치다. — *vi.* 키질하다; 까붐질하다. **~·er** *n.*

wínnowing bàsket [**fàn**] 키.

win·o[wáinou] *n.* Ⓒ 《俗》 주정뱅이, 알코올 중독자.

win·some[wínsəm] *a.* 사람의 마음을 끄는; 쾌활한.

†**win·ter**[wíntər] *n., a.* Ⓤ,Ⓒ 겨울(의); 만년(晩年); Ⓒ 나이, 세(歲). — *vi.* 겨울을 나다; 피한(避寒)하다(*at, in*). — *vt.* (동·식물을) 월동시키다; 얼리다.

wínter·grèen *n.* Ⓒ (북아메리카산) 철쭉과의 상록수류(類); Ⓤ 그 잎에서 얻는 기름.

win·ter·ize[-àiz] *vt.* (자동차·가옥 등에) 방한 장치를 하다(cf. tropicalize).

wínter·kìll *vt., vi.* 《美》 (보리 따위가) 추위로 죽(게 하)다.

wínter slèep 동면(hibernation).

wínter sólstice ⇨SOLSTICE.

wínter·tìme, 《詩》 **-tìde** *n.* Ⓤ 겨울(철).

wínter whèat 가을밀.

***win·try**[wíntri], **win·ter·y**[wíntəri] *a.* 겨울의[같은]; 겨울다운; 추운; 냉담한.

wín-wín *a.* 《美口》 (교섭 따위에서) 쌍방에 유리한.

win·y[wáini] *a.* 포도주의[같은]《맛·냄새·성질 등》; 포도주에 취한.

wipe**[waip] *vt.* 닦다, 훔치다; 닦아내다(*away, off, up*); 비비다, 문지르다. ~ (a person's***) ***eye*** (아무를) 앞지르다, 선수 치다. ***~ out*** (얼룩을) 빼다; 《비유》 (부끄러움을) 씻다; 전멸 시키다. — *n.* Ⓒ 닦기, 한 번 닦기; 《俗》 찰싹 때리기; 손수건.

wípe-òut, wípe·òut *n.* Ⓒ 전멸; 완패; 《俗》 (파도타기·스키 따위에서) 나가 떨어지기.

:**wire**[wáiər] *n., a.* ① Ⓤ,Ⓒ 철사(로 만든); 전선; 〖컴〗 줄, 유선. ② Ⓤ 전신; Ⓒ 전보. ③ Ⓤ 철(조)망; Ⓒ (악기의) 금속현(弦). ***be on ~s*** 흥분해[속태우고] 있다. ***get under the ~*** 간신히 시간에 대다. ***pull*** (***the***) ***~s*** 뒤[배후]에서 조종[책동]하다. — *vt.* 철사로 묶다; 전선을 가설하다[끌다]; (새를) 철망으로 잡다; 《口》 전보를 치다. — *vi.* 《口》 전보 치다.

wíre àgency 《美》 통신사.

wíre cùtter 철사 끊는 펜치.

wíre·dàncer *n.* Ⓒ 줄타기 광대.

wíre·dràw *vt.* (***-drew; -drawn***) (금속을) 늘여 철사로 만들다; (시간·의론 등을) 질질 끌다.

wíre·dràwn *a.* (철사처럼) 길게 늘여진; (토론·구별 등이) 지나치게 세밀한.

wíre gàuge 와이어 게이지《철사 굵기를 재는》.

wíre·háir *n.* Ⓒ 털이 빳빳한 테리어개. **~ed** *a.* 털이 빳빳한.

:**wire·less** [∠lis] *a.* 무선(전신)의; 《英》 라디오의. ~ ***set*** 라디오 수신기. ~ ***station*** 무전국. ~ ***telegraph*** [***telephone***] 무선 전보[전화]. — *n.* Ⓤ 무선 전신[전화]; = RADIO. — *vi., vt.* 무전을 치다.

wíre mémory 〖컴〗 와이어 메모리《자기박막을 도금한 선으로 짠 기억장치》.

wíre nètting 철망.

Wíre·phóto *n.* Ⓒ 〖商標〗 유선 전송 사진; Ⓤ 그 기술. — *vt.* (w-) (사진을) 유선 전송하다.

wíre-pùller *n.* Ⓒ 흑막.

wíre-pùlling *n.* Ⓤ 이면(裏面)의 책동.

wíre recòrder 철사 자기(磁氣) 녹음기.

wíre recòrding 철사 자기 녹음.

wíre rópe 와이어 로프, 강삭(鋼索).

wíre rópeway 공중 삭도(索道).

wíre scrèen 철망(창)문.

wire sèrvice 통신사.

wíre·tàp *vt., vi.* 도청하다. — *n.* Ⓒ 도청 장치.

wíre·tàpper *n.* Ⓒ 도청하는 사람, 정보꾼.

wir·ing[wáiəriŋ] *n.* Ⓤ 《집합적》 가선(架線).

***wir·y**[wáiəri] *a.* 철사 같은; 철사로 만든; (사람이) 실팍진.

wis[wis] *vi.* 《英》 알다 《'I ~'의 형태의 삽입절로서》.

WISC Wechsler Intelligence Scale of Children 벡슬러 아동 지능 측정표. **Wis**(**c**). Wisconsin.

***wis·dom**[wízdəm] *n.* Ⓤ 지혜, 현명; 학문, 지식; 분별; 명언(名言), 금언; 《집합적》 《古》 현인(賢人).

wísdom tòoth 사랑니. ***cut one's ~*** 사랑니가 나다; 철이 나다[들다].

†**wise**[1][waiz] *a.* 현명한, 분별 있는; 영리해 보이는; 학문이 있는; 《美俗》 알고 있는. ***be*** [***get***] ***~ to*** [***on***] 《美俗》 …을 알(고 있)다. ***look ~*** (잘난체) 점잔빼다. ***none the ~r,*** or ***no ~r than*** [***as ~ as***] ***before*** 여전히 모르고. ***put a person ~ to*** …을 아무에게 알리다. ***~ after the event*** (어리석은 자의) 늦꾀《뒤

늦게 깨닫는》. ~ ***woman*** 여자 마술사; 여자 점쟁이; 산파. **⌐·ly** *ad.* 현명하게. ***not ~ly but too well*** 방법은 서툴지만 열심히《Sh.》 — *vt., vi.*《흔히 다음 구로만》 ~ ***up***《美俗》 알다, 알리다(*up*).

wise[2] *n.* (*sing.*) 방법; 정도; 양식, …식. ***in any ~*** 아무리 해도. (***in***) ***no ~*** 결코 …아니다〔않다〕. ***in some ~*** 어딘지, 어딘가. ***on this ~*** 이와 같이. 「방향으로'의 뜻.

-wise[wàiz] *suf.* '…와 같이, …의

wise·a·cre[wáizèikər] *n.* Ⓒ《蔑》 짐짓 아는 체하는 사람, 윤똑똑이.

wíse·cràck *n., vi.* Ⓒ《口》 재치 있는〔멋진〕 대답(을 하다).

wíse gùy《美俗》 건방진 놈.

†**wish**[wiʃ] *vt.* ① 바라다, 원하다; …하고 싶어 하다; …면 좋겠다고 생각하다. ② 빌다, 기원하다. — *vi.* 바라다(*for*); …이기를 빌다(*I ~ you a merry Christmas!* 크리스마스를 축하합니다). ***have nothing left to ~ for*** 만족스럽다, 더할 나위 없다. ~ ***on***《美俗》 (남에게) 강제하다, 떠맡기다. — *n.* Ⓤ,Ⓒ 소원, 바람; Ⓒ 원하는〔바라는〕 일〔것〕; (*pl.*) 기원.

wísh·bòne *n.* Ⓒ (새 가슴의) Y자형의 뼈《dinner 후 여흥으로 두 사람이 서로 당겨, 긴 쪽을 쥔 사람은 소원이 이루어진다 함》.

wíshed-fòr *a.* 바라던.

***wish·ful** [⌐fəl] *a.* 원하는(*to* do; *for*); 갖고 싶은 듯한.

wísh fulfil(l)ment〖心〗 (꿈 따위에 의한) 소원 성취.

wíshful thínking 희망적 관측.

wíshing bòne =WISHBONE.

wish·y-wash·y[wíʃiwὰʃi/-wɔ̀ʃi] *a.* (차·수프 등이) 멀건, 묽은; (이야기 따위) 김빠진, 시시한.

wisp[wisp] *n.* Ⓒ (건초 등의) 한 모숨; (머리칼의) 다발; 작은 것; 도깨비불(will-o'-the-wisp); =WHISK BROOM. 「나무.

***wis·te·ri·a** [wistíəriə] *n.* Ⓤ,Ⓒ 등

wist[wist] *v.* wit[2]의 과거(분사).

***wist·ful**[wístfəl] *a.* 탐나는 듯한; 생각에 잠긴.

:**wit**[1][wit] *n.* ① Ⓤ,Ⓒ 기지, 재치(cf. humor). ② Ⓒ 재치 있는 사람, 재사. ③ Ⓤ 지력, 이해. ④ (*pl.*) (건전한) 정신, 분별. ***at one's ~s'*** 〔***~'s***〕 ***end*** 어찌할 바를 몰라. ***have*** 〔***keep***〕 ***one's ~s about one*** 빈틈이 없다. ***have quick*** 〔***slow***〕 ***~s*** 약삭빠르다〔빠르지 않다〕. ***live by one's ~s*** 약빠르게 처세하다, 이럭저럭 둘러대며 살아가다. ***out of one's ~s*** 제정신을 잃어.

wit[2] *vi., vt.* (***wist; -tt-***)《古》 알다. ***to ~*** 즉.

:**witch**[witʃ] *n.* Ⓒ 마녀; 쭈그렁 할멈, 못된 할멈;《英》 매혹적인 여자. — *vt.* (…에게) 마법을 쓰다; 호리다. — *a.* 마녀의. 「력.

***wítch·cràft** *n.* Ⓤ 마법; 마력; 매

wítch dòctor 마술사.

wítch èlm =WYCH ELM.

wítch·er·y[⌐əri] *n.* =WITCHCRAFT.

wítch házel〖植〗 조롱나무의 일종; 그 잎·껍질에서 낸 약《외상(外傷)용》.

wítch hùnt《美俗》 마녀 사냥;《비유》 정적을 박해하기 위한 모함·중상.

wítch·ing *a.* 마력〔매력〕 있는. ***the ~ time of night*** 한밤중.

†**with**[wið, wiθ] *prep.* ① …와 (함께); …의 속에(*mix ~ the crowd*). ② …을 가진〔지니고〕(*a man ~ glasses*). ③ …으로, …을 써서. ④《행동의 양식·상태를 나타내어》 …을 사용하여, 보여(*~ care* 주의해서). ⑤ …에 더하여. ⑥ …에 관하여(*What is the matter ~ you?*). ⑦ …때문에; …으로 인하여. ⑧ 보관하여. ⑨ …에 있어서. ⑩ …와 동시〔같은 방향〕에; …의 쪽에(*vote ~ the Democrat*). ⑪ …와 (떨어져)(*part ~ a thing* 물건을 내놓다). ⑫ …을 상대로. ⑬ (…의 허가)를 받고. ⑭ …에도 불구하고.

with·al[wiðɔ́:l, wiθ-] *ad.*《古》 그 위에, 게다가; 또한. — *prep.*《언제나 목적어 뒤에》 …으로써.

:**with·draw** [wiðdrɔ́:, wiθ-] *vt.* (***-drew; -drawn***) 움츠리다(*from*); 물러서게 하다, 그만두게 하다(*from*); 회수하다(*from*); 철수하다; (특혜 등을) 빼앗다(*from*); 취소하다; (소송을) 취하하다. — *vi.* 물러서다〔나다〕, 퇴출하다; (회 따위에서) 탈퇴하다(*from*); 취소하다; (군대가) 철수하다. * **~·al** *n.*

***with·drawn**[-drɔ́:n] *v.* withdraw의 과거분사. — *a.* (사람이) 내성적인; 외진, 인적이 드문. 「과거.

***with·drew**[-drú:] *v.* withdraw의

withe[wiθ, wið, waið] *n.* Ⓒ 버들가지; (장작 따위를 묶는) 넌출.

:**with·er**[wíðər] *vi.* 이울다, 시들다, 말라 죽다(*up*); (애정이) 식다, 시들다(*away*). — *vt.* 이울게〔시들게, 말라 죽게〕 하다(*up*); 쇠퇴시키다, 약해지게 하다; 움츠러들게 하다. **~ed** [-d] *a.* 이운, 시든; 쇠퇴한.

with·ers[wíðərz] *n. pl.* (말 따위의) 두 어깨뼈 사이의 융기.

with·er·shins [wíðərʃinz] *ad.*《Sc.》 거꾸로; 태양 운행과 반대 방향으로《불길한 방향》.

***with·held**[wiðhéld, wiθ-] *v.* withhold의 과거(분사).

with·hold** [wiðhóuld, wiθ-] *vt.* (-held***) 억누르다; 주지〔허락하지〕 않다(*from*); 보류하다.

withhólding tàx 원천 과세.

†**with·in**[wiðín, wiθ-] *prep.* ① …의 안쪽에〔으로〕, …속〔안〕에. ② …의 한도 내에(서), …이내에〔로〕, …의 범위내에서. — *ad.* 안에, 속으로; 옥내〔집안〕에; 마음 속에.

†**with·out**[wiðáut, wiθ-] *prep.* …없이; …하지 않고; …이 없으면; …의 밖에(서). ***do*** 〔***go***〕 ***~*** …없이 때

우다. ~ **day** 무기한으로. ~ **leave** 무단히. ~ **reserve** 사양 않고, 거리낌 없이. — *ad.* 외부에; 집 밖에; 외〔표〕면은; …없이. — *conj.*《古·方》…하지 않고서는.

***with·stand**[wiðstǽnd, wiθ-] *vt.* (**-stood**) (…에) 저항하다; (…에) 반항〔거역〕하다; (…에) 잘 견디다.

***with·stood**[-stúd] *v.* withstand의 과거(분사).

with·y[wíði] *n.*《주로 英》=WITHE.

wít·less *a.* 우둔한.

:wit·ness[wítnis] *n.* ① Ⓒ〖法〗증인, 목격자. ② Ⓤ 증거, 증언. ③ Ⓒ 연서인(連署人). **bear ~ to** 〔**of**〕… 의 증거가 되다, …을 입증하다. **call a person to ~** …을 증인으로 세우다. — *vt.* 목격하다; (증인으로서) 서명하다. — *vi.* 증언하다(*against, for, to*). **W- Heaven!**《古》하느님 굽어 살피소서.

wítness bòx 〔《美》**stànd**〕증인석.

wit·ti·cism[wítəsìzəm] *n.* Ⓒ 재치 있는 말, 명언; 익살.

wit·ting[wítiŋ] *a.*《古》알고 있는; 고의로, 알면서. **~·ly** *ad.*

***wit·ty**[wíti] *a.* 재치〔기지〕있는, 익살 잘 떠는. **wít·ti·ly** *ad.* **wít·ti·ness** *n.*

wive[waiv] *vt., vi.* (여자와) 결혼하다; 장가들다.

:wives[waivz] *n.* wife의 복수.

:wiz·ard[wízərd] *n., a.* Ⓒ (남자) 마술사; 요술쟁이;《口》천재, 귀재(鬼才), 천재적인, 굉장한. **~·ry** *n.* Ⓤ 마술, 마법.

wiz·en(ed)[wízn(d)] *a.* 바싹 마른, 시든.

wk(s) week(s); work(s); wreck(s). **w.l.** water line; wave length. **w. long.** west longitude. **wmk.** water mark. **WMO** World Meteorological Organization (유엔) 세계 기상 기구. **WNW** west-north-west. **WO, W.O.** wait order; War Office; warrant officer.

wo[wou] *int.* 우어!《말을 멈추는 소리》.

woad[woud] *n.* Ⓤ〖植〗대청(大青); 그 잎에서 낸 물감.

wob·ble[wábəl/-ɔ́-] *vi.* 동요하다, 떨리다; (마음·방침 등이) 흔들리다, 불안정하다. — *n.* Ⓒ (보통 *sing.*) 비틀거림, 동요; 불안정.

Wo·den[wóudn] *n.* 앵글로색슨의 주신(主神)《북유럽 신화의 Odin에 해당함》.

:woe[wou] *n.* Ⓤ 비애; (큰) 고생, 고뇌; (*pl.*) 재난. — *int.* 슬프도다!, 아아! **W- be to** 〔**betide**〕…은 화가 있을진저, …의 재앙이 있으라. **W-worth the day!** 오늘은 왜 이렇게 재수가 없을까.

woe·be·gone[⌐bigɔ̀(ː)n, -ɑ́n] *a.* 수심〔슬픔〕에 잠긴, 비통한.

***woe·ful**[⌐fəl] *a.* 슬픔에 찬, 비참한; 애처로운;《諧》심한, 지독한(~ *ignorance* 일자무식). **~·ly** *ad.*

:woke[wouk] *n.* wake[1]의 과거(분사).

wok·en[wóukən] *v.* wake[1]의 과거분사.

wold[would] *n.* Ⓤ,Ⓒ《英》(불모의) 고원(高原).

†wolf[wulf] *n.* (*pl.* **wolves**) Ⓒ 이리; 잔인한〔탐욕스런〕사람;《口》색마, 엽색꾼. **cry ~** 거짓말을 하여 법석 떨게 하다. **keep the ~ from the door** 굶주림을 면하다. **a ~ in a lamb's skin** 양의 탈을 쓴 이리. — *vi.* 이리 사냥을 하다. — *vt.* 게걸스레 먹다(*down*). **∠·ish** *a.* 이리 같은; 잔인한; 탐욕스런.

wólf càll (젊은 여성을 놀리는) 휘파람.

wólf·hòund *n.* Ⓒ (옛날 이리 사냥에 쓰던) 큰 사냥개.

wolf·ram[wúlfrəm] *n.*〖化〗=TUNGSTEN; =⇩.

wolf·ram·ite[wúlfrəmàit] *n.* Ⓤ 볼프람 철광, 흑중석광(黑重石鑛).

wol·ver·ine, -ene[wùlvəríːn/∠–⌐] *n.* Ⓒ (미국 북부산) 오소리류(類); Ⓤ 그 모피.

:wolves[wulvz] *n.* wolf의 복수.

†wom·an[wúmən] *n.* (*pl.* **women**) Ⓒ (성인) 여자; 부인;《집합적; 단수·무관사》여성; (the ~) 여자다움;《주로 方》아내; 하녀. **make an honest ~ of** (애인 등을) 정식 아내로 삼다. **play the ~** 여자같이 굴다. **~ of the world** 산전 수전 겪은 여자. — *a.* 여자의. ***~·hood** [-hùd] *n.* Ⓤ 여자임; 여자다움;《집합적》여성. **~·ish** *a.* 여성 특유의; 여자 같은. **~·like**[-làik] *a.* 여자 같은; 여자다운; 여성에게 알맞은. ***~·ly** *a.* 여자 같은; 여자다운; 여성에게 어울리는.

wóman·kìnd *n.* Ⓤ《집합적》여성.

wóman súffrage 여성 참정권.

***womb**[wuːm] *n.* Ⓒ 자궁(子宮);《비유》사물이 발생하는 곳. **from the ~ to the tomb** 요람에서 무덤까지. **in the ~ of time** 장래.

wom·bat[wɑ́mbæt/wɔ́mbət] *n.* Ⓒ 웜바트《오스트레일리아의 곰 비슷한 유대(有袋) 동물》.

†wom·en[wímin] *n.* woman의 복수.

wómen·fòlk(s) *n. pl.* 부인, 여성; 여자들.

won[1][wɑn/wɔn] *n. sing. & pl.* 원《한국의 화폐 단위》.

:won[2][wʌn] *v.* win의 과거(분사).

†won·der[wʌ́ndər] *n.* ① Ⓤ 놀라움, 불가사의. ② Ⓒ 놀라운 사물〔일〕. **and no ~** …도 무리가 아니다, 당연한 이야기다. **a** NINE **day's ~. do** 〔**work**〕**~s** 기적을 행하다. **for a ~** 이상하게도. **in ~** 놀라서. **No** 〔**Small**〕**~** (**that**) …도 이상하지 않다. **to a ~** 놀랄 만큼. — *vi., vt.* 이상하게 생각하다(*that*); 놀라다(*at, to*); …이 아닐까 생각하다, 알고 싶어지다(*if, whether, who, what, why, how*). **~·ing** *a.* 이상한 듯한《표정 따위》. **~·ment** *n.* Ⓤ 놀라움, 경이.

W

wónder bòy 사업〔사교〕에 성공한 청년, 시대의 총아.
†**won·der·ful**[wʌ́ndərfəl] *a.* ① 놀라운, 이상한. ② 《口》 굉장한. **~·ly** *ad.* **~·ness** *n.*
wónder·lànd *n.* Ⓤ 이상한 나라.
wónder-strùck, -strìcken *a.* 아연한, 깜짝 놀란.
***won·drous**[wʌ́ndrəs] *a.* 《詩·雅》 놀라운, 이상한. — *ad.* 《古》 놀랄 만큼.
‡**wont**[wɔːnt, wount, wʌnt] *a.* 버릇처럼 된, (버릇처럼) 늘 …하는(*to* do). — *n.* Ⓤ 습관, 풍습. **~·ed** [´id] *a.* 버릇처럼 된, 예(例)의.
†**won't**[wount, wʌnt] will not의 단축.
***woo**[wuː] *vt.* 구혼〔구애〕하다; (명예 등을) 추구하다; (아무에게) 조르다(*to* do). **´·ed** *n.*
†**wood**[wud] *n.* ① Ⓒ (종종 *pl.*) 숲, 수풀. ② Ⓤ,Ⓒ 나무, 재목; 목질(木質). ③ Ⓤ 장작, 땔나무. ④ (the ~) (술)통. ⑤ (the ~) 목관 악기; 《집합적》 (악단의) 목관 악기부; (*pl.*) (악단의) 목관 악기 주자들. ***cannot see the ~ for the trees*** 작은 일에 구애되어 대국을 그르치다. ***from the ~*** (술 따위) 술통에서 갓낸. ***out of the ~(s)*** 어려움을〔위기를〕 벗어나. — *a.* 나무로 만든. — *vt.* 재목〔장작·수목〕을 공급하다; 식림(植林)하다. — *vi.* 목재〔장작〕를 모아두다. * **~·ed**[´id] *a.* 나무가 무성한; 《복합어로》 …한 목질의.
wóod álcohol 〔**spìrit**〕 메틸알코올.
wóod·bìne *n.* Ⓤ 인동덩굴; 양담쟁이.
wóod blòck 목판(화); (포장용) 나무 벽돌.
wóod càrving 목각; 목각술.
wóod·chùck *n.* Ⓒ 〖動〗 (북아메리카산) 마못류(類).
wóod·còck *n.* Ⓒ 〖鳥〗 누른도요.
wóod·cràft *n.* Ⓤ 숲(사냥)에 관한 지식; 목공〔목각〕술; 삼림학(學).
wóod·cùt *n.* Ⓒ 목판(화).
***wóod·cùtter** *n.* Ⓒ 나무꾼; 목판조각가.
‡**wood·en**[wúdn] *a.* ① 나무의, 나무로 만든. ② 무뚝뚝한, 얼빠진.
wóod engràving 목각술; 목판화.
wóoden-hèaded *a.* 《口》 얼빠진.
Wóoden Hórse 트로이의 목마(cf. Trojan horse).
wóoden·wàre *n.* Ⓤ 《집합적》 나무 기구《통·바리때·밀방망이 따위》.
‡**wood·land**[wúdlənd, -lǽnd] *n., a.* Ⓤ 삼림지(森林地)(의). **~·er** *n.*
wóod làrk 종다리의 일종.
***wood·man**[wúdmən] *n.* Ⓒ 나무꾼; 《英》 영림서원; 숲에서 사는 사람.
wóod·nòte *n.* Ⓒ 숲의 가락〔노래〕 《새의 지저귐 따위》; 소박한 시(詩).
wóod nýmph 숲의 요정.
***wóod·pècker** *n.* Ⓒ 딱따구리.
wóod·pìle *n.* Ⓒ 장작 더미.
wóod pùlp (제지용) 목재 펄프.
wóod·rùff *n.* Ⓒ 〖植〗 선갈퀴.
wóod·shèd *n.* Ⓒ 장작 쌓는 헛간.
woods·man[´zmən] *n.* Ⓒ 숲에 사는 사람; =LUMBERMAN; 사냥꾼.
wóod sòrrel 〖植〗 괭이밥류(類).
wóod tàr 목(木)타르.
wóod thrùsh (북아메리카 동부산) 개똥지빠귀의 일종.
wóod tùrning 녹로(轆轤) 세공, 갈이질.
wóod wìnd 목관 악기; (*pl.*) (오케스트라의) 목관 악기부.
wóod wòol (충전(充塡)용) 고운 대팻밥(excelsior).
***wóod·wòrk** *n.* Ⓤ 나무 제품; (가옥의) 목조부.
wóod·wòrm *n.* Ⓒ 〖蟲〗 나무좀.
***wood·y**[´i] *a.* ① 나무가 무성한. ② 나무의, 목질(木質)의.
woof[wuːf] *n.* (the ~) 《집합적》 (피륙의) 씨(줄)(opp. warp).
†**wool**[wul] *n.* Ⓤ 양털; 털실; 모직물; 모직의 옷; 양털 모양의 물건; (흑인 등의) 고수머리. ***go for ~ and come home shorn*** 혹 떼러 갔다가 혹 붙여 오다. ***much cry and little ~*** 태산 명동(泰山鳴動)에 서일필(鼠一匹). — *a.* 모직의.
‡**wool·en,** 《英》 **wool·len**[wúlən] *a.* 양털(제)의. — *n.* (*pl.*) 모직물; 모직의 옷.
Woolf[wulf], **Virginia**(1882-1941) 영국의 여류 소설가.
wóol·gàthering *n., a.* Ⓤ 얼빠짐, 멍청한; 방심(한).
wóol·gròwer *n.* Ⓒ 목양(牧羊)업자.
***wool·(l)y**[wúli] *a.* ① 양털(모양)의. ② 〖動·植〗 털〔솜털〕로 덮인. ③ (생각, 소리가) 희미한. — *n.* (*pl.*) 《口》 모직의 옷《특히 스웨터 등》.
wóolly-héaded, -mínded *a.* 생각이 혼란된, 머리가 멍한.
wóol·pàck *n.* Ⓒ 양모 한 짝《보통 240 파운드》; 뭉게구름.
wóol·sàck *n.* Ⓒ 양털 부대; (the ~) 《英》 대법관〔상원 의장〕의 자리〔직〕.
wooz·y[wú(ː)zi] *a.* 《口》 (술 따위로) 멍청해진, 멍한.
Worces·ter·shire [wústərʃìər, -ʃər] *n.* 영국 남서부의 구주(舊州); Ⓤ 우스터소스《보통의 소스》.
Worcs. Worcestershire.
†**word**[wəːrd] *n.* ① Ⓒ 말, 단어; 〖컴〗 낱말, 워드(machineword). ② Ⓒ (종종 *pl.*) (짧은) 이야기, 담화, (입으로 하는) 말(*a ~ of praise*). ③ Ⓒ 명령(*His ~ is law.* 그의 명령은 곧 법률이다); 암호; 약속. ④ Ⓤ 기별, 소식. ⑤ (*pl.*) 말다툼. ⑥ (*pl.*) 가사(歌詞). ⑦ (the W-) 성서(the Word of God); (예수로 표상되는) 하느님의 뜻. ***be as*** GOOD ***as one's ~. big ~s*** 호언 장담. ***break one's ~*** 약속을 어기다. ***bring ~*** 알리다. ***by ~ of mouth*** 구두로. ***eat one's ~s*** 식언하다. ***give*** 〔***pledge, pass***〕 ***one's ~*** 약

속하다. ***hang on a person's ~s*** 아무의 말을 열심히 듣다. ***have the last ~*** 논쟁에서 상대방을 이기다; 최후의 단을 내리다. ***have ~s with*** …와 말다툼하다. ***in a* 〔*one*〕 *~*** 요컨대. ***keep one's ~*** 약속을 지키다. ***man of his ~*** 약속을 지키는 사람. ***My ~!*** 이런! ***on* 〔*with*〕 *the ~*** 말이 떨어지기가 무섭게. ***take a person at his ~*** 남의 말을 곧이듣다. ***the last ~*** 마지막〔결론적인〕말; 유언; 《口》 최신 유행 〔발명〕품; 최우수품, 최고 권위. ***upon my ~*** 맹세코; 이런! ***~ for ~*** 축어적으로, 한마디 한마디. ***~ of honor*** 명예를 건 약속〔언명(言明)〕. — *vt.* 말로 표현하다〔나타내다〕. **∠·ing** *n.* (*sing.*) 말씨, 어법. ***∠·less** *a.* 말없는, 무언의; 벙어리의.

word·age[∠idʒ] *n.* Ⓤ 말씨; 어휘.

wórd·bòok *n.* Ⓒ 단어집; 사전; (가극 따위의) 가사집(歌詞集).

wórd èlement 어요소(語要素)《복합어를 만듦; 보기 electro-》.

wórd-for-wórd *a.* (번역이) 축어적(逐語的)인.

wórd òrder 〖文〗 어순(語順).

wórd pàinter 생기 있는 글을 쓰는 사람.

wórd·plày *n.* Ⓒ 말다툼, 언쟁; 익살, 둘러대기.

wórd pròcessing 〖컴〗 워드 프로세싱《생략 WP》(~ *program* 워드 프로세싱 프로그램 / ~ *system* 워드 프로세싱 시스템〔체계〕).

wórd pròcessor 〖컴〗 워드 프로세서, 문서〔글월〕처리기.

wórd splìtting 말의 너무 세세한 구별, 어법의 까다로움.

Words·worth [wə́ːrdzwə(ː)rθ], **William**(1770-1850) 영국의 자연파 계관 시인.

word·y[wə́ːrdi] *a.* 말의; 말이 많은; 장황한. **wórd·i·ness** *n.* Ⓤ 말이 많음, 수다(스러움).

†**wore**[wɔːr] *v.* wear의 과거.

†**work**[wəːrk] *n.* ① Ⓤ 일; 직업; 노동, 공부, 직무; 사업; 짓; 〖理〗 일(의 양). ② Ⓒ 제작물; (예술상의) 작품, 저작; (보통 *pl.*) 토목〔방어〕공사. ③ (*pl.*) 《흔히 복합어로》 공장; (기계의) 움직이는 부분, 장치, 기계. ④ (*pl.*) 〖神〗 (신이 하신) 일. ***at ~*** 일하고, 운전〔활동〕 중에. ***fall* 〔*get, go*〕 *to ~*** 일에 착수하다; 작용하기 시작하다. ***in ~*** 취업하여. ***make short ~ of*** …을 재빨리 해치우다. ***man of all ~*** 만능꾼. ***out of ~*** 실직하여. ***set to ~*** 일에 착수(케)하다. ***~ in process*** 반제품. ***~ in progress*** (문예·미술 등의) 미완성품. ***~ of art*** 예술품. — *vi.* (***~ed, wrought***) ① 일하다, 작업을 하다(*at, in*). ② 공부하다, 노력하다(*against, for*). ③ 근무하고 있다, 바느질하다. ④ (기관·기계 등이 효과적으로) 움직이다, 돌다, 운전하다; 서서히〔노력하여〕 나아가다〔움직이다〕. ⑤ 발효(醱酵)하다. ⑥ 순조롭게〔잘〕 되어가다; 작용하다. ⑦ (마음·얼굴 등이) 심하게 움직이다, 실룩거리다. — *vt.* ① 일시키다; (사람·마소 등을) 부리다; (손가락·기계 따위를) 움직이다; (차·배 등을) 운전하다; (광산·사업 등을) 경영하다. ② (계획 등을) 실시하다, 세우다. ③ (문제 등을) 풀다. ④ 초래하다, (영향 따위를) 생기게 하다, 행하다. ⑤ 서서히〔애써서〕 나아가게 하다. ⑥ 세공(細工)하다; 반죽하다. ⑦ 단련하다; (사람을) 차차로 움직이다; 흥분시키다(*into*). ⑧ 발효시키다. ⑨ 《口》 (아무를) 움직여〔속여서〕 …을 얻다. ***~ away*** 계속해〔부지런히〕 일하다. ***~ in*** 삽입하다; 조화되다. ***~ loose*** 느스러지다. ***~ off*** 서서히 제거하다; 처리하다. ***~ on* 〔*upon*〕** …에 작용하다; =work away. ***~ one's way*** 일하면서 여행하다; 애써서 나아가다. ***~ out*** (계획을) 세밀하게 세우다; (문제 등을) 풀다; (광산을) 다 파서 바닥내다, 써서 낡게 하다; (빚을 돈으로 갚는 대신) 일하여 갚다; 연습시키다; 애써서 완성하다; (합계를) 산출하다; (사람을) 지치게 하다; 결국 …이 되다. ***~ up*** 점차로 만들어내다; 서서히 흥분시키다, 선동하다; (이야기의 줄거리 따위를) 발전시키다(*to*); 정성들여 만들다; 뒤섞다; 대성〔집성〕하다. — *a.* 일하는, 노동의〔을 위한〕.

work·a·day[wə́ːrkədèi] *a.* 일하는 날의, 평일의; 평범한; 실제적인.

wórk àrea 〖컴〗 작업 영역.

wórk·bàg *n.* Ⓒ (특히, 재봉의) 도구 주머니.

wórk·bàsket *n.* Ⓒ 도구 바구니《특히 재봉〔바느질〕의》.

wórk·bènch *n.* Ⓒ (목수·직공 등의) 작업대; 〖컴〗 작업대.

wórk·bòok *n.* Ⓒ 연습장; 규정집, (예정·완성한) 작업 일람표.

wórk càmp 워크캠프《강제 노역장(勞役場); 종교 단체의 근로 봉사를 하는 모임》.

wórk·dày *n.* Ⓒ 작업일, 근무일; (하루의) 취업 시간. — *a.* =WORKADAY.

:**wórk·er** *n.* Ⓒ ① 일〔공부〕하는 사람, 일손, 일꾼, 노동자; 세공장(匠). ② 일벌, 일개미 (따위).

wórk fòrce 노동 인구, 노동력.

wórk·hòuse *n.* Ⓒ《美》소년원, (경범죄자의) 취〔노〕역소; 《英》 구빈원(救貧院).

:**wórk·ing** *n.* ① Ⓒ 작용. ② Ⓤ 일, 작동, 활동; 노동; 운전; 경영. ③ Ⓒ (보통 *pl.*) (광산·채석장 등의) 작업장. — *a.* 일하는; 노동(자)의; 작업(용)의; 경영의; 실제로 일하는, 실용의; 유효한.

wórking càpital 운전 자본.

wórking clàss(es) 노동 계급.

wórking clòthes 〔**drèss**〕 작업복.

wórking còuple 맞벌이 부부.

wórking dày =WORKDAY (*n.*)

wórking dràwing 공작도(圖), 설

W

계도; (공사의) 시공도.
wórking expènses 경영비.
wórking fàce (광산의) 막장, 채굴장.
wórking fùnd 운전 자금.
***wórking·màn** *n.* Ⓒ 노동자, 장색, 공원(工員).
wórking pàrty 특별 작업반; 《英》(기업의 능률 향상을 위한) 노사(勞使)위원회.
wórk lòad 작업 부담량.
:work·man[wə́ːrkmən] *n.* Ⓒ 노동자, 장색. **～·like**[-làik] *a., ad.* 직공다운; 능숙한; 능란하게; 솜씨 있게; 《종종 蔑》손재간 있는. ***～·ship**[-ʃìp] *n.* Ⓤ (장색의) 솜씨; (제품의) 완성된 품; (제)작품.
wórkmen's compensátion 노동자 재해 보상〔수당〕.
wórk·òut *n.* Ⓒ (경기의) 연습, 연습경기; (일반적으로) 운동; 고된 일.
wórk·pèople *n.* 《집합적, 복수 취급》《英》노동자들.
wórk·ròom *n.* Ⓒ 작업실.
wórks còuncil 《英》공장 협의회; 노사(勞使) 협의회.
wórk shèet 〖會計〗시산표(試算票).
***work·shop**[´ʃɑ̀p/-ɔ̀-] *n.* Ⓒ 작업장, 일터; 공장; 《美》강습회, 연구회.
wórk·stàtion *n.* Ⓒ 〖컴〗작업(실) 전산기.
wórk·tàble *n.* Ⓒ 작업대.
wórk·wèek *n.* Ⓒ 주당 노동 시간〔일수〕.
work·wom·an[´wùmən] *n.* (*pl.* ***-women***) Ⓒ 여자 노동자; 침모.
†world[wəːrld] *n.* ① (the ～) 세계, 지구; 지구상의 한 구분. ② Ⓒ (보통 the ～) 분야, …계(界). ③ (the ～) 인류. ④ Ⓒ (보통 the ～) 세상; 세상사(事), 인간사. ⑤ Ⓒ 별, 천체. ⑥ Ⓒ 이승. ⑦ (the ～) 만물, 우주; 광활한 퍼짐〔범위〕. ⑧ (a 〔the〕 ～) 다수, 다량(*of*). ***as the ～ goes*** 일반적으로 말하면. ***come into the ～*** 태어나다. ***for all the ～*** 무슨 일이 있어도; 아무리 보아도, 꼭. ***for the ～*** 세상 없어도. ***get on in the ～*** 출세하다. ***How goes the ～ with you?*** 경기〔재미〕가 어떠십니까. ***in the ～*** 《의문사 다음에 써서》 도대체. ***make the best of both ～s*** 세속(世俗)의 이해와 정신적 이해를 조화시키다. ***man of the ～*** 세상 경험이 많은 사람. ***the next*** 〔***other***〕 ***～*** 저승, 내세(來世). ***to the ～*** 《俗》아주, 완전히. ***～ without end*** 영원히.
Wórld Cóurt, the 국제 사법 재판소.
Wórld Cùp, the 월드컵《세계 축구 선수권 대회(배)》.
wórld-fámous *a.* 세계적으로 유명한.
wórld féderalism 세계 연방주의.
wórld féderalist 세계 연방주의자.
Wórld Ísland 세계섬《유럽·아시아·아프리카의 총칭》.
wórld lánguage 국제어《Esperanto 따위》.
world·ling[wə́ːrldliŋ] *n.* Ⓒ 속인, 속물(俗物).
:world·ly[wə́ːrldli] *a.* ① 이 세상의, 현세의. ② 세속적인. **wórld·li·ness** *n.* Ⓤ 속된 마음.
wórldly-mínded *a.* 명리(名利)를 좇는, 세속적인.
wórldly·wíse *a.* 세재(世才)가 뛰어난, 세상 물정에 밝은.
wórld pówer 세계 열강.
wórld séries 〖野〗월드시리즈, 전미(全美) 프로 야구 선수권 대회.
wórld('s) fáir 세계 박람회.
wórld-shàking *a.* 세계를 뒤흔드는; 중대한.
wórld sóul 세계 정신.
wórld spírit 신; 우주를 움직이는 힘.
wórld víew 세계관.
Wórld Wár I 〔**II**〕[-wɔ́ːr wʌ́n 〔túː〕] 제 1〔2〕차 세계 대전.
wórld-wèary *a.* 세상이 싫어진, 생활에 지친.
:world·wide[´wáid] *a.* 세상에 널리 알려진〔퍼진〕, 세계적인.
Wórld Wìde Wéb 〖컴〗월드 와이드 웹《인터넷에 존재하는 정보 공간; 생략 WWW》.
:worm[wəːrm] *n.* Ⓒ ① 벌레《지렁이·구더기 따위 같이 발이 없고 물렁한 것》. ② 벌레 같은 모양〔동작〕의 물건《나삿니 따위》. ③ (*pl.*) 기생충병. ***A ～ will turn.*** 《속담》지렁이도 밟으면 꿈틀한다. ── *vi.* 벌레처럼 기다, 기듯 나아가다(*into, out of, through*); 교묘히 환심을 사다(*into*). ── *vt.* ① (벌레처럼) 서서히 나아가게 하다; 서서히 들어가게하다(*into*). ② (비밀을) 캐내다(*out, out of*). ③ 벌레를 없애다. **´·y** *a.* 벌레가 붙은〔먹은, 많은〕; 벌레 같은.
wórm-eàten *a.* 벌레 먹은; 케케묵은.
wórm gèar(ing) 〖機〗웜 기어 (장치).
wórm·hòle *n.* Ⓒ (나무·과실 등의) 벌레 구멍.
wórm whèel 〖機〗웜 톱니바퀴.
wórm·wòod *n.* Ⓤ 다북쑥속(屬)의 식물; 고민.
:worn[wɔːrn] *v.* wear의 과거 분사. ── *a.* ① 닳아〔낡아〕빠진. ② 녹초가 된.
***wórn-óut** *a.* ① 다 써버린; 닳아빠진. ② 진부한.
†wor·ry[wə́ːri, wʌ́ri] *vt* ① 괴롭히다, 걱정〔근심〕시키다. ② 물어뜯어 괴롭히다; 물고 흔들다. ── *vi.* ① 걱정〔근심〕하다, 괴로워하다(*about*). ② (개 따위가) 동물《쥐·토끼 등을》 물어뜯어 괴롭히다. ***I should ～.*** 《美口》조금도 상관 없네. ***～ along*** 고생하며 헤쳐 나아가다. ── *n.* Ⓤ 근심, 걱정, 고생; Ⓒ 걱정거리, 고생거리. ***wor·ried**[-d] *a.* 곤란한, 당혹한; 걱정스런. **wor·ri·er**[-ər] *n.* Ⓒ 괴롭히는 사람; 잔걱정이 많은 사람. **wór·ri·ment** *n.* Ⓤ 《美口》걱정, 근심, 괴로움. **wór·ri·some** *a.* 귀찮은; 성가신.

W

wórry·wàrt *n.* Ⓒ 군걱정이 많은 사람.

†**worse**[wəːrs] *a.* 《bad, evil, ill의 비교급》 더욱 나쁜. ***be ~ off*** 살림이 어렵다. (***and***) ***what is ~,*** or ***to make matters ~*** 설상가상으로. — ***ad.*** 《badly, ill의 비교급》 더욱 나쁘게. — ***n.*** Ⓤ 더욱 나쁜 일〔물건〕(*a change for the ~*악화). ***have*** 〔***put to***〕 ***the ~*** 패배하다〔시키다〕.

wors·en[wə́ːrsən] *vt., vi.* 악화시키다〔하다〕.

:**wor·ship**[wə́ːrʃip] *n.* Ⓤ ① 숭배, 경모. ② 예배(식). ③ 각하(閣下). ***place of ~*** 교회. ***Your*** 〔***His***〕 ***W-*** 각하. — *vt., vi.* (《英》 ***-pp-***) ① 숭배〔존경〕하다. ② 예배하다. **-ful** [-fəl] *a.* 존경할 만한; 경건한. * **~·(p)er** *n.* Ⓒ 숭배〔예배〕자.

†**worst**[wəːrst] *a.* 《bad, evil, ill의 최상급》 가장 나쁜. — ***ad.*** 《badly, ill의 최상급》 가장 나쁘게. — ***n.*** (the ~) 최악의 것〔상태·일〕. ***at*** (***the***) ***~*** 아무리 나빠도; 최악의 상태인. ***get*** 〔***have***〕 ***the ~ of it*** 패배하다, 지다. ***give*** (*a person*) ***the ~ of it*** (아무를) 지우다. ***if*** (***the***) ***~ comes to*** (***the***) ***~*** 최악의 경우에는. ***put*** (*a person*) ***to the ~*** (아무를) 지우다. — ***vt.*** 지우다, 무찌르다.

wor·sted[wústid, wə́ːr-] *n.* Ⓤ 소모사(梳毛絲), 털실; 소모직물. — *a.* 털실의, 털실로 만든.

wort[wəːrt] *n.* Ⓤ 맥아즙(麥芽汁) 《맥주 원료》.

†**worth**[wəːrθ] *pred. a.* …만큼의 값어치가 있는; …만큼의 재산이 있는. ***for all one is ~*** 전력을 다하여. ***for what it is ~*** (사실 여부는 어쨌든) 그런 대로, 진위 선악은 차치하고. ***~*** (***one's***) ***while*** 시간을 들일〔애쓸〕 만한 가치가 있는. — ***n.*** Ⓤ 값어치; (일정한 금액에) 상당하는 분량; 재산. * **∠·less** *a.* 가치 없는.

***wórth·whíle** *a.* 할 만한 가치가〔보람이〕 있는.

:**wor·thy**[wə́ːrði] *a.* ① 가치 있는, 훌륭한, 상당한. ② (…하기에) 족한, (…할) 만한; (…에) 어울리는(*of; to do*). — ***n.*** Ⓒ 훌륭한 인물, 명사. **wór·thi·ly** *ad.* **wór·thi·ness** *n.*

†**would**[wud, 弱 wəd, əd] *aux. v.* 《will의 과거》 ① 《미래》 …할 것이다; …할 작정이다. ② 《과거 습관》 가끔〔곧잘〕 …했다. ③ 《소원》 …하고 싶다, …하여 주시지 않겠습니까. ④ 《가정》 …할 텐데, 하였을 것을; 기어코 …하려고 하다. ⑤ 《추량》 …일 것이다.

***would·be**[wúdbìː] *a.* ① 자칭(自稱)의, 제딴은 …인 줄 아는. ② …이 되고싶은〔되려고 하는〕.

†**would·n't**[wúdnt] would not의 단축. 「=WOULD.

wouldst[wudst] *aux. v.* 《古·詩》

:**wound**[1][wuːnd] *n.* Ⓒ ① 부상, 상처. ② 손해; 고통; 굴욕. — *vt.* 상처를 입히다; (감정 등을) 해치다. **: ~·ed**[∠id] *a.* 부상한, 상처 입은 (*the ~ed* 부상자들).

wound[2][waund] *v.* wind[2]의 과거(분사). 「사).

:**wove**[wouv] *v.* weave의 과거(분

:**wo·ven**[wóuvən] *v.* weave의 과거분사. 「는 종이.

wóve pàper 투명 그물 무늬가 있

wow[wau] *n.* (*sing.*) 《美俗》 (연극 따위의) 대히트; 대성공. — ***int.*** 야아, 이거 참.

wow·ser[wáuzər] *n.* Ⓒ 《濠》 극단적인 결벽가(潔癖家); 《美俗》 흥을 깨는 사람.

WP, w.p. weather permitting; wire payment. **WPB** War Production Board. **W.P.C.** 《英》 woman police constable. **wpm** words per minute. **W.R.A.C.** Women's Royal Army Corps.

wrack[ræk] *n.* ① Ⓤ 파괴, 파멸. ② Ⓒ 난파선(의 표류물). ③ Ⓤ 바닷가에 밀린 해초. ***go to ~ and ruin*** 파멸하다, 거덜나다.

W.R.A.F. Women's Royal Air Force.

wraith[reiθ] *n.* Ⓒ (사람의 죽음 전후에 나타난다는) 생령(生靈); 유령.

wran·gle**[rǽŋgəl] *vi.* 말다툼〔논쟁〕하다. — *vt.* 논쟁하다; 《美》 목장에서 (말 따위를) 보살피다. — ***n. Ⓒ 말다툼. **-gler** *n.* Ⓒ 《美》 말지기; 《英》 (Cambridge 대학에서) 수학 학위 시험 1급 합격자.

:**wrap**[ræp] *vt.* (***~ped, wrapt; -pp-***) ① 싸다; 두르다; 휩싸다. ② 덮다, 가리다. — ***vi.*** 싸다, 휩싸이다. ***be ~ped up in*** …에 열중되다; …에 말려들다. ***~ up*** (방한구로) 휩싸다. — ***n.*** Ⓒ (보통 ***pl.***) 몸을 싸는 것; 어깨 두르개, 무릎 가리개, 외투. **∠·page**[∠idʒ] *n.* Ⓤ 포장지〔재료〕. * **∠·per** *n.* Ⓒ 싸는 사람〔물건〕; 포장지; 봉(封) 띠; (책의) 커버; 낙낙한 실내옷, 화장옷. **∠·ping** *n.* Ⓤ (보통 ***pl.***) 포장(지), 보자기.

wráp-ùp *n.* Ⓒ (뉴스 따위의) 요약; 결론; 결과.

***wrath**[ræθ, rɑːθ/rɔːθ] *n.* Ⓤ ① 격노. ②복수; 벌. **∠·ful, ∠·y** *a.* 《口》 격노한.

wreak[riːk] *vt.* (성을) 내다; (원한을) 풀다; (복수·벌 따위를) 가하다(*upon*).

:**wreath** [riːθ] *n.* (*pl.* **~s** [riːðz, -θs]) Ⓒ ① 화환(花環). ② (연기·구름 따위의) 소용돌이.

wreathe**[riːð] *vt.* ① 화환으로 만들다〔꾸미다〕. ② 두르다; 싸다. — ***vi. (연기 등이) 동그라미를 지으며 오르다.

:**wreck**[rek] *n.* ① Ⓤ 파괴; 난파; Ⓒ 난파선. ② Ⓒ 잔해. ③ Ⓒ 영락한 사람. ④ Ⓒ (난파선의) 표류물. ***go to ~*** (***and ruin***) 파멸하다.

W

— *vt.* 난파시키다; 파괴하다; (아무를) 영락시키다. — *vi.* 난파〔파멸〕하다; 난파선을 구조〔약탈〕하다. *~·**age**[´idʒ] *n.* Ⓤ 《집합적》 난파, 파괴; 잔해, 난파 화물. **´-er** *n.* Ⓒ 난파선 약탈자; 건물 철거업자; 레커차(車), 구난(救難)차〔열차〕; 난파선 구조원〔선〕.

wreck·ing[rékiŋ] *n.* Ⓤ 난파, 난선(難船); 난파선 구조 (작업); 《美》 건물 철거 (작업).

wrécking càr 구조차, 레커차.

***wren**[ren] *n.* Ⓒ 〖鳥〗 굴뚝새.

***wrench**[rentʃ] *n.* Ⓒ ① (급격한) 비틂; 염좌(捻挫). ② 〖機〗 렌치《너트·볼트 따위를 돌리는 공구》. ③ (이별의) 비통. — *vt.* ① (급격히) 비틀다, 비틀어 떼다(*away, off, from, out of*). ② 삐다, 접질리다. ③ (뜻·사실을) 왜곡하다; 억지로 갖다 붙이다. ④ (…에게) 몹시 사무치다〔영향을 미치다〕(affect badly).

***wrest**[rest] *vt.* ① 비틀다, 비틀어 떼다(*from*); 억지로 빼앗다(*from*). ② (사실·뜻을) 억지로 갖다 대다, 왜곡하다. — *n.* Ⓒ 비틂; 접질림.

***wres·tle**[résəl] *vi.* ① 레슬링〔씨름〕을 하다; 맞붙어 싸우다(*with*). ② (역경·난관·유혹 등과) 싸우다(*with, against*); (어려운 문제와) 씨름하다(*with*). — *vt.* (…와) 레슬링〔씨름〕하다. — *n.* Ⓒ 레슬링 경기; 맞붙어 싸움; 분투. ***-tler** *n.* Ⓒ 레슬링 선수, 씨름꾼. **:-tling** *n.* Ⓤ 레슬링, 씨름.

***wretch**[retʃ] *n.* Ⓒ ① 불운한 사람. ② 나쁜 놈.

:wretch·ed[rétʃid] *a.* ① 불운한, 비참한. ② 나쁜; 지독한. **~·ly** *ad.* **~·ness** *ad.*

wrick[rik] *vt., n.* Ⓒ 가볍게 삐다〔삠〕, 접질림.

***wrig·gle**[rígəl] *vi.* ① 꿈틀거리다; 꿈틀〔허위적〕거리며 나아가다(*along, through, out, in*). ② 교묘하게 환심을 사다(*into*); 잘 헤어나다(*out of*). — *vt.* 꿈틀〔허위적〕거리게 하다. — *n.* Ⓒ (보통 *sing.*) 꿈틀거림. **wríg·gler** *n.* Ⓒ 꿈틀거리는 사람; 장구벌레. **-gly** *a.*

wright[rait] *n.* Ⓒ 《稀》 제작자《주로 복합어》 (wheel*wright*, play*wright*).

wring**[riŋ] *vt.* (*wrung*) ① 짜다; (새의 목 따위를) 비틀다; (물을) 짜내다, 착취하다(*from, out, out of*). ② 꽉 쥐다; 어거지로 얻다(*from, out of*). ③ 괴롭하다; (말의 뜻을) 왜곡하다. ***~ing wet 흠뻑 젖어. ***~ out*** (돈·물을) 짜내다. — *n.* Ⓒ 짜기. **´-er** *n.* Ⓒ 짜는 사람; (세탁물) 짜는 기계.

:wrin·kle[1][ríŋkəl] *n., vt., vi.* Ⓒ (보통 *pl.*) 주름(잡다, 지다). **-kled**[-d] *a.* 주름진. **wrín·kly** *a.* 주름진, 주름 많은.

wrin·kle[2] *n.* Ⓒ 《口》 좋은 생각, 묘안.

:wrist[rist] *n.* Ⓒ 손목; 손목 관절.

wríst·bànd *n.* Ⓒ 소맷동.

wrist·let[rístlit] *n.* Ⓒ (방한용) 토시; 팔찌.

wríst pìn 《美》 〖機〗 피스톤 핀.

wríst wàrmer 벙어리 장갑.

wríst wàtch 손목시계.

writ[rit] *n.* Ⓒ 〖法〗 영장; 문서. ***Holy*** 〔***Sacred***〕 ***W-*** 성서. — *v.* 《古》 write의 과거(분사). ***~ large*** 대서특필하여; (폐해 따위가) 증대하여.

†write[rait] *vt.* (***wrote***, 《古》 ***writ***; ***written***, 《古》 ***writ***) ① (글씨·문장 따위를) 쓰다; 문자로 나타내다, 기록하다. ② 편지로 알리다. ③ (얼굴 따위에) 똑똑히 나타내다. ④ 〖컴〗 (정보를) 기억하게 하다, 써넣다. — *vi.* ① 글씨를 쓰다. ② 저작하다. ③ 편지를 쓰다(*to*). ④ 〖컴〗 (기억 장치에) 쓰다. ***~ a good*** 〔***bad***〕 ***hand*** 글씨를 잘〔못〕 쓰다. ***~ down*** 써 두다; (자산 따위의) 장부 가격을 내리다. ***~ off*** 장부에서 지우다, 껵자치다. ***~ out*** 써 두다; 정서하다; 다 써버리다. ***~ over*** 다시 쓰다; 가득히 쓰다. ***~ up*** 게시하다; 지상(紙上)에서 칭찬하다; 상세히 쓰다. **:wrít·er** *n.* Ⓒ 쓰는 사람, 필자, 기자; 저자.

wríte-dòwn *n.* Ⓤ 평가 절하, 상각《자산 따위의 장부 가격의 절하》.

wríte-ín *n.* Ⓒ 《美》 기명 투표.

wríte-ín campàign 《美》 (후보자를 위한) 표 모으기 운동.

wríte-òff *n.* Ⓒ (장부에서의) 삭제; (세금 따위의) 공제.

wríte protéct 〖컴〗 쓰기 방지.

wríte/réad hèad 〖컴〗 쓰기 읽기 머리틀《자기 테이프·저장판 등에 정보를 기록·읽기·지우기 등을 하는 작은 전자 자기 장치》.

wríter's cràmp 〖病〗 서경(書痙), 손가락 경련.

wríte-ùp *n.* Ⓒ 《口》 기사, (특히) 칭찬 기사, 남을 추어올리기.

writhe**[raið] *vt.* (~d; ~d***, 《古·詩》 ***writhen***[ríðn]) 뒤틀다; 굽히다. — *vi.* 몸부림치다; 고민하다(*at, under, with*).

†writ·ing[ráitiŋ] *n.* ① Ⓤ 씀; 습자; 필적. ② Ⓤ 저술(업). ③ Ⓤ 문서, 편지, 서류, 문장. ④ (*pl.*) 저작. ***in ~*** 써서, 문장으로. ***~ on the wall*** 절박한 재앙의 징조. — *a.* 문자로 쓰는; 필기용의.

wríting brùsh 붓.

wríting càse 문방구 갑(匣), 문갑.

wríting dèsk 책상《종종 앞쪽으로 경사진》.

wríting ìnk 필기용 잉크(cf. printing ink).

wríting matèrials 문방구.

wríting pàper 편지지; 필기 용지.

wríting tàble 책상.

wríting wìll 유언서.

†writ·ten[rítn] *v.* write의 과거분사. — *a.* 문자로 쓴; 성문의. ***~ examination*** 필기 시험. ***~ language*** 문어(文語). ***~ law*** 성문법.

wrítten-óff *a.* 《英空俗》 전사한; (비행기가) 대파한.

W.R.N.S. Women's Royal Naval Service.

W

†**wrong**[rɔːŋ, rɑŋ] *a.* ① 나쁜, 부정한. ② 틀린; 부적당한. ③ 역(逆)의; 이면의. ④ 고장난; 상태가 나쁜. ***get* 〔*have*〕 *hold of the ~ end of the stick*** (이론·입장 등을) 잘못 알다. ~ ***side out*** 뒤집어서. — *ad.* 나쁘게; 틀려서; 고장나서. ***go ~*** 길을 잘못 들다; 고장나다; (여자가) 몸을 그르치다. — *n.* ① Ⓤ 나쁜 짓; 부정. ② Ⓤ,Ⓒ 부당(한 행위·대우). ③ Ⓤ,Ⓒ 해(害). ***do ~*** 나쁜 짓을 하다; 죄를 범하다. ***do*** (*a person*) ***~***, or ***do ~ to*** (*a person*) (아무에게) 나쁜 짓을 하다; 아무를 부당하게 다루다; (아무를) 오해하다. ***in the ~*** 나쁜; 잘못되어. ***put*** (*a person*) ***in the ~*** 잘못을 남의 탓으로 돌리다. ***suffer ~*** 해를 입다; 부당한 처사를 당하다. — *vt.* ① 해치다; 부당하게 다루다. ② 치욕을 주다; 오해하다. **∠·ful** *a.* 나쁜; 부정한, 불법의. **∠·ful·ly** *ad.*

wróng·dòer *n.* Ⓒ 나쁜 짓을 하는 사람, 범(죄)인.

wróng·dòing *n.* Ⓤ,Ⓒ 나쁜 짓(하기).

wróng-héaded *a.* 판단〔생각·사상〕이 틀린; 완미한.

*__wrong·ly__[∠li] *ad.* 잘못하여; 부당히.

wróng númber 잘못 걸린 전화(를 받은 사람); 《俗》 부적당한 사람〔물건〕.

†**wrote**[rout] *v.* write의 과거.

wroth[rɔːθ, rɑθ/rouθ] *pred. a.* 노하여.

*__wrought__[rɔːt] *v.* work의 과거(분사). — *a.* 만든; 가공한; 세공한; 불린.

wróught íron 단철(鍛鐵).

wróught-úp *a.* 흥분한.

*__wrung__[rʌŋ] *v.* wring의 과거(분사).

*__wry__[rai] *a.* ① 뒤틀림, 일그러진. ② (얼굴 따위) 찌푸린. ***make a ~ face*** 얼굴을 찡그리다. **∠·ly** *ad.* 냉담하게, 심술궂게, 비꼬는 투로 (dryly). **~·neck**[∠nèk] *n.* Ⓒ 목이 비뚤어진 사람; 딱따구릿과의 일종.

WSC World Student Council. **WSW** west-southwest. **WT** wireless telegraphy 〔telephone〕. **wt.** weight. **W.Va.** West Virginia. **W.V.F.** World Veterans Federation. **WVS** 《英》 Women's Voluntary Service(s). **WW** 《美》 World War. **WWW** World Wide Web. **WX** women's extra large size. **Wy., Wyo.** Wyoming.

wych-elm[wítʃèlm] *n.* Ⓒ (유럽산) 느릅나무.

Wyc·liffe[wíklif], **John**(1320-84) 영국의 종교 개혁가·성서의 영역자.

wynd[waind] *n.* 《Sc.》 Ⓒ 골목길.

*__Wy·o·ming__[waióumiŋ] *n.* 미국 북서부의 주《생략 Wy(o).》.

X

X, x[eks] *n.* (*pl.* ***X's, x's***[éksiz]) Ⓒ X자 모양의 것; Ⓤ (로마 숫자의) 10; Ⓒ 미지의 사람〔것〕; 〖數〗 미지수〔량〕; 《美》 성인 영화의 기호(*a X-rated film* 성인용 영화).

x[eks] *vt.* X표로 지우다〔를 하다〕.

x 〖幾〗 abscissa.

Xan·a·du[zǽnədjùː] *n.* Ⓒ 도원경《Coleridge의 *Kubla Khan*에서》.

xan·thine[zǽnθin] *n.* Ⓤ 〖生化〗 크산틴.

Xan·thip·pe [zæntípi] *n.* ① Socrates의 아내. ② Ⓒ 잔소리 많은 여자, 악처.

xan·thous[zǽnθəs] *a.* 황색의, 황색 인종의.

x-ax·is[éksæ̀ksis] *n.* Ⓒ 〖數〗 x축.

Xa·vi·er[zéiviər, zǽv-, -vjər], **Saint Francis** (1506-52) 인도·중국·일본 등에 포교한 스페인의 가톨릭 선교사.

X.C., x-c., x-cp. ex coupon 〖證〗 이자락(利子落).

X chrómosome 〖生〗 X염색체.

X.D., x-d. ex dividend 〖證〗 배당락(配當落). **Xe** 〖化〗 xenon.

xe·bec[zíːbek] *n.* Ⓒ (지중해에서 쓰인) 세대박이 작은 돛배.

xe·no·bi·ol·o·gy[zènoubaiάlədʒi/-ɔ́-] *n.* Ⓤ 우주 생물학.

xen·o·gen·e·sis [zènədʒénəsis] *n.* Ⓤ (무성 생식과 유성 생식의) 세대 교번; =ALTERNATION of generations.

xe·non[zíːnɑn/zénɔn] *n.* Ⓤ 〖化〗 크세논《가스체의 회원소; 기호 Xe》.

xen·o·phile[zénəfàil] *n.* Ⓒ 외국(인)을 좋아하는 사람.

xen·o·phobe[zénəfòub] *n.* Ⓒ 외국(인)을 싫어하는 사람.

xen·o·pho·bi·a [zènəfóubiə, zìnə-] *n.* Ⓤ 외국(인) 혐오.

Xen·o·phon[zénəfən] *n.* (434?-355? B.C.) 그리스의 역사가·철학자.

X'er[éksər] *n.* Ⓒ X세대의 사람.

xe·ro·cam·e·ra[zíərəkæ̀mərə] *n.* Ⓒ 건조 사진기.

xe·rog·ra·phy[zirάgrəfi/-ɔ́-] *n.* Ⓤ 제로그라피, (정전(靜電)) 전자 사진, 정전 복사법.

xe·ro·phyte[zíərəfàit] *n.* Ⓒ 〖植〗 건생(乾生) 식물.

Xe·rox [zíərɑks/-rɔ-] *n.* ① 〖商標〗 제록스《전자 복사 장치》. ② Ⓒ 제록스에 의한 복사.

Xer·xes[zːə́rksiːz] *n.* (519?-465? B.C.) 크세륵세스《옛 페르시아 왕》.

X Generàtion X세대《1980년대 중반에서 후반의 번영에서 소외된 실업과 불황에 시달린 세대》.

xi[zai, sai] *n.* Ⓤ,Ⓒ 그리스어 알파벳

의 14째 글자《Ξ, ξ, 영어의 X, x에 해당》.
X.i., x-i., x-int. ex interest 〖證〗 이자락(利子落).
X·ing[krɔ́(:)siŋ, krás-] (< X〔cross〕 + *ing*) *n.* Ⓒ 동물 횡단길; (철길) 건널목.
-xion[kʃən] *suf.* 《주로 英》 =-TION.
xí pàrticle 〖理〗 크시입자《소입자의 하나》.
xiph·oid[zífɔid] *a.* 〖解·動〗 검(劍) 모양의.
xí stàr 〖理〗 크시스타.
XL extra large.
:Xmas [krísməs] *n.* =CHRISTMAS.
Xn. Christian. **XO** executive officer.
XOR [eksɔ́:r] *n.* 〖컴〗 오직 또는 배타적 OR(exclusive OR).
XP[káiróu, kí:-] 예수의 표호(標號) 《☧로 나타냄; Christ에 해당하는 그리스문자 *ΧΡΙΣΤΟΣ* 의 두 글자》.
***X-ray**[éksrèi] *n., vt., a.* 엑스선(사진); X선으로 검사〔치료〕하다; 뢴트겐 사진을 찍다; X선의〔에 의한〕.
X-ray diffràction 〖理〗 엑스선 회절(법).
X-ray phòtograph 엑스선 사진.
X-ray thèrapy 엑스선 요법.
X-rts. ex-rights 〖證〗 신주 특권락(新株特權落). **Xt.** Christ. **Xtian.** Christian. 「트라.
Xtra[ékstrə] *n.* Ⓒ 호외; 〖映〗 엑스
xy·lem[záiləm, -lem] *n.* Ⓤ 〖植〗 목질부(木質部). 「《물감의 원료》.
xy·lene[záili:n] *n.* Ⓤ 〖化〗 크실렌
xy·lo·graph[záiləgræ̀f, -grɑ̀:f] *n.* Ⓒ (특히, 15세기의) 목판(화).
xy·lon·ite [záilənàit] *n.* =CELLULOID.
xy·loph·a·gous[zailáfəgəs/-lɔ́f-] *a.* 나무를 자르는〔파먹어 드는〕《곤충·갑각류·연체동물 등》.
xy·lo·phone[záiləfòun, zíl-] *n.* Ⓒ 목금, 실로폰. **-phon·ist**[-nist] *n.* Ⓒ 목금 연주자.
xyst[zist], **xys·tus**[zístəs] *n.* (*pl.* **-ti**[-tai]) Ⓒ 〖古그·로〗 (주랑식의) 옥내 경기장; (정원 안의) 산책길, 가로수길.

Y

Y, y[wai] *n.* (*pl.* ***Y's, y's***[-z]) Ⓒ Y자형의 것; Ⓤ,Ⓒ 〖數〗 (제 2의) 미지수〔량〕.
Y 〖化〗 yttrium; yen; yeomanry; Y.M.C.A. *or* Y.W.C.A. (*I'm staying at Y.*). **y** 〖幾〗 ordinate. **y.** yard(s); year(s).
:yacht[jɑt/-ɔ-] *n., vi.* Ⓒ 요트(를 달리다, 경주를 하다). **∠·ing** Ⓤ 요트 조종〔놀이〕.
yachts·man[∠mən] *n.* Ⓒ 요트조종〔소유〕자, 요트 애호가.
yack·e·ty-yak [jǽkətijǽk] *n.* Ⓤ 《俗》 시시한 회화〔잡담〕.
yah[1][jɑ:] *int.* 야아!《조소·혐오 등을 나타내는 소리》.
yah[2] *ad.* 《美口》 =YES.
Ya·hoo[jɑ́:hu:, jéi-] *n.* Ⓒ 야후《'걸리버 여행기' 속의, 인간의 모습을 한 짐승》. 「JEHOVAH.
Yah·we(h) [jɑ́:we, -ve] *n.* =
yak[jæk] *n.* Ⓒ 야크, 이우(犛牛)《티베트·중앙 아시아산의 털이 긴 소》.
***Yale**[jeil] *n.* 예일 대학《미국 Connecticut주, New Haven 소재; 1701년 설립》.
Yále lòck 예일 자물쇠《미국인 L. Yale이 발명한 원통 자물쇠》.
Yal·ta[jɔ́:ltə/jɑ́:l-] *n.* 얄타《러시아 크리미아 지방의 흑해 항구》.
Yálta Cónference, the (미·영·소간의) 얄타 회담《1945》.
Ya·lu[jɑ́:lù:] *n.* (the ~) 압록강.
yam [jæm] *n.* Ⓒ 마(뿌리); 《美南部》 고구마; 《Sc.》 감자.
yam·mer [jǽmər] *vi., vt., n.* Ⓒ 《口》 끙끙〔낑낑〕거리다〔거리기〕; 불평을 늘어놓다〔늘어놓음〕, 투덜거리며 말하다; (새가) 높은 소리로 울다〔우는 소리, 울〕.
Yang·tze, -tse [jǽŋsi(:), -tsi:] *n.* (the ~) 양쯔강.
Yank[jæŋk] *n., a.* 《俗》 =YANKEE.
yank [jæŋk] *vt., vi., n.* Ⓒ 《口》 확 잡아당기다〔당김〕.
:Yan·kee[jǽŋki] *n.* Ⓒ ① 《美》 뉴잉그랜드 사람. ② (남북 전쟁의) 북군 병사; 북부 여러 주 사람. ③ 미국인. — *a.* 양키의. **~·ism**[-ìzəm] *n.* Ⓤ 양키 기질; 미국식 (말씨).
Yan·kee·dom [-dəm] *n.* Ⓤ 양키 나라; 《집합적》 양키.
Yánkee Dóo·dle[-dú:dl] 양키 노래《독립 전쟁 당시의 군가》.
yap[jæp] *n.* Ⓒ 요란스럽게 짖는 소리; 《俗》 시끄러운〔객쩍은〕 잔소리; 불량배, 바보. — *vi.* (**-pp-**) (개가) 요란스럽게 짖다; 《俗》 시끄럽게〔재잘재잘〕 지껄이다.
yapp[jæp] *n.* Ⓤ,Ⓒ 야프형 제본《성서처럼 가죽 표지의 가를 접은 제본 양식》.
:yard[1][jɑ:rd] *n.* Ⓒ ① 울안, 마당, (안)뜰. ② 작업장, 물건 두는 곳, (닭 따위의) 사육장. ③ (철도의) 조차장(操車場). — *vt.* (가축 등을) 울안에 넣다.
:yard[2] *n.* Ⓒ 야드《길이의 단위; 3피트, 약 91.4cm》, 마(碼); 〖海〗 활대. ***by the ~*** 《比》 상세히, 장황하게.
yard·age[1][∠idʒ] *n.* Ⓤ (가축의) 위탁장 사용권〔료〕; (가축 하역의) 역구

Y

내 사용료. 「이.
yard·age[2] *n.* Ⓤ 야드로 잼; 그 길
yárd·àrm *n.* Ⓒ 〖海〗 활대끝.
yárd·bìrd *n.* Ⓒ 초년병; 죄수.
yárd gòods 《美》 야드 단위로 파는 옷감.
yárd mèasure 야드자《줄자·대자》.
yárd·stìck *n.* Ⓒ 야드 자《대자》; 판단〔비교〕의 표준.
:yarn [jɑːrn] *n.* ① Ⓤ 방(적)사(紡(績)絲), 뜨개질, 피륙 짜는 실. ② Ⓒ《口》(항해자 등의 긴) 이야기; 허풍. ***spin a ~*** 긴 이야기를 하다. — *vi.* 《口》 (긴) 이야기를 하다.
yárn-dỳed *a.* 짜기 전에 염색한(cf. piece-dyed). 「톱풀.
yar·row [jǽrou] *n.* Ⓤ,Ⓒ 〖植〗 서양
yash·mak [jǽʃmæk] *n.* Ⓒ (이슬람교국 여성이 남 앞에서 쓰는) 이중 베일.
yat·a·g(h)an [jǽtəgæ̀n, -gən] *n.* Ⓒ (이슬람교도의 자루 끝이 뭉툭한) 날밑 없는 칼.
yaw [jɔː] *vi., n.* Ⓒ 침로(針路)에서 벗어나다〔벗어남〕.
yawl [jɔːl] *n.* Ⓒ 고물 근처에 두 개째의 짧은 돛대가 있는 범선; 4〔6〕개의 노로 젓는 함재(艦載) 보트.
:yawn [jɔːn] *vi.* ① 하품하다. ② (입틈 등이) 크게 벌여져 있다. — *vt.* 하품하며 말하다. ***make*** (*a person*) ~ (아무를) 지루하게 하다. — *n.* Ⓒ ① 하품. ② 틈, 금. ***ˊ~·ing*** *a.* 하품하고 있는; 지루한.
yawp [jɔːp] *vi.* 《俗》 시끄럽게 외치다, 소리치다. — *n.* Ⓒ 지껄임, 외치는 소리.
yaws [jɔːz] *n.* Ⓤ 〖醫〗 인도 마마.
y-ax·is [wáiæ̀ksis] *n.* Ⓒ 〖數〗 y축.
Yb 〖化〗 ytterbium.
Y chrómosome 〖生〗 Y염색체.
y·clept, y·cleped [iklépt] *a.* 《古·諧》 …이라고 불리어지는, …이라는 이름의.
yd. yard(s).
·ye[1] [jiː, 弱 ji] *pron.* 《古·詩》《thou의 복수》 너희들; 《口》 =YOU.
Ye, ye[2] [ðiː, 弱 ðə, ði] *def. art.* 《古》 =THE.
·yea [jei] *ad.* ① 그렇다, 그렇지(yes). ② 《古》 실로, 참으로. — *n.* Ⓒ 찬성 찬성 투표(자). ***~s and nays*** 찬부(의 투표).
·yeah [jɛə, jɑː] *ad.* 《口》 =YES (*Oh ~?* 정말이냐?).
yean [jiːn] *vt., vi.* (양 등이 새끼를) 낳다. **ˊ~·ling** *n.* Ⓒ 새끼양〔염소〕.
†year [jiər/jəːr] *n.* Ⓒ ① …년, …해, …살. ② 연도, 학년. ③ (태양년·항성(恒星)년 등의) 1년; (유성의) 공전주기. ④ (*pl.*) 연령; (*pl.*) 노년. ***for ~s*** 몇 년이나. ***~ after*** 〔***by***〕 ***~*** 해마다, 매년. ***~ in, ~ out*** 연년세세, 끊임없이. ***ˊ~·ly*** *a.* 연 1회의; 매년의; 그 해만의; 1년간의.
yéar·bòok *n.* Ⓒ 연감(年鑑), 연보.
yéar-énd *n., a.* Ⓒ 연말(의).
year·ling [ˊ-liŋ] *n., a.* Ⓒ (동물의) 1년생; 당년의; 1년된. 「된.
yéar·lòng *a.* 1년〔오랜〕동안 계속
:yearn [jəːrn] *vi.* ① 동경하다, 그리워하다(*for, after*); 그립게 생각하다(*to, toward*). ② 동정하다(*for*). ③ 간절히 …하고 싶어하다(*to* do). ***ˊ~·ing*** *n., a.* Ⓤ,Ⓒ 동경〔열망〕(하는). **ˊ~·ing·ly** *ad.*
yéar-róund *ad.* 1년중 계속되는.
·yeast [jiːst] *n.* Ⓤ ① 이스트, 빵누룩; 효모(균). ② 고체 이스트. ③ 영향을〔감화를〕 주는 것. ④ 거품. **ˊ~·y** *a.* 이스트의〔같은〕; 발효하는; 불안정한.
yéast càke 고체 이스트《이스트를 밀가루로 굳힌 것》.
Yeats [jeits], **William Butler** (1865-1939) 아일랜드의 시인·극작가. 「강도.
yegg [jeg] *n.* Ⓒ 《美俗》 금고털이;
yelk [jelk] *n.* 《方》 =YOLK.
:yell [jel] *vi.* 큰 소리로 외치다, 아우성치다. — *vt.* 외쳐 말하다. — *n.* Ⓒ ① 외치는 소리, 아우성. ② 《美》 옐《대학생 등의 응원의 고함》.
†yel·low [jélou] *a.* ① 황색의; 피부가 누런. ② 편견을 가진; 질투심 많은. ③ 《口》 겁많은. ④ (신문 기사 등이) 선정적인. ***the sear*** 〔***sere***〕 ***and ~ leaf*** 늘그막, 노년. — *n.* ① Ⓤ,Ⓒ 노랑, 황색. ② Ⓤ 황색 (그림) 물감. ③ Ⓒ 노란 옷; Ⓤ,Ⓒ (달걀의) 노른자위. — *vt., vi.* 황색으로 하다〔되다〕. ***ˊ~·ish*** *a.* 누르스름한.
yéllow·bàck *n.* Ⓒ 황색 표지책《19세기 후반의 싼 선정적 소설》.
yéllow-bèlly *n.* Ⓒ 비겁자.
yéllow·bìrd *n.* Ⓒ (미국산) 검은 방울새의 일종; (각종의) 노란새.
yéllow còvered líterature 《口》 통속 문학.
yéllow dóg 들개; 비열한 사람.
yéllow-dóg còntract 황견(黃犬) 계약《노조 불참을 조건으로 한 부정 고용 계약》.
yéllow féver 황열병(黃熱病).
yéllow flág 검역기《전염병 환자가 있는 표시, 또는 검역으로 정박중이라 해서 배에 다는 황색기; quarantine flag라고도 함》. 「의 일종.
yéllow·hàmmer *n.* Ⓒ 〖鳥〗 멧새
yéllow jàck 황열병; 검역기(檢疫旗). 「벌.
yéllow·jàcket *n.* Ⓒ 《美》 〖蟲〗 말
yéllow jóurnal =YELLOW PRESS.
yéllow mètal 금; 놋쇠의 일종.
yéllow ócher 〔《英》 **óchre**〕 황토; 황토색 그림 물감. 「난.
yéllow páges 전화부의 직업별
yéllow péril, the 황화(黃禍)《황색 인종의 우세에 대하여 백인이 품고 있는 우려》. 「색 신문.
yéllow préss, the (선정적인) 황
yéllow ráce 황색 인종.
Yéllow Ríver, the 황허(黃河).
Yéllow Séa, the 황해.
yéllow sòap (고체) 세탁 비누.
yéllow spòt 〖醫〗 (망막의) 황반(黃班).
Yel·low·stone [jéloustòun] *n.* 미

Y

국 와이오밍주의 강; =⇩.
Yéllowstone Nátional Párk (미국 와이오밍주 북서부의) 옐로스톤 국립 공원. 「동」.
yéllow stréak 겁 많은 성격〔행
yéllow wárbler 아메리카솔새.
***yelp**[jelp] *vi.* (개·여우 따위의) 날카로운 울음 소리를 내다, 깽깽 울다. ── *n.* Ⓒ 캥캥 짖는〔우는〕 소리.
Yem·en[jémən] *n.* 예멘《the Republic of Yemen이 정식 명칭》.
yen[1][jen] *n.* (Jap.) *sing.* & *pl.* 엔(円)《일본의 화폐 단위》.
yen[2] *n., vi.* (**-nn-**) Ⓒ《美口》 열망(하다); 동경(하다)(*for*). ***have a ~ for*** 열망하다.
yeo·man** [jóumən] *n.* (*pl.* **-men**) Ⓒ ① 〖英史〗 자유민. ② 《英》 소지주, 자작농. ③ 《英》 기마 의용병. ④ 《古》 (국왕·귀족의) 종자(從者). ⑤ 〖美海軍〗 (창고·서무계의) 하사관. ~('s***) ***service*** (일단 유사시의) 충성, 급할 때의 원조〔도움〕《Sh. *Haml.*》. **~·ly** *a., ad.* yeoman의〔다운, 답게〕; 용감한〔하게〕; 정직한.
yeo·man·ry [jóumənri] *n.* Ⓤ 《집합적》 자유민; 소지주, 자작농; 기마 의용병.
yep[jep] *ad.* 《美口》 =YES.
†**yes**[jes] *ad.* ① 네, 그렇습니다; 정말, 과연《긍정·동의의 뜻으로 씀》. ② 그래요?, 설마? ③ 그 위에, 게다가(~, *and* ...). ── *n.* Ⓤ,Ⓒ '네'라는 말〔대답〕《동의·긍정을 나타내는》. ***say ~*** '네'라고 (말)하다, 승낙하다. ── *vi.* '네'라고 (말)하다.
yés màn 《口》 예스맨《윗사람 하는 말에 무엇이나 예예하는 사람》.
†**yes·ter·day**[jéstərdèi, -di] *n., ad.* Ⓤ 어제, 어저께; 최근.
yes·ter·night [jéstərnáit] *n., ad.* Ⓤ 《古·詩》 간밤, 엊저녁.
yes·ter·year[jéstərjíər/-jə́:r] Ⓤ 《古·詩》 작년; 지난 세월.
†**yet** [jet] *ad.* ① 아직; 지금까지. ② 《부정사》 아직 (…않다), 당장은, 우선은. ③ 《의문문》 이미(*Is dinner ready ~?* 이미 식사 준비가 됐습니까); 머지 않아, 언젠가(는)(*I'll do it ~!* 언젠가는 하고 말 걸); 더우기, 그 위에. ④ 《nor와 함께》 …조차도. ⑤ 《비교급과 함께》 더 한층; 그럼에도 불구하고, 그러나. ***as ~*** 지금까지로서는. (***be***) ***~ to*** 아직 …않다(*Three are ~ to return.* 미귀환 3명). ***~ again*** 다시 한번. ── *conj.* 그럼에도 불구하고, 그러나, 그런데도.
ye·ti[jéti] *n.* (히말라야의) 설인(雪人)(the abominable SNOWMAN).
***yew**[ju:] *n.* Ⓒ 〖植〗 주목(朱木); Ⓤ 그 재목.
Y.H.A. Youth Hostels Association.
Yid·dish[jídiʃ] *n., a.* Ⓤ 이디시어(語)(의)《독일어·헤브라이어·슬라브어의 혼합으로, 헤브라이 문자로 쓰며 러시아·중유럽의 유대인이 씀》.
‡**yield**[ji:ld] *vt.* ① 생산〔산출〕하다, 생기게 하다. ② (이익을) 가져오다. ③ 주다, 허락하다; 양도하다; 포기하다; 명도(明渡)하다. ④ 항복하다. ── *vi.* ① (토지 등에서) 농작물이 산출되다. ② 굴복하다. ③ (눌리어) 구부러지다, 우그러지다. ***~ consent*** 승낙하다. ***~ oneself*** (***up***) ***to*** …에 몰두하다. ***~ the*** 〔***a***〕 ***point*** 논점을 양보하다. ── *n.* Ⓤ,Ⓒ 산출(물); 산액(産額); 수확. ***∠·ing** *a.* 생산적인; 하라는 대로 하는, 순종하는; 구부러지기 쉬운.
yíeld pòint 〖理〗 항복점《탄성 한계를 넘어서 되돌아가지 못하는 점》.
yip[jip] *vi.* (**-pp-**) 《口》 (개 따위가) 깽깽 짖다〔울다〕. ── *n.* Ⓒ 깽깽거리는 소리.
yip·pie [jípi] *n.* Ⓒ (때로 Y-) 《美俗》 이피(족), 정치적 히피.
Y lèvel 〖測〗 Y자형 수준기(水準器).
Y.M.C.A. Young Men's Christian Association. **Y.M. Cath.A.** Young Men's Catholic Association.
yob [jɑb/jɔb], **yob·(b)o** [jábou/jɔ́b-] *n.* Ⓒ 《英俗》 신병, 건달, 무지렁이《boy를 거꾸로 한 것》.
yo·del, yo·dle[jóudl] *n., vt., vi.* Ⓒ 요들(로 노래하다, 을 부르다)《본성(本聲)과 가성(假聲)을 엇바꿔 가며 부르는 스위스나 티롤 지방의 노래》.
yo·ga, Y-[jóugə] *n.* Ⓤ 〖힌두교〗 요가, 유가(瑜伽).
yo·g(h)urt [jóugə:rt] *n.* Ⓤ 요구르트(cf. clabber).
yo·gi[jóugi] *n.* Ⓒ 요가 수도자.
yo·gism[jóugizəm] *n.* Ⓤ 요가의 교리〔철리〕.
yo-heave·ho[jóuhì:vhóu] *int.* 어기여차!; 에이야 에이야!《뱃사람들이 닻을 감을 때 내는 소리》.
yoicks[jɔiks] *int.* 《英》 쉭!《여우 사냥에서 사냥개를 추기는 소리》.
‡**yoke**[jouk] *n.* Ⓒ ① (2마리의 가축의 목을 잇는) 멍에 (모양의 것). ② (멍에에 맨) 한 쌍의 가축〔소〕. ③ 멜대; (블라우스 따위의) 어깨, (스커트의) 허리. ④ 인연, 굴레; 구속, 속박; 지배. ***pass*** 〔***come***〕 ***under the ~*** 굴복하다. ── *vt.* (…에) 멍에를 씌우다〔에 매다〕; 결합시키다; 한데 맺다(*to*). ── *vi.* 결합하다; 어울리다.
yóke·fèllow, yóke-màte *n.* Ⓒ 일의 동료; 배우자.
yo·kel[jóukəl] *n.* Ⓒ 시골뜨기.
yolk[jou/k] *n.* Ⓤ,Ⓒ (달걀의) 노른자위; Ⓤ 양모지(羊毛脂). 「方」 =⇩.
yon(d) [jɑn(d)/-ɔ-] *a., ad.* 《古·
‡**yon·der**[jándər/-ɔ́-] *ad., a.* 저쪽〔저기〕에〔의〕; 훨씬 저쪽의.
yoo-hoo[jú:hù:] *int.* 이봐, 야.
yore[jɔr] *n.* 《다음 용법뿐》 ***in days of ~*** 옛날에는. ***of ~*** 옛날의.
York[jɔ:rk] *n.* 요크가(家)《1461-85년 간의 영국의 왕가》; =YORKSHIRE. **∠·ist** *a., n.* Ⓒ 〖英史〗 요크가(家)〔당〕의 (사람).

Yorks. Yorkshire.
York·shire[⌐ʃiər] *n.* 잉글랜드 북부의 주《1974년 North Y-, South Y-, West Y- 등으로 분리》.
Yórkshire térrier 요크셔 테리어《애완용의 작은 삽살개》.
Yo·sem·i·te[jousémiti] *n.* (미국 캘리포니아주 동부의) 요세미티 계곡.
†**you**[ju:, 弱 ju, jə] *pron.* ① 당신(들)은〔이〕, 자네〔당신〕(들)에게(을). ② 사람, 누구든지. ***Are ~ there?*** 〖電話〗 여보세요. ***Y- there!***《호칭》 여보세요. ***Y- idiot, ~!*** 이 바보야!
you-all[ju:ɔ́l, jɔ:l] *pron.*《美南部口》(2 사람 이상에 대한 호칭으로) 너희들, 여러분. 「단축.
†**you'd** [ju:d] you had 〔would〕의
†**young**[jʌŋ] *a.* ① (나이) 젊은; 기운찬; 어린. ② (같은 이름의 사람·부자·형제를 구분할 때) 나이 어린 쪽〔편〕의(junior). ③ (시일·계절·밤 등이) 아직 이른, 초기의; 미숙한(*in, at*). ④ (정치 운동 등이) 진보적인. — *n.* (the ~)《집합적》(동물의) 새끼. ***the ~*** 젊은이들. ***with ~*** (동물이) 새끼를 배어. **⌐·ish** *a.* 약간 젊은.
yóung and àll 누구나 모두, 전원. 「들.
yóung blóod 청춘의 혈기; 젊은이
young·ling [⌐liŋ] *n.* Ⓒ《詩》어린 것, 유아, 어린 짐승, 어린 나무; 초심자. — *a.* 젊은. 「젊은이.
:**young·ster**[⌐stər] *n.* Ⓒ 어린이;
youn·ker[⌐kər] *n.* Ⓒ《古》젊은이, 소년.
†**your** [juər, jɔ:r, 弱 jər] *pron.* ①《you의 소유격》당신(들)의. ②《古·口》예(例)의(familiar), 이른바. ③《경칭으로》(*Good morning, Y- Majesty!* 폐하, 안녕히 주무셨습니까). 「단축.
†**you're** [juər, 弱 jər] you are의
†**yours** [juərz, jɔ:rz] *pron.* ① 당신의 것; 댁내. ② 당신의 편지. ***of ~*** 당신의. ***~ truly*** 여불비례(餘不備禮);《諧》=I, ME.
†**your·self**[juərsélf, jər-, jɔ:r-] *pron.* (*pl.* **-selves**) 당신 자신. ***Be ~!***《口》정신 차려. 「복수.
†**your·selves**[-sélvz] *pron.* ⇧의
:**youth**[ju:θ] *n.* Ⓤ ① 젊음, 연소(年少). ② 청춘; 초기; 청년기. ③《집합적》젊은이들.
:**youth·ful**[jú:θfəl] *a.* ① 젊은; 젊음에 넘치는. ② 젊은이의〔에 적합한〕. **~·ly** *ad.* **~·ness** *n.*
yóuth hòstel 유스 호스텔《주로 청년을 위한 비영리 간이 숙소》.
yóuth hóstel(l)er 유스 호스텔 협회 회원. 「단축.
†**you've**[ju:v, 弱 juv] you have의
yowl[jaul] *vi.* 길고 슬프게 (우)짖다; 비통한 소리로 불만을 호소하다. — *n.* Ⓒ 우는 소리.
Yo·yo [jóujòu] *n.* (*pl.* **~s**) Ⓒ 〖商標〗 요요《장난감의 일종》.
y·per·ite[í:pəràit] *n.* Ⓤ 〖化〗 이페릿《독가스의 일종》.
yr. year(s); younger; your.
yt·ter·bi·um [itə́:rbiəm] *n.* Ⓤ 〖化〗 이테르븀《희금속 원소; 기호 Yb》.
yt·tri·um[ítriəm] *n.* Ⓤ 〖化〗 이트륨《희금속 원소; 기호 Y》. 「조》.
Yü·an [ju:ɑ́:n] *n.* 원(元)《몽고 왕
yu·an[ju:ɑ́:n] *n.* Ⓒ 원(元)《중국의 화폐 단위》.
Yu·ca·tan[jù:kətɑ́:n] *n.* 멕시코 남동부의 반도.
yuc·ca[jʌ́kə] *n.* Ⓒ 〖植〗 유카속의 목본 식물.
Yu·go·slav[jú:gouslà:v, -slæ̀v] *a., n.* 유고슬라비아(사람)의; Ⓒ 유고슬라비아 사람. 「유고슬라비아.
Yu·go·sla·vi·a [jù:gouslɑ́:viə] *n.*
Yu·kon [jú:kɑn/-ɔn] *n.* (the ~) 캐나다 북서부의 강. 「절).
yule, Y-[ju:l] *n.* Ⓤ 크리스마스 (계
yúle·tìde *n.* Ⓤ 크리스마스 계절.
yum·my[jʌ́mi] *a.*《口》맛나는.
yum-yum[jʌ́mjʌ́m] *int.* 냠냠.
yup[jʌp] *ad.*《美俗》=YES.
yurt[jurt/juət] *n.* Ⓒ (몽고 유목민의) 이동용 천막《가죽, 펠트로 씌움》.
Y.W.C.A. Young Women's Christian Association.

Z

Z, z[zi:/zed] *n.* (*pl.* ***Z's, z's***[-z]) Ⓒ Z자 모양의 것; 〖數〗 (제 3의) 미지수〔량〕. ***from A to Z*** 처음부터 끝까지, 철두철미.
z atomic number; zenith distance. **Z., z.** zone; zero.
zaf·tig[zɑ́:ftik, -tig] *a.*《美俗》(여성이) 몸매가 좋은.
Za·ire[zɑ́:iər, zɑ:íər] *n.* 자이르《콩고 민주 공화국의 구칭》.
Zam·be·zi[zæmbí:zi] *n.* (the ~) 아프리카 남부의 강.
Zam·bi·a[zǽmbiə] *n.* 잠비아《아프리카 남부의 공화국》.
Za·men·hof[zɑ́:mənhòuf/-hɔ̀f], **Lazarus Ludwig**(1859-1917) 폴란드의 안과 의사; ESPERANTO의 창안자.
za·ny[zéini] *n.* Ⓒ 익살꾼; 바보.
Zan·zi·bar[zǽnzəbɑ̀:r/⌐⌐⌐] *n.* 아프리카 동해안의 섬《탕가니카와 함께 탄자니아 연합 공화국 구성》.
zap[zæp] *vt.* (**-pp-**)《美俗》치다, 타살하다; 습격하다. — *n.* Ⓤ ① 정력, 원기. ② 〖컴〗 (EPROM상의 프로그램의) 지움.

zap·per [zǽpər] *n.* Ⓒ 《美》 (전파를 이용한) 해충[잡초] 구제기(器); 《俗》 심한 비평.
Zar·a·thus·tra [zæ̀rəθúːstrə] *n.* =ZOROASTER.
Z-code [zíːkòud/zéd-] *n.* =ZIP CODE.
ZD zenith distance; zero defects.
:zeal [ziːl] *n.* Ⓤ 열심, 열중(*for*).
Zea·land [zíːlənd] *n.* 덴마크 최대의 섬.
zeal·ot [zélət] *n.* Ⓒ 열중[열광]자. **~·ry** *n.* Ⓤ 열광.
:zeal·ous [zéləs] *a.* 열심인, 열광적인. **~·ly** *ad.*
***ze·bra** [zíːbrə] *n.* Ⓒ 얼룩말.
zébra cròssing 《英》 (흑백의 얼룩 무늬를 칠한) 횡단 보도.
ze·bra·wood [zíːbrəwùd] *n.* Ⓤ (기아나산의) 줄무늬 있는 목재.
ze·bu [zíːbjuː] *n.* Ⓒ 제부《중국·인도산의, 등에 큰 혹이 있는 소》.
Zech. Zechariah.
Zech·a·ri·ah [zèkəráiə] *n.* 기원전 6세기의 Israel 예언자; 〖舊約〗 스가랴서(書).
zed [zed] *n.* Ⓒ 《英》 Z[z]자.
zee [ziː] *n.* Ⓒ 《美》 Z[z]자.
Zeit·geist [tsáitgàist] *n.* (G.) (the ~) 시대 정신[사조].
***ze·nith** [zíːniθ/zé-] *n.* Ⓒ ① 천정(天頂). ② 정점(頂點), 절정.
zénith dístance 〖天〗 천정(天頂) 거리.
zénith télescope 천정의(天頂儀).
Ze·no [zíːnou] *n.* (336?–264? B.C.) 그리스의 철학자, 스토아 학파 시조.
Ze·o·lite [zíːəlàit] *n.* Ⓤ 불석(沸石).
Zeph. Zephaniah.
Zeph·a·ni·ah [zèfənáiə] *n.* 헤브라이의 예언자; 〖舊約〗 스바냐서(書).
zeph·yr [zéfər] *n.* 《雅》 (Z-) (의인화(擬人化)한) 서풍; Ⓒ 산들바람, 연풍(軟風); Ⓤ,Ⓒ 가볍고 부드러운 실·천·옷.
zéphyr clòth 얇고 가벼운 캐시미어 모직.
zéphyr yàrn [**wòrsted**] (자수용의) 아주 가는 털실.
Zep·pe·lin, z- [zépəlin] *n.* Ⓒ 체펠린 비행선; 《一般》 비행선.
:ze·ro [zíərou] *n.* (*pl.* **~(*e*)*s***) ① Ⓒ 영. ② Ⓤ 영점; (온도계의) 영도. ③ Ⓤ 무; 최하점. ④ Ⓤ 〖空〗 제로 고도(高度)《500피트 이하》. ***fly at ~*** 제로 고도로 날다. — *a.* 영의; 전무한. — *vi., vt.* 겨냥하다; (…에) 표준을 맞추다(*in*).
zéro-base(d) búdgeting 제로 베이스 예산(편성)《예산을 백지 상태로 돌려 놓고 검토》. 《생략 ZD》.
zéro defécts 〖經營〗 무결점(운동)
zéro G [**grávity**] 무중력 (상태).
zéro hòur 〖軍〗 예정 행동[공격] 개시 시각; 위기, 결정적 순간.
zéro-sùm *a.* 피아(彼我) 득실에서 차감이 제로인.
zéro-zéro *a.* 〖氣〗 (수평·수직 모두 가) 시계(視界)가 제로인.
zest** [zest] *n.* Ⓤ ① 풍미(를 돋우는 것)《레몬 껍질 등》. ② 묘미, 풍취. ③ 대단한 흥미, 열심. ***with ~ 대단한 흥미를 갖고, 열심히. — *vt.* (…에) 풍미[흥미]를 더하다. **∠·y** *a.* (짜릿하게) 기분 좋은 풍미가 있는; 뜨거운. **~·ful** [∠fəl] *a.*
ze·ta [zéitə, zíː-] *n.* Ⓤ,Ⓒ 그리스어 알파벳의 여섯째 글자(Z, ζ; 영어의 Z, z에 해당).
zeug·ma [zúːgmə] *n.* Ⓤ 〖文〗 액어법(扼語法)《하나의 형용사·동사로 두 개의 명사를 수식·지배하는 것; 보기: *kill* the boys and *destroy* the luggage를 *kill* the boys and the luggage》.
***Zeus** [zjuːs] *n.* 〖그神〗 제우스《Olympus 산의 주신(主神); 로마 신화의 Jupiter에 해당》.
:zig·zag [zígzæ̀g] *a., ad.* 지그재그의[로]. — *vi., vt.* (**-gg-**) 지그재그로 나아가(게 하)다. — *n.* Ⓒ 지그재그[Z자]형(의 것).
zilch [ziltʃ] *n.* Ⓤ 《美口》 ① 무, 제로; 무가치한 것. ② (Z-) 아무개, 모씨(某氏).
zil·lion [zíljən] *n., a.* Ⓒ 《美口》 엄청나게 많은 수(의).
:zinc [ziŋk] *n.* Ⓤ 〖化〗 아연.
zínc blènde 〖鑛〗 섬(閃)아연광.
zínc óintment 아연화 연고.
zínc óxide 산화아연.
zínc whíte 아연화, 아연백《백색 안료》.
zing [ziŋ] *int., n.* Ⓒ 《美口》 쌩(소리). — *vi.* (물체가 날아갈 경우 등) 쌩소리를 내다.
zing·er [zíŋər] *n.* Ⓒ 팔팔한[빠릿빠릿한] 사람; 재치있는 응답.
zin·ni·a [zíniə] *n.* Ⓒ 백일초속(屬)의 식물.
Zi·on [záiən] *n.* 시온 산《예루살렘에 있는 신성한 산》; 《집합적》 유대 민족; Ⓤ 천국; Ⓒ 그리스도 교회. **~·ism** [-ìzəm] *n.* Ⓤ 시온주의《유대인을 Palestine에 복귀시키려는 민족 운동》. **~·ist** *n.* Ⓒ 시온주의자.
zip [zip] *n.* Ⓒ (총알 따위의) 핑(소리); Ⓤ 《口》 원기; 지퍼. — *vi.* (**-pp-**) 핑 소리를 내다; 《口》 기운차게 나아가다; 지퍼를 닫다[열다]. — *vt.* 빠르게 하다; 활발히 하다; 지퍼[척으]로 채우다[열다]. ***~ across the horizon*** 갑자기 유명해지다. **∠·per** *n.* Ⓒ 지퍼, 척. **∠·py** *a.* 《口》 기운찬.
:zíp còde 《美》 우편 번호(《英》 postcode).
zíp-fàstener *n.* 《英》 =ZIPPER.
zíp fùel 열 함유도가 높은 제트[로켓용] 연료.
zíp gùn 수제(手製) 권총.
zíp-lòck *a.* 집록식인《비닐 주머니의 아가리가 요철(凹凸)로 된 양쪽선이 맞물리어 닫아지게 되는》.
zir·con [zə́ːrkɑn/-kɔn] *n.* Ⓤ,Ⓒ 〖鑛〗 지르콘.
zir·co·ni·um [zərkóuniəm] *n.* Ⓤ 〖化〗 지르코늄《희금속 원소》.

Z

zit[zit] *n.* Ⓒ 《美俗》 여드름(pimple).
zith·er(n)[zíθər(n), zíð-] *n.* Ⓒ 30-40줄의 양금 비슷한 현악기.
zlot·y[zlɔ́:ti/-ɔ́-] *n.* (*pl.* **~s,** 《집합적》 ~) Ⓒ 폴란드의 화폐 단위; 그 니켈화(貨).
Zn 〖化〗 zinc. **ZOA** Zionist Organization of America.
zo·di·ac**[zóudiæ̀k] *n.* (the ~) 〖天〗 황도대(黃道帶), 수대(獸帶); 12궁도(宮圖). ***signs of the ~ 〖天〗 12궁(宮). **-a·cal**[zoudáiəkəl] *a.*
zof·tig[záftig/zɔ́f-] *a.* 《美俗》 (여자가) 몸매 좋은.
Zo·la[zóulə], **Emile**(1840-1902) 프랑스의 자연주의 소설가.
zom·bi(e)[zámbi/-ɔ́-] *n.* ① Ⓒ 초자연력에 의해 되살아난 시체; 《俗》 바보. ② Ⓤ (럼과 브랜디로 만든) 독한 술. 「[구역]으로 갈린.
zon·al[zóunəl] *a.* 띠(모양)의; 지역
⁑**zone**[zoun] *n.* Ⓒ ① 〖地〗 대(帶). ② 지대, 구역. ③ 《美》 (교통·우편의) 동일 요금 구역. ④ 〖컴〗 존. ***in a*** ~ 멍청히, 집중이 안 되는 상태에. ***loose the maiden*** ~ ***of*** …의 처녀성을 빼앗다. ***the Frigid*** [***Temperate, Torrid***] ***Z-*** 한[온·열]대. — *vt., vi.* 지대로 나누다[를 이루다].
zóne defènse 〖競〗 지역 방어.
zon·ing[zóuniŋ] *n.* Ⓤ 《美》 (도시의) 지구제; (소포 우편의) 구역제.
zonked[zaŋkt/-ɔ-] *a.* 《美俗》 취한; (마약으로) 흐리멍덩한.
⁑**zoo**[zu:] *n.* Ⓒ 동물원.
zo·o·chem·is·try[zòuəkémistri] *n.* Ⓤ 동물 화학.
zo·og·a·my[zouágəmi/-ɔ́g-] *n.* Ⓤ 유성(有性) 생식, 양성 생식.
zo·o·ge·og·ra·phy[zòuədʒiágrəfi/-ɔ́-] *n.* Ⓤ 동물 지리학.
zo·og·ra·phy[zouágrəfi/-ɔ́-] *n.* Ⓤ 동물지학(動物誌學).
zo·ol·a·try[zouálətri/-ɔ́l-] *n.* Ⓤ 동물 숭배; 애완동물에의 편애.
⁑**zo·o·log·i·cal**[zòuəládʒikəl/-ɔ́-] *a.* 동물학(상)의.
zoológical garden(s) 동물원.
⁑**zo·ol·o·gy**[zouálədʒi/-ɔ́-] *n.* Ⓤ ① 동물학. ② 《집합적》 (어떤 지방의) 동물(상(相))(fauna). ***-gist** *n.* Ⓒ 동물학자.
***zoom**[zu:m] *n., vi.* ① (a ~) 〖空〗 급상승(하다), 붕 (소리 나다). ② 《俗》 인기가 오르다, 붐을 이루다(cf. boom). ③ 〖映·寫〗 (줌 렌즈 효과로, 화면이) 갑자기 확대[축소]되다. — *vt.* (화면을) 갑자기 확대[축소]시키다. 「LENS.
zoom·er[zú:mər] *n.* =ZOOM-
zoom·ing[zú:miŋ] *n.* Ⓤ 〖軍〗 급상승, 줌상승; 〖컴〗 끝밀기, 확대.
zóom lèns 〖寫〗 줌 렌즈《경동(鏡胴)의 신축으로 초점 거리·사각(寫角)을 자유롭게 조절할 수 있는 렌즈》.
zo·on·o·my[zouánəmi/-ɔ́-] *n.* Ⓤ 동물 생리학.
zo·on·o·sis [zouánəsis/-ɔ́-] *n.* Ⓤ,Ⓒ 〖醫〗 동물 기생증《짐승에서 인간으로 옮는 질환》. 「동물 애호.
zo·oph·i·ly[zouáfəli/-ɔ́-] *n.* Ⓤ
zo·o·phyte[zóuəfàit] *n.* Ⓒ 식충(植蟲)《산호·말미잘 따위》.
zo·o·psy·chol·o·gy [zòuəsaikálədʒi/-kɔ́l-] *n.* Ⓤ 동물 심리학.
zo·o·spore[zóuəspɔ̀:r] *n.* Ⓒ 〖植〗 유주자(遊走子). 「분류학.
zo·o·tax·y[zóuətæ̀ksi] *n.* Ⓤ 동물
zóot sùit[zú:t-] 《美俗》 주트복(服)《어깨가 넓은 긴 윗도리에, 아래가 좁은 바지》. 「한.
zoot·y[zú:ti] *a.* 《俗》 화려한, 현란
Zo·ro·as·ter[zɔ́:rouæ̀stər, ∽-∠-] *n.* 이란의 조로아스터교의 개조(開祖)(*c.* 660-583B.C.)《이란어로는 Zarathustra》.
Zo·ro·as·tri·an [zɔ̀:rouǽstriən] *a., n.* 조로아스터(교)의, Ⓒ 조로아스터교도. **~·ism**[-ìzəm] *n.* Ⓤ 조로아스터교, 배화교(拜火敎).
Zou·ave[zu(:)á:v, zwa:v] *n.* Ⓒ 주아브병(兵)《아라비아 옷을 입은 알제리 사람으로 편성된 북아프리카의 프랑스 경보병(輕步兵)》; 〖美史〗 (주아브 복장을 한) 남북 전쟁의 의용병.
ZPG zero population growth.
Zr. 〖化〗 zirconium.
zuc·chet·to [zu:kétou, tsu:-] *n.* (*pl.* **~s**) Ⓒ 〖가톨릭〗 모관《신부는 검정, 주교는 보라, 추기경은 빨강, 교황은 흰색》.
zuc·chi·ni [zu(:)kí:ni] *n.* (*pl.* ~(**s**)) Ⓒ 《美》 (오이 비슷한) 서양 호박.
Zu·lu[zú:lu:] *n.* (*pl.* ~(**s**)), *a.* Ⓒ 줄루 사람《아프리카 남동부의 호전적인 종족》(의); Ⓤ 줄루어(語)(의); Ⓒ 원뿔꼴의 밀짚 모자.
Zu·rich[zúrik] *n.* 취리히《스위스 북부의 주(의 주도)》.
Zweig[tswaig], **Stefan**(1881-1942) 오스트리아 태생의 영국의 (반나치) 작가.
zwie·back [swí:bæk, -ba:k, zwí:-] *n.* (G.) Ⓒ 러스크《가벼운 비스킷》의 일종.
Zwing·li[zwíŋgli], **Huldreich** or **Ulrich** (1484-1531) 스위스의 종교 개혁자.
zy·gal[záigəl] *a.* H자 꼴의《특히 뇌의 열구(裂溝)》. 「합자(接合子).
zy·gote[záigout, zí-] *n.* Ⓒ 〖生〗 접
zy·mase[záimeis] *n.* Ⓤ 〖生化〗 치마아제, 발효소(發酵素).
zy·mol·o·gy[zaimálədʒi/-ɔ́-] *n.* Ⓤ 〖生化〗 발효학.
zy·mot·ic[zaimátik/-ɔ́-] *a.* 발효(성)의; 전염병[성]의.
zymótic diséase 발효병《발효가 병인(病因)으로 여겨졌던 smallpox 따위》. 「학(釀造學).
zy·mur·gy[záimə:rdʒi] *n.* Ⓤ 양조
zzz[zí:zí:zí:] *int.* 드르릉드르릉, 콜콜《코고는 소리》.

Z

부 록

I. SIGNS and SYMBOLS (기호와 약호)

.	period, full stop
,	comma
;	semicolon
:	colon
'	apostrophe
?	question mark
!	exclamation mark
—	dash
-	hyphen
" "	double quotation marks
' '	single quotation marks
/	virgule, slant
...(***)	ellipsis
···	suspension points
~	swung dash
·	dot
( )	parentheses
[ ]	brackets
< >	angle brackets
{ }	braces
*	asterisk
†	dagger
‡	double dagger
§	section: §12
¶	paragraph
☞	index, fist
⁂, ∴	asterism
©	copyright(ed)
®	registered trademark
@	at: 300@ \$700 each
%	percent
‰	per thousand
&	ampersand: Brown & Co.
&c.	and so on, and the rest
¢	cent(s)
\$, \$	dollar(s)
£	pound(s)
W, ₩	won

#	number: a #6 bolt pounds: 53#
♂ (♂)	male
♀	female
○	individual (female)
□	individual (male)
×	crossed with (of a hybrid)
+	plus
−	minus
×	multiplied by, times
÷	divided by
=	equals
<	is less than
>	is greater than
∞	infinity
∥	parallel: AB ∥ CD
∠	angle: ∠DEF
∟	right angle
⊥	perpendicular: EF⊥MN
$\frac{1}{2}$	a half
$\frac{2}{3}$	two thirds
$\frac{1}{4}$	a quarter
$7\frac{2}{5}$	seven and two fifths
$\frac{215}{329}$	two hundred (and) fifteen over three hundred (and) twenty-nine
0.314	zero point three one four
$\sqrt{9}$	the square root of 9
$\sqrt[3]{9}$	the cube root of 9
x^2	x squared
x^3	x cubed
x^n	x to the power of n, x to the nth power
$3'$	three feet, three minutes
$3''$	three inches, three seconds
50℃	fifty degrees centigrade
90°F	ninety degrees Fahrenheit

II. WEIGHTS and MEASURES (도량형)

Linear Measure (길이)

		1 inch	= 2. 54 cm	(1 cm = 0. 3937 in.)
12 inches	=	1 foot	= 0. 3048 m	(1 m = 3. 2808 ft.)
3 feet	=	1 yard	= 0. 9144 m	(1 m = 1. 0936 yd.)
5. 5 yard	=	1 rod	= 5. 029 m	(1 m = 0. 1988 rd.)
302 rods	=	1 mile	= 1. 6093 km	(1 km = 0. 6214 mi.)

Square Measure (넓이)

		1 square inch	= 6. 452 cm^2	(1 cm^2 = 0. 1550 sq. in.)
144 square inches	=	1 square foot	= 929. 0 cm^2	(1 cm^2 = 0. 0011 sq. ft.)
9 square feet	=	1 square yard	= 0. 8361 m^2	(1 m^2 = 1. 1960 sq. yd.)
30. 25 square yards	=	1 square rod	= 25. 29 m^2	(1 m^2 = 0. 0395 sq. rd.)
160 square rods	=	1 acre	= 0. 4047 ha	(1 ha = 2. 4711 acres)
640 acres	=	1 square mile	= 2. 590 km^2	(1 km^2 = 0. 3861 sq. mi.)

Cubic Measure (부피)

		1 cubic inch	= 16. 387 cm^3	(1 cm^3 = 0. 0610 cu. in.)
1728 cubic inches	=	1 cubic foot	= 0. 0283 m^3	(1 m^3 = 35. 3148 cu. ft.)
27 cubic feet	=	1 cubic yard	= 0. 7646 m^3	(1 m^3 = 1. 3080 cu. yd.)

Liquid Measure (액량) USA [Great Britain]

		1 gill	= 0. 1183 [0. 142] l	(1 lit. = 8. 4531 [7. 0423] gi.)
4 gills	=	1 pint	= 0. 4732 [0. 568] l	(1 lit. = 2. 1133 [1. 7606] pt.)
2 pints	=	1 quart	= 0. 9464 [1. 136] l	(1 lit. = 1. 0566 [0. 8803] qt.)
4 quarts	=	1 gallon	= 3. 7853 [4. 546] l	(1 lit. = 0. 2642 [0. 2200] gal.)

Dry Measure (건량) USA [Great Britain]

		1 pint	= 0. 5506 [0. 568] l	(1 lit. = 1. 8162 [1. 7606] pt.)
2 pints	=	1 quart	= 1. 1012 [1. 136] l	(1 lit. = 0. 9081 [0. 8803] qt.)
8 quarts	=	1 peck	= 8. 8096 [9. 092] l	(1 lit. = 0. 1135 [0. 1100] pk.)
4 pecks	=	1 bushel	= 35. 2383 [36. 368] l	(1 lit. = 0. 0284 [0. 0275] bu.)

Avoirdupois Weight (무게)

		1 dram	= 1. 772 g	(1 g = 0. 5643 dr. av.)
16 drams	=	1 ounce	= 28. 35 g	(1 g = 0. 0353 oz. av.)
16 ounces	=	1 pound	= 453. 59 g	(1 kg = 2. 2046 lb. av.)
2000 pounds	=	1 (short) ton	= 907. 185 kg	(1 kg = 0. 0011 s. t.)
2240 pounds	=	1 (long) ton	= 1016. 05 kg	(1 kg = 0. 0010 l. t.)

Troy Weight (금·은·보석 무게)

		1 grain	= 0. 0648 g	(1 g = 15. 4321 gr.)
24 grains	=	1 pennyweight	= 1. 5552 g	(1 g = 0. 6430 pwt.)
20 pennyweights	=	1 ounce	= 31. 1035 g	(1 g = 0. 0322 oz. t.)
12 ounces	=	1 pound	= 373. 24 g	(1 kg = 2. 6792 lb. t.)

Apothecaries' Weight (약제용 무게)

		1 grain	= 0. 0648 g	(1 g = 15. 4321 gr.)
20 grains	=	1 scruple	= 1. 296 g	(1 g = 0. 7716 s. ap.)
3 scruples	=	1 dram	= 3. 8879 g	(1 g = 0. 2572 dr. ap.)
8 drams	=	1 ounce	= 31. 1035 g	(1 g = 0. 0322 oz. ap.)
12 ounces	=	1 pound	= 373. 24 g	(1 kg = 2. 6792 lb. ap.)

III. 불 규 칙 동 사 표

1. 이탤릭체는 《古》 또는 《稀》　　2. 오른쪽 숫자는 본문 참조

현　　재	과　　거	과 거 분 사
abide	abode; abided	abode; abided
arise	arose	arisen
awake	awoke	awoke, awaked
baby-sit	baby-sat	baby-sat
be (am, *art*, is; are)	was, *wast, wert;* were	been
bear[2]	bore, *bare*	borne, born
beat	beat	beaten, beat
become	became	become
bedight	bedight	bedight, bedighted
befall	befell	befallen
beget	begot, *begat*	begotten, begot
begin	began	begun
begird	begirt; begirded	begirt; begirded
behold	beheld	beheld, *beholden*
bend	bent; *bended*	bent; *bended*
bereave	bereaved; bereft	bereaved; bereft
beseech	besought	besought
beset	beset	beset
bespeak	bespoke, *bespake*	bespoken, bespoke
bestride	bestrode; bestrid	bestridden; bestrid
bet	bet; betted	bet; betted
betake	betook	betaken
bethink	bethought	bethought
bid	bade, bad; bid	bidden; bid
bide	bided, bode	bided
bind	bound	bound
bite	bit	bitten, bit
bleed	bled	bled
blend	blended; blent	blended; blent
bless	blessed; blest	blessed; blest
blow[1]	blew	blown, 《俗》 blowed
blow[2]	blew	blown
break	broke; *brake*	broken; *broke*
breed	bred	bred
bring	brought	brought
broadcast	broadcast; broadcasted	broadcast; broadcasted
browbeat	browbeat	browbeaten
build	built	built
burn	burnt; burned	burnt; burned
burst	burst	burst
buy	bought	bought
can[1]	could	—
cast	cast	cast
catch	caught	caught
chide	chid; chided 《英에선 稀》	chid, chidden; chided 《英에선 稀》
choose	chose	chosen
cleave[1]	cleft; cleaved; clove	cleft; cleaved; clove
cleave[2]	cleaved, *clave, clove*	cleaved
cling	clung	clung

현 재	과 거	과 거 분 사
clothe	clothed; *clad*	clothed; *clad*
come	came	come
cost	cost	cost
creep	crept	crept
crow[2]	crowed, crew	crowed
curse	cursed; curst	cursed; curst
cut	cut	cut
dare	dared, *durst*	dared
deal	dealt	dealt
deep-freeze	deep-froze; -freezed	deep-frozen; -freezed
dig	dug; 《英古》 *digged*	dug; 《英古》 *digged*
dive	dived, 《美口》 dove	dived
do, does	did	done
draw	drew	drawn
dream	dreamed; dreamt	dreamed; dreamt
dress	dressed; *drest*	dressed; *drest*
drink	drank, *drunk*	drunk, drunken
drive	drove	driven
dwell	dwelt; 《稀》 *dwelled*	dwelt; 《稀》 *dwelled*
eat	ate; *eat*	eaten; *eat*
fall	fell	fallen
feed	fed	fed
feel	felt	felt
fight	fought	fought
find	found	found
flee	fled	fled
fling	flung	flung
fly[1]	flew; fled	flown; fled
forbear	forbore	forborne
forbid	forbade, forbad	forbidden
forecast	forecast; forecasted	forecast; forecasted
forego[1]	forewent	foregone
foreknow	foreknew	foreknown
forerun	foreran	forerun
foresee	foresaw	foreseen
foreshow	foreshowed	foreshown
foretell	foretold	foretold
forget	forgot, *forgat*	forgotten, forgot
forgive	forgave	forgiven
forgo	forwent	forgone
forsake	forsook	forsaken
forswear	forswore	forsworn
freeze	froze	frozen
frostbite	frostbit	frostbitten
gainsay	gainsaid	gainsaid
get	got, *gat*	got, 《英古·美》 gotten
ghost-write	ghost-wrote	ghost-written
gild[1]	gilded; gilt	gilded; gilt
gird	girded; girt	girded; girt
give	gave	given
gnaw	gnawed	gnawed, gnawn
go	went	gone
grave[3]	graved	graved, graven
grind	ground; 《稀》 *grinded*	ground; 《稀》 *grinded*
grow	grew	grown
hamstring	hamstringed;	hamstringed;

현 재	과 거	과 거 분 사
	hamstrung	hamstrung
hang	hung; hanged	hung; hanged
have, *hast*, has	had, *hadst*	had
hear	heard	heard
heave	heaved; hove	heaved; hove
hew	hewed	hewn, hewed
hide[1]	hid	hidden, hid
highlight	highlighted	highlighted
hit	hit	hit
hold	held	held, *holden*
hurt	hurt	hurt
indwell	indwelt	indwelt
inlay	inlaid	inlaid
inset	inset; insetted	inset; insetted
keep	kept	kept
kneel	knelt; kneeled	knelt; kneeled
knit	knitted; knit	knitted; knit
know	knew	known
lade	laded	laden, laded
lay	laid	laid
lead[2]	led	led
lean[2]	leaned; 《英》 leant	leaned; 《英》 leant
leap	leaped; leapt	leaped; leapt
learn	learned; learnt	learned; learnt
leave[1]	left	left
lend	lent	lent
let[1]	let	let
let[2]	let; letted	let; letted
lie[2]	lay	lain
light[1,2]	lighted; lit	lighted; lit
list[4]	list; listed	list; listed
lose	lost	lost
make	made	made
may	might	—
mean[3]	meant	meant
meet	met	met
melt	melted	melted, molten
meseems	meseemed	—
methinks	methought	—
misdeal	misdealt	misdealt
misgive	misgave	misgiven
mislay	mislaid	mislaid
mislead	misled	misled
misread	misread	misread
misspell	misspelled; misspelt	misspelled; misspelt
mistake	mistook	mistaken
misunderstand	misunderstood	misunderstood
mow[1]	mowed	mowed, mown
must	(must)	—
ought	(ought)	—
outbid	outbade; outbid	outbidden, outbid
outdo	outdid	outdone
outgrow	outgrew	outgrown
outride	outrode	outridden
outrun	outran	outrun
outshine	outshone	outshone

현재	과거	과거분사
outsit	outsat	outsat
outspread	outspread	outspread
outwear	outwore	outworn
overbear	overbore	overborne
overbid	overbid	overbid, overbidden
overcast	overcast	overcast
overcome	overcame	overcome
overdo	overdid	overdone
overdraw	overdrew	overdrawn
overdrink	overdrank	overdrunk
overdrive	overdrove	overdriven
overeat	overate	overeaten
overfeed	overfed	overfed
overgrow	overgrew	overgrown
overhang	overhung	overhung
overhear	overheard	overheard
overlay	overlaid	overlaid
overleap	overleaped; overleapt	overleaped; overleapt
overlie	overlay	overlain
overpay	overpaid	overpaid
override	overrode	overridden, overrid
overrun	overran	overrun
oversee	oversaw	overseen
overset	overset	overset
overshoot	overshot	overshot
oversleep	overslept	overslept
overspread	overspread	overspread
overtake	overtook	overtaken
overthrow	overthrew	overthrown
overwork	overworked; overwrought	overworked; overwrought
partake	partook	partaken
pay	paid	paid
pen[2]	penned; pent	penned; pent
pinch-hit	pinch-hit	pinch-hit
plead	pleaded; plead; pled	pleaded; plead; pled
prepay	prepaid	prepaid
proofread	proofread	proofread
prove	proved	proved, 《英古·美》 proven
put	put	put
quartersaw	quartersawed	quartersawed, quartersawn
quit	quitted; quit	quitted; quit
read	read	read
reave	reaved; reft	reaved; reft
rebuild	rebuilt	rebuilt
recast	recast	recast
reeve[1]	reeved; rove	reeved; rove
re-lay	re-laid	re-laid
rend	rent	rent
repay	repaid	repaid
reset	reset	reset
retell	retold	retold
rid	rid; ridded	rid; ridded
ride	rode; *rid*	ridden; *rid*
ring[1]	rang, 《稀》 ***rung***	rung

현 재	과 거	과 거 분 사
rise	rose	risen
rive	rived	rived, riven
roughcast	roughcast	roughcast
run	ran	run
saw[3]	sawed	sawn, 《稀》 *sawed*
say, *saith*	said	said
see	saw	seen
seek	sought	sought
seethe	seethed; *sod*	seethed; *sodden*
sell	sold	sold
send	sent	sent
set	set	set
sew	sewed	sewed, sewn
shake	shook	shaken
shall, *shalt*	should	—
shave	shaved	shaved, shaven
shear	sheared, *shore*	sheared; shorn
shed[2]	shed	shed
shine	shone; shined	shone; shined
shoe	shod	shod, shodden
shoot	shot	shot
show	showed	shown, 《稀》 *showed*
shred	shredded; *shred*	shredded, *shred*
shrink	shrank; *shrunk*	shrunk; shrunken
shrive	shrived, shrove	shrived, shriven
shut	shut	shut
sight-read	sight-read	sight-read
sing	sang; sung	sung
sink	sank; sunk	sunk; sunken
sit	sat, *sate*	sat
slay	slew	slain
sleep	slept	slept
slide	slid	slid, 《美》 slidden
sling	slung, *slang*	slung
slink	slunk, *slank*	slunk
slip[1]	slipped, *slipt*	slipped
slit	slit; *slitted*	slit; *slitted*
smell	smelled; smelt	smelled; smelt
smite	smote; *smit*	smitten; *smit*
sow	sowed	sown, sowed
speak	spoke; *spake*	spoken; *spoke*
speed	sped; speeded	sped; speeded
spell	spelled; spelt	spelled; spelt
spellbind	spellbound	spellbound
spend	spent	spent
spill	spilled; spilt	spilled; spilt
spin	spun, span 《美에선 古》	spun
spit[1]	spat; spit 《英에선 古》	spat; spit 《英에선 古》
split	split	split
spoil	spoiled; spoilt	spoiled; spoilt
spread	spread	spread
spring	sprang, sprung	sprung
squat	squatted; squat	squatted; squat
stand	stood	stood
stave	staved; stove	staved; stove
stay	stayed; staid 《英에선 古》	stayed; staid

현재	과거	과거분사
steal	stole	stolen
stick	stuck	stuck
sting	stung, *stang*	stung
stink	stank, stunk	stunk
strew	strewed	strewn, strewed
stride	strode	stridden
strike	struck	struck, 《때로》 *stricken*
string	strung	strung
strive	strove	striven
strow	strowed	strown, strowed
sunburn	sunburnt; sunburned	sunburnt; sunburned
swear	swore, *sware*	sworn
sweat	sweat; sweated	sweat; sweated
sweep	swept	swept
swell	swelled	swelled, swollen
swim	swam, *swum*	swum
swing	swung, *swang*	swung
take	took	taken
teach	taught	taught
tear[2]	tore	torn
telecast	telecast; telecasted	telecast; telecasted
tell	told	told
think	thought	thought
thrive	throve; thrived 《英에선 稀》	thriven; thrived 《英에선 稀》
throw	threw	thrown
thrust	thrust	thrust
toss	tossed; 《詩》 tost	tossed; 《詩》 tost
tread	trod; *trode*	trodden; trod
typewrite	typewrote	typewritten
unbend	unbent; unbended	unbent; unbended
unbind	unbound	unbound
undergo	underwent	undergone
understand	understood	understood
undertake	undertook	undertaken
underwrite	underwrote	underwritten
undo, undoes	undid	undone
uphold	upheld	upheld
upset	upset	upset
wake[1]	waked; woke	waked; woken, woke
waylay	waylaid	waylaid
wear	wore	worn
weave	wove, *weaved*	woven, 〖商〗 wove
wed	wedded	wedded, wed
weep	wept	wept
wend	wended; *went*	wended; *went*
wet	wet; wetted	wet; wetted
will, *wilt*	would	—
win	won	won
wind[2]	wound; 《稀》 *winded*	wound; 《稀》 *winded*
withdraw	withdrew	withdrawn
withhold	withheld	withheld
withstand	withstood	withstood
work	worked; wrought	worked; wrought
wrap	wrapped; wrapt	wrapped; wrapt
wring	wrung	wrung
write	wrote; *writ*	written; *writ*